Großbritannien

Irland

Frankreich

Andorra

Spanien

Portugal

Italien

Liebe Campingfreunde,

auf geht's in die neue Campingsaison. Der druckfrische ACSI Campingführer ist die perfekte Hilfe, um Ihren nächsten Urlaub zu planen. Wählen Sie aus einem riesigen Angebot an Campingplätzen. Für jeden Geschmack ist etwas dabei, ganz gleich ob es Sie in die Berge zieht oder eher ans Meer.

Das Angebot der deutschen und europäischen Campingplätze ist dabei wieder einmal enorm vielfältig. Aus einfachen Stellplatzwiesen sind teilweise moderne Freizeitanlagen mit allem Komfort entstanden. Wellness und unzählige Sportangebote haben Einzug gehalten und sind aus dem Repertoire der Campingplätze nicht mehr weg zu denken. Viele Plätze bieten alles – außer Langeweile. Das wird vor allem bei Familien sehr geschätzt. Doch auch wer den schlichten Platz in der Natur mit viel Ruhe sucht wird noch fündig.

Ganz gleich, wonach Sie suchen: Dieser Campingführer hilft Ihnen, den richtigen Platz zu finden! Bei einer Gesamtzahl von immerhin 8.500 Campingplätzen in den genannten Ländern dürfte das nicht allzu schwierig sein.

Obendrein können Sie hier auf den neuesten Informationsstand bauen. Denn alle in diesem Werk genannten Plätze werden Jahr für Jahr gründlich inspiziert – ein Aufwand, den sich derzeit vermutlich nur ACSI leistet. Wir sind das Ihnen, lieber Leser schuldig, denn nur so können Sie aus erster Hand verlässlich erfahren, was es auf den Campingplätzen tatsächlich Neues gibt.

Die 13. Ausgabe dieses neuen Standardwerkes haben wieder zwei Verlagshäuser in bewährter Kooperation realisiert, die beide seit Jahrzehnten dem Camping verpflichtet sind. CARAVANING, Deutschlands großes Camping-Magazin, schaut auf eine mehr als 55-jährige Geschichte zurück! Und das Schwesterblatt *promobil*, Europas größtes Reisemobil-Magazin, setzte bereits vor mehr als 30 Jahren als erste Zeitschrift ausschließlich auf den modernen Trend zum Reisemobil.

Ich wünsche Ihnen mit der Ausgabe 2015 viel Spaß bei der Suche nach Ihrem persönlichen Traumplatz und uns allen eine wunderschöne Campingsaison 2015.

Ihr Kai Feyerabend

Liebe ACSI-Leser,

seit nun 33 Jahren arbeite ich in diesem Verlag, den mein Vater Ed van Reine vor 50 Jahren gegründet hatte. Damals in meiner Jugend hörte ich schon am Küchentisch die ganzen Geschichten, die sich meist um Campingplätze gedreht hatten, über Redaktionsschluss und Probleme die schnell gelöst werden mussten.

ACSI hat aufregende Zeiten erlebt. Durch die Einwirkung eines unlauteren Mitarbeiters stand ACSI damals fast am Rande des Abgrunds. Ein Notfall. Nach anfänglicher Skepsis, hatte ich nach einem halben Jahr den Bogen raus bei ACSI. Mit nur einer Handvoll Leuten haben wir ACSI wieder in die Spur gebracht!

Inzwischen sind wir nicht mehr bloß der kleine Führer aus Holland, sondern bedienen den europäischen Camper mit fantastischen Campinginformationen, Campingrabatten und Campingreisen. Die innovativen ACSI-Produkte haben uns keine Windeier gelegt. Wir waren als erste mit unseren Campinginformationen gleich in mehreren Sprachen online. Recht schnell gefolgt von der ersten Camping-CD mit Routenplaner, später dann die DVD. Und letztes Jahr hatten wir gleich drei gewaltige Apps veröffentlicht, die man sowohl offline wie online benutzen kann.

Am meisten bin ich jedoch darauf stolz, dass wir immer an unseren Grundwerten festgehalten haben, die uns mein Vater mitgegeben hat. Qualität und Zuverlässigkeit! Das verdanken wir unseren 327 Inspektoren, die jährlich über 10.000 Campingplätze besuchen und einem motivierten Verlagsteam von 135 Mitarbeitern.

Letzten September haben wir mit unserem Inspektoren- und Verlagsteam unser 50-jähriges Jubiläum auf Campingplatz De Zanding in Otterlo gefeiert. In dieser familiären ACSI Atmosphäre war das ein tolles Campingerlebnis, wo jeder voller Zuversicht in die Zukunft geschaut hat.

Ich wünsche Ihnen viel Freude mit dem einen oder anderen unserer tollen Erzeugnisse. Sie werden mit Leidenschaft und Freude für Sie gemacht!

Ramon van Reine
Direktor ACSI

Inhalt

Jubiläum 100 Jahre Campen	6
Gebrauchsanweisung	10
Club ID	22
Erklärung Eurocampings.eu	25
Match2Camp	26
Wintersportcampingplätze	30
Ihre Meinung ist wichtig	40
FKK-Campingplätze	42
Campingplätze mit einem FKK-Teil	44
Das Inspektorenteam	46
Behindertengerechte Campingplätze	51
Fotos Inspektorenteam	569
Ortsnamenregister	579
(CC) CampingCard ACSI Campingplätze	608
Information / Reservierung	701

Unsere Inspektoren besuchten die folgenden Länder/Gebiete für Sie:

Großbritannien	**54**	Paris	142	*Aquitaine*	
South West	60	Essonne	142	Dordogne	204
South East	71	Seine-et-Marne	143	Gironde	213
West Midlands	76	*Centre*		Lot-et-Garonne	220
East Midlands	78	Loiret	144	Landes	221
East Anglia	80	Eure-et-Loir	145	Pyrénées-Atlantiques	227
Nord-England	83	Loir-et-Cher	146	*Champagne-Ardenne*	
Wales	88	Indre-et-Loire	149	Ardennes	230
Schottland	92	Indre	152	Marne	231
Nordirland	100	Cher	153	Aube	232
		Bretagne		Haute-Marne	233
Irland	**101**	Morbihan	154	*Lorraine*	
		Finistère	157	Meuse	234
Frankreich	**110**	Côtes-d'Armor	165	Meurthe-et-Moselle	235
Nord-Pas-de-Calais		Ille-et-Vilaine	169	Moselle	235
Nord	118	*Pays de la Loire*		Vosges	237
Pas-de-Calais	119	Mayenne	172	*Alsace*	
Picardie		Sarthe	172	Bas-Rhin	243
Somme	121	Maine-et-Loire	174	Haut-Rhin	245
Aisne	125	Loire-Atlantique	176	*Franche-Comté*	
Oise	126	Vendée	178	Haute-Saône/	
Haute-Normandie		*Poitou-Charentes*		Territoire-de-Belfort	248
Seine-Maritime	127	Charente-Maritime	186	Doubs	250
Eure	129	Deux-Sèvres	196	Jura	251
Basse-Normandie		Vienne	197	*Bourgogne*	
Calvados	131	Charente	198	Côte-d'Or	253
Orne	134	*Limousin*		Yonne	255
Manche	135	Creuse	199	Nièvre	256
Ile-de-France		Haute-Vienne	200	Saône-et-Loire	258
Val-d'Oise & Yvelines	139	Corrèze	202		

Auvergne
Allier	261
Puy-de-Dôme	263
Haute-Loire	266
Cantal	267

Midi-Pyrénées
Lot	269
Aveyron	273
Tarn-et-Garonne	277
Tarn	278
Gers	279
Hautes-Pyrénées	281
Haute-Garonne	284
Ariège	285

Rhône-Alpes
Loire	287
Rhône	288
Ain	289
Haute-Savoie	292
Savoie	297
Isère	299
Drôme	302
Ardèche	306

Languedoc-Roussillon
Lozère	314
Gard	317
Hérault	322
Aude	337
Pyrénées-Orientales	340

Provence-Alpes/Côte d'Azur
Hautes-Alpes	350
Alpes-de- Haute-Provence	353
Vaucluse	358
Bouches-du-Rhône	362
Var	366

Rivièra/Côte d'Azur
Alpes-Maritimes	383

Korsika | 385 |

Andorra | **390**

Spanien | **394**
Barcelona/Gerona	400
Tarragona	409
Lérida	415
Comunidad Valenciana	417
Aragón	426
País Vasco/Navarra/ La Rioja	429
Cantabria	431
Galicia	433
Asturias	435
Castilla y Leon/Madrid	437
Extremadura/ Castilla-La Mancha	440
Andalucía	442
Murcia	450

Portugal | **452**
Nord-Portugal	459
Süd-Portugal	463

Italien | **467**
Valle d'Aosta	474
Piemonte	475
Liguria	482
Lombardia	487
Trentino/Südtirol	491
Gardasee	497
Veneto	508
Friuli-Venezia Giulia	517
West-Emilia Romagna	518
Ferrara/Ravenna	520
Forlì-Cesena/Rimini/ San Marino	523
Toscana	526
Umbria	538
Marche	540
Lazio	543
Abruzzo/Molise	547
Campania	549
Basilicata	551
Puglia	552
Calabria	556
Sardinien	560
Sizilien	565

CARAVANING Hallwag

2015 • 13. Deutsche Ausgabe Auflage 23.000

Motor Presse Stuttgart GmbH & Co. KG
Geschäftsbereich Aktive Freizeit
Leuschnerstr. 1
70174 Stuttgart
Deutschland
Tel. 00 49 / 711 / 1 82 01

In Kooperation mit
ACSI Publishing BV
Geurdeland 9, Andelst

Postadresse:
Postbus 34
6670 AA Zetten, Niederlande
Tel. 00 31 / 488 / 452055

Herausgeber
Kai Feyerabend

Fragen oder Anmerkungen?
Für Camper:
www.acsi.eu/Kundendienst
Für Campingplätze:
www.acsi.de/kontakt

Karten
MapCreator BV, 5628 WB Eindhoven
Internet: www.mapcreator.eu
©Here

Anzeigen Schweiz
SPATZ Camping + Touring Service
Zürich, Schweiz

Druck
Roto Smeets GrafiServices Utrecht, NL
Printed in the Netherlands.

Bindung
Hexspoor BV, Boxtel, NL

ISBN: 9789492023001

Leading Camping in Europa

Von Dänemark bis Spanien, an weißen Stränden oder in den Bergen – Leading Campings finden Sie stets in den schönsten Regionen Europas. LeadingCampings heißt Camping Erster Klasse, und darauf können Sie sich verlassen:

Großzügige Feriendomizile, voll ausgestattet. Wählen Sie zwischen klassischen Mietcaravans, funktionellen Mobilheimen, heimeligen Chalets, regionaltypischen Ferienhäusern oder -wohnungen. Schwimmbäder, Wellness- und Sportmöglichkeiten. Ausgebildete Animationsteams, Gastronomie und Freizeitangebote: alles Leading. Und Kinder sind besonders gerne gesehen.

Wenn Sie mehr wissen wollen, fordern Sie einfach unseren Katalog an, telefonisch, per Post oder besuchen Sie uns im Internet:

www.leadingcampings.com

Wir freuen uns auf Sie.

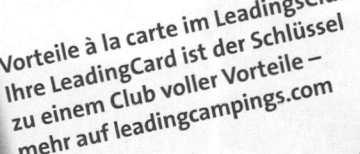

Vorteile à la carte im LeadingsClub! Ihre LeadingCard ist der Schlüssel zu einem Club voller Vorteile – mehr auf leadingcampings.com

LeadingCard
First Class Holidays in Europe

The pleasure of leisure **LeadingCampings**

LeadingCampings · Kettelerstr. 26 · D-40593 Düsseldorf · Tel. +49 (0) 2 11/ 87 96 49 95 · www.leadingcampings.com

Hurra: Doppelfeier: 100 Jahre Campen und 50 Jahre ACSI

Ein Kanu, ein Stoffzelt und Proviant. Damit ist der erste Camper Anfang des 20. Jhdts. in England auf die Reise gegangen. Der holländische Schneider Carl Denig wurde damals in London davon inspiriert, als er die Campingabenteuer seines Kollegen Thomas Hiram Holding aufgeschnappt hatte. Er ging mit einem selbst genähten Zelt auf die englische Insel Wight zum Campen. Zurück in Holland gefiel den Leuten seine Geschichte, worauf Denig die Idee hatte, anstatt Kleider von jetzt ab Zelte herzustellen.

Vom Elitehobby zum Volkssport

Bis dahin wurde Campen von den Pfadfindern, organisierten Jugendgruppen und dem Militär wahrgenommen. Nur die 'lucky few', die sich eine Campingausrüstung leisten konnten, zogen raus in die Natur. Campen wurde eher sportlich gesehen. Nach dem 2. Weltkrieg veränderte sich das und in Holland stieg Campen zum Massenphänomen auf.

Die Gesundheitsbehörden waren der Ansicht, dass die frische Luft und Ruhe dem allgemeinen Wohlbefinden gut tat. Zelte wurden billiger und das Campen erfuhr einen rasanten Anstieg. In den sechziger Jahren saß man dichtgedrängt auf den Campingplätzen in den Dünen und sang frohgemut mit der Gitarren ums Lagerfeuer. In dieser Zeit gewann das Bungalowzelt an Beliebtheit und danach war der Wohnwagen im Kommen.

Gründer Ed van Reine

ACSI kommt nachschauen

Der Lehrer Ed van Reine war ein anspruchsvoller Camper und zog 1965 im Sommer mit seiner Familie los. Endlich auf einem Camping in Spanien angekommen, schien kein Platz mehr frei zu sein. Das war nach der langen Reise höchst ärgerlich. Mit zwei Lehrerkollegen dachte er vor Ort über ein Reservierungssystem von Holland aus, für populäre Campingplätze in Europa nach. 'Auto Camper Service International', mit anderen Worten: ACSI war geboren. Zu dritt suchten Sie 55 Campingplätze aus. Zurück daheim in Holland wurden die Hintergrundinformationen zu den Plätzen gesucht und das ganze veröffentlicht. Ziel war, dass kein einziger Camper mehr vor einem vollen Camping stehen sollte, weil er Dank der Infos aus dem Führer vorab reservieren konnte. Für 1,- Gulden schon war das Büchlein zu haben. In einer Zeit, in der Campen zum 'Volkssport Nummer Eins' wurde, war ein solcher Führer sehr gefragt.

Allrounder in der Campingwelt

Langsam wuchs ACSI in der Campingwelt zu einem Betrieb mit einem breiten Produktangebot heran. So wurden über die Jahre die ACSI Campingreisen, die ACSI Club ID, Eurocampings und die unterschiedlichsten neuen Führer mit Teilgebieten und Themen herausgebracht. Heutzutage sorgen über 300 Inspektoren dafür, dass nur qualitativ hochwertige Campingplätze in den ACSI Führern erscheinen. War das Auswählen der Campingplätze zunächst noch reines Hobby, ist es heute ein hartes Stück Arbeit. Ausgerüstet mit Produktinformationen, Verträgen, Anweisungen, Führern, Karten, Schildern und Flaggen ziehen die Inspektoren jedes Jahr raus in ihr Inspektionsgebiet. Dank ihnen ist ACSI in 50 Jahren zum europäischen Marktführer herangewachsen, der jährlich 500.000 Führer in 14 Ländern an den Camper bringt.

"Individuelle Freiheit mit den Vorteilen einer Gruppe"

Wie finden Sie den Camping?

Die Suche nach einem Camping in den ACSI Campingführern ist sehr einfach. Jedes Land beginnt mit einer Landkarte. Diese Landkarte ist eingeteilt in Provinzen bzw. Regionen. Diese Landesteile korrespondieren mit der Teilkarte weitergehend im Führer. In jeder Provinz/Region ist angegeben, auf welcher Seite sich diese Teilkarte befindet.

Auf der Teilkarte können Sie sich ausreichend informieren, um einen Camping zu finden. Sie finden die wichtigen Straßen angezeigt, die Ortsnamen und die Zeltchen für die Campings. Es gibt sowohl offene als geschlossene Zeltchen. Ein offenes Zeltchen bedeutet, dass ein Camping unter dem Ortsnamen im Führer aufgenommen ist. Ein geschlossenes Zeltchen bedeutet, dass mehrere Campings unter dem Ortsnamen zu finden sind. Hinter der Teilkarte finden Sie die Campings in diesem Gebiet in alphabetischer Reihenfolge der Ortsnamen.

Einzelne Länder haben abweichende Karten-Maßstäbe. Sonst würden manche Karten zu unübersichtlich. Dies betrifft die Karten von Großbritannien, Frankreich, Spanien und Italien. In Großbritannien sind die Straßenkonzentrationen rund um die großen Städte wie London, Birmingham und Manchester so dicht, daß dies zur Verwirrung des Lesers führen würde. Wir haben uns deshalb dazu entschlossen, einige Straßen wegzulassen. Im Falle Frankreichs wird die administrative Einteilung in Departements übernommen.

Kleine Länder bzw. Gebiete sind in den (größeren) Nachbarländern eingegliedert. Die Campings in San Marino finden Sie in Italien. Länder mit relativ wenigen Campings haben keine Teilkarten.

Hierunter ist beschrieben, wie Sie schnell einen Camping nach Ihrem Geschmack finden können.

Wissen Sie den Ortsnamen?

Gehen Sie ins Ortsnamenregister auf Seite 579 und weiter. Hinter dem Ortsnamen finden Sie die Seitennummer des/der Camping(s), der/die in diesem Ort liegt/liegen.

A	
Abejar	437
Abejar/Soria	437
Aberaeron	88

Campingplätz Park Soline in Biograd na Moru (HR)

Landkarte

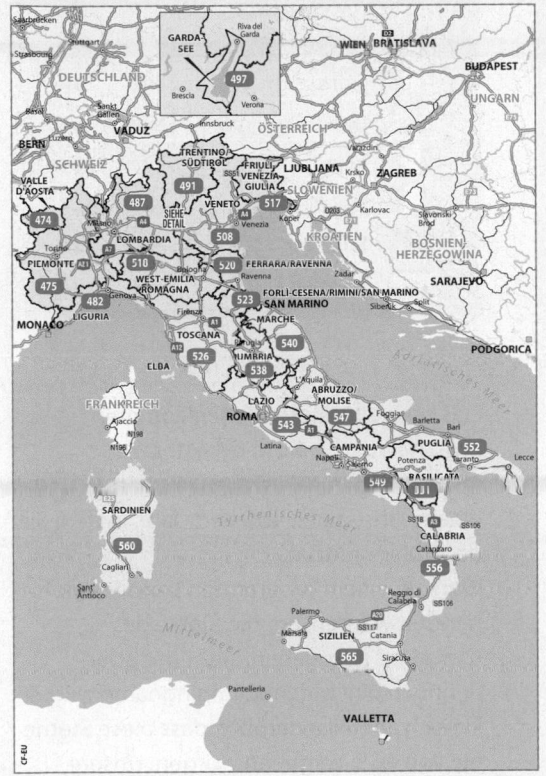

Teilkarte

Calabria

Legende

A   Ein offenes Zelt, bedeutet daß sich hier ein Campingplatz befindet.

▲   Ein geschlossenes Zelt, bedeutet daß hier mehrere Campingplätze zu finden sind.

▲▲   Camping(s) die ⓒⓒ CampingCard ACSI akzeptieren.

152   Auf dieser Seite finden Sie das Teilgebiet.

〳   Dies sind die Grenzen des Teilgebietes.

130▶   Pfeile mit Seitenangaben am Kartenrand verweisen auf angrenzende Gebiete.

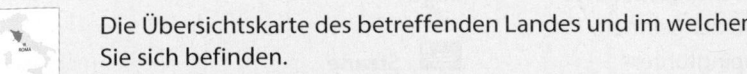   Die Übersichtskarte des betreffenden Landes und im welchen Teilgebiet Sie sich befinden.

Suchen Sie ein bestimmtes Land?

Sie wissen in welches Land Sie (eventuell) in Urlaub wollen? Vorne im Führer finden Sie eine Aufstellung aller Länder, so dass Sie sofort das Land Ihrer Wahl aufsuchen können. Jedes Land beginnt mit einer Landkarte. Diese Landkarte ist eingeteilt in Provinzen bzw. Regionen, auch Teilgebiet genannt. Suchen Sie auf der Landkarte die Region/Provinz aus, wohin Sie wollen. In dieser Region/Provinz stehen die Seitenzahlen, wo Sie die Teilkarten finden können. Auf der Teilkarte können Sie sich ausreichend orientieren, um einen Camping zu finden. Sie finden die wichtigen Straßen angezeigt, die Ortsnamen und Zeltchen für die Campings. Hinter der Teilkarte finden Sie die Campings in diesem Gebiet in alphabetischer Reihenfolge der Ortsnamen. An den Rändern der Teilkarte sehen Sie Pfeile mit einer Seitenzahl darin, wo die angrenzende Teilkarte zu finden ist.

Weitere Erläuterungen

 Name des Campings, Sterne und andere Klassifizierungen

ACSI gibt den Campings keine Sterne oder andere Klassifizierungen. Die gemeldete Sternenangabe oder andere Arten von Klassifizierungen sind durch örtliche Instanzen dem Camping zuerkannt. Sterne sagen nicht immer etwas über die Qualität, aber oft etwas über den Komfort, den die Campings bieten. Je mehr Sterne, umso mehr Ausstattung, aber oft auch... ein höherer Preis.
Es ist übrigens unmöglich eine garantierte Wiedergabe über das Maß der Reinheit/Sauberkeit in einem Campingführer anzugeben. Jedes Jahr werden viele Anlagen von den Inhabern verändert.

Alphabetische Ländertabelle		
Andorra	Seite	**390**
Frankreich	Seite	**110**
Großbritannien	Seite	**54**
Irland	Seite	**101**
Italien	Seite	**467**
Portugal	Seite	**452**
Spanien	Seite	**394**

Das kann zu Unterschieden kommen zwischen dem Jahr, in dem unsere Inspektoren den Platz besucht hatten und einem Jahr später, also dem Jahr, in dem Sie den Führer nutzen.
Wenn in einem bestimmten Land Sterne benutzt werden, um die Klasse des Campings anzugeben, steht das aber dennoch hinter dem Campingnamen. Seien Sie sich aber klar darüber, dass diese Sterne nie von ACSI vergeben wurden. Unsere Inspektoren sind nicht verantwortlich für die Qualität der Einrichtungen, nur für die Meldung des Vorhandenseins dieser Einrichtung. Das Urteil, ob nun ein Camping schön ist oder nicht und ob er gerade für Sie zwei oder vier Sterne wert ist, müssen Sie selbst fällen. Die Geschmäcker und Wünsche sind nun mal verschieden. Ein guter Rat: wenn Sie es nicht nach Ihren Vorstellungen antreffen, bleiben Sie keine zehn Tage auf dem selben Platz. Packen Sie Ihre Sachen und reisen weiter. Wer weiß, was da noch schönes hinter dem Horizont liegt!

Straße

🔑 Öffnungszeitraum

Die von der Campingdirektion gemeldete Periode, in der der Camping 2015 geöffnet sein wird. Manche Campings kennen 2 Öffnungszeiträume. In diesem Fall sind beide Perioden gemeldet, zum Beispiel 01/04-30/09, 01/12-31/12. Leider wollen einige Campings (vorallem in der Vor- und Nachsaison) darüber hinaus ziemlich von der von Ihnen angegebenen Öffnungsperiode abweichen. Sie können eine Woche früher oder später offen/geschlossen sein als das 2014 vorgesehen war. Sorgen Sie also dafür, dass Sie in der Vor- und Nachsaison nicht zu früh oder zu spät beim Camping eintreffen. Eben mal beim betreffenden Camping anrufen ist daher zu empfehlen. Rechnen Sie auch damit, dass in der Vor- und Nachsaison nicht alle Einrichtungen offen sind. Oft sind Schwimmbad, Laden, Freizeitprogramme usw. erst später in der Saison in Betrieb. Siehe auch in dem hierunter Beschriebenen über Einrichtungen, welche das sein können. Weiterhin wird auch die Personalbesetzung in der Vor- und Nachsaison etwas geringer sein.

☎ Telefonnummer

Die Telefonnummer des Campings. Die internationale Zugangsnummer ist bei jedem Camping gemeldet. Rufen Sie bspw. von Deutschland oder Österreich aus an, dann wählen Sie die Nummer zwischen den Klammern (meistens ist das die Null der Ortskennzahl) nicht.

FAX Faxnummer

Die Faxnummer des Campings. Wir melden sie nur, wenn der Camping nicht über eine E-Mailadresse verfügt. Hinten in diesem Führer finden Sie einen Reservierungscoupon. Wenn Sie möchten, können Sie eine Kopie davon zum Camping Ihrer Wahl faxen. Diesen Coupon kann man auch benutzen, wenn man nur eine Extrainformation anfragen möchte.

@ E-Mail

Die E-Mailadresse des Campings. Fast alle Campings haben eine E-Mailadresse. Sie können also direkt mit dem Camping zu Informations- oder Reservierungszwecken Kontakt aufnehmen.

📶 GPS-Koordinaten

Benutzen Sie ein Navigationssystem, dann sind die GPS-Koordinaten des Campings fast unentbehrlich. ACSI hat in diesem Führer gerade für die Nutzer eines

Inspektion auf Camping Yelloh! Village Le Club Farret, Vias-Plage (F)

Camping Parc La Clusure in Bure/Tellin (B)

Navigationssystems die GPS-Koordinaten notiert. Unsere Inspektoren haben am Schlagbaum des Campings die Koordinaten gemessen, also kann fast nichts mehr schief gehen. Aber...Vorsicht. Denn nicht alle Navigationssysteme sind auf eine Kombination Auto-Caravan eingestellt. Lesen Sie darum auch immer die Routenbeschreibung, die beim Camping steht und vergessen Sie nicht auf die Schilder zu achten. Denn der kürzeste Weg ist nicht immer der leichteste.

In manchen Fällen kommen Sie mit dem Navi nicht am Camping an, wenn Sie den Koordinaten zum Schlagbaum folgen. In diesen Fällen hat man sich dafür entschieden auf die Zufahrtstraße zum Campingplatz zu navigieren. Wenn Sie ab diesem Punkt den Hinweisschildern folgen,

können Sie den Camping fast nicht mehr verfehlen!

Die GPS-Koordinaten werden wiedergegeben in Graden, Minuten und Sekunden. Kontrollieren Sie darum bei der Eingabe in Ihr Navigationssystem, ob dieses auch in Graden, Minuten und Sekunden eingestellt ist. Vor der ersten Zahl steht ein N. Vor der zweiten Zahl ein E oder ein W (rechts oder links gelegen vom Greenwich-Meridian).

 **W-Lan/WiFi Hotspot und/oder**
W-Lan/WiFi 80%

Gibt es auf einem Camping einen W-Lan/WiFi Hotspot, dann gibt es auf der Anlage eine Stelle, wo man drahtlos ins Internet kommt. Im Redaktionseintrag steht bei diesem Camping folgendes Symbol

“Schön viel Platz zum spielen mit unseren neuen Freunden!”
Jetzt erhältlich: die CC -App
CC 2015
12. Ausgabe
CampingCard ACSI
Die Ermäßigungskarte für die Vor- und Nachsaison
2940 Campingplätze
12 14 16 18
Mit Rabatt in der Nebensaison campen
• Auf 613 CampingCard ACSI Plätzen maximal 3 (Klein)Kinder bis 6 Jahre gratis
• Bis zu 50% Rabatt auf 2.940 Campingplätzen in Europa
• Campen für 12 €, 14 €, 16 € oder 18 €
• Jährlich von ACSI inspizierte Campingplätze
• Die CampingCard ACSI-App: extra für die Benutzer dieses Führers, auch offline anwendbar
* ACSI Club ID-Mitglieder: 13,95 € Abonnement: 9,95 €
Nichtmitglieder: 14,95 € Abonnement: 10,95 €
ACSI
SEIT 50 JAHREN DER BESTE
Bestellen Sie bequem über: WEBSHOP.ACSI.eu

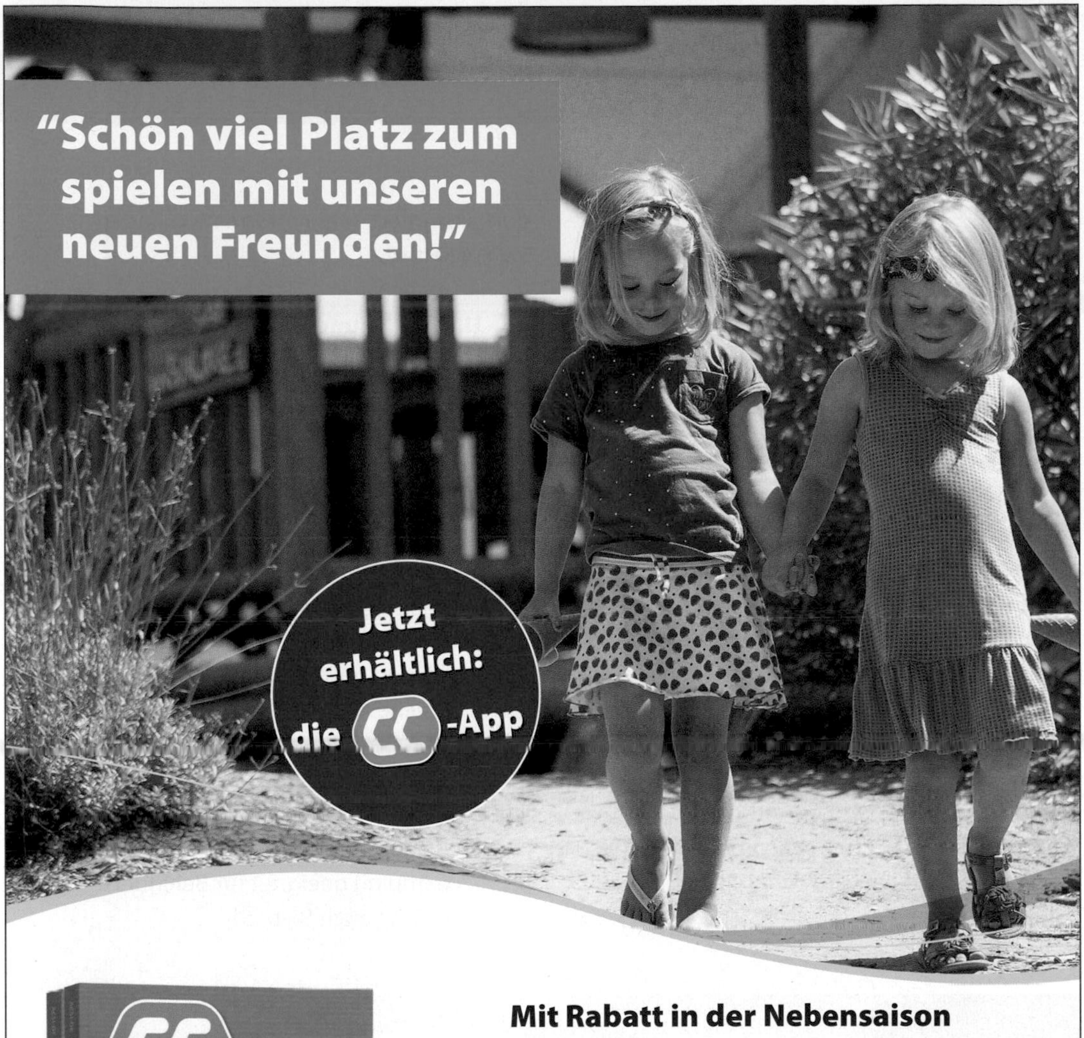

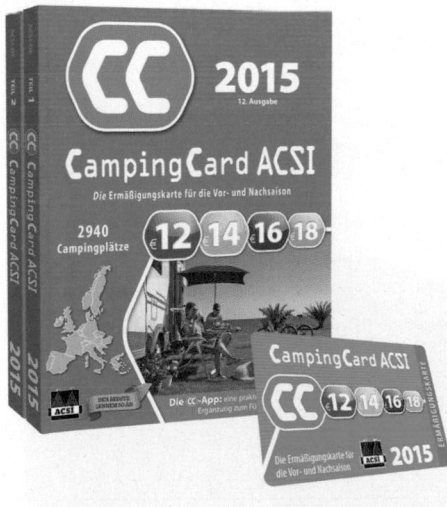

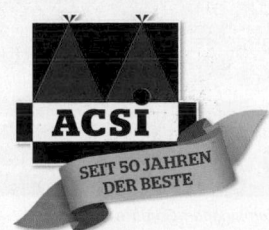

Gibt es 80% W-Lan/WiFi-Empfang, können Sie auf dem größten Teil der Anlage drahtlos ins Internet. Im Redaktionseintrag steht bei diesem Camping folgendes Symbol 📶

CampingCard ACSI
Wenn dieses Zeichen mit dem Betrag € 12, € 14, € 16 oder € 18 beim Camping angegeben ist, dann nimmt dieser Platz an der CampingCard ACSI teil. Zu dem hier angegeben Tarif können Sie in der Vor- und Nachsaison übernachten, wenn Sie eine gültige CampingCard haben. Mehr Informationen finden Sie auf Seite 608 und weiter.

ACSI Club ID
Wenn Sie dieses Zeichen sehen bei einem Campingplatz, dann wird die ACSI Club ID dort akzeptiert. Mehr Information finden Sie auf Seite 22.

✿ Umweltfreundlicher Camping
Von einer Umweltorganisation aus dem betreffenden Land anerkannt.

Spezielle Campings oder Campings mit bestimmten Eigenschaften
Oben in dem hellgrünen Block finden Sie oft Angaben wie W **FKK** FKK B. Hiermit wird angegeben, ob Campings bestimmte Eigenschaften haben.

W = Wintersportcampingplatz
    – siehe auch Seite 30
FKK = FKK-Campingplatz
    – siehe auch Seite 42
FKK = Camping mit einem FKK-Teil
    – siehe auch Seite 44
B = Camping geeignet für Behinderte
    – siehe auch Seite 51

Campingpark Garda in Limone (I)

Höhenlage eines Campings

Hier wird die Höhenlage eines Campings in Metern gemeldet. Übrigens wird diese Zahl erst bei einer Höhenlage des Campings von mindestens 50m/ü. NN angegeben. Am Abend und in der Nacht kann die Temperatur auf einem 'Camping auf der Höhe' ordentlich fallen. Auch für Menschen mit Herzproblemen oder Atemwegserkrankungen zum Beispiel kann es wichtig sein, die Höhenlage des Campings zu beachten.

Oostappen Vakantiepark Prinsenmeer in Asten/Ommel (NL)

Oberfläche des Campings

Mit dieser Zahl wird die Oberfläche des Campings ins Hektar angegeben (1 ha = 10.000 m²). Je größer der Camping, umso größer ist auch oft die Zahl der Einrichtungen. Bei einem kleineren Camping können Sie nicht nur weniger Einrichtungen antreffen, sondern auch mehr Ruhe. Oftmals verfügt ein kleinerer Camping auch über einfachere Einrichtungen.

Tourplätze/Feste Stellplätze

Die Zahl, die vor dem T steht, gibt die Anzahl der Tourplätze auf dem Camping an. Die Zahl vor dem D weißt auf Plätze hin, die nicht für den Tourcamper bestimmt sind, sondern für Dauercamper. Darunter fallen nicht nur Plätze die für Saisoncamper bestimmt sind (Saisonplätze und Nebensaisonplätze), sondern auch alle Mietobjekte. Mit der Anzahl der Tourplätze können Sie ungefähr einschätzen, ob Sie es mit einem kleinen oder großen Camping zu tun haben und was sehr wichtig ist: Sie bekommen mit der Anzahl der Dauerplätze eine Einschätzung, worauf der Camping Wert legt. Besteht ein Camping vornehmlich aus Dauerplätzen, dann können Sie davon ausgehen, dass

Sie als Tourcamper meist die minderen Plätze zugeteilt bekommen. Sie laufen auch bei einem Camping mit überwiegend Dauerplätzen die Gefahr, keinen freien Tourplatz zu finden.
Bei Campings wo die Anzahl etwa gleich ist, wird oft eine Aufteilung zwischen Tourplätzen und Dauerplätzen gemacht.

Kleinster / größter Tourplatz

Hinter der Anzahl der Tourplätze finden Sie eine Angabe über die Abmessung der Tourplätze. Steht dort z.B. (80-120 m²), dann können Sie davon ausgehen, dass der kleinste Tourplatz 80 m² misst und der größte Tourplatz 120 m². So haben Sie eine gute Einschätzung der Größe der Tourplätze.

Richtpreis 1 / Richtpreis 2

In den ACSI Campingführern handhaben wir 2 Richtpreise. Es wird unterschieden zwischen der Kombination mit und ohne Kinder.
Richtpreis 1:
2 Erwachsene, 1 Auto, 1 Caravan, Touristenabgaben (2 Erwachsene), Umweltabgabe und Strom (niedrigste Ampère).

Richtpreis 2:
Wie Richtpreis 1, nur inklusive 2 Kinder von
6 und 9 Jahren.
Da beide Preisen im Führer gemeldet sind,
bekommen Sie als Camper eine bessere
Preiseinschätzung.
Sowohl bei Richtpreis 1 und 2 betrifft das
die Preise für einen Stellplatz pro Nacht, als
auch die, die in der **Hochsaison** berechnet
werden. Das ist der Tarif für Stellplätze,
wobei die meisten davon auf dem Camping
sogenannte Standardplätze sind. Für
Komfortplätze muss extra bezahlt werden
(das sind Plätze oft mit RTV-Anschluss und
Wasseranschluss und -abfuhr). Die Preise
basieren auf dem Preis in der Valuta des
Landes Stand September 2014. Die Valuta
und der Kurs findet man erwähnt unter der
Überschrift 'Währung und Geld' auf der Seite
mit den Länderinfos. Genannter Richtpreis
ist in Euro.
Achtung!! Die Preise wurden notiert beim
letzten Besuch des Inspektors auf dem
Camping, d.h. dass Sie im Führer 2015 Tarife
antreffen, die 2014 Anwendung fanden.
Die Preise sind indikativ und geben keine
Sicherheit.
**Die Preise, die wir Ihnen angeben (die
ACSI-Richtpreise) sind also sicher keine
Angaben, mit denen Sie genau auf den
Cent ausrechnen können, was Ihr Urlaub
an Campingkosten kosten wird.**
Dennoch können die ACSI-Richtpreise
wichtig für Sie sein. Mit deren Hilfe können
Sie nämlich feststellen, ob Sie es mit einem
teuren oder günstigen Camping zu tun
haben. Es gibt Campings mit Richtpreisen,
die weitüber € 30 pro Tag liegen. Aber....
es gibt auch welche, wo Sie unter € 15
campen können. Und das sind ganz schöne

Recreatiepark TerSpegelt, Eersel (NL)

Camping Des Glaciers in La Fouly (CH)

Unterschiede, die auf Ihr Urlaubsbudget Einfluss haben können.

Ampère
Wir melden bei jedem Camping die maximale Ampèrezahl, über die der Camping verfügt. Es kann passieren, dass es Plätze auf dem Camping gibt mit niedrigerer Ampèrezahl.

CEE
Diese Angabe bedeutet, dass ein dreipoliger Eurostecker notwendig ist.

Einrichtungen
Wie schon vorher beschrieben, beurteilt ACSI die Campings nicht hinsichtlich der Sterne oder anderen Bewertungssymbolen. ACSI kann über nicht weniger als 217 verschiedene Punkten informieren, was und was Sie nicht auf einem Camping antreffen.

Die Einrichtungen sind auf sehr übersichtliche Weise in 10 verschiedene Rubriken unterteilt. Aus der Rubrik 1 (Reglement), können Sie bspw. entnehmen, ob Sie den ACSI Club ID nutzen können, oder ob Sie einen Hund mitbringen dürfen. Ihre Teenager schauen natürlich direkt, ob unter Rubrik 4 einer der Punkte M oder N (Diskothek oder Disco-Abende) auch aufgenommen ist.

Das erste, was ein leidenschaftlicher Angler tun wird, ist natürlich nachschauen, ob in Rubrik 6 Punkt N (Angelmöglichkeit) auch gemeldet ist. So erhalten Sie eine vollkommen objektive Beurteilungsweise.

In der Umschlagseite dieses Führers finden Sie eine Aufstellung aller Einrichtungen. Diese Einrichtungsliste können Sie neben dem Camping Ihrer Wahl aufklappen. Bei jedem Camping in den ACSI Führern werden die Einrichtungen die vorhanden sind durch Buchstaben angegeben. Mit vorhanden meinen wir auf dem Camping anwesend. Wenn ein Schwimmbad oder eine andere Einrichtung direkt neben dem Camping liegt und die entsprechenden Einrichtungen dürfen vom Campinggast genutzt werden, dann sind diese Buchstaben der Einrichtung auch gemeldet. Sie können so auch nachschauen, ob diese bestimmte Einrichtung extra bezahlt werden muss.

Auf der Einrichtungsliste haben wir ein Sternchen bei den Einrichtungen platziert, von denen die Inspektoren 2014 kontrolliert haben, ob sie gratis sind oder bezahlt werden müssen. Wenn für bestimmte Einrichtungen extra bezahlt werden muss, dann ist die betreffende Einrichtung **fett** gedruckt. Zum Beispiel 3M will sagen, dass Sie gratis Tennis spielen können, 3**M** will sagen, dass Sie dafür extra zahlen müssen. Einrichtungen bei denen kein Sternchen steht, werden nie fett gedruckt, aber das heißt nicht, dass sie gratis sind.

Lieber damit rechnen, dass nicht alle erwähnten Einrichtungen während der gesamten Öffnungsperiode verfügbar sind. Sie haben hauptsächlich Bezug auf die Hochsaison. Im Prinzip sind das immer die Sommerferien. Meistens betrifft es die Einrichtungen 10A (Deutsch gesprochen an der Rezeption), 2O (öffentliches Verkehrsmittel beim Campingplatz), 3, 4 und 6 teilweise (Sport und Spiel, Erholung und Wellness, Erholung am Wasser) und teilweise 5 und 9 (Einkauf und Restaurant und Mieteinrichtungen).

Die vollständige Einrichtungsliste finden Sie auf der ausklappbaren Vorderseite des Führers. Die vorhandenen Einrichtungen auf einem Camping stehen bei jedem Camping separat gemeldet. Sollte dennoch bestimmtes Wissenswertes nicht in unserem Führer gemeldet sein, nehmen Sie bitte Kontakt mit dem Camping auf.

Match2Camp

Mit Match2Camp finden Sie noch leichter den Camping Ihrer Wahl. Mehr Informationen finden Sie auf Seite 26.

Extra ACSI-Service!

Hinten in diesem Führer finden Sie Coupons. Diese Coupons bieten Ihnen die Möglichkeit selbst auf dem Camping Ihrer Wahl in 5 Sprachen zu reservieren oder Prospektinformationen mit Preisliste anzufragen.

Tipp: machen Sie eine Kopie von diesen Reservierungscoupons, dann können Sie sie öfter gebrauchen.

Möchten Sie mehr Informationen?

Schicken Sie den Coupon direkt zum Camping um Informationen anzufragen und/oder sofort zu reservieren. Schauen Sie auch auf unsere Webseite ▸ www.eurocampings.eu ◂ Hier finden Sie noch viel ausführlichere Informationen zu jedem Camping. Sie können sofort nach Thema einen Camping suchen und Fotos betrachten.

Camp mobil GUIDE

DER WOHNMOBIL + CARAVAN-KATALOG

FÜR COMPUTER, TABLET UND SMARTPHONE

KAUFBERATUNG + DIREKTSUCHE: Finden und vergleichen Sie mehr als 1500 Freizeitfahrzeuge.

AB SOFORT kostenlos ZUM DOWNLOAD

Die ACSI Club ID, *das* Camping Carnet für Europa, ist unverzichtbar für den anspruchsvollen Camper. Sie profitieren nicht nur in Ihrem Campingurlaub davon, sondern auch zuhause! Schnell Mitglied werden und nur € 4,95 pro Jahr bezahlen.

Alle Vorteile auf einen Blick:

Ersetzt Identitätsnachweis
Das Camping Carnet, die ACSI Club ID, können Sie auf allen teilnehmenden ACSI Campings als Ausweis- oder Passersatz abgeben. So müssen Sie nicht mehr Ihren eigenen Pass/Ausweis abgeben, sondern haben ihn jederzeit bei sich.*

Haftpflichtversicherung
Wenn Sie im Besitz der ACSI Club ID sind, dann sind Sie und Ihre Mitreisenden (max. 11 Personen) in Ihrem Campingurlaub oder bei einem Hotelaufenthalt oder einer Mietunterkunft haftpflichtversichert. Sie gilt bei Schäden, die Sie Dritten zufügen, z.B: wenn Sie in Ihrem Urlaub das Fahrrad auf das Nachbarzelt fallen lassen.

Profitieren Sie von diversen Angeboten
Als ACSI ClubID-Inhaber können sie von den Angeboten profitieren, die Sie auf unserer Webseite ▶ *www.ACSIclubID.de* ◀ finden. Dadurch erhalten Sie u.a. Rabatt auf Campingartikel. Außerdem zahlen Sie im ACSI Webshop immer den niedrigsten Preis. Wenn Sie sich für unseren Newsletter auf ▶ *www.ACSIclubID.de* ◀ anmelden, werden Sie über die neuesten Angebote auf dem Laufenden gehalten.

Auf rund 8600 Campingplätzen in Europa akzeptiert
Rund 8600 Campings in Europa akzeptieren die ACSI Club ID.

Auf diesen Campings wird sie als Legitimationsnachweis akzeptiert. Bei den Einrichtungen können Sie unter 1A sehen, ob Campings die ACSI Club ID akzeptieren. Sie können diese Campings auch am 'ID' Logo im grünen Balken über dem redaktionellen Eintrag erkennen. Auf skandinavischen Campings ist die Chance groß, dass Sie eine Spezialkarte an der Rezeption vorzeigen müssen. Diese Karte können Sie sich auf dem ersten Camping anschaffen, den Sie besuchen. Achtung: mit der ACSI Club ID bekommen Sie keine Rabatte auf Campingplätzen.

Besuchen Sie schnell ▶ *www.ACSIclubID.de* ◀ um über die neuesten Entwicklungen im Bereich des Camping Carnets von ACSI auf dem Laufenden zu bleiben.

Warum die ACSI Club ID
ACSI möchte Ihnen als Camper auf möglichst verschiedenen Wegen einen sorglosen und vergnüglichen Campingurlaub bieten.

Beantragen
Sie können die ACSI Club ID über ▶ *www.ACSIclubID.de* ◀ anfordern. In nur

Achtung! Camper o.g. Nationalitäten, die nicht in den Niederlanden, Deutschland, Frankreich, Belgien, Dänemark, der Schweiz, Österreich, Irland, Vereinigtes Königreich, Norwegen, Schweden, Finnland, Portugal, Spanien oder Italien wohnen, können die ACSI Club ID aus versicherungstechnischen Gründen nicht anfordern.

Newsletter

Wenn Sie ▸ www.ACSIclubID.de ◂ besuchen, vergessen Sie nicht, sich für unseren speziellen ACSI Club ID Newsletter anzumelden! Dadurch bleiben Sie über die neuesten Campingnews auf dem Laufenden.

wenigen Schritten ist Ihr Camping Carnet bestellt. Halten Sie dafür Ihren Pass oder Ausweis bereit.

Die ACSI Club ID kann von Campern nachfolgender Nationalitäten genutzt werden: Deutsche, Niederländer, Belgier, Franzosen, Österreicher, Schweizer, Briten (Engländer, Schotten, Waliser und Nord-Iren), Iren und Dänen.

Achtung: in manchen Ländern braucht man immer noch einen Pass oder Ausweis.

Umfangreiche Campinginformationen

Alles was wir über einen Campingplatz wissen, wird auf Eurocampings.eu gezeigt. Anhand dieser Infos können Sie die richtige Auswahl treffen. Diese Daten haben wir auch in das Match2Camp-System eingebettet. Mit Hilfe der kleinen Frageliste können Sie festlegen, welche Farbkombination und damit welcher Platztyp am besten zu Ihnen passt. Einfach praktisch!

Darum ACSI Eurocampings;

- **Fotos und Videos**
  Bei den meisten Campingplätzen können Sie mehrere Fotos oder Videos betrachten. Dadurch erhalten Sie schon einen ganz guten Eindruck von Ihrem Reiseziel.
- **Campingbeurteilungen von Mitcampern**
  Insgesamt wurden über 85.000 Beurteilungen von Campern wie Ihnen hinterlassen. Natürlich können Sie auch Ihre Meinung über einen Campingplatz abgeben und damit anderen Campern helfen.
- **Campingplätze vergleichen**
  Fällt die Auswahl schwer? Stellen Sie zwei oder drei Campings nebeneinander und vergleichen Sie!
- **Interaktives Kartenmaterial**
  Ein- und Auszoomen und die Campingplätze im Umkreis finden.

Anwenderfreundlich, viele Suchoptionen und ein frisches Design

Die neugestaltete Webseite von ACSI Eurocampings ist eine praktische Plattform den Campingurlaub zu planen. Alle von ACSI inspizierten Plätze werden mit Fotos, Videos und Beurteilungen übersichtlich präsentiert. Dank der umfangreichen Filteroptionen finden Sie schnell und einfach einen Campingplatz, der zu Ihnen passt.

Suchen nach Karte, Name oder Reiseziel

Man kann auf verschiedene Arten den Campingplatz finden. Über 'Detailsuche' können Sie nach rund 200 Einrichtungen suchen, aber auch zunächst über die Karte Ihr Reiseziel festlegen. Wissen Sie schon, wohin es geht? Dann ist die Suche nach Region, Ort, Campingplatznamen vielleicht noch einfacher.

Campingtipps

Möchten Sie zweimal monatlich kostenlose Campingtipps und Angebote in Ihrer Mailbox haben? Dann melden Sie sich für den ACSI Eurocampings Newsletter an. Das geht auf jeder Seite von Eurocampings.eu.

Finde den Campingplatz, der zu Ihnen passt!

In diesem Führer sind 8500 Campingplätze mit ausführlichen Infos zur Lage und verfügbaren Einrichtungen gelistet. Es ist aber nicht immer so einfach, schnell mal eben eine Auswahl zu treffen. Match2Camp kann in diesem Fall helfen.

Match2Camp ist eine praktische Hilfe, mit der man schnell bestimmen kann, welcher Camping am besten den eigenen Wünschen entspricht. ACSI hat den Bedürfnissen der Camper entsprechend eine Umfrage machen lassen. Auf Basis dieser Untersuchung sind die Campingplätze in diesem Führer in vier Erlebniswelten und neun Kategorien umschriebe. Jeder Camping wurde in eine dieser Kategorien eingeteilt.

Bestimmen Sie zunächst die Erlebniswelt, die Sie am ehesten anspricht. Suchen Sie dann weiter in der Kategorienbeschreibung das Beste was Ihren Urlaub entspricht. Alle Campings in diesem Führer haben Match2Camp Symbole mit einer Farbe oder Farbkombination, die mit der Kategorienbeschreibung übereinstimmt. So erkennen Sie schnell den Camping, der zu Ihnen passt.

Die Erlebniswelten und die verschiedenen Kategorien

Gelbe Erlebniswelt

Für Camper in der gelben Erlebniswelt bedeutet Urlaub Aktivität, die man vor allem selbst ausleben will. Dort darf schon Anstrengung dabei sein. Der Campingurlaub wird als jährlicher Höhepunkt erfahren. Die Gesellschaft

MATCH2CAMP

Erlebniswelten in kurzen Worten

In der gelben Erlebniswelt treffen wir Camper, die auf der Suche nach lebendigen Campings sind, mit einem großen Angebot an Einrichtungen und geselligen Aktivitäten.

Erholen und Genießen
Vollausgestattet und Komfort
Geselligkeit

In der grünen Erlebniswelt treffen wir Camper, die auf der Suche nach Erholung sind.
Stichwörter: Ruhe und Privatsphäre.

Ruhe
Behaglich

In der blauen Erlebniswelt treffen wir Camper, die auf der Suche nach einem komfortablen Camping sind, der als Ausgangsbasis für einen aktiven und sportlichen Urlaub dienen kann.

Komfort
Aktiv

In der roten Erlebniswelt treffen wir Camper, die auf der Suche nach der außergewöhnlichen Camperfahrung sind, ein Camping der 'anders' ist. Stichwörter: Natur, Sport und Freizeitbeschäftigung.

Außergewöhnlich
Sportiv

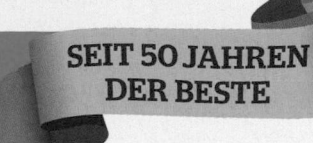
mit der man auf Reise geht, steht dabei im Vordergrund. Jeder muss die Chance haben schöne Aktivitäten zu finden und Mitcampern zu begegnen.

Camper aus der gelben Erlebniswelt fahren meist zweimal im Jahr in Urlaub. Ein längerer Sommerurlaub und ein kürzerer Urlaub in der Nebensaison zwischendurch. Der Sommerurlaub ist der wichtigste. Campingplätze mit vielen Einrichtungen sind sehr geschätzt und dürfen dann auch schon etwas mehr kosten.

In dieser Erlebniswelt sind drei Kategorien zu unterscheiden:

Gelb: Erholen und Genießen

Diese Kategorie von Campern sucht vor allem den Erholungsurlaub. Unter dem Motto: 'man kann nicht alles haben', ist man weniger auf der Suche nach einem Camping 'mit allem drum und dran'. Es sollten aber schon ausreichend schöne Aktivitäten für einen erholsamen Urlaub sein.

Gelb/blau: Vollausgestattet und Komfort

Diese Kategorie von Campern sucht nach einem Camping mit allem drum und dran. Oft eine größere Anlage mit großen Plätzen, viel Ausstattung und einem rundum Animationsprogramm. Dieser Platz darf ruhig etwas teurer sein, wenn sich das auf die vielen Einrichtungen, die man benutzen kann, niederschlägt.

Gelb/rot: Geselligkeit

Diese Kategorie von Campern sucht vor allem einen Camping, auf dem viele Freizeiteinrichtungen sind und auf dem für die Gäste gesellige Aktivitäten organisiert werden.

⩓ Grüne Erlebniswelt

Für Camper aus der grünen Erlebniswelt bedeutet Urlaub vor allem 'zur Ruhe kommen' und 'sich schön zu erholen'. Genau wie in der gelben Erlebniswelt steht hier die Gesellschaft, die mitreist, im Vordergrund.

Der grüne Camper sucht am liebsten einen Camping, der nicht allzu groß ist. Der menschliche Maßstab und die Übersichtlichkeit sind sehr wichtig. Wenn die Basisausstattungen gut und ordentlich sind, dann ist dieser Camping für den grünen Camper in Ordnung.

Dieser Camper schaut mehr auf Ruhe auf dem Land und authentische Dörfer und Natur, als auf umfangreiches Vergnügen mit Badelandschaften und Wildwasserrutschbahnen.

In dieser Erlebniswelt sind zwei Kategorien zu unterscheiden:

⩓ Grün: Ruhe

Diese Kategorie von Campern sucht vor allem einen Platz mit ausreichend Privatsphäre, Ruhe und Raum. Zum Beispiel parzellierte Plätze. Fehlende Animation oder Restaurant stellt für diesen Camper kein Problem dar.

⩓ Grün/gelb: Behaglich

Dieser Kategorie von Campern ist die Atmosphäre wichtig. Diese Camper suchen Kontakt mit anderen und genießen einen schöne Wanderung oder ruhige Radtour in der Umgebung des Campingplatzes.

⩓ Blaue Erlebniswelt

Der Camper der blauen Erlebniswelt will eben weg von der Alltagshektik. Zeit für Familie und Hobbys. Der Camping muss vor allem darauf eingestellt sein, das zu leisten.

Erholung heißt für den blauen Camper nicht 'nichts tun'. Wenn es um das Hobby geht, hat der blaue Camper oft die (gute) eigene Ausrüstung, zum Beispiel ein Rad, ein Golfset oder ein Motorboot. Der Camping wird nach dem Hobby ausgesucht.

Dieser Camper geht oft mehr als einmal im Jahr in Urlaub. Es gibt zwar ein Budget hierfür, aber der Campingplatz muss nicht der luxuriöseste sein. Wenn allerdings ausreichend Komfort geboten wird und (spezifische) Einrichtungen/Anlagen vorhanden sind, die zu den Aktivitäten/Hobbys passen, die man unternehmen will. Es darf aber kein 'geradeso-damit-zurecht-kommen' sein.

In dieser Erlebniswelt sind zwei Kategorien zu unterscheiden:

⩓ Blau: Komfort

Für diese Kategorie von Campern ist es wichtig, dass der Camping etwas an (luxuriösen) Extras anzubieten hat: Komfortplätze, eine Sauna, Wellnesscenter oder Sonnenbank sind da höchst willkommen.

⩓ Blau/rot: Aktiv

Diese Kategorie von Campern sucht einen Camping, der in erster Linie auf sportliche Aktivitäten ausgerichtet ist, wie Golfen, Rad fahren oder Wassersport.

 Rote Erlebniswelt

Der Camper aus der roten Erlebniswelt hat meist eine genaue, konkrete Vorstellung von seinem Urlaub. Dieser Camper muss entweder mal 'kurz raus', um eben mal runter zu kommen, einen Themenurlaub haben oder einfach nur mal etwas unternehmen (aktiv/sportiv). Der Camping wird danach gezielt ausgesucht. Camper aus dieser Gruppe suchen gerne den besonderen Camping, einen der 'anders ist als anders'.

In dieser Erlebniswelt sind zwei Kategorien zu unterscheiden:

Rot: Außergewöhnlich

Diese Kategorie von Campern will gerne etwas außergewöhnliches erleben, etwas anderes als sonst. Der Camper will mit einer 'Geschichte' heimkommen. Die Aktivität steht meist im Vordergrund und deswegen wird nach einer 'ungewöhnlichen' Stelle gesucht. Der Camping hat etwas besonderes, z.B. eine Baumhütte oder ein Tipi-Zelt. Oft sind es auch kleinere Camps mit einer eingeschränkten Anzahl von Einrichtungen.

Rot/grün: Sportiv

Diese Kategorie von Campern ist sportiv ausgerichtet und sucht einen ins selbst gestaltete Programm passenden Camping. Dieser Platz is dann auch eher ein Basiscamp. Angenehm ist es, wenn bei der Rückkehr Einrichtungen angeboten werden, die man benutzen kann. Zum Beispiel einen Supermarkt, Restaurant oder Schwimmbad. Sehr anspruchsvoll ist diese Gruppe nicht. Es geht mehr um die Atmosphäre, die kreiert ist. Das Ungewohnte ist eine schöne, bereichernde oder interessante Erfahrung.

Bisher haben wir alle unten genannten Ausstattungen erwähnt bei den Campingplätzen. Da die Zahl der Wintercampingplätze ständig zunimmt, haben wir beschlossen, in Zukunft nur noch die Plätze zu erwähnen, aber nicht die Ausstattungen.

Stattdessen gibt es eine Liste mit den Wintersportplätzen und ihren Ausstattungen.

Bestellen Sie die Liste gratis!
Sie erhalten die Liste bei:
ACSI Publishing BV
z.H.v. Redactie
Postbus 34
6670 AA Zetten, Niederlande
(vermelden Sie Ihre Anschrift)

Ausstattungliste

1 Allgemein
A Gut erreichbar
B Mäßig erreichbar
C Schlecht erreichbar
D Überdachte Stellplätze
E Gasanschlüsse am Stellplatz
F Elektrische Anschlüsse am Stellplatz
G Große Propangasflaschen
H Beheizte sanitäre Anlagen
I Trockenraum
J Ski-Abstellraum
K Lebensmittel erhältlich
L Skiverleih
M Skireparatur/ -einstellung
N Sportshop
O Reservierung empfohlen

2 Gemeinschaftliche Aufenthaltsräume
A Mäßig
B Durchschnittlich
C Gut

D Après-Ski
E Folklore und Animation

3 Langlaufen
A Langlaufloipe in (....) km Entfernung
B Gesämtlänge der Langlaufloipen (....) km

4 Alpinski
A Übungslifte in (....) km Entfernung
B Großes Skigebiet in (....) km Entfernung
C Anschluß an andere Skigebiete

5 Umgebung
A Haltestelle Skibus am Camping
B Shuttle vom Camping zu den Skipisten
C Einkaufs- / Ausgangszentrum in
   (....) km Entfernung
D Skiverleih
E Skireparatur/ -einstellung
F Wintersportartikel erhältlich
G Kino und/oder Theater
H Folklore und Veranstaltungen

Wir schicken Ihnen die Liste mit
Wintersportcampings umgehend gratis zu!
Noch schneller kann man die
Liste selbst downloaden auf:
▸ *www.eurocampings.de/wintersport* ◂
Dann haben Sie die ausführliche Liste sofort
in der Hand.

Nützliche Adresse
Deutscher Skiverband (DSV)
Hubertusstraße 1
D-82152 Planegg
Tel. +49 (0)89-85790-0
E-Mail: info@deutscherskiverband.de
Internet: ▸ *www.deutscherskiverband.de* ◂

Großbritannien

Schottland

Braemar / Braemar Caravan Park _____ Seite 94

Glenmore / Glenmore Car. & Camp. Park _____ Seite 96

Frankreich

Ain

Chézery-Forens / Cp. Le Valserine _____ Seite 289

Hauteville-Lompnès / Cp. Les 12 Cols _____ Seite 289

Alpes-de-Haute-Provence

Montclar / Cp. l'Etoile des Neiges _____ Seite 356

Ariège

Ascou / Cp. Ascou la Forge _____ Seite 285

Aulus-les-Bains / Cp. Le Couledous _____ Seite 285

Ax-les-Thermes / Cp. Le Malazéou _____ Seite 285

Le Trein-d'Ustou / Cp. Le Montagnou _____ Seite 286

Les Cabannes /
Camping Municipal Bois de Boulonge _____ Seite 286

Mérens-les-Vals / Camping de Mérens _____ Seite 286

Oust / Cp. Les 4 Saisons _____ Seite 286

Seix / Cp. Le Haut Salat _____ Seite 286

Sorgeat / Cp. La Prade _____ Seite 286

Vicdessos / Cp. La Bexanelle _____ Seite 287

Aude

Camurac / Cp. Les Sapins _____ Seite 337

Bas-Rhin

Le Hohwald / Cp. Herrenhaus _____ Seite 243

Cantal

Laveissière / Cp. Municipal Le Vallagnon _____ Seite 268

Doubs

Pontarlier / Cp. Le Larmont _____ Seite 251

Isère

Gresse-en-Vercors / Cp. Les 4 Saisons _____ Seite 300
Lans-en-Vercors / Cp. Bois-Sigu _____ Seite 300
Le Bourg-d'Oisans / Cp. La Piscine _____ Seite 300
Le Bourg-d'Oisans / Cp. La Cascade _____ Seite 300
Méaudre / Cp. Les Eymes _____ Seite 300
Méaudre / Cp. Les Buissonnets _____ Seite 300
Venosc / Cp. Le Champ du Moulin _____ Seite 301

Jura

Longchaumois / Cp. Le Baptaillard _____ Seite 252
St. Laurent-en-Grandvaux /
Cp. Mun. du Champs de Mars _____ Seite 253

Puy-de-Dôme

La Bourboule/Murat-le-Quaire /
Cp. Le Panoramique _____ Seite 264

Pyrénées-Atlantiques

Louvie-Juzon / Cp. Le Rey _____ Seite 228

Pyrénées-Orientales

Err / Cp. Las Closas _____ Seite 344
Estavar/Cerdagne / Cp. L'Enclave _____ Seite 344
Font Romeu / Cp. Huttopia Font-Romeu _____ Seite 344
Saillagouse / Cp. Domaine Le Cerdan _____ Seite 346
Ur / Cp. De la Gare _____ Seite 348

Haute-Savoie

Chamonix/Les Bossons /
Cp. Les Deux Glaciers _____ Seite 293
Cluses / Cp. La Corbaz _____ Seite 293
Le Grand-Bornand / Cp. l'Escale _____ Seite 294
Les Contamines-Montjoie / Cp. Le Pontet ____ Seite 294
Morzine / Cp. Les Marmottes _____ Seite 294
Samoëns / Camping Caravaneige Le Giffre ____ Seite 295
Taninges / Cp. Municipal des Thézières _____ Seite 296
Verchaix / Cp. Municipal Lacs et Montagnes ___ Seite 296

Hautes-Alpes

Guillestre / Cp. St-James-les-Pins _____ Seite 351
La Vachette/Briançon / Cp. Les Gentianes ____ Seite 352
St. Jean-St-Nicolas / Cp. Les 6 Stations _____ Seite 353

Hautes-Pyrénées

Agos-Vidalos / Cp. La Châtaigneraie _____ Seite 281
Bagnères-de-Bigorre / Cp. Le Monlôo _____ Seite 282
Boô-Silhen / Cp. Deth-Potz _____ Seite 282
Campan/La Séoube / Cp. l'Orée des Monts ___ Seite 282
Gavarnie / Cp. Le Pain de Sucre _____ Seite 282
Hèches / Cp. La Bourie _____ Seite 282
Loudenvielle / Cp. La Pène Blanche _____ Seite 283
Luz-St-Sauveur /
Cp. Sites & Paysages Pyrénévasion _____ Seite 283
Luz-St-Sauveur / Cp. Les Cascades _____ Seite 283
Luz-St-Sauveur/Sassis / Cp. Le Hounta _____ Seite 283
St. Lary-Soulan / Cp. Le Rioumajou _____ Seite 283
Vielle-Aure / Cp. Le Lustou _____ Seite 283

Savoie

Albertville / Cp. Les Adoubes _____ Seite 297

Bourg-St-Maurice / Cp. Le Versoyen _____ Seite 297

Bourg-St-Maurice/Séez / Cp. Le Reclus _____ Seite 297

Landry / Cp. l'Eden de la Vanoise _____ Seite 298

Lanslevillard /
Camping Caravaneige de Val Cenis _____ Seite 298

Montchavin-les-C/Bellentre /
Cp. de Montchavin-les-Coches _____ Seite 298

Peisey/Nancroix / Cp. Les Lanchettes _____ Seite 298

Pralognan-la-Vanoise / Cp. Le Parc Isertan ___ Seite 298

Vosges

Bussang / Cp. Le Domaine de Champé _____ Seite 238

Gérardmer/Le Beillard / Cp. Les Granges-Bas _ Seite 239

La Bresse / Cp. Domaine du Haut des Bluches __ Seite 240

La Bresse / Cp. Belle-Hutte _____ Seite 240

Plombières-les-Bains/Ruaux / Cp. Fraiteux ___ Seite 240

Saulxures-sur-Moselotte / Cp. Lac de Moselotte _ Seite 241

Vagney / Cp. Du Mettey _____ Seite 241

Xonrupt-Longemer /
Flower Camping Verte Vallée _____ Seite 241

Andorra

Andorra la Vella / Cp. Valira _____ Seite 393

Erts/La Massana / Cp. Xixerella _____ Seite 393

Ordino / Cp. Borda d'Ansalonga SL.U _____ Seite 393

Spanien

Andalucía

Güejar Sierra (Granada) /
Camp. & Carav. Las Lomas _____ Seite 446

Aragón

Benasque (Huesca) / Cp. Aneto _____ Seite 426

Gavín / Camping Gavín S.L. _____ Seite 427

Labuerda/Ainsa (Huesca) /
Cp. Peña Montañesa _____ Seite 428

Sesue (Valle de Benasque) /
Cp. La Borda d'Arnaldet _____ Seite 428

Barcelona/Gerona

Berga / Berga Resort _____ Seite 400

Wintersportcampingplätze

Camprodon / Cp. Vall de Camprodon _____ Seite 401

Guils de Cerdanya / Cp. Pirineus _____ Seite 402

Puigcerdà / Cp. Stel _____ Seite 406

Saldes / Cp. Repòs del Pedraforca _____ Seite 406

Castilla y León/Madrid

Riaza/Segovia / Cp. Riaza _____ Seite 439

Lérida

Arties (Vall d'Aran, Lérida) /

Cp. Era Yerla d'Arties _____ Seite 416

La Farga de Moles / Cp. Frontera _____ Seite 416

La Guingueta d'Àneu / Nou Camping _____ Seite 416

Montardit de Baix / Cp. L'Orri de Pallars _____ Seite 416

Solsona (Lleida) / Cp. El Solsonès _____ Seite 417

País Vasco/Navarra/La Rioja

Santo Domingo de la Calzada / Cp. Bañares __ Seite 431

Italien

Lombardia

Edolo / Cp. Adamello _____ Seite 488

Ponte di Legno/Temú / Cp. Presanella _____ Seite 490

Piemonte

Bersezio / Cp. Argentera _____ Seite 476

Entracque / Campeggio Valle Gesso _____ Seite 478

Limone Piemonte / Cp. Luis Matlas _____ Seite 480

Peveragno / Cp. Il Melo _____ Seite 480

Salbertrand / Cp. Gran Bosco _____ Seite 481

Toscana

Casteldelpiano / Cp. Amiata _____ Seite 528

Trentino/Südtirol

Antholz / Cp. Antholz _____ Seite 491

Campitello di Fassa / Cp. Miravalle S.R.L. _____ Seite 492

Canazei / Cp. Marmolada _____ Seite 493

Carbonare di Folgaria / Cp. Sole Neve _____ Seite 493

Chiusa/Klausen / Cp. Gamp _____ Seite 493

Darè / Cp. Val Rendena _____ Seite 493

Dimaro / Dolomiti Camping Village _____ Seite 493

Fucine di Ossana / Cp. Cevedale _____ Seite 493

Latsch / Cp. Latsch _____ Seite 494

Lavarone/Chiesa / Cp. Lago di Lavarone _____ Seite 494

Mals / Cp. Mals _____ Seite 494

Pejo/Trento / Cp. Val di Sole _____ Seite 495

Pozza di Fassa / Cp. Catinaccio Rosengarten __ Seite 495

Pozza di Fassa / Cp. Vidor _____ Seite 495

Racines/Casateia / Cp. Gilfenklamm _____ Seite 495

Rasen/Rasun / Cp. Corones _____ Seite 495

San Antonio di Mavignola / Cp. Faè _____ Seite 496

Sankt Lorenzen / Cp. Wildberg _____ Seite 496

Sexten/Sesto / Cp. Caravan Park Sexten _____ Seite 496

St. Valentin a.d.H. Graun / Cp. Thöni _____ Seite 496

Toblach/Dobbiaco / Cp. Olympia _____ Seite 496

Toblach/Dobbiaco / Cp. Toblacher See _____ Seite 496

Völs am Schlern / Cp. Seiser Alm GmbH _____ Seite 496

Valle d'Aosta

Etroubles / Cp. Tunnel _____ Seite 474

Morgex / Cp. Arc en Ciel _____ Seite 474

Veneto

Cortina d'Ampezzo / Cp. Olympia _____ Seite 512

Cortina d'Ampezzo / Cp. Rocchetta _____ Seite 512

Forno di Zoldo / Cp. Al Pez _____ Seite 512

Sappada / Cp. Alpin Park Sappada _____ Seite 515

Selva di Cadore / Cp. Cadore _____ Seite 515

Zoldo Alto / Cp. Palafavera _____ Seite 516

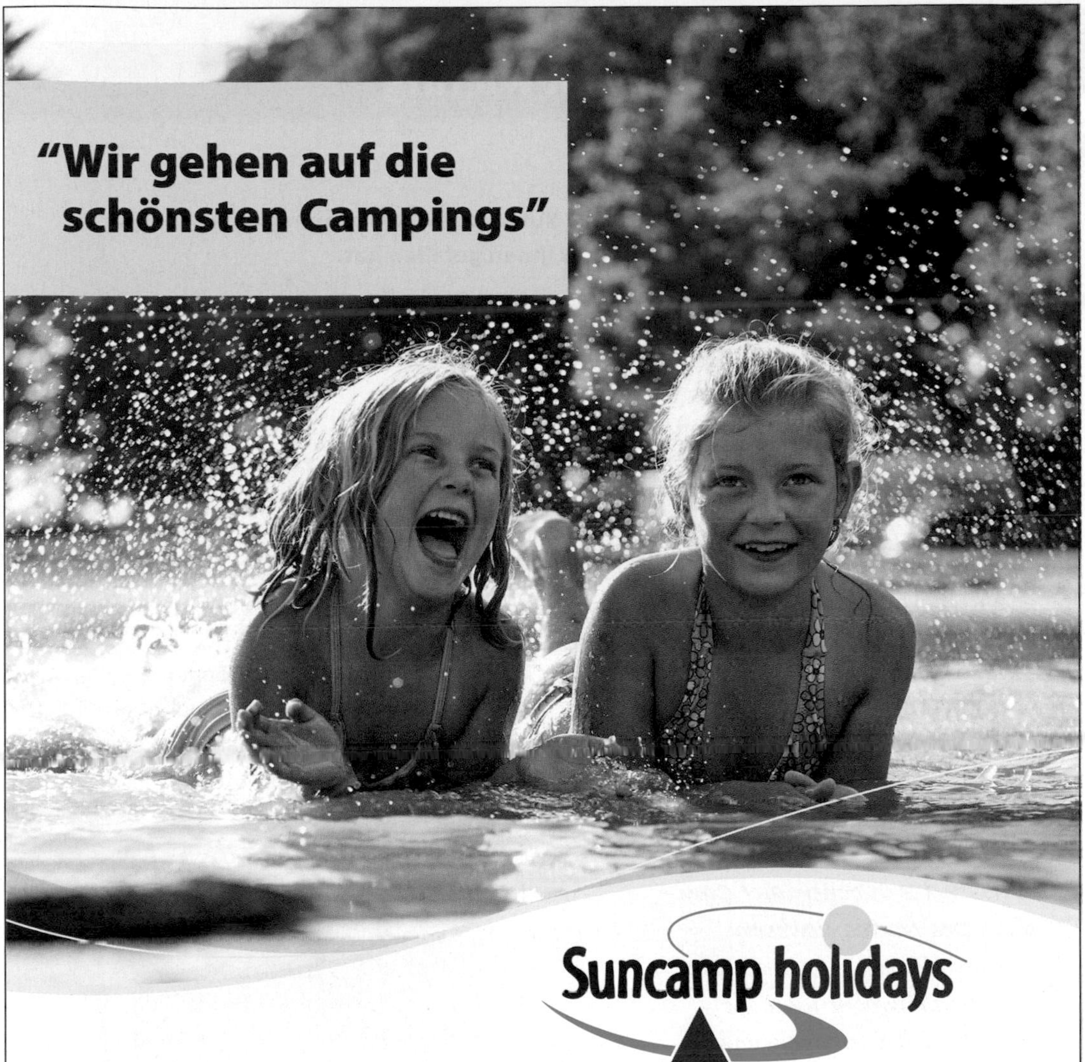
"Wir gehen auf die schönsten Campings"
Suncamp holidays
Stellplätze
Bungalowzelte
Mobilheime
Den schönsten Campingurlaub in Europa buch' ich bei Suncamp holidays!
Ein schöner Stellplatz für das eigene Zelt oder den Wohnwagen? Ein voll ausgestattetes Mobilheim oder ein Bungalowzelt? Suncamp holidays hat alles!
• Nie teurer als bei einer Direktbuchung beim Camping selbst
• Mehr als 600 Campingplätze in 14 Ländern
• Alle Campings werden jährlich vom Campingspezialisten ACSI inspiziert
• Service und Sicherheit
Buchen Sie bequem über: www.SUNCAMP.de
oder wählen Sie: +49 (0) 611 952 490 80
DRV Mitglied im Deutschen ReiseVerband
INSPECTED CAMPINGS ACSI
tourVERS

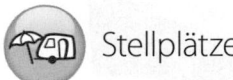

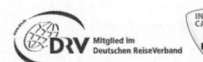

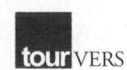

Ihre Meinung ist wichtig

Wir würden uns sehr freuen, wenn Sie uns als Nutzer des ACSI Campingführer Europa nach Ihrem Urlaubsende wissen lassen, wie er Ihnen gefallen hat.

Ihre Anmerkungen

Unser Inspektorenteam besucht jährlich die im Führer gemeldeten Campings, um zu überprüfen, ob die Campinginformation zuverlässig, objektiv und up-to-date ist. Das machen die Inspektoren auf Grund einer Liste mit 217 Ausstattungsmerkmalen und vielen anderen Anhaltspunkten. Sie fragen auch bei den Campern, die sich gerade auf dem Platz befinden, nach. Auf diese Weise können bestimmte Dinge objektiver beurteilt werden, wie bspw. die Nachtruhe auf dem Campingplatz. Daher freuen wir uns natürlich über Ihre

Anmerkungen oder Vorschläge, um unseren Führer zu noch größerem Erfolg zu verhelfen.

Was halten Sie zum Beispiel von...

dem Zustand der Sanitäranlagen, der Kundenfreundlichkeit des Personals, dem Preis - Leistungsverhältnis? Auf unserer Webseite
▶ *www.eurocampings.eu* ◀ können Sie auf einfache Weise Ihre Meinung veröffentlichen. So können andere Camper von Ihren Erfahrungen profitieren.

Wir sind 3 Wochen auf Camping Des Mures gewesen. Es war super. Wir waren die letzte Aprilwoche und die ersten beiden Wochen von Mai dort gewesen. Wir überlegen nächstes Jahr wieder dort hin zu fahren und haben schon mal vorreserviert. Das Personal spricht gut deutsch und das ist für uns ein Pluspunkt. Außerdem kann man in der Gegend herrlich Rad fahren. Mit dem Auto ist es nicht so toll, denn dafür ist es zu voll. Daher nur unser vollstes Lob für diesen Platz.

Mit freundlichem Gruß,
Adam Schäfer

Stimmt tatsächlich, dass die Stellplätze sonnig liegen. Meine Frau und ich haben dadurch die ganze Frühlingssonne genießen können. Auch die Navigation zum Camping mit den GPS-Koordinaten war super einfach.

Mit freundlichen Grüßen,
Felix Schwarz

Die Beurteilung des Camping La Plage d'Argens

Share your camping experience with other and help them make their camping choice. ACSi Eurocampings hat einige Regeln, denen Ihre Beurteilung genügen muss.

Campingbeurteilung   * = Das ist ein Pflichtfeld

	entfällt	Sehr gut	Gut	Ordentlich	Mäßig	Schlecht
Sporteinrichtungen						
Schwimmbad						
Umgebung						
Stellplatz						
Preis-Leistungsverhältnis						
Kinderfreundlichkeit						
Unterkunft						
Personal						
Unterhaltung						
Essen und Trinken						
Sanitäranlagen						

Kommentar*
Ihre Antwort muss mindestens 100 Zeichen beinhalten

Reiseperiode*   Auswählen
Reisegesellschaft*   Auswählen

Meine Daten

Name*

Anrede*   ○ Männlich ○ Weiblich

E-Mailadresse*

Darf Ihre E-Mail Adresse auf der Webseite gezeigt werden?*   ○ Yes ○ No
(Andere Personen können dann vielleicht wegen der Beurteilung Kontakt mit Ihnen aufnehmen.)

Möchten Sie unseren Newsletter erhalten?*   ○ Yes ○ No

Platzbeurteilung

Man hört hin und wieder Geschichten über Campings, die zwar gut aussehen, deren Service aber schlecht ist. Davon kann auf diesem Platz keine Rede sein! Das Personal gibt sein Bestes alle Wünsche zu erfüllen und alle möglichen Fragen zu beantworten. Das Sanitär war super sauber. Den ganzen Tag war ständig jemand am putzen und reinmachen. Es hat wirklich Spaß gemacht ins Sanitärgebäude zu kommen. Dieser Camping verdient seine hohe Bewertung voll und ganz.

Stephan und Heike

Großbritannien

East Anglia
Upper Stoke / Broadlands Naturistencamping __ Seite 82

South West
Quoit / Southleigh Manor Naturally Holiday Club _ Seite 68

Frankreich

Alpes-de-Haute-Provence
Forcalquier / Naturistencamping Les Lauzons _ Seite 355

Alpes-Maritimes
Puget-Théniers / Cp. Origan _____ Seite 384

Ariège
Gudas / Cp. Millefleurs / Naturiste _____ Seite 285

Aude
Fleury-d'Aude / Cp. Naturiste La Grande Cosse _ Seite 337
La Palme / Cp. Le Clapotis _____ Seite 337

Creuse
Boussac / Cp. Creuse Nature Naturiste _____ Seite 199

Dordogne
Bouillac / Cp. Terme d'Astor _____ Seite 206
La Douze / Cp. Laulurie en Perigord _____ Seite 207
Naussannes / Cp. Le Couderc _____ Seite 209
Rouffignac-St-Cernin /
Cp. Le Coteau de l'Herm _____ Seite 209

Drôme
Mirabel-et-Blacons / Cp. Val Drôme Soleil _____ Seite 304

Essonne
St. Chéron / Cp. Héliomonde _____ Seite 142

Gard
Barjac / Cp. Domaine de la Sablière _____ Seite 318
Méjannes-le-Clap / Cp. La Genèse _____ Seite 319

Gers
Gaudonville / Cp. Centre Naturiste Deveze _____ Seite 280

Gironde
Grayan-et-l'Hôpital / Cp. Euronat _____ Seite 215
Montalivet /
Centre Helio-Marin (CHM) Montalivet _____ Seite 217

Haute-Vienne
Cheissoux / Camping Lous Suais _____ Seite 201

Hautes-Pyrénées
Castelnau-Magnoac / Cp. l'Eglantière _____ Seite 282

Hérault
Aniane / Camp. Naturiste La Source St. Pierre __ Seite 323
Lodève / Cp. Domaine de Lambeyran _____ Seite 326
Pinet / Espace Naturiste/Terre de Soleil _____ Seite 328
Sérignan-Plage / Cp. Le Sérignan-Plage Nature _ Seite 331

Indre
Luzeret / Cp. La Petite Brenne _____ Seite 153

Korsika
Aléria / Cp. Riva Bella Thalasso & Spa Resort ____ Seite 386
Bravone / Cp. Bagheera ____ Seite 386
Porto Vecchio / Cp. La Chiappa ____ Seite 388
Porto Vecchio / Cp. U Furu ____ Seite 388

Landes
Vielle-St-Girons / Cp. Arnaoutchot (FKK) ____ Seite 227

Lot-et-Garonne
Monflanquin / Cp. Laborde ____ Seite 220

Nièvre
Luzy / Cp. Domaine de la Gagère ____ Seite 257

Oise
Rosoy-en-Multien / Cp. Regain ____ Seite 126

Puy-de-Dôme
St. Saturnin / Cp. La Serre de Portelas ____ Seite 265

Seine-Maritime
Yport / Cp. Club du Soleil de la Porte Océane ___ Seite 129

Vendée
St. Martin-Lars-en-Ste-Hermine /
Cp. Le Colombier ____ Seite 184

Spanien

Andalucía
Almayate (Málaga) /
Camping Naturista Almanat ____ Seite 442

Barcelona/Gerona
Mont-Ras/Girona / Cp. Relax - Nat ____ Seite 404

Comunidad Valenciana
Enguera / Cp. Sierra Natura ____ Seite 420

Murcia
El Portús/Cartagena / Cp. Naturista 'El Portús' _ Seite 451

Tarragona
Hospitalet del Infante / Cp. El Templo del Sol _ Seite 410

Italien

Calabria
Isola di Capo Rizzuto / Cp. Pizzo Greco ____ Seite 557

Spanien

Andalucía
Palomares / Cp. Cuevas Mar _____ Seite 448

Portugal

Süd-Portugal
Budens/Vila do Bispo /
Cp. Quinta dos Carriços _____ Seite 464

Italien

Ferrara/Ravenna
Lido di Dante / Cp. Classe _____ Seite 521

Beachten Sie

daß Sie auf den meisten der hieroben genannten Campings Mitglied eines Naturistenvereins sein müssen! Informieren Sie sich beim Camping ob Sie vorher Mitglied werden müssen, oder ob Sie das vor Ort auf dem Camping werden können.

Nützliche Adresse

DFK Federation
Ferdinand-Wilhelm-Fricke Weg 10
D-30169 Hannover
Tel. +49 (0)511-12685500
Fax +49 (0)511-12685515
E-Mail: dfk@dfk.org
▶ *www.dfk.org* ◀

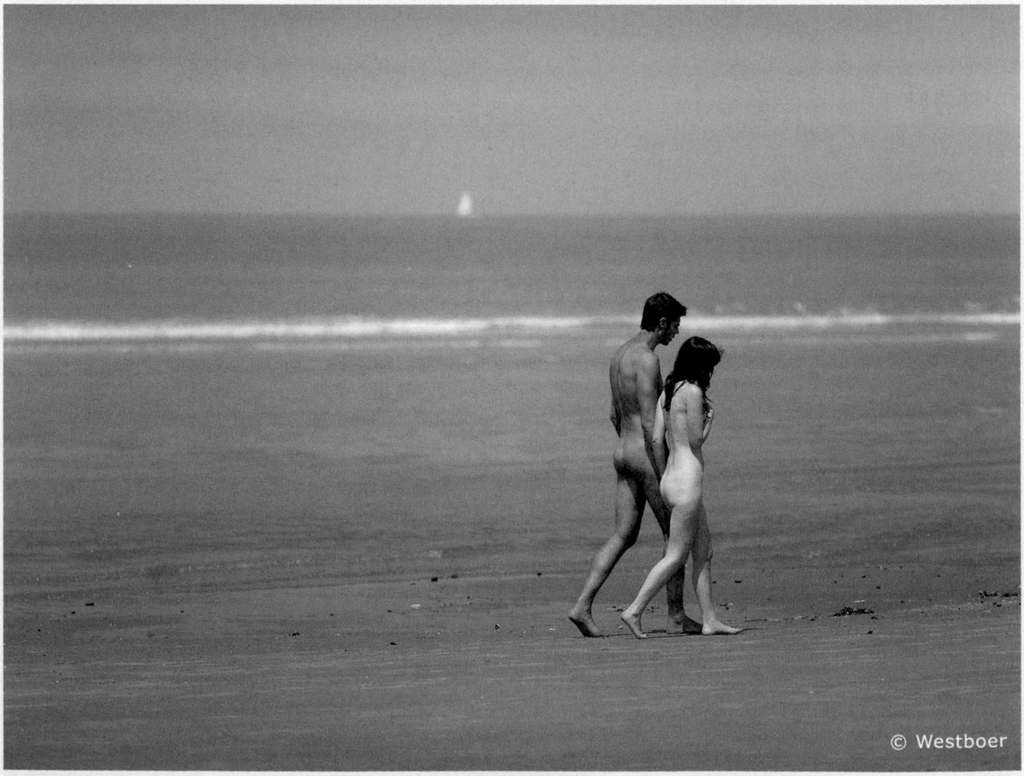

© Westboer

Mobilheime • Lodgezelte • Luxuszelte

SunLodge
Suncamp holidays

Luxus Unterkünfte auf 31 Campingplätzen Europa

SunLodge setzt im Bereich Campingurlaub neue Maßstäbe. Große, komfortable und stilvolle Unterkünfte auf den schönsten Campings in den beliebtesten Feriengebieten. Die extra großen Betten, die großen Duschkabinen und die schönen, überdachten Terrassen sorgen für eine einmalige Campingerfahrung.
Mieten Sie ein stilvolles Mobilheim oder ein voll ausgestattetes Lodgezelt mit Sanitär.

Buchen Sie einfach über **www.SUNLODGE.de** oder rufen Sie an: +49 (0) 611 952 490 80

CAMPING
INSPECTION

Camping Le Sérignan Plage, Sérignan-Plage (F)

Zuverlässig, objektiv und up-to-date

Warum ist der ACSI-Führer so populär? Weil die Informationen, die hier drin stehen, stimmen. Nichts besonderes, werden Sie denken, das ist doch klar?! Nein, das ist überhaupt nicht klar. Jährlich kommen neue Ausstattungen hinzu oder fallen weg. Regelmäßig wechseln die Campingplätze ihre Eigentümer. Mit der Folge, daß sich die Anlagen qualitativ verändern. Einer investiert in höherwertige Ausstattungen wie etwa sanitäre Anlagen, ein anderer läßt die Anlage möglicherweise verkommen. Verlässliche, aktuelle Informationen von neutralen Beobachtern sind für den Camper bei der Wahl seines Urlaubsziels von großer Wichtigkeit. ACSI ist sich dessen sehr bewusst. Darum machen sich jährlich 327 Inspektoren auf den Weg, um so etwa 8500 Campingplätze in Europa zu besuchen, anzuschauen und einzuordnen. Dies tun sie mit einer Checkliste, die 217 Punkte enthält und natürlich auch ihrer persönlichen Erfahrung. Auch sprechen sie mit den Campinggästen vor Ort. Auf diese Art und Weise fließen auch Kriterien in die Beurteilung ein wie etwa die nächtliche Ruhe auf dem Platz.

Jährliche Kontrolle

ACSI ist einer der wenigen Campingführer in Europa, der jedes Jahr aufs Neue alle Campingplätze, die veröffentlicht werden, untersuchen lässt. Der Jahreskontroll-Aufkleber von ACSI wird jedes Jahr vom Inspektor persönlich unter dem Punkt 'letzte Kontrolle ACSI-Inspektor' bei der Rezeption geklebt. Dies bedeutet, daß der betreffende Campingplatz wirklich vom ACSI-Inspektor besucht und kontrolliert worden ist. Die meisten

Auch Kinder kommen zu Wort. Was halten sie vom Miniklub oder wie finden sie bspw. den Spielplatz?

Die Einrichtungen werden nicht nur aufgenommen, sondern auch auf den Qualitätszustand hin überprüft.

Die exakte Lage des Campingplatzes wird mit Hilfe eines Navigationssystems erstellt.

Der ACSI-Inspektor kontrolliert Schwimmbäder u.a. auf Hygiene und Sicherheit (Camping Le Méditerranée Plage, Vias-Plage (F)).

Ausreichendes Sanitär, gut, schön und funktionell? Aus Erfahrung und durch Einweisung lernt der Inspektor das Sanitär eines Platzes zu beurteilen.
Die Unterschiede können so groß sein, aber sollte ein Platz nicht den ACSI-Kriterien genügen, wird er nicht aufgenommen (Camping Le Sérignan Plage, Sérignan-Plage (F)).

CEE oder nicht und ein sicherer Kasten oder nicht? Die Ampèrezahl ist ebenfalls im Führer aufgenommen. Immer mehr Camper legen Wert auf diese Information, weil Sie entweder Airkondition oder Mikrowelle an Bord haben. Auch die Ausstattung mit ausreichenden Feuerlöschern ist wichtig (Camping Le Sérignan Plage, Sérignan-Plage (F)).

anderen Campingführer dagegen schicken ihre Jahresmarken lediglich zu, mit dem Vermerk, daß der Campingplatz in ihrem Führer aufgenommen ist. Das ist schon ein gewaltiger Unterschied!

Teilweise kontrollieren unsere Inspektoren bis Anfang September Campingplätze. So kann es natürlich passieren, daß Sie auch einmal auf einem Campingplatz noch nicht den aktuellen Jahreskontroll-Aufkleber vorfinden.

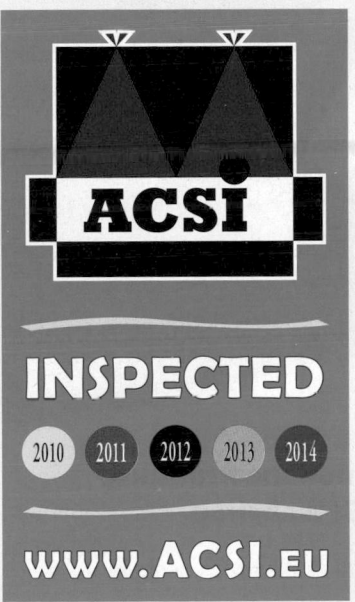

Nachdem der Camping kontrolliert wurde, wird der Aufkleber vom Inspektor angebracht.

Während des Besuchs werden auch Fragen gestellt, die der Inspektor nicht beurteilen kann, bspw. ob ein Platz nachts gut ausgeleuchtet ist oder ob es nachts auch ruhig ist.

"Meine Campingartikel suche ich im ACSI Webshop"

Verschiedene Produkte im ACSI Webshop

- Schnell und einfach bestellen

- Sicher bezahlen u.a. mit Kreditkarte

- Campingführer, Navigationssysteme, Zubehör und noch viel mehr

- Als ACSI Club ID-Mitglied zahlen Sie immer den niedrigsten Preis im ACSI Webshop

ACSI
SEIT 50 JAHREN
DER BESTE

Das aktuelle Angebot sehen Sie auf: **WEBSHOP.ACSI.eu**

Ausstattungliste

1 Sanitärraum-Einteilung
A Getrennte Dusch- und Toilettenräume
B Beide Einrichtungen in einem Raum

2 Extra Ausstattungen im Sanitärbereich
A Leichtgängige automatische Türschliesser
B Sanitäre Ausstattungen für Behinderte im selben Block wie für die übrigen Campinggäste
C Sanitäre Ausstattungen für Behinderte nicht im selben Gebäude, aber mit Alarmanlage ausgestattet
D Behindertensanitär nur für Behinderte geöffnet
E Duschstuhl (ausklappbar oder entfernbar) ungefähr 48 cm hoch
F Wasserhahn ohne Drucktaste

3 Weitere Ausstattungen
A Spezielle Stellplätze für Behinderte
B Spezielle Parkplätze für Behinderte
C Imbiss / Restaurant zu ebener Erde oder über eine Rampe erreichbar
D Imbiss / Restaurant hat eine für Behinderte zugängliche und angepasste Toilette
E Supermarkt zu ebener Erde oder über eine Rampe erreichbar
F Rezeption für Behinderte gut zugänglich
G Schwimmbad mit einem Lift ausgestattet
H Schwimmbad nicht mit Lift ausgestattet sondern mit einer Rampe einschließlich Kunststoff Rollstuhl

ACSI stellt jährlich eine Liste von Campingplätzen zusammen, die behindertengerecht ausgestattet sind. Die Voraussetzungen für einen behindertengerechten Platz wurden in Absprache mit dem Holländischen Behindertenrat festgelegt.
Die Campingplätze, die in diese Liste aufgenommen werden, verfügen alle über für Behinderte geeignete Toiletten und Duschen oder über eine Kombination von beiden. Weiterhin geben wir bei jedem Campingplatz an, ob dieser über zusätzliche, für Behinderte nützliche Ausstattungen verfügt.

In den letzten Jahren ist diese Anzahl derartig gestiegen, daß wir beschlossen haben, diese Liste nicht mehr im Führer zu veröffentlichen. Dies würde den Umfang des Führers sprengen, außerdem ist die Anzahl der Nutzer vergleichsweise gering.

Fragen Sie die kostenlose Liste an!

Damit sich behinderte Camper aber weiterhin über die auf sie zugeschnittenen Angebote informieren können, verschicken wir die jährlich aktualisierte Liste gratis.

Die Bestelladresse lautet:
ACSI Publishing BV
z.H.v. Redaktion
Postbus 34
6670 AA Zetten
Niederlande

Wir schicken Ihnen die Liste mit Campingplätzen, die für Behinderte geeignet sind, postwendend zu.

Noch schneller kann man die Liste selbst downloaden auf
▶ *www.eurocampings.de/behinderte* ◀
Dann haben Sie die ausführliche Liste sofort in der Hand.

Der Hilfsdienst Côte d'Azur (Mitgliederstiftung Caravans Côte d'Azur) betreut das Aufstellen von Caravans für Behinderte auf Camping Les Prairies de la Mer in Port-Grimaud. Mehr Informationen hierzu finden Sie unter:
▶ *www.hd-cote-d-azur.com* ◀

Nützliche Adresse

Allgemeiner Behindertenverband in Deutschland e.V. (ABiD)
Friedrichstraße 95
D-10117 Berlin
Tel. +49 (0)30-27593429
Fax +49 (0)30-27593430
E-Mail: abid.bv@t-online.de
▶ *www.abid-ev.de* ◀

Atlantischer Ozean

Nordsee

Irischer See

Keltischer See

Inverness
Elgin
A98
A95
A96
Peterhead
Isle of Mull
A86
SCHOTTLAND
Aberdeen
92
A92
A82
A90
A85
A9
Dundee
Greenock
Dunfermline
Glasgow
EDINBURGH
A78
Berwick-upon-Tweed
Kilmarnock
A71
A702
A76
A77
A713
A701
A7
Newcastle upon Tyne
A75
A697
A6
NORDIRLAND
N15
A2
100
Sligo
A46
Lisburn
BELFAST
Workington
A596
83
A68
N59
A4
A28
Whitehaven
A595
Middlesbrough
A27
Douglas
N5
Dundalk
NORD-ENGLAND
N61
N55
N3
N2
A169
IRLAND
N4
M6
M1
York
Preston
A65
A166
N62
N80
DUBLIN
Leeds
Hull
Limerick
N81
Liverpool
Doncaster
Grimsby
N24
N77
Wirral
Sheffield
A159
Lincoln
A5
A53
EAST MIDLANDS
Waterford
N25
Wexford
A494
Nottingham
78
A16
Cork
WALES
A49
76
Leicester
A15
A149
Coventry
A1065
Norwich
A487
WEST
A423
Peterborough
80
88
A483
A470
MIDLANDS
Cambridge
A134
Milford Haven
A465
EAST ANGLIA
Newport
Swindon
71
Colchester
Harwich
CARDIFF
Bristol
LONDON
SOUTH EAST
Bideford
M5
Reading
Canterbury
SOUTH WEST
A377
Yeovil
Dover
Exeter
60
A37
Southampton
Maidstone
Dunkerque
A39
A386
Maidstone
Calais
Truro
Plymouth
Brighton
St Austell
Étaples
Béthune
Penzance
Eu
Dieppe

CF-EU

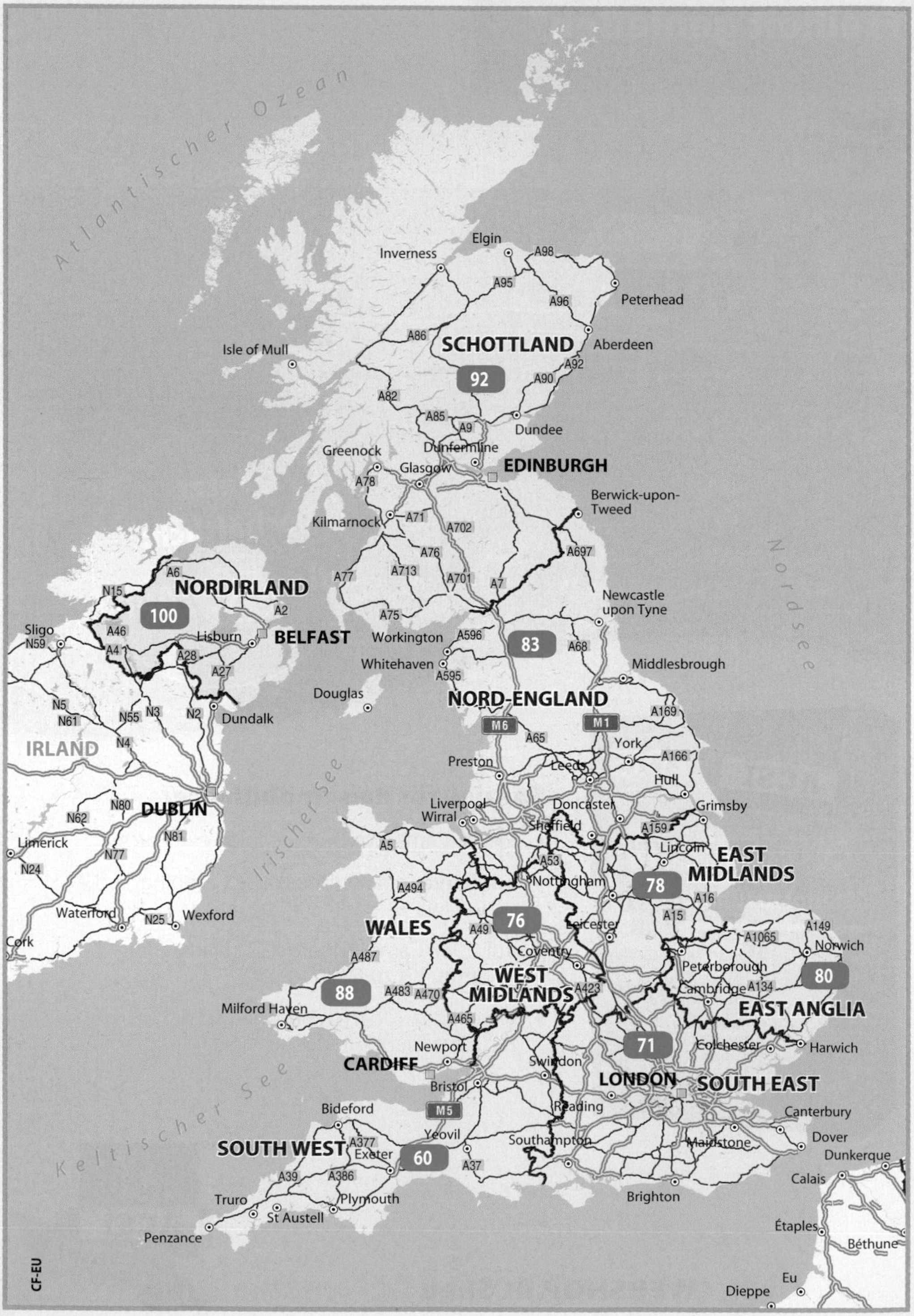

ⓘ Allgemein
Großbritannien ist EU-Mitglied.

Zeit
In Großbritannien ist es eine Stunde früher als in Berlin.

Sprache
Englisch.

Überfahrt
Nach Großbritannien kommt man über die Nordsee oder den Eurotunnel. Verschiedene Reedereien bieten Überfahrten an aus Holland, Belgien, Frankreich und Deutschland. Es geht auch mit dem Autozug durch den Tunnel. Achtung: Ein mit LPG betriebenes Fahrzeug darf nicht durch den Eurotunnel. Für fest installierte Gasbehälter in Wohnwagen oder Reisemobilen gelten besondere Vorschriften. Tragbare Gasbehälter sind erlaubt, müssen aber angemeldet werden. Siehe ▶ *www.eurotunnel.com* ◀

♿ Grenzformalitäten
Viele Formalitäten und Vereinbarungen, wie erforderliche Reisedokumente, KFZ-Papiere, Anforderungen an Ihr Fahrzeug und Ihren Aufenthalt, Krankenkosten und das Mitführen von Tieren, sind nicht nur vom Zielort abhängig, sondern auch von Ihrem Ausgangsort und Ihrer Nationalität. Auch die Dauer Ihres Aufenthaltes spielt dabei eine Rolle. Im Rahmen dieses Führers ist es leider nicht möglich, allen Lesern korrekte und aktuelle Informationen in dieser Hinsicht zu garantieren.

Wir raten Ihnen, vor Ihrer Abreise bei den entsprechenden Behörden in Erfahrung zu bringen:

- welche Reisedokumente Sie für sich selbst und Ihre Reisebegleitung brauchen
- welche Dokumente Sie für Ihr Auto brauchen
- welchen Anforderungen Ihr Fahrzeug entsprechen muss
- welche Güter Sie ein- und ausführen dürfen
- wie im Unglücks- oder Krankheitsfall die medizinische Versorgung im Urlaubsland organisiert ist und bezahlt wird
- ob Sie Ihre Haustiere mitnehmen können. Nehmen Sie rechtzeitig Kontakt zu Ihrem Tierarzt auf. Dort erhalten Sie Informationen über relevante Impfungen, entsprechende Bestätigungen und Verpflichtungen bei Ihrer Rückkehr. Es ist auch sinnvoll herauszufinden, ob an Ihrem Urlaubsziel bestimmte Bedingungen für Haustiere in der

Öffentlichkeit geknüpft sind. So müssen in manchen Ländern Hunde immer einen Maulkorb tragen oder vergittert transportiert werden.

Viele allgemeine Infos finden Sie auf ▸ *www.europa.eu* ◂ aber sorgen Sie selbst dafür, die richtige Information für Ihre individuelle Situation herauszufinden.

Aktuelle Zollbestimmungen entnehmen Sie den Botschaften des jeweiligen Urlaubslandes an Ihrem Wohnort.

ⓘ Währung und Geld

Die Währungseinheit ist das Pfund Sterling, Wechselkurs (September 2014): € 1 = GBP 0,80.
Sie können bei der Post, Banken und Wechselstuben wechseln. Schottland, die Kanalinseln und die Isle of Man haben eigene Banknoten und Münzen, die Sie außerhalb dieser Gebiete nicht verwenden können.

Geldautomat
Es gibt ausreichend Geldautomaten, zum Geld abheben.

Kreditkarten
Vielerorts kann man mit Kreditkarte bezahlen.

⊶ Öffnungszeiten und Feiertage

Banken
An Werktagen sind die Banken bis 16.00 Uhr geöffnet.

Geschäfte
Geschäfte sind von Montag bis Samstag bis 17.30 Uhr geöffnet. Sonntags sind die Geschäfte in Schottland öfter geöffnet als im restlichen Großbritannien.

Pubs

Die britischen Pubs sind montags bis
sonntags von 11.00 bis 23.00 Uhr geöffnet.
In den Städten sind Pubs oft schon um
9.00 Uhr geöffnet für das Frühstück.

Apotheken, Ärzte

Hausärzte praktizieren montags bis freitags
zwischen 8.30 und 18.00 Uhr. Vereinbaren
Sie dennoch einen Termin! Apotheken oder
'Pharmacies' sind montags bis freitags bis
18.00 Uhr, samstags bis 13.00 Uhr geöffnet.

Feiertage

Für England und Wales:
Neujahr, Karfreitag, Ostern, 4. Mai (Bank
Holiday), 25. Mai (Bank Holiday), 31. August
(Bank Holiday), 1. Weihnachtsfeiertag,
26. Dezember (Boxing day).

Für Schottland:
1 und 2. Januar, Karfreitag, Ostern, 4. Mai
(Bank Holiday), 25. Mai (Bank Holiday),
3. August (Bank Holiday), 30. November
(Saint Andrew's Day), 1. Weihnachtsfeiertag,
26. Dezember (Boxing Day).

Kommunikation

(Mobil)Telefon

Das Mobilnetz ist in ganz Großbritannien
gut, abgesehen von der Westküste
Schottlands. Es gibt ein 3 G-Netz für das
mobile Internet.

W-Lan, Internet

Internetcafés gibt es ausreichend, vor
allem in den Städten. Vielerorts ist W-Lan
vorhanden, nur die Kosten sind happig.

Post

Die allgemeinen Öffnungszeiten sind
Montag bis Freitag bis 17.30 Uhr. Samstag
bis 12.30 Uhr geöffnet

Straßen und Verkehr

Straßennetz

Die Straßenwacht an den Autobahnen
ist über die am Straßenrand stehenden
Telefone der Automobile Association (AA)
erreichbar. Auf kleineren Straßen muss man
die Pannen-Notrufnummer des AA wählen
Tel. 0800-887766.

Verkehrsvorschriften

In Großbritannien gilt: links fahren und rechts überholen!

Bei Kreuzungen zweier Hauptstraßen gelten keine allgemein verbindlichen Regeln, hier muss man aufpassen. Der Verkehr auf Hauptstraßen hat Vorfahrt, angezeigt mit Schildern 'Stop' oder 'Give way'.

Im Kreisel hat der Kreisverkehr (von rechts kommend!) Vorfahrt gegenüber dem sich nähernden Verkehr.

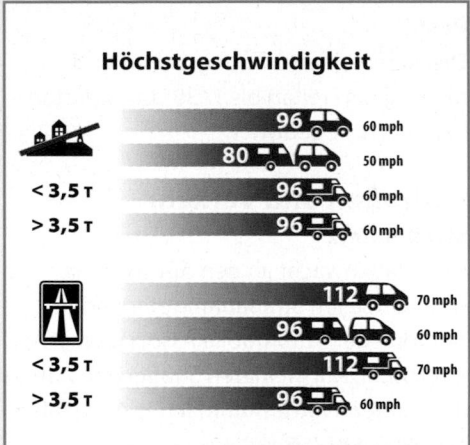

Promillehöchstgrenze: 0,8 ‰.

In Großbritannien muss man tagsüber nicht mit Licht fahren, außer bei einer Sichtweite von weniger als 100m. Telefonieren nur mit Freisprechanlage. Sie können Ihre Beleuchtung auf Linksverkehr umstellen, indem Sie die Scheinwerfer vorne mit einem Spezialaufkleber abdecken. Dieser Aufkleber ist erhältlich bei ▸ *www.visitbritainshop.com* ◂ Es gelten keine Vorschriften für die Verwendung von Winterreifen.

Navigation

Warnung vor festen Blitzern durch Navi oder Mobiltelefon Apps ist erlaubt.

Wohnwagen, Reisemobil

Auf Autobahnen mit drei Spuren dürfen Sie mit dem Wohnwagen nicht auf der äußersten Überholspur (die ganz rechte) fahren. Auf der Isle of Man sind gar keine Wohnwagen erlaubt.

Zulässige Maße

Höhe 4m, Breite 2,55m, Länge Gespann 18,75m. Größere Abmessungen, besonders die Breite, können bei der Einfahrt zum Camping oder auf schmaleren Straßen Probleme bereiten.

Kraftstoff

Bleifrei und Diesel sind gut erhältlich, LPG einigermaßen.

Tankstellen

Tankstellen an den Autobahnen sind 24 Stunden offen, ansonsten bis 22.00 Uhr. Meist kann man mit Kreditkarte zahlen.

Maut

'Low emission zone' (LEZ):

Zur Verbesserung der Luftqualität ist die 'low emission zone' (LEZ) in London entstanden.

Die LEZ gilt nicht für PKW, aber für Reisemobile. Wenn Sie mit dem Reisemobil nach/durch London fahren, müssen Sie Ihr Fahrzeug bei (TfL) Transport for London ▸ *www.tfl.gov.uk* ◂ registrieren.

Wenn Sie sich nicht registrieren, zahlen Sie eine Strafe von 250 bis 500 Pfund.

'Congestion charge':

In London gibt es auch die 'Congestion Charge'. Die Tarife sind:

• £ 12 wenn Sie am Tag nach der Fahrt zahlen
• £ 10 wenn Sie am Tag der Fahrt zahlen

- £ 9 wenn Sie automatisch über Kreditkarte CC Auto Pay zahlen

Bezahlen kann man online, per SMS, telefonisch oder bei Geschäften oder Post. An Wochenenden, während britischer Ferientage und zwischen 18.00 Uhr und 7.00 Uhr muss man nichts bezahlen. Weitere Infos zum 'Congestion Charge': ▸ *www.tfl.gov.uk* ◂

Notruf

112: nationaler Notruf für Polizei, Feuerwehr und Krankenwagen.

△ Campen

Freies Campen ist in Schottland erlaubt, im Rest Großbritanniens nur mit Genehmigung des Grundstücksbesitzers. Es ist verboten, am Straßenrand und auf Parkplätzen zu campen. Ein Zelt oder Vorzelt kostet oft extra!

'Campsite', 'Touring Park' oder 'Caravan Park'

Der große Unterschied zwischen einem 'Campsite' und einem 'Touring Park' ist, dass erstgenannte viel größer ist und mehr Dauerplätze für Wohnwagen hat. Touring Parks sind wirklich nur für Leute mit eigenem Zelt oder Caravan. Auf 'Caravan Parks' sind keine Zelte erlaubt. Es ist ratsam rechtzeitig zu reservieren, falls Ihr Aufenthalt während der Bank Holidays oder am Wochenende ist.

Praktisch

- Entfernungen werden in Meilen angeboten: 1 Meile = 1,609 km, 1 km = 0,621 Meilen.
- Eigene Gasflaschen können wegen der unterschiedlichen Anschlüsse oft nicht gefüllt werden.
- Gasflaschen gibt es als blaue Campingaz Flasche 907, manchmal auch die Nummern 901 und 904.
- Am besten haben Sie immer Universalstecker dabei.
- Leitungswasser kann man bedenkenlos trinken.

Klima Edinburgh	Jan.	Feb.	März	April	Mai	Juni	Juli	Aug.	Sept.	Okt.	Nov.	Dez.
Tagestemperatur	4	4	6	8	11	14	16	15	13	10	7	5
Sonnenstunden am Tag	2	3	4	5	6	6	5	5	4	3	2	1
Regentage	13	11	11	10	10	11	13	12	12	13	13	13

Klima Heathrow	Jan.	Feb.	März	April	Mai	Juni	Juli	Aug.	Sept.	Okt.	Nov.	Dez.
Tagestemperatur	5	5	8	11	14	17	19	19	16	12	9	6
Sonnenstunden am Tag	2	2	4	5	6	7	6	6	5	3	2	1
Regentage	11	10	8	8	8	8	9	9	9	9	10	9

South West

Bridgend

Mortehoe · Combe Martin · Lynton (N-Devon)
Woolacombe · Ilfracombe · Minehead
Bratton Fleming/Barnstaple
Barnstaple
Bideford · Molland/ · Winsford/Exmoor
South Molton · South Molton
South Molton
(North Devon) · Bridgetown
Torrington · Umberleigh · Dulverton
East Anstey/ (Somerset)
Tiverton
A377 · Tiverton
Bude · A361
East Worlington/Crediton · Cullompton
A39 · Crediton
M5
Tintagel · Launceston · Tedburn St. Mary (Exeter)
Launceston · Okehampton · Exeter
Wadebridge · Woodbury/Exeter
Padstow · Chudleigh · Exeter
(South Devon) · Exmouth
Tregurrian/Newquay · A388 · Tavistock · Devon · A380 · Dawlish
Bodmin · A386 · Moorshop/ · Teigngrace
Newquay · Trekenning · Tavistock · Newton Abbot
Crantock/Newquay · Quoit · Liskeard · Ashburton
Holywell Bay/Newquay · Lostwithiel · A38 · Landrake/Saltash · A384 · Torquay
Perranporth · Cubert/Newquay · Saltash · A385 · Paignton
Rejerrah/Newquay · St. Martin by Looe · Plymouth
St. Agnes · Perranporth/Truro · A30 · Ivybridge · Totnes
Porthtowan/Truro · Greenbottom/Truro · St. Austell · Looe · Torpoint · Galmpton/Brixham
Portreath · Pentewan/St. Austell · Millbrook/Torpoint · Modbury
St. Ives · Hayle · Redruth · Truro · Kingsbridge
Saint Just · Penzance · Four Lanes/Redruth
Crows-an-Wra/ · Newlyn · Leedstown/Hayle · Boswinger Gorran/St. Austell
Land's End · Helston · St. Just-in-Roseland
St. Buryan/Penzance · A394 · Falmouth
Cornwall
Cury Cross Lanes/Helston
Mullion/Helston

Keltischer See
Der Kanal
CF-EU

Ashburton (Devon), GB-TQ13 7NP / South West

River Dart Country Park****	1 ADEJMNOPRST	N 6
Holne Park	2 ABCDFGNPSTVWXY	ABDEFGH 7
1 Apr - 30 Sep	3 ABELMU	ABCDFIJNQRSV 8
+44 (0)1364-652511	4 FHIOPQ	JU 9
info@riverdart.co.uk	5 BDEGIJKL	BFIJMORY 10
	16A CEE	€ 31,25
	H100 36 ha 180T(100-130m²) 1D	€ 48,75

N 50°31'0'' W 3°47'20''
A38 Richtung Plymouth. Zweite Ausfahrt, B3352 Richtung Ashburton.
Den braunen Schildern 'River Dart Country Park' folgen. CP nach 2 km links.

Bere Regis, GB-BH20 7LP / South West

Rowlands Wait Touring Park****	1 ADEJMNOPRST	N 6
Rye Hill	2 BPRSTUWXY	ABDEFGH 7
15 Mär - 31 Okt	3 AKL	ABCDFINQRSV 8
+44 (0)1929-472727	4 IQ	9
enquiries@rowlandswait.co.uk	5 BL	BIJOR 10
	B 16A CEE	€ 32,20
	H60 3,4 ha 71T(100-140m²)	€ 40,95

N 50°44'36'' W 2°13'27''
Von Bere Regis den Schildern Richtung Wool/Bovington folgen.
Der CP liegt 1,2 km vom Ort, am Hügel oben rechts. CP-Schildern folgen.

Batcombe Vale/Shapton Mallet, GB-BA4 6BW / S. W.

Batcombe Vale Campsite	1 AILNOPRT	N 6
1 Apr - 30 Sep	2 CDFPVWX	ABFG 7
+44 (0)7715-905495	3 EK	ABEFNQRV 8
batcombe.vale@outlook.com	4 F	9
	5	BHJMST 10
	10A CEE	€ 25,00
	3,6 ha 32T(50-150m²)	€ 32,50

N 51°8'21'' W 2°27'20''
A371 Shepton Mallet-Bruton. Bei Evercreek ist der CP aus beiden Richtungen angezeigt.

Berrow/Malvern, GB-WR13 6AQ / South West

Kingsgreen Caravan Park	1 AJMNOPQRT	N 6
Kingsgreen	2 ADFPRSVWX	ABDEFGH 7
1 Mär - 31 Okt	3 K	ABEFJNQRV 8
+44 (0)1531-650272	4 F	9
kingsgreen@live.co.uk	5 KL	BFHJR 10
	B 16A CEE	€ 20,00
	2 ha 10T(80-110m²) 35D	€ 23,75

N 52°0'8'' W 2°20'17''
A417 Ledbury-Gloucester, nach der M50 Ausfahrt 2, 1. Seitenstraße rechts.
In der Kurve ist der CP ausgezeichnet.

Bath, GB-BA1 3JT / South West

Bath Marina & Caravan Park	1 ACDEGJMOPQRST	N 6
Brassmill Lane	2 COPRSVWXY	ABDEFGH 7
1 Jan - 31 Dez	3 AK	ABEFJNPQRTUV 8
+44 (0)1225-424301	4 FH	9
richard.mayne@bwml.co.uk	5 BKM	ABEFHKMPR 10
	B 16A CEE	€ 30,55
	2 ha 64T(80-100m²)	€ 38,05

N 51°23'17'' W 2°24'12''
Stadtcamping, am Rand von Bath an der A4 Richtung Bristol.

Blandford Forum, GB-DT11 9AD / South West

The Inside Park****	1 ADEILNOPRT	6
1 Apr - 31 Okt	2 PRTVXY	ABDEFGH 7
+44 (0)1258-453719	3 BEKL	ABCDEFNQRSV 8
Inspark@aol.com	4 FHIQ	9
	5 BL	BHJMORW 10
	B 10A CEE	€ 29,30
	4,8 ha 125T(80-140m²)	€ 36,80

N 50°50'27'' W 2°11'40''
Von Blandford Forum am Kreisel der A350/A354 die Strecke nach Winterborn Stickland folgen. Den CP-Schildern folgen. N.B.: GPS kann Sie falsch lotsen.

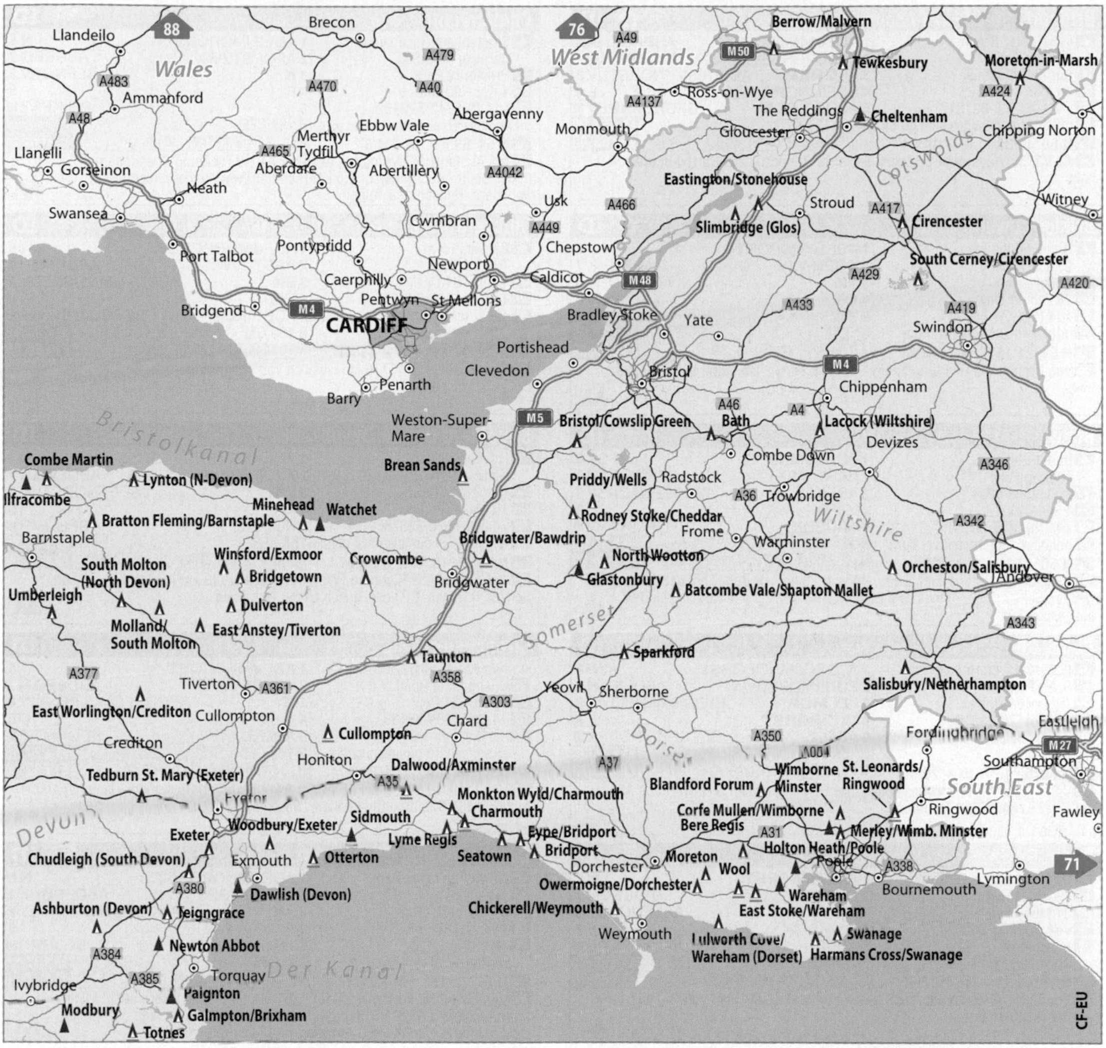

Map of South West England and Wales with place names including:

Wales, West Midlands, Llandeilo, Brecon, Berrow/Malvern, Tewkesbury, Moreton-in-Marsh, Ammanford, Ross-on-Wye, The Reddings, Cheltenham, Chipping Norton, Ebbw Vale, Abergavenny, Monmouth, Gloucester, Cotswolds, Witney, Merthyr Tydfil, Aberdare, Usk, Eastington/Stonehouse, Stroud, Cirencester, Gorseinon, Neath, Cwmbran, Chepstow, Slimbridge (Glos), South Cerney/Cirencester, Swansea, Pontypridd, Newport, Caldicot, Bradley Stoke, Yate, Swindon, Port Talbot, Caerphilly, Pentwyn, St Mellons, CARDIFF, Portishead, Bristol, Chippenham, Clevedon, Barry, Penarth, Weston-Super-Mare, Bristol/Cowslip Green, Bath, Lacock (Wiltshire), Combe Down, Devizes, Combe Martin, Lynton (N-Devon), Brean Sands, Priddy/Wells, Radstock, Trowbridge, Ilfracombe, Minehead, Watchet, Rodney Stoke/Cheddar, Frome, Warminster, Wiltshire, Barnstaple, Bratton Fleming/Barnstaple, Bridgwater/Bawdrip, North Wootton, Orcheston/Salisbury, Andover, South Molton (North Devon), Winsford/Exmoor, Crowcombe, Bridgtown, Bridgwater, Glastonbury, Batcombe Vale/Shapton Mallet, Umberleigh, Dulverton, Molland/South Molton, East Anstey/Tiverton, Somerset, Sparkford, Salisbury/Netherhampton, Taunton, Yeovil, Sherborne, East Worlington/Crediton, Tiverton, Cullompton, Chard, Dorset, Fordingbridge, Eastleigh, Crediton, Honiton, Dalwood/Axminster, Southampton, Tedburn St. Mary (Exeter), Exeter, Blandford Forum, Wimborne Minster, St. Leonards/Ringwood, Ringwood, Fawley, Devon, Woodbury/Exeter, Sidmouth, Lyme Regis, Monkton Wyld/Charmouth, Charmouth, Corfe Mullen/Wimborne, Bere Regis, Merley/Wimb. Minster, Chudleigh (South Devon), Exmouth, Otterton, Seatown, Eype/Bridport, Bridport, Holton Heath/Poole, Moreton, Wool, Poole, Bournemouth, Lymington, Ashburton (Devon), Teigngrace, Dawlish (Devon), Chickerell/Weymouth, Owermoigne/Dorchester, Dorchester, Wareham, East Stoke/Wareham, Ivybridge, Newton Abbot, Torquay, Weymouth, Lulworth Cove/Wareham (Dorset), Swanage, Harmans Cross/Swanage, Modbury, Paignton, Galmpton/Brixham, Totnes, Der Kanal

---

Boswinger Gorran/St. Austell, GB-PL26 6LL / S. W.

▲ Seaview International*****	1 ADEJMNOPRST ABFQUX 6
⊙ 1 Apr - 30 Sep	2 GHOPRSVWXY ABDEFGHIK 7
☎ +44 (0)1726-843425	3 BEILM ABCDEFIJLNQRSV 8
@ holidays@	4 IPQ E 9
seaviewinternational.com	5 ABCDEJKL BFGHIJMNOPRV10
	B 16A CEE ① €27,50
◨ N 50°14'14'' W 4°49'9''	H102 12 ha 185T(110-200m²) 50D ② €40,00

In St. Austell auf die B3273 Richtung Mevagissey. Auf dem Hügel (CP-Schild) rechts. Richtung Gorran Haven, dann Richtung Boswinger bis zu den CP-Schildern.

Bridgetown, GB-TA22 9JR / South West

▲ Exe Valley Caravan Site***	1 AJMNOPRST 6
◨ Mill House	2 BCFOPRSVWX ABDEFGHK 7
⊙ 13 Mär - 18 Okt	3 ABEFJNQRV 8
☎ +44 (0)1643-851432	4 F V 9
@ paul@paulmatt.fsnet.co.uk	5 BKL BEFGHJMOR10
	10A CEE ① €21,25
◨ N 51°5'15'' W 3°32'20''	2 ha 50T(100-200m²)

CP in Bridgetown an der A396 zwischen Minehead und Tiverton. Von beiden Seiten aus mit braunen Schildern angezeigt.

Bratton Fleming/Barnstaple, GB-EX31 4SG / South W.

▲ Greenacres Touring	1 AJMOPRST 6
Caravan Park****	2 OPQSVX ABDEGH 7
⊙ 1 Apr - 12 Okt	3 ABEFNQRV 8
☎ +44 (0)1598-763334	4 FH 9
	5 KL BHJMR10
	16A CEE ① €20,00
◨ N 51°8'50'' W 3°55'7''	H350 2 ha 30T(120-150m²) ② €23,15

M5, Ausfahrt 27 und die A361 Richtung Tiverton/Barnstaple. Im Kreisel bei South Molton rechts die A399 Richtung Blackmoor Gate. Links ab am Stowford Cross, den CP-Schildern und 'Exmoor Zoological Park' folgen.

Bridgwater/Bawdrip, GB-TA7 8PP / South W.

▲ The Fairways Intern.	1 ADEJMNOPQRST 6
Touring C.C. Park***	2 APRSVWX ABDEFG 7
◨ Bath Road	3 ABCDFHJNQRSV 8
⊙ 1 Jan - 31 Dez	4 F 9
☎ +44 (0)1278-685569	5 ABL BDGHJMPR10
holiday@fairwaysinternational.co.uk	Anzeige auf Seite 63 B 10A CEE ① €27,50
◨ N 51°9'25'' W 2°56'4''	3 ha 71T(90-110m²) 50D ② €27,50

Von der M5 kommend, Ausfahrt 23, über die A39 Richtung Glastonbury fahren. Nach 4,5 km die B3141, CP ausgeschildert.

Brean Sands, GB-TA8 2RB / South West

▲ Holiday Resort Unity***	1 ACDEJMNOPQRST ABEFGHKNQ 6
◨ Coast Road	2 AEHOPSVW ABDEFGH 7
⊙ 13 Feb - 15 Nov	3 ABCEHIJKPST ABCDFIJMNQRSTU 8
☎ +44 (0)1278-751235	4 FHILNOPQRS AEFUVY 9
@ admin@hru.co.uk	5 ACDEGJKM BDGHIKMOSTYZ10
	Anzeige auf dieser Seite B 16A CEE ① €43,15
◨ N 51°16'50'' W 3°0'46''	100 ha 448T(100-144m²) 810D ② €43,15

Von der M5, Ausfahrt 22 und den braunen Schildern 'Brean Leisure Park' folgen. Einfahrt zum CP 200m südlich vom Eingang zum Leisure Park.

Bridport, GB-DT6 4PT / South West

- Freshwater Beach Holiday Park★★★★
- Burton Bradstock
- 18 Mär - 15 Nov
- +44 (0)1308-897317
- @ office@freshwaterbeach.co.uk
- N 50°42'30'' W 2°44'24''

1 ADEHJMNOPQRT	ABEFGKNX 6
2 EGJOPRSTUVWX	ABDEFGHK 7
3 AEGHKP	ABCDEFIJKNQRSTUV 8
4 BDFIMNOPQRTUVZ	E 9
5 ACDEGJKLM	BFGHJMNPRY10
B 10A CEE	❶ €55,00
150 ha 550T(100m²) 60D	❷ €55,00

An B3157 Weymouth-Bridport. 5 km vor Bridport, nach Burton Bradstock, links.

Bristol/Cowslip Green, GB-BS40 5RB / S. W.

- Brook Lodge Farm C. & C. Park★★★
- A38
- 28 Feb - 1 Nov
- +44 (0)1934-862311
- @ info@brooklodgefarm.com
- N 51°21'18'' W 2°44'25''

1 ADEHKNOPQRT	6
2 CGPRWXY	ABFGHK 7
3 AK	ABEFNQRV 8
4 FHO	DUV 9
5 BKL	ABKNPR10
6A CEE	❶ €31,90
1,5 ha 32T(100-110m²) 3D	❷ €36,90

Von Bristol A38 Richtung Exeter/Taunton, circa 3 km hinter dem Flugplatz links.

Bude, GB-EX23 0NA / South West

- Budemeadows Touring Park★★★★
- Widemouth Bay
- 1 Jan - 31 Dez
- +44 (0)1288-361646
- @ holiday@budemeadows.com
- N 50°47'1'' W 4°32'6''

1 ACDEJMNOPRT	ABFGX 6
2 GOPSVWXY	ABDEFGH 7
3 ABEKLP	ABCDEFLNQRSV 8
4 IOPQ	9
5 ABDEGK	BFGHIJNPRV10
B 16A CEE	❶ €35,65
H50 3,6 ha 138T(100-130m²) 4D	❷ €46,90

A39 von Camelford nach Bude. Ungefähr 8 km vor Bude liegt der CP an der rechten Seite in Poundstock. Die Einfahrt zum CP liegt am Parkplatz und ist ausgeschildert.

Bude, GB-EX23 9QY / South West

- Pentire Haven Holiday Park
- Stibb Road
- 1 Jan - 31 Dez
- +44 (0)1288-321601
- @ holidays@pentirehaven.co.uk
- N 50°52'13'' W 4°29'40''

1 ACDEGJMNOPQRST	ABE 6
2 FGHKMOPSUVW	ABDEFGH 7
3 BDLMOP	ABFGJMNQRSTUV 8
4 MNOPQRST	9
5 ABFGI	BEFGHKMNOPRX10
B 16A CEE	❶ €31,25
H134 4 ha 80T(100-10m²) 6D	❷ €32,50

Von Bideford A39 Richtung Bude. Der CP ist nur einen Steinwurf von A39 an der Straße zum Weiler Stibbroad.

Bude, GB-EX23 0LP / South West

- Upper Lynstone C/PK
- Lynstone Road
- 31 Mär - 1 Okt
- +44 (0)1288-352017
- @ reception@ upperlynstone.co.uk
- N 50°49'11'' W 4°32'55''

1 ADEJMNOPRT	N 6
2 HOPQW	ABDEFGH 7
3 AK	ABEFNQRSV 8
4	E 9
5 ABKL	BHJMPR10
B 10A CEE	❶ €28,75
2,5 ha 73T(100-120m²) 20D	❷ €38,75

Von Bude Küstenstraße nach Widemouth Bay. Nach 1 km befindet sich der CP auf der rechten Seite.

Bude, GB-EX23 9HJ / South West

- Wooda Farm Holiday Park★★★★★
- Poughill
- 28 Mär - 1 Nov
- +44 (0)1288-352069
- @ enquiries@wooda.co.uk
- N 50°50'36'' W 4°31'6''

1 ADEJMNOPRST	6
2 FPSTVWX	ABDEFGHK 7
3 BCJKLMR	ABEFIJLNQRSV 8
4 FIOQR	EJ 9
5 ACDEGHKL	BEFGJMNPRZ10
Anzeige auf Seite 63 B 16A CEE	❶ €35,00
H75 6 ha 210T(80-120m²) 57D	❷ €46,25

A39, nördlich von Bude Richtung Bideford. Nach ca. 4 km links Richtung Poughil und Stibb. Der CP ist gut ausgeschildert.

Charmouth, GB-DT6 6BT / South West

- Wood Farm Caravan Park★★★★★
- Axminster Road
- 19 Mär - 1 Nov
- +44 (0)1297-560697
- @ holidays@woodfarm.co.uk
- N 50°44'31'' W 2°54'57''

1 ADEJMNOPQRT	EN 6
2 FOPRSTUVWXY	ABDEFGH 7
3 AKLM	ABCDFHIJNPQRSTU 8
4 FIOPQ	EI 9
5 ABDEKLM	BDEGHKMNPQRXY10
B 10A CEE	❶ €36,25
H80 8 ha 165T(90-100m²) 87D	❷ €43,75

An A35 Bridport-Axminster, nach Ausfahrt Charmouth bei Kreisverkehr rechts, Schildern folgen.

Cheltenham, GB-GL51 0SX / South West

- Briarfields Motel & Touring Park
- Gloucester Road
- 1 Jan - 31 Dez
- +44 (0)1242-235324
- @ briarfields@hotmail.com
- N 51°53'42'' W 2°8'3''

1 ADEJMNOPQRS	6
2 AOPRSVWX	ABDEFGH 7
3 K	ABCDEFGHINPQRSV 8
4	G 9
5 L	BDHKOPRX10
B 10A CEE	❶ €22,50
2 ha 72T(25-120m²) 20D	❷ €27,50

M5 Ausfahrt 11 Cheltenham, nach 800m links ab zur B4063. Cp liegt nach 200m links.

Cheltenham, GB-GL50 4SH / South West

- Cheltenham Racecourse Caravan Club Site
- Prestbury Park
- 4 Apr - 20 Okt
- +44 (0)1242-523102
- cheltenhamracecourse@caravanclub.co.uk
- N 51°55'4'' W 2°4'3''

1 ADEFJMOPQRST	N 6
2 AFOPSTVWX	ABDEFG 7
3 K	ABEFNQRV 8
4 F	9
5	BHIKPRZ10
B 16A CEE	Preise auf
H64 2,8 ha 77T(80-110m²)	Anfrage

M5 Ausfahrt 10 Uckington, dann die A4019 Richtung Cheltenham. In der Stadt A435 ungefähr 2,5 km Richtung Norden, dann rechts, Schildern 'Racecourse' folgen.

Chickerell/Weymouth, GB-DT3 4EA / South West

- Bagwell Farm Touring Park★★★★
- 1 Jan - 31 Dez
- +44 (0)1305-782575
- @ enquiries@bagwellfarm.co.uk
- N 50°37'59'' W 2°31'44''

1 ADEJMNOPQRST	6
2 PRSTUVWX	ABDEFGH 7
3 BK	ABCDFIJMNQRSTUV 8
4 FKO	9
5 ACEGIKLM	BEFGJMPRVWY10
B 16A CEE	❶ €33,15
35 ha 320T(80-225m²) 80D	❷ €36,90

CP an Straße B3157, 6 km westlich von Weymouth.

Chudleigh (South Devon), GB-TQ13 0DZ / South West

- Holmans Wood Holiday Park★★★★
- Harcombe Cross
- 15 Mär - 31 Okt
- +44 (0)1626-853785
- @ enquiries@holmanswood.co.uk
- N 50°37'10'' W 3°34'57''

1 ADEHKNOPRS	N 6
2 AFOPRSVWX	ABDEFGH 7
3 BKL	ABEFNQRSTUV 8
4 FH	9
5 KL	BFHIJMR10
16A CEE	❶ €26,25
H200 7,2 ha 72T(80-120m²) 34D	❷ €32,50

Von Exeter A38 Richtung Plymouth. Nach ca. 13 km Ausfahrt Chudleigh. Schildern folgen. CP links, gleich an der Autobahn.

Cirencester, GB-GL7 7BH / South West

Mayfield Park Touring & Camping★★★★
- Cheltenham Road
- 1 Jan - 31 Dez
- +44 (0)1285-831301
- @ mayfield-park@ cirencester.fsbusiness.co.uk
- N 51°44'50'' W 1°58'17''

1 ADEJMNOPQRT	6
2 FOPRSTVWX	ABDEFGH 7
3 K	ABCDEFGHIJNPQRSV 8
4	D 9
5 ABEKL	BFGHMOR10
B 16A CEE	❶ €27,50
H134 4 ha 80T(80-144m²) 4D	❷ €32,50

Von Cirencester kleines Stück auf A417 Richtung Gloucester, dann bei Ampel rechts, A435 Richtung Cheltenham. Nach ca. 2,8 km CP links.

Combe Martin, GB-EX34 0AT / South West

- Newberry Valley Park
- Woodlands
- 14 Mär - 30 Okt
- +44 (0)1271-882334
- @ relax@ newberryvalleypark.co.uk
- N 51°12'15'' W 4°2'34''

1 ADEJMNOPQRST	N 6
2 DEFHJMOPSUVWX	ABDEFGHK 7
3 AK	ABCDFGIJMNQRTUV 8
4 F	9
5 AB	BGJMPR10
16A CEE	❶ €37,50
12 ha 108T(70-180m²) 18D	❷ €47,50

Von Exeter M5 Ausfahrt 27 der A361 bis zum North Aller Kreisel folgen. Dann rechts zur A399 Richtung Combe Martin. Durch den lang gezogenen Ort durchfahren und dem Strandweg zum Meer folgen.

Corfe Mullen/Wimborne, GB-BH21 3EF / South W.

- Charris Car.& Camp. Park★★★
- Candy's Lane
- 1 Jan - 31 Dez
- +44 (0)1202-885970
- @ bookings@charris.co.uk
- N 50°47'18'' W 2°0'55''

1 ACDILNORT	6
2 PRSTUVWX	ABDEFGH 7
3	ABEFNQR 8
4	9
5 BL	IOR10
10A CEE	❶ €24,05
1,2 ha 45T(70-100m²)	❷ €29,05

A31 Ringwood-Dorchester Richtung Westen, entlang Wimborne Minster. 1 km hinter der Kreuzung mit der B3073. CP ist ausgeschildert.

Corfe Mullen/Wimborne, GB-BH21 3EF / South West

- Springfield Touring Park★★★★★
- Candys Lane
- 1 Apr - 16 Okt
- +44 (0)1202-881719
- @ john.clark18@btconnect.com
- N 50°47'18'' W 2°0'50''

1 AJMNOPRT	6
2 OPSTVX	ABDEFGH 7
3 A	ABFNQR 8
4	9
5	BIKRV10
10A CEE	❶ €27,50
1,4 ha 45T(100-120m²)	❷ €33,75

A31 Ringwood-Dorchester, Richtung Westen am Wimborne Minster entlang, 1 km hinter der Kreuzung mit der B3073 ist der CP ausgeschildert.

Crantock/Newquay, GB-TR8 5QS / South West

- Treago Farm★★★
- Crantock
- 30 Mär - 1 Okt
- +44 (0)1637-830277
- @ treagofarm@aol.com
- N 50°23'56'' W 5°7'21''

1 ADEJMNOPQRT	NQR 6
2 FGHPTUVWX	ABDEFGHK 7
3 EKL	ABEFGINQRSV 8
4 FIOQ	EJ 9
5 ABEGKL	BGJR10
B 10A CEE	❶ €32,50
2,5 ha 90T(100-120m²) 20D	❷ €43,75

A3075 Redruth-Newquay, südlich von Newquay nicht nummerierte Ausfahrt Richtung Crantock. Einfahrt des CP hinter Crantock, links.

Crantock/Newquay, GB-TR8 5EW / South West 📶 ♻ iD

🏕 Trevella Park*****	1 ADE**JM**NOPQRT	ABFGNQR	6
🏠 Crantock	2 FGHOPSTUVWX	ABDE**FGH**	7
🔓 1 Apr - 31 Okt	3 BE**IK**	ABCDEFGHIJNPQRSTUV	8
☎ +44 (0)1637-830308	4 FHIO**PQ**	ABE	9
@ holidays@trevella.co.uk	5 ACDEIKL	BEFGHIJM**NP**RWZ	10
	B 16A CEE	❶ €34,50	
🗺 N 50°23'50'' W 5°5'46''	9 ha 172T(100-120m²) 161**D**	❷ €51,40	

🚗 A3075 Redruth-Newquay, südlich von Newquay die nicht nummerierte Ausfahrt Richtung Crantock. Nach 1,5 km auf die nach links knickende Straße, rechts die Einfahrt zum CP. Ⓜ

Crowcombe, GB-TA4 4AW / South West 📶 iD

🏕 Quantock Orchard C. Park*****	1 ADEJMNOPQRS**T**	AB	6
🏠 Flaxpool Hill	2 OPRSVXY	ABDE**FGH**K	7
🔓 1 Jan - 31 Dez	3 BL	ABCDEFIJLNPQRSTU	8
☎ +44 (0)1984-618618	4 FIO**PQRTUV**	EUV	9
@ member@flaxpool.freeserve.co.uk	5 ABK**L**	ABFGHJ**NOR**V	10
	Anzeige auf dieser Seite 16A CEE	❶ €34,40	
🗺 N 51°6'28'' W 3°13'36''	H145 2 ha 75T(80-120m²) 18**D**	❷ €46,90	

🚗 M5, Ausfahrt 23. A39 bis Williton, links ab nach Taunton. A358. CP liegt hinter Crowcombe. Ⓜ

QUANTOCK ORCHARD CARAVAN PARK

Willkommen auf diesem gut ausgestatteten 5-Sterne Camping im Herzen von West-Sommerset. Auf diesem Platz Fitness, Solarium, Sauna, beheiztes Schwimmbad etc. In der Nähe von Exmoor an der Küste und am Fuße der prächtigen Quantock Hills, von denen man eine tolle Aussicht hat. Wir haben ganzjährig geöffnet, inkl. Weihnachten und Silvester. **Mobilheime zu vermieten.**

Flaxpool Hill, TA4 4AW Crowcombe • Tel. 01984-618618
Fax 01984-618442 • E-Mail: member@flaxpool.freeserve.co.uk
Internet: www.quantock-orchard.co.uk © 🅜

Crows-an-Wra/Land's End, GB-TR19 6HX / S. W. 📶 CC€16 iD

🏕 Cardinney Car. & Camp. Park	1 ADEJMNOPR**T**		6
🏠 Main A30	2 FPSVWXY	ABDE**FGH**	7
🔓 1 Jan - 31 Dez	3 K	ABFJKNQRTUV	8
☎ +44 (0)1736-810880	4 O**Q**		8
@ cardinney@btinternet.com	5 ABEGJKL	BFHJM**P**R	10
	10A CEE	❶ €24	11
🗺 N 50°9'36'' W 5°38'12''	H130 2 ha 90T(80-160m²)	❷ €33,15	

🚗 Von Penzance die A30 nach Land's End. Nach circa 7 km ist rechts die Einfahrt zum CP. Siehe CP-Schild. Ⓜ

Crows-an-Wra/Land's End, GB-TR19 6H7 / S. W. 📶 ♻ iD

🏕 Lower Treave*** AA	1 ADEJMNORT		6
🔓 1 Apr - 30 Sep	2 FOPTUVWXY	**ABFGH**	7
☎ +44 (0)1736-810559	3 K	ABFNQRV	8
@ camping@lowertreave.co.uk	4	E	9
	5 ADKL	BHJNPR	10
	10A CEE	❶ €27,65	
🗺 N 50°5'17'' W 5°39'10''	H118 2 ha 56T(100-160m²) 10**D**	❷ €37,40	

🚗 Ca. 8 km hinter Penzance Richtung Land's End die A30, in der Gemeinde Crows-an-Rwa auf der linken Seite ist die CP-Einfahrt gut angezeigt.

Cubert/Newquay, GB-TR8 5PY / South West 📶 iD

🏕 Trebellan Park	1 ADE**JL**NOPQRT	AB**N**	6
🔓 1 Mai - 1 Okt	2 DFGOPTUVWXY	ABDE**FGH**	7
☎ +44 (0)1637-830522	3 AE**K**	ABFGNQRTU	8
@ enquiries@trebellan.co.uk	4 FO	EIJ	9
	5 L	BJMOR	10
	B 16A CEE	❶ €32,50	
🗺 N 50°22'23'' W 5°6'31''	H60 6 ha 150T(100-120m²) 19**D**	❷ €41,25	

🚗 A3075 von Newquay Richtung Redruth, rechts ab Richtung Cubert. Vor Cubert links ab, dem CP-Schild folgen. Ⓜ

Cullompton, GB-EX15 2DT / South West 📶 ♻ CC€16 iD

🏕 Forest Glade Holiday Park****	1 ADE**JM**NOPQRST	EFG	6
🏠 Near Kentisbeare	2 ABGPRSVWXY	ABDE**FGH**K	7
🔓 20 Mär - 2 Nov	3 ACE**KLM**	ABCDEFIJKNPQRSTUV	8
☎ +44 (0)1404-841381	4 FI**PQT**	EFI	9
@ enquiries@forest-glade.co.uk	5 ABE**KL**	BFGHJM**P**RY	10
	B 16A CEE	❶ €26,90	
🗺 N 50°51'31'' W 3°16'41''	H273 6 ha 82T(120-140m²) 20**D**	❷ €31,90	

🚗 Caravans/Reisemobile fahren ohne Navi. Cp nur von Honiton-Nord zu erreichen, Ri. Dunkeswell, nach 4,5 km braunen CP-Schildern folgen. Von M5 Ausf. 28, A373 Ri. Honiton, li. ab direkt hinter dem Keepers Cottage Inn. Cp nach 4 km auf dem Hügel.

Cury Cross Lanes/Helston, GB-TR12 7AZ / S. W. 📶 ♻ CC€16 iD

🏕 Franchis	1 ADE**JL**NOPR**T**		6
🏠 A3083	2 CPSTVWXY	ABDE**FG**	7
🔓 1 Apr - 31 Okt	3 K	ABFNQRTUV	8
☎ +44 (0)1326-240301	4	EJ	9
@ enquiries@franchis.co.uk	5 ABKL	BKM**P**R	10
	10A CEE	❶ €22,50	
🗺 N 50°2'19'' W 5°13'11''	H64 7 ha 57T(120m²) 7**D**	❷ €27,50	

🚗 In Helston A3083 Richtung Lizard. Ca. 7 km folgen. CP ist ausgeschildert und liegt links von der Straße. Ⓜ

The Fairways International Touring Caravan & Camping Park ★ ★ ★

• Geselliger Familiencamping im Herzen des Somerset
• Idealer Startpunkt für einen Besuch der berühmten 'Cheddar Gorge' und dem geheimnisvollen 'Glastonbury TOR'
• Gute Sanitäranlagen • WiFi und Lebensmittel auf dem Camping
• Ganz nah an der M5

Bath Road, TA7 8PP Bridgwater/Bawdrip
Tel. 01278-685569
E-Mail: holiday@fairwaysinternational.co.uk
Internet: www.westcountryparks.co.uk

Dalwood/Axminster, GB-EX13 7DY / S. W. ♻ CC€16 iD

🏕 Andrewshayes Holiday Park****	1 ADE**JM**NOPQRS**T**	ABCDFG	6
🏠 20 Mär - 1 Nov	2 FGPRSTUVWXY	ABDE**FGH**K	7
☎ +44 (0)1404-831225	3 AE**K**	ABFIJNPQRSTUV	8
@ info@andrewshayes.co.uk	4 FIO**PQ**	E	9
	5 ABEGKL	BDFHKMR	10
	B 10A CEE	❶ €32,50	
🗺 N 50°46'59'' W 3°4'10''	H68 4,4 ha 35T(90-100m²) 193**D**	❷ €40,00	

🚗 A35 Axminster Ri. Honiton, nach 5 km an der Kreuzung Ri. Dalwood/Stockland, dem CP-Schild re. folgen. A35 von Honiton Ri. Dorchester, nach 9 km an der Kreuzung Ri. Dalwood/Stockland, dem CP-Schild li. folgen. Ⓜ

Dawlish (Devon), GB-EX6 8RP / South West 📶 CC€14 iD

🏕 Cofton Country Holiday Park****	1 ACDE**JM**NOPRST	ABFGNO	6
🏠 Church Road	2 DFGPSUVWXY	ABDE**FGH**	7
🔓 15 Mär - 31 Okt	3 AB**KT**	ABCDEFIJKNQRSTUV	8
☎ +44 (0)1626-890111	4 FHIMO**PQ**	EIJ	9
@ info@coftonholidays.co.uk	5 ACDEJK**L**	BEFGHIJM**OR**Y	10
	D 10A CEE	❶ €33,15	
🗺 N 50°36'46'' W 3°27'38''	H100 12 ha 450T(90-120m²) 154**D**	❷ €43,15	

🚗 Von Exeter (auf M5 Ausfahrt 30) die A379 Richtung Dawlish fahren. 2 km hinter Starcross Tankstelle rechts der Straße. Jetzt noch 1 km. CP auf der linken Seite. Ⓜ

Dawlish (Devon), GB-EX7 0LX / South West 📶 CC€14 iD

🏕 Lady's Mile*****	1 ACDE**JM**NOPRST	ABEFGH	6
🏠 Exeter Road	2 AFGHIOPRSTUVWXY	ABDE**FGH**	7
🔓 12 Apr - 3 Nov	3 BCE**JK**	ABCDEFJLNQRSV	8
☎ +44 (0)1626-863411	4 FHILMO**PQ**	EI	9
@ info@ladysmile.co.uk	5 ACDEGHJK**L**	BFGHIJM**NOR**Y	10
	10A CEE	❶ €34,40	
🗺 N 50°35'44'' W 3°27'34''	14 ha 450T(80-130m²) 142**D**	❷ €43,15	

🚗 Östlich von Exeter M5 Ausfahrt 30, die A379 Richtung Dawlish fahren. Ab Dawlish noch 1 km. Hinter der Tankstelle rechts, dann beim Schild 'Lady's Mile' links ab. Ⓜ

Dawlish (Devon), GB-EX7 0NG / South West 📶

🏕 Leadstone Camping	1 D**IL**NOPQRT		6
🏠 Warren Road	2 EFORTVWX	BEFGH	7
🔓 17 Jun - 4 Sep	3 AK	ABCDFGIKLNPQRSV	8
☎ +44 (0)1626-864411	4 FH		9
@ info@leadstonecamping.co.uk	5 BKL	**NP**R	10
	16A CEE	❶ €36,25	
🗺 N 50°35'39'' W 3°27'6''	2,8 ha 198T 12**D**	❷ €46,25	

🚗 A379 Warren Road Noord gegenüber von Dawlish.

Wooda Farm Holiday Park
★ ★ ★ ★ ★

Ein ruhiger Familiencamping mit Blick über die Bude Bay. Der Camping liegt 2,5 km von Bude und der Küste. Vom Camping aus zahlreiche, gute Wandermöglichkeiten. Auch gute Angelmöglichkeit. Vergessen Sie nicht die berühmten 'Cornish Cream Teas' und 'Cornish Pasties' einmal zu probieren.

Poughill, EX23 9HJ Bude
Tel. 01288-352069 • Fax 01288-355258
E-Mail: enquiries@wooda.co.uk • Internet: www.wooda.co.uk

Dulverton (Somerset), GB-TA22 9HL / South West iD

▲ Exmoor House Caravan Club
⌚ 1/1 - 5/1, 14/3 - 31/12
☎ +44 (0)1398-323268

1 ADEJMORST	6
2 COPSVWXY	ABDE**FGH** 7
3	ABCDEFJNQRV 8
4 FH	9
5	BCEFHJMR10
B 16A CEE	❶ €31,65
4 ha 64**T**(4-60m²)	❷ €37,00

📍 N 51°2'28'' W 3°33'10''

🚗 M5 Ausfahrt 27, dann A361 Richtung Tiverton. Dann A396 Richtung Minehead. In Exebridge B3222 bis Dulverton. Direkt hinter der Brücke links entlang dem Exmoor House.

East Anstey/Tiverton, GB-EX16 9JU / South West iD

▲ Zeacombe House Car. Park****
⌚ 15 Mär - 31 Okt
☎ +44 (0)1398-341279
@ enquiries@ zeacombeadultretreat.co.uk

1 ADEJMNOPRS**T**	6
2 FPRSVWX	ABDE**FGH** 7
3	ABCDFJNQR 8
4 FH	9
5 BEKL	BFHIJMR10
16A CEE	❶ €22,50
H293 1,8 ha 50**T**(150-200m²)	

📍 N 51°0'16'' W 3°37'29''

🚗 M5 Ausfahrt 27. A361 Richtung Tiverton, bis zur Kreuzung mit der A396. Richtung Bampton. An der 2. Kreuzung der B3227 Richtung S. Molton. Braunen Schildern folgen. CP kommt nach ca. 8 km links.

East Stoke/Wareham, GB-BH20 6AW / S. W. 🛜 CC€18 iD

▲ ManorFarm Caravan and Camping Park
🏠 Church Lane
⌚ 1 Jan - 31 Dez
☎ +44 (0)1929-462870
@ info@manorfarmcp.co.uk

1 A**J**MNOPR**T**	6
2 PRVWX	AB**D**E 7
3 A**K**	AB**F**NQRV 8
4 H	9
5 KLM	BKOR10
16A CEE	❶ €27,50
1 ha 30**T**(80-100m²) 30**D**	❷ €35,00

📍 N 50°40'41'' W 2°10'58''

🚗 Von Wareham die A352. Nach 2 km links auf die B3070. An der 1. Kreuzung den Schildern 'East Stoke' folgen. An der nächsten Kreuzung dem Schild 'Manor Farm' folgen.

East Worlington/Crediton, GB-EX17 4TN / S. W. 🛜 iD

▲ Yeatheridge Farm Car. & Cp. Park****
⌚ 15 Mär - 5 Okt
☎ +44 (0)1884-860330
@ yeatheridge@talk21.com

1 ADE**J**MNOPRS**T**	EFG**H** 6
2 PRTVWXY	ABD**EFGH** 7
3 AE**GK**L	ABCDFIJKNQRSV 8
4 FIO**Q**	E 9
5 CEGIJK**L**	BFGJM**O**R10
B 10A CEE	❶ €21,65
H200 3,6 ha 85**T**(80-120m²) 14**D**	❷ €27,90

📍 N 50°53'12'' W 3°45'4''

🚗 M5 Ausfahrt 27 und A361 Richtung Tiverton. Über die A396 (Süd) zur B3137 Richtung Witheridge. Vor Witheridge B3042. Nach 5 km liegt der CP links.

Eastington/Stonehouse, GB-GL10 3AL / South West iD

▲ Apple Tree Park
🏠 A38 Claypits Hill
⌚ 1 Jan - 31 Dez
☎ +44 (0)1452-742362
@ appletreepark@hotmail.co.uk

1 ADE**J**MNOPRS**T**	6
2 AFOPSTVWX	AB 7
3 **K**	ABCDEFGIJNQRSV 8
4	9
5 B**L**	HKMR10
B 10A CEE	❶ €23,75
2,5 ha 100**T**(100-150m²)	❷ €27,50

📍 N 51°45'15'' W 2°20'22''

🚗 M5 Ausfahrt 13, weiter die A38 Richtung Bristol halten. Nach ± 2 km liegt der CP auf der linken Seite.

Exeter, GB-EX6 7YN / South West 🛜 iD

▲ Kennford Int. Car. Park****
🏠 Kennford
⌚ 1 Jan - 31 Dez
☎ +44 (0)1392-833046
@ ian@ kennfordint.fsbusiness.co.uk

1 ACDE**J**MNOPRS**T**	6
2 AOPRSTVWXY	ABDE**FGH** 7
3 BE**K**	ABCDEFIJNQRTU 8
4 I**PQ**	J 9
5 GKL	BFHI**O**R10
10A CEE	❶ €22,50
H60 4,5 ha 98**T**(100-130m²) 56**D**	❷ €30,00

📍 N 50°39'35'' W 3°32'24''

🚗 Von der M5 südlich von Exeter die A38 nehmen gegenüber Kennford Services, Ausfahrt Kennford. CP-Schildern folgen. CP liegt an der Westseite der Autobahn.

Eype/Bridport, GB-DT6 6AR / South West 🛜 ❀ iD

▲ Highlands End Holiday Park*****
⌚ 16 Mär - 6 Nov
☎ +44 (0)1308-422139
@ holidays@wdlh.co.uk

1 ADE**J**MNOPQR**T**	E 6
2 KPRSTVWX	ABDE**FGH** 7
3 ABE**JKM**	ABCDEFIJNQRSTUV 9
4 FIO**PQRTV**	EIJ 9
5 ACDEGJK**LM**	BFGHJM**P**R**Y**10
B 10A CEE	❶ €30,00
H65 12 ha 195**T**(75-200m²) 185**D**	❷ €37,50

📍 N 50°43'33'' W 2°46'38''

🚗 A35 Bridport-Axminster, 2 km vor Bridport links Richtung Eype, am letzten Abschnitt, ca. 100m, schmale Straße.

Four Lanes/Redruth, GB-TR16 6LP / S. W. 🛜 ❀ CC€16 iD

▲ Lanyon Holiday Park****
🏠 Loscombe Lane
⌚ 1 Apr - 30 Okt
☎ +44 (0)1209-313474
@ info@lanyonholidaypark.co.uk

1 ADE**J**MNOPQR**T**	E 6
2 PRVWX	ABDE**FGH**K 7
3 A**KS**	ABEFJNQRSV 8
4 IO**PQ**	EF 9
5 EGIL	BGHJMPR10
16A CEE	❶ €31,25
5,2 ha 75**T**(100m²) 42**D**	❷ €43,75

📍 N 50°12'10'' W 5°14'44''

🚗 A30 Ausfahrt Redruth. Durch die Ortsmitte. Die B3297 Helston nehmen. In Four Lanes Village, 2. Straße rechts nach Loscombe Lane. Park liegt links. Empfehlung: anstatt GPS besser dieser Anfahrt folgen.

Galmpton/Brixham, GB-TQ5 0EP / South West iD

▲ Galmpton Touring Park VVVV
🏠 Greenway Road
⌚ 14 Mär - 30 Sep
☎ +44 (0)1803-842066
@ enquiries@ galmptontouringpark.co.uk

1 ADE**J**KNOPRS**T**	6
2 FPTUVWX	ABDE**FGH** 7
3 B**K**	ABCDFKNQRSTUV 8
4	HI 9
5 AB**K**L	BFIJMR10
B 10A CEE	❶ €22,65
4 ha 120**T**(90-130m²) 4**D**	❷ €28,90

📍 N 50°23'30'' W 3°34'4''

🚗 Von Norden die A380 um Paignton Richtung Brixham folgen, nach Ampel an Kreuzung von A379/A3022 Richtung Brixham, nach 700m CP rechts.

Glastonbury, GB-BA6 9AF / South West iD

▲ Isle of Avalon*****
🏠 Godney Road
⌚ 1 Jan - 31 Dez
☎ 🅵🅰🆇 +44 (0)1458-833618

1 ADE**J**MNOPQRS	6
2 COPRSVWXY	ABDE**FGH** 7
3	ABCDEFHINPQRS 8
4 FH	9
5 ABDEKL	BFGHJMR10
B 16A CEE	❶ €23,75
20 ha 130**T**(90-110m²)	❷ €28,75

📍 N 51°9'14'' W 2°43'32''

🚗 Von der M5 Ausfahrt 23 A39 in Glastonbury die B3151 Richtung Meare-Wedmore fahren. CP ausgeschildert. Bei Godney.

Glastonbury, GB-BA6 8JS / South West 🛜 ❀ iD

▲ The Old Oaks Touring Park*****
🏠 Wick Farm
⌚ 14 Feb - 16 Nov
☎ +44 (0)1458-831437
@ info@theoldoaks.co.uk

1 ADE**J**MNOPQRS	**N** 6
2 FPRSUVWXY	ABDE**FGH**K 7
3 **K**	ABCDFHIJNQRTUV 8
4 FH**Q**	FV 9
5 AC**K**LM	BFGHJMN**P**R10
B 16A CEE	❶ €33,45
6 ha 94**T**(100-150m²) 6**D**	

📍 N 51°9'10'' W 2°40'49''

🚗 A361 Glastonbury-Shepton Mallet, nach 2 km links, ausgeschildert (Wick).

Greenbottom/Truro, GB-TR4 8QN / South West 🛜 iD

▲ Truro Caravan & Camping Park***
🏠 Greenbottom
⌚ 1 Jan - 31 Dez
☎ +44 (0)1872-560274
@ info@ trurocaravanandcampingpark.co.uk

1 ADE**J**MNOPQRS**T**	6
2 OPSTVWXY	ABDE**FGH** 7
3 BE**IK**L	ABCDEFINQRSTUV 8
4	E 9
5 KL	BFGHJMN**P**10
B 16A CEE	❶ €33,75
H106 3,5 ha 52**T**(80-120m²) 54**D**	❷ €41,25

📍 N 50°15'51'' W 5°7'41''

🚗 A30 Bodmin-Redruth, beim Kreisverkehr Three Burrows A390 Richtung Truro. Am Kreisverkehr Threemilestone rechts Richtung Chacewater. Nach ca. 700m Einfahrt CP rechts.

Harmans Cross/Swanage, GB-BH19 3EB / S. W. 🛜 iD

▲ Haycraft Caravan Clubsite
🏠 Haycrafts Lane
⌚ 28 Mär - 3 Nov
☎ +44 (0)1929-480572
@ haycraft@caravanclub.co.uk

1 ADE**J**MOPR**T**	6
2 FIOPRSUVWX	ABDE**FG** 7
3 E	ABCDEFKNQRSV 8
4	9
5 BKL	BHIJM**P**R10
B 16A CEE	❶ €30,50
2 ha 55**T**(60-120m²)	❷ €37,25

📍 N 50°36'58'' W 2°1'25''

🚗 Von Corfe Castle der A351 Richtung Swanage folgen. In Harmans Cross rechts ab Richtung Downhay Farm. Hinter der Betonbrücke hinter den Gleisen noch 400m. CP ist links gut angezeigt.

Hayle, GB-TR27 5AW / South West 🛜 iD

▲ Beachside Holiday Park****
🏠 Lethlean Lane
⌚ 28 Mär - 31 Okt
☎ +44 (0)1736-753080
@ reception@beachside.co.uk

1 ADE**H**KNOPQR**T**	ABF**G**KQX 6
2 EG**H**OPTVW	ABDE**FGH** 7
3 ABEF**K**L**Q**	ABFNQRSV 8
4 BDFI**PQ**	FIJ 9
5 ACGL	AB**H**IJOR**W**Z10
10-16A CEE	❶ €50,00
14,8 ha 85**T**(110m²) 109**D**	❷ €57,50

📍 N 50°11'46'' W 5°24'37''

🚗 Aus Richtung Norden der A30 in Hayle verlassen und Richtung Zentrum fahren. Am doppelten Kreisverkehr vorbeifahren und 1. Straße rechts. Dort ist der CP ausgeschildert.

Holton Heath/Poole (Dorset), GB-BH16 6LA / S. W. iD

▲ Pear Tree Touring Park*****
🏠 Organford Road
⌚ 1 Mär - 31 Okt
☎ +44 (0)1-202622434
@ enquiries@peartreepark.co.uk

1 ACDE**J**MNOPR**T**	6
2 OPSTVWX	ABDE**FGH** 7
3 B**K**	ABFGIJNQRSTUV 8
4 FH	9
5 BEKL	BFGHJMNOR10
B 10A CEE	❶ €37,50
3,4 ha 154**T**(36-100m²) 75**D**	❷ €46,25

📍 N 50°43'26'' W 2°5'12''

🚗 A351 Poole-Wareham, Ausfahrt Organford. Bei den Ampeln rechts ab, zweiter CP links (ca. 500m).

Holton Heath/Poole (Dorset), GB-BH16 6JZ / S. W. 🛜 iD

▲ Sandford Holiday Park*****
⌚ 12 Mär - 2 Nov
☎ +44 (0)1202-631600
@ brendanregan@parkdean.com

1 ADE**J**MNOPRS**T**	ABE**FH** 6
2 BOPSUVWX	ABDE**FGH** 7
3 BCE**I**LM**P**	ABFJKNQRTV 8
4 BDF**H**IMNO**PQ**	EJUVY 9
5 ACDEFGHJK**LM**	BIJM**N**OR**Y**10
16A CEE	❶ €57,50
24 ha 354**T**(50-120m²) 367**D**	❷ €57,50

📍 N 50°43'10'' W 2°5'29''

🚗 Hinter Poole auf der A35 bis zur Ausfahrt Wareham (A351) bleiben. Nach 2 km an der Ampel rechts. Holiday Park gleich links. Durchfahren bis zur eigenen CP-Rezeption.

Holywell Bay/Newquay, GB-TR8 5PW / South W.

- Trevornick Holiday Park*****
- Holywell Road
- 2/4 - 16/4, 16/5 - 13/9
- +44 (0)1637-830531
- bookings@trevornick.co.uk
- N 50°23'5'' W 5°7'45''

In Newquay A3075 Richtung Redruth, rechts ab Richtung Cubert, dort nach Holywell. Schildern folgen.

1 ADE**JM**NOPQRST		ABFGN 6
2 GHOPSTUVWX		ABDE**FGH** 7
3 BCE**IJK**		ABFGHINPQRSTUV 8
4 BDFILNO**PQSTU**Z		AMUV 9
5 ACDEG**JKL**		BEGHIJMNORYZ10
B 10-16A CEE		① €41,20
H74 30 ha 700T(100m²) 75**D**		② €62,90

Ilfracombe, GB-EX34 8NU / South West

- Hidden Valley Park***
- West Down
- 1 Jan - 31 Dez
- +44 (0)1271-813837
- info@hiddenvalleypark.com
- N 51°8'48'' W 4°8'45''

Kommend von Braunton in Richtung Illfracombe auf der A361 ist der CP auf der linken Seite. Gut ausgeschildert.

1 AD**JM**NOPRS**T**		6
2 CDOPSUVWX		BE**FGH** 7
3 AB**K**		BDFINQRSTUV 8
4 FH**Z**		E 9
5 ABDJK**L**		BEFHIJM**NOP**RW10
B 16A CEE		① €27,50
H80 10 ha 106T(100-193m²) 11**D**		② €37,50

Ilfracombe, GB-EX34 9SW / South West

- Napps Camping and Caravan Park***
- Old Coast Road
- 3 Mär - 31 Okt
- +44 (0)1271-882557
- bookings@napps.fsnet.co.uk
- N 51°12'41'' W 4°3'41''

A399 Combe-Martin und Illfracombe, 1 km hinter dem Dorf gut ausgeschildert.

1 DE**JM**NOPR**T**		ABFGKNX 6
2 EFGHJOPSUVWX		BDE**FGH** 7
3 BLM		ABDFINQRTUV 8
4 FIO**Q**		9
5 CDEGIK		BHJMR10
10A CEE		① €28,75
H120 10 ha 213T(80-100m²) 150**D**		② €41,25

Ilfracombe, GB-EX34 9SJ / South West

- Watermouth Valley Camping Park
- Watermouth Road
- 1 Mai - 15 Sep
- +44 (0)1271-862282
- enquiries@watermouthpark.co.uk
- N 51°12'46'' W 4°3'33''

Von Barnstaple A39 Richtung Lyntow. Danach A399 Richtung Combe Martin. Hier, 1,5 km hinterm Dorf, liegt der CP. Gut ausgeschildert.

1 A**J**MNOR**T**		NX 6
2 EGJKOPQSTVWX		ABDE**FGH** 8
3 B**KL**		ABE**F**NQRV 8
4 FIO**PQ**		9
5 B**KL**		BHJMNOR10
16A CEE		① €26,25
12,4 ha 125T(80-110m²)		② €31,25

Lacock (Wiltshire), GB-SN15 2LP / South West

- Piccadilly Caravan Park*****
- Folly Lane West
- 1 Apr - 31 Okt
- +44 (0)1249-730260
- piccadillylac@aol.com
- N 51°24'46'' W 2°7'47''

M4 Ausfahrt 17, A350 Umfahrung Chippenham. Bei Lacock rechts (Gastard).

1 A**J**MNOPQR**T**		6
2 AOPSVWX		ABDE**FGH** 7
3 A**K**		ABCDEFJNQR 8
4 FH		9
5 **K**L		BGHJMR10
10A CEE		① €23,75
H90 7 ha 45T(100-120m²)		② €28,75

Landrake/Saltash, GB-PL12 5AF / South West

- Dolbeare Park****
- St. Ive Road
- 1 Jan - 31 Dez
- +44 (0)1752-851332
- reception@dolbeare.co.uk
- N 50°25'50'' W 4°18'19''

A38 Plymouth-Liskeard, in Landrake ausgeschildert St. Ive Road. Dann den CP-Schildern folgen.

1 ACDEG**JM**NOPQRS**T**		X 6
2 PRSTVWX		ABDE**FGH** 7
3 BE**KR**		ABEFGIJLNQRSUV 8
4 O		A 9
5 ABEKLM		BFGHJM**NO**PRY10
16A CEE		① €31,90
H100 3,6 ha 80T(100-130m²) 1**D**		② €38,75

Launceston, GB-PL15 9SG / South West

- Chapmanswell Car. Park
- St.Giles on the Heath
- 1 Jan - 31 Dez
- +44 (0)1409-211382
- george@chapmanswellcaravanpark.co.uk
- N 50°42'52'' W 4°20'11''

A388 Launceston-Holsworthy, Ausfahrt Northcott-Boyton, nach 300m liegt der CP auf der linken Seite.

1 ACDE**J**MNOR**T**		6
2 PRWX		ABD**FGH** 7
3 A**K**		ABDEFJNQRSUV 8
4 DNO**Q**		E 9
5 ABDEGKL		BFGHIJ**NOP**R10
16A CEE		① €22,50
H160 1,7 ha 50T(80-100m²) 24**D**		② €33,75

Leedstown/Hayle, GB-TR27 5ET / South West

- Calloose Caravan Park
- 1 Apr - 1 Okt
- +44 (0)1736-850431
- johnchadd@btopenworld.com
- N 50°10'9'' W 5°21'31''

Von der B3302 Helston-Hayle in Leedstown (gegenüber der Leedstown Village Hall) in die Trenerth Road. Na ca. 1 km wird linkerhand der CP gut angezeigt.

1 ADE**JL**NOPR**T**		ABFG 6
2 CGPRSVWX		ABDE**FGH** 7
3 B**KLM**		ABCDFIJNQRSTV 8
4 BDIN**PQ**		EF 9
5 ABEGJKL		BGKMNPRVY10
B 16A CEE		① €41,25
H60 5 ha 120T(80-100m²) 45**D**		② €51,25

Looe, GB-PL13 2NA / South West

- Camping Caradon Touring Park**
- Trelawne
- 1 Jan - 31 Dez
- +44 (0)1503-272388
- enquiries@campingcaradon.co.uk
- N 50°21'33'' W 4°30'23''

A38 Plymouth-Bodmin. In Dobwals A390 Richtung St. Austell, dann die B3359 Richtung Looe. Nach 10 km Pelynt durchfahren, nach weiteren 2 km beschildert.

1 ADE**JM**NOPR**T**		6
2 OPSVWX		ABDE**FGH** 7
3 AL		ABEFJKNQRSV 8
4 IO**PQ**		9
5 ABDEGK**LM**		ABFGHJNPR10
B 16A CEE		① €29,40
H100 2 ha 75T(60-90m²)		② €34,40

Looe, GB-PL13 2JR / South West

- Tencreek Holiday Park****
- Polperro Road
- 1 Jan - 31 Dez
- +44 (0)1503-262447
- reception@tencreek.co.uk
- N 50°20'47'' W 4°29'0''

A38 Plymouth-Bodmin A390 Richtung St. Austell, dann die B3359 Richtung Looe/Polperro bis zur T-Kreuzung mit der A387, dann A387 links ab Richtung Looe. Nach 3 km angezeigt.

1 ADE**JM**NOPRS**T**		EFGX 6
2 GHOPSTVWX		ABDE**FGH** 7
3 BE**JKL**		ABEFGJNQRSUV 8
4 FILMNO**PQ**		E 9
5 ACDEJK**LM**		BGHIJMNORYZ10
B 16A CEE		① €36,00
5,5 ha 250T(100-120m²) 220**D**		② €42,50

Lostwithiel, GB-PL30 5BU / South West

- Eden Valley Holiday Park*****
- Lanlivery
- 1 Apr - 31 Okt
- +44 (0)1208-872277
- enquiries@edenvalleyholidaypark.co.uk
- N 50°24'6'' W 4°41'50''

A38 Plymouth-Bodmin, in Dobwals die A390 Richtung St. Austell. CP liegt zwischen Lostwithiel und St. Blazey, 2 km südwestlich von Lostwithiel und 3 km nordöstlich von St. Blazey. Braune CP-Schilder.

1 ADE**IL**NOPRS**T**		X 6
2 CPQSWXY		AB**FG**H 7
3 B**GIK**LV		ABCDFJNQRV 8
4 FHIO**Q**		EJ 9
5 KL		BFGHJMO**RW**Z10
B 16A CEE		① €21,25
H100 5 ha 59T(100-130m²) 42**D**		② €25,00

Lulworth Cove/Wareham (Dorset), GB-BH20 5PU / S. W.

- Durdle Door Holiday Park****
- 1 Mär - 31 Okt
- +44 (0)1929-400200
- durdle.door@lulworth.com
- N 50°37'44'' W 2°16'0''

Von der A352 bei Wool abzweigen, Richtung Westen nach Lulworth/Lulworth Cove.

1 ADE**JM**NOPR**T**		KN 6
2 BEFJKOPTVWXY		ABDE**FGH** 7
3 BE**K**		ABEFGINQRSTUV 8
4 FO**PQ**		EFU 9
5 ACDEFGJKL		DIJIKNPRY10
D 10A CEE		① €52,50
H93 18,1 ha 110T(60-120m²) 424**D**		② €52,50

Lyme Regis, GD-DT7 3UU / South West

- Hook Farm Caravan and Camping Park
- Gore Lane Uplyme
- 1 Mär - 31 Okt
- +44 (0)1297-442801
- information@hookfarm-uplyme.co.uk
- N 50°43'58'' W 2°57'35''

Ab der A35 Dorchester nach Honiton. 6 km hinter Charmouth links ab die B3165 Richtung Uplyme (bei Hunters Lodge). Denn braunen CP-Schildern folgen.

1 A**J**MNR**T**		ABFG 6
2 COPRTUWX		AB**FG** 7
3 AK		ABE**F**NQRV 8
4 F		E 9
5 ABKL		BJMPR10
10A CEE		① €39,40
H88 5 ha 102T(48-100m²)		② €43,75

Lynton (N-Devon), GB-EX35 6LD / South West

- Channel View Car. & Camp. Park****
- Manor Farm
- 15 Mär - 15 Nov
- +44 (0)1598-753349
- relax@channel-view.co.uk
- N 51°13'4'' W 3°49'46''

Von Barnstaple A39 Richtung Lynton. Vor Lynton rechts halten (A39). Nach etwa 1 km liegt der CP links hinter der scharfen, steilen Kurve.

1 ACDE**J**MNOPRS**T**		6
2 FPRSTVWXY		ABDE**FGH** 7
3 A		ABCDFIJKNQRSTU 8
4 F		E 9
5 CDEGJK**L**		BFJNORW10
16A CEE		① €21,25
H180 2,4 ha 78T(80-120m²) 41**D**		② €28,75

Merley/Wimb. Minster (Dorset), GB-BH21 3AA / S. W.

- Merley Court Park*****
- 8 Feb - 31 Dez
- +44 (0)1590-648331
- holidays@shorefield.com
- N 50°47'9'' W 1°59'7''

Von Ringwood A31 Richtung Wimborne Minster. Nach Wimborne Minster Richtung Dorchester ist der CP gut ausgeschildert. Eigene Einfahrt vom Kreisverkehr.

1 ADG**JM**NOPQRS**T**		ABFG 6
2 PQRSVWX		ABDE**FGH** 7
3 BE**KL**		ABCDFIJNQRSTUV 8
4 I**Q**		J 9
5 CDEGL		BEFGHJMORW10
B 16A CEE		① €50,00
6 ha 165T(70-100m²) 2**D**		② €50,00

Millbrook/Torpoint, GB-PL10 1JZ / South West

- Whitsand Bay Fort Holiday Park
- 1 Jan - 31 Dez
- +44 (0)1752-822597
- enquiries@whitsandbayholidays.co.uk
- N 50°20'31'' W 4°14'11''

A38 Linskeard-Saltash. Bei Trerulefoot die A374 Richtung Torpoint dann die B3247 Richtung Millbrook. CP-Schildern folgen.

1 DE**JM**NOPRS**T**		EFQRS 6
2 EFGHMPSTUVWX		BE**FGH** 7
3 AC**IKL**		BDFJNQRSTU 8
4 BDIMOP**QR**T		J 9
5 BDEGJK		BEFGHJNPRY10
B 16A CEE		① €31,25
H70 10,9 ha 52T(70-100m²) 78**D**		② €38,75

Minehead, GB-TA24 6JT / South West

- ⛺ Hoburne Blue Anchor*****
- 🏕 1 Mär - 31 Okt
- ☎ +44 (0)1643-821360
- @ enquiries@hoburne.com
- 📍 N 51°10'55'' W 3°23'51''

1 ADEILOPQRST	EKNQS	6
2 EJKOPRSVWX	ABDEFGH	7
3 BIKQ	ABFJNQRSV	8
4 FHT	EF	9
5 ACKLM	GHJNOR	10
10A CEE		① €33,75
11 ha 103T(80-110m²) 327D		② €33,75

🚗 A39 von Bridgwater Richtung Minehead. Hinter Carhampton am Schild 'Blue Anchor' rechts (B3191). Nach 2 km 1. CP auf der rechten Seite.

Modbury, GB-PL21 0SG / South West

- ⛺ Moor View Touring Park
- 🏠 California Cross
- 🏕 1 Jan - 31 Dez
- ☎ +44 (0)1548-821485
- @ info@moorviewtouringpark.co.uk
- 📍 N 50°21'21'' W 3°49'37''

1 ACDEJMNOPRT		6
2 FPSTUVWXY	ABDEFGH	7
3 KL	ABFJNQRTU	8
4 IO	F	9
5 EKL	BHJMNOR	10
10A CEE		① €27,45
4,8 ha 66T(60-90m²) 19D		

🚗 A38 Exeter Richtung Plymouth, Ausfahrt Modbury, weiter die 3121 und den braunen Schildern folgen. Nicht über Modbury fahren.

Modbury, GB-PL21 0SB / South West

- ⛺ Pennymoor Camp. and Car. Park****
- 🏕 15 Mär - 15 Nov
- ☎ +44 (0)1548-830542
- @ enquiries@pennymoor-camping.co.uk
- 📍 N 50°20'55'' W 3°50'58''

1 AJLNOPRST		6
2 FPRTWXY	ABDEFGH	7
3 AK	ABFINQSU	8
4 F	EJ	9
5 ABKL	BFHIJMR	10
B 16A CEE		① €20,00
H100 4,8 ha 124T(100-120m²) 56D		② €20,00

🚗 A38 Richtung Plymouth, Ausfahrt Modbury weiter auf der N3121. Den braunen Schildern folgen. Nicht über Modbury fahren.

Molland/South Molton, GB-EX36 3NW / South West

- ⛺ Yeo Valley Holiday Park
- 🏠 The Blackcock Inn
- 🏕 1 Jan - 31 Dez
- ☎ +44 (0)1769-550297
- @ info@yeovalleyholidays.co.uk
- 📍 N 51°1'27'' W 3°43'45''

1 ADEILNOPRST	E	6
2 FPSVWX	ABDEFGH	7
3 AB	ABCDEFJNQRT	8
4 I	EIUV	9
5 B	BFHJMR	10
16A CEE		① €26,25
2,5 ha 65T(100-110m²) 7D		② €35,00

🚗 Auf der M5 Ausfahrt 27, zur A361 Ri. Tiverton, bis zur Kreuzung mit der A396, Richtung Bampton. Auf 2. Kreuzung der B3227 Ri. South Molton folgen. Der CP kommt nach ca. 18 km rechts. Ist angezeigt. Noch 1,5 km.

Monkton Wyld/Charmouth, GB-DT6 6DB / S. W.

- ⛺ Monkton Wyld Touring Car. & Camp. Park****
- 🏠 Scotts Lane
- 🏕 13 Mär - 1 Nov
- ☎ +44 (0)1297-631131
- @ holidays@monktonwyld.co.uk
- 📍 N 50°45'49'' W 2°57'6''

1 ADEJMNOPQRST		6
2 PRSTVWXY	ABDEFGH	7
3 A	ABCDEFGIJNPQRSV	8
4 FH	AI	9
5 ABKLM	BGHJMPR	10
B 16A CEE		① €34,30
H194 7,5 ha 139T(80-150m²) 42D		② €48,45

🚗 A35 Bridport-Axminster, von Bridport kommend etwa 5 km nach Charmouth ist der CP auf der rechten Seite ausgeschildert, der CP liegt an der B3165.

Moorshop/Tavistock, GB-PL19 9LQ / South West

- ⛺ Tavistock Camping and Caravan Club-site*****
- 🏠 Higher Longford
- 🏕 1 Jan - 31 Dez
- ☎ +44 (0)1822-618672
- 📍 N 50°33'12'' W 4°5'38''

1 ADEJMNOPRT		6
2 PVX	ABDEFGH	7
3 BK	ABCDEFIJLNQRSTUV	8
4 FH		9
5 BKL	BHJMPR	10
16A CEE		① €36,20
H650 7 ha 81T(121m²)		② €43,30

🚗 In Tavistock den Schildern Princetown bis zur Ausfahrt Princetown der B3357 folgen. Nach etwa 4 km Einfahrt zum CP mit CP-Schild, rechts der Strecke.

Moreton, GB-DT2 8BB / South West

- ⛺ Camping & Caravanning Club Site Moreton
- 🏠 Station Road
- 🏕 1/1 - 4/1, 14/3 - 31/12
- ☎ +44 (0)1305-853801
- moreton.site@thefriendlyclub.co.uk
- 📍 N 50°42'5'' W 2°18'43''

1 ACDEJMNOPRST		6
2 OPRSVWX	ABDEFGH	7
3 A	ABFGIJNQRSV	8
4	J	9
5 BKL	ABGHIJPR	10
B 16A CEE		① €39,70
2,8 ha 120T(100-120m²) 2D		② €47,05

🚗 Von Dorchester die A352 7 km ostwärts, dann links ab die B3390 Richtung Crossways. Nach circa 5 km kurz hinterm Bahnübergang rechts.

Moreton-in-Marsh, GB-GL56 0BT / South West

- ⛺ Moreton-in-Marsh Caravan Club Site*****
- 🏠 Bourton Road
- 🏕 1 Jan - 31 Dez
- ☎ +44 (0)1608-650519
- 📠 +44 (0)1608-652515
- 📍 N 51°59'21'' W 1°42'37''

1 DEJMOPQRT		6
2 OPRSWX	ABDEFGH	7
3 AEIKQ	ABCDEFHIJKNPQRSTUV	8
4		9
5 KL	BCEFGHJMPRXZ	10
B 16A CEE		① €45,90
H100 8 ha 184T(60-100m²)		② €52,15

🚗 A44 von Moreton nach Evesham, kurz hinter der Ortsbebauung von Moreton rechts.

Mortehoe, GB-EX34 7EG / South West

- ⛺ North Morte Farm**
- 🏕 1 Apr - 31 Okt
- ☎ +44 (0)1271-870381
- @ info@northmortefarm.co.uk
- 📍 N 51°11'18'' W 4°12'13''

1 ADEJMNOR	KX	6
2 EGHMNOPQSTVW	ABDEFGH	7
3 AK	ABFNQRV	8
4 F	E	9
5 ABKLM	BEHJMPR	10
16A CEE		① €25,65
H60 5 ha 155T(80-120m²) 29D		② €34,40

🚗 A361 beim Handweiser Illfracombe verlassen. Nach 15 km beim Mullacott Cross Kreisverkehr erste links Richtung Mortehoe/Woolacombe. In Mortehoe bei Tankstelle, rechts CP-Schilder.

Mortehoe, GB-EX34 7EJ / South West

- ⛺ Warcombe Farm Camping Park
- 🏠 Station Road
- 🏕 15 Mär - 31 Okt
- ☎ +44 (0)1271-870690
- @ info@warcombefarm.co.uk
- 📍 N 51°10'45'' W 4°10'51''

1 ACDEJMNOPRST	N	6
2 OPSVWXY	ABDEFGH	7
3 BEK	ABEFGIJNQRSTUV	8
4 FH		9
5 ABKLM	ABFGHIKMNPR	10
B 16A CEE		① €43,75
H170 5 ha 250T(80-260m²)		② €49,40

🚗 A361 Barnstaple-Ilfracombe, nach Braunton ca. 10 km auf der B3343 Richtung Wollacombe. An der Kreuzung Turnpike rechts ab Richtung Mortehoe. CP nach 1,2 km auf der rechten Seite.

Mullion/Helston, GB-TR12 7LJ / South West

- ⛺ Mullion Holiday Park
- 🏠 Ruan Minor A3083
- 🏕 21 Mär - 2 Nov
- ☎ +44 (0)1326-240428
- @ touringandcamping@parkdeanholidays.co.uk
- 📍 N 50°1'10'' W 5°12'46''

1 ADEJMNOPRST	ABEFG	6
2 GOPRSVWX	ABFGH	7
3 ABCEIKLP	ABFHIJNQRSTUV	8
4 BCDFILMNOPQ	EJ	9
5 ACDEGHIJKL	BFHIJMNORYZ	10
13A CEE		① €47,50
H77 22 ha 80T(81-120m²) 308D		② €47,50

🚗 Von Helston aus die B3083 eine zeitlang Richtung Lizard folgen. In Höhe der Ausfahrt zur B3296 liegt der Park. Einfahrt links 50m weiter. Auf dem Parkgelände bis zur CP-Einfahrt durchfahren (siehe Schilder).

Newquay, GB-TR8 4NY / South West

- ⛺ Hendra Holiday Park*****
- 🏕 1 Apr - 31 Okt
- ☎ +44 (0)1637-875778
- @ enquiries@hendra-holidays.com
- 📍 N 50°24'5'' W 5°3'0''

1 ADEGJMNOPQRST	ABEFGHIOX	6
2 FGOPSTUVWXY	ABDEFGHK	7
3 ABCEKLP	ABFGHIJNPQRSTUV	8
4 ABDHILMNOPQRS	EFMSUV	9
5 ACDEFGJKL	BEFGHIKMORWYZ	10
B 16A CEE		① €37,20
H64 8 ha 491T(69-120m²) 624D		② €54,05

🚗 A30 bis zur Ausfahrt Highgate Hill. A392 Richtung Newquay fahren. In Quintrell Downs beim Kreisverkehr geradeaus. Nach 800m Hendra Park links.

Newquay, GB-TR8 5QR / South West

- ⛺ Monkey Tree Holiday Park****
- 🏠 Scotland Road
- 🏕 1 Jan - 31 Dez
- ☎ +44 (0)1872-572032
- @ enquiries@monkeytreeholidaypark.co.uk
- 📍 N 50°21'4'' W 5°5'21''

1 ADEJMNOPQRST	ABFGNX	6
2 GOPSVWX	ABDEFGH	7
3 BEKLST	ABFILNPQRSTUV	8
4 BDEFIKLNOPQST	E	9
5 ACDEGJKL	BFGHIKMPRY	10
B 12-16A CEE		① €32,45
H130 22,6 ha 700T(120-180m²) 96D		② €47,45

🚗 Auf der A30 Bodmin-Redruth nach Mitchell B3285 fahren Richtung Perranporth. Nach 1 km 2. Straße rechts Richtung Newquay. Nach 1,5 km liegt die Einfahrt vom CP links. Deutlich ausgeschildert.

Newquay, GB-TR8 4HS / South West

- ⛺ Newquay Holiday Park
- 🏠 Rialton
- 🏕 14 Mär - 26 Okt
- ☎ +44 (0)1637-871111
- @ tessacarne@parkdeanholidays.com
- 📍 N 50°25'24'' W 5°1'28''

1 ADEJMNOPQRST	ABFGH	6
2 GOPSUVWXY	ABDEFGH	7
3 ABEJK	ABFNQRSTV	8
4 ILNOPQ	E	9
5 ACEGJ	BFHIKMORWY	10
B 16A CEE		① €55,00
H80 11,5 ha 55T(70-120m²) 435D		② €55,00

🚗 A30 Bodmin-Redruth die A3059 Richtung RAF St. Mawgan/Newquay, nach 5 km am Kreisel geradeaus auf der A3059 Richtung Newquay, dann noch 6,5 km bis zum CP-Schild vor der Einfahrt.

Newquay, GB-TR7 3NH / South West

- ⛺ Porth Beach Tourist Park***
- 🏠 Alexandra Road
- 🏕 1 Mär - 31 Okt
- ☎ +44 (0)1637-876531
- @ info@porthbeach.co.uk
- 📍 N 50°25'35'' W 5°3'9''

1 ADEJMNOPQRST	KNQX	6
2 EHPSVW	ABDEFGH	7
3 K	ABCDFNQRSTUV	8
4 FH	EF	9
5 ABKL	BEFGHIJPR	10
B 16A CEE		① €46,25
2,8 ha 186T(35-200m²) 32D		② €46,25

🚗 A30 Bodmin-Redruth in Indian Queens die A392 Richtung Newquay. Am Kreisel in Newquay rechts die B3276 Richtung Padstow. Richtung Porth folgen. CP wird ausgeschildert.

Newquay, GB-TR8 4JN / South West

- ⛺ Treloy Tourist Park
- 🏕 1 Apr - 30 Sep
- ☎ +44 (0)1637-872063
- @ treloy.tp@btconnect.com
- 📍 N 50°25'58'' W 5°0'45''

1 ADEJMNOPQRST	ABFG	6
2 CGOPSUVWX	ABDEFGH	7
3 BEKL	ABCDFNQRSTUV	8
4 BIOPQ		9
5 ACDEGIKLM	BFHIJLMPR	10
B 16A CEE		① €27,50
H71 8 ha 294T(95-200m²) 12D		② €40,00

🚗 Auf der A30 Bodmin-Redruth, von der A39 Newquay/St. Columb Major. Am Kreisel St. Columb Major/RAF Airport. Am Kreisel A3059 Richtung Newquay. Nach etwa 5 km ist der CP angezeigt.

Newton Abbot, GB-TQ12 6DD / South West

- ▲ Dornafield*****
- ▤ Two Mile Oak
- ⊙ 15/3 - 3/11, 15/3 - 31/12
- ☎ +44 (0)1803-812732
- @ enquiries@dornafield.com

1	ADEJMNOPRST	6
2	FPRSVWX	ABDEFGHK 7
3	ABKLM	ABCDEFJLNQRSTUV 8
4	IOQ	9
5	CKL	BEFGHIJMOR10
B	10A CEE	① €31,25

12,1 ha 135T(100-200m²) 16D ② €40,00

☑ N 50°30'9'' W 3°38'15''
🚗 Von M5 in Exeter, A38 Richtung Plymouth. Ausfahrt Newton-Abbot A382, dann Richtung Totnes A381. Nach ± 4 km am Two Mile Oak Inn rechts. Ausgeschildert.

Newton Abbot, GB-TQ12 5TT / South West

- ▲ Ross Park*****
- ▤ Ipplepen
- ⊙ 1 Mär - 31 Dez
- ☎ +44 (0)1803-812983
- @ enquiries@rossparkcaravanpark.co.uk

1	ADEJMNOPRST	6
2	OPRSVWX	ABDEFGH 7
3	BEJLP	ABCDEFIJLNQRSTU 8
4	FIOPQ	9
5	CDEGJKL	BHJMOR10
B	16A CEE	① €29,70

H200 10,5 ha 110T(80-110m²) ② €37,20

☑ N 50°29'30'' W 3°37'49''
🚗 Von Exeter A38 Richtung Plymouth, Ausfahrt Newton-Abbot A382, dann Ausfahrt A381 Richtung Totnes. Dann nach etwa 5 km CP rechts (Schilder).

North Wootton, GB-BA4 4HL / South West

- ▲ Greenacres
- ▤ Barrow Lane
- ⊙ 1 Apr - 30 Sep
- ☎ +44 (0)1749-890497
- @ stay@greenacres-camping.co.uk

1	ADEHKNRT	6
2	GPWX	ABDEHK 7
3	AEKL	ABFNQV 8
4	ABFK	UV 9
5	ABKL	BJNPR10
10A CEE		① €21,25

1,8 ha 40T(100-200m²) ② €31,25

☑ N 51°10'19'' W 2°38'25''
🚗 A39 Glastonbury-Wells. Am Brownes Garden Centre den CP-Schildern folgen.

Okehampton, GB-EX20 4HT / South West

- ▲ Bundu Camping & Caravan Park
- ▤ Sourton Down
- ⊙ 1 Jan - 31 Dez
- ☎ +44 (0)1837-861747
- @ bundu@btconnect.com

1	ADEJMNOPRST	6
2	AFPSVWX	ABDEFGH 7
3	K	ABEFNQRTU 8
4	FH	9
5	ABKL	BGHJLST10
16A CEE		① €22,50

4,5 ha 38T(72+100m²) ② €27,50

☑ N 50°42'18'' W 4°3'41''
🚗 Von der A30 Exeter Richtung A386 Tavistock dem Parallelweg folgen. Der CP liegt am Ende der Straße rechts.

Orcheston/Salisbury, GB-SP3 4SH / South West

- ▲ Stonehenge Touring Park
- ⊙ 1 Jan - 31 Dez
- ☎ +44 (0)1980-620304
- @ stay@stonehengetouringpark.com

1	ADEJMNOPQRST	6
2	OPRSWX	ABDEFGH 7
3	AK	ABFJNQRV 8
4	F	9
5	ACKLM	BFHJPRY10
10A CEE		① €22,50

H90 1 ha 30T(80-100m²) ② €26,90

☑ N 51°12'28'' W 1°54'55''
🚗 Von Andover A303 Richtung Westen. Bei Stonehenge A360 bis Shrewton, dann rechts nach Orcheston, weiter ausgeschildert.

Otterton, GB-EX9 7BX / South West

- ▲ Ladram Bay Holiday Park
- ⊙ 13 Mär - 1 Nov
- ☎ +44 (0)1395-568398
- @ info@ladrambay.co.uk

1	DJMNOPQRS	EFGKNPSUWXY 6
2	EFGJMPRSTUVW	ABDEFGH 7
3	BCDEIKP	ABFGHINPQRTUV 8
4	BDFIMNOPQTV	EINPR 9
5	ACDEGJKL	BDHIJMPRYZ10
B	16A	① €47,50

6 ha 150T(49-120m²) 215D ② €57,50

☑ N 50°39'37'' W 3°16'50''
🚗 Von der M5 Ausfahrt 30, dann A3052 Ri. Sidmouth. Bei Newton Poppleford rechts der B3178 Ri. Budleigh Salterton folgen. 1,5 km nach Colaton Raleigh links Ri. Otterton. In Otterton der CP angezeigt.

Owermoigne/Dorchester, GB-DT2 8HZ / S. W.

- ▲ Sandyholme Holiday Park****
- ▤ Moreton Road
- ⊙ 21 Mär - 2 Nov
- ☎ +44 (0)1305-852677
- @ sandyholme@wdlh.co.uk

1	ADEJMNOPRST	6
2	PSVWX	ABDEFGH 7
3	BEKL	ABCDEFNQRSV 8
4	IOPQ	E 9
5	BKL	BIJPRY10
B	10A CEE	① €28,75

2,4 ha 120T(100-120m²) 22D ② €37,50

☑ N 50°40'48'' W 2°19'47''
🚗 Von der A35 zur Ausfahrt B3390. Hinter den Gleisen 2. Straße links ab nach Owermoigne über die Moreton Road. Der CP liegt 300m hinter dem Cider Museum auf der rechten Seite.

Padstow, GB-PL28 8LE / South West

- ▲ Padstow Touring Park*****
- ⊙ 1 Jan - 31 Dez
- ☎ +44 (0)1841-532061
- @ mail@padstowtouringpark.co.uk

1	ADEJMNOPQRST	6
2	FHOPSVWX	BEFGH 7
3	B	BDFGHIJLMNPQRSTUV 8
4	FGHO	9
5	ACDEKL	BFGHIJMNOPRW10
B	10A CEE	① €33,75

H69 5,3 ha 150T(81-154m²) ② €43,75

☑ N 50°31'37'' W 4°56'57''
🚗 Wenn man in Padstow reinfährt, ist der CP an der Hauptstraße B3274, etwa 1,5 km vor Padstow.

Paignton, GB-TQ4 7JE / South West

- ▲ Beverley Park*****
- ▤ Goodrington Road
- ⊙ 1 Feb - 31 Dez
- ☎ +44 (0)1803-661936
- @ info@beverley-holidays.co.uk

1	ACDEHKNOPRST	ABEFG 6
2	FGOPRSTVWXY	ABDEFGH 7
3	BCIKLMNQ	ABCDEFINQRSTUV 8
4	AFIMNOPQRSTUV	EF 9
5	ACDEFGJKL	BFGHIKNORY10
16A CEE		① €39,15

H50 8,9 ha 190T(100-120m²) 231D ② €49,00

☑ N 50°24'48'' W 3°34'6''
🚗 A3022 von Paignton Richtung Brixham. Mit braunem Wegweiser beschildert, CP kommt nach 1 km rechts.

Paignton, GB-TQ4 7PF / South West

- ▲ Whitehill Country Park
- ▤ Stoke Road
- ⊙ 1 Apr - 24 Sep
- ☎ +44 (0)1803-782338
- @ info@whitehill-park.co.uk

1	ADEHKNOPRST	ABFG 6
2	BFGOPQRSTVWXY	ABDEFGH 7
3	ABKL	ABCDEFIJKLNQRSV 8
4	FHIMNOPQ	E 9
5	ACDEGJKL	BFHIJNPR10
B	16A CEE	① €33,15

H50 15 ha 250T(90-120m²) 75D ② €40,65

☑ N 50°25'5'' W 3°36'32''
🚗 A380 Richtung Torquay-Paignton, dort rechts die A385 Richtung Totnes. Gleich danach links vor 'Parkers Arms'. Schildern folgen.

Pentewan/St. Austell, GB-PL26 6DL / South West

- ▲ Little Winnick Touring Park
- ⊙ 8 Apr - 4 Nov
- ☎ +44 (0)1726-843687
- @ mail@littlewinnick.co.uk

1	ADEJMNOPQRT	NQSW 6
2	BCGHJMOPSVX	ABDEFGH 7
3	AEK	ABCDEFJMNQRTUV 8
4	FH	V 9
5	ABM	EFGHKMNOR10
10A		① €31,25

5,5 ha 90T(60-100m²) 2D ② €36,25

☑ N 50°17'59'' W 4°48'2''
🚗 B3273 St. Austell Richtung Mevagissey. Der CP ist nach ca. 5 km auf der linken Straßenseite.

Perranporth, GB-TR6 0DB / South West

- ▲ Perranporth Cp & Touring Park AA
- ▤ Budnick Road
- ⊙ 7 Apr - 30 Sep
- ☎/FAX +44 (0)1872-572174

1	ADEJMNOPQRT	ABFKQ 6
2	EGHOPSTUVWX	ABDEFGH 7
3	BGHK	ABEFINQRTUV 8
4	IOQ	EFI 9
5	ACFGKI	BFHJMR10
6A CEE		① €40,00
		② €50,00

2,5 ha 150T(bis 70m²) 21D

☑ N 50°20'44'' W 5°8'31''
🚗 A30 Bodmin-Redruth, nach Mitchel, die B3285 (sehr steil) Ri. Perranporth. An der Kreuzung in Goonhavern 4 km geradeaus auf die B3285. Hinter dem Golfclub li ab, vor der Tankstelle links Ri. CP. Man fährt durch eine Wohnstraße hindurch.

Perranporth/Truro, GB-TR4 9QF / South West

- ▲ Penrose Holiday Park***
- ▤ Goonhavern
- ⊙ 1 Apr - 31 Okt
- ☎ +44 (0)1872-573185
- @ info@penroseholidaypark.com

1	ADEJMNOPQRST	6
2	HOPSVWXY	ABDEFGHK 7
3	BKL	ABCDEFINPQNSTUV 8
4	F	E 9
5	EKL	ABFHIJMPR10
B	10A CEE	① €31,20

H77 4 ha 103T(120-160m²) 36D ② €46,20

☑ N 50°20'27'' W 5°6'23''
🚗 A30 Redruth-Penzance rechts ab die B3285 nach Perranporth. Kurz vor der Kreuzung in Goonhavern liegt der CP links mit großer Einfahrt.

Plymouth, GB-PL6 8LL / South West

- ▲ Riverside Caravan Park
- ▤ Leigham Manor Drive
- ⊙ 1 Jan - 31 Dez
- ☎ +44 (0)1752-344122
- @ office@riversidecaravanpark.com

1	ACDJMNOPRST	ABFGX 6
2	CMOPRSVX	BEFGH 7
3	ABKQ	BDFNQRTU 8
4	IMNOPQ	9
5	BEGJKLM	BFGHIJMR10
B	10A CEE	① €30,00

4,4 ha 168T(80-120m²) 12D ② €36,25

☑ N 50°23'54'' W 4°5'11''
🚗 A38 Plymouth-Exeter, Ausfahrt B3416 Richtung Plympton, CP-Schildern folgen.

Porthtowan/Truro, GB-TR4 8TY / S. W.

- ▲ Porthtowan Tourist Park
- ▤ Mile Hill
- ⊙ 1 Apr - 30 Sep
- ☎ +44 (0)1209-890256
- @ admin@porthtownantouristpark.co.uk

1	ADEJMNOPQRST	6
2	HMPRSVWXY	ABDEFGH 7
3	AEKL	ABCDFINQRV 8
4	HI	9
5	ABKL	BFHJMPR10
B	10A CEE	① €28,15

2 ha 80T(100m²) 8D ② €34,40

☑ N 50°16'28'' W 5°14'16''
🚗 A30 Bodmin-Penzance, Ausfahrt Porthtowan. A30 überqueren und weiter bis zur T-Kreuzung folgen durch North Country. Nach 750m ist der CP dann auf der linken Seite.

Portreath, GB-TR16 4JQ / South West

- ▲ Tehidy Holiday Park
- ▤ Harris Mill - Illogan
- ⊙ 28 Mär - 2 Nov
- ☎ +44 (0)1209-216489
- @ holiday@tehidy.co.uk

1	ADEHKNOPRST	6
2	COPRSTUVWX	ABDEFGH 7
3	AEKLSV	ABEFGIJNPQRSV 8
4	FHIOQ	EFJ 9
5	ABL	BFHJPR10
B	16A CEE	① €32,50

1,8 ha 28T(42-100m²) 38D ② €42,50

☑ N 50°14'42'' W 5°15'11''
🚗 A30 Ausfahrt Redruth/Portreath, am Kreisel dritte Ausfahrt. Durch North Country die erste Straße li., geradeaus über die Vorfahrtstraße, siehe Schild li.

Priddy/Wells, GB-BA5 3BP / South West

- △ Cheddar C. & C. Club★★★★
- 🏠 Townsend
- 📅 14 Mär - 4 Nov
- ☎ +44 (0)1749-870241
- @ cheddar@
  campingandcaravanningclub.co.uk
- 📍 N 51°15'49'' W 2°41'7''

1 CDEJMNOPQRST		6
2 FNPRSTVWXY	ABDE**FGH**	7
3 A**K**	ABCDFGIJKLNPQRSV	8
4 FH		E 9
5 AB**KLM**	BFGJMP**R**Y	10
16A CEE		① €39,90
H266 7,5 ha 90**T**(90-120m²) 2**D**		② €52,90

🚗 A39 von Wells Richtung Bath. Nach 5 km bei Green Ore B3135. CP nach 6 km.

Quoit, GB-TR9 6HY / South West

- △ Southleigh Manor Naturally
  Holiday Club★★★ AA
- 🏠 St. Columb Major
- 📅 1 Apr - 1 Okt
- ☎ +44 (0)1637-880938
- @ enquiries@southleigh-manor.com
- 📍 N 50°25'21'' W 4°56'6''

1 A**JM**NOPR**T**	ABFG	6
2 GOPTVWXY	ABDE**FGH**	7
3 AEILQ	ABE**F**NQRV	8
4 **QSTU**		9
5 AEGIK**L**	BFJ**N**OR	10
F**KK** 16A CEE		① €29,40
H100 3 ha 50**T**(80-100m²) 6**D**		② €38,15

🚗 A30 Bodmin-Redruth bei der Victoria Passage und Bahnlinie die 1. Ausfahrt rechts A3059, Richtung RAF St. Mawagan/St. Columb Major. Nach 5 km CP links. Kurz vor dem Kreisel mit der A39.

Rejerrah/Newquay, GB-TR8 5QJ / South West

- △ Newperran Holiday Park★★★★★
- 🏠 Rejerrah
- 📅 23 Mär - 2 Nov
- ☎ +44 (0)1872-572407
- @ holidays@newperran.co.uk
- 📍 N 50°20'42'' W 5°6'18''

1 ACDE**JM**NOPQRST	EFGX	6
2 FGPSVWX	ABDE**FGH**	7
3 AE**K**	ABCDEFIJNQRSTUV	8
4 FHINO**PQ**		E 9
5 ABDEG**JK**L	ABEFGHIJMORW	10
B 16A CEE		① €43,20
H93 11 ha 500**T**(100-150m²) 34**D**		② €60,00

🚗 A3075 Goonhavern-Newquay, direkt hinter Goonhavern links Richtung Newperran Holiday Park. Durchfahren bis zum CP-Schild (steht rechts an der Straße).

Rodney Stoke/Cheddar, GB-BS27 3UZ / South West

- △ Bucklegrove
  C.& C. Park★★★★★
- 🏠 Wells Road
- 📅 1 Mär - 29 Nov
- ☎ +44 (0)1749-870261
- @ info@bucklegrove.co.uk
- 📍 N 51°14'36'' W 2°43'55''

1 ADE**JM**NOPQR**T**	EFG	6
2 OPRSTUVWX	ABDE**FGH**	7
3 A**K**	ABCDEFIJ**L**NQRSV	8
4 FIO**PQ**		EF 9
5 ABDEGIK**LM**	BFHK**PST**	10
B 10A CEE		① €34,40
H68 18,7 ha 100**T**(90-110m²) 12**D**		② €44,40

🚗 CP an A371 von Wells nach Cheddar, ausgeschildert (Ausfahrt 22 von der M5, weiter über A38 und A371).

Saint Just, GB-TR19 7RE / South West

- △ Kelynack
- 📅 1 Jan - 31 Dez
- ☎ +44 (0)1736-787633
- @ enquiries@
  kelynackholidays.co.uk
- 📍 N 50°6'44'' W 5°40'31''

1 ADE**JL**NOPR**T**		6
2 CMOPRVWX	ABDE**FGH**	7
3 A**KL**	ABE**F**GNQRSV	8
4 F		EG 9
5 AB**KL**	BEFJMP**R**	10
16A CEE		① €23,75
H100 3 ha 47**T**(90-120m²) 16**D**		② €33,15

🚗 Von Penzance aus auf der A3071, kurz vor St. Just zum Land's End (B3306). Nach etwa 1 km vor 'Kelynack' links ab zum CP.

Salisbury/Netherhampton, GB-SP2 8PN / South West

- △ Coombe Touring Caravan Park
- 🏠 The Race Plain
- 📅 1 Jan - 31 Dez
- ☎ +44 (0)1722-328451
- @ enquiries@
  coombecaravanpark.co.uk
- 📍 N 51°3'15'' W 1°51'40''

1 A**I**L**N**OR**T**		6
2 PRSVWXY	ABE**FGH**	7
3 A**K**	ABCDFKNQRSV	8
4 E		9
5 B		BFHJR	10
10A CEE		① €25,00
H119 1 ha 50**T**(80-100m²) 4**D**		② €32,50

🚗 In Salisbury A36 Richtung Westen, dann A3094 nach links fahren. Nach 1,5 km bei Dreier-Verzweigung rechts halten. Der CP kommt nach ca. 1,5 km an der Rennbahn.

Seatown, GB-DT6 6JX / South West

- △ Golden Cap Holiday Park★★★★
- 📅 20 Mär - 1 Nov
- ☎ +44 (0)1308-422139
- @ holidays@wdlh.co.uk
- 📍 N 50°43'24'' W 2°49'20''

1 ADE**JM**NOPQR**T**	**N** 6
2 DEJKMPRSTUVWX	ABDE**FGH**	7
3 A**K**	ABCDFNQRSUV	8
4 F		E 9
5 AB**KLM**	BFHJMP**R**Y	10
10A CEE		① €40,00
70 ha 108**T**(75-150m²) 274**D**		② €48,75

🚗 A35 Bridport-Lyma Regis. In Chideock Richtung Seatown. Schmaler Weg zum CP.

Sidmouth, GB-EX10 0PH / South West

- △ Oakdown Holiday Park★★★★★
- 🏠 Weston
- 📅 20 Mär - 1 Nov
- ☎ +44 (0)1297-680387
- @ enquiries@oakdown.co.uk
- 📍 N 50°42'20'' W 3°10'50''

1 ACDE**JM**NOPQRS**T**		6
2 PRSVWXY	ABDE**FGH**K	7
3 ABE**J**	ABCDEFGHIJNQRSTUV	8
4 FIO**PQ**		EJ 9
5 B**KL**	BFGHJMN**R**Z	10
B 16A CEE		① €30,25
H157 16 ha 157**T**(65-90m²) 57**D**		② €38,25

🚗 Von Norden auf der M5 Ausfahrt 30 (Exeter). Danach der A3052 Richtung Sidmouth folgen. 2 km hinter Sidmouth auf der A3052 ist der CP angezeigt.

Sidmouth, GB-EX10 0JH / South West

- △ Salcombe Regis
  C. & C. Park★★★★★
- 🏠 Salcombe Regis
- 📅 15 Mär - 1 Nov
- ☎ +44 (0)1395-514303
- @ contact@salcombe-regis.co.uk
- 📍 N 50°41'45'' W 3°12'19''

1 ADE**JM**NOPRS**T**		6
2 JPRSTVWX	ABDE**FGH**	7
3 A**K**	ABEFIJNQRTU	8
4 F		E 9
5 AB**KLM**	BDFGJMP**R**	10
10-16A CEE		① €29,55
H180 16 ha 100**T**(80-120m²) 36**D**		② €36,80

🚗 2,5 km östlich von Sidmouth an der A3052. CP ist ausgeschildert.

Slimbridge (Glos), GB-GL2 7BP / South West

- △ Tudor Caravan Park★★★
- 🏠 Shepherds Patch
- 📅 1 Jan - 31 Dez
- ☎ +44 (0)1453-890483
- @ info@tudorcaravanpark.co.uk
- 📍 N 51°44'7'' W 2°23'45''

1 ADE**IL**NOPQRS**T**	N**X** 6
2 ACPRSVWX	ABDE**FG** 7
3 **K**	ABCDEFJNQRSV	8
4 FHQ		QV 9
5 KL		BIJP**R**	10
B 16A CEE		① €26,25
3 ha 94**T**(80-120m²)		② €31,25

🚗 M5, Ausfahrt 13, A38 Richtung Bristol, Ausfahrt Slimbridge. Braunen Schildern folgen. Nach 8 km (von M5 Ausfahrt 13) vor Kanalbrücke links.

South Cerney/Cirencester, GB-GL7 5UQ / South W.

- △ Hoburne Cotswold★★★
- 🏠 Broadway Lane
- 📅 14 Mär - 31 Okt
- ☎ +44 (0)1285-860216
- @ enquiries@hoburne.com
- 📍 N 51°39'37'' W 1°55'9''

1 ADHK**N**OPQR**T**	ABEFGH**N** 6
2 ADGPRSVWXY	ABDE**FGH**	7
3 ABCEI**LMP**	ABEFJNQRS	8
4 IMNOPQRTV		EJT 9
5 ABCDEG**JK**	BHIKNOR**Y**	10
B 16A CEE		① €60,00
H84 28 ha 189**T**(100-130m²) 66**D**		② €60,00

🚗 Von Cirencester A419 Richtung Swindon folgen, Ausfahrt South Cerney. Schildern 'Cotswold Waterpark' folgen, dann CP ausgeschildert.

South Molton (North Devon), GB-EX36 3HQ / S. W.

- △ Riverside Caravan Park★★★★
- 🏠 Marsh Lane,
  North Molton Road
- 📅 1 Jan - 31 Dez
- ☎ +44 (0)1769-579269
- @ relax@exmoorriverside.co.uk
- 📍 N 51°1'45'' W 3°49'26''

1 AE**JM**NOPRST	J**N** 6
2 ABCFGOSVWX	ABDE**FGH**	7
3 ABE	ABFINQRTUV	8
4 AH		H 9
5 AB**KL**M	BEFIJMR	10
16A		① €22,50
28 ha 244**T**(ab 100m²)		

🚗 Der CP liegt an der A361, Ausfahrt North Molton und wird mit braunen Schildern angezeigt.

Sparkford, GB-BA22 7JH / South West

- △ Long Hazel Park
- 🏠 High Street
- 📅 1 Jan - 31 Dez
- ☎ +44 (0)1963-440002
- @ longhazelpark@hotmail.com
- 📍 N 51°2'4'' W 2°34'8''

1 A**JM**NOPQRS		6
2 AOPRSVWX	ABDE**FG** 7
3 **K**	ABFJNQRV	8
4 FH		J 9
5 K		BGHKM**OR**	10
B 16A CEE		① €28,75
H50 1,5 ha 43**T**(80-160m²) 7**D**		

🚗 Von London aus auf die M3, dann die A303 nach Exeter, dann der Beschilderung bei Yeovil folgen.

St. Agnes, GB-TR5 0NU / South West

- △ Beacon Cottage Farm★★★★★
- 🏠 Beacon Drive
- 📅 27 Mär - 30 Sep
- ☎ +44 (0)1872-552347
- @ beaconcottagefarm@
  lineone.net
- 📍 N 50°18'23'' W 5°13'35''

1 ADEG**JM**NOPQRS**T**	Q**S**X 6
2 FHMPRUVWX	ABDE**FGH**	7
3 BE**K**	ABCDEFGIJMNQRSV	8
4 F		J 9
5 B**KL**	BHJM**OR**	10
10A CEE		① €35,00
H120 1,6 ha 70**T**(100-200m²) 2**D**		② €43,75

🚗 A30 Bodmin-Redruth. Am Kreisel Three Burrows die B3277 Richtung St. Agnes. In St. Agnes Richtung Beacon. Den CP-Schildern bis zur schmalen Einfahrt folgen. Von Porthtowan über die Dorfstraße und weiter CP-Schildern folgen.

St. Austell, GB-PL26 7JG / South West

- △ Acorn Parks
  Meadow Lakes★★★★ AA
- 🏠 Hewaswater
- 📅 1 Apr - 31 Okt
- ☎ +44 (0)1726-882540
- @ info@meadow-lakes.co.uk
- 📍 N 50°18'3'' W 4°51'28''

1 ACDE**JM**NOPR**T**	ABFG**N** 6
2 GPTUVWXY	ABDE**FGH**	7
3 BELM	ABDEFIJNQRS	8
4 I**Q**		EFJ 9
5 AB**KLM**	BFJM**OR**	10
B 16A CEE		① €32,50
H68 22,4 ha 180**T**(100m²) 65**D**		② €41,25

🚗 A390 St. Austell-Truro B3287 Richtung Tregony. CP-Schild nach 1,6 km.

St. Austell, GB-PL25 3RE / South West

- △ Carlyon Bay C.& C. Park★★★★★
- 🏠 Carlyon Bay
- 📅 1 Apr - 27 Sep
- ☎ +44 (0)1726-812735
- @ holidays@carlyonbay.net
- 📍 N 50°20'28'' W 4°44'15''

1 ADE**JM**NOPR**T**	ABFGK**N**QW**X** 6
2 EGHOPRSUVWXY	ABDE**FGH**	7
3 BEIJLM**R**	ABCDEFJLNQRSUV	8
4 FHIO**Q**		9
5 ABCDEK**LM**	BHIJM**OR**	10
16A CEE		① €38,75
7,5 ha 188**T**(80-120m²)		② €51,25

🚗 A38 Plymouth-Bodmin, in Dobwalls A390 Ri. St. Austell. Durch Lostwithiel und Penpillick/St. Blazy. Hinter St. Blazy, am Kreisel am Brittania Inn die A3082 Ri. Par. Nach 150m rechts in die Privatstraße. Nach 300m CP-Schild re. Nach 150m CP.

St. Austell, GB-PL26 6EL / South West · iD

▲ Heligan Woods***	1 ADEJMNOPR**T**	6
▤ Pentewan	2 BHPRSTUVWXY	ABDE**FGH** 7
⊙ 8 Jan - 26 Nov	3 A	ABEFJNQRSTUV 8
☎ +44 (0)1726-844142	4	E 9
@ info@heliganwoods.co.uk	5 ABKL**M**	BFGHJMR10
	16A CEE	① €39,70
	H71 8 ha 93**T**(80-120m²) 24**D**	② €48,45

⌖ N 50°17'19'' W 4°48'45''

🚗 A390 Truro-St. Austell. Am Doppelkreisel die B3273 Richtung Mevagissey. Hinter London app. den CP-Schildern folgen und den braunen Schildern von Heligan Gardens. CP liegt da kurz vor dessen Eingang.

St. Austell, GB-PL26 6BT / South West · iD

▲ Pentewan Sands Holiday Park*** AA	1 ADEHKNOPRST EFGHKMNQSW**X**Y 6	
	2 EFGHOPQVW	ABDE**FGH** 7
▤ Pentewan Sands	3 BCEF**KMR**	ABCDEFGLNQRSTUV 8
⊙ 1 Mär - 30 Okt	4 BDFHIO**QUZ**	9
☎ +44 (0)1726-843485	5 ABCDEFGJK**LM**	BHIKNORY10
@ info@pentewan.co.uk	B 16A CEE	① €46,90
	14 ha 440**T**(80-170m²) 253**D**	② €58,15

⌖ N 50°17'17'' W 4°47'8''

🚗 A38 in Dobwalls A390 Richtung St. Austell. Richtung Truro bis zum doppelten Kreisverkehr fahren, links ab B3273 Richtung Mevagissey. Nach London App. und Pentewan, dann folgt Einfahrt zum CP.

St. Austell, GB-PL26 7AP / South West · iD

▲ River Valley Holiday Park****	1 ADEJLNOPRST	E 6
▤ London Apprentice	2 BCGHOPSVWX	ABDE**FGH** 7
⊙ 30 Mär - 30 Sep	3 B**K**	ABCDEFIJKMNQRSV 8
☎ +44 (0)1726-73533	4 HIPQ	EUV 9
@ mail@cornwall-holidays.co.uk	5 L	BFGHJMN**PR**10
	B 10A CEE	① €40,00
	0,2 ha 45**T**(80-100m²) 40**D**	② €47,50

⌖ N 50°19'5'' W 4°47'55''

🚗 Von St. Austell der A390 Richtung Truro folgen. Am doppelten Kreisverkehr 1. links B3273 nach Mevagissey. Nach 4 km links, CP ist ausgeschildert.

St. Buryan/Penzance, GB-TR19 6JB / South West · iD

▲ Sennen Cove	1 ADEJMNOPRST	6
▤ Higher Tregiffian Farm	2 FGHMOPSVW	ABDE**FGH** 7
⊙ 1 Apr - 3 Nov	3 AE**KQ**	ABCDEFGJNQRSV 8
☎ +44 (0)1736-871588	4 F	9
@ sennen.covesite@ friendlyclub.co.uk	5 ABK**L**	RHJMPR10
	B 16A CEE	① €40,80
	H118 1,5 ha 72**T**(100-120m²)	② €53,70

⌖ N 50°5'23'' W 5°40'8''

🚗 Von der A30 (Penzance-Land's End) die Ausfahrt nach St. Just nehmen (B3306). Der CP ist dann schon zu sehen. Na ca. 250m Einfahrt links.

St. Buryan/Penzance, GB-TR19 6BZ / S. W. · CC€16 · iD

▲ Tower Park	1 ADEHKNOPRS	6
⊙ 7 Mär - 31 Okt	2 FOPVWX	ABDE**FGH** 7
☎ +44 (0)1736-810286	3 AK**L**	ABFINQRSV 8
@ enquiries@ towerparkcamping.co.uk	4 IO**Q**	AE 9
	5 BEK**L**	BJMP**R**W10
	B 16A CEE	① €23,75
	H118 5 ha 172**T**(100m²) 16**D**	② €32,50

⌖ N 50°4'44'' W 5°37'27''

🚗 A30 Penzance-Land's End. 5 km nach Penzance links Richtung St. Buryan. In St. Buryan hinter der Kirche rechts Richtung St. Just. CP nach 100m rechts. Andere Strecke schwierig für Wohnwagen.

St. Buryan/Penzance, GB-TR19 6DL / S. W. · CC€16 · iD

▲ Treverven Touring C. & C. Park***	1 ADEJMNOPRST	6
	2 EFGMPTVW	ABDE**FGH**I 7
▤ Coastal Road B3315	3 AE**K**	ABCDEFNQRSTUV 8
⊙ 1 Apr - 31 Okt	4 F	L 9
☎ +44 (0)1736-810200	5 ABDEK**L**	BJMO**R**10
info@treverventouringpark.co.uk	16A CEE	① €22,50
	H90 2,5 ha 115**T**(ab 100m²)	② €27,50

⌖ N 50°5'23'' W 5°37'6''

🚗 Auf der A30 Richtung Land's End halten. Hinter Penzance die Ausfahrt zur B3283 nehmen. Hinter St. Buryan noch 2 km, dann nach Moushole (B3315) abbiegen. Nach etwa 1 km ist der CP auf der rechten Seite.

St. Ives, GB-TR26 3LX / South West · iD

▲ Polmanter Touring Park*****	1 ADE**JM**NOPQR**T**	ABFG 6
▤ Halsetown	2 GOPSUVW	ABDE**FGH** 7
⊙ 29 Mär - 30 Sep	3 ABEK**LM**	ABEFIJNQRSTUV 8
☎ +44 (0)1736-795640	4 FIPQ	9
@ reception@polmanter.com	5 ABEFGJK**L**	BEGHIJMN**NPR**WY10
	B 16A CEE	① €43,15
	H138 7 ha 280**T**(100-140m²)	② €61,90

⌖ N 50°11'46'' W 5°29'29''

🚗 A3074 Richtung St. Ives. Links ab beim zweiten Mini-Kreisverkehr nach St. Ives über Halsetown, nach ca. 5 km rechts ab die B3311 und rechts an der Halsetown Inn. Dann links.

St. Ives, GB-TR26 3BJ / South West · CC€16 · iD

▲ Trevalgan Touring Park*****	1 AD**JM**NOPQR**T**	6
▤ Trevalgan	2 EMOPVW	ABDE**FGH** 7
⊙ 1 Mai - 30 Sep	3 BEK**L**	ABCDEFGIJNQRST 8
☎ +44 (0)1736-791892	4 FI**Q**	9
@ reception@ trevalgantouringpark.co.uk	5 ABK**L**	BHJMO**R**10
	B 16A CEE	① €40,00
	H127 2 ha 135**T**(64-140m²)	② €48,75

⌖ N 50°12'20'' W 5°31'14''

🚗 Verlassen Sie die A30 in Hayle. Dem gelben Wegweisern 'Hay route', der B3306 Ri. St. Ives folgen. Links in 2. Kreisverkehr. Nach 4,4 km (durch Halsetown hindurch) links Ri. Zennor. Nach 800m ist der CP ausgeschildert.

St. Just-in-Roseland, GB-TR2 5JF / South West · iD

▲ Trethem Mill Touring Park*****	1 ADEJMNOPR	6
	2 OPSTUVWX	ABDE**FGH** 7
⊙ 1 Apr - 2 Okt	3 AE	ABCDEFGIJKNQRSTUV 8
☎ +44 (0)1872-580504	4 F	9
@ reception@trethem.com	5 ABKL	BEGHJMP**R**10
	B 16A CEE	① €32,50
	5 ha 84**T**(100-112m²) 11**D**	② €42,50

⌖ N 50°11'27'' W 5°0'3''

🚗 Von der A30 bei Fraddon Ri. B3275 Ladock/Truro. Nach ± 11 km an der T-Kreuzung rechts, Richtung Truro. Nach ± 500m links, Ri. St. Austen. Nach 1,5 km re auf die A3078, auf dieser bis zum CP folgen. CP ist ab Trewithian angezeigt.

St. Leonards/Ringwood, GB-BH24 2SB / S. W. · CC€16 · iD

▲ Shamba Holidays****	1 ADE**JM**NOPQRS	EFG 6
▤ 230 Eastmoors Lane	2 OPQRVWX	ABDE**FGH** 7
⊙ 1 Mär - 31 Okt	3 BE	ABCDFGIKNQRSV 8
☎ +44 (0)1202-873302	4 IO**Q**	9
@ enquiries@ shambaholidays.co.uk	5 ACEG**JL**	BGHIKM**OR**10
	B 16A CEE	① €47,50
	7,6 ha 147**T**(100m²) 37**D**	② €57,50

⌖ N 50°49'28'' W 1°51'13''

🚗 An A31 nach Ringwood ± 5 km westwärts, am 'Little Chef' vorbei (Nordseite) zum nächsten Kreisel zurück Ri Ringwood, dann direkt li in die Eastmoors Lane, auf der Nordseite mit 'Shamba' ausgeschildert. Nicht so guter Straßenbelag auf der Zufahrtsstraße.

St. Martin by Looe, GB-PL13 1QS / South West · iD

▲ Looe Country Park Caravan & Campsite	1 ACDE**JM**NOPRS**T**	**X** 6
	2 OPSVWXY	ABDE**FGH**K 7
▤ Bucklawren Road	3 A**K**	BFGNQRTUV 8
⊙ 1 Jan - 31 Dez	4 F	E 9
☎ +44 (0)1503-240265	5 BK**L**	BFGJPR10
@ info@looecountrypark.co.uk	16A CEE	① €33,75
	7,5 ha 37**T**(80-150m²) 18**D**	② €45,00

⌖ N 50°22'38'' W 4°25'5''

🚗 A38, A374 Richtung Torpoint/Plymouth, dann A387 Richtung Looe/Hessenford bis zur B3253 Richtung Looe East Looe. In 'Nomansland' links halten. Den Schildern zum Polborder House folgen. Nach ca. 1,5 km liegt der CP rechts.

Swanage, GB-BH19 3DG / South West · iD

▲ Ulwell Cottage Caravan Park****	1 ADE**JM**NOPRT	EFH 6
	2 FOPSTUVWX	ABDE**FGH** 7
▤ Studland Road	3 BEK**L**	ABEFINQRSV 8
⊙ 1/1 - 7/1, 1/3 - 31/12	4 F	E 9
☎ +44 (0)1929-422823	5 ACEG IK**L**	BEHK**PR**10
@ enq@ulwellcottagepark.co.uk	B 16A CEE	① €54,40
	5,2 ha 77**T**(60-100m²) 70**D**	② €63,15

⌖ N 50°37'37'' W 1°58'13''

🚗 In Swanage die Studland Road Richtung Studland fahren. Der CP liegt nach ca. 2 km auf der linken Seite.

Taunton, GB-TA3 7BS / South West

▲ Cornish Farm Touring Park	1 DJMNOQRS**T**	6
▤ Shoreditch	2 APSVW	ABDE**FG** 7
⊙ 1 Jan - 31 Dez	3 K	ABEFGHIJNPQRSV 8
☎ +44 (0)1823-327746	4	9
@ info@cornishfarm.com	5 K	BFGHMP**R**V10
	B 10A CEE	① €27,50
	48**T**(100 120m²)	② €36,90

⌖ N 50°59'32'' W 3°5'34''

🚗 M5 Ausfahrt 25 Richtung Taunton. Den braunen Schildern Richtung Taunton Racecourse folgen, bis man die braunen CP-Schilder sieht.

Tavistock, GB-PL19 9JZ / South West · iD

▲ Langstone Manor Park	1 ADEJMNOPRS**T**	6
▤ Moortown	2 FPSUWXY	ABDE**FGH** 7
⊙ 15 Mär - 15 Nov	3 A**K**	ABFJNQRTV 8
☎ +44 (0)1822-613371	4 FHIO**PQ**	9
@ web@langstonemanor.co.uk	5 AEGJK**L**	BFHJO**R**10
	10A CEE	① €25,00
	H200 1,5 ha 46**T**(70-100m²) 26**D**	② €32,50

⌖ N 50°32'43'' W 4°5'9''

🚗 In Tavistock den Schildern Princeton bis zur B3357 folgen. Nach circa 3 km CP-Schildern folgen (rechts), lange schmale Zufahrt.

Tavistock, GB-PL19 8NY / South West · CC€18 · iD

▲ Woodovis Park*****	1 ACDEJMNOPRS**T**	E 6
▤ Gulworthy	2 PRSUVX	ABDE**FGH**K 7
⊙ 21 Mär - 1 Nov	3 AEK**LQR**	ABCDEFJLNQRSTUV 8
☎ +44 (0)1822-832968	4 I**Q**TU	AEFJ 9
@ info@woodovis.com	5 ABDEK**L**	BEFGHJMN**NPR**Z10
	10A CEE	① €45,00
	H50 4,8 ha 50**T**(80-120m²) 26**D**	② €66,25

⌖ N 50°33'7'' W 4°12'18''

🚗 Von Tavistock die A390 Richtung Liskeard fahren, nach ca. 5 km den CP-Schildern folgen. In Gulworthy rechts ab nach ca. 1,5 km. Die Einfahrt zum CP liegt auf der linken Seite.

Tedburn St. Mary (Exeter), GB-EX6 6EW / S. W. · iD

▲ Springfield Holiday Park****	1 ACDEHKNOPRS**T**	AB 6
⊙ 15 Mär - 15 Nov	2 FGOPRSTVWX	ABDE**FGH** 7
☎ +44 (0)1647-24242	3 ACE**K**	ABCDFIJLNQRSTV 8
@ enquiries@ springfieldholidaypark.co.uk	4 IO**Q**	9
	5 K**L**	BFHIJLO**R**10
	10A CEE	① €25,00
	H140 3,6 ha 20**T**(70-100m²) 56**D**	② €30,00

⌖ N 50°43'44'' W 3°43'4''

🚗 A30 von Exeter nach Tedburn St. Mary. Zweite Ausfahrt nach Tedburn rechts an der Woodleigh Junction. Ausgeschildert.

Teigngrace, GB-TQ12 6QT / South West 📱iD

- ⛺ Twelve Oaks Farm Caravan Park****
- ⛺ Twelve Oaks Farm
- 📅 1 Jan - 31 Dez
- ☎ +44 (0)1626-335015
- @ info@twelveoaksfarm.co.uk
- 📍 N 50°33'3'' W 3°37'23''

1 ADEJMNOPRS**T**		ABN 6
2 FPRSTUWXY		ABDE**FGH** 7
3 **K**		ABFJNQRV 8
4 FH		J 9
5 BKL		BEFHIJMR10
B 16A CEE		➊ €21,90
2 ha 100**T**(64-100m²) 2**D**		➋ €28,15

🚗 Von Exeter die A38 Richtung Plymouth fahren. Links abfahren nach Teigngrace. Nach 2,5 km, hinterm Dorf, liegt der CP auf der linken Seite. 🅼

Tewkesbury, GB-GL20 5PG / South West 📶 iD

- ⛺ Tewkesbury Abbey
- ⛺ Gander Lane
- 📅 26 Mär - 4 Nov
- ☎ +44 (0)1684-294035
- @ tewkesbury@ caravanclub.co.uk
- 📍 N 51°59'21'' W 2°9'27''

1 ADEILNOPQRT		6
2 AOPVWXY		ABDE**FG** 7
3 **KP**		ABCDEFHJNPQRV 8
4		9
5 BK		BHJ**P**RXZ10
B 16A CEE		➊ €27,50
3,6 ha 138**T**(80-120m²)		➋ €32,50

🚗 M5 Ausfahrt 9 Richtung Tewkesbury, A438 Richtung Tewkesbury. Ab der Ortsgrenze ist der CP angezeigt. 🅼

Tintagel, GB-PL34 0BQ / South West 📱iD

- ⛺ Caravan Club Site Trewethett Farm
- ⛺ Trethevy
- 📅 23 Mär - 5 Nov
- ☎ +44 (0)1840-770222
- @ trewethett.farm@caravanclub.co.uk
- 📍 N 50°40'26'' W 4°43'35''

1 ADEJMNOPRS**T**		K 6
2 EFHMOPSTUVW		ABDE**FG** 7
3 A		ABCDEFIJKNQRSV 8
4 F		9
5 ABK**L**		BFGIJMP**R**Z10
B 16A CEE		➊ €30,25
6,8 ha 122**T**(80-100m²)		➋ €37,00

🚗 Die B3263 von Tintagel Richtung Boscastle, vorbei Bossiney. In Trethevy ist der CP links von der Straße angezeigt. 🅼

Torrington, GB-EX38 8PU / South West 📶 CC€16 iD

- ⛺ Smytham Manor
- ⛺ Little Torrington
- 📅 19 Mär - 1 Nov
- ☎ +44 (0)1805-622110
- @ info@smytham.co.uk
- 📍 N 50°55'37'' W 4°8'58''

1 ADE**JM**NOPRS**T**		AB**X** 6
2 FGOPSUVWXY		ABDE**FGH** 7
3 A**JKL**		ABCDEFGIJNPQRSTUV 8
4 FHIOQ		9
5 ABGLM		BHJ**MNPR**10
B 16A CEE		➊ €33,75
H120 44**T**(65-80m²) 13**D**		➋ €42,50

🚗 Der CP liegt 3 km von der A386 von Great Torrington Richtung Okehampton. Die CP-Einfahrt liegt auf der rechten Seite. 🅼

Totnes, GB-TQ9 7DQ / South West 📶 CC€14 iD

- ⛺ Woodlands Grove Car. & Camping*****
- ⛺ Blackawton
- 📅 27 Mär - 1 Nov
- ☎ +44 (0)1803-712598
- @ holiday@woodlandsgrove.com
- 📍 N 50°21'24'' W 3°40'19''

1 ADE**J**KNOPRS**T**		F 6
2 BFGIORSUXY		ABCDE**FGH** 7
3 ABCEFKL		ABCDEFGIJKLMNQRSTUV 8
4 FHIKO**PQ**		9
5 ABDEIK**LM**		BDFGHKM**NOP**RYZ10
10A CEE		➊ €20,65
H170 24 ha 325**T**(ab 100m²)		➋ €26,25

🚗 Die A38 von Nord bei der Ausfahrt Buckfastleigh/Totnes verlassen, von Süd am Knoten Brent/Avonwick. Den braunen Schildern Woordlands Leisure Park folgen (nicht Navi). An der A3122 Richtung Dartmouth. 🅼

Tregurrian/Newquay, GB-TR8 4AD / South West 📶 ✿ iD

- ⛺ Watergate Bay Touring Park
- ⛺ Watergate Bay
- 📅 1 Mär - 26 Okt
- ☎ +44 (0)1637-860387
- @ email@ watergatebaytouringpark.co.uk
- 📍 N 50°26'53'' W 5°1'37''

1 ACDE**JM**NOPQRS**T**		CDFG**X** 6
2 GHOPSVW		ABDE**FGH** 7
3 BE**KM**		ABCDEFGHIJLNPQRSTUV 8
4 BDIMNO**PQ**		E 9
5 ACDEGJKLM		BFGHIJM**N**PRY10
B 16A CEE		➊ €35,00
H100 12 ha 210**T**(80-100m²) 2**D**		➋ €51,25

🚗 A30 Bodmin-Redruth, dann rechts Schild 'Airport' folgen, dann links B3276 Richtung Newquay. CP ausgeschildert. 🅼

Trekenning, GB-TR8 4JF / South West 📶 iD

- ⛺ Trekenning Tourist Park****
- 📅 1 Jan - 31 Dez
- ☎ +44 (0)1637-880462
- @ holidays@trekenning.co.uk
- 📍 N 50°25'20'' W 4°56'28''

1 ADE**JM**NOPR**T**		**AB**FG 6
2 BGOPSTUVW		ABD**EFGH** 7
3 AB		ABCDEFIJNQRV 8
4 I**Q**		9
5 ABDEGKL		BFJM**P**R10
10A CEE		➊ €23,75
H819 2,7 ha 75**T**(90-100m²) 26**D**		➋ €31,25

🚗 Die M5 bei Exeter verlassen und dann die A30 nehmen. Dann bleiben bis hinter Bodmin und Victoria. Dann die 1. Straße rechts (A3059) unter der Bahnbrücke durch, bis zum Kreisel. Auf der A39 über den Kreisel und dort ist links der CP. 🅼

Truro, GB-TR3 6JJ / South West 📶 ✿ iD

- ⛺ Carnon Downs C. & C. Park*****
- ⛺ Carnon Downs
- 📅 1 Jan - 31 Dez
- ☎ +44 (0)1872-862283
- @ info@ carnon-downs-caravanpark.co.uk
- 📍 N 50°13'31'' W 5°4'48''

1 ADEJMNOPQRS**T**		6
2 OPSVWXY		ABDE**FGH** 7
3 BE**KLV**		ABCDEFIJMNQRSTUV 8
4 FHIO		E**F** 9
5 KL		ABFGKMOR10
B 10-16A CEE		➊ €40,00
H94 10 ha 180**T**(100-180m²) 2**D**		➋ €48,75

🚗 CP liegt an der A39 Truro-Falmouth, 3. Kreisverkehr SSW von Truro. CP-Schilder auf dem Wall sichtbar. 🅼

Truro, GB-TR4 9DW / South West 📶 ✿ iD

- ⛺ Summer Valley Tour. Park**** AA
- ⛺ Shortlanesend
- 📅 1 Apr - 31 Okt
- ☎ +44 (0)1872-277878
- @ res@summervalley.co.uk
- 📍 N 50°17'32'' W 5°5'10''

1 ADE**JM**NOPQR**T**		6
2 PRTVWX		ABDE**FGH** 7
3 AE**K**		ABCDFIJNQR 8
4		9
5 BKL		BFJPR10
16A CEE		➊ €25,00
H60 1,5 ha 55**T**(80-100m²) 1**D**		➋ €31,25

🚗 A30 Bodmin-Redruth, Ausfahrt Truro (B3284) und keine andere. Nach 3 km CP-Schild zur Einfahrt CP. 🅼

Truro, GB-TR2 5PP / South West 📶 iD

- ⛺ Veryan C. & C. Club*****
- ⛺ Veryan
- 📅 13 Mär - 5 Nov
- ☎ +44 (0)1872-501658
- @ veryan.site@ thefriendlyclub.co.uk
- 📍 N 50°14'4'' W 4°53'56''

1 ADEJMNOPRS**T**		**N** 6
2 DPRSTWXY		ABDE**FGH** 7
3 ABEL		ABCDEFNQRSTUV 8
4 IO**Q**		J 9
5 ABK**L**		BFGJMP**R**10
B 16A CEE		➊ €31,25
H100 4,5 ha 150**T**(100-120m²) 6**D**		➋ €37,50

🚗 A390 St. Austell-Truro. Hinter dem Trewithen Kreisel die A3078 Richtung St. Mawes/Veryan (links ab). Hinter der Esso Tankstelle links, dann die 2. links. Den CP-Schildern folgen. 🅼

Umberleigh, GB-EX37 9DU / South West 📶 iD

- ⛺ Camp. & Car. Clubsite
- ⛺ Overweir
- 📅 30 Mär - 2 Nov
- ☎ +44 (0)1769- 560009
- @ umberleigh.site@ thefriendlyclub.co.uk
- 📍 N 50°59'55'' W 3°59'25''

1 ACDEJMNOPRS**T**		**N** 6
2 GOPQSTVWX		ABDE**FGH** 7
3 AEL**MNP**		ABCDEFIJNQRSTUV 8
4 IO**Q**		9
5 BAK**L**		BGJM**P**RW10
B 16A CEE		➊ €35,95
3,2 ha 67**T**(30-100m²)		➋ €43,05

🚗 Von Barnstaple, A39 Richtung Bude. Nach 1,5 km die A377 Richtung Exeter. Vor Umberleigh die B3227, CP liegt rechts. 🅼

Wadebridge, GB-PL27 6EG / South West iD

- ⛺ Little Bodieve Holiday Park***
- 📅 1 Apr - 31 Okt
- ☎ +44 (0)1208-812323
- @ info@littlebodieve.co.uk
- 📍 N 50°31'30'' W 4°49'51''

1 ADE**JM**NOPRS**T**		ABFG**X** 6
2 GPW		ABDE**FGH** 7
3 AI		ABDEFNQRS 8
4 DI**Q**		E 9
5 ACDEGK**L**		BHIJMR10
B 16A CEE		➊ €27,50
9,1 ha 195**T**(80-100m²) 82**D**		➋ €42,50

🚗 A30, bei Bodmin die A389 Richtung Wadebridge. In Wadebridge im Kreisel (mit Brücke links) geradeaus den Berg rauf. Hinter der Ampel links die B3314 Richtung St. Minver. Einfahrt 500m. 🅰

Wadebridge, GB-PL27 6QU / South West 📶 iD

- ⛺ South Winds Touring Park
- ⛺ Polzeath
- 📅 3 Mai - 17 Sep
- ☎ +44 (0)1208-863267
- @ info@ southwindscamping.co.uk
- 📍 N 50°34'29'' W 4°54'0''

1 ADE**JM**NOPQRS**T**		6
2 FGHIJKMOPRTVWXY		ABDE**FG** 7
3 **K**		ABEFNQRSV 8
4		9
5 ABGHK**L**		BGHIJM**N**PR**W**10
B 10A CEE		➊ €36,25
H70 2 ha 166**T**(49-81m²)		➋ €36,25

🚗 D3314 Ausfahrt Polzeath. Dann der Beschilderung folgen. Camping rechts, neben dem Restaurant. 🅼

Wareham, GB-BH20 7PA / South West 📶 ✿ iD

- ⛺ Birchwood Tourist Park***
- ⛺ Coldharbour
- 📅 1/1 - 30/11, 5/12 - 31/12
- ☎ +44 (0)1929-554763
- @ birchwoodtouristpark@ hotmail.com
- 📍 N 50°43'0'' W 2°8'50''

1 ADE**JM**NOPRS**T**		F 6
2 PRSVWX		ABDE**FG** 7
3 BELM		ABEFJNQRTUV 8
4 FHI**P**		9
5 ACEK**L**		BEFGJMP**R**X10
B 10A CEE		➊ €37,50
H100 12 ha 210**T**(40-110m²) 70**D**		➋ €45,00

🚗 Nach Dorchester über die A31 bis Bere Regis. Dann kleines Stück auf A35 Richtung Poole. Schildern Wareham folgen. Birchwood ist der zweite CP links. Gut ausgeschildert. 🅼

Wareham, GB-BH20 5PQ / South West 📶 iD

- ⛺ Corfe Castle Camping & Caravan Club Site
- ⛺ Bucknowle
- 📅 28 Feb - 2 Nov
- ☎ +44 (0)1929-480280
- @ corfecastle.site@thefriendlyclub.co.uk
- 📍 N 50°38'12'' W 2°4'16''

1 ADEJMNOR**T**		6
2 BGPSTUVWXY		ABF**GH** 7
3 A**K**		ABCDFIJNQRSV 8
4 FH		9
5 ABK**L**		BFJR10
B 16A CEE		➊ €39,70
H55 2 ha 80**T**(50-120m²)		➋ €45,50

🚗 Von Wareham (Navi aus) Richtung Corfe Castle/Swanage (ca. 6 km), kurz vor der Corfe Castle Ruine am Fuße der Burg rechts. Nach 110m, am braunen CP-Schildlinks, danach rechts. Am Wegende liegt der Camping. 🅼

Wareham, GB-BH20 7NZ / South West 📶 ✿ iD

- ⛺ Wareham Forest Tourist Park*****
- ⛺ North Trigon
- 📅 1 Jan - 31 Dez
- ☎ +44 (0)1929-551393
- @ office@warehamforest.co.uk
- 📍 N 50°43'18'' W 2°9'18''

1 ADE**JM**NOPRS**T**		ABFG 6
2 BGPRSVWXY		ABDE**FG** 7
3 BEL		ABCDEFIJKNQRSTUV 8
4 FH		9
5 ACKM		BEGHIJM**P**RXY10
B 16A CEE		➊ €49,75
22 ha 200**T**(80-150m²) 75**D**		➋ €60,00

🚗 Von Dorchester A35 bis Bere Regis. Dann Schildern Wareham folgen. 1. CP auf der linken Seite. Gut ausgeschildert. 🅼

Großbritannien

Watchet, GB-TA23 0JR / South West — iD

▲ Warren Bay Holliday Village	1 ADE**JM**NOPQRT · E**KNQ** 6
⌚ 1 Mär - 31 Okt	2 EFKMOPRSTWX · ABDE**FG** 7
☎ +44 (0)1984-631460	3 A**K** · AB**F**HNQRV 8
📠 +44 (0)1984-633999	4 F · E 9
	5 B**K**L · BHJMR10
	B 16A CEE · ❶ €22,50 / ❷ €22,50
🅿 N 51°10'41'' W 3°21'0''	H65 2,4 ha 150T(80-110m²) 153D

A39 ab Bridgwater Richtung Minehead. Hinter Carhamton am Schild 'Blue Anchor' rechts auf die B3191. Nach ca. 6 km zweiter CP links.

Watchet, GB-TA23 0JP / South West — iD

▲ Warren Farm	1 AJMNOPQRS**T** · K**N** 6
⌚ 1 Apr - 15 Okt	2 EFJMOPRTWX · ABDE**FG**H 7
☎ +44 (0)1984-631220	3 · ABE**F**NQRV 8
	4 F · 9
	5 A**K**L · J**R**10
	· ❶ €17,50 / ❷ €17,50
🅿 N 51°10'50'' W 3°21'33''	5,6 ha 100T(100-110m²) 18D

A39 von Bridgwater Richtung Minehead. Hinter Carhampton am Schild 'Blue Anchor' rechts (B3139). Nach 6 km 1. CP links.

Wimborne Minster, GB-BH21 4HW / South W. — iD

▲ Wilksworth Farm C.P.*****	1 AD**JM**NOPRS**T** · AB**F** 6
▤ Cranborne Road	2 GPRSVWX · ABDE**FG**H 7
⌚ 1 Apr - 31 Okt	3 BEF**KM** · ABF**IN**QRSTU 8
☎ +44 (0)1202-885467	4 · K 9
@ rayandwendy@	5 BDEL · BGJ**O**RV10
wilksworthfarmcaravanpark.co.uk	B 16A CEE · ❶ €40,00 / ❷ €47,50
🅿 N 50°49'0'' W 1°59'25''	4,8 ha 85T(80-100m²)

Nördlich von Wimborne Minster. Nach ca. 2 km zum Zentrum Wimborne Minster entfernt an der Straße B3078 nach Cranborne, links von der Straße.

Winsford/Exmoor, GB-TA24 7JL / South West — iD

▲ Halse Farm	1 ABDE**JM**NOPR**T**
Car. & Tent Park****	2 NPSTVW · ABDE**FG**H 7
⌚ 15 Mär - 31 Okt	3 A · ABF**J**NQRSV 8
☎ +44 (0)1643-851259	4 F · 9
@ acsi@halsefarm.co.uk	5 KL · BJM**O**R10
	10A CEE · ❶ €0,00
🅿 N 51°5'54'' W 3°34'53''	H274 1,2 ha 44T(100m²) · ❷ €25,00

A396 Tiverton nach Wheddon Cross. Nördlich von Bridgtown nach Winsford. Am Royal Oak Inn die Straße hoch. Jetzt noch 1,5 km am Wildgatter entlang, dann gleich links.

Woodbury/Exeter, GB-EX5 1EA / South West — iD

▲ Webbers Park*****	1 ACDE**JM**NOPR**T** · 6
▤ Castle Lane	2 AFPRSTUVWXY · ABDE**FG**H 7
⌚ 15 Mär - 1 Nov	3 BEKLM · ABCDEFIJLNQRSV 8
☎ +44 (0)1395-232276	4 F · F**IJ**V 9
@ reception@webberspark.co.uk	5 A**BK**L · B**FG**HJMR10
	B 16A CEE · ❶ €22,50 / ❷ €30,00
🅿 N 50°40'41'' W 3°23'31''	H150 3 ha 135T(120-130m²) 11D

M5 Ausfahrt 30 auf die A376. Am 2. Kreisverkehr B3179 bis Woodbury. Von Honiton A30 Richtung Exeter. Nach 13 km links auf die B3180 bis Woodbury Common. Dann rechts Richtung Dorf.

Wool, GB-BH20 6HG / South West — 📶 CC€16 iD

▲ Whitemead Car. Park****	1 ADE**JM**NOPR**T** · J 6
▤ East Burton Road	2 COPVWXY · ABDE**FG**H 7
⌚ 15 Mär - 31 Okt	3 A**K** · ABCDEFJNQRT 8
☎ +44 (0)1929-462241	4 FH**IQ** · 9
@ whitemeadcp@aol.com	5 C**K**L · BH**I**JPRW**Y**10
	B 10A CEE · ❶ €29,40 / ❷ €41,90
🅿 N 50°40'52'' W 2°13'34''	2 ha 95T(70-120m²) 20D

A352 Wareham-Dorchester. Direkt vor dem Bahnübergang in Wool rechts den CP-Schildern folgen. Nach 200m liegt der CP rechts.

Woolacombe, GB-EX34 7EH / South West — 📶 iD

▲ Easewell Farm	1 AD**JM**NOPQRST · E 6
▤ Station Road	2 FMOPRSTUVWXY · BE**FG**H 7
⌚ 20 Mär - 2 Nov	3 B**JK**LQ · BDF**J**NQRSTUV 8
☎ +44 (0)1271-871400	4 F**IO**PQ · E**J** 9
	5 ABEG**K**L · BEGHIJMOR10
	B 16A CEE · ❶ €51,25 / ❷ €51,25
🅿 N 51°11'30'' W 4°11'46''	42 ha 313T(60-120m²) 3D

A361 Barnstaple-Ilfracombe. Hinter Brownton B3343 Richtung Woolacombe-Mortehoe. Am Twitchen Park vorbei, rechts ab.

Woolacombe, GB-EX34 7HW / South West — 📶 iD

▲ Golden Coast	1 ADE**H**KNOR · ABE**H**INR 6
Holiday Village****	2 HOPVW · ABDE**FG**HI 7
▤ Station Road	3 BCEG**HIJK**L**MPQTU** · ABEFJNQRSTUV 8
⌚ 14 Feb - 23 Nov	4 **A**BFHILMNOP**QP**ST · E**I**JM 9
☎ +44 (0)1271-870343	5 ACDEG**I**L**M** · BEFGHIK**NP**RY**Z**10
@ goodtimes@woolacombe.com	16A CEE · ❶ €88,75 / ❷ €88,75
🅿 N 51°10'22'' W 4°10'22''	H100 5 ha 101T(50-51m²) 457D

A361 Barnstaple-Ilfracombe nach Braunton ca. 10 km links B3343 Richtung Woolacombe. An der Kreuzung Twinpike links ab. Nach 250m ist der CP links.

Woolacombe, GB-EX34 7ES / South West — 📶 iD

▲ Twitchen Park****	1 ADE**JM**NOR · ABE**F**GHNR 6
▤ Mortehoe Station Road	2 GHKOPSTUVWX · ABDE**FG**H 7
⌚ 4 Apr - 3 Okt	3 BCE**IJK**LSU · ABEFGJNQRSTUV 8
☎ +44 (0)1271-870848	4 BFIMNO**PQ**RT · E**I** 9
	5 ADDEGJ · BEFGH**I**L**MP**H**Y**710
	B 16A CEE · ❶ €81,25 / ❷ €81,25
🅿 N 51°11'5'' W 4°11'52''	H50 6,5 ha 355T(100m²) 611D

A361 Bramstaple-Ilfracombe. Nach Braunton, etwa 10 km auf der B3343 Richtung Woolacombe/Mortehoe. Kreuzung Turnpike links Richtung Mortehoe. Nach 2,5 km zur den CP links.

Woolacombe, GB-EX34 7AH / South West — 📶

▲ Woolacombe Bay	1 CDE**JM**NORT · ABE**H** 6
Holiday Village	2 EFGNOPTUVWXY · BE**FG**H 7
▤ Sandy Lane	3 ACDEF**HILMSU** · BE**FG**I**JL**NQRTUV 8
⌚ 1 Mai - 7 Sep	4 ADD**FH**IKLMNO**Q**TUV**XZ** · E**IJ** 9
☎ +44 (0)1271-870221	5 ACDEGJ · B**F**HIJMPRW**Y**10
@ goodtimes@woolacombe.com	16A CEE · ❶ €87,50 / ❷ €87,50
🅿 N 51°10'37'' W 4°11'29''	1,2 ha 174T(50-122m²) 241D

A361 Barnstaple-Ilfracombe. Richtung Brownton. B3343 Richtung Woolacombe. In Mortehoe am Fortescue Arms rechts ab. Den Hinweisen folgen.

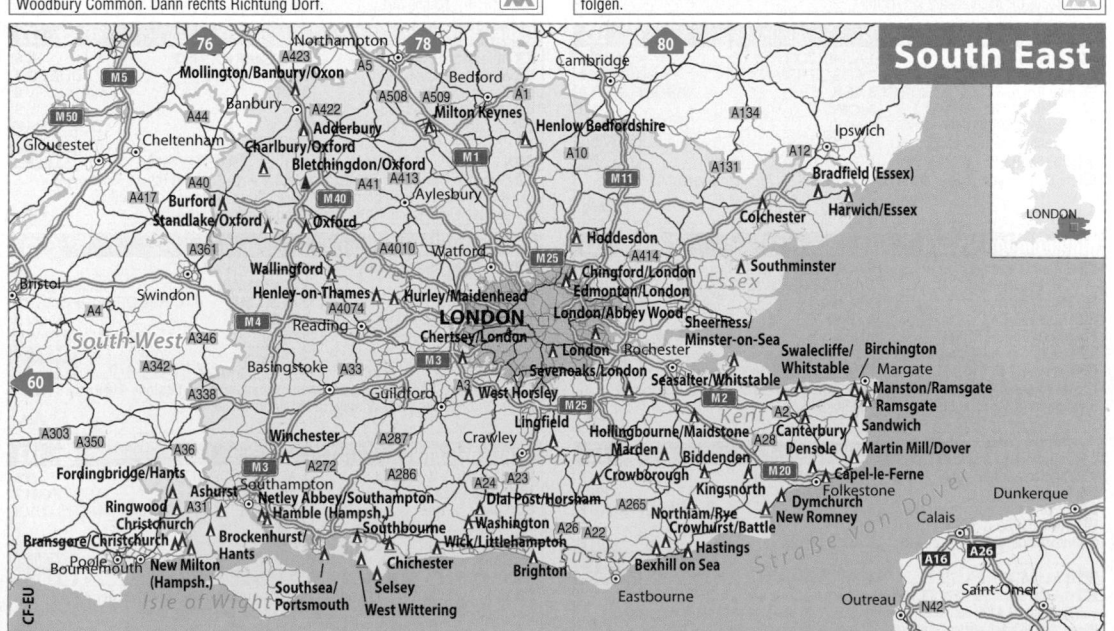

South East

LONDON

Adderbury, GB-OX17 3NP / South East iD
▲ Bo Peep Caravan Park****
🏠 Aynho Road
📅 21 Mär - 27 Okt
☎ +44 (0)1295-810605
@ warden@bo-peep.co.uk
📍 N 52°0'36'' W 1°18'6''

1 ADEJMNOPQRST		6
2 ACFPRWX	ABDEFGH	7
3 K	ABCDEFHJNQRS	8
4		9
5 BKLM	BGHJMRX	10
16A CEE		① €27,50
H150 6 ha 105T(100m²) 28D		② €35,00

Von Banbury oder Oxford aus über die A4260 und in Adderbury die B4100 nach Aynho. Nach etwa 4 km rechts.

Ashurst, GB-SO40 7AA / South East ✿ iD
▲ Ashurst Camp Site
🏠 Lyndhurst Road
📅 27 Mär - 30 Sep
☎ +44 (0)845-1308224

1 ADEHKNORT		
2 ABOPSXY	ABDEFGH	7
3	ABCDFINQR	8
4 H		9
5 L	BGIKST	10
16A CEE		① €33,75
10 ha 280T(70-120m²)		② €40,00

📍 N 50°53'24'' W 1°31'44''

Von Southampton am Ende der M271 (Totton) A35 Richtung Lyndhurst fahren. CP liegt kurz hinter Ashurst links, direkt nach dem Hotel auf der linken Seite mit Schildern ausgeschildert.

Bexhill on Sea, GB-TN39 5JA / South East iD
▲ Cobbs Hill Farm
🏠 Watermill Lane
📅 1 Apr - 31 Okt
☎ +44 (0)1424-213460
@ cobbshillfarmuk@hotmail.com

1 ADEJMNOPQRST		6
2 PSWX	ABDEFGH	7
3 BEK	ABCDFINQRV	8
4 FK		E 9
5 BKL	BCFGHIJMRW	10
B 10A CEE		① €26,25
9 ha 70T(50-90m²) 17D		② €33,75

📍 N 50°52'12'' E 0°27'56''

A269 Bexhill Richtung Battle. Der Straße weiter folgen und an der Watermill Lane rechts Richtung Crowhurst. Den CP-Schildern folgen. Der CP liegt links nach 2 km.

Biddenden, GB-TN27 8BT / South East 🛜 iD
▲ Woodlands Park
🏠 Tenterden Road
📅 1 Jan - 31 Dez
☎ +44 (0)1580-291216
@ mandy@woodlandparks.co.uk

1 ADEJMNOPQRST		N 6
2 PRWX	ABDEFGH	7
3 JK	ABCDFJNQR	8
4		9
5 BKL	BJPRV	10
B 10A CEE		① €23,75
H54 3,6 ha 90T(100-120m²) 4D		② €30,00

📍 N 51°6'5'' E 0°39'54''

A28 von Ashford. Nach 16 km A262 Richtung Biddenden. Nach 1,5 km an der Nordseite der Straße (3 km von Biddenden).

Birchington, GB-CT7 0BL / South East 🛜 ✿ iD
▲ Quex Caravan Park*****
🏠 Park Road
📅 12 Feb - 15 Dez
☎ +44 (0)1843-841273
@ quex@keatfarm.co.uk

1 ADEILOPRST		6
2 PWXY	ABDEFGH	7
3 AEK	ABEFJMNQRV	8
4		9
5 CDKL	BHJPR	10
10A CEE		① €33,75
8 ha 47T(80-100m²)		② €41,25

📍 N 51°22'4'' E 1°19'58''

A28 Richtung Margate. In Birchington am Kreisel Richtung A28, direkt hinter dem Kreisel rechts (CP-Schild), dann 1. rechts. Dann erste links: Park Lane, Park Road, CP nach etwa 2 km rechts.

Bletchingdon/Oxford, GB-OX5 3DR / South East 🛜 iD
▲ Diamond Farm C.&C. Park****
🏠 Islip Road
📅 1 Mär - 31 Okt
☎ +44 (0)1869-350909
@ warden@diamondpark.co.uk

1 AJMNOQRT		ABN 6
2 AFGOPRSVWXY	ABDEFGH	7
3 AEK	ABCDFJNQR	8
4 IOPQ		9
5 ABKL	BFGHKMPST	10
B 16A CEE		① €26,25
H71 1,4 ha 55T(80-100m²)		② €33,75

📍 N 51°50'56'' W 1°15'19''

Im Norden von Oxford die A34 Ausfahrt B4027. Ab hier ausgeschildert.

Bletchingdon/Oxford, GB-OX5 3BQ / S. E. 🛜 CC€16 iD
▲ Greenhill Farm C&C Leisure Park***
🏠 Station Road
📅 1 Jan - 31 Dez
☎ +44 (0)1869-351600
@ info@greenhill-leisure-park.co.uk

1 ADEHMNOPQRST		N 6
2 ACFGPRSVWX	ABDEFGH	7
3 AEKL	ABEFHIJNPQRV	8
4 FIPQ		9
5 BEKL	BDFGIKMPR	10
B 16A CEE		① €25,00
H100 2 ha 150T(100m²)		② €32,50

📍 N 51°51'24'' W 1°16'59''

M40 Ausfahrt 9. Dann A34 Richtung Oxford. Weiter die B4027 Richtung Bletchingdon. Kurz hinter Bletchingdon links.

Bradfield (Essex), GB-CO11 2US / South East 🛜
▲ The Strangers Home
🏠 The Street
📅 1 Mär - 1 Nov
☎ +44 (0)1255-870304
@ info@strangershome.co.uk

1 ADILNOPQRT		
2 GOPWX		ABF 7
3 A		ABEFNQRS 8
4 OQ		9
5 ABGHIKLM		IJOR 10
10A CEE		① €25,00
2 ha 62T(100-120m²)		② €25,00

📍 N 51°56'4'' E 1°7'2''

Von Colchester die A120, Ri. Harwich bis Horsley Cross und den CP-Schildern folgen. Von Harwich die A120 bis zum Ramsey-Kreisel, rechts ab, der B1352 durch Wrabness folgen. Straße endet an der T-Kreuzung. CP liegt vor der Bar im viktorianischen Stil.

Bransgore/Christchurch, GB-BH23 8JE / South E. 🛜 iD
▲ Harrow Wood Farm Car. Park****
🏠 Poplar Lane
📅 1/1 - 6/1, 1/3 - 31/12
☎ +44 (0)1425-672487
@ harrowwood@caravan-sites.co.uk

1 ADEHKNOPRST		NX 6
2 GPRSVW	ABDEFGH	7
3	ABEFJNQR	8
4		9
5 L	BHIJQR	10
B 10A CEE		① €42,50
2,4 ha 60T(120-130m²)		② €42,50

📍 N 50°46'44'' W 1°43'38''

A35 Lyndhurst-Bournemouth kurz vor 'the Cat and Fiddle' rechts nach Bransgore, dann rechts in die Poplar Lane gleich hinter dem 'The three Tuns' Pub.

Brighton, GB-BN2 5TS / South East 🛜 iD
▲ Sheepcote Valley Car. Club Site
🏠 East Brighton Park
📅 1 Jan - 31 Dez
☎ +44 (0)1273-626546
@ brighton@caravanclub.co.uk

1 ADEJMNOPQRS		X 6
2 AJPRSUVWX	ABDEFG	7
3 AK	ABCDEFJNQRSTUV	8
4 FH		9
5 BKL	BCEFGHIJPRXZ	10
B 16A CEE		① €46,00
19 ha 215T(80-120m²)		② €54,00

📍 N 50°49'16'' W 0°5'51''

A259 von Brighton Richtung Rottingdean. Etwa 2 km hinter dem Brighton Pier, links auf die Arundel Road, dann den CP-Schildern folgen.

Brockenhurst/Hants, GB-SO42 7QH / South East ✿ iD
▲ Hollands Wood Camp Site
🏠 Lyndhurst Road
📅 23 Mär - 29 Sep
☎ +44 (0)1590-622967
@ hollandswoodsite@forestholidays.co.uk

1 ADJMNOPRT		6
2 BOPXY	ABDEFGH	7
3 GHK	ABCDFNQRS	8
4 AE		9
5 B	BIKST	10
B		① €33,75
62,7 ha 600T(70-120m²)		② €40,00

📍 N 50°49'49'' W 1°34'14''

Von Lyndhurst A337 Richtung Lymington/Brockenhurst, nach 4 km links ab. CP ausgeschildert.

Burford, GB-OX18 4JJ / South East 🛜
▲ Burford Caravan Club Site****
🏠 Bradwell Grove
📅 23 Mär - 5 Nov
☎ +44 (0)1993-823080
@ burford@caravanclub.co.uk

1 DEJMOPQRST		6
2 GPSWX	ABDEFGH	7
3 AEK	ABCDEFHJKNPQRSV	8
4		9
5 KL	BCEFGHKMPSTXZ	10
B 16A CEE		① €42,75
H124 2,5 ha 107T(80-100m²)		② €49,50

📍 N 51°46'36'' W 1°38'52''

A40 ab Oxford. In Burford A361 Richtung Cotswold Wildlife Park. Der CP liegt gegenüber dem Wildlife Park.

Canterbury, GB-CT3 4AB / South East 🛜 iD
▲ Canterbury C. & C. Club Site
🏠 Bekesbourne Lane
📅 1 Jan - 31 Dez
☎ +44 (0)1227-463216
@ canterbury@campingandcaravanningclub.co.uk

1 ADEJMNOPRS		6
2 OPSVWXY	ABDEFGH	7
3 BK	ABCDFGIJNQRSV	8
4		9
5 ABKL	BCGIJMPRWX	10
B 16A CEE		① €37,20
H57 8 ha 188T(80-100m²) 6D		② €49,05

📍 N 51°16'38'' E 1°6'46''

Von Canterbury A257 Richtung Sandwich. Nach 2 km (gegenüber Canterbury Golf Club) rechts Richtung Bekesbourne Lane. Nach 50m an der rechten Seite. CP ausgeschildert.

Capel-le-Ferne, GB-CT18 7JF / South East 🛜 ✿ iD
▲ Little Satmar Holiday Park
🏠 Winehouse Lane
📅 12 Feb - 15 Dez
☎ +44 (0)1303-251188
@ satmar@keatfarm.co.uk

1 ADEJMNOPRST		X 6
2 AMOPVWXY	ABDEFGH	7
3 AK	ABFJNQRV	8
4		9
5 BKL	BGHJPRX	10
10A CEE		① €28,75
H145 3,6 ha 67T(75-120m²)		② €36,25

📍 N 51°6'26'' E 1°13'14''

Zwischen Dover und Folkestone auf der A20, Ausfahrt B2011 Richtung Capel-le-Ferne. CP-Schildern folgen. Nach 1 km landeinwärts abfahren: Winehouse Lane. Nach 400m am Anfang der Kurve links.

Charlbury/Oxford, GB-OX7 3JH / South East 🛜 CC€14
▲ Cotswold View C&C Site
🏠 Enstone Road
📅 1 Apr - 31 Okt
☎ +44 (0)1608-810314
@ info@cotswoldview.co.uk

1 DEJMNOPQRST		6
2 FOPRSWX	ABDEFGH	K 7
3 BEKLMP	ABCDFHIJNPQRSV	8
4 IPQ		GHJV 9
5 ABKL	BCFGHJMPSTW	10
B 16A CEE		① €31,25
H160 21,6 ha 100T(150m²) 47D		② €38,15

📍 N 51°53'10'' W 1°28'15''

Von Oxford A44 Richtung Evesham durchfahren bis Enstone. Dann die B4022 Richtung Charlbury und Witney. CP ist 4 km weiter links.

Chertsey/London, GB-KT16 8JX / South East 🛜 ✿ iD
▲ Chertsey C. & C. Club Site
🏠 Bridge Road
📅 1 Jan - 31 Dez
☎ +44 (0)1932-562405
@ chertsey.site@thefriendlyclub.co.uk

1 ADEJMNOPQRST		N 6
2 ACOPSVWXY	ABDEFGH	7
3 AK	ABCDFIJNQRSTUV	8
4 FH		9
5 BK	BCEFGJMPRW	10
B 16A CEE		① €50,30
2,5 ha 169T(121m²)		② €67,95

📍 N 51°23'22'' W 0°29'23''

M25, Ausfahrt 11, A317 nach Chertsey, erster Kreisel links, an der Ampel geradeaus B387. T-Kreuzung rechts, 400m auf der linken Seite.

Chichester, GB-PO20 1QH / South East 🛜 ✿ CC€16 iD

- Chichester Lakeside Holiday Park
- Vinnetrow Road
- 6 Mär - 1 Nov
- +44 (0)1243-787715
- lakeside@parkholidays.com
- N 50°49'29'' W 0°45'20''

1 ADEJMNOPRST	ABFGN	6
2 APWXY	ABDEFG	7
3 AEIK	ABFJNQRX	8
4 BDFHIOPQ	EY	9
5 ABEFGJKM	BCHIPRXY	10
B 16A CEE	① €40,00	
1,2 ha 375T(100m²) 120D	② €50,00	

🚗 A27. Bei Chichester ist der CP an beiden Seiten mit Schildern angegeben. Ⓜ

Chingford/London, GB-E4 7RA / South East iD

- Lee Valley Camp Site*****
- Sewardstone Road
- 1/1 - 31/1, 1/3 - 31/12
- +44 (0)208-5295689
- scs@leevalleypark.org.uk
- N 51°39'17'' W 0°0'22''

1 ADJMNOQRST		6
2 AOPSWXY	ABDEFGH	7
3 A	ABEFJNQRTU	8
4 FH	FV	9
5 ACKL	BFGHJMRZ	10
Anzeige auf dieser Seite B 16A CEE	① €32,50	
5 ha 112T(80-130m²) 63D	② €46,25	

🚗 M25, Ausfahrt 26 Richtung Waltham Abbey. Dann A112 Richtung Chelmsford. CP gut beschildert. Ⓜ

Lee Valley Camp Site ★ ★ ★ ★ ★

Kommen Sie auf unseren Camping auf dem Land, aber dennoch nah am Zentrum von London. Gute Verkehrsanbindung: vom Camping aus geht ein Bus zur Metrostation. Alle sind herzlich willkommen! Neu: Blockhütte für zwei und vier Personen.

Sewardstone Road, E4 7RA Chingford/London
Tel. 0208-5295689 • Fax 0208-5294070
E-Mail: scs@leevalleypark.org.uk
Internet: www.leevalleypark.org.uk ©

Christchurch, GB-BH23 7EQ / South East ✿ iD

- Holmsley Campsite
- Holmsley
- 26 Mär - 3 Nov
- +44 (0)1425-674502
- info@forestholidays.co.uk
- N 50°47'28'' W 1°41'43''

1 ADEJMNORST		6
2 BPRSWXY	ABDEFG	7
3 A	ABCDFGIJNQRS	8
4 FH		9
5 CEL	BGIJR	10
B 10A CEE	① €39,40	
H60 36 ha 600T(70-80m²)	② €49,65	

🚗 A35 Southampton-Christchurch, circa 14 km nach Lyndhurst rechts Richtung Bransgore. Nach 1 km Richtung Thorney Hill, dann den CP-Schildern folgen. Ⓜ

Colchester, GB-CO3 4AG / South East iD

- Colchester Holiday Park
- Cymbeline Way
- 1 Jan - 31 Dez
- +44 (0)1206-545551
- enquiries@colchestercamping.co.uk
- N 51°53'32'' E 0°51'42''

1 ADJMNOQRT		6
2 APRSVWX	ABDEFGH	7
3 BK	ABCDEFJNQRTUV	8
4		9
5 ABKL	DFGIJMR	10
B 16A CEE	① €23,75	
4,5 ha 168T(125-150m²)	② €23,75	

🚗 Von der A12 braunen CP-Schildern folgen. Ⓜ

Crowborough, GB-TN6 2TN / South East 🛜 iD

- C. & C. Club Site Crowborough
- Eridge Road
- 1 Apr - 31 Okt
- +44 (0)1892-664182
- crowborough.site@thefriendlyclub.co.uk
- N 51°3'46'' E 0°10'6''

1 ACDEJMNOPQRST	E	6
2 OPRSTUVWX	ABDEFGHIJK	7
3 K	ABCDEFIJNQRSV	8
4 FHI		9
5 BKL	BFHIJMPRW	10
B 16A CEE	① €40,80	
H184 3 ha 89T(50-120m²) 8D	② €53,70	

🚗 An der A26 an der Nordseite von Crowborough. Schildern 'Leisure Centre' folgen. Ⓜ

Crowhurst/Battle, GB-TN33 9AB / South East 🛜 iD

- Brakes Coppice Park
- Forewood Lane
- 1 Mär - 31 Okt
- +44 (0)1424-830322
- brakesco@btinternet.com
- N 50°53'30'' E 0°30'16''

1 ADEJMNOPQRST	N	6
2 ABCDOPRSTVWXY	ABDEFGH	7
3 AK	BFIJNQRV	8
4		9
5 BL	BEFGHIJMORW	10
B 6A CEE	① €26,25	
H100 1,6 ha 50T(50-100m²)	② €31,25	

🚗 A2100 Battle-Hastings Ausfahrt Crowhurst. Auf der Forewood Lane ist der CP ausgeschildert. Ⓜ

Densole, GB-CT18 7BG / South East 🛜 iD

- Blackhorse Farm Caravan Clubsite
- 385 Canterbury Road
- 1 Jan - 31 Dez
- +44 (0)1303-892665
- blackhorsefarm@caravanclub.co.uk
- N 51°7'58'' E 1°9'32''

1 ADEJMNOPRST		6
2 AOPRSWXY	ABDEFG	7
3 BK	ABCDEFJMNQRSTUV	8
4 F		9
5 KL	BFGHIJMPRZ	10
B 16A CEE	① €40,15	
H150 13 ha 128T(80-100m²)	② €46,15	

🚗 Von Folkstone die A260 nach Canterbury, der Strecke bis Hawkinge und Densole folgen. CP in Densole an der A260 links. Ⓜ

Dial Post/Horsham, GB-RH13 8NX / South East 🛜 iD

- Honeybridge Park****
- Honeybridge Lane
- 1 Jan - 31 Dez
- +44 (0)1403-710923
- enquiries@honeybridgepark.co.uk
- N 50°57'10'' W 0°21'34''

1 ACDEJMNOPQRS		6
2 PRSTVWX	ABDEFGH	7
3 BKL	ABCDEFIJLMNQRTUV	8
4 HIOQ		9
5 BEIKL	BFGHJMOR	10
B 16A CEE	① €36,75	
H134 135T(50-144m²) 13D	② €43,50	

🚗 Von Worthing der A24 ca. 15 km nördlich Ri. Horsham fahren. Ausfahrt Ashurst (R) bei Old Barn Nursery. Von Horsham; Ri. Worthing A24 ca. 15 km nach Süden. 2. Ausfahrt Ashurt (L), bei Old Barn Nursery. Ⓜ

Dymchurch, GB-TN29 0JX / South East 🛜 iD

- New Beach Holiday Park***
- Hythe Road
- 27 Mär - 1 Nov
- +44 (0)1303-872234
- newbeach@parkholidays.com
- N 51°2'35'' E 1°1'32''

1 ADEJMNOPRT	EKNOPQSWXY	6
2 AEHJOPWXY	ABDEFG	7
3 AEK	ABFJNQRTU	8
4 BDFHILOPQ	EY	9
5 ABDEFGJKLM	BIJORY	10
B 10A CEE	① €43,75	
12 ha 73T(48-60m²) 127D	② €53,75	

🚗 A59 zwischen Folkstone und New Romney. Ⓜ

Edmonton/London, GB-N9 0AR / South East 🛜 iD

- Lee Valley Camping & Caravan Park****
- Meridian Way
- 1 Jan - 31 Dez
- +44 (0)208-8036900
- leisurecomplex@leevalleypark.org.uk
- N 51°37'57'' W 0°2'5''

1 ADEJMNOQRS		6
2 OPRSVW	ABDEFGH	7
3 BJ	ABEFJNQRST	8
4 FH	F	9
5 ABKL	BFHIJPRVZ	10
Anzeige auf dieser Seite B 10-16A CEE	① €32,50	
3 ha 160T(100-120m²) 12D	② €46,25	

🚗 M25 Ausfahrt 25. Danach A10 Richtung London. Nach 150m links zur A1055. 3. Ampel ca. 10 m geradeaus. CP ist ausgeschildert. CP fällt unter die LEZ (Low Emission Zone): ältere Fahrzeuge sind gebührenpflichtig. Ⓜ

Lee Valley Camping & Caravan Park ★ ★ ★ ★

Gute Einrichtungen, Kino, Restaurant und ein Golfplatz auf der Anlage machen diesen Campingplatz zum idealen Urlaubsort, um in den Genuss von London Mitte und dem Landleben der Umgebung zu kommen. Der Campingplatz hat Caravan- und Zeltplätze und kleine vollausgestattete Ferienhäuser für 4 Personen. Gute Verkehrsanbindung nach London.

Meridian Way, N9 0AR Edmonton/London • Tel. 0208-8036900
Fax 0208-8844975 • E-Mail: leisurecomplex@leevalleypark.org.uk
Internet: www.visitleevalleypark.org.uk ©

Fordingbridge/Hants, GB-SP6 2JZ / South East 🛜 ✿

- Sandy Balls*****
- Godshill
- 1 Jan - 31 Dez
- +44 (0)1425-651225
- post@sandyballs.co.uk
- N 50°55'51'' W 1°45'38''

1 DJMNOPR	ABEFGN	6
2 BCGPRSVWX	ABDEFGH	7
3 ABCEGLQ	ABCDEFJNQRSTUV	8
4 EHOPHTZ	AEFUV	9
5 ACDEHIJL	BEGHIKMNPRY	10
B 10A CEE	① €75,00	
H76 48 ha 425T(100-120m²) 232D	② €75,00	

🚗 CP liegt an der B3078, 3 km ostwärts von Fordingbridge. Ausgeschildert. Ⓜ

Hamble (Hampsh.), GB-SO31 4HR / S. E. 🛜 CC€16 iD

- Riverside Tour.& Hol. Park
- Satchell Lane
- 1 Mär - 31 Okt
- +44 (0)2380-453220
- enquiries@riversideholidays.co.uk
- N 50°52'11'' W 1°18'52''

1 ADEJMNOPRST	NSX	6
2 ACOPVWX	ABDEFGH	7
3	ABCDEFJNQRV	8
4 FH	EV	9
5 BL	BKOR	10
16A CEE	① €35,00	
2,8 ha 52T(70-100m²) 45D	② €42,50	

🚗 Die M27 Southampton bei Ausfahrt 8 verlassen, B3397 Richtung Hamble (nach einigen Kreiseln), nach ca. 3 km (hinter der Ausfahrt) links ab, kurz vor der zweiten scharfen Kurve CP links. Ⓜ

Harwich/Essex, GB-CO12 3TZ / South East iD

- Dovercourt Caravan Park
- Low Road, Dovercourt
- 1 Mär - 31 Okt
- +44 (0)1255-243433
- enquiries@dovercourtcp.com
- N 51°55'31'' E 1°15'36''

1 ADEJMOPQR	AB	6
2 AEGHOPRW	ABDEFG	7
3 ABCEL	ABCDFJNPQV	8
4 BDILMNOPQ	E	9
5 ACDEGJK	HIJOR	10
16A CEE	① €36,25	
40 ha 60T 578D	② €36,25	

🚗 Von Harwich Fährhafen die A12/A120 Ri. London. An der Ampel li Dovercourt, am Minikreisel Ri. Ramsey, am War Memorial li. Nach der Feuerwehr die 1. Straße re Hall Lane, am Ende re zur Low Road. Park ist li ausgeschildert. Ⓜ

Hastings, GB-TN35 5DX / South East 🛜 iD

- Hastings Touring Park
- Barley Lane
- 1 Mär - 31 Okt
- +44 (0)1424-452782
- admin@shearbarn.co.uk
- N 50°51'55'' E 0°36'42''

1 ADEJMNOPQRT	EFG	6
2 JMOPSVWX	ABDEFGH	7
3 BCK	ABCDFJNQRT	8
4 FNOPQR	EY	9
5 ABEGIL	BFHIJMPRWY	10
B 16A CEE	① €38,75	
H95 13,6 ha 386T(160m²) 20D	② €38,75	

🚗 A259 von Folkstone. In Hastings den CP-Schildern folgen. Ⓜ

Henley-on-Thames, GB-RG9 2HY / South E. 📶 CC€18 iD

🏕 Swiss Farm Touring & Camping*****	1 ADEJKNOPQRST	**AB**F**GN** 6
	2 ADGOPSTVWX	AB**FG** 7
🏠 Marlow Road	3 A**K**	ABCDFINQRSTUV 8
🔓 1 Mär - 1 Nov	4 F	EF 9
☎ +44 (0)1491-573419	5 BDEGIKL	BCEFGIJP**R**W10
@ enquiries@swissfarmcamping.com	16A CEE	① €34,40
	16 ha 134**T**(110-125m²) 47**D**	② €41,90
🚐 N 51°32'45'' W 0°54'18''		

🛣 M25 Ausfahrt 15. M4 Richtung Reading, Ausfahrt 8. A404 Richtung Henley, Ausfahrt A4130. Von Henley A4155 Richtung Marlow. Nach 200m links.

Henlow Bedfordshire, GB-SG16 6DD / S. E. 📶 CC€18 iD

🏕 Henlow Bridge Lakes & Riverside	1 ADEILNOPQRS**T**	**N** 6
	2 AOPRSVW	ABDE**FG**HK 7
🏠 Arlesey Road	3 A**KQ**	ABCDFHJNPQRSV 8
🔓 1 Jan - 31 Dez	4 O	9
☎ +44 (0)1462-812645	5 ABKL**M**	BFGKMORV10
@ info@henlowbridgelakes.co.uk	B 10A CEE	Preise auf
	H75 16 ha 105**T**(121m²)	Anfrage
🚐 N 52°1'36'' W 0°16'9''		

🛣 A1 Ausfahrt 10 Richtung Bedford. Am Kreisel in Henlow liegt der Camping links an der 507 entlang.

Hoddesdon, GB-EN11 0AS / South East 📶 CC€18 iD

🏕 Lee Valley Car. Park****	1 ADE**JM**NOPQRST	**N** 6
	2 ACFGPRSVWX	ABDE**FG** 7
🏠 Essex Road Dobbsweir	3 A**K**	ABEFJNQR 8
🔓 1/1 - 31/1, 1/3 - 31/12	4 FGH	BV 9
☎ +44 (0)1992-717711	5 ABKL**M**	BGHIJM**O**RVZ10
@ dobbsweircampsite@ leevalleypark.org.uk	B 16A CEE	① €32,50
	9 ha 80**T**(90-110m²) 4**D**	② €46,25
🚐 N 51°45'15'' E 0°0'5''		

🛣 CP liegt an der B194. Von der A10 Richtung Hoddesdon. CP ist gut ausgeschildert.

Hollingbourne/Maidstone, GB-ME17 1XH / S. E. 📶 iD

🏕 Bearsted Caravan Club Site	1 ADEJMOPRST	6
🏠 A20 Ashford Road	2 AOPSVWX	ABDE**FG** 7
🔓 1/1 - 4/1, 20/3 - 31/12	3 A**K**	ABCDEFJNQRTUV 8
☎ +44 (0)1622-730018	4	9
@ bearsted@caravanclub.co.uk	5 BK	BCEGHIJM**P**RXZ10
	B 16A CEE	① €42,75
🚐 N 51°15'51'' E 0°36'12''	6 ha 66**T**(100-120m²)	② €49,50

🛣 Ausfahrt 8 auf der M20 nach A20 Kreisverkehr. Hier Richtung Bearsted/Maidstone. Der CP liegt nach 1,5 km auf der linken Seite.

Hurley/Maidenhead, GB-SL6 5NE / South East 📶 ❀ iD

🏕 Hurley Riverside Park****	1 ADE**JM**NOPQRST	**J**N 6
🏠 Shepherd Lane	2 ACGIPRSVWX	ABDE**FG**H 7
🔓 1 Mär - 31 Okt	3 **K**	ABCDEFINQRSTUV 8
☎ +44 (0)1628-824493	4	AE 9
@ info@hurleyriversidepark.co.uk	5 B**KL**	BCFGHJ**P**RW10
	B 16A CEE	① €35,00
🚐 N 51°32'47'' W 0°49'29''	5 ha 200**T**(80-100m²) 13**D**	② €40,00

🛣 M25 Ausfahrt 15. M4 Richtung Reading, Ausfahrt 8. A404 Richtung Henley/Hurley, Ausfahrt A4130. Der CP liegt an der rechten Seite.

Kingsnorth, GB-TN26 1NQ / South East 📶 iD

🏕 Broadhembury Holiday Park*****	1 ACDEJMNOPRS**T**	**N** 6
	2 APSVWX	ABDE**FGH**K 7
🏠 Steeds Lane	3 ABE**KL**	ABCDEFJKNQRSTUV 8
🔓 1 Jan - 31 Dez	4 FHIO**Q**	9
☎ +44 (0)1233-620859	5 ABKL	BFGHIJM**NP**RWX10
holidaypark@broadhembury.co.uk	B 16A CEE	① €50,00
🚐 N 51°6'24'' E 0°52'5''	3 ha 126**T**(100-112m²) 18**D**	② €58,75

🛣 Von Dover die A20/M20 Ausfahrt 10 Kingsnorth, A2070 Richtung Hamstreet. CP ist angezeigt.

Lingfield, GB-RH7 6LE / South East iD

🏕 Long Acres Caravan & Camping****	1 AJMNOPQRS**T**	6
	2 APRSWX	ABDE**FG** 7
🏠 New Chapel Road	3 **K**	ABCDE**F**JNQRV 8
🔓 1 Jan - 31 Dez	4	G 9
☎ +44 (0)1342-833205	5 **K**L	BCFGIKMRVW10
@ info@longacrescamping.co.uk	16A CEE	① €23,15
	H55 8 ha 52**T**(70-100m²) 5**D**	② €30,65
🚐 N 51°10'1'' W 0°2'34''		

🛣 M25 Ausfahrt 6 in Godstone, A22 Richtung East Grinstead. Nach 9 km links ab Richtung Lingfield B2028. Nicht die B2029. Nach 500m CP auf rechter Seite.

London, GB-SE19 1UF / South East 📶 iD

🏕 Caravan Club Site CrystalPalace	1 ADEJMNOPQRST	6
	2 OPRSVWX	ABDE**FG** 7
🏠 Crystal Palace Parade	3	ABCDEFNQRSV 8
🔓 1 Jan - 31 Dez	4	9
☎ +44 (0)20-87787155	5 BK	ABCFGHJ**P**RXZ10
crystalpalace@caravanclub.co.uk	B 16A CEE	① €45,90
	H113 2,4 ha 89**T**(35-100m²)	② €54,15
🚐 N 51°25'33'' W 0°4'24''		

🛣 M25 im Süden von London Ausf. 7, Croydon. In Croydon A23 Ausf. A205 (Sth Circular Rd East; 10 km durch Stadt). Ri. Dover. Beim 'Harvester' Pub (T-Gabelung) re. Ampel re Sydenham Hill. Kleiner Kreisverkehr re, Ende ist CP.

London/Abbey Wood, GB-SE2 0LS / South East 📶 iD

🏕 Caravan Club Site Abbey Wood	1 ADEJMNOPQRST	6
🏠 Federation Road	2 BOPRSTUVWXY	ABDE**FG** 7
🔓 1 Jan - 31 Dez	3 A**K**	ABCDEFJNQRSV 8
☎ +44 (0)208-3117708	4	9
@ abbeywood@ caravanclub.co.uk	5 BKL	BCEFGHIJM**P**RXZ10
	B 16A CEE	① €44,90
🚐 N 51°29'13'' E 0°7'10''	3,6 ha 167**T**(25-144m²)	② €52,65

🛣 Von der M2/A2 ab Dover die A221 Richtung Bexley. 3. Ausfahrt auf der A2 Bexley. Dann den CP-Schildern folgen.

Manston/Ramsgate, GB-CT12 5AU / South East iD

🏕 Manston Court Caravan Park	1 ADE**JM**NOPRS**T**	6
🏠 Manston Court Road	2 AHMOPVWX	AB**FGH** 7
🔓 1 Mär - 31 Okt	3 A**K**	ABFNQRTU 8
☎ +44 (0)1843-823442	4	E 9
@ info@ manstoncaravanpark.co.uk	5 L	ABFHIJMRW10
	10A CEE	① €30,00
🚐 N 51°20'52'' E 1°21'42''	H50 5,5 ha 245**T**(80m²) 15**D**	② €30,00

🛣 Von Dover A2 Ausfahrt A256 Richtung Ramsgate. Kent International Airport A2050 folgen. An der Manston Court Road (Schild 2 Sites) abbiegen. Nach 600m CP rechts (ausgeschildert).

Marden, GB-TN12 9ND / South East 📶 ❀ iD

🏕 Tanner Farm Park*****	1 ADEJMNOPQRS**T**	6
🏠 Goudhurst Road	2 OPRSVWX	ABDE**FG**H 7
🔓 1 Jan - 31 Dez	3 AE**K**	ABCDFJNQRSTUV 8
☎ +44 (0)1622-832399	4 FHIKO	9
@ enquiries@ tannerfarmpark.co.uk	5 CKL	BCFGHIJM**P**R10
	B 16A CEE	① €43,40
🚐 N 51°8'43'' E 0°28'52''	6 ha 130**T**(120-144m²) 10**D**	② €50,00

🛣 Von Süden: A229 bei Wilsley Green A262 bei Goudhurst B2079 Richtung Marden. Von Norden A229 Ausfahrt B2079 Marden Richtung Goudhurst, nach 5 km rechts. Oder M25, A21, A262 Richtung Goudhurst. CP-Schild beachten.

Martin Mill/Dover, GB-CT15 5LA / South East 📶 ❀ iD

🏕 Hawthorn Farm	1 ADE**JM**NOPRST	**X** 6
🏠 Station Road	2 AJOPRSTWXY	ABDE**FG**H 7
🔓 1 Jan - 31 Dez	3 **K**	ABCDEFJNQRSV 8
☎ +44 (0)1304-852658	4 FH	9
@ hawthorn@keatfarm.co.uk	5 ACDEJ**K**L	BFGHIJP**R**W10
	B 16A CEE	① €28,75
🚐 N 51°10'7'' E 1°20'47''	H76 11,2 ha 465**T**(116-250m²) 180**D**	② €36,25

🛣 Von der A258 aus 6 km nördlich von Dover nach Westen Richtung Martin Mill. An der Haltestelle links. Nach 300m der linken Seite.

Milton Keynes, GB-MK15 0DT / South East 📶

🏕 Gulliver's Milton Keynes C&C Club Site****	1 DEJMNOPQRT	6
	2 ACOPRSW	ABDE**FG**H 7
🏠 Frobisher Gate	3 AE	ABCDFHIJKNPQRSV 8
🔓 15 Mär - 4 Nov	4	9
☎ +44 (0)1908-679343	5 B**KL**M	BFGHKM**P**RW10
	B 16A CEE	① €40,80
🚐 N 52°2'56'' W 0°43'33''	H75 2 ha 90**T**(40-120m²)	② €53,70

🛣 M1 Ausfahrt 14 Ri. Milton Keynes. Am 1. Kreisel rechts, dann 2. Kreisel links und der Beschilderung 'Gullivers Land' folgen. Am Parkeingang links. Der CP liegt am Ende der Straße.

Mollington/Banbury/Oxon, GB-OX17 1AZ / South East 📶

🏕 Anita's Touring Caravan Park	1 DE**JM**NOPQRS**T**	6
🏠 A423	2 AGOPSWX	AB 7
🔓 1 Jan - 31 Dez	3 **K**	ABEFHIJNPQR 8
☎ +44 (0)1295-750731	4 FH	9
@ anitagail@btopenworld.com	5 ABKL	BFHKM**O**R10
	B 10A CEE	① €25,00
🚐 N 52°7'32'' W 1°21'19''	H50 2,5 ha 62**T**(100m²) 8**D**	② €28,75

🛣 M40 Ausfahrt 11 Richtung Banbury. Rechts ab die A423 nach Coventry. Der CP liegt links der Straße, am Ort vorbei. Nicht in den Ort einfahren, keine Wendemöglichkeit.

Netley Abbey/Southampton, GB-SO31 8GD / South E. iD

🏕 Sunnydale Farm	1 ADE**JM**NOPRS**T**	6
🏠 Grange Road	2 AOPSVWX	ABDE**FGH**K 7
🔓 1 Jan - 31 Dez	3 A**K**	AB**FJM**NQRTUV 8
☎ +44 (0)2380457462	4	9
@ sunndalefarm@tiscali.co.uk	5 B	BFGIKM10
	B 10A CEE	① €36,25
🚐 N 50°53'9'' W 1°20'30''	0,9 ha 65**T**(150-200m²) 5**D**	② €42,50

🛣 Die M27 Ausf. 8 verlassen, den Schildern vor Hamble (B3397) folgen, an Texo linke Straßenseite vorbei, weiter die A3025. CP ist angezeigt. Links ab Grange Road, nach 800m CP links.

Teilkarte South East auf Seite 71

Thriftwood Holiday Park

Spaß für die ganze Familie.

Preisgekrönter Campingplatz im malerischen Kent, England.

Tel. 01732-822261

www.thriftwoodholidaypark.com

Großbritannien

New Milton (Hampsh.), GB-BH25 5QR / South East 🆔

🏕 Hoburne Bashley****	1 ADILOPRS	ABEFHX 6
🏠 Sway Road	2 GPRSVWX	ABDEFGH 7
📅 1 Mär - 31 Okt	3 BEIJKLMP	ABCDEFJNQRSTUV 8
☎ +44 (0)1425-612340	4 ILMOPQST	E 9
@ enquiries@hoburne.com	5 CDEGJ	BFGHIJMR10
	B 10A CEE	❶ €67,50
🗺 N 50°46'20'' W 1°39'4''	44 ha 190T(80-100m²) 29D	❷ €67,50

🚗 Von Southhampton A35 Richtung Christchurch fahren. Ca. 7 km vor der Stadt B3058 nach links fahren, hier CP ausgeschildert. Nach 4 km links.

New Romney, GB-TN28 8UE / South East 📶 ✿ CC€16 🆔

🏕 Marlie Holiday Park***	1 ADEJMNORT	EFGX 6
🏠 Dymchurch Road	2 AHJOPW	ABDEFG 7
📅 6 Mär - 1 Nov	3 AK	ABFIJNQRV 8
☎ +44 (0)1797-363060	4 BCDILOPQ	EY 9
@ marlie@parkholidays.com	5 ACDEFGIKM	BHIJMORY10
	B 10A CEE	❶ €37,50
🗺 N 50°59'37'' E 0°57'12''	40 ha 170T(90m²) 102D	❷ €47,50

🚗 A259 zwischen Folkestone und Hastings.

Northiam/Rye, GB-TN31 6QT / South East 📶 🆔

🏕 Rother Valley Caravan &	1 AJMNOPQRT	NX 6
Camping Park	2 OPVWXY	ABDEFG 7
🏠 Station Road	3 AK	ABEFIJNQRV 8
📅 1 Mär - 31 Okt	4	9
☎ +44 (0)1797-253997	5 BLM	BJMOR10
@ mail@rother-valley.com	10A CEE	❶ €26,25
🗺 N 51°0'30'' E 0°36'50''	2 ha 45T(80-120m²)	❷ €31,25

🚗 Von Dover die A20 Ri. Folkestone. Dann A259 bis Rye. Rechts A268. CP liegt vor dem Bahnübergang mit dem Dampfzug. Oder den M20 bei Ashford A28 folgen. Kurz vor Northiam gleich über die Brücke rechts.

Oxford, GB-OX1 4XG / South East 📶

🏕 Oxford Camping and	1 DEJMNOPQRT	6
Caravanning Club Site	2 AOPRWX	ABDEFG 7
🏠 426 Abingdon Road	3	ABEFHJNQRV 8
📅 1 Jan - 31 Dez	4	9
☎ +44 (0)1865-244088	5 BKL	BCHKMOST10
	10A CEE	❶ €34,45
🗺 N 51°43'55'' W 1°15'5''	H52 2 ha 80T(60-80m²)	❷ €52,45

🚗 Auf dem südlichen Ring (A423 oder A34) auf der Umgehung die A4144 Richtung Zentrum. Weiter ausgeschildert. Einfahrt in der Nähe des 'Go Outdoor'.

Ramsgate, GB-CT11 0RX / South East 🆔

🏕 Nethercourt Touring Park	1 AJMNOPRST	NSWXY 6
🏠 Nethercourt hill	2 HOPRWX	ABDEFGH 7
📅 1 Jan - 31 Dez	3 AK	ABEFJNQRV 8
☎ +44 (0)1843-595485	4 HIO	9
@ nethercourtcamp@aol.com		BCHJMR10
	5A CEE	❶ €31,25
🗺 N 51°20'4'' E 1°23'51''	H52 0,7 ha 52T(25-80m²)	❷ €36,25

🚗 Von Dover: A2 - (A256) Richtung Ramsgate-A253. CP auf der linken Seite.

Ringwood, GB-BH24 3QT / South East 🆔

🏕 Red Shoot Camping Park	1 ADJMNOPRT	6
🏠 Linwood	2 PTVWX	ABDEFGH 7
📅 1 Mär - 31 Okt	3 AK	ABFGINPQRS 8
☎ +44 (0)1425-473789	4	J 9
@ enquiries@	5 AB	BJR10
redshoot-campingpark.com	B 10A CEE	❶ €43,15
🗺 N 50°53'2'' W 1°44'5''	1,6 ha 120T(70-80m²) 1D	❷ €54,40

🚗 Im Norden von Ringwood A338 folgen. Ausfahrt Moyles Court/Linwood fahren. Schildern Linwood genau folgen. CP nach ca. 4 km links (Achtung!) beim Red Shoot Inn.

Sandwich, GB-CT13 0AA / South East 📶 🆔

🏕 Sandwich Leisure Park	1 ADEJMNOPRST	NX 6
🏠 Woodnesborough Road	2 HJOPRSVWX	ABDEFGH 7
📅 1 Mär - 31 Dez	3 BEK	ABCDFIJNQRSTUV 8
☎ +44 (0)1304-612681	4 FHO	EFJ 9
@ info@	5 GKL	BEFGHIJMPRX10
sandwichleisurepark.co.uk	B 10A CEE	❶ €33,75
🗺 N 51°16'29'' E 1°19'57''	15 ha 200T(100-150m²) 123D	❷ €35,00

🚗 Von der A256 ins Zentrum Sandwich, wo der CP ausgeschildert ist.

Seasalter/Whitstable, GB-CT5 4BU / South East 📶 ✿ 🆔

🏕 Homing Leisure Park	1 ADEJMNOR	ABN 6
🏠 Church Lane	2 AKPVWX	ABDEFGH 7
📅 1 Apr - 31 Okt	3 AEKM	ABCDEFIJNQRSTU 8
☎ +44 (0)1227-771777	4 INOPQ	E 9
@ info@homingpark.co.uk	5 DEGJKL	BEHIKMPR10
	B 10A CEE	❶ €33,75
🗺 N 51°20'27'' E 1°0'19''	2 ha 40T(80-100m²) 3D	❷ €33,75

🚗 A2. In Canterbury A290 Whitstable Road, Ausfahrt Seasalter.

Selsey, GB-PO20 9EL / South East 📶 🆔

🏕 Warner Farm	1 ADEJMNOPQR	AEFGN 6
Touring Park*****	2 JPRSVWX	ABDEFGHK 7
🏠 Warner Lane	3 BEIKMP	ABFGIJNQRSTUV 8
📅 1/1 - 4/1, 1/3 - 31/12	4 ILNOPQRSTYZ	E 9
☎ +44 (0)1243-604499	5 CDEFGIJKL	BCFGHIJMPRVWQ10
@ touring@bunnleisure.co.uk	B 16A CEE	❶ €58,75
🗺 N 50°44'20'' W 0°48'3''	128 ha 231T(50-100m²) 436D	❷ €58,75

🚗 A27 südlich von Chichester Ausfahrt B2145 nach Selsey. In Selsey den Schildern Bunn Leisure 'Warner Farm Touring Park' folgen.

Sevenoaks/London, GB-TN15 7PB / South East CC€18 🆔

🏕 Thriftwood Holiday Park	1 ADEJMNOPQRST	AB 6
🏠 Plaxdale Green road	2 ABGPRSTWXY	ABDEFGH 7
📅 1 Jan - 31 Dez	3 BK	ABFIJNQRSTV 8
☎ +44 (0)1732-822261	4 IP	E 9
@ info@	5 BDGKL	BCDEFGHIJMR10
thriftwoodholidaypark.com	A190	Anzeige auf dieser Seite 10A CEE ❶ €37,50
🗺 N 51°19'27'' E 0°17'34''	H190 6,8 ha 150T(80-180m²) 32D	❷ €42,50

🚗 3M20 Ausfahrt 3. M26 Ausfahrt 2a Wrotham. A20 3 km nach Nordwesten. Rechts ab Richtung Stansted. Schildern folgen.

Sheerness/Minster-on-Sea, GB-ME12 3AA / S. E. 📶 ✿ 🆔

🏕 Sheerness Holiday Park Ltd**	1 ADEJMNORT	EFGNXYZ 6
🏠 Halfway Road	2 JOPW	ABDEFG 7
📅 1 Apr - 30 Sep	3 BEIK	ABEFNQRV 8
☎ +44 (0)1795-662638	4 BDILOPQ	EY 9
@ info@sheernesshols.com	5 ABDEFGIK	BIJMPRY10
	B 10A CEE	❶ €31,25
🗺 N 51°25'59'' E 0°46'22''	10 ha 48T(56m²) 66D	❷ €46,25

🚗 M2 Ausfahrt 5. Die A249 Richtung Sheerness, danach die A250 Halfway Road. CP liegt rechts.

Southbourne, GB-PO10 8JH / South East 📶 🆔

🏕 Chichester, Cp. & Car. Club Site	1 ADEJMNOQR	6
🏠 Main Road	2 AOPSVWX	ABFGH 7
📅 6 Feb - 16 Nov	3 ABCDFNQRV	8
☎ +44 (0)1243-373202	4 FH	9
@ chichester.site@	5 BKL	BCFKPR10
thefriendlyclub.co.uk	B 16A CEE	❶ €50,00
🗺 N 50°50'41'' W 0°54'10''	1 ha 58T(55-121m²)	❷ €67,95

🚗 A27 Ausfahrt Fishbourne Richtung Southbourne. CP liegt an der A259 auf der Grenze von Nutbourne und Southbourne.

Southminster, GB-CM0 7RS / South East 📶 🆔

🏕 Steeple Bay Holiday Park	1 ADEJMNOPQRT	ABFNQSXY 6
🏠 Canney Road, Steeple	2 DFGPSVW	ABFG 7
📅 1 Apr - 30 Okt	3 AEK	ABFNQRS 8
☎ +44 (0)845-8159775	4 IMNOPQ	E 9
@ steeple@parkholidays.com	5 ABDEGKL	BFHIJMPTY10
	16A CEE	❶ €35,00
🗺 N 51°42'10'' E 0°46'52''	41T(80-100m²) 53D	❷ €45,00

🚗 Von Chelmsford die A130 nach Maldon. Dann die B1018 nach Latchingdon. Von hier aus an der Strecke beschildert.

Southsea/Portsmouth, GB-PO4 9TB / South East 📶 🆔

🏕 Southsea Holiday &	1 ADEJMNOPQRST	ABFKNQSXY 6
Leisure Park	2 AEGJOPRSVWX	ABDEFGH 7
🏠 Melville Road	3 BKL	ABFJNQRSV 8
📅 1 Jan - 31 Dez	4 IOPQ	E 9
☎ +44 (0)23-92735070	5 DEFGIKL	BCFGHIJORWX10
@ info@southsealeisurepark.co.uk	B 16A CEE	❶ €41,90
🗺 N 50°47'11'' W 1°2'32''	5 ha 199T(50-100m²) 89D	❷ €49,40

🚗 M27/A27/A3M Ausfahrt A2030. Zunächst Schildern Southsea folgen, dann CP-Schildern.

Großbritannien

Standlake/Oxford, GB-OX29 7RH / South East 🛜 iD

▲ Lincoln Farm Park Oxfordshire*****	1 ACDEJ**M**NOPQRS**T**	**EFG** 6
🏠 High Street	2 GOPRSVWXY	ABDE**FG**HK 7
🕐 6 Feb - 9 Nov	3 BEI**K**	ABCDFIJNQRSV 8
☎ +44 (0)1865-300239	4 FI**RST**	9
@ info@lincolnfarmpark.co.uk	5 ABKL	BEFGHJM**P**STX10
	B 10-16A CEE	➊ €35,40
🏕 N 51°43'23'' W 1°25'43''	H64 3,2 ha 90T(150m²)	➋ €41,90

🚐 Von Oxford A40 Richtung Cheltenham bis Witney auf A420 Ri. Swindon bis Kingston Bagpuize. Dann A415 bis Standlake, Straße bis Werkstatt folgen, hier ausgeschildert.

Swalecliffe/Whitstable, GB-CT5 2RY / South E. 🛜 ✿ iD

▲ Seaview Holiday Park	1 ADE**J**MNOR**T**	ABFGKQSXY 6
🏠 St. John's Road	2 EJOPSVWX	ABDE**FG** 7
🕐 1 Mär - 30 Okt	3 ABE**K**	ABCDFJNQRV 8
☎ +44 (0)1227-792246	4 BDILO**PQ**	E 9
@ seaview@parkholidays.com	5 ACDFGIKL	BCGHIJM**P**RY10
	B 10A CEE	➊ €43,75
🏕 N 51°21'59'' E 1°4'35''	40 ha 18T(36-49m²) 101D	➋ €53,75

🚐 A299, bei Chestfield Richtung Norden verlassen. Unter der Bahnlinie durch den Kreisverkehr, rechts ab. CP liegt nach 300m auf der linken Seite in einer Kurve gegenüber einem Pub.

Wallingford, GB-OX10 8HB / South East 🛜 (CC€18) iD

▲ Bridge Villa Camping and Caravan Park	1 AD**J**MNOPRS**T**	6
🏠 The Street	2 PVWX	ABF**G** 7
🕐 1 Feb - 31 Dez	3	ABCDEFJNQRS 8
☎ +44 (0)1491-836860	4	9
@ bridge.villa@btconnect.com	5 B	BMPR10
	B 10A CEE	➊ €31,25
🏕 N 51°35'59'' W 1°7'0''	1,2 ha 100T(80-100m²)	➋ €36,25

🚐 Von Crowmarsh Gifford nach Wallingford liegt der Camping kurz vor der Ampel an der Thames/Wallingford links. Achtung: Schlagbaum.

Washington, GB-RH20 4AJ / South East iD

▲ Washington Caravan & Camp. Park	1 ADEJMNOPQRT	6
🏠 London Road	2 AOPSTWXY	ABDE**FG** 7
🕐 1 Jan - 31 Dez	3 **K**	AB**F**JNQV 8
☎ +44 (0)1903-892869	4 FH	9
washingtoncampsite@yahoo.co.uk	5 L	BFIJMRV10
	16A CEE	➊ €26,25
🏕 N 50°54'32'' W 0°24'23''	H50 1,8 ha 50T	➋ €36,25

🚐 A24 Ausfahrt A283. Hinter dem Kreisel links. Der CP Liegt ± 500m nördlich von Washington.

West Horsley, GB-KT24 6PE / South East 🛜 iD

▲ Horsley C. & C. Club Site	1 ADEJMNOPQRST	**N** 6
🏠 Ockham Road North	2 ADPRSVWX	ABDE**FGH** 7
🕐 1 Apr - 2 Nov	3 A**KL**	ABCDEFIJNQRSV 8
☎ +44 (0)1483-283273	4 F	9
@ horsley.site@	5 B**KL**	BCFJM**P**R10
thefriendlyclub.co.uk	B 10A CEE	➊ €44,55
🏕 N 51°17'6'' W 0°26'55''	H52 4,8 ha 130T(121m²) 10D	➋ €53,90

🚐 Von der M25 Ausfahrt 10 die A3 Guildford-Portsmouth. Nach 3 km die B2039 Ockham/East Horsley. Nach 3 km das erste Schild. Der CP liegt rechts.

West Wittering, GB-PO20 8ED / South East 🛜 (CC€18) iD

▲ Scott's Farm	1 ADEJMNOPQRS**T**	**XY** 6
🏠 Cakeham road	2 AGJOPRVW	ABDE**FG** 7
🕐 1 Mär - 31 Okt	3 BE**K**	ABFGNQRV 8
☎ +44 (0)1243-671720	4 F	9
@ scottsfarm@live.com	5 B**KLM**	IJM**P**R10
	B 10A CEE	➊ €40,00
🏕 N 50°46'14'' W 0°52'40''	10 ha 750T(49-120m²) 300D	➋ €40,00

🚐 A27 südlich von Chichester Ausfahrt A286. Nach ca. 6 km links ab, B2198 Richtung East-Wittering. Hinter dem Lively Lady Pub rechts ab. Camping liegt hinter dem Dorf rechts.

Wick/Littlehampton, GB-BN17 7PH / South East 🛜 iD

▲ Littlehampton Caravan Club Site*****	1 ADEJMOPQRS**T**	6
	2 AOPSVWX	ABDE**FG** 7
🏠 Mill Lane	3 B**K**	ABCDEFJKNQRSTUV 8
🕐 1/1 - 5/1, 31/3 - 31/12	4 FH	9
☎ +44 (0)1903-716176	5 K	BCEFGHIJM**P**RXZ10
littlehampton@caravanclub.co.uk	B 16A CEE	➊ €40,25
🏕 N 50°49'37'' W 0°32'32''	2,8 ha 108T(81m²)	➋ €46,00

🚐 Von der A27 Ausfahrt in südlicher Richtung nach Littlehampton A284. Die Einfahrt zum CP liegt in der Kurve der Mill Lane, einer Seitenstraße in Richtung Osten, 300m nördlich der Bahngleise.

Winchester, GB-SO21 1HL / South East iD

▲ Morn Hill Caravan Club Site	1 ADJMNOPRS**T**	6
🏠 Morn Hill	2 AOPVX	ABDE**FGH** 7
🕐 28 Mär - 4 Nov	3 A**K**	ABCDEFNQRV 8
☎ +44 (0)1962-869877	4	9
@ mornhill@caravanclub.co.uk	5 B	BHKMR10
	B 16A CEE	➊ €37,75
🏕 N 51°3'44'' W 1°15'28''	H103 3,6 ha 115T(120m²)	➋ €43,25

🚐 Von London M3 Richtung Southampton, Ausfahrt 9, A31 folgen Richtung Alton. Am 2. Kreisverkehr ist der CP ausgeschildert. 15m hinter dem Pub rechts ab, noch 150m.

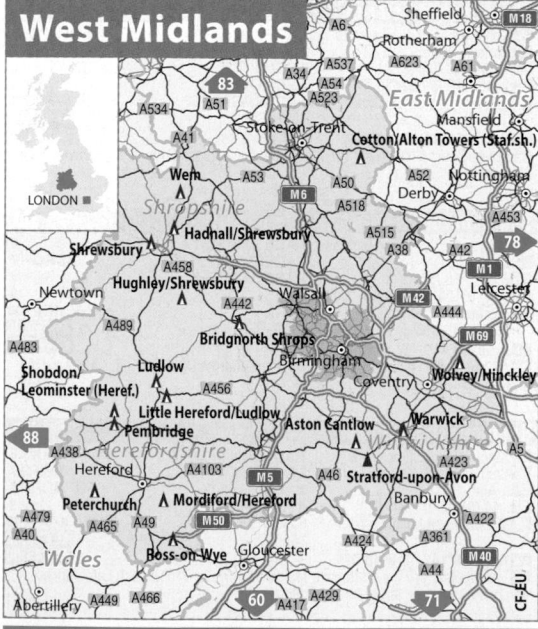

Melden Sie sich an für den Eurocampings Newsletter und bleiben Sie über die neusten Entwicklungen auf dem Laufenden!

Aston Cantlow, GB-B95 6JP / West Midlands 🛜 iD

▲ Island Meadow Caravan Park	1 ACDEJMNOPQRST	**N** 6
🏠 The Mill House	2 ACDOPSWXY	ABF**G**H 7
🕐 1 Mär - 31 Okt	3 A**J**V	ABEFJNQRTUV 8
☎ +44 (0)1789-488273	4 F	E 9
@ holiday@	5 ABKLM	ABHJMOR10
islandmeadowcaravanpark.co.uk	B 10A CEE	➊ €28,75
🏕 N 52°14'7'' W 1°48'11''	H54 2,8 ha 34T(40-80m²) 51D	➋ €31,25

🚐 Von der A46 zwischen Stratfort-upon-Avon und Alcaster oder A3400 bei Wootton Wawen, den Schildern Aston Cantlow folgen.

Bridgnorth Shrops, GB-WV15 6DT / W. Midl. 🛜 ✿ iD

▲ Stanmore Hall Touring Park	1 ADEJMNOPQRS**T**	6
🏠 Stourbridge Road	2 OPRSVWXY	ABDE**FG**H 7
🕐 1 Jan - 31 Dez	3 A**K**	ABCDEFHJNPQRSTUV 8
☎ +44 (0)1746-761761	4	9
@ stanmore@	5 B**KL**	BEFGHIKM**P**RX10
morris-leisure.co.uk	B 16A CEE	➊ €35,40
🏕 N 52°31'38'' W 2°22'41''	H91 3 ha 134T(80-120m²)	➋ €41,65

🚐 Von Bridgnorth, die A458 ostwärts Richtung Stourbridge fahren, nach ca. 2,5 km liegt der CP rechts. Am Kreisverkehr gut ausgeschildert. Nicht der Navigation folgen.

Cotton/Alton Towers (Staf.sh.), GB-ST10 3DW / W. Midl. 🛜 iD

▲ C & C Club Site Alton, The Star★★★★
🏠 B5417
🔓 1 Mär - 8 Nov
☎ +44 (0)1538-702219
🗺 N 53°0'32'' W 1°54'6''
🚗 A52 von Stoke nach Ashbourne. Ausfahrt B5417. Der CP liegt vorm Ort Cotton.

1 ACDEJMNOPQRST		6
2 BFOPRSTVWXY	**ABDEFGH**	7
3 BE**KL**	ABEFGHIJKLNQRSTUV	8
4 F		E 9
5 B**KL**	BFGHIJMN**PR**10	
B 16A CEE		① €39,80
H251 20 ha 187**T**(120m²) 58**D**		② €56,20

Ross-on-Wye, GB-HR9 7BW / West Midlands 🛜 iD

▲ Broadmeadow Caravan & Camping Park★★★★★
🏠 Broadmeadows
🔓 1 Apr - 30 Sep
☎ +44 (0)1989-768076
@ broadm4811@aol.com
🗺 N 51°54'57'' W 2°34'40''
🚗 M5 Ausfahrt 11. In Gloucester auf die A40 nach Ross-on-Wye. Hinter dem Kreisverkehr Industrial Estate folgen. CP ist ausgeschildert. Die GPS Werte ab der Kreuzung die öffentliche Straße benutzen, sonst kommen Sie in ein Wohnviertel mit Sackgasse.

1 AD**J**MNOPQRS**T**		N 6
2 ADFOPSVWX	ABDE**FGH**	7
3 A**K**	ABCDEFJNQRSTUV	8
4 F		9
5 **K**L	BHKLMPR10	
B 16A CEE		① €35,00
6,4 ha 150**T**(80-100m²) 7**D**		② €43,75

Hadnall/Shrewsbury (Shropsh.), GB-SY4 4AA / W. Midl. 🛜 iD

▲ Beaconsfield Farm★★★★★
🏠 Upper Battlefield
🔓 2 Feb - 31 Dez
☎ +44 (0)1939-210370
@ mail@beaconsfieldholidaypark.co.uk
🗺 N 52°45'54'' W 2°42'44''
🚗 In Shrewsbury A49 Richtung Whitchurch. In Hadnall siehe Schilder.

1 ADEJMOPQRS		**CEN** 6
2 ADOPRSVW	BE**FGH**	7
3 K	BCD**F**L**N**QRT	8
4 F**H**V	EF 9
5 I**K**	BGHJMPR10
B 12A CEE		① €30,00
H91 5 ha 60**T**(50-80m²) 45**D**		

Shobdon/Leominster (Heref.), GB-HR6 9NQ / W. Midl. 🛜✿ iD

▲ Pearl Lake Leisure Park★★★★★
🔓 1 Mär - 30 Nov
☎ +44 (0)1568-708326
@ info@pearllake.co.uk
🗺 N 52°15'9'' W 2°53'28''
🚗 A49 Hereford Richtung Shrewsbury. Bei Woofferton links zur B4362. Nach ca. 10 km (Shobdon) liegt der CP rechts. Gut mit braunen CP-Schildern ausgeschildert.

1 ADEJMNOPQRS**T**		N**X** 6
2 DOPSVWXY	ABDE**FGH**	7
3 BE**JP**	ABEFGHJNPQRSTUV	8
4 FNO**Q**	EJ 9
5 G**J**KL	BEHIM**OR**10
		① €27,50
H152 32 ha 15**T**(50-100m²) 204**D**		② €32,50

Hughley/Shrewsbury, GB-SY5 6NT / W. Midl. 🛜✿ iD

▲ Mill Farm Caravan Park★★★ AA
🔓 1 Mär - 30 Okt
☎ +44 (0)1746-785208
@ myrtleroberts@hotmail.com
🗺 N 52°34'37'' W 2°38'43''
🚗 Von Much Wenlock die B4317 Richtung Church Stretton. Nach 5 km Richtung Hughley. Im Dorf ist der CP ausgeschildert.

1 ADJMNOPQRST		N 6
2 ABCPRUVXY	ABDE**FGH**	7
3 **GHK**	ABE**F**NQRT	8
4		9
5 K	BFGIJM**OR**10
16A CEE		① €20,00
H138 10 ha 50**T**(80-100m²) 80**D**		② €27,50

Shrewsbury (Shropshire), GB-SY3 5FB / W. Midl. 🛜✿ iD

▲ Oxon Hall Touring Park
🏠 Welshpool Road
🔓 1 Jan - 31 Dez
☎ +44 (0)1743-340868
@ oxon@morris-leisure.co.uk
🗺 N 52°43'7'' W 2°48'24''
🚗 A5 um Shrewsbury, die Ausfahrt A458 'Oxon Park and Ride', im Nordwesten der Stadt. Einfahrt zum CP neben des Parkplatzes.

1 ADJMNOPQRS		6
2 AGOPRSVX	ABDE**FGH**	7
3 AE	ABCDEFIJKNQRSTUV	8
4		9
5 BKL	BEFGHIJM**OR**X10
B 16A CEE		① €33,15
H87 10 ha 118**T**(54-79m²) 60**D**		② €39,40

Little Hereford/Ludlow, GB-SY8 4AU / W. Midlands 🛜 iD

▲ Westbrook Park
🏠 Lynch Lane
🔓 1 Mär - 30 Nov
☎ +44 (0)1584-711280
@ info@bestparks.co.uk
🗺 N 52°18'26'' W 2°39'57''
🚗 M5 Ausfahrt 7 Worchester. In Worchester A443 in Nordwest Richtung A456 Richtung Leominster bis Little Hereford. CP ausgeschildert. Hinter der Brücke direkt links.

1 ADE**IL**NOPQRS**T**		6
2 CPRSVWX	ABDE**FGH**	7
3 A**K**	ABCDEFGJNPQRTUV	8
4		9
5 B**K**L	BEHIJMPR10
B 10A CEE		① €27,30
H56 3 ha 63**T**(120m²) 12**D**		② €32,50

Ludlow, GB-SY8 4AD / West Midlands iD

▲ Ludlow Touring Park
🏠 Overton Road
🔓 1 Jan - 31 Dez
☎ +44 (0)1584-878788
@ ludlow@morris-leisure.co.uk
🗺 N 52°20'41'' W 2°43'8''
🚗 Über die A49 kommend, zwischen Hereford-Shresburry sieht man auf beiden Straßenseiten braune CP-Schilder. An der T-Kreuzung mit der B4361 Richtung Ludlow. CP kommt nach ca. 750m rechts.

1 ADE**J**MNOPQRS**T**		N 6
2 CFGOPRSVWXY	ABDE**FGH**	7
3 B**J**	ABCDEFGHIJKNPQRSTUV	8
4		9
5 ABK	BEFGHIJLMN**N**RX10
B 16A CEE		① €35,40
4 ha 135**T**(90-140m²)		② €41,65

Mordiford/Hereford, GB-HR1 4LP / West Midlands 🛜 iD

▲ Lucksall C.& C. Park★★★★★
🏠 Mordiford
🔓 1 Mär - 30 Nov
☎ +44 (0)1432-870213
@ karen@lucksallpark.co.uk
🗺 N 52°1'22'' W 2°37'51''
🚗 Ab Ende der M50 (Ross-on-Wye), der A449 Ledbury folgen. Links ab Richtung B4224 Hereford. Nach gut 11 km liegt der CP links.

1 ADEJMNOPQRS**T**		N**X** 6
2 CFOPRSVWXY	ABDE**FGH**	7
3 B	ABCDEFGIJNPQRTUV	8
4 F**H**	FQ 9
5 ABCGIKLM	BFIJMOPR10
B 16A CEE		① €28,75
8,5 ha 245**T**(50-120m²) 29**D**		② €35,00

Stratford-upon-Avon, GB-CV37 9SR / West Midlands 🛜 iD

▲ Dodwell Park★★★
🏠 Evesham Road
🔓 1 Jan - 31 Dez
☎ +44 (0)1789-204957
@ enquiries@dodwellpark.co.uk
🗺 N 52°10'56'' W 1°45'26''
🚗 Ca. 3 km von Stratford, auf der B439 Richtung Bidford/Evesham. Hinter dem 2. Hügel links. CP ist ausgeschildert.

1 DEJMNOPQRS		6
2 AOPRSTWX	AB 7
3 EK	ABEFJNQRV	8
4		9
5 CKL**M**	ABFHJMR10
10A CEE		① €21,90
H50 2,5 ha 50**T**(100m²)		② €26,90

Stratford-upon-Avon, GB-CV37 9SE / West Midlands ⊚

▲ Stratford Touring Park
🏠 Luddington Road
🔓 25 Mär - 31 Okt
☎ +44 (0)1789-201063
@ info@stratfordracecourse.net
🗺 N 52°11'0'' W 1°43'47''
🚗 Von Stratford die B439 Richtung Bidford/Evesham. Nach 1 km links ab Richtung Racecourse. Den Schildern Racecourse folgen.

1 CJMNOPQRS**T**		N 6
2 AOPRSWX	ABDE**FGH**	7
3	AB**F**JNQRV	8
4		9
5 L	BCFGHJMOST10
16A CEE		① €21,25
3 ha 193**T**(100m²)		② €21,25

Warwick, GB-CV34 6HN / West Midlands

▲ Warwick Racecourse Caravan Club Site★★★
🏠 Hampton Street
🔓 1 Mär - 31 Dez
☎ +44 (0)1926-495448
📠 +44 (0)1926-411319
🗺 N 52°16'47'' W 1°35'48''
🚗 Direkt in Warwick Stadt gelegen. Schildern 'Racecourse' folgen.

1 BDEJMOPQRST		6
2 AOPSWXY	ABDE**FG**	7
3 **K**	ABEFJNPQR	8
4		9
5 K	BFGHJMSTZ10
B 16A CEE		① €40,15
H65 1,5 ha 55**T**(85-100m²)		② €45,90

Pembridge, GB-HR6 9HB / West Midlands iD

▲ Townsend Touring Park★★★★★
🏠 East Street
🔓 1/1 - 3/1, 21/2 - 31/12
☎ +44 (0)1544-388527
@ info@townsend-farm.co.uk
🗺 N 52°13'5'' W 2°53'18''
🚗 Von der M5, Ausfahrt 7 Richtung Worcester. A44 nach Leominster/Rhayader. Nach ca. 10 km kommt das Örtchen Pembridge. Der CP liegt am Ortseingang. Von Penbridge liegt der CP rechts (Navi gibt links an).

1 ADE**J**MNOPQRS		N 6
2 DFOPRSVWX	ABDE**FGH**	7
3 AE**K**	ABCDEFGHIJNQRSTUV	8
4 F		DF 9
5 AC**K**L	BGHIJMR10
B 16A CEE		① €32,50
H102 4,8 ha 71**T**(120-150m²) 17**D**		② €37,50

Wem (Shropshire), GB-SY4 5RP / West Midlands 🛜 iD

▲ Lower Lacon Caravan Park★★★
🏠 B5065
🔓 1 Jan - 31 Dez
☎ +44 (0)1939-232376
@ info@llcp.co.uk
🗺 N 52°51'51'' W 2°42'7''
🚗 Von Shrewsbury folge der A49 Richtung Whitchurch. Bei Prees Green die B5065 Richtung Wem folgen. 1 km vor Wem ist der CP rechts.

1 ADEJMNOPQRST		ABFG 6
2 BGOPRSVWXY	**ABDEFGH**	7
3 BE**IK**	ABDFLNQRS	8
4 INO**PQ**	BE 9
5 BCDEFGIK**L**	BHIKM**OR**WYZ10
B 16A CEE		① €30,00
H81 19 ha 460**T**(80-120m²) 57**D**		② €38,75

Peterchurch, GB-HR2 0SF / West Midlands 🛜✿ iD

▲ Poston Mill C.& C. Park★★★★★
🏠 Golden Valley
🔓 1 Jan - 31 Dez
☎ +44 (0)1981-550225
@ info@poston-mill.co.uk
🗺 N 52°1'41'' W 2°56'22''
🚗 Von Hereford A464 Richtung Abergavanny, weiter die B4348 Richtung Peterchurch. CP ausgeschildert.

1 ADE**J**MNOPQRS**T**		N 6
2 CFOPRSVWX	ABDE**FGH**	7
3 BE**J**KLMQ	ABCDEFGHIJNQRSTUV	8
4 FIQ	EJ 9
5 ABCDEG**J**KL	BEFHIJLM**PR**10
B 16A CEE		① €27,50
H110 13 ha 38**T**(100-125m²) 19**D**		② €32,50

Wolvey/Hinckley, GB-LE10 3HF / West Midlands

▲ Wolvey Villa Farm C.& C. Site★★★
🏠 B4065 in Wolvey
🔓 5 Jan - 18 Dez
☎ +44 (0)1455-220493
@ rachelrusted@aol.com
🗺 N 52°28'41'' W 1°22'21''
🚗 M6 nach Coventry Ausfahrt 2, dann B4065. Wolvey ist hier ausgeschildert. Von Leicester M1/M69 Ausfahrt 1. Den Schildern Wolvey folgen. CP ausgeschildert.

1 **J**MNOPRS**T**		N 6
2 ADOPRSWX	**ABDEFGH**	7
3 E**K**	ABEFHNPQRV	8
4 I**PQ**		9
5 B**K**L	BFIJMSTW10
10A CEE		① €21,90
H115 4 ha 110**T**(100m²)		② €26,25

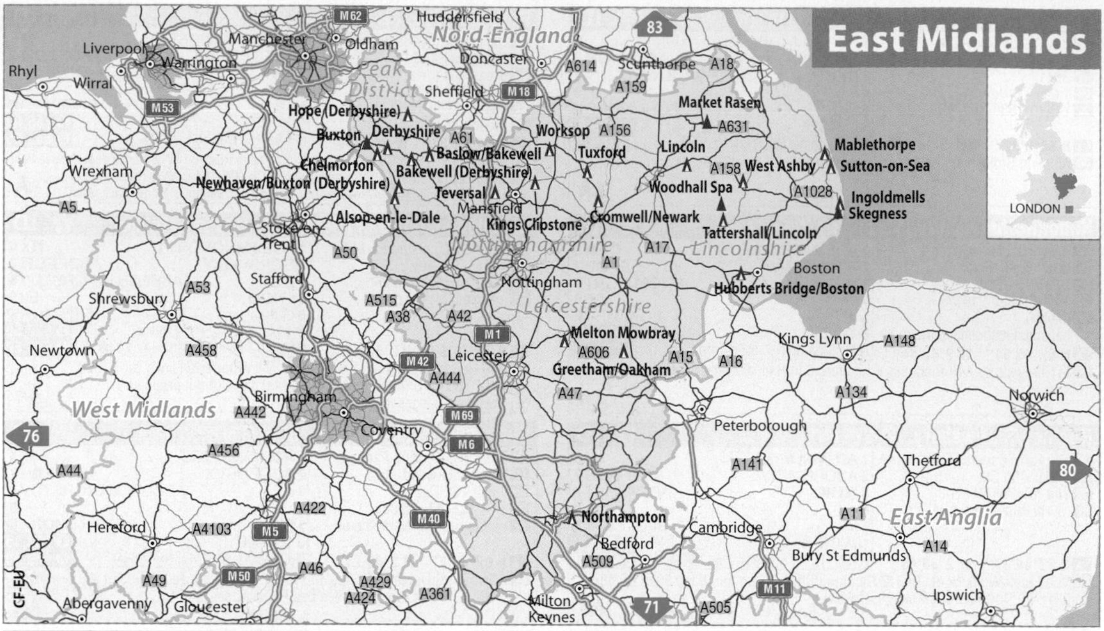

Map of Nord-England / East Midlands with cities: Liverpool, Manchester, Oldham, Huddersfield, Warrington, Wirral, Rhyl, Peak District, Sheffield, Doncaster, Scunthorpe, Market Rasen, Hope (Derbyshire), Buxton, Derbyshire, Worksop, Lincoln, Mablethorpe, Sutton-on-Sea, Baslow/Bakewell, Tuxford, West Ashby, Ingoldmells, Skegness, Wrexham, Newhaven/Buxton (Derbyshire), Bakewell (Derbyshire), Teversal, Woodhall Spa, Alsop-en-le-Dale, Mansfield, Kings Clipstone, Cromwell/Newark, Tattershall/Lincoln, Stoke-on-Trent, Stafford, Nottingham, Boston, Shrewsbury, Leicester, Melton Mowbray, Kings Lynn, Birmingham, Greetham/Oakham, West Midlands, Coventry, Peterborough, Norwich, Hereford, Northampton, East Anglia, Newtown, Bedford, Cambridge, Bury St Edmunds, Ipswich, Abergavenny, Gloucester, Milton Keynes

LONDON

Alsop-en-le-Dale, GB-DE6 1QU / East Midlands

Rivendale Caravan & Leisure Park
Buxton Road
1/1 - 4/1, 30/1 - 31/12
+44 (0)1335-310441
@ enquiries@
rivendalecaravanpark.co.uk
N 53°6'23'' W 1°45'39''

1 ADEJMNOPRST	N	6
2 FOPRSVWX	BEFGH	7
3 AK	BDFJQRSTUV	8
4 FHNOQ	AFGJ	9
5 BCDEGJKLM	BFGHKMNORX	10
B 16A		
	① €32,50	
H324 5 ha 125T(20-200m²) 49D	② €37,50	

A515 von Ashbourne nach Buxton. 9 km hinter Ashbourne, 20 km vor Buxton. CP wird angezeigt.

Bakewell (Derbyshire), GB-DE45 1PX / E. Midlands

Greenhills Holiday Park***
Crow Hill Lane
1 Feb - 30 Nov
+44 (0)1629-813052
@ info.greenhillsholidaypark@
unicombox.com
N 53°13'12'' W 1°42'1''

1 ACDEJMNOPQRST		6
2 APSTVX	ABDEFGH	7
3 AE	ABEFNQR	8
4 O		9
5 ABCGKL	BIJMOR	10
16A CEE		
	① €31,25	
5 ha 158T(60m²) 73D	② €36,25	

In Bakewell A6 Richtung Buxton. Der CP ist nach 3 km ausgeschildert. Schild 'Over Haddon Monyash'.

Baslow/Bakewell, GB-DE45 1PN / East Midlands

Chatsworth Park
Car. Club Site
Chatsworth
1 Jan - 31 Dez
+44 (0)1246-582226
FAX +44 (0)1246-583672
N 53°14'14'' W 1°37'3''

1 ADEJMOPQRST		6
2 CRSVX	ABDEFG	7
3 AL	ABDEFNQRSTUV	8
4		9
5 ABK	BHJMOR	10
B 16A CEE		
	① €47,50	
H117 2,5 ha 120T(80-120m²)	② €57,50	

Aus Chesterfield A619 Richtung Bakewell. In Baslow ist der CP ausgeschildert. CP neben das Cavendish Hotel.

Buxton, GB-SK17 6UJ / East Midlands

Buxton Caravan Club Site
Grin Low Road, Ladmanlow
21 Mär - 2 Nov
+44 (0)1298-77735
FAX +44 (0)1298-70684
N 53°14'42'' W 1°55'59''

1 ADJMOPQRST		6
2 SVWX	ABDEFG	7
3 A	ABEFJKNPQRS	8
4 FH		9
5 BKL	BEHJR	10
B 16A CEE		
	① €39,90	
H400 117T(100m²)	② €45,65	

10 km hinter Bakewell Tunnel links zur A5270. Nach ca. 3,5 km rechts zur Einmündung A515 Ashbourne-Buxton. Nach 200m li auf B5053 Langrier-Harpur Hill. Rechts Ri. Grinlow. Nach ca. 3 km Ri. A53. Nach 2 km re zum CP.

Buxton, GB-SK17 9RP / East Midlands

Lime Tree Holiday Park Ltd
Duke's Drive
1 Mär - 31 Okt
+44 (0)1298-22988
@ info@limetreeparkbuxton.com
N 53°15'1'' W 1°53'51''

1 ADEJMNOPQRST		6
2 FOPSTUVWXY	BDEFGH	K 7
3 AK	BDFGIJMNQRST	8
4 FHIOPQ	EFI	9
5 BKL	BFHIMR	10
B 10A CEE		
	① €35,00	
H296 7 ha 125T(80-100m²) 54D	② €42,50	

Von Buxton A6 oder A515. Siehe Schilder.

Chelmorton, GB-SK17 9SG / East Midlands

Shallow Grange
A5270
1 Apr - 31 Okt
+44 (0)1298-23578
@ info@shallowgrange.com
N 53°13'31'' W 1°51'39''

1 AJMNOPQRT	N	6
2 FGPRTVX	ABDEFGH	7
3	ABEFGNQRTV	8
4 F		9
5 L	BJMPR	10
B 16A CEE		
	① €25,00	
2,5 ha 48T(75-100m²) 20D	② €32,50	

A515 Ashbourn-Buxton Ausfahrt Chelmorton auf die A5270. Nach ein paar Hundert Metern befindet links der CP.

Cromwell/Newark, GB-NG23 6JE / East Midlands

Caravan Site Club Site
Milestone*****
Great North Road
1 Jan - 31 Dez
+44 (0)1636-821244
@ enquiries@milestonepark.co.uk
N 53°8'59'' W 0°48'25''

1 AJMOPRST	N	6
2 ADOPRSVW	ABDEFGH	7
3 K	ABEFJNQRV	8
4 FH		9
5 K	BGHIKMORX	10
B 16A CEE		
	① €20,65	
7 ha 93T(100m²) 120D	② €33,40	

A1, Ausfahrt Cromwell, 8 km nördlich von Newark-on-Trent. Schildern folgen (nach 1 km ist der CP).

Derbyshire, GB-SK17 9TQ / East Midlands

Beech Croft Farm
Caravan Park
Blackwell-in-the-Peak nr Buxton
1 Jan - 31 Dez
+44 (0)1298-85330
@ mail@beechcroftfarm.co.uk
N 53°14'42'' W 1°48'55''

1 ADEJMNOPQRS		6
2 FPSTVWX	ABDEFGHK	7
3 A	ABCDEFJNQRTV	8
4 FK		9
5 ABKL	BEHJMOR	10
B 10-16A CEE		
	① €28,75	
1,5 ha 70T(64-150m²)	② €36,25	

Camping ist an der der A6 bei Blackwell zwischen Buxton und Bakewell angegeben.

Greetham/Oakham, GB-LE15 7NX / East Midlands 🛜 iD

- 🏕 Rutland Caravan & Camping | 1 AJMNOPRST | 6
- 🏠 Park Lane | 2 AGOPRSVW | ABDE**FG** 7
- 🅿 1 Jan - 31 Dez | 3 A**K** | ABEFJNQRSV 8
- ☎ +44 (0)1572-813520 | 4 F | 9
- @ info@ | 5 ABK | BHIJLM**N**O**P**R10
- rutlandcaravanandcamping.co.uk | B 16A CEE | ❶ €20,40
- 🧭 N 52°43'52'' W 0°37'53'' | H121 2 ha 142T(100m²) | ❷ €31,15

🚗 Von der A1 der B688 Richtung Greetham folgen. Vor dem Ort rechts, die Greatlane Straße, danach die 2. Straße links.

Hope (Derbyshire), GB-S33 6RR / East Midlands 🛜 iD

- 🏕 Laneside Caravan Park | 1 ACDEGJMNOPQRST | JN 6
- 🏠 A6187 | 2 CFOPSVX | ABDE**FG**H 7
- 🅿 14 Mär - 9 Nov | 3 E**K** | ABCDE**F**INQRSTV 8
- ☎ +44 (0)1433-620215 | 4 FH | J 9
- @ info@ | 5 ABKLM | ABFHJMOR10
- lanesidecaravanpark.co.uk | B 10A CEE | ❶ €32,20
- 🧭 N 53°20'43'' W 1°44'8'' | H154 20 ha 119T(100-200m²) 29D | ❷ €39,05

🚗 Von Hathersage die A6187 Richtung Chapel-en-le-Frith. Vor Hope liegt der CP auf der linken Seite.

Hubberts Bridge/Boston, GB-PE20 3QU / E. Midl. 🛜 iD

- 🏕 Orchard Park | 1 AJMNOPRST | N 6
- 🏠 Frampton Lane | 2 DOPRSVWXY | ABDE**FG**H 7
- 🅿 1 Jan - 31 Dez | 3 E**K** | ABCDEFJLNQRT 8
- ☎ +44 (0)1205-290328 | 4 OPQ | E 9
- @ info@orchardpark.co.uk | 5 BDGIKL | BJMOPR10
- | B 10A | ❶ €22,50
- 🧭 N 52°58'17'' W 0°6'21'' | 10,8 ha 87T(80-100m²) 328D | ❷ €22,50

🚗 Von der A52 und der A1121 von Grantham nach Boston. An beiden Straßen CP angezeigt.

Ingoldmells, GB-PE25 1JJ / East Midlands 🛜 iD

- 🏕 Green Acres T.& T. Site | 1 AJMNOPRST | KN 6
- 🏠 Boltons Lane | 2 CEGHOPX | ABDE**FG** 7
- 🅿 15 Mär - 31 Okt | 3 AB | ABEFJNQRV 8
- ☎ +44 (0)1754-872263 | 4 IOP | 9
- @ enquiries@ | 5 BDEGIK**L** | BHIJM**O**R10
- skegnesswaterleisurepark.co.uk | 10A CEE | ❶ €27,50
- 🧭 N 60°11'23'' E 0 20 18'' | 3,2 ha 180U(70-100m²) 100D | ❷ €27,50

🚗 Von Skegness der A52 folgen. Hinter Ingoldmells liegt der CP auf der linken Seite, gegenüber der Achterbahn.

Kings Clipstone, GB-NG21 9HW / East Midlands 🛜 iD

- 🏕 Sherwood Forest Holiday Park*** | 1 ADJMNOPRST | N 6
- 🏠 Gorsethorpe Lane | 2 ABCDPRVX | ABDE**FG**H 7
- 🅿 1 Jan - 31 Dez | 3 ABL | ABCDEFJNQRT 8
- ☎ +44 (0)1623-823132 | 4 FH | 9
- @ info@ | 5 KL | BEHIJM**O**PR10
- sherwoodforestholidaypark.co.uk | B 16A CEE | ❶ €25,00
- 🧭 N 53°11'6'' W 1°6'49'' | H70 9 ha 150T(80-100m²) 60D | ❷ €29,40

🚗 Von Ollerton die A6075 Richtung Mansfield. Durch Edwinstowe. Nach 4 km links ab. Dort ist der CP ausgeschildert. Richtung Old Clipstone. 2. Weg rechts (nicht: Sherwood Forest Farm!).

Lincoln, GB-LN3 5DF / East Midlands 🛜 iD

- 🏕 Barlings Country Holiday Park | 1 ACDEFGJMNOPRST | N 6
- 🏠 Barlings Lane | 2 BCDFGORSVWXY | ABDE**FG** 7
- 🅿 1 Jan - 31 Dez | 3 | ABEFJLMNPQRUV 8
- ☎ +44 (0)1522-753200 | 4 F | EV 9
- @ sean@ | 5 L | BFHIJMNOPR10
- barlingscountrypark.co.uk | 16A CEE | ❶ €22,50
- 🧭 N 53°16'13'' W 0°24'2'' | 12 ha 72T 1D | ❷ €22,50

🚗 Von Lincoln der A158 folgen. In Langworth rechts ab. Dem Schild 'Lakeside Park' folgen.

Mablethorpe, GB-LN12 2NU / East Midlands 🛜 iD

- 🏕 C. & C. Club Site Mablethorpe | 1 ACDJMNOPRST | 6
- 🏠 120 Church Lane | 2 PX | ABDE**FG**H 7
- 🅿 15 Mär - 31 Okt | 3 A | ABEFNQRSV 8
- ☎ +44 (0)1507-472374 | 4 | 9
- 📠 +44 (0)2476-475417 | 5 BKL | BIJMPR10
- | 16A | ❶ €21,80
- 🧭 N 53°19'50'' E 0°15'5'' | 1 ha 105T(60-90m²) | ❷ €32,70

🚗 Ab Louth die A16 und A157 Richtung Mablethorpe. An der Total Tankstelle rechts Church Lane, am Ende rechts.

Market Rasen, GB-LN8 3EA / East Midlands 🛜 iD

- 🏕 Market Rasen Racecourse | 1 ADJMNOPRT | 6
- 🏠 Legsby Road | 2 PRVW | ABDE**FG** 7
- 🅿 7 Mär - 13 Okt | 3 B**J** | ABEFJNQRV 8
- ☎ +44 (0)1673-842307 | 4 FH | 9
- @ annbarings@jockeyclub.com | 5 BK**L** | BHIJMPR10
- | 16A CEE | ❶ €13,65
- 🧭 N 53°22'46'' W 0°18'54'' | 0,1 ha 55T(80-55m²) 10D | ❷ €24,00

🚗 A46 Lincoln nach Market Rasen, bis zum Zentrum von Market Rasen. Ampel an der A631 geradeaus. Nach 500m ist der CP ausgeschildert.

Market Rasen, GB-LN8 3UN / East Midlands 🛜 iD

- 🏕 Walesby Woodlands | 1 AJMNOPRS**T** | 6
- Car. Park**** | 2 BPRSVX | ABDE**FGH**K 7
- 🏠 Walesby Road | 3 **K** | ABEFJNQRV 8
- 🅿 1 Mär - 31 Okt | 4 FH | 9
- ☎ +44 (0)1673-843285 | 5 IKL | IJMOR10
- walesbywoodlands@hotmail.co.uk | 10A CEE | ❶ €20,00
- | 1,5 ha 60T(80-100m²) | ❷ €26,25
- 🧭 N 53°24'7'' W 0°19'19''

🚗 Von Lincoln die A46 nach Market Rasen. Dort nimmt man die A631 Richtung Louth. Bei der Ampel links ab. Nach 2 km (CP-Schild) links ab. Nach 1 km (CP-Schild) wieder links abfahren.

Melton Mowbray, GB-LE14 2TD / East Midlands 🛜 iD

- 🏕 Eye Kettleby Lakes | 1 ADEJMNOPRST | N 6
- 🏠 Eye Kettleby Road | 2 DFPRSVW | ABD**FG**H 7
- 🅿 1 Jan - 31 Dez | 3 | ABCDEFJLMNPQRTUV 8
- ☎ +44 (0)1664-565900 | 4 FHINOQ | FU 9
- @ info@eyekettleby.com | 5 BEFGKLM | BEFHJMNO**T**U10
- | B 16A | ❶ €21,90
- 🧭 N 52°44'28'' W 0°54'48'' | H82 2 ha 61T(120-150m²) 12D | ❷ €37,50

🚗 Von der A1 Ausfahrt A607 Richtung Melton Mowbray. In Melton Mowbray Richtung Leicester Road. Weiter am Schild Great Dalby & EKL. links. Nach 1,6 km kommt die CP-Einfahrt.

Newhaven/Buxton (Derbyshire), GB-SK17 0DT / E. Midl. iD

- 🏕 Newhaven Caravan & | 1 ADJMNOPQRST | 6
- Camp. Park*** | 2 BOPRSTVXY | ABDE**FGH** 7
- 🅿 1 Mär - 15 Nov | 3 A | ABEFJNQRV 8
- ☎ +44 (0)1298-84300 | 4 I**P** | 9
- @ newhavencaravanpark@ | 5 ABKL | BFHIJRV10
- btconnect.com | B 16A CEE | ❶ €23,45
- 🧭 N 53°8'22'' W 1°44'50'' | H358 12 ha 125T(49-80m²) 73D | ❷ €23,45

🚗 Ashbourne die A515 Richtung Buxton. Nach 14 km Ausfahrt bei Newhaven rechts, die A5012. Hier ist der CP.

Northampton, GB-NN3 9DA / East Midlands 🛜 ✿

- 🏕 Billing Aquadrome | 1 CDEJMNOPQRST | **EFGH**N 6
- 🏠 Crow Lane Great Billing | 2 ACDGPRSWX | ABDE**FGH** 7
- 🅿 1/1 - 6/1, 6/2 - 31/12 | 3 ACEI**K**U | ABCDFHJNPQR 8
- ☎ +44 (0)1604-408181 | 4 DIMNO**PQ**Z | Y 9
- @ enquiries@aquadrome.co.uk | 5 ABDEGH,IK**LM** | BFGIK**P**DY10
- | B 16A CEE | ❶ €32,50
- 🧭 N 52°14'41'' W 0°48'49'' | 95 ha 1364T(50-100m²) 131D | ❷ €32,50

🚗 Ausfahrt 15 von der M1 und dann die A45 nach Northampton. Danach der Beschilderung des Billing Aquadrome folgen.

Skegness, GB-PE25 3TQ / East Midlands 🛜 iD

- 🏕 Richmond Holiday Centre | 1 ADJMOPRS | E 6
- 🏠 Richmond Drive | 2 GOPVX | AB**DEFGH** 7
- 🅿 1 Mär - 30 Nov | 3 ABE**K** | ABCDFJNQRSV 8
- ☎ +44 (0)1754-762007 | 4 IMO**PQS**I | E 9
- @ sales@richmondholidays.com | 5 CDEGIJKL | BHIKORYZ10
- | B 16A CEE | ❶ €21,25
- 🧭 N 53°8'11'' E 0°19'48'' | 20 ha 95T(80-100m²) 960D | ❷ €32,50

🚗 Von Boston A52. Ortseingang von Skegness, Einbahnstraße A52 Richtung Boston, dann direkt links Richtung Busbahnhof ca. 1 km weiter. CP-Schildern folgen.

Skegness, GB-PE25 1QZ / East Midlands 🛜 iD

- 🏕 Skegness Sands | 1 ADILOPR | EK 6
- 🏠 Winthorpe Avenue | 2 EGHOPSVW | ABE**FG** 7
- 🅿 1 Jan - 31 Dez | 3 A | ABCDEFJ**M**NQRTUV 8
- ☎ +44 (0)1754-761484 | 4 | 9
- @ info@skegness-sands.com | 5 K | BFHIK**O**P**R**10
- | B 16A CEE | ❶ €21,25
- 🧭 N 53°10'0'' E 0°20'59'' | 1,5 ha 55T(90-120m²) 30D | ❷ €32,05

🚗 A52 nach Skegness Richtung Mablethorpe. Hinterm Zentrum (ca. 2 km) ist der CP auf der rechten Seite.

Skegness, GB-PE25 1JF / East Midlands 🛜 iD

- 🏕 Skegness Water Leisure Park | 1 ADJMNOPRST | KNW 6
- 🏠 Walls Lane | 2 DEGHOPVX | ABDE**FG**H 7
- 🅿 5 Mär - 31 Okt | 3 B | ABCDFIJNQRSV 8
- ☎ +44 (0)1754-899400 | 4 Q | JV 9
- @ enquiries@ | 5 BDEGIK | BFGHIJLMOR10
- skegnesswaterleisurepark.co.uk | B 16A CEE | ❶ €27,50
- 🧭 N 53°10'37'' E 0°20'32'' | 71 ha 370T(100m²) 212D | ❷ €41,25

🚗 A52 von Skegness Richtung Ingoldmells. Braunen Schildern 'Water Leisure Park' folgen.

Skegness, GB-PE25 2LA / East Midlands 🛜 iD

- 🏕 Southview Leisure Park | 1 ADJMOPRS | EFGHN 6
- 🏠 Burgh Road | 2 DGOPSVX | ABDE**FG** 7
- 🅿 1 Jan - 31 Dez | 3 BE**JP** | ABCDFIJLMNQRSTUV 8
- ☎ +44 (0)1754-896000 | 4 IMO**PRST**U | 9
- @ holidays@ | 5 CDEGIJKL | BEFGHIKM**N**O**R**YZ10
- southview-leisure.com | B 16A CEE | ❶ €36,25
- 🧭 N 53°9'20'' E 0°18'25'' | 48 ha 98T(42-48m²) 880D | ❷ €55,00

🚗 A158 von Lincoln Richtung Skegness, durch Burgh la Marsh. Nach 5 km liegt der CP links (Wasserfälle).

Großbritannien

Sutton-on-Sea, GB-LN12 2RU / East Midlands 🛜 iD

▲ Cherry Tree Site	1 ADJMOPQR	6
🏠 Huttoft Road	2 GOPRSVX	ABDEFGH 7
📅 15 Mär - 31 Okt	3 K	ABCDEFJNQRTUV 8
☎ +44 (0)1507-441626	4	9
@ info@cherrytreesite.co.uk	5 KL	BGJMOPR10
	B 10A	❶ €23,15
📐 N 53°17'34'' E 0°7'4''	1,5 ha 60T(100m²) 20D	❷ €28,75

🚗 Von Sutton on Sea die A52 Richtung Skegness. Nach 2 km auf der linken Seite, braunes Schild.

Tattershall/Lincoln, GB-LN4 4JS / East Midlands iD

▲ Willow Holt C. & C.	1 AJMNOPRST	LN 6
🏠 Lodge Road	2 BDGQRSVX	ABFGH 7
📅 15 Mär - 31 Okt	3 E	ABFNQRV 8
☎ +44 (0)1526-343111	4	E 9
@ enquiries@willowholt.co.uk	5 KL	BGHIJMR10
	10A CEE	❶ €15,00
📐 N 53°7'17'' W 0°12'30''	10 ha 90T(80-100m²) 70D	❷ €25,00

🚗 A153 von Sleaford nach Horncastle, im Zentrum von Tattershall ist der CP ausgeschildert.

Teversal, GB-NG17 3JJ / East Midlands 🛜 iD

▲ Teversal Cp. and Car. Clubsite*****	1 ACDGJMNOPQRST	6
🏠 Silverhill Lane	2 AOPRSVWX	ABDEFGH 7
📅 1 Jan - 31 Dez	3 BEGHK	ABCDEFIJKNQRSTUV 8
☎ +44 (0)1623-551838	4 FH	AEF 9
@ teversal@	5 ABKL	BFGHIJLMNOR10
campingandcaravanningclub.co.uk	B 16A CEE	❶ €40,00
📐 N 53°8'55'' W 1°17'48''	H177 3 ha 126T(45-90m²) 3D	❷ €43,75

🚗 M1 Ausfahrt 29, Kreisel links Ri. A6175 (Clay Gross), 2. Kreisel links Ri. B6039 (Tibshelf), nach ca. 5 km Kreisel links Ri. B6014 (Mansfield). Am Carnavon Arms-Pub links Ri. Silverlane. Nach 300m ist CP links.

Tuxford, GB-NG22 0PY / East Midlands 🛜 iD

▲ Orchard Park Tour. C. & C. P. ***	1 ADJMNOPRST	6
🏠 Marnham Road	2 AOPRSWX	ABDEFGH 7
📅 4 Mär - 15 Nov	3 B	ABDEFJNQRV 8
☎ +44 (0)1777-870228	4	9
@ info@orchardcaravanpark.co.uk	5 BKL	ABFHIJMOPR10
	B 10A CEE	❶ €23,75
📐 N 53°13'45'' W 0°52'10''	3,2 ha 60T(80-100m²) 18D	❷ €27,50

🚗 A1 Ausfahrt Lincoln/Mansfield (Tuxford). In Tuxford ist der CP Orchard ausgeschildert.

West Ashby, GB-LN9 5PP / East Midlands iD

▲ Ashby Park	1 ADJMNOPR	N 6
📅 1 Mär - 30 Nov	2 GPRW	ABDEFGH 7
☎ +44 (0)1507-527966	3 JK	ABEFJNQRTV 8
@ ashbypark@btconnect.com	4	9
	5 KL	BFGHJMR10
	B 16A	❸ €27,00
📐 N 53°14'7'' W 0°7'35''	28 ha 120T(70-100m²) 83D	❷ €37,25

🚗 Von Lincoln die A158 Richtung Skegness. Vor Horncastle links. Den braunen Schildern folgen.

Woodhall Spa, GB-LN10 6QH / East Midlands 🛜 iD

▲ Petwood Caravan Park	1 ADEJMNOPQRST	6
🏠 Off Stixwould Road	2 OPRSVWX	ABFG 7
📅 1 Apr - 1 Nov	3 AK	ABEFGLNPQRSTUV 9
☎ +44 (0)1526-354799	4 FH	9
@ info@	5 BL	BFHIKMPR10
petwoodcaravanpark.co.uk	B 16A CEE	❸ €25,00
📐 N 53°9'28'' W 0°13'19''	6,5 ha 98T(56-90m²)	❷ €30,00

🚗 Auf der B1191 von Lincoln, links über die Kreisle, 2. Ausfahrt Zentrum nach 200m links Wood Hall Spa. Oder von Tettershall in Woodhall Spa durchfahren (200m) links.

Woodhall Spa, GB-LN10 6UJ / East Midlands iD

▲ Woodhall Country Park	1 ADEGJMNOPRS	N 6
🏠 Stixwould Road	2 BDPRSVWXY	ABFGH 7
📅 1 Mär - 30 Nov	3 K	ABCDFGIJLMNQRSTUV 8
☎ +44 (0)1526-353710	4 FH	BUV 9
@ info@	5 AB	ABEHIJMRZ10
woodhallcountrypark.co.uk	B 16A CEE	❶ €21,25
📐 N 53°9'41'' W 0°13'20''	123T(50-100m²) 47D	❷ €30,00

🚗 Von Woodhall Spa nach Stixwould (B1192). Der CP liegt etwa 1,5 km vom Kreisel in Woodhall Spa.

Worksop, GB-S80 3AE / East Midlands 🛜 iD

▲ The Caravan Club Clumber Park	1 ADJMOPRST	6
🏠 Lime Tree Av. Clumber Park	2 BPRSVXY	ABDEFGH 7
📅 1 Jan - 31 Dez	3 BE	ABCDEFJKNQRSV 8
☎ +44 (0)1909-484758	4 FH	9
📠 +44 (0)1909-479611	5 BKL	BEGHJPRXZ10
	B 16A CEE	❶ €23,50
📐 N 53°17'1'' W 1°3'26''	H50 8 ha 183T(bis 100m²)	❷ €33,40

🚗 Auf M1, Ausfahrt 31 zur A57 und dann 200m A614. Durch die Steinpforte. Nach 1,5 km Kreuzung, rechts und sofort wieder links abfahren.

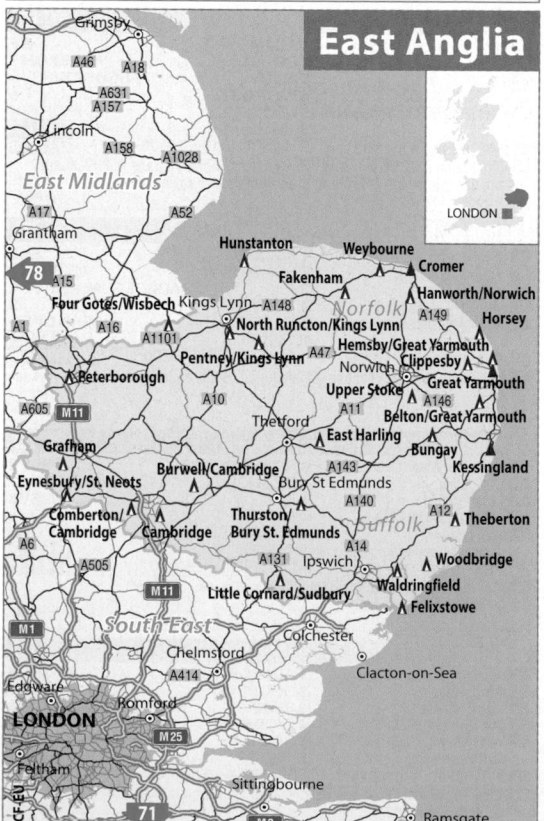

East Anglia

(Kartenausschnitt: Grimsby, A46, A18, A631, A157, Lincoln, A158, A1028, East Midlands, A17, A52, Grantham, **78** A15, Four Gotes/Wisbech, Kings Lynn, A148, A1, A16, A1101, Pentney/Kings Lynn, A47, Hunstanton, Fakenham, Weybourne, Cromer, Hanworth/Norwich, North Runcton/Kings Lynn, A149, Horsey, Hemsby/Great Yarmouth, Norwich, Clippesby, Great Yarmouth, Upper Stoke, A11, A146, Belton/Great Yarmouth, Peterborough, A10, Thetford, East Harling, A605, M11, Grafham, A143, Bungay, Kessingland, Burwell/Cambridge, Eynesbury/St. Neots, Bury St Edmunds, A140, Comberton/Cambridge, Thurston, Suffolk, A12, Theberton, A6, Cambridge, Bury St. Edmunds, A14, A505, A131, Ipswich, Woodbridge, M11, Waldringfield, Little Cornard/Sudbury, Felixstowe, M1, South-East, Colchester, Chelmsford, Clacton-on-Sea, Edgware, A414, Romford, LONDON, M25, Feltham, Sittingbourne, CF-EU, **71**, M2, Ramsgate)

(Übersichtskarte: LONDON)

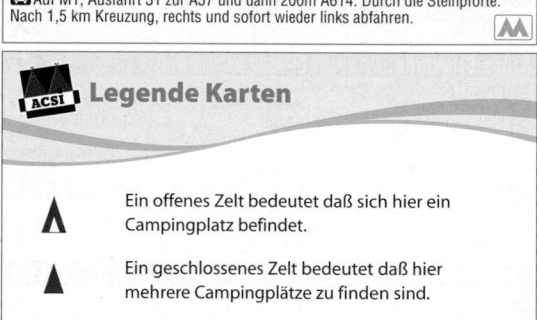

Legende Karten

ACSI

▲	Ein offenes Zelt bedeutet daß sich hier ein Campingplatz befindet.
▲	Ein geschlossenes Zelt bedeutet daß hier mehrere Campingplätze zu finden sind.
▲ ▲	Campingplätze die CampingCard ACSI akzeptieren.
70	Auf dieser Seite finden Sie das Teilgebiet.
73	Pfeile mit Seitenangaben am Kartenrand verweisen auf angrenzende Gebiete.
LONDON	Die Übersichtskarte des betreffenden Landes und im welchen Teilgebiet Sie sich befinden.

Belton/Great Yarmouth, GB-NR31 9NB / East Anglia 🛜 ❀

▲ Wild Duck****	1 DEJMNOQRST	ABEFH 6
🏠 Howard's Common	2 BGOPVWXY	ABDEFGH 7
📅 3 Apr - 30 Okt	3 ABEIKMNPQR	ABCDEFJNQRSV 8
☎ +44 (0)1493-780268	4 BCDILMOPQRT	EUVY 9
📠 +44 (0)1493-782308	5 ACDEGIKL	BCJORY10
	B 16A CEE	❶ €73,75
📐 N 52°33'50'' E 1°39'9''	54 ha 121T(80-120m²) 518D	❷ €73,75

🚗 Von Great Yarmouth die A143. Richtung Beccles nach etwa 4 km rechts CP-Schild Richtung Belton und Burgh Castle bis zur T-Kreuzung rechts der Straße folgen bis T-Kreuzung, links nach 300m rechts. CP angezeigt.

Bungay, GB-NR35 1HG / East Anglia

- Outney Meadow Park*** — 1 ADEJMNOPQRT — JNX 6
- Outney Meadow — 2 CDGOPSWXY — ABDEFGH 7
- 1 Mär - 30 Okt — 3 J — ABFNQRV 8
- +44 (0)1986-892338 — 4 FH — PQV 9
- c.r.hancy@ukgateway.net — 5 BKL — BFGIJMOR10
- 10A CEE
  - ① €27,50
  - ② €35,00
- N 52°27'37'' E 1°25'59'' — 2,5 ha 60T(80-100m²) 18D

Der CP liegt an der A143, am Kreisverkehr zum Dorf Bungay.

Burwell/Cambridge, GB-CB5 0BP / East Anglia

- Cambridge Stanford Park**** — 1 JMNOPQRT — 6
- Weirs Drove — 2 APSWXY — ABDEFGH 7
- 1 Jan - 31 Dez — 3 K — ABEFNQRV 8
- +44 (0)1638-741547 — 4 FH — 9
- enquiries@ — 5 KL — BFHJMR10
- stanfordcaravanpark.co.uk — 10-16A CEE
  - ① €20,00
- N 52°16'26'' E 0°18'53'' — 8 ha 150T(80-130m²)

Von Burwell ist der CP ausgeschildert. Liegt westlich von Burwell ca. 1,3 km in Richtung Reach. In der Ortsmitte ist der CP asugeschildert.

Cambridge, GB-CB1 8NQ / East Anglia

- Cherry Hinton — 1 DFJMNOPQR
- Lime Kiln Road — 2 ABOPSUVXY — ABDEFG 7
- 1 Jan - 31 Dez — 3 K — ABCDEFHJMNQRSV 8
- +44 (0)1223-244088 — 4 H — 9
- +44 (0)1223-301973 — 5 ABKL — BEGHJMORZ10
- B 16A CEE
  - ① €30,25
  - ② €37,00
- N 52°10'52'' E 0°10'6'' — 2,2 ha 56T(100-120m²) 47D

Von Fulbown Beschilderung Ri. Cambridge folgen. Nach ca. 2,5 km Kreisverkehr, hier Cambridge/Trumpington. Nach 800m bei Ampel links Ri. Trumpington/ Shelford. Nach 150m links, Lime Kiln Road. CP liegt nach 200m links.

Clippesby, GB-NR29 3BL / East Anglia

- Clippesby Hall***** — 1 DEJMNOPQRST — ABFX 6
- 1 Jan - 31 Dez — 2 ABGPSTVWXY — ABDEFGH 7
- +44 (0)1493-367800 — 3 BEILMR — ABCDEFJNQRSTUV 8
- holidays@clippesby.com — 4 BCDEFHIMNPQ — IJV 9
- 5 ADDEIKL — BFJNQRX10
- B 10-16A CEE
  - ① €48,75
  - ② €56,25
- N 52°40'19'' E 1°35'12'' — 13,8 ha 124T(110m²) 15D

A47 Norwich-Great Yarmouth. In Acle A1064 nach Filby. Vor Billockby links die B1152. CP-Schildern Clippesby folgen.

Comberton/Cambridge, GB-CB23 7DG / East Anglia

- Highfield Farm Touring Park***** — 1 ADJMNOPQRST
- Long Road — 2 AOPSVWXY — ABDEFGH 7
- 1 Apr - 1 Nov — 3 AK — ABCDEFHJNQRV 8
- +44 (0)1223 262308 — 4 FH — 9
- enquiries@ — 5 ABKL — BFGHIJMPR10
- highfieldfarmtouringpark.co.uk — 10A CEE
  - ① €30,00
  - ② €36,25
- N 52°11'42'' E 0°2'0'' — 3 ha 120T(80-120m²)

M11, Ausfahrt 12, A603 Ri. Sandy nach ca. 800m. B1046 Richtung Comberton. Von A14 die A1303/A428 Richtung Bedford. Nach 5 km am Kreisverkehr in Comberton ausgeschildert.

Cromer (Norfolk), GB-NR27 0JR / East Anglia

- Forest Park Caravan Site*** — 1 ADEJMNOPQRST — EFX 6
- Northrepps Road — 2 BHPVWX — ABDEFGH 7
- 1/1 - 13/1, 14/3 - 31/12 — 3 BKL — ABEFJNQRSV 8
- +44 (0)1263-513290 — 4 BCDFIOPQ — FJ 9
- forestpark@netcom.co.uk — 5 ACDEGJKL — BFGHIKNRXY10
- B 10-16A CEE
  - ① €31,25
  - ② €40,00
- N 52°54'51'' E 1°19'12'' — 40,5 ha 255T(bis 100m²) 130D

Von Norwich A140, gegenüber der Bushaltestelle mit dem Schild Northrepps rechts, nach 50m links. Schildern 'Forest Park' folgen. Am Straßenende links, nach 50m CP auf der rechten Seite.

Cromer (Norfolk), GB-NR27 9NH / East Anglia

- Seacroft — 1 DEJMNOPQRST — ABFK 6
- Caravan Club Site**** — 2 EGJOPSTVX — ABDEFG 7
- Runton Road — 3 BK — ABDEFNQRSUV 8
- 25 Mär - 31 Dez — 4 BCDIOQ — 9
- +44 (0)1263-514938 — 5 BEGIJKL — BEGHJMOPRXZ10
- seacroftcamping@aol.com — B 16A CEE
  - ① €49,40
  - ② €59,40
- N 52°56'1'' E 1°16'45'' — 3 ha 125T(80-100m²)

Aus Cromer der A149 Richtung Sheringham folgen. Nach ca. 1,2 km links der Straße. Von Sheringham der A149 Richtung Cromer folgen. Nach 6,5 km rechts ab.

Cromer (Norfolk), GB-NR27 9PX / East Anglia

- Woodhill Park***** — 1 DEJMNOPQRST — KNX 6
- East Runton — 2 EFGHOPSTVW — ABDEFGH 7
- 1 Mär - 30 Nov — 3 BEGHIJKLMQ — ABCDEFGIJNQRSTUV 8
- +44 (0)1263-512242 — 4 F — 9
- info@woodhill-park.com — 5 ABKL — BHJMORVZ10
- B 16A CEE
  - ① €26,45
  - ② €29,80
- N 52°56'12'' E 1°15'44'' — 15,4 ha 250T(80-100m²) 16D

Von Cromer der A149 Richtung Sheringham. 2,5 km nach Cromer liegt der CP hinter East Runton auf der rechten Straßenseite.

East Harling, GB-NR16 2SE / East Anglia

- The Dower House**** — 1 DEJMNOPQRT — ABF 6
- Thetford Forest — 2 BPVWXY — ABDEFGH 7
- 25 Mär - 2 Okt — 3 ABEL — ABFNQRSV 8
- +44 (0)1953-717314 — 4 FHOQ — 9
- info@dowerhouse.co.uk — 5 ABGKL — ABJMPR10
- B 10A CEE
  - ① €35,65
  - ② €41,90
- N 52°25'40'' E 0°53'44'' — H50 8 ha 150T(80-150m²)

A1066 Richtung East Harling, CP weiter ausgeschildert.

Eynesbury/St. Neots, GB-PE19 2PR / East Anglia

- St. Neots C. & C. Club — 1 ADJMNOPQRT — JNX 6
- Hardwick Road — 2 ACPRSVWX — ABDEFGH 7
- 1 Apr - 31 Okt — 3 — ABCDEFJNQRSV 8
- +44 (0)1480-474404 — 4 FH — 9
- st.neots.site@ — 5 BKL — BHIJOR10
- thefriendlyclub.co.uk — B 16A CEE
  - ① €33,75
  - ② €46,65
- N 52°13'13'' W 0°16'27'' — 4 ha 180T(80-150m²) 52D

A1 in der Nähe von St. Neots Ausfahrt A428/A45 Richtung Cambridge. Hinterm Kreisverkehr abfahren nach Eynesbury. Danach ausgeschildert.

Fakenham, GB-NR21 0NL / East Anglia

- The Old Brick Kilns — 1 DEJMNOPQR — NX 6
- Little Barney Lane — 2 BPSUVXY — ABDEFGH 7
- 15 Mär - 15 Dez — 3 AKL — ABCDEFJNQRSTUV 8
- +44 (0)1328-878305 — 4 FHIOQ — FG 9
- enquiries@ — 5 ACJKL — BEFGHJMPR10
- old-brick-kilns.co.uk — B 16A CEE
  - ① €28,75
  - ② €36,25
- N 52°51'28'' E 0°58'35'' — H80 5,2 ha 90T(36-100m²) 7D

Von Fakenham die A148, Ausf. Barney re. ab, der B1354 folgen. Von Cromer der A148 folgen bis zur Ausf. Barney li-ab der B1354 folgen. Nach 300m re. ab, nach 600m li. ab, nach 700m CP-Einfahrt. Alles ausgeschildert.

Felixstowe, GB-IP11 2HB / East Anglia

- Peewit Caravans Ltd**** — 1 DJMNOPQRT — 6
- Walton Avenue — 2 JPRSVWXY — ABDEFGH 7
- 1 Apr - 31 Okt — 3 ABKLQ — ABFJKNQRV 8
- +44 (0)1394-284511 — 4 Q — E 9
- peewitpark@aol.com — 5 KL — DIJKMOR10
- B 10A CEE
  - ① €24,40
  - ② €24,40
- N 51°57'17'' E 1°19'47'' — 5,2 ha 45T(100-120m²) 212D

In Felixstowe kommend von Ipswich, die A14 Richtung Docks fahren. Beim 1. Kreisverkehr geradeaus. Bootsverbindung für Fahrräder zwischen Harwich und Felixstowe.

Four Gotes/Wisbech, GB-PE13 5PH / East Anglia

- Parklands — 1 ADEJMNOPRST — ABN 6
- Sutton Road — 2 CGPVX — ABDF 7
- 15 Mär - 15 Okt — 3 BIKL — ABEFJNQR 8
- +44 (0)1945-420505 — 4 HINOQ — E 9
- enquiries@ — 5 ABEGKL — KMNPRW10
- parklandsholidays.co.uk — 16A CEE
  - ① €23,75
  - ② €31,25
- N 52°43'59'' E 0°8'49'' — 2 ha 58T(bis 100m²) 2D

Von Wisbech die A1101 Ri. Long Sutton. 750m hinter Four Gotes liegt der CP re. Von Long Sutton auf dem Kreisel der A17, die A1101 nach Wisbech nehmen. 180m hinter dem Ortsende Tydd Gote und einer Brücke den CP li.

Grafham, GB-PE28 0BB / East Anglia

- Grafham Water**** — 1 DJMNOPQRT — ABN 6
- Church Road — 2 GPRSVWXY — ABDEFG 7
- 1 Mär - 4 Nov — 3 A — ABCDEFHJNQRSV 8
- +44 (0)1480-810264 — 4 FH — 9
- grafhamwater@ — 5 ABK — BCHKMPRZ10
- caravanclub.co.uk — B 16A CEE
  - ① €32,00
  - ② €39,25
- N 52°18'37'' W 0°18'16'' — 2,4 ha 61T(80-100m²)

Von London A1 Richtung Norden, hinter St. Neots bis Buckden. Hier B661, 1,5 km folgen. Danach rechts (2 km) bis Grafham. Hier ausgeschildert.

Great Yarmouth, GB-NR29 3SR / East Anglia

- Scratby Hall Caravan Park**** — 1 DEJMNOPQRT — ABX 6
- Thoroughfare lane — 2 OPVWX — ABDEFGH 7
- 30 Mär - 30 Sep — 3 AK — ABEFNQRSTUV 8
- +44 (0)1493-730283 — 4 — 9
- scratbyhall@aol.com — 5 ABKL — BEHJOR10
- B 10-16A CEE
  - ① €32,50
  - ② €32,50
- N 52°40'48'' E 1°41'52'' — 7,2 ha 118T(100-120m²)

Von Great Yarmouth der A149 bis zum 2. Kreisel bei Caister-on Seadie folgen. Der B1159 Richtung Hemsby. Der CP-Beschilderung 'Scratby Hall' folgen. Nach ± 2,5 km ab. CP liegt links.

Great Yarmouth, GB-NR30 1TB / East Anglia

- Vauxhall Holiday Park**** — 1 DEHKNOPQRS — EFHI 6
- Acle New Road — 2 GOPSVW — ABEFGH 7
- 2/4 - 10/4, 14/5 - 20/9 — 3 ABCEILMPU — ABEFNQRSTUV 8
- +44 (0)1493-857231 — 4 BCDIJMNOPQRSTXZ — EFILUVY 9
- info@vauxhallholidays.co.uk — 5 ACDEFHIKL — BEHKPRVX10
- B 16A CEE
  - ① €55,00
  - ② €55,00
- N 52°37'7'' E 1°42'59'' — 47 ha 200T(90-140m²) 899D

Von Norwich der A47 Richtung Great Yarmouth folgen. Vor Great Yarmouth links der Straße. CP ist ausgeschildert.

Hanworth/Norwich, GB-NR11 7HN / East Anglia

- Deer's Glade Car. & Camp. Park
- White Post Road
- 1 Jan - 31 Dez
- +44 (0)1263-768633
- info@deersglade.co.uk
- N 52°51'22'' E 1°17'33''

#	Codes		
1	DEJMNOPQRST	NX	6
2	BFPSVW	ABDEFGHK	7
3	AEK	ABCDEFGIJNQRS	8
4	FHK	FV	9
5	ABKL	BEHKOST	10
B	16A CEE		

4 ha 125T(bis 120m²) 33D — ① 23,15 ② 28,15

Ab Norwich die A140 Richtung Cromer. 8 km hinter Aylsham rechts Richtung Suffield. CP angezeigt mit grünem Schild 'White Post Road'. Nach 800m rechts.

Hemsby/Great Yarmouth, GB-NR29 4NW / East Anglia

- Newport Caravan Park***
- Newport Road
- 28 Mär - 31 Okt
- +44 (0)1493-730405
- newportcaravanpark@connect.com
- N 52°41'29'' E 1°42'14''

#	Codes		
1	DEHKNORT		6
2	OPVWX	DEFGH	7
3	A	ABEFNQRV	8
4	BCDNPQ	E	9
5	ACDEGHIKL	BHKORWH	10
B	16A CEE		

① 26,90 ② 26,90

Von Great Yarmouth A149 nach Caister. B1159 Richtung Hemsby, Ausfahrt Newport. Hier ist der CP ausgeschildert.

Horsey, GB-NR29 4EJ / East Anglia

- Waxham Sands Holiday Park
- Warren Farm
- 15 Mai - 4 Okt
- +44 (0)1692-598325
- FAX +44 (0)1692-598361
- N 52°45'27'' E 1°38'8''

#	Codes		
1	DEJMNOPQRST	KNQX	6
2	EGHPQVWX	ABDEFGH	7
3	BEFI	ABEFNQRV	8
4			9
5	ABDEKLM	BKMRWX	10
B	6A CEE		

16,2 ha 210T(bis 100m²) — ① 22,50 ② 22,50

Von Cromer A149 Ri. Great Yarmouth. In Stalham B1151 und B1159 Ri. Sea Palling. In Sea Palling Ri. Waxham. Hinter Waxham nach 3 km CP-Einfahrt links. Diesem Weg bis zur Rezeption folgen.

Hunstanton, GB-PE36 5BB / East Anglia

- Searles of Hunstanton*****
- South Beach
- 1/1 - 24/12, 26/12 - 31/12
- +44 (0)1485-534211
- bookings@searles.co.uk
- N 52°55'50'' E 0°28'59''

#	Codes		
1	DEJMNOPQRST	ABEFHKNQSWXY	6
2	EGHOPQRSVWX	ABDEFGH	7
3	BCEIJKLMNPQ	ABCDEFJNQRSTUV	8
4	ABCDEILOPQRTUXZ	EFVY	9
5	ACDEGIKL	BEGHMNOPRVYZ	10
B	10-16A CEE		

20,2 ha 316T(80-130m²) 190D — ① 66,25 ② 66,25

Von King's Lynn die A149 bis Hunstanton. Erster Kreisverkehr links Richtung South-Beach, weiterfahren bis zum zweiten Kreisverkehr, geradeaus und nach 15m links. CP am ersten Kreisverkehr ausgeschildert.

Kessingland, GB-NR33 7SL / East Anglia

- C. & C. Club Site Kessingland
- Whites Lane
- 25 Mär - 6 Nov
- +44 (0)1502-742040
- N 52°25'9'' E 1°42'20''

#	Codes		
1	ADJMNOPQRT		6
2	OPRWX	ABDEFGH	7
3	AK	ABCDFIKNQRSV	8
4	FH		9
5	BKL	BMOR	10
B	16A CEE		

2,5 ha 90T(bis 90m²) — ① 40,30 ② 55,70

Von Süden aus in den 2. Kreisel Kessingland, dann den Schildern 'Africa Wildlife' folgen. Achtung: hier ist der CP nicht angezeigt.

Kessingland, GB-NR33 7PJ / East Anglia

- Heathland Beach Caravan Park Ltd*****
- London Road
- 1 Apr - 31 Okt
- +44 (0)1502-740337
- heathlandbeach@btinternet.com
- N 52°25'45'' E 1°43'24''

#	Codes		
1	ADILNOPQRT	ABFGHKN	6
2	EGHIJOPQVWX	ABDEFGH	7
3	ABEKLM	ABFJNQRST	8
4	BFHOQ		9
5	ABDEGKL	BEHJMPRVX	10
B	12A CEE		

4,5 ha 64T(120-150m²) 236D — ① 33,75 ② 38,75

A12, Ausfahrt Kessingland. Ausgeschildert.

Little Cornard/Sudbury, GB-CO10 0NN / East Anglia

- Willowmere Camp. Park
- Bures Road
- 3 Apr - 31 Okt
- +44 (0)1787-310422
- awillowmere@aol.com
- N 52°1'1'' E 0°44'49''

#	Codes		
1	JMNOPQRT	N	6
2	PVW	ABDEFGH	7
3	K	ABEFNQRSV	8
4			9
5	L	BJR	10
	12A CEE		

H50 1,1 ha 33T(80-100m²) — ① 21,90 ② 21,90

CP liegt an der B1508 und in Sudbury gut ausgeschildert. Von Colchester A134 Richtung Sudbury. Ab dem Kreisverkehr in Sudbury CP gut ausgeschildert.

North Runcton/Kings Lynn, GB-PE33 0RA / E. Anglia

- Kingslynn Caravan and Camping Park
- New Road
- 1 Jan - 31 Dez
- +44 (0)1553-840004
- klcc@btconnect.com
- N 52°43'16'' E 0°26'6''

#	Codes		
1	ADJMNOPQRST		6
2	AOPVWX	ABDEFGH	7
3	A	ABCDEFIJNQRSV	8
4		FJ	9
5	ABKL	BGHKPR	10
B	16A CEE		

4,5 ha 150T(bis 100m²) 12D — ① 22,50 ② 30,00

Ab King's Lynn die A47 Ri. Swaffham. Nach 1,7 km rechts nach North Runcton. Nach 300m CP links. Von Norwich die A47 Ri. King's Lynn bis Ausfahrt North Runcton. Links. Nach 300m CP links.

Pentney/Kings Lynn, GB-PE32 1HU / East Anglia

- Pentney Park C.& C. Site***
- Main Road
- 1/1 - 14/1, 13/2 - 31/12
- +44 (0)1760-337479
- holidays@pentney-park.co.uk
- N 52°41'50'' E 0°34'37''

#	Codes		
1	DEJMNOPQRST	ABEX	6
2	BPRSVXY	ABDEFGH	7
3	BL	ABCDEFJLNQRSV	8
4	OQRTU	EF	9
5	ABCEGIKL	ABFGHKMNPR	10
B	10-16A CEE		

6,5 ha 200T(100-150m²) 4D — ① 25,40 ② 35,25

Von King's Lynn A47 Ri. Norwich. Nach 15 km beim Schild 'Camping' links auf die B1153 und direkt links liegt der CP. Von Norwich am 'Camping' Schild rechts auf die B1153. CP liegt direkt hinter der Kreuzung links.

Peterborough, GB-PE2 5UU / East Anglia

- Ferry Meadows Caravan Club*
- Ham Lane
- 1 Jan - 31 Dez
- +44 (0)1733-233526
- FAX +44 (0)1733-239880
- N 52°33'37'' W 0°18'22''

#	Codes		
1	ADJMNOPRST		6
2	BOPRSVX	ABDEFGH	7
3	AK	ABCDEFJKNQRSV	8
4			9
5	BKL	BEHIJOPRXZ	10
B	16A CEE		

12 ha 258T(80-120m²) — ① 23,50 ② 33,40

A1 Nord oder A1 Süd Ausfahrt Showground, 3 Kreisel hintereinander, dann links Nene Park. Den CP-Schildern folgen.

Theberton, GB-IP16 4TE / East Anglia

- Cakes and Ale Park
- Abbey Lane
- 1 Apr - 31 Okt
- +44 (0)1728-831655
- reception@cakesandale.co.uk
- N 52°13'13'' E 1°33'47''

#	Codes		
1	ADEJMNOPQRT		6
2	PRSVWX	ABDEFG	7
3	BEKLMQ	ABCDEFGIJLMNQRTU	8
4	FHOQ	J	9
5	BGKL	BHJNPR	10
B	10A CEE		

12 ha 55T(100-150m²) 182D — ① 35,00 ② 52,50

CP wird auf der B1119 zwischen Saxmundham und Leiston ausgeschildert. Beim Schild links über den Bahnübergang und danach direkt rechts. Weiter Schildern folgen.

Thurston/Bury St. Edmunds, GB-IP31 3RB / East Anglia

- The Dell Caravan & Camp. Park***
- Beyton Road
- 1 Mär - 31 Okt
- +44 (0)1359-270121
- thedellcaravanpark@btconnect.com
- N 52°14'27'' E 0°52'25''

#	Codes		
1	DEJMNOPQRT		6
2	APRSVWX	ABDEFGH	7
3		ABCDEFIJKNQRSV	8
4	FH		9
5	KL	BFHLMPR	10
B	10A CEE		

H50 3 ha 50T(90-140m²) — ① 25,00 ② 32,50

A14 zwischen Ipswich und Bury St. Edmunds Ausfahrt Thurston fahren. Der CP liegt 1 km von der A14 entfernt und ist ausgeschildert.

Upper Stoke, GB-NR14 8NG / East Anglia

- Broadlands Naturistencamping***
- Brickle Road
- 1 Mär - 31 Okt
- +44 (0)1508-492907
- holidays@broadlandsun.co.uk
- N 52°34'9'' E 1°19'31''

#	Codes		
1	DEJMNOQRT	EN	6
2	ABGPY	ABDEFGH	7
3	BELMQ	ABEFGJNQRV	8
4	IOQRT	DK	9
5	DH	BJPRV	10
FKK	B 16A CEE		

9,7 ha 40T(80-100m²) 95D — ① 28,80 ② 28,80

Auf der B1332 in Poringland am Kreisel Railway Taverne Richtung Upper Stoke (Stoke Load). An der Telefonzelle links Richtung Shotesham All Saints. Nach 275m links bis zum Schlagbaum.

Waldringfield, GB-IP12 4PP / East Anglia

- The Moon and Sixpence Park
- Newbourn Road
- 1 Apr - 31 Okt
- +44 (0)1473-736650
- info@moonandsixpence.eu
- N 52°3'44'' E 1°17'56''

#	Codes		
1	DEJMOPQR		6
2	BDGHPSUVWXY	ABDEFGH	7
3	BEFJLMQ	ABCDEFGHIJLMNQRTUV	8
4	FO		9
5	ABEGIKL	BEFHIKMOR	10
	5A CEE		

35 ha 50T 225D — ① 31,25 ② 62,50

Von der A12 Kreisel nach Waldringfield, CP ausgeschildert.

Weybourne, GB-NR25 7HW / East Anglia

- Kelling Heath Holiday Park*****
- Sandy Hill Lane
- 8 Feb - 8 Dez
- +44 (0)1263-588181
- info@kellingheath.co.uk
- N 52°55'44'' E 1°8'59''

#	Codes		
1	DEJMNORST	ABEFN	6
2	BGOPQVWXY	ABDEFGH	7
3	ABEGLMQ	ABCDEFJNQRS	8
4	BCDEFHILOPQRTUV	EJV	9
5	ACDEGJKL	BGJMPRZ	10
B	10A CEE		

101 ha 300T(100-180m²) 82D — ① 43,65 ② 43,65

Von Cromer A148 bis nach Bodham. Re CP-Schild 'Kelling Heath' folgen. Von Norwich A148 bis vor Bodham. Li CP-Schild 'Kelling Heath' folgen. Die Einfahrt liegt nach ungefähr 2,5 km an der T-Kreuzung li. Eingang Rezeption re.

Woodbridge, GB-IP12 3NF / East Anglia

- Forest Camping Limited***
- Rendlesham Forest
- 1 Apr - 31 Okt
- +44 (0)1394-450707
- admin@forestcamping.co.uk
- N 52°5'3'' E 1°26'12''

#	Codes		
1	DJMNOPQRT		6
2	BPQVWXY	ABDEFGH	7
3	A	ABFJNQRV	8
4	FH		9
5	ABKL	BCJST	10
B	10A CEE		

2,8 ha 40T(60-100m²) — ① 22,50 ② 31,25

A12 Ipswich nach Lowestoft die Ausfahrt hinter Woodbridge nehmen, A1152 Richtung Orford fahren. An der B1084, nach 8 km rechts ab zum CP.

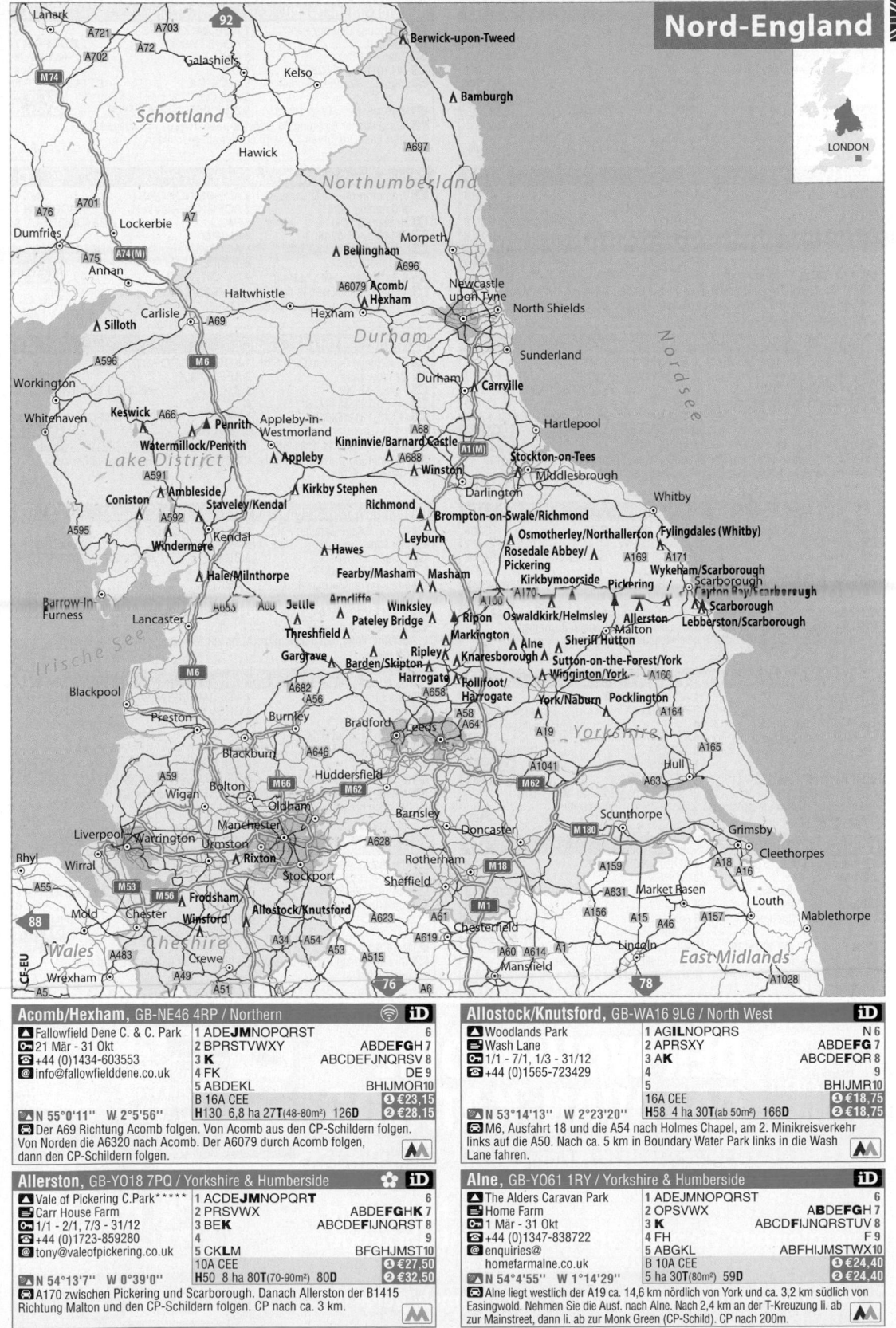

Acomb/Hexham, GB-NE46 4RP / Northern 📶 iD

	1 ADE**JM**NOPQRST	6
🏕 Fallowfield Dene C. & C. Park	2 BPRSTVWXY	ABDE**FGH**7
🕐 21 Mär - 31 Okt	3 **K**	ABCDEFJNQRSV 8
☎ +44 (0)1434-603553	4 FK	DE 9
@ info@fallowelldene.co.uk	5 ABDEKL	B**H**IJMOR10
	B 16A CEE	① € 23,15
	H130 6,8 ha 27**T**(48-80m²) 126**D**	② € 28,15

📷 **N 55°0'11'' W 2°5'56''**
🚗 Der A69 Richtung Acomb folgen. Von Norden die A6320 nach Acomb. Der A6079 durch Acomb folgen, dann den CP-Schildern folgen.

Allerston, GB-YO18 7PQ / Yorkshire & Humberside ✿ iD

	1 ACDE**JM**NOPQR**T**	6
🏕 Vale of Pickering C.Park*****	2 PRSVWX	ABDE**FGH**K 7
🏕 Carr House Farm	3 BE**K**	ABCDEF**I**JNQRST 8
🕐 1/1 - 2/1, 7/3 - 31/12	4	9
☎ +44 (0)1723-859280	5 CK**L**M	BFGHJMST10
@ tony@valeofpickering.co.uk	10A CEE	① € 27,50
	H50 8 ha 80**T**(70-90m²) 80**D**	② € 32,50

📷 **N 54°13'7'' W 0°39'0''**
🚗 A170 zwischen Pickering und Scarborough. Danach Allerston der B1415 Richtung Malton und den CP-Schildern folgen. CP nach ca. 3 km.

Allostock/Knutsford, GB-WA16 9LG / North West iD

	1 AG**IL**NOPQRS	N 6
🏕 Woodlands Park	2 APRSXY	ABDE**FG** 7
🏕 Wash Lane	3 A**K**	ABCDE**F**QR 8
🕐 1/1 - 7/1, 1/3 - 31/12	4	9
☎ +44 (0)1565-723429	5	B**H**IJMR10
	16A CEE	① € 18,75
	H58 4 ha 30**T**(ab 50m²) 166**D**	② € 18,75

📷 **N 53°14'13'' W 2°23'20''**
🚗 M6, Ausfahrt 18 und die A54 nach Holmes Chapel, am 2. Minikreisverkehr links auf die A50. Nach ca. 5 km in Boundary Water Park links in die Wash Lane fahren.

Alne, GB-YO61 1RY / Yorkshire & Humberside iD

	1 ADE**J**MNOPQRST	6
🏕 The Alders Caravan Park	2 OPSVWX	AB**D**E**FGH**7
🏕 Home Farm	3 **K**	ABCD**F**IJNQRSTUV 8
🕐 1 Mär - 31 Okt	4 FH	F 9
☎ +44 (0)1347-838722	5 ABGKL	ABFHIJMSTWX10
@ enquiries@	B 10A CEE	① € 24,40
homefarmalne.co.uk	5 ha 30**T**(80m²) 59**D**	② € 24,40

📷 **N 54°4'55'' W 1°14'29''**
🚗 Alne liegt westlich der A19 ca. 14,6 km nördlich von York und ca. 3,2 km südlich von Easingwold. Nehmen Sie die Ausf. nach Alne. Nach 2,4 km an der T-Kreuzung li. ab zur Mainstreet, dann li. ab zur Monk Green (CP-Schild). CP nach 200m.

Ambleside, GB-LA22 0HX / Northern 🛜 iD

🏕 Skelwith Fold Caravan Park	1 ADEJMOPQRS	**X** 6
🚪 1 Mär - 15 Nov	2 BOSVWXY	ABDEF**GH** 7
☎ +44 (0)15394-32277	3 BE**KL**	ABCDFJLNQRSV 8
@ info@skelwith.com	4	9
	5 ABCKLM	BEFGHIK**NPR**10
	B 16A CEE	❶ €45,65
📷 N 54°24'49'' W 2°59'4''	H100 97**T**(64-150m²) 28**D**	❷ €45,65

🗺 Von Ambleside die A593 Ri. Coniston (Vorsicht in der Kurve an der schmalen Brücke), etwa 500m weiter li. die B2586 nach Hawkshead (nach unten über die schmale Brücke) und die Einfahrt des CP's liegt dann ± 1 km weiter an der rechten Seite.

Appleby, GB-CA16 6EJ / Northern 🛜 iD

🏕 Wild Rose Park*****	1 ACDE**JM**OPQRST	ABF 6
🏕 Ormside	2 FGRSTVWXY	ABDE**FGH** 7
🚪 1 Jan - 31 Dez	3 AB**KL**	ABCDEFJNQRSTUV 8
☎ +44 (0)17683-51077	4 DFIO**PQ**	EFW 9
@ reception@wildrose.co.uk	5 ACEFJKL**M**	BEFGHIKM**NPR**X10
	B 10A CEE	❶ €43,75
📷 N 54°32'44'' W 2°28'12''	H200 16 ha 151**T**(56-100m²) 110**D**	❷ €43,75

🗺 M6 The North Ausfahrt 38 Tebay, dann die B6260 Richtung Orton/Appleby. M6 Süd Ausfahrt 40 Penrith, dann A66 nach Appleby, dort ist der CP durch braune Schilder ausgeschildert. CP kommt nach 6 km.

Arncliffe, GB-BD23 5PX / Yorkshire & Humberside iD

🏕 Hawkswick Cote Carav. Park	1 ADE**JM**NOPQRS**T**	6
🚪 1 Mär - 14 Nov	2 FPRSWX	ABDE**FGH** 7
☎ +44 (0)1756-770226	3 B	ABEFIJNQRSTUV 8
@ hawkswick@northdales.co.uk	4 FH	E 9
	5 ACK**L**	ABFGHIJR10
	B 10A CEE	❶ €31,25
📷 N 54°7'45'' W 2°4'47''	2 ha 52**T** 95**D**	❷ €38,75

🗺 A65 in Shipton verlassen. Der B6265 bis Threshfield folgen. Hier die B6160 Richtung Kettlewell. Nach 6 km Richtung Arncliffe. Nach ca. 3 km kommt der CP.

Bamburgh, GB-NE70 7EE / Northern 🛜 iD

🏕 Waren C. & C. Park****	1 ACDE**JM**NOPRS**T**	FG**X** 6
🏕 Waren Mill	2 AGHPRSVW	ABDE**FGH** 7
🚪 10 Mär - 31 Okt	3 AD**K**	BCDEFGHIJNQRSTUV 8
☎ +44 (0)1668-214366	4 FHIO**PQ**	F 9
@ waren@meadowhead.co.uk	5 ACEGJKL	BFJM**NPR**V10
	B 10-16A CEE	❶ €32,50
📷 N 55°36'2'' W 1°45'16''	H50 100 ha 150**T**(48-80m²) 372**D**	❷ €41,25

🗺 Der CP ist von Süden aus auf der A1 über die B1342 nach Bamburgh zu erreichen. Von dieser Straße den Hinweisschildern folgen.

Barden/Skipton, GB-BD23 6DJ / Yorkshire & Humb. 🛜 iD

🏕 Howgill Lodge*****	1 ADJMNOPQR**T**	6
🚪 27 Mär - 1 Nov	2 FNPSTUVX	ABDE**FGH** 7
☎ +44 (0)1756-720655	3	ABEFJMNQRTV 8
@ info@howgill-lodge.co.uk	4 F	E 9
	5 ABKLM	BFHIJMOR10
	10A CEE	❶ €25,00
📷 N 54°1'46'' W 1°54'11''	1,6 ha 40**T** 3**D**	❷ €31,25

🗺 A59 Ausfahrt Bolton Abbey, die B6160 Richtung Burnsall. Beim Barden Tower rechts Richtung Appletreewick. Nach 2,4 km Telefonzelle. CP ausgeschildert.

Bellingham, GB-NE48 2JY / Northern 🛜 iD

🏕 Bellingham C. & C. Club Site	1 ADEJMNOPQRS	6
🚪 1 Mär - 31 Dez	2 GOPSVWXY	ABDE**FG**IJK 7
☎ +44 (0)1434-220175	3 A**K**	ABCDFJNQRSV 8
@ bellingham.Site@	4 FHO	F 9
thefriendlyclub.co.uk	5 ABKL	BFHIJMNPTUX10
	16A CEE	❶ €38,75
📷 N 55°8'14'' W 2°15'39''	H100 22 ha 65**T**(80-90m²) 4**D**	❷ €46,25

🗺 Der CP liegt an der B6320 etwa 500m südlich von Bellingham. Achtung: von Norden aus, kurz vor dem Ort starke Kehre auf der Brücke; sehr weit ausholen.

Berwick-upon-Tweed, GB-TD15 2NS / Northern 🛜 iD

🏕 Ord House Country Park*****	1 ADE**JM**NOPQRST	6
🏕 East Ord	2 AOPSTWXY	**BDEFGH** 7
🚪 1 Jan - 31 Dez	3 B**I**KL	ABEFINQRSV 8
☎ +44 (0)1289-305288	4 O**Q**	FV 9
@ enquiries@ordhouse.co.uk	5 ABDEGIL	BEFGHIJMPR10
	B 16A CEE	❶ €31,25
📷 N 55°45'15'' W 2°1'34''	4,2 ha 100**T**(60-120m²) 280**D**	❷ €31,25

🗺 Aus südlicher Richtung A1 Berwick-upon-Tweed am Kreisverkehr Ausfahrt East Ord fahren. CP wird ab hier ausgeschildert.

Brompton-on-Swale/Richmond, GB-DL10 7EZ / Yorksh. & Humb. iD

🏕 Brompton-on-swale Caravan & Camping Park*****	1 ADE**JM**NOPQRST	**JN**X 6
	2 ACFGKOPRSVWX	ABDE**FGH** 7
🚪 20 Mär - 31 Okt	3 B**K**L	ABEFJNQRSUV 8
☎ +44 (0)1748-824629	4 FHI**PQ**	FIJ 9
@ brompton.caravanpark@ btconnect.com	5 ACEFKL	ABFGHIJMORX10
	B 10A CEE	❶ €28,75
📷 N 54°23'49'' W 1°41'41''	4 ha 230**T** 136**D**	❷ €31,25

🗺 A1 bei Catterick A6136 verlassen. Der B6271 Richtung Richmond folgen. Nach Brompton-on-Swale liegt der CP auf der linken Seite.

Carrville, GB-DH1 1TL / Northern 🛜 iD

🏕 The Grange Caravan Club Site	1 ADEJMNOPQRST	6
🏕 Meadow Lane	2 AFPSVWX	ABDE**FG** 7
🚪 1 Jan - 31 Dez	3 B	ABCDEFIJKNQRSTUV 8
☎ +44 (0)191-3844778	4	9
📠 +44 (0)191-3839161	5 BKL	BCFGHKM**O**RXZ10
	B 16A CEE	❶ €43,75
📷 N 54°47'43'' W 1°31'50''	4,8 ha 76**T**	❷ €50,50

🗺 A1 Richtung Durham. Über die A690 liegt der CP unmittelbar hinter dem Kreisverkehr rechts.

Cayton Bay/Scarborough, GB-YO11 3NN / Yorksh. & Humb. 🛜 ✿ iD

🏕 Cayton Village Caravan Park	1 ADE**JM**NOPQRST	6
🏕 Mill Lane	2 AOPRSVWXY	ABDE**FGH** 7
🚪 1 Mär - 31 Okt	3 BE**K**	ABCDEFGIJNQRSTUV 8
☎ +44 (0)1723-583171	4 F	9
@ info@caytontouring.co.uk	5 ABKL	BFHIJMORX10
	B 10-16A CEE	❶ €32,50
📷 N 54°14'8'' W 0°22'35''	11 ha 310**T**(81-100m²)	❷ €35,00

🗺 Von der A64 nehmen Sie die B1261 nach Filey. In Cayton Village die 2. Ausfahrt hinter den Blacksmiths Arms zur Mill Lane. Nach ± 140m liegt der CP links.

Coniston, GB-LA21 8LA / Northern 🛜 iD

🏕 Park Coppice	1 ADEJMNOPQRST	**N**QSU**X** 6
🏕 Park Gate	2 BPSVXY	ABDE**FG** 7
🚪 1 Jan - 31 Dez	3 A	ABCDEFKNQRSV 8
☎ +44 (0)1539-441555	4 F	9
📠 +44 (0)1539-441892	5 ABKL	BEGHIJM**P**RXZ10
	B 16A CEE	❶ €42,50
📷 N 54°21'3'' W 3°5'10''	H100 25 ha 262**T**(49-120m²)	❷ €48,75

🗺 Von Torver rechts auf die A593. Nach ca. 2 km liegt der CP rechts (100m nach braun/weißen Touristik-Wegweiser).

Fearby/Masham, GB-HG4 4NF / Yorkshire & Humberside 🛜

🏕 The Black Swan****	1 DJMNOQRT	6
🚪 1 Mär - 31 Okt	2 FPRTWX	ABDE 7
☎ +44 (0)1765-689477	3 A**H**	ABEFJNQRTV 8
@ info@blackswanholiday.co.uk	4 EIO**PQ**	GL 9
	5 EGIK	BGHIJL**O**R10
	16A CEE	❶ €31,25
📷 N 54°13'24'' W 1°42'28''	1,2 ha 40**T** 12**D**	❷ €31,25

🗺 Kurz außerhalb Masham, Richtung Leyburn an der A6108 wird der CP ausgeschildert.

Teilkarte Nord-England auf Seite 83

Follifoot/Harrogate, GB-HG3 1JH / Yorksh. & Humb.

🏕 Rudding Holiday Park*****	1 ACDE**JM**NOPRS**T** **ABFG** 6
1/1 - 31/1, 1/3 - 31/12	2 BGOPRSTUVWX ABDE**FGH** 7
+44 (0)1423-870439	3 AE**J** ABCDEFJLMNQRSTUV 8
@ holiday-park@	4 FINO**PQRTUVXYZ** FJK 9
ruddingpark.com	5 ACEGIJK BFGHIJM**NOR**XY 10
	B 10A CEE ① €45,65
N 53°58'23'' W 1°29'49''	20 ha 90**T** 93**D** ② €45,65

Der CP liegt an der A658 zwischen Wetherby und Harrogate in der Nähe von Follifoot. Den Schildern 'Rudding Park' folgen.

Frodsham, GB-WA6 6SU / North West

🏕 Lady Heyes Touring	1 ADEJMNOPQRS
Caravan Park	2 AFOPRSTV ABDE**FG** 7
Kingsley Road	3 AELV ABEFGIJKNPQRSTUV 8
1/1 - 14/1, 15/2 - 31/12	4 F 9
+44 (0)1928-788557	5 ADEGIL BCHIKM**NOP**ST 10
@ enquiries@ladyheyespark.com	B 10-16A CEE ① €30,00
N 53°16'32'' W 2°41'54''	1 ha 125**T**(55-70m²) 9**D** ② €30,00

Fylingdales (Whitby), GB-YO22 4QH / Yorksh. & Humb.

🏕 Grouse Hill Caravan &	1 ADE**IL**NOPQRS**T** 6
Camping Park***	2 CDFGPSTUVWX ABDE**FGH** 7
A171 Whitby to Scarborough Rd.	3 AB ABCDFGINQRSTUV 8
8 Mär - 4 Okt	4 F BCEJ 9
+44 (0)1947-880543	5 BGIJK**L** BFIJMN**OR** 10
@ info@grousehill.co.uk	10A CEE ① €22,50
N 54°23'35'' W 0°34'8''	15 ha 217**T**(120-240m²) 174**D** ② €22,50

Neben der A171, auf halber Strecke zwischen Scarborough und Whitby.

Gargrave, GB-BD23 3PN / Yorkshire & Humberside

🏕 Eshton Road Caravan Site	1 JMNOPQRS NX 6
Eshton Road	2 COPRWX ABDE 7
1 Jan - 31 Dez	3 ABEFNQRV 8
+44 (0)1756-749229	4 FH 9
+44 (0)1756-748060	5 K BEFHIJR 10
	10A CEE ① CDG,00
N 53°59'16'' W 2°6'4''	0,2 ha 40**T** ② €25,00

Gargrave liegt an der A65 zwischen Skipton und Settle. Der CP ist ausgeschildert.

Hale/Milnthorpe, GB LA7 7BS / Northern

🏕 Fell End Caravan Park	1 ADE**JM**OPQRS E 6
Slackhead Road	2 ABOPRSWXY ABDE**FGH** 7
1 Jan - 31 Dez	3 BCD**KL** ABCDEFIJLMNPQRSV 8
+44 (0)15395-62122	4 FHINO**PQRT** FFLIVW 9
	5 ABDEFGJKLM BEFGHIJM**PR**X 10
	10A CEE ① €30,00
N 54°11'35'' W 2°46'9''	10 ha 38**T**(49-60m²) 70**D** ② €30,00

Auf der A6 zwischen Carnforth und Milnthorpe den Wegweisern zum CP folgen.

Harrogate, GB-HG3 2LT / Yorkshire & Humberside

🏕 High Moor Farm Park*****	1 ADEJMOR**T** EFHN 6
Skipton Road	2 PSVW ABDE**FGH** 7
1 Apr - 1 Nov	3 BE**JP** ABCDEFL**N**QRSTUV 8
+44 (0)1423-563637	4 IPQ 9
@ highmoorfarmpark@	5 ACEGIK BHIJMRW 10
btconnect.com	B 16A CEE ① €30,00
N 54°0'3'' W 1°37'50''	34,4 ha 255**T** 188**D** ② €35,00

Der CP liegt an der A59 zwischen Harrogate und Skipton ca. 6 km westlich von Harrogate.

Hawes, GB-DL8 3NU / Yorkshire & Humberside

🏕 Bainbridge Ings	1 AJMNOPQRS**T** 6
C. & C. Site***	2 FOPSVX AB**EFGH** 7
1 Apr - 30 Sep	3 ABE**F**NQRV 8
+44 (0)1969-667354	4 FG E 9
@ janet@bainbridge-ings.co.uk	5 K**L** BFIJOPR 10
	6A CEE ① €23,15
N 54°18'3'' W 2°11'6''	2,4 ha 70**T** 17**D** ② €25,65

A684 ca. 1 km östlich von Hawes den Schildern 'Camping' folgen.

Keswick, GB-CA12 4TE / Northern

🏕 Castlerigg Hall	1 ADE**JM**NOPQRS 6
11 Mär - 8 Nov	2 AFGOPRSUVWXY ABDE**FGHIK** 7
+44 (0)17687-74499	3 **K** ABCDEFIJNQRSTUV 8
@ info@castlerigg.co.uk	4 **O**P EFW 9
	5 ACJK BHJPR 10
	B 10A CEE ① €35,00
N 54°35'35'' W 3°6'43''	H215 4,4 ha 211**T**(48-100m²) 33**D** ② €43,75

Von der A66 bei Keswick auf die A591 Richtung Windermere. Nach 1,6 km ist der CP ausgeschildert.

Kinninvie/Barnard Castle, GB-DL12 8QX / Northern

🏕 Hetherick Caravan Park	1 AJMNOPQRST 6
Marwood	2 CFPSVW ABDE**FGK** 7
1 Mär - 31 Okt	3 BE ABE**F**NQRV 8
+44 (0)1833-631173	4 9
@ info@	5 BEK BHIJMR 10
hetherickcaravanpark.co.uk	B 10A CEE ① €21,25
N 54°34'59'' W 1°54'43''	6,4 ha 41**T** 68**D** ② €23,75

A1 (M) bei Scotch Corner Ausfahrt A66 Richtung Bowes. Dann Ausfahrt B6274 Richtung Staindrop. 500m links, dann rechts B6279/ B6278.

Kirkby Stephen, GB-CA17 4SZ / Northern

🏕 Pennine View	1 DJMNOPQRST 6
C. & C. Park*****	2 ACFPSVX ABDE**FGH** 7
Station Road	3 A ABCDFJNQRSV 8
6 Mär - 1 Nov	4 FG 9
+44 (0)17683-71717	5 K BFHIJTU 10
	B 16A CEE ① €34,40
N 54°27'45'' W 2°21'16''	1 ha 43**T** ② €34,40

M6, Ausfahrt 38, über die A685 nach Kirkby Stephen, kurz vor der Stadt, beim Hotel Groglin Castle B6259 nach rechts, in ca. 50m kommt der CP.

Kirkbymoorside, GB-YO62 7RY / Yorkshire & Humb.

🏕 Wombleton Caravan Park****	1 ADEJMNOPQRS**T** 6
Moorfield Lane	2 PRSVWX ABDE**FGH**K 7
1 Mär - 31 Okt	3 **K** ABCDE**F**JNQRV 8
+44 (0)1751-431684	4 F 9
@ info@	5 BKL BFGHJM**O**ST 10
wombletoncaravanpark.co.uk	10A CEE ① €22,50
N 54°14'7'' W 0°58'42''	2 ha 40**T**(100m²) 80**D** ② €22,50

A170 zwischen Helmsley und Kirbymoorside die Ausfahrt Wombleton fahren. Durchs Dorf und danach 1. Straße links ab. CP-Schildern folgen.

Knaresborough, GB-HG5 9HH / Yorksh. & Humb.

🏕 Caravan Club Site	1 ADEJMNOPRST 6
Knaresborough*****	2 OPQSTVW ABDE**FG** 7
New Road	3 AE ABCDEFJKNQRSV 8
1/1 - 6/1, 27/2 - 31/12	4 9
+44 (0)1423-860196	5 FGJKL BHIJ**OR**X 10
+44 (0)1423-869163	B 16A CEE ① €43,75
N 54°1'26'' W 1°30'6''	3,2 ha 73**T** ② €50,50

A1 die A59 nach Knaresborough. In Knaresborough die B6165 nach Ripley. Hinter Knaresborough Schildern folgen.

Lebberston/Scarborough, GB-YO11 3PE / Yorksh. & Humb.

🏕 Lebberston Touring Park	1 ADE**JM**OPQRS 6
Filey Road	2 OPSTVWX ABDE**FGH** 7
1 Mär - 31 Okt	3 E**K** ABCDEFHIJNQRSV 8
+44 (0)1723-585723	4 9
@ info@lebberstontouring.co.uk	5 BKL BHIJM**OR** 10
	B 10-16A CEE ① €24,40
N 54°13'25'' W 0°20'38''	3 ha 60**T**(100-120m²) 70**D** ② €33,75

Zwischen Scarborough und Filey an der A165 Richtung Lebberston.

Leyburn, GB-DL8 5LJ / Yorkshire & Humberside

🏕 Constable Burton Hall	1 ADE**JM**OPQRS 6
Car. Park****	2 OPTVWX ABDE**FGH** 7
7 Mär - 31 Okt	3 ABEFIJNQRSV 8
+44 (0)1677-450428	4 9
@ caravanpark@	5 GJK**L** BHIJMN**OR**W 10
constableburton.com	B 10A CEE ① €27,50
N 54°18'46'' W 1°45'13''	4 ha 40**T** 80**D** ② €35,00

Von der A1 die A684 über Bedale nach Leyburn. Der CP wird in Constable Burton ausgeschildert.

Markington, GB-HG3 3NR / Yorkshire & Humberside

🏕 The Yorkshire Hussar Inn	1 AILNOR**T** F 6
27 Mär - 31 Okt	2 FOPUWX ABDE**FGH** 7
+44 (0)1765-677327	3 A**K** ABCDEFINQRTUV 8
@ yorkshirehussar@yahoo.co.uk	4 D 9
	5 EGIK HIJM**O**STY 10
	B 10A CEE ① €28,75
N 54°4'47'' W 1°33'44''	2 ha 31**T**(10-36m²) 3**D** ② €36,25

A61 zwischen Harrogat und Ripon links, 1-6 km mitten im Wormaldgreen.

Masham, GB-HG4 4DF / Yorkshire & Humberside

🏕 Old Station Yard	1 ADE**JM**NOPRS**T** 6
Station Rd.	2 AOSVX ABDE**FG** 7
1 Mär - 30 Nov	3 **KM** ABEFJNQRSTV 8
+44 (0)1765-689569	4 FGH 9
@ oldstation@tiscali.co.uk	5 ABIKLM BIJLM**OR** 10
	B 16A CEE ① €25,00
N 54°13'35'' W 1°38'45''	1,8 ha 34**T** 16**D** ② €25,00

Von Ripon die A6108 Richtung Masham. Nach etwa 7 km liegt der CP links, kurz vor Masham.

Osmotherley/Northallerton, GB-DL6 3AH / Yorksh. & Humb. 📶 iD

⛺ Cote Ghyll	1 ADEJMNOPQRS**T**	6
Car. & Camp. Park*****	2 ACOPSTUX	ABD**EFGH** 7
🗓 1 Mär - 31 Okt	3 A	ABCDEFGNQRSTUV 8
☎ +44 (0)1609-883425	4 FH	EG 9
@ hills@coteghyll.com	5 B**K**L	BEGHIJ**O**RW 10
	B 10A CEE	① €30,00
📍 N 54°22'35'' W 1°17'35''	3,2 ha 69**T**(100-165m²) 33**D**	② €37,50
🚗 Von der A19 Richtung Norden Ausfahrt A684 Northallerton/Osmotherley nehmen. In Osmotherley an der T-Kreuzung links, nach etwa 1 km rechts.		

Richmond, GB-DL10 6NS / Yorkshire & Humberside 📶 iD

⛺ Scotch Corner C. & C. Park***	1 AD**JM**NOPQRS	6
🗓 1 Apr - 31 Okt	2 AOPRVWXY	ABD**EFG**H 7
☎ +44 (0)1748-822530	3 A	ABEFNQRV 8
@ marshallleisure@aol.com	4 F	9
	5 ABJK	BHM**NO**RX 10
	10A CEE	① €22,50
📍 N 54°26'28'' W 1°40'17''	4 ha 75**T**	② €27,50
🚗 A1 Ausfahrt A6108 Richmond. Nach ca. 400m CP-Schildern folgen.		

Oswaldkirk/Helmsley, GB-YO62 5YQ / Yorksh. & Humb. 📶 🌸 iD

⛺ Golden Square*****	1 AE**J**MNOPQRS**T**	6
🗓 1 Mär - 31 Okt	2 FGOPRSUVWX	ABD**EFGHK** 7
☎ +44 (0)1439-788269	3 ABCE**IKL**	ABCDEFGIJNQRSTUV 8
@ reception@	4 FH**IQ**	DV 9
goldensquarecaravanpark.com	5 ABC**KLM**	BEFGHIJM**O**RWX 10
	B 10-16A CEE	① €27,50
📍 N 54°12'34'' W 1°4'23''	H500 4,9 ha 126**T**(80m²) 71**D**	② €31,25
🚗 Helmsley über die B1257 Richtung Malton. Rechts ab Richtung Ampleforth. Nach ca. 1 km liegt der CP rechts.		

Richmond, GB-DL10 4SF / Yorkshire & Humberside 📶 iD

⛺ Swaleview Caravan Park	1 ADGILOPQRS**T**	**J**N**X** 6
🏠 Reeth Road	2 CFOPRSVWX	DE**FGH** 7
🗓 1 Jan - 31 Dez	3 A	ABE**F**JNQRSV 8
☎ +44 (0)1748-823106	4 I**O**Q	**J** 9
@ swaleview@	5 L	ABFHIJLMORW 10
teesdaleonline.co.uk	B 16A CEE	① €27,50
📍 N 54°24'24'' W 1°47'50''	5,2 ha 55**T** 101**D**	② €30,00
🚗 Der CP liegt an der A6108 zwischen Richmond und Reeth. Ca. 5 km westlich von Richmond.		

Pateley Bridge, GB-HG3 5HL / Yorkshire & Humberside iD

⛺ Riverside Caravan Park	1 A**J**MNOPQR**T**	**J**N 6
🏠 Low Wath Road	2 CFOPSVW	ABD**EFG**H 7
🗓 1 Apr - 1 Nov	3	ABEFNQRSV 8
☎ +44 (0)1423-711383	4 FH	9
@ riversidecp@btinternet.com	5 K	BG**I**JR 10
	10A CEE	① €23,75
📍 N 54°5'13'' W 1°45'57''	0,8 ha 31**T** 100**D**	② €26,25
🚗 Der CP liegt an der Nordseite der Stadt. Vom Zentrum hinter der Brücke rechts, ca. 500m die Low Wath Road, CP liegt auf der rechten Seite.		

Ripley, GB-HG3 3AU / Yorkshire & Humberside 📶 iD

⛺ Ripley Caravan Park*****	1 ADE**J**MNOPRS**T**	**E** 6
🗓 23 Mär - 31 Okt	2 OPSVWX	ABD**EFG**H 7
☎ +44 (0)1423-770050	3 BEL	ABCDEFNQRTUV 8
@ ripleycaravanpark@talk21.com	4 FHIO**PQT**	9
	5 ABE**K**L	ABFGHIJM**O**RWX 10
	B 10A CEE	① €24,40
📍 N 54°2'16'' W 1°33'32''	18 ha 130**T** 95**D**	② €28,15
🚗 Der CP liegt zwischen Harrogate und Ripon, an der B6165, 1 km im südosten von Ripley.		

Penrith, GB-CA10 2JB / Northern 📶 iD

⛺ Lowther Holiday Park****	1 ACDE**J**MNOPQRS**T**	**J**N**X** 6
🏠 Eamont Bridge	2 ABCGPRSTVXY	ABD**EFG**H 7
🗓 1 Mär - 14 Nov	3 AB**K**L	ABCDFINQRSV 8
☎ +44 (0)1768-863631	4 I**O**P	EF 9
@ sales@	5 ACE**G**JKL	BGHIJMORW 10
lowther-holidaypark.co.uk	B 10A CEE	① €37,50
📍 N 54°38'48'' W 2°44'20''	H100 13 ha 75**T**(64-100m²) 454**D**	② €37,50
🚗 M6, Ausfahrt 40 Penrith. A66 Richtung Osten. Am Kreisel A6 Richtung Shap. Über die Brücke in den Ort; CP ist an der rechten Seite.		

Ripon, GB-HG4 2QR / Yorkshire & Humberside 📶 iD

⛺ River Laver Holiday Park Ltd.	1 A**J**MNOR**T**	**N** 6
🏠 Studley Road	2 CPRSVW	ABD**EFG**H 7
🗓 1 Mär - 30 Nov	3	ABEFJNPQRSTUV 8
☎ +44 (0)1765-690508	4 F	9
@ riverlaver@lineone.net	5 B**K**L	BEFHIJ**O**R 10
	B 10A CEE	① €25,65
📍 N 54°7'59'' W 1°32'45''	5,5 ha 8**T**(bis 15m²) 106**D**	② €33,15
🚗 Von der A1 die B6265 über Ripon nach Pately Bridge. Durch Ripon fahren. Kurz hinter der Stadt ist der CP ausgeschildert.		

Penrith, GB-CA11 0LS / Northern 📶 iD

⛺ The Quiet Site*****	1 ACDE**J**MNOPQRS**T**	6
🏠 Ullswater	2 AFPSTUWXY	ABD**EFG**HK 7
🗓 1 Jan - 31 Dez	3 B**K**L	AB**F**IJNQRSV 8
☎ +44 (0)7768-727016	4 FHIO**Q**	A**F**J 9
@ info@thequietsite.co.uk	5 AB**G**KL	BFGHKLMOR 10
	10-16A CEE	① €35,00
📍 N 54°36'16'' W 2°52'55''	H287 4 ha 88**T**(60-100m²) 42**D**	② €40,00
🚗 Von Penrith (M6 J40)aus A66 West nach Keswick. Nächster Kreisel A592 nach Ullswater/Watermillock. Am Brackenrigg Inn vorbei, nächste rechts zum CP über die 'Church'. Am Cove CP vorbei. Dann rechts die kleine Straße zum CP.		

Ripon, GB-HG4 1JD / Yorkshire & Humberside 📶 iD

⛺ Riverside Meadows	1 ADE**J**MNOPRS**T**	**J**N 6
Country Car.	2 CP**Q**TVWX	ABD**EFG**H 7
🏠 Ure Bank	3 BE	ABEFNQRSTUV 8
🗓 15 Mär - 31 Okt	4 **A**FIOP	9
☎ +44 (0)1765-602964	5 ACDGK	BFHIJM**O**RY 10
📠 +44 (0)1765-604045	B 10A CEE	① €36,25
📍 N 54°9'2'' W 1°30'56''	2,8 ha 38**T** 320**D**	② €36,25
🚗 Von der A1 eine A61 Richtung Ripon fahren. Der CP ist in der Stadt beim 1. Kreisverkehr ausgeschildert.		

Pickering, GB-YO18 8EA / Yorkshire & Humberside 📶 iD

⛺ Black Bull Caravan Park	1 ACDE**J**KNOPQRS	6
🏠 Malton Road	2 PSVWX	AB**FGH** 7
🗓 1 Mär - 31 Okt	3 AB**IJ**L	ABEFGNQRTV 8
☎ +44 (0)1751-472528	4 IO**Q**	9
@ blackbullpark@	5 B**K**L	BHJM**O**RY 10
googlemail.com	10-16A CEE	① €25,00
📍 N 54°13'24'' W 0°46'14''	H50 2,5 ha 80**T**(bis 130m²) 36**D**	② €32,50
🚗 Am Kreisel in Pickering die A169 Richtung Malton. Der CP liegt rechts der Straße hinter dem Black Bull Inn.		

Rixton, GB-WA3 6HU / North West iD

⛺ Holly Bank Caravan Park****	1 ADE**G**JMNOPQRS**T**	6
🏠 Warburton Bridge Road	2 AOPRSVXY	ABD**EFGHK** 7
🗓 1 Jan - 31 Dez	3 A	ABEFQR 8
☎ +44 (0)161-7752842	4 IO**PQ**	9
@ hollybankcaravanpark@	5 AB	BJMR 10
hotmail.co.uk	B 16A CEE	① €25,00
📍 N 53°24'34'' W 2°27'51''	2,8 ha 110**T**(45m²)	② €30,00
🚗 M6, Ausfahrt 21, die A57 Richtung Irlam. CP-Schildern folgen.		

Pickering, GB-YO18 7JP / Yorkshire & Humberside 📶 iD

⛺ Upper Carr Holiday Park	1 ADE**J**MNOPQR**T**	6
🏠 Upper Carr Lane	2 AOPSVX	ABD**EFG**H 7
🗓 1/1 - 7/1, 1/3 - 31/12	3 A**J**	AB**F**JNQRSTUV 8
☎ +44 (0)1751-473115	4 FHI**Q**	DE**U** 9
@ uppercarr@flowerofmay.com	5 B**IJ**KL	BGHKM**O**R 10
	10A CEE	① €37,50
📍 N 54°13'23'' W 0°46'7''	3,5 ha 22**T**(70-125m²) 49**D**	② €37,50
🚗 Von A170 beim Kreisverkehr in Pickering Richtung Malton über die A169. Schildern folgen.		

Rosedale Abbey/Pickering, GB-YO18 8SA / Yorksh. & Humb. iD

⛺ Rosedale C. & C. Park	1 ADE**J**KNOPQRS	**N** 6
🗓 15 Mär - 31 Okt	2 COPSTVXY	ABD**EFG**H 7
☎ +44 (0)1751-417272	3 B**K**L	ABCDEFGINQRSV 8
@ rosedalecaravanpark@	4 F	FI 9
moorsweb.co.uk	5 AC**KLM**	BFHJMSTY 10
	10A CEE	① €35,00
📍 N 54°21'9'' W 0°53'12''	H140 5 ha 30**T**(40-140m²) 46**D**	② €35,00
🚗 A170, zwischen Pickering und Kirbymoorside abbiegen Richtung Cropton/ Rosedale, CP liegt am Ortseingang links hinter dem Caravanpark.		

Pocklington, GB-YO42 2NX / Yorksh. & Humb. 🌸 iD

⛺ South Lea****	1 A**J**MNOPR**T**	6
🏠 The Balk	2 AORSVWX	ABE 7
🗓 1 Mär - 31 Okt	3 BE**KQ**	ABEFJKMNQRTV 8
☎ +44 (0)1759-303467	4	9
@ south.lea@btinternet.com	5 KL	BHJMSTW 10
	16A CEE	① €25,00
📍 N 53°54'49'' W 0°46'16''	7 ha 72**T**(80-100m²)	② €27,50
🚗 Von Hull nehmen Sie die A1079 nach York. Die Ausfahrt nach Pocklington, die B1247 nehmen. Nach ± 200m liegt der CP links.		

Scarborough, GB-YO11 3NU / Yorkshire & Humb.

🛖 Flower of May*****
🏠 Lebberston Cliff
📅 27 Mär - 31 Okt
☎ +44 (0)1723-584311
@ info@flowerofmay.com

1 ADEILNOPQRS	EFG 6
2 EGMOPRSVX	ABDEFGH 7
3 ABEJLOP	ABCDEFGINQRSTUV 8
4 BFIOPQ	EF 9
5 CDEGKL	BFGHIJMORWY 10
10A CEE	① €30,00
18 ha 300T(70-90m²) 184D	② €30,00

📍 N 54°14'1'' W 0°20'22''
🛣 Von Hull A165 Richtung Scarborough. 3 km hinter Filey rechts ab. Schildern 'Flower of May' folgen.

Settle, GB-BD24 ODP / Yorkshire & Humberside

🛖 Knight Stainforth Hall C. & C.****
🏠 Little Stainforth
📅 1 Mär - 31 Okt
☎ +44 (0)1729-822200
@ info@knightstainforth.co.uk

1 ADJMNOPQRST	JNX 6
2 CFPRSTVWX	ABDEFGH 7
3 BL	ABCDEFJNQRSTV 8
4 FHIOPQ	9
5 BKL	BFGJMNORX 10
B 10A CEE	① €30,00
4 ha 121T 60D	② €35,00

📍 N 54°6'0'' W 2°17'4''
🛣 A65 Skipton-Kendal, Ausfahrt Settle vom Kreisverkehr folgen, durchs Zentrum von Settle, hinter der Brücke rechts ab beim CP-Schild. Nach 3 km kommt der CP rechts.

Sheriff Hutton, GB-YO60 6QP / Yorkshire & Humb.

🛖 York Meadows Caravan Park
🏠 York road
📅 1 Mär - 31 Okt
☎ +44 (0)1347-878508
@ reception@yorkmeadowscaravanpark.com

1 AEGJMNOPQRS	6
2 AFGOPQRSVW	ABFGHK 7
3 BEKL	ABCDEFGJNPQRSUV 8
4 K	9
5 ABKLM	BHJMN 10
B 16A CEE	① €27,50
47T(80-100m²) 15D	② €31,25

📍 N 54°4'58'' W 1°1'19''
🛣 Von York und Scarborough A64, Ausfahrt Flaxton/Sheriff Hutton, bei West Lilling rechts ab. Vor Sheriff Hutton CP links.

Silloth, GB-CA7 4HH / Northern

🛖 Stanwix Park Holiday Centre*****
🏠 Greenrow
📅 1 Jan - 31 Dez
☎ +44 (0)16973-32666
@ enquiries@stanwix.com

1 ADEJMNOPQR	ABEFGNX 6
2 GHJKOPQSVWX	ABDEFGHIK 7
3 BIKMP	BDFJLMNQRSTUV 8
4 ILMNOPQRSTUV	EIUV 9
5 ACDEGHK	BFGHKOPRY 10
B 10A CEE	① €35,00
10 ha 121T(64m²) 482D	② €47,50

📍 N 54°51'41'' W 3°23'13''
🛣 M6 Ausfahrt 41 via B5305 Richtung Wigton, dann via B5302 Richtung Silloth. In Silloth links, dort ist Stanwix ausgeschildert.

Staveley/Kendal, GB-LA8 9JS / Northern

🛖 Camp. and Carav. Club Site Windermere
📅 1/1 - 14/1, 14/3 - 31/12
☎ +44 (0)1539-821119
@ katecobra@yahoo.com

1 ACDEJMNOPQRST	N 6
2 APRSUVX	ABDEFGH 7
3 AK	ABCDEFGIJKLMNQRSV 8
4 OQ	U 9
5 ABEGJKL	GJMOR 10
B 16A CEE	① €43,75
H200 10,4 ha 270T(49-100m²) 41D	② €75,00

📍 N 54°21'38'' W 2°48'1''
🛣 M6 Ausfahrt 36, Schildern 'South Lake Windermere' folgen entlang der A591. 3 km hinter Kendal ist der CP links ausgeschildert.

Stockton-on-Tees, GB-TS18 2QW / Northern

🛖 White Water Park
🏠 Tees Barrage
📅 1 Jan - 31 Dez
☎ +44 (0)1642-633480
📠 +44 (0)1642-614255

1 ADEJMNOPQRST	NUVW 6
2 ACOSVX	ABDEFG 7
3 AKMNOP	ABCDEFJNQRSTUV 8
4 FHIOPQR	9
5 BEGHIJKL	BFGHJMORXZ 10
B 16A CEE	① €38,75
8 ha 109T	② €43,75

📍 N 54°34'5'' W 1°17'10''
🛣 Schildern Ri. Teeside Retail Park und Teesdale folgen. Rechts über A66 nach Tees Barrage. Über die Brücke geradeaus Ri. Shraught. Am kleinen Kreisel geradeaus in die Sackgasse, dann nach 20m rechts, dort links halten.

Sutton-on-the-Forest/York, GB-YO61 1ET / Yorksh. & Humb.

🛖 Goosewood Holiday Park*****
📅 1/1 - 1/1, 1/2 - 31/12
☎ +44 (0)1347-810829
@ info@flowerofmay.com

1 ADEJMOPQRS	CDN 6
2 BDOPSVXY	ABDEFGH 7
3 BEKLQ	ABCDEFJKNQRSTV 8
4 IOPQ	EFJ 9
5 BDGHKL	BGHIJMOR 10
B 10A CEE	① €18,75
10 ha 52T(50-220m²) 109D	② €26,25

📍 N 54°3'32'' W 1°5'10''
🛣 Umgehung York A1237. Ausfahrt B1363 Richtung Helmsley 2 km vor Sutton-on-the-Forest. Schildern folgen.

Threshfield, GB-BD23 5N / Yorkshire & Humberside

🛖 Wood Nook Carav. Park*****
🏠 Skirethorns
📅 1/1 - 14/1, 1/3 - 31 Dez
☎ +44 (0)1756-752412
@ info@woodnook.net

1 ACDJMNOPQRS	6
2 FNPRTVX	ABDEFGH 7
3 A	ABCDEFJMNQRSTV 8
4 F	D 9
5 BKL	BFHIJMOR 10
10A CEE	① €27,50
2,4 ha 70T(ab 20m²) 13D	② €32,50

📍 N 54°4'22'' W 2°2'30''
🛣 Von der Umgehungsstraße um Skipton A59 die B6265 Richtung Grassington fahren. In Threshfield nach der Werkstatt links ab. Nach ca. 100m 'Shirethorns' folgen bis zum CP.

Watermillock/Penrith, GB-CA11 OLR / Northern

🛖 The Ullswater Car. & Cp. and Marine Park***
📅 1 Mär - 14 Nov
☎ +44 (0)17684-86666
@ info@ullswatercaravanpark.co.uk

1 ADEJMNOPQRST	NQSXYZ 6
2 AFGOPSTVWX	ABEFGHK 7
3 AKV	ABEFINQRSTUV 8
4 FHIOP	EFJ 9
5 ABEGKLM	BEFJMOQR 10
B 10A CEE	① €31,25
H200 8 ha 174T(100m²) 73D	② €37,50

📍 N 54°35'50'' W 2°52'30''
🛣 M6, Ausfahrt 40 Penrith. A66 Richtung Keswick, an Kreisverkehr A592 Richtung Ullswater. Am See rechts A592 folgen. Nach Hotel 'Brackenrigg' 2. Abzweigung rechts.

Wigginton/York, GB-YO32 2RH / Yorkshire & Humberside

🛖 Willow House Caravan Park***
🏠 Wigginton Road
📅 1 Jan - 31 Dez
☎ +44 (0)1904-750060
@ info@willowhouseyork.co.uk

1 JMNOPQRST	N 6
2 PSW	7
3	NR 8
4	9
5 ABCDEIKL	10
B 10A	① €31,25
2 ha 39T(90-100m²)	② €31,25

📍 N 54°0'10'' W 1°5'21''
🛣 Nördlich von York an der B1363 auf der Strecke nach Wigginton. Nach 600m CP rechts.

Windermere, GB-LA23 3PG / Northern

🛖 Park Cliffe*****
🏠 Birks Road
📅 1 Mär - 14 Nov
☎ +44 (0)15395-31344
@ info@parkcliffe.co.uk

1 ADEJMNOPQRST	6
2 FPRTUVX	ABDEFGH 7
3 BK	ABCDEFGIJLMNQRSTUV 8
4 FIOQ	FF 9
5 ABEGJKL	BFGHIJMNPRY 10
B 10A CEE	① €40,00
10 ha 147T(56-100m²) 33D	② €46,25

📍 N 54°18'38'' W 2°56'22''
🛣 M6 Ausfahrt 36, A590 Ri. The Lakes/Barrow. Bei der Newby Bridge rechts ab A592 Ri. Windermere. Nach 6,5 km CP rechts, mit ziemlich steiler Auffahrt. Nicht von Windermere anfahren.

Winksley, GB-HG4 3PG / Yorkshire & Humberside

🛖 Woodhouse Farm
📅 23 Mär - 31 Okt
☎ +44 (0)1765-658309
@ woodhouse.farm@talk21.com

1 ADEJMNORT	N 6
2 FOPTWX	ABDEFGH 7
3 BEL	ABCDEFIJKLNQRSV 8
4 FIOPQ	9
5 BDEGKL	BIJMNORWX 10
B 10A CEE	① €30,00
56 ha 160T 65D	② €32,50

📍 N 54°8'19'' W 1°38'4''
🛣 B6265 zwischen Ripon und Pately Bridge wird der CP ca. 5 km von Ripon ausgeschildert.

Winsford, GB-CW7 2QJ / North West

🛖 Elm Cottage Touring Park
🏠 Elm Cottage
📅 1 Jan - 31 Dez
☎ +44 (0)1029-700544
@ chris@elmcottage.co.uk

1 AEJMNOPQRS	6
2 FPRSVW	ABDEFGH 7
3	ABFJNQRSTU 8
4	9
5 BKLM	BFHKMPR 10
B 10A CEE	① €23,50
2 ha 70T(88-100m²)	② €25,50

📍 N 53°11'52'' W 2°35'55''
🛣 Der CP liegt an der A54 zwischen Windsfard und der Kreuzung zur A49 an der Nordseite der Straße.

Winston, GB-DL2 3RH / Northern

🛖 Winston Caravan Park***
📅 1 Mär - 31 Okt
☎ +44 (0)1325-730228
@ m.willetts@ic24.net

1 ILOQRT	6
2 OPRX	ABDEFGH 7
3	ABCDEFINQRUV 8
4	DE 9
5 K	FHIJR 10
10A CEE	① €21,25
2,5 ha 20T 16D	② €21,25

📍 N 54°32'46'' W 1°47'4''
🛣 Winston liegt an der A67 zwischen Barnard Castle und Darlington. Der CP liegt im Ortskern und ist ab der A67 ausgeschildert.

Wykeham/Scarborough, GB-YO13 9QD / Yorksh. & Humb.

🛖 St. Helens in the Park*****
🏠 A170
📅 1/1 - 15/1, 15/2 - 31/12
☎ +44 (0)1723-862771
@ caravans@wykeham.co.uk

1 ACDEILNOPR	N 6
2 OPSUVWX	ABDEFGH 7
3 BEK	ABCDEFNQRSTV 8
4 FHI	FV 9
5 BDEKL	BFGHJLMNORWX 10
B 16A CEE	① €27,50
H60 15 ha 160T(90-100m²) 86D	② €32,50

📍 N 54°14'18'' W 0°31'2''
🛣 Der CP liegt im Ort an der A170 zwischen Scarborough und Pickering.

York/Naburn, GB-YO19 4RU / Yorkshire & Humberside

🛖 Naburn Lock Caravan Park****
📅 1 Mär - 6 Nov
☎ +44 (0)1904-728697
@ wilks@naburnlock.co.uk

1 ADEJMNOPQRT	N 6
2 ACOPVX	BDEFGH 7
3 K	ABCDFNQRV 8
4 H	9
5 BKLM	GHJMST 10
B 10A CEE	① €23,75
3 ha 100T(100m²)	② €30,00

📍 N 53°53'40'' W 1°5'37''
🛣 Umgehung York A64. Ausfahrt York-Centre/Selby. Unter der A64 durch Richtung Centre, 1. Straße links B1222 Richtung Naburn. Der CP liegt kurz hinter dem Ort. NICHT die A19 Richtung Selby nehmen.

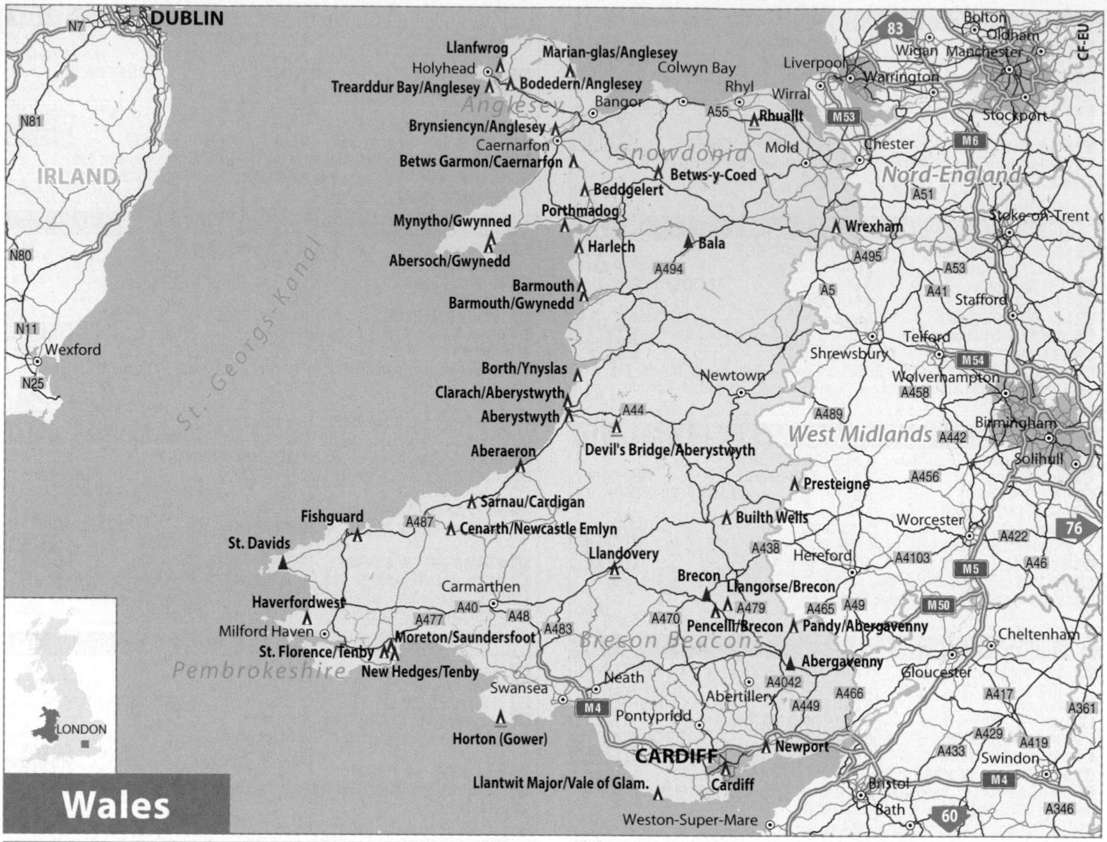

DUBLIN
N7

Llanfwrog
Holyhead
Trearddur Bay/Anglesey
Marian-glas/Anglesey
Bodedern/Anglesey
Colwyn Bay
Bangor
A55
Rhyl
Wirral
Rhuallt
M53
Bolton
Oldham
Wigan Manchester
Liverpool
Warrington
Stockport
M6
CF-EU
83

Brynsiencyn/Anglesey
Caernarfon
Betws Garmon/Caernarfon
Anglesey
Snowdonia
Betws-y-Coed
Mold
Chester
Nord-England
A51
Stoke-on-Trent

IRLAND
N81
N80

Beddgelert
Mynytho/Gwynned
Porthmadog
Harlech
Bala
Wrexham
A495
A53
Stafford
A41

N11
Wexford
N25

Abersoch/Gwynedd
Barmouth
Barmouth/Gwynedd
A494
Shrewsbury
Telford
M54
Wolverhampton
A458
Birmingham
A442
Solihull

Borth/Ynyslas
Clarach/Aberystwyth
Aberystwyth
Aberaeron
A44
Newtown
A489
West Midlands
A456
A422
76
Worcester
A438
Hereford
A4103

Devil's Bridge/Aberystwyth
Presteigne
St.-Georgs-Kanal

Fishguard
St. Davids
A487
Sarnau/Cardigan
Cenarth/Newcastle Emlyn
Llandovery
Builth Wells
Brecon
A5
M5
A46

Haverfordwest
Milford Haven
Carmarthen
A40
A48
Moreton/Saundersfoot
St. Florence/Tenby
New Hedges/Tenby
A477
A483
A470
Llangorse/Brecon
Pencelli/Brecon
A479
A465
Pandy/Abergavenny
A449
Abergavenny
Gloucester
M50
A465
Cheltenham

Pembrokeshire
Brecon Beacons
Neath
Swansea
M4
Abertillery
A4042
A466
A417
A361

LONDON

Horton (Gower)
Pontypridd
Newport
A429
A419
Swindon
A433
M4
A346

Llantwit Major/Vale of Glam.
Cardiff
CARDIFF
Bristol
Bath
60
A346
Weston-Super-Mare

Wales

Aberaeron, GB-SA46 0JF / Wales

📶 iD

🏠 Aeron Coast Car. Park
📮 North Road
🕐 1 Mär - 31 Okt
☎ +44 (0)1545-570349
@ enquiries@aeroncoast.co.uk

🗺 N 52°14'40'' W 4°15'20''

1	ADEJLNOPQRS	ABFGNX 6
2	EGKOPRSVWX	ABDEFGH 7
3	AEHKLM	ABEFNQRSV 8
4	BCDFHILMOPQ	9
5	ABDEGIKL	BHIJPR10
B	10A CEE	① €33,75
5,7 ha 100T(80-100m²)	200D	② €33,75

🚗 An A487 Cardigan-Aberystwyth, in Aberaeron, gut ausgeschildert.

Abergavenny, GB-NP7 8BG / Wales

📶 iD

🏠 Blossom Touring & Camping Park
📮 Tredilion Llantilio Pertholey
🕐 1 Mär - 31 Okt
☎ +44 (0)1873-850444
@ james.harris27@btinternet.com

🗺 N 51°49'49'' W 2°58'53''

1	ACDEJMNOPQRST	N 6
2	AFPRSTVWX	ABDEFG 7
3	GK	ABEFGJNQRTUV 8
4	FH	9
5	L	BIJOR10
B	16A CEE	① €18,75
H160 7,5 ha 90T(100-120m²)		② €23,75

🚗 CP liegt circa 2,5 km nördlich von Abergavenny. Auf der A465 Ausfahrt zur B4521 nehmen. CP ist mit braunen Schildern angezeigt.

Abergavenny, GB-NP7 9DS / Wales

📶 iD

🏠 Pont Kemys C. & C. Park
📮 Chainbridge
🕐 1 Mär - 30 Okt
☎ +44 (0)1873-880688
@ info@pontkemys.com

🗺 N 51°44'50'' W 2°56'48''

1	ADEJMNOPQRST	6
2	CPRSWXY	ABDEFGHJK 7
3	K	ABCDEFGIJNQRSTUV 8
4	FO	9
5	BKL	BEFGJMPR10
B	16A CEE	① €21,25
3 ha 71T(80-100m²)		② €26,25

🚗 A449, Ausfahrt Usk. In Usk rechts B4598. CP ist nah an der Hauptstraße, kurz hinter der Usk-Brücke (Chainbridge).

Abersoch/Gwynedd, GB-LL53 7UL / Wales

📶 ⚙

🏠 Tyn-y-Mur Touring & Camping****
📮 Lon Garmon
🕐 1 Mär - 14 Okt
☎ +44 (0)1758-712328
@ info@tyn-y-mur.co.uk

🗺 N 52°49'53'' W 4°31'26''

1	ILNOPRT	NPQSTWXY 6
2	CFGHJMOPSTW	ABDEFG 7
3	BEK	ABEFGJKMNQRSTUV 8
4	F	9
5	DEKL	BIJMNPR10
B	16-22A CEE	① €37,50
H50 2 ha 92T(bis 100m²)	37D	② €37,50

🚗 A499 aus Richtung Portmadog vor Abersoch an der Brückenrampe rechts den Hügel hinauf und der Strecke folgen. Nach 800m CP links.

Aberystwyth, GB-SY23 4DX / Wales

📶 iD

🏠 Midfield Caravan Park
📮 South Gate
🕐 1 Apr - 31 Okt
☎ +44 (0)1970-612542
@ enquiries@ midfieldcaravanpark.co.uk

🗺 N 52°23'52'' W 4°3'59''

1	ADEJMNOPQRST	X 6
2	FOPRTUWX	ABDE 7
3	AK	ABEFNQRV 8
4	FH	9
5	KL	BHIJOR10
10A CEE		① €25,00
H74 2 ha 75T(80-100m²)	57D	② €30,00

🚗 Aus nördlicher (oder südliche) Richtung über die A487 bei Aberystwyth links ab (oder rechts ab) auf die A4120 Richtung Devil's Bridge. Direkt dahinter liegt der CP links.

Bala, GB-LL23 7ST / Wales

📶 iD

🏠 Glanllyn Lakeside C. & C. Park
📮 Llanuwchllyn 2
🕐 25 Mär - 9 Okt
☎ +44 (0)1678-540441
@ info@glanllyn.com

🗺 N 52°52'40'' W 3°38'49''

1	ADILNOPRT	LNQSXY 6
2	CDFJKOPRSWXY	ABDEFGH 7
3	AK	ABEFIJNQRSV 8
4	FH	J 9
5	ABKL	BFGHIJMNPR10
B	16A CEE	① €26,25
H158 2 ha 180T(70-100m²)	41D	② €35,00

🚗 An der A494 Bala-Dolgellau. CP liegt ca. 4,8 km hinter Bala am Seeufer. CP ist gut ausgeschildert.

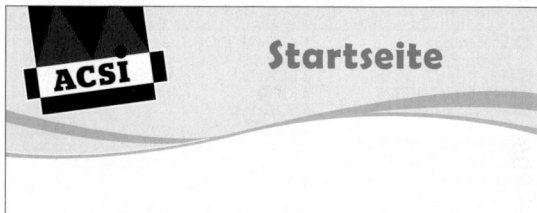

Bala, GB-LL23 7PH / Wales 📶

▲ Pen-y-Bont Touring & Camping Park	1 DJMNOPRT	NQSX 6
🔲 Llangynog Road	2 FPRSTUVWXY	ABDEFGH 7
🕐 16 Mär - 29 Okt	3 DHK	ABCDFIJNQRSTUV 8
☎ +44 (0)1678-520549	4 FH	ADU 9
@ penybont-bala@btconnect.com	5 ABKL	BFGHIJMPR10
	B 16A CEE	❶ €28,75
	H185 2,5 ha 95T(25-75m²) 13D	❷ €38,75

🗺 N 52°54'6'' W 3°35'25''

🚗 Über die B4391 Bala-LLangynog, etwas außerhalb von Bala, rechts an der Straße; gut ausgeschildert. Ⓜ

Bala, GB-LL23 7NU / Wales 📶 iD

▲ Tyn Cornel Camping & Caravan Park	1 ACDEHKNOPRT	NUV 6
🔲 Frongoch	2 CFPSVWX	ABDEFG 7
🕐 2 Apr - 19 Okt	3 E	ABFGJLNQRV 8
☎ +44 (0)1678-520759	4 F	BEGJMP10
@ tyncornel@mail.com	5	B 31A CEE	❶ €25,00
	3,6 ha 57T(60-80m²) 10D	❷ €35,00

🗺 N 52°56'45'' W 3°38'40''

🚗 Von Bala in westlicher Richtung über die A4212. Nach ca 6 km ist der CP links ausgeschildert. Ⓜ

Barmouth, GB-LL42 1RR / Wales 📶

▲ Trawsdir Caravan & Camping Park*****	1 DEJMNOPQRT	6
🔲 Llanaber	2 AFHOPRSTUVW	ABDEFGH 7
🕐 1/1 - 6/1, 1/3 - 31/12	3 BK	ABCDFJNPQRSTU 8
☎ +44 (0)1341-280999	4 FH	F 9
@ enquiries@trawsdir.co.uk	5 ARKI M	BGHIJMPRXZ10
	B 10A CEE	❶ €37,50
	4 ha 101T(25-150m²) 30D	❷ €37,50

🗺 N 52°45'25'' W 4°4'54''

🚗 Von Dolgellau der A496 folgen. Ca 1 km hinter Llanaber ist der CP rechts der Straße. Gut angezeigt. Ⓜ

Barmouth/Gwynedd, GB-LL42 1YR / Wales 📶 iD

▲ Hendre Mynach Caravan Park	1 ADILNOPRT	KNPQSW 6
🔲 Llanaber Road	2 EFHJOPRSVWX	ABDEFGH 7
🕐 1/1 - 9/1, 1/3 - 31/12	3 AK	ABCDEFHIJNQRSTUV 8
☎ +44 (0)1341-280262	4 FH	9
@ info@hendremynach.co.uk	5 ABKLM	ABEFGHIJMNOR10
	B 10A CEE	❶ €11,25
	4 ha 252T(10m²) 11D	❷ €36,25

🗺 N 52°43'54'' W 4°3'59''

🚗 Über die A496 Barmouth-Harlech, etwas außerhalb Barmouth. Ⓜ

Beddgelert, GR-LL55 4UU / Wales iD

▲ Beddgelert Forest C. & C. Site	1 ACDJMNOPRT	J 6
🔲 Caernarfon Road	2 BCOPRSTVWXY	ABDEFG 7
🕐 1 Jan - 31 Dez	3 AK	ABCDEFIJNQRSV 8
☎ 📠 +44 (0)1766-890288	4 EFH	9
	5 ABR·KLM	BFGHIJMR10
	B 16A CEE	❶ €26,55
	H111 25 ha 195T(40-50m²)	❷ €35,30

🗺 N 53°1'15'' W 4°7'17''

🚗 CP liegt an der A405 von Beddgelert nach Caernarfon. CP ist mit einem kleinen Schild und dem 'Forest Holidays' Logo angezeigt. Ⓜ

Betws Garmon/Caernarfon, GB-LL54 7YY / Wales 📶

▲ Bryn Gloch C. & C. Park****	1 DJMNOPRT	JN 6
🕐 1 Jan - 31 Dez	2 CFOPSVWXY	ABDEFGHJ 7
☎ +44 (0)1286-650216	3 AIKL	ABCDEFGIJNQRSTUV 8
@ eurig@bryngloch.co.uk	4 FHIOPQ	EJ 9
	5 BKLM	BFGHIJMNOSTVWX10
	B 10A CEE	❶ €27,50
	H120 6 ha 163T 76D	❷ €32,50

🗺 N 53°5'40'' W 4°11'18''

🚗 An A4085 von Caernarfon nach Beddgelert. Ca. 2 km nach Waunfawr gegenüber Kirche und Friedhof. Ⓜ

Betws-y-Coed, GB-LL24 0AL / Wales 📶 iD

▲ Riverside C. & C. Park	1 ADJMNOPRT	6
🔲 Old Church Road	2 OPSVWX	ABDEFGH 7
🕐 1/1 - 4/1, 18/2 - 31/12	3 J	ABCDEFKNQRSTUV 8
☎ +44 (0)1690-710310	4 FGH	9
@ riverside@morris-leisure.co.uk	5 BK	BEGJMPRX10
	B 16A CEE	❶ €31,90
	H56 2,5 ha 69T 65D	❷ €38,15

🗺 N 53°5'38'' W 3°47'55''

🚗 In Betws-y-Coed, an A5 ist der CP ausgeschildert, gegenüber Middland Bank, nach dem Bahnhof.

Bodedern/Anglesey, GB-LL65 3SS / Wales iD

▲ Bodowyr Car. & Camp. Park	1 AILNOPRT	6
🕐 1 Mär - 1 Nov	2 AFPRSVWX	ABDEFG 7
☎ +44 (0)1407-741171	3 AK	ABCDFJNQRV 8
@ bodowyr@yahoo.com	4 O	EG 9
	5 L	ABFHJMR10
	B 10A CEE	❶ €23,75
	1 ha 50T(100m²) 21D	❷ €28,75

🗺 N 53°17'5'' W 4°31'9''

🚗 A55 von der Britannia Bridge nach Holyhead. Ausfahrt 4 Bodedern zum CP hier angezeigt. Nach ca. 0,8 km liegt die Einfädelspur zum CP links der Straße. Bevor Sie die Einfädelspur betreten können, müssen Sie telefonisch Kontakt aufnehmen. Ⓜ

Borth/Ynyslas, GB-SY24 5JU / Wales 📶 iD

▲ Swn y Môr	1 ADEJMNOPQRST	ABEFNQSWX 6
🕐 1 Mär - 31 Okt	2 HPRSW	ABDEFGH 7
☎ +44 (0)1970-871233	3 BK	E 8
@ swnymor@sunbourne.com	4 CDIOPQ	NPR 9
	5 BDEGIKL	BFGHIJNPR10
	B 16A CEE	❶ €30,00
	4 ha 58T(80-100m²) 166D	❷ €30,00

🗺 N 52°30'35'' W 4°3'0''

🚗 Die B4353 von Borth nach Ynyslas nehmen. Nach 1,5 km liegt der CP rechts.

Brecon, GB-LD3 9SW / Wales ✿ iD

▲ Bishop's Meadow Carav. Park*****	1 ADJMNOPQRST	AB 6
🔲 Hay Road	2 FOPRSUWX	ABDEFGH 7
🕐 1 Mär - 31 Okt	3 AK	ABEFLNQR 8
☎ +44 (0)1874-610000	4 F	9
@ info@bishops-meadow.co.uk	5 ABDEGJKL	BFGHJMR10
	B 10A CEE	❶ €31,25
	H195 2,3 ha 80T(80-100m²)	❷ €31,25

🗺 N 51°57'39'' W 3°22'29''

🚗 Von A470 die B4602 Richtung Hereford nehmen, CP gut ausgeschildert.

Brecon, GB-LD3 7SH / Wales 📶 iD

▲ Brynich Caravan Club Site*****	1 ADJMNOPQRST	6
🔲 Begin A470	2 CFOPSVWXY	ABDEFG 7
🕐 26 Mär - 27 Okt	3 ABEKQ	ABCDEFGIJNQRSTUV 8
☎ +44 (0)1874-623325	4 FH	9
📠 +44 (0)1874-623961	5 ACKL	BFGHIJMPR10
	B 16A CEE	❶ €41,30
	H151 6,6 ha 123T(100-130m²)	❷ €47,70

🗺 N 51°56'30'' W 3°21'16''

🚗 Bei T-Kreuzung (Kreisel) an der Umgehung Brecon (A40/A470) an der Ostseite von Brecon.

Brynsiencyn/Anglesey, GB-LL61 6TX / Wales iD

▲ Fron Caravan & Camping Park	1 ADEJMNOPQR	AC 6
🔲 A4080	2 AFOPQSTUVWX	ABDEFGH 7
🕐 1 Apr - 30 Sep	3 AK	ABCDEFJNQRV 8
☎ +44 (0)1248-430310	4 FH	9
@ mail@froncaravanpark.co.uk	5 BKL	ABFGHIJMRW10
	D 10-10A CEE	❶ €30,00
	2 ha 74T(100m²) 21D	❷ €30,00

🗺 N 53°10'34'' W 4°17'16''

🚗 Erste Ausfahrt Britannia Brücke Richtung Llanfairpwl, A5. Danach Ausfahrt Newborough, A4080. Auf dieser Straße weiter, CP rechts nach ca. 800m. Hinter Ort Brynsiencyn.

Builth Wells, GB-LD1 5RT / Wales 📶 ✿ iD

▲ Fforest Fields C. & C. Park	1 ACJMNOPQRST	JLNQSXZ 6
🔲 Hundred House	2 CDFGPRSVWXY	ABDEFGHK 7
🕐 1 Apr - 31 Okt	3	ABCDEFGIJNQRSV 8
☎ +44 (0)1982-570406	4 FH	9
@ office@fforestfields.co.uk	5 ABKL	BFGJMNPR10
	B 16A CEE	❶ €25,00
	H236 4 ha 104T(100-120m²) 5D	❷ €32,50

🗺 N 52°10'17'' W 3°18'59''

🚗 Von Builth Wells A483, weiter A481 Richtung Hundred House. Vor Hundred House liegt rechts der CP. Ⓜ

Cardiff, GB-CF11 9LB / Wales iD

▲ Cardiff Caravan Park	1 ADEJMNOPQRST	6
🔲 Sophiaclose Pontcanna Fields	2 ABOPSVWX	ABDEFGH 7
🕐 1 Jan - 31 Dez	3	ABEFNQRTUV 8
☎ +44 (0)2920-398362	4	V 9
@ cardiffcaravanpark@cardiff.co.uk	5 DKL	BHIJR10
	B 16A CEE	❶ €37,50
	1,5 ha 61T(100-120m²)	❷ €37,50

🗺 N 51°29'22'' W 3°11'50''

🚗 M4, Ausfahrt 32 am Rand links zur A470 Cardiff, dann City Centre. Im Zentrum an 'Cardiff Castle' rechts. Nach Brücke 1. Straße rechts. An der 1. Ampel rechts dem Hinweis 'Sophia Garden' folgen. Ⓜ

Cenarth/Newcastle Emlyn, GB-SA38 9JS / Wales 📶 ✿ iD

▲ Cenarth Falls Holiday Park	1 ADEILNOPQRST	AE 6
🕐 1 Mär - 15 Nov	2 BFOPRSVWX	ABFGH 7
☎ +44 (0)1239-710345	3 BK	ABCDEFGIJNQRST 8
@ enquiries@cenarth-holipark.co.uk	4 HIOQRTUV	EJ 9
	5 GJKL	BHIJOTU10
	B 16A CEE	❶ €33,75
	5 ha 30T(80-100m²) 96D	❷ €33,75

🗺 N 52°3'0'' W 4°31'54''

🚗 Die A487 von Cardigan aus. CP 800m vor Cenarth links an die Straße. Von Carmarthen die A484 bis Cenarth links auf die A487. Ⓜ

Clarach/Aberystwyth, GB-SY23 3DT / Wales 📶 ✿ iD

▲ Glan y Môr	1 ADEJMNOPQRST	EKNQSX 6
🔲 Clarach Bay	2 EJOPRSTVWX	ABDEFGH 7
🕐 1 Mär - 31 Okt	3 BEKP	ABEFNQR 8
☎ +44 (0)1970-828900	4 BCDILMOPQRSTU	E 9
@ glanymor@sunbourne.com	5 BDEGJKL	BFGHIJPRY10
	B 16A CEE	❶ €28,75
	30 ha 160T(80-100m²) 190D	❷ €28,75

🗺 N 52°26'11'' W 4°4'49''

🚗 Von Aberystwyth A487 Richtung Norden. Abbiegen B4572. An der 4-Gabelung in Clarach links fahren. Am Ende der Straße rechts. Ⓜ

Devil's Bridge/Aberystwyth, GB-SY23 3JW / Wales

🏠 Woodlands Caravan Park
📅 6 Mär - 31 Okt
☎ +44 (0)1970-890233
@ enquiries@
woodlandsdevilsbridge.co.uk
📍 N 52°22'42'' W 3°50'46''
🚗 Von Aberystwyth A4120 nach Devil's Bridge. Östlich von der Brücke (300m).

1 ADE**JM**NOPQRS**T**	**N** 6
2 BFPRSWX	ABDEF**GH** 7
3 A**GHK**LV	ABEFGIJKNQRSV 8
4 FH	BJ 9
5 BDIK**L**	BDHJN**OR**10
B 16A CEE	❶ €26,25
H202 2 ha 65**T**(80-100m²) 102**D**	❷ €31,25

Fishguard, GB-SA65 9ET / Wales

🏠 Fishguard Bay Caravan and Camping Park
🏕 Garn Gelli
📅 1/1 - 10/1, 1/3 - 31/12
☎ +44 (0)1348-811415
@ enquiries@fishguardbay.com
📍 N 51°59'54'' W 4°56'35''
🚗 Von Fishguard A487 Richtung Cardigan (2 km) bis zum braunen CP-Schild, links zum CP, lange schmale Straße.

1 ADE**JM**NOPQRS**T**	6
2 FNPRSTVW	ABDEF**GH**K 7
3 A**K**	ABCDEFJNQRT 8
4 FIO**PQ**	E 9
5 ACKL	BHIJOR10
10A CEE	❶ €31,90
H62 2,4 ha 50**T**(70-80m²) 60**D**	❷ €36,90

Harlech, GB-LL46 2UG / Wales

🏠 Min-y-Don Holiday Home & Touring Park
🏕 Beach Road
📅 1 Mär - 31 Okt
☎ +44 (0)1766-780286
manager@minydonholidayhomepark.co.uk
📍 N 52°51'45'' W 4°6'56''
🚗 Von Llanfair in nördlicher Richtung über die A496. Nach ca 2 km links in die Ford Glan Mor. CP nach ± 300m rechts.

1 ADE**JM**OPR	M 6
2 FGHOPRSVWX	ABDEF**GH** 7
3 BE**J**	ABFGIJNQRTUV 8
4	9
5	BGHIJMPR10
B 16A	❶ €33,75
18 ha 100**T**(80-100m²) 112**D**	❷ €42,50

Haverfordwest, GB-SA62 3SJ / Wales

🏠 Redlands Touring Caravan & Camping Park
🏕 Hasguard Cross
📅 1 Mär - 15 Dez
☎ +44 (0)1437-781300
@ info@redlandscamping.co.uk
📍 N 51°45'20'' W 5°6'44''
🚗 Von Haverfordwest, die B4327 Richtung Dale. Nach 10 km liegt der CP rechts der Strecke.

1 ADE**JM**NOPQRS**T**	6
2 FOPRSVWXY	ABDEF**GH** 7
3	ABCDEFJNQRV 8
4 F	9
5 AKL	BGJMNR10
10A CEE	❶ €28,70
H82 2,5 ha 70**T**(100-120m²)	❷ €31,80

Bank Farm Leisure, Camp. & Carav. Park

Auf der wunderbaren Halbinsel Gower gelegen, im Örtchen Horton. Mit atemberaubenden Aussichten über Horton und Port Eynon Bay. Bank Farm wird von der Familie Richards geführt, den früheren Landwirten dieses schönen Geländes von 30 ha.

SA3 1LL Horton (Gower) • Tel. 01792-390228 • Fax 01792-391282
E-Mail: bankfarmleisure@aol.com • Internet: bankfarmleisure.co.uk ©

Horton (Gower), GB-SA3 1LL / Wales

🏠 Bank Farm Leisure, Camp. & Car. Park
📅 1 Mär - 31 Dez
☎ +44 (0)1792-390228
@ bankfarmleisure@aol.com
Anzeige auf dieser Seite
📍 N 51°33'22'' W 4°12'51''
🚗 Auf der A4118 Killay-Port Eynon, kurz vor Port Eynon links nach Horton, dann den CP-Schildern folgen. Das wird außer Ihrem Navi empfohlen. Das selektierte schmale Straßen an.

1 ADE**JM**NOPQRS**T**	ABCDFGNQSX 6
2 EFGHOPTW	AB**FGH** 7
3 BEM	ABEFNQRSV 8
4 IO**PQ**	J 9
5 ACDEGIK**L**	BFJNOR10
B 10A CEE	❶ €35,65
H62 30 ha 230**T**(80-120m²) 81**D**	❷ €35,65

Llandovery, GB-SA20 0RD / Wales

🏠 Erwlon Caravan & Camping Park*****
🏕 Brecon Road
📅 1 Jan - 31 Dez
☎ +44 (0)1550-721021
@ peter@erwlon.co.uk
📍 N 51°59'36'' W 3°46'49''
🚗 Der Camping liegt an der A40, 1 km östlich von Llandovery.

1 A**JM**NOPQRS**T**	**N** 6
2 CFOPRSVWX	ABDEF**GH** 7
3 A**K**	ABCDEFGIJNQRSTUV 8
4 FH	9
5 K**L**	BGIJM**OR**X10
B 10A CEE	❶ €23,75
H72 4 ha 80**T**(64-90m²) 40**D**	❷ €28,75

Llanfwrog (Anglesey), GB-LL65 4YG / Wales

🏠 Penrhyn Bay Caravan Park
📅 15 Mär - 31 Okt
☎ +44 (0)1407-730496
@ mail@penrhynbay.com
📍 N 53°19'47'' W 4°34'39''
🚗 A5025, Ausfahrt Llanfwrog. Nach Zentrum Schildern 'Sandybeach/Penryn' folgen. CP ist an der Küste. Vom Schild aus noch 3 km.

1 A**JM**NOPR**T**	EFGKNOPQSW**X**Y 6
2 AEFGHMPQSVW	ABDEF**GH** 7
3 BEL**M**	ABCDEFJNQRSTUV 8
4 FHI**PQ**	9
5 ABK**L**M	ABFHJMN**P**R10
B 10A CEE	❶ €37,50
14 ha 62**T**(100-400m²) 100**D**	❷ €37,50

Llangorse/Brecon, GB-LD3 7TR / Wales

🏠 Lakeside C. & C. Park
🏕 Llangorse Lake
📅 1 Apr - 31 Okt
☎ +44 (0)1874-658226
@ holidays@llangorselake.co.uk
📍 N 51°56'27'' W 3°15'57''
🚗 Von A40 Brecon-Abergavenny die B4560 nehmen und der Ausfahrt 'Llangorse Lake' folgen. Innerorts ist der CP mit braunen Schildern angezeigt. Rechnen Sie mit engen Zufahrtswegen.

1 ACDE**JM**NOPQRS**T**	**N**QSW**X**YZ 6
2 CDINPSVWXY	ABDEF**GH** 7
3 A	ABEFNQRSV 8
4 FIMO**PQ**	EOPQRT 9
5 ABDEGIKL	BFHJMN**R**10
10A CEE	❶ €23,15
H162 6 ha 50**T**(80-100m²) 90**D**	❷ €31,90

Llantwit Major/Vale of Glam., GB-CF61 1RP / Wales

🏠 Acorn Car. & Camp. Site
🏕 Ham Lane South
📅 1 Feb - 30 Nov
☎ +44 (0)1446-794024
@ info@acorncamping.co.uk
📍 N 51°23'59'' W 3°28'39''
🚗 Aus östlicher Richtung über die M4, bei Ausfahrt 33 über die A4232/E4050, A4226 und B4265 nach Llantwit Major. Dort den braunen Schildern folgen. Gegen Ende dann den weißen Wegweisern folgen.

1 ADE**JM**NOPQRS**T**	6
2 PRSVWXY	ABDEF**GH** 7
3 A**K**LSV	ABCDEFGINQRSV 8
4 FHI**PQ**	9
5 CDEKL	BGIJOR10
B 16A CEE	❶ €22,50
1,8 ha 78**T**(80-100m²) 22**D**	❷ €34,40

Marian-glas/Anglesey, GB-LL73 8PH / Wales

🏠 Home Farm Caravan Park
🏕 A5025
📅 1 Apr - 31 Okt
☎ +44 (0)1248-410614
@ enq@
homefarm-anglesey.co.uk
📍 N 53°20'26'' W 4°15'23''
🚗 Über die Britannia Brücke auf der A5025 Richtung Benllech und Amlwch hinter Benllech Kreisverkehr. Dahinter nach ca. 600m CP links der Straße.

1 AD**JM**NOPQR**T**	**X** 6
2 OPRSUVWX	ABDEF**GH** 7
3 ACE**KM**	ABCDEFIJKNQRSTUV 8
4 IO**Q**	J 9
5 ABKL	BEFGHIJMP**R**W10
B 16A CEE	❶ €36,25
H60 4,5 ha 108**T**(50-124m²) 4**D**	❷ €48,75

Moreton/Saundersfoot, GB-SA69 9EA / Wales

🏠 Moreton Farm Leisure Park
🏕 A478
📅 1 Mär - 31 Okt
☎ +44 (0)1834-812016
@ moretonfarmlp@btconnect.com
📍 N 51°42'39'' W 4°43'48''
🚗 Vom Kreisel auf der A477 nach Tenby über A478. CP nach etwa 2,5 km links.

1 ADEHKNOPQRS**T**	6
2 FOPRSTVW	ABDEF**GH** 7
3 A**K**	ABEFJNQRV 8
4 FH	9
5 K**L**	BGIJ**OR**X10
B 16A CEE	❶ €25,00
11 ha 57**T**(80-100m²) 22**D**	❷ €30,00

Mynytho/Gwynned, GB-LL53 7RW / Wales

🏠 Yr Helyg-The Willows Touring Park
📅 17 Mär - 15 Okt
☎ +44 (0)1758-740676
@ contact@
the-willows-abersoch.co.uk
📍 N 52°51'16'' W 4°30'57''
🚗 A499 Richtung Pwllheli. Weiter Richtung Abersoch. Nehmen Sie dann die B4413 bei Llanbedrog. Dieser bis Mynytho folgen. Hinter dem Örtchen dem CP-Schild folgen.

1 ACDE**JM**NOPQR	NOSTW**X** 6
2 FOPSVWXY	ABDEF**GH**K 7
3 E**K**	ABCDEFGIJNPQRSTUV 8
4 FO	EF 9
5 L	BEFHJMP**R**10
B 16A CEE	❶ €27,50
4 ha 42**T**(65-85m²) 18**D**	❷ €35,00

New Hedges/Tenby, GB-SA70 8TL / Wales 📶 iD

- 🏕 Well Park C. & C. Site
- 🛣 A478
- 📅 19 Mär - 29 Okt
- ☎ +44 (0)1834-842179
- @ enquiries@wellparkcaravans.co.uk
- 📍 N 51°41'24'' W 4°42'33''
- 🗺 CP liegt an der A478.

1 ADEG**JM**NOPQRS**T**	6
2 FOPRSTWX	ABD**EFGH** 7
3 B**KL**	ABCDEFIJNQRSTUV 8
4 ILO**PQ**	EIJ 9
5 GKL	BFGHIJ**OR**10
B 10A CEE	① €32,50
H77 4a ha 120T(80-100m²) 50D	② €35,00

Newport, GB-NP10 8TW / Wales 📶 iD

- 🏕 The Caravan Club Site Tredegar House
- 🛣 Coedkernew
- 📅 1 Jan - 31 Dez
- ☎ +44 (0)1633-815600
- 📠 +44 (0)1633-816372
- 📍 N 51°33'41'' W 3°1'57''
- 🗺 M4 Bristol-South Wales, Ausfahrt 28. Wegweisern vor Tredegar House folgen.

1 ADEJMNOPQRS**T**	6
2 APRSTUVWX	ABD**EFGH** 7
3 **K**	ABCDEFNQRSV 8
4	9
5 **KL**	BGHIJ**OR**X10
B 16A CEE	① €31,75
2 ha 97T(80-100m²)	② €37,15

Pandy/Abergavenny, GB-NP7 8DR / Wales 📶 iD

- 🏕 Pandy Caravan Club Site★★★★
- 📅 15 Mär - 1 Nov
- ☎ +44 (0)1873-890370
- 📠 +44 (0)1873-890074
- 📍 N 51°53'54'' W 2°58'8''
- 🗺 A465, ca. 10 km von Abergavenny, Richtung Hereford. Beim Old Pandy Inn links. Direkt nach der Bahnunterführung liegt der CP.

1 ADEFJMOPQRT	N 6
2 CFOPSVWXY	ABD**EFGH** 7
3 **K**	ABCDEFJNQR 8
4	9
5 K	BHIJM**OR**10
B 16A CEE	① €42,00
H106 5 ha 53T(80-100m²)	② €48,50

Pencelli/Brecon, GB-LD3 7LX / Wales 📶✿ iD

- 🏕 Pencelli Castle Car. & Cp. Park★★★★★
- 📅 15 Feb - 28 Nov
- ☎ +44 (0)1874-665451
- @ pencelli@tiscali.co.uk
- 📍 N 51°54'53'' W 3°19'4''
- 🗺 A40, 3 km nach Brecon Richtung Abergavenny. Ausfahrt links Richtung Pencelli. Nach 5 km CP Schild.

1 ADEHKNOPQRS**T**	N 6
2 CO**PRSVWXY**	ABDE**FGH**K 7
3 BE**K**	ABCDEFGIJKNQRSV 8
4 FH	UV 9
5 ABKL	BFGHIJPRX10
B 16A CEE	① €34,50
H141 4 ha 80T(100-120m²)	② €50,75

Porthmadog, GR-LL49 9YII / Wales ✿ iD

- 🏕 Black Rock Sands Camping & Touring
- 🛣 Morfa Bychan
- 📅 22 Mär - 30 Sep
- ☎ +44 (0)1766-513919
- 📍 N 52°54'55'' W 4°11'27''
- 🗺 Im Zentrum Porthmadog die Ausfahrt Graig Dolu/Black Rock nehmen. Dieser Strecke folgen, der letzte CP ist 'Black Rock Sands'.

1 ADJMNOPRT	K**N**OPQSWXY 6
2 EFHMPQVWXY	ABDE**FG** 7
3 A**K**	ABEFNQRV 8
4 F	9
5 KL	BIR10
B 10A CEE	① €40,25
4,8 ha 150T(ab 100m²) 30D	② €46,25

Presteigne, GB-LD8 2NF / Wales iD

- 🏕 Rockbridge Park
- 📅 1 Mär - 31 Okt
- ☎ +44 (0)1547-560300
- @ info@rockbridgepark.co.uk
- 📍 N 52°16'56'' W 3°1'56''
- 🗺 Über die A49 (Hereford-Shrewbury). Am Kreisel Little-Hereford (A456) und Shobdon (B4362) auf die B4362 abbiegen. Dieser Straße weiter folgen bis nach Persteigne. Dort durchfahren und nach 1 km liegt der CP auf der rechten Seite.

1 ADEG**JM**NOPQRS**T**	6
2 CFPRVWXY	ABDE**FGH** 7
3 **K**	ABEFGINQR 8
4 FH	9
5 L	BJMR10
B 10A CEE	① €25,00
H158 53T(50-100m²)	② €30,00

Rhuallt, GB-LL17 0AW / Wales 📶 ℂℂ€18 iD

- 🏕 Rhuallt Country Park
- 🛣 Holywell Rd B5429
- 📅 1 Mär - 31 Dez
- ☎ +44 (0)1745-530099
- @ kelly@rhualltcountrypark.co.uk
- 📍 N 53°15'48'' W 3°23'46''
- 🗺 A55 Ausfahrt 28. Der Beschilderung folgen.

1 ADEJMNOPQRST	6
2 AFOPSVW	ABDE**FGH** 7
3 A**K**	ABDFGIJNQRSTUV 8
4 FGHKNO	G 9
5 ABGJK	BHIJMNOR**W**10
B 10A CEE	① €25,00
H58 0,7 ha 50T(ab 120m²) 44D	② €25,00

Sarnau/Cardigan, GB-SA44 6RE / Wales 📶✿ iD

- 🏕 Brynawelon Touring & Camping Park
- 📅 1 Apr - 31 Okt
- ☎ +44 (0)1239-654584
- @ info@brynaweloncp.co.uk
- 📍 N 52°7'47'' W 4°27'13''
- 🗺 Von der A487 kommend von Cardigan am Ortsende rechts ab Richtung Rhydlewis. CP nach 500m.

1 A**J**MNOPQRS**T**	N 6
2 FOPRSVWX	ABDE**FG**HIJK 7
3 A**HK**	ABCDEFGIJNQRV 8
4 FIO**T**	9
5 KL	BGHIJM**OR**10
B 16A CEE	① €18,75
H228 1,6 ha 40T(80m²) 20D	② €26,25

St. Davids, GB-SA62 6QT / Wales 📶✿ iD

- 🏕 Caerfai Bay Car. & Tent Park
- 🛣 Caerfai
- 📅 1 Mär - 8 Nov
- ☎ +44 (0)1437-720274
- @ info@caerfaibay.co.uk
- 📍 N 51°52'23'' W 5°15'25''
- 🗺 Hinweisschilder auf der A487 von Haverfordwest nach St. Davids. Kurz vor dem Zentrum von St. Davids links dem schmalen Asphaltweg bis zum Ende folgen.

1 ADE**JM**NOPQRST	KNOPQRSTUV**X** 6
2 EFGHMPRSTVW	ABDE**FGH**K 7
3 **K**	ABCDEFIJNQRSV 8
4 F	E 9
5 **KL**	BFGHJM**NOR**10
Anzeige auf dieser Seite B 10A CEE	① €30,00
H58 4 ha 95T(80-100m²) 43D	② €36,90

St. Davids, GB-SA62 6DB / Wales iD

- 🏕 Hendre Eynon C & C Site
- 📅 1 Apr - 30 Sep
- ☎ +44 (0)1437-720474
- @ hendreeynoninfo@gmail.com
- 📍 N 51°54'24'' W 5°14'25''
- 🗺 A487 von St. Davids an der Kreuzung am Rugby Club links durch Rhodiad-y-Brenin. Dann den Schildern folgen.

1 AJMNOPQRST	N 6
2 OPRVWX	ABDE**FGH** 7
3 **K**	ABCDEFGINQRV 8
4 F	9
5 **KL**	DJMR10
10A CEE	① €25,00
H67 2,4 ha 72T(bis 140m²)	② €31,25

St. Florence/Tenby, GB-SA70 8RD / Wales 📶 iD

- 🏕 Trefalun Park
- 🛣 Devonshire Drive
- 📅 1 Apr - 31 Okt
- ☎ +44 (0)1646-651514
- @ trefalun@aol.com
- 📍 N 51°41'34'' W 4°45'26''
- 🗺 A477 Richtung Pembroke. Bei Sageston links ab auf die B4318. Dem Schild St. Florence nicht folgen! Hinter dem Manor House Wildlife Park links ab.

1 ADE**IL**NOPQRS**T**	6
2 PRSTVW	ABDE**FGH** 7
3 BE**KP**	ABEFIJNQRSV 8
4	E 9
5 KL	BHJM**OR**10
B 16A CEE	① €28,75
H75 4 ha 90T(80-100m²) 51D	② €35,00

Trearddur Bay/Anglesey, GB-LL65 2AX / Wales 📶 iD

- 🏕 Bagnol Caravan Park
- 🛣 Ravenspoint Road
- 📅 1 Mär - 31 Okt
- ☎ +44 (0)1407-860223
- @ info@caravan-park-anglesey.co.uk
- 📍 N 53°16'10'' W 4°36'53''
- 🗺 A55 Ausfahrt 1 oder 3 Valley, die B4545 fahren und bis nach Trearddur folgen. In Trearddur ist der CP angezeigt.

1 ADEJMNOPRS**T**	KNOPQSTWXY 6
2 AEFHJKMPQRSVWX	ABDE**FGH** 7
3 A**K**	ABEFJNQRSTUV 8
4	J 9
5 KL	BFHIJLMOR10
B 16A CEE	① €32,50
5,5 ha 106T(150m²) 246D	② €35,00

Wrexham, GB-LL13 0SP / Wales 📶✿ iD

- 🏕 Plassey Holiday Park★★★★★
- 🛣 Eyton
- 📅 10 Feb - 10 Nov
- ☎ +44 (0)1978-780277
- @ enquiries@plassey.com
- 📍 N 53°0'1'' W 2°58'13''
- 🗺 A483 Ausfahrt Bangor on Dee. Ab dieser Ausfahrt ist der CP angegeben.

1 AD**JM**NOPRT	EN**X** 6
2 APRSVWX	ABDE**FGH** 7
3 ABC**JKL**T	ABCDEFGHIJKNQRTV 8
4 BDFHI**PQRTZ**	9
5 ACDGJKL	BEFGHIJMN**PR**10
Anzeige auf dieser Seite B 16A CEE	① €34,50
H59 4 ha 130T(80-120m²) 60D	② €45,75

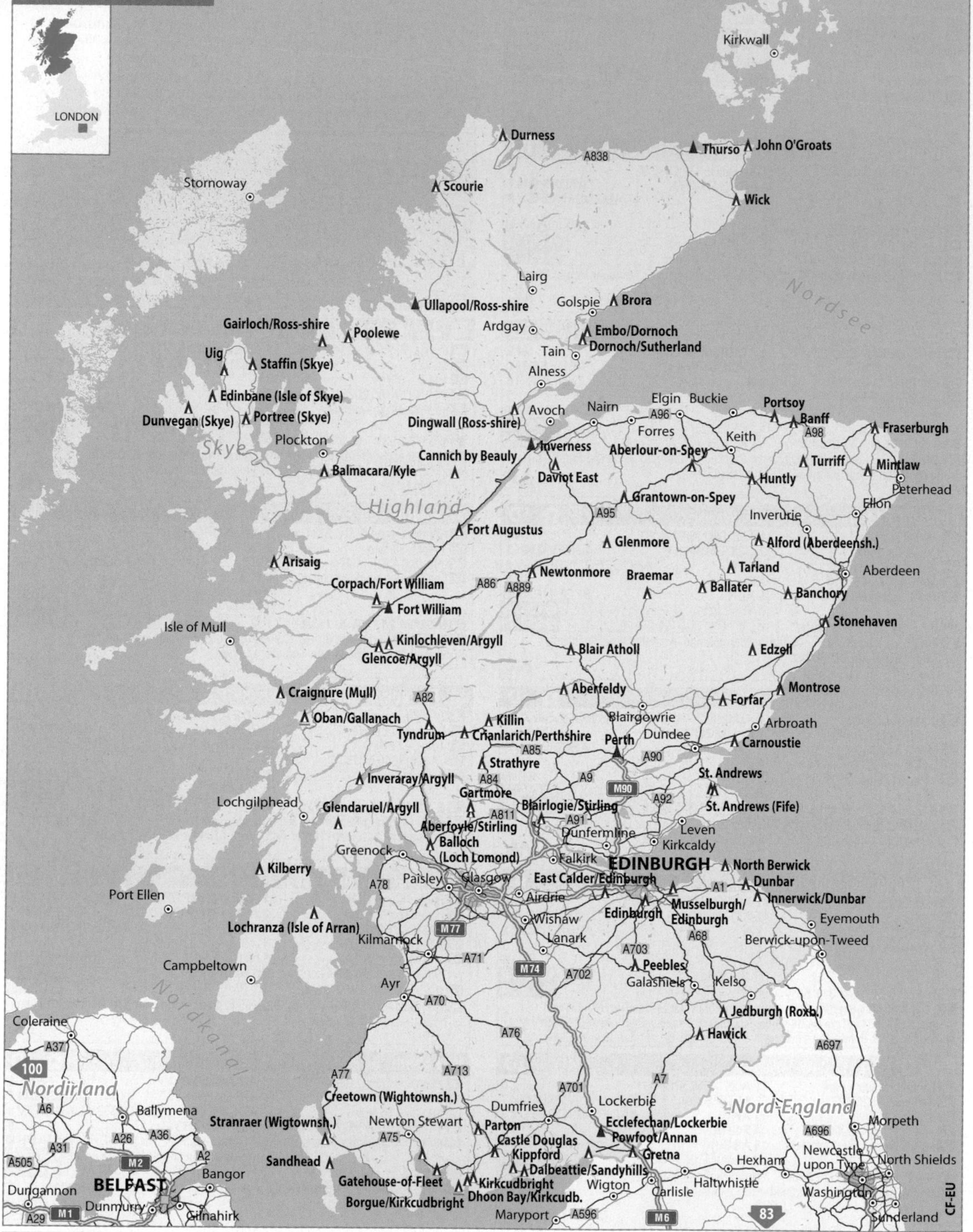

LONDON

Kirkwall

Durness
A838
Thurso   John O'Groats
Scourie
Wick

Stornoway

Lairg
Ullapool/Ross-shire   Golspie   Brora
Ardgay
Gairloch/Ross-shire   Poolewe   Embo/Dornoch
Uig   Dornoch/Sutherland
Staffin (Skye)   Tain
Edinbane (Isle of Skye)   Alness
Dunvegan (Skye)   Portree (Skye)   Elgin   Buckie   Portsoy
Skye   Plockton   Avoch   Nairn   A96   Banff   Fraserburgh
Dingwall (Ross-shire)   Inverness   Forres   Keith   A98
Cannich by Beauly   Aberlour-on-Spey   Turriff   Mintlaw
Balmacara/Kyle   Daviot East   Huntly   Peterhead
Highland   Grantown-on-Spey   Ellon
Inverurie
Fort Augustus   Glenmore   Alford (Aberdeensh.)
Arisaig   Newtonmore   Braemar   Tarland   Aberdeen
Corpach/Fort William   A86   A889   Ballater   Banchory
Fort William   Blair Atholl   Stonehaven
Isle of Mull   Kinlochleven/Argyll   Edzell
Glencoe/Argyll   Aberfeldy   Forfar   Montrose
Craignure (Mull)   A82   Blairgowrie   Arbroath
Oban/Gallanach   Killin   Perth   Dundee   Carnoustie
Tyndrum   Crianlarich/Perthshire   A90   St. Andrews
A85   Strathyre   A9   St. Andrews (Fife)
Inveraray/Argyll   Gartmore   Blairlogie/Stirling   M90   A92
Lochgilphead   Glendaruel/Argyll   A811   Stirling   Leven
Aberfoyle/Stirling   A91   Dunfermline   Kirkcaldy
Balloch   Greenock   (Loch Lomond)   Falkirk   North Berwick
Kilberry   Paisley   Glasgow   EDINBURGH   Dunbar
East Calder/Edinburgh   A1   Innerwick/Dunbar
Port Ellen   Airdrie   Musselburgh/   Eyemouth
Lochranza (Isle of Arran)   Wishaw   Edinburgh   Edinburgh   A68   Berwick-upon-Tweed
Kilmarnock   Lanark   A703
Campbeltown   A71   M74   A702   Peebles   Kelso
Ayr   A70   Galashiels
A76   Jedburgh (Roxb.)
Coleraine   A77   A713   Hawick   A697
A37   A701   A7
Nordirland   Creetown (Wightownsh.)   Dumfries   Lockerbie   Nord-England
Ballymena   Newton Stewart   Parton   Ecclefechan/Lockerbie   A696   Morpeth
Stranraer (Wigtownsh.)   A75   Castle Douglas   Powfoot/Annan   Newcastle   North Shields
Sandhead   Kippford   Gretna   Hexham   upon Tyne
Belfast   Bangor   Gatehouse-of-Fleet   Dalbeattie/Sandyhills   Haltwhistle   Washington
Dunmurry   Kirkcudbright   Wigton   Carlisle   Sunderland
Borgue/Kirkcudbright   Dhoon Bay/Kirkcudb.
Maryport   A596   M6

Nordsee
Nordkanal

Aberfeldy, GB-PH15 2AQ / Scotland

▲ Aberfeldy Caravan Park****	1 DEJMNOPQRST	NU 6
▤ Dunkeld Road	2 CFGOPSVWX	ABDEFGK 7
☀ 15 Mär - 31 Okt	3 AEJK	ABEFJKNQRSV 8
☎ +44 (0)1887-820662	4 F	9
FAX +44 (0)1738-35225	5	BFGHKR10
	16A CEE	❶ €26,25
	H150 2,4 ha 157T(72m²) 65D	❷ €32,50
⌖ N 56°37'21'' W 3°51'28''		

🚗 Von Edinburgh der M90 folgen, dann A9 bis Ballinluig-Kenmore, direkt am Ortseingang Aberfeldy rechts der Straße. Ausgeschildert. Nicht dem Navi folgen.

Aberfoyle/Stirling, GB-FK8 3SA / Scotland 📶 ⚙ iD

▲ Trossachs Holiday Park*****	1 ADEJMNOPQRST	6
☀ 1 Mär - 31 Okt	2 OPRSTUVWXY	ABDEFGH 7
☎ +44 (0)1877-382614	3 AK	ABCDEFIJNQRTUV 8
@ info@trossachsholidays.co.uk	4 FHIOQ	EF 9
	5 ABKL	BEFHJMOPR10
	Anzeige auf dieser Seite 16A CEE	❶ €30,00
	4 ha 66T(70-80m²) 87D	❷ €35,00
⌖ N 56°8'19'' W 4°21'37''		

🚗 Dieser CP liegt 5 km südlich von Aberfoyle an der A81 und ist deutlich ausgeschildert.

Aberlour-on-Spey, GB-AB38 9LD / Scotland 📶 ⚙ iD

▲ Aberlour Gardens Camping Park****	1 ADEJMNOPQRS	6
	2 GPSVWX	ABDEFGH 7
☀ 1 Mär - 28 Okt	3 A	ABCDFGJNQRST 8
☎ +44 (0)1340-871586	4 FH	EV 9
@ info@aberlourgardens.co.uk	5 BKL	BFGHJPR10
	B 10A CEE	❶ €30,65
	H130 5 ha 49T(120m²) 33D	❷ €36,90
⌖ N 57°28'28'' W 3°11'55''		

🚗 An der A95, genau zwischen Graigellachie und Aberlour, ausgeschildert. Hohe Reisemobile müssen wegen der Brücke umfahren. Von A95 über die A941 hintenherum fahren. Ist auf der A941 ausgeschildert. Von Dufftown auf der A941 ausgeschildert.

Alford (Aberdeensh.), GB-AB33 8NA / Scotland ⚙ iD

▲ Haughton House Holiday Park***	1 ADEJMNOPQRST	N 6
	2 COPRSTVWXY	ABDEFGH 7
▤ Montgarrie Road	3 BEIJV	ABFNQRSTUV 8
☀ 31 Mär - 26 Okt	4 FH	9
☎ +44 (0)1975-562107	5 KL	FGHJMRW10
@ enquiries@haughtonhouse.co.uk	Anzeige auf dieser Seite B 16A CEE	❶ €26,00
	H139 7,7 ha 70T(100-120m²) 89D	❷ €33,15
⌖ N 57°14'15'' W 2°42'8''		

🚗 An der A944 ist der CP in Alford gut ausgeschildert.

Arisaig, GB-PH39 4NT / Scotland 📶 iD

▲ Sunnyside Croft&Touring****	1 ADEGJMNOPQRST	KMN 6
▤ 2 Bunacaimbe	2 EFHOPSTVW	ABDEFGHK 7
☀ 1/2 - 31/10, 21/12 - 12/1	3 K	ABEFGIJKNQRSTV 8
☎ +44 (0)1687-450643	4	EJ 9
@ holidays@ sunnysidetouringsite.co.uk	5 ABL	ABFIJPR10
	B 16A CEE	❶ €27,50
	40T(70-80m²) 8D	❷ €40,00
⌖ N 56°55'59'' W 5°51'39''		

🚗 A830 Fort-William die 830 Richtung Arisaig/Mallalg folgen. Hlnter Arisaig links die B8008 Richtung Bunacaimbe.

Ballater, GB-AB35 5QR / Scotland 📶 ⚙ iD

▲ Ballater Caravanpark***	1 ACDEJMNOPQRST	JN 6
▤ Anderson Road	2 CFOPSVWX	ABDEFGH 7
☀ 1 Apr - 28 Okt	3 A	ABEFNQRS 8
☎ +44 (0)1339-755727	4	9
@ bookings@ballaterpark.co.uk	5 L	BFGHJMOR10
	B 16A CEE	❶ €31,25
	H190 3,2 ha 75T(100-120m²) 103D	❷ €31,25
⌖ N 57°2'45'' W 3°2'23''		

🚗 Der A93 folgen. In Ballater ausgeschildert. Hier in die Victoria Road und dann in die L. Brachlie Road. Dem Schild 'Fire Station' folgen. (Nicht dem Navi folgen, Sie werden sonst in eine enge Straße geleitet!)

Balloch (Loch Lomond), GB-G83 8QP / Scotl. 📶 ⚙ iD

▲ Lomond Woods Holiday Park*****	1 ADEJMOPQRS	NX 6
	2 RSVWXY	ABDEFGH 7
▤ Old Luss Road	3 ABKL	ABCDFGJNQRTUV 8
☀ 1 Jan - 31 Dez	4 IOQ	EF 9
☎ +44 (0)1250-876666	5 BKL	ABEFGHIKMNPR10
lomondwoods@holiday-parks.co.uk	10A CEE	❶ €31,25
	5 ha 120T(50-120m²) 51D	❷ €36,25
⌖ N 56°0'5'' W 4°35'33''		

🚗 Die A82 oder die A811 bis Balloch. Der CP ist ab dem Kreisel ausgeschildert.

Balmacara/Kyle, GB-IV40 8DH / Scotland 📶

▲ Reraig Caravan Site****	1 DEJMOQRT	NQSX 6
☀ 1 Mai - 30 Sep	2 EPRSVWX	ABDE 7
☎ +44 (0)1599-566215	3	ABEFNQRV 8
@ warden@reraig.com	4	9
	5	GJPR10
	10A CEE	❶ €20,65
	1 ha 45T(65-100m²)	❷ €20,65
⌖ N 57°16'58'' W 5°37'34''		

🚗 An der A87, vom Osten 3 km hinter dem Kreuzpunkt mit der A890, hinter dem Balmacara-Hotel.

Campingplatz in einer schöner Landschaft im Herzen der Trossachs an der A81, nur 3 Meilen (ca. 5 km) südlich von Aberfoyle. Stirling, Glasgow und Loch Lomond Nationalpark gleich in der Nähe. Prima Campingplatz in unberührter Natur mit viel Flora und Fauna, ideal zum Rad fahren, wandern, fotografieren, angeln und golfen oder einfach nur genießen und entspannen!

FK8 3SA Aberfoyle/Stirling
Tel. 01877-382614 • Fax 01877-382732
Internet: www.trossachsholidays.co.uk

Banchory, GB-AB31 5PY / Scotland 📶

▲ Silverbank Caravan Club Site	1 DEJMOPQRS	N 6
▤ North Deeside Road	2 CGOPSVW	ABDEFG 7
☀ 15 Mär - 31 Okt	3 K	ABEFJNQRV 8
☎ +44 (0)1330-822477	4 FH	9
@ silverbank@caravanclub.co.uk	5	BFGHKMORZ10
	B 16A CEE	❶ €40,00
	H76 1,8 ha 62T(81-90m²)	❷ €45,50
⌖ N 57°3'28'' W 2°28'13''		

🚗 Von Stonehaven über die A957 Richtung Banchorg/Crathes. Der A93 West nach Banchorg folgen. Nach 3,5 km liegt der Camping an der linken Seite.

Haughton House Holiday Park ★ ★ ★

Komm zum campen auf das schöne Areal vom Haughton Country Park, 15 Minuten zu Fuß von Alford.
Ideale Lage für das Schloss, die Whiskyroutes und das 'Royal Deeside'.
16 Golfplätze innerhalb einer halben Fahrstunde.

Montgarrie Road, AB33 8NA Alford (Aberdeensh.)
Tel. 01975-562107 • E-Mail: enquiries@haughtonhouse.co.uk
Internet: www.haughtonhouse.co.uk

Banff, GB-AB45 2JJ / Scotland 📶 iD

▲ Links Caravan Park****	1 ACDEJMNOPQRST	KMNQRSX 6
▤ Links Road	2 EFGHJKOPTW	ABDEFGH 7
☀ 1 Apr - 31 Okt	3 BK	ABFNQRSTU 8
☎ +44 (0)1261-812228	4 FH	E 9
@ banfflinkscaravanpark@ btconnect.com	5 ABKL	BFGHJLMPR10
	B 16A CEE	❶ €27,50
	2,1 ha 40T(100m²) 47D	❷ €27,50
⌖ N 57°40'9'' W 2°33'13''		

🚗 Auf der A98 ausgeschildert.

Blair Atholl, GB-PH18 5SR / Scotland 📶 ⚙

▲ Blair Castle Caravan Park*****	1 BDEJMNOPQRST	N 6
	2 CFOPRVWX	ABDEFGH 7
☀ 24 Feb - 24 Nov	3 BEHIJLU	ABCDEFGHIJNQRSV 8
☎ +44 (0)1796-481263	4 AFHIOQXZ	EJ 9
@ mail@ blaircastlecaravanpark.co.uk	5 ABKL	BFGHIJMOR10
	B 16A CEE	❶ €37,50
	H100 14 ha 182T(16-100m²) 163D	❷ €37,50
⌖ N 56°46'2'' W 3°50'36''		

🚗 Auf der A9 Ausfahrt Blair Atholl. Dann Richtung Blair Atholl. CP ist an der B8079 ausgeschildert.

Blairlogie/Stirling, GB-FK9 5PX / Scotland 📶 ⚙ iD

▲ Witches Craig Caravan Park*****	1 ADEFJMNOPQRST	6
	2 AOPRSVWXY	ABDEFGH 7
▤ A91	3 BK	ABCDEFJNQRSUV 8
☀ 1 Apr - 31 Okt	4	9
☎ +44 (0)1786-474947	5 AKL	BGHKMPR10
@ info@witchescraig.co.uk	B 10A CEE	❶ €30,00
	2 ha 65T(80-90m²) 7D	❷ €33,75
⌖ N 56°8'54'' W 3°53'55''		

🚗 CP liegt an der A91, 5 km östlich von Stirling. Deutlich ausgeschildert.

Borgue/Kirkcudbright, GB-DG6 4TS / Scotl. 📶 ⚙ CC€18 iD

▲ Brighouse Bay Hol. Park AA*****	1 ADEJMNOPRST	EFGKNQSXY 6
	2 EHJKMPRSTUVWXY	ABDEFGH 7
☀ 1 Jan - 31 Dez	3 BEGHIJP	ABCDEFJLNQRSTUV 8
☎ +44 (0)1557-870267	4 FIOPQRUV	EFJQ 9
@ info@gillespie-leisure.co.uk	5 ACEGJKL	BEFGKMNORXY10
	16A CEE	❶ €32,50
	10 ha 150T(80-100m²) 237D	❷ €37,00
⌖ N 54°47'15'' W 4°7'45''		

🚗 Von der A75 an der Ausfahrt Gatehouse oder Fleet, der A755 Richtung Kirkcudbright folgen. Dann A727 Richtung Borgue. CP ist ausgeschildert.

Braemar, GB-AB3 5YQ / Scotland

▲ Breamer Caravan Park****	1 ADEJMNOPQRS	**N** 6	
▤ Glenshee Road	2 CFOPRSVX	ABDE**FG** 7	
☰ 1/1 - 20/10, 12/12 - 31/12	3 A**K**	ABCDEFHJNQRV 8	
☎ +44 (0)1339-741373	4 FH	9	
@ info@	5	BFGHJM**P**R10	
braemercaravansite.co.uk	WB 16A CEE	➊ €30,00	
⊠ N 57°0'6'' W 3°23'37''	H350 9,5 ha 97**T**(49-100m²) 13**D**	➋ €33,50	

🚗 CP liegt an der A93 in Braemar, gut ausgeschildert.

Brora, GB-KW9 6LP / Scotland

▲ Brora C&C Site****	1 ADEJMNOQRS**T**	KNQ 6	
☰ 1 Apr - 30 Sep	2 AEHPSVWX	ABDE**FGH** 8	
☎ +44 (0)1408-621479	3 **J**	ABCDEFHJNQPR 8	
@ brora@caravanclub.co.uk	4 FH	9	
	5 KL	BCGJMRW10	
	B 16A CEE	➊ €35,65	
⊠ N 58°1'44'' W 3°50'41''	0,8 ha 52**T**(80-120m²)	➋ €38,90	

🚗 An der A9 nördlich von Brora ausgeschildert, Schildern folgen (an anderen CP vorbei).

Cannich by Beauly, GB-IV4 7LN / Scotland

▲ Cannich Carav. &	1 ADEJMNOPQRST	**N** 6	
Camp. Park**	2 BCOPRSVWXY	ABDE**FGH** 7	
☰ 1/1 - 31/10, 1/12 - 31/12	3 AE	ABCDEFJNQRTU 8	
☎ +44 (0)1456-415364	4 O	UVW 9	
@ enquiries@	5 JKL	BEJPR10	
highlandcamping.co.uk	B 16A CEE	➊ €22,50	
⊠ N 57°20'37'' W 4°45'34''	H64 4 ha 45**T**(80-120m²)	➋ €30,00	

🚗 CP von der A831 in Cannich ausgeschildert.

Carnoustie, GB-DD7 6GR / Scotland

▲ Woodlands Caravan Park	1 ACJMNOPQRST		
▤ Newton Road	2 OPRSVWX	ABDEFGHK 7	
☰ 15 Mär - 31 Okt	3 K	ABEFJNQRTUV 8	
☎ +44 (0)1241-854430	4 OQ	V 9	
@ info@	5 KL	BFJMPR10	
woodlandscaravanpark.net	B 16A CEE	➊ €27,50	
⊠ N 56°30'21'' W 2°43'6''	1 ha 50**T**(80-100m²)	➋ €27,50	

🚗 Ab Dundee der A92 Richtung Arbroath folgen. Nach 16 km in Höhe Carnoustie ist der CP ausgeschildert.

Castle Douglas, GB-DG7 1EZ / Scotland

▲ Loch Side C.& C. Site***	1 AJMNOPRS**T**	N 6	
▤ Loch Side Park	2 DGPRSVWXY	ABDE**FG** 7	
☰ 1 Apr - 15 Okt	3 A**K**	ABCDEFNQRV 8	
☎ +44 (0)7824-528467	4	PQT 9	
	5 A	BKRX10	
	B 10A CEE	➊ €28,30	
⊠ N 54°56'11'' W 3°55'48''	5 ha 120**T**(60-80m²) 40**D**	➋ €28,30	

🚗 Der A75 bis in Castle Douglas folgen, dort den CP-Schildern folgen.

Corpach/Fort William, GB-PH33 7NL / Scotl.

▲ Linnhe Lochside Holidays	1 ADEGJMNOPQRS**T**	KNPQS**X**Y 6	
☰ 1/1 - 31/10, 15/12 - 31/12	2 DEFJMORSTUVWXY	AB**FG**HK 7	
☎ +44 (0)1397-772376	3 K	ABCDFJNQRS 8	
@ relax@	4 F	EJR 9	
linnhe-lochside-holidays.co.uk	5 ACKL	ABGHJ**P**R10	
	Anzeige auf Seite 95 B 10A CEE	➊ €27,15	
⊠ N 56°50'51'' W 5°9'39''	5 ha 103**T**(45-90m²) 149**D**	➋ €32,15	

🚗 Der A82 in nördlicher Richtung folgen. In Fort William die A830 Richtung Corpach nehmen. Nach etwa 8 km liegt der Camping links. Gut ausgeschildert.

Craignure (Mull), GB-PA65 6AY / Scotland

▲ Shieling Holidays****	1 ADE**JM**NOPQRS**T**	KNQSUW**X**Z 6	
☰ 7 Mär - 1 Nov	2 EFJKMOPRSUVWX	ABDE**FGH**K 7	
☎ +44 (0)1680-812496	3 A**K**L	ABFHJNPQRSTUV 8	
@ info@shielingholidays.co.uk	4 FIO**Q**	AFJV 9	
	5 **K**L	BGHJMNORVXY10	
	16A CEE	➊ €28,50	
⊠ N 56°28'9'' W 5°41'44''	2,5 ha 90**T**(16-144m²) 20**D**	➋ €34,50	

🚗 Von der Fähre aus die A849 Richtung Iona. Nach 480m links ab. Weiter den CP-Schildern folgen.

Creetown (Wightownsh.), GB-DG8 7DQ / Scotland

▲ Castle Cary Holiday Park*****	1 ADE**JM**NOPRS	AB**E**FGN 6	
▤ A75	2 EOPRSVWXY	ABDE**FGH** 7	
☰ 1 Jan - 31 Dez	3 BE**I**L	ABCDEFIJNQRTUV 8	
☎ +44 (0)1671-820264	4 FHIO**PQ**	EV 9	
@ enquiries@	5 BDEGJK**L**	BEHJM**P**R10	
castlecarypark.f9.co.uk	16A CEE	➊ €31,25	
⊠ N 54°53'41'' W 4°22'59''	4 ha 46**T**(100-120m²) 21**D**	➋ €35,50	

🚗 CP liegt an der A75, direkt südlich von Creetown. CP wird deutlich angezeigt mit Schildern.

Crianlarich/Perthshire, GB-FK20 8QT / Scotland

▲ Glen Dochart Caravan Park*****	1 ADEJMNOPQRS**T**	**NX** 6	
▤ Luib	2 RSUVWY	ABDE**FGH** 7	
☰ 1 Mär - 31 Okt	3 A	ABCDE**F**JNQRTUV 8	
☎ +44 (0)1567-820637	4	D 9	
@ info@glendochart-	5 B**K**L	BF**J**MR10	
caravanpark.co.uk	10A CEE	➊ €25,00	
⊠ N 56°25'10'' W 4°28'3''	H123 4 ha 45**T**(80-125m²) 74**D**	➋ €30,00	

🚗 Der CP liegt zwischen Killin und Crianlarich direkt an der A85; gut ausgeschildert.

Dalbeattie/Sandyhills, GB-DG5 4NY / Scotland

▲ Sandyhills Bay Leisure	1 ADE**JM**NOPRST	KN 6	
Park****	2 EFGHMOPQWXY	ABDE**FGH** 7	
▤ Sandy Hills	3 A**K**	ABCDEFNQRV 8	
☰ 12 Apr - 31 Okt	4 F	E 9	
☎ +44 (0)1387-780257	5 ABDK**L**	B**J**R10	
@ info@sandyhills-bay.co.uk	16A CEE	➊ €28,15	
⊠ N 54°52'48'' W 3°43'51''	3 ha 74**T**(80-120m²) 36**D**	➋ €32,50	

🚗 CP liegt 10 km südlich von Dalbeattie an Straße A710, weiterfahren bis zum Ortsschild 'Sandyhills', da dort ist der CP ausgeschildert.

Daviot East, GB-IV2 5XQ / Scotland

▲ Auchnahillin Holiday Park***	1 ADE**JM**NOPQRST	6	
☰ 1 Apr - 31 Okt	2 ABOPQRSUVWX	ABDE**FG**HK 7	
☎ +44 (0)1463-772286	3 A	ABEFIJNQRSUV 8	
@ info@auchnahillin.co.uk	4	E 9	
	5 B**K**L	BHJMN**P**R10	
	B 10A CEE	➊ €22,50	
⊠ N 57°25'14'' W 4°5'53''	H240 5,2 ha 50**T**(80-120m²) 35**D**	➋ €26,25	

🚗 Von A9, aus Richtung Süden, B9154 nach Moy nehmen, von Inverness A9 Richtung Perth, Ausfahrt Daviot East und CP-Schildern folgen.

Dhoon Bay/Kirkcudb., GB-DG6 4TJ / Scotland

▲ Seaward Caravan Park****	1 ADE**JM**NOPRS	AB**KN** 6	
☰ 1 Mär - 31 Okt	2 CEHJMPRSTVWX	ABDE**FGH** 7	
☎ +44 (0)1557-331079	3 A**IJ**L	ABCDEFJNQRSUV 8	
@ info@seaward-park.co.uk	4 IO**PQ**	E 9	
	5 ABGK**L**	BGJMR10	
	B 16A CEE	➊ €28,75	
⊠ N 54°49'11'' W 4°4'55''	3 ha 35**T**(65-80m²) 13**D**	➋ €33,35	

🚗 Der CP liegt direkt an der B727 auf halber Strecke Borgue-Kirckcudbright. Ist angezeigt.

Dingwall (Ross-shire), GB-IV15 9QZ / Scotland

▲ C. & C. Jubilee Park Site****	1 ADEJMNOPQRT	6	
▤ Jubilee Park Road	2 APRSVWX	ABDE**FGH** 7	
☰ 1 Apr - 31 Okt	3 E	ABEFNQRV 8	
☎ +44 (0)1349-862236	4	9	
	5 B**K**L	BGHJ**P**R10	
	B 10A CEE	➊ €36,20	
⊠ N 57°35'52'' W 4°25'8''	1,5 ha 85**T**	➋ €47,80	

🚗 Im Zentrum Dingwall auf die A862, dem Infoschild (weiß), u.a. mit Hinweis auf Railway Station und Caravansite, folgen. Dann den CP-Schildern folgen. Hinter der Eisenbahnbrücke direkt links.

Dornoch/Sutherland, GB-IV25 3LX / Scotland

▲ Dornoch C. & C. Site****	1 ADEJMNOPQR**T**	KNQS**X** 6	
▤ The Links	2 AEGHPQTW	ABDE**EFGH** 7	
☰ 1 Apr - 24 Okt	3 AE**IJK**L	ABEFNQRS 8	
☎ +44 (0)1862-810423	4 IO**PQ**	E 9	
@ info@dornochcaravans.co.uk	5 B**K**L	BG**J**OR10	
	B 10A CEE	➊ €27,50	
⊠ N 57°52'36'' W 4°1'19''	4,8 ha 120**T**(120m²) 80**D**	➋ €27,50	

🚗 Aus westlicher Richtung von der A9 auf dem Platz in Dornoch CP-Schildern nach rechts folgen.

Dunbar, GB-EH42 1TU / Scotland

▲ Belhaven Bay Caravan &	1 ADE**JM**NOPR**T**	N 6	
Camping Park	2 AEHKMOPSVWX	ABDE**FG**HK 7	
▤ Edinburgh Road - West Barns	3 A**K**	ABEFNQRSV 8	
☰ 1 Mär - 30 Okt	4 F	E 9	
☎ +44 (0)1368-865956	5	HJMN**P**R**X**10	
@ belhaven@meadowhead.co.uk	16A CEE	➊ €35,95	
⊠ N 55°59'48'' W 2°32'43''	4 ha 61**T**(75-120m²) 72**D**	➋ €44,70	

🚗 Von der A1 die A1087 Richtung Dunbar/Belhaven. In Belhaven ist der CP ausgeschildert.

Teilkarte Schottland auf Seite 92

Dunvegan (Skye), GB-IV55 8WQ / Scotland

▲ Kinloch Campsite	1 ADEJMNOPQRST KNX 6
1 Apr - 31 Okt	2 EFKOPRTUW ABDEFGHK 7
+44 (0)1470-521531	3 ABFNQRV 8
info@kinloch-campsite.co.uk	4 U 9
	5 L BGJPR10
	16A CEE ① €25,00
	3 ha 60T(40-50m²) ② €27,50
CP liegt an der A863 in Dunvegan, dort ausgeschildert.	

Durness, GB-IV27 4PZ / Scotland

▲ Sango Sands Caravan Site AA***	1 DEJMNOPQRST KNQSWX 6
	2 EHPQRSTVW ABDEFGHI 7
28 Durine	3 K ABEFNQR 8
1 Apr - 31 Okt	4 EFNOQ E 9
+44 (0)1971-511726	5 CDEGJL BGJPR10
keith.durness@btinternet.com	16A CEE ① €22,50
N 58°34'7'' W 4°44'36''	3,9 ha 160T(55-120m²) 2D ② €35,00
Der CP liegt an der A838 im Dorf.	

East Calder/Edinburgh, GB-EH53 0HT / Scotl.

▲ Linwater Caravan Park****	1 ADEJMNOPRST 6
West Clifton by East Calder	2 APRSVWX ABDEFGH 7
15 Mär - 31 Okt	3 K ABCDEFJNQRV 8
+44 (0)131-3333326	4 9
linwater@supanet.com	5 AKL DGI IJMNOR10
	Anzeige auf dieser Seite B 16A CEE ① €26,25
N 55°54'39'' W 3°26'9''	H52 2 ha 60T ② €31,25
Vom Ring Edinburgh (A720) die M8 durchfahren. Ausfahrt 'Airport' Vom Kreisel ab, ist der CP ausgeschildert. CP liegt an der Seitenstraßen von der B7030.	

Ecclefechan/Lockerbie, GB-DG11 3DR / Scotland

▲ Cressfield Caravan Park*****	1 ADEJMNOPRS 6
Townfoot	2 ACOPRSVW ABDEFGH 7
1 Jan - 31 Dez	3 AEIK ABCDEFJNQRUV 8
+44 (0)1576-300702	4 9
info@cressfieldcaravanpark.co.uk	5 KL AHMPRW10
	16A CEE ① €22,50
N 55°3'27'' W 3°15'28''	6 ha 78T(70-90m²) 79D ② €22,50
A74 (M) bis Ausfahrt 19 Ecclefechan folgen (B7076). Dann CP-Schild folgen, CP im Ort.	

Ecclefechan/Lockerbie, GB-DG11 1AS / Scotland

Hoddom Castle Caravan Park*****	1 ADEJMNOPR N 6
Hoddom	2 ACPRSTVWX ABDEFGH 7
1 Apr - 31 Okt	3 BIJKL ABCDEFIJNQRTUV 8
+44 (0)1576-300251	4 EFHIPQ F 9
hoddomandkinmount@tiscali.co.uk	5 ABDEGIKL BGHJMOR10
	B 10A CEE ① €29,40
N 55°2'29'' W 3°18'39''	H52 11 ha 76T(60-75m²) 156D ② €34,40
Von der M74 Ausfahrt 19 nach Ecclefechan. Durch den Ort, an der Kirche die B725 Richtung Dalton. Nach 3 km Eingang des CP. Ist angezeigt.	

Edinbane (Isle of Skye), GB-IV51 9PS / Scotland

▲ Skye Camping And Caravanning Club Site	1 ADEJMNOPQRST NQWX 6
	2 EFKOPRSTUVW ABDEFGH 7
1 Apr - 1 Nov	3 K ABCDFGIJNQRV 8
+44 (0)1470-582230	4 A F 9
skye.site@thefriendlyclub.co.uk	5 BKL BHIJMPRX10
	B 16A CEE ① €40,80
N 57°29'9'' W 6°25'49''	2,8 ha 105T(40-45m²) 2D ② €53,70
An der A850 zwischen Arnisort und Edinbane. Der Name des CP steht kurz vorm Dorf rechts.	

Edinburgh, GB-EH16 6TJ / Scotland

▲ Mortonhall Caravan & Camping Park****	1 ADEJMNOPQRS 6
	2 AOPRSTVWXY ABDEFGHIJK 7
38 Mortonhall Gate	3 BEK ABCDEFHIJNPQRSTUV 8
1 Jan - 31 Dez	4 FIOPQ EFL 9
+44 (0)131-6641533	5 ABDGJKL ABFGHIJLMNPRX10
mortonhall@meadowhead.co.uk	B 16A CEE ① €25,00
N 55°54'0'' W 3°10'33''	H130 9 ha 320T(60-120m²) 47D ② €48,75
A720 (Umgehung Edinburgh). Von der A720 Ausfahrt Kreuz Lothianburn (A702) oder Kreuz Straiton (A701) und den Schildern Mortonhall folgen. Bei Mortonhall Gate (Gartencenter) 500m vorbei bis zur Einfahrt des CP.	

Edzell, GB-DD9 7YP / Scotland

▲ Glenesk Caravan Park****	1 JMNOPR N 6
1 Apr - 31 Okt	2 PQRSVY ABFGH 7
+44 (0)1356-648565	3 AL ABFJNQRSV 8
gleneskcaravans@btconnect.com	4 IOQ E 9
	5 BK BHJMRVW10
	B 16A CEE ① €25,00
N 56°50'28'' W 2°39'54''	H100 3 ha 54T(70-100m²) 14D ② €25,00
CP nordwestlich von Edzell an der B966, über die Gannocky Bridge, CP ausgeschildert.	

Embo/Dornoch, GB-IV25 3QD / Scotland

▲ Grannie's Heilan' Hame AA****	1 ADEJMNOPQRT EKNQSWXY 6
	2 EGHPQRSW ABDEFGH 7
1 Apr - 31 Okt	3 ABEIKMP ABEFNQRS 8
+44 (0)1862-810383	4 BCFILOPQSTU E 9
stevenmure@parkdeanholidays.com	5 CDEGIJKL BFGHIJLMOR10
	B 10-16A CEE ① €40,00
N 57°54'27'' W 3°59'49''	3,8 ha 188T 187D ② €40,00
A9 bis Ausfahrt Dornoch, dort Schild Embo (3m) folgen, nach einigen km rechts, CP ausgeschildert.	

Forfar, GB-DD8 2RY / Scotland

▲ Foresterseat Caravan Park****	1 ACJMNOPQRST 6
	2 ACFOPSTUVW ABDEFGH 7
Arbroat Road	3 AJ ABFHJNQRSTU 8
1 Apr - 31 Okt	4 FH 9
+44 (0)1307-818880	5 AEFGK ABFGHJMPR10
emma@foresterseat.co.uk	B 16A CEE ① €27,50
N 56°38'56'' W 2°49'26''	H80 4 ha 80T(50-81m²) 14D ② €27,50
Von Süden die A92 Dundee bis Arbroath. Dann links die A932 bis kurz vor Forfar, links der Staße. Oder Dundee die A90 bis Forfar und weiter die A932. Kurz hinter Forfar nach dem Golfplatz rechts der Straße. Ist ausgeschildert.	

Fort Augustus, GB-PH32 4BG / Scotland

▲ Cumberlands Campsite	1 DEJMNOPQRST 6
Glendoe Road	2 OPRW ABDEFG 7
1 Mär - 30 Sep	3 K ABEFJNQRTV 8
+44 (0)1320366257	4 G 9
info@cumberlands-campsite.com	5 EGJL BIKP10
	B 10A CEE ① €25,00
N 57°8'34'' W 4°40'46''	20 ha 279T(bis 100m²) 15D ② €32,50
Auf der A82 in Fort Augustus, Ausfahrt B862 Richtung Errogin. Campingeinfahrt kommt nach 200m, ist deutlich angezeigt.	

Fort William, GB-PH33 6SX / Scotland

Glen Nevis Car. & Camp. Park*****
Glen Nevis
15 Mär - 10 Nov
+44 (0)1397-702191
holidays@glen-nevis.co.uk
N 56°48'17'' W 5°4'26''

1 ADEJMNOPQRST	JN 6
2 CFOPRSTVWX	ABDEFGH 8
3 BEK	ABCDEFJNQRTUV 8
4 FH	EIJ 9
5 ACDEGJKL	BFGHIJMPRV10
Anzeige auf Seite 97	B 16A CEE	① €28,75
1,8 ha 380T(85-150m²) 50D		② €33,15

An der Nordseite von Fort William von der A82 die Straße nach Glen Nevis nehmen. CP ist ausgeschildert.

Fort William, GB-PH33 7NF / Scotland

Lochy Caravan & CP****
Camaghael
13 Mär - 31 Okt
+44 (0)1397-703446
enquiries@lochy-holiday-park.co.uk
N 56°50'28'' W 5°4'30''

1 ADEJMNOPQRST	6
2 CFGPQRSVX	ABDEFGH 7
3 A	ABFNQR 8
4	EFIJ 9
5 ABK	FIJPR10
16A CEE	① €25,00
4,5 ha 80T(70-130m²) 94D	② €29,75

Nördlich von Fort William von der A82 die A830 Richtung Corpach fahren. CP weiter ausgeschildert.

Fraserburgh, GB-AB43 8EU / Scotland

Esplanada Caravan Park***
South Harbour Road
1 Apr - 30 Okt
+44 (0)7410-696281
fraserburgh-campsite@hotmail.com
N 57°40'45'' W 2°0'14''

1 BJMNOPQRST	KNQRSWXY 6
2 EFGHJPVW	ABDEFGH 7
3 K	ABEFNQRV 8
4 FH	9
5 K	HJMOR10
16A CEE	① €25,00
0,7 ha 33T(80m²) 12D	② €25,00

A90 von Süden im Kreisel R an der Fraserbury Bay ausgeschildert.

Gairloch/Ross-shire, GB-IV21 2DL / Scotland

Sands Caravan and Camping****
1 Apr - 25 Okt
+44 (0)1445-712152
litsands@aol.com
N 57°44'27'' W 5°45'53''

1 ADEJMNOPQRST	KNQSWXY 6
2 EFHMPQSTW	ABDEFGHI 7
3 AEKL	ABCDEFGIJNQRS 8
4 IO	EFRV 9
5 ACJKL	BEGJMPR10
B 16A CEE	① €26,25
23 ha 254T(80-120m²) 34D	② €31,25

In Gairloch dem CP-Schild 4,5 km folgen nach der A832. CP liegt links 5 km hinter Gairloch an der B8021.

Gartmore, GB-FK8 3RR / Scotland

Cobleland Camping & Caravanning Site
Station Road
25 Mär - 31 Okt
+44 (0)1877-382392
N 56°9'30'' W 4°21'59''

1 ACDEJMNOPQRST	N 6
2 BCOPRSUVWX	ABDEFGH 7
3 AK	ABFJNQRV 8
4 EFH	9
5 KL	BHJMR10
16A CEE	① €33,15
2 ha 126T(40-120m²) 17D	② €33,15

Dieser CP liegt an der A81, 3,5 km südlich von Aberfoyle bei Gartmore. Ist an der A81 ausgeschildert.

Gatehouse-of-Fleet, GB-DG7 2EX / Scotland

Auchenlarie Holiday Park****
A75
1 Mär - 31 Okt
+44 (0)1556-506200
enquiries@auchenlarie.co.uk
N 54°50'37'' W 4°16'48''

1 ADEJMNOPRS	EFGKNQSWXY 6
2 EFGHJKMOPQRSTUVW	ABDEFGH 7
3 ACEIKL	ABCDEFIJNQRSTV 8
4 MOPQRSTZ	EUV 9
5 ACDEGIKL	BFGHKMNPRY10
B 16A CEE	① €31,25
H50 8,2 ha 60T(40-80m²) 330D	② €31,25

CP 8 km westlich von Gatehouse-of-Fleet, direkt an der A75. Wird ausgeschildert.

Glencoe/Argyll, GB-PH49 4HP / Scotland

Invercoe Carav. & Camping Park*****
Invercoe
1 Jan - 31 Dez
+44 (0)1855-811210
holidays@invercoe.co.uk
N 56°41'11'' W 5°6'20''

1 ADEJMNOPQRST	KNQSWXY 6
2 CEFGKOPRSTVWX	ABDEFGH 7
3 AK	ABEFNQRSV 8
4 F	9
5 ABK	FGHJMPRV10
B 10A CEE	① €27,50
2 ha 80T(75-80m²) 14D	② €27,50

Vom Süden der A82 bis zur Kreuzung Glencoe-Village folgen, dann die B863 Richtung Kinlochleven. Nach 0,5 km liegt der CP links.

Glendaruel/Argyll, GB-PA22 3AB / Scotland

Glendaruel Car. & CP Park*****
A886
1 Apr - 31 Okt
+44 (0)1369-820267
mail@glendaruelcaravanpark.com
N 56°1'54'' W 5°12'19''

1 ADEJMNOPQRT	NX 6
2 BCPRSVWXY	ABDEFGH 7
3 ARV	ABEFJNQRTUV 8
4 FH	EF 9
5 BKL	BHJLMRWX10
16A CEE	① €23,75
4 ha 32T(70-80m²) 33D	② €28,75

Von A83 bei Cairndow die A815 Richtung Glendaruel, bei Strachur die A886 hinauf, CP ausgeschildert (A836 von Dunoon weniger geeignet für Caravans).

Glenmore, GB-PH22 1QU / Scotland

Glenmore Car. & Camp. Park
1 Jan - 31 Dez
+44 (0)1479-861271
glenmore.site@campingintheforest.co.uk
N 57°10'2'' W 3°41'39''

1 CDEJMNOPQRST	NQRSTX 6
2 BDFGHOPRSTVWXY	ABDEFGH 7
3	ABFHJNQRSV 8
4 FH	9
5 BDEKL	BFHIJRV10
WB 16A CEE	① €41,25
H300 1,5 ha 176T(80-100m²) 34D	② €47,50

Südlich von Aviemore Straße nach Glenmore Forest nehmen, nicht Schildern 'Glenmore Forest Park' folgen. ± 10 km rechts von der Straße.

Grantown-on-Spey, GB-PH26 3JQ / Scotland

Grantown-on-Spey Caravan Park*****
Seafield Avenue
1 Jan - 31 Dez
+44 (0)1479-872474
warden@caravanscotland.com
N 57°20'5'' W 3°37'7''

1 DEJMNOPQRST	N 6
2 FPRSTUVW	ABDEFGH 7
3 BEJKL	ABCDEFHJKNQRSTUV 8
4 FI	F 9
5 K	BEFGHJMNORX10
B 10A CEE	① €32,50
H220 1,5 ha 130T(80-200m²) 77D	② €40,00

CP-Schild im Zentrum von Grantown an der A939.

Gretna, GB-DG16 5DQ / Scotland

Braids Caravan Park****
Annan Road / B721
1 Jan - 31 Dez
+44 (0)1461-337409
enquiries@thebraidscaravanpark.co.uk
N 54°59'47'' W 3°4'25''

1 ADEJMOPRS	6
2 AOPRSTVWX	ABDEFGH 7
3	ABEFJNQRV 8
4	9
5 KL	BFGHKSTV10
B 10A CEE	① €22,50
4,5 ha 96T(35-108m²)	② €22,50

Über die M6/A74 bis Ausfahrt Gretna, dann über die B7076 zur B721 Richtung Annan, CP nach 1,2 km auf der rechten Seite ausgeschildert.

Hawick, GB-TD9 8SY / Scotland

Hawick Riverside Car. Park
Hornshole Bridge
20 Apr - 1 Nov
+44 (0)1450-373785
info@riversidehawick.co.uk
N 55°26'36'' W 2°44'9''

1 ACDEJMNOPQRT	N 6
2 COPRSVWX	ABFG 7
3 AK	ABFJNQRTUV 8
4	E 9
5 K	BCFHKMPR10
B 16A CEE	① €32,50
H95 2 ha 40T(70-120m²) 62D	② €32,50

CP liegt nordöstlich von Hawick direkt an der A698. Der CP ist in Hawick an dieser Straße deutlich angegeben.

Huntly, GB-AB54 4UJ / Scotland

Huntly Castle Caravan Park****
The Meadow
31 Mär - 26 Okt
+44 (0)1466-794999
enquiries@huntlycastle.co.uk
N 57°27'6'' W 2°47'34''

1 ADEJMNOPQRST	6
2 FOPRSVWX	ABDEFGH 7
3 BJK	ABCDEFHJNQRTUV 8
4	E 9
5 AL	BFGHJMPR10
Anzeige auf dieser Seite	B 16A CEE	① €30,20
16 ha 100T(100-120m²) 43D		② €37,30

CP auf der A96 bei Huntly ausgeschildert.

Innerwick/Dunbar, GB-EH42 1SA / Scotland 📶 iD

⛰ Thurston Manor Leisure Park	1 ADEILNOPQRS	EN 6
⏱ 1/1 - 7/1, 11/3 - 31/12	2 AOPRSTUVWX	ABDEFG**H** 7
☎ +44 (0)1368-840643	3 B	ABCDEFGINQRTUV 8
@ info@thurstonmanor.co.uk	4 BFIO**PQRST**	EF 9
	5 ACDEGJKLM	BHIKMORY 10
	B 10A CEE	❶ €34,40
🗺 N 55°57'35'' W 2°27'40''	40 ha 75**T**(40-120m²) 94**D**	❷ €41,20
🚐 Dieser CP liegt in Innerwick südwestlich von Dunbar und ist ab der A1 deutlich angezeigt.		Ⓜ

Inveraray/Argyll, GB-PA32 8XT / Scotland 📶 ✿ iD

⛰ Argyll Caravan Park*****	1 ADEJMOPQRS	NOPQSWXYZ 6
🚌 A83	2 DEFGKOPRSVWX	ABDE**FGH** 7
⏱ 1 Apr - 31 Okt	3 AE**GHKLM**	ABCDEFJNQRSTV 8
☎ +44 (0)1499-302285	4 **IPQ**	EP 9
@ enquiries@	5 ABEGIKL	BGHKMORW 10
argyllcaravanpark.com	B 16A CEE	❶ €31,25
🗺 N 56°12'8'' W 5°6'27''	20 ha 60**T**(80-90m²) 254**D**	❷ €31,25
🚐 Der CP liegt 4 km südlich von Inveraray an der A83, CP ist ausgeschildert.		Ⓜ

Inverness, GB-IV3 8TD / Scotland 📶 iD

Bunchrew Car. & Camp. Park***	1 ADE**JM**NOPQRST	X 6
🚌 Bunchrew	2 CEFKOPQTX	ABDE**FGH** 7
⏱ 15 Mär - 1 Dez	3 AE	ABEFNQRTV 8
☎ +44 (0)1463-237802	4	EV 9
@ enquiries@	5 BDKL	ABGHJM**NPR** 10
bunchrew-caravanpark.co.uk	B 10A CEE	❶ €25,40
🗺 N 57°28'54'' W 4°18'22''	8 ha 125**T** 64**D**	❷ €32,25
🚐 An der A862, ca. 5 km westlich von Inverness.		Ⓜ

Inverness, GB-IV3 8JL / Scotland iD

⛰ Torvean Car. Park*****	1 A**I**LOPQRS	6
🚌 Glenurquhart Road	2 AOPQRVWX	A**B**D**EFGH** 7
⏱ 1 Mai - 30 Sep	3 **J**	ABCDE**FJ**NQRT 8
☎ +44 (0)1463-220582	4	E 9
📠 +44 (0)1862-821382	5 K	BGHJR 10
	B 10A CEE	❶ €27,50
🗺 N 57°27'54'' W 4°14'43''	1,2 ha 48**T**(70-80m²) 11**D**	❷ €32,50
🚐 An der A82, ca. 3 km südwestlich von Inverness-Zentrum, CP hinter dem Caravan-Verkauf.		Ⓜ

Jedburgh (Nußb.), GB-TD8 6TZ / Scotland 📶 ✿ iD

⛰ Lilliardsedge Holiday Park & Golfcourse	1 ADEJMNOPQRS**T**	6
🚌 A68	2 PRSUVXY	AB**FG** 7
⏱ 1/1 - 31/1, 1/3 - 31/12	3 A**J**	ABF**I**JNPQRTUV 8
☎ +44 (0)1835-830271	4 BMO**PQ**	E**I** 9
@ info@lordercaravans.co.uk	5 ACDEGJKLM	BEJMO**PST** 10
	B 16A CEE	❶ €33,75
🗺 N 55°31'56'' W 2°36'6''	H140 36 ha 38**T**(120m²) 33**D**	❷ €33,75
🚐 Der CP liegt 12 km nördlich von Jedburgh, direkt entlang der A68 und ist an diesem Weg deutlich angezeigt.		⛺

John O'Groats, GB-KW1 4YR / Scotland 📶 iD

⛰ John O'Groats Caravan Site**	1 AJMNOPQR**T**	NXYZ 6
⏱ 1 Apr - 30 Sep	2 EFHJKOPQSTVW	ABDE**FGH** 7
☎ +44 (0)1955-611329	3	ABEFNQRV 8
@ info@	4	9
johnogroatscampsite.co.uk	5 L	FGIJ**NPR** 10
	16A CEE	❶ €24,40
🗺 N 58°38'37'' W 3°4'6''	1,6 ha 90**T**(45-120m²)	❷ €26,90
🚐 Aus dem Westen (Thurso) oder dem Süden (Wick) Schildern John O'Groats folgen, CP deutlich ausgeschildert.		⛺

Kilberry, GB-PA29 6YD / Scotland 📶 iD

⛰ Port Ban Holiday Park	1 AD**JM**NOPQR**T**	KNX 6
⏱ 1 Apr - 30 Okt	2 EFJKMPVW	ABDE**FG** 7
☎ +44 (0)1880-770224	3 B**I**LM**P**	ABEFHJNPQRSV 8
@ info@portban.com	4 BCHIOQ	EVW 9
	5 BCEIL	BJMPR 10
	10A CEE	❶ €31,25
🗺 N 55°49'47'' W 5°39'22''	4 ha 36**T**(64-100m²) 110**D**	❷ €36,25
🚐 Camping liegt 2 km nördlich von Kilberry auf Knapdale, der Halbinsel im Norden von Kintyre. Von der A83 die B8024 (Einbahnstraße). Nach ± 23 km ist der Camping angezeigt.		⛺

Glen Nevis Caravan and Camping Park 🏕 🚐 🏕 ⛺ 🇬🇧

- Der Ben Nevis ist der höchste Berg Großbritanniens (1343m).
- Sie können ihn auf einem guten Pfad selbst besteigen (Dauer ungefähr 4 Stunden).
- Moderne Sanitäranlagen, umfangreiches Angebot im Campingplatzgeschäft und gutes Restaurant.

Glen Nevis, Fort William, PH33 6SX, Schottland
Tel: 01397 702 191 - www.glen-nevis.co.uk

Killin, GB-FK21 8TN / Scotland 📶 iD

⛰ Maragowan Caravan Club Site	1 ADEJMOPQRST	NX 6
🚌 Aberfeldy Road	2 CRSVWXY	ABDE**FG** 7
⏱ 1 Apr - 31 Okt	3 A**JK**	ABCDEFHJKNPQRS 8
☎ +44 (0)1567-820245	4	9
@ maragowan@	5 K**L**	BGHJ**P**RXZ 10
caravanclub.co.uk	B 16A CEE	❶ €30,15
🗺 N 56°28'26'' W 4°19'19''	H108 3,4 ha 100**T**(100-120m²)	❷ €36,90
🚐 CP liegt an der A827 (Abeifeldy Road) etwas nördlich von Killin.		Ⓜ

Kinlochleven/Argyll, GB-PH50 4RJ / Scotland iD

⛰ Caolasnacon Car. & Camp. Park**	1 ADEJMNOPQR**T**	KNQSWXY 6
	2 EFGKOPRSTX	ABDE**FGH** 7
⏱ 1 Apr - 31 Okt	3 A	ABEFNQR 8
☎ +44 (0)1855-831279	4	EP 9
@ enquiry@	5 K	HJ**P**R 10
kinlochlevencaravans.com	16A CEE	❶ €25,00
🗺 N 56°42'4'' W 5°0'20''	7,5 ha 50**T** 38**D**	❷ €25,00
🚐 Von Fort William A82 nach Ballachulish fahren, dann links ab B863 Richtung Kinlochleven. Der CP ist nach 6 km ausgeschildert. Von Süden bei Glencoe rechts auf die B863, nach ± 6 km. Links ist CP angezeigt.		Ⓜ

Kippford, GB-DG5 4LF / Scotland 📶 ✿ iD

⛰ Kippford Holiday Park*****	1 ACDEJMNOPRS**T**	6
🚌 A/10	2 BPRSTUVWXY	ABDE**FGH** 7
⏱ 1 Jan - 31 Dez	3 A**JK**LQU	ABEF**J**NQRTUV 8
☎ +44 (0)1556-620636	4 E**F**HI	EFJU 9
@ info@	5 ABKL	BFGHJM**P**RV 10
kippfordholidaypark.co.uk	B 16A CEE	❶ €33,75
🗺 N 54°53'17'' W 3°48'12''	7 ha 29**T**(30-64m²) 190**D**	❷ €33,75
🚐 Dieser Platz liegt 5 km südlich von Dalbeattie an der A710 Richtung Colvend Coast. Ist ausgeschildert.		Ⓜ

Kirkcudbright, GB-DG6 4BH / Scotland iD

⛰ Silvercraigs C. & C. Site****	1 AJMNOPRS	6
🚌 Silvercraigs	2 FOPTVWX	ABDE**FGH** 7
⏱ 1 Apr - 21 Okt	3 AE**K**	ABCDEFNQRV 8
☎ +44 (0)1557-330123	4	9
	5 L	BHJR 10
	16A CEE	❶ €28,30
🗺 N 54°50'6'' W 4°2'51''	3 ha 60**T**(90-100m²) 26**D**	❷ €28,30
🚐 CP liegt an der A711. Ist ab der Ortsmitte Kirkcudbright ausgeschildert.		Ⓜ

Lochranza (Isle of Arran), GB-KA27 8HL / Scotland 📶 iD

⛰ Lochranza Campsite	1 ADJMNOPQRS	N**X** 6
🚌 A841	2 CPRSTWX	ABDE**FGH** 7
⏱ 1 Mär - 31 Okt	3 **J**KV	ABF**J**NQRTUV 8
☎ +44 (0)1770-830273	4 FH	F 9
@ info@arran-campsite.com	5 BL	BJ**O**RZ 10
	16A CEE	❶ €25,00
🗺 N 55°41'59'' W 5°16'36''	2 ha 61**T**(30-100m²) 3**D**	❷ €35,00
🚐 Der CP liegt an der A841, der Umfahrung nach Arran. Von Brodick etwa 100m hinter der Arran Whiskey Destillerie auf der rechten Seite.		Ⓜ

Mintlaw, GB-AB42 8FQ / Scotland 📶 ✿ iD

⛰ Aden Caravan Park****	1 ACDEJMNOPQRS**T**	6
🚌 Station Road	2 BPSVWX	ABDE**FGH** 7
⏱ 18 Mär - 31 Okt	3 AK	ABFHJKNQRSTU 8
☎ +44 (0)1771-623460	4 FH	9
@ info@	5 BL	BFGHIJM**O**PR 10
adencaravanandcamping.co.uk	B 16A CEE	❶ €28,15
🗺 N 57°31'32'' W 2°1'29''	H60 1,7 ha 37**T**(100-200m²) 18**D**	❷ €35,25
🚐 Von Süden die A952 bis in den Ort. Dann links auf die A950. Ausgeschildert mit 'Aden Country Park/Aden Camping'.		Ⓜ

Großbritannien

South Links Holiday Park ★ ★ ★ © 🏕

Auf South Links genießen Sie an einer herrlichen Stelle ganz nah am Strand mit Panorama über die Nordsee. 200m zu Fuß vom Camping finden Sie das Sportcenter, Tennisplätze, das beliebte Seafront Splash Familien-Freizeitgelände und den Spielpark - ideal für den perfekten Sommerurlaub.

Traill Drive, DD10 8EJ Montrose • Tel. 01674-672105
E-Mail: info@southlinkspark.com • Internet: www.southlinkspark.com

Montrose, GB-DD10 8EJ / Scotland iD

🏕 South Links Holiday Park***	1 ABCDEJMNOPQRST	KNQSX 6
🏠 Traill Drive	2 EFHOPRSTVWY	ABDEFGH 7
🔓 1/1 - 31/1, 1/3 - 31/12	3 ADK	ABFHJNQR 8
☎ +44 (0)1674-672105	4 FH	EF 9
@ info@southlinkspark.com	5 K	FGHIKMR10
	Anzeige auf dieser Seite B 16A CEE	① €28,75
🏕🅰 N 56°42'34'' W 2°27'10''	4 ha 160T(80-100m²) 36D	② €28,75

🚗 Kommend aus dem Süden A92 über die Brücke rechts. Dann ausgeschildert. Kommend aus dem Norden A92 in Montrose links. Dann ausgeschildert. Ⓜ

Drummohr Holiday Park ★ ★ ★ ★ © 🏕

Ein toller Campingplatz mit sehr gutem Sanitär, ruhige Basis, um Edinburgh und die Umgebung zu erkunden. Ursprünglich war es der ummauerte Klostergarten mit einer weiten Sicht über den Meeresarm Firth of Forth. Man kann auch Wanderhütten und schicke Bungalows mieten.

Levenhall, EH21 8JS Musselburgh/Edinburgh
Tel. 0131-6656867 • Fax 0131-6536859
E-Mail: admin@drummohr.org • Internet: www.drummohr.org

Musselburgh/Edinburgh, GB-EH21 8JS / Scotl. 🛜 (CC€18) iD

🏕 Drummohr Holiday Park****	1 ADEJMNOPRST	KX 6
🏠 Levenhall	2 OPRSVWX	ABDEFGH 7
🔓 1 Jan - 31 Dez	3 BK	ABCDEFHJNPQRSTUV 8
☎ +44 (0)131-6656867	4	FJ 9
@ admin@drummohr.org	5 ABL	BFGHJMPR10
	Anzeige auf dieser Seite 16A CEE	① €33,75
🏕🅰 N 55°56'58'' W 3°0'28''	4 ha 120T(60-100m²) 57D	② €38,75

🚗 Liegt 4 km östlich von Musselburgh und 2 km südwestlich von Prestonpans zwischen der B1361 und der B1348; der Camping ist an beiden Straßen angezeigt. Ⓜ

Newtonmore, GB-PH20 1BE / Scotland 🛜

🏕 Invernahavon Caravan Site***	1 JMNOPQRST	N 6
🏠 Glentruim	2 CPRSVWX	ABDEFGH 7
🔓 1 Apr - 31 Okt	3 AK	ABEFNQRV 8
☎ +44 (0)1540-673534	4	9
@ enquiries@invernahavon.com	5 K	EGHJPRW10
	B 16A CEE	① €29,75
🏕🅰 N 57°1'35'' W 4°9'48''	H240 5 ha 95T(80-120m²)	② €35,50

🚗 Von der A9 Ausfahrt Lagan. CP ist ausgeschildert. Ⓜ

North Berwick, GB-EH39 5NJ / Scotland 🛜♻ iD

🏕 Tantallon Caravan & Camping Park****	1 ADEJMNOPRT	KX 6
	2 EFHMOPRSTVWX	ABDEFGHJK 7
🏠 Tantallon Road	3 BEIKMV	ABCDEFHJNPQRSTUV 8
🔓 15 Mär - 1 Nov	4 IOPQ	EF 9
☎ +44 (0)1620-893348	5 KL	BCGHIJMNPRX10
@ tantallon@meadowhead.co.uk	B 16A CEE	① €37,80
🏕🅰 N 56°3'21'' W 2°41'26''	8 ha 140T(80-120m²) 65D	② €46,55

🚗 Direkt an der A198, ca. 2 km östlich von North Berwick. CP wird entlang dieser Strecke angezeigt. Ⓜ

Oban/Gallanach, GB-PA34 4QH / Scotland 🛜(CC€18) iD

🏕 Oban Car. & Camp. Park****	1 ADEJMNOPRST	KNOPQSWXY 6
🏠 Gallanach Road	2 EFJMOPRSTUWX	ABDEFGHK 7
🔓 1 Apr - 5 Okt	3 AK	ABEFNQR 8
☎ +44 (0)1631-562425	4 IOPQ	EFJ 9
@ info@obancaravanpark.com	5 ABKLM	FHJLMORVWY10
	Anzeige auf Seite 99 10-16A CEE	① €25,00
🏕🅰 N 56°23'24'' W 5°31'1''	130 ha 150T(90-120m²) 16D	② €30,00

🚗 Der Camping liegt 3,5 km südlich von Oban. Ab der Ortsmitte Oban den Camping-Schildern nach Gallanach folgen. Ⓜ

Parton, GB-DG7 3NE / Scotland 🛜♻ iD

🏕 Loch Ken Holiday Park****	1 ADEJMNOPRST	JLNQSWXYZ 6
🏠 A713	2 CDFGOPQRUVWXY	ABDEFGH 7
🔓 1 Mär - 10 Nov	3 AEKL	ABCDEFGIJKNQRSTV 8
☎ +44 (0)1644-470282	4 BH	EJPQRU 9
@ office@	5 ABEKLM	BFHJMPR10
lochkenholidaypark.co.uk	B 10A CEE	① €27,50
🏕🅰 N 55°0'34'' W 4°3'17''	H60 4 ha 21T(85-95m²) 56D	② €32,50

🚗 CP liegt 0,5 km nördlich von Parton an der A713. Ist ausgeschildert. Ⓜ

Peebles, GB-EH45 8ED / Scotland 🛜 iD

🏕 Crossburn Caravan Park****	1 ADEJMNOPQRST	N 6
🏠 Edinburgh Road	2 COPRSVWXY	ABDEFGHI 7
🔓 1 Apr - 31 Okt	3 BIK	ABDFJNQRSV 8
☎ +44 (0)1721-720501	4	F 9
@ info@	5 BKL	BFGHJMPR10
crossburncaravans.co.uk	B 10A CEE	① €31,25
🏕🅰 N 55°39'44'' W 3°11'36''	H181 2,5 ha 70T(80-100m²) 82D	② €31,25

🚗 CP liegt an der Nordseite von Peebles an der A703 Richtung Edinburgh, direkt bei der Shell-Tankstelle. Ⓜ

Perth, GB-PH1 1QF / Scotland 🛜 iD

🏕 Noah's Ark Caravan Park****	1 ADEJMNOPQRST	6
🏠 Newhouse Farm	2 AFOPRSTVW	ABDEFGH 7
🔓 1 Jan - 31 Dez	3 ACIKPRSTU	ABEFHJKNPQRSUV 8
☎ +44 (0)1738-580661	4	9
@ info@	5 I	BJMOR10
noahsarkcaravanpark.co.uk	16A CEE	① €30,00
🏕🅰 N 56°23'50'' W 3°29'27''	2,5 ha 104T(bis 120m²) 11D	② €35,00

🚗 Von der A9 die A85 (Crieffroad) Richtung Zentrum Perth. Vom Kreisel am Mc Diarmid Football Park den braunen Schildern 'Noah's' folgen. Nicht nach Postleitzahl navigieren, sondern Fittis Road eingeben. Ⓜ

Perth, GB-PH2 6BB / Scotland 🛜♻ iD

🏕 The C & C Club Scone Palace	1 ADEJMNOPQRST	6
🏠 Old Scone, Tayside	2 ABPRSVWXY	ABDEFGH 7
🔓 1 Mär - 31 Okt	3 AK	ABCDFIJNQRSTUV 8
☎ +44 (0)1738-552323	4 F	9
@ scone.site@	5 ABKL	ABGHKLMOR10
campingandcaravanningclub.co.uk	B 16A CEE	① €37,95
🏕🅰 N 56°25'47'' W 3°26'26''	3,5 ha 119T(16-120m²) 16D	② €45,45

🚗 CP liegt direkt nördlich von Perth an der A93. Vom Zentrum Perth den Schildern Scone Palace/Racecourse folgen, später den CP-Schildern folgen. Ⓜ

Poolewe, GB-IV22 2LF / Scotland 🛜 iD

🏕 Inverewe Gardens C. & Car. Club Site	1 ADEJMNOPQRST	KNQPSX 6
	2 EFJKMOPRSVWX	ABDEFGH 7
🔓 1 Apr - 31 Okt	3 K	ABEFJNQRV 8
☎ +44 (0)1445-781249	4 FH	9
	5 ABKL	BKMPR10
	B 16A CEE	① €37,45
🏕🅰 N 57°46'5'' W 5°35'58''	3 ha 55T(60-100m²)	② €48,20

🚗 Der CP liegt an der A832 in Poolewe und ist gut ausgeschildert. Ⓜ

Portree (Skye), GB-IV51 9HU / Scotland 🛜 iD

🏕 Torvaig Car. & Camp. Site	1 AJMNOPRT	6
🏠 Staffin Road	2 FPRTW	ABFG 7
🔓 1 Apr - 25 Okt	3 K	ABEFNQR 8
☎ +44 (0)1478-611849	4	9
@ torvaigcampsite@aol.com	5 L	GJPR10
	16A CEE	① €21,25
🏕🅰 N 57°25'34'' W 6°11'9''	H90 1,2 ha 90T(50-80m²)	② €26,25

🚗 In Portree die A855 Richtung Staffin. An Ortsbebauung vorbei. CP rechts, nur mit dem Namen angegeben. Ⓜ

Portsoy, GB-AB45 2SS / Scotland 🛜 iD

🏕 Portsoy Links Caravan Park****	1 ACDEJMNOPQRST	KNPQSX 6
	2 EFGHKOPRTVW	ABDEFGH 7
🏠 Saint Combs Road	3 B	ABEFJNQRSTUV 8
🔓 1 Apr - 31 Okt	4	E 9
☎ +44 (0)1261-842695	5 KL	BFGHIJMPR10
@ contact@portsoylinks.co.uk	B 10A CEE	① €22,50
🏕🅰 N 57°40'58'' W 2°41'8''	1,4 ha 48T(80-100m²) 23D	② €22,50

🚗 Auf der A98 in Portsoy ist CP ausgeschildert. Ⓜ

Powfoot/Annan, GB-DG12 5PN / Scotland 📶 iD

🏕 Queensberry Bay Holiday Park
🕐 10 Jan - 30 Nov
☎ +44 (0)1461-700205
@ info@queensberrybay.co.uk

1 ACDE**JM**NOPQRS	KN 6
2 EFIOPSVW	**FGH**K 7
3 K	ABCDE**F**QRV 8
4 K**T**	E 9
5 ABKL	BCPR10
B 16A CEE	❶ €22,50
7,5 ha 26**T**(190-340m²) 33**D**	❷ €31,25

🧭 N 54°58'29'' W 3°20'48''
🚗 Von der A75 der B721 Richtung Annan und dann B724 Richtung Powfoot. In Powfoot der Küstenstraße zum Camping folgen. Camping ist ausgeschildert.

Sandhead, GB-DG9 9JR / Scotland 📶 iD

🏕 Sands of Luce Holiday Park
🕐 1 Mär - 30 Nov
☎ +44 (0)1776-830456
@ info@sandsofluce.com

1 ADEJMNOPQRT	KNQSWXY 6
2 EGHIOPWX	ABCDE**FG** 7
3 B	ABEFJNQRT 8
4 FIMO**PQ**	E 9
5	BHJ**PR**10
16A CEE	❶ €31,25
126**T**(50-80m²) 85**D**	❷ €31,25

🧭 N 54°48'53'' W 4°57'24''
🚗 Von Stranraer: der A716 Richtung Sandhead/Drummore. CP ist angezeigt. Von Newton Stewart: auf der Höhe von Whitecrook B7077/B7084 Richtung Sandhead/Drummore folgen.

Scourie, GB-IV27 4TF / Scotland iD

🏕 Scourie C. & C. Park***
🏠 Harbour Road
🕐 1 Apr - 30 Sep
☎ +44 (0)1971-502060
@ carrielou2009@hotmail.com

1 ADEJMNOPQRS**T**	KNOQSX 6
2 EFHKPRSTUW	ABDE**FG**H 7
3	ABEFNQR 8
4	9
5 DEGJL	JR10
B 16A CEE	❶ €25,00
1,5 ha 95**T**(30-60m²)	❷ €30,00

🧭 N 58°21'6'' W 5°9'21''
🚗 CP liegt an der A838 in Scourie.

St. Andrews, GB-KY16 8PQ / Scotland 📶 ✿ iD

🏕 Craigtoun Meadows
Holiday Park*****
🏠 Mount Melville
🕐 1 Mär - 31 Okt
☎ +44 (0)1334-475959
@ craigtoun@aol.com

1 ADEHKOPQRS**T**	6
2 OPRSVWXY	ABDE**FGH** 7
3 ABE**KL**	ABCDEFHIJNPQRSTUV 8
4 I**PQ**	EF 9
5 DEILM	BHJ**PR**VX10
16A CEE	❶ €30,65
H65 13 ha 55**T**(65-190m²) 178**D**	❷ €30,65

🧭 N 56°19'34'' W 2°50'17''
🚗 CP liegt 4,5 km südwestlich von St. Andrews. Entlang der A915 deutlich ausgeschildert ab der Ausfahrt Craigtoun.

St. Andrews (Fito), GB-KY16 8NN / Scotland 📶 ✿ iD

🏕 Cairnsmill Caravan Park****
🏠 Largo Road
🕐 1 Apr - 31 Okt
☎ +44 (0)1334-473604
@ cairnsmill@aol.com

1 ADEJMNOPQRS	EFG**N** 6
2 PRSVW	ABDE**FGH**K 7
3 ABK	ABF**H**JNPQHV 8
4 IO**PQT**U	EG 9
5 ABG**KL**	BHKNPR10
B 16A CEE	❶ €33,15
H67 4 ha 78**T**(80-120m²) 131**D**	❷ €38,15

🧭 N 56°19'21'' W 2°48'50''
🚗 Dieser CP liegt 1,5 km südwestlich von St. Andrews, direkt an der A915. Ist an der A915 ausgeschildert.

Staffin (Skye), GB-IV51 9JX / Scotland 📶 iD

🏕 Staffin Car. & Camp. Site
🕐 1 Apr - 30 Sep
☎ +44 (0)1470-562213
@ staffincampsite@btinternet.com

1 AJMNOPQRST	6
2 OPRTUVW	ABD**FG**HK 7
3	ABEFNQR 8
4	QUV 9
5 L	J**PR**10
16A CEE	❶ €21,90
H82 1 ha 60**T**(40-80m²)	❷ €28,15

🧭 N 57°37'17'' W 6°11'52''
🚗 Von Portree die A855 nach Staffin fahren. CP liegt kurz vor Staffin rechts.

Stonehaven, GB-AB39 2RD / Scotland 📶 iD

🏕 Queen Elisabeth
Caravan Club Site***
🏠 Beach Road, Cowie
🕐 5 Apr - 4 Nov
☎ +44 (0)1569-760088

1 ADEJMNOPQRST	**ABE**KNQSW 6
2 EJOSW	ABDE**FG** 7
3 B**K**	ABCDEFHJNPQRSUV 8
4 FH	9
5 KL	BCEFGHJ**PR**10
B 16A CEE	❶ €41,25
2 ha 77**T**(100m²) 3**D**	❷ €47,25

🧭 N 56°58'13'' W 2°12'13''
🚗 CP im Zentrum von Stonehaven, von Aberdeen A90 Richtung Dundee, ab Ausfahrt Stonehaven ausgeschildert.

Stranraer (Wigtownsh.), GB-DG9 8RN / Scotland 📶 iD

🏕 Aird Donald Caravan Park****
🏠 London Road
🕐 1 Jan - 31 Dez
☎ +44 (0)1776-702025
@ enquiries@aird-donald.co.uk

1 AJMNOPR**T**	X 6
2 OPRSVW**T**	ABDE**FGH** 7
3 AK	ABCDE**F**JNQRV 8
4	9
5 K	FGHJM**PR**10
10A CEE	❶ €22,50
5 ha 75**T**(80m²) 10**D**	❷ €25,00

🧭 N 54°54'3'' W 5°0'23''
🚗 CP liegt direkt an der A75, im Osten von Stranraer. Ist an der A75 ausgeschildert.

Oban Caravan & Camping Park

Oban Caravan & Camping Park ist ein preisgekrönter Platz, 3 Km südlich von Oban, ein berühmter und reizender Ferienort in Argyllshire. Das Gelände liegt an der Küste mit prächtigem Blick auf die Insel Kerrera. Viele Stellplätze haben einen schönen Blick auf's Meer. Die Ausstattungen umfassen einen Waschsalon, Campingküchen, Spielhalle und Campinggeschäfte. Stromanschluß möglich. Ideal um einige der schönsten Inseln Schottlands kennen zu lernen.

**Gallanach Road, PA34 4QH Oban/Gallanach
Tel. 01631-562425 • E-Mail: info@obancaravanpark.com
Internet: www.obancaravanpark.com**

Strathyre, GB-FK18 8NJ / Scotland 📶 iD

🏕 Immervoulin Car. &
Camp. Park****
🕐 1 Mär - 15 Okt
☎ +44 (0)1877-384285
@ immervoulin@freenetname.co.uk

1 ADE**JM**NOPQRS**T**	JN**X** 6
2 CDOPRSVWXY	ABDE**FGH**K 7
3	AB**F**JQRSV 8
4 FHO**PQ**	UV 9
5 BKLM	BKMOR10
B 10A CEE	❶ €29,40
H135 3 ha 132**T**(100-120m²)	❷ €33,15

🧭 N 56°19'3'' W 4°19'47''
🚗 CP liegt an der A84, 300m südlich von Strathyre.

Tarland, GB-AB34 4UP / Scotland 📶

🏕 C. & C. Clubsite
Tarland by Deeside****
🕐 1/1 - 5/1, 1/3 - 31/12
☎ +44 (0)13398-81388
📠 +44 (0)13398-81962

1 CDEJMNOPQRST	6
2 OPSVX	ABDE**FGH** 7
3 A**K**LV	ABFNQRSTV 8
4 FHIO**Q**	9
5 KL	B**F**HJM**PR**10
16A CEE	❶ €34,05
H133 8 ha 45**T**(75-120m²) 50**D**	❷ €44,55

🧭 N 57°7'40'' W 2°50'1''
🚗 A100 von Baemar nach Aberdeen. Hinter Ballater die B9119 nach Tarland. Vor dem Ort angezeigt.

Thurso, GB-KW14 8XO / Scotland iD

🏕 Dunnet Bay Caravan Club Site
🏠 Dunnet
🕐 1 Apr - 3 Okt
☎ +44 (0)1847-821319
@ dunnetbay@caravanclub.co.uk

1 ADEJMNOPQRST	NPQS 6
2 EFGHOPQVW	ABDE**FGH** 7
3 K	ABCDF**F**HJNP**Q**HV 8
4 **E**FH	9
5 BKL	BGJMR10
16A CEE	❶ €34,40
2 ha 57**T**(70-80m²)	❷ €37,65

🧭 N 58°36'56'' W 3°20'42''
🚗 A836 von Ost (James) nach West (Thurso), liegt der CP ± 0,8 km hinter der Ortschaft Dunnel. A836 von West (Thurso) nach Ost (John O'Groats) 3,8 km hinter Castletown an der linken Seite der Straße.

Thurso, GB-KW14 7JY / Scotland 📶 iD

🏕 Thurso C. & C. Site***
🏠 Smith Terrace
🕐 1 Apr - 30 Sep
☎ +44 (0)1847-892244
@ stay@thursobaycamping.co.uk

1 ACILNOPQR**T**	KNQSW**X**Z 6
2 EFGHJKMOPRSTW	ABDE**FG** 7
3 AE**K**	ABEFNQRV 8
4	9
5 J	GJ**PR**10
16A CEE	❶ €28,15
1,1 ha 84**T**(ab 80m²) 10**D**	❷ €28,15

🧭 N 58°35'52'' W 3°31'46''
🚗 A836 bis in die Stadt folgen bis Sie das Schild 'Thurso Caravan Site' sehen.

Turriff, GB-AB53 4ER / Scotland 📶 iD

🏕 Turriff Caravan Park LTD***
🏠 Station Road
🕐 1 Apr - 31 Okt
☎ +44 (0)1888-562205
@ turriffcaravanpark@btconnect.com

1 ACDEJMNOPQRS	6
2 COPSVWX	ABDE**FGH** 7
3 AK	ABFJNQRSTU 8
4	9
5 K	FHJMO**R**10
B 25A CEE	❶ €27,50
H80 1,3 ha 51**T**(80-120m²)	❷ €27,50

🧭 N 57°32'0'' W 2°27'40''
🚗 A947. CP ist von Norden und Süden ausgeschildert. Von Süden her, vor dem Ort rechts. Von Norden her, vor dem Ort links.

Tyndrum, GB-FK20 8RY / Scotland 📶 iD

🏕 Pine Trees Leisure Park
🕐 1 Jan - 31 Dez
☎ +44 (0)1838-400349
@ enquiries@pinetreescaravanpark.co.uk

1 ACDEJMNOPQR	N 6
2 COPRSVWX	ABDE**FGH**K 7
3 AK	ABFJNQRTV 8
4 FH	F 9
5 ABKL	BEHJMPRX10
B 16A CEE	❶ €28,75
H220 2,5 ha 88**T**(50-150m²) 10**D**	❷ €28,75

🧭 N 56°26'2'' W 4°42'29''
🚗 CP liegt an der A85, der Straße von Perth nach Oban, auf der Höhe von Tyndrum. Kurz vor der Kreuzung mit der A82.

Großbritannien

Uig, GB-IV51 9XU / Scotland

Uig Bay Campsite
10 Idrigill
1 Jan - 31 Dez
+44 (0)1470-542714
lisa.madigan@btopen.com

1 AJMNOPQRST		NXY 6
2 EFJKMOPRSTVW		ABDE**FG** 7
3		ABFINQRT 8
4		GJUV 9
5 L		JPRX10
16A CEE		① €18,75
3 ha 51**T**(60-80m²) 4**D**		② €26,25

N 57°35'9'' W 6°22'47''

A87 nach Uig. In Uig ist der CP ausgeschildert (Richtung Pier).

Ullapool/Ross-shire, GB-IV26 2TN / Scotland

Ardmair Holiday Park****
8 Apr - 30 Sep
+44 (0)1854-612054
sales@ardmair.com

1 ADEJMNOPQRS**T**		KNOQSWXYZ 6
2 EFGJKMOPRSVWX		ABDE**FG** 7
3 **K**		ABEFNQRV 8
4		EJ 9
5 ABIK**L**		BJPR10
B 10A CEE		① €26,25
2 ha 140**T**(60-120m²) 9**D**		② €31,25

N 57°56'2'' W 5°11'48''

CP liegt 5 km nördlich von Ullapool an der A835.

Ullapool/Ross-shire, GB-IV26 2SX / Scotland

Broomfield Holiday Park***
Shorestreet
19 Apr - 30 Sep
+44 (0)1854-612020
sross@broomfieldhp.com

1 DEJMNOPQRS**T**		NQSWXYZ 6
2 EFGKOPRUW		AB**FG** 7
3 AEJ		ABEFNQR 8
4		9
5 L		BGJR10
16A CEE		① €27,50
2,5 ha 140**T**(50-120m²)		② €27,50

N 57°53'41'' W 5°9'48''

Vom Norden A835 bis zum Meer folgen, dann rechts ab. Vom Süden entlang dem Meer fahren. CP liegt am Ortsausgang.

Wick, GB-KW15SP / Scotland

Wick Caravan & Camping Site
Riverside Drive
21 Apr - 1 Okt
+44 (0)1955-605420
wickcaravansite@aol.com

1 AJMNOPQRST		N 6
2 ACFOPRSWX		AB 7
3		ABCDEFNQRTU 8
4		9
5 BL		BJMR10
16A CEE		① €23,15
6,5 ha 90**T**(80-120m²)		② €29,40

N 58°26'34'' W 3°6'24''

Von der A99 mitten in Wick die A822 Richtung Thurso (Thurso Road). Der CP ist angezeigt. Fahrzeuge über 2.85m Höhe melden sich vorher beim Verwalter.

Nordirland

Campbeltown

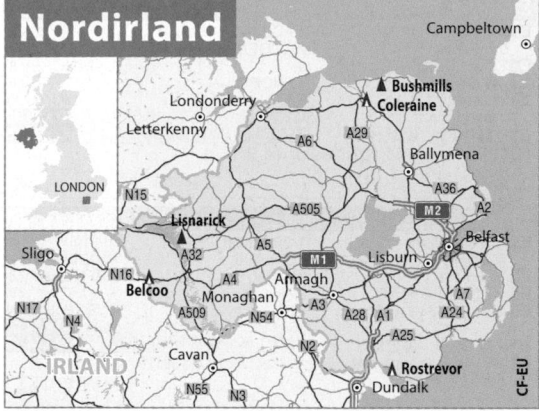

Belcoo, GB-BT93 5DU / Northern Ireland

Rushin House
Caravan Park*****
1 Mär - 31 Okt
+44 (0)28-66386519
enquiries@
rushinhousecaravanpark.com

1 ADEJMNOPRST		LNQSWXYZ 6
2 CDFGIOPSUVWXY		ABDE**FG**HK 7
3 AELM		ABFJKNQRSTUV 8
4 FHJ		9
5 K		BHJOPSTVZG 10
B 16A CEE		① €31,25
H66 0,8 ha 38**T**(70-80m²)		② €31,25

N 54°18'13'' W 7°53'9''

Von Enniskillen die A4 West, in Belcoo rechts ab auf die B52. Den CP-Schildern folgen.

Bushmills, GB-BT57 8TN / Northern Ireland

Ballyness Caravan Park
40 Castlecatt Road
16 Mär - 31 Okt
+44 (0)28-20732393
info@
ballynesscaravanpark.com

1 ADEJMNOPRS**T**		6
2 FOPSVW		ABDE**FGH**K 7
3 ABCE**KL**		ABCDEFIJNQRSTU 8
4 FHIOQ		9
5 KL		BGHJMOPRX10
B 16A CEE		① €31,25
7,5 ha 50**T**(40m²) 65**D**		② €32,50

N 55°11'41'' W 6°31'1''

Von Bushmills aus die B66 Richtung Dervock. Einfahrt zum CP ausgeschildert.

Bushmills, GB-BT57 8UJ / Northern Ireland

Bush Caravan Park
Priestland Road 97
24 Mär - 30 Sep
+44 (0)20-731678
rebahenderson@tiscali.com

1 ADILNOPRS**T**		6
2 AFOPRSTVW		ABDE**FG**H 7
3 AB**K**		ABEFJNQRV 8
4 O		9
5		BHJRV10
B 16A CEE		① €25,00
H90 4 ha 54**T**(60m²)		② €27,50

N 55°10'30'' W 6°34'17''

In Bushmills die B17 Richtung Coleraine. Der CP liegt ca. 3 km außerhalb des Ortes.

Coleraine, GB-BT52 2JB / Northern Ireland

Tullans Country Holiday Park
46 Newmills Road
17 Mär - 31 Okt
+44 (0)28-70342309
info@tullans.com

1 ADEJMNOPRS**T**		6
2 PSVW		AB**FG**H 7
3 ABCE**KM**		AB**F**INQRSTUV 8
4 IO**Q**		9
5 KL		BHJOPR10
B 16A CEE		① €28,75
H60 2 ha 36**T**(40-60m²) 71**D**		② €28,75

N 55°7'30'' W 6°37'47''

1,5 km südlich von Coleraine, auf der A29 zwischen Lodge Road und Ballycastle Road. Am Kreisel Richtung Newmills Road. CP ausgeschildert.

Lisnarick, GB-BT94 1PP / Northern Ireland

Castle Archdale****
Irvinestown
1 Apr - 31 Okt
+44 (0)28-68621333
info@castlearchdale.com

1 ADEJMNOPRST		LNQSWXYZ 6
2 BDFJPRSWXY		ABDE**FGH** 7
3 B**GK**		ABCDEFNQRTU 8
4 FHI**PQ**		EPUV 9
5 ABDEGJKL		BEF**G**HIJ**NOP**RV10
B 10A CEE		① €31,25
H50 11 ha 113**T**(40-80m²) 169**D**		② €31,25

N 54°28'43'' W 7°43'51''

CP liegt an der B82 von Enniskillen nach Kesh. Ausgeschildert.

Lisnarick, GB-BT94 1NB / Northern Ireland

Drumhoney Holiday Park*****
12 Drumhoney Lane
17 Mär - 30 Okt
+44 (0)28-68621892
info@
drumhoneyholidaypark.com

1 ADEJMNOPRS**T**		N 6
2 FPRSTUW		AB**FGH** 7
3 BE**K**L		AB**F**JNQRSTV 8
4 IKO**PQ**		EUVY 9
5 K		BHK**N**OR10
B 10A CEE		① €31,25
H76 2 ha 39**T**(70m²) 136**D**		② €31,25

N 54°27'54'' W 7°41'54''

Der CP liegt an der B82 Enniskillen nach Kesh und ist mit Schildern angegeben.

Rostrevor, GB-BT34 3DQ / Northern Ireland

Kilbroney Park
60c Shore Road
24 Mär - 31 Okt
+44 (0)28-41738134
kilbroneypark@
newryandmourne.gov.uk

1 ADJMNOPRT		6
2 CFOPSTWX		ABDE**FG** 7
3 BE**KMN**U		ABEFJNQRSTU 8
4 FR		9
5 DEI		BHIJPRVZ10
B 15A CEE		① €23,15
1,6 ha 82**T**(35-50m²)		② €21,25

N 54°5'53'' W 6°11'19''

In Rostrevor auf der A2 Richtung Kilkeel ausgeschildert.

Irland

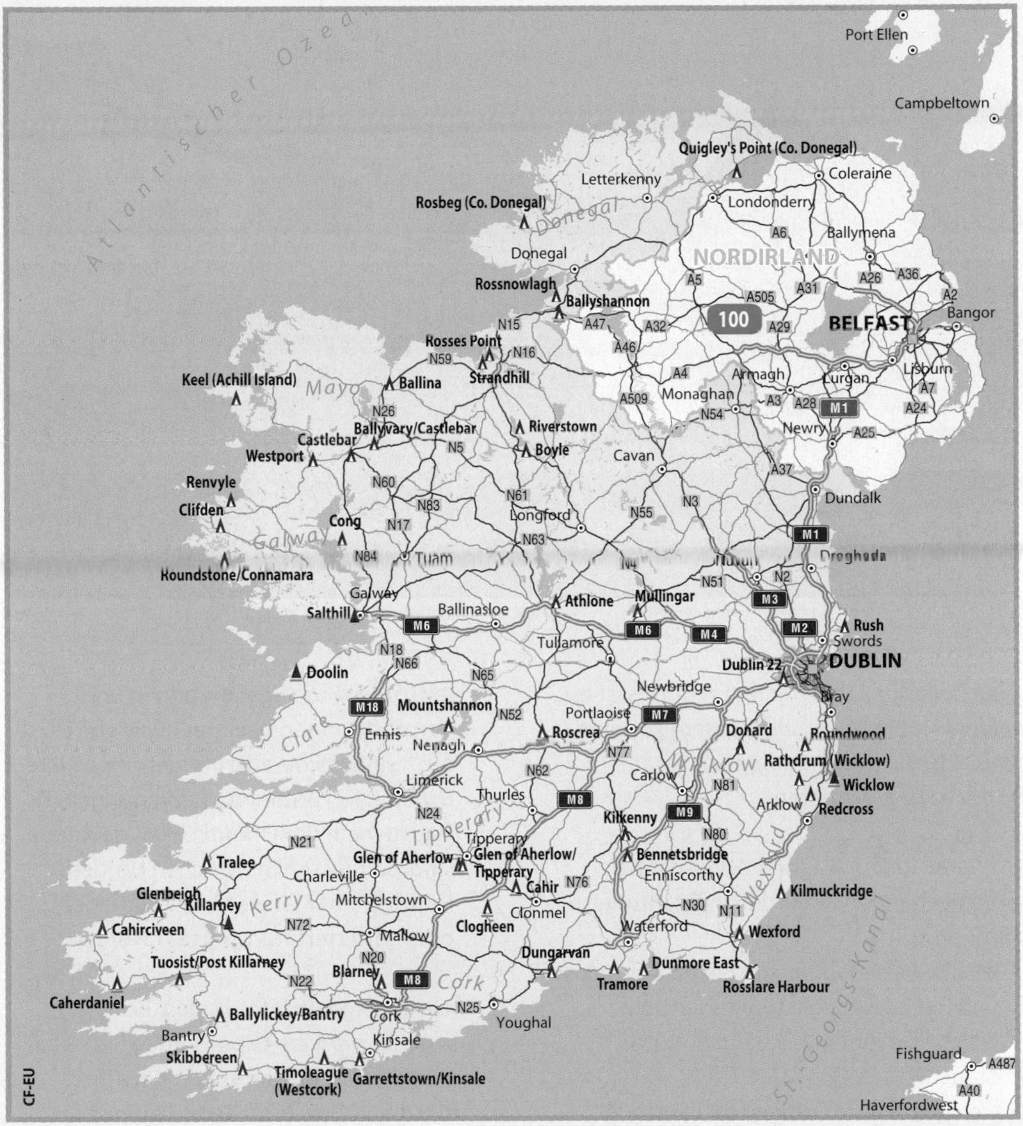

ⓘ Allgemein

Irland ist EU-Mitglied.

Zeit

In Irland ist es eine Stunde früher als in Berlin.

Sprache

Irisch und Englisch.

♿ Grenzformalitäten

Viele Formalitäten und Vereinbarungen, wie erforderliche Reisedokumente, KFZ-Papiere, Anforderungen an Ihr Fahrzeug und Ihren Aufenthalt, Krankenkosten und das Mitführen von Tieren, sind nicht nur vom Zielort abhängig, sondern auch von Ihrem Ausgangsort und Ihrer Nationalität. Auch die Dauer Ihres Aufenthaltes spielt dabei

eine Rolle. Im Rahmen dieses Führers ist es leider nicht möglich, allen Lesern korrekte und aktuelle Informationen in dieser Hinsicht zu garantieren.

Wir raten Ihnen, vor Ihrer Abreise bei den entsprechenden Behörden in Erfahrung zu bringen:

- welche Reisedokumente Sie für sich selbst und Ihre Reisebegleitung brauchen
- welche Dokumente Sie für Ihr Auto brauchen
- welchen Anforderungen Ihr Fahrzeug entsprechen muss
- welche Güter Sie ein- und ausführen dürfen
- wie im Unglücks- oder Krankheitsfall die medizinische Versorgung im Urlaubsland organisiert ist und bezahlt wird
- ob Sie Ihre Haustiere mitnehmen können. Nehmen Sie rechtzeitig Kontakt zu Ihrem Tierarzt auf. Dort erhalten Sie Informationen über relevante Impfungen, entsprechende Bestätigungen und Verpflichtungen bei Ihrer Rückkehr. Es ist auch sinnvoll herauszufinden, ob an Ihrem Urlaubsziel bestimmte Bedingungen für Haustiere in der Öffentlichkeit geknüpft sind. So müssen in manchen Ländern Hunde immer einen Maulkorb tragen oder vergittert transportiert werden.

Viele allgemeine Infos finden Sie auf ▶ *www.europa.eu* ◀ aber sorgen Sie selbst dafür, die richtige Information für Ihre individuelle Situation herauszufinden.

Aktuelle Zollbestimmungen entnehmen Sie den Botschaften des jeweiligen Urlaubslandes an Ihrem Wohnort.

🖳 Währung und Geld
Die Münzeinheit ist der Euro.

Kreditkarten
Kreditkarten werden fast überall akzeptiert.

⚬ Öffnungszeiten und Feiertage

Banken
Banken sind von Montag bis Freitag bis 16.30 Uhr geöffnet. Banken sind donnerstags bis 17.00 Uhr geöffnet.

Geschäfte
Im Allgemeinen bis 18.00 Uhr geöffnet. In vielen Städten sind sie donnerstags oder freitags bis 20.00 Uhr geöffnet. In Irland gibt es auch verkaufsoffene Sonntage.

Apotheken
Montags bis freitags bis 18.00 Uhr geöffnet. In Dublin gibt es welche, die 7 Tage pro Woche bis 23.00 Uhr offen sind.

Feiertage
Neujahr, 17. März (St. Patrick's Day), Karfreitag, Ostern, 1. Montag im Mai (Bank Holiday), 1. Montag im Juni (Bank Holiday), Pfingstsonntag, 1. Montag im August (Bank Holiday), letzter Montag im Oktober (Bank Holiday / Halloween), Weihnachten.

📶 Kommunikation

(Mobil)Telefon
Das Mobilnetz ist gut. Es gibt ein 3 G-Netz für das mobile Internet. In Telefonzellen kann man Telefonkarten benutzen, die bei der Post und an Kiosks etc. erhältlich sind.

W-Lan, Internet
Internetcafés gibt es genug, vor allem in den Städten. W-Lan meist verfügbar.

Post
Geöffnet von Montag bis Freitag bis 17.30 Uhr. Samstags ist die Post bis 13.00 Uhr und in größeren Städten auch von 14.15 bis 17.00 Uhr geöffnet.

🚗 Straßen und Verkehr

Straßennetz
Hauptstraßen (mit 'N' angezeigt) und Nebenstraßen ('R') haben im Allgemeinen einen guten Belag, sind aber schmaler als unsere Straßen. Straßen 3. Ordnung sind so eng, dass Ausweichbuchten ('lay by') für den Gegenverkehr angelegt sind. Die Straßenwacht Irlands (AA) ist auf den großen Straßen Tag und Nacht unterwegs Tel. 1800-667788.

Verkehrsvorschriften
Wie in Großbritannien, muss man auch in Irland links fahren und rechts überholen. Bei Kreuzungen gleichberechtigter Straßen hat der von rechts kommende Verkehr Vorfahrt. Generell haben Fahrzeuge auf Hauptstraßen Vorfahrt. Kreisverkehr hat Vorfahrt vor dem einfahrenden Verkehr.

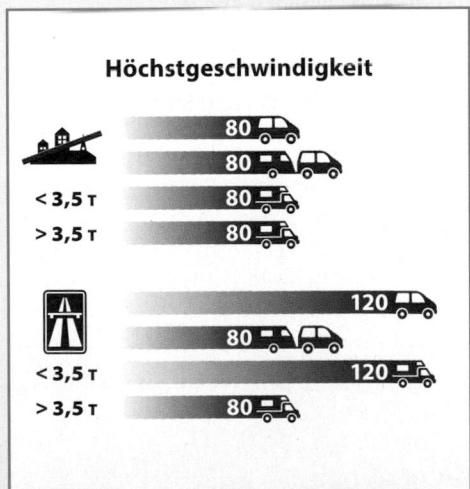

Promillehöchstgrenze: 0,5 ‰. Tagsüber muss nicht mit Abblendlicht gefahren werden. Telefonieren nur mit Freisprechanlage. Sie können Ihre Beleuchtung auf Linksverkehr umstellen, indem Sie rechts (von vorne gesehen)

eine Ecke mit nicht-lichtdurchlässigem Klebeband zukleben. Alle Verkehrsschilder sind in Englisch und Irisch. Es gibt keine Bedingungen für Winterreifen.

Navigation
Warnung vor festen Blitzern durch Navi oder Mobiltelefon Apps ist erlaubt.

Zulässige Maße
Höhe 4,65m, Breite 2,55m und Länge Gespann 18,75m.

Kraftstoff
Bleifrei, Diesel und LPG sind gut erhältlich.

Tankstellen
Tankstellen sind meist zwischen 7.30 und 22.00 Uhr geöffnet. Sorgen Sie für genug Kraftstoff, da die Tankstellen sehr auseinander liegen können.

Maut
Auf diversen Brücken und Straßen muss man Maut zahlen. Auf der Autobahn M50 um Dublin geht das nicht gegen Barzahlung. Kameras registrieren Ihr Kennzeichen. Sie müssen spätestens bis 20.00 Uhr am nächsten Tag bezahlen. Nähere Info: ▸ *www.eflow.ie* ◂

Reisen durch den Eurotunnel
Ein mit LPG betriebenes Fahrzeug darf nicht durch den Eurotunnel. Für fest installierte Gasbehälter in Wohnwagen oder Reisemobilen gelten besondere Vorschriften. Tragbare Gasbehälter sind erlaubt, müssen aber angemeldet werden. Siehe ▸ *www.eurotunnel.com* ◂

Notruf
112: nationaler Notruf für Polizei, Feuerwehr und Krankenwagen.

△ Campen
Die meisten Campings liegen auf dem Land und an der Küste. Größtenteils sind die Campings klein und einfach. Die schmalen,

kurvenreichen Küstenwege, die zu Campings führen nehmen doch etwas Zeit in Anspruch. Irische Campgelände verfügen oft über gut gepflegte Grasflächen und für Caravans und Reisemobile gibt es teilweise befestigte Stellplätze.

Praktisch

- Am besten immer Universalstecker dabei haben.
- Leitungswasser kann bedenkenlos getrunken werden.

Klima Dublin	Jan.	Feb.	März	April	Mai	Juni	Juli	Aug.	Sept.	Okt.	Nov.	Dez.
Tagestemperatur	6	6	7	9	12	15	17	16	14	11	8	6
Sonnenstunden am Tag	2	3	4	6	7	7	5	5	4	3	2	2
Regentage	11	10	10	8	10	10	12	13	12	10	12	15

Athlone, Westmeath 📶

🅰 Lough Ree East CSC	1 JMNOPRS**T**	LNPQSWXY**Z** 6
🍴 Ballykeeran	2 ACDGJPRSTWX	ABDE**FGH** 7
📅 1 Apr - 30 Sep	3 A	ABE**F**NQRV 8
☎ +353 (0)90-6478561	4 FIQ	9
@ athlonecamping@eircom.net	5 L	BGHJPR10
	6A CEE	🅰 €23,00
📍 N 53°26'54'' W 7°53'23''	2 ha 60**T**(30-60m²)	🅱 €27,00

🚗 Von Athlone N55 bis Ballykeeran. Sobald der CP angezeigt ist, direkt in der Kurve links und dann nach 30m Einfahrt zum CP rechts. 🅰

Ballina, Mayo 📶

🅰 Belleek Park Car. & Camp.****	1 DEJMNOPRS**T**	N**X** 6
📅 1 Mär - 31 Okt	2 GOPSWX	ABDE**FG**HIK 7
☎ +353 (0)96-71533	3 AE**KL**M	AB**F**NQRSTUV 8
@ lenahan@belleekpark.com	4 FIO	EGJK 9
	5 ABL	GHJLPRV10
	B 10A CEE	🅰 €23,00
📍 N 54°8'4'' W 9°9'32''	4 ha 63**T**(40-80m²) 17**D**	🅱 €28,00

🚗 Von N26 in nördlicher Richtung nach Ballina R314. Rechts ab Ausfahrt Taranoo. 500m ist der CP. 🅰

Ballylickey/Bantry, Cork 📶 iD

🅰 Eagle Point Camping****	1 ADHKNORT	KMNQSWXY 6
🍴 Ballylickey	2 EFJKMPRSTUVWX	A**BDEFG**H 7
📅 17 Apr - 20 Sep	3 AE**K**M	ABCD**F**NQRSV 8
☎ +353 (0)27-50630	4 O	9
@ eaglepointcamping@eircom.net	5 CL	FGHIJOST10
	B 6A CEE	🅰 €32,00
📍 N 51°43'13'' W 9°27'0''	3,2 ha 175**T**(80-100m²)	🅱 €38,00

🚗 Der CP liegt auf der Strecke N71 von Bantry nach Glengarriff und ist ausgeschildert. Einfahrt gegenüber der Tankstelle. 🅰

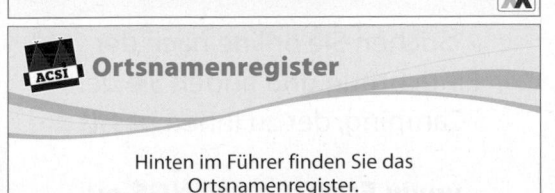

Ortsnamenregister

Hinten im Führer finden Sie das Ortsnamenregister.

Ballyshannon, Donegal 📶 (CC€18) iD

🅰 Lakeside Caravan & Camping***	1 AJMNOPRS**T**	NQRSTUVX**Z** 6
🍴 Belleek Road	2 DFGOPSWX	ABDE**FGH** 7
📅 12 Mär - 31 Okt	3 BE**K**	ABCDE**F**NQRTUV 8
☎ +353 (0)71-9852822	4 HIO**Q**	OPQRTUV 9
@ lakesidecentre@eircom.net	5 BDEGL	B**F**GHIJMNOPRVWXYZ10
	Anzeige auf dieser Seite B 16A CEE	🅰 €27,00
📍 N 54°29'49'' W 8°10'21''	2,5 ha 58**T**(30-80m²)	🅱 €33,00

🚗 In Ballyshannon Kreisverkehr N3/Belleek. CP nach ca. 1 km ausgeschildert. 🅰

Ballyvary/Castlebar, Mayo

🅰 Carrowkeel Camping Park***	1 DEJMNOPRST	N 6
📅 1 Apr - 30 Sep	2 CPSWX	ABDE**FGH**I 7
☎ +353 (0)94-9031264	3 A**K**L	AB**F**NQRV 8
@ mail@carrowkeelpark.ie	4 FHIO**PQ**	I 9
	5 BDEGIJ	ABHJR10
	16A CEE	🅰 €22,25
📍 N 53°54'28'' W 9°11'0''	2 ha 58**T**(40-100m²) 3**D**	🅱 €27,25

🚗 N5, 1,7 km westlich von Ballyvary oder 10 km östlich von Castlebar. Abfahren beim Schild Carrowkeel, Furniture. Dort steht auch ein Schild zum CP. 🅰

Lakeside Caravan & Camping ★ ★ ★

In der Nähe der netten Stadt Ballyshannon liegt dieser gut bewachte moderne Campingplatz am Ufer des ruhigen Assaroe Lake. Auf dem Platz gibt es ein geselliges Restaurant mit irischer Livemusik Samstagabends. Ein idealer Ausgangspunkt für Rundtouren im Nordwesten. In der Umgebung gibt es viele Angelmöglichkeiten, aber auch der Platz selbst bietet viel Wassererholung mit Mietmöglichkeiten für das Zubehör. Ballyshannon hat ein gutes Angebot von Geschäften und Restaurants und abends gibt's in den Pubs regelmäßig irische Livemusik zu hören. Am Platz gibt es auch einen umweltfreundlichen Spielplatz. Rund um den See lassen sich schöne Wanderungen machen.

**Belleek Road, Ballyshannon • Tel. 071-9852822 • Fax 071-9852823
E-Mail: lakesidecentre@eircom.net • Internet: www.lakesidecentre.ie**

Bennetsbridge, Kilkenny 🛜 iD

▲ Nore Valley Park***
🏠 Annamult
🕐 1 Mär - 31 Okt
☎ +353 (0)56-7727229
@ norevalleypark@eircom.net
📍 N 52°33'48'' W 7°11'52''

1 ADJMNOPQRST		N 6
2 AFPRSUWX		ABDEFGH 7
3 AIK		ABEFJNQRV 8
4 FIJKOQ		EY 9
5 ABEKL		BGHIJMORVX10
6A CEE		
H100 3 ha 70T(80-100m²) 8D		① €24,00 ② €32,00

🚗 Von Kilkenny die R700 nach Bennetsbridge/New Ross. Vor der Brücke in Bennetsbridge rechts, dann noch 3,5 km. CP links. Von der M9 Ausfahrt 9 Richtung Stoneyford. Nach ca. 3 km ist der CP ausgeschildert.

Blarney, Cork 🛜 iD

▲ Blarney
Caravan Camping Park****
🏠 Stone View
🕐 1 Apr - 26 Okt
☎ +353 (0)21-4516519
@ conquill@camping-ireland.ie
📍 N 51°56'52'' W 8°32'41''

1 ADEJMNOPRT		6
2 APSTVWX		ABDEFGHK 7
3 AK		ABEFJNQRSV 8
4 O		K 9
5 BEKL		BGHIJNPR10
B 10A CEE		① €27,00
H120 1,6 ha 60T(80m²)		② €33,00

🚗 In Blarney bei der Esso-Tankstelle abfahren (ist ausgeschildert). Nach ca. 3 km rechts ab. Der CP befindet nach ca. 150m auf der linken Seite.

Boyle, Roscommon 🛜

▲ Lough Key Forest &
Activity Park**
🏠 Forest Park
🕐 1 Apr - 15 Sep
☎ +353 (0)71-9673122
@ info@loughkey.ie
📍 N 53°58'52'' W 8°14'8''

1 CJKNOPRST		LNXYZ 6
2 BCDFGPSVXY		ABDEFGIJ 7
3 ABCEK		ABEFNQRV 8
4 FH		9
5 ADEFGIL		BHIJLNR10
B 16A CEE		① €22,00
3 ha 83T(60-80m²)		② €22,00

🚗 Von N5 Richtung R361. Nach 13 km nach N61. Dann nach 1,5 km zur R294. Nach 1,6 km links Richtung Warren. Darauf rechts zur L1020. Noch 2,8 km Richtung Lough Key.

Caherdaniel, Kerry 🛜 CC€18 iD

▲ Wave Crest C. & C. Park****
🕐 1 Jan - 31 Dez
☎ +353 (0)66-9475188
@ wavecrest@eircom.net
📍 N 51°45'32'' W 10°5'28''

1 ADJMNOPRST	KNOPQSTUVWXY	6
2 EFJKMOPRSTUVWX		ABDEFGH 7
3 AGH		ABEFNQRV 8
4 IOQ		HIJNPRZ10
5 ACEFIKL		
Anzeige auf Seite 107 13A CEE		① €28,00
2,2 ha 110T(40-80m²) 50D		② €32,00

🚗 Deutlich ausgeschildert auf der Umgehung von Kerry. Aus Richtung Kenmare kommend vor Caherdaniel, 2. CP links. Von Cahirciveen nach Caherdaniel der 2. CP rechts.

Cahir, Tipperary 🛜 CC€14 iD

▲ The Apple Farm Kl.A***
🏠 Moorstown
🕐 1 Mai - 30 Sep
☎ +353 (0)5274-41459
@ con@theapplefarm.com
📍 N 52°22'35'' W 7°50'33''

1 ADEHKNOPQRST		6
2 APRSWXY		ABDEFG 7
3 AKM		ABEFNQRV 8
4 IQ		9
5 KL		BGHJOR10
B 16A CEE		① €16,50
H95 1,5 ha 32T(100-110m²)		② €25,50

🚗 CP liegt an der N24 Cahir-Clonmel, 6 km von Cahir entfernt.

Cahirciveen, Kerry 🛜 CC€18 iD

▲ Mannix Point Park***
🏠 N70
🕐 15 Mär - 1 Okt
☎ +353 (0)66-9472806
@ mortimer@campinginkerry.com
📍 N 51°56'23'' W 10°14'19''

1 AJMNOPRST	KNPQSWX 6
2 EFJKPRSVWX	ABDEFGHIJK 7
3 E	ABEFNQRST 8
4 FH	9
5 L	ABFHJNPRV10
10A CEE	① €27,00
2,8 ha 42T(ab 80m²)	② €31,00

🚗 N70 von Killorglin nach Cahirciveen. Durch Cahirciveen direkt an der Seeseite, ca. 500m von der N70.

Castlebar, Mayo 🛜

▲ Lough Lannagh
Caravan Park***
🏠 Westport Road
🕐 1 Apr - 31 Aug
☎ +353 (0)94-9027111
@ info@loughlannagh.ie
📍 N 53°50'57'' W 9°18'42''

1 DHKNOPQRST		N 6
2 OPSWX		ABDEFGH 7
3 EKLMNPQ		ABEFHNQRUV 8
4 FHO		GJL 9
5 JL		BHJPR10
B 13A CEE		① €25,00
0,5 ha 27T(60-80m²) 35D		② €29,00

🚗 R311 Castlebar zentrum. Rechts ab Richtung Lannagh Road. Straße 2 km weiterfahren. CP ist ausgeschildert.

Clifden, Galway 🛜 iD

▲ Clifden Campsite &
Caravan Park
🏠 Shanakeever
🕐 1 Apr - 30 Sep
☎ +353 (0)95-22150
@ franceinglebach@eircom.net
📍 N 53°30'6'' W 10°1'4''

1 AJMNOPQRST		N 6
2 PSTUWX		ABDEHIJK 7
3		ABEFNQRV 8
4 IOQ		9
5 ABL		BJPR10
12A CEE		① €25,00
H70 0,9 ha 42T(30-100m²)		② €29,00

🚗 Von der N59 durch das Zentrum von Clifden. 2 km nach Norden Richtung Westport. 'Shanaheever Camp Site' Schild ist gut angezeigt.

Clogheen, Tipperary 🛜 CC€16 iD

▲ Parsons Green****
🕐 1 Jan - 31 Dez
☎ +353 (0)52-7465290
@ kathleen_noonan@eircom.net
📍 N 52°16'53'' W 7°59'39''

1 AJMNOPRST		JN 6
2 CFGJOPRSVWX		ABDEFGHI 7
3 BCEHIKLM		ABDEFNQRUV 8
4 FHIKNOQ		E 9
5 BDEKL		BGHJOR10
B 6A CEE		① €21,00
H63 2 ha 96T(80-100m²) 17D		② €28,00

🚗 Von Cahir und Lismore zur R668. CP kurz hinter Clogheen. Gut ausgeschildert.

Cong, Mayo 🛜 iD

▲ Cong Car. & Camp. Park***
🏠 Lisloughrey Quay Road
🕐 1 Jan - 31 Dez
☎ +353 (0)94-9546089
@ info@quietman-cong.com
📍 N 53°32'22'' W 9°16'14''

1 ACDJMNOPQRST		6
2 GOPSUWX		ABDEFGHIJK 7
3 AEK		ABFJNQRS 8
4 EFHO		GKPQRUV 9
5 ABL		FHJLMNPRV10
16A CEE		① €25,00
1 ha 40T(30-60m²) 17D		② €30,00

🚗 Von N54 Ausfahrt nach R334 Hereford-Cross. Links ab R346 Richtung Cong. 1,5 km vor Ortsmitte beim Schloss abbiegen. Nach 300m CP links. CP ist mit braunen Schildern gut ausgeschildert.

Donard, Wicklow iD

▲ Moat Farm C. & C. Park***
🕐 17 Mär - 15 Sep
☎ +353 (0)45-404727
@ moatfarmdonard@gmail.com
📍 N 53°1'17'' W 6°36'53''

1 AILNOPRST		6
2 FGPRSTVWX		ABDEFGH 7
3 EK		ABFNQRUV 8
4 FO		9
5 L		BGHIJMRV10
10A CEE		① €23,00
H186 1,6 ha 40T(100-120m²)		② €29,00

🚗 N81 Dublin-Tullow, am The Old Tollhouse Pub abbiegen Richtung Donard. CP ist im Dorf ausgeschildert.

Doolin, Clare 🛜 iD

▲ Nagle's Doolin C. & C. Park
🕐 14 Mär - 12 Okt
☎ +353 (0)65-7074458
@ ken@doolincamping.com
📍 N 53°1'0'' W 9°24'7''

1 ADEJMNOPRT	KNOQSXY 6
2 EFKOPRSW	ABDEFGHIK 7
3 BK	ABFNQRSTUV 8
4 FIOQ	F 9
5 ACKL	FGHIJPR10
B 10A CEE	① €24,00
4,5 ha 99T(150-250m²) 3D	② €30,00

🚗 N67 in Lisdoonvarna Richtung Doolin. Der CP liegt an der Küste und ist ab Doolin ausgeschildert.

Doolin, Clare 🛜 CC€16 iD

▲ O'Connors Riverside
C. and C. Park
🏠 Doolin Village
🕐 13 Mär - 26 Okt
☎ +353 (0)65-7074498
@ info@campingdoolin.com
📍 N 53°0'57'' W 9°22'40''

1 ACJMNOPRST		N 6
2 CFGPRSWX		ABDEFGHIJK 7
3 K		ABEFJNQRS 8
4 EFIOQ		B 9
5 BLM		GHIJMNPR10
16-20A CEE		① €24,00
2,5 ha 50T(90-100m²) 3D		② €30,00

🚗 Von Lisdoonvarna Richtung Cliffs of Moher (N67), Richtung Doolin. Im Zentrum von Doolin ausgeschildert.

Dublin 22, Dublin 🛜 iD

Camac Valley Caravan & CP Park****
🏠 Corkargh Park,
Green Isle Link Road
🕐 1 Jan - 31 Dez
☎ +353 (0)1-4640644
@ reservations@camacvalley.com
📍 N 53°18'16'' W 6°24'53''

1 ADEJMNOPRST		6
2 AOPSVWX		ABDEFGHK 7
3 BK		ABFJNQRSTUV 8
4 FHO		9
5 KL		BGHILPRZ10
10A CEE		① €29,00
H100 6 ha 163T(120-140m²)		② €31,00

🚗 N7 von Dublin aus. Ca. 2 km hinter dem Kreisel von der M50 ist der CP rechts. Dort direkt links. Den CP-Schildern folgen. Gut ausgeschildert.

Wave Crest Car. & Camp. Park
★ ★ ★ ★

Angelegt an einem Südhang mit ungeahnten Aussichten auf Strände, Buchten und die majestätischen Berge der Beara Halbinsel. Delphine und Riesenhaie werden regelmäßig gesichtet. Ein Zufluchtsort für Outdoor-Fans mit vielen Wassersportangeboten und Möglichkeiten zum Angeln, Wandern (the Kerry Way), Reiten, Sterne beobachten, aber auch der ideale Platz für einen ruhigen, erholsamen Urlaub in der Nebensaison. Hervorragende Einrichtungen u.a.: Laden, Restaurant und Café (Juni-August), Waschgelegenheit, TV- und Spieleraum, Touristikinfos, WiFi.

Caherdaniel • Tel. und Fax 066-9475188
E-Mail: wavecrest@eircom.net
Internet: www.wavecrestcamping.com

Irland

Dungarvan, Waterford

- ▲ Casey's C. & C. Park Kl.A****
- ▤ Clonea-strand
- 2 Apr - 7 Sep
- ☎ +353 (0)58-41919

1 AJMNOPQRST	EKNQSX 6
2 EFPSVWX	ABDEFGH 7
3 BIKL	ABEFNQRSV 8
4 IOPQ	9
5 ACKL	GHIJPRW10
10A CEE	➊ €31,00
6 ha 145T(80-100m²) 180D	➋ €37,00

N 52°5'39'' W 7°32'50''
Entlang der N25 bei Dungarvan der R675 Coast Road Clonea Strand folgen. CP liegt 3 km von Dungarvan.

Dunmore East, Waterford

- ▲ Dunmore Holiday Park
- ▤ Sea Cliff
- 1 Jan - 31 Dez
- ☎ +353 (0)87-7022566
- @ info@dunmoreholiday.ie

1 AJMNOPQRS	KNOPQRSTWXYZ 6
2 BEFHMPSVWXY	ABDEFGHIK 7
3 AJK	ABEFGHIJNQRSTUV 8
4 DFK	J 9
5 ABEGIK	BGHIJMORW10
B 15A	➊ €25,00
5 ha 54T(36-64m²) 9D	➋ €30,00

N 52°9'33'' W 6°59'32''
Von Waterford über die R684 in Dunmore 1, Straße links Richtung Strand. Links ab, nach 800m rechts zum Parkeingang. Camping ist gut als Holiday Park angezeigt.

Garrettstown/Kinsale, Cork

- ▲ Garrettstown House Holiday Park****
- ▤ R604
- 1 Mai - 14 Sep
- ☎ +353 (0)21-4778156
- @ denis@garrettstownhouse.com

1 AJMNORT	6
2 HPTUVWX	ABDEFGHIJK 7
3 BCEIKLM	ABEFNQRSTV 8
4 BINOPQ	9
5 ABEKL	AFHIJMPR10
B 6A CEE	➊ €25,00
8 ha 60T(40-70m²) 120D	➋ €33,00

N 51°39'11'' W 8°35'43''
Von Kinsale der Hauptstraße nach Ballinspittle folgen. Dann Richtung Strand und den Schildern 'Camping/Garrettstown' folgen.

Glen of Aherlow, Tipperary

- ▲ Ballinacourty House****
- ▤ Ballinacourty
- 4 Apr - 30 Sep
- ☎ +353 (0)62-56559
- @ info@camping.ie

1 ADEJMNORT	6
2 PSWX	ABDEFGHIK 7
3 AEIKLM	ABCDEFGNQRST 8
4 FHIO	GIUV 9
5 BJKL	BFGHJOR10
6A CEE	➊ €26,00
H150 3,5 ha 46T(80-110m²) 8D	➋ €34,00

N 52°24'59'' W 8°12'37''
N24 Tipperary-Cahia. In Bansha R663 (westliche Richtung) nach Gabbally. Nach ± 12 km Seitenstraße rechts. An der R663 ist der CP angezeigt.

Glen of Aherlow/Tipperary, Tipperary

- ▲ Glen of Aherlow Car. & Camp. Park****
- ▤ Newtown
- 1 Jan - 31 Dez
- ☎ +353 (0)62-56555
- @ rdrew@tipperarycamping.com

1 AJMNOPRST	N 6
2 FGPSTUWX	ABDEFGHIK 7
3 KL	ABEFJNQRTUV 8
4 FHIOQ	JV 9
5 BL	BDGHIJMNPR10
B 10A CEE	➊ €25,00
H85 2 ha 42T(100-110m²) 10D	➋ €35,00

N 52°25'12'' W 8°11'16''
Von Tipperary oder Cahir N24 Richtung Bansha. In Bansha R663 Richtung Glen of Aherlow. CP ab hier ausgeschildert. CP nach 10 km auf der rechten Seite.

Glenbeigh, Kerry

- ▲ Glenross Car. & Camp. Park****
- ▤ N70 Ring of Kerry Road
- 3 Apr - 30 Sep
- ☎ +353 (0)87-1376865
- @ glenross@eircom.net

1 AJMNOPRT	NQS 6
2 FHOPRSVWX	ABDEFGHK 7
3 GHIKM	ABEFNQRSTU 8
4 FIQ	EJK 9
5 DEFGJKLM	ABFGHIJPRX10
10A CEE	➊ €30,00
1,8 ha 40T(80-100m²) 11D	➋ €36,00

N 52°3'31'' W 9°55'54''
Auf der Umgehung von Kerry (N70) zwischen Killorglin und Cahirciveen. In der Nähe des Dorfzentrums.

Keel (Achill Island), Mayo

- ▲ Keel Sandybanks C. & C. Park****
- 1 Mai - 13 Sep
- ☎ +353 (0)98-43211
- @ info@achillcamping.com

1 DEJMNOPRST	KLMNPQRSVX 6
2 DEFHOPQSW	ABDEFGHIJK 7
3 AGHJK	ABEFJNPQRSTV 8
4 IOQ	EFMOQV 9
5 L	GHIKPR10
B 13A CEE	➊ €22,00
6 ha 70T(bis 60m²) 33D	➋ €26,00

N 53°58'29'' W 10°4'37''
N5 Ausfahrt R311. Noch 28 km weiterfahren bis Keel. Kurz vor dem Dorf liegt der CP.

Kilkenny, Kilkenny

- ▲ Tree Grove***
- ▤ R700
- 1 Mär - 15 Nov
- ☎ +353 (0)86-8308845
- @ treecc@iol.ie

1 JMNOPQRST	6
2 AFPRSUVWX	ABDEFGH 7
3 K	ABDFGILNQRTV 8
4 IOQ	9
5 L	BGHJMPR10
D 10A CEE	➊ €25,00
H100 1,7 ha 40T(75m²)	➋ €30,00

N 52°38'24'' W 7°13'45''
Von der Umgehung Kilkenny N10 den Kreisel nehmen, Ausfahrt New Ross 700. CP nach 250m.

Killarney, Kerry

- ▲ Donoghues White Villa Farm C & C Park
- ▤ Lissivigeen Killarney-Cork Road N22
- 22 Mai - 26 Sep
- ☎ +353 (0)64-6620671
- @ killarneycamping@eircom.net

1 AJMNOPRT	N 6
2 OPRSVWX	ABDEFGHIK 7
3 AK	ABEFNQRUV 8
4 O	I 9
5 L	BFGHKLMPR10
B 10A CEE	➊ €23,00
H69 2 ha 34T(80-100m²) 3D	➋ €29,00

N 52°2'50'' W 9°27'13''
Aus Richtung Kenmare kommend die R569 und dann die N22 nach Killarney nehmen. Camping liegt an der N22.

Killarney, Kerry

- ▲ Flemings 'White Bridge' C.& C.
- ▤ Ballycasheen Road
- 13 Mär - 26 Okt
- ☎ +353 (0)64-6631590
- @ info@killarneycamping.com

1 AJMNOPQRT	EJNUX 6
2 BCPRSVWXY	ABDEFGHK 7
3 AKOUV	ABEFJNQRV 8
4 AEIOPQ	EKUV 9
5 ABKL	ABFGHIJMOPR10
10A CEE	➊ €30,00
10 ha 92T(60-100m²) 12D	➋ €35,00

N 52°3'26'' W 9°28'9''
An der N22 von Killarney nach Cork, 2 km östlich von Killarney zeigt das Schild nach rechts, dann noch 300m, unter der Bahnunterführung durch, danach gleich links ab.

Killarney, Kerry

- ▲ Fossa Car. & Camp.Park Kl. A
- ▤ N72 Fossa
- 1 Apr - 30 Sep
- ☎ +353 (0)64-6631497
- @ fossaholidays@eircom.net

1 ADEJMNOPRT	6
2 OPRSUVWXY	ABDEFGHIJK 7
3 BKM	ABEFINQRTU 8
4 AIOPQ	EG 9
5 KL	BFHIKNOR10
B 10A CEE	➊ €26,00
3 ha 120T(50-75m²) 43D	➋ €31,00

N 52°4'14'' W 9°35'8''
Der CP liegt an der N72 von Killarney nach Killorglin. In Fossa ist es der 2. CP auf der rechten Seite.

Killarney, Kerry

- ▲ Killarney Flesk CaravanPark****
- ▤ Muckross Road
- 16 Mär - 30 Sep
- ☎ +353 (0)64-6631704
- @ info@killarneyfleskcamping.com

1 ADEGILNOPR	E 6
2 PQRSTVWX	ABDEFGH 7
3 K	ABFNQRS 8
4 AFH	UV 9
5 EGJL	BGHIKOR10
10A CEE	➊ €31,00
2,8 ha 80T(40-60m²)	➋ €37,00

N 52°2'35'' W 9°29'58''
An der N71 von Killarney nach Kenmare. 2 km kurz hinter dem Zentrum Killarney, links.

Kilmuckridge, Wexford 📶 iD

🏕 Morriscastle Strand Holiday Park★★★★
⌚ 1 Mär - 30 Sep
☎ +353 (0)53-9130124
@ info@morriscastlestrand.com

1 ADEJMNOPRS	KNQX 6
2 EGHKPQRSTVWX	ABDE**FG**HK 7
3 ABE**KLM**	ABCDE**F**NQRSUV 8
4 BDIL**Q**	9
5 ABEFIKL	BGHIJ**O**R**Z**10
10A CEE	❶ €28,00
16 ha 140**T**(100-120m²) 145**D**	❷ €30,00

📍 N 52°31'1'' W 6°14'16''
🚗 Von der R741 Ri. Gorey-Wexford. 20 km hinter Gorey und 22 km von Wexford Ri. Morriscastle Beach. In Kilmuckridge den CP-Schildern bis zum Straßenende folgen.

Mountshannon, Clare 📶 iD

🏕 Lakeside Holiday Park★★
🚏 R352
⌚ 1 Mai - 1 Okt
☎ +353 (0)61-927225
@ lakesidecamping@gmail.com

1 ACIKNOPR**T**	LNPQSUW**X**YZ 6
2 BDFKPRSTVWXY	ABDE**FG**HIJK 7
3 AEL**M**	ABE**F**NQRSTV 8
4 O	EFJNPR 9
5 KL	ABHIJ**P**RV10
6A CEE	❶ €23,00
7,2 ha 45**T**(50-100m²) 28**D**	❷ €30,00

📍 N 52°55'40'' W 8°25'14''
🚗 Camping liegt am See, 1,5 km nördlich von Mountshannon (R352 Richtung Portuma).

Mullingar, Westmeath iD

🏕 Lough Ennell C. & C. Park★★★
🚏 Tudenham Shore Carrickwood
⌚ 1 Apr - 30 Sep
☎ +353 (0)44-9348101
@ eamon@caravanparksireland.com

1 AJMNOPRS**T**	LN**O**PQSW**X**YZ 6
2 ABCDFGHIJPQRSTVWXY	AB**F**GH 7
3 BE**GHKLP**T	ABE**F**NQRV 8
4 FHIKMO**PQ**	ENPQV 9
5 ABDEIK**L**	BGHJR10
7A CEE	❶ €25,00
H71 3 ha 70**T**(40-80m²) 83**D**	❷ €31,00

📍 N 53°27'58'' W 7°22'30''
🚗 M4, Ausfahrt 2 zur N4. Nach 10 km Ausfahrt Lough Ennell Park. CP ist gut ausgeschildert.

Quigley's Point (Co. Donegal), Donegal 📶 iD

🏕 Foyleside Caravan & Camping Park
⌚ 1 Apr - 30 Sep
☎ +353 (0)74-9383786
@ info@foylesidecaravanpark.com

1 AILOPRT	6
2 AEFKOPRSWX	ABDE**FGH**IK 7
3 A**K**	ABCD**F**IJNQRTUV 8
4	9
5 K	HJOR10
B 15A CEE	❶ €25,00
3,6 ha 26**T**(70-90m²) 40**D**	❷ €25,00

📍 N 55°7'26'' W 7°11'44''
🚗 Von Londonderry die A2 Richtung Norden. Bei Muff geht die AB in die R238 über. Nach 8 km CP an der rechten Seite der Strecke. Gegenüber The Point Inn.

Rathdrum (Wicklow), Wicklow 📶 iD

🏕 Hidden Valley Holiday Park★★
🚏 Rathdrum
⌚ 1 Apr - 21 Sep
☎ +353 (0)86-7272872
@ info@irelandholidaypark.com

1 ADJMNOPRST	JNUVX 6
2 BCDFGJKOPRSWX	ABDE**FGIJ** 7
3 BEF**KRSU**	ABE**F**JNQRTUV 8
4 BFHI	FPQRTU 9
5 DEKL	BHIJORZ10
16A CEE	❶ €28,00
H90 6 ha 135**T**(100-110m²) 44**D**	❷ €38,00

📍 N 52°56'12'' W 6°13'39''
🚗 Über die N11 nach Wicklow, bei Wicklow Schildern Rathdrum/R752 folgen, CP in Rathdrum beschildert.

Redcross, Wicklow 📶 iD

🏕 River Valley Holiday Park★★★★
⌚ 15 Mär - 28 Okt
☎ +353 (0)404-41647
@ info@rivervalleypark.ie

1 ADEJMNOPRST	6
2 ACFPRSVWX	ABDE**FGH**I 7
3 AB**IJKLMR**	AB**F**JKNQRSTUV 8
4 BDFKLO**Q**	EF 9
5 ACEGJ**L**	BGHIJORX10
10A CEE	❶ €27,00
H57 5,4 ha 215**T**(80-110m²) 96**D**	❷ €35,00

📍 N 52°53'20'' W 6°8'40''
🚗 An der N11 Arklow-Wicklow wird der CP dreimal ausgeschildert, zweite Straße, zweiter CP (erste Straße steil).

Renvyle, Galway 📶 iD

🏕 Renvyle Beach C. & C. Park
⌚ 1 Apr - 30 Sep
☎ +353 (0)95-43462
@ renvylebeachcaravanpark@gmail.com

1 HKNOPQRST	KNPQSWX 6
2 EFGHIMPQSTW	AB 7
3	ABE**F**NQRV 8
4	J 9
5	HJR10
10A CEE	❶ €22,00
4,5 ha 78**T** 2**D**	❷ €28,00

📍 N 53°36'10'' W 9°59'6''
🚗 Auf der N59 an der T-Kreuzung links Richtung Tullycross. Den CP-Schildern folgen, nach 6,6 km CP. Achtung: steile Zufahrt/Ausfahrt zum/vom CP.

Riverstown, Sligo

🏕 Lough Arrow Touring Caravan Park
🚏 Ballynary
⌚ 13 Mär - 31 Okt
☎ +353 (0)71-9666018
@ latp@eircom.net

1 JMNOPRS**T**	LNQSXYZ 6
2 DPSVW	ABDE**FGH** 7
3 **KQ**	ABCDE**F**NQRV 8
4 IO	P 9
5 ABL	GHJR10
16A CEE	❶ €22,00
H64 1,2 ha 30**T**(50-75m²)	

📍 N 54°3'42'' W 8°18'1''
🚗 N4 hinter Boyle Ausfahrt afslag Tawnytaskin. Rechts ab zur U013 Ballyha, 5,2 km bis Aghacarra folgen. CP ist durch braune Schilder angezeigt.

Rosbeg (Co. Donegal), Donegal iD

🏕 Tramore Beach C. & C. Park★★★
⌚ 24 Mär - 30 Sep
☎ +353 (0)74-9545274
@ info@campbellireland.com

1 ADEHKNOPRT	KNQSWX 6
2 EFHPQSW	ABDE**FGH** 7
3 AM	ABE**F**NQRTV 8
4	9
5 ABL	BHJR10
5A CEE	❶ €22,00
5 ha 40**T**(20-40m²) 60**D**	❷ €25,00

📍 N 54°48'34'' W 8°29'49''
🚗 N56, Ausfahrt R261 Richtung Rosbeg. Danach Schildern folgen.

Roscrea, Tipperary 📶 (CC€18) iD

🏕 Streamstown Car. & Camp. Park
🚏 Streamstown
⌚ 1 Apr - 30 Sep
☎ +353 (0)505-21519
@ info@tipperarycaravanpark.com

1 ADEJMNOPRST	6
2 APSWX	ABDE**FGHI** 7
3 A**K**	ABDFNQRTUV 8
4 O**Q**	E 9
5 L	BGJOR10
10A CEE	❶ €25,00
H60 1,6 ha 40**T**(75-100m²) 8**D**	❷ €29,00

📍 N 52°57'26'' W 7°50'21''
🚗 Von der N7 ab gut angezeigt. Von Roscrea die R491 nach Shirnone. Von der M7 Ausfahrt 22. CP liegt an der R491 zwischen Shinrone und Roscrea, und ist gut angezeigt.

Rosses Point, Sligo 📶 iD

🏕 Greenlands Caravan Park★★★★
⌚ 2 Apr - 15 Sep
☎ +353 (0)71-9177113
@ rossespointcvp@eircom.net

1 ADEJMNOPR**T**	KNQSTX 6
2 AEFGHOPQSW	ABDE**FGHIJK** 7
3 A**J**	ABE**F**NQRTUV 8
4 IO**Q**	9
5	FGHIJ**N**OR10
B 10A CEE	❶ €27,00
2,5 ha 120**T**(40-60m²)	❷ €29,00

📍 N 54°18'26'' W 8°34'9''
🚗 Von Sligo N15 bis Ausfahrt Rosses Point. Dieser Straße, R291 bis zum Ende fahren.

Rosslare Harbour, Wexford 📶 iD

🏕 St. Margaret's Beach C. & C. Park★★
🚏 Lady's Island
⌚ 15 Mär - 31 Okt
☎ +353 (0)53-9131169
@ stmarg@eircom.net

1 ADEJMNOPQRST	KN 6
2 EPRSWX	ABDE**FG**HIK 7
3 **K**	ABE**F**HNQRTV 8
4 FO	EU 9
5 ABKL	BGHJPR10
6A CEE	❶ €24,00
1,6 ha 38**T**(80-120m²) 25**D**	❷ €28,00

📍 N 52°12'23'' W 6°21'21''
🚗 Von der N25 Wexford-Rosslare, beim Ort Tagoat Ausfahrt Lady's Island. CP weiter gut ausgeschildert.

Campingplatzkontrolle

Alle Campingplätze in diesem Führer wurden im vergangenen Jahr von einem unserer 130 ACSI-Inspektoren besucht und begutachtet.

Sie erkennen diese Campings an der Jahresprüfplakette, die meist im Rezeptionsbereich auf dem ACSI-Schild zu finden ist.

INSPECTED
2010 2011 2012 2013 2014
www.ACSI.eu

Rossnowlagh, Donegal

▲ Boortree Touring and Campingpark
🏠 Rossnowlagh
📅 1 Jan - 31 Dez
☎ +353 (0)877865542
@ oiseenkelly@eircom.net
📍 N 54°33'55'' W 8°12'45''

1 ACDJMNOPRST		6
2 AEFHVVW	ABDE**F**H**K**	7
3 **JK**	ABCDEFJNQRT	8
4		9
5	BHJNR	10
B 8A		① €25,00
22**T**		

🚗 Auf halber Strecke der N15 zwischen Donegal und Ballyshannon. Rechts der Straße braunes Schild Rossnowlagh. Bis ganz zur See durchfahren.

Roundstone/Connamara, Galway

▲ Gurteen Bay Car. Park
📅 1 Mai - 30 Sep
☎ +353 (0)95-35882
@ gurteenbay@eircom.net
📍 N 53°22'58'' W 9°57'11''

1 JMNOPRST	NQSWXY	6
2 EFHMOPQRTUW	ABDE**F**G**H**	7
3	ABF**N**QRV	8
4 IO	IJ	9
5 ABL	BF**G**HJLR	10
6A CEE		① €25,00
1,8 ha 80**T**(30-80m²) 105**D**		② €25,00

🚗 Der CP liegt an der R341, 3 km westlich von Roundstone Richtung Clifden, am Meer. Der CP ist deutlich ausgeschildert.

Roundwood, Wicklow

▲ Roundwood C.&C. Park★★★★
🏠 Roundwood Village
📅 1 Mai - 31 Aug
☎ +353 (0)1-2818163
@ info@dublinwicklowcamping.com
📍 N 53°4'9'' W 6°13'21''

1 AILNOPRST	**N**	6
2 OPRSTVVX	ABDE**F**G**H**	7
3 B**K**	ABF**K**NQRV	8
4 FIO	UV	9
5 KL	B**G**HJ**PR**	10
16A CEE		① €30,00
H287 2,4 ha 76**T**(80-100m²)		② €38,00

🚗 Die N11 Dublin-Wexford. Von Dublin aus, in Kilmacanogue die R755 Richtung Roundwood folgen. Von Wexford N11, die Ausfahrt in Kilmacanogue nehmen (kurz vor der Esso). CP gut angezeigt.

Rush, Dublin

▲ North Beach Caravan & Camping Park
🏠 North Beach
📅 1 Apr - 30 Sep
☎ +353 (0)1-8437131
@ info@northbeach.ie
📍 N 53°31'31'' W 6°5'9''

1 AJMNOPRST	KNOPQSXYZ	6
2 AEFHPTW	ABDEH	7
3 **K**OUV	ABF**N**QRV	8
4		9
5 KL	FIJR	10
6A CEE		① €27,00
1,8 ha 64**T**(70-80m²) 36**D**		② €33,00

🚗 Auf der M1 Ausfahrt 4 Rush. An der Tankstelle auf die N1 Ausfahrt Rush. Durch Rush und den CP-Schildern folgen.

Salthill, Galway

▲ O'Halloran's
🏠 Bayview Caravan Park
📅 1 Mai - 30 Sep
☎ +353 (0)91-523316
@ galwaycaravanparks@gmail.com
📍 N 53°15'28'' W 9°6'11''

1 ACJMNOPRST	NQS	6
2 AEKMOPSTW	AB	7
3 **K**	ABCDFNQRUV	8
4	E	9
5 L	BFIJLR	10
12A CEE		① €25,00
4 ha 65**T**(50-100m²) 12**D**		② €30,00

🚗 Auf der N6/M6 Richtung Galway City. Danach der R336 an der Küste entlang nach Salthill folgen. Einfahrt gegenüber der Tankstelle Topaz.

Salthill, Galway

▲ Salthill Caravan and Camping Park
📅 1 Apr - 29 Sep
☎ +353 (0)91-523972
@ info@salthillcaravanpark.com
📍 N 53°15'34'' W 9°6'18''

1 AJMNOPQRST	KM**N**PQRSTUWXZ	6
2 AEFJKMOPQRSUVW	ABCDEFGHIJ	7
3 A**JK**	ABCDEFNQRSTUV	8
4	D	9
5	HIJR	10
10A		① €25,00
4 ha 70**T** 83**D**		② €26,00

🚗 Von Salthill aus in westlicher Richtung an der Küste entlang. Nach ca. 1 km liegt der CP links der Straße.

Skibbereen, Cork

▲ The Hideaway C.&C. Park★★★★
🏠 Castletownsend Road
📅 1 Mai - 15 Sep
☎ +353 (0)28-22254
@ skibbereencamping@eircom.net
📍 N 51°32'30'' W 9°15'37''

1 AJMNOPR		6
2 PRSTVWX	AB**F**G**H**	7
3 B**K**	ABF**N**QRSUV	8
4 IO**Q**		9
5 L	B**G**HIJMPR	10
B 6A CEE		① €23,00
1,2 ha 60**T**(60-80m²)		② €29,00

🚗 An der N71 bei Skibbereen ist der CP ausgeschildert. Der CP liegt an der R596, kurz nach Ortsausgang (Richtung Castletownshend).

Strandhill, Sligo

▲ Strandhill Car. & Camp. Park★★★
📅 1 Apr - 27 Sep
☎ +353 (0)71-9168111
@ stranhillcvp@eircom.net
📍 N 54°16'21'' W 8°36'16''

1 ADEJMNOPR**T**	NQ	6
2 AEFGHOPSW	ABDE**FGH**K	7
3 B**K**M	ABEF**N**QRTV	8
4 FIO**PQ**		9
5 L	GHIJL**N**O**PR**	10
B 10A CEE		① €25,00
6 ha 100**T**(30-50m²)		② €27,00

🚗 Von Süden und Westen vor Sligo die R292 Richtung Airport. Der CP liegt an der Strecke zum Flughafen. Navi gibt Weg über eine schmale Straße an, man sollte besser der Beschilderung folgen.

Timoleague (Westcork), Cork

▲ Sextons C. & C. Park★★
🏠 R600
📅 15 Mär - 31 Okt
☎ +353 (0)23-8846347
@ info.sextons@gmail.com
📍 N 51°38'4'' W 8°48'6''

1 ACJMNOPRT		6
2 FHMPRSTVWX	ABDE**FG**HIK	7
3 AE**K**	ABCEFNPQRV	8
4 E**F**HI**J**O**Q**	ADV	9
5 ABL	ABHJNPR	10
B 6A CEE		① €23,00
H50 1,6 ha 30**T**(100m²) 28**D**		② €26,00

🚗 Von Cork über Ballyspittle nach Timoleague. Von dort ausgeschildert.

Tralee, Kerry

▲ Woodlands Park
🏠 Dan Spring Road
📅 1 Feb - 30 Nov
☎ +353 (0)66-7121235
@ woodlandstralee@gmail.com
📍 N 52°15'49'' W 9°42'11''

1 ADEJMNOPRST		6
2 BOPRSVWX	ABDE**FG**HK	7
3 B**K**	ABEF**GN**QRSTU	8
4 FHIO**PQ**		9
5 ABKL	ABFGHIJM**N**ORV	10
B 10A CEE		① €27,00
6 ha 135**T**(165m²)		② €33,00

🚗 Der CP liegt an der N86 Tralee-Dingle, 0,5 km südlich von Tralee. CP ist an N22 ab Killarney ausgeschildert.

Tramore, Waterford

▲ Newtown Cove Caravan Park★★★★
🏠 Newtown Cove
📅 17/4 - 22/4, 2/5 - 28/9
☎ +353 (0)51-381979
@ info@newtowncove.com
📍 N 52°8'52'' W 7°10'21''

1 ACDEJMNOPQR**T**	X	6
2 PRSVW	ABDE**FG**HI	7
3 A**K**L	ABEF**N**QRT	8
4 IO**PQ**		9
5 ABKL	B**G**HJPR	10
10A CEE		① €29,00
2,2 ha 46**T**(50-100m²) 56**D**		② €35,00

🚗 R675 Coast Road von Tramore Richtung Dungarvan, nach ca. 1 km links, CP-Schild folgen.

Tuosist/Post Killarney, Kerry

▲ Beara Camping
🏠 Coornagillagh
📅 15 Apr - 15 Okt
☎ +353 (0)64-6684287
@ info@bearacamping.com
📍 N 51°49'35'' W 9°43'50''

1 ADGIKNOPR**T**	KNQSX	6
2 EJPRSWXY	ABDE**FG**IJ	7
3 AE**GH**S	ABEFNV	8
4 E	EF	9
5 AEIL	AFIJLO**P**RV	10
0A CEE		① €21,50
2 ha 46**T**(80-120m²) 10**D**		② €26,50

🚗 Von Kenmare die N71, direkt hinter der Brücke die R571 Richtung Castletownbere fahren. Nach 12 km ist der CP an der rechten Seite. Gut ausgeschildert.

Westport, Mayo

▲ Westporthouse C. & C. Park★★★
📅 25 Apr - 15 Sep
☎ +353 (0)98-27766
@ camping@westporthouse.ie
📍 N 53°48'21'' W 9°32'20''

1 DEHKNOPRST	**N**	6
2 CDFGHPRSTXY	ABDEH	7
3 ACE**J**LM**RT**	ABEFNQRSTUV	8
4 FHIO**PQ**	T	9
5 GIJL	FGHIJ**N**PR	10
B 16A CEE		① €30,00
4 ha 155**T**(bis 100m²)		② €38,00

🚗 N5 Castlebar-Westport. Im Zentrum den Schildern folgen. Rechts beim Westport Quay liegt der Freizeitpark.

Wexford, Wexford

▲ Ferrybank Caravan & Camping Park★★
🏠 Ferrybank
📅 1 Jan - 31 Dez
☎ +353 (0)53-9185256
@ info@wexfordswimmingpool.ie
📍 N 52°20'42'' W 6°27'11''

1 ADEJMNOPRS**T**	E**F**NQSW	6
2 CEFMOPRSVWX	ABDE**FG**I	7
3 A**K**	ABF**N**QRV	8
4 FIO**TV**		9
5 L	B**G**HIJPRZ	10
B 10A CEE		① €27,00
2 ha 52**T**(100-120m²)		② €31,00

🚗 Aus dem Zentrum von Wexford über die Brücke über den Slaney, direkt danach rechts.

Wicklow, Wicklow

▲ Silver Strand Caravan Park
🏠 Dunbur Road
📅 1 Jun - 30 Sep
☎ +353 (0)404-67615
@ info@silverstrandcaravanpark.ie
📍 N 52°57'28'' W 6°0'45''

1 AJMNOPQRST	KNPQ	6
2 AEFGHMPTWX	ADFGK	7
3 B**J**K	ABF**N**QRV	8
4 **Q**		9
5 KL	B**G**HIJMR	10
10A		① €23,00
15 ha 60**T**(80m²) 112**D**		② €29,00

🚗 Die N11 Dublin-Wexford Ausfahrt Wicklow. Durch Wicklow Richtung Coast Road. Nach ca. 3 km ist es der 1. Camping links der Straße. Beide Plätze haben fast den gleichen Namen.

Wicklow, Wicklow

▲ Wolohan Silver Strand Caravan Park
🏠 Dunbur Upper
📅 3 Apr - 30 Sep
☎ +353 (0)404-69404
@ info@silverstrand.ie
📍 N 52°57'17'' W 6°1'0''

1 ADEJMNOPQRST	KNQX	6
2 AEFGHMPRTVWX	AB**F**G**H**K	7
3 **JK**	ABEF**N**QR	8
4	J	9
5 ABKLM	BIJRY	10
10A CEE		① €23,00
3 ha 75**T**(100-120m²) 56**D**		② €29,00

🚗 Die N11 Dublin-Wexford Ausfahrt Wicklow. Durch Wicklow Richtung Coast Road. Nach ca. 3 km links an der Straße, 2er CP. Beide CPs tragen den Namen Silverstrand.

Frankreich

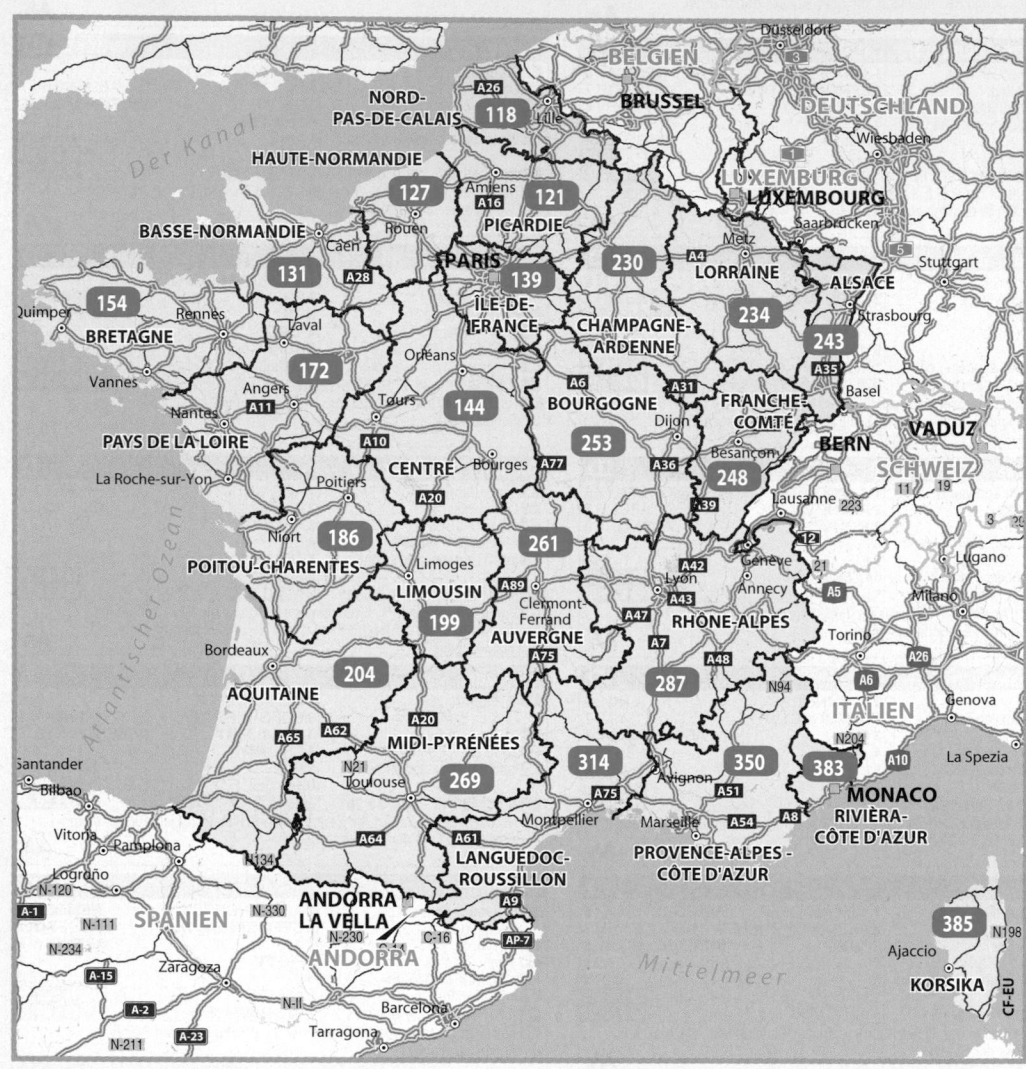

ⓘ Allgemein

Frankreich ist EU-Mitglied.

Zeit

Es ist in Frankreich genauso spät wie in Berlin.

Sprache

Französisch. In touristischen Gebieten auch Englisch.

Regionen

Im Inhaltsverzeichnis und auf der oben abgebildeten Karte sehen Sie Frankreich in verschiedenen Regionen eingeteilt. Zur Verdeutlichung wurden konsequent die Bezeichnungen der französischen 'Régions' übernommen. Die 'Régions' unterteilen sich wiederum in 'Départements'. Diese Namen stehen auf den Teilkarten, die Sie hinter den Regiokarten finden.

Région	Département	Seite
Alsace	Bas-Rhin	243
	Haut-Rhin	245
Aquitaine	Dordogne	204
	Gironde	213
	Landes	221
	Lot-et-Garonne	220
	Pyrénées-Atlantiques	227
Auvergne	Allier	261
	Cantal	267
	Haute-Loire	266
	Puy-de-Dôme	263
Basse-Normandie	Calvados	131
	Manche	135
	Orne	134
Bourgogne	Côte-d'Or	253
	Nièvre	256
	Saône-et-Loire	258
	Yonne	255
Bretagne	Côtes-d'Armor	165
	Finistère	157
	Ille-et-Vilaine	169
	Morbihan	154
Centre	Cher	153
	Eure-et-Loir	145
	Indre	152
	Indre-et-Loire	149
	Loir-et-Cher	146
	Loiret	144
Champagne-Ardenne	Ardennes	230
	Aube	232
	Haute-Marne	233
	Marne	231
Franche-Comté	Doubs	250
	Haute-Saône & Territoire-de-Belfort	248
	Jura	251
Haute-Normandie	Eure	129
	Seine-Maritime	127
Ile-de-France	Essonne	142
	Paris	142
	Seine-et-Marne	143
	Val-d'Oise & Yvelines	139
Korsika	Corse	385
Languedoc-Roussillon	Aude	337
	Gard	317
	Hérault	322
	Lozère	314
	Pyrénées-Orientales	340

Région	Département	Seite
Limousin	Corrèze	202
	Creuse	199
	Haute-Vienne	200
Lorraine	Meurthe-et-Moselle	235
	Meuse	234
	Moselle	235
	Vosges	237
Midi-Pyrénées	Ariège	285
	Aveyron	273
	Gers	279
	Haute-Garonne	284
	Hautes-Pyrénées	281
	Lot	269
	Tarn	278
	Tarn-et-Garonne	277
Nord-Pas-de-Calais	Nord	118
	Pas-de-Calais	119
Pays de la Loire	Loire-Atlantique	176
	Maine-et-Loire	174
	Mayenne	172
	Sarthe	172
	Vendée	178
Picardie	Aisne	125
	Oise	126
	Somme	121
Poitou-Charentes	Charente	198
	Charente-Maritime	186
	Deux-Sèvres	196
	Vienne	197
Provence-Alpes/ Côte d'Azur	Alpes-de-Haute-Provence	353
	Bouches-du-Rhône	362
	Hautes-Alpes	350
	Var	366
	Vaucluse	358
Rhône-Alpes	Ain	289
	Ardèche	306
	Drôme	302
	Haute-Savoie	292
	Isère	299
	Loire	287
	Rhône	288
	Savoie	297
Rivièra-Côte d'Azur	Alpes-Maritimes	383

♿ Grenzformalitäten

Viele Formalitäten und Vereinbarungen, wie erforderliche Reisedokumente, KFZ-Papiere, Anforderungen an Ihr Fahrzeug und Ihren Aufenthalt, Krankenkosten und das Mitführen von Tieren, sind nicht nur vom Zielort abhängig, sondern auch von Ihrem Ausgangsort und Ihrer Nationalität. Auch die Dauer Ihres Aufenthaltes spielt dabei eine Rolle. Im Rahmen dieses Führers ist es leider nicht möglich, allen Lesern korrekte und aktuelle Informationen in dieser Hinsicht zu garantieren.

Wir raten Ihnen, vor Ihrer Abreise bei den entsprechenden Behörden in Erfahrung zu bringen:
- welche Reisedokumente Sie für sich selbst und Ihre Reisebegleitung brauchen
- welche Dokumente Sie für Ihr Auto brauchen
- welchen Anforderungen Ihr Fahrzeug entsprechen muss
- welche Güter Sie ein- und ausführen dürfen
- wie im Unglücks- oder Krankheitsfall die medizinische Versorgung im Urlaubsland organisiert ist und bezahlt wird
- ob Sie Ihre Haustiere mitnehmen können. Nehmen Sie rechtzeitig Kontakt zu Ihrem Tierarzt auf. Dort erhalten Sie Informationen über relevante Impfungen, entsprechende Bestätigungen und Verpflichtungen bei Ihrer Rückkehr. Es ist auch sinnvoll herauszufinden, ob an Ihrem Urlaubsziel bestimmte Bedingungen für Haustiere in der Öffentlichkeit geknüpft sind. So müssen in manchen Ländern Hunde immer einen Maulkorb tragen oder vergittert transportiert werden.

Viele allgemeine Infos finden Sie auf ▶ *www.europa.eu* ◀ aber sorgen Sie selbst dafür, die richtige Information für Ihre individuelle Situation herauszufinden.

Aktuelle Zollbestimmungen entnehmen Sie den Botschaften des jeweiligen Urlaubslandes an Ihrem Wohnort.

Währung und Geld

Währung ist der Euro. Im Allgemeinen kann man in Frankreich überall mit der (deutschen) EC-Karte zahlen.

Kreditkarten

Mit einer Kreditkarte kann man fast überall bezahlen, auch auf den Mautstrecken. Manchmal müssen Sie noch unterschreiben und oft wird nach Ihrem Ausweis gefragt.

Öffnungszeiten und Feiertage

Banken

Französische Banken sind montags bis freitags zwischen 9.00 und 18.00 Uhr geöffnet. Banken haben auch samstags geöffnet.

Geschäfte

Die Geschäfte sind von dienstags bis samstags bis 19.00/20.00 Uhr offen. Auf dem Land sind die meisten Geschäfte geschlossen zwischen 13.00 und 14.00 Uhr. Viele Geschäfte sind montags morgens oder den ganzen Montag geschlossen.

Apotheken

Französische Apotheken haben an Werktagen bis 19.00 Uhr offen.

Feiertage

Neujahr, Ostern, 1. Mai (Tag der Arbeit), 8. Mai (Waffenstillstand 1945), Himmelfahrt, Pfingsten, 14. Juli (Nationalfeiertag), 15. August (Mariä Himmelfahrt), 1. November (Allerheiligen), 11. November (Waffenstillstand 1918), 1. Weihnachtsfeiertag.

Kommunikation

(Mobil)Telefon

Das Mobilnetz ist in ganz Frankreich gut, bis auf einige Gebiete in den Alpen und dem Massif Central. Es gibt ein 3G-Netz für das mobile Internet. In den Telefonzellen kann man Kreditkarte und Telefonkarten benutzen. Telefonkarten erhält man auf der Post, in Tabakgeschäften und Kiosks.

W-Lan, Internet

In Frankreich findet man überall Internetcafés, hauptsächlich in den Städten. W-Lan ist oft auf Campings verfügbar und wird immer öfter angeboten.

Post

Postämter sind von Montag bis Freitag bis 18.00 Uhr und an Samstagen bis 12.00 Uhr geöffnet.

Straßen und Verkehr

Straßennetz

Bei Dunkelheit besser nicht auf Landstraßen fahren. An großen Straßen wird die Straßenaufsicht durch den Straßeninhaber über Telefonposten betrieben, die mit der Polizei in Verbindung stehen.

Verkehrsvorschriften

Rechts hat Vorfahrt außer auf Hauptstraßen. An engen Bergstrecken gilt: bergauf fahrender Verkehr hat Vorfahrt. Im Kreisverkehr haben Sie Vorfahrt, wenn er mit einem dreieckigen Vorfahrtschild mit 'Kreisverkehr' gekennzeichnet ist. Fehlt dieses Schild, dann haben die Fahrer, die sich dem Kreisel nähern, Vorfahrt.

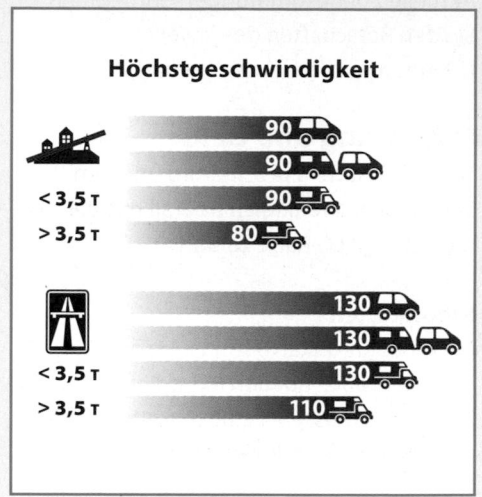

Promillehöchstgrenze: 0,5 ‰. Bei schlechter Sicht auch tagsüber mit Abblendlicht fahren. Telefonieren nur mit Freisprechanlage. Bei einer Panne muss eine reflektierende Sicherheitsweste getragen werden. Kinder unter 10 Jahren müssen auf dem Rücksitz sitzen. Vorsicht: durchgezogene Markierungen nicht überfahren und auch nicht mit den Reifen berühren. Eine Winterreifenpflicht besteht nicht, sollten Sie aber unter winterlichen Bedingungen einen Unfall haben, werden Sie (mit)verantwortlich gemacht.
Sie müssen einen Alkoholtester im Wagen haben. Den erhalten Sie an Tankstellen, Supermärkten und Apotheken.
Oder Sie bestellen ihn in unserem Webshop über ▸ *http://webshop.acsi.eu/de/reiseartikel.html* ◂

Navigation

Warnung vor festen Blitzern durch Navi oder Mobiltelefon Apps ist nicht erlaubt. Am besten Sie löschen die französischen Blitzeranlagen direkt aus Ihrem Handy.

Wohnwagen, Reisemobil

Ist Ihr Fahrzeug schwerer als 3,5 Ton, dann gelten niedrigere Geschwindigkeiten. Im Wohnwagen oder Reisemobil innerorts und an der Straße übernachten, ist verboten, außer an den ausgewiesenen Plätzen und maximal 24 Stunden. Wohnwagen mit Doppelachse werden im Allgemeinen nicht auf den Gemeindecampings (camping municipal) zugelassen.

Zulässige Maße

Höhe unbeschränkt, Breite 2,55m und Länge 12m.

Kraftstoff

Euro 95 ist inzwischen fast ganz durch E10 ersetzt. Kontrollieren Sie daher vor der Reise, ob Ihr Fahrzeug E10 tauglich ist. Superplus 98 ist der beste Ersatz für Euro 95. Diesel und LPG sind gut erhältlich.

Tankstellen

An den Autobahnen sind die meisten Tankstellen 24 Stunden am Tag offen. Es gibt auch an den 'Routes Nationales' Tankstellen die tags und nachts offen sind, viele schließen aber um 21.00 Uhr. Rechnen Sie damit, dass sonntags immer mehr Tankstellen abseits der Autobahnen geschlossen sind.

Kreditkarten und die meisten EC-Karten werden an Tankstellen akzeptiert.

Maut

Auf den meisten französischen Autobahnen besteht Mautpflicht. Die blauen Schilder weisen den Weg zur Autobahn. Das Schild 'Péage' weist auf die Mautpflicht hin.
Wenn Sie keine Maut zahlen wollen, folgen Sie den grünen Schildern, welche die Alternativstrecken anzeigen.
Man kann die Maut per Kreditkarte zahlen. Manchmal aber auch nur bar. Beachten Sie, dass Ihr Maut-Ticket nur 24 Stunden gültig ist. Weitere Infos zu Mautstrecken:
▶ *www.autoroutes.fr* ◀

Schwarzer Samstag

Der dichte Verkehr an Samstagen in der Sommersaison wird auch 'Schwarzer Samstag' genannt. Die schwarzen Samstage fallen jedes Jahr auf das letzte Juli- und das erste Augustwochenende.

Notruf

- 112: Nationaler Notruf für Polizei, Feuerwehr und Krankenwagen
- 17: Polizei
- 18: Feuerwehr
- 15: Krankenwagen

⚠ Campen

Mit mehr als 10.000 Campings ist Frankreich das größte Campingland Europas. Also rechtzeitig reservieren, wenn Sie an die Ardèche, die Dordogne im Binnenland oder die großen Küstenorte wollen. Stellplätze im Binnenland sind oft viel größer, besser ausgestattet und billiger als an der Küste.

Camper müssen damit rechnen, dass eine Reihe von Ausstattungen, wie z. B. Schwimmbad, Restaurant, Imbiss oder Pizzeria nur während der Hauptsaison in

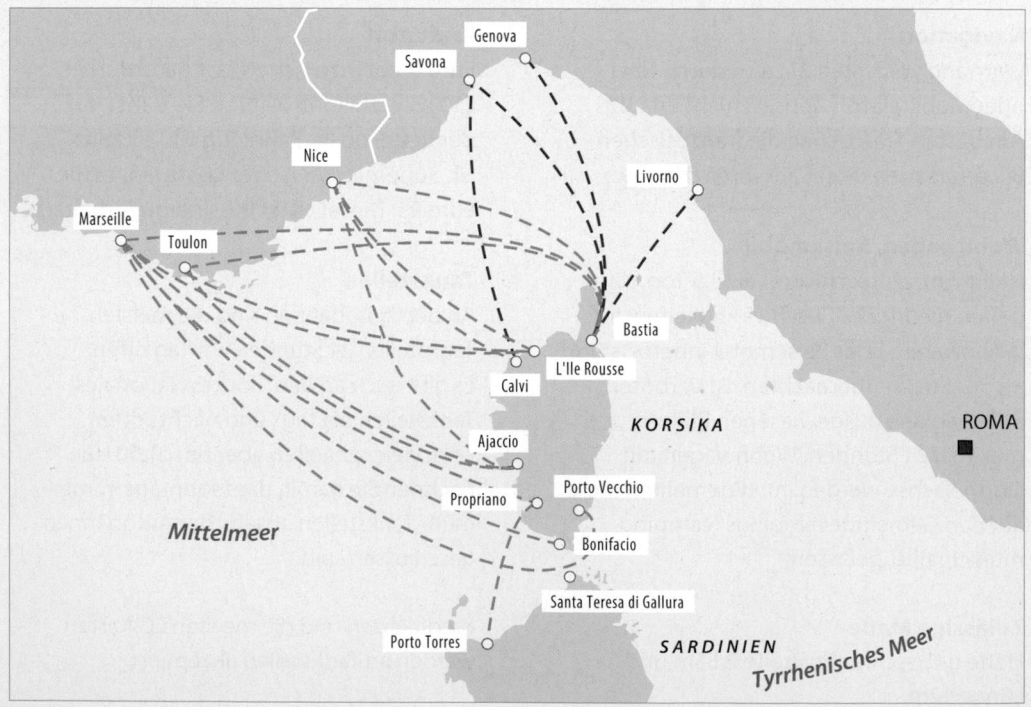

den Monaten Juli und August geöffnet ist. In allen Schwimmbädern ist das Schwimmen nur in Badekleidung erlaubt, und Frauen müssen oft eine Badekappe tragen. Aus Hygienegründen sind Boxershorts, Bermudashorts usw. nicht erlaubt. In Frankreich lesen Sie öfters Schilder mit der Aufschrift 'Inondation par temps de grosse pluie'. Dies bedeutet, dass bei heftigem Regenfall Überflutungsgefahr besteht.

Praktisch

* Preise für Strom-Anschlüsse sind hoch und können von € 1,50 bis € 4,50 pro Tag variieren.
* Am besten immer Universalstecker dabei haben.
* Verwenden Sie lieber (Mineral) Wasserflaschen anstatt Leitungswasser.

Korsika

Die meisten Campingplätze auf Korsika liegen am Meer und sind meist gut angezeigt. Die Straßen, vor allem im Westen, sind schmal und kurvig. Französisch ist zwar Amtssprache, aber es wird auch ein dem Italienischen ähnlicher Dialekt gesprochen. Im Landesinneren gibt es wenige Tankstellen! Korsika erreicht man über verschiedene Routen. Siehe Seite 385. Mehr Information auf ▶ *www.aferry.de* ◀ oder ▶ *www.directferries.de* ◀

Klima Biarritz	Jan.	Feb.	März	April	Mai	Juni	Juli	Aug.	Sept.	Okt.	Nov.	Dez.
Tagestemperatur	9	9	12	13	16	19	21	21	20	16	12	9
Sonnenstunden am Tag	3	5	6	7	8	8	6	8	6	4	3	1
Regentage	12	10	9	11	13	10	9	9	10	11	12	13
Wassertemperatur	12	11	12	13	14	16	17	19	19	17	14	13

Klima Marseille	Jan.	Feb.	März	April	Mai	Juni	Juli	Aug.	Sept.	Okt.	Nov.	Dez.
Tagestemperatur	7	8	12	14	18	22	25	25	22	17	12	8
Sonnenstunden am Tag	4	6	7	8	9	11	12	11	8	6	5	4
Regentage	5	4	5	4	5	3	2	3	4	6	6	8
Wassertemperatur	13	13	13	14	15	18	23	23	21	17	16	14

Klima Paris	Jan.	Feb.	März	April	Mai	Juni	Juli	Aug.	Sept.	Okt.	Nov.	Dez.
Tagestemperatur	4	5	9	13	16	20	21	21	18	13	8	5
Sonnenstunden am Tag	2	3	5	6	7	8	8	7	6	4	2	2
Regentage	10	9	7	6	8	9	8	9	8	8	8	9

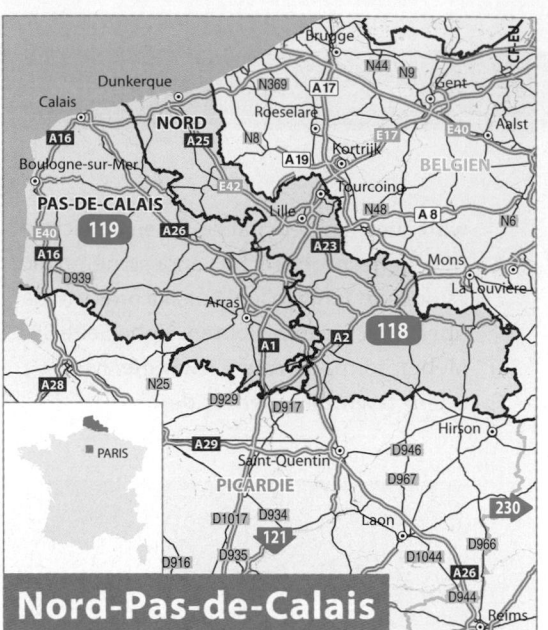

Dunkerque · Calais · Boulogne-sur-Mer · NORD · PAS-DE-CALAIS · **119** · **118** · Arras · Brugge · Gent · Roeselare · Kortrijk · Tourcoing · Lille · BELGIEN · Mons · La Louvière · PICARDIE · Saint-Quentin · Hirson · **230** · **121** · Laon · Reims · PARIS

Nord-Pas-de-Calais

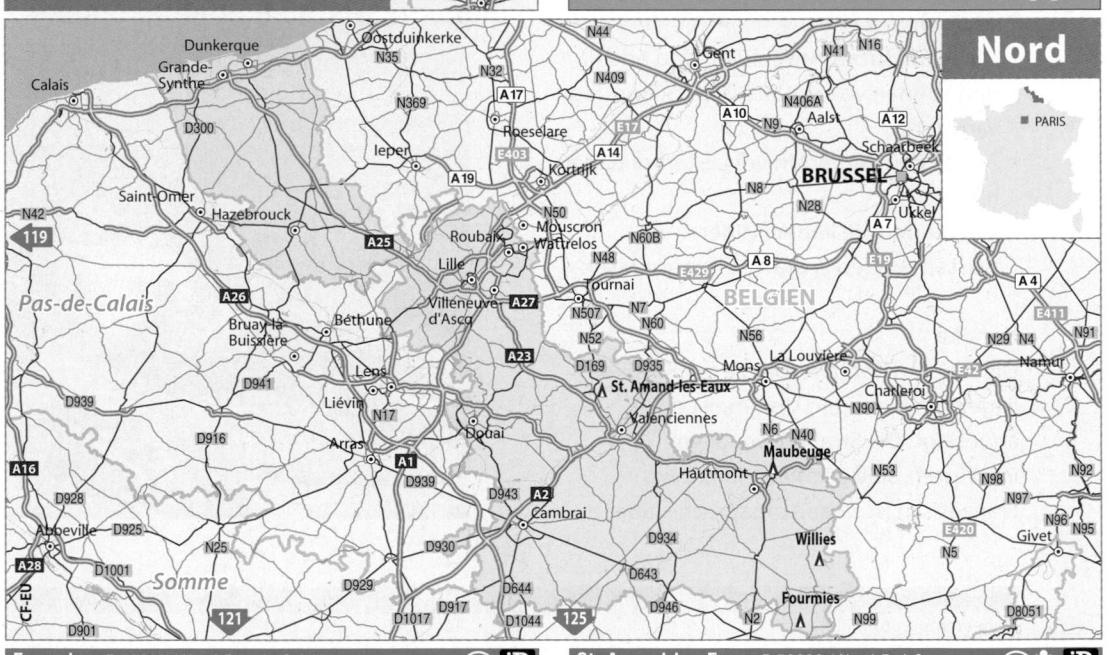

Nord

PARIS · Calais · Dunkerque · Grande-Synthe · Saint-Omer · Hazebrouck · **119** · Pas-de-Calais · **A26** · Bruay-la-Buissière · Béthune · Lens · Liévin · **D939** · **D916** · Arras · **A1** · **A16** · **D928** · Abbeville · **A28** · Somme · **D901** · **121** · Oostduinkerke · Ieper · Roubaix · Wattrelos · Lille · Villeneuve-d'Ascq · Tournai · Douai · Cambrai · St. Amand-les-Eaux · Valenciennes · Maubeuge · Hautmont · Willies · Fourmies · **125** · Gent · BRUSSEL · Ukkel · Schaarbeek · BELGIEN · Mons · La Louvière · Charleroi · Namur · Givet · **230**

Fourmies, F-59610 / Nord-Pas-de-Calais	📶 iD

🏕 Camping les Étangs des Moines★★★	1 ADE**JM**NOPRST	JM**N** 6
📧 100 rue des Étangs	2 BCFGHILPRSTVWXY	ABDE**FG** 7
🔓 1 Apr - 31 Okt	3 BCDEF**GHI**QRT	ABCDF**I**KNQRSTUV 8
☎ +33 (0)3-27600432	4 BFNO	ELRU 9
@ contact@etangs-des-moines.fr	5 ABDG	BGHIJ**P**RVZ10
	B 10A CEE	① €16,00
📍 N 50°0'22'' E 4°3'42''	H202 2,5 ha 30T(90-200m²) 70**D**	② €20,00
🚗 Ab Fourmies Schildern 'Étang des Moines' folgen.		

Maubeuge, F-59600 / Nord-Pas-de-Calais	iD

🏕 du Clair de Lune★★★	1 AD**JL**NOPRST	6
📧 212 route de Mons	2 AOPSVX	BE 7
🔓 1 Apr - 30 Sep	3 ABLQ	ABCDFJKNQRSV 8
☎ +33 (0)3-27622548	4	LUV 9
@ camping@ville-maubeuge.fr	5 **LM**	BHIJNR10
	B 10A	① €15,25
📍 N 50°17'42'' E 3°58'38''	H144 2,5 ha 91**T**(100m²)	② €19,95
🚗 CP befindet sich links an der N2 von Mons (Belgien) nach Maubeuge.		

St. Amand-les-Eaux, F-59230 / Nord-P-d-C	📶 ✿ iD

🏕 Camping du Mont des Bruyères★★★★	1 ADJMNOPQRST	ABFG 6
📧 806 rue de Basly	2 ABQRUVXY	ABDE**FG**H 7
🔓 15 Mär - 30 Okt	3 BELQ	ABCDFJNRTUV 8
☎ +33 (0)3-27485687	4 FGI**Q**	EL 9
@ lemontdesbruyeres@orange.fr	5 ABG**M**	ABFHIJL**P**R10
	B 10A CEE	① €24,00
📍 N 50°26'7'' E 3°27'46''	H400 3,5 ha 48**T**(90-120m²) 61**D**	② €33,00
🚗 Straße Lille-Valencienne, Ausfahrt 4 St. Amand Thermal. Beim Kreisverkehr rechts Richtung Parc Régional. CP ausgeschildert.		

Willies, F-59740 / Nord-Pas-de-Calais	iD

🏕 Du Val Joly★★★	1 ADEF**JM**NORST	N**Q**SU 6
📧 route du Camping du Val Joly	2 DFGPSTVWXY	BE**FG** 7
🔓 4 Apr - 27 Sep	3 BE**G**HLMQ	BDFNRSV 8
☎ +33 (0)3-27617494	4 BFHILO**P**	JU 9
@ valjolyresa@valjoly.com	5 AC	BHJRV10
	B 10A	① €16,95
📍 N 50°7'22'' E 4°6'54''	H220 9 ha 88**T**(80m²) 102**D**	② €21,50
🚗 Der Straße von Liessies in Richtung Willies/Eppe Sauvage folgen. Außerhalb Willies den Schildern von Du Val Joly folgen.		

118

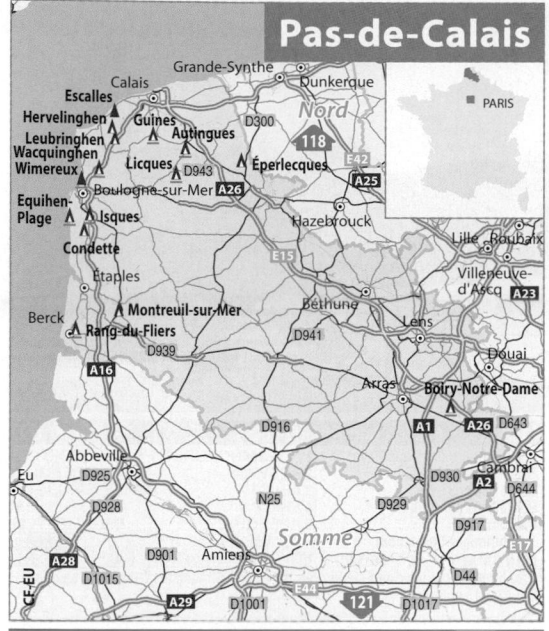

Pas-de-Calais

Frankreich

Éperlecques, F-62910 / Nord-Pas-de-Calais 🛜 iD

🏕 Château du Gandspette****	1 ADE**JM**NOPQRT	AB 6
🏠 D207	2 BGPRSVWX	ABDE**FG**H 7
🕐 1 Apr - 30 Sep	3 ABE**K**LMQ	ABCDE**FK**NQRS 8
☎ +33 (0)3-21934393	4 BILO**P**	EGL 9
@ contact@	5 ADEGIK**L**	BFGHIJ**NOP**R10
chateau-gandspette.com	B 6A CEE	❶ €32,00
🅿 N 50°49'9'' E 2°10'43''	11 ha 110T(80-120m²) 51**D**	❷ €44,40

🚏 Von St. Omer aus N43 folgen. An Schild 'Blockhaus' rechts. CP ist mit Pfeilen ausgeschildert (ca. 6 km).

Autingues, F-62610 / Nord-Pas-de-Calais 🛜 CC€16 iD

🏕 St. Louis***	1 ADE**JM**NOPRST	6
🏠 223 rue de Leulène	2 APVX	ABD**F** 7
🕐 1 Apr - 18 Okt	3 ALQ	ABCD**F**NRSUV 8
☎ +33 (0)3-21354683	4 DFIO	9
@ camping-saint-louis@sfr.fr	5 ADEGIKL	BFHIJO**R**W10
	B 6A CEE	❶ €24,80
🅿 N 50°50'18'' E 1°58'36''	2 ha 84T(80-110m²) 54**D**	❷ €28,10

🚏 Die A26 Calais-St. Omer nehmen. Ausfahrt Ardres/Nordausque. In Ardres RN43 Richtung St. Omer. CP ist ausgeschildert.

Equihen-Plage, F-62224 / Nord-P-d-C 🛜 CC€16 iD

🏕 Mun. La Falaise***	1 ADE**JM**NOPRST	ST 6
🏠 rue Charles Cazin	2 AEHPQTVX	BDE**FG**H 7
🕐 28 Mär - 12 Nov	3 BELQ	BCDFNS 8
☎ +33 (0)3-21312261	4 IP	EJ 9
@ camping.equihen.plage@	5	BGHIJO**R**10
orange.fr	B 10A CEE	❶ €23,90
🅿 N 50°40'15'' E 1°34'18''	8 ha 112T(100-120m²) 206**D**	❷ €32,95

🚏 N1 Boulogne-Abbeville, Ausfahrt Le Portel/Hardelot oder A16 Boulogne-Paris, Ausfahrt Neuchâtel.

Boiry-Notre-Dame, F-62156 / Nord-P-d-C 🛜 CC€16 iD

🏕 La Paille Haute**	1 ADEJLNOPRST	AB**FG**N 6
🏠 145 rue de Sailly	2 AFGPUVWXY	ABDE**FG**H 7
🕐 1 Apr - 31 Okt	3 BCEILQT	ABCDFJNOQRS 8
☎ +33 (0)3-21181610	4 IKOPQ	CL 9
@ lapaillehaute@wanadoo.fr	5 DEGHIL	HIJNPR10
	B 6A CEE	❶ €26,50
🅿 N 50°16'25'' E 2°56'56''	H78 5 ha 60T(80-100m²) 108**D**	❷ €33,50

🚏 A1 Lille-Paris, Ausfahrt 15, anschließend D939 Richtung Cambrai. Nach ca. 3 km links Richtung Boiry-Notre-Dame. CP ist ausgeschildert.

Escalles, F-62179 / Nord-Pas-de-Calais 🛜 iD

🏕 Le Blanc-Nez*	1 ADEJLNOPQRST	6
🏠 18 rue de la Mer	2 AEFKMOPVWX	BDF 7
🕐 25 Mär - 5 Nov	3 AL	ABCDE**FG**JNRV 8
☎ +33 (0)3-21052730	4 F	EGI 9
@ camping.blancnez@	5 ABDEGJKL	BIJPR10
laposte.net	4-10A CEE	❶ €23,50
🅿 N 50°55'6'' E 1°42'39''	1,2 ha 65T(70-90m²) 52**D**	❷ €29,50

🚏 A16/E402 von Calais nach Boulogne-sur-Mer. Ausfahrt 40 Richtung Escalles über die D243. Weiter der Beschilderung folgen.

Condette, F-62360 / Nord-Pas-de-Calais 🛜 iD

🏕 Caravaning du Château	1 ADEJMNOPQRST	6
d'Hardelot***	2 AOPRVX	ABDE**FG**H 7
🏠 21 rue Nouvelle	3 AH**KL**	ABCDFJNQRS 8
🕐 1 Apr - 31 Okt	4 BILO**PQ**	9
☎ +33 (0)3-21875959	5 L	BHIJ**P**R10
campingduchateau@libertysurf.fr	B 10A CEE	❶ €27,50
🅿 N 50°38'48'' E 1°37'32''	1,2 ha 70T(80-140m²) 26**D**	❷ €38,25

🚏 Über die D940 oder D119 Richtung Condette. Der CP ist ausgeschildert.

Escalles, F-62179 / Nord-Pas-de-Calais 🛜 iD

🏕 Les Erables	1 AJMNOPRST	6
🏠 17 rue du Château d'Eau	2 AFPRUVW	ABDE**FG** 7
🕐 1 Apr - 11 Nov	3	ABCDFIJNR 8
☎ +33 (0)3-21852536	4 FH	9
@ boutroy.les-erables@	5 AL	BGHJOPR10
wanadoo.fr	Anzeige auf dieser Seite 10A CEE	❶ €18,40
🅿 N 50°54'44'' E 1°43'14''	H100 2,5 ha 27**T**(80-100m²)	❷ €23,40

🚏 Die A16 an der Ausfahrt 40 Richtung Escalles, D243, verlassen. Danach der Küstenstraße D940 Richtung Escalles folgen. Der CP ist angezeigt.

Frankreich

La Bien Assise ★ ★ ★ ★ ★

Schlosscampingplatz, ideal für Ihre Ferien (bei Ankunft
bitte angeben, wie lange man bleiben möchte).
Reservierung notwendig bei Aufenthalt
von 1 Woche oder länger. Die Umgebung ist
abwechslungsreich und bietet viele Möglichkeiten.
Der Campingplatz hat ausgezeichnete Sanitäranlagen,
Schwimmbad, Restaurant mit gepflegter Küche, liegt
an der D231. Ideale Lage in der Nähe des Tunnels nach
England. Ferienbungalowvermietung.

D231, 62340 Guines
Tel. 03-21352077 • Fax 03-21367920
E-Mail: castels@bien-assise.com
Internet: www.camping-la-bien-assise.com

Guines, F-62340 / Nord-Pas-de-Calais 📶 CC€18 iD

🏕 La Bien Assise*****	1 ADJMNORST	ABCDEFGH 6
🏪 route D231	2 AGPVX	ABDEFGH 7
📅 4 Apr - 26 Sep	3 ABEHILMQ	ABCDEFJKNOQRS 8
☎ +33 (0)3-21352077	4 FIOP	EGJL 9
@ castels@bien-assise.com	5 ACDEGIJKL	BDFHIJNOR 10
	Anzeige auf dieser Seite B 10A CEE	❶ €35,40
	15 ha 140T(100-200m²) 79D	❷ €41,50
📍 N 50°51'59'' E 1°51'30''		

🚗 Von Calais-Zentrum aus der D127 nach Guines folgen. Nach Guines-Zentrum
der Beschilderung folgen. Der CP liegt an D231. Von St. Omer: N43 in
Richtung Ardres, dann der D231 durch Guines-Zentrum folgen.

Hervelinghen, F-62179 / Nord-Pas-de-Calais 📶 iD

🏕 Camping de la Vallée***	1 AJMNOPQRT	6
🏪 901 rue Principale	2 APTVX	ABDEFGH 7
📅 1 Apr - 31 Okt	3 ABELQ	ABCDEFNQRV 8
☎ +33 (0)3-21367396	4 F	9
@ nicodelavallee@aol.com	5 AGL	HJOR 10
	B 6A CEE	❶ €20,50
📍 N 50°52'59'' E 1°42'33''	2,5 ha 30T(90-100m²) 71D	❷ €25,50

🚗 CP liegt auf der D244 zwischen St. Inglevert und Wissant.

Isques, F-62360 / Nord-Pas-de-Calais 📶 CC€14 iD

🏕 Les Cytises***	1 ADEJMNOPQRST	6
🏪 chemin Georges Ducrocq	2 AOPSVXY	ABDEFG 7
📅 1 Apr - 31 Okt	3 BEGHLMQR	ABCDFNRSV 8
☎ +33 (0)3-21311110	4 INOP	E 9
@ campcytises@orange.fr	5 ADEFGKL	BFGHIJPR 10
	B 6A CEE	❶ €19,50
📍 N 50°40'39'' E 1°38'36''	2,5 ha 30T(80-120m²) 72D	❷ €27,30

🚗 E16/E402 Boulogne-Sud. Ausfahrt 28 zur D901, Richtung Isques.
Campingplatz ist ausgeschildert.

Leubringhen, F-62250 / Nord-Pas-de-Calais 📶 iD

🏕 Les Primevères**	1 AILNORT	6
🏪 578 chemin de la Creuse	2 AGPRVX	ABDEK 7
📅 1 Apr - 31 Okt	3 Q	ABCDEFNORTU 8
☎ +33 (0)3-21871333	4 FHI	D 9
	5 AGL	HIJOR 10
	5A CEE	❶ €18,00
📍 N 50°51'32'' E 1°43'17''	1,7 ha 50T(50-120m²) 15D	❷ €23,60

🚗 A16 von Calais aus, nach 16 km Ausfahrt 9 St. Inglevert, CP weiter
ausgeschildert. Von Boulogne-sur-Mer nach 18 km Ausfahrt 8 St. Inglevert,
CP ausgeschildert.

Licques, F-62850 / Nord-Pas-de-Calais 📶 CC€16 iD

🏕 Pommiers des Trois Pays****	1 ADEJMNOPQRST	CDEFG 6
🏪 273 rue du Breuil	2 APSVWX	ABDEFGH 7
📅 15 Mär - 31 Okt	3 ABLQT	ABCDEFJKNRST 8
☎ +33 (0)3-21350202	4 FHIOP	EJ 9
@ contact@	5 ADEFGHIL	BFGHIJPSTV 10
pommiers-3pays.com	B 16A CEE	❶ €27,10
📍 N 50°46'47'' E 1°56'52''	H65 2,5 ha 36T(100-150m²) 53D	❷ €35,30

🚗 Ab Lille Richtung Saint-Omer über die A26/E15. Ausfahrt 2 Richtung Licques.
Der CP ist angezeigt.

Montreuil-sur-Mer, F-62170 / Nord-Pas-de-Calais 📶 iD

🏕 La Fontaine des Clercs***	1 ADEJMNOPRST	N 6
🏪 1 rue de l'Eglise	2 CGPUVX	ABDEF 7
📅 1 Jan - 31 Dez	3 LT	ABCDEFJNRT 8
☎ +33 (0)3-21060728	4 FH	ER 9
@ desmarest.mi@wanadoo.fr	5 A	BFHIJLPR 10
	10A CEE	❶ €19,50
📍 N 50°28'7'' E 1°45'46''	3 ha 76T(80-110m²) 28D	❷ €23,40

🚗 A16 Ausfahrt 26 Richtung Montreuil die D9090 und die D901 nehmen.
Vor Montreuil auf die D349 direkt über die Bahnlinie rechts hoch.
CP ist ausgeschildert. In Montreuil nicht dem GPS folgen.

Rang-du-Fliers, F-62180 / Nord-P-d-C 📶 CC€16 iD

🏕 l'Orée du Bois****	1 ADEJLNOPRST	ABCDFGN 6
🏪 chemin Blanc	2 ABGHOPVX	BEFGH 7
📅 1 Apr - 31 Okt	3 BEKLMQT	BDFNOPQRS 8
☎ +33 (0)3-21842851	4 BCDFHILNOQTUV	EJY 9
@ oree.du.bois@wanadoo.fr	5 ACDEFGIJL	BFGHIJMNORYZ 10
	Anzeige auf dieser Seite 6A CEE	❶ €33,00
📍 N 50°25'1'' E 1°36'42''	18 ha 100T(80-110m²) 463D	❷ €48,00

🚗 A16 Ausfahrt 25. Dann die D303 Richtung Rang-du-Fliers. Wenn man in
Rang-du-Fliers reinfährt, gleich hinter Lidl links ab. Letztes Stück nicht dem
Navi folgen, sondern der Beschilderung.

Wacquinghen, F-62250 / Nord-Pas-de-Calais 📶 CC€16 iD

🏕 Camping l'Escale***	1 ADEJMNOPQRST	N 6
🏪 15 Route Nationale	2 AOPSWX	BEFG 7
📅 1 Apr - 15 Okt	3 BEILMQST	BDFNOQRSV 8
☎ +33 (0)3-21320069	4 FGINOPQ	E 9
@ camp-escale@wanadoo.fr	5 ABEGJKL	GHIJNOR 10
	6A CEE	❶ €23,50
📍 N 50°47'2'' E 1°40'9''	11 ha 30T(60-100m²) 265D	❷ €31,50

🚗 A16 zwischen Calais und Boulogne-sur-Mer, Ausfahrt 34 Richtung
Wacquinghen.

---

l'Orée du Bois
★ ★ ★ ★

In der Nähe von Le Touquet und Berck-
sur-Mer finden Sie unseren 4-Sterne-
Campingplatz in einer wunderschönen
waldreichen Gegend. Vermietung von
Ferienhäuser für 4 bis 6 Personen.

Chemin Blanc, 62180 Rang-du-Fliers
Tel. 03-21842851 • Fax 03-21842856
E-Mail: oree.du.bois@wanadoo.fr
Internet: www.loreedubois.com

Wimereux, F-62930 / Nord-Pas-de-Calais 🛜 CC€18 iD

- ▲ L'Été Indien****
- 🏠 chemin Honvault
- 📅 1 Jan - 31 Dez
- ☎ +33 (0)3-21302350
- @ ete.indien@wanadoo.fr

1 ADE**JM**NOPRST	AB**F**N	6
2 ADFHOPSTVWX	BE**FG**	7
3 A**GHK**LQS	ABCDFGKNQRS	8
4 BDINO**QTVX**	AEFJL	9
5 ABDEFGIL**M**	ABDFHIJL**OP**RWX	10
B 10A CEE		① €28,00
5 ha 70T(60-100m²) 153**D**		② €46,00

- 📍 N 50°45'10'' E 1°36'28''
- A16 Ausfahrt 32 Richtung Wimereux.

Wimereux, F-62930 / Nord-Pas-de-Calais 🛜 CC€14 iD

- ▲ Mun. L'Olympic***
- 🏠 49 rue de la Libération
- 📅 16 Mär - 18 Okt
- ☎ +33 (0)3-21324563
- @ camping.wimereux@orange.fr

1 ADEJMNOPRST	KMQRST	6
2 AEOPVWX	ABD**EFGH**	7
3 AB**GK**LQ	ABEFJKNRSTUV	8
4 FIO**PQ**	EU	9
5 A	BHIJPR	10
B 6A CEE		① €18,00
91T(60-90m²) 65**D**		② €24,00

- 📍 N 50°45'40'' E 1°36'28''
- A16 Ausfahrt Wimereux-Süd. Richtung Wimereux. Campingplatz ist ausgeschildert.

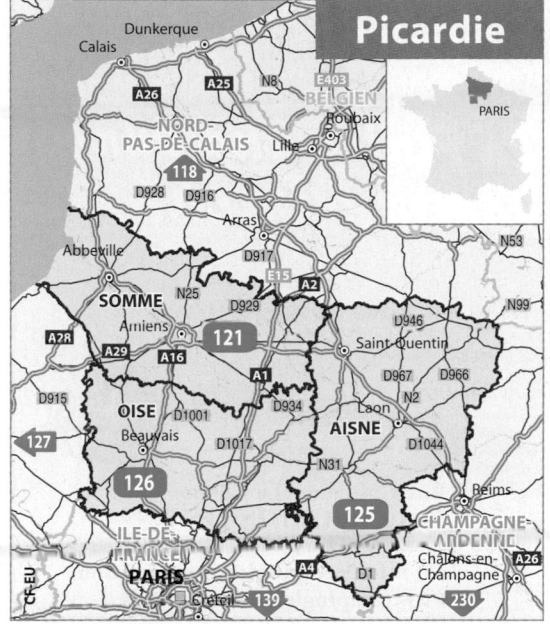

Picardie

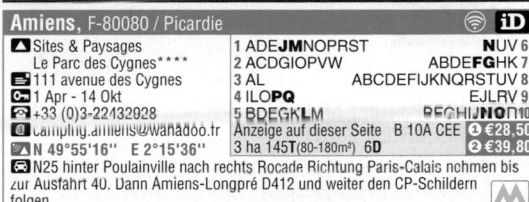

Amiens, F-80080 / Picardie 🛜 iD

- ▲ Sites & Paysages Le Parc des Cygnes****
- 🏠 111 avenue des Cygnes
- 📅 1 Apr - 14 Okt
- ☎ +33 (0)3-22432928
- @ camping.amiens@wanadoo.fr

1 ADE**JM**NOPRST	**N**UV	6
2 ACDGIOPVW	ABD**EFGH**K	7
3 AL	ABCDEFIJKNQRSTUV	8
4 ILO**PQ**	EJLRV	9
5 BDEGKLM	BEGHIJ**NO**	10
Anzeige auf dieser Seite B 10A CEE		① €28,50
3 ha 145**T**(80-180m²) 6**D**		② €39,80

- 📍 N 49°55'16'' E 2°15'36''
- N25 hinter Poulainville nach rechts Rocade Richtung Paris-Calais nehmen bis zur Ausfahrt 40. Dann Amiens-Longpré D412 und weiter den CP-Schildern folgen.

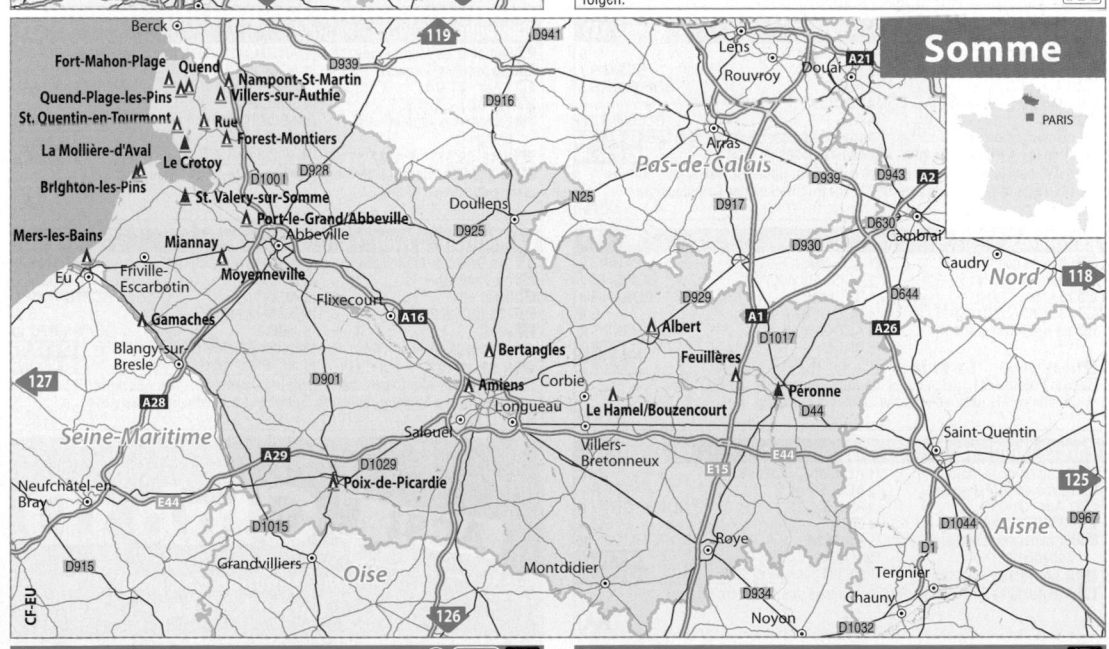

Somme

Albert, F-80300 / Picardie 🛜 CC€14 iD

- ▲ Camping Le Vélodrome****
- 🏠 avenue Henry Dunant
- 📅 1 Apr - 11 Okt
- ☎ +33 (0)3-64622253
- @ campingalbert@laposte.net

1 ADEILNOPQRST		6
2 CDOPRVWX	ABDE	7
3 LV	ABCDEFNQRTUV	8
4 FH	T	9
5 A	DFGHIJOR	10
B 10A CEE		① €18,20
H65 1,6 ha 75**T**(72-120m²)		② €24,20

- 📍 N 50°40'41'' E 2°39'20''
- Über die D929 Richtung Albert. Von hier aus der Beschilderung folgen.

Bertangles, F-80260 / Picardie iD

- ▲ du Château**
- 🏠 rue du Château
- 📅 19 Apr - 9 Sep
- ☎ +33 (0)9-51663260
- @ camping@chateaubertangles.com

1 AJMNOPQRST		6
2 PVX	ABDE	7
3 AL	BDFNPQR	8
4 FH		9
5 ABLM	BHJST	10
B 5A		① €21,00
H110 1 ha 33**T**(100m²)		② €28,00

- 📍 N 49°58'18'' E 2°18'5''
- N25 Doullens Richtung Amiens. Nach ca. 25 km rechts abbiegen D97 Richtung Ort Bertangles. CP ist bei einem Burg und ausgeschildert.

Frankreich

Les Galets de la Mollière   Le Bois de Pins

Natur und Ruhe zwischen Pinien und Dünen im Herzen der Somme-Bucht

Stellplatz für Caravan, Zelt und Reisemobil sowie Vermietung von komfortablem und gemütlich eingerichtetem Mobilheim, mit allem ausgestattet, umgeben von Bäumen.

Rue Faidherbe - 80410 LA MOLLIÈRE-D'AVAL
Tel.: **0033 3 22 26 61 85** - Fax: 0033 3 22 26 65 68
E-Mail : **info@campinglesgaletsdelamolliere.com**
www.campinglesgaletsdelamolliere.com

Rue Guillaume Le Conquérant
80410 BRIGHTON-LES-PINS
Tel.: **0033 3 22 26 71 04** - Fax: 0033 3 22 26 60 81
E-Mail : **info@campingleboisdepins.com**
www.campingleboisdepins.com

Brighton-les-Pins, F-80410 / Picardie   📶 (CC€16) iD

🏕 Le Bois de Pins***	1 ABDE**JM**NOPRS**T**		6
🏠 rue Guillaume le conquérant	2 BEJPQVX	BE**FG**H	7
📅 3 Apr - 1 Nov	3 AELQ	BDFJKNRS	8
☎ +33 (0)3-22267104	4 F**PQ**		9
@ info@	5 AB	BDHJ**P**R**Z**	10
campingleboisdepins.com	Anzeige auf dieser Seite	B 10A CEE	➊ €27,00
	4 ha 57**T**(82-200m²) 98**D**		➋ €31,00

📍 N 50°11'51''   E 1°31'0''
🚗 Bei Abbeville von der A28 zur D40 und D940. Hinter St. Valéry-sur-Somme zur D3. In La Mollière rechts zur D102. Vor Brighton ist der Campingplatz angegeben.

Gamaches, F-80220 / Picardie   📶 iD

🏕 Camping les Marguerites***	1 ADE**IL**NOPQRST	ABFNQSUXY**Z**	6
🏠 rue Antonin Gombert	2 ACDGOPRVWX	ABDEF**H**	7
📅 1 Apr - 31 Okt	3 ABEFLMQT	ABCDEFKNRV	8
☎ +33 (0)3-22308951	4 DINO**PQ**	EJ	9
@ domainelesmarguerites@	5 ABDEGIKL	HIJ**NO**ST	10
orange.fr	6A CEE		➊ €22,00
	H50 2,8 ha 100**T**(100m²) 77**D**		➋ €29,50

📍 N 49°59'37''   E 1°32'37''
🚗 CP deutlich ausgeschildert an D1015 zwischen Eu (12 km) und Blangy-sur-Bresle (8 km).

Feuillères, F-80200 / Picardie   📶 iD

🏕 Château de l'Oseraie***	1 ADE**JM**NOPRS**T**	ABFG	6
🏠 10 rue de Château	2 ACGPRVWXY	BE**FG**HK	7
📅 15 Mär - 31 Okt	3 BEL**MNQ**	BDFJNR	8
☎ +33 (0)3-22831759	4 BCDHO**Q**	E	9
@ jsg-bred@wanadoo.fr	5 ABDGK**LM**	BCFHJNPS	10
	B 6-10A		➊ €19,80
	1,5 ha 30**T**(80-120m²) 80**D**		➋ €26,60

📍 N 49°56'53''   E 2°50'36''
🚗 Von Peronne D1, gleich hinter der Autobahn rechts ab die D146 in Feuilleres. Die Straße rechts neben der Kirche führt zum Camping.

La Mollière-d'Aval, F-80410 / Picardie   📶 (CC€16) iD

🏕 Les Galets de la Mollière***	1 ABDE**JM**NOPRS**T**	ABFG**NX**	6
🏠 rue Faidherbe	2 BGJPQVX	BE**FG**H	7
📅 3 Apr - 1 Nov	3 ALMQ	BDFNPRSV	8
☎ +33 (0)3-22266185	4 BDFHILN**PQ**U	E	9
@ info@	5 ABDG	BDFGIJ**P**R**Z**	10
campinglesgaletsdelamolliere.com	Anzeige auf dieser Seite	10A CEE	➊ €33,00
	6 ha 76**T**(80-120m²) 114**D**		➋ €37,00

📍 N 50°12'10''   E 1°31'34''
🚗 Der A16 zur A28 folgen, dann Richtung Cayeux-sur-Mer. Aus dieser Richtung im ersten Ort La Mollière rechts ab. Schild auf der rechten Straßenseite.

Forest-Montiers, F-80120 / Picardie   📶 (CC€14) iD

🏕 Camping de la Mottelette**	1 AE**JM**NOPQRS**T**	N	6
🏠 Ferme de la Mottelette	2 ADGIPWX	BE**F**	7
📅 1 Apr - 31 Okt	3 ALQS	BDFNPQRTV	8
☎ +33 (0)3-22283233	4 O	EG	9
@ fermedelamottelettemanier@	5 AB**K**L**M**	BDFGHIJOST	10
wanadoo.fr	6A CEE		➊ €19,00
	1 ha 30**T**(100-150m²) 20**D**		➋ €25,50

📍 N 50°15'10''   E 1°42'45''
🚗 A16 Ausfahrt 24 Richtung Rue. Am Kreisel den Schildern folgen.

Fort-Mahon-Plage, F-80120 / Picardie   📶 (CC€16) iD

🏕 Le Royon****	1 ADE**IL**NOR**T**	ABEFN	6
🏠 1271 route de Quend	2 GOPVX	ABDE**FG**H	7
📅 20 Mär - 1 Nov	3 AEI**KL**MNQ	BDFJKNPRSTV	8
☎ +33 (0)3-22234030	4 DILNO**PQ**	EJLV	9
@ info@campingleroyon.com	5 ABDEGI**K**L	ABFGHIJ**NP**R**Z**	10
	Anzeige auf Seite 123 6A		➊ €35,00
	4,5 ha 35**T**(95-130m²) 281**D**		➋ €42,00

📍 N 50°19'57''   E 1°34'46''
🚗 Autobahn A16, Ausfahrt Quend. Richtung Fort-Mahon-Plage. Campingplatz ist ausgeschildert.

Le Crotoy, F 80550 / Picardie

Camping le Tarteron***	1 ADEJMNOPRST	EFGN 6
route de Rue, BP 70034	2 AHIPVWX	ABDE**FGH** 7
1 Apr - 31 Okt	3 AEFLMQT	BDFINPQRST 8
+33 (0)3-22270675	4 BDFHN**PQ**	E 9
contact@letarteron.fr	5 ABG**LM**	BDHI**PR**10
	6A	❶ €28,00
N 50°13'50'' E 1°38'25''	7 ha 50**T**(100-140m²) 166**D**	❷ €36,60

Von der A16, Ausfahrt 23 Route Le Crotoy. In Le Crotoy am ersten Kreisel rechts. CP ist angezeigt.

Le Crotoy, F-80550 / Picardie

Le Ridin****	1 ADE**JM**NOPRS**T**	ABFG 6
Lieu Dit Mayocq	2 ADPVXY	ABE**FGH** 7
1 Apr - 1 Nov	3 A**K**LQST	ABDFIJKLNPQRSTUV 8
+33 (0)3-22270322	4 BDEFHILO**PQR**U	EILUV 9
leridin@	5 ABDEFGIK**LM**	ABGHIJ**PR**10
baiedesommepleinair.com	10A CEE	❶ €27,50
N 50°14'21'' E 1°37'55''	4 ha 40**T**(80-170m²) 123**D**	❷ €37,50

A16, Ausfahrt 24, Straße Richtung Le Crotoy. D4, CP is ausgeschildert.

Le Crotoy, F-80550 / Picardie

Les Aubépines****	1 ADE**JM**NOPQRS**T**	ABFG 6
rue de la Maye - St. Firmin	2 AGHOPVX	ABDE**FGH**K 7
1 Apr - 1 Nov	3 A**K**LMQST	ABCDFJKNPQRSTUV 8
+33 (0)3-22270134	4 **A**BDEFHKL**P**	ELUV 9
lesaubepines@	5 ABK**LM**	BDGHIJNPR10
baiedesommepleinair.com	6A CEE	❶ €27,90
N 50°14'59'' E 1°36'43''	4 ha 66**T**(90-180m²) 128**D**	❷ €38,90

A16 Ausfahrt 23 Richtung Le Crotoy. Bei Le Crotoy der D4 nach Crotoy/St. Firmin de C folgen. Am Ortsschild St. Firmin links. CP ist ausgeschildert. Dem letzten Stück nicht dem Navi folgen.

Le Crotoy, F-80550 / Picardie

Les Trois Sablières****	1 ADE**JM**NOPQRS**T**	ABFG 6
1850 rue de la Maye	2 EHPSVX	ABDE**FGH** 7
1 Apr - 8 Nov	3 ALQS	ABCDEFIKNPQRSTUV 8
+33 (0)3-22270133	4 FHIO**PQR**S**T**U	EFL 9
contact@camping-	5 ABDEG**LM**	BDFHIJ**O**R10
les-trois-sablieres.com	6-10A CEE 6A CEE	❶ €29,00
N 50°14'54'' E 1°35'55''	H300 2 ha 30**T**(100-120m²) 68**D**	❷ €40,60

Von der A16 Ausfahrt 24 Ri. Rue. Der Route Le Crotoy folgen. Bei Le Crotoy der D4 Crotoy/St. Firmin de C. folgen. Am Ortsschild St. Firmin links. Der CP ist angezeigt.

Le Hamel/Bouzencourt, F-80800 / Picardie

La Ferme de Bouzencourt***	1 ADEF**JM**NOPQRST	AJMN**X** 6
route de Bouzencourt	2 ABCGIPVWXY	ABDE**FG** 7
15 Mär - 15 Nov	3 AELS	ABCD**F**KNSTV 8
+33 (0)3-22909776	4 DFHIKNO**PQR**	E 9
info@camping-bouzencourt.fr	5 ABGK**LM**	BHIJLNOR10
	B 6A CEE	❶ €19,60
N 49°54'56'' E 2°34'32''	H50 4,5 ha 20**T**(150-300m²) 181**D**	❷ €27,60

Der CP liegt an der D1029 Richtung Amiens.

Mers-les-Bains, F-80350 / Picardie

Le Rompval***	1 ADE**JM**NOPQRST	CDFG 6
Lieu dit Blengues	2 PVX	ABDE**FGH** 7
1 Apr - 1 Nov	3 ALQ	ABCDFJKNQRV 8
+33 (0)2-35844321	4 BO**PQ**	AEHVW 9
campinglerompval@	5 ADEGK**LM**	BDGHIJORV10
gmail.com	13A CEE	❶ €28,00
N 50°4'39'' E 1°24'52''	3 ha 84**T**(100-150m²) 28**D**	❷ €38,50

A28 Ausfahrt 2 Richtung Le Tréport. Der D940 (Route d'Eu) Richtung St. Valery-sur-Somme. Nach 3 km links. Ausgeschildert. Nicht mit einem Wohnwagen über Mers-les-Bains fahren.

Frankreich

Miannay, F-80132 / Picardie 📶 CC€16 iD

⛺ Sites & Paysages	1 ADE**JM**NOPRST	CDFGN 6
Le Clos Cacheleux***	2 AGPSVWXY	ABDE**FGH** 7
🏠 rue de Bouillancourt	3 AF**H**LQST	ABDFIKNPQRSTV 8
🗓15 Mär - 15 Okt	4 BDEFHKLU	J 9
☎ +33 (0)3-22191747	5 ABDEGIKL	BFHJOR10
@ marie@camping-lecloscacheleux.fr	B 10A CEE	①€27,10
🧭 N 50°5'10'' E 1°42'46''	5 ha 103**T**(200-270m²) 6**D**	②€36,30

🚗 Von Abbeville die D925 Richtung Eu und Le Tréport, nicht Moyenneville. Innerorts Miannay links ab auf die D86 Richtung Toeufles. Der Camping ist angezeigt. Auf dem Camping beträchtliche Steigung zur Rezeption.

Moyenneville, F-80870 / Picardie 📶 ❀ iD

⛺ Le Val de Trie****	1 ADE**JM**NOPRT	ABCDFGN 6
🏠 rue des Sources	2 ACGPRSVXY	ABDEFGHK 7
🗓1 Apr - 4 Okt	3 ABE**H**LQST	BCDFJKNQRSTUV 8
☎ +33 (0)3-22314888	4 BDEFHILOP**QU**	EFJ 9
@ raphael@	5 ABDEGIKLM	BFGHJLOR10
camping-levaldetrie.fr	B 10A CEE	①€27,10
🧭 N 50°5'10'' E 1°42'56''	3 ha 76**T**(100m²) 24**D**	②€36,30

🚗 Von Abbeville D925 Richtung Eu und Le Tréport. Nicht Moyenneville nehmen, aber Eu und Le Triport. Nach dem Städtchen Miannay links auf die Straße D86, Richtung Toeufles fahren. CP ist links an der Straße ausgeschildert.

Nampont-St-Martin, F-80120 / Picardie 📶 iD

⛺ La Ferme des Aulnes****	1 ADE**JM**NOPR**T**	CDN 6
🏠 Fresne	2 AGPRSVX	BE**FGH** 7
🗓3 Apr - 1 Nov	3 AEF**K**LQR	BDFJKNPQRSTUV 8
☎ +33 (0)3-22292269	4 BDEILNO**PQRTU**	EL 9
@ contact@fermedesaulnes.com	5 ABDEFGJKLM	ABFGHIJLNPR10
	10A CEE	①€30,00
🧭 N 50°20'11'' E 1°42'44''	3,5 ha 55**T**(120m²) 98**D**	②€42,00

🚗 A16, Ausfahrt 25 Richtung Arras. Nach ca. 2 km Richtung Abbeville bis Nampont-Saint-Martin nach rechts Richtung Villers/Fresne, CP ist ausgeschildert.

Péronne, F-80200 / Picardie 📶 iD

⛺ Municipal Etang Du Brochet*	1 A**J**MNOPQRST	N 6
🏠 rue Georges Clemenceau	2 ADPRSWXY	AB**DFGK** 7
🗓8 Apr - 30 Okt	3 AL	ACFNR 8
☎ +33 (0)3-22840235	4 **A**FH	VZ 9
@ peter.v.gent@orange.fr	5 ABLM	ABFGHJPR10
	10A CEE	①€15,90
🧭 N 49°56'4'' E 2°56'29''	1,5 ha 40**T**	②€23,60

🚗 Der CP liegt in Péronne. Folgen Sie den Schildern 'Du Brochet'.

Péronne, F-80200 / Picardie 📶 CC€16 iD

⛺ Port de Plaisance***	1 ADE**JM**NOQRST	ABF**GNX**Y**Z** 6
🏠 route de Paris	2 ACOPVX	ABDE**FG** 7
🗓1 Mär - 31 Okt	3 AFLQ	ABCDFJNQR 8
☎ +33 (0)3-22841931	4 I**OP**	JV 9
@ contact@	5 ABEGKL	BDFGHJ**NOP**R10
camping-plaisance.com	Anzeige auf dieser Seite B 10A CEE	①€27,20
🧭 N 49°55'4'' E 2°55'57''	H56 2 ha 82**T**(80-150m²) 11**D**	②€31,20

🚗 CP liegt südlich von Péronne, an der N17.

Poix-de-Picardie, F-80290 / Picardie 📶 CC€16 iD

⛺ Le Bois des Pêcheurs***	1 A**J**MNORST	6
🏠 rue de Verdun	2 ACPRVWXY	AB**FGH** 7
🗓1 Apr - 30 Sep	3 ABLQ	ABCDFNQRSV 8
☎ +33 (0)3-22901171	4 O	E 9
@ camping@	5	ABGHJLNPSTV10
ville-poix-de-picardie.fr	Anzeige auf dieser Seite 6A	①€18,00
🧭 N 49°46'34'' E 1°58'28''	H106 2,4 ha 88**T**(80m²) 2**D**	②€20,00

🚗 D1029. Von Amiens bei Poix-de-Picardie rechts, Stadtzentrum. Von Rouen in Eplessier Richtung Poix-de-Picardie, Stadtzentrum. Den Schildern folgen. Von Rouen A29/E44, Ausfahrt 13.

Port-le-Grand/Abbeville, F-80132 / Picardie 📶 CC€16 iD

⛺ Château des Tilleuls***	1 ADEJMNOPRST	ABFG 6
🏠 rue de la Baie	2 AGPTUVX	ABDE**FG**H 7
🗓1 Mär - 30 Dez	3 AEH**K**LQRST	ABCDEFJNQRSTUV 8
☎ +33 (0)3-22240775	4 HIO**PQ**RT	EIJV 9
@ contact@	5 ACDEGKLM	BDGHIJNOR10
chateaudestilleuls.com	10A CEE	①€26,50
🧭 N 50°8'29'' E 1°45'48''	11 ha 50**T**(120-150m²) 177**D**	②€32,50

🚗 Gelegen an der D40, von Abbeville nach ca. 6 km in Richtung St. Valéry/Le Crotoy fahren, vor dem Dorf Port-le-Grand. Hinter dem Schlagbaum kleine Steigung.

Quend, F-80120 / Picardie 📶 CC€16 iD

⛺ Des Deux Plages***	1 A**J**MNOPRT	CDFN 6
🏠 15 rue des Maisonnettes	2 APRVX	ABDE**FG**H 7
🗓1 Apr - 31 Okt	3 A**K**LQ	ABDFNORSV 8
☎ +33 (0)3-22234896	4 HIO**PQ**	ELV 9
@ camping@	5 ABG**K**L**M**	BDHIJ**P**STV10
camping2plages.com	6A CEE	①€27,80
🧭 N 50°19'25'' E 1°37'28''	2 ha 30**T**(100-120m²) 70**D**	②€36,80

🚗 A16 Ausfahrt Quend. In Quend die D32 Richtung Fort-Mahon-Plage. Der Campingplatz ist mit kleinen Schildern angezeigt.

Quend-Plage-les-Pins, F-80120 / Pic. 📶 ❀ CC€16 iD

⛺ Les Vertes Feuilles****	1 ADE**JM**NOPRS**T**	CDFG 6
🏠 25 route de la Plage-Monchaux	2 APVXY	ABDE**FG**H 7
🗓3 Apr - 1 Nov	3 A**K**LQ	ABCDEFJKNPQRSTV 8
☎ +33 (0)3-22235512	4 BDFHILO**P**	AEV 9
@ contact@lesvertesfeuilles.com	5 ABDEGIKLM	BDHIJ**N**P**S**T10
	10A	①€30,50
🧭 N 50°19'9'' E 1°36'24''	3,5 ha 45**T**(70-100m²) 93**D**	②€41,50

🚗 Von Calais A16, Ausfahrt Quend Richtung Quend/Plages Les Pins. CP ausgeschildert.

Rue, F-80120 / Picardie CC€14 iD

⛺ Camping de la Maye**	1 ADE**JM**NOPQRS**T**	N 6
🏠 32 rue du Moulin	2 ACDGPVX	BDE**FG** 7
🗓1 Apr - 31 Okt	3 ALQS	ABCDFGJKNORSV 8
☎ +33 (0)3-22250955	4	EF 9
@ campingdelamaye@orange.fr	5 ABKLM	FGHIJR10
	6-10A CEE	①€22,50
🧭 N 50°16'31'' E 1°39'39''	2,5 ha 100**T**(70-150m²) 24**D**	②€28,50

🚗 D940 von Berck nach Rue. Am Kreisel Rue Centre (D175) folgen. Campingeinfahrt liegt gegenüber von der Carrefour Einfahrt.

 La Clef Verte

Le Champ Neuf CAMPING Qualité

★ ★ ★ ★

Ruhiger Familiencamping in einer grünen Umgebung im Herzen der Somme Mündung gelegen, 800 Meter vom Parc Ornithologique von Marquenterre und in der Nähe der Strände. Parzellierte Plätze für Caravans, Wohnmobile und Zelte. Vermietung von Mobilheimen und Chalets. Überdachte, beheizte Badeanlage mit Erlebnisbad, Sauna, Fitnessraum gratis.

**8 rue du Champ Neuf
80120 St. Quentin-en-Tourmont
Tel. 03-22250794
E-Mail: campinglechampneuf@orange.fr
Internet: www.camping-lechampneuf.com**

Frankreich

St. Quentin-en-Tourmont, F-80120 / Pic. 📶 ✿ CC€16 iD

▲ Le Champ Neuf****	1 ADE**JM**NOPRS**T**	EFGI 6
🏠 8 rue du Champ Neuf	2 AGPQRVX	BE**FGH** 7
🔌 1 Apr - 30 Okt	3 AEH**KL**MQT	BDFJNQRSTUV 8
☎ +33 (0)3-22250794	4 FHINP**QR**TUY	EIJLUVY 9
@ campinglechampneuf@ orange.fr	5 ABDFGK**LM**	BDF**GH**IJP**ST**10
	Anzeige auf dieser Seite 6A CEE	➊ €31,50
🗺 N 50°16'13'' E 1°36'4''	4,3 ha 60**T**(100-140m²) 104**D**	➋ €43,00

🚗 Der CP liegt in Le Bout des Crocs und wird über die D204 angefahren. Den Schildern 'Parc Ornithologique' folgen. Dem letzten Stück nicht dem Navi folgen. 🅜

St. Valery-sur-Somme, F-80230 / Picardie 📶 CC€16 iD

▲ Le Walric****	1 ABDE**IL**NOPR**T**	CDFGX 6
🏠 345 route d'Eu	2 GJPRVX	BE**FGH** 7
🔌 3 Apr - 1 Nov	3 ACELMQ	BDFJKNPRS 8
☎ +33 (0)3-22268197	4 BDFHILNP**Q**	E 9
@ info@campinglewalric.com	5 ABDEGK**L**	BDGHIJN**P**TZ10
	6A CEE	➊ €35,00
🗺 N 50°11'0'' E 1°37'4''	5,7 ha 50**T**(95m²) 263**D**	➋ €42,00

🚗 Von Abbeville D40, D940 und D3 Richtung St. Valery-sur-Somme. Campingplatz ist rechts der D3 gut ausgeschildert. Letztes Stück nicht nach Navi fahren. 🅜

St. Valery-sur-Somme, F-80230 / Picardie 📶 CC€16 iD

▲ Domaine de Drancourt*****	1 ADE**JM**NOPQRS**T**	ABCDFGHN 6
🏠 BP 80022	2 GPVX	BE**FGH** 7
🔌 24 Apr - 13 Sep	3 BE**H**ILM	BDFJKNQRSV 8
☎ +33 (0)3-22269345	4 BCDFHILO**PQR**	EJLUVY 9
@ chateau.drancourt@ wanadoo.fr	5 ACDEFGIM	ABDFHJORW**Z**10
	10A CEE	➊ €10,00
🗺 N 50°9'8'' E 1°38'9''	17 ha 160**T**(bis 120m²) 88**D**	➋ €53,60

🚗 Ab Abbeville D40 und D940 Richtung St. Valery-sur-Somme. CP ist ausgeschildert. 🅜

Villers-sur-Authie, F-80120 / Picardie 📶 ✿ CC€16 iD

▲ Le Val d'Authie*****	1 ADE**JM**NOPRS**T**	CDFG**N** 6
🏠 20 route de Vercourt	2 AGPVX	ABDE**FGH**K 7
🔌 1 Apr - 30 Sep	3 AE**KL**MQST	BDFJKNPQRSTV 8
☎ +33 (0)3-22299247	4 ILNOR**TUV**	ELV 9
@ camping@valdauthie.fr	5 ACDEFG**IL**	BE**GH**IN**PQ**710
	1UA	➊ €31,00
🗺 N 50°18'49'' E 1°41'42''	7 ha 60**T**(100-150m²) 117**D**	➋ €41,00

🚗 D901 Boulogne-Abbeville, Ausfahrt Nampont, Richtung Villers-sur-Authie. 🅜

 Aisne

Nord

PARIS

Ardennes

Oise

Marne

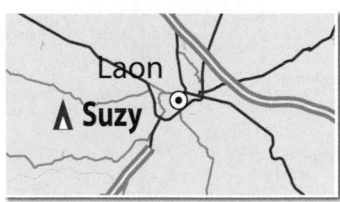 ACSI **Detailkarte**

Laon

▲ Suzy

Die Orte in denen die Plätze liegen, sind auf der Teilkarte **fett** gedruckt und zeigen ein offenes oder geschlossenes Zelt. Ein geschlossenes Zelt heißt, dass mehrere Campings um diesen betreffenden Ort liegen. Ein offenes Zelt heißt, dass ein Campingplatz in oder um diesen Ort liegt.

Berny-Rivière, F-02290 / Picardie 📶 ✿ CC€18 iD

▲ La Croix du Vieux Pont*****	1 ADE**JM**NOPQRST	ABCDFGHILM**N**QSUXYZ 6
🏠 rte de Fontenoy	2 CDGHPVXY	ABDE**FGH** 7
🔌 1 Jan - 31 Dez	3 ABCDEF**GHIL**M**PQ**S**TU**	ABCDEFIJKNRSTUV 8
☎ +33 (0)3-23555002	4 A**BCDF**HILNO**PQRSTUWXYZ**	HILQRTUV 9
@ info@ la-croix-du-vieux-pont.com	5 ACDEFGHIJKLM	ABCHIJ**NO**S**T**10
	B 16A CEE	➊ €37,00
🗺 N 49°24'19'' E 3°7'44''	34 ha 200**T**(100-450m²) 42**D**	➋ €52,50

🚗 In Vic-sur-Aisne D91 Richtung Soissons nehmen. Nach 1 km in Berny-Rivière befindet sich der CP rechts. 🅜

Ressons-le-Long, F-02290 / Picardie 🛜 CC€16 iD

🏕 La Halte de Mainville***	1 AJMNOPQRST	ABFGN 6
🏠 18 rue du Routy	2 PVX	ABDEFG 7
📅 8 Jan - 8 Dez	3 AELQ	ABCDFKNOPRTV 8
☎ +33 (0)3-23742669	4 IPQ	EJL 9
@ lahaltedemainville@	5 AL	BFGHIJLNOST 10
wanadoo.fr	Anzeige auf dieser Seite	B 6A CEE ❶ €21,50
📍 N 49°23'34'' E 3°9'6''	5 ha 74T(120m²) 83D	❷ €29,50

🚗 Auf N31 Compiègne-Soissons, ca. 15 km von Soissons D17 nach Süden Richtung Ressons-le-Long. Den CP-Schildern folgen.

Seraucourt-le-Grand, F-02790 / Picardie 🛜 CC€16 iD

🏕 Du Vivier aux Carpes***	1 ADJMNOPRST	N 6
🏠 10 rue Charles Voyeux	2 ADFGOPRSVX	BEFGH 7
📅 1 Mär - 31 Okt	3 AKLMQ	BDFJNQRSV 8
☎ +33 (0)3-23605010	4 FHIKOQ	DEJKLUV 9
@ contact@	5 ABDEFKLM	ABFGHIJPR 10
camping-picardie.com		❶ €22,50
📍 N 49°46'55'' E 3°12'51''	H92 1,8 ha 60T(100m²) 24D	❷ €28,50

🚗 A26, Ausfahrt 11 St. Quentin-Sud, Richtung Gauchy. Über D321 nach Seraucourt-le-Grand. Ausgeschildert.

Charly-sur-Marne, F-02310 / Picardie 🛜 CC€12 iD

🏕 Les Illettes***	1 AFJMNORT	6
🏠 route de Pavant	2 PVWXY	ABDEFG 7
📅 1 Apr - 30 Sep	3 AM	ABCDFJQR 8
☎ +33 (0)3-23821211	4 I	9
@ marie.charly@wanadoo.fr	5	FGHIJOR 10
	B 5A	❶ €17,30
📍 N 48°58'25'' E 3°16'55''	2 ha 42T(80-100m²)	❷ €24,10

🚗 Von Château-Thierry kommend die D969 im Marne Tal entlang (ca. 15 km). Von Paris A4, Ausf. St. Jean-les-deux-Jumeaux. Noch 20 km Ri. la Ferté-sous-Jouarre, danach Ri. Charly. Ab hier der Beschilderung folgen (neben dem Super-U).

Guise, F-02120 / Picardie iD

🏕 de la Vallée de l'Oise***	1 AFJMNOPRST	JN 6
🏠 33 rue de Camping	2 CGOPVWXY	ABDF 7
📅 15 Apr - 15 Okt	3 AELMQ	ABCDEFNOQRSTUV 8
☎ +33 (0)3-23611486	4 FIO	DHLQR 9
@ fiquet.jean-jacques@orange.fr	5	ABFGHIJLR 10
	B 3-6A CEE	❶ €13,00
📍 N 49°53'42'' E 3°38'2''	H97 3,5 ha 110T(80-150m²) 50D	❷ €17,00

🚗 Im Zentrum von Guise Schildern Vervins (D960) folgen. Nach Brücke über die l'Oise links. Schildern folgen.

Soissons, F-02200 / Picardie 🛜 iD

🏕 Municipal du Mail***	1 ADEJMNOQRST	ABCEFGN 6
🏠 14 avenue du Mail	2 GOPVWX	ABDEFGHK 7
📅 2/1 - 24/12, 26/12 - 31/12	3 AEFLMQ	ABCDFLNQRV 8
☎ +33 (0)3-23745269	4 FHO	V 9
@ campingdumail@gmail.com	5 BCL	BFHIJLNOST 10
	B 6A CEE	❶ €16,15
📍 N 49°23'35'' E 3°19'38''	1,7 ha 117T(50-200m²)	❷ €18,35

🚗 Von St. Quentin D1, rechts über Brücke, wieder rechts am Wasser entlang, Neben Stade Municipal.

Suzy, F-02320 / Picardie 🛜 iD

🏕 Les Etangs du Moulin	1 ADEJMNOPQRS	AB 6
📅 1 Apr - 30 Sep	2 BDPRSTWXY	BE 7
☎ +33 (0)3-23809286	3 ABHLQS	BDFGIKNQRSV 8
@ contact@etangsdumoulin.fr	4 FGHIO	FJUY 9
	5 ABEGHILM	BFHIJNOR 10
	B 10A CEE	❶ €16,50
📍 N 49°32'58'' E 3°28'5''	40T(80-200m²) 31D	❷ €21,50

🚗 Von der N2 Ausfahrt Chivi. Von der N44 Ausfahrt Cerny-lès-Bucy. In Suzy den CP-Schildern folgen.

Orvillers/Sorel, F-60490 / Picardie 🛜 ✿ iD

🏕 Camping de Sorel***	1 ADEJMNOPQRST	6
🏠 24 rue St. Claude	2 AGPVXY	ABDEF 7
📅 1 Feb - 15 Dez	3 AEKLQ	ABCDEFNOQRTUV 8
☎ +33 (0)3-44850274	4 FHIOR	ELV 9
@ contact@aestiva.fr	5 ABDEFGHIKLM	BHIJLOR 10
	B 6A CEE	❶ €21,00
📍 N 49°34'2'' E 2°42'29''	H91 7 ha 130T(110-170m²) 45D	❷ €32,00

🚗 Aus dem Norden nach Roye auf N17 fahren. Der CP ist an der linken Seite der N17 nach Orvillers.

Attichy, F-60350 / Picardie

🏕 Camping de l'Aigrette***	1 ADEJMNOPQRST	ABFN 6
🏠 rue Fontaine Aubier	2 CDGPWX	ABDEF 7
📅 1 Mär - 30 Nov	3 AEILMOQ	ABDFJNQRTV 8
☎ +33 (0)3-44421597	4 FH	AEUV 9
@ contact@	5 A	HIJNRV 10
campingdelaigrette.com	B 10A	❶ €16,30
📍 N 49°24'24'' E 3°3'11''	H78 1,2 ha 31T(80-100m²) 46D	❷ €23,30

🚗 N31 Compiègne-Soissons, auf halber Strecke, nach Brücke rechts. Vor dem Dorf Attichy.

Rosoy-en-Multien, F-60620 / Picardie 🛜 iD

🏕 Regain***	1 ADEGJMNOPQRST	AFG 6
🏠 chemin des Gendarmes	2 BGPQTVXY	ABDEFGHK 7
📅 15 Mär - 31 Okt	3 AEFLQR	ABDFJNOPQRSTUV 8
☎ +33 (0)3-44873590	4 INOT	E 9
@ regain@scn-regain.com	5 ABKLM	ABHIJNPRV 10
	FKK B 13A CEE	❶ €26,70
📍 N 49°5'52'' E 2°59'59''	H83 9 ha 25T(100m²) 103D	❷ €34,90

🚗 Von Soissons N2 nach Villers-Cotterêts, dann D936 Richtung Meaux. 25 km nach Villers-Cotterêts D420 zum CP. Achtung: an der Kreuzung vor der Kirche links hoch.

Bresles, F-60510 / Picardie 🛜 CC€14 iD

🏕 Camping de la Trye	1 ADEJMNOPRT	AN 6
🏠 34 rue de Trye	2 AIOPVWXY	ABFGH 7
📅 1 Jan - 31 Dez	3 AGHLMQRS	ABCDFNRTV 8
☎ +33 (0)3-44078095	4 BEFHKN	EHJUVY 9
@ camping.bresles@sfr.fr	5 ADKL	ADGHJOR 10
	Anzeige auf dieser Seite	B 6A CEE ❶ €20,00
📍 N 49°24'19'' E 2°15'29''	H71 3 ha 40T(100-250m²) 80D	❷ €30,00

🚗 N31 von Compiègne nach Beauvais, Ausfahrt Bresles. Der Beschilderung folgen.

Frankreich

Haute-Normandie

PARIS

Berck
Abbeville
Dieppe
SEINE-MARITIME
Fécamp
D1015
D925
D929
Le Havre
Bolbec
Rouen
N31
Caen
Lisieux
EURE
Vernon
Bernay
Mantes-la-Jolie
Évreux
BASSE-NORMANDIE
Argentan
L'Aigle
Dreux
ILE-DE-FRANCE
CENTRE

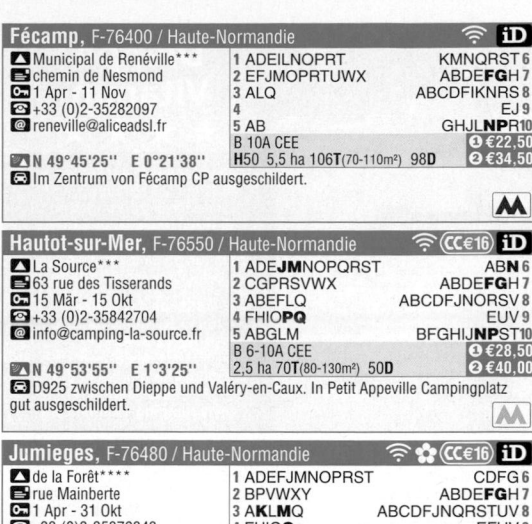

Fécamp, F-76400 / Haute-Normandie

▲ Municipal de Renéville***	1 ADEILNOPRT	KMNQRST 6
chemin de Nesmond	2 EFJMOPRTUWX	ABDE**FG**H 7
1 Apr - 11 Nov	3 ALQ	ABCDFIKNRS 8
	4	EJ 9
+33 (0)2-35282097	5 AB	GHJL**NPR**10
@ reneville@aliceadsl.fr	B 10A CEE	❶ €22,50
	H50 5,5 ha 106T(70-110m²) 98D	❷ €34,50
Im Zentrum von Fécamp CP ausgeschildert.		
N 49°45'25'' E 0°21'38''		

Hautot-sur-Mer, F-76550 / Haute-Normandie

▲ La Source***	1 ADE**JM**NOPQRST	AB**N** 6
63 rue des Tisserands	2 CGPRSVWX	ABDE**FG**H 7
15 Mär - 15 Okt	3 ABEFLQ	ABCDFJNORSV 8
+33 (0)2-35842704	4 FHIO**PQ**	EUV 9
@ info@camping-la-source.fr	5 ABGLM	BFGHIJ**NP**ST10
	B 6-10A CEE	❶ €28,50
	2,5 ha 70T(80-130m²) 50D	❷ €40,00
D925 zwischen Dieppe und Valéry-en-Caux. In Petit Appeville Campingplatz gut ausgeschildert.		
N 49°53'55'' E 1°3'25''		

Jumieges, F-76480 / Haute-Normandie

▲ de la Forêt****	1 ADEFJMNOPRST	CDFG 6
rue Mainberte	2 BPVWXY	ABDE**FG**H 7
1 Apr - 31 Okt	3 A**KLM**Q	ABCDFJNQRSTUV 8
+33 (0)2-35379343	4 FHIO**Q**	EFUV 9
@ info@campinglaforet.fr	5 ABDE**L**	RGH.I**PR**X10
	B 10A CEE	❶ €29,10
	H50 3 ha 80T(80-150m²) 32D	❷ €37,10
A29 Ausfahrt 5, Richtung Yvetot, dann D131e und D131 Richtung Pont-de-Brotonne. Vor der Brücke über D982 Richtung Rouen und danach die D143 nach Jumièges. CP ist ausgeschildert.		
N 49°26'5'' E 0°49'40''		

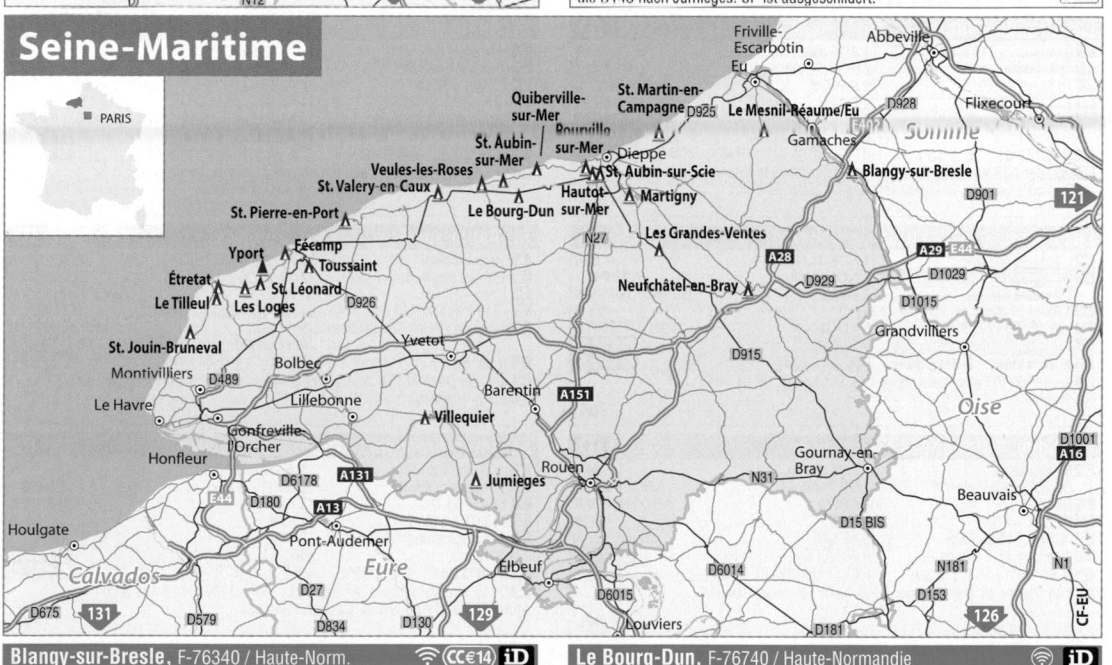

Seine-Maritime

PARIS

Friville-Escarbotin
Eu
Abbeville
Flixecourt
Quiberville-sur-Mer
St. Martin-en-Campagne
Le Mesnil-Réaume/Eu
D925
D928
Somme
Pourville-sur-Mer
Dieppe
Gamaches
St. Aubin-sur-Mer
Blangy-sur-Bresle
Veules-les-Roses
St. Aubin-sur-Scie
D901
121
St. Valery-en-Caux
Hautot-sur-Mer
Martigny
Le Bourg-Dun
St. Pierre-en-Port
Les Grandes-Ventes
A28
A29
E44
Yport
Fécamp
N27
Neufchâtel-en-Bray
D929
D1029
Étretat
Toussaint
St. Léonard
D926
D1015
Le Tilleul
Les Loges
Grandvilliers
St. Jouin-Bruneval
Yvetot
Montivilliers
D489
Bolbec
D915
Oise
Le Havre
Lillebonne
Barentin
A151
Gonfreville l'Orcher
Villequier
Rouen
D1001
A16
Honfleur
D6178
A131
Jumieges
N31
Gournay-en-Bray
Beauvais
Houlgate
E44
D180
A13
Calvados
D675
131
D579
D130
129
D834
Eure
D6014
Elbeuf
D6015
Louviers
D153
126
D181
Pont-Audemer
D27
D15 BIS
N181
N1
CF-EU

Blangy-sur-Bresle, F-76340 / Haute-Norm.

▲ Aux Cygnes d'Opale***	1 ADE**JM**NOPRST	CDFG**N** 6
Zône de Loisirs	2 ACDGPRWX	BDE**FG** 7
1 Apr - 31 Okt	3 ABF**I**LMNQST	ABCDFHNPRV 8
+33 (0)2-35945565	4 DFH	DELUV 9
@ contact@auxcygnesdopale.fr	5 ABDEGILM	BDGHIJNPVZ10
	B 10A CEE	❶ €20,00
	1 ha 46T(80-120m²) 12D	❷ €26,00
N 49°55'29'' E 1°39'27''		
Von der A28 Ausfahrt 5, dann die D49 nach rechts und den Campingschildern folgen (500m).		

Étretat, F-76790 / Haute-Normandie

▲ Municipal**	1 ADEJMNOPRST	6
69 rue Guy de Maupassant	2 GOPRSVWX	ABD**FG** 7
1 Apr - 15 Okt	3 ABLQ	ABCDEFJNQRV 8
+33 (0)2-35270767	4 **I**P	9
	5 A	GHJOSTZ10
	5-6A CEE	❶ €17,70
	H100 2 ha 73T(80-100m²)	❷ €23,00
N 49°42'2'' E 0°12'56''		
Im Ort Étretat wird CP am rue Guy de Maupassant ausgeschildert. Im Zentrum an Ampel Richtung Criquetot.		

Le Bourg-Dun, F-76740 / Haute-Normandie

▲ Les Garennes de la Mer	1 A**JM**NORT	6
12 route de Luneray	2 GPVWX	ABDE**FG** 7
1 Apr - 15 Okt	3 ABELMQ	ABCDEFNQRV 8
+33 (0)2-35831044	4 F	E 9
@ campinglesgarennesdelamer@hotmail.fr	5 BL	J**O**R10
	16A CEE	❶ €22,50
	1,8 ha 35T(80-140m²) 43D	❷ €27,90
N 49°51'38'' E 0°53'29''		
Von Dieppe aus D925 Richtung St. Valéry-en-Caux bis in den Ort. Den Schildern folgen. Von St. Valéry-en-Caux D925 Richtung Dieppe bis in den Ort. Den Schildern folgen.		

Le Mesnil-Réaume/Eu, F-76260 / Haute-Normandie

▲ De la Berquerie	1 ADEILNOPRT	ABCDFG 6
D1314	2 GPVXY	ABDE**FG**H 7
1 Apr - 31 Okt	3 ABELQ	ABCDFKNRSV 8
+33 (0)2-35500046	4 IOPQ	E 9
@ contact@camping-la-berquerie.com	5 ABDEFG**L**	BGHJ**NOR**10
	B 13A CEE	❶ €22,00
	H80 4 ha 38T(80-190m²) 60D	❷ €29,50
N 49°58'46'' E 1°26'48''		
Aus Richtung Neufchâtel en Bray 200m hinter dem Dorf rechts. Von Eu aus am Ortseingang links.		

Frankreich

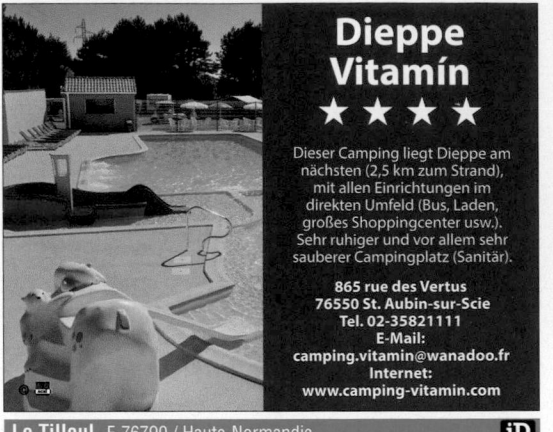
Le Tilleul, F-76790 / Haute-Normandie   iD

🏕 Les Tilleuls**	1 A**IL**NORT	6
🏠 Impasse Dom-Filastre	2 PVXY	ABDE**FG** 7
📅 1 Apr - 30 Sep	3 ABLQ	ACDE**F**NOQRSV 8
☎ **FAX** +33 (0)2-35271161	4	EFJ 9
	5	JST 10
	4A CEE	① €14,85
📍 N 49°40'59'' E 0°12'47''	H80 1,5 ha 56T(80-110m²) 38D	② €20,10

🚗 D940 Étretat-Le Havre. CP ist in Le Tilleul gut ausgeschildert.

Les Grandes-Ventes, F-76950 / Haute-Normandie   📶 iD

🏕 Camping de l'Orival***	1 ADE**JM**NORT	AB 6
🏠 885 rue de l'Orival	2 BGPRTVWXY	BE**FG** 7
📅 15 Mär - 25 Okt	3 AELQS	BDF**N**QT 8
☎ +33 (0)2-35834590	4 BDFH	DEJ 9
@ camping.orival@orange.fr	5 ADEGIKL	BIJ**OR** 10
	4A	① €23,90
📍 N 49°47'38'' E 1°13'7''	H120 2,7 ha 31T(80-180m²) 50D	② €34,00

🚗 Von der A28 Ausfahrt 10 Les Hayons. Der D915 Richtung Dieppe folgen. Ab Ortsmitte von Les Grandes-Ventes gut ausgeschildert.

Les Loges, F-76790 / Haute-Normandie   📶 CC €16 iD

🏕 L'Aiguille Creuse****	1 ADE**JL**NORST	CD 6
🏠 24 residence de	2 GOPVWX	ABE**FG** 7
L'Aiguille Creuse	3 AB**K**LMQT	BDFGIJKNRSV 8
📅 4 Apr - 27 Sep	4 FO	EL 9
☎ +33 (0)2-35295210	5 ADG**L**	ABDGHJ**PR** 10
@ camping@aiguillecreuse.fr	B 10A CEE	① €28,00
📍 N 49°41'56'' E 0°16'33''	H80 3 ha 92T(110-150m²) 28D	② €39,60

🚗 An der D940 Fécamp-Le Havre liegt Les Loges. CP ist im Ort gut ausgeschildert.

Martigny, F-76880 / Haute-Normandie   📶 CC €16 iD

🏕 Municipal	1 ADE**JM**NOPRST	N 6
Des Deux Rivières***	2 CDPRVWX	ABDE**FG**H 7
🏠 D154	3 ABLQ	ABDFNRSV 8
📅 27 Mär - 4 Okt	4 I**PQ**	EL 9
☎ +33 (0)2-35856082	5 AB**LM**	BHIJORZ 10
@ martigny.76@orange.fr	B 10A CEE	① €20,60
📍 N 49°52'14'' E 1°8'39''	6 ha 70T(80-100m²) 50D	② €25,80

🚗 Von Dieppe ca. 8 km, an der D154. Sehr gut ausgeschildert.

Neufchâtel-en-Bray, F-76270 / Haute-Norm.   📶 CC €14 iD

🏕 Sainte Claire***	1 ADEJMNOPQRST	6
🏠 19 rue Grande Flandre	2 ACGPSVWX	ABDE**FG** 7
📅 1 Apr - 15 Okt	3 Q	ABCDFNRSV 8
☎ +33 (0)2-35930393	4 FH	FJ 9
@ fancelot@wanadoo.fr	5 ABDEGIL	BCDF**GH**J**PR** 10
	B 6-10A CEE	① €17,00
📍 N 49°44'16'' E 1°25'41''	2,5 ha 87T(60-180m²) 13D	② €23,00

🚗 Von Neufchâtel-en-Bray aus sehr gut angezeigt, ungefähr 1 km. Von Amiens aus Ausfahrt 7 und von Rouen aus Ausfahrt 9, Autobahn A28/E402.

Pourville-sur-Mer, F-76550 / Haute-Norm.   📶 CC €16 iD

🏕 Le Marqueval***	1 ADE**JM**NOPQRS**T**	ABFGN 6
🏠 1210 rue de la Mer	2 CFGJMOPVWX	BE**FG**H 7
📅 16 Mär - 15 Okt	3 ABELQT	BDFJNRV 8
☎ +33 (0)2-35826646	4 BDIN**PQTU**	DE 9
@ contact@	5 ABDEFGIK**LM**	ABFGHJ**NP**ST 10
campinglemarqueval.com	B 6A CEE	① €26,10
📍 N 49°54'32'' E 1°2'26''	8,5 ha 65T(80-120m²) 229D	② €37,60

🚗 Von Dieppe aus gut an der D75 ausgeschildert und den CP-Schildern folgen. Von Veules-les-Roses aus gut an der D75 angezeigt.

Quiberville-sur-Mer, F-76860 / Haute-Normandie   📶 iD

🏕 La Plage***	1 ADE**JM**NOPRS**T**	KMNQRST**XY** 6
🏠 123 rue de la Saane	2 CEHJOPVW	ABDE**FG** 7
📅 1 Apr - 31 Okt	3 ABEL**MN**Q	ABCDFNORSV 8
☎ +33 (0)2-35830104	4 IO**PQ**	9
@ campingplage3@wanadoo.fr	5 A	BGHJ**N**OR 10
	B 10A CEE	① €33,10
📍 N 49°54'17'' E 0°55'37''	2 ha 100T(80-100m²) 102D	② €40,00

🚗 CP in Quiberville-sur-Mer gut ausgeschildert.

St. Aubin-sur-Mer, F-76740 / Haute-Normandie   📶 iD

🏕 Municipal le Mesnil****	1 ADE**IL**NOPRST	6
🏠 route de Sotteville	2 GOPRUVWX	ABDE**FG**H 7
📅 29 Mär - 29 Okt	3 ABELQ	ABCDFJKNOQRS 8
☎ +33 (0)2-35830283	4 F**PQ**	E 9
@ lemesnil76@orange.fr	5 ADEI	BGHJNPR 10
	16A CEE	① €28,90
📍 N 49°53'2'' E 0°51'7''	2,5 ha 70T(80-120m²) 66D	② €34,20

🚗 Von Veules-les-Roses aus gut angezeigt. Links der Strecke. Richtung Quiberville fährt man rechts am CP vorbei.

St. Aubin-sur-Scie, F-76550 / Haute-Norm.   📶 CC €16 iD

🏕 Dieppe Vitamín****	1 ADE**JM**NOPRST	ABEFGH 6
🏠 865 rue des Vertus	2 GPRVX	ABDE**FG**H 7
📅 1 Apr - 15 Okt	3 ABELQ	ABCDFKNRSV 8
☎ +33 (0)2-35821111	4 BDNO**PQ**UY	DEJL 9
@ camping.vitamin@wanadoo.fr	5 ADGM	BFHIJ**NPR** 10
	Anzeige auf dieser Seite B 10A CEE	① €25,90
📍 N 49°54'1'' E 1°4'28''	H80 5 ha 69T(80-120m²) 111D	② €35,80

🚗 Von der D925 aus Richtung Dieppe/Wasserturm. Von Rouen aus die N27. Richtung Wasserturm von Dieppe.

St. Jouin-Bruneval, F-76280 / Haute-Normandie   📶 iD

🏕 Le Grand Hameau	1 A**J**MNOPRST	6
🏠 20 rue des Oeillets	2 OPRVWX	BD**FG** 7
📅 1 Apr - 31 Okt	3 AB**K**LQ	BDF**N**RV 8
☎ +33 (0)2-35558841	4 IO**P**	DE 9
@ campinglegrandhameau@	5 ABD**K**L	BGHJNO**ST** 10
orange.fr	6A	① €18,80
📍 N 49°37'47'' E 0°9'32''	H80 1 ha 25T(120m²) 41D	② €27,80

🚗 D940 Étretat-Le Havre. An der CD111 und D139 geradeaus durch Jouin-Bruneval zum Weiler "Le Grand Hameau".

St. Léonard, F-76400 / Haute-Normandie   iD

🏕 Les Pommiers**	1 A**IL**NOR**T**	6
🏠 190 rue de Pommiers	2 PRVWX	ABDEH 7
📅 1 Apr - 30 Sep	3 AQ	ABCDE**F**NRV 8
☎ +33 (0)2-35276996	4 FH	E 9
@ cuadrado.michel@wanadoo.fr	5 ADGL	FGJR 10
	6A CEE	① €17,40
📍 N 49°42'34'' E 0°18'32''	H90 2,8 ha 20T(bis 80m²) 44D	② €23,80

🚗 Von der D940 aus ist der Camping gut angezeigt.

St. Martin-en-Campagne, F-76370 / Hte.-Norm.   📶 CC €16 iD

🏕 Les Goélands****	1 ADE**JM**NOPQRST	KMNOQSWXY 6
🏠 11 rue des Grèbes	2 EFHJMOPRSUVWX	BDE**FG**HJ 7
📅 15 Mär - 15 Okt	3 ABEILMQ	ABCDEFGIJKNQRSTUV 8
☎ +33 (0)2-35838290	4 BCDEFINOQ	EL 9
@ contact@	5 ABDEGJKL	ABFHIJLNPRVZ 10
camping-les-goelands.fr	B 16A	① €22,80
📍 N 49°57'59'' E 1°12'15''	H50 4,5 ha 62T(80-100m²) 78D	② €31,20

🚗 D925 Dieppe-Le Treport. Richtung St. Martin-en-Champagne (D113) abfahren. CP ist gut ausgeschildert.

St. Pierre-en-Port, F-76540 / Haute-Normandie CC€14 iD

▲ Les Falaises**	1 AJMNOPRST	KM 6
🏠 130 rue du Camping	2 EGJMOPVWX	BE**F** 7
⏱ 1 Apr - 5 Okt	3 ABELQ	BDFKNOQRV 8
☎ +33 (0)2-35295158	4 EFI	9
@ lesfalaises@cegetel.net	5 EFGKL	GHIJR10
	B 10A CEE	❶ €17,90
🗻 N 49°48'35'' E 0°29'38''	H50 4,2 ha 72**T**(120-140m²) 98**D**	❷ €29,40

🚗 D79 zwischen Fécamp und St. Valéry. CP ist in St. Pierre-en-Port ausgeschildert.

St. Valery-en-Caux, F-76460 / Haute-Norm. 📶 CC€16 iD

▲ Seasonova Etennemare***	1 ADE**JM**NORST	
🏠 21 rue du Hameau Etennemare	2 PRVWX	ABDE**FH** 7
⏱ 3 Apr - 1 Nov	3 ABLQ	ABCDFJKMNQRV 8
☎ +33 (0)2-35971579	4 IO	EFLV 9
@ contact@	5 A**L**	BHJ**P**QST10
camping-etennemare.com	Anzeige auf dieser Seite 10A	❶ €25,65
🗻 N 49°51'31'' E 0°42'16''	4 ha 49**T**(100m²) 71**D**	❷ €30,05

🚗 Von Cany-Barville (Fécamp) D925. CP ist gut ausgeschildert. Oder von Dieppe aus 'Centre Ville' folgen. Dort ist der Camping gut angezeigt.

Toussaint, F-76400 / Haute-Normandie iD

▲ Camping du Canada**	1 ADE**JM**NOPRST	6
🏠 D926	2 BOPVWX	ABDE**F** 7
⏱ 15 Mär - 15 Okt	3 AEI**MQ**	ABCDEFNRTUV 8
☎ +33 (0)2-35297834	4 F	EF 9
@ camping-de-toussaint00@	5	BHJST10
orange.fr	6A CEE	❶ €14,40
🗻 N 49°44'22'' E 0°25'0''	H92 2,5 ha 67**T**(71-250m²) 54**D**	❷ €22,00

🚗 Von Pont de Normandie oder Amiens A29 Richtung Fécamp. Dann die D926. CP liegt 2 km von Fécamp.

Yport, F-76111 / Haute-Normandie 📶 iD

▲ Club du Soleil de	1 AJMNOPRST	6
la Porte Océane***	2 BPXY	AD**F**IJK 7
🏠 Bois des 40 acres	3 ALQ	AFNORV 8
⏱ 15 Apr - 15 Sep	4 FHIOQRT	9
☎ +33 (0)2-35273064	5 ABKL	BJPSTV10
@ accueil-rg@cspo-lehavre.org	**FKK** 6A CEE	❶ €18,00
🗻 N 49°43'37'' E 0°18'23''	4,4 ha 54**T** 51**D**	❷ €21,00

🚗 Der CP ist an der D104 von Yport zwischen den beiden Ortsenden angezeigt.

Veules-les-Roses, F-76980 / Haute-Norm. 📶 CC€16 iD

▲ Seasonova Les Mouettes***	1 AD**J**MNOPRST	CDFG 6
🏠 avenue Jean Moulin	2 EOPRVWX	ABDE**FGH** 7
⏱ 3 Apr - 1 Nov	3 ABE**H**LQ	ABCDEFJNRSV 8
☎ +33 (0)2-35976198	4 BDFILNO**PQTU**	AEV 9
@ contact@camping-	5 ABDG	ABGH.**IN**OQST10
lesmouettes-normandie.com	Anzeige auf Seite 120 D 0A CEE	❶ €20,50
🗻 N 49°52'33'' E 0°48'11''	3,6 ha 122**T**(80-150m²) 54**D**	❷ €37,10

🚗 Im Zentrum CP gut ausgeschildert.

Yport, F-76111 / Haute-Normandie 📶 CC€16 iD

▲ La Chênaie***	1 ADE**JM**NOR**T**	CDFG 6
🏠 rue H. Simon / D104	2 BPTUVWX	ABDE**FG** 7
⏱ 4 Apr - 27 Sep	3 ABLQT	ABCDFGIKNQRSV 8
☎ +33 (0)2-35273356	4 BFHIO	AEJL 9
@ camping.yport@	5 ABEF**LM**	BGHJNPQST10
flowercampings.com	B 6A CEE	❶ €24,50
🗻 N 49°43'58'' E 0°19'14''	H50 2,7 ha 40**T**(80-90m²) 62**D**	❷ €39,00

🚗 D940 Fécamp-Le Havre, Ausfahrt Yport (D211). Gleich am Ortseingang CP links.

Villequier, F-76490 / Haute-Normandie 📶 iD

▲ Barre-y-va***	1 ADE**JM**NOPRST	**ABF**G 6
🏠 D81, route de Villequier	2 CPRSUVXY	ABDE**FGH** 7
⏱ 4 Apr - 24 Okt	3 ABIL**MN**QST	ABCDEFNORV 8
☎ +33 (0)2-35962638	4 FIO**PQR**	EFU 9
@ campingbarreyva@orange.fr	5 ABDEFGIL	ABFGHJLN**PR**10
	B 10A CEE	❶ €27,20
🗻 N 49°31'29'' E 0°42'14''	2 ha 49**T**(90-130m²) 35**D**	❷ €36,75

🚗 Von Caudebec-en-Caux aus, die D81 Richtung Villequier, der Seine folgen.

Yport, F-76111 / Haute-Normandie 📶 iD

▲ Le Rivage**	1 ADEJMNORST	KM 6
🏠 rue André Toutain	2 EFGJOPSUVWX	ABDE**FG** 7
⏱ 15 Mär - 11 Nov	3 LQ	ABCDFNRV 8
☎ +33 (0)2-35273378	4	CF 9
@ contact@	5 AB	HJPST10
camping-lerivage.com	6A	❶ €19,00
🗻 N 49°44'11'' E 0°18'27''	H50 2,7 ha 90**T**(60-100m²) 11**D**	❷ €29,00

🚗 Von Étretat oder Fécamp kommend, im Zentrum von Yport sehr gut ausgeschildert.

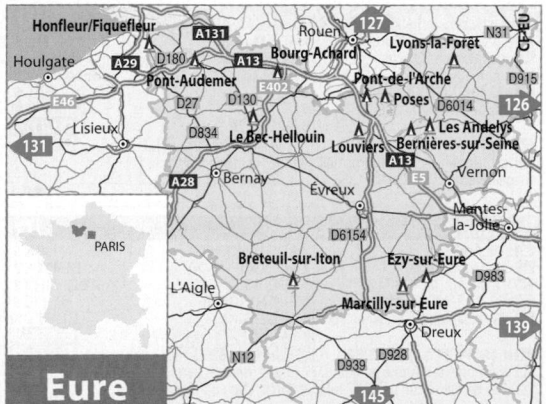

Eure

Bernières-sur-Seine, F-27700 / Haute-Normandie 📶 iD

▲ Château Gaillard****	1 ADEJMNORST	ABXYZ 6
🏠 13 route de la Mare	2 ACGPRVX	ABDE**FGH** 7
⏱ 20 Feb - 5 Dez	3 ABELQRT	ABCDEFJKNORST 8
☎ +33 (0)2-32541820	4 INO**PQ**	EL 9
@ le-valembert.sa@wanadoo.fr	5 ABDEGIKLM	ABHIJ**NO**RVZ10
	B 16A CEE	❶ €22,10
🗻 N 49°13'42'' E 1°19'48''	25 ha 28**T**(120-400m²) 218**D**	❷ €27,50

🚗 In Les Andelys über die Seine-Brücke, dann noch 5 km der D135 folgen; ausgeschildert.

Bourg-Achard, F-27310 / Haute-Normandie 📶 iD

▲ Le Clos Normand**	1 ADE**JM**NOPRST	ABFG 6
🏠 235 rue de Pont-Audemer	2 AGOPVWXY	ABDE**FGH** 7
⏱ 15 Apr - 30 Sep	3 AELS	ABCDFNRV 8
☎ +33 (0)2-32563484	4 O**Q**	EL 9
@ eric.tannay@wanadoo.fr	5 ABDEG**LM**	BGHJNOSTV10
	6A CEE	❶ €20,50
🗻 N 49°21'13'' E 0°48'28''	H130 1,4 ha 75**T**(50-150m²) 20**D**	❷ €28,00

🚗 A13 von Rouen aus, Ausfahrt 25 nach Bourg-Achard. Dann über die N175 Richtung Caen. Der CP ist ausgeschildert.

Breteuil-sur-Iton, F-27160 / Haute-Norm. CC€16 iD

🏕 Les Berges de l'Iton***	1 ADILNOPRST	AN 6
53 rue du Fourneau	2 CDGOPRSVWXY	ABDEFGK 7
1 Apr - 30 Sep	3 ABQ	ABCDEFJNQRV 8
+33 (0)2-32627035	4 HIOZ	DELP 9
@ campinglesberges-de-liton@orange.fr	5 ADEFKLM	BDFGHIJNPRV10
	B 6A CEE	① €16,70
N 48°49'54'' E 0°54'45''	1 ha 25T(70-110m²) 30D	② €26,10

🚗 Von Evreux auf der D830 bis Conches-en-Ouche. Weiter auf der D840 bis Breteuil und dann den CP-Schildern folgen. Von Verneuil-sur-Avre auf der D840 bis Breteuil und dann den CP-Schildern folgen.

Ezy-sur-Eure, F-27530 / Haute-Normandie iD

🏕 Les Trillots	1 ABJLNOPRT	N 6
1 ter chemin des Trillots	2 CGOPRVWXY	ABDEF 7
1 Mär - 15 Nov	3 A	ABCDEFJNOR 8
+33 (0)2-37647321	4 BD	BHIJOR10
@ camping-ezysureure@orange.fr	5	① €10,40
	4-12A CEE	② €12,60
N 48°51'44'' E 1°24'55''	H60 1 ha 80T(50-110m²) 44D	

🚗 Von Anet aus auf die D928 Richtung Ezy-sur-Eure. Nach 5 km CP-Schild folgen. Von Nonancourt auf der D298, nach 20 km CP folgen.

Honfleur/Fiquefleur, F-27210 / Hte-Norm. CC€16 iD

🏕 Sites & Paysages Domaine Catinière***	1 ADEJMNOPRST	ABFGHN 6
910 route de la Morelle	2 ACGPVWXY	ABEFG 7
1 Apr - 15 Okt	3 ABLQST	ABCDFNOQRSTV 8
+33 (0)2-32576351	4 DFINOPQ	EJ 9
@ info@camping-catiniere.com	5 ABDEGIL	ABDGHJPR10
	B 13A CEE	① €32,00
N 49°24'3'' E 0°18'24''	5,5 ha 89T(80-100m²) 38D	② €42,00

🚗 A13, Ausfahrt 28 Beuzeville, D22 Richtung Honfleur. Oder von Pont de Normandie 3,5 km links.

Le Bec-Hellouin, F-27800 / Haute-Normandie CC€14 iD

🏕 Le Clos Saint Nicolas***	1 AJMNOPRST	CD 6
15 rue St. Nicolas	2 ABPVWX	ABDEFGH 7
15 Mär - 15 Okt	3 AEKLQT	ABCDFJKNRSV 8
+33 (0)2-32448355	4 FHIOR	EL 9
@ campingstnicolas@orange.fr	5 ABEGKLM	ABDGHJOR10
	B 10A CEE	① €18,30
N 49°14'5'' E 0°43'30''	H125 2,8 ha 61T(90-110m²) 45D	② €25,35

🚗 Von der A28 Ausfahrt 13 Richtung Brionne, weiter die N581 rechts Richtung Malleville-sur-le-Bec nehmen. CP ist ausgeschildert.

Les Andelys, F-27700 / Haute-Normandie CC€16 iD

🏕 Sites & Paysages l'Ile des Trois Rois***	1 ADEJMNOPRST	ABFGNXY 6
1 rue Gilles Nicolle	2 ACGOPRSVWX	ABDEFG 7
15 Mär - 15 Nov	3 ABFJKLQT	ABCDFNOQRV 8
+33 (0)2-32542379	4 DFHINOPQR	ELU 9
@ campingtroisrois@aol.com	5 ADEFGIKLM	BCDHIJNPST10
	Anzeige auf dieser Seite B 6A CEE	① €26,00
N 49°14'8'' E 1°24'1''	10 ha 300T(100-250m²) 87D	② €39,00

🚗 In Les Andelys Richtung Évreux, CP vor Brücke über die Seine; gut ausgeschildert.

Louviers, F-27400 / Haute-Normandie CC€16 iD

🏕 Le Bel Air***	1 ADILNOPRST	AB 6
route de la Haye Malherbe	2 ABGPSVXY	ABDEFG 7
15 Mär - 15 Okt	3 ABKLQ	BDFJNRV 8
+33 (0)2-32401077	4 IP	EJL 9
@ campinglebelair@aol.com	5 AKLM	FHJNPST10
	6-10A CEE	① €24,00
N 49°12'54'' E 1°7'58''	2,5 ha 50T(100-200m²) 42D	② €33,40

🚗 Von La Haie-Malherbe aus liegt der CP links von der D81. Von Louviers aus, rechts von der D81.

Lyons-la-Forêt, F-27480 / Haute-Normandie CC€14 iD

🏕 Municipal Saint-Paul***	1 AJMNOPRT	CDN 6
2 route St. Paul	2 CGOPRVWX	ABDEFGHK 7
1 Apr - 31 Okt	3 ABEILMQ	ABCDFJNQRTV 8
+33 (0)2-32494202	4 FHOQ	JLU 9
@ camping-saint-paul@orange.fr	5 ABL	BFGHIJNPST10
	B 6A	① €20,50
N 49°24'12'' E 1°28'47''	H100 3 ha 55T(80-100m²) 52D	② €28,40

🚗 Im Stadtzentrum ist der CP gut ausgeschildert.

Marcilly-sur-Eure, F-27810 / Haute-Norm. CC€18 iD

🏕 Domaine de Marcilly****	1 ADJMNOPRST	AB 6
rue de Saint André de l'Eure	2 BGPRVX	AFGH 7
1 Apr - 30 Dez	3 ELMNQ	ABCDFNOQRTUV 8
+33 (0)2-37484542	4 INOPQ	EJLV 9
@ domainedemarcilly@wanadoo.fr	5 AB	ABDFGHIJPRV10
	B 10A CEE	① €25,00
N 48°49'55'' E 1°19'47''	H131 15 ha 100T(100-200m²) 219D	② €30,60

🚗 Von Dreux aus auf der D928 nach ca. 15 km links ab Richtung Marcilly. Dann den CP-Schildern folgen. Ab Annet auf der D928 nach 8 km rechts ab. Weiter der Route wie oben beschrieben folgen.

Pont-Audemer, F-27500 / Haute-Norm. CC€14 iD

🏕 Risle Seine Les Etangs***	1 ADEFJMNOPRST	ABNQRSTUVW 6
route des Etangs	2 ACDGPVWX	ABEFGHK 7
1 Apr - 30 Okt	3 AEJLQS	ABCDFNQRSTUV 8
+33 (0)2-32424665	4 BFGHIO	EJLMOQR 9
@ camping.etangs@wanadoo.fr	5 ABL	BDHJLNPRVWX10
	B 10A CEE	① €21,00
N 49°22'1'' E 0°29'15''	1,5 ha 55T(85-150m²) 17D	② €28,20

🚗 Autobahn A13 Rouen-Caen, Ausfahrt 26 in Richtung Pont-Audemer. Dann den Schildern Toutainville folgen. CP ist ausgeschildert.

Pont-de-l'Arche, F-27340 / Haute-Normandie iD

🏕 Municipal Camp 'Eure**	1 ADEILNORT	NU 6
quai Marechal Foch	2 COPRVWX	ABDEFH 7
1 Apr - 30 Okt	3 ABELQ	BFNQRSV 8
+33 (0)2-35230671	4 IO	EKL 9
@ campeure@pontdelarche.fr	5 L	BJLNPR10
	B 6-10A CEE	① €11,70
N 49°18'21'' E 1°9'21''	1,6 ha 53T(80-100m²) 2D	② €16,10

🚗 N15 Rouen-Evreux, in Pont-de-l'Arche Richtung Zentrum, CP ist ausgeschildert.

Poses, F-27740 / Haute-Normandie iD

🏕 L'Ile Adeline**	1 ADEILNOPRS	LN X 6
rue des Masures	2 ACDGOPVWXY	BEFGH 7
1 Apr - 16 Okt	3 ABEJKLQ	ABDFNRV 8
+33 (0)2-32254533	4 BDFHINPQR	DE 9
@ info@camping-ile-adeline.com	5 ABDEGIKL	BIJSTV10
	B 6A CEE	① €18,25
N 49°18'27'' E 1°13'32''	3 ha 68T(80-140m²) 77D	② €22,35

🚗 Von Pont-de-l'Arche aus der D77 folgen; danach den Schildern links. Von Val-de-Reuil aus der D77 folgen; danach den Schildern rechts.

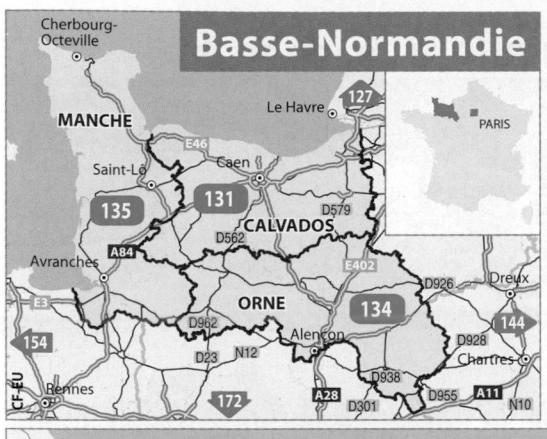

Basse-Normandie

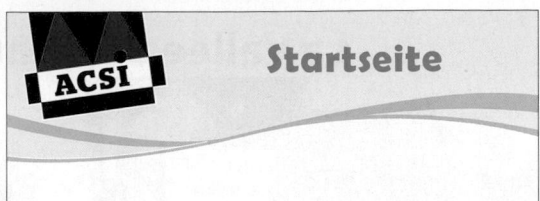

Startseite

- Infos zu den ACSI Produkten
- Geben Sie Ihre Meinung ab

www.ACSI.eu

Frankreich

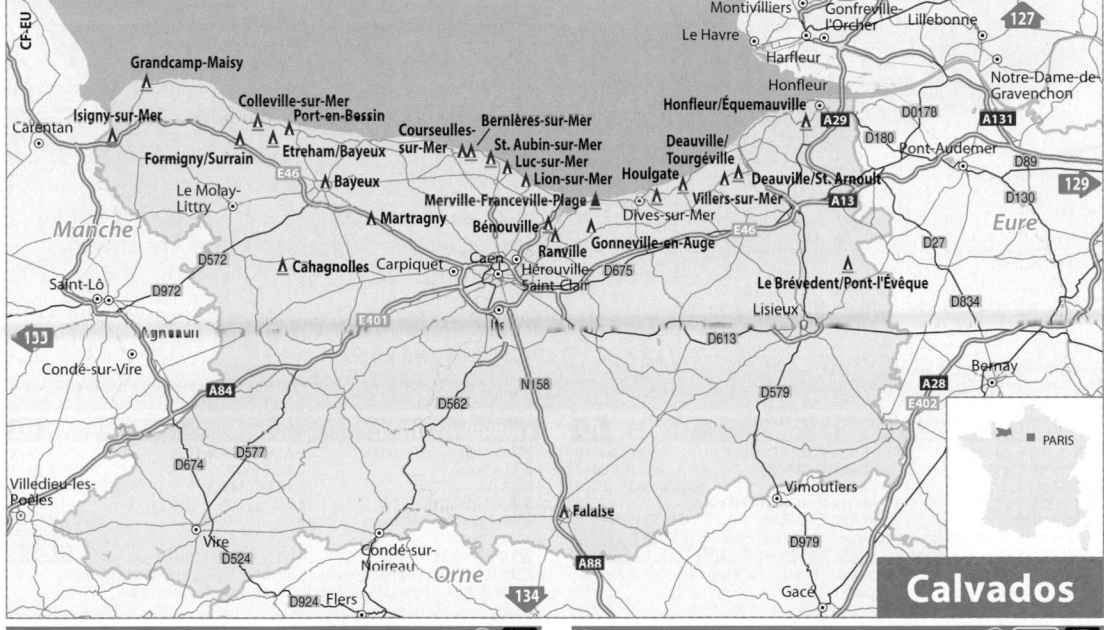

Calvados

Bayeux, F-14400 / Basse-Normandie 🛜 iD

▲ CP des Bords de l'Aure***	1 ADEJMNOPRST	EFG 6
🏠 boulevard d'Eindhoven	2 ACGOPSVWXY	BDFGH 7
🔆 3 Apr - 31 Okt	3 AEKLQ	BDFNORV 8
☎ +33 (0)2-31920843	4 FHIOST	E 9
@ campingmunicipal@	5 A	BFGHJOSTZ10
mairie-bayeux.fr	B 6A CEE	① €18,85
🗺 N 49°17'3'' W 0°41'52''	H50 2,5 ha 136T(80-100m²) 20D	② €26,05

🚗 A13, Ausfahrt Bayeux, Nordring Richtung Arromanches und Port-en-Bessin, CP gut beschildert. ⛰

Cahagnolles, F-14490 / Basse-Normandie 🛜 CC16 iD

▲ L'Escapade****	1 ADEJMNOPQRST	CDFGN 6
🏠 rue de l'Église	2 CDGPTUVWX	ABDEFGHJ 7
🔆 1 Apr - 15 Okt	3 AELMQT	ABCDFJNQRSV 8
☎ +33 (0)2-31216359	4 BDFHINOPQX	BELV 9
@ escapadecamping@orange.fr	5 ABDEFGM	BDFHJOSTVW10
	B 10A CEE	① €26,40
🗺 N 49°10'28'' W 0°45'59''	H102 7 ha 38T(100-200m²) 77D	② €36,40

🚗 N13 Ausfahrt Bayeux Richtung St. Lo, dann Richtung St. Paul-du-Vernay. Danach Cahagnolles. CP ist ausgeschildert. ⛰

Bénouville, F-14970 / Basse-Normandie 🛜 CC16 iD

▲ Les Hautes Coutures****	1 ADEJMNOPRST	ABCFGHIN 6
🏠 avenue de la Côte de Nacre	2 CGOPTUVWXY	ABDEFGH 7
🔆 1 Apr - 31 Okt	3 BEHKLQV	ABCDFKNQRSV 8
☎ +33 (0)2-31447308	4 BCDFHILNOPQUY	EUV 9
@ info@	5 ABDEFGIKM	BDGHIJOPST10
campinghautescoutures.com	B 10A	① €35,10
🗺 N 49°15'1'' W 0°16'25''	8 ha 99T(80-165m²) 178D	② €50,60

🚗 Von der A13 Ausfahrt Ouistreham. Ab der Ortsmitte Bénouville ist der CP ausgeschildert. ⛰

Colleville-sur-Mer, F-14710 / Basse-Norm. 🛜 CC16 iD

▲ Le Robinson****	1 ADEJMNOPRST	CDFGHX 6
🏠 D514	2 AGHOPVWX	ABEFGH 7
🔆 1 Apr - 30 Sep	3 AEHKLQT	BDFIKNRSV 8
☎ +33 (0)2-31224519	4 BFIOPQ	EFJ 9
@ dourthe.le.robinson@	5 ABDEFGL	BDGHIJPST10
wanadoo.fr	B 6A CEE	① €26,90
🗺 N 49°21'1'' W 0°50'1''	2 ha 42T(80-120m²) 30D	② €37,30

🚗 Ab der A13 Caen-Cherbourg, Ausfahrt Vaucelles, Richtung Mosles, dann die D97 Richtung Ste Honorine-des-Pertes. Dort die D514 Richtung Colleville-sur-Mer. ⛰

Bernières-sur-Mer, F-14990 / Basse-Norm. 🛜 CC16 iD

▲ Le Havre de Bernières****	1 ADEJMNOPRST	ABFGKNSTWX 6
🏠 chemin de Quintefeuille	2 EHOPVWX	ABDEFG 7
🔆 1 Apr - 31 Okt	3 AEKLMQ	ABCDFJKNOQRSV 8
☎ +33 (0)2-31966709	4 BDINOPQTUV	E 9
@ campingnormandie@sfr.fr	5 ABDEFGJL	ABDGHIJNORWX10
	20A CEE	① €40,30
🗺 N 49°19'56'' W 0°25'41''	5 ha 97T(80-110m²) 160D	② €49,50

🚗 Ab Caen auf der Periphérique Ausfahrt CHU/Côte de Nacre. Richtung Courseulles-sur-Mer und weiter Richtung Bernières-sur-Mer. Der CP liegt kurz hinter dem Ortseingang auf der linken Seite. ⛰

Courseulles-sur-Mer, F-14470 / Basse-Normandie 🛜 iD

▲ Le Champ de Course****	1 ADEFJMNOPRST	KNQSWX 6
🏠 avenue la Libération	2 EGHOPQVWXY	ABDEFGH 7
🔆 1 Apr - 30 Sep	3 AEGHILQT	ABCDFNRST 8
☎ +33 (0)2-31379926	4 BCDHILNO	BJKV 9
@ contact@	5 ADEFGLM	ABGHIJNORVWZ10
campingcourseulles.com	B 10A CEE	① €23,50
🗺 N 49°20'3'' W 0°26'40''	7 ha 326T(100m²) 76D	② €31,80

🚗 Von Caen Ausfahrt 5, Richtung Courseulles-sur-Mer. Innerorts Camping ausgeschildert. ⛰

La Vallée de Deauville ★ ★ ★ ★ ★

- 2,5 km vom Strand Deauville/Trouville.
- beheiztes, neues Erlebnisbad, Bar, Restaurant, Snacks, kleiner Supermarkt und Angelweiher.
- Mobilheimvermietung.

Rue des Genêts, 14800 Deauville/St. Arnoult
Tel. 02-31885817 • Fax 02-31881157
E-Mail: contact@camping-deauville.com • Internet: www.camping-deauville.com

---

Deauville/St. Arnoult, F-14800 / B.-Norm. 🛰 CC€16 iD

▲ La Vallée de Deauville*****	1 ADEF**JM**NOPRS**T** ABFGHIN 6
🏠 rue des Genêts	2 ACDGOPVWX ABDE**FGH** 7
🕐 1 Apr - 31 Okt	3 ABE**KLQT** ABCDFGIJKNRS 8
☎ +33 (0)2-31885817	4 BDIJ**L**NO**PQRTUVX** EFV 9
@ contact@	5 ABDEFGI**LM** ABDGHJ**NPR**10
camping-deauville.com	Anzeige auf dieser Seite B 10A CEE ❶ €36,10
📶 N 49°19'44'' E 0°5'11''	19 ha 105T(80-120m²) 305D ❷ €51,35

🚗 Von der A13 Ausfahrt Deauville. An den Kreiseln Richtung Caen. Am 3. Kreisel ist der CP ausgeschildert.

Deauville/Tourgéville, F-14800 / Basse-Normandie 🛰 iD

▲ L'Orée de Deauville***	1 ADE**JM**NOPRST ABFG**X** 6
🏠 D27	2 AGPVWXY ABDE**FGH** 7
🕐 1 Apr - 31 Okt	3 ALT ABCDFNRV 8
☎ +33 (0)2-31879622	4 BDFHILO**Q** E 9
@ camping-oreedeauville@	5 ADEGIL**M** BFGHJOR10
orange.fr	20A CEE ❶ €24,50
📶 N 49°19'20'' E 0°3'37''	1,5 ha 106T(100-130m²) 44D ❷ €35,75

🚗 Von der A13 Ausfahrt Deauville. Bei drei Kreisverkehren Richtung Caen über die D27. In Tourgéville ausgeschildert.

Etreham/Bayeux, F-14400 / Basse-Norm. 🛰 CC€16 iD

▲ Reine Mathilde***	1 ADE**IL**NOPRS**T** ABFG**X** 6
🏠 route de Ste Honorine	2 AGPVWXY ABDE**FGH** 7
🕐 1 Apr - 30 Sep	3 AE**KLQ** ABCDFJKNORSV 8
☎ +33 (0)2-31217655	4 BCDIO**PQ** AEFL 9
@ campingreinemathilde@	5 ABDEGI**LM** BDGHJLOSTWX10
gmail.com	B 6A CEE ❶ €26,50
📶 N 49°19'53'' W 0°48'9''	6 ha 83T(100-150m²) 63D ❷ €34,40

🚗 N13, Ausfahrt 38. Am Kreisverkehr N2013 Richtung Tour-en-Bessin, dann rechts auf D206. CP anschließend ausgeschildert.

Falaise, F-14700 / Basse-Normandie 🛰 iD

▲ Mun. du Château**	1 AD**IL**NOPRT N**X** 6
🏠 3 rue du Val d'Ante	2 COPTUVX ABDE**FG** 7
🕐 1 Mai - 30 Sep	3 ABEL**MQ** ABCDFJNOQRV 8
☎ +33 (0)2-31901655	4 IO**Q** 9
@ camping@falaise.fr	5 **L** BGHIJORVZ10
	10A CEE ❶ €18,90
📶 N 48°53'44'' W 0°12'18''	1,5 ha 66T(80-100m²) ❷ €24,80

🚗 Von Caen RN158 Richtung Falaise, im Kreisel links Richtung 'centre ville', im 2. Kreisel rechts Richtung 'Voie Panoramique', siehe CP-Schilder.

Formigny/Surrain, F-14710 / Basse-Norm. 🛰 CC€14 iD

▲ La Roseraie d'Omaha****	1 ADE**JM**NOPRS**T** EFGH 7
🏠 Le Bourg	2 AGPVWXY ABDE**FGH** 7
🕐 1 Apr - 30 Sep	3 BE**IKLM**QS ABCDFJNQRSV 8
☎ +33 (0)2-31211771	4 BDFHIO**P** EIJUV 9
@ camping.laroseraie@	5 ACDEGKL**M** BHIJ**NPS**T10
gmail.com	B 10A CEE ❶ €24,60
📶 N 49°19'36'' W 0°51'52''	3 ha 51T(85-120m²) 37D ❷ €34,30

🚗 N13 Bayeux Richtung Cherbourg Ausfahrt 38. Tour-en-Bessin/Mosles, weiter Surrain folgen. Der CP liegt im Ort Surrain. Ausgeschildert.

Gonneville-en-Auge, F-14810 / Basse-Normandie 🛰 iD

▲ Le Clos Tranquille***	1 ADE**JM**NOPRST 6
🏠 17 route de Troarn	2 APVWX ABDE**FGH** 7
🕐 1 Apr - 1 Okt	3 A**KLQ** ABCDFNRSV 8
☎ +33 (0)2-31242136	4 FI**PQ** EJ 9
@ le.clos.tranquille@wanadoo.fr	5 AKL BHJOR10
	B 6-10A ❶ €19,50
📶 N 49°15'10'' W 0°11'21''	1,3 ha 30T(80-110m²) 37D ❷ €27,00

🚗 A13 Ausfahrt 29B Richtung Cabourg, dann nach Varaville. Dort Richtung Caen, D95a Richtung Gonneville-en-Auge. CP nach 1 km.

Grandcamp-Maisy, F-14450 / Basse-Norm. 🛰 CC€16 iD

▲ Camping du Joncal***	1 A**JM**NOPQRST KNQRST**XY** 6
🏠 Quai du Petit Nice, BP 33	2 AEFHMOPRVX ABDE**FGH** 7
🕐 1 Apr - 30 Sep	3 B**GH** ABFKNQRV 8
☎ +33 (0)2-31226144	4 EFI DE 9
@ campingdujoncal@hotmail.fr	5 AL**M** HIJL**P**STZ10
	B 6-10-16A CEE ❶ €23,50
📶 N 49°23'17'' W 1°3'5''	100T(bis 100m²) 207D ❷ €32,80

🚗 N13 Ausfahrt Grandcamp-Maisy. Über die D113 Richtung Ort. Der CP liegt neben dem Hafen, den Schildern folgen.

LA BRIQUERIE
★ ★ ★ ★ ★

★ 2,5 km von Honfleur entfernt.

★ Viele Ausflugsziele in der Umgebung.

★ In der direkten Umgebung im Wald Pferdereiten (500m) und joggen.

★ Supermarkt 100m entfernt.

★ Seit 2011 neues Sanitär.

D62, 14600 Honfleur/Équemauville
Tel. 02-31892832 • Fax 02-31890852
E-Mail:
info@campinglabriquerie.com

Honfleur/Équemauville, F-14600 / B.-Norm. 📶 CC€16 iD

🏕 La Briquerie*****	1 AJMNOPRST	ABEFGHI 6
🏠 D62	2 AGOPVWXY	ABDEFGH 7
🗓 1 Apr - 30 Sep	3 BEIKLMQST	ABCDFGIJKNRSTUV 8
☎ +33 (0)2-31892832	4 BCDFHILNOPQRSTU	EJL 9
@ info@campinglabriquerie.com	5 ABDEGIJKL	ABDFGHIJNPR10
	Anzeige auf dieser Seite	B 5-10A ① €34,70
🗺 N 49°23'53'' E 0°12'31''	H104 11 ha 200T(100m²) 246D	② €48,20

🚗 Von der A29 Ausfahrt 1, Richtung Pont-l'Évêque fahren. Nach 2 km rechts die D579 Richtung Honfleur. Am Kreisel am Intermarché, dritte Ausfahrt zur D62. CP liegt 150m rechts.

Houlgate, F-14510 / Basse-Normandie 📶 CC€16 iD

🏕 Yelloh! Village La Vallée*****	1 ADEILNOPRST	ABEFGHI 6
🏠 88 rue de la Vallée	2 FGHPTUVWX	ABDEFGH 7
🗓 1 Apr - 1 Nov	3 BCEFGHKLMQRTU	ABCDFNQRSTUV 8
☎ +33 (0)2-31244069	4 ABDIOPQY	EV 9
@ camping.lavallee@wanadoo.fr	5 ACDEFGIKL	BFGHIJNPR10
	Anzeige auf Seite 134	B 6-10A CEE ① €49,80
🗺 N 49°17'27'' W 0°4'0''	11 ha 151T(100-130m²) 200D	② €63,80

🚗 A13 Ausfahrt Dozulé, D400 Richtung Dives-sur-Mer/Houlgate. Danach der Ausschilderung folgen.

Isigny-sur-Mer, F-14230 / Basse-Normandie 📶 CC€14 iD

🏕 Le Fanal****	1 ADEILNOPRST	ABCDFGHINXY 6
🏠 rue du Fanal	2 ADGPVWXY	ABDEFGH 7
🗓 1 Apr - 30 Sep	3 BELMQ	ABDFJKNQRTV 8
☎ +33 (0)2-31213320	4 BDFHILNOR	AEJ 9
@ info@camping-lefanal.com	5 ADEFGJL	DGI IJNOPST10
	16A CEE	① €31,50
🗺 N 49°19'8'' W 1°6'32''	8,4 ha 88T(80-110m²) 113D	② €43,50

🚗 Ausfahrt Isigny-Centre. Weiter ausgeschildert.

Le Brévedent/Pont-l'Évêque, F-14130 / B.-Norm. 📶 CC€16 iD

🏕 Castel Camping le Brévedent****	1 ADEFHKNOPRST	ABFGN 6
	2 BCDGPTUVWXY	ABDEFGK 7
🗓 1 Mai - 15 Sep	3 BEILMQ	ABCDFNQRSV 8
☎ +33 (0)2-31647288	4 ABEFHILOPQ	AELPUVY 9
@ contact@ campinglebrevedent.com	5 ACDEFGIJKL	BDGHJNORX10
	B 6-10A CEE	① €34,90
🗺 N 49°13'29'' E 0°18'17''	H100 6 ha 102T(60-200m²) 45D	② €45,90

🚗 Von Pont-l'Évêque die D579 Richtung Lisieux nehmen. Nach 5 km links über die D51 nach Blangy-le-Château. Ca. 3 km weiter liegt Le Brévedent. Beschilderung folgen.

Lion-sur-Mer, F-14780 / Basse-Normandie iD

🏕 Camping Oasis**	1 AJMNOPRT	KNX 6
🏠 blvd Anatole France	2 EHOPVWX	ABDEFH 7
🗓 1 Apr - 30 Sep	3 AKLQ	ABCDFNORSV 8
☎ +33 (0)2-31972136	4 H	E 9
@ contact@campings-plage.fr	5 DE	BFGHIJST10
	B 2-10A CEE	① €21,90
🗺 N 49°18'14'' W 0°19'15''	2 ha 139T(59-180m²) 45D	② €30,90

🚗 Nehmen Sie den nördlichen Rundweg bei Caen, Ausfahrt 5 Richtung Côte de Nacre. In Luc-sur-Mer auf die D514 nach links Richtung Lion-sur-Mer. CP ausgeschildert.

Luc-sur-Mer, F-14530 / Basse-Normandie 📶 iD

🏕 La Capricieuse****	1 ADEJMNOPRST	KMNQSTXZ 6
🏠 rue Brummel	2 EGHOPVWXY	ABDEFGH 7
🗓 1 Apr - 30 Sep	3 ABELMQ	ABCDFJNQRSTUV 8
☎ +33 (0)2-31973443	4 BDINOP	EFLV 9
@ info@ campinglacapricieuse.com	5 A	BHIJOR10
	B 6-10A CEE	① €22,50
🗺 N 49°19'5'' W 0°21'30''	4,5 ha 192T(80-130m²) 28D	② €28,10

🚗 Auf der Umgehungsstraße bei Caen Ausfahrt Côte de Nacre. Der D7 bis Luc-sur-Mer folgen. CP ist dort ausgeschildert.

Martragny, F-14740 / Basse-Normandie 📶 iD

🏕 Château de Martragny****	1 ADEJMNOPRST	ABFGN 6
🏠 52 Hameau Saint-Léger	2 AGPVWXY	ABDEFGH 7
🗓 25 Mai - 28 Aug	3 BELM	ABCDEFJNQRSV 8
☎ +33 (0)2-31802140	4 IOPQ	FGI 9
@ chateau.martragny@ wanadoo.fr	5 ABEGIJKL	BFGH,IPRWX10
	B 10A	① €38,10
🗺 N 49°14'34'' W 0°36'21''	H60 8 ha 160T(80-120m²) 11D	② €46,10

🚗 Diesen Schlosscampingplatz erreichen Sie über die Autoroute A13 Bayeux-Caen. Nehmen Sie die Ausfahrt Martragny und folgen Sie der Straße durch St-Leger. Nach 300m rechts Château Camping.

Merville-Franceville-Plage, F-14810 / B.-Norm. 📶 ❀ CC€16 iD

🏕 Les Peupliers****	1 ADEJMNOPRST	ABFGKNQUVX 6
🏠 allée des Pins	2 ACEGHPVWX	ABEFGH 7
🗓 1 Apr - 31 Okt	3 AEGHKLQT	ABCDFGIJKNQRSTUV 8
☎ +33 (0)2-31240507	4 ABDFHILNOPQR	EJLV 9
@ contact@ camping-peupliers.com	5 ABDEGL	DDGHJMNOPR10
	B 10A CEE	① €34,00
🗺 N 49°17'3'' W 0°10'8''	4 ha 118T(80-146m²) 65D	② €43,20

🚗 Von Cabourg über die D514 Richtung Merville. Der CP liegt links von dieser Straße und ist ausgeschildert.

Merville-Franceville-Plage, F-14810 / Basse-Norm. 📶 iD

🏕 Oasis***	1 ADEFILNORT	KNQSWX 6
🏠 route de Cabourg	2 AEFHOPQUVWX	ABDEFGH 7
🗓 1 Apr - 31 Okt	3 AKLQ	ABCDEFNRSV 8
☎ +33 (0)2-31242212	4 HI	EV 9
@ contact@campings-plage.fr	5 AEIJLM	BFGHIJNOR10
	3-10A CEE	① €24,60
🗺 N 49°17'0'' W 0°11'25''	3 ha 67T(80-90m²) 90D	② €34,00

🚗 CP an Hauptstraße D514 zwischen Cabourg und Merville-Franceville-Plage.

Merville-Franceville-Plage, F-14810 / B.-Norm. 📶 CC€16 iD

🏕 Seasonova Le Point du Jour****	1 ADEJMNOPRST	EFGKMNPQRSTUVWX 6
🏠 75 route de Cabourg	2 AEFGHOPQUVWX	BEFGH 7
🗓 3 Apr - 1 Nov	3 AFHKLQ	ABCDFJKNQRSTU 8
☎ +33 (0)2-31242334	4 ABDEFIJLNOPQRTUXYZ	ELUV 9
@ contact@ camping-lepointdujour.com	5 ABDEFGJLM	ABDGHIJNPR10
	B 10A CEE	① €36,70
🗺 N 49°17'0'' W 0°11'29''	2,7 ha 104T 55D	② €46,50

🚗 A13 Ausfahrt 29B Dozulé Richtung Cabourg. Weiter über die D514 Richtung Ouistreham. Der CP ist angezeigt. Von Westen: A13, Ausfahrt 29 Dozulé, Richtung Cabourg. Dann die D514 Richtung Quistreham.

Port-en-Bessin, F-14520 / Basse-Normandie 📶 ❀ iD

🏕 Port'Land****	1 ADEILNOPRST	ABEFGHN 6
🏠 chemin du Castel	2 DFGOPVWXY	ABDEFGH 7
🗓 1 Apr - 1 Nov	3 BEKLQT	ABCDFJKNQRSTUV 8
☎ +33 (0)2-31510706	4 BDFHILNOPQ	EL 9
@ campingportland@wanadoo.fr	5 ABDEFGJLM	ABFGHIJNORVZ10
	B 16-20A CEE	① €42,70
🗺 N 49°20'47'' W 0°46'24''	H60 16 ha 155T(100-250m²) 187D	② €54,70

🚗 Auf der nördliche Umgehung in Bayeux die Ausfahrt nach Port-en-Bessin nehmen. Im Kreisel von Port-en-Bessin zuerst 'Toutes Directions'. Dann ist der CP weiter ausgeschildert.

Ranville, F-14860 / Basse-Normandie 📶 iD

🏕 Les Capucines***	1 ADEJMNORST	6
🏠 rue de la Côte Fleurie, CD37c	2 AGPUVWXY	ABDEFGH 7
🗓 1 Jan - 31 Dez	3 AIKLQU	ABCDFJKNRSTUV 8
☎ +33 (0)2-31786982	4 IO	DEFGH 9
@ campingdescapucines.14@ orange.fr	5 ABKM	BFGHJLPR10
	10A CEE	① €21,30
🗺 N 49°14'17'' W 0°15'26''	4 ha 187T(80-100m²) 25D	② €30,50

🚗 Auf der A13 Ausfahrt 31 Caen-Canal, weiter Richtung Colombelle. Dann die D514 nach Ranville. CP ausgeschildert.

YELLOH! VILLAGE LA VALLÉE

★ ★ ★ ★ ★

Herzlich willkommen auf dem Camping Yelloh! Village La Vallée! Unser Camping liegt 900m von Meer und Stadt in einer üppig grünen und hügeligen Umgebung. Sie finden hier viele Möglichkeiten aktiv zu werden: beheiztes Schwimmbad, Tennis, Fußball, organisierte Aktivitäten, Fahrradverleih, ATB's und Mobilheime. Neu: Hallenschwimmbad. Erneuertes Sanitär.

14510 Houlgate (Normandie)
Tel. 02-31244069 • Fax 02-31244242
E-Mail: camping.lavallee@wanadoo.fr
Internet: www.campinglavallee.com

St. Aubin-sur-Mer, F-14750 / Basse-Norm. 🛜 (CC€16) iD

🏕 Yelloh! Village	1 ADE**JM**NOPRST	ABCEFGHIX 6
Côte de Nacre*****	2 GOPVWX	ABDE**FGH**7
📧 17 rue du Général Moulton	3 BE**KL**QT	ABCDEFJKNQRSTUV 8
🔓 3 Apr - 14 Sep	4 BDILNO**PQTV**Y	ELUV 9
☎ +33 (0)2-31971445	5 ACDEFG**JM**	ABDGHIJ**N**OSTZ10
@ cotedenacre@sandaya.fr	B 10A	❶ €47,90
		❷ €62,90
📐 N 49°19'33'' W 0°23'26''	10 ha 145**T**(80-120m²) 455**D**	

🚗 Von Caen auf der Umgehung Ausfahrt Côte de Nacre. Der D7 nach Langrune-sur-Mer folgen, weiter St. Aubin-sur-Mer. Der CP liegt an der D7 und ist ausgeschildert.

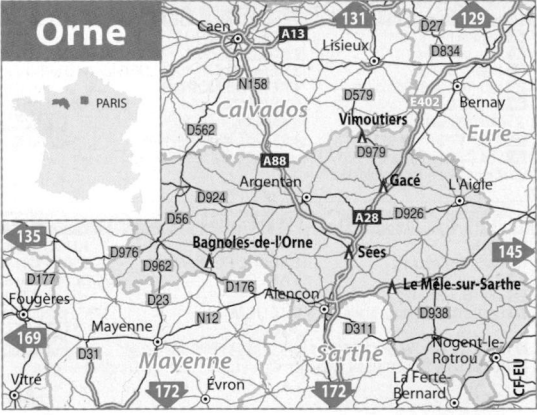

CAMPING DE LA VÉE
BAGNOLES DE L'ORNE

Zwischen Paris und der Bretagne, 90 km vom Mont Saint Michel und den Landungsstränden gelegen, im Herzen der Normandie in einem grünen Rahmen mit Casino, Golf, Schwimmbad, Tennis, Reiten, entdecken Sie den Charme des Landes und die unberührte Magie einer Touristik- und Thermalregion aus dem 19. Jh.

CAMPING DE LA VÉE***

Bietet 250 Stellplätze.
F-61140 Bagnoles de l'Orne.
Tel : 0033(0) 233 378 745
Fax : 0033(0) 233 301 432
Mail : info@campingbagnolesdelorne.com

www.campingbagnolesdelorne.com

Grand
Domaine
Bagnoles
de l'Orne

Villers-sur-Mer, F-14640 / Basse-Normandie 🛜 (CC€16) iD

🏕 Bellevue****	1 ADEF**JM**NOPRT	CDFG 6
📧 route de Dives	2 AOPTUVWX	ABDE**FGH**7
🔓 1 Apr - 31 Okt	3 A**KL**QT	ABCDFNRSTU 8
☎ +33 (0)2-31870521	4 FIN**PQ**R	EV 9
@ camping-bellevue@	5 ABDEFG**IL**	BHJ**P**ST10
wanadoo.fr	B 6-10A	❶ €31,00
		❷ €42,60
📐 N 49°18'34'' E 0°1'9''	H107 5,5 ha 39**T**(80-110m²) 239**D**	

🚗 A13 Ausfahrt 'La Haye Tondue', N175 Richtung Caen. Nach 4 km D45, dann D163 Richtung Houlgate/Villers-sur-Mer. An der Kreuzung mit D513 Richtung Villers-sur-Mer. CP ist ausgeschildert.

Bagnoles-de-l'Orne, F-61140 / Basse-Normandie 🛜 iD

🏕 de la Vée***	1 ADE**JM**NOPRS**T**	6
📧 5 rue du Président Coty	2 COPRVX	ABDE**FGH**7
🔓 7 Mär - 15 Nov	3 ABLQ	ABCDFJNOQRSV 8
☎ +33 (0)2-33378745	4 FHIO	E 9
@ info@	5 ADEGIK**L**	ABFGHIJOPR10
campingbagnolesdelorne.com	Anzeige auf dieser Seite 10A CEE	❶ €17,80
📐 N 48°32'52'' W 0°25'11''	H163 4 ha 246**T**(100-110m²) 14**D**	❷ €22,50

🚗 N176 von Alençon Richtung St. Malo-Mont St. Michel. In Couterne Richtung Bagnols-de-l'Orne auf die D916 abfahren. CP im Ort gut ausgeschildert.

Gacé, F-61230 / Basse-Normandie iD

🏕 Mun. Le Pressoir**	1 AHKNORT	6
📧 Impasse Tahiti	2 PX	AD 7
🔓 1 Jun - 8 Sep	3 AB	ABEFN 8
☎ +33 (0)2-33355024	4	9
@ ville.gace@wanadoo.fr	5	FHR10
	10A	❶ € 9,30
		❷ €11,30
📐 N 48°47'41'' E 0°18'0''	H210 0,8 ha 26**T**(40-70m²)	

🚗 Über die N138 von Le Mans kommend, durch das Dorf fahren und an der Kirche rechts abbiegen. Den CP-Schildern folgen. Von Chartres über die N138 kommend, im Ort noch vor der Kirche links abbiegen. Den CP-Schildern folgen.

Le Mêle-sur-Sarthe, F-61170 / Basse-Normandie iD

🏕 La Prairie**	1 AILNORT	N**Q**X 6
🔓 1 Mai - 30 Sep	2 CDGHPVX	BE**F**7
☎ +33 (0)2-33271874	3 BE**ILM**Q	ABDFN 8
	4	PT 9
	5	HLR10
	B 10A	❶ €11,20
		❷ €13,80
📐 N 48°30'30'' E 0°21'47''	H156 15 ha 100**T**(80-100m²) 20**D**	

🚗 CP liegt im Osten von Le Mêle-sur-Sarthe in der nähe von Lac. Aus allen Richtungen den Schildern folgen.

Sées, F-61500 / Basse-Normandie 🛜 iD

🏕 Mun. Le Clos Normand***	1 AJMNORT	6
📧 avenue 8 mai 1945	2 GOPVX	ABDE**FGH**7
🔓 16 Apr - 30 Sep	3 ABELQ	ABCDFNQRV 8
☎ +33 (0)2-33288737	4	EL 9
@ tourisme@sees.fr	5 A**LM**	BFGHIJORV10
	10A	❶ €13,10
		❷ €16,70
📐 N 48°35'56'' E 0°10'14''	H189 5 ha 50**T**(50-80m²) 5**D**	

🚗 Über die N138 westlich um Sées herumfahren zum südlichen Stadtteil. Den CP-Schildern folgen. Der CP liegt schräg gegenüber dem Supermarkt.

Vimoutiers, F-61120 / Basse-Normandie ✿ iD

🏕 Mun. La Campière**	1 ADJMNORT	6
📧 boulevard Dentu	2 CPVX	ABDE 7
🔓 1 Apr - 31 Okt	3 AMQ	ABDFJNR 8
☎ +33 (0)2-33391886	4	E 9
@ campingmunicipalvimoutiers@	5	HIJR10
wanadoo.fr	10A CEE	❶ €14,70
		❷ €18,30
📐 N 48°55'57'' E 0°11'48''	H87 1 ha 40**T**(60-80m²) 4**D**	

🚗 Aus Richtung Lisieux über D979, vor Vimoutiers rechts ab Richtung Argentan. Aus Richtung Rouen (N138) rechts ab Richtung Monna, über Sap D979 nach Vimoutiers. Hinter Vimoutiers links ab Richtung Argentan.

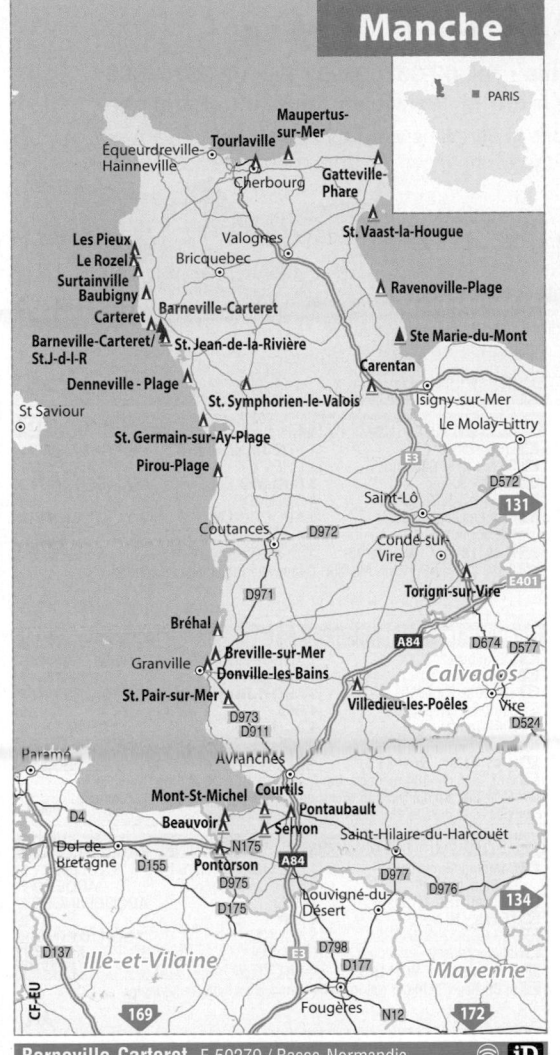

Manche

PARIS

Maupertus-sur-Mer
Tourlaville
Équeurdreville-Hainneville
Cherbourg
Gatteville-Phare
St. Vaast-la-Hougue
Les Pieux
Le Rozel
Valognes
Surtainville
Bricquebec
Baubigny
Ravenoville-Plage
Carteret
Barneville-Carteret
Barneville-Carteret/St.J-d-l-R
St. Jean-de-la-Rivière
Ste Marie-du-Mont
Denneville - Plage
Carentan
St Saviour
St. Symphorien-le-Valois
Isigny-sur-Mer
Le Molay-Littry
St. Germain-sur-Ay-Plage
Pirou-Plage
Saint-Lô
D572
131
Coutances
D972
Condé-sur-Vire
D971
Torigni-sur-Vire
E401
Bréhal
Breville-sur-Mer
Granville
Donville-les-Bains
Calvados
St. Pair-sur-Mer
Villedieu-les-Poêles
Vire
D973
D911
D674 D577
A84
D524
Paramé
Avranches
Mont-St-Michel
Courtils
Beauvoir
Pontaubault
Servon
Saint-Hilaire-du-Harcouët
Dol-de-Bretagne
D155
Pontorson
N175
D975
Louvigné-du-Désert
D4
D977
D976
134
D175
Ille-et-Vilaine
D137
E3
D798
D177
Mayenne
CF-EU
169
Fougères
N12
172

Barneville-Carteret, F-50270 / Basse-Normandie 🛜 iD

🏕 Les Bosquets***
🏠 rue du capitaine Quenault
🗓 1 Apr - 15 Okt
☎ +33 (0)2-33047362
@ lesbosquets@orange.fr

1 ADEIJMNOPQRST	ABFGKNQSTWXY	6
2 EHPQVWXY	ABDEFGH	7
3 BGHKLQ	ABCDEFNQRSV	8
4 BEILNOPQ	E	9
5 ABDGM	HIJR	10
10A		
11 ha 125T(100-300m²) 204D	❶ €24,00 / ❷ €35,00	

📍 N 49°22'0'' W 1°45'36''
🚗 Ab Barneville ist der CP ausgeschildert, Richtung Strand.

Barneville-Carteret/St.J-d-l-R, F-50270 / B.-Norm. 🛜 CC€16 iD

🏕 Yelloh! Village Les Vikings*****
🏠 4 rue des Vikings
🗓 3 Apr - 27 Sep
☎ +33 (0)2-33538413
@ contact@camping-lesvikings.com

1 ADEILNOPRST	ABCFGHKNQSTWXY	6
2 EHOPQVWX	ABDEFGH	7
3 BEGHKLMNQST	ABCDEFKNQRSTV	8
4 BCDFIKLNOPQ	EJUV	9
5 ACDEFGJKLM	ABDGHIJNPSV	10
B 10A	❶ €44,00	
6 ha 45T(80-130m²) 190D	❷ €58,00	

📍 N 49°21'51'' W 1°45'13''
🚗 Von Barneville-Carteret Richtung Barneville. Weiter ausgeschildert.

Baubigny, F-50270 / Basse-Normandie 🛜 iD

🏕 Bel Sito**
🏠 L'Église
🗓 15 Apr - 15 Sep
☎ +33 (0)2-33043274
@ camping@bel-sito.com

1 AJMNOPQRST	NQSWX	6
2 FHPQTUWXY	BDEFGH	7
3 AEKL	ABCDEFNRS	8
4 I	EJL	9
5 ABKL	JNOST	10
6A	❶ €27,40	
6 ha 65T(120-300m²) 20D	❷ €36,90	

📍 N 49°25'47'' W 1°48'17''
🚗 D904 Barneville-Cherbourg, nach ca. 8 km links nach Baubigny, ausgeschildert.

Beauvoir, F-50170 / Basse-Normandie CC€16 iD

🏕 Aux Pommiers***
🏠 28 route du Mont-St-Michel
🗓 27 Mär - 11 Nov
☎ +33 (0)2-33601136
@ campingauxpommiers@gmail.com

1 ADEIJMNOPRST	EFGHNX	6
2 ACGOPRVX	ABDEFGH	7
3 ABEILQST	ABCDFILNQRSTUV	8
4 BCDFHINOPQ	EGJV	9
5 ABCDEFGL	DDHIJNST	10
Anzeige auf dieser Seite 1UA CEE	❶ €26,75	
1,8 ha 106T(95-105m²) 32D	❷ €36,95	

📍 N 48°35'47'' W 1°30'42''
🚗 Über die N175 Avranches Richtung Pontorson, dann via D976 Richtung Mont-St-Michel. Den Pfeilen folgen.

Bréhal, F-50290 / Basse-Normandie 🛜 iD

🏕 La Vanlée***
🏠 rue des Gabions
🗓 30 Apr - 30 Sep
☎ +33 (0)2-33616380
@ camping.vanlee@wanadoo.fr

1 ADJMNOPRT	ABFGKNQRSTX	6
2 EFHOPQTVW	ABDEFGH	7
3 ABEFGJKLQ	ABCDFNRSV	8
4 BDFHLN	A	9
5 ACDEFGI	ABGHINPST	10
B 6A CEE	❶ €25,90	
11 ha 460T(80-100m²) 5D	❷ €33,70	

📍 N 48°54'31'' W 1°33'53''
🚗 Von Granville D971 nach Bréhal, in Bréhal im Kreisel 3/4 nach links. An der Ampel geradeaus. D592 bis St. Martin/Bréhal, dann ausgeschildert. CP und Golfplatz sind ausgeschildert.

Barneville-Carteret, F-50270 / Basse-Normandie 🛜 iD

🏕 La Gerfleur***
🏠 87 rue Guill. le Conquérant
🗓 1 Apr - 31 Okt
☎ +33 (0)2-33043841
@ alabouriau@hotmail.fr

1 ADEILNOPRST	ABFGMN	6
2 CDHPVWXY	ABDEFGH	7
3 BKLQ	ABCDFNQR	8
4 FHIQ	EL	9
5 ADGLM	BGHIJOST	10
B 6A	❶ €22,65	
2,3 ha 35T(110-150m²) 53D	❷ €30,25	

📍 N 49°23'0'' W 1°45'52''
🚗 Auf der D903 Richtung Barneville-Carteret. Am Kreisel die D902e und der Beschilderung folgen.

Breville-sur-Mer, F-50290 / Basse-Normandie 🛜 iD

🏕 La Route Blanche****
🏠 6 la Route Blanche
🗓 3 Apr - 4 Okt
☎ +33 (0)2-33502331
@ larouteblanche@camping-breville.com

1 ABDJMNOPRST	ABFGHI	6
2 GHPQVX	ABDEFGH	7
3 ABEJKLQST	ABCDEFGIJKNQRSTUV	8
4 LNOPU	EL	9
5 ACDEFGIKM	ABGHIJNPST	10
B 6A CEE	❶ €36,50	
5,5 ha 123T 133D	❷ €47,50	

📍 N 48°52'10'' W 1°33'50''
🚗 Caen A84 Ri. Villedieu und Granville (Ausfahrt 37). Vor Granville die D971 Cherbourg-Brehal. Nach 2,5 km im Kreisel Ri. Bréville-sur-Mer die D135. Dort ist der CP gut angezeigt.

CAMPING Aux Pommiers

Frankreich

Carentan, F-50500 / Basse-Normandie ⸘ (CC€16)

▲ Camping Le Haut Dick***
🏠 30 chemin de Grand-Bas Pays
☀ 1 Apr - 30 Sep
☎ +33 (0)2-33421689
@ contact@
camping-lehautdick.com
📍 N 49°18'36'' W 1°14'21''

1	BDE**JMN**OPRS**T**	ABFGNXY 6
2	ACOPVWXY	ABDE**FG**H 7
3	BE**HI**LQST	ABCDFNQRST 8
4	BDFIOP**Q**	AEFLVY 9
5	ABEG**J**L**M**	BDFHIJOSTV10
6A	Anzeige auf dieser Seite 10A CEE	❶ €28,30
2,5 ha 100T(100m²) 29**D**		❷ €37,30

🚗 Erst in Richtung Centre Ville. Danach ist der CP gut ausgeschildert.
Vorsicht: Höhenbegrenzung auf 2m auf der Navigationsstrecke!

Carteret, F-50270 / Basse-Normandie iD

▲ Le Bocage***
🏠 rue du Bocage
☀ 1 Apr - 30 Sep
☎ +33 (0)2-33538691
📍 N 49°22'51'' W 1°47'11''

1	ADEJMNOPQRST	NQSWXY 6
2	HOPVWXY	ABDE**FG**H 7
3	BL	ABCDEFNOQRV 8
4	I	9
5	L	GHJR10
6A		❶ €27,00
4 ha 86T(80-120m²) 81**D**		❷ €38,80

🚗 Von Barneville-Carteret Richtung Carteret. Bei der Kirche in Carteret rechts abbiegen. Weiter ausgeschildert.

Courtils, F-50220 / Basse-Normandie ⸘ (CC€16) iD

▲ St. Michel***
🏠 35 route du Mont-Saint-Michel
☀ 3 Apr - 11 Nov
☎ +33 (0)2-33709690
@ infos@
campingsaintmichel.com
📍 N 48°37'41'' W 1°24'57''

1	ADE**JMN**OPRS**T**	AB 6
2	AGPRVX	ABDE**FG**H 7
3	ABLQS	ABCDEFJNQRSV 8
4	IKLO**P**	ELUV 9
5	ACEFGK**LM**	BFGHIJOSTV10
6A	Anzeige auf dieser Seite 6A CEE	❶ €25,55
5,2 ha 100T(90-100m²) 58**D**		❷ €36,05

🚗 Von Avranches über die D43 Richtung Mont St. Michel. Der CP liegt dann kurz hinter Courtils an der linken Seite.

Denneville-Plage, F-50580 / Basse-Normandie ⸘ iD

▲ L'Espérance***
🏠 36 rue de la Gamburie
☀ 1 Apr - 30 Sep
☎ +33 (0)2-33071271
@ camping.esperance@
wanadoo.com
📍 N 49°18'12'' W 1°41'18''

1	ADE**JMN**OPQRST	ABFGKNQSWX 6
2	EHPVX	ABDE**FG** 7
3	BI**KLMQ**	ABCDEFNQRSV 8
4	BDFINOP	E 9
5	ABDEGIKL**M**	BHIJ**NPR**10
6A		❶ €30,20
3 ha 34**T**(85-90m²) 92**D**		❷ €41,20

🚗 D650 Lessay-Portbail, Ausfahrt Denneville-Plage; ausgeschildert.

Donville-les-Bains, F-50350 / Basse-Normandie ⸘ iD

▲ L'Ermitage***
🏠 15 Apr - 15 Okt
☀ +33 (0)2-33500901
@ camping-ermitage@
wanadoo.fr
📍 N 48°51'9'' W 1°34'51''

1	ADE**JMN**OPRT	KNQSTUVW**X**Y 6
2	EHPQTVX	ABDE**FG**H 7
3	AB**GHJKLMQ**	ABCDFNORSTUV 8
4	BIO	9
5	ACDEFGIL	ABHIJNPRZ10
B	10A CEE	❶ €22,35
4,8 ha 300**T**(87-125m²) 18**D**		❷ €28,55

🚗 Von Caen die A84 nehmen. Dann über die D294 Richtung Granville. Vor Granville auf die D971 in Richtung Coutances. Nach 4 km in Richtung Donville über die D971E fahren. CP ist ausgeschildert mit 'CP l'Ermitage'.

Gatteville-Phare, F-50760 / Basse-Normandie ⸘ iD

▲ Camping Municipal La Blanche Nef***
🏠 12 chemin de la Masse
☀ 15 Feb - 15 Nov
☎ +33 (0)2-33231540
@ lablanchenef@wanadoo.fr
📍 N 49°40'33'' W 1°16'1''

1	ADE**JMN**OPQRST	KNOQST**X**Y 6
2	EFHKMOPTVW	ABDE**FG** 7
3	BLQ	ABCDEFJNQRV 8
4	IO**P**	EV 9
5	ABDKL	ABGHJ**OP**RWZ10
B	10A CEE	❶ €21,35
2,3 ha 39**T**(90-200m²) 50**D**		❷ €27,30

🚗 In Barfleur Richtung Hafen, links halten. Beschilderung folgen.

Le Rozel, F-50340 / Basse-Normandie ⸘ iD

▲ Le Ranch*****
🏠 La Mielle
☀ 1 Apr - 30 Sep
☎ +33 (0)2-33100710
@ contact@
camping-leranch.com
📍 N 49°28'49'' W 1°50'32''

1	ADE**JMN**OPRST	ABCDFGHKMNOQSWX 6
2	EFHPQUVW	ABDE**FG**H 7
3	BELQST	ABCDEFJKNPQRSTUV 8
4	BDIO**PQRT**	EL 9
5	ACDEFGIJK**M**	BHIJ**NPR**10
B	10A CEE	❶ €40,85
4 ha 28**T**(100-130m²) 115**D**		❷ €53,45

🚗 In Les Pieux der D904 in Richtung Barneville-Carteret folgen. Hinter Les Pieux rechts abbiegen. Weiter ausgeschildert.

Les Pieux, F-50340 / Basse-Normandie ⸘ (CC€16) iD

▲ Le Grand Large****
🏠 route du Grand Large
☀ 11 Apr - 20 Sep
☎ +33 (0)2-33524075
@ info@legrandlarge.com
📍 N 49°29'40'' W 1°50'28''

1	ADE**IL**NOPQRST	ABCDFGKMNOQSWXY 6
2	EGHPQVWX	ABDE**FG**H 7
3	BEL**MQ**ST	ABCDEFHKNPQRSTUV 8
4	BCDFHIO**PQ**U	EL 9
5	ABDEGK**L**	ABDGHIJ**NPR**XZ10
	Anzeige auf Seite 137 B 10A CEE	❶ €39,15
4 ha 232**T**(100m²) 103**D**		❷ €48,15

🚗 Von Valognes über die D902, in Bricquebec in Richtung Les Pieux. Dort gut ausgeschildert.

Frankreich

Maupertus-sur-Mer, F-50330 / B.-Norm. 📶 ⚙ CC€18 iD

🏕 L'Anse du Brick★★★★★
🕐 4 Apr - 20 Sep
☎ +33 (0)2-33543357
@ welcome@anse-du-brick.com

1 ADE**IL**NOPQRST	ABEFGHKNOQSX	6
2 BCEFHJKMOPRUVWXY	ABDE**FGH**	7
3 BEF**KLMQT**	ABCDEFGJKNPQRSTUV	8
4 BCDFILNO**PQ**	EFJLRU	9
5 ACDEFGIK**LM**	ABDGHIJ**NOPR**	10
B 10A CEF		❶ €41,60
17 ha 140**T**(90-150m²)	47**D**	❷ €54,00

📍 N 49°40'4'' W 1°29'19''
🚗 Von Cherbourg über die D116 Richtung Bretteville-Barfleur. Der D116 folgen. Nach ca. 4 km ist der CP ausgeschildert. Ⓜ

Mont-St-Michel, F-50170 / Basse-Normandie 📶 iD

🏕 Du Mont Saint Michel★
📮 BP 8 rte du Mt St. Michel
🕐 22 Feb - 11 Nov
☎ +33 (0)2-33602210
@ stmichel@
mont-saint-michel.com

1 ADEJMNOP**R**T	N	6
2 AOPVX	ABDE**FG**	7
3	ABCDEFNQRS	8
4 O	G	9
5 CDEGHIJK**L**	ABHIJNOSTY	10
5A CEF		❶ €15,45
/ ha 48**T**(100-120m²)	54**D**	❷ €20,45

📍 N 48°36'53'' W 1°30'32''
🚗 D976 von Pontorson nach Mont-St-Michel. Alternativ D275 von Avranches Richtung Mont-St-Michel. CP gut ausgeschildert. Ⓜ

Pirou-Plage, F-50770 / Basse-Normandie 📶 iD

🏕 Camping Municipal
Le Clos Marin★★
📮 43 rue des Bergeronnettes
🕐 1 Apr - 31 Okt
☎ +33 (0)2-33163036
le-clos-marin.pirou@wanadoo.fr

1 ADE**IL**NOPRST	ABFGKNQSWX	6
2 EGHPQUVWX	ABDE**F**	7
3 BF**ILMQ**	ABEFNOPRSV	8
4 IN	E	9
5 A**LM**	GHJ**N**OR	10
B 10A CEF		❶ €19,10
5 ha 250**T**(80-100m²)	105**D**	❷ €27,25

📍 N 49°9'33'' W 1°35'45''
🚗 Von St. Germain über D650 Richtung Grandville. Nach ca. 10 km Richtung Pirou-Plage. Weiter ausgeschildert. Ⓜ

Pontaubault, F-50220 / Basse-Normandie 📶 iD

🏕 Vallée de la Sélune★★
📮 7 rue Maréchal Leclerc
🕐 1 Apr - 20 Okt
☎ +33 (0)2-33603900
@ campselune@wanadoo.fr

1 ADE**JM**NOPRST	X	6
2 AORVX	ABDE**FGH**	7
3 AB**MQ**	ABCDFNRV	8
4	E	9
5 ABGKL	HJPRV	10
Anzeige auf Seite 136 10A CEF		❶ €17,50
1,6 ha 70**T**(100-110m²)	16**D**	❷ €22,50

📍 N 48°37'49'' W 1°21'10''
🚗 Von der N175 in Richtung Mont-St-Michel (D43). Ausfahrt Pontaubault. Hinter der Brücke rechts abbiegen, danach in die zweite Straße links abbiegen. Ⓜ

Pontorson, F-50170 / Basse-Normandie 📶 ⚙ CC€16 iD

🏕 Haliotis★★★
📮 boulevard Patton
🕐 1 Apr - 11 Nov
☎ +33 (0)2-33681159
@ camping.haliotis@wanadoo.fr

1 ADE**JM**NOPRST	ABFGN	6
2 ACPRVX	ABDE**FGH**	7
3 ABELM**QST**	ABCDFJLNQRSV	8
4 FHILO**PQTU**	EJLUV	9
5 ABGL	ABGHIJNPRV	10
Anzeige auf dieser Seite B 16A CEF		❶ €28,00
8 ha 152**T**(90-200m²)	38**D**	❷ €35,00

📍 N 48°33'29'' W 1°30'52''
🚗 N175 Avranches Richtung Pontorson, Ausfahrt Pontorson. In der Stadt den Pfeilen folgen. Ⓜ

Ravenoville-Plage, F-50480 / B.-Norm. 📶 ⚙ CC€18 iD

🏕 Le Cormoran★★★★★
📮 Ravenoville-Plage
🕐 4 Apr - 27 Sep
☎ +33 (0)2-33413394
@ lecormoran@wanadoo.fr

1 ADE**IL**NOPQRST	ABEFGKNQSWXY	6
2 AEGHPSVWX	ABDE**FG**HJK	7
3 ABEF**GHIKL**MQR**ST**	ABCDEFJK**LM**NQRSTUV	8
4 BCDFHIKLNO**PQRTUXZ**	EJLVYZ	9
5 ACDEFGK**L**	ABDFGHIJMN**PST**VZ	10
B 10A CEF		❶ €36,80
8 ha 124**T**(100-150m²)	154**D**	❷ €45,40

📍 N 49°27'59'' W 1°4'8''
🚗 Von St. Mère-Église die D15 Richtung Ravenoville folgen. Von dort Richtung Plage. CP ist ausgeschildert. Ⓜ

Servon, F-50170 / Basse-Normandie 📶 CC€12 iD

🏕 Campéole St. Grégoire★★★
🕐 4 Apr - 20 Sep
☎ +33 (0)2-33602603
@ saint-gregoire@campeole.com

1 ADE**IL**NOPRS**T**	AB**X**	6
2 APRX	ABDE**FG**	7
3 ABLQ	ABCDFKNRS	8
4	EJL	9
5 AB**L**	BGHIJ**NO**TVZ	10
6A CEF		❶ €22,90
1 ha 46**T**(80-100m²)	26**D**	❷ €27,20

📍 N 48°35'48'' W 1°24'45''
🚗 Von Avranches N175 Richtung Pontorson. Ausfahrt Servon nehmen (D107). Nach 200m rechts der Straße. Ⓜ

St. Germain-sur-Ay-Plage, F-50430 / Basse-Norm. 📶 iD

🏕 Aux Grands Espaces★★★
📮 rue du Camping
🕐 1 Mai - 30 Sep
☎ +33 (0)2-33071014
@ auxgrandsespaces@orange.fr

1 ADE**JM**NOPRST	ABFGKMNQSWXY	6
2 EGHPQVWXY	ABDE**FG**	7
3 BE**ILMQ**	ABCDFINOQRS	8
4 BINO**PQ**	AEL	9
5 ACDGK**LM**	BHIJ**PST**10	10
4A		❶ €22,40
15 ha 180**T**(90-100m²)	278**D**	❷ €31,50

📍 N 49°14'12'' W 1°38'27''
🚗 Von St. Germain-sur-Ay über die D306 in Richtung St. Germain-sur-Ay-Plage, dann ausgeschildert. Ⓜ

Camping du Golf
★★★★

Am äußersten Ende der Normandie, die Halbinsel von Cotentin. Camping du Golf liegt in einer exponierten Gegend, wobei man auch innerhalb der Anlage viel erleben kann, am beheizten Schwimmbad oder draußen am großen Strand von Carteret. Leuchttürme, Schifferhäuser, Landgüter, Mühlen, Fischerhäfen und Yachthäfen… Dünen, Kliffs… wo man von oben die Inseln Jersey und Guernesey sehen kann. Um wunderbare Erholung zu erleben und gesellige, festliche Abende.

Schöne Tipps von Gaëlle und Simon
Unbedingt: die Mont-Saint-Michel, zum Unesco Welterbe ernannt (in 120 km).
In der Nähe: die Küste von La Hague besuchen, ein Paradies auf Erden mit atemberaubender Aussicht (in 18 km), Cap Carteret (in 5 km).

**43 chemin des Mielles
50270 St. Jean-de-la-Rivière
Tel. 02-33047890 • Fax 09-70632192
E-Mail: contact@camping-du-golf.fr
Internet: www.camping-du-golf.fr**

St. Jean-de-la-Rivière, F-50270 / B.-Norm. 🛜 CC€16 iD

🏕 Camping du Golf★★★★	1 ADE**IL**NOPRT	CDFGNQ 6
🏠 43 chemin des Mielles	2 EHOPQVW	ABDE**FGH** 7
📅 1 Apr - 2 Nov	3 BEF**JL**QT	ABCDFGIJKNQRSTV 8
☎ +33 (0)2-33047890	4 BDFGHINO**PQ**	EV 9
@ contact@camping-du-golf.fr	5 ABDEFG**IL**M	ABDGHIJ**P**ST10
	Anzeige auf dieser Seite B 6A CEE	① €30,00
📍 N 49°21'35'' W 1°44'55''	3,2 ha 157**T**(110-150m²) 47**D**	② €42,00

🚗 Von Barneville-Carteret Richtung Barneville/St. Jean-de-la-Rivière. Ausgeschildert.

St. Pair-sur-Mer, F-50380 / Basse-Norm. 🛜 ✿ CC€16 iD

🏕 Lez-Eaux★★★★★	1 ADJMNOPRST	ABEFGHIN 6
🏠 St. Aubin-des-Préaux	2 DGPVX	ABDE**FGH** 7
📅 1 Apr - 13 Sep	3 ABEL**M**QT	ABCDEFJKNQRSTUV 8
☎ +33 (0)2-33516609	4 LO**PQ**	EJLUV 9
@ bonjour@lez-eaux.com	5 ACEGL	ABFGHIJ**NOR**10
	B 10A CEE	① €43,00
📍 N 48°47'52'' W 1°31'30''	H50 11 ha 134**T**(100-150m²) 54**D**	② €57,00

🚗 Von Caen über die A84 und die D924 Richtung Granville. Vor Granville über die D971 und die D973 Richtung Avranches. Der CP ist rechts gut angezeigt. Nicht Richtung St. Pair-sur-Mer oder Richtung St. Aubin-des-Préaux.

St. Symphorien-le-Valois, F-50250 / Basse-Norm. 🛜 iD

🏕 L'Etang des Haizes★★★★	1 ADE**JM**NOPQRST	ABFGHN 6
🏠 43 rue Cauticotte	2 DGPWXY	ABDE**FGH** 7
📅 1 Apr - 15 Okt	3 BEL**Q**R	ABCDEFGHIKNPQRSV 8
☎ +33 (0)2-33460116	4 BDFHILNO**PQ**RU	EFLTUV 9
@ info@	5 ABDG**L**M	ABHIJ**NOP**ST10
campingetangdeshaizes.com	B 10A CEE	① €37,00
📍 N 49°17'59'' W 1°32'36''	H75 4,5 ha 100**T**(90-120m²) 90**D**	② €49,00

🚗 Vom Zentrum La Haye-du-Puits über die D900E1 Richtung Valognes. Kurz außerhalb La Haye links abbiegen. Weiter ausgeschildert.

St. Vaast-la-Hougue, F-50550 / Basse-Norm. 🛜 CC€16 iD

🏕 La Gallouette★★★★	1 ADE**JM**NOPRST	ABFGKNQSTXY 6
🏠 rue de la Gallouette	2 EHMPVWX	BDE**FGH** 7
📅 1 Apr - 30 Sep	3 BEL**Q**	ABCDEFKNPQRSUV 8
☎ +33 (0)2-33542057	4 BDFIL**Q**	EJ 9
@ contact@	5 ABDEGK**L**	BDFGHIJ**NP**ST10
camping-lagallouette.fr	B 10A CEE	① €31,05
📍 N 49°35'4'' W 1°16'8''	3,5 ha 110**T**(85-105m²) 65**D**	② €38,75

🚗 N13 Caen-Cherbourg, in Valognes D902 Richtung Quettehou und St. Vaast-la-Hougue. CP ist im Ort ausgeschildert.

Ste Marie-du-Mont, F-50480 / Basse-Normandie 🛜 iD

🏕 La Baie des Veys★★★	1 ADE**JM**NOPRST	ABFN 6
🏠 Le Grand Vey	2 AFHPQVX	ABDE**F** 7
📅 1 Apr - 30 Sep	3 BLQ	ABCDFNRSV 8
☎ +33 (0)2-33715690	4 DFHINO**P**	EFL 9
@ jerome.etasse@orange.fr	5 ABGL	ABHIJOST10
	B 10A CEE	① €28,00
📍 N 49°21'56'' W 1°10'39''	1,2 ha 58**T**(100-120m²) 29**D**	② €34,00

🚗 Von der N13 aus der Ausfahrt D913 Richtung Utah Beach. Hinter dem Ort Marie-du-Mont, die 1. Ausfahrt rechts D115 Richtung Grand Vey. Nach 4 km kommt der CP.

Ste Marie-du-Mont, F-50480 / Basse-Norm. 🛜 CC€16 iD

🏕 UTAH Beach★★★	1 ADE**JM**NOPQRST	EKNQSWXY 6
🏠 La Madeleine	2 EGHPQRUVWX	ABDE**FGH** 7
📅 1 Apr - 30 Sep	3 BE**IKLMR**ST	ABCDFKNQRS 8
☎ +33 (0)2-33715369	4 BCDFHILNO**PTU**	AEJR 9
@ utah.beach@wanadoo.fr	5 ACEFG**JL**	ABGHIJNOPRV10
	6A CEE	① €30,50
📍 N 49°25'10'' W 1°10'55''	5 ha 60**T**(80-100m²) 116**D**	② €41,00

🚗 Von Carentan D913 Richtung Ste Marie-du-Mont (Utah Beach). Hinter dem Denkmal Utah Beach der Beschilderung folgen.

Surtainville, F-50270 / Basse-Normandie 🛜 iD

🏕 Municipal les Mielles★★★	1 ADE**IL**NOPRST	KMNQS 6
🏠 80 rte des Laguettes	2 EHPQSVWX	ABDE**FGH** 7
📅 1 Jan - 31 Dez	3 BE**KLM**Q	ABCDEFHJKNRSV 8
☎ +33 (0)2-33043104	4 FIO	EI 9
@ camping.lesmielles@	5 **L**	BFGHIJ**NP**STZ10
wanadoo.fr	B 4A CEE	① €13,15
📍 N 49°27'52'' W 1°49'45''	1,6 ha 138**T**(80-120m²) 13**D**	② €17,80

🚗 D904 Barneville-Carteret Richtung Cherbourg, Ausfahrt Surtainville. Die D66 Richtung See folgen. CP ist ausgeschildert.

Torigni-sur-Vire, F-50160 / Basse-Normandie 🛜 CC€16 iD

🏕 Le Lac des Charmilles★★★	1 ADE**JM**NOPRS**T**	ABN 6
🏠 route de Vire	2 ADGPUVWX	ABDE**FGH** 7
📅 1 Apr - 30 Sep	3 AEL**M**QST	ABCDEFJNQRSV 8
☎ +33 (0)2-33569174	4 IO**PQ**	EJUY 9
@ contact@	5 ABDEFG**I**L	BFGHJ**P**ST10
camping-lacdescharmilles.com	Anzeige auf dieser Seite B 16A CEE	① €27,80
📍 N 49°1'43'' W 0°58'20''	2,4 ha 38**T**(100-150m²) 20**D**	② €36,70

🚗 Von der A84 Caen-Rennes Ausfahrt 40. Dann die D974 Richtung Torigni-sur-Vire. Der CP liegt rechts der Strecke vor der Stadt.

Tourlaville, F-50110 / Basse-Normandie iD

🏕 Camping de Collignon★★★	1 ADEJMNOPRST	EFHKNOPQRSTXY 6
🏠 rue des Algues	2 EHPVWX	ABDE**FGH** 7
📅 1 Feb - 30 Nov	3 AKQ	ABCDFNOPQRSTV 8
☎ +33 (0)2-33418570	4 IO**P**	EU 9
@ lejukeboxbis@gmail.com	5 AB	BGHIJLNSU10
	B 10A CEE	① €22,00
📍 N 49°39'15'' W 1°33'59''	2 ha 84**T**(100m²) 28**D**	② €28,00

🚗 N13 Richtung Cherbourg, dann 'Auto-Fähre' folgen bis Kreisel. CP beschildert.

Villedieu-les-Poêles, F-50800 / Basse-Norm. 🛜 CC€16 iD

🏕 Les Chevaliers★★★	1 ADE**JM**NOPRS**T**	ABN 6
🏠 2 impasse Pré de la Rose	2 ACPRVX	ABDE**FGH** 7
📅 1 Apr - 30 Sep	3 ABEL**Q**ST	ABCDFJKNQRSV 8
☎ +33 (0)2-33610244	4 IO**PQ**	AB 8
@ contact@	5 ABDEFGIKL	BDFGHJNOR10
camping-deschevaliers.com	Anzeige auf dieser Seite B 8A CEE	① €26,70
📍 N 48°50'12'' W 1°13'2''	H100 1,5 ha 53**T**(90-100m²) 21**D**	② €35,60

🚗 Von Caen A84 Richtung Mont St. Michel. In Villedieu Ausfahrt 38 Richtung Zentrum. Der CP ist gut ausgeschildert.

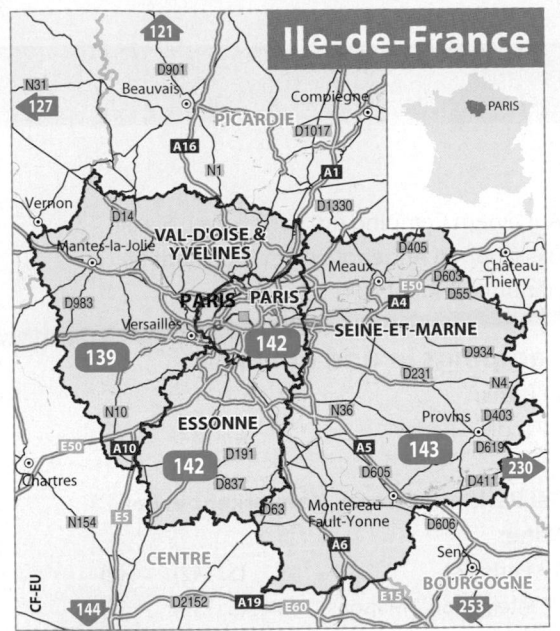

Ile-de-France

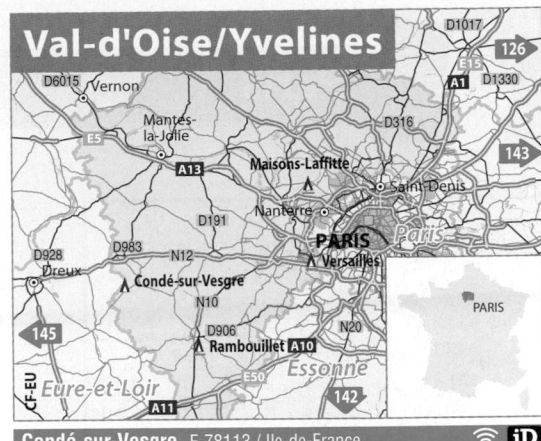

Val-d'Oise/Yvelines

Condé-sur-Vesgre, F-78113 / Ile-de-France 📶 iD

🏕 La Mare aux Biches**	1 AILNOPRT		N 6
🏠 21 route de la Mare aux Biches	2 ABGPQRVX	ABDE**FG**H 7
🗓 1 Jan - 31 Dez	3 ACELQS	ABCDFJNORSTV 8
☎ +33 (0)1-34870542	4 **RT**	DEF 9
@ contact@	5 ABKL	BIJNOPRVZ10
camping-mare-aux-biches.fr	Anzeige auf dieser Seite	B 6A CEE	❶ €18,90
📍 N 48°44'19'' E 1°37'27''	3 ha 120**T**(50-300m²)	72**D**	❷ €22,70

🚗 Die N12 in Houdan verlassen. Weiter auf der D983 Richtung Montfort bis zur D147 (Route de La Mare aux Biches). Dieser bis zum CP an der rechten Seite volgen. Ⓜ

Maisons-Laffitte, F-78600 / Ile-de-France 📶 (CC€18) iD

🏕 International Maisons-Laffitte****	1 ABDE**JM**NOPRS**T**		N 6
	2 ACPVWXY	ABDE**FG**H 7
🏠 1 rue Johnson	3 BELQ	ABCDFJNRV 8
🗓 3 Apr - 1 Nov	4 O	EJL 9
☎ +33 (0)1-39122191	5 ACFGIJK**L**	ABCGHGHIK**R**T**U**10
@ maisonslaffitte@sandaya.fr	B 15A CEE	❶ €38,00
📍 N 48°56'23'' E 2°8'45''	6,5 ha 202**T**(100-110m²)	105**D**	❷ €49,50

🚗 Von Norden die A1, dann über die A86 bis Bezons, Ausfahrt 2. Von dort die D308 Richtung Houilles hinter Maisons-Laffitte. Den CP Schildern anstatt Navi folgen. Ⓜ

Rambouillet, F-78120 / Ile-de-France (CC€16) iD

🏕 Huttopia Rambouillet***	1 ABDEG**IL**NOPRT		A**N** 6
🏠 route du Château d'Eau	2 BDGPRSVXY	ABDE**FG**HJ 7
🗓 3 Apr - 2 Nov	3 ABFLQ	ABCDEFGIJKMQRST 8
☎ +33 (0)1-30410734	4 ADDEFHLO	DFJUV 9
@ rambouillet@huttopia.com	5 ACDEFGHL	ABDFGHIJ**N**TUV10
	B	❶ €41,00
📍 N 48°37'35'' E 1°50'38''	H159 4,7 ha 149**T**(100-200m²)	30**D**	❷ €51,00

🚗 Aus dem Norden: N10 und Rambouillet (les Eveuses) folgen. Dann Schild 'Laboratoires Garnier'. Unter N10 durchfahren und CP-Schildern folgen. Ⓜ

Versailles, F-78000 / Ile-de-France 📶 (CC€18) iD

🏕 Huttopia Versailles***	1 ADEF**IL**NOPRS**T**		ABFG 6
🏠 31 rue Berthelot	2 ABOPQTVXY	ABDE**FG** 7
🗓 26 Mär - 2 Nov	3 B**KL**Q	ABCDEFIJKNQRSV 8
☎ +33 (0)1-39512361	4 FHIO	AEFJUVZ 9
@ versailles@huttopia.com	5 DEFG**IL**	ABCGHIJNOTUV10
	10A CEE	❶ €45,10
📍 N 48°47'39'' E 2°9'40''	H124 4 ha 125**T**(70-130m²)	55**D**	❷ €60,55

🚗 Von Paris: A13 Richtung Rouen, Ausfahrt Versailles Centre, danach CP. Von der A86: N12, danach die Ausfahrt Versailles Centre, CP folgen. Ⓜ

ACSI *Der* **Campingspezialist**

Die Startseite für Camper

www.ACSI.eu

La Mare aux Biches
★ ★

Denis und Joelle heißen Sie herzlich auf Ihrem Campingplatz in einem Naturreservat willkommen; 55 km von Paris, 30 km von Versailles, 20 km von Rambouillet und 30 km von Chartres.

21 route de la Mare aux Biches • 78113 Condé-sur-Vesgre
Tel. und Fax 01-34870542
E-Mail: contact@camping-mare-aux-biches.fr
Internet: www.camping-mare-aux-biches.fr

Teilkarte Val-d'Oise/Yvelines auf Seite 139

139

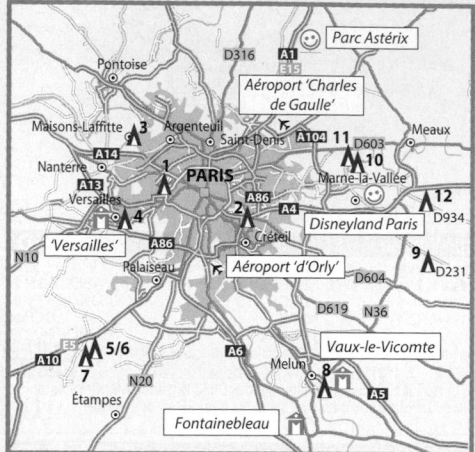

Allgemein

Wenn Sie in der Nähe von Paris campen, spüren Sie relativ wenig vom Lärm und Hektik einer Weltstadt, sind aber dennoch schön nah dran an der Pracht und dem Prunk der Lichterstadt.

Paris hat soviel zu bieten, dass Sie an einem oder sogar mehreren Tagen gar nicht alles sehen können. Die Champs Elysées, der Eiffelturm, der Arc de Triomphe und Notre Dame sind nur ein paar Beispiele aus dem enormen Angebot an Sehenswürdigkeiten.

Denken Sie an das Louvre Museum, wo Sie das Bildnis der Mona Lisa von Leonardo da Vinci bewundern können oder besuchen Sie das Schloss von Versailles, das im Westen von Paris liegt.

Und sollten Sie mit den Kindern campen, dann bietet Paris ebenfalls eine Reihe von Angeboten. Besuchen Sie beispielsweise das Disneyland Paris oder den Parc Astérix und genießen Sie die strahlenden Gesichter der Kleinen.

Auf einem Camping um Paris haben Sie all die schönen Angebote einer Weltstadt im Handumdrehen!

Campings in und um Paris

In Paris:

CP Indigo Paris	(S. 142)	(1)

Bei Paris mit öffentl. Nahverkehr in der Nähe:

CP Paris-Est	(S. 142)	(2)
CP International Maisons-Laffitte	(S. 139)	(3)
CP Huttopia Versailles	(S. 139)	(4)
CP Village Parisien, Parc des Roches	(S. 142)	(5)
CP Héliomonde	(S. 142)	(6)

Für einen Zwischenstopp Richtung Süden, Nähe Paris:

CP Les Petits Prés	(S. 142)	(7)
CP Kawan Vill. La Belle Etoile	(S. 143)	(8)

Campings in der Nähe von Disneyland, Paris:

CP Caravaning des 4 Vents	(S. 143)	(9)
CP International de Jablines	(S. 143)	(10)
CP L'Île Demoiselle	(S. 143)	(11)
CP Le Soleil de Crécy	(S. 143)	(12)

Paris im Internet:

Die Seite des Office du Tourisme von Paris: ▸ http://de.parisinfo.com ◂

Beschreibung:
Umfangreiche Informationen für eine perfekte Reiseplanung nach und in Paris.

- Übernachtungsmöglichkeiten (Campings, Bed & Breakfast)
- Verkehr: öffentlicher Verkehr, Taxi, Parkmöglichkeiten
- Themenparks (u.a. Parc Astérix), Tagestouren
- Kultur: Musikveranstaltungen, Discotheken, Kabarett

Die Seite von Tourisme d'Ile-de-France: ▸ www.pidf.com ◂

Beschreibung:
Ausführliche Informationen zur Umgebung von Paris, über die Gegend des Campings Ihrer Wahl und dessen Verbindung zur Hauptstadt.

- Besondere Fleckchen in Paris
- Museen
- City Touren: per Schiff durch die Pariser Kanäle, Stadtwanderungen

Die Seite des Öffentlichen Nahverkehrs in Paris, die Metro und die RER (Reichweite mehr als 40 km außerhalb Paris) und die Stadtbusse: ▸ www.ratp.fr ◂

- Sparkarte Paris Visité
- Gültig u.a. für die Metro, Bus, RER usw.
- Ermäßigungen u.a. für den Arc de Triomphe und das Disneyland Paris

Die Seite der französischen Bahn, u.a. mit dem Schienennetz in den Vorstädten: ▸ www.sncf.com ◂

- Zugtickets online bestellen
- Fahrplan
- Reiseplaner

Schon der Besuch dieser Seiten ist ein Stückchen Reisevergnügen und lehrt dass:

- für Kinder, Jugendliche und Studenten manchmal gratis und oft reduzierte Tickets erhältlich sind. Auf jeden Fall braucht man einen Ausweis (z.B. Schüler/Studentenausweis) mit Bild.
- viele Museen und Denkmäler montags oder dienstags geschlossen sind.

Straßenverkehr

Der Straßenverkehr rund um Paris ist sehr dicht. Die Straßen um Paris (A3, A104, A4, RN104, A86, RN186, RN184, A15) bieten meistens die beste Lösung.

Auf dem Boulevard Périphérique, dem Pariser Ring, ist wie überall in großen Städten oft Stau und zähfließender Verkehr.

Gute Detailkarten sind: der RECTA-Foldex mit dem Titel '60 km autour de Paris' und Michelin 312 Local. Diese Karten bekommt man an französischen Tankstellen und Geschäften.

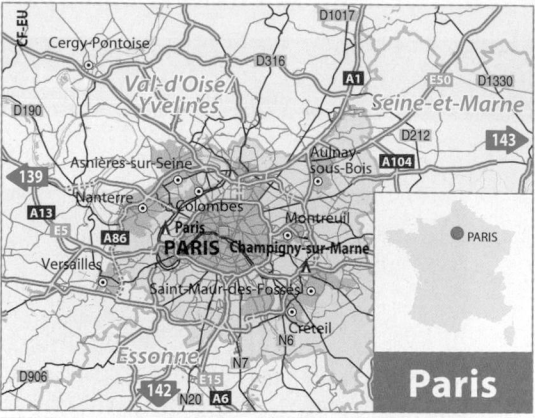

Paris

Essonne

Champigny-sur-Marne, F-94507 / Ile-de-Fr. 🛜 (CC€16) iD

🏕 Paris-Est***	1 ADEJMNOPRST 6
🏢 boulevard des Alliés	2 ACOPRVVWXY ABDEFG 7
🔑 1 Jan - 31 Dez	3 AEKL ABCDFJNOQRV 8
☎ +33 (0)1-43974397	4 ORUYZ EJUVZ 9
@ champigny@	5 ACDFGI ABDFGHIJNOPR10
campingchampigny.fr	B 16A CEE ① €32,00
📍 N 48°49'46'' E 2°28'37''	8 ha 180T(40-190m²) 223D ② €39,00

🚗 Paris-Ost über die A86 und A4, Ausf. 5 Nogent/Champigny. Von der N4 in Champigny beschildert. Ri. Paris vor Marnebrug, re über den Boulevard Foch. Achtung: Einbahnverkehr und enge Straßen, kleine CP-Schilder. Ⓜ

Paris, F-75016 / Ile-de-France 🛜 iD

🏕 Indigo Paris****	1 ADEJMNOPRST 6
🏢 2 allée du Bord de l'Eau	2 ABCORVXY ABDEFGH 7
🔑 1 Jan - 31 Dez	3 ABLQ ABDFJKNOQRSTU 8
☎ +33 (0)1-45243000	4 IO EV 9
@ paris@camping-indigo.com	5 ACDEFGIKLM ABGHIKNOTU10
	10A CEE ① €42,20
📍 N 48°52'6'' E 2°14'5''	7 ha 420T(80-100m²) 75D ② €54,60

🚗 Périphérique Sud, Ausfahrt Porte Maillot. CP-Schildern und Bagatelle folgen. Ⓜ

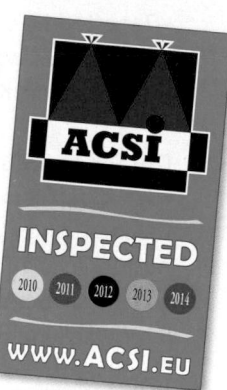

Campingplatzkontrolle

Alle Campingplätze in diesem Führer wurden im vergangenen Jahr von einem unserer 327 ACSI-Inspektoren besucht und begutachtet.

Sie erkennen diese Campings an der Jahresprüfplakette, die meist im Rezeptionsbereich auf dem ACSI-Schild zu finden ist.

ACSI INSPECTED
2010 2011 2012 2013 2014
www.ACSI.eu

Dourdan, F-91410 / Ile-de-France 🛜 (CC€14) iD

🏕 Les Petits Prés***	1 ADEFILNOPRST 6
🏢 11 ave Mendes France	2 AOPTVWX ABDE 7
🔑 1/4-30/9,3/10-4/10,	3 ALQ ABCDFJNORSV 8
10/10-11/10	4 IO 9
☎ +33 (0)1-64596483	5 AL BHIJOR10
@ camping@mairie-dourdan.fr	6A CEE ① €18,30
📍 N 48°31'35'' E 2°1'41''	H90 7,5 ha 70T(80-110m²) 70D ② €23,00

🚗 A10 Ausfahrt Dourdan; D116 Dourdan. Richtung Étampes. CP ist angezeigt, liegt an der Ostumgehung von Dourdan. Ⓜ

Étampes/Ormoy-la-Rivière, F-91150 / Ile-de-France 🛜 iD

🏕 Le Vauvert****	1 AJMNOPRST N 6
🏢 15 Jan - 15 Dez	2 ACGPQVX BDE 7
☎ +33 (0)1-64942139	3 BELMQ ABCDFJNOQR 8
@ caravaning.levauvert@	4 9
orange.fr	5 GKL HIJPR10
	B 10A ① €21,00
📍 N 48°24'36'' E 2°8'39''	H80 11 ha 30T(120m²) 258D ② €27,00

🚗 N20 Paris-Orléans, bis Étampes 'Base de Loisirs'. D49 Richtung Sarclas, 1 km nach Krankenhaus, CP ausgeschildert. Ⓜ

Milly-la-Forêt, F-91490 / Ile-de-France iD

🏕 La Musardière***	1 ADEJMNOPRST ABFG 6
🏢 route des Grandes Vallées	2 BPQVXY ABDE 7
🔑 15 Feb - 20 Nov	3 BELQU ABCDFJNORST 8
☎ +33 (0)1-64989191	4 FH EU 9
@ lamusardiere91@orange.fr	5 AL FJS10
	B 6A ① €25,10
📍 N 48°23'40'' E 2°30'23''	12 ha 80T(120-200m²) 182D ② €33,30

🚗 D837 Milly-la-Forêt Richtung Fontainebleau. CP ausgeschildert. A6, Ausfahrt 13 Milly-la-Forêt, Pfeilen folgen. Ⓜ

Monnerville, F-91930 / Ile-de-France 🛜 (CC€16) iD

🏕 Le Bois de la Justice***	1 ADEJMNOPRST AB 6
🏢 chemin de Mennessard	2 BPRTVWXY ABDEFG 7
🔑 7 Feb - 24 Nov	3 BELQ ABCDFJNQRS 8
☎ +33 (0)1-64950534	4 IO EJ 9
@ boisdelajustice@gmail.com	5 ADEFL ABHJOR10
	6A ① €25,00
📍 N 48°19'56'' E 2°2'49''	H140 5,6 ha 30T(80-150m²) 126D ② €31,00

🚗 N20 Paris-Orléans, Ausfahrt Monnerville. Den Schildern 'CP Bois de la Justice' folgen. Ⓜ

St. Chéron, F-91530 / Ile-de-France 🛜 ✿ (CC€16) iD

🏕 Héliomonde***	1 ABDEGJMNOPRST ABFG 6
🏢 La Petite Beauce	2 BGPQXY ABDEFG 7
🔑 15 Mär - 15 Okt	3 BEKLMQR ABFKNOQRV 8
☎ +33 (0)1-64566137	4 BDFILNORTV AEHJU 9
@ reservations@heliomonde.fr	5 ABDEFGIJKL BGIJNPRV10
	FKK B 10A CEE ① €34,50
📍 N 48°32'39'' E 2°8'20''	H148 47 ha 90T(80-100m²) 424D ② €39,15

🚗 N20. Bei Arpajon die D116 nach Dourdan bis St. Chéron (centre ville). CP ist ausgeschildert. Oder A10, Ausfahrt Dourdan und dann St. Chéron. Ⓜ

St. Chéron, F-91530 / Ile-de-France iD

🏕 Village Parisien Cp.	1 ADEILNOPRST ABFG 6
Du Parc des Roches***	2 BGPQRVWXY ABDEFG 7
🏢 La Petite Beauce	3 BEKLMQ ABDFJNRTV 8
🔑 1 Mär - 15 Dez	4 FINPRT E 9
☎ +33 (0)1-64566550	5 ADEGJLM ABGHIJOPR10
info@camping-parcdesroches.com	B 10A CEE ① €31,00
📍 N 48°32'36'' E 2°8'16''	H140 23 ha 150T(80-200m²) 352D ② €39,00

🚗 A10, Ausfahrt Dourdan/St. Chéron, dort CP ausgeschildert. Ⓜ

Villiers-sur-Orge, F-91700 / Ile-de-France 🛜 iD

🏕 Paris Beau Village***	1 ADEFJMNOPRST N 6
🏢 1 voie des Prés	2 ACPWXY ABDEFGH 7
🔑 1 Jan - 31 Dez	3 BELQ ABCDEFJKNRSV 8
☎ +33 (0)1-60161786	4 IOPQR EL 9
@ le-beau-village@wanadoo.fr	5 AGLM ABFGHIJOPRV10
	10A CEE ① €22,50
📍 N 48°39'19'' E 2°18'15''	2,5 ha 124T(100-120m²) 40D ② €31,50

🚗 A6 Ausfahrt 6 Savigny, Richtung Monthléry und Gare de Ste Geneviève-des-Bois (D25). N20 Ausfahrt Villiers-sur-Orge (D35), CP ausgeschildert. Ⓜ

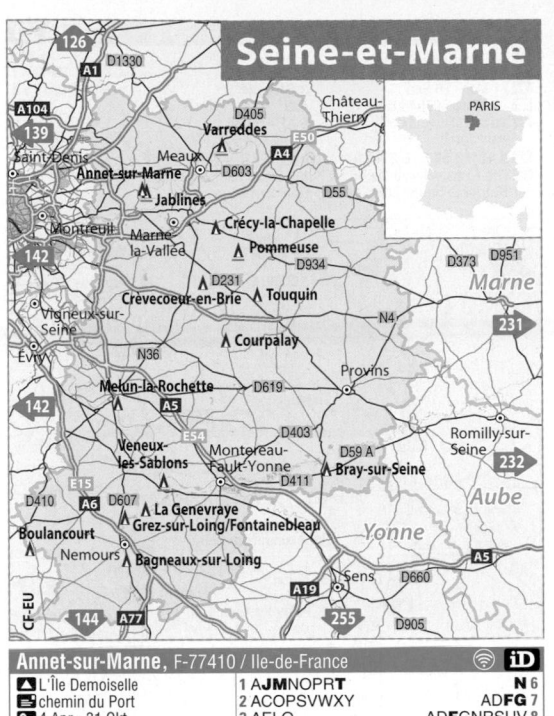

Seine-et-Marne

Annet-sur-Marne, F-77410 / Ile-de-France 🛜 iD

🏕 L'Île Demoiselle	1 AJMNOPR**T**	N 6
📧 chemin du Port	2 ACOPSVWXY	AD**F**G 7
🕐 4 Apr - 31 Okt	3 AELQ	AD**F**GNRSUV 8
☎ +33 (0)1-60260307	4 HIQ	9
@ ile.demoiselle@live.fr	5 L	ABFHIJOST10
	B 6A	① €10,00
📍 N 48°55'17" E 2°43'20"	7 ha 169T(150-450m²) 20**D**	② €19,00

🚗 A104 von N.: Ausf. 6B, N3 Ri. Meaux. Nach 7,5 km D404 Annet-sur-Marne. In Annet Kreisel D45 vor der Marnebrücke re. Von S. Ausf. 8, D404 bis zum 3. Kreisel folgen, dann D45 und vor der Marnebrücke re. (Achtung: CP liegt in kleiner Seitenstraße).

Bagneaux-sur-Loing, F-77167 / Ile-de-France iD

🏕 Camping de Pierre-le-Sault	1 AJMNOPRST	N 6
📧 chemin des Grèves	2 ABCPVWXY	ABDE**F**G 7
🕐 1 Apr - 31 Okt	3 ABEL**MQ**	ABCDEFJNOQTUV 8
☎ +33 (0)1-64292444	4	D 9
@ camping.bagneaux-sur-loing@ orange.fr	5 L	HIJR10
	B 10A	① €12,40
📍 N 48°14'26" E 2°42'14"	H120 3 ha 30T(100m²) 134**D**	② €16,40

🚗 N7 Zwischen Montargis und Nemours, den Schildern folgen (D40).

Boulancourt, F-77760 / Ile-de-France 🛜 iD

🏕 Ile de Boulancourt***	1 ADJMNOPQRST	N 6
📧 6 allée des Maronniers	2 BCGPQWXY	ABDE**F**G HIK 7
🕐 1 Jan - 31 Dez	3 A**K**L	ABEFJNORSV 8
☎ +33 (0)1-64241338	4 FH	AEJU 9
@ campingiledeboulancourt@ orange.fr	5 L	AFGHIJ**NP**R10
	6A	① €17,90
📍 N 48°15'19" E 2°26'3"	5,3 ha 32T(120m²) 84**D**	② €25,10

🚗 A6 Ausfahrt 14 Ury, Richtung Malesherbes, dann D410 Richtung Puiseaux, weiter Richtung Boulancourt. Danach der Campingbeschilderung folgen.

Bray-sur-Seine, F-77480 / Ile-de-France 🛜 iD

🏕 La Peupleraie**	1 AJM NOPRS**T**	**ABFGN**XYZ 6
📧 rue des Pâtures	2 ACGHIPVWXY	ABDE**F**G H 7
🕐 1 Apr - 31 Okt	3 AEF**H**LMQSU	ABCDEFNORSTUV 8
☎ +33 (0)1-60671224	4 I	DEQUVY 9
@ camping.lapeupleraie@ wanadoo.fr	5 EFIKL	GHIJ**P**RV10
	B 6A	① €17,50
📍 N 48°24'51" E 3°14'46"	H60 8 ha 140T(80-120m²) 138**D**	② €24,00

🚗 A5 Ausfahrt 18, dort die D41 Richtung Bray-sur-Seine. Vor dem Zentrum ausgeschildert (neben dem Sportcenter).

Courpalay, F-77540 / Ile-de-France iD

🏕 Hippo Camp	1 AJMNOPR**T**	**ABFG** 6
📧 36 rue de l'Yvron	2 CGPVWX	ABDE 7
🕐 1 Apr - 31 Okt	3 LQ	ABCDEFJNRV 8
☎ +33 (0)1-64258502	4 FI	ADE 9
@ contact@ campinghippocamp.fr	5 LM	HIJRV10
	B 10A CEE	① €17,00
📍 N 48°38'45" E 2°57'49"	H160 2 ha 68T(80-150m²) 6**D**	② €23,60

🚗 N4 Richtung Nancy, Ausfahrt Courpalay. Weiter die D201. Den Schildern folgen.

Crécy-la-Chapelle, F-77580 / Ile-de-France 🛜 iD

🏕 Le Soleil de Crécy***	1 ABDEIKNOPRST	AF**N** 6
📧 route de Serbonne	2 ACGOPSVWXY	ABDE**F**G H 7
🕐 1 Apr - 1 Nov	3 BE**K**LQ	ABCDFJNQRSV 8
☎ +33 (0)1-60435700	4 **A**BFHILN	EL 9
@ info@campinglesoleil.com	5 ABDEGHIL	ABFHIJNOPR10
	B 10A	① €36,20
📍 N 48°51'13" E 2°55'46"	H55 6 ha 120T(100m²) 110**D**	② €36,20

🚗 A4 Richtung Metz-Nancy, Ausfahrt 16, dann N34 Richtung Coulommiers, den CP-Schildern folgen. Direkt am Ortsende Crécy hinter der Kurve an der Kirche und Ampel rechts nach unten.

Crèvecoeur-en-Brie, F-77610 / Ile-de-France 🛜 iD

🏕 Caravaning Des 4 Vents***	1 ADE**JM**NOPRST	N 6
📧 22 rue de Beauregard	2 OPVXY	ABDE**F**G H 7
🕐 20 Mär - 1 Nov	3 BEFLQ	ABCDFNQRT 8
☎ +33 (0)1-64074111	4	J 9
@ f.george@free.fr	5 ADEF	ABGHIJOQR10
	B 6A CEE	① €30,40
📍 N 48°45'2" E 2°53'50"	H114 10 ha 200T(150-250m²) 56**D**	② €42,80

🚗 A4, Ausfahrt 13. D231 Richtung Provins nehmen bis 4,5 km hinter dem Obelisken. Dann rechts auf die D216 und 1,5 km links nach Crèvecoeur-en-Brie abbiegen. Danach den CP-Schildern folgen.

Grez-sur-Loing/Fontainebleau, F-77880 / Ile-de-Fr. 🛜 iD

🏕 Les Prés**	1 ADEJMNOPRS**T**	NX 6
📧 1, chemin des Prés	2 ACGPVWX	ABD**F**G K 7
🕐 21 Mär - 11 Nov	3 AE**K**LMQ	ABCDFJNOQRS 8
☎ +33 (0)1-64457275	4 **T**	DQRUV 9
@ camping-grez@wanadoo.fr	5 BL	ABGHIJL**NOR**10
	B 5A	① €16,00
📍 N 48°19'3" E 2°41'47"	H56 6 ha 50T(100m²) 103**D**	② €21,60

🚗 Von Fontainebleau N7 Richtung Nemours, 3 km weiter nach dem Dorf Pavée-du-Roy links, CP ausgeschildert. Am Kreisverkehr Richtung Grez-sur-Loing.

Jablines, F-77450 / Ile-de-France 🛜 CC€16 iD

🏕 International de Jablines***	1 ADEF**JM**NOPRST	LM NQRSTWXYZ 6
📧 Base de Loisirs	2 ADGHIOPSVWXY	ABDE**F**G 7
🕐 28 Mär - 31 Okt	3 BEF**GHIKLMQT**	ABCDFJKNRSUV 8
☎ +33 (0)1-60260937	4 FH	ELMOQRTUV 9
@ welcome@ camping-jablines.com	5 ACL	ABGHIJ**N**PQNZ10
	D 10A CEE	① €30,10
📍 N 48°54'49" E 2°44'4"	3,5 ha 141T(90-150m²) 9**D**	② €42,10

🚗 A104, Ausfahrt 8 oder N3, Ausfahrt D404. 'Base de Plein Air et de Loisirs-Jablines', diesen Schildern folgen. CP liegt an der D45.

La Genevraye, F-77690 / Ile-de-France 🛜 iD

🏕 Le Parc du Gué**	1 AD**JM**NORS**T**	ABFGN 6
📧 route de Montigny	2 ABDOPVWX	ABDE**F** 7
🕐 15 Mär - 30 Nov	3 ABELQ	ABCDEFJNORTV 8
☎ +33 (0)1-64458779	4	CQRUV 9
@ contact@ camping-parcdugue.com	5 L	BFHIJ**P**R10
	16A CEE	① €20,60
📍 N 48°20'2" E 2°45'12"	H60 5 ha 30T(150m²) 123**D**	② €31,90

🚗 A6 Austfahrt Fontainebleau, Richtung Montigny-sur-Loing über die N7. Der CP liegt kurz hinter der Brücke über die Loing an der D58.

Melun-la-Rochette, F-77000 / Ile-de-France 🛜 iD

🏕 Kawan Village La Belle Etoile***	1 ADE**J**MNOPRST	ABF**N** 6
📧 64bis Quai Maréchal Joffre	2 ACGPVWXY	ABDE**F**G H 7
🕐 1 Apr - 10 Okt	3 ABEF**K**LQST	ABCDFNOQRSV 8
☎ +33 (0)1-64394812	4 LO	AE**J**VY 9
@ info@campinglabelleetoile.com	5 ADFGHIK**L**	ABGHIKN**P**ST10
	B 6A CEE	① €27,10
📍 N 48°31'32" E 2°40'8"	3,5 ha 162T(80-100m²) 25**D**	② €37,10

🚗 Von Süden RD606 Fontainebleau Richtung Melun. Von Norden RD606 Richtung Fontainebleau und in La Rochette beim 'Buffalo Grill' den CP-Schildern zum Seine-Ufer folgen.

Pommeuse, F-77515 / Ile-de-France 🛜 CC€12 iD

🏕 Le Chêne Gris***	1 ADE**JM**NOPRT	ABCDFG 6
📧 24 place de la Gare de Faremoutiers	2 AOPRSTUVWXY	ABDE**F**G 7
🕐 27 Mär - 1 Nov	3 BC**K**L	BDFKNRSV 8
☎ +33 (0)1-64042180	4 DILO	AE 9
@ info@lechenegris.com	5 ACDEFGIJL	ABCHIK**O**R10
	B 6A CEE	① €44,00
📍 N 48°48'30" E 2°59'34"	H94 7 ha 45T(75-120m²) 297**D**	② €52,00

🚗 A4 Ausfahrt 13 Serris. D231 Richtung Provins; 3 km hinter dem Kreisel mit dem Obelisk links Richtung Faremoutiers. Gegenüber dem Bahnhof Pommeuse/Faremoutiers.

Touquin, F-77131 / Ile-de-France 🛜 iD

🏕 Les Etangs Fleuris***	1 ADE**JM**NORST	ABFGH**N** 6
📧 route de la Couture	2 CGPVWXY	ABDE**F**G 7
🕐 28 Mär - 15 Sep	3 BEILQS	ABCDFJNQRSTV 8
☎ +33 (0)1-64041636	4 O**P**Q	E 9
@ contact@etangs-fleuris.com	5 ABEGL	BFGHIJOR10
	10A CEE	① €25,00
📍 N 48°43'52" E 3°2'51"	H100 10 ha 123T(100-160m²) 56**D**	② €35,00

🚗 A4, Ausfahrt 13 Richtung Provins und weiter zur D231 bis Touquin, Schildern folgen.

Varreddes, F-77910 / Ile-de-France 📶 CC€16 iD

⛺ Le Village Parisien Varreddes****	1 ADEILNOPRST AF**NX** 6
🏠 rue des Otages	2 ACOPVWXY ABDE**FGH** 7
🕐 1 Apr - 1 Nov	3 AEFLMQ ABCDFJNQRUV 8
☎ +33 (0)1-64348080	4 FHIMNO**PQ** EJQRUV 9
@ direction@villageparisien.com	5 ABDEFGIL BDHI**PR**10
	B 10A CEE ① €35,00
🗺 N 49°0'10'' E 2°56'29''	7 ha 62**T**(250-300m²) 229**D** ② €43,00

🚗 Von Meaux D405 Richtung Villers-Coterêts. Nach ca. 7 km Route D97, danach D121 Richtung Congis.

Ⓜ

Veneux-les-Sablons, F-77250 / Ile-de-France 📶 CC€16 iD

⛺ Les Courtilles du Lido***	1 ADE**JM**NOPRST AB**N** 6
🏠 chemin du Passeur	2 CPRVXY BD**FG**H 7
🕐 21 Mär - 26 Sep	3 B**IKLM**Q BDFNQRSV 8
☎ +33 (0)1-60704605	4 O ADE 9
@ lescourtilles-dulido@ wanadoo.fr	5 ABFG**LM** ABGHIJPR10
	10A CEE ① €19,50
🗺 N 48°22'59'' E 2°48'6''	5 ha 161**T**(100-300m²) 42**D** ② €25,50

🚗 Von Fontainebleau die N6 Richtung Sens. Ausfahrt Veneux-les-Sablons. Hinter der Brücke 3. Straße links, den CP-Schildern folgen.

Ⓜ

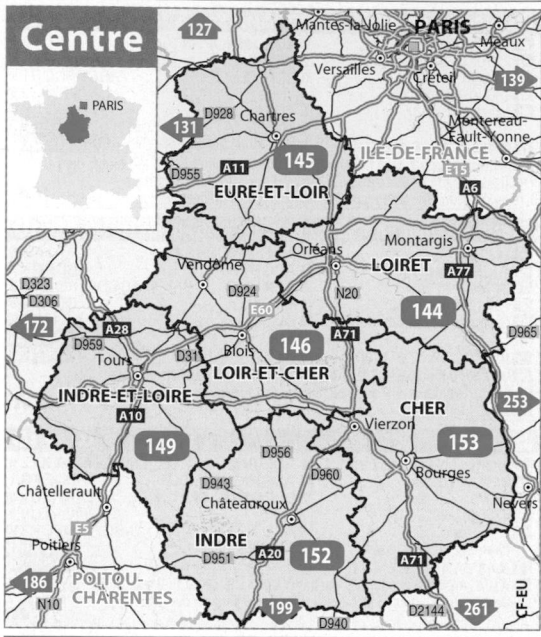

Beaugency, F-45190 / Centre 📶 iD

⛺ Municipal de Flux**	1 ADE**JM**NOR**ST** **N** 6
🏠 Val de Flux	2 ACGPQVWX ABDE 7
🕐 10 Apr - 31 Aug	3 AEFG**K**LQ ABCDEFJNQRU 8
☎ +33 (0)2-38445039	4 HI Q 9
@ camping@ville-beaugency.fr	5 ACDEGIKL HIJOTUV10
	10A CEE ① €16,30
🗺 N 47°46'35'' E 1°38'34''	H81 6,5 ha 200**T**(80-100m²) ② €18,60

🚗 Vom Zentrum über die D19 in Richtung La Ferté-St-Aubin, über die Brücke, erste Straße links.

Ⓜ

Châteauneuf-sur-Loire, F-45110 / Centre 📶 iD

⛺ La Maltournée**	1 AD**JM**NOR JNQSUXY 6
🏠 route de Sigloy	2 ACHPQTWX ABDE**FG** 7
🕐 7 Apr - 31 Okt	3 BLQ ABCFNQRST 8
☎ +33 (0)6-32114113	4 HIO**Q** AJQRV 9
@ contact@camping-chateauneufsurloire.com	5 ABGL FGHIJOR10
	10A CEE ① €17,40
🗺 N 47°51'24'' E 2°13'48''	H95 5 ha 190**T**(80m²) 53**D** ② €23,00

🚗 In Châteauneuf-sur-Loire Richtung Sigloy. Über Brücke, gleich links (300m).

Ⓜ

Briare-le-Canal, F-45250 / Centre CC€16 iD

⛺ Le Martinet***	1 AD**JM**NOPRST **NX** 6
🏠 Val du Martinet	2 ACGPQVWXY ABDE**FH** 7
🕐 1 Apr - 27 Sep	3 BIQS ABCDEFJNORTV 8
☎ +33 (0)2-38312450	4 EJUV 9
@ contact@campinglemartinet.fr	5 A**L** ABFGHIJLR10
	B 10A CEE ① €18,60
🗺 N 47°38'30'' E 2°43'33''	H132 4,2 ha 160**T**(80-100m²) 4**D** ② €23,00

🚗 Über die A77 Paris-Nevers. Von Montargis N7 Richtung Süden. Bei Briare die Ausfahrt Briare nehmen. Innerstädtisch Richtung Nevers halten, am Yachthafen über die Brücke, rechts. CP ist gut angezeigt.

Ⓜ

Jargeau, F-45150 / Centre 📶 CC€16 iD

⛺ L'Isle aux Moulins**	1 AD**JM**NOPRS**T** QSUXY 6
🏠 rue du 44ème R.i.	2 CHPQVWXY ABDE**FG**H 7
🕐 1 Apr - 31 Okt	3 AQ ABCDEFJKNORSTUV 8
☎ +33 (0)2-38597004	4 AHIJNOR10
@ campingjargeau@orange.fr	5 L ① €18,90
	10A CEE
🗺 N 47°52'9'' E 2°6'55''	H60 7 ha 186**T**(110-200m²) 16**D** ② €24,40

🚗 Von Orléans Richtung Montargis. Auf halber Strecke D921 nach Jargeau. Hinter der Loire Brücke direkt rechts und dann direkt wieder rechts.

Ⓜ

Briare/Châtillon-sur-Loire, F-45250 / Centre 📶 iD

⛺ Municipal des Combles**	1 A**JM**NOPRT 6
🏠 chemin de Loire	2 DGPQWXY ABDE 7
🕐 15 Apr - 30 Okt	3 BCF**HK** ABFNOR 8
☎ +33 (0)2-38363439	4 J 9
@ camping.chatillonsurloire@ orange.fr	5 A**L** IO10
	B 10A CEE ① €16,50
🗺 N 47°35'58'' E 2°45'45''	60**T** 3**D** ② €18,50

🚗 Von Briare auf der N7 rechts ab nach Châtillon-sur-Loire 5 km. CP rechts über eine Brücke.

Ⓜ

La Ferté-St-Aubin, F-45240 / Centre 📶 iD

⛺ du Cosson	1 A**JM**NORST A 6
🏠 avenue Lowendal	2 CPVWXY ABDE 7
🕐 26 Apr - 29 Sep	3 ALQ ABCDFNR 8
☎ +33 (0)2-38765590	4 AV 9
@ contact@campingducosson.fr	5 HIJOST10
	10A CEE ① €17,90
🗺 N 47°43'31'' E 1°56'1''	50**T** 5**D** ② €22,30

Ⓜ

Cepoy, F-45120 / Centre 📶 iD

⛺ des Rives du Loing**	1 A**JM**NORS**T** **N** 6
🏠 rue du Château	2 ACGOPVWXY ABDE 7
🕐 1 Apr - 4 Okt	3 BLQ ABCDEFNRV 8
☎ +33 (0)2-38852933	4 9
@ camping@ agglo-montargoise.fr	5 BHIJLPR10
	B 10A ① €10,90
🗺 N 48°2'33'' E 2°44'32''	2 ha 40**T**(100m²) 10**D** ② €14,40

🚗 N7 Montargis-Nemours auf 5 km von Montargis. Den CP-Schildern folgen.

Ⓜ

Montargis, F-45200 / Centre 📶 iD

⛺ De la Forêt***	1 ADF**JM**NOPRT ABFG 6
🏠 38, avenue Chautemps	2 ABGOPQRVWXY ABDEH 7
🕐 1 Feb - 30 Nov	3 BELMQ ABCDEFJNPQRTUV 8
☎ +33 (0)2-38980020	4 IO 9
@ camping@ agglo-montargoise.fr	5 BGHIJLPR10
	B 10A ① €16,10
🗺 N 48°0'30'' E 2°45'5''	5,5 ha 70**T**(150m²) 30**D** ② €20,65

🚗 A77, Ausfahrt Montargis oder Kreuz N7/N60. Pfeilen folgen bei der Einfahrt nach Montargis.

Ⓜ

CAMPING TOURISTIQUE DE GIEN ★★★

Rue des Iris - 45500 Poilly-Lez-Gien
Tel 0033-(0)2 38 67 12 50
Fax 0033-(0)2 38 67 12 18

GPS N47°40'56''E2°37'23''
camping-gien@wanadoo.fr
www.camping-gien.com

wiFi

Location canoë - Hire of canoes - Kanoverhuis - Kanoverhuur
Location vélo - Randonnées pédestres - Hire of bicycles - Hiking - Fahrradverleih - Wandern - Fietsenverhuur - Wandeltochten
Minigolf - Ping pong - Karting - Trampoline
Accès à la plage - Beach Volleyball / Direct access to the beach - Beach Volleyball / Direkter Zugang zum Strand - Beach Volleyball / Directe toegang tot het strand - Beachvolleybal

Frankreich

Poilly-lez-Gien/Gien, F-45500 / Centre 🛜 CC€16 iD

▲ Sites & Paysages Camping de Gien***	1 ADJMNOPRST	ABCDFNQUXY 6
▣ rue des Iris	2 ACFGHKPRVXY	ABDEFGHJ 7
☰ 7 Mär - 31 Okt	3 AEILRST	ABCDEFJNORSTUV 8
☎ +33 (0)2-38671250	4 EFGHIOPQ	ADEFQUVWY 9
@ camping-gien@wanadoo.fr	5 ACDEGIKL	ABDGHIJLNPR10
	Anzeige auf dieser Seite B 10A CEE	❶ €25,00
◩▲ N 47°40'56'' E 2°37'23''	H116 6 ha 200T(100-120m²) 53D	❷ €33,00

🚐 CP an der Loire, neben alter Brücke, gegenüber vom Schloss.
Vom Kreisel 1. Ausfahrt Gien-Centre nehmen. Anschließend CP-Schild 'Bord de Loire' folgen. Ⓜ

Poilly-lez-Gien/Gien, F-45500 / Centre 🛜 ✿ iD

▲ Les Bois du Bardelet*****	1 ACDEJMNOPQRST	ABEFGNU 6
▣ Le Petit Bardelet	2 DGHPQRSVXY	BEFGH 7
☰ 3 Apr - 30 Sep	3 BEILMQRS	BDFJKLNQRSTUV 8
☎ +33 (0)2-38674739	4 ABDFHILOQRTUXY	EFJQUV 9
@ contact@bardelet.com	5 ACEFGIJKL	ABFGHIJNOPR10
	B 16A CEE	❶ €30,00
◩▲ N 47°38'29'' E 2°36'54''	H127 15 ha 120T(100-300m²) 122D	❷ €49,60

🚐 In Gien D940 Richtung Bourges. GPS: Le Petit Bardelet 45500 Poilly-lez-Gien. Ⓜ

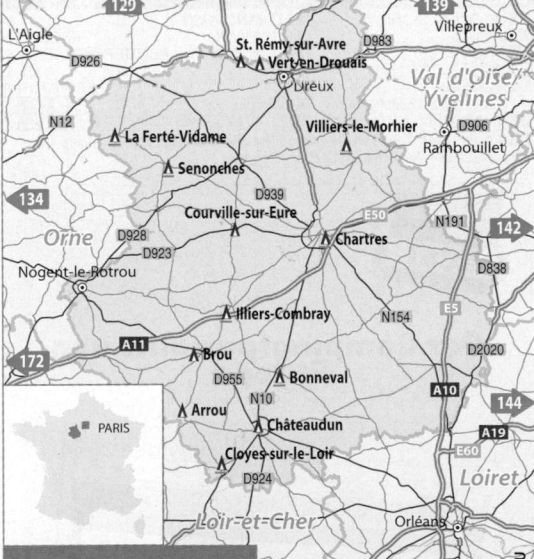

(Karte: L'Aigle, 129, 139, Villepreux, D983, St. Rémy-sur-Avre, D926, Vert-en-Drouais, Dreux, Val d'Oise / Yvelines, N12, La Ferté-Vidame, Villiers-le-Morhier, D906, Rambouillet, Senonches, D939, Courville-sur-Eure, E50, N191, 142, 134, Orne, D928, D923, Chartres, D838, Nogent-le-Rotrou, Illiers-Combray, N154, E5, A11, 172, Brou, D2020, D955, Bonneval, A10, Arrou, N10, 144, PARIS, Châteaudun, A19, Cloyes-sur-le-Loir, E60, D924, Loiret, Loir-et-Cher, Orléans, 146, D2152, A71, CF-EU, **Eure-et-Loir**)

Arrou, F-28290 / Centre iD

▲ Mun. du Pont de Pierre**	1 AJMNORT	AFGMN 6
▣ D111	2 CGHPRVW	ABDF 7
☰ 1 Mai - 30 Sep	3 BEMQ	ACFNRV 8
☎ +33 (0)2-37970213	4	V 9
@ mairie.arrou@wanadoo.fr	5	FHJR10
	10A CEE	❶ € 7,60
◩▲ N 48°6'6'' E 1°6'59''	H147 1,4 ha 75T(70-120m²)	❷ €10,60

🚐 Von Châteaudun über die D927 Richtung Courtalain und Arrou. Durch den Ort fahren und CP-Beschilderung bis zum nord-westlichen Ortsrand folgen, dann an der D111. Ⓜ

Sully/St. Père-sur-Loire, F-45600 / Centre 🛜 CC€16 iD

▲ Le Jardin de Sully***	1 ADJMNOPQRS	ABFN 6
▣ 1 rue d'Orleans	2 CGHIOPQSVXY	ABDEFGH 7
☰ 1 Jan - 31 Dez	3 BIKLMNQ	ABCDFJLNQRSTUV 8
☎ +33 (0)2-38671084	4 AFHIOQ	EFQVY 9
@ info-camping-lejardindesully@ orange.fr	5 ABDEFGL	BGHIJLNPR10
	10A CEE	❶ €24,00
◩▲ N 47°46'16'' E 2°21'44''	H123 5 ha 80T(90-120m²) 26D	❷ €29,00

🚐 Von Lorris oder Bellegarde nach Sully, im Kreisel vor der Brücke über die Loire rechts ab. CP ist ausgeschildert. Ⓜ

Vieilles-Maisons, F-45260 / Centre iD

▲ de l'Étang des Bois***	1 AJMNOPRST	LMNQ 6
▣ Étang des Bois	2 BDGHPRVWXY	ABDEF 7
☰ 1 Apr - 30 Sep	3 AILQ	ABCDEFLNRV 8
☎ +33 (0)2-38923200	4 FHIQ	E 9
@ campingetangdesbois@ orange.fr	5 I	BHIJR10
	10A	❶ €18,45
◩▲ N 47°52'27'' E 2°26'41''	H140 3 ha 140T(100-120m²) 44D	❷ €22,65

🚐 Von Châteauneuf-sur-Loire D952 nach Gien. In St. Aignon D88 nach Lorris. Auf der Höhe von Vieilles-Maisons liegt CP rechts des Sees. Ⓜ

Bonneval, F-28800 / Centre 🛜 ✿ CC€14 iD

▲ du Bois de Chièvre***	1 ADJMNOPQRST	EN 6
▣ route de Vouvray	2 BCPRSTUVWXY	ABDEFH 7
☰ 1 Apr - 20 Okt	3 ABEFILQ	ABCDFJNOQRTUV 8
☎ +33 (0)2-37475401	4 FIOPT	DEHL 9
@ camping-bonneval-28@ orange.fr	5 ABDEGHIJLM	BFGHIJLNOR10
	B 10A	❶ €16,65
◩▲ N 48°10'16'' E 1°23'11''	H143 4,5 ha 104T(100-200m²) 7D	❷ €22,05

🚐 Von Chartres über N10 Richtung Bonneval. Vor Zentrum links, gut ausgeschildert. CP liegt ca. 1,5 km östlich von Bonneval, über D144 und C1 erreichbar. Ⓜ

Brou, F-28160 / Centre 🛜 iD

▲ Camping Parc de Loisirs de Brou**	1 ABDJMNORT	ABFGHILMNQ 6
▣ route des Moulins	2 ABCDGHIPQRVWXY	BEF 7
☰ 15 Feb - 15 Dez	3 AEFGHJKLMNQSTU	BCDFIJNRSV 8
☎ +33 (0)2-37470217	4 F	JQRY 9
@ parcdeloisirs@brou28.com	5 ADG	BFHIKLPRVZ10
	B 10A CEE	❶ €19,30
◩▲ N 48°12'28'' E 1°8'27''	H152 4 ha 226T(88-100m²) 184D	❷ €23,65

🚐 Von Charbret nach Le Mans auf der D921 bis Zentrum Brou, dann den CP-Schildern folgen und Parc de Loisirs. Dasselbe von Le Mans aus, dann aber über die D302. Ⓜ

Chartres, F-28000 / Centre 🛜 CC€14 iD

▲ Les Bords de l'Eure***	1 ADJMNOPQRT	NU 6
▣ 9 rue de Launay	2 ACGPWX	ABDEFGH 7
☰ 1 Mär - 30 Okt	3 BELQ	ABCDFNORS 8
☎ +33 (0)2-37287943	4 OP	DLV 9
@ camping-roussel-chartres@ wanadoo.fr	5 BCDEFHIKL	ABFGHIJLNPR10
	Anzeige auf dieser Seite B 6A CEE	❶ €19,70
◩▲ N 48°26'3'' E 1°29'57''	H128 3,8 ha 97T(100-150m²) 3D	❷ €23,25

🚐 Der CP liegt südostlich der Stadt. Über die N10 und den Ring N123 bis Kreuzung mit N154. Dann 'Centre Douane' und CP-Schildern folgen. Ⓜ

Frankreich

Châteaudun, F-28200 / Centre 🛜 iD

⛺ Mun. du Moulin à Tan***	1 AJMNORT	**N** 6
🏢 rue de Chollet	2 CPRVX	ABDE**FG** 7
📅 1 Apr - 30 Sep	3 BL	ABCDFNO 8
☎ +33 (0)2-37450534	4 O**P**	9
@ officedetourisme@	5	FHIJLOR10
mairie-chateaudun.fr	6A CEE	① € 9,20
🗺 N 48°4'49'' E 1°19'54''	H109 2,5 ha 110T(100-150m²)	② €11,70

🚗 Aus dem Norden via N10, vor der Stadt rechts. CP-Beschilderung folgen. CP liegt an nord-westlichen Stadtrand. Von Orléans Richtung Stadt/ Zentrum. Dann ausgeschildert. 🔼

Parc de Loisirs Le Val Fleuri ★ ★ ★ ★

Direkt an der Loir, schnell zu Fuß nach Cloyes und nah an den Loire-Schlössern. Herrliche Routen für Wanderer, Radfahrer und Reiter. Viele gratis Angebote: Wassersport (u.a. Schwimmanlage), Sport und Spiel. Animation in der Hochsaison. Restaurant, Snackbar und Mahlzeiten zum Mitnehmen. Hypermodernes Sanitärgebäude.

Rte de Montigny, 28220 Cloyes-sur-le-Loir
Tel. 02-37985053 • Fax 02-37983384
E-Mail: info@val-fleuri.fr • Internet: www.val-fleuri.fr © ʙ

Cloyes-sur-le-Loir, F-28220 / Centre 🛜 ♻ (CC€14) iD

⛺ Parc de Loisirs	1 AD**JM**NOPRT	ABFG**HI**N**X** 6
Le Val Fleuri****	2 CDGOPRVWXY	ABDE**FG**H 7
🏢 route de Montigny	3 ABEHILQST	ABCDEFKNQRUV 8
📅 15 Mär - 15 Nov	4 HIO**QU**	BEKLPQRT 9
☎ +33 (0)2-37985053	5 ACDEFGIKL	ABHIJ**N**PSZ10
@ info@val-fleuri.fr	Anzeige auf dieser Seite B 6A CEE	① €24,30
🗺 N 48°0'8'' E 1°13'59''	H112 5 ha 196T(100-150m²) 115D	② €35,50

🚗 Von Châteaudun über die N10 und D35. Vor dem Ortszentrum von Cloyes-sur-le-Loir rechts. CP-Schildern folgen. 🔼

Courville-sur-Eure, F-28190 / Centre iD

⛺ Municipal les Bords de l'Eure	1 AJMNOPRT	A**B** 6
🏢 avenue Thiers	2 ACOPRSVXY	ABCDEFG 7
📅 27 Mai - 17 Sep	3 ALQ	ABCDEFJNORT 8
☎ +33 (0)2-37237638	4	GHIJR10
@ secretaria-mairie@	5	GHIJR10
courville-sur-eure.fr	B 6A CEE	① €11,50
🗺 N 48°26'46'' E 1°14'30''	H174 4 ha 67T(80-120m²)	② €15,70

🚗 Von Chartres aus die D920 kurz vor dem Zentrum den CP-Schildern folgen. Von Illiers Cambray die D920 genauso. 🔼

Illiers-Combray, F-28120 / Centre 🛜 (CC€16) iD

⛺ Le Bois Fleuri***	1 ADILNORST	**ABF**HN 6
🏢 route de Brou	2 BCGIPVWXY	ABDE**F**H 7
📅 4 Apr - 31 Okt	3 BFLQ	ABCDFJMNQRSTV 8
☎ +33 (0)2-37240304	4	DEFGJV 9
@ infos@camping-chartres.com	5 ADGKLM	BFHIJOR10
	B 10A CEE	① €23,00
🗺 N 48°17'10'' E 1°13'39''	3,5 ha 89T(80-190m²) 41D	② €29,00

🚗 D921 Brou Richtung Chartres. 2 km vor Illiers rechts. Oder D921 Chartres Richtung Brou, 2 km nach Illiers. 🔼

La Ferté-Vidame, F-28340 / Centre 🛜 (CC€10) iD

⛺ Les Abrias du Perche	1 AE**IL**NOPRST	CD 6
🏢 route de la Lande	2 BDRSVXY	ABDEFH 7
📅 1 Apr - 30 Nov	3 AL**MNQ**	ABCDEFJNPRT 8
☎ +33 (0)2-37376400	4 EFHO	DEFGJ 9
@ lesabriasduperche@orange.fr	5 AGHIK	AFGHIJNPTU10
	B 6A CEE	① €21,00
🗺 N 48°36'28'' E 0°53'23''	H250 2 ha 48T(70-100m²) 17D	② €26,00

🚗 Von Verneuil-sur-Avre Richtung Nogent-le-Rotrou bis La Ferté-Vidame nehmen und dann den CP-Schildern folgen. 🔼

Senonches, F-28250 / Centre (CC€16) iD

⛺ Huttopia Senonches***	1 ABDGILNOPRS**T**	ABFGNXZ 6
🏢 Etang de Badouleau	2 BCDFGPRVXY	ABDE**FG** 7
📅 30 Apr - 5 Okt	3 ABEF**GHLMQ**	ABCDEFIJKNQRSTUV 8
☎ +33 (0)2-37378140	4 AFHILO	FLU 9
@ senonches@huttopia.com	5 ADGHK**LM**	BFHJNTUV10
	B 6A CEE	① €32,20
🗺 N 48°33'12'' E 1°2'40''	H221 91T(300-500m²) 30D	② €41,40

🚗 Von Dreux aus auf der D928 an Châteauneuf-en-Thymerais vorbei, Richtung Senonches. Den CP-Schildern folgen. Von Le Mans auf der D928 an La Loupe vorbei Richtung Senonches. Den CP-Schildern folgen. 🔼

St. Rémy-sur-Avre, F-28380 / Centre 🛜 iD

⛺ Municipal du	1 AILNORT	**ABCD**N 6
Pré de l'Eglise***	2 CDGOPRSVWXY	ABDE**FG**H 7
🏢 avenue Pré de l'Eglise	3 ABCEL**MNQ**	ABCDEFIJKNQRUV 8
📅 1 Apr - 30 Sep	4 IO**TUV**	9
☎ +33 (0)2-37489387	5 L	BFGHIJORZ10
@ mairiesaintremy2@wanadoo.fr	B 10A CEE	① €13,15
🗺 N 48°45'50'' E 1°14'12''	H98 0,6 ha 45T(80m²)	② €16,20

🚗 Von der N12 aus Alençon nach Dreux oder umgekehrt in St. Rémy-sur-Avre Zentrum den CP-Schildern folgen. 🔼

Vert-en-Drouais, F-28500 / Centre 🛜 iD

⛺ des Etangs de Marsalin	1 ADJMNOPRT	6
🏢 3 place du Général de Gaulle	2 ACGOPRSVWX	ABDE**FG** 7
📅 1 Jan - 31 Dez	3 ALQ	ABFJKLNOQRSTUV 8
☎ +33 (0)2-37829223	4	DE 9
@ camping.etangs.de.marsalin@	5 ABGK**L**	BGHIJPRZ10
wanadoo.fr	B 20A CEE	① €16,40
🗺 N 48°45'39'' E 1°17'25''	H89 2,6 ha 65T(80-120m²) 5D	② €20,80

🚗 Auf der N12 von Dreux aus etwa 10 Km, bis man Vert-en-Drouais sieht und den CP-Schildern folgen. 🔼

Villiers-le-Morhier, F-28130 / Centre 🛜 (CC€14) iD

⛺ Les Ilots de St. Val***	1 AD**JM**NOPRS**T**	6
🏢 Les Ilots	2 PRSTVWX	ABDEFH 7
📅 1 Feb - 22 Dez	3 ABC**KLMNQ**	ABCDEFJNPQRTUV 8
☎ +33 (0)2-37827130	4 FI	EF 9
@ lesilots@	5 KL	ABFHIJOR10
campinglesilotsdestval.com	B 10A CEE	① €27,50
🗺 N 48°36'39'' E 1°32'53''	H120 10 ha 50T(125-400m²) 140D	② €32,90

🚗 Auf der D983 sowohl von Nogent-le-Roi oder auch von Maintenon aus, etwa auf halben Wege den CP-Schildern folgen. 🔼

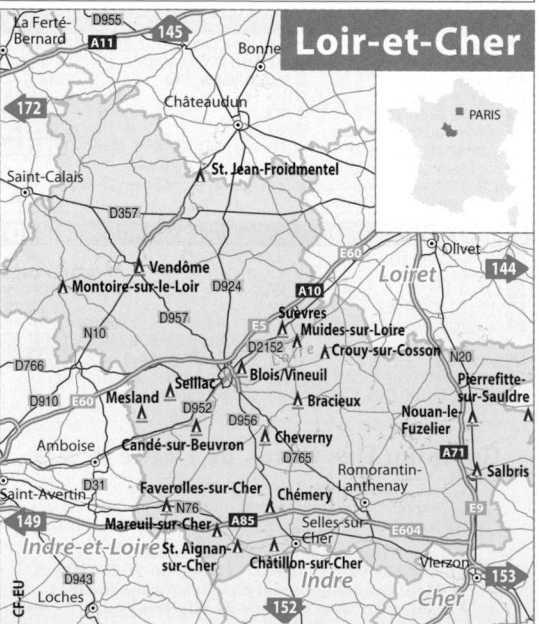

KAWAN VILLAGE
LA GRANDE TORTUE
★ ★ ★ ★ ★

Gut ausgestatteter Familiencamping.
Große Plätze. Laden, Bar, Terrasse, Restaurant.
Freizeitprogramm in der Hochsaison.
Freizeitbad mit Rutschbahn, überdachter Teil und
separates Freischwimmer-/Planschbecken.
Sauna, Whirlpool. Plätze mit Privatsanitär.
Trampolins, Klettertau-Pyramide, umzäunter
Spielplatz. Wohnwagen- und Chaletvermietung.
Rad- und Wanderangebote in der Umgebung.
Vermietung von Elektrofahrzeugen!

41120 Candé-sur-Beuvron · Tel. 02-54441520
E-Mail: grandetortue@wanadoo.fr
Internet: www.la-grande-tortue.com

La Clef Verte

Frankreich

Blois/Vineuil, F-41350 / Centre

▲ Le Val de Blois***	1 AJMNO	AFN 6
RD951 Lévee de la Loire	2 AQVWX	ABDE 7
1 Mai - 30 Sep	3	ABCDEFNR 8
☎ +33 (0)2-54788205	4 HI	JV 9
@ contact@	5 A	IJOTU 10
campingvaldeblois.com	B	❶ €19,90
N 47°36'23'' E 1°22'35''	10 ha 120T(ab 100m²) 5D	❷ €26,60

Über die A10 Ausfahrt Blois, danach Richtung Vierzon, überer die Brücke rechts Richtung Orléans (D951). 3 km östlich von Blois.

Chémery, F-41700 / Centre

▲ Le Gué**	1 AJMNOPRST	AFN 6
6 rue de Couddes	2 ACGPVWXY	ABDEFGH 7
5 Apr - 15 Okt	3 ABLQ	ABCDFGHNRSV 8
☎ +33 (0)2-54329740	4 F	EUVX 9
@ contact@camping-le-gue.com	5 DEG	BIJOR 10
	10A CEE	❶ €17,40
N 47°20'44'' E 1°28'26''	H85 1,2 ha 64T(100m²) 2D	❷ €24,10

Von Blois über Contres Richtung Chateauroux (D956). Über die A85 Ausfahrt 13 Richtung Contres. Camping innerorts ausgeschildert.

Bracieux, F-41250 / Centre

▲ Indigo Les Châteaux***	1 ADEILNOQRST	ABFGN 6
11 rue Roger Brun	2 CGOPQRVWXY	ABDEFG 7
1 Apr - 2 Nov	3 BKLMR	ABCDFIJNQRS 8
☎ +33 (0)2-54464184	4 ABCDEFHIOQ	ABCDEFJV 9
@ chateaux@	5 ABDFGIKL	GHIJORY 10
camping-indigo.com	B 10A CEE	❶ €00,00
N 47°33'5'' E 1°32'21''	8 ha 233T(100-120m²) 79D	❷ €40,40

Von Paris die A10, Ausfahrt 16 Mer. Von Tours die A10, Ausfahrt 17 Blois, danach D923. In Bracieux nach der Brücke rechts.

Cheverny, F-41700 / Centre

▲ Sites & Paysages Les Saules****	1 ADEJMNORT	ABFN 6
	2 BGPVXY	ABDEFGHK 7
les Saules	3 BEIJKLV	ABDFKNQRSTV 8
1 Apr - 19 Sep	4 BFHILO	AJV 9
☎ +33 (0)2-54790001	5 ACDEFGIKL	ABDGHIJNOR 10
contact@camping-cheverny.com	B 10A CEE	❶ €33,50
N 47°28'40'' E 1°27'3''	8 ha 164T(100-140m²) 15D	❷ €37,50

A10, Ausfahrt 17 Blois Ri. Vierzon. Von Cheverny-Zentrum aus Ri. Château. 1,4 km nach der Burg liegt der CP an der rechten Seite.

Candé-sur-Beuvron, F-41120 / Centre

▲ Kawan Village La Grande Tortue*****	1 ADEJMNOPQRST	ABEFHIN 6
	2 BPQVXY	ABDEFGH 7
route de Pontlevoy	3 BDEHKLQST	ABCDFJLNQRSTUV 8
11 Apr - 20 Sep	4 BCDFHILOPTU	FJLVY 9
☎ +33 (0)2-54441520	5 ACDEFGIKL	ABDGHIJNPR 10
@ grandetortue@wanadoo.fr	Anzeige auf dieser Seite B 10A CEE	❶ €42,00
N 47°29'23'' E 1°15'31''	6 ha 88T(100-200m²) 40D	❷ €56,20

Von Blois Richtung Vierzon. Über die südliche Loire-Route D/51 Richtung Montrichard, Pontlevoy. An der Loire entlang bis Candé. Nach dem Zentrum Candé in der Kurve geradeaus weiter. Ausgeschildert.

Crouy-sur-Cosson, F-41220 / Centre

▲ Du Cosson**	1 AJMNOPRT	N 6
route de la Cordellerie	2 ABCOPVX	ABDEFG 7
1 Apr - 15 Sep	3 ALMQ	ABCDEFNU 8
☎ 33 (0)2 54870001	4 FH	DJ 9
@ mairie-de-crouy-sur-cosson@wanadoo.fr	5 AIKL	BGHJLV 10
	6A	❶ €12,70
N 47°38'53'' E 1°36'39''	0,3 ha 60T(80-100m²) 11D	❷ €16,30

A10 Ausfahrt Mer Richtung Chambord/la Ferté-St-Cyr (D103). Im Zentrum an der Kirche rechts und nach der Brücke links.

Châtillon-sur-Cher, F-41130 / Centre

▲ L'Entre-Deux***	1 ADEJMNOPQRST	JNQX 6
rue du Camping	2 ACGHPVX	ABDEFG 7
1 Apr - 30 Sep	3 BLQ	ABCDEFNOX 8
☎ +33 (0)2-54710221	4 FHU	EJPQUVX 9
@ campinglentredeux@gmail.com	5 ADEFGK	ABHIJOR 10
	3-10A CEE	❶ €14,70
N 47°16'14'' E 1°29'16''	H200 1,2 ha 44T(80-120m²) 10D	❷ €20,50

D17 St. Aignan - Selles-sur-Cher. Abbiegen bei Meusnes. Gut ausgeschildert. Auch erreichbar via N76 (Richtung Vierzon), Ausfahrt Châtillon.

Faverolles-sur-Cher, F-41400 / Centre

▲ Couleurs du Monde****	1 ADEJMNOPQRST	ABCDFGN 6
1 Rond Point de Montparnasse	2 AGOPVXY	ABDEFGH 7
30 Mär - 28 Sep	3 BELPQST	ABCDEFKNQRSV 8
☎ +33 (0)2-54320608	4 BDFHIKOPQTUVXZ	ADEJLQTVY 9
@ touraine-vacances@wanadoo.fr	5 CDEFGIKL	ABDGHIJPRVY 10
	Anzeige auf dieser Seite B 6-10A CEE	❶ €29,10
N 47°20'2'' E 1°11'15''	H60 4 ha 100T(120m²) 23D	❷ €39,60

Von Blois D764 Ri. Montrichard/Loches. Von Montrichard Ri. Faverolles. Beim zweiten Kreisverkehr finden Sie den CP auf der linken Seite.

Couleurs du Monde
camping - caravaning

Der Campingplatz ist umgeben von prächtigen Schlössern und dem Loiretal. Gleich bei der alten Stadt Montrichard.

Auf einem parkartigen Gelände lernen Sie die familiäre Atmosphäre 'la Douce France' kennen.

Gute Einrichtungen u.a. beheiztes Schwimmbad und Planschbecken.

1 Rond Point de Montparnasse - 41400 FAVEROLLES-SUR-CHER · Tél. (33) (0)2 54 32 06 08 · GSM. (33) 06 74 79 56 29
Fax (33) 02 54 32 61 35 · touraine-vacances@wanadoo.fr · www.camping-couleurs-du-monde.com

147

Teilkarte Loir-et-Cher auf Seite 146

Le Port ★★★

An der legendären Schlösser Route des Loiretals gelegen, südlich von Blois zwischen St. Aignan und Montrichard freut sich Camping Le Port ganz besonders auf Sie. Am Ufer der Cher verweilen Sie in einer freundlichen Umgebung mitten in der Natur und dem historischen Erbe. 10 Minuten vom Zoo von Beauval.

3 rue du Passeur, 41110 Mareuil-sur-Cher
Tel. 02-54751001 • E-Mail: camping-leport@outlook.com
Internet: www.camping-leport.jimdo.com

Mareuil-sur-Cher, F-41110 / Centre

- Le Port***
- 3 rue du Passeur
- 1 Apr - 15 Okt
- +33 (0)2-54751001
- camping-leport@outlook.com
- N 47°17'36'' E 1°19'44''

1 ADEJMNOPRST	JNUVXYZ 6	
2 ACGPVWXY	ABDEF 7	
3 AEMQS	ABCDFNQRTU 8	
4 FHI	JQR 9	
5 C	BHIJPR 10	
Anzeige auf dieser Seite B 16A	❶ €17,70	
H63 40T(80-150m²) 2D	❷ €26,70	

Von Blois die D675 Richtung Contres/St. Aignan über die D956. Hinter die Brücke rechts (D17). Richtung Mareuil-sur-Cher. Hinter Ortsmitte Mareuil rechts. CP ist angezeigt.

Mesland, F-41150 / Centre

- Yelloh! Village Parc du Val de Loire*****
- 155 route de Fleuray
- 10 Apr - 13 Sep
- +33 (0)2-54702718
- parcduvaldeloire@wanadoo.fr
- N 47°30'38'' E 1°6'18''

1 ADEJMNOPRST	AEFHIN 6	
2 ABGPVXY	ABDEFGH 7	
3 BEHIKLMQST	ABCDFNRSTUV 8	
4 BCDFHILNOPQ	EJLUVY 9	
5 ACDEFGKL	ABDGHIJNPQST 10	
B 10A CEE	❶ €35,00	
14 ha 150T(100-170m²) 150D	❷ €50,00	

A10, Ausfahrt 18 (Chateau-Renault / Amboise), dann den Schildern 'Parc du Val de Loire' folgen, oder: N152, durch Onzain Richtung Mesland, dann den Schildern folgen.

Montoire-sur-le-Loir, F-41800 / Centre

- Les Reclusages***
- 13 avenue des Reclusages
- 25 Apr - 30 Sep
- +33 (0)2-54850253
- camping.reclusages@orange.fr
- N 47°44'50'' E 0°51'49''

1 ADEJMNOPRST	ABEFGN 6	
2 CGPX	ABDEFGH 7	
3 ABLQ	ABCDFIKNOQRUV 8	
4 DFHOQ	E 9	
5 AEL	BHIJLRV 10	
B 10A CEE	❶ €12,70	
H100 2 ha 116T(80m²) 24D	❷ €18,60	

Im Zentrum richtung Chapelle St. Gilles folgen. Anschließend den CP-Schildern folgen. Von Vendôme aus nach Brücke die 1. Straße links fahren. Von Tours aus bei Montoire 1. Straße rechts fahren.

Muides-sur-Loire, F-41500 / Centre

- Château des Marais*****
- 27 rue de Chambord
- 7 Mai - 10 Okt
- +33 (0)2-54870542
- info@camping-marais.com
- N 47°39'59'' E 1°31'45''

1 ADEJMNOQRST	ABEFGHN 6	
2 ABGPVX	ABDEFGH 7	
3 BEHILM	ABCDEFNQRSTU 8	
4 ABCDFHILOPTUVXZ	EJLVY 9	
5 ACDEFGIJKL	ABFGHIJNPR 10	
B 10A CEE	❶ €49,00	
8 ha 116T(100-120m²) 40D	❷ €61,00	

A10, Ausfahrt Mer, Richtung Muides/Chambord. Der CP ist ausgeschildert. Auch via D951 Blois-Orléans.

★★★ Au Coeur de Vendôme
geöffnet vom 17/04/2015 bis 04/11/2015
Unweit vom historischen Zentrum, am Ufer der Loir

www.aucoeurdevendome.com
Rue Geoffroy Martel 41100 Vendôme
Tel : + 33 (0)2 54 77 00 27
aucoeurdevendome@camp-in-ouest.com

Nouan-le-Fuzelier, F-41600 / Centre

- La Grande Sologne***
- rue des Peupliers
- 1 Apr - 15 Okt
- +33 (0)2-54887022
- info@campinggrandesologne.com
- N 47°31'58'' E 2°2'12''

1 ADEJMNOPRT	ABFGHN 6	
2 ABCDGOPVWXY	ABDEFGH 7	
3 BEGHILMNPQS	ABCDFKNQRSV 8	
4 BDFHIOQ	AEVY 9	
5 ABDEIKL	ABDFGHIJOPSTV 10	
B 10A	❶ €24,40	
H104 10 ha 150T(80-120m²) 28D	❷ €32,80	

Von Norden: A71 Ausfahrt 3 Richtung RD2020. Von Orléans die RD2020 Richtung Vierzon an der Gemeinde Nouan-le-Fuzelier vorbei. Von Süden: A71 Ausfahrt 4 Richtung Orléans.

Pierrefitte-sur-Sauldre, F-41300 / Centre

- Les Alicourts Resort*****
- Dom. des Alicourts
- 27 Apr - 8 Sep
- +33 (0)2-54886334
- info@lesalicourts.com
- N 47°32'39'' E 2°11'31''

1 ADJMNOPQRST	ABCDEFGHILNW 6	
2 BCDGHIPRSVWX	ABDEFGH 7	
3 ABCDEFGHIJLMNQT	ABCDEFNQRSUV 8	
4 BCDLOPQRTUVXYZ	EJLVY 9	
5 ABCDEFGJKLM	ABHIJNPTUZ 10	
B 10A	❶ €49,00	
60 ha 133T(120-200m²) 302D	❷ €69,00	

Von Lamotte-Beuvron oder Salbris Richtung Pierrefitte, dann Richtung Brinon via Le Coudray. Nach 5 km rechts, CP ist ausgeschildert. Angegeben als Camping Resort.

Salbris, F-41300 / Centre

- Camping de Sologne***
- 8 alleé de la Sauldre
- 1 Apr - 30 Sep
- +33 (0)2-54970638
- campingdesologne@wanadoo.fr
- N 47°25'49'' E 2°3'16''

1 ADFJMNOPQRST	ABEFJNQSX 6	
2 ACDPVWX	ABDEF 7	
3 ALMQ	ABCDFNRSTUV 8	
4 FHO	EJ 9	
5 ABDEGI	BHIKNO 10	
B 10A CEE	❶ €19,95	
H105 2 ha 85T(60-100m²) 6D	❷ €28,75	

N20 Orléans Richtung Vierzon, in Salbris links via D55 Richtung Pierrefitte fahren. Der CP liegt nach 300m rechts.

Seillac, F-41150 / Centre

- Camping-Ferme de Prunay***
- Ferme de Prunay
- 27 Mär - 2 Nov
- +33 (0)2-54700201
- contact@prunay.com
- N 47°33'17'' E 1°10'50''

1 ADEJMNOPRST	ABFGN 6	
2 GPVXY	ABDEFGIJK 7	
3 BELQ	ABCDEFGINQRSV 8	
4 BDEFHIKO	EJLV 9	
5 ABDEFGIL	ABDFGHIJORVW 10	
B 12A	❶ €31,80	
H111 3 ha 60T(200-400m²) 8D	❷ €44,80	

A10 Ausfahrt Blois Richtung Angers/Château-Renault. D131 Molineuf - Chambon-sur-Cisse, in Molineuf Richtung Seillac folgen (D135 und D760). CP ist ausgeschildert.

St. Aignan-sur-Cher, F-41110 / Centre

- Les Cochards****
- Seigy
- 1 Apr - 15 Okt
- +33 (0)2-54751559
- camping@lescochards.com
- N 47°15'52'' E 1°23'19''

1 ADEJMNOPRST	AFNQRSTX 6	
2 ACPVY	ABDEFGH 7	
3 BELQRT	ABCDFNQRS 8	
4 BFHILOX	ELMOPQRVY 9	
5 ACDEFGIKL	ABGHIJNPR 10	
B 5-10A	❶ €28,40	
H65 4 ha 125T(100-120m²) 12D	❷ €34,05	

Von Contres (D675) aus über Brücke, dann links (D17). Nach 800m links. Ausgeschildert.

St. Jean-Froidmentel, F-41160 / Centre

- Les Fouquets
- N10
- 1 Apr - 30 Sep
- +33 (0)2-54826697
- lesfouquets@aol.com
- N 47°58'22'' E 1°14'0''

1 AJMNOPQRST	A 6	
2 PVX	ABDEFH 7	
3 BGHLQ	ABCDEFNQRS 8	
4 IP	DJQ 9	
5 ADEGL	HIJR 10	
B 10A	❶ €13,00	
1 ha 25T(130m²) 3D	❷ €18,50	

Via N10, 3 km südlich von Cloyes. Von Cloyes aus rechts abbiegen und die N10 überqueren. CP ist ausgeschildert.

Suèvres, F-41500 / Centre

- Camping La Grenouillère*****
- La Grenouillère RN152
- 18 Apr - 12 Sep
- +33 (0)2-54878037
- la.grenouillere@wanadoo.fr
- N 47°41'8'' E 1°29'14''

1 ADEILNOPQRST	ABEFGHIN 6	
2 ABGPVXY	ABDEFGH 7	
3 BDEKLMQT	ABCDEFJKLMNQRSTVX 8	
4 BCDHILNOPQRTU	EJLVY 9	
5 ACDEFGIJL	BDGHIJMNPST 10	
B 10A CEE	❶ €33,80	
H78 12 ha 114T(90-150m²) 170D	❷ €44,60	

Von Blois via RN152 Richtung Orléans. 3 km nach Suèvres links.

Vendôme, F-41100 / Centre

- Au Coeur de Vendôme***
- rue Geoffroy Martel
- 17 Apr - 4 Nov
- +33 (0)2-54770027
- aucoeurdevendome@camp-in-ouest.com
- N 47°47'28'' E 1°4'19''

1 ADJMNOPRST	ABFGN 6	
2 CGIOPVWXY	ABDEFGH 7	
3 BLMQ	ABCDFJNRUV 8	
4 L	AEJQRV 9	
5 ABLM	BDGHIJPR 10	
Anzeige auf dieser Seite B 10A CEE	❶ €19,40	
H64 2,5 ha 140T(80-100m²) 25D	❷ €24,80	

Von Norden über die N10: In Vendôme: große Straße, dritte Ampel rechts, dann zweimal erste links. Den Schildern zum Schwimmbad und Sportzentrum folgen.

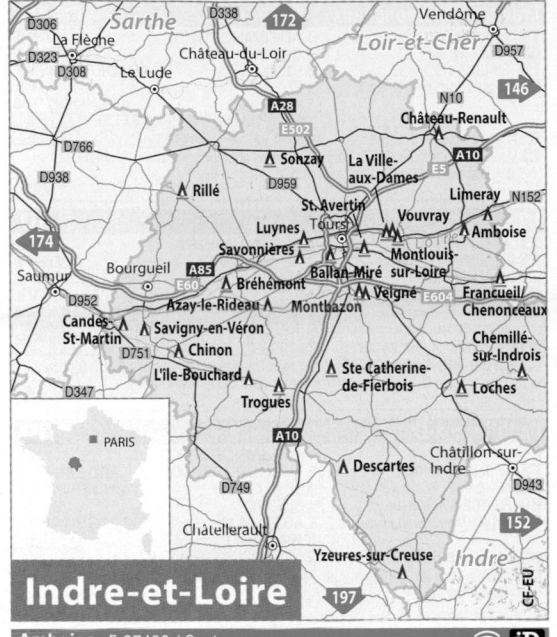

La Mignardière
Camping - Hôtellerie de plein air

8 km südwestlich von Tours/**Val de Loire**
RUHE, ERHOLUNG, FREIZEIT
- Beheizte Schwimmhalle
- Tennis, Fahrradverleih
- Wellnesscenter mit Sauna sowie
  Becken mit Hydromassage
- Vermietung von Chalets und Mobilheimen

22 avenue des Aubépines
37510 Ballan-Miré
Tel. 02 47 73 31 00
www.mignardiere.com
info@mignardiere.com

Indre-et-Loire

(Karte: Sarthe, Loir-et-Cher, Indre)
La Flèche, Château-du-Loir, Le Lude, Vendôme, Château-Renault, Sonzay, La Ville-aux-Dames, Rillé, St.Avertin, Limeray, Vouvray, Amboise, Luynes, Tours, Savonnières, Montlouis-sur-Loire, Bourgueil, Ballan-Miré, Bréhémont, Veigné, Francueil/Chenonceaux, Azay-le-Rideau, Montbazon, Candes-St-Martin, Savigny-en-Véron, Chinon, Chemillé-sur-Indrois, L'Île-Bouchard, Ste Catherine-de-Fierbois, Loches, Trogues, Descartes, Châtillon-sur-Indre, Yzeures-sur-Creuse, Châtellerault

■ PARIS

Château-Renault, F-37110 / Centre **iD**

▲ Municipal**	1 AJMNOPRT **N** 6
▣ Parc de Vauchevrier	2 ACGPVWX BDE**FG** 7
1 Mai - 15 Sep	3 ELM ABCDFNOQRSV 8
☎ +33 (0)2-47295443	4 F 9
@ camping.vauchevrier@orange.fr	5 **LM** GHJST 10
	B 6A CEE ❶ €14,25
N 47°35'34'' E 0°54'26''	H90 3,5 ha 80T(100-120m²) ❷ €18,55

🚗 Über die N10 Ausfahrt Château-Renault, Richtung Zentrum fahren. Vorm Schloss links den Schildern folgen.

Amboise, F-37400 / Centre 📶 **iD**

▲ L'Île d'Or**	1 ADE**JM**NOPRST **ABFHN**QX 6
30 Mär - 30 Sep	2 CGOPVX ABDE**FG** 7
☎ +33 (0)2-47572337	3 BEL**M** ABCDEFNRST 8
@ camping@ville-amboise.fr	4 FGIL AQRV 9
	5 ADEGI ABGHIJPSTVZ 10
	B 6A ❶ €15,20
N 47°25'1'' E 0°59'16''	8,5 ha 294T(100-120m²) **2D** ❷ €19,20

🚗 Der Platz liegt auf einer Insel in der Loire, gegenüber dem Schloss von Amboise. Der Beschilderung folgen.

Chemillé-sur-Indrois, F-37460 / Centre 📶 **CC€16 iD**

▲ Les Coteaux du Lac****	1 ADE**JM**NOPQRST ABFGLM**N**QXY 6
28 Mär - 4 Okt	2 DFGHPVX ABDE**FG** 7
☎ +33 (0)2-47927783	3 BILQST ABCDEFINQRSTV 8
@ lescoteauxdulac@wanadoo.fr	4 BFHIO**P** AJLQRTU 9
	5 ABDEFGIJ BDFGHIJNPR 10
	B 16A CEE ❶ €26,90
N 47°9'28'' E 1°9'35''	H83 2,5 ha 47T(100-170m²) 33D ❷ €36,70

🚗 Von St. Aignan über die D675 nach Nouans, anschließend D760 Richtung Montrésor, dann über die D10 nach Chemillé. Nach dem Dorf hinter der Brücke rechts abbiegen. Der Beschilderung folgen.

Azay-le-Rideau, F-37190 / Centre 📶 **iD**

▲ Municipal Le Sabot***	1 ADEJMNOPQRST ABFG**N** 6
▣ Parc de Sabot	2 ACGOPVX ABDE**FGH** 7
1 Apr - 31 Okt	3 BEL**MQ** ABCDFKNORSUV 8
☎ +33 (0)2-47454272	4 FHIO 9
@ camping.lesabot@wanadoo.fr	5 A BGHIJORVZ 10
	B 10A CEE ❶ €17,80
N 47°15'32'' E 0°28'11''	9 ha 196T(80-100m²) ❷ €23,60

🚗 Über die D751 Ausfahrt Azay-le-Rideau. In der Nähe des Schlosses. Der CP ist ausgeschildert.

Ballan-Miré, F-37510 / Centre 📶 **CC€16 iD**

▲ La Mignardière****	1 ADE**JM**NOPQRST ABEF**N** 6
▣ 22 avenue des Aubépines	2 AKOPVXY ABDE**FGH** 7
3 Apr - 17 Sep	3 BEF**IK**LMQ ABCDEFKNQRS 8
☎ +33 (0)2-47733100	4 HIOP**TUXYZ** DEJLVY 9
@ info@mignardiere.com	5 ACDEFGIK**M** ABDGHIJ**N**PR 10
	Anzeige auf dieser Seite B 6-10A CEE ❶ €28,60
N 47°21'19'' E 0°38'2''	3,5 ha 168T(80-150m²) 42**D** ❷ €36,60

🚗 Über die A10 an Tours vorbei, Ausfahrt 24 Joué-les-Tours, Zentrum Richtung Ballan-Miré. An der ersten Ampel rechts und den CP-Schildern folgen.

Chinon, F-37500 / Centre 📶 **iD**

▲ Camping de l'Île Auger**	1 AD**JM**NOPQRST **AEN**XYZ 6
▣ quai Danton	2 CFGPVX ABDE**FGH** 7
1 Apr - 30 Okt	3 BL**MQ** ABCDEFNORSV 8
☎ +33 (0)2-47930835	4 BCDFH AQRUV 9
@ camping-chinon@cc-cvl.fr	5 L HIJO**RV** 10
	Anzeige auf dieser Seite B 12A CEE ❶ €15,40
N 47°9'50'' E 0°14'7''	4,5 ha 200T(80-100m²) 4**D** ❷ €19,95

🚗 Von Azay-le-Rideau über die D751 vor dem Fluss links abbiegen, nach der Brücke erste Straße rechts. Von Saumur (D751) vor der Brücke links abbiegen.

Bréhémont, F-37130 / Centre 📶 **CC€16 iD**

▲ Loire et Châteaux***	1 ADE**JM**NOPRS**T** ABFG**N** 6
▣ Lieu-dit Le Stade	2 APVW ABDE**FGH** 7
1 Jan - 31 Dez	3 AQT ABCDEFGJKNQRSTUV 8
☎ +33 (0)6-61910142	4 ABDEHIO BELNQVW 9
@ camping@loireetchateaux.com	5 ABDEFGKL BDFGHIJNPR 10
	Anzeige auf dieser Seite B 16A CEE ❶ €25,50
N 47°17'27'' E 0°21'13''	65T(100-150m²) 10**D** ❷ €32,50

🚗 Über die D16 Richtung Bréhémont. Innerorts hinter der Kirche links. Der Beschilderung folgen. An der Kreuzung rechts.

Candes-St-Martin, F-37500 / Centre 📶 **iD**

▲ Belle Rive**	1 ADEJMNOPQRT 6
▣ 2 route de Chinon	2 CPVWXY ABDE**FGH**K 7
1 Mai - 30 Sep	3 LMQ ABEFNQRSV 8
☎ +33 (0)2-47974603	4 FHI AHIJOR 9
@ contact@camping-candes.fr	5 ABKL**M** AHIJOR 10
	B 16A CEE ❶ €14,00
N 47°12'26'' E 0°4'52''	2,2 ha 58T ❷ €20,00

🚗 A85 von Tours oder Angers, Ausfahrt 5 Bourgueil. Danach Richtung Chinon. Hinter Port Boulet Richtung Candes-Saint-Martin.

Camping Le Moulin Fort ✳ ✳ ✳
Familiencamping im Herzen des Loire-Tals.

• ruhiger Campingplatz am Ufer der Cher, nicht weit zu Fuß zum Schloss Chenonceaux • ideale Ausgangsbasis das Loire Tal zu entdecken • herrliches Fleckchen, um zur Ruhe zu kommen und die vielen Einrichtungen zu genießen • gastlicher Empfang durch die Inhaber • geöffnet vom 7. Mai bis 27. September

37150 Francueil/Chenonceaux - Tel. +33 (0)2 47 23 86 22
lemoulinfort@wanadoo.fr
www.lemoulinfort.com

Descartes, F-37160 / Centre 📶 iD

⛺ La Grosse Motte**	1 ADF**IL**NOPRT	**AB**HNUV 6
🏠 allée Leo Lagrange	2 COPTVY	ABDE**FG** 7
🗓 1 Mai - 30 Sep	3 BE**ILMQ**	ABCDFHNORSV 8
☎ +33 (0)2-47598590	4 BCDFI	FJPQR 9
@ camping.descartes@orange.fr	5 ILM	BFGHJLOPRVW10
	B 16A	➊ € 9,30
🅰 N 46°58'11'' E 0°41'57''	H54 54T(70-100m²) 9D	➋ €11,90

🚗 Auf der D750 La Celle-St-Avant oder ab La Roche Posay. Zentrum vermeiden.

Ⓜ

CAMPING FAMILIAL ★★★
Le Jardin Botanique

WiFi, Restaurant, Imbiss,
Multisport, Spielplatz
www.camping-jardinbotanique.com
Tel. 02-47301350

Francueil/Chenonceaux, F-37150 / Centre 📶 CC€16 iD

⛺ Le Moulin Fort***	1 ADE**JM**NOPQRST	AF**N** 6
🗓 7 Mai - 27 Sep	2 CGPVX	ABDE**FG** 7
☎ +33 (0)2-47238622	3 B**I**LQ	ABCDEFNQRSV 8
@ lemoulinfort@wanadoo.fr	4 FHIO	V 9
	5 ACDEGIKL	ABGHIJ**O**STV10
🅰 N 47°19'35'' E 1°5'1''	H53 3 ha 137T(80-100m²)	➊ €28,00
		➋ €36,00

🚗 Von Bléré über die D976, nach 6 km links abbiegen Richtung Chenonceaux. Vor der Brücke rechts. Gut ausgeschildert.

Ⓜ

L'île-Bouchard, F-37220 / Centre 📶 iD

⛺ Les Bords de Vienne***	1 ADE**JM**NOPRS**T**	J**N** 6
🏠 4bis allée du camping	2 CGHOPVWXY	ABDEF 7
🗓 15 Mär - 20 Okt	3 ALQ	ABCDFKNORV 8
☎ +33 (0)2-47952359	4 FIO	EV 9
@ info@	5 ADELM	BHIJOR10
campingbordsdevienne.com	B 16A CEE	➊ €21,50
🅰 N 47°7'18'' E 0°25'43''	2 ha 90T(80-120m²) 5D	➋ €28,70

🚗 Von der A10 Ausfahrt 25 (St. Maure de Touraine). Danach die D760 Richtung Ile Bouchard. Im Ortseingang gleich hinter dem Supermarkt links.

Ⓜ

La Ville-aux-Dames, F-37700 / Centre 📶 CC€16 iD

⛺ Les Acacias***	1 ADE**JM**NOPQRS**T**	**N** 6
🏠 rue Berthe Morisot	2 ABCGOPQSVWXY	ABDE**FG**HK 7
🗓 2/1 - 24/12, 26/12 - 31/12	3 BE**K**LQST	ABCDEFJNRS 8
☎ +33 (0)2-47440816	4 BDFHIO	EUV 9
@ contact@camplvad.com	5 ABDF**G**I**LM**	BCDFGHIJNPR10
	B 10A CEE	➊ €20,00
🅰 N 47°24'7'' E 0°46'48''	3,5 ha 88T(100-120m²) 31D	➋ €25,00

🚗 A10 Ausfahrt 21. Erreichbar ab Tours. 6 km Richtung Montlouis. Gute Beschilderung.

Ⓜ

Limeray, F-37530 / Centre 📶 iD

⛺ Le Jardin Botanique***	1 A**J M**NOPQRT	ABC**N** 6
🏠 9B rue de la Rivière	2 AGPVXY	ABE**F**H 7
🗓 1 Jan - 31 Dez	3 BELQ	ABDFGJKNQRSTUV 8
☎ +33 (0)2-47301350	4 FHIO**X**	EL 9
@ info@	5 ABDEGJ**LM**	BFGHIL**P**R10
camping-jardinbotanique.com	Anzeige auf dieser Seite 10A CEE	➊ €20,50
🅰 N 47°26'48'' E 1°2'52''	H65 1,5 ha 70T(100-200m²) 18D	➋ €29,50

🚗 Entlang der N152 Tours-Blois, Ausfahrt Limeray. Ist ausgeschildert.

Ⓜ

Loches, F-37600 / Centre 📶 CC€16 iD

⛺ La Citadelle****	1 ADE**JM**NOPQRST	AB**FN** 6
🏠 Aristide Briand	2 CGOPVXY	ABDE**FGH** 7
🗓 30 Mär - 11 Okt	3 B**JKLM**QST	ABCDFKNOQRSTU 8
☎ +33 (0)2-47590591	4 BDFHILO**PQT**	AEJLY 9
@ camping@lacitadelle.com	5 ADEFGIKL	ABDGHIJMN**O**P**R**V10
	Anzeige auf Seite 151 B 10-20A CEE	➊ €30,50
🅰 N 47°7'22'' E 1°0'8''	4 ha 115T(50-180m²) 32D	➋ €40,40

🚗 Im Zentrum den CP-Schildern folgen.

Ⓜ

Luynes, F-37230 / Centre 📶 CC€14 iD

⛺ Les Granges***	1 ADE**JM**NOPRS**T**	AB**FG N** 6
🏠 avenue de l'Europe	2 AOPVX	ABD**FG**H 7
🗓 1 Apr - 30 Sep	3 BELQST	ABCDEFNRTV 8
☎ +33 (0)2-47557905	4 CFHIOPQR	AEJ 9
@ reception@	5 ABDEFGL	BDGHIJN**P**STZ10
campinglesgranges.fr	Anzeige auf dieser Seite B 10A CEE	➊ €27,20
🅰 N 47°22'52'' E 0°33'31''	1,8 ha 30T(ab 100m²) 33D	➋ €32,20

🚗 Gut erreichbar über die N152, westlich von Tours Richtung Saunur. Der CP ist ausgeschildert.

Ⓜ

Camping ★★★ Les Granges

An der Route der Loire-Schlösser bietet Camping Les Granges einen Aufenthaltsplatz mit schattigen Plätzen. 12 km von Tours. Ein Familiencamping mit herzlichem Empfang, 24-Std bewacht. Die Loire in 700m. Schönes Schwimmbad vorhanden.
GPS: N 47°22'52" E 00°33'31"

Avenue de l'Europe, 37230 Luynes
Tel. 02-47557905 • Fax 02-47409243
E-Mail: reception@campinglesgranges.fr
Internet: www.campinglesgranges.fr

Camping de la Grange Rouge ☆☆☆ in Montbazon
Im Herzen des Vallée des Rois und der Jardins de France

Tel. 02 47 26 06 43 contact@camping-montbazon.com www.camping-montbazon.com

Frankreich

Montbazon, F-37250 / Centre

- ▲ de la Grange Rouge***
- ▤ D910
- ☀ 1 Apr - 15 Okt
- ☎ +33 (0)2-47260643
- @ contact@camping-montbazon.com
- N 47°17'25'' E 0°42'59''

1	ADEJMNOPRST	AN 6
2	ACGOPVX	ABDEFGHK 7
3	EILMN	ABCDEFNORS 8
4	FHI	EPQR 9
5	ABDEFGIJKLM	DHIJORV10
Anzeige auf dieser Seite B 10A CEE		❶ €21,15
3 ha 110T(100-120m²) 6D		❷ €28,15

🚌 Von Tours über die D910 in südlicher Ri. A10, Ausfahrt 23. Vorm Zentrum re. halten. Gut ausgeschildert.

Montlouis-sur-Loire, F-37270 / Centre

- ▲ Les Peupliers***
- ▤ D751
- ☀ 3 Apr - 25 Okt
- ☎ +33 (0)2-47508190
- @ camping.lespeupliers@wanadoo.fr
- N 47°23'40'' E 0°48'42''

1	ADEJMNOPRST	ABN 6
2	CPSVY	ABDEFGH 7
3	BLMQ	ABCDEFNRSTUV 8
4	AFHIO	EV 9
5	ABDG	FHIJPRV10
B 10A CEE		❶ €10,00
4 ha 72T(100-120m²) 11D		❷ €23,50

🚌 Von Tours über die D751 Richtung Amboise, gut ausgeschildert.

Rillé, F-37340 / Centre

- ▲ Huttopia Rillé***
- ▤ Lac de Rillé
- ☀ 16 Apr - 12 Okt
- ☎ +33 (0)2-47246297
- @ rille@huttopia.com
- N 47°27'29'' E 0°13'5''

1	ADEGILNOPRST	ABFGLMNQSXYZ 6
2	BDGIPQVX	ABDEFGH 7
3	ABEHLM	ABCDEFGJKNOQRSTUV 8
4	ABDFHILO	AEJQTUV 9
5	ABDEFGIL	BFGHIJNTUV10
B 16A CEE		❶ €35,65
H76 4,5 ha 82T(100-200m²) 51D		❷ €47,45

🚌 In Rillé (von Langeais D57, Château la Vallière D749) die D49 nach Breil nehmen. CP ist ausgeschildert.

Savigny-en-Véron, F-37420 / Centre

- ▲ La Fritillaire***
- ▤ rue Basse
- ☀ 29 Mär - 30 Sep
- ☎ +33 (0)2-47580379
- @ jeanlucdebart@yahoo.fr
- N 47°12'1'' E 0°8'24''

1	ADEJMNOPRST	6
2	AOPVWXY	ABDEFGHK 7
3	BELQ	ABCDEFJNQRSTUV 8
4	FHIO	ADJLV 9
5	ABEKLM	BHIJLORV10
Anzeige auf dieser Seite B 10A CEE		❶ €17,60
95T(80-90m²) 13D		❷ €20,80

🚌 Von Chinon Richtung Avoine folgen. Danach Savigny-en-Véron. Von Bourgueil am Kreisel die D418 (Savigny-Véron). Danach den Schildern folgen.

Savonnières, F-37550 / Centre

- ▲ La Confluence***
- ▤ route du Braye
- ☀ 25 Apr - 28 Sep
- ☎ +33 (0)2-47500025
- @ contact@campinglaconfluence.fr
- N 47°20'59'' E 0°33'0''

1	ADEJMNOPRST	N 6
2	ACIOPVWXY	ABDEFG 7
3	BELMQ	ABCDEFGIKNRSTUV 8
4	FH	AJQR 9
5	AL	FHIJOR10
B 10-16A CEE		❶ €18,60
80T(95-100m²) 4D		❷ €23,00

🚌 Über die A58 Ausfahrt Villandry erreichbar. Richtung Villandry/Savonnières. Hinter dem Zentrum links ab. Über die D37 Ausfahrt Savonnières. Vor dem Zentrum rechts ab. Ist gut ausgeschildert.

Sonzay, F-37360 / Centre

- ▲ L'Arada Parc****
- ▤ rue de la Baratiere
- ☀ 3 Apr - 10 Okt
- ☎ +33 (0)2-47247269
- @ info@laradaparc.com
- N 47°31'37'' E 0°27'11''

1	ADEJMNOPRT	ABEFG 6
2	AGOPQVWX	ABDEFGH 7
3	ABKLMQT	ABCDEFKNQRSTUV 8
4	ABDFHILOPQRUV	BEJV 9
5	ABDEFGIKLM	BDFGHIJNPR10
B 10A CEE		❶ €30,00
H86 1,7 ha 61T(85-115m²) 31D		❷ €38,00

🚌 Von Château-Renault der D766 bis Neuillé-Pont-Pierre, dann den CP-Schildern folgen. Von der A28 Ausfahrt 27 nach Neuillé-Pont-Pierre, dann den CP-Schildern folgen.

St. Avertin, F-37550 / Centre

- ▲ Tours Val de Loire****
- ▤ 61 rue de Rochepinard
- ☀ 15 Mär - 30 Nov
- ☎ +33 (0)2-47278747
- @ contact@campingtoursvaldeloire.fr
- N 47°22'15'' E 0°43'25''

1	ADEJMNOPRST	AENQSU 6
2	ACDGOPSVX	ABDEFGK 7
3	LMQ	ABCDFNQRS 8
4	DH	AJ 9
5	ABKL	BFGHIJOR10
B 10A CEE		❶ €21,00
H68 2,6 ha 90T(80-100m²) 14D		❷ €25,40

🚌 A10 Ausfahrt Tours-Sud/St. Avertin. Richtung Bléré via N76 Richtung Vierzon. Auch A85 Ausfahrt Bléré (Est) und Ausfahrt St. Avertin (Ouest). CP ist ausgeschildert.

La Fritillaire ★ ★ ★

Camping La FRITILLAIRE freut sich darauf, Sie in einer grünen, natürlichen und ruhigen Umgebung zu begrüßen. Die Loireschlösser und die berühmten Weinberge von Chinon und Bourgueil kommen voll und ganz zur Geltung. Radfahrer und Wanderer werden die Strecke 'La Loire à Vélo' in den Weinbergen und Wäldern genießen.

Rue Basse, 37420 Savigny-en-Véron
Tel. 02-47580379 • E-Mail: jeanlucdebart@yahoo.fr
Internet: www.camping-la-fritillaire.fr

Eine familiäre Atmosphäre im Herzen der Loire Schlösser, am Fuße der außergewöhnlichen, mittelalterlichen Stadt Loches-en-Touraine. Mobilheime für Behinderte.

Reservieren
02 47 59 05 91
06 21 37 93 06

VERMIETUNG VON MOBILHOMES, BUNGALOWS, CHALETS

Beheiztes Schwimmbad, Planschbecken, Sauna, Tennis, ULM, Miniclub, Spielhalle, Volleyball, Internet + Wifi. Restaurant. Animation und Unterhaltungsprogramm in der Hochsaison. Frühbucherrabatt.

La Citadelle ****
Loches en Touraine

Internet: www.lacitadelle.com - E-Mail: camping@lacitadelle.com

Ste Catherine-de-Fierbois, F-37800 / Centre

▲ Parc de Fierbois★★★★★	1 ADEILNOPQRT	ABEFHINXZ 6
⚑ 2 Mai - 4 Sep	2 ADGHPVXY	BEFGH 7
☎ +33 (0)2-47654335	3 BEFHILMQR	BDFKNQRSTUV 8
@ contact@fierbois.com	4 BDFHILOPQR	EIJLV 9
	5 ACDEFGIL	ABGHIJNOR10
	B 10A CEE	❶ €50,80
	30 ha 180T(130-150m²) 198D	❷ €69,40
◪▲ N 47°8'49'' E 0°39'10''		

🎮 Erreichbar über die A10, Ausfahrt 25 St. Maure und Ausfahrt 24,1 Sorigny, anschließend Richtung Tours. Über die D910 16 km südlich von Montbazon.

Trogues, F-37220 / Centre

▲ Sites & Pays. Château de la Rolandière★★★★	1 ADEJMNOPRST	AF 6
	2 AGPVXY	ABDEFGH 7
⚑ 1 Mai - 20 Sep	3 BEIL	ABCDEFNQRSV 8
☎ +33 (0)2-47585371	4 FHIOPQR	EGIJL 9
@ contact@larolandiere.com	5 ABDEGL	ABDHIJOR10
	Anzeige auf dieser Seite B 10A CEE	❶ €32,00
	H50 4 ha 50T(90-110m²) 9D	❷ €40,00
◪▲ N 47°6'42'' E 0°30'58''		

🎮 A10, Ausfahrt 25. Oder über die RD910. Die D760 6 km Richtung Chinon/ l'Ile Bouchard folgen. Hinter Noyant-de-Touraine im Kreisel geradeaus Richtung Chinon/l'Ile Bouchard. CP nach ca. 3 km links der Strecke.

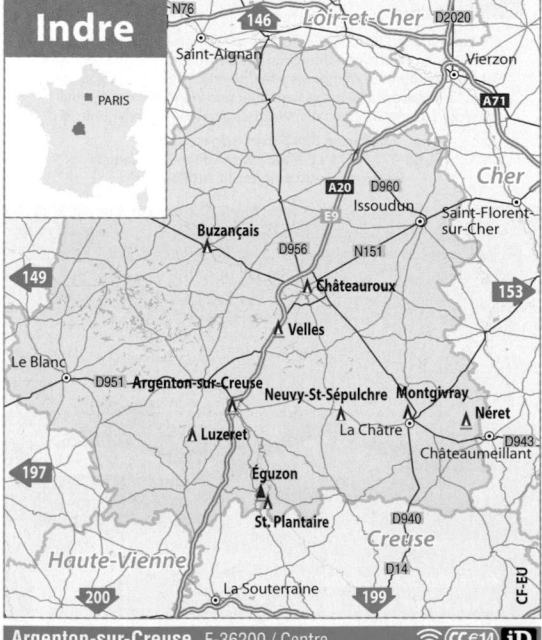

Veigné, F-37250 / Centre

▲ La Plage★★★	1 ADJMNORST	ABJNU 6
🖼 CD50	2 ACIOPX	ABDEF 7
⚑ 30 Apr - 21 Sep	3 ILQ	ABCDEFNRV 8
☎ +33 (0)2-47349539	4 HI	A 9
@ contact@campingveigne.fr	5 ADGIL	BHJOR10
	B 10A	❶ €19,25
◪▲ N 47°17'20'' E 0°44'2''	2,5 ha 110T(90-100m²) 10D	❷ €23,65

🎮 Ab der N10 vor Montbazon der D50 folgen. Der CP liegt vor der Brücke.

Vouvray, F-37210 / Centre

▲ Le Bec de Cisse★★	1 AJMNOPQRT	N 6
⚑ 1 Mai - 2 Okt	2 ACOPVX	ABDEFH 7
☎ +33 (0)2-47526881	3 ALQ	ABCDEFNRS 8
FAX +33 (0)2-47726776	4	BHIJORV10
	5	
	B 10A CEE	❶ €18,80
	1,5 ha 35T(80-100m²) 3D	❷ €25,70
◪▲ N 47°24'32'' E 0°47'47''		

🎮 A10 Ausfahrt 20 Tours. In Tours der N152 Richtung Vouvray/Blois folgen. An der Ampel innerorts rechts abbiegen. Der CP liegt 200m vom Zentrum entfernt am Fluss.

Yzeures-sur-Creuse, F-37290 / Centre

▲ Les Bords de Creuse★	1 AFILNOPRST	AFJNX 6
🖼 rue de Pont	2 COPVWXY	ABDEFG 7
⚑ 15 Jun - 31 Aug	3 ABKLM	BEFNORV 8
☎ +33 (0)2-47944832	4	9
	5 L	HJR10
	6A CEE	❶ €12,10
◪▲ N 46°46'58'' E 0°52'9''	1,7 ha 130T(80-110m²)	❷ €14,60

🎮 Über die N10 der D750 folgen La Celle St. Avant Richtung Tournon. Nach 34,5 km in Yzeures sur Creuse der Beschilderung folgen.

Buzançais, F-36500 / Centre

▲ La Tête Noire★★★	1 ADEJMNORT	ABFGN 6
🖼 allée des Sports	2 CFGPRVWXY	ABDEFH 7
⚑ 11 Apr - 2 Nov	3 ELQ	ABCDEFNORV 8
☎ +33 (0)2-54841727	4 FIO	BE 9
@ campinglatetenoire@ gmail.com	5 AGLM	BFGHIJOR10
	B 16A	❶ €14,70
◪▲ N 46°53'19'' E 1°25'10''	H125 2,5 ha 93T(70-120m²) 7D	❷ €22,00

🎮 N143 Châteauroux-Tours, Ausfahrt Buzançais D11, den Schildern 'Camping/Piscine' folgen.

Châteauroux, F-36000 / Centre

▲ Le Rochat Belle-Isle★★★	1 ADEJMNOPRST	EFHLMNQRUV 6
🖼 17 avenue Daniel Bernardet	2 ACDGHIOPRVWXY	ABDEFGH 7
⚑ 3 Apr - 25 Okt	3 ABFKLPQ	ABCDEFJKNSV 8
☎ +33 (0)2-54089629	4 BDFHIOX	ELUVY 9
@ camping.lerochat@orange.fr	5 ABDEGIJ	BFGHIJOR10
	B 10A CEE	❶ €20,00
◪▲ N 46°49'26'' E 1°41'39''	H71 2,5 ha 152T(80-130m²) 6D	❷ €25,20

🎮 A20 Ausfahrt 13 Richtung Châteauroux Zentrum. Schildern 'CP Belle Isle' folgen.

Éguzon, F-36270 / Centre

▲ Éguzon La Garenne★★★	1 ADEJMNOPRT	ABFG 6
🖼 1 rue Yves Choplin	2 AGPRTWXY	ABDEFGH 7
⚑ 10 Mär - 15 Okt	3 BELOQS	BDFJNRSV 8
☎ +33 (0)2-54474485	4 BDEFHILOX	AEU 9
@ info@campinglagarenne.eu	5 DFGL	ABDFGHJPST10
	6A CEE	❶ €23,70
◪▲ N 46°26'46'' E 1°34'56''	H246 1,5 ha 58T(100-150m²) 6D	❷ €31,70

🎮 CP befindet sich direkt in Éguzon. In Éguzon den Schildern CP 'La Garenne' folgen. Auf der A20 Ausfahrt 20 Richtung Éguzon. Im Zentrum D45 Richtung Pont des Piles. Nach 300m befindet sich der CP.

Argenton-sur-Creuse, F-36200 / Centre

▲ Les Chambons★★★	1 ADEJMNOPRST	JN 6
🖼 37 rue des Chambons	2 ACGIOPRVWXY	ABDEF 7
⚑ 1 Mai - 30 Sep	3 AL	ABCDFNORV 8
☎ +33 (0)2-54241526	4 FHIO	9
@ camping-les-chambons@ orange.fr	5 A	AGHIJPR10
	B 10A CEE	❶ €19,90
◪▲ N 46°35'47'' E 1°30'23''	H103 1,3 ha 60T(100m²)	❷ €25,00

🎮 Von Norden die A20 Orléans-Limoges, Ausfahrt 17; den CP-Schildern folgen.

Éguzon, F-36270 / Centre

▲ Les Nugiras★★★	1 AJMNOPRST	LMNQRSTWXYZ 6
🖼 route de Messant	2 ADHIPRTUVWXY	BEF 7
⚑ 1 Jan - 31 Dez	3 ABELMQ	ABCDFJKNORSTUV 8
☎ +33 (0)2-54474522	4 FINPQ	JT 9
@ nugiras@orange.fr	5 ABGKL	GHIJLR10
	B 10A CEE	❶ €12,80
◪▲ N 46°26'1'' E 1°36'17''	H246 2,6 ha 160T(100-120m²) 12D	❷ €16,30

🎮 A20 Orléans-Limoges, Ausfahrt 20 Éguzon. Im Zentrum Schildern Lac de Chambon (manchmal: Lac d'Éguzon) folgen.

Luzeret, F-36800 / Centre 📶 iD

▲ La Petite Brenne	1 ADFGHKNOPRST	ACDFMN 6
🅱 La Grande Métairie	2 ACDFGHIPSWXY	ABDE**FG** 7
⏲ 24 Apr - 30 Sep	3 ABCEGHLQS	ABCDEFGIKNQRSV 8
☎ +33 (0)2-54250578	4 BD**E**FH**I**KLO**QRTX**	DEJQY 9
@ info@lapetitebrenne.com	5 ABDEFG**JM**	ABIJ**P**RZ10
	FKK B 10A CEE	➊ €32,00
▮▲ N 46°32'33'' E 1°24'11''	H160 42 ha 150T(200-300m²) 14D	➋ €44,00

🚐 A20 Ausfahrt 18 Richtung Prissac/Luzeret. Im Zentrum den Schildern 'La Petite Brenne' folgen.

Montgivray, F-36400 / Centre iD

▲ Solange Sand	1 AJMNOPRT	N 6
🅱 2 rue du Pont	2 CFOPRWXY	ABDE 7
⏲ 15 Mär - 15 Okt	3 ABQ	ABCDFNR 8
☎ +33 (0)2-54061034	4 F	9
@ mairie.montgivray@	5	BHJR10
wanadoo.fr	B 10A CEE	➊ €10,40
▮▲ N 46°36'5'' E 1°58'41''	H190 1 ha 80T(30-140m²)	➋ €13,40

🚐 Châteauroux Richtung La Châtre (D943). CP in Montgivray Zentrum, hinter der Kirche.

Néret, F-36400 / Centre 📶 (CC€12) iD

▲ Le Bonhomme**	1 A**JM**NOR**T**	6
🅱 Mulles	2 GPRTVWXY	ABDE**F** 7
⏲ 1 Apr - 1 Okt	3 LQV	ABCDEFNPQRV 8
☎ +33 (0)2-54314611	4 GH	I 9
@ info@	5 AF**I**L	ABGHIJ**P**QR10
camping-lebonhomme.com	6A	➊ €20,50
▮▲ N 46°35'19'' E 2°7'59''	1,5 ha 37T(100-120m²) 1D	➋ €26,50

🚐 Von Vierzon die A20 Ausfahrt 12 Chateauroux. Dann die D943 Richtung Montluçon. Ausfahrt Néret links ab. In Néret den Schildern 'Aire Naturelle' folgen, 2 km außerhalb Néret bordie 'Le Bonhomme' links an der Böschung.

Neuvy-St-Sépulchre, F-36230 / Centre 📶 iD

▲ Les Frênes***	1 ABDEJMNOP**R**T	ABN 6
🅱 route de l'Augère	2 DFGPSVX	BE**F**G 7
⏲ 15 Jun - 15 Sep	3 AI	BDFNOTUV 8
☎ +33 (0)2-54308251	4 F	F 9
@ campinglesfrenes@orange.fr	5 **L**	HIJPR10
	B 9A CEE	➊ €11,90
▮▲ N 46°35'34'' E 1°47'59''	H200 1,5 ha 35T(60-100m²) 2D	➋ €13,90

🚐 A20 Ausfahrt 15 Richtung La Châtre. Ab dem Zentrum den Schildern folgen.

St. Plantaire, F-36190 / Centre 📶 iD

▲ Camping de Fougères***	1 ABDEJMNOPRST	ABLMN**QSWXYZ**8
🅱 19, Plage de Fougères	2 DFGIKPTUVWXY	ABDE**FG** 7
⏲ 1 Apr - 31 Okt	3 ABF**L**MQ	ABCDEFNORV 8
☎ +33 (0)2-54472001	4 BFHIQ	AEFJPQT 9
@ campingmunicipal.fougeres@	5 AB**LM**	ABHIJOST10
orange.fr	B 10A CEE	➊ €16,20
▮▲ N 46°25'26'' E 1°36'47''	H190 3 ha 160T(70-120m²) 89D	➋ €20,20

🚐 A20, Ausfahrt 20 Éguzon, D36 nach Éguzon, D45 St. Plantaire, D40 Plage de Fougères, Schildern folgen.

Velles, F-36330 / Centre 📶 (CC€16) iD

▲ Les Grands Pins***	1 ADE**JM**NOP**R**T	A 6
🅱 D920 Les Maisons-Neuves	2 ABGPVWXY	ABDE**F** 7
⏲ 21 Mär - 18 Okt	3 B**I**LMQ	ABCDFINORTUV 8
☎ +33 (0)2-54366193	4 O	9
@ contact@les-grands-pins.fr	5 AGIJL	BGHIJO10
	B 10A CEE	➊ €19,80
▮▲ N 46°44'30'' E 1°37'16''	H183 5 ha 46T(120-140m²)	➋ €28,20

🚐 7 km Richtung Süden von Châteauroux. 5 Minuten entfernt von der A20 zwischen den Ausfahrten 14 und 15. Auf die D920 Richtung 'Les Maisons-Neuves'.

Cosne-sur-Loire, F-58200 / Centre 📶 iD

▲ Camping de l'île***	1 ADE**JM**NOPQRST	N**U**V 6
🅱 Ile de Cosne	2 ABCGHPQRVXY	ABDE**FG**H 7
⏲ 1 Apr - 30 Okt	3 ABEF**IK**LQRST	ABCDFNRSV 8
☎ +33 (0)9-72258983	4 BDHI**PQ**	JLQRUV 9
@ info@camping-ile-cosne.com	5 ABDGL	AHIJLN**O**H10
	D 10A CEE	➊ €23,50
▮▲ N 47°24'30'' E 2°55'2''	H167 6 ha 180T(100m²) 8D	➋ €33,50

🚐 Von der A77 Ausfahrt Cosne-sur-Loire und dann Richtung Bourges.

Jars, F-18260 / Centre iD

▲ Intercommunal La Balance	1 AJMNORT	LN**QS** 6
🅱 Plan d'Eau	2 DGHPRXY	ABDE 7
⏲ 1 Apr - 20 Okt	3 BEILMQ	ABCDEFNTV 8
☎ +33 (0)2-48587450	4 FI	D 9
@ cdc.coeurdupaysfort@	5 DEGIK	HJR10
wanadoo.fr	B 10A	➊ €10,40
▮▲ N 47°23'22'' E 2°40'46''	H216 1 ha 30T 1D	➋ €12,70

🚐 D923 Sancerre-Aubigny, in Jars Richtung Le Noyer, liegt am See.

La Chapelle-d'Angillon, F-18380 / Centre 📶 iD

▲ Paradis Nature**	1 AJMNOPQRT	JL 6
🅱 Les Murailles (route de la Forge)	2 CDGHIOPRWXY	ABD**F**K 7
⏲ 1 Apr - 24 Okt	3 AL	ABCDEFMNS 8
☎ +33 (0)6-70295200	4 AD	AD 9
@ info@	5 AF	BIJOTUZ10
camping-paradis-nature.com	10A	➊ €17,10
▮▲ N 47°21'35'' E 2°26'31''	0,8 ha 54T(80-120m²) 3D	➋ €21,10

🚐 Über die D940 Paris-Bourges oder D926 Auxerre-Vierzon.

Aubigny-sur-Nère, F-18700 / Centre 📶 (CC€14) iD

▲ Les Étangs***	1 ADE**JM**NOPQRS**T**	ABF**G**N 6
🅱 route de Oizon	2 DGPQRVWXY	ABDE**FG** 7
⏲ 1 Apr - 30 Sep	3 ABLMQT	ABDFNQRTV 8
☎ +33 (0)2-48580237	4 FHIOQ	EFJ 9
@ camping.aubigny@orange.fr	5 ABL	DHIJN**P**RV10
	B 6-10A	➊ €22,00
▮▲ N 47°29'5'' E 2°27'21''	H189 2 ha 85T(3-82m²) 15D	➋ €31,00

🚐 In Aubigny-sur-Nère, östlich der Gemeinde, 200m vom Zentrum entfernt.

Bourges, F-18000 / Centre 📶 iD

▲ Robinson***	1 ABD**JM**NOPRST	AB**N** 6
🅱 26 bd de l'Industrie	2 ACGOPQSTVWXY	ABDE**FG**H 7
⏲ 15 Mär - 15 Nov	3 AB	ABCDEFJNOQRSTUV 8
☎ +33 (0)2-48201685	4	L 9
@ camping@ville-bourges.fr	5	BFGHIJOTU10
	B 10-16A CEE	➊ €20,80
▮▲ N 47°4'21'' E 2°23'41''	H133 2,2 ha 107T(80-182m²)	➋ €25,60

🚐 A71 Ausfahrt Bourges Zentrum. Beschildert. Achtung: von Süden her am 4. Kreisel rechts einordnen, dann quer rüber zur CP-Einfahrt.

La Guerche-sur-l'Aubois, F-18150 / Centre 📶 (CC€10) iD

▲ Robinson	1 ADJKNOPQRT	LN 6
🅱 2 rue de Couvache	2 BDHRSVWXY	ABDE**F**H 7
⏲ 1 Jan - 31 Dez	3 ABFILQS	ABCDEFNQR 8
☎ +33 (0)2-48741886	4 BDIO	EJRTV 9
@ camping-laguerche@orange.fr	5 ADEL	GHIJ**P**ST10
	Anzeige auf dieser Seite B 10A	➊ €17,10
▮▲ N 46°57'7'' E 2°56'54''	65T(50-80m²) 12D	➋ €19,10

🚐 A77 Montargis-Nervers. Nach Nevers die D976 Richtung Bourges. Camping liegt an dieser Straße. Ist angezeigt.

St. Amand-Montrond, F-18200 / Centre 📶 CC€12 iD

🏔 La Roche***
📧 chemin de la Roche
🗓 1 Apr - 30 Sep
☎ +33 (0)2-48960936
@ camping-la-roche@wanadoo.fr
📍 N 46°43'4'' E 2°29'26''

1 AJMNOPRST	**T**	N 6
2 ACOPVWXY	ABDE**FGH** 7	
3 ABCEL**MQ**	ABCDEFJNOR 8	
4 IO	AJ 9	
5 A**L**	HIJNPR10	
B 6A CEE	❶ €17,10	
H201 4 ha 120T(100-120m²) 9D	❷ €17,10	

🚗 A71 Ausfahrt 8, durchs Zentrum Richtung Montluçon. Kurz vor der Brücke stadtauswärts rechts, am Kanal entlang.

St. Satur, F-18300 / Centre 📶 CC€12 iD

🏔 Les Portes de Sancerre***
📧 Quai de Loire
🗓 4 Apr - 18 Okt
☎ +33 (0)2-48721088
@ camping.sancerre@flowercampings.com
📍 N 47°20'32'' E 2°51'58''

1 AD**J**MNOPRST	AFN**UVX**YZ 6	
2 CGHPQVXY	ABDE**FGH** 7	
3 AI**KLMN**Q	ABCDF**NQT**V 8	
4 FHO	AEQRV 9	
5 ABL	ABDHIJLNPRV10	
B 6A CEE	❶ €22,65	
H111 2,5 ha 85T(80-120m²) 26D	❷ €31,65	

🚗 D955 Cosne-Bourges. In St. Satur D2 Richtung St. Thibault. Gleich vor der Loirebrücke liegt der CP links am Fluss.

Bretagne

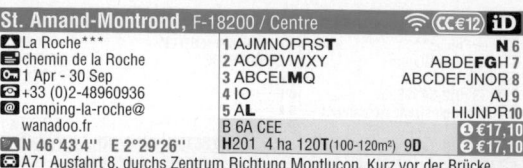

pro mobil
Jeden Monat NEU am Kiosk

Arradon, F-56610 / Bretagne 📶 ✿ CC€16 iD

🏔 Sites & Paysages De Penboch****
📧 9 chemin de Penboch
🗓 11 Apr - 27 Sep
☎ +33 (0)2-97447129
@ camping.penboch@wanadoo.fr
📍 N 47°37'20'' W 2°48'4''

1 ADE**J**MNOPQRST	ABEFGHIKNPQRST**X** 6	
2 AEFHKMPVWXY	ABDE**FGH** 7	
3 BCE**IKLQ**T	ABCDEFGHIJKLMNPQRSTUV 8	
4 **A**FHIO**PQU**	EHIJLMOQRUV 9	
5 ABDE**GM**	ABDGHIJ**NP**RVZ10	
B 10A CEE	❶ €40,70	
3,5 ha 117T(85-110m²) 86D	❷ €52,00	

🚗 N165/E60 Vannes-Lorient, Ausfahrt Vannes-Ouest/Arradon. Via D101 Richtung Arradon, dann CP-Beschilderung oder 'Pointe de Penboch' folgen.

Baden, F-56870 / Bretagne 📶 ✿ iD

🏔 Mané Guernehué*****
📧 52 rue Mané Er Groëz
🗓 11 Apr - 1 Nov
☎ +33 (0)2-97570206
@ info@camping-baden.com
📍 N 47°36'51'' W 2°55'34''

1 ADE**J**MNOPRST	ABEFGHINQSVWX 6	
2 AHKMOPUVWXY	ABDE**FGH** 7	
3 BDEF**GHIKLMN**QRST	ABCDEFHIJKNPQRSTUV 8	
4 **A**BCDFHIKLNO**PQRTUVXZ**	BEIJLMOQRUV 9	
5 ACDEFG**JLM**	ABGHIJ**NP**RWZ10	
B 10A CEE	❶ €47,00	
10 ha 277T(90-125m²) 143D	❷ €61,20	

🚗 Vannes/Lorient N165/E60, Ausfahrt Vannes-Ouest/Arradon. Via D101 Richtung Arradon und dann Richtung Baden. Ab Baden-Zentrum CP-Beschilderung folgen.

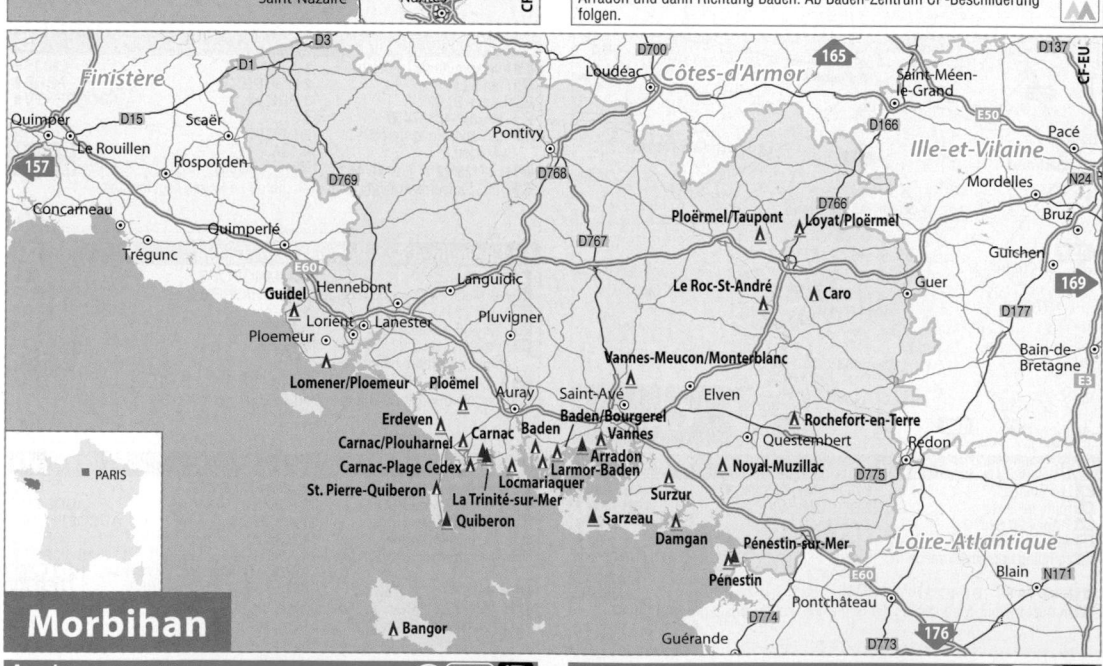

Arradon, F-56610 / Bretagne 📶 CC€14 iD

🏔 Camping de l'Allée***
📧 L'Allée
🗓 1 Apr - 30 Sep
☎ +33 (0)2-97440198
@ contact@camping-allee.com
📍 N 47°37'17'' W 2°50'25''

1 ADE**J**MNOPQRST	ABFGNOPQRST**X**YZ 6	
2 AEKMPTVWXY	ABDE**FGH** 7	
3 A**KL**QS	CDFKNORSV 8	
4 FIO**PQ**	BEIMOQRV 9	
5 ABE**KM**	BGIJPR10	
B 15A CEE	❶ €25,45	
137T(80-140m²) 32D	❷ €34,65	

🚗 N165/E60 Nantes-Lorient, Ausfahrt Vannes Ouest/Arradon. Über die D101 und D127 Arradon folgen, am Einkaufcenter vorbei. Am Kreisel den CP-Schildern folgen.

Baden/Bourgerel, F-56870 / Bretagne 📶 CC€14 iD

🏔 Campéole Penn Mar***
📧 route de Port Blanc
🗓 3 Apr - 27 Sep
☎ +33 (0)2-97574990
@ pennmar@campeole.com
📍 N 47°36'25'' W 2°52'32''

1 ADE**J**MNOPQRST	NOPQRSTUV**X** 6	
2 EFHKMOPVWXY	ABDE**FGH** 7	
3 AE**KL**MQT	ABCDEFGHIJNPRSV 8	
4 ABCDFHILNO**P**	ACELMNOQR 9	
5 ABDEG**KL**M	BGHIJ**O**TUVWZ10	
B 10A CEE	❶ €29,60	
6 ha 72T(100-150m²) 127D	❷ €45,40	

🚗 N165/E60 Vannes-Lorient, Ausfahrt Vannes-Ouest/Arradon. Über die D101 Richtung Baden/Île-aux-Moines. Weiter Île-aux-Moines über die D316 folgen. CP liegt links.

Bangor, F-56360 / Bretagne 🛜 iD

▲ Le Kernest***	1 ADEJMNOPRST	CDFGNOPQSUV 6
✉ Kernest	2 MNOPVWX	ABDEFGH 7
☀ 4 Apr - 3 Okt	3 AEKLMQ	ABCDFIJNQRSV 8
☎ +33 (0)2-97315626	4 DFHINO	ABEJUV 9
@ camping.lekernest@	5 ABDEGIM	BFGHIJPSTV10
amisep.asso.fr	B 4A CEE	① €25,50
🏕 N 47°18'42'' W 3°12'5''	5 ha 28T(70-90m²) 52D	② €34,50

🚗 N160/E60 Nantes/Quimper Ausfahrt Carnac/Quiberon. Über die D768 nach Quiberon Stadt, dort der Beschilderung Belle Ile folgen, vor dem Schiff (Reservierung!). Auf der Belle Ile nach Bangor D190, dann Kernest folgen.

Carnac, F-56340 / Bretagne 🛜 iD

▲ Le Lac***	1 ADEJMNOPQRST	ABFGLNOPQSUVXY 6
✉ Passage du Lac	2 CDFMPTVWXY	ABDFGH 7
☀ 25 Apr - 26 Sep	3 BELQST	BDEFNQRSTUV 8
☎ +33 (0)2-97557878	4 ABFHIKLOQ	AEGRUV 9
@ info@lelac-carnac.com	5 ABEFL	BGHIJNOSTW10
	B 10A CEE	① €34,10
🏕 N 47°36'40'' W 3°1'45''	2,5 ha 68T(80-150m²) 65D	② €42,10

🚗 Von der N165 in Auray Richtung Carnac, dann über die D186 Richtung La Trinité-sur-Mer, nach ca. 7 km links den Beschilderung folgen.

Carnac, F-56340 / Bretagne 🛜 CC€18 iD

▲ Les Druides***	1 ADEJMNOPQRT	ABFGKNOPQRSTUVWX 6
✉ 55 chemin de Beaumer	2 EHMOPVWXY	ABDEFGH 7
☀ 18 Apr - 5 Sep	3 BEKLMNQT	ABCDEFGHIKNOPRSTUV 8
☎ +33 (0)2-97520818	4 FHIOPQ	EIMOQRUVWY 9
@ contact@	5 ALM	ABDGHIJORW10
camping-les-druides.com	B 10A CEE	① €39,90
🏕 N 47°34'48'' W 3°3'25''	2,5 ha 90T(80-130m²) 23D	② €51,40

🚗 N165/E60 Nantes-Quimper Ausfahrt Carnac/Quiberon, nach Carnac Plage bis zum Marktplatz-Kreisel, Carnac-Mitte. Dort Richtung La Trinité bis zum Kreisel mit Restaurant, dann rechts, ± 1 km Einfahrt CP rechts.

Carnac-Plage Cedex, F-56343 / Bretagne 🛜 iD

▲ Les Menhirs****	1 ADEILNOPQRST	ABEFGHKMNOPQRSTUVWXYZ 6
✉ allée Saint-Michel / BP 167	2 EHMOPSVWXY	ABDEFGH 7
☀ 18 Apr - 19 Sep	3 BEFGHIKLMQ	ABCDFGIKNPRSTUV 8
☎ +33 (0)2-97529467	4 BCDFHILNOPQRSTUX	EFJLMOQRUVWY 9
@ contact@lesmenhirs.com	5 ACEGL	ABGHIKNPS10
	B 10A CEE	① €54,00
🏕 N 47°34'32'' W 3°4'5''	6 ha 164T(80-140m²) 174D	② €69,30

🚗 Südlich von Auray gelegen. Über die D768 und D119 nach Carnac. Von Carnac in Richtung Carnac-Plage (D119), im Zentrum dann nach La Trinité-sur-Mer. Der CP ist ab Zentrum ausgeschildert.

Carnac/Plouharnel, F-56340 / Bretagne 🛜 CC€16 iD

▲ Les Bruyères***	1 ADEJMNOPQRST	CDFGX 6
✉ Kerogile	2 AGMOPVWXY	ABDEFG 7
☀ 1 Apr - 30 Sep	3 BEGHKLPQSTU	ABCDEFHJKNPQRSV 8
☎ +33 (0)2-97523057	4 ABCDFHILO	CEFUV 9
@ contact@	5 ACDEFGILM	ABDGHIJORW10
camping-lesbruyeres.com	B 10A CEE	① €28,10
🏕 N 47°36'28'' W 3°5'26''	4,5 ha 90T(80-120m²) 72D	② €34,90

🚗 Südl von Auray über die D768 Ri. Quiberon-Carnac. An der Ausfahrt Carnac vorbei der Straße nach Quiberon bis zum Kreisel mit weiß/blauem Gebäude folgen. Danach li. nach Kerogile (C4). Nach 300m CP.

Caro, F-56140 / Bretagne 🛜 iD

▲ Domaine de Kervallon	1 AJMNOPQRST	ABFG 6
✉ Le Val Saving	2 PVWX	ABDEFH 7
☀ 1 Mai - 30 Sep	3 ALS	ABCDFJNV 8
☎ +33 (0)6-76688367	4 BDFHTUX	BDFJUV 9
@ contact@	5 AB	BHIJPRVW10
domaine-de-kervallon.com	B 10A CEE	① €19,00
🏕 N 47°53'21'' W 2°20'1''	23T(80-110m²) 27D	② €27,00

🚗 N24 Rennes-Quimper, Ausfahrt Ploërmel/Dinan/St. Malo. Über die D8 Richtung Caro. Nach 5 km links an der Kreuzung am Restaurant, nach 3,5 km kommt der CP.

Damgan, F-56750 / Bretagne 🛜 CC€16 iD

▲ Grand Air Cadu***	1 ADEJMNOPRST	ABCDFGHKMNOPQRSTVWXYZ 6
✉ rue de Cadu	2 AEHOPVWX	ABDEFGH 7
☀ 1 Apr - 31 Okt	3 BEILMQT	ABCDEFHJNPRSTUV 8
☎ +33 (0)2-97411730	4 BDFHINPQ	ENOQRTUVWY 9
@ info@campingcadu.com	5 AKM	BDGHIJMPRW10
	B 16A CEE	① €30,20
🏕 N 47°31'19'' W 2°35'34''	7,8 ha 98T(80-200m²) 82D	② €39,25

🚗 N165/E60 Vannes-Nantes. Ausfahrt Damgan oder Muzillac, dann nach Damgan und den CP-Schildern folgen.

Erdeven, F-56410 / Bretagne 🛜 CC€16 iD

▲ Les Mégalithes***	1 ADEJMNOPQRST	ABFGX 6
✉ Kerfelicite, chemin des Saules	2 PVWXY	ABDEFGH 7
☀ 1 Mai - 21 Sep	3 BEGHKLQ	ABCDEFNQRSV 8
☎ +33 (0)2-97556876	4 FH	9
@ campingdesmegalithes@	5 ABEM	BDFGHIJMRW10
orange.fr	B 10A CEE	① €26,90
🏕 N 47°37'43'' W 3°8'46''	5 ha 100T(90-160m²) 85D	② €35,90

🚗 N165/E60 Vannes-Lorient, Ausfahrt Quiberon/Carnac, D768 Richtung Quiberon. An Kreuzung in Plouharnel rechts Richtung Erdeven via D781. Nach ca. 3,5 km links.

Guidel, F-56520 / Bretagne 🛜 CC€14 iD

▲ Les Jardins de Kergal****	1 ADEJLNOPQRST	ABCFH 6
✉ rte des Plages	2 AHMOPVWXY	ABDEFGH 7
☀ 1 Apr - 11 Nov	3 BEIKLMQST	ABCDFIKNQRSTV 8
☎ +33 (0)2-97059818	4 BCDFHILNOPQ	EJNQRSRV 9
@ jardins.kergal@wanadoo.fr	5 ABEGLM	ABDGHIJMNOPSTW10
	B 16A CEE	① €32,00
🏕 N 47°46'29'' W 3°30'22''	5 ha 76T(90-150m²) 138D	② €43,00

🚗 Von der N165 Quimper-Lorient Ausfahrt Guidel. In Guidelm-Mitte um die Kirche Ri. Guidel-Plages über die D306. Nach etwa 18 km am Kreisel links, nächste Kreuzung links, nach 500m CP-Einfahrt rechts.

La Trinité-sur-Mer, F-56470 / Bretagne 🛜 CC€16 iD

▲ De Kervilor****	1 ADEJMNOPQRST	ABCDFGHNOPQRSTWXYZ 6
✉ Kervilor	2 CMOPVWXY	ABDEFGH 7
☀ 4 Apr - 20 Sep	3 BEGHIKLMQT	ABCDEFIKNQRSTV 8
☎ +33 (0)2-97557675	4 ABCDFHILNOPQRU	EMNOQRV 9
@ camping.kervilor@wanadoo.fr	5 ACDEFGKLM	ABDGHIJMNOSTWZ10
	B 10A	① €36,45
🏕 N 47°36'8'' W 3°2'12''	4,7 ha 163T(80-120m²) 87D	② €46,00

🚗 Südlich von Auray, D768 Ri. Carnac, dann D186 Ri. La Trinité bis man die CP-Schilder sieht. Vor dem Zentrum links.

La Trinité-sur-Mer, F-56470 / Bretagne 🛜 iD

▲ De la Plage****	1 ADEJMNOPQRST	ABFGHKNOPQSWXYZ 6
✉ 44 rue de Kervourden Kervilen	2 EHMPVWX	ABDEFGH 7
☀ 8 Mai - 20 Sep	3 BIKLMQ	ABCDEFGHIJKNPQRSTU 8
☎ +33 (0)2-97557328	4 ABDFHILNOPQU	EFLQORVW 9
@ camping@camping-plage.com	5 ACDEGJKLM	ABGHIJNPTUV10
	B 10A CEE	① €30,40
🏕 N 47°34'32'' W 3°1'44''	3 ha 125T(90-110m²) 73D	② €39,70

🚗 A11/A81 Paris-Rennes. N24/N166 über Vannes nach Auray. Dort über die D781 nach Carnac bis zur Ausfahrt D186 nach La Trinité-sur-Mer. Im Zentrum ist die CP ausgeschildert.

Larmor-Baden, F-56870 / Bretagne 🛜 iD

▲ Ker Eden	1 ADEJMNOPQRT	KNOPQRSTX 6
✉ route d'Auray	2 AEFHMPVWXY	ABDEFGH 7
☀ 8 Mai - 13 Sep	3 BGHKLMQ	CDEFGIKNRS 8
☎ +33 (0)2-97570523	4 FHIO	BMOQR 9
@ info@	5 AB	BHJOST10
camping-larmorbaden.com	B 10A	① €0,00
🏕 N 47°35'34'' W 2°54'22''	2 ha 96T(100-140m²) 4D	② €28,10

🚗 Vannes/Lorient N165/E60, Ausfahrt Vannes West/Arradon. Über die D101 Richtung Baden, dann Richtung Larmor-Baden bis ca. 1 km ortsaußerhalb. Der Camping liegt zwischen Straße und Meer.

Le Roc St-André, F-56460 / Bretagne 🛜 CC€14 iD

▲ Domaine du Roc***	1 ADEJMNOPRST	CDFGNQSUXYZ 6
✉ rue Beaurivage	2 ACPVXY	ABDEFG 7
☀ 1 Apr - 1 Nov	3 AGHLQS	ABCDEFGIJNQRSTUV 8
☎ +33 (0)2-97749107	4 FHIN	DEFJQRTV 9
@ domaine-du-roc@orange.fr	5 GLM	BDGHIJORV10
	B 10A CEE	① €18,00
🏕 N 47°51'49'' W 2°26'46''	5 ha 28T(90-150m²) 29D	② €24,00

🚗 N24 Rennes-Quimper, In Ploërmel Richtung Vannes über die N165. Ausfahrt Le Chapelle Caro/Le Roc-St-André, über die D4 und über die Brücke dann an der Kirche vorbei den CP-Schildern folgen.

Locmariaquer, F-56740 / Bretagne 🛜 CC€16 iD

▲ Lann Brick***	1 ADEJMNOPQRST	ABFGKNOPQSX 6
✉ 18 Lieu Dit Lann Brick	2 EHMOPVWXY	ABDEFGH 7
☀ 11 Apr - 18 Okt	3 BLQ	ABCDEFHKNQRSTV 8
☎ +33 (0)2-97573279	4 BDEFHINOPQ	ADEFRUV 9
@ camping.lannbrick@	5 ABDEGKL	BDHIJOST10
wanadoo.fr	B 10A CEE	① €25,60
🏕 N 47°34'43'' W 2°58'28''	1,5 ha 51T(70-90m²) 66D	② €34,10

🚗 N165/E60 Nantes/Quimper, Ausfahrt Crach, über die D28 Richtung Locmariaquer. Hinter dem Kreisel Richtung Trinité/Carnac. Über die D781 Richtung Locmariaquer, nach ± 2 km nach rechts.

Lomener/Ploemeur, F-56270 / Bretagne 🛜 iD

▲ Belle-Plage***	1 ADEJMNOPRST	CDFGKMNOPQRSTVXYZ 6
✉ rue de l'Anse du Stole	2 AEHMOPSVWXY	ABDEFGH 7
☀ 4 Apr - 24 Okt	3 BKLQ	BDFJNRS 8
☎ +33 (0)2-97567717	4 BCDEFHINOP	ADEMNOQRSV 9
@ contact@	5 ABDEFG	BFGHIJNORW10
camping-belleplage.fr	B 10A CEE	① €23,60
🏕 N 47°42'24'' W 3°25'19''	4 ha 126T(100-150m²) 98D	② €31,60

🚗 N165/E60 Nanter-Quimper. Ausfahrt 43 Richtung Lorient, über die D29 Richtung Larmor Plage, über die D152 Beschilderung nach Kerpape. CP-Einfahrt liegt neben Kerpape.

Loyat/Ploërmel, F-56800 / Bretagne 🛜 CC€16 iD

▲ Merlin l'enchanteur**	1 ADEJMNOPQRST	CDFGNQSUXY 6
✉ 8 rue du Pont	2 ACDPVWXY	ABDFGH 7
☀ 1 Jan - 31 Dez	3 BKLMQ	ABFJNQRTUV 8
☎ +33 (0)2-97930552	4 FH	DEUV 9
@ contact@camelotpark.fr	5	BDFGHIJPSTW10
	B 16A	① €19,00
🏕 N 47°59'6'' W 2°22'52''	6 ha 65T(70-120m²) 57D	② €24,00

🚗 N24 Rennes-Quimper Richtung Ploërmel/Dinan/St.Malo, Ringstraße über einige Kreisel Richtung Dinan/St.Malo. Über die D766 nach Loyat, Einfahrt 100m hinter der Brücke vor Loyat.

Noyal-Muzillac, F-56190 / Bretagne 🛜 CC€14 iD

- 🏕 Moulin de Cadillac****
- 🏠 route de Berric
- 📅 11 Apr - 13 Sep
- ☎ +33 (0)2-97670347
- @ infos@moulin-cadillac.com
- 📍 N 47°36'51'' W 2°30'5''

1 ADEJMNOPQRST	ABEFGHIN	6
2 ACDPVWXY		7
3 BDEILMQT	ABCDEFGHJKNOPQRSV	8
4 DFHIKNOPQR	AEJ	9
5 ABEGKLM	BDFGHIJMNOSTVW	10
B 16A CEE		
7 ha 139T(100-150m²) 69D	① €31,80 ② €41,00	

🚗 Zwischen Nantes und Vannes über die N165/E60 Ausfahrt Muzillac. Im Zentrum D5 Richtung Noyal-Muzillac. Beschilderung folgen. Im Zentrum von Noyal-Muzillac vor der Kirche links, 4,5 km. Platzeingang rechts.

Pénestin, F-56760 / Bretagne 🛜 CC€16 iD

- 🏕 Le Domaine d'Inly****
- 🏠 BP 24, rte de Couarne
- 📅 11 Apr - 13 Sep
- ☎ +33 (0)2-99903509
- @ inly-info@wanadoo.fr
- 📍 N 47°28'17'' W 2°8'0''

1 ADEHKNOPRST	ABCDFGHNX	6
2 DMOPVWXY	ABDEFG	7
3 BCEGHLMQST	ABCDFIKNORSV	8
4 BCDFHILNOPQZ	AEQRTUV	9
5 ABDEFGIJM	ABDGHIJNORW	10
B 10A		
16 ha 80T 420D	① €43,00 ② €56,00	

🚗 N165/E60 Nantes-Vannes, Ausfahrt Pénestin oder Ausfahrt Barrage d'Arzal Richtung Pénestin via D34 oder D139. Vor Zentrum CP-Beschilderung folgen.

Pénestin-sur-Mer, F-56760 / Bretagne 🛜 ✿ CC€16 iD

- 🏕 Le Cénic***
- 🏠 rte de la Roche-Bernard
- 📅 11 Apr - 13 Sep
- ☎ +33 (0)2-99904565
- @ info@lecenic.com
- 📍 N 47°28'43'' W 2°27'18''

1 ADEJMNOPQRST	ABEFGHIKNOPQSUVWX	6
2 DEMPVWXY	ABDEFGH	7
3 BDEHLQT	ABCDEFGKNQRSTUV	8
4 BDFHIKNOPQTV	EJMOQR	9
5 ABEGKLM	ABDGHIJMOPSTVW	10
B 10A CEE		
7 ha 225T(80-150m²) 100D	① €34,00 ② €43,50	

🚗 N165/E60 Nantes-Vannes. Ausfahrt Pénestin oder Ausfahrt Barrage d'Arzal und über D34 oder D139 Richtung Pénestin. Im Kreisel, bei der Kirche, rundfahren und zurückfahren bis zum Eingang des CPs.

Pénestin-sur-Mer, F-56760 / Bretagne 🛜 CC€12 iD

- 🏕 Les Pins***
- 🏠 Bois de la Lande
- 📅 1 Apr - 18 Okt
- ☎ +33 (0)2-99903313
- @ camping.lespins@wanadoo.fr
- 📍 N 47°28'36'' W 2°27'7''

1 ADEJLNOPQRST	ABCDFGHNOPQRSTVW	6
2 BEMPVWXY	ABDEFG	7
3 BEHLQ	ABDFHIJKNPRSTUV	8
4 BCDFHIKLOPQ	EJMOQRUV	9
5 ABEFGKM	BGHIJMOR	10
B 10A CEE		
5 ha 71T(80-150m²) 126D	① €26,10 ② €35,10	

🚗 N165/E60 Nantes-Vannes, Ausfahrt Pénestin oder Arzal, über die D34 oder D139 Richtung Pénestin. Am ersten Kreisverkehr vor Pénestin links, CP ausgeschildert.

Ploëmel, F-56400 / Bretagne 🛜 CC€14 iD

- 🏕 Le St. Laurent***
- 🏠 Kergonvo, D186
- 📅 11 Apr - 24 Okt
- ☎ +33 (0)2-97568590
- @ contact@camping-saint-laurent.fr
- 📍 N 47°39'51'' W 3°5'59''

1 ADEILNOPQRST	CDFGX	6
2 ABGMPVWXY	ABDEFG	7
3 AFGHKLQ	ABCDFJKNQRSV	8
4 BDFHINO	AEFUV	9
5 ABDEGM	BDFGHIJOSTVW	10
B 10A CEE		
3,5 ha 71T(80-130m²) 50D	① €22,30 ② €27,70	

🚗 N165/E60 Vannes/Lorient, Ausfahrt Quiberon/Carnac. Über die D22 Richtung Belz/Etel. Nach etwa 9 km nach links, CP nach 100m links.

Ploërmel/Taupont, F-56800 / Bretagne 🛜 ✿ CC€14 iD

- 🏕 La Vallée du Ninian***
- 🏠 Le Rocher Ville Bonne
- 📅 1 Apr - 30 Sep
- ☎ +33 (0)2-97935301
- @ infos@camping-ninian.fr
- 📍 N 47°58'9'' W 2°28'12''

1 ADEJMNOPQRST	CDFGN	6
2 ACGPVWXY	BDEFG	7
3 BGHKLMNPQ	ABCDFGNQRSTUV	8
4 BCDFHIKO	BEFU	9
5 ABDEGILM	BDGHIJPSTVW	10
B 10A CEE		
2,7 ha 85T(100-160m²) 15D	① €21,50 ② €27,60	

🚗 N24 Rennes-Quimper, Ausf. Ploërmel/Dinan/St.Malo, Ringstraße zum Lac Au Duc, dann Ri. Taupont, D8 in nördliche Richtung. Außerhalb der Ortschaft bei Beschilderung li. der Strecke folgen. CP liegt li., ca. 2,5 km nordwestlich von Taupont.

Quiberon, F-56170 / Bretagne 🛜 ✿ CC€16 iD

- 🏕 Do Mi Si La Mi***
- 🏠 31 rue de la Vierge
- 📅 1 Apr - 1 Nov
- ☎ +33 (0)2-97502252
- @ camping@domisilami.com
- 📍 N 47°29'59'' W 3°7'13''

1 ADEJLNOPQRST	KNOPQRSTW	6
2 EFHMOPVWX	ABDEFGH	7
3 BEKLQST	ABCDEFGHIKNOPRSTUV	8
4 ABFHIOP	EUV	9
5 ACDEFGIKLM	ABDFGHIJPR	10
B 10A		
5 ha 184T(80-110m²) 163D	① €28,70 ② €39,70	

🚗 N165/E60 Nantes-Quimper Ausfahrt Carnac/Quiberon, über die D768 Richtung Quiberon. Hinter St. Pierre/Quiberon nach links. Gut ausgeschildert.

Quiberon, F-56170 / Bretagne 🛜 CC€16 iD

- 🏕 Le Bois d'Amour***
- 🏠 rue St. Clément
- 📅 4 Apr - 1 Nov
- ☎ +33 (0)2-97501352
- @ camping.boisdamour@flowercampings.com
- 📍 N 47°28'35'' W 3°6'15''

1 ADEJMNOPQRST	CDFGKNOPQRSTUVWX	6
2 EHMOPQVWX	ABCDEFGH	7
3 BFGHKLMNPQ	ABCDEFKNQRSV	8
4 BCDFHILNOPQ	ABCEFMNOPQRSUVY	9
5 ABDEFGJKM	ABDGHIJPTZ	10
B 16A CEE		
5,5 ha 70T(70-120m²) 174D	① €40,90 ② €51,50	

🚗 Südlich von Auray, via D768 nach Quiberon. In Quiberon-Stadt Richtung Thalassotherapie oder CP-Beschilderung folgen.

Quiberon, F-56170 / Bretagne 🛜 CC€16 iD

- 🏕 Les Joncs du Roch***
- 🏠 rue de l'Aérodrome
- 📅 11 Apr - 26 Sep
- ☎ +33 (0)2-97502437
- @ camping@lesjoncsduroch.com
- 📍 N 47°28'45'' W 3°6'2''

1 ADEJMNOPQRST	CDFGKNOPQRSTVWXYZ	6
2 EHMOPVWX	ABDEFGH	7
3 BEGHKLMNQT	ABCDEFGKNORSTV	8
4 DFHINO	AEMNOPQRSUVY	9
5 AM	BDGHIJPSTW	10
B 10A CEE		
104T(80-120m²) 49D	① €36,40 ② €47,00	

🚗 N165/E60 Nantes-Quimper, Ausfahrt Carnac-Quiberon, über die D768 nach Quiberon. Hinter St. Pierre/Quiberon kurz vor der Bahnlinie. Der Beschilderung Aerodrôme und beschilderung Port-Haligven folgen.

Rochefort-en-Terre, F-56220 / Bretagne 🛜 CC€16 iD

- 🏕 Sites & Paysages Au Gré Des Vents***
- 🏠 2 chemin de Bogeais
- 📅 1 Apr - 27 Sep
- ☎ +33 (0)2-97433752
- @ gredesvents@orange.fr
- 📍 N 47°41'43'' W 2°20'57''

1 ADEJMNOPQRST	CDFGN	6
2 OPTVWXY	ABDEFGH	7
3 BEKLMQS	ABCDFNOQRS	8
4 DFHIOQ	BDE	9
5 ABDEGKL	BDGHIJNPSTV	10
2,5 ha 70T(85-150m²) 19D	① €25,80 ② €35,55	

🚗 N116 Ploermel-Vannes Ausfahrt D775, 21 km Richtung Redon, Ausfahrt Rochefort Enterre (4-spurig). Nach 3 km fährt man am See vorbei, nach 700m am Ortsschild Rochefort liegt der CP links.

Sarzeau, F-56370 / Bretagne 🛜 CC€14 iD

- 🏕 La Ferme de Lann Hoëdic***
- 🏠 rue Jean de la Fontaine
- 📅 1 Apr - 31 Okt
- ☎ +33 (0)2-97480173
- @ contact@camping-lannhoedic.fr
- 📍 N 47°30'26'' W 2°45'39''

1 ADEJLNOPRST	NOPQRSTX	6
2 HKMPVWXY	ABDEFGH	7
3 BKLQST	ABCDEFGHKNPRSV	8
4 FHIKOTX	EMOQRV	9
5 ABELM	BDGHIJMNORWZ	10
B 10A CEE		
3,6 ha 108T(100-160m²) 19D	① €23,40 ② €29,00	

🚗 N165 Vannes-Nantes, Ausfahrt Sarzeau über D20 oder D780 (nicht nach Sarzeau hinein). D20 Ri. Port Navalo bis Kreisverkehr am Super U Supermarkt. Am Kreisverkehr links Ri. Le Roaliguen, nach 1,5 km links Schild zum CP.

Sarzeau, F-56370 / Bretagne 🛜 CC€16 iD

- 🏕 Lodge Club Presqu'île de Rhuys****
- 🏠 rte d'Arzon
- 📅 28 Mär - 30 Sep
- ☎ +33 (0)2-97412993
- @ info@lodgeclub.fr
- 📍 N 47°31'21'' W 2°47'50''

1 ADEJLNOPRST	ABCFGHIX	6
2 MPVWXY	ABDEFGH	7
3 BDEGHKLQS	ABCDEFGIKNQRSTUV	8
4 ABCDFHILNOPR	CEUVWX	9
5 ABDEGJKLM	ABDGHIJNPSTVW	10
B 15A CEE		
15,5 ha 266T(100-180m²) 37D	① €35,10 ② €42,10	

🚗 N165/E60 Vannes-Nantes, Ausfahrt Richtung Sarzeau (nicht in den Ort). D20 oder D780 Richtung Arzon. Am 2. Kreisel ab Super U Richtung Arzon. Nach 1,5 km links den Schildern folgen, Le Bohat/Le Spernec.

St. Pierre-Quiberon, F-56510 / Bretagne 🛜 iD

- 🏕 Flower Camping l'Océan**
- 🏠 16, ave de Groix, BP 18 Kerhostin
- 📅 4 Apr - 4 Okt
- ☎ +33 (0)2-97309129
- @ info@relaisdelocean.com
- 📍 N 47°32'5'' W 3°8'24''

1 ADEJMNOPQRST	ABNOPQSUVWXYZ	6
2 EKMOPVWXY	ABDEFGH	7
3 BEKLQ	ABCDEFGKNRSTUV	8
4 BDFHILNO	AEGJUVW	9
5 ACDEFGIM	ABGHIJOPTUVW	10
B 12A CEE		
147T(80-120m²) 159D	① €26,90 ② €35,70	

🚗 N165-E60 Nantes/Lorient, Ausfahrt Quiberon, über die D768 nach Quiberon. Hinter der verstärkten Bucht an der 1. Ampel rechts den CP-Schildern folgen.

Surzur, F-56450 / Bretagne 🛜 CC€12 iD

- 🏕 Ty-Coët***
- 🏠 38 rue du Bois
- 📅 1 Mär - 15 Nov
- ☎ +33 (0)2-97420905
- @ contact@camping-tycoet.com
- 📍 N 47°35'16'' W 2°37'9''

1 ADEJMNOPQRST		6
2 AOPVWX	ABDEFG	7
3 BFGHKLQS	ABCDEFNRSV	8
4 DFH	DEJ	9
5 ADEGKLM	ABHIJOVW	10
B 16A CEE		
6 ha 58T(90-100m²) 36D	① €18,60 ② €25,10	

🚗 N165/E60 Vannes-Nantes, Ausfahrt 22 Surzur, Richtung Surzur bis zum Kreisel vor dem Dorf, Richtung Zentrum und den Schildern folgen. GPS/Navi ins Zentrum nicht folgen.

Vannes, F-56000 / Bretagne 🛜 CC€16 iD

- 🏕 Le Conleau****
- 🏠 188 avenue Maréchal Juin
- 📅 4 Apr - 27 Sep
- ☎ +33 (0)2-97631388
- @ camping.conleau@flowercampings.com
- 📍 N 47°38'0'' W 2°46'48''

1 ADEJMNOPQRST	CDFGNQRSTU	6
2 AEFHLMOPSTVWXY	ABDEFGH	7
3 BKLQT	ABCDFHKNOPQRTUV	8
4 ABDFHILNOPQ	ACEMNQRUV	9
5 ABDEGIM	ABDFGHIJNPST	10
10A CEE		
5 ha 133T(80-150m²) 79D	① €26,80 ② €36,80	

🚗 N165/E60 Nantes-Lorient Ausfahrt Vannes Ouest/Arradon. Dann Vannes Centre und den CP-Schildern folgen. An jedem Kreisel steht ein Schild 'le Conleau'.

Vannes-Meucon/Monterblanc, F-56250 / Bret. 🛜 ✿ CC€16 iD

- 🏕 Du Haras*****
- 🏠 5 rue de Kersimon
- 📅 15 Mär - 12 Nov
- ☎ +33 (0)2-97446606
- @ contact@campingvannes.com
- 📍 N 47°43'50'' W 2°43'41''

1 ADEJMNOPQRST	ABEFGHI	6
2 ABGMOPSVWXY	ABDEFGH	7
3 BDEFGHILMQST	ABCDEFGHIJKNPQRSTUV	8
4 BCDFHIKNOPQRTUVXYZ	EJUV	9
5 ABDEGIM	BDFGHIJNOPSTVW	10
B 15A CEE		
H147 14 ha 100T(100-200m²) 46D	① €29,00 ② €37,00	

🚗 N165/E60 Vannes-Lorient, Ausfahrt Pontivy/St. Brieuc. Von der D767 Richtung Josselin, erste rechts Richtung Flugplatz Vannes. Dritte links vor dem Kontrollturm. Den CP-Schildern folgen.

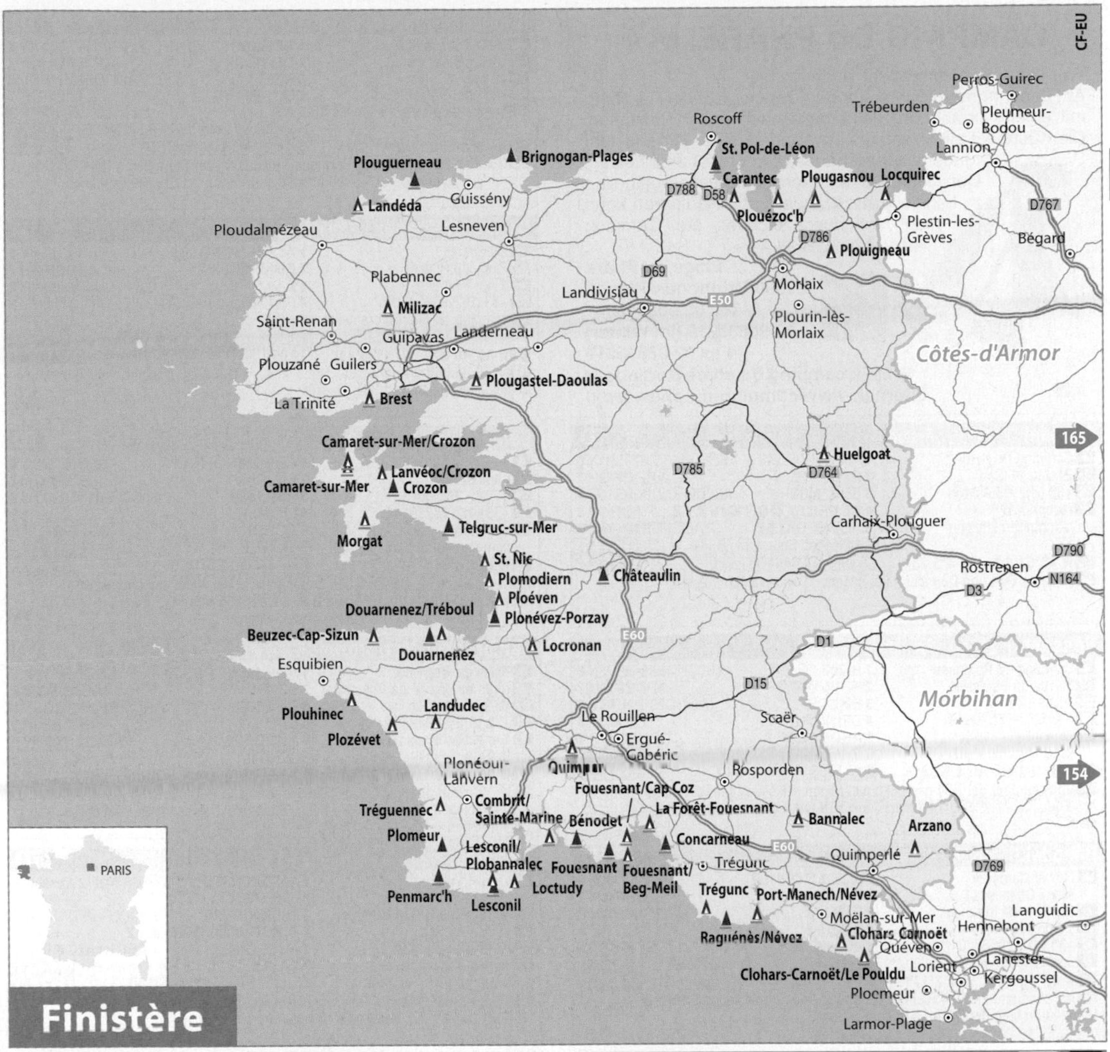
CF-EU
Perros-Guirec
Trébeurden
Pleumeur-Bodou
Roscoff
Lannion
St. Pol-de-Léon
Plouguerneau
Brignogan-Plages
Carantec
Plougasnou
Locquirec
D788
D58
Plouézoc'h
D767
Landéda
Guissény
Plestin-les-Grèves
Ploudalmézeau
Lesneven
D786
Plouigneau
Bégard
Plabennec
D69
Morlaix
Landivisiau
E50
Milizac
Plourin-lès-Morlaix
Saint-Renan
Guipavas
Landerneau
Côtes-d'Armor
Plouzané
Guilers
Plougastel-Daoulas
La Trinité
Brest
Camaret-sur-Mer/Crozon
165
Huelgoat
Lanvéoc/Crozon
D785
D764
Camaret-sur-Mer
Crozon
Carhaix-Plouguer
Telgruc-sur-Mer
Morgat
D790
St. Nic
Rostrenen
Plomodiern
Châteaulin
N164
Ploéven
D3
Douarnenez/Tréboul
Plonévez-Porzay
E60
Beuzec-Cap-Sizun
Locronan
D1
Douarnenez
Esquibien
D15
Morbihan
Landudec
Plouhinec
Le Rouillen
Scaër
Plozévet
Ergué-Gabéric
Plonéour-Lanvern
Rosporden
154
Fouesnant/Cap Coz
Combrit/
Tréguennec
Sainte-Marine
Bénodet
La Forêt-Fouesnant
Bannalec
Arzano
Plomeur
Lesconil/
Concarneau
Plobannalec
Fouesnant
Fouesnant/
Trégunc
Quimperlé
D769
Loctudy
Beg-Meil
Trégunc
Port-Manech/Névez
Penmarc'h
Lesconil
Languidic
Moëlan-sur-Mer
Hennebont
Raguénès/Névez
Clohars Carnoët
Quéven
Lanester
Clohars-Carnoët/Le Pouldu
Lorient
Kergoussel
Ploemeur
Larmor-Plage
PARIS
Finistère

Arzano, F-29310 / Bretagne

CC€16 iD

Le Ty Nadan*****	1 ADE**JM**NOPQRST	ABEFGHIJ**N**OUV 6
route d'Arzano	2 CFGHPVWXY	BE**FGH** 7
1 Mai - 2 Sep	3 BCDEF**GH**L**M**Q**R**T**U**	ABCDFGJK**LM**NQRSTUV 8
+33 (0)2-98717547	4 **A**BCDEFHI**J**KLMNO**PQ**UY**Z**	AEIJLQRTUV 9
info@tynadan-vacances.fr	5 ACDEFGJKLM	ABGHIJ**NP**STWZ 10
	B 10A CEE	① €48,50
N 47°54'17'' W 3°28'30''	21 ha 110**T**(90-160m²) 201**D**	② €63,20

Nordlich von Lorient über die N165/E60 Ri. Quimperlé, Ausfahrt Quimperlé-Ost. Vor Quimperlé-Zentrum über die D22 Ri. Arzano. Kurz vor Arzano-Zentrum Ri. Locunolé fahren oder der Beschilderung folgen.

Bannalec, F-29380 / Bretagne

CC€14 iD

Les Genets d'Or***	1 A**JM**NOPQRST	6
Kermerour, Pont Kereon	2 APVWXY	ABDE**FG** 7
13 Mai - 30 Sep	3 ALMQ	ABCDFNQRV 8
+33 (0)2-98395435	4 FH	IU 9
info@campingbannalec.com	5 AGL	FGHIJ**O**STW 10
	6A CEE	① €18,90
N 47°55'30'' W 3°41'23''	2 ha 40**T**(80-140m²) 21**D**	② €25,40

N165/E10 Nantes-Quimper. Ausfahrt Bannalec/Pont-Aven, dann Richtung Bannalec. Innerorts die Ringstraße nach Quimperle nehmen. Den CP-Schildern folgen.

CAMPING DU PHARE ★ ★

Wer Ruhe und Platz sucht, findet es hier.
Am Leuchtturm, gleich hinter den Dünen, liegt der Camping mit einem turmhohen Steinbrocken neben der Rezeption. Die Küste hat alles, was Sie erwarten, direkter Zugang zum wunderschönen Sandstrand und überall Felsen. Der Camping hat auch einen sehr originellen Minigolfplatz. Wandern und Radfahren kann man hier ausgezeichnet: am Camping verläuft die GR 34.

La Clef Verte

**Plage du Phare
29890 Brignogan-Plages
Tel. 02-98834506 /
02-98835219 (im Winter)
Fax 02-98835219
E-Mail: camping.du.phare@orange.fr
Internet: www.camping-du-phare.com**

Bénodet, F-29950 / Bretagne 🛜 iD

🏕 Camping Du Letty★★★★
🕐 21 Jun - 6 Sep
☎ +33 (0)2-98570469
@ reception@campingduletty.com
🅿N 47°51'54'' W 4°5'23''

1	ADEJMNOPQRST	ABEFGHIKNOPQRSUXY 6
2	EFHOPRVX	ABDEFGH 7
3	BEFKLMOQRU	ABCDEFKNOPQRSTUV 8
4	BCDFILNOPQRTUVXYZ	ADRUV 9
5	ACDEFGKLM	ABGHIJNPQRZ 10

Anzeige auf Seite 157 B 10A
10 ha 542T(80-150m²) 22D
① €40,10
② €53,60

🚗 Über die D34 von Quimper nach Bénodet. Den Schildern folgen. M

Bénodet, F-29950 / Bretagne 🛜 CC€16

🏕 Camping du Poulquer★★★★
🏠 23 rue du Poulquer
🕐 1 Mai - 30 Sep
☎ +33 (0)2-98570419
@ contact@campingdupoulquer.com
🅿N 47°52'4'' W 4°5'54''

1	DEJMNOPQRT	ABCDFGHIKMNPQSX 6
2	EHPVWXY	ABDEFGH 7
3	BKLQST	ABCDEFKNRSV 8
4	DFINOPQTUV	EUV 9
5	ABDEGLM	BDHIJNOR 10

B 6-10A
3 ha 148T(80-100m²) 38D
① €28,60
② €35,60

🚗 Von Quimper der D34 nach Bénodet folgen. Richtung Bénodet-plage fahren. Am Ende links abbiegen und dem Boulevard folgen. Dann denn Schildern nach. M

Bénodet, F-29950 / Bretagne 🛜

🏕 Flower Camping
Aux 2 Chênes★★★
🏠 26 route de Kerangeles
🕐 1 Apr - 30 Sep
☎ +33 (0)2-98566201
@ contact@benodet-camping.fr
🅿N 47°53'14'' W 4°2'17''

1	ADEILNOPRST	CDHX 6
2	PTVWXY	BEFGH 7
3	BFKLQST	ABDFNQRTV 8
4	BDEFIO	AE 9
5	AGLM	BHIJPST 10

B 6-10A
2 ha 49T(80-120m²) 50D
① €24,10
② €35,10

🚗 In Fouesnant die D44 Richtung Bénodet. Am 4. Kreisel die Abfahrt rechts. Nach 400m liegt der CP auf der rechten Seite. M

Bénodet, F-29950 / Bretagne 🛜✿ iD

🏕 Sunêlia
L'Escale Saint-Gilles★★★★★
🏠 Corniche de la Mer
🕐 30 Apr - 20 Sep
☎ +33 (0)2-98570537
@ sunelia@stgilles.fr
🅿N 47°51'46'' W 4°5'44''

1	ADEJKNOQRST	ACDEFGHIKNPQSX 6
2	EFHMPVX	ABDEFGH 7
3	BEKLMQ	ABCDEFJKNQRSV 8
4	BDFHILNOPQRTUVXZ	AELUV 9
5	ACDEFGJL	ABGHIJNPSTXZ 10

B 10A
11 ha 60T(80-100m²) 152D
① €43,30
② €55,30

🚗 Der D34 von Quimper nach Bénodet folgen. Bénodet-plage folgen, am Ende links und auf dem Boulevard bleiben; ausgeschildert. M

Beuzec-Cap-Sizun, F-29790 / Bretagne 🛜 CC€14 iD

🏕 Camping Pors Peron★★
🕐 1 Apr - 30 Sep
☎ +33 (0)2-98704024
@ campingporsperon@hotmail.com
🅿N 48°5'3'' W 4°28'56''

1	ADEJMNOPRST	KNOPXY 6
2	EHMPUX	ABDEFG 7
3	BFLQS	ABFNRSV 8
4	FHO	EUV 9
5	ACKL	BDJNOR 10

B 10A CEE
3 ha 98T(60-120m²) 8D
① €22,00
② €30,00

🚗 Von Châteaulin der D7 Ri. Douarnenez und dann Beuzec-Cap-Sizun folgen. Etwa 5 km vor Beuzec-Cap-Sizun rechts ab Ri. Pors Peron, dann den CP-Schildern folgen. M

Brest, F-29200 / Bretagne 🛜 CC€14 iD

🏕 Le Goulet★★★★
🏠 chemin de Lanhouarnec
🕐 4 Jan - 23 Dez
☎ +33 (0)2-98458684
@ campingdugoulet@wanadoo.fr
🅿N 48°21'55'' W 4°32'24''

1	ADEILNOPRST	ABFGHKNOPUV 6
2	AEGOPRSWXY	ABDEFGHJ 7
3	ABCDILQST	ABCDEFJNOPQRSTUV 8
4	BDFILNOPQU	EL 9
5	ABDEFGIKL	ABFGHIJLNOR 10

10A CEE
6 ha 155T(bis 100m²) 74D
① €25,90
② €34,90

🚗 Von Rennes über Morlaix, 1. Kreisel (Boulevard de L'Europe) rechts Richtung Plouzane-Le Conquet. Danach ± 8 km geradeaus. Auf der D789 hinter der Firma Thalès am Kreisel links Richtung Technopole, Camping du Goulet. M

Brignogan-Plages, F-29890 / Bretagne 🛜✿ iD

🏕 De la Côte des Légendes★★★
🏠 rue Douar ar Pont
🕐 29 Mär - 12 Nov
☎ +33 (0)2-98834165
@ camping-cote-des-legendes@orange.fr
🅿N 48°40'22'' W 4°19'45''

1	ADEJMNOPQRST	KNOQRSTUWXY 6
2	DEGHMPVWX	ABDEFGHIJK 7
3	ABEFLQ	ABCDEFKNRSV 8
4	BCDEFHIP	AEJMOPQR 9
5	AL	ABFGHIJOPR 10

Anzeige auf Seite 159 B 5-10A CEE
3 ha 102T(90-120m²) 18D
① €19,95
② €25,45

🚗 Über die D770 Richtung Brignogan-Plages. In der Stadt den grünen Schildern 'campings' folgen, danach Schild rechts zum CP de la Côte des Legendes.

Brignogan-Plages, F-29890 / Bretagne 🛜 iD

🏕 Du Phare★★
🏠 Plage du Phare
🕐 1 Apr - 14 Sep
☎ +33 (0)2-98834506
@ camping.du.phare@orange.fr
🅿N 48°40'31'' W 4°20'44''

1	ADEILNOPRST	KNUXY 6
2	EHMPQWX	ABDEFGH 7
3	I	ABEFNOQR 8
4	FHI	DEJ 9
5	ABK	BGJOR 10

Anzeige auf dieser Seite B 6A
14 ha 130T(120-150m²) 24D
① €16,95
② €22,95

🚗 D770 Richtung Brignogan-Plages. In der Stadt dem grünen Schild 'Campings' folgen, anschließend CP 'Du Phare'. M

Camaret-sur-Mer, F-29570 / Bretagne 🛜 CC€14 iD

🏕 Le Grand Large★★★★
🏠 Lambézen
🕐 1 Apr - 30 Sep
☎ +33 (0)2-98279141
@ contact@campinglegrandlarge.com
🅿N 48°16'51'' W 4°33'53''

1	ADEJMNORT	ABFGHKQSX 6
2	EHJPRVX	ABDEFGH 7
3	BFILMQ	ABCDEFKNQRSTU 8
4	FIOP	EFL 9
5	ACEGK	BGHJLNOR 10

B 10A CEE
H50 2,8 ha 123T(80-130m²) 30D
① €28,20
② €36,60

🚗 Von Crozon die D8 nach Camaret fahren. In der Nähe von Camaret am Kreisverkehr rechts Richtung Roscanvel/D355 fahren (1,8 km). Bei Lambézen rechts der Beschilderung folgen. M

Camaret-sur-Mer/Crozon, F-29160 / Bret. 🛜 CC€12 iD

🏕 Plage de Trez Rouz★★★
🏠 route de Camaret à Roscanvel
🕐 15 Mär - 15 Okt
☎ +33 (0)2-98279396
@ contact@trezrouz.com
🅿N 48°17'17'' W 4°33'55''

1	ADEJMNOPRST	KNOPQSWX 6
2	EFHPVWX	ABDEFGH 7
3	BILQST	ABCDEFJNOQRSV 8
4	EFO	EFJR 9
5	ABDEFGM	ABGHJNORV 10

B 10A CEE
1,8 ha 80T(85-100m²) 13D
① €22,85
② €31,35

🚗 Von Crozon über die D8 nach Camaret. Kurz vor Camaret im Kreisverkehr rechts abbiegen, Richtung Pointe des Espagnols. Dieser Straße (D355) 2,8 km folgen. M

Carantec, F-29660 / Bretagne 🛜 iD

🏕 Yelloh! Village
Les Mouettes★★★★★
🏠 50 route de la Grande Grève
🕐 18 Apr - 6 Sep
☎ +33 (0)2-98670246
@ camping@les-mouettes.com
🅿N 48°39'29'' W 3°55'42''

1	ADEILNORST	ABEFGHIKOPQSTUVWX 6
2	EHPVWX	BEFGH 7
3	ABEFGHIKLMQ	ABCDEFKNPQRSTUV 8
4	BDEFHILNOPQTUXYZ	EJLV 9
5	ACEFGIKL	ABGHIJNOPSTZ 10

B 8A CEE
12 ha 125T(100-130m²) 310D
① €49,65
② €65,65

🚗 An der Straße Morlaix-Roscoff, Richtung Carantec folgen. Danach den CP-Schildern folgen. Nicht dem Navigationssystem folgen. M

Châteaulin, F-29150 / Bretagne 🛜 CC€14 iD

🏕 de Rodaven★★
🏠 Rocade de Prat Bihan
🕐 1 Apr - 30 Sep
☎ +33 (0)2-98863293
@ contact@campingderodaven.fr
🅿N 48°11'25'' W 4°5'55''

1	ADFJMNORT	N 6
2	ACPVWXY	ABDEFGH 7
3	ALQR	ABDFNQRV 8
4	H	EFQRU 9
5	ADEKLM	BGJLOST 10

B 10A CEE
2 ha 108T(80-120m²) 13D
① €16,50
② €20,50

🚗 Ab der Ausfahrt, Kreuzung N125 mit N164, der D887 volgen. Dritter Kreisel links, dann erste links. Noch 1 km zum Hallenbad. CP liegt hier gegenüber. M

Châteaulin, F-29150 / Bretagne 🛜 CC€14 iD

🏕 La Pointe***
🛏 route de St. Coulitz
📅 15 Mär - 15 Okt
☎ +33 (0)2-98865153
@ lapointecamping@aol.com

1 ADE**JM**NOPRST		NX 6
2 ABCPRVWXY	ABDE**FGH**K 7	
3 AL	ABCDEFGKNQRSV 8	
4 I		RV 9
5 ABL		BFG**H**IJPR10
B 10A		❶ €21,00

🏊🏖 N 48°11'15'' W 4°5'5''   2 ha 60T(80-120m²)   ❷ €26,00

🚗 In Châteaulin den CP-Schildern folgen. Deutlich angezeigt.

Concarneau, F-29900 / Bretagne 🛜 CC€14 iD

🏕 Les Sables Blancs****
🛏 avenue du Dorlett
📅 1 Apr - 31 Okt
☎ +33 (0)2-98971644
@ contact@
  camping-lessablesblancs.com

1 ADE**JM**NOPRST	ABF**G**KMNOPQRSTVWXY**Z** 6	
2 AEFHMOPUVWXY	ABDE**FGH** 7	
3 BE**K**LQST	ABCDEFGIJKNQRSTUV 8	
4 BDFHLNOP**Q**RUY	EMNOQRSTV 9	
5 ABDEFG**JLM**	BDGHIJPR10	
B 16A CEE		❶ €32,10

🏊🏖 N 47°52'55'' W 3°55'43''   2,9 ha 105T(80-200m²) 44D ❷ €41,10

🚗 Von N165 Ri. Concarneau Zentrum über die D70, bis zum Kreisverkehr am Supermarkt. Ri. Concarneau, 3. Straße rechts nach Les Sables Blancs. In 2 Kreisverkehren geradeaus Ri. Meer bis zur Weggabelung, hier rechts.

Clohars-Carnoët, F-29360 / Bretagne 🛜 CC€10 iD

🏕 Le Kergariou***
🛏 Kervec
📅 1 Apr - 5 Sep
☎ +33 (0)2-98715465
@ camping.lekergariou@
  wanadoo.fr

1 ADE**JM**NOPQRST	CDFG**X**Y**Z** 6	
2 AMOPVWXY	ABDE**FGH** 7	
3 BCEFLQST	ABDFGNRSTUV 8	
4 BCDFHIOQ**T**	EJUV 9	
5 ADE**GLM**	BFGHIJM**P**STVW10	
B 10A CEE		❶ €19,00

🏊🏖 N 47°46'58'' W 3°35'20''   2,7 ha 71T(80-150m²) 33D ❷ €26,50

🚗 E60/N165 Lorient-Quimper, Ausfahrt Kervidanou. Über die D16 nach Clohars-Carnoët, durch die Ortsmitte bis zum Kreisel. Richtung Doëlan.

Crozon, F-29160 / Bretagne 🛜 CC€14 iD

🏕 L'Aber***
🛏 Tal-ar-Groas, 50 rte de l'Aber
📅 15 Mär - 15 Okt
☎ +33 (0)2-98270296
@ contact@camping-aber.com

1 ADE**JM**NOPRST	ABFGNWX 6	
2 CFGHPRUVWXY	BEF 7	
3 ALQS	ABCDFKNO 8	
4 FHIOP**Q**	ER 9	
5 ABDEFG**H**L**M**	B**H**JR10	
		❶ €20,20

🏊🏖 N 48°14'32'' W 4°25'46'' H57 2 ha 85T(100m²) 11D ❷ €27,70

🚗 Der D887 von Chateaulin nach Crozon folgen. In Tal-ar-Groas den CP-Schildern Richtung Plage de l'Aber folgen.

Clohars-Carnoët/Le Pouldu, F-29360 / Bret. 🛜 ✿ CC€16 iD

🏕 Les Embruns*****
🛏 2 rue de Philosophie Alain
📅 10 Apr - 19 Sep
☎ +33 (0)2-98399107
@ camping.les-embruns@
  orange.fr

1 ADE**JM**NOPRST	CDFG**H**KMNOPRSTWXY**Z** 6	
2 AEHMOPVWXY	ABDE**FGH** 7	
3 BE**G**HILMQT	ABCDEFGIJKNQRSTU 8	
4 BCDFHIKLNOP**QRTVZ**	EMOQRUV**Z** 9	
5 ACDEFG**JKLM**	ABDEFGHIJMNOPUPVRVX**Z**10	
B 16A CEE		❶ €35,50

🏊🏖 N 47°46'7'' W 3°32'42''   5 ha 65T(100-120m²) 105D ❷ €47,00

🚗 E60 Lorient Ri. Quimperlé. Ausf. Kervidanou oder Ausf Kergostiou/Quimperlé-Zentrum. Über die D16 nach Clohars-Carnoët, recht durch die Ortsmitte, D24 nach Le Pouldu. Der Platz ist in der Ortschaft.

Crozon, F-29100 / Bretagne iD

🏕 Les Pieds Dans L'Eau***
🛏 'Pratmeur' Saint-Fiacre
📅 1 Apr - 31 Okt
☎ +33 (0)2-98276243
@ campinglespiedsdansleau-
  crozon@orange.fr

1 A**I**LNOPRST	KNQSX 6	
2 EFKPRVXY	ABDE**FH** 7	
3 AIL	ABDFNORS 8	
4 FH	D 9	
5 A**M**	B**H**JLST10	
B 10A		❶ €21,30

🏊🏖 N 48°17'5'' W 4°31'43''   2,7 ha 100T(100-120m²) 7D ❷ €27,80

🚗 Von Crozon Richtung Roscanvel. Kurz vor dem Kreisel die D355 nach rechts verlassen und der D55 Richtung 'Ile Longue' folgen. Nach 200m die erste Straße links abbiegen.

Combrit/Sainte-Marine, F-29120 / Bretagne 🛜 CC€14 iD

🏕 Le Helles***
🛏 55 rue du Petit Bourg
📅 1 Apr - 30 Sep
☎ +33 (0)2-98563146
@ contact@le-helles.com

1 ADE**JM**NOPRST	ABFGKMNPQRSW**X** 6	
2 EGHOPVWXY	ABDE**FGH** 7	
3 B**K**LQST	ABCDEFKNRSV 8	
4 FHL	E 9	
5 ABEGL	ABDF**H**IJPR10	
Anzeige auf dieser Seite	B 6-10A	❶ €24,35

🏊🏖 N 47°52'10'' W 4°7'42''   2,7 ha 120T(90-120m²) 41D ❷ €32,25

🚗 Von Quimper nach Bénodet, dann Richtung Pont-l'Abbé über die D44. Über die Brücke und am Kreisel die 1. Straße links nach Ste Marine. Dort an der 2. Straße rechts und den Schildern folgen.

Douarnenez, F-29100 / Bretagne 🛜 CC€14 iD

CP de la Baie de Douarnenez****
🛏 30 rue Luc Robet,
  Poullan-sur-Mer
📅 1 Mai - 13 Sep
☎ +33 (0)2-98742639
@ info@camping-douarnenez.com

1 ADEF**JM**NOPRST	ABEFG**H**N 6	
2 PVX	ABDE**FGH** 7	
3 BE**I**LMQ	ABCDFNRS 8	
4 ILNOP**Q**	AEFLU 9	
5 ACDEFG**JKLM**	ABG**H**J**N**PR10	
B 10A		❶ €33,00

🏊🏖 N 48°4'54'' W 4°24'24'' H70 5,5 ha 100T(100-150m²) 101D ❷ €42,60

🚗 D7 Douarnenez - Poullan-sur-Mer, kurz vor Poullan-sur-Mer links Richtung CP, Schildern folgen.

Concarneau, F-29185 / Bretagne 🛜 iD

🏕 Le Cabellou Plage****
🛏 avenue du Cabellou
📅 3 Mai - 13 Sep
☎ +33 (0)2-98973741
@ info@le-cabellou-plage.com

1 ADE**JM**NOPRST	ABFG**H**KNOPQS**X**Y**Z** 6	
2 EFGHMOPVWXY	ABDE**FGH** 7	
3 B**K**LQT	ABCDEFGKNOQRSTUV 8	
4 DFHINOP**Q**	AEQRV 9	
5 ACDEFG**LM**	BG**H**IJNOST10	
B 10A CEE		❶ €35,10

🏊🏖 N 47°51'23'' W 3°54'1''   159T(90-150m²) 37D ❷ €45,10

🚗 N165/E60 Ausfahrt Coat Conq, Richtung Concarneau bis zum Kreisel bei Hyper Leclerc, dann Ri. Trégunc über die D783 bis zum Kreisel Kerviniou 3 km. Die 2. Ausfahrt Ri. Cabellou, nach 800m kommt links der CP.

Concarneau, F-29900 / Bretagne 🛜 CC€12 iD

🏕 Les Prés Verts**
🛏 Kernous-Plage
📅 1 Mai - 30 Sep
☎ +33 (0)2-98970974
@ info@presverts.com

1 ADE**JM**NOPRST	ABFG**K**NOPQS**X** 6	
2 AEFHMPVWX	ABDE**FGH** 7	
3 AI**K**L	ABCDFKNRV 8	
4 FH	E 9	
5 **LM**	BDG**H**IJPSTVW10	
B 10A		❶ €25,35

🏊🏖 N 47°53'25'' W 3°56'19''   3 ha 109T(100-120m²) 45D ❷ €33,75

🚗 N165-E60 Abf. Concarneau, D70 bis kurz vor das Zentrum von Concarneau. Richtung Les Sables Blancs, bis ans Meer, Richtung Fouesnant, bis zum CP-Schild, vierte Straße links.

illage **CAMPING** ★★★★
L'Atlantique
Süd-Bretagne

www.lAtlantique.fr   sunelia@latlantique.fr

4-Sterne Camping bietet Mobilheime und Stellplätze für Zelte. Genießen Sie beheizte Freibäder und das Hallenbad. Unser Wellnessbereich heißt Sie täglich willkommen. Der Camping liegt in Fouesnant, im Süden der Bretagne, gegenüber den Glénan Inseln, mit direktem Zugang zu einem breiten, weißen Sandstrand.

Tel: 0033 2 98 56 14 44   Fax: 0033 2 98 56 18 67
Sunelia L'Atlantique Kerbader BP11 - 29170 Fouesnant   FRANCE

Douarnenez, F-29100 / Bretagne

- Indigo Douarnenez**
- avenue du Bois d'Isis
- 18 Apr - 30 Sep
- +33 (0)2-98740567
- @ douarnenez@ camping-indigo.com
- N 48°6'10'' W 4°21'31''

1 ADE**IL**NOPQRT	ABKNQRSTX 6
2 BEFGOPRSUVWXY	ABDE**FGH** 7
3 BELQ	ABCDEFHNPQRS 8
4 ABCDEFIO	A 9
5 ABDEFGL	ABHIJNOTUVRU10
B 13A CEE	❶ €26,90
H50 150T(80-120m²) 28D	❷ €34,80

Von Brest aus Châteaulin-Douarnenez-Tréboul folgen und dort 'Campings'.

Douarnenez/Tréboul, F-29100 / Bretagne

- de Kerleyou***
- 15 chemin de Kerleyou
- 9 Apr - 20 Sep
- +33 (0)2-98741303
- @ campingdekerleyou@ wanadoo.fr
- N 48°5'56'' W 4°21'44''

1 AD**JL**NOPRST	CDFG 6
2 GPRVX	ABDE**FGH** 7
3 BLQ	ABCDEFNRV 8
4 IO	EJ 9
5 ABEFG**L**	BHJLOR10
10A CEE	❶ €23,35
3 ha 41T(100-150m²) 59D	❷ €30,70

Von Douarnenez in Richtung Tréboul, grünen Schildern 'campings' folgen, der CP ist ausgeschildert.

Fouesnant, F-29170 / Bretagne

- Camping de Kersentic
- Hent Kersentic
- 18 Apr - 13 Sep
- +33 (0)2-98560866
- @ contact@ camping-kersentic.com
- N 47°53'6'' W 3°59'57''

1 ADE**IL**NOPQRST	ABFGKMNPQRSTX 6
2 BEFGHPVWXY	BEF**GH** 7
3 BEL	BDFNRSV 8
4 BCDFHILNO**PQ**	E 9
5 ABDEFGL	BGHIJPR10
B 10A CEE	❶ €19,45
2 ha 45T(100-130m²) 30D	❷ €26,45

In Fouesnant in allen Kreiseln Richtung 'Les Balneides' folgen. An Les Balneides vorbei, 2. Straße rechts abbiegen und 800m der engen Straße bis zum CP folgen.

Fouesnant, F-29170 / Bretagne   CC€16

- Camping de la Piscine****
- Kerleya-Beg Meil, BP 12
- 12 Mai - 13 Sep
- +33 (0)2-98565606
- @ contact@ campingdelapiscine.com
- N 47°52'1'' W 4°0'53''

1 AD**JM**NOPQRST	ABEFGHI 6
2 HPVWXY	ABDE**FGH** 7
3 BELMQ	ABCDFJNOPQRSUV 8
4 BDILNO**TUVXZ**	EJV 9
5 ACDEG**K**M	ABDGHIJPR10
B 10A	❶ €36,80
5 ha 160T(85-110m²) 79D	❷ €43,80

D145 Fouesnant-Mousterlin. Danach ausgeschildert.

Fouesnant, F-29170 / Bretagne

- Kost Ar Moor***
- Pointe de Mousterlin
- 25 Apr - 12 Sep
- +33 (0)2-98560416
- @ contact@ camping-fouesnant.com
- N 47°51'5'' W 4°2'8''

1 ADE**IL**NOPQRST	ABFGKNPQS**X**Y 6
2 DEHPRVWXY	ABDE**FGH** 7
3 BE**K**LST	ABCDFINQRSTUV 8
4 BDFHIO**PQ**	EIUV 9
5 ACDEFG**LM**	BHIJ**P**ST10
B 10A	❶ €28,55
3,5 ha 150T(100-150m²) 53D	❷ €37,65

Von Fouesnant D145 Richtung Mousterlin. Bis zum Ende durch und Pfeilen folgen.

Fouesnant, F-29170 / Bretagne

- Le Grand Large****
- 48 route du Grand Large
- 18 Apr - 6 Sep
- +33 (0)2-98560406
- @ grandlarge@franceloc.fr
- N 47°50'55'' W 4°2'13''

1 ADE**IL**NOPQRT	ABCDFGHIK**N**PQSWXY 6
2 EHPVWXY	BEF**GH** 7
3 ABDE**IKLM**QT	ABCDEFNQRST 8
4 BCDFHILNO**PQ**	ELV 9
5 ABDEFGJ	ABHIJOT10
B 6A CEE	❶ €37,45
6 ha 70T(80-100m²) 214D	❷ €48,95

In Fouesnant Richtung Mousterlin fahren. Bis zum Ende durchfahren, ausgeschildert.

Fouesnant, F-29170 / Bretagne   CC€16

- Sunêlia L'Atlantique****
- Kerbader, BP 11
- 25 Apr - 6 Sep
- +33 (0)2-98561444
- @ sunelia@latlantique.fr
- N 47°51'23'' W 4°1'15''

1 ADEHKNOPQRST	ABCDFGHIKNQSX 6
2 EGHPVWXY	ABDE**FGH** 7
3 BEF**HILM**QR	ABCDEFIKLNQRS 8
4 ABDFHIKLNO**PQRSTUVXYZ**	AEFLUVY 9
5 ACDEFGIKL	ABFGHIJ**NP**STZ10
Anzeige auf dieser Seite	B 10A CEE	❶ €42,20
9 ha 120T(90-120m²) 274D	❷ €52,20

In Fouesnant der D145 Richtung Kerbader. CP-Schildern folgen.

Fouesnant/Beg-Meil, F-29170 / Bretagne

- Le Kervastard***
- 56 Hent Kervastard
- 1 Apr - 16 Nov
- +33 (0)2-98949152
- @ camping.le.kervastard@ wanadoo.fr
- N 47°51'37'' W 3°59'17''

1 ADE**JM**NOPQRST	ABFGKNOPQST 6
2 EHMOPVWX	ABDE**FGH** 7
3 B**KLQ**	ABCDEFNQRSUV 8
4 BFIOPQ	EUV 9
5 AB**LM**	BFGHIJPR10
	❶ €29,40
2,5 ha 59T(90-100m²) 80D	❷ €38,40

Von Fouesnant nach Beg-Meil, im Zentrum rechts, ausgeschildert.

Fouesnant/Cap Coz, F-29170 / Bretagne   CC€16

- Kerscolper***
- Hent Kerscolper
- 4 Apr - 4 Okt
- +33 (0)2-98560948
- @ kerscolper@gmail.com
- N 47°52'49'' W 3°59'34''

1 ADE**JM**NOPQRST	ABFGKMNOPQRSTUVW**XY** 6
2 EGHKMOPVWXY	ABDE**FGH** 7
3 BE**K**LQST	ABCDEF**N**QRV 8
4 BDFINO	EUV 9
5 ABDEGK**L**	BDHIJ**P**RV10
B 10A CEE	❶ €27,05
3,5 ha 40T(80-120m²) 122D	❷ €34,85

In Fouesnant in der 3. Kreisel Richtung Cap Coz/Beg Meil. Dann im 4. Kreisel links ab, Richtung Cap Coz, danach 400m weiter an der rechten Seite.

Huelgoat, F-29690 / Bretagne   CC€14

- La Rivière d'Argent**
- La Coudraie
- 2 Apr - 15 Okt
- +33 (0)2-98997250
- @ campriviere@orange.fr
- N 48°21'46'' W 3°42'55''

1 ADE**JM**NOPQR	CDN 6
2 BCOPRVWXY	ABDE**FG** 7
3 BLMT	ABCDFNORV 8
4 EFI**P**	ADE 9
5 ABDEGK**L**	ABGJL**NP**ST10
B 6A CEE	❶ €22,90
H200 5 ha 84T(100m²) 18D	❷ €31,80

Von Guingamp N12 folgen nach Morlaix. Entlang Morlaix über die D785 und die D764 nach Huelgoat. Vom Zentrum noch 3 km ostwärts der Beschilderung folgen.

La Forêt-Fouesnant, F-29940 / Bretagne   CC€16

- De Kéranterec****
- route du Petit Manoir-Kerleven
- 11 Apr - 20 Sep
- +33 (0)2-98569811
- @ info@camping-keranterec.com
- N 47°53'57'' W 3°57'19''

1 ADE**JM**NOPQR	ABC**F**GHIKMNOPQRSTVWX**YZ** 6
2 AEFHMOPTUVWXY	ABDE**FGH** 7
3 BEF**K**LMQT	CDEFHIKNPQRSTU 8
4 BCDFHILNO**PQ**U	EJMOQRUV 9
5 ABDEFG**ILM**	ABDGHIJMNORW10
B 16A	❶ €35,20
6,5 ha 40T(90-150m²) 133D	❷ €47,70

Zwischen Lorient und Quimper auf der N165-E60, Ausfahrt Fouesnant/Concarneau, über die D44 nach Fouesnant fahren bis Beschilderung Plage de Kerleven oder Port La Forêt. Gut ausgeschildert.

Landéda, F-29870 / Bretagne   CC€16

- Des Abers****
- Plage de St. Marguerite
- 1 Mai - 30 Sep
- +33 (0)2-98049335
- @ camping-des-abers@ wanadoo.fr
- N 48°35'36'' W 4°36'9''

1 ADE**JM**NOPRST	KMNOPQSUWXY 6
2 EFHOPQRUVWX	ABDE**FGH** 7
3 BEFLQ	ABCDE**F**NQRS 8
4 ADEFHI**PZ**	ELUV 9
5 ACEFGK**L**	ABDGHIJNPR10
B 10A	❶ €20,45
5,5 ha 158T(90-120m²) 22D	❷ €26,95

Von Lannilis durch Landéda den grünen Schildern 'Campings' folgen. 1,7 km hinter Landéda der Beschilderung folgen.

Landudec, F-29710 / Bretagne

- Domaine de Bel Air*****
- Kéridreuff
- 26 Apr - 30 Sep
- +33 (0)2-98915027
- @ camping-dubelair@wanadoo.fr
- N 47°59'33'' W 4°21'16''

1 ADE**JL**NOPRT	ABCDFGHIN 6
2 BDFGPTUVWXY	ABDE**FGH** 7
3 BEILMQST	ABCDEFJKNQRSV 8
4 BDFILNO**PQ**	E 9
5 ACEFGK**L**	ABHIJ**NP**ST10
B 10A CEE	❶ €32,90
17 ha 50T(80-120m²) 150D	❷ €48,90

Auf der D784 zur D143 Richtung Pouldreuzic abfahren. Auf der D143 Rocade Nord Richtung Audierne.

Match2Camp

Match2Camp ist ein praktisches Mittel, mit dem Sie schnell einen Camping finden können, der Ihren Vorstellung entspricht. Schauen Sie auf Seite 26 nach ausführlicheren Informationen.

Frankreich

Lanvéoc/Crozon, F-29160 / Bretagne 📶 iD

🏕 Gwel Kaër**
📧 40, rue de Pen an Ero
📅 1 Apr - 30 Sep
☎ +33 (0)2-98276106
@ info@camping-gwel-kaer.com
🗺 N 48°16'51'' W 4°30'9''

1 ADEFHKNOPRT	KNOQ 6
2 EFGKMOPRSUWXY	ABDE**FGH** 7
3 ABLMQ	ABCDEFKNOPRSTV 8
4 FGH	E 9
5 AB**L**	BHIJNOR10
8A CEE	➊ €17,90
2 ha 98**T**(70-90m²) 14**D**	➋ €24,30

🚐 D155 Crozon; dann Kreisel D55 Richtung Fret. Den Schildern folgen.

Locquirec, F-29241 / Bretagne 📶 iD

🏕 Du fond de la Baie**
📧 route de Plestin
📅 1 Jan - 31 Dez
☎ +33 (0)2-98674085
@ campingdufonddelabaie@ gmail.com
🗺 N 48°40'51'' W 3°39'15''

1 ABDE**JM**NOPQRST	KMNOPQSUWXY 6
2 EFGHOPVW	BE**FGH** 7
3 BLQ	BDFNR 8
4 BDEFGILO**PQ**	JRUV 9
5 ABDEGL	ABGJNORZ10
B 10A CEE	➊ €19,25
6 ha 235**T**(70-100m²) 13**D**	➋ €25,65

🚐 An der Route von Lannion-Morlaix. An der Ampel in Plestin les-Gréves die D42 nach Locquirec nehmen. Weiter die D142 bis hinter das Ortsschild von Locquirec.

Lesconil, F-29740 / Bretagne 📶 ♻ iD

🏕 Camping de Keralouet**
📧 11 rue Eric Tabarly
📅 1 Apr - 30 Sep
☎ +33 (0)2-98822305
@ campingkeralouet@ wanadoo.fr
🗺 N 47°48'16'' W 4°12'20''

1 ADE**JM**NOPQRST	ABFGKNPQSXYZ 6
2 EHIOPVXY	ABDE**FH** 7
3 ALQ	ABCDFNRSTUV 8
4 FH	ADEFJLUV 9
5 ABDGKL**M**	BGHIJOR10
R 4-13A CEE	➊ €18,50
1 ha 34**T**(80-120m²) 28**D**	➋ €25,55

🚐 Von Pont l'Abbé die D102 Richtung Plobannalec dann Richting Lesconil, über die Brücke, dann den Schildern zum CP folgen.

Locronan, F-29180 / Bretagne 📶 CC€16 iD

🏕 Camping Locronan***
📧 rue de la Troménie
📅 11 Apr - 27 Sep
☎ +33 (0)2-98918776
@ contact@camping-locronan.fr
🗺 N 48°5'46'' W 4°11'53''

1 ADE**JM**NOPRS	CFG 6
2 BHPUVX	BD**FG** 7
3 B**G**LM	BDFINRSV 8
4 FH	ADE 9
5 A**L**	BHIJOST10
B 10A CEE	➊ €24,70
H160 2 ha 103**T**(90-130m²) 19**D**	➋ €33,50

🚐 Die Ausfahrt Locronan auf N165 Quimper/Brest nehmen, dann nach 15 km in der Ortseinfahrt von Locronan den CP-Schildern folgen.

Lesconil, F-29740 / Bretagne 📶 CC€14 iD

🏕 Camping de la Grande Plage***
📧 71 rue Paul Langevin
📅 4 Apr - 30 Sep
☎ +33 (0)2-98878827
@ campinggrandeplage@ hotmail.com
🗺 N 47°47'52'' W 4°13'44''

1 ADE**JM**NOPQRST	ABFGHIKNPQS**X** 6
2 EHOPRVX	ABDE**FG** 7
3 BLQS	ABCDFKNOQRSV 8
4 BFHIO**PQ**	AEUV 9
5 ADE**G**KL	BDFGHIJOR10
Anzeige auf dieser Seite B 10A CEE	➊ €25,10
2,5 ha 100**T**(80-120m²) 31**D**	➋ €33,30

🚐 Von Pont-l'Abbé D102 nach Lesconil. Hinter dem Fußballplatz und Skatepark rechts (CP-Schild). Nach 200m links halten und der CP kommt nach 1 km.

Lesconil, F-29740 / Bretagne 📶 iD

🏕 Les Sables Blancs**
📧 21 Keralouet
📅 1 Apr - 30 Sep
☎ +33 (0)2-98878479
@ sriviere@magic.fr
🗺 N 47°48'22'' W 4°12'22''

1 A**J**MNOPQRST	6
2 HOPRVWXY	ABDE**FG** 7
3 B**I**LQRS	ABCDEFJNQRV 8
4	DEL 9
5 ADEFG**LM**	BGIJN**PR**10
B 6-10A	➊ €13,65
2,2 ha 80**T**(80-100m²) 17**D**	➋ €17,95

🚐 Von Pont-l'Abbé nach Plobannalec/Lesconil. Hinter dem Kreisel links, am nächsten Kreisel geradeaus, über die Brücke nach links; 3 mal rechts. CP ist angezeigt.

Loctudy, F-29750 / Bretagne 📶 iD

🏕 Les Hortensias***
📧 38 rue des Tulipes
📅 1 Apr - 30 Sep
☎ +33 (0)2-98874664
@ hortensias@ camping-loctudy.com
🗺 N 47°48'47'' W 4°10'54''

1 ADE**JM**NOPQRST	ABFGKNOPQSWXY 6
2 EHMOPVXY	ABDE**FG** 7
3 BELQST	ABCDEFGKNRSV 8
4 FO**PU**	DEV 9
5 ABDEFGK**M**	BHIJOR10
B 3-6-10A CEE	➊ €23,60
2 ha 76**T**(80-110m²) 26**D**	➋ €31,30

🚐 Von Pont-L' Abbé Richtung Loctudy. Hier vor der Kapelle nach rechts, an der Ampel geradeaus. 1 km weiter auf der linken Seite.

Lesconil, F-29740 / Bretagne 📶 ♻ CC€16 iD

🏕 Camping des Dunes***
📧 67 rue Paul Langevin
📅 4 Apr - 30 Sep
☎ +33 (0)2-98878178
@ campingdesdunes@gmail.com
🗺 N 47°47'50'' W 4°13'43''

1 ADE**JM**NOPQRST	KNOPQS**X** 6
2 EHOPVWX	ABDE**FGH** 7
3 BELQST	ABDEFNOQRSTUV 8
4 FHI	DEL 9
5 ALM	ABDGHIJN**PR**10
Anzeige auf dieser Seite B 10-16A CEE	➊ €25,20
2,8 ha 155**T**(80-100m²) 11**D**	➋ €33,05

🚐 In Pont-l'Abbé Richtung Lesconil D102, nach Fußballstadion rechts (CP-Schild), nach ca. 100m links an der Kreuzung.

Lesconil/Plobannalec, F-29740 / Bretagne 📶

🏕 Yelloh! Village L'Océan Breton*****
📅 17 Apr - 6 Sep
☎ +33 (0)2-98822389
@ info@ yellohvillage-loceanbreton.com
🗺 N 47°48'45'' W 4°13'17''

1 BDE**JL**NOPQRST	ABEFGHIN 6
2 BCFGOPRVX	ABDE**FGH** 7
3 BDEHLMQT	ABCDEFJKNQRSTUV 8
4 BCDFHILNO**Q**RTX**Z**	AEJUVY 9
5 ACDEFGIL	ABFGHIJNOQST10
B 10A	➊ €43,90
12 ha 68**T**(100-170m²) 192**D**	➋ €43,90

🚐 Von Pont-l'Abbé der D102 Richtung Lesconil/Plobannalec folgen. Nach Plobannalec ist der CP ausgeschildert.

Milizac, F-29290 / Bretagne 📶 CC€16 iD

🏕 Camping de la Récré****
📧 Le Lac des 3 Curés
📅 1 Jan - 31 Dez
☎ +33 (0)2-98079217
@ campingdelarecre@orange.fr
🗺 N 48°28'32'' W 4°31'37''

1 ADEG**JM**NOPQRST	EFGHN 6
2 ABDGPRSUWXY	ABDE**FGH** 7
3 ABDEIQ**RT**	ABCDEFGHINOPQRSV 8
4 BCDFHNOQ	EFJLV 9
5 ABDEKLM	AFGHIJNPRZ10
B 10A CEE	➊ €25,00
50,5 ha 102**T** 44**D**	➋ €36,00

🚐 Von Brest Nord auf die D13 Ausfahrt 'Les Trois Curés'.

La Corniche ★ ★ ★

- Wohnwagenbereich
- W-Lan
- Bar
- Snack
- Lebensmittelgeschäft
- Fahrradverleih
- Waschmaschine/Trockner

**Route de la Corniche
29710 Plozévet
Tel. 02-98913394
E-Mail:
infos@campinglacorniche.com
Internet:
www.campinglacorniche.com**

Morgat, F-29160 / Bretagne

▲ Les Bruyères***	1 ADEFHKNOPRT · ABEFGHI 6
Le Bouis	2 BGHMPRSVWXY · ABDEFGH 7
1 Mai – 30 Sep	3 ABDL · ABCDEFKNORSV 8
+33 (0)2-98261487	4 FGH · E 9
@ info@	5 ABL · BHIJLOST10
camping-bruyeres-crozon.com	8A CEE ① €23,35
N 48°13'15'' W 4°31'21''	4 ha 130T 13D ② €31,10

Von Crozon Richtung Morgat. Dann über die D255 Richtung Bouis. Den Schildern folgen.

Penmarc'h, F-29760 / Bretagne

▲ Flower Camping Les Genêts***	1 ADEJMNOPQRST · CDFGHIX 6
	2 GHOPVWXY · ABDEFGH 7
rue Gouesnac'h Nevez	3 BEFLQST · ABCDEFJKNRSV 8
11 Apr – 30 Sep	4 BCDFHILN · EUV 9
+33 (0)2-98586693	5 ADEFGILM · ABDGHIJOR10
@ campinglesgenets29@orange.fr	B 10A CEE ① €26,90
N 47°49'6'' W 4°18'34''	3,2 ha 55T(100m²) 81D ② €36,10

Von Pont-L'Abbé Richtung Plomeur und Penmarc'h. Am Kreisel 1 km vor der Ortsmitte links Richtung Plobannalec. Nach 500m CP auf der linken Seite.

Penmarc'h, F-29760 / Bretagne

▲ Le Grand Bleu***	1 ADEJMNOPRST · EFGIKSX 6
rue de l'Ecole de Voile	2 EFHPQVWX · BEFGH 7
5 Apr – 15 Sep	3 BLQS · ABCDFNRV 8
+33 (0)2-98585373	4 FHOQ · E 9
@ grand.bleu@wanadoo.fr	5 ABEGIJLM · BHIJOR10
	B 10A CEE ① €21,75
N 47°47'56'' W 4°19'39''	1,8 ha 75T(80-100m²) 24D ② €29,55

Von Pont-l'Abbé nach Penmarc'h Richtung Guilvinec entlang der Küste, Schildern folgen.

Penmarc'h, F-29730 / Bretagne

▲ Yelloh! Village La Plage****	1 BDEJLNOPQRST · ABCDFGHKMNOQRSTVWX 6
	2 EFGHOPQVWXY · ABDEFGH 7
12 Apr – 15 Sep	3 BEFILMQT · ABCDEFJKNQRSTUV 8
+33 (0)2-98586190	4 BDFHILNOPQRTZ · AEJLMUVWY 9
@ info@	5 ACDEFGJKM · ABGHIJMNOPST10
yellohvillage-la-plage.com	B 10A CEE ① €45,10
N 47°48'14'' W 4°18'44''	14 ha 200T(80-170m²) 222D ② €57,10

In Pont-l'Abbé die D785 nach Plomeur. Dort die D57 nach Guilvinec. Richtung Penmarc'h. Dort ist der CP angezeigt.

Ploéven, F-29550 / Bretagne

▲ La Mer**	1 AJMNOPRST · KNPQSXY 6
Ty Anquer Plage	2 EHMPVWXY · ABDFH 7
1 Jun – 30 Sep	3 AQ · AEFNORSV 8
+33 (0)2-98812919	4 FH · AE 9
@ campingdelamer29@orange.fr	5 ABDEKLM · BHIJORV10
	10A ① €19,40
N 48°8'54'' W 4°16'3''	1 ha 54T(80-100m²) 7D ② €26,20

Von Châteaulin der D7 Richtung Douarnenez, weiter über die D107 und die D61 nach Ste Anne-la-Palud und Ty Anquer Plage nehmen. Dann den CP-Schildern folgen.

Plomeur, F-29120 / Bretagne

▲ Camping de La Torche***	1 ADEJMNOPRST · CDFGX 6
Roz An Tremen	2 HMPQVWXY · ABDEFGH 7
1 Apr – 31 Okt	3 BELQST · ABCDEFJNRSV 8
+33 (0)2-98586282	4 BDILNO · EFJLUV 9
@ info@campingdelatorche.fr	5 ABEFGKLM · BHIJLOSTV10
	Anzeige auf Seite 163 B 10A CEE ① €25,60
N 47°49'58'' W 4°19'33''	4 ha 105T(80-100m²) 54D ② €33,80

Von Plomeur Richtung Pointe de la Torche. Beim kleinen Schild des CP links fahren. Danach ist der CP auf der rechten Seite.

Plomeur, F-29120 / Bretagne

▲ De Lanven**	1 ABDEJMNOPRST · 6
Chapelle de Beuzec	2 HPVWXY · ABDEFGH 7
1 Apr – 30 Sep	3 BELQU · BDFNR 8
+33 (0)2-98820075	4 DOQ · ELV 9
@ campinglanven@wanadoo.fr	5 ABDEGM · ABIJLORV10
	B 10A ① €19,80
N 47°51'15'' W 4°18'26''	3,7 ha 134T(70-150m²) 39D ② €19,80

Von Plomeur in Ri. Penmarch fahren. An der Kreuzung rechts abbiegen (Route de la Pointe de la Torche). Nach ca. 1,5 km wieder rechts abbiegen, CP ausgeschildert. Folgen Sie auch der Ri. 'La Chapelle de Beuzec'.

Plomodiern, F-29550 / Bretagne

▲ Camping La Mer d'Iroise****	1 ADEJMNOPRST · CDFGHKNOQSTUVWX 6
Plage Pors-ar-Vag	2 EFGHPUVX · ABDEFGH 7
2 Apr – 1 Okt	3 ABEILQS · ABCDEFKNRSTU 8
+33 (0)2-98815272	4 FHIO · EJLMQR 9
@ vacances@camping-iroise.fr	5 ACDEFGIJKLM · ABGHIJNOR10
	B 10A CEE ① €27,50
N 48°10'10'' W 4°17'22''	2,5 ha 132T(80-140m²) 42D ② €36,90

D887 Châteaulin-Crozon, in Plomodiern CP gut ausgeschildert, ca. 5 km außerhalb der Stadt.

Plonévez-Porzay, F-29550 / Bretagne

▲ Domaine de Kervel****	1 DJMNORT · ABCFGHI 6
Lieu dit Kervel	2 PRVX · ABDEFGH 7
10 Apr – 18 Sep	3 BEILMQT · ABCDEFNQRSTUV 8
+33 (0)2-98925154	4 ILNOPQ · EJLUY 9
@ kervel@franceloc.fr	5 ABCDEGKL · BGHIJLNOST10
	B 10A CEE ① €30,20
N 48°6'55'' W 4°16'4''	7 ha 100T(80-150m²) 201D ② €41,70

D107 Plonévez/Porzay-Douarnenez. Nach 3 km rechts Richtung Kervel. Nach 4 km CP auf linker Seite.

Plonévez-Porzay, F-29550 / Bretagne

▲ La Plage de Tréguer	1 ADEILNOPRST · ABFGKNQSUX 6
plage de Ste Anne-la-Palud	2 EGHMPQVWX · ABDEFGH 7
11 Apr – 26 Sep	3 BEFLQST · ABFNORSUV 8
+33 (0)2-98925352	4 FILNOPQU · ADE 9
@ camping-treguer-plage@ wanadoo.fr	5 ABDEFGJKLM · BGJLNOST10
	B 10A ① €25,40
N 48°8'40'' W 4°16'8''	6 ha 272T(90-130m²) 121D ② €35,00

Ab Châteaulin D7 Richtung Douarnenez, weiter über die D107 und die D61 nach Ste Anne-la-Palud. Dann Beschilderung folgen.

Plonévez-Porzay, F-29550 / Bretagne

▲ Trezmalaouen***	1 ADEGILNOPRT · KMNOPQSX 6
20 route de la Baie	2 EFGHMPTUVWX · ABDEFGH 7
29 Mär – 27 Sep	3 BFLMQT · ABCDEFQSV 8
+33 (0)2-98925424	4 BCDFIO · EKL 9
@ trezmalaouen@campeole.com	5 ADEGM · GHIJORVZ10
	10A ① €29,35
N 48°6'40'' W 4°16'37''	H50 4 ha 33T(80-100m²) 106D ② €43,05

Von Quimper Richtung Locronan. Hinter Plonévez-Porzay der Beschilderung folgen.

Plouézoc'h, F-29252 / Bretagne

▲ De la Baie de Térénez***	1 ADEJMNOPQRSUVXY 6
7 Apr – 30 Sep	2 EHOPVWXY · BDEFGH 7
+33 (0)2-98672680	3 AIL · ABDFNQRSV 8
@ campingbaiedeterenez@ wanadoo.fr	4 DFHIOPQ · DE 9
	5 ABDEG · BDFGHIJOR10
	B 10A ① €20,55
N 48°39'35'' W 3°50'53''	2,3 ha 75T(100-140m²) 19D ② €26,55

Plouézoch-Zentrum folgen. CP-Schildern folgen, nach ca. 2,5 km CP auf rechter Seite.

Frankreich

Plougasnou, F-29630 / Bretagne 📶 (CC€14) iD

▲ Flower! Camping Domaine de Mesqueau***	1 ADJMNOPRST	ABEFGNWX 6
🏠 870 route de Mesqueau	2 CDGPVWX	ABDEH 7
📅 22 Mai - 27 Sep	3 AEILMQ	ABCDFNT 8
☎ +33 (0)2-98673745	4 BDIL	AELUVW 9
@ contact@domaine-de-mesqueau.com	5 ABGKLM	ABDHIJNOST 10
	B 10A CEE	❶ €25,00
	H65 7 ha 52T(120-200m²) 48D	❷ €33,00

🚗 Von Morlaix Richtung Plougasnou D46. Den Schildern folgen. Von Lanmeur Richtung Plougasnou D78. Den Schildern folgen.

Plouigneau, F-29610 / Bretagne iD

▲ De la Ferme de Croas-Men	1 ADJMNOPRT	6
📅 1 Apr - 31 Okt	2 AFGPWXY	ABDEFG 7
☎ +33 (0)2-98791150	3 AH	ABCDFHINQRSV 8
@ fermecroasmen@free.fr	4 ABFHIO	BEJ 9
	5 A	BGHIJNST 10
	B 6A	❶ €17,95
N 48°36'17'' W 3°44'29''	H100 2 ha 31T(125-150m²) 7D	❷ €24,25

🚗 N12 Guincamp Richtung Morlaix. 7 km vor Morlaix Ausfahrt Plouigneau und weiter Richtung Lanmeur über die D64. Nach 50m den CP-Schildern folgen.

Plougastel-Daoulas, F-29470 / Bretagne 📶 (CC€14) iD

▲ Saint Jean****	1 ADEJMNORT	ABEFGHNO 6
🏠 lieu dit Saint Jean	2 ABEKPUVX	BDEFGH 7
📅 11 Apr - 26 Sep	3 BDEFLQ	BDFGJNOQRSV 8
☎ +33 (0)2-98403290	4 FIOQ	EFJQRVW 9
@ info@campingsaintjean.com	5 ABDEGILM	BDFGHJNOS 10
	B 10A CEE	❶ €26,30
N 48°24'0'' W 4°21'13''	2 ha 81T(70-120m²) 50D	❷ €33,90

🚗 Autobahn Quimper-Brest. Ausfahrt Plougastel/Daoulas (Centre Commercial Leclerc). Danach den Schildern 2 km folgen.

Plozévet, F-29710 / Bretagne 📶 (CC€16) iD

▲ La Corniche***	1 ADEJMNOPQRST	ABFGX 6
🏠 chemin de la Corniche	2 FGOPRVWXY	ABEFGH 7
📅 27 Mär - 30 Sep	3 BELQS	ABCDFKNOQRSTUV 8
☎ +33 (0)2-98913394	4 BCDFHILNOPQ	ADEJIIUV 9
@ infos@campinglacorniche.com	5 ACDEFGIKLM	PFGHIJPST 10
	Anzeige auf Seite.162 B 10A CEE	❶ €24,10
N 47°58'50'' W 4°25'50''	H80 2 ha 88T(80-130m²) 36D	❷ €32,20

🚗 In Plozévet dem Schild 'Camping de la Corniche' folgen. Außerhalb des Dorfes ca. 400m an der rechten Seite.

Plouguerneau, F-29880 / Bretagne 📶 iD

▲ Camping du Phare de L'Île Vierge**	1 AJMNOPRST	6
🏠 Kerlerdut - Méladan	2 EFGHJMOPQVW	ADEFG 7
📅 4/4-6/4,14/5-17/5,15/6-15/9	3 AFG	ABCDEFNQRV 8
☎ +33 (0)6-03193996	4	E 9
@ camping.phare.ile.vierge@gmail.com	5	BCHIJPST 10
	10A CEE	❶ €10,40
N 48°37'59'' W 4°32'41''	1,5 ha 30T 25D	❷ €17,00

🚗 Über die D10 (St. Pol-de-Léon) oder die D13 (Lannilis) nach Plouguerneau. Dort der Beschilderung folgen.

Port-Manech/Nevez, F-29920 / Bretagne 📶 (CC€16) iD

▲ Le Saint Nicolas***	1 ADEJMNOPQRST	ABCDFGHIKMNOPQRSTUXYZ 6
🏠 Kergouliou	2 EHMOPUVWXY	ABDEFGH 7
📅 1 Mai - 20 Sep	3 BEFLMNQ	ABCDEFGINOPRSTUV 8
☎ +33 (0)2-08068075	4 EFHINOPUY	EMOQR 9
@ info@campinglesaintnicolas.com	5 ALM	ABDGHIJPR 10
	B 15A CEE	❶ €33,20
N 47°48'18'' W 3°44'44''	3,5 ha 172T(80-130m²) 26D	❷ €43,45

🚗 Von Lorienz die N165/E60 Richtung Quimper, Ausfahrt Kerampaou über die D24 nach Névez, dann Richtung Port-Manech. GPS/Navi nicht folgen. Am Ortseingang von Port-Manech den Schildern links folgen.

Plouguerneau, F-29880 / Bretagne 📶 iD

▲ De la Grève Blanche**	1 AJMNOQRT	KNOPQRSTUWXYZ 6
🏠 St. Michel	2 EFGHMOPRUVW	ABD 7
📅 27 Mär - 4 Okt	3 ABEFLQ	ABEFNPRV 8
☎ +33 (0)2-98407035	4 DFHIN	DEFJL 9
@ lroudaut@free.fr	5 ABDEGKLM	ABGHJILORV 10
	B 10A CEE	❶ €15,70
N 48°37'49'' W 4°31'26''	3 ha 90T(80-120m²) 12D	❷ €21,50

🚗 Im Zentrum von Plouguerneau den CP-Schildern folgen.

Quimper, F-29000 / Bretagne 📶 🌸 (CC€18) iD

▲ Domaine de L'Orangerie de Lanniron*****	1 ADJMNOPQRST	ABFGHINSTXY 6
🏠 allée/chemin de Lanniron/Chât. de L	2 ACFGOPVWXY	ABDEFGH 7
📅 28 Mär - 15 Nov	3 BDEHIJKLMNQST	ABCDEFJKNQRSTUV 8
☎ +33 (0)2-98906202	4 BCDEFHILOQUY	AEHIJLMOQRVY 9
@ contact@lanniron.com	5 ACDEFGIJKLM	ABDGHIJOPRW 10
	Anzeige auf dieser Seite B 10A CEE	❶ €43,60
N 47°58'46'' W 4°6'24''	6,5 ha 199T(80-150m²) 72D	❷ €54,20

🚗 In Quimper Richtung Pont-l'Abbé folgen. Dem CP-Schild 'Lanniron' folgen.

Plouguerneau, F-29880 / Bretagne 📶 🌸 (CC€12) iD

▲ Du Vougot***	1 ADEJMNOPRST	NOPQRSTUVXY 6
🏠 route de Prat Ledan	2 EHPQVWXY	ABDEFG 7
📅 4 Apr - 24 Okt	3 ABHL	ABCDFNQRSV 8
☎ +33 (0)2-98256151	4 FHI	AEK 9
@ campingduvougot@hotmail.fr	5 ABEG	BDGHIJNPSTV 10
	B 10A CEE	❶ €20,55
N 48°37'53'' W 4°26'59''	2,5 ha 38T(100-300m²) 16D	❷ €26,55

🚗 In Lesneven Richtung Plouguerneau. Ausgeschildert. CP an der Küstenstraße.

Plouhinec, F-29780 / Bretagne 📶 iD

▲ Camping de Kersiny-Plage**	1 AJMNOPRST	KNOPQSX 6
🏠 1 rue Nominoé	2 EFHMPRUVWXY	BDF 7
📅 14 Mai - 17 Sep	3 AL	ABCDFNRV 8
☎ +33 (0)2-98708244	4 F	EJ 9
@ info@kersinyplage.com	5 KM	BHIJPST 10
	8A CEE	❶ €19,05
N 48°0'26'' W 4°30'29''	1,9 ha 60T(80-100m²) 7D	❷ €28,85

🚗 Die D784 von Audierne Richtung Plouhinec. Dort den CP-Schildern folgen.

Frankreich

Raguénès/Névez, F-29920 / Bretagne

Airotel Le Raguenès Plage****
19 rue des Îles
11 Apr - 27 Sep
+33 (0)2-98068069
leraguenesplage@orange.fr
N 47°47'36'' W 3°48'3''
N165 Lorient-Quimper, Ausfahrt Kerampaou und über die D24/D77 nach Névez. Dann Ri. Raguénès-Plage. Nach 3 km ist der CP gut ausgeschildert.

1 ADEJMNOPQRST	ABCDFGHIKMNOPQSWXY	6
2 EFHMPVWXY	ABDEFGH	7
3 BELQS	CDEFIKNOQRSTUV	8
4 BCDFHILNOPQRT	EUV	9
5 ACDEFGJLM	ABDGHIJPR	10
B 15A CEE		① €40,00
7 ha 218T(90-140m²)	90D	② €50,10

Raguénès/Névez, F-29920 / Bretagne

l'Océan***
15 Impasse des Mouettes, Keroren
14 Mai - 15 Sep
+33 (0)2-98068713
campingocean@orange.fr
N 47°47'41'' W 3°47'53''
N165/E60 Lorient-Quimper, Abfahrt Kerampaou und dann D24 und D77 nach Névez, dann in Richtung Raguénès-Plage; CP-Schildern folgen.

1 ADEJMNOPRST	CFGKNOPQSW	6
2 AEFHMPVWX	ABDEFGH	7
3 BELQS	ABCDEFINPRSTUV	8
4 FHIOP	E	9
5 ALM	BGHIJP	10
B 10A CEE		① €28,50
2,3 ha 128T(90-120m²)	8D	② €38,80

St. Nic, F-29550 / Bretagne

Domaine de Ker Ys****
Pentrez-plage
6 Apr - 22 Sep
+33 (0)2-98265395
info@homair.com
N 48°11'34'' W 4°18'4''
Von St. Nic D108 Richtung Pentrez-plage. Beim Kreisverkehr links den Boulevard rauf. Nach 100m liegt der CP auf der linken Seite (Schild).

1 ADILNOPRT	ABFGHIKNQSX	6
2 EHPVX	ABDEFGH	7
3 BELQR	ABCDEFNOQS	8
4 FILNOPQU	E	9
5 ABLM	BHJLOR	10
B 10A		① €29,50
3 ha 62T(80-100m²)	158D	② €38,50

St. Pol-de-Léon, F-29250 / Bretagne

Ar Kleguer****
avenue de la Mer
4 Apr - 26 Sep
+33 (0)2-98691881
info@camping-ar-kleguer.com
N 48°41'26'' W 3°58'3''
D58, Ausfahrt St. Pol-de-Léon, Schildern 'Camping' und 'Plage' folgen, CP nordöstlich von der Stadt. Ab Roscoff oder Landivisiau: kein Navi benutzen.

1 ADEJMNOQRST	ABEFHKNOQRSTWXYZ	6
2 EFGHPUVX	ABDEFGHK	7
3 BCEFIKLMQS	ABCDFGHIJNQRS	8
4 BDFIKOPQ	EJKLUV	9
5 ABDGK	BDGHIJLPST	10
Anzeige auf dieser Seite	B 10A	① €30,55
5,5 ha 132T(90-120m²)	50D	② €39,25

St. Pol-de-Léon, F-29250 / Bretagne

De Trologot***
Grève du Man
1 Mai - 30 Sep
+33 (0)2-98690626
camping-trologot@wanadoo.fr
N 48°41'36'' W 3°58'10''
Auf der D58 Ausfahrt St. Pol-de-Léon. Navi nicht benutzen. Die Schildern 'Camping' und 'Plage' folgen. Danach 'De Trologot' folgen. CP liegt nordöstlich der Stadt.

1 ADEJMNOPQRT	ABFGKNOQSUWXY	6
2 EHJMPVX	ABDEFGH	7
3 BLQT	ABCDFNOPRSV	8
4 BFIOQ	E	9
5 ABGLM	BHJOST	10
B 10A CEE		① €22,80
2,5 ha 85T(80-100m²)	15D	② €31,15

Telgruc-sur-Mer, F-29560 / Bretagne

Armorique****
112 rue de la Plage
1 Apr - 30 Sep
+33 (0)2-98277733
contact@campingarmorique.com
N 48°13'32'' W 4°22'17''
Von Châteaulin die D887 in Richtung Crozon. In Telgruc sehr deutlich ausgeschildert.

1 ADEJMNOPRT	ABFGHX	6
2 FGHMPUVWXY	ABDEFGH	7
3 BLQS	ABCDEFNQRSV	8
4 FHILNOQ	EFJ	9
5 ABDEGKL	BDGHIJNPR	10
H130 3 ha 100T(80-120m²)	39D	① €24,45 ② €32,75

Telgruc-sur-Mer, F-29560 / Bretagne

Sites & Paysages Le Panoramic****
130 route de la Plage le Penker
1 Mai - 15 Sep
+33 (0)2-98277841
info@camping-panoramic.com
N 48°13'25'' W 4°22'21''
Von Châteaulin über die D887 in Richtung Crozon. In Telgruc geradeaus, der CP ist ausgeschildert.

1 ADEJMNOPRST	ABFGQRSTUVX	6
2 FPRUVX	BEFGH	7
3 BLMQ	BDEFNOQRSTUV	8
4 FHIOU	EHLUV	9
5 ABDEFGIJKLM	ABDFGHJNORV	10
Anzeige auf dieser Seite B 10A CEE		① €27,40
H70 4 ha 180T(100-160m²)	43D	② €35,40

Tréguennec, F-29720 / Bretagne

Kerlaz***
route de la Mer
1 Apr - 30 Sep
+33 (0)2-98877679
contact@kerlaz.com
N 47°53'41'' W 4°19'43''
Ab Quimper erst Richtung Pont-l'Abbé. Dann die D156 nach Plonéour und Richtung Tréguennec. Der CP liegt rechts der Strecke.

1 ADEJMNOPQRST	CD	6
2 HMPVWXY	ABDEFGHK	7
3 BLQ	ABDFNORV	8
4 EFH	BDEJUV	9
5 ABEGKLM	ABGIJLPRVZ	10
B 3-10A CEE		① €19,95
1,2 ha 65T(80-110m²)	23D	② €26,65

Trégunc, F-29910 / Bretagne

La Pommeraie de l'Océan****
Kerdalidec St. Philibert
30 Apr - 30 Sep
+33 (0)2-98500273
contact@camping-bretagne-lapommeraiedelocean.com
N 47°48'27'' W 3°50'18''
N165/E60 Lorient-Quimper, Ausfahrt Kerampaou Richtung Trégunc. Über die D1 Richtung Trévignon, CP ist gut ausgeschildert.

1 ADEJMNOPQRST	ABCDFGHIXYZ	6
2 FMOPVWXY	BEFGH	7
3 BEILMQST	ABCDEFGJKNPQRSTUV	8
4 BCDEFHINOPQRUX	AEUVY	9
5 ACDEGLM	ABGHIJP	10
B 10A CEE		① €26,20
7,5 ha 78T(80-200m²)	146D	② €32,20

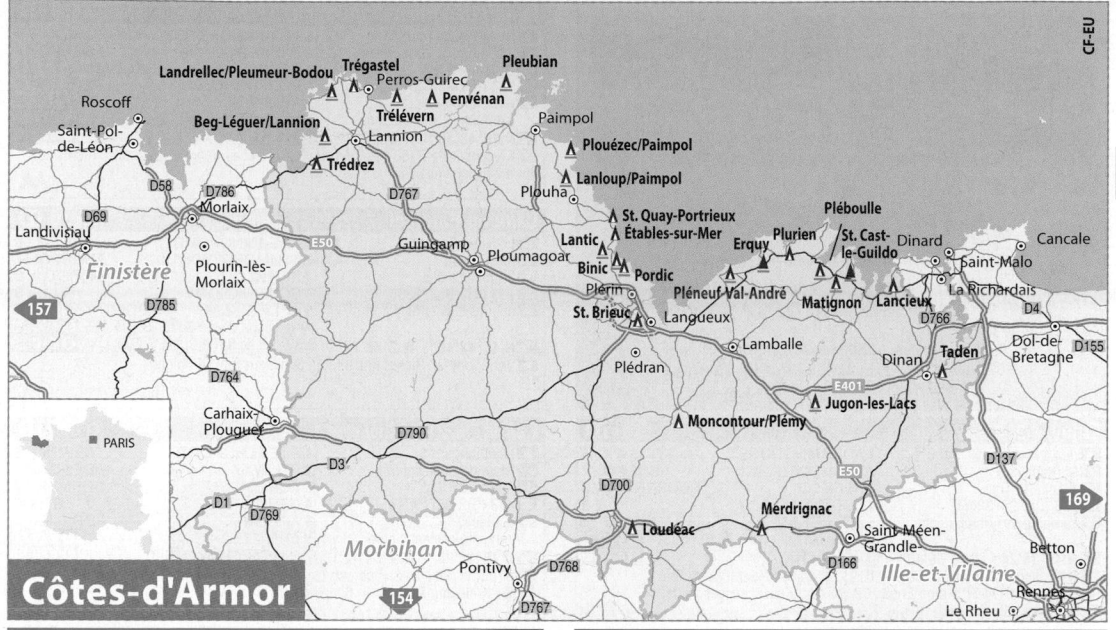

Côtes-d'Armor

Frankreich

CF-EU

Beg-Léguer/Lannion, F-22300 / Bretagne   📶 CC€14 iD

▲ Les Plages de Beg-Léguer***	1 ADJMNOPQRST	ABCFHKMNOPQSUXY 6
🏠 route de la Côte	2 AEGHMOPVXY	ABDEF**GH** 7
🕐 1 Mai - 30 Sep	3 ABE**KLMQS**	ABCDFKNOQRSV 8
☎ +33 (0)2-96472500	4 FHIO	AEJL 9
@ info@campingdesplages.com	5 ABDEFGI	ABDHIJNPST 10
	B 6A CEE	❶ €28,70
	4,7 ha 149T(80-120m²) 47D	❷ €40,10

🚗 Lannion-Trébeurden (insgesamt 9 km). Nach ca. 6 km bei Champ Blanc Richtung Plages de Beg-Léguer. (Besser nicht durch Servel fahren).   🅰🅰

N 48°44'18''   W 3°32'41''

Binic, F-22520 / Bretagne   📶 CC€14 iD

▲ Le Panoramic***	1 ADEI**L**NOPQRST	CDFIMNX 6
🏠 rue Gasselin	2 AFGHMOPRTUVWXY	BE**FG**HK 7
🕐 28 Mär - 26 Sep	3 ABE**GHK**LQST	ABCDFIJKNRSV 8
☎ +33 (0)2-96736043	4 BCDFILNO**PQ**	BELU 9
@ camping.le.panoramic@ wanadoo.fr	5 ABDEGK**LM**	BDFHIJPRV10
	B 10A CEE	❶ €28,80
	H56 5,8 ha 87T(80-130m²) 169D	❷ €36,80

🚗 Über N12 nach St. Brieuc Richtung Paimpol-par-la-Côte (D786). Kurz vor Binic ist der CP rechts ausgeschildert, gleich rechts abbiegen.   🅰🅰

N 48°35'30''   W 2°49'29''

Erquy, F-22430 / Bretagne   📶 iD

▲ Des Hautes Grées***	1 ADE**JM**NOPQRST	ABFGKNOPQRSTUVWXYZ 6
🏠 123 rue St. Michel les Hôpitaux	2 EGHJMOPRSVX	ABCDF**G**INOQRS 8
🕐 6 Apr - 3 Okt	3 ABFLQ	ABCDF**G**INOQRS 8
☎ +33 (0)2-96723478	4 BDEFHIJLNORTV	ELW 9
@ hautesgrees@wanadoo.fr	5 ABEFIK**L**	BFGHIJLN**P**RW10
	B 10A CEE	❶ €26,40
	3,5 ha 177T(80-98m²) 33D	❷ €35,80

🚗 Der CP liegt östlich von Erquy. Am Kreisel südöstlich von Erquy, wo die D781 in die D34 übergeht, Richtung 'Les Hôpitaux'. Weiter den Schildern folgen.   🅰🅰

N 48°38'31''   W 2°25'27''

Erquy, F-22430 / Bretagne   📶 CC€14 iD

▲ La Vallée***	1 ADE**JM**NOPQRST	KNOPQRSTUVWXY 6
🏠 St. Pabu	2 EHPRUVWX	ABDE**FG**H 7
🕐 25 Apr - 15 Sep	3 AB**KL**Q	ABCDFKNRSV 8
☎ +33 (0)2-96720622	4 FHOQ**TUX**	ADEL 9
@ campinglavalleeerquy@ wanadoo.fr	5 AR**KLM**	ABDGHIJ**O**RV10
	B 10A CEE	❶ €25,70
	1,5 ha 30T(90-110m²) 9D	❷ €34,20

🚗 Zwischen Val-André und Erquy der D786 folgen. Wenn sich die 4-Spuren auf die 2-spurige Straße verengen, sofort links nach St. Pabu. CP ist ausgeschildert.   🅰🅰

N 48°36'16''   W 2°29'19''

Erquy, F-22430 / Bretagne   📶 CC€12 iD

▲ Les Roches***	1 ADE**JM**NOPQRST	X 6
🏠 route du Pommet	2 FGHMOPRSUVWXY	ABDE**FG**H 7
🕐 1 Apr - 30 Sep	3 ABC**HIK**LQST	ABCDFJKNRSV 8
☎ +33 (0)2-96723290	4 BDFIO**PQ**	EL 9
@ info@camping-les-roches.com	5 ABEK**LM**	ABDGHIJNPR10
	B 6-10A CEE	❶ €21,80
	H60 3 ha 175T(80-120m²) 18D	❷ €27,80

🚗 CP liegt zwischen Erquy und Pléneuf-Val-André, D786. Der Beschilderung folgen, gut angezeigt.   🅰🅰

N 48°36'37''   W 2°28'33''

Erquy, F-22430 / Bretagne   📶 CC€16 iD

▲ Sites & Paysages Bellevue****	1 ADE**JL**NOPQRST	CDFGX 6
🏠 route de la Libération	2 FPRVXY	ABDE**FG**H 7
🕐 12 Apr - 15 Sep	3 BE**KL**MQS	ABCDEFGIKNQRSTUV 8
☎ +33 (0)2-96723304	4 BDFHILO**PQ**	AEJLY 9
@ info@campingbellevue.fr	5 ABDEFGK**LM**	BDFGHIJNPR10
	Anzeige auf dieser Seite B 10A CEE	❶ €30,10
	H80 3 ha 128T(90-130m²) 72D	❷ €38,30

🚗 An Straße D786, zwischen Erquy und Val André, beim Dorf La Couture.   🅰🅰

N 48°35'39''   W 2°29'4''

Frankreich

Erquy, F-22430 / Bretagne

de La Plage de St. Pabu***	1 ADE**JM**NOPQRST	KNQSWXY 6
St. Pabu	2 EFGHPQRUVWX	ABDE**FG**H 7
1 Apr - 11 Okt	3 BEF**K**LQ	BCDFNRSTUV 8
+33 (0)2-96722465	4 BCDFHILNO**P**	E 9
camping@saintpabu.com	5 ACDFGK**LM**	ABGHIJ**O**R10
	Anzeige auf Seite 167 B 10A CEE	❶ €29,20
N 48°36'24'' W 2°29'48''	5,5 ha 331**T**(80-110m²) 39**D**	❷ €37,80

N12, hinter Lamballe D768 und D791 Richtung Pléneuf-Val-André. Bei St. Alban D17A Richtung Erquy. CP vor dem Kreisel ausgeschildert Richtung La Ville-Berneuf.

Étables-sur-Mer, F-22680 / Bretagne

L'Abri Côtier***	1 ADE**JM**NOPQRST	ABFGKN**X** 6
Ville-es-Rouxel	2 EHMOPRUVWXY	ABDE**FG**H 7
1 Mai - 15 Sep	3 B**K**LQT	ABCDFNQRSTUV 8
+33 (0)2-96706157	4 FHI**PQ**U	BELUV 9
camping.abricotier@ wanadoo.fr	5 ABEGK**LM**	BFGHIJ**O**R10
	B 6-10A CEE	❶ €23,40
N 48°38'8'' W 2°50'6''	2 ha 180**T**(80-120m²) 21**D**	❷ €33,30

An der D786 am Kreisverkehr nicht nach Étables hinein, sondern für Gespannfahrer besser Richtung St. Quay-Portieux. Nach der Kapelle rechts, kurz vor Ampel links, CP gut beschildert.

Jugon-les-Lacs, F-22270 / Bretagne

Au Bocage du Lac****	1 ADJMNOPRT	ABEFGHI**N**QRSTX 6
rue du Bocage	2 ADGIPVXY	ABDE**FG**H 7
12 Apr - 15 Sep	3 ABEF**HILMQR**	ABCDEFKNOQRSV 8
+33 (0)2-96316016	4 **E**FILNO**PQ**R	EIJLQUV 9
contact@ campinglacbretagne.com	5 ACDEFG**L**	ABFGHIJL**NO**STVZ10
	B 10A CEE	❶ €29,50
N 48°24'6'' W 2°19'0''	7 ha 183**T**(100-180m²) 58**D**	❷ €40,05

N176 Ausfahrt Jugon-les-Lacs. CP liegt an der D52 von Jugon-les-Lacs nach Mégrit (deutlich ausgeschildert).

Lancieux, F-22770 / Bretagne

Le Villeu***	1 ADE**JM**NOPRST	NQRSTX 6
rue des Bénédictins	2 HMPVWX	ABDE**FG**H 7
4 Apr - 27 Sep	3 ABE**HK**LMQ	ABCDEFGKNQRSV 8
+33 (0)2-96862167	4 BFHNO**PX**	ELV 9
camping.levilleu@orange.fr	5 ABDEGK**LM**	BHIJL**O**STW10
	B 10A CEE	❶ €21,50
N 48°35'54'' W 2°9'25''	5 ha 140**T**(90-110m²) 33**D**	❷ €25,50

D168 über den Staudamm von Dinard, dann D603. In St. Briac über die Brücke, dann D786, durch Lancieux bis zur Mühle. Re. abbiegen, die Straße hinunter und an der Kreuzung geradeaus. CP befindet sich links.

Landrellec/Pleumeur-Bodou, F-22560 / Bret.

Camping Du Port****	1 ADE**JM**NOPQRS**T**	KNOPQSU**XYZ** 6
3 chemin des Douaniers	2 EFHKPQTUVWX	ABDE**FG**H 7
21 Mär - 8 Nov	3 BFH**K**LS	ABCDFJKNQRSTV 8
+33 (0)2-96238779	4 BCDFHO**TU**	ABELQRV 9
renseignements@ camping-du-port-22.com	5 ABDEFGIK	BDGHJLM**N**PSTV10
	Anzeige auf Seite 167 B 15A CEE	❶ €21,60
N 48°48'35'' W 3°32'27''	3,8 ha 44**T**(100-140m²) 51**D**	❷ €30,50

Küstenstraße D788 von Trégastel nach Trébeurden, bei Landrellec rechts ab, gut ausgeschildert.

Lanloup/Paimpol, F-22580 / Bretagne

Le Neptune****	1 ADE**JM**NOPQRST	CFGX 6
Ker Guistin	2 GHJMOPRVWXY	ABDE**FG**H 7
3 Apr - 12 Okt	3 BE**HK**LQ	BDFJNOQRSTUV 8
+33 (0)2-96223335	4 BCDFHIKNO**P**	EJLUV 9
contact@leneptune.com	5 ACDEGIK**LM**	ABDFGHIJLNPRV10
	Anzeige auf dieser Seite B 10A CEE	❶ €30,20
N 48°42'49'' W 2°58'1''	H59 1,5 ha 65**T**(80-120m²) 20**D**	❷ €40,20

Von Plouézac Richtung Lanloup. Schildern zum CP folgen.

Lantic, F-22410 / Bretagne

Les Etangs***	1 ADE**JL**NOPQRT	ABFG**NX** 6
route de Châtelaudren	2 PTUWXY	ABDE**FG**HK 7
3 Apr - 27 Sep	3 AB**K**QT	BDFNORS 8
+33 (0)2-96719547	4 DFHIO	BEJL 9
contact@ campinglesetangs.com	5 ABE**LM**	BDFHIJOR10
	B 6-10A CEE	❶ €20,00
N 48°36'23'' W 2°51'42''	2,1 ha 65**T**(60-108m²) 18**D**	❷ €26,90

D786, in Binic links Richtung Lantic. Nach 3 km rechts ist ein Steinbruch. An der Kreuzung links ab. In Binic ist der CP angezeigt.

Loudéac, F-22600 / Bretagne

Seasonova Aquarev***	1 ADE**JM**NOPRST	**N** 6
route de Rennes	2 ADFGPSVW	ABDE**FG**H 7
3 Apr - 1 Nov	3 BEMQ**R**	ABEFNPRV 8
+33 (0)2-96262192	4 BDFGHIO	AEV 9
contact@ camping-aquarev.com	5 AD**LM**	BDFGHIJL**P**ST10
	B 10A CEE	❶ €19,00
N 48°10'33'' W 2°43'15''	3,2 ha 78**T**(80-150m²) 7**D**	❷ €27,00

Ausfahrt Loudéac Zentrum, Richtung Loudéac am Kreisel links Richtung Aquarev.

Matignon, F-22550 / Bretagne

Le Vallon aux Merlettes***	1 ADE**JM**NOPRS**T**	CDFGNX 6
43 rue Jobert	2 CGOPVWXY	ABDE**FG**H 7
4 Apr - 30 Sep	3 ABE**KLMN**Q	ABDFNOQRSV 8
+33 (0)2-96803799	4 BEIO	BEL 9
contact@ campingdematignon.com	5 ABEFG**LM**	BDFGHIJOQST10
	B 6-10A CEE	❶ €18,80
N 48°35'28'' W 2°17'45''	H500 3,5 ha 81**T**(100-130m²) 8**D**	❷ €23,20

Von Dinard der D168 folgen. Dann die Ausfahrt D786 Richtung Matignon. Den CP-Schildern folgen. Von Rennes ab der N12 bis Lamballe folgen. Dann die D768, danach die D13. Den CP-Schildern folgen.

Merdrignac, F-22230 / Bretagne

Val de Landrouët**	1 ABDJMNOPRST	**ABFG**H**N**V 6
14 rue de Gouede	2 ACDGIOPSVWXY	ABDE**FG** 7
1 Mai - 30 Sep	3 ABCEF**IJLM**QR	ABCDEFLMNQRSTUV 8
+33 (0)2-96284798	4 ADFHILNOQTUV	DEFHU 9
camping.merdrignac@ orange.fr	5 ADEGL	ABGHJ**O**RV10
	B 5A CEE	❶ €21,00
N 48°11'54'' W 2°24'56''	H137 1 ha 45**T**(83-120m²) 36**D**	❷ €28,00

CP in Merdrignac gut ausgeschildert, befindet sich nördlich des Zentrums.

Teilkarte Côtes-d'Armor auf Seite 165

Moncontour/Plémy, F-22510 / Bretagne (((iD

▲ Camping la Tourelle**	1 AJMNOR**T**	EFG**N** 6
▣ Le Pont des Vallées/	2 GOPVWX	ABDE**FGH** 7
Gare de Moncont	3 ABEFLMQ	ABEFNQRV 8
◐ 1 Feb - 10 Nov	4 EFIOQU	J 9
☎ +33 (0)2-96735065	5 AL	BFGHJORV10
@ camping@pays-moncontour.com	B 16A CEE	❶ €15,00
◪ N 48°21'8'' W 2°38'15''	H180 0,5 ha 32**T**(50-100m²) 12**D**	❷ €18,00

In Moncontour ist der CP rechts angezeigt. Folgen Sie 'Piscine la Tourelle' der D768, die N12 Richtung D768 und N64.

Pléboulle, F-22550 / Bretagne ((((CC€10) iD

▲ Le Frèche à l'Âne**	1 A**J**MNOPQRST	X 6
Le Bourg, 6 rue du Champ St. Paul	2 FGOPUVWXY	ABDE**FG**HIJK 7
◐ 1 Apr - 31 Okt	3 ABCL	BDFNRSV 8
☎ +33 (0)2-96410872	4 FHIQ	EU 9
@ info@	5 ABEL**M**	BDGHIJOQSTZ10
camping-frechealane.com	B 6-10A CEE	❶ €14,50
◪ N 48°36'32'' W 2°20'13''	3,5 ha 68**T**(100-200m²) 9**D**	❷ €18,10

Von Matignon aus kommend. D786 Richtung Fréhel, die Ausfahrt links D16 nehmen. Den Schildern folgen.

Penvénan, F-22710 / Bretagne ((((CC€14) iD

▲ Les Hauts de Port Blanc***	1 ADE**JM**NOPQRST	ABEFGX 6
▣ 12 bis rue Keranscouc'h	2 FGHJMPVWX	ABDE**FG** 7
◐ 3 Apr - 30 Sep	3 BCEILQS	ABCDFNQRSTV 8
☎ +33 (0)2-96928672	4 FHIO**PQTUX**	E 9
@ contact@portblanc.com	5 AEL	BDGHIJMNOSU10
	Anzeige auf Seite 166 B 10A CEE	❶ €23,50
◪ N 48°49'5'' W 3°18'7''	H62 3 ha 39**T**(80-200m²) 35**D**	❷ €32,20

Von Tréguier nordwestlich nach Plouguil und Penvénan. In Penvénan den Schildern folgen.

Pléneuf-Val-André, F-22370 / Bretagne ((((CC€14) iD

▲ Campéole	1 AD**IL**NOPRS**T**	E**K**MNOPQRSTXYZ 6
▣ Les Monts Colleux***	2 EFHMOPRUVW	ABDE**FG**H 7
▣ 26 rue Jean Lebrun	3 AB**KL**QT	ABCDEFGIKNRSV 8
◐ 3 Apr - 27 Sep	4 BCDFILNO	EJL 9
☎ +33 (0)2-96729510	5 ABDEG	BDHIJ**O**TUVZ10
@ monts-colleux@campeole.com	B 10A CEE	❶ €25,80
◪ N 48°35'23'' W 2°33'3''	3,7 ha 114**T**(80-143m²) 66**D**	❷ €40,20

In Rennes die N12/E50 Richtung Saint-Brieuc/Brest. Hinter Lamballe die N12/E50 an der Ausf. Pléneuf-Val-André verlassen und D768 Richtung Erquy-Cap Fréhel. In St. Alban auf der D58 bleiben bis nach Pléneuf-Val-André. CP liegt in Val-André. Beschilderung folgen.

Frankreich (margin)

Pleubian, F-22610 / Bretagne 🛜 CC€16 iD
- Port la Chaîne★★★★
- 18 Apr - 19 Sep
- +33 (0)2-96229238
- info@portlachaine.com
- N 48°51'20'' W 3°7'58''

1 ADE**JM**NOPQRST ABEFGKNOPQU**XYZ** 6
2 EFHJMPQUVWXY ABDE**FGH** 7
3 BELQ ABCDFGNOQRSV 8
4 DFO**PQ** EJ 9
5 ABDEGK**L** BDHJ**N**OR10
Anzeige auf dieser Seite B 6A CEE ① €28,30
5 ha 150**T**(100-130m²) 48**D** ② €39,70

Nach Pleubian 2 km über die D20 Richtung Larmor/Pleubian, links abbiegen und der Beschilderung folgen.

Plouézec/Paimpol, F-22470 / Bretagne 🛜 CC€16 iD
- Le Cap de Bréhat★★★★
- route de Port Lazo
- 12 Apr - 30 Sep
- +33 (0)2-96206428
- info@cap-de-brehat.com
- N 48°45'34'' W 2°57'46''

1 ADE**FIL**NOPRST CDFGKNPQSUW**XY** 6
2 EFGJMPRSUVX ABDE**FGH**K 7
3 BCE**K**LMQST ABCDFHJKNQRSTUV 8
4 EFGHIO**P** BERUV 9
5 ABCEFGI**LM** ABDGHIJ**P**QST10
Anzeige auf dieser Seite B 16A CEE ① €30,30
H55 5 ha 97**T**(80-110m²) 50**D** ② €39,70

CP liegt in Port-Lazo, 2,5 km von der D786. CP in Plouézec gut ausgeschildert. Den CP-Schildern gut folgen; auch durch die Einbahnstraße mit Anwohnerberechtigung und CP (also Einfahrtverbot missachten!).

Plurien, F-22240 / Bretagne 🛜 iD
- Les Salines
- rue du lac / rte de la Ville Boulin
- 1 Apr - 1 Nov
- +33 (0)2-96721740
- campinglessalinesplurien@gmail.com
- N 48°37'55'' W 2°24'49''

1 ADEJMNOPQRST KMNOPQRSTVW**XYZ** 6
2 EHMOPRUVWXY ABDE**FGH** 7
3 AB**HK**LQ ABCDEFGHKNOPRSUV 8
4 FHI BDELV 9
5 ABK**L** GHIJN**O**STV10
B 6A CEE ① €15,20
4,2 ha 150**T** 18**D** ② €18,40

Von der N12 Brest-Rennes Ausfahrt Erquy, Pléneuf-Val-André. 2 km vor Erquy Ausfahrt Cap Fréhel, Sables d'Or les Pins. Der Campingbeschilderung folgen.

CAMPING ★★★★ DE PORT LA CHAINE

DIREKTER ZUGANG ZUM MEER

Pordic, F-22590 / Bretagne 🛜 CC€14 iD
- Les Madières★★★
- Le Vau-Madec
- 4 Apr - 31 Okt
- +33 (0)2-96790248
- campinglesmadieres@wanadoo.fr
- N 48°34'58'' W 2°48'17''

1 ADE**JM**NOPRST ABNQSTUVX 6
2 AFGHJMOPVWXY ABDE**FGH** 7
3 ABELQ ABCDFJNOPRSV 8
4 FHIO DEL 9
5 ABDEFG**LM** BDFGHIJLPR10
B 10A CEE ① €24,10
H79 2 ha 75**T**(90-300m²) 11**D** ② €33,70

N12, hinter Plérin Ausfahrt Les Rampes Richtung Pordic. D786 Richtung Pordic. In Pordic Schildern Zentrum folgen, danach den Schildern 'Campings'. CP ist gut ausgeschildert.

St. Brieuc, F-22000 / Bretagne 🛜 CC€14 iD
- des Vallées★★★
- boulevard Paul Doumer
- 2 Mär - 18 Dez
- +33 (0)2-96940505
- campingdesvallees@wanadoo.fr
- N 48°30'1'' W 2°45'31''

1 ADE**IL**NOPRST **ABEFGHI** 6
2 ACOPRSVX ABDE**FGH**IJ 7
3 BDE**GH**LQS ABCDEFGKLNQRSTV 8
4 BDFHILOPQTU EJLV 9
5 ABCDEFGK**LM** BFGHIJ**O**QSV10
B 10A CEE ① €24,90
3,2 ha 35**T**(80-120m²) 36**D** ② €34,40

Über die N12 Ausfahrt St. Brieux. CP ist überall in der Stadt angezeigt. Richtung Stadtteil Brézillet folgen.

St. Cast-le-Guildo, F-22380 / Bretagne 🛜 CC€16 iD
- Château de Galinée★★★★★
- La Galinée
- 4 Mai - 5 Sep
- +33 (0)2-96411056
- contact@chateaudegalinee.com
- N 48°35'4'' W 2°15'26''

1 ADE**JM**NOPRS**T** ABEFGHIN**X** 6
2 BGPRVXY ABE**FGH** 7
3 ABEF**IKLM**QT ABDFIJKL**N**QRSTUV 8
4 BILNO**PQT** AEL 9
5 ACEFG**I**L ABDHIJ**NO**STZ10
B 10A CEE ① €42,70
14 ha 272**T**(120-130m²) 86**D** ② €56,70

Von Dinard die D168, dann die D786 und am Ortsende von der Notre-Dame 3 km weiter an der linken Seite angezeigt.

St. Cast-le-Guildo, F-22380 / Bretagne 🛜 CC€18 iD
- Le Chatelet★★★★★
- rue des Nouettes
- 13 Apr - 11 Sep
- +33 (0)2-96419633
- chateletcp@aol.com
- N 48°38'14'' W 2°16'10''

1 ADEJMNOPRS**T** CDFGKNOPQRSTV 6
2 EFHMPRUVWXY ABDE**FGH**IJ 7
3 ABE**GHK**LQ ABCDFGJKNPQRSTUV 8
4 BCDEFHILNO**PQXZ** BEL 9
5 ACEFGK**L** ABDGHIJ**NP**QSTVZ10
B 6-8A CEE ① €35,35
9 ha 105**T**(80-120m²) 171**D** ② €45,55

D786 nach Matignon, dann D13 nach St. Cast-le-Guildo, zum Supermarkt und Werkstatt links Richtung 'Le Port'. CP gut ausgeschildert. Das Zentrum von St. Cast-le-Guildo möglichst meiden!

St. Quay-Portrieux, F-22410 / Bretagne 🛜 iD
- Bellevue★★★
- 68 boulevard du Littoral
- 8 Mai - 15 Sep
- +33 (0)2-96704184
- campingbellevue22@orange.fr
- N 48°39'47'' W 2°50'41''

1 ADE**JL**NOPRST ABFGKNQSTXY 6
2 EFHKMPRTUVWX ABDE**FGH** 7
3 BE**K**LQ ABCDFKNOPQRSTUV 8
4 FO EL 9
5 ABEK**LM** ABGHIJLMPST10
B 6A CEE ① €23,30
4 ha 151**T**(80-120m²) 17**D** ② €30,80

Hinter Étables-sur-Mer D786 Richtung Paimpol, 50m nach dem 2. Kreisel rechts. Ausfahrt 'Centre Ville'. Durchfahren bis Strand und Casino. Links halten und dann geradeaus den Schildern folgen.

Taden, F-22100 / Bretagne 🛜 iD
- De la Hallerais★★★★
- 4 rue de la Robardais
- 14 Mär - 15 Nov
- +33 (0)2-96391593
- contact@camping-lahallerais.com
- N 48°28'19'' W 2°1'24''

1 AD**J**MNORT ABFGNX 6
2 ACPSUVXY ABDE**FGH** 7
3 BEGHILMQ ABCDEFIJNRTUV 8
4 FHIO EJ 9
5 ABDEGIKL BFGHIJNOR10
B 10A CEE ① €21,35
H75 6 ha 100**T**(84-133m²) 115**D** ② €27,05

N176 Dol-de-Bretagne - Dinan, Ausfahrt D12 Taden. CP ist ab der Ausfahrt ausgeschildert. Der CP liegt im Süden von Taden.

Trédrez, F-22300 / Bretagne 🛜 CC€14 iD
- Flower camping Les Capucines★★★★
- Ancienne Voie Romaine
- 1 Apr - 27 Sep
- +33 (0)2-96357228
- les.capucines@wanadoo.fr
- N 48°41'34'' W 3°33'26''

1 ADE**JM**NOPQRST CFG 6
2 FGHMPTUVWXY ABDE**FGH** 7
3 BCEIKLMNQ ABCDEFHJKNQRSTU 8
4 FHIKO**PQ** BEJLV 9
5 ABEGL BDGHIJNO**P**ST10
B 10A CEE ① €28,90
H50 4 ha 105**T**(90-130m²) 18**D** ② €38,45

Von Lannion Richtung Morlaix D786. An der Kreuzung Trédrez-Locquémeau rechts ab, danach 3x links ab. Der Beschilderung folgen.

Frankreich

Trégastel, F-22730 / Bretagne 📶 iD

🏕 Tourony Camping***	1 ADE**IL**NOPRST	KNOPQSTUVXY 6
🚐 105 rue de Poul Palud	2 EHMOPRVWX	ABDE**FG**H 7
🗓 3 Apr - 19 Sep	3 B**CKL**Q	ABCDFKNOQRSV 8
☎ +33 (0)2-96238661	4 FHIOP	EJUV 9
@ contact@	5 AEGKL**M**	ABFGJORZ10
camping-tourony.com	Anzeige auf dieser Seite	B 10A CEE ① €24,10
📍 N 48°49'32'' W 3°29'29''	2 ha 83**T**(80-100m²) 19**D**	② €32,70

🚗 Der CP liegt an der Südseite der D788 zwischen Trégastel (ca. 1,5 km) und Ploumanach (ca. 800m). Ⓜ

Trélévern, F-22660 / Bretagne 📶 CC€14 iD

🏕 RCN Port l'Épine***	1 ADE**IL**NOPR**T**	ABFGKNQSUXY**Z** 6
🚐 10 Venelle de Pors Garo	2 EFJMPQVWX	ABDE**FG** 7
🗓 25 Apr - 19 Sep	3 BLQS	ABCDEFNQRSTUV 8
☎ +33 (0)2-96237194	4 BEF	AEJ 9
@ portlepine@rcn.fr	5 ADEIL	BGHIJ**PR**10
	B 16A CEE	① €41,25
📍 N 48°48'47'' W 3°23'9''	3 ha 112**T**(80-150m²) 67**D**	② €52,95

🚗 D6 Richtung Trélévern (ca. 5 km), dann Schildern CP und Port l'Epine folgen. Ⓜ

Ille-et-Vilaine

Cancale, F-35260 / Bretagne 📶 iD

🏕 Les Genêts**	1 ADE**JM**NOPRT	ENX 6
🚐 10 rue des Douets Fleuris	2 GHOPRVX	ABDE**FG**H 7
🗓 1 Apr - 2 Nov	3 ABELQ	BDFKNRSV 8
☎ +33 (0)2-99897617	4 FHI**P**	EJ 9
@ les.genets.camping@orange.fr	5 ABDFG**L**	BGHIJ**P**STW10
	6A CEE	① €24,30
📍 N 48°41'0'' W 1°52'8''	H50 2,5 ha 70**T**(90-100m²) 79**D**	② €30,70

🚗 Von Cancale über die D355 Richtung St. Malo. Hinter Super U rechts abbiegen, noch 200m nach rechts. Ⓜ

Cherrueix, F-35120 / Bretagne 📶 iD

🏕 Camping du	1 AD**JM**NOPRT	AB**X** 6
Château de L'Aumône**	2 AEGPRVX	ABDE**FG**H 7
🗓 1 Mai - 8 Nov	3 ABLQ	ABCDFNRSV 8
☎ +33 (0)2-99488482	4 **Q**	EV 9
@ laumone@orange.fr	5 ABDEGK**L**	ABIJORV10
	16A CEE	① €20,50
📍 N 48°36'5'' W 1°42'44''	1,7 ha 120**T**(80-120m²) 7**D**	② €26,50

🚗 Caen Richtung Mont-Saint-Michel A84. Ausfahrt Pontorson. Dann Richtung Cancale Küstenstraße. Nach 16 km Camping links der Straße. Gut angezeigt. Ⓜ

Dinard, F-35800 / Bretagne 📶 iD

🏕 Mun. Le Port Blanc***	1 ADE**JM**NOQRST	KMNOQRSTUVWXY 6
🚐 rue du Sergent Boulanger	2 EFHMOPUVWX	ABDE**FG**H 7
🗓 1 Apr - 30 Sep	3 ABE**KL**QT	ABCDEFHKNORSV 8
☎ +33 (0)2-99461074	4 BDFHINO**PQ**R	EJ 9
@ camping.municipal@	5 ABDEF**L**	BGHIJ**N**OTUW10
ville-dinard.fr	B 10A CEE	① €25,70
📍 N 48°38'6'' W 2°4'45''	5,5 ha 175**T**(90-120m²) 115**D**	② €36,20

🚗 N137 von St. Malo über Staudamm (Barrage de la Rance). Am ersten Kreisel und Tunnel Richtung Dinard, schon bald links Richtung St. Enogat und dann links an der Ampel Richtung St. Lunaire, die D786 bis zum CP. Ⓜ

Cancale, F-35260 / Bretagne 📶 iD

🏕 Le Bois Pastel***	1 AD**JM**NOPRT	CDEFGNX 6
🚐 13 rue de la Corgnais	2 HPRVX	ABDE**FG** 7
🗓 1 Apr - 30 Sep	3 ABLQ	ABCDFNRSV 8
☎ +33 (0)2-99896610	4 FHI**P**	E 9
@ contact@campingboispastel.fr	5 ABEFG**KM**	BFGHIJ**N**PST10
	6A CEE	① €27,90
📍 N 48°41'21'' W 1°52'8''	5,1 ha 150**T**(90-100m²) 125**D**	② €34,90

🚗 Von Cancale die D201 in Richtung St. Malo (Küstenstraße) fahren, 2,5 km hinter Pointe du Grouin links. Ⓜ

Feinsandstrand in 300m.

La Touesse
★ ★ ★

Vermietung von Mobilheimen, Wohnwagen und Apartments mit Blick aufs Meer in Dinard und St. Malo.

Terrasse, Café, Bar, Restaurant, Sauna, Freizeitraum, Spielautomaten. Günstige Lage für schöne Tagestouren.

171 rue de la ville Gehan, 35800 Dinard/St.Lunaire
Tel. 02-99466113 • Fax 02-99160258
E-Mail: camping.la.touesse@wanadoo.fr
Internet: www.campinglatouesse.com

Dinard/St.Lunaire, F-35800 / Bretagne ⧄ CC€14 iD

- ▲ La Touesse***
- ⛺ 171 rue de la ville Gehan
- ⊙ 3 Apr - 30 Sep
- ☎ +33 (0)2-99466113
- @ camping.la.touesse@wanadoo.fr
- ⛰ N 48°37'51'' W 2°5'3''

1 ADE**JM**NORST	KNQST**X** 6
2 EHMOPVWX	ABDE**FG**H 7
3 AB**KLQ**	ABCDEFJNRSV 8
4 BDFHINO**PQT**	EILV 9
5 ABDEFGIK**LM**	ABCDGHIJ**NPR**10

Anzeige auf dieser Seite B 5-10A CEE ① €26,70
3 ha 80**T**(90-120m²) 93**D** ② €35,50

🚗 N137 von St. Malo über den Staudamm. Am 1. Kreisverkehr Ri. Dinard, auf der 4-spurigen Straße nach 500m 2. Ausfahrt li. Ri. St. Énogat. Nach 300m an der 1. Ampel li. nach St. Lunaire. Weiter auf der D786 bleiben. CP-Schildern folgen.

Dol-de-Bretagne, F-35120 / Bretagne ⧄ CC€14 iD

- ▲ Le Vieux Chêne****
- ⛺ D576, Baguer-Pican
- ⊙ 1 Mai - 20 Sep
- ☎ +33 (0)2-99480955
- @ vieux.chene@wanadoo.fr
- ⛰ N 48°32'58'' W 1°41'2''

1 ADE**JM**NOPRST	ABFGHIN 6
2 ADGPTVX	BDE**FG**H 7
3 ABE**ILMQ**	ABCDFIJKNQRSTUV 8
4 FHILNO**PQ**	EJ 9
5 ACDEFGI**L**	ABFGHIJL**NPR**10

Anzeige auf Seite 171 10A CEE ① €30,00
H80 12 ha 200**T**(100-115m²) 36**D** ② €40,00

🚗 Von Pontorson auf die N176 Richtung Dol-de-Bretagne. Ausfahrt Dol-de-Bretagne-Est nehmen. Auf die D576 in Richtung Baguer-Pican. Hinter dem Ort nach 1 km rechts abbiegen. Danach ist der CP gut ausgeschildert.

Epiniac/Dol-de-Bretagne, F-35120 / Bret. ⧄ ✿ CC€18 iD

- ▲ Domaine des Ormes*****
- ⛺ Domaine des Ormes
- ⊙ 11 Apr - 20 Sep
- ☎ +33 (0)2-99735300
- @ info@lesormes.com
- ⛰ N 48°29'15'' W 1°44'10''

1 ADE**JM**NOPQRST	ABEFGHIN 6
2 BDGIPVX	BDE**FG** 7
3 ABEF**GHIJKLMQRUV**	ABCDFKNQRSV 8
4 BCDFHILMNO**PQRT**U	EGIJTUV 9
5 ACDEFGIJK	ABGHIJ**NP**STYZ10

6A CEE ① €64,10
200 ha 127**T**(80-150m²) 194**D** ② €74,50

🚗 Von Dol-de-Bretagne über die D795 in Richtung Combourg; den CP findet man nach ca. 7 km an der linken Seite.

Roz-sur-Couesnon, F-35610 / Bretagne ⧄ CC€14 iD

- ▲ Les Couesnons***
- ⛺ l'Hôpital
- ⊙ 1 Apr - 1 Nov
- ☎ +33 (0)2-99802686
- @ courrier@lescouesnons.com
- ⛰ N 48°35'40'' W 1°35'55''

1 ADE**JM**NOPRST	**X** 6
2 AOPRVX	ABDE**FG**H 7
3 ABLQS	ABCDFIJKNQRSV 8
4 FHI	AE 9
5 AGIJL	BGJNOST10

6A CEE ① €22,80
0,9 ha 40**T**(80-110m²) 9**D** ② €29,60

🚗 N175 Avranches Richtung Dol-de-Bretagne, Ausfahrt Roz-sur-Couesnon, D797 Richtung St. Malo der Küstenstraße folgen. Nach 7 km ist der CP rechts ausgeschildert.

Sixt-sur-Aff/La Gacilly, F-35550 / Bretagne ⧄ iD

- ▲ Art Nature Village**
- ⛺ route de la Gacilly
- ⊙ 4 Apr - 4 Okt
- ☎ +33 (0)2-99081059
- @ contact@art-nature-village.com
- ⛰ N 47°45'49'' W 2°7'31''

1 ADE**JM**NOPRST	NUV 6
2 CGOPVWXY	ABDE**FG** 7
3 A**GH**LQ	ABCDEFGHIJKNQRSUV 8
4 BCDFHI**TU**	BCEJQRUVX 9
5 G	BFGHIJOSTV10

B 12A CEE ① €23,90
2 ha 30**T**(95-125m²) 14**D** ② €34,90

🚗 Ringstraße Rennes, Ausfahrt 8 Richtung Redon via D177. Ausfahrt Pipriac/La Gacilly oder von Redon D873 nach La Gacilly. In La Gacilly der Beschilderung folgen.

St. Benoît-des-Ondes, F-35114 / Bretagne ⧄ CC€14 iD

- ▲ de l'Ile Verte***
- ⛺ 42 rue de l'Ile Verte
- ⊙ 1 Apr - 1 Nov
- ☎ +33 (0)2-99586255
- @ bienvenue@campingdelileverte.com
- ⛰ N 48°36'58'' W 1°51'7''

1 AD**JM**NOPRST	EN**X** 6
2 EGHIOPRVX	ABDE**FG**H 7
3 ABLQ	ABCDEFKNRST 8
4 DIO	AEJV 9
5 ADEG	BGHIJ**P**STV10

6A CEE ① €24,65
1,8 ha 38**T**(100-120m²) 30**D** ② €31,15

🚗 Bei Dol-de-Bretagne Ausfahrt Cancale (D155-D4). Bei La Fresnais über D207 und D7 nach Vildé-la-Marine, dann nach St. Benoît. Im Ort an Tankstelle links.

St. Coulomb/La Guimorais, F-35350 / Bret. ⧄ ✿ CC€14 iD

- ▲ Des Chevrets***
- ⊙ 27 Mär - 14 Okt
- ☎ +33 (0)2-99890190
- @ contact@campingdeschevrets.fr
- ⛰ N 48°41'24'' W 1°56'30''

1 ADE**JM**NOPRST	KNOPQSW**XY** 6
2 EHPQUVX	ABDE**FG**H 7
3 ABELQS	BCDFKNRSUV 8
4 HIN	E 9
5 ACDEFGIJK**L**	ABGHIJ**NP**ST10

Anzeige auf Seite 171 6A CEE ① €26,90
13 ha 254**T**(80-100m²) 367**D** ② €30,10

🚗 Von Cancale über die D201 Richtung St. Malo, in La Guimorais rechts ab. CP liegt rechts von der D201 und ist gut ausgeschildert.

St. Jouan-des-Guérêts, F-35430 / Bretagne ⧄ CC€16 iD

- ▲ Le P'tit Bois*****
- ⛺ St. Malo
- ⊙ 10 Apr - 20 Sep
- ☎ +33 (0)2-99211430
- @ contact@ptitbois.com
- ⛰ N 48°36'36'' W 1°59'13''

1 ADE**IL**NOPRST	ABEFGHI 6
2 AGPRVX	ABDE**FG**H 7
3 ABE**IL**MQT	ABCDFKNOQRSTUV 8
4 BILNO**PQ**UV	ELV 9
5 ACDEFGIKL	ABGHIJPTUZ10

10A CEE ① €44,90
H50 6 ha 96**T**(80-120m²) 188**D** ② €60,90

🚗 Zwischen Châteauneuf und St. Malo die N137 bei der zweiten Ausfahrt St. Jouan-des-Guérêts/Centre Commercial verlassen, im Ort gut ausgeschildert.

Frankreich

St. Lunaire/Dinard, F-35800 / Bretagne 🛜 (CC€16) iD

🏕 Longchamp***
📮 773 boulevard de Saint Cast
📅 15 Apr - 30 Sep
☎ +33 (0)2-99463398
@ contact@
   camping-longchamp.com
📍 N 48°38'4'' W 2°7'14''

1 ADEFJMNOPQRST	ABEFGHKMNOPQRSTUVWXY 6
2 AEGHOPQWXY	BDEFGHK 7
3 ABIKLMQT	ABCDEFNOPRS 8
4 BFHIOPQ	ELV 9
5 ABDEFGIKL	BDGHIJPR10
B 10A CEE	① €30,20
4 ha 176T(100-120m²) 44D	② €41,30

🚗 N137 nach Barrage de la Rance (Staudamm), bei Dinard D168. Ausf. St. Lunaire. Vor Zentrum rechts abbiegen, an der Küste entlang D786 in Richtung St. Briac. Kurz hinter dem Ort CP links. CP ist gut ausgeschildert.

St. Marcan, F-35120 / Bretagne 🛜 iD

🏕 Le Balcon de la Baie**
🏠 Le Verger
📅 1 Apr - 31 Okt
☎ +33 (0)2 99002295
@ contact@
   lebalcondelabaie.com
📍 N 48°35'20'' W 1°37'45''

1 ADJMNOPRT	ABFGX 6
2 ABFGPRTVX	ABDEFGH 7
3 ABELQ	ABCDFKNOQRSV 8
4 ΓΗΙΟPQU	EUV 9
5 ABL	BFHIJPST10
6A CEE	① €22,10
H60 2,8 ha 40T(100-120m²) 38D	② €30,80

🚗 N176 St. Malo, Ausfahrt St. Marcan (D89) noch 4 km. CP ist ausgeschildert.

St. Malo, F-35400 / Bretagne 🛜 (CC€16) iD

🏕 Domaine de
   La Ville Huchet****
🏠 rte de la Passagère
📅 10 Apr - 20 Sep
☎ +33 (0)2-99811183
@ info@lavillehuchet.com
📍 N 48°36'54'' W 1°59'14''

1 ADEJLNOPRST	ABEFGHIX 6
2 AGOPRX	ABDEFGH 7
3 ABEILQS	ABCDFKNQRV 8
4 AILNOPQ	EHJUV 9
5 ABDEFGKL	ABHJNOST10
6A CEE	① €37,60
H50 6,4 ha 107T(100-120m²) 161D	② €47,10

🚗 N137 von Rennes nach St. Malo, Richtung 'centre ville', am Kreisverkehr die Ausfahrt La Ville Huchet Quelmer nehmen, am nächsten Kreisverkehr geradedurch, dann unter der Brücke durch, CP nach 100m rechts.

Tinténiac, F-35190 / Bretagne 🛜 (CC€16) iD

🏕 Domaine Les Peupliers***
🏠 21, La Besnelais
📅 1 Apr - 30 Sep
☎ +33 (0)2-99454975
@ contact@
   domainelespeupliers.fr
📍 N 48°18'34'' W 1°49'19''

1 ADJMNORT	ABN 6
2 ACGPVWX	ABDEFG 7
3 BEGLMQ	ABCDEFNQR 8
4 HIOPQ	EIJ 9
5 ABDGLM	BGHIJMPR10
6A CEE	① €20,10
H50 5 ha 91T(100-130m²) 49D	② €29,30

🚗 N137 Rennes-Dinard/St. Malo, Ausfahrt Hédé/Tinténiàc. CP südlich von Tinténiàc.

Pays de la Loire

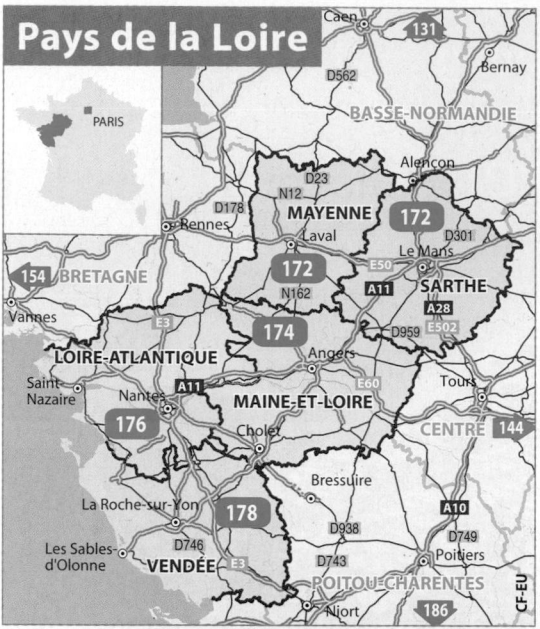

Sarthe

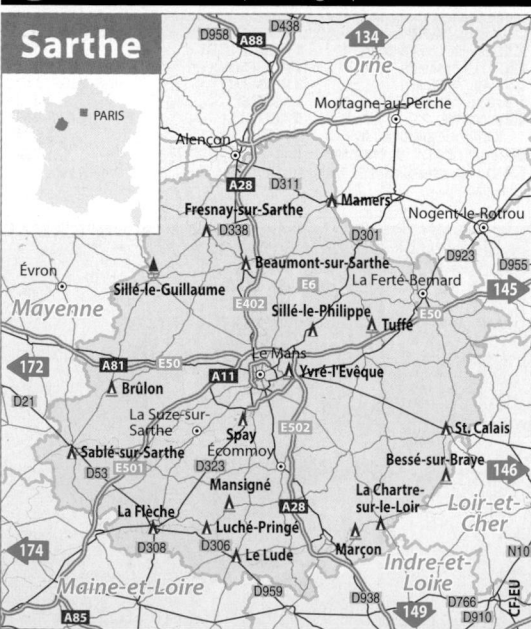

Mayenne

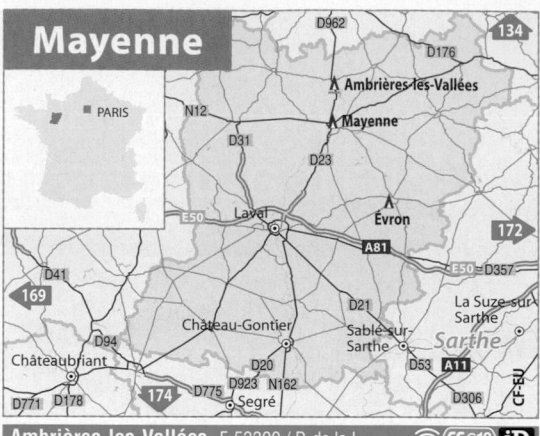

Ambrières-les-Vallées, F-53300 / P. de la L. 📶 CC€12 iD

▲ Camping Le Parc de Vaux***	1 ADE**IL**NOPQRST ABFGHJ**N**UV 6
🏠 35 rue des Colverts	2 CDGOPTUVWXY ABDE**FG**H 7
🗓 17 Apr - 27 Sep	3 ABE**GHILMQ** ABCDEFGNQRTUV 8
☎ +33 (0)2-43049025	4 **A**BDEFHINO ABEJLQRTUY 9
@ parcdevaux@	5 ACDEFGIKL BDGHJLNOPR10
camp-in-ouest.com	Anzeige auf dieser Seite 10A
🏕🚗 N 48°23'31'' W 0°37'1''	3,5 ha 76T(80-110m²) 41D
	① €18,30
	② €23,70

🛈 CP liegt 2 km südlich Ambrières-les-Vallées an der D23 von Domfront nach Mayenne.

Évron, F-53600 / Pays de la Loire 🛈 iD

▲ Camping Municipal de la	1 ABD**JM**NORT N 6
Zone Verte***	2 GPSVX ABDE**FG**H 7
🏠 bd du Maréchal Juin	3 ABEIL**MQ** ABCDFJNOQRTUV 8
🗓 1 Jan - 31 Dez	4 FIO J 9
☎ +33 (0)2-43016536	5 L FHIJLR10
@ camping@evron.fr	10A CEE ① €10,00
🏕🚗 N 48°9'3'' W 0°24'46''	H114 5,4 ha 91T(80-100m²) 15D ② €12,40

🛈 Westlich von Évron, auf der Umgehungsstraße von Évron, am Ortseingang ausgeschildert.

Mayenne, F-53100 / Pays de la Loire 📶 iD

▲ Du Gué St. Léonard***	1 ADILNOR**T** **ABFGN**X 6
🏠 818 rue de St. Léonard	2 CGOPVX ABDE**FG**H 7
🗓 15 Mär - 30 Sep	3 AELQ ABCDFNORS 8
☎ +33 (0)6-76737169	4 E 9
@ camping@paysdemayenne.fr	5 BDEFGIL ABHJORV10
	16A CEE ① €11,60
🏕🚗 N 48°18'49'' W 0°36'47''	2 ha 70T(83-135m²) 5D ② €18,30

🛈 CP nordöstlich von Mayenne gelegen. Gut auf der D23 vor dem Ortseingang von Mayenne ausgeschildert, ebenso von Caen und im Zentrum.

Beaumont-sur-Sarthe, F-72170 / Pays de la Loire 🛈 iD

▲ Le Val de Sarthe***	1 ADE**JM**NOPRST N 6
🏠 rue de L'Abreuvoir	2 ACFPRVWXY ABDE**F** 7
🗓 1 Mai - 30 Sep	3 AELQ ABCDEFJNRSV 8
☎ +33 (0)2-43970193	5 A GHJOST10
@ camping-beaumontssarthe@	B 6A CEE ① €13,25
orange.fr	2 ha 73T(80-120m²) 2D ② €15,95
🏕🚗 N 48°13'32'' E 0°8'4''	

🛈 D338 innerorts Beaumont-sur-Sarthe. An der Ampel Richtung 'Complexe Sportif' abbiegen. Danach den CP-Schildern folgen.

Bessé-sur-Braye, F-72310 / Pays de la Loire 📶 CC€12 iD

▲ Mun. du Val de Braye***	1 ADE**JM**NOPRST ABEFGH**N** 6
🏠 rue de Val de Braye	2 CGOPRVWXY ABDE**F**H 7
🗓 28 Mär - 31 Okt	3 BELMQ ABCDFJKNSV 8
☎ +33 (0)2-43353113	4 BDFIOU**V** AEJ 9
@ camping.bessesurbraye@	5 AB**L** ADFGHIJOPRV10
orange.fr	B 13A CEE ① €13,20
🏕🚗 N 47°49'55'' E 0°45'9''	H105 2 ha 65T(80-100m²) 11D ② €15,90

🛈 Sowohl von La Chartre (D303) als auch von Savigny (D66) ist der CP gut ausgeschildert.

Brûlon, F-72350 / Pays de la Loire 📶 CC€14 iD

▲ Le Septentrion***	1 AD**IL**N**Q**SUXYZ 6
🏠 chemin de Parcaigneau	2 ACDGHIPVWXY ABDE**F**H 7
🗓 1 Apr - 30 Sep	3 BEF**IL**M**QR** ABCDFIJKNRSV 8
☎ +33 (0)2-43956896	4 FHI**OPQ** EJ 9
@ le.septentrion@orange.fr	5 ABDEGIL HJL**OP**STV10
	B 10A CEE ① €17,30
🏕🚗 N 47°57'45'' W 0°13'40''	H100 2 ha 75T(100-120m²) 11D ② €22,90

🛈 A81 Le Mans-Rennes, Ausfahrt 1 Richtung Brûlon, 5 km, im Ort Schildern folgen.

Frankreich

Fresnay-sur-Sarthe, F-72130 / Pays de la Loire 🤖 iD

🏕 Mun. du Sans Souci***	1 ADEJMNOPQRST	ABFGNUV 6
🏠 allée André Chevalier	2 CGPRVWXY	ABDEFGH 7
🗓 1 Apr - 30 Sep	3 ABEFILMQ	ABCDFNRSTUV 8
☎ +33 (0)2-43973287	4 FHILO	JQR 9
@ camping-fresnay@wanadoo.fr	5 ABKL	BGHJLOR10
	B 10A CEE	① €12,50
🗺 N 48°16'57'' E 0°0'58''	2 ha 81T(80-120m²) 5D	② €15,30

🚗 Vom Norden über D338 bis La Hutte, dann rechts über D338 nach Fresnay-sur-Sarthe. Vom Süden über D338 und D39 nach Fresnay-sur-Sarthe. Innerorts der D310 Richtung Sillé-la-Guillaume. Dann den CP-Schildern folgen.

La Chartre-sur-le-Loir, F-72340 / Pays de la Loire 🤖 iD

🏕 Camping du Vieux Moulin***	1 ADEJMNOPRST	ABFGN 6
🏠 chemin des Bergivaux	2 CDGIOPVWXY	ABDEFG 7
🗓 27 Apr - 15 Okt	3 ABELQ	ABCDFNOQRSV 8
☎ +33 (0)2-43444118	4 FHI	AELUV 9
@ bordduloir@orange.fr	5 ABDEFGM	BGHJNPR10
	B 10A CEE	① €19,50
🗺 N 47°43'58'' E 0°34'17''	2,5 ha 82T(80-120m²) 17D	② €24,10

🚗 Über D305. Im Zentrum Richtung Poncé, direkt nach der Brücke links, Cp. gut ausgeschildert.

La Flèche, F-72200 / Pays de la Loire 🤖

🏕 Camping Municipal de la Route d'Or***	1 ADEJMNOPRST	ABNUXY 6
🏠 allée du Camping	2 CPSVXY	ABDEFGH 7
🗓 1 Mär - 31 Okt	3 BELMQR	ABCDEFJNORSUV 8
☎ +33 (0)2-43945590	4 BNO	EKQR 9
@ info@camping-laroutedor.fr	5 AL	BFGHJLOR10
	B 10A CEE	① €16,60
🗺 N 47°41'42'' W 0°4'46''	4 ha 190T(80-100m²) 10D	② €21,40

🚗 CP innerorts gut ausgeschildert und liegt am Fluss.

Le Lude, F-72800 / Pays de la Loire 🤖 iD

🏕 Au Bord Du Loir***	1 ADEJMNOPRT	ABEHNUXZ 6
🏠 route du Mans	2 CGPQVWXY	ABDEFGH 7
🗓 17 Apr - 5 Okt	3 BELMQ	ABCDFNSTV 8
☎ +33 (0)2-43946770	4 BDIOTV	AEJPQUV 9
@ camping.lelude@wanadoo.fr	5 ABDL	BGHIJOUV10
	B 10A	① €12,90
🗺 N 47°39'3'' E 0°9'46''	4,5 ha 97T(100-150m²) 13D	② €19,20

🚗 Sowohl von La Flèche als auch von Château-la-Valière (D306) im Zentrum D307 Richtung Le Mans fahren. Den Schildern Schwimmbad/Camping folgen.

Luché-Pringé, F-72800 / Pays de la Loire 🤖 iD

🏕 La Chabotière***	1 ADEGILNOPQRST	AFNUXYZ 6
🏠 place des Tilleuls	2 ACGIOPRUVWXY	ABDEFGH 7
🗓 1 Apr - 15 Okt	3 ABEFILMQ	ABCDFKNOQRSV 8
☎ +33 (0)2-43451000	4 ABDFHIOQ	AJPQRTUV 9
@ contact@lachabotiere.com	5 BLM	BHJMNPRV10
	B 10A CEE	① €16,10
🗺 N 47°42'8'' E 0°4'24''	2,5 ha 65T(90-120m²) 20D	② €20,30

🚗 Von Le Mans D23 bis zur D54, dann Richtung St. Jean-de-la-Motte. Weiter bis Luché-Pringé, den Schildern 'Camping La Chabotière' folgen.

Mamers, F-72600 / Pays de la Loire 🤖 iD

🏕 du Saosnois***	1 ADEJMNOPRST	ELMN 6
🏠 rue de la Piscine	2 DGHIPVWXY	ABDEFGH 7
🗓 2 Mär - 4 Nov	3 ABGHILMNQ	ABCDEFJNQSV 8
☎ +33 (0)2-43976830	4 BDFHINO	AELT 9
@ camping.mamers@free.fr	5 ABDGHL	FGHIJLNOPRV10
	B 10A CEE	① €15,00
🗺 N 48°21'28'' E 0°22'19''	1,3 ha 32T(80-120m²) 8D	② €18,00

🚗 In Stadt/Zentrum den Schildern folgen.

Mansigné, F-72510 / Pays de la Loire 🤖 CC€12 iD

🏕 La Plage***	1 ADEILNOPRST	ABFGLMNQS 6
🏠 route du Plessis	2 DGHIOPVWXY	ABDEFGH 7
🗓 1 Apr - 31 Okt	3 AEFHILMQRT	ABCDFNRSV 8
☎ +33 (0)2-43461420	4 BDFHLNO	AEQTUV 9
@ camping-mansigne@orange.fr	5 ADEFGILM	BHIJLOR10
	B 10A CEE	① €15,70
🗺 N 47°45'4'' E 0°7'58''	2,5 ha 100T(80-200m²) 25D	② €21,30

🚗 Von Le Lude über Pontvallain gut erreichbar. Im Zentrum Schildern 'Camping de la Plage' folgen.

Marçon, F-72340 / Pays de la Loire 🤖 CC€14 iD

🏕 Du Lac des Varennes***	1 ADEJMNOPRST	JLNQRSTU 6
🏠 route du Port Gauthier/Saint Lezin	2 CDGHPVWXY	BEFGH 7
🗓 17 Apr - 27 Sep	3 AFLMQRU	ABCDFJKNQRSV 8
☎ +33 (0)2-43441372	4 BCDFILO	AEJMOPQRTV 9
@ lacdesvarennes@ camp-in-ouest.com	5 ABDEFGIL	BDHIJOST10
	B 10A CEE	① €20,30
🗺 N 47°42'45'' E 0°29'58''	7 ha 250T(100-300m²) 78D	② €25,70

🚗 Über D305 nach Marçon, im Zentrum vorbei an Postamt/Gemeindehaus (linke Seite), Straße folgen, CP ausgeschildert.

Sablé-sur-Sarthe, F-72300 / Pays de la Loire 🤖 iD

🏕 Hippodrome La Prairie du Château***	1 ADJMNOPRST	AFNXY 6
🏠 allée du Quebec	2 ACGPVX	ABDEFGH 7
🗓 3 Apr - 15 Okt	3 BLMQR	ABCDEFNQRSV 8
☎ +33 (0)2-43954261	4 AEHIO	EJLUV 9
@ camping@sablesursarthe.fr	5 ABKL	BGHJLPR10
	B 15A CEE	① €13,90
🗺 N 47°49'53'' W 0°19'55''	3 ha 68T(80-120m²) 7D	② €17,40

🚗 A11 Le Mans-Angers, Ausfahrt 10 Richtung Sablé oder A81 Le Mans-Laval, Ausfahrt 1 Richtung Sablé. Am Ortseingang Schildern Camping/Hippodrome folgen.

Sillé-le-Guillaume, F-72140 / Pays de la Loire 🤖 CC€12 iD

🏕 De La Forêt***	1 ADJMNORT	LMNQRSTXY 6
🏠 Sillé-Plage	2 BDGIPVXY	ABDEFGHIK 7
🗓 28 Mär - 25 Okt	3 ABEHILMNQR	ABCDFNQRSV 8
☎ +33 (0)2-43201104	4 EFHILO	EU 9
@ campingsilleplage@ wanadoo.fr	5 AKLM	BFGHIJNOUV10
	10A	① €18,40
🗺 N 48°12'33'' W 0°8'5''	H200 4 ha 144T(100-150m²) 67D	② €25,20

🚗 In Sillé-le-Guillaume Richtung Le Lac und La Forêt, Schildern folgen.

Sillé-le-Guillaume, F-72140 / Pays de la Loire 🤖 CC€12 iD

🏕 Indigo Les Molières***	1 ADEJMNOPRST	ABLMNQRST 6
🏠 Sillé-Plage	2 BDPWXY	ABDEFG 7
🗓 30 Apr - 28 Sep	3 ABGHLQ	ABCDFLMNQR 8
☎ +33 (0)2-43201612	4 BFHI	BCEUV 9
@ molieres@ camping-indigo.com	5 ABDEFGL	BFGJLNOTUV10
	B 10A CEE	① €25,20
🗺 N 48°12'13'' W 0°7'39''	H286 9 ha 122T(100-150m²) 37D	② €33,50

🚗 Von Sillé-le-Guillaume Richtung Le Lac und La Forêt. Schildern bis La Crêperie du Lac folgen, kurz vor La Crêperie du Lac rechts. Den CP-Schildern folgen.

Sillé-le-Philippe, F-72460 / Pays de la Loire 🤖 iD

🏕 Château de Chanteloup*****	1 ADEJMNOPQRST	ABFGN 6
🏠 Chanteloup	2 BDFGIOPWXY	ABDEFGH 7
🗓 29 Mai - 31 Aug	3 ABEKLQ	ABCDEFGIKNQRSV 8
☎ +33 (0)2-43275107	4 ABCDFHILOPQ	AIPV 9
@ chanteloup.couffront@ wanadoo.fr	5 ABEFGIJL	ABHJLNPR10
	B 10A	① €37,60
🗺 N 48°6'17'' E 0°20'26''	22 ha 90T(100-200m²) 11D	② €46,20

🚗 Vom Norden und Süden über D301 erreichbar, an dieser Straße gut ausgeschildert.

Spay, F-72700 / Pays de la Loire iD

🏕 Domaine du Houssay	1 ADEJMNORST	LNXYZ 6
🏠 route d'Arnage	2 ACDGHPVWXY	ABDEFG 7
🗓 15 Apr - 30 Sep	3 BEFLQ	ABFKNRSV 8
☎ +33 (0)2-43211658	4 DFINO	DJQT 9
@ camping-spay@wanadoo.fr	5 LM	BIJRZ10
	B 10A CEE	① €12,35
🗺 N 47°55'13'' E 0°9'20''	4 ha 86T(100-150m²) 8D	② €16,35

🚗 Von der Ortschaft Spay die D212 Richtung Arnage. Den Cp-Schildern folgen.

St. Calais, F-72120 / Pays de la Loire iD

🏕 Camping du Lac***	1 ADEJMNOPRST	N 6
🏠 rue du Lac	2 CDGPVWXY	BEFH 7
🗓 1 Apr - 15 Okt	3 AILM	BDFNQRTUV 8
☎ +33 (0)2-43350481	4 DI	E 9
@ campingstcalais@orange.fr	5 ABL	BHIJNR10
	B 10A CEE	① €14,20
🗺 N 47°55'37'' E 0°44'39''	H87 1,7 ha 53T(80-120m²) 3D	② €18,10

🚗 Von der E50 Ausfahrt 5 und der D1 folgen oder von Le Mans der D357 folgen. In St. Calais den CP-Schildern folgen.

Tuffé, F-72160 / Pays de la Loire 🤖 ❄ CC€14 iD

🏕 du Lac****	1 ADEILNOPRST	ABCDFGLMNQSTXYZ 6
🏠 route de Prévelles	2 CDGHIOPRVWXY	BEFGHK 7
🗓 11 Apr - 11 Okt	3 ABEGHILMQU	ABDFGJKNQRSV 8
☎ +33 (0)2-43938834	4 BDFHILOP	EFLQTUV 9
@ campingdulac.tuffe@orange.fr	5 ABGLM	ABDFGHIJNPST10
	B 6A CEE	① €21,35
🗺 N 48°7'6'' E 0°30'36''	H82 4 ha 115T(85-200m²) 27D	② €27,75

🚗 Die D323 bis Connerré, dann über die D33 nach Tuffé und den CP-Schildern 'Base de Loisirs' folgen. CP du Lac liegt daneben.

Yvré-l'Evêque, F-72530 / Pays de la Loire 🤖 ❄ CC€14 iD

🏕 Camping le Pont Romain****	1 ADEJMNOPRT	ABFG 6
🏠 allée des Ormeaux	2 AGOPRSVVWXY	ABDEFGH 7
🗓 13 Mär - 13 Nov	3 BILQ	ABCDFJKNQRSTUV 8
☎ +33 (0)2-43822539	4 FHIPQ	AEFJ 9
@ contact@ campinglepontromain.fr	5 ABDLM	BDFGHJPR10
	B 16A CEE	① €22,00
🗺 N 48°1'9'' E 0°16'47''	2,5 ha 67T(80-150m²) 21D	② €27,20

🚗 Von der E50/A11, an der Ausfahrt 6 in den Süden zur A28 abbiegen. Auf der A28, Ausfahrt 23 Le Mans-Centre.

Maine-et-Loire

[Karte: Maine-et-Loire mit Orten wie Laval, Mayenne, Craon, Château-Gontier, Sablé-sur-Sarthe, Durtal, Segré, Angers, Les Ponts-de-Cé, Brain-sur-l'Authion, Mûrs-Érigné, Coutures, Les Rosiers-sur-Loire, Rochefort-sur-Loire, Brissac-Quincé, St. Martin-de-la-Place, Gennes, Allonnes, St. Hilaire-St-Florent, Saumur, Montsoreau, Chemillé, Varennes-sur-Loire, Concourson-sur-Layon, Montreuil-Bellay, Cholet, Nueil-les-Aubiers, Thouars, Loudun, Les Herbiers, Bressuire, Deux-Sèvres, Vienne, PARIS]

Brissac-Quincé, F-49320 / Pays de la Loire 🛜 ✿ (CC€16) iD

🏕 Sites & Paysages de l'Etang****	1 ADE**JM**NOPRT	ABEFLMN 6
	2 ACDGPRVX	ABDE**FGH** 7
🚩 route de St. Mathurin	3 AB**HIK**LQS	ABCDEFJKNQRSTUV 8
⊙ 25 Apr - 13 Sep	4 ABEHILO**PQ**	AEKLQUV 9
☎ +33 (0)2-41917061	5 ACDEGIKL	ABGHIJ**NOP**ST10
@ info@campingetang.com	B 10A CEE	① €34,00
🏕 N 47°21'34'' W 0°26'4''	8 ha 125T(120-150m²) 52D	② €41,70

🚗 D761, bei Brissac-Quincé D55 Richtung St. Mathurin. Schildern 'Parc de Loisirs' folgen. 🅰

Chemillé, F-49120 / Pays de la Loire 🛜 (CC€14) iD

🏕 de Coulvée***	1 AD**JM**NOPQRT	LN 6
🚩 chemin de Coulvée	2 ACDGHIPRUVXY	ABDE**FH** 7
⊙ 1 Mai - 15 Sep	3 BLQ	BDFNQRTUV 8
☎ +33 (0)2-41303997	4 BFHILO**PQ**	TUV 9
@ camping-chemille-49@	5 ADG**L**	BGHIJLNPTUZ10
wanadoo.fr	B 10A CEE	① €16,50
🏕 N 47°12'8'' W 0°44'5''	H110 5 ha 40T(100-120m²) 12D	② €20,50

🚗 A87 Ausfahrt 25. CP liegt kurz hinter Chemillé, an der N160 Richtung Cholet. Ausgeschildert. 🅰

Cholet, F-49300 / Pays de la Loire 🛜 iD

🏕 Vill. Vacances Lac de Ribou	1 AD**JM**NOPRST	ABFGHNQRSTUVXYZ 6
	2 ADGHIOPVWXY	ABDE**FGH** 7
🚩 C. Tour R. Russon	3 ABE**GIK**LMQU	ABCDFJKNQRTUV 8
⊙ 27 Apr - 14 Sep	4 **A**BDEFHILNOP	EIJMOQRT 9
☎ +33 (0)2-41497430	5 ABDEGI**J**L	BGHIJLORZ10
@ info@lacderibou.com	B 10A	① €27,20
🏕 N 47°2'13'' W 0°50'30''	H107 8 ha 162T(100-120m²) 59D	② €39,20

🚗 Im Zentrum ist der CP gut ausgeschildert. 🅰

Allonnes, F-49650 / Pays de la Loire 🛜 (CC€14) iD

🏕 Le Pô Doré****	1 AD**JM**NOPRT	AN 6
🚩 51 route de Pô	2 AGOPRVWXY	ABDE**FG** 7
⊙ 15 Mär - 15 Nov	3 BELQ	ABCDEFNRSV 8
☎ +33 (0)2-41387880	4 INO**PQ**	E 9
@ camping-lepodore@orange.fr	5 ABEFGL	BFGHIJNPRV10
	B 6-10A CEE	① €23,60
🏕 N 47°17'57'' W 0°0'45''	2,5 ha 51T(100-120m²) 40D	② €29,60

🚗 N147 Saumur Richtung La Flèche. Nach 8 km D10 Richtung Langelais. 1 km vom Zentrum von Allonnes entfernt den Schildern folgen. 🅰

Concourson-sur-Layon, F-49700 / P. de la L. 🛜 (CC€16) iD

🏕 La Vallée des Vignes****	1 ACDEILNOPRT	AFN 6
🚩 La Croix Patron	2 CGOPRVWXY	ABDE**FGH** 7
⊙ 1 Mai - 30 Sep	3 ABEILMQ	ABCDFIMNQRSTUV 8
☎ +33 (0)2-41598635	4 HIJLO**Q**	EK 9
@ info@campingvdv.com	5 ADEGIK**L**	BGHI**N**OR10
	B 10A CEE	① €31,00
🏕 N 47°10'27'' W 0°20'51''	H76 3,5 ha 71T(100-120m²) 3D	② €39,00

🚗 CP kurz vor Concourson an der D960 Richtung Cholet, gut ausgeschildert. 🅰

Angers, F-49000 / Pays de la Loire 🛜 ✿ (CC€16) iD

🏕 du Lac de Maine****	1 ADE**JM**NOPRT	ABFGL**M**NQRSTUV 6
🚩 avenue du Lac de Maine	2 ADGHOPRVWXY	ABDE**FGH** 7
⊙ 25 Mär - 10 Okt	3 BELMQS	ABCDEFJKNQRSTUV 8
☎ +33 (0)2-41730503	4 FHILNORU	ELMOQRU 9
@ camping@lacdemaine.fr	5 AFG**L**	ABGHIJNOPR10
	B 10A CEE	① €27,40
🏕 N 47°27'17'' W 0°35'47''	4 ha 146T(67-136m²) 17D	② €31,70

🚗 Liegt in Bouchemaine, ist in Angers sehr gut ausgeschildert. Via Lac de Maine. 🅰

Coutures, F-49320 / Pays de la Loire 🛜 (CC€16) iD

🏕 Parc de Montsabert****	1 AD**JM**NOPRT	ABCDEFG 6
🚩 150 route de Montsabert	2 ABGPVXY	ABDE**FGH** 7
⊙ 10 Apr - 6 Sep	3 ABEF**GHIKLMN**QR**ST**	ABCDEFKNQRSTUV 8
☎ +33 (0)2-41579163	4 **A**BFHILO**PQXZ**	EJLUVY 9
@ camping@	5 ABDEGI**J**L	ABFHI**J**OR10
parcdemontsabert.com	B 10A	① €35,00
🏕 N 47°22'29'' W 0°20'44''	9,5 ha 89T(120-200m²) 65D	② €48,00

🚗 Von D952 bei Les Rosiers über Brücke Richtung Gennes, dann Richtung Coutures, gut ausgeschildert. 🅰

Brain-sur-l'Authion, F-49800 / Pays de la Loire 🛜

🏕 Du Port Caroline***	1 D**JM**NOPRST	ABFGN 6
🚩 rue du Pont Caroline	2 ACOPVWXY	ABDE**FH** 7
⊙ 1 Apr - 31 Okt	3 ABLQ	ABCDEFJKNOQSV 8
☎ +33 (0)2-41804218	4 FHIO**PQ**	AEJU 9
@ info@	5 AD**L**	BGHIJOTUV10
campingduportcaroline.fr	B 10A	① €20,50
🏕 N 47°26'36'' W 0°24'31''	3,2 ha 100T(110-200m²) 20D	② €27,50

🚗 Ab Angers N147 Richtung Saumur, ± 8 km ab Angers. 🅰

Durtal, F-49430 / Pays de la Loire 🛜 (CC€14) iD

🏕 Les Portes de l'Anjou***	1 AD**IL**NORT	ABFG**N**XY 6
🚩 9 rue du Camping	2 ACGOPRVWXY	ABDE**FG** 7
⊙ 3 Apr - 15 Okt	3 BELQ	ABCDFNQRSV 8
☎ +33 (0)2-41763180	4 BDFHILNO**PQ**	EJLQU 9
@ lesportesdelanjou@	5 ABDFG**L**	BGHJL**P**ST10
camp-in-ouest.com	Anzeige auf Seite 175 B 10A CEE	① €17,80
🏕 N 47°40'16'' W 0°14'9''	H100 3 ha 91T(80-120m²) 25D	② €23,00

🚗 Von der A11 Ausfahrt 11 am Ortseingang von Durtal den CP-Schildern folgen. CP liegt südlich des Zentrums an der Loir. 🅰

Teilkarte Maine-et-Loire auf Seite 174

ACSI Durchreisecampingplätze

In diesem Führer finden Sie eine handliche Karte mit Campingplätzen an den wichtigen Durchgangsstrecken zu Ihrem Ferienziel.

Gennes, F-49350 / Pays de la Loire 🛜

▲ Au Bord de Loire**	1 **JM**NOPRST	**ABFHN** 6
🏠 avenue des Cadets de Saumur	2 CGOPQVWX	ABDE**FG** 7
⏱ 1 Mai - 30 Sep	3 BELMQ	ABCFNRS 8
☎ +33 (0)2-41380467	4 FH	AD 9
@ auborddeloire@free.fr	5 ADL	GHIJLORV 10
	B 10A	❶ €13,40
📍 N 47°20'31'' W 0°13'47''	2,5 ha 135T(80-120m²) 7D	❷ €19,40

🚗 D952, in Saumur nach Brücke links, CP ausgeschildert.

Les Ponts-de-Cé, F-49130 / Pays de la Loire 🛜 iD

▲ Ile du Château***	1 AD**JM**NOPRST	AFHINUV 6
🏠 avenue de la boire salée	2 ACGOPRVWXY	ABDE**FGH** 7
⏱ 1 Apr - 30 Okt	3 ABE**GIKMP**QST	ABCDFKNORSTUV 8
☎ +33 (0)9-83766205	4 FHILO	ADEV 9
@ camping.ileduchateau@ gmail.com	5 ABDEGI**L**	BGHIJPR 10
	B 6A CEE	❶ €21,10
📍 N 47 21 32'' W 0°31'45''	2,2 ha 101T(90-150m²) 9D	❷ €26,10

🚗 Von Angers Richtung Les Ponts-de-Cé. Dort ist der CP deutlich ausgeschildert.

Les Rosiers-sur-Loire, F-49350 / P. de la L. 🛜 CC16 iD

▲ Le Val de Loire****	1 AD**IL**NOPRT	ABEFG 6
🏠 6 rue Sainte Baudruche	2 APVW**K**Y	ABDE**FGH** 7
⏱ 4 Apr - 30 Sep	3 ABE**ILM**QS	ABCDEFIKNQRSTUV 8
☎ +33 (0)2-41519433	4 AFHILNO**PQT**	AEUV 9
@ contact@ camping-valdeloire.com	5 ABDFGKL	BGHIJPRV 10
	D 10A	❶ €27,00
📍 N 47°13'32'' W 0°13'32''	4,5 ha 111T(100-130m²) 51D	❷ €37,90

🚗 Über die D952. Im Zentrum an Ampel Richtung Beaufort. CP gut ausgeschildert.

Montjean-sur-Loire, F-49570 / P. de la L. 🛜 CC14 iD

▲ La Promenade***	1 AD**JM**NOPRT	AF**N** 6
🏠 quai des Mariniers	2 CGOPVWXY	ABDE**FGH** 7
⏱ 1 Apr - 30 Sep	3 ABELQ	ABCDEFNRSTUV 8
☎ +33 (0)2-41390268	4 FHILNO**PQ**	EUV 9
@ contact@ campinglapromenade.com	5 ABDGL	HIJLOR 10
	B 10A CEE	❶ €20,00
📍 N 47°23'31'' W 0°52'13''	3 ha 162T(85-125m²) 33D	❷ €27,00

🚗 Ab Angers auf die D751. Dieser bis Montjean-sur-Loire folgen. Der CP ist gut ausgeschildert.

Montreuil-Bellay, F-49260 / Pays de la Loire 🛜 CC12 iD

▲ Le Thouet*** Le Coteaux du Chalet, route Bron	1 AD**JM**NOPQRT	AJNUX 6
🏠	2 CFGIOPQRWXY	ABDF 7
⏱ 1 Jan - 31 Dez	3 ABE**FK**LQ	ABCDEFGJNQRTU 8
☎ +33 (0)2-41387417	4 A**FHI**	EGILQRUV 9
@ campinglethouet@alicepro.fr	5 ADEGIL	ABHIJLPR 10
	B 10A CEE	❶ €23,00
📍 N 47°9'15'' W 0°8'18''	40T(100-120m²) 14D	❷ €29,00

🚗 Von Saumur kurz vor dem Kreisel Montreuil links ab (La Salle). Innerorts angezeigt. Von Montreuil Ri. Saumur, nach dem Kreisel die 1. Straße rechts.

Montreuil-Bellay, F-49260 / Pays de la Loire 🛜 CC14 iD

▲ Les Nobis d'Anjou****	1 ADE**JM**NOPQRST	ABNUX 6
🏠 rue Georges Girouy	2 BCGPRVWXY	ABDEFGH 7
⏱ 4 Apr - 4 Okt	3 BLQS	ABCDEFNOQRSTU 8
☎ +33 (0)2-41523366	4 ABFHILOP**Q**	ELQRU 9
@ camping-les-nobis@orange.fr	5 ABDGJL	BDGHIJLPRZ 10
	B 12A	❶ €30,00
📍 N 47°7'54'' W 0°9'33''	3 ha 123T(100-145m²) 82D	❷ €34,00

🚗 Über die N147 sowohl ab Saumur als auch Thouars. Aus beiden Richtungen den CP-Schildern ab Kreisel folgen.

Montsoreau, F-49730 / Pays de la Loire ✿ iD

▲ L'Isle Verte****	1 ADE**JM**NOPQRST	AF**N**UVWX 6
🏠 av. de la Loire	2 CGOPVX	ABDE**FGH** 7
⏱ 1 Apr - 13 Okt	3 BE**K**LMQS	ABCDFNRS 8
☎ +33 (0)2-41517660	4 ABDEHILO	AEJQRUV 9
@ isleverte49@orange.fr	5 ADEFGI**L**	ABFGHIJR 10
	B 16A CEE	❶ €28,60
📍 N 47°13'5'' E 0°3'10''	2,3 ha 95T(100-120m²) 24D	❷ €36,60

🚗 Über D947 Saumur-Chinon zu erreichen.

Les Portes de l'Anjou ★★★

Kleiner Camping am Loirufer, an der Route GR 35 und dicht am Zentrum. Von Hecken und Bäumen parzellierte Stellplätze mit Schatten. Vom Camping aus finden Sie eine schöne Natur und ein kulturelles Erbe vor. Neues beheiztes Sanitär. 'Les portes de l'Anjou Le Loir'. Ein Anglerparadies: Angelgelegenheit am Camping.

9 rue du Camping, 49430 Durtal • Tel. 02-41763180
E-Mail: lesportesdelanjou@camp-in-ouest.com
Internet: www.lesportesdelanjou.com

Mûrs-Érigné, F-49610 / Pays de la Loire 🛜 iD

▲ Camping des Varennes**	1 ADEF**JM**NOPQRT	**N** 6
🏠 Parc Des Varennes	2 ABCHJOPQVWXY	ABDEF 7
⏱ 1 Apr - 31 Okt	3 AE**K**LQ	ABCDEFKNRS 8
☎ +33 (0)2-41578215	4 EFHIO	ADE 9
@ varennes49610@wanadoo.fr	5 AG**L**	IJOST 10
	B 6A CEE	❶ €12,70
📍 N 47°24'8'' W 0°33'24''	2 ha 100T(70-200m²) 9D	❷ €15,70

🚗 RN160 Angers-Cholet. Richtung Sportpark. CP ist angezeigt.

Rochefort-sur-Loire, F-49190 / P. de la L. 🛜 ✿ CC12 iD

Seasonova Les Plages de Loire***	1 ABDE**JM**NOPRST	AF**J**NUVX 6
🏠 route de Savennières	2 ACDFGHOPVWXY	ABDE**FGH**K 7
⏱ 3 Apr - 1 Nov	3 ALQ	ABCDEFJRSV 8
☎ +33 (0)2-41685591	4 ABFHI	AEFQRUV 9
@ contact@ camping-lesplagesdeloire.fr	5 ABDFGK**L**	AEGHIJ**UO**N 10
	B 10A CEE	❶ €19,00
📍 N 47°21'37'' W 0°39'24''	6 ha 105T(80-140m²) 11D	❷ €24,00

🚗 Über die A11 zur N160 Richtung Les Ponts-de-Cé. Hier ist Rochefort auf der D751 angegeben.

Saumur, F-49400 / Pays de la Loire 🛜 CC16 iD

▲ Ile d'Offard*****	1 ADE**JM**NOPRT	ABFG**N**UV 6
🏠 rue de Verden	2 ACGOPRVWX	ABDE**FGH** 7
⏱ 14 Mär - 15 Nov	3 BE**HIK**LMQT	ABCDEFJNQRSTUV 8
☎ +33 (0)2-11103000	4 ABEFHILNO**PQ**U	AEFQRUV 9
@ iledoffard@ flowercampings.com	5 ACDEGIJK**L**	ABGHJNPR 10
	B 10A CEE	❶ €31,00
📍 N 47°15'36'' W 0°3'52''	4,5 ha 201T(100-120m²) 141D	❷ €36,00

🚗 Ein Platz auf der Loire Insel gegenüber dem Schloss von Saumur. Sowohl über die N152, D947 als auch über die N147 gut erreichbar.

St. Hilaire-St-Florent, F-49400 / P. de la L. 🛜 ✿ CC16 iD

▲ Sites & Paysages Chantepie*****	1 ADE**JM**NOPRST	ACF**N**U 6
🏠	2 ACPVWXY	ABDE**FGH**K 7
⏱ 25 Apr - 12 Sep	3 BE**HIK**LQ	ABCDEFKNQRSTUV 8
☎ +33 (0)2-41679534	4 AB**EFH**ILOP	AEJLUVW 9
@ info@campingchantepie.com	5 ACDEFGHIK**L**	ABGHIJMNPR 10
	B 10A CEE	❶ €39,00
📍 N 47°17'38'' W 0°8'33''	H75 12 ha 120T(100-140m²) 58D	❷ €46,70

🚗 Von Saumur Richtung Cholet. Nach Kreisverkehr Richtung St. Hilaire, am Ende der Straße rechts. D751 'Gennes touristiques' folgen, ausgeschildert.

St. Martin-de-la-Place, F-49160 / Pays de la Loire 🛜

▲ Terre d' Entente**	1 A**JM**NOPQRST	N**U** 6
🏠 Lieu-dit de La Croix Rouge	2 ACGHOPRWXY	ABD**FG** 7
⏱ 24 Apr - 15 Sep	3 AE**K**LMQS	ABCDFKLMNQRSV 8
☎ +33 (0)9-72303172	4 FH	ADEJ 9
@ contact@terre-dentente.fr	5 A**L**	HIJNOR 10
	B 6-10A CEE	❶ €16,50
📍 N 47°18'35'' W 0°8'39''	4 ha 75T(110-200m²) 9D	❷ €21,50

🚗 Im Ort CP gut ausgeschildert.

Varennes-sur-Loire, F-49730 / Pays de la Loire 🛜

▲ Domaine de la Brèche*****	1 DE**JM**NORT	ABEFGH**N**U 6
🏠 5, Impasse de la Brèche	2 AGPQVWXY	ABDE**FGH** 7
⏱ 14 Apr - 13 Sep	3 BE**HILM**QRT	ABCDEFKNQRSTUV 8
☎ +33 (0)2-41512292	4 AB**DFH**ILO**PQ**	ELUVW 9
@ contact@ domainedelabreche.com	5 ACDEFGIJK**L**	ABGHIJNO**PR**Z 10
	B 10A CEE	❶ €41,10
📍 N 47°14'50'' W 0°0'2''	24 ha 201T(98-270m²) 34D	❷ €51,10

🚗 Nordseite der Loire, die N152 Saumur-Tours. Der Beschilderung mit der alten Namensgebung 'Etang de la Brèche' folgen.

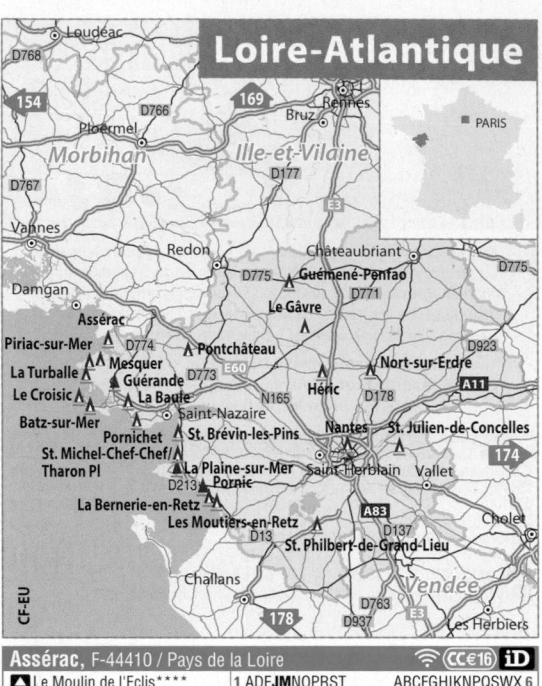

Loire-Atlantique

Loudéac · D768 · 154 · 169 · Ploërmel · D766 · Rennes · Bruz · PARIS · Morbihan · Ille-et-Vilaine · D177 · D767 · Vannes · Redon · Châteaubriant · D775 · Guémené-Penfao · D775 · Damgan · Le Gâvre · D771 · Assérac · D774 · Pontchâteau · D923 · Piriac-sur-Mer · Mesquer · Nort-sur-Erdre · La Turballe · Guérande · D773 · Héric · D178 · A11 · Le Croisic · La Baule · N165 · Batz-sur-Mer · Saint-Nazaire · Nantes · St. Julien-de-Concelles · Pornichet · St. Brévin-les-Pins · St. Michel-Chef-Chef · La Plaine-sur-Mer · Saint-Herblain · Vallet · 174 · Tharon Pl · D213 · Pornic · La Bernerie-en-Retz · Les Moutiers-en-Retz · D137 · Cholet · D13 · St. Philbert-de-Grand-Lieu · A83 · Challans · Vendée · D763 · 178 · D937 · Les Herbiers · CF-EU

Frankreich

Geografisch suchen

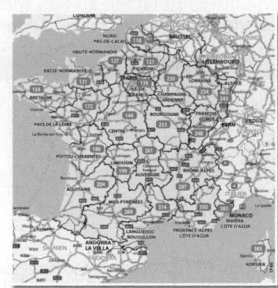

Schlagen Sie Seite 110 mit der Übersichtskarte dieses Landes auf. Suchen Sie das Gebiet Ihrer Wahl und gehen Sie zur entsprechenden Teilkarte. Hier sehen Sie alle Campingplätze auf einen Blick.

Assérac, F-44410 / Pays de la Loire ⊚ CC€16 iD

Le Moulin de l'Eclis★★★★
Pinede Treiz Gwen, Pont Mahé
1 Apr - 12 Nov
+33 (0)2-40017669
@ info@camping-leclis.com

1 ADEJMNOPRST	ABCFGHIKNPQSWX	6
2 EFHMOPVWXY	ABDEFGH	7
3 AEHLQS	ABCDEFGHIJKNPQRSTUV	8
4 BCDFHINOPXZ	AEJNQRUV	9
5 ABCDEFGJM	ABDGHIJNPTUV	10
B 16A CEE		① €36,40
3,8 ha 79T(90-140m²)	98D	② €46,70

N 47°26'41'' W 2°27'2''
N165/E60 Nantes-Vannes, bei La Roche-Bernard Ri. Guérande/La Baule bis Herbignac, nach Assérac. Im Kreisverkehr im Zentrum (mit Häusern in der Mitte) Ri. Pont-Mahé und den CP-Schildern folgen.

Batz-sur-Mer, F-44740 / Pays de la Loire ⊚ CC€16 iD

Les Paludiers★★★
rue Nicolas Appert
4 Apr - 27 Sep
+33 (0)2-40601728
@ paludiers@
flowercampings.com

1 ADEJMNOPQRST	ABFKMNOQRSTWX	6
2 EHMOPVWX	BEFGH	7
3 BEFIKLQT	ABCDEFGINOQRS	8
4 BCDEFHILNOPQ	BCELMOQRUV	9
5 ACDEFGIK	ABDFGHIJLPVW	10
B 10A CEE		① €35,10
8 ha 120T(80-100m²)	152D	② €47,10

N 47°16'42'' W 2°29'31''
Nantes-Lorient, über die N171 Richtung St. Nazaire. Dann Guérande, vor Guérande im Kreisel über die D774 nach Le Croisic und Batz-sur-Mer, kurz vor Batz links.

Guémené-Penfao, F-44290 / Pays de la Loire ⊚ CC€14 iD

L'Hermitage★★★
46 avenue de Paradis
1 Apr - 31 Okt
+33 (0)2-40792348
@ camping.hermitage@orange.fr

1 AJMNOPRT	ABFGHN	6
2 BOPRVXY	ABDEFH	7
3 AELMNQ	ABCDFNRV	8
4 HILNOP	EFU	9
5 BDEKL	BGHJLOST	10
6A CEE		① €18,20
2,8 ha 80T(36-70m²)	31D	② €25,70

N 47°37'33'' W 1°49'8''
Redon-Châteaubriant. Ausfahrt Guémené-Penfao. CP ist angezeigt.

Guérande, F-44350 / Pays de la Loire ⊚ CC€12 iD

Camping La Fontaine★★★
rte de Saint Molf -
D233 - Kersavary
3 Apr - 18 Okt
+33 (0)2-40249619
@ lafontaine.guerande@orange.fr

1 ADEJLNOPQRST		6
2 AMOPVWXY	ABDEFGH	7
3 AL	ABCDEFGIKNRSTUV	8
4 FH	AE	9
5 ADEGK	BDIJPRW	10
B 16A CEE		① €22,55
2,5 ha 80T(100-150m²)	34D	② €28,55

N 47°20'57'' W 2°26'2''
Nantes E60 und N171 Richtung St. Nazaire, N171 Richtung Guérande. Dann über weitere Kreisel Vannes, danach die D233 Richtung St. Molf, nach 500m CP-Schild.

Guérande, F-44350 / Pays de la Loire ⊚ CC€16 iD

Domaine de Léveno★★★★
Lieu dit Léveno
11 Apr - 27 Sep
+33 (0)2-40247930
@ domaine.leveno@wanadoo.fr

1 ADEILNOPRST	ABCFGHX	6
2 ABMPVWX	ABDEFGH	7
3 BCDEIKLMPQS	ABCDEFIJKNOQRSTUV	8
4 BCDFHILNOPQRV	ABDFGHIJNOPSW	9
5 ACDEFGJKLM		10
B 10A		① €41,10
10 ha 70T(100-150m²)	464D	② €53,10

N 47°20'0'' W 2°23'26''
N165 Nantes-Lorient. Ausfahrt La Roche-Bernard. Richtung Guérande/ La Baule über D774. Im Kreisverkehr (bei Guérande) mit 'Super Leclerc' den CP-Schildern folgen. CP 1 km hinter dem Supermarkt.

Héric, F-44810 / Pays de la Loire ⊚ CC€14 iD

La Pindière★★★
La Denais
1 Jan - 31 Dez
+33 (0)2-40576541
@ contact@
camping-la-pindiere.com

1 ABDJMNOPQRST	CDFG	6
2 AGPSVX	BEFGH	7
3 ABLQ	BDFIJNQRSTUV	8
4 GHQ	EL	9
5 AIJKLM	HNO	10
B 6-10A CEE		① €19,70
3 ha 51T 39D		② €27,00

N 47°24'48'' W 1°40'14''
Von der 4-spurigen Schnellstraße Nantes/Rennes in Héric geradeaus Richtung Fay de Bretagne und 500m hinter der Super-Tankstelle nach links.

La Baule, F-44500 / Pays de la Loire ⊚ CC€16 iD

La Roseraie★★★★
20 av. Jean Sohier
4 Apr - 27 Sep
+33 (0)2-40604666
@ camping.laroseraie.com

1 ADEJLNOPQRST	CFGH	6
2 AMOPVWX	ABDEFGH	7
3 BEGHIKLMPQRST	ABCDEFIKNQRSTUV	8
4 BCDFHILNOPQRU	EJV	9
5 ACDEFGIKM	ABDFGHIJNPSTVWY	10
B 10A		① €42,00
5 ha 50T(90-120m²)	163D	② €54,50

N 47°17'54'' W 2°21'27''
Zwischen Guérande und St. Nazaire, über N171 bis Ausfahrt La Baule Escoublac Golf de La Baule. Escoublac folgen. Im Kreisel in den Ort bis zur kirche, dann Golf de La Baule, über die Brücke sofort rechts.

La Bernerie-en-Retz, F-44760 / P. de la L. ⊚ CC€16 iD

Les Écureuils★★★★
24 ave Gilbert Burlot
4 Apr - 13 Sep
+33 (0)2-40827695
@ camping.les-ecureuils@
wanadoo.fr

1 ADEJLNOPQRST	ABFGHIKMNOPQRSTUV	6
2 AEHMOPVWXY	ABDEFGH	7
3 BDEFKLMQS	ABCDEFKNOQRSTUV	8
4 BCDFHLNOP	EJLMOQRUV	9
5 ADEFGKM	ABDGHIJNOPTV	10
B 10A		① €44,95
5,5 ha 164T(80-110m²)	143D	② €59,95

N 47°5'3'' W 2°2'14''
Ab der Umgehung Nantes-West, Ausf. Noirmoutier/Pornic. Von Pornic die D13 Ri. Noirmoutier. Ausf. Ri. La Bernerie-en-Retz Ri. Zentrum. Nach 400m (50m vor der Bahnstrecke) rechts und direkt links.

La Plaine-sur-Mer, F-44770 / P. de la L. ⊚ CC€14 iD

Le Ranch★★★
chemin des Hautes Raillères
1 Apr - 30 Sep
+33 (0)2-40215262
@ info@camping-le-ranch.com

1 ADEJMNOPQRST	ABFGHX	6
2 AHMPVWXY	ABDEFGH	7
3 BEHKLMQS	ABCDFHKNQRSTUV	8
4 BCDEFHILNOPQ	EJLMNOQRUVY	9
5 ABDEFGIKLM	BGHIJNOSTVW	10
B 10A		① €34,60
3,5 ha 83T(90-100m²)	103D	② €45,60

N 47°9'17'' W 2°9'55''
Südlich von St. Nazaire über die D219, La Route Bleu, Ausfahrt La Plaine-sur-Mer und Tharon-Plage. Über die D96 nach La Plaine-sur-Mer und den CP-Schildern folgen. (GPS in unmittelbarer Nähe unzuverlässig).

La Plaine-sur-Mer, F-44770 / P. de la L. ⊚ ❀ CC€16 iD

Sites & Paysages
La Tabardière★★★★
2 rte d.l. Tabardière
4 Apr - 25 Sep
+33 (0)2-40215883
@ info@camping-la-tabardiere.com

1 ADEJMNOPQRST	ABCFGHX	6
2 AMPTUVWXY	ABDEFGH	7
3 BEGHIKLMQTU	ABCDEFGKNOQRSTUV	8
4 BCDFHILNOPQR	EJUV	9
5 ACDEFGKM	BFGHIJMNOPSTW	10
B 10A CEE		① €35,90
5 ha 150T(90-110m²)	117D	② €46,30

N 47°8'27'' W 2°9'12''
D213 St. Nazaire-Pornic, Ausfahrt La Plaine-sur-Mer/Pornic-Ouest. D13 in Richtung La Plaine-sur-Mer, bis die CP-Schilder zu sehen sind.

176

Teilkarte Loire-Atlantique auf Seite 176

La Turballe, F-44420 / Pays de la Loire 🛜 CC€16 iD

▲ La Falaise★★★★
🏠 1 boulevard de Belmont
🔓 1 Apr - 1 Nov
☎ +33 (0)2-40233253
@ info@
camping-de-la-falaise.com
📍 N 47°21'13'' W 2°31'4''

1	ADE**JM**NOPQRST	CDFGKNOPQRSTVWXYZ 6
2	AEFHMOPQVWXY	ABDE**FGH** 7
3	ACE**K**MQ	CDEFGHIJKNOPQRST 8
4	FH	EMNOPQRUVYZ 9
5	ADE**GHIJ**PR10	ABDFGHIJPR10
B	10A CEE	❶ €31,00
3 ha 63T(100-130m²)	86D	❷ €42,00

🚗 N165/E60 Vannes-Nantes, Ausfahrt Guérande/La Baule. Über die D774 bis Guérande, über die D99 nach La Turballe, in der Ortseinfahrt den CP-Schildern oder Super U auf der D99 folgen.

Le Croisic, F-44490 / Pays de la Loire 🛜 CC€18 iD

▲ de l'Océan
Village et Spa★★★★★
🏠 route de la Maison Rouge
🔓 11 Apr - 27 Sep
☎ +33 (0)2-40230769
@ camping-ocean@wanadoo.fr
📍 N 47°17'51'' W 2°32'7''

1	ADE**JM**NOPQRST	ABEFGHIKNOPQRSTWXYZ 6
2	AEHKMOPVWXY	ABDE**FGH** 7
3	BCDE**GHJL**M**QR**	ABCDEFGIJKNOQRSTUV 8
4	BCDFHILNO**PQRTUV**XYZ	EIUV 9
5	ACDEFGJK**M**	ABDGHIJNOPRW10
B	10A	❶ €55,10
7,5 ha 60T(90-120m²)	340D	❷ €71,10

🚗 N165/E60 und N171 von Nantes nach Guérande, am Kreisverkehr vor Guérande D774 Richtung Le Croisic. CP kurz vor dem Zentrum von Le Croisic beschildert.

Le Gâvre, F-44130 / Pays de la Loire 🛜 iD

▲ Camping de la forêt★★
🏠 3 rue de l'Etang
🔓 1 Apr - 30 Okt
☎ +33 (0)2-40512062
@ campinglegavre@gmail.com
📍 N 47°31'26'' W 1°44'53''

1	ADE**JM**NORT	N 6
2	ABDFGOPVWXY	BDFH 7
3	ABILM**NQ**	ABCDFNRV 8
4	FGHI	DJ 9
5	BCEGIKLM	BIJNRV10
B	10A	❶ €15,00
3,5 ha 75T(38-280m²)	9D	❷ €20,40

🚗 E3/N37 Rennes-Nantes. Hinter Nozay die N171 Richtung St. Nazaire. Bei Blain, vor der Stadteinfahrt links. Am Tennisplatz entlang und dann links.

Les Moutiers-en-Retz, F-44760 / P. de la L. 🛜 CC€16 iD

▲ Les Brillas★★★
🏠 Le Bois des Tréans
🔓 1 Apr - 25 Okt
☎ +33 (0)2-40827978
@ info@campingleslebrillas.fr
📍 N 47°4'30'' W 2°0'27''

1	ADE**JL**NOPQRST	ABFGNPQSX 6
2	ADFGHMOPVWXY	ABDE**FGH** 7
3	BF**K**LQST	ABCDEFNQRSTUV 8
4	BCDFHILNO**PQ**	EUV 9
5	ABDEFGILM	BDGHIJLPSTVX10
B	10A	❶ €28,60
4,5 ha 53T(82-278m²)	127D	❷ €39,30

🚗 Vom Ring Nantes-West, Ausfahrt Noirmoutier/Pornic, Noirmoutier/ Pornic weiter folgen bis in den Ort Les Moutiers-en-Retz und dann den CP-Schildern folgen.

Mesquer, F-44420 / Pays de la Loire 🛜 iD

▲ Le Château du Petit Bois★★★
🏠 1820 rte de Kerlagadec
🔓 1 Apr - 15 Okt
☎ +33 (0)2-40426877
@ info@campingdupetitbois.com
📍 N 47°23'49'' W 2°28'19''

1	ADE**JM**NOPQRST	ABFGHIX 6
2	BMOPVWXY	ABDE**FGH** 7
3	BE**GHIK**LQ	ABCDEFKNQRSV 8
4	BCDFHILNO**PQ**	EUV 9
5	ADEFGIKL	BHIJPRV10
B	10A CEE	❶ €29,60
10 ha 126T(100-130m²)	106D	❷ €41,00

🚗 N165/E60 über die Ausfahrt Guérande/Pénestin. Über die D774 Richtung Guérande und die D52 über St. Molf nach Mesquer und Piriac, liegt an der D52.

Nantes, F-43000 / Pays de la Loire 🛜 ❀ CC€16 iD

▲ Nantes Camping★★★★
🏠 21 boulevard du Petit Port
🔓 1 Jan - 31 Dez
☎ +33 (0)2-40744794
@ nantes-camping@ nge-nantes.fr
📍 N 47°14'36'' W 1°33'24''

1	ADE**JM**NOPRST	CEHN 6
2	ABCGOPRSVXY	BEGH 7
3	ABDI**KL**	BDFJKNQRSTUV 8
4	DFHIO**V**	AEFJV 9
5	ABDFGIJ	ABCFHIJNPRVZ10
B	16A CEE	❶ €36,20
H50 8,5 ha 55T(100-200m²)	67D	❷ €44,60

🚗 Von der Nordseite des Rings Nantes N39 nehmen, Ausfahrt Porte de la Chapelle. Dann Richtung Nantes Zentrum. CP ist ausgeschildert und liegt am Kreisel.

Nort-sur-Erdre, F-44390 / Pays de la Loire 🛜 CC€12 iD

▲ Seasonova Camp. Port Mulon
🏠 rue des Mares Noires
🔓 3 Apr - 1 Nov
☎ +33 (0)2-40722357
@ contact@
camping-portmulon.com
📍 N 47°25'42'' W 1°29'51''

1	ABDE**JM**NOPRST	NUX 6
2	BCGPVXY	ABDE**FG** 7
3	AL	ABCDFHIKNPRSTUV 8
4	FGH	BEJ 9
5	AG	BDFHIJO**R**V10
B	10A CEE	❶ €19,00
2 ha 100T(88-347m²)	12D	❷ €24,00

🚗 Richtung Sucé-sur-Erdre. Links 'Camping' folgen.

Piriac-sur-Mer, F-44420 / Pays de la Loire 🛜 CC€14 iD

▲ Parc du Guibel★★★
🏠 route de Kerdrien
🔓 1 Apr - 30 Sep
☎ +33 (0)2-40235267
@ camping@parcduguibel.com
📍 N 47°23'10'' W 2°30'36''

1	ADE**JM**NOPQRST	ABEFGHINOPQSVWX 6
2	BHMOPVWXY	ABDE**FGH** 7
3	BE**GHIL**Q	CDEFKNORSTUV 8
4	BCDFHILNO**PQ**	EJUV 9
5	ACDEFGJL	ABFGHIJOR10
B	10A CEE	❶ €29,00
14 ha 300T(100-200m²)	144D	❷ €39,60

🚗 N165/E60 Nantes-Vannes. Ausfahrt Guérande/La Baule. Über die D774 Richtung Guérande und über die D52 nach St. Molf und Piriac-sur-Mer. Der CP liegt an der D52.

Pontchâteau, F-44160 / Pays de la Loire 🛜 iD

▲ Château du Deffay★★★★
🏠 Ste Reine-de-Bretagne, D33
🔓 1 Mai - 30 Sep
☎ +33 (0)2-40880057
@ campingdudeffay@orange.fr
📍 N 47°26'28'' W 2°9'36''

1	ADEILNOPQRST	CDFGNQSU 6
2	ADGPUVWXY	ABDE**FGH** 7
3	B**K**LMQST	ABCDFKNQRSTUV 8
4	FHIO**PQR**	EGJRTVY 9
5	ACDEFGJ**LM**	ABFGHIJPSTW10
B	10A CEE	❶ €30,20
13 ha 120T(100-150m²)	61D	❷ €38,40

🚗 N165/E60 Nantes-Vannes, Ausfahrt Pontchâteau. Am Kreisverkehr vor der Stadt in Richtung Ste Reine-de-Bretagne oder Clavaire über die D33 fahren, CP gut ausgeschildert.

Pornic, F-44210 / Pays de la Loire 🛜 CC€18 iD

▲ La Boutinardière★★★★
🏠 23 rue de la Plage
de la Boutinard
🔓 4 Apr - 30 Sep
☎ +33 (0)2-40820568
@ info@laboutinardiere.com
📍 N 47°5'52'' W 2°3'7''

1	ADE**JM**NOPQRST	ABEFGHIKNOPQRSTWXY 6
2	AEHMOPVWXY	ABDE**FGH** 7
3	BCDE**HIKL**MQT	ABCDEFHJKNOQRSTUV 8
4	BCDFHILNO**PQRTUV**XZ	BCEIJLUV 9
5	ACDEFGIJKM	ABDFGHIJNOPRW10
B	10A CEE	❶ €50,50
8 ha 110T(80-120m²)	290D	❷ €62,00

🚗 Im Westen von Nantes über die D13 zwischen Pornic und Bourgneuf-en-Retz die Ausfahrt La Boutinardière/La Rogère nehmen. Camping ist ausgeschildert.

Pornic, F-44210 / Pays de la Loire 🛜 ❀ CC€16 iD

▲ Le Patisseau★★★★
🏠 29 rue du Patisseau
🔓 4 Apr - 27 Sep
☎ +33 (0)2-40821039
@ contact@lepatisseau.com
📍 N 47°7'8'' W 2°4'23''

1	ADE**IL**NOPQRST	ABEFGHIX 6
2	ABMPUVWXY	ABDE**FGH** 7
3	BDEF**K**LQT	ABCDEFGIJKNQRSTUV 8
4	BCDFHILNO**PQ**RTUY**Z**	BEJLUV 9
5	ACDEFGIJ**M**	ABDFGHIJNO**PS**TV10
B	10A CEE	❶ €40,10
4,5 ha 78T(90-130m²)	140D	❷ €54,10

🚗 Südlich von St. Nazaire über die D213 bis Ausfahrt Pornic/Le Clion-sur-Mer. Am Kreisel dem CP-Schild folgen Richtung Le Clion-sur-Mer.

Pornichet, F-44380 / Pays de la Loire 🛜 CC€16 iD

▲ Du Bugeau★★★
🏠 33 av. de Loriettes
🔓 11 Apr - 27 Sep
☎ +33 (0)2-40610202
@ campingdubugeau@ wanadoo.fr
📍 N 47°15'10'' W 2°19'10''

1	ADE**JM**NOPRST	CDFKNOPQRSTVX 6
2	AEHOPVWXY	ABDE**FGH** 7
3	B**KL**Q	ABCDEFIKNQRSV 8
4	BDFHIO	ELMOQR 9
5	ABDEFG**LM**	BDGHIJPST10
B	10A	❶ €34,85
2 ha 61T(70-95m²)	57D	❷ €47,25

🚗 Über die D92 von St. Nazaire Richtung La Baule und Pornichet, im Kreisel am Supermarkt Carrefour, Richtung St. Sébastien. Kurz vor der Kirche links. Eingang 400m weiter links.

St. Brévin-les-Pins, F-44250 / P. de la L. 🛜 CC€16 iD

▲ Le Fief★★★★★
🏠 57 chemin du Fief
🔓 4 Apr - 1 Nov
☎ +33 (0)2-40272386
@ camping@lefief.com
📍 N 47°14'7'' W 2°10'3''

1	ADE**IL**NOPQRST	ABEFGHIKMNPQRST**X** 6
2	AEHMOPVWXY	ABDE**FGH** 7
3	BDEFLMQRT	ABCDEFGIJKNQRSTUV 8
4	BCDFHILNO**PQRTUV**XYZ	EJLMOPQRUVY 9
5	ABCDEFGJ**M**	ABDFGHIJM**NOPS**TZ10
B	10A CEE	❶ €49,00
7 ha 125T(80-130m²)	249D	❷ €65,50

🚗 Südlich von St. Nazaire die D213, Ausfahrt D5 nach dem Casino. St. Brévin-l'Océan und den Camping-Schildern folgen.

St. Julien-de-Concelles, F-44450 / P. de la L. 🛜 CC€16 iD

▲ du Chêne★★★
🏠 1 route du Lac
🔓 1 Apr - 30 Sep
☎ +33 (0)2-40541200
@ contact@campingduchene.fr
📍 N 47°14'57'' W 1°22'17''

1	ABDE**JM**NOPRST	CDFGN**Q**RST**V**XY 6
2	ADGIOPSVWXY	B**EFG**H 7
3	ABF**K**LMQS	ABDFGKNOQSV 8
4	FHOP	BELT 9
5	ADEG**LM**	BFGHIJLOR10
B	10A CEE	❶ €20,30
2,5 ha 70T(70-150m²)	29D	❷ €25,70

🚗 Ausfahrt 44 Porte du Vignoble Richtung St. Julien-de-Concelles.

St. Michel-Chef-Chef/Tharon Pl, F-44730 / P. de la L. 🛜 CC€16 iD

▲ Camping Du Bord de Mer★★★
🏠 1 bis blvd de l'Océan
🔓 1 Mär - 12 Nov
☎ +33 (0)2-40279316
@ contact@
borddemer-camping.com
📍 N 47°10'55'' W 2°9'42''

1	ADE**JL**NOPQRST	CDFGKNOPQRSTW 6
2	AEHKMOPQVWXY	ABDE**FGH** 7
3	ALQ	ABCDFKNOQRSV 8
4	BDFHINO	EJMOQRUVY 9
5	ADEGK	BDHIJ**NP**RV10
B	16A CEE	❶ €38,50
1,5 ha 36T(80-130m²)	51D	❷ €55,00

🚗 D213 St. Nazaire-Pornic, Ausfahrt St. Michel-Chef-Chef, über den Kreisel bis zur Ampel an der Kirche. Dort rechts. Über ein paar Kreisel zum Meer. Links vom Kreisel ist die CPeinfahrt. Navigation: 111 Rue du Redois eingeben.

St. Philbert-de-Grand-Lieu, F-44310 / P. de la L. 🛜 CC€12 iD

▲ Camping La Boulogne★★
🏠 1 avenue de Nantes
🔓 1 Apr - 30 Sep
☎ +33 (0)2-40788879
@ campinglaboulogne@ gmail.com
📍 N 47°2'31'' W 1°38'29''

1	ADE**JM**NOPRST	LMNPQ**U** 6
2	ACDGILOPSRVWXY	ABDE**FGH** 7
3	BF**J**LQST	ABCDFGJMNRSV 8
4	DFHI	BDE 9
5	ADGIK**L**	BDFHIJ**NP**STV10
B	6-10A CEE	❶ €14,80
H50 4,5 ha 144T(100-250m²)	20D	❷ €19,40

🚗 Von Nantes Richtung Bordeaux, danach Richtung St. Philbert-de-Grand-Lieu. Der Camping liegt zwischen Super U und Stadtmitte.

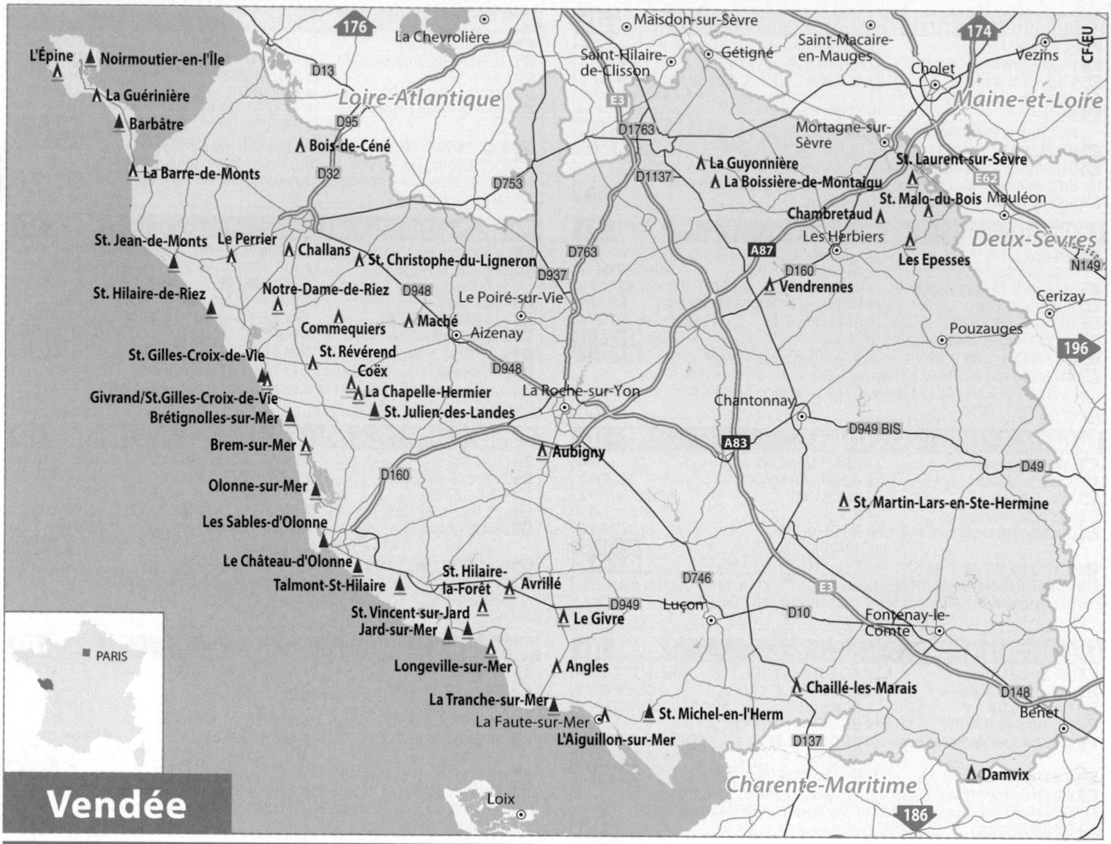

Map: Vendée

Map labels (west to east, north to south):

L'Épine · Noirmoutier-en-l'Île · La Guérinière · Barbâtre · Bois-de-Céné · La Barre-de-Monts · La Chevrolière · Maisdon-sur-Sèvre · Saint-Hilaire-de-Clisson · Gétigné · Saint-Macaire-en-Mauges · Vezins · Cholet · Maine-et-Loire · Mortagne-sur-Sèvre · La Guyonnière · La Boissière-de-Montaigu · St. Laurent-sur-Sèvre · St. Malo-du-Bois · Mauléon · Chambretaud · Les Herbiers · Deux-Sèvres · St. Jean-de-Monts · Le Perrier · Challans · St. Christophe-du-Ligneron · Les Epesses · Cerizay · St. Hilaire-de-Riez · Notre-Dame-de-Riez · Le Poiré-sur-Vie · Vendrennes · Pouzauges · Commequiers · Maché · Aizenay · St. Gilles-Croix-de-Vie · St. Révérend · Coëx · La Chapelle-Hermier · La Roche-sur-Yon · Chantonnay · Givrand/St.Gilles-Croix-de-Vie · Brétignolles-sur-Mer · St. Julien-des-Landes · Brem-sur-Mer · Aubigny · St. Martin-Lars-en-Ste-Hermine · Olonne-sur-Mer · Les Sables-d'Olonne · Le Château-d'Olonne · St. Hilaire-la-Forêt · Avrillé · Luçon · Fontenay-le-Comte · Talmont-St-Hilaire · St. Vincent-sur-Jard · Jard-sur-Mer · Le Givre · Longeville-sur-Mer · Angles · Chaillé-les-Marais · Bénet · La Tranche-sur-Mer · La Faute-sur-Mer · L'Aiguillon-sur-Mer · St. Michel-en-l'Herm · Damvix · Charente-Maritime · Loix · PARIS

Vendée

Angles, F-85750 / Pays de la Loire 🛜 iD

- ⬛ Le Clos Cottet****
- 🏠 route de la Tranche-sur-mer
- 📅 4 Apr - 20 Sep
- ☎ +33 (0)2-51289072
- @ contact@
  camping-clos-cottet.com
- 📍 N 46°23'31'' W 1°24'7''
- An der D747 zwischen Angles und La Tranche gelegen.

1 ADE**IL**NOPQR**T**	AEFHIN 6	
2 AOPRVXY	ABDE**FGH** 7	
3 ABEH**I**LQRT	ABCDEFKNQRSV 8	
4 BCDFHIKLNO**PQ**R**T**U**VYZ**	ADEJLV 9	
5 ABDEFGIK**LM**	ABGHIJOSTV 10	
10A CEE		① €31,10
4,5 ha 75**T**(80-120m²) 225**D**		② €40,10

Avrillé, F-85440 / Pays de la Loire 🛜 CC€12 iD

- ⬛ Beauchêne***
- 🏠 avenue de Lattre de Tassigny
- 📅 1 Apr - 10 Okt
- ☎ +33 (0)2-51223049
- @ contact@
  campinglebeauchene.com
- 📍 N 46°28'12'' W 1°29'13''
- Von Avrillé aus ausgeschildert.

1 ADE**JM**NOPR**T**	ABFGN 6	
2 DPVWXY	ABDE**FH** 7	
3 BEFLQST	ABCDFNORSTV 8	
4 BDFHILO**P**	AEJLV 9	
5 ABDEFG**L**	BDFGHIJ**OP**ST 10	
10A CEE		① €24,25
2,5 ha 53**T**(80-120m²) 76**D**		② €31,25

Aubigny, F-85430 / Pays de la Loire 🛜 CC€16 iD

- ⬛ Campilô***
- 🏠 L'auroire
- 📅 15 Feb - 28 Nov
- ☎ +33 (0)2-51316845
- @ accueil@campilo.com
- 📍 N 46°37'24'' W 1°27'18''
- Von La Roche-sur-Yon der A87 Richtung Les Sable d'Olonne folgen, Ausfahrt 32. Innerorts von Aubigny der Beschilderung folgen.

1 AG**JM**NOPQRST	CDN 6	
2 ADGIPVXY	ABDE**FGH** 7	
3 AEFLQT	ABCDEFNPRT 8	
4 A**B**DFHQ	ELTUV 9	
5 ABDEFG**KL**	BDFGHIJPTUV 10	
B 16A CEE		① €23,40
16 ha 42**T** 67**D**		② €31,60

Barbâtre, F-85630 / Pays de la Loire 🛜 CC€16 iD

- ⬛ Domaine Le Midi****
- 🏠 rue du Camping
- 📅 10 Apr - 13 Sep
- ☎ +33 (0)2-51396374
- @ midi@originalcamping.com
- 📍 N 46°56'43'' W 2°11'7''
- Auf der Halbinsel in Barbâtre swb CP-Schildern zum Camping 'Du Midi' folgen.

1 ADE**JM**NOPQRST	ABEFGNPQRSTW**X**Y 6	
2 BEHPQTVWXY	ABDE**FGH** 7	
3 ABEFILMQS**T**	ABCDEFKNRSV 8	
4 ABCDFHLNO**PQR**X	AEJMOQRUV 9	
5 ABDEFG	BGHJN**P**TU 10	
B 16A CEE		① €36,10
13 ha 207**T**(80-200m²) 204**D**		② €46,10

Barbâtre, F-85630 / Pays de la Loire 📶 iD

🏕 Les Onchères	1 ADEJ**MN**OPQR**T**	ABFGHKMNQ 6
🏠 chemin de la Martinière	2 BEHQTVWXY	BE**FGH** 7
⏱ 1 Apr - 30 Sep	3 ABELQ	BDFJNORSV 8
☎ +33 (0)2-51398131	4 BDEFHINO**P**	EV 9
@ camping@les-oncheres.com	5 ABCDEG**L**	ABGHJMN**P**TUZ10
	B 10A CEE	❶ €31,25
	10 ha 450T(70-142m²) 308**D**	❷ €42,75

🗺 N 46°55'45'' W 2°10'9''
🚐 Über die Brücke zur Halbinsel Noirmoutier. Am 1. Kreisel Richtung Barbâtre die D95 und den CP-Schildern folgen.

Bois-de-Céné, F-85710 / Pays de la Loire 📶 iD

🏕 Le Bois Joli***	1 ADJ**M**NOPQRST	ABFGN 6
🏠 2 rue de Châteauneuf	2 PVWXY	ABDE**FG** 7
⏱ 1 Apr - 5 Okt	3 ABELMQST	ABCDEFGIKNORSV 8
☎ +33 (0)2-51682005	4 BCDFHINO**PQ**	AEUV 9
@ contact@	5 ABDEFGIK**LM**	BHIJ**NP**RV10
camping-leboisjoli.com	6A CEE	❶ €24,00
	5 ha 82T(80-160m²) 103**D**	❷ €35,00

🗺 N 46°56'2'' W 1°53'15''
🚐 Ab Challans den Schildern Bois-de-Céné folgen.

Brem-sur-Mer, F-85470 / Pays de la Loire 📶 CC€18 iD

🏕 Le Chaponnet****	1 ADE**IL**NOPQRST	ABEFGHNQS**X** 6
🏠 16 rue du Chaponnet	2 HOPQVXY	ABDE**FGH** 7
⏱ 6 Apr - 27 Sep	3 ABELMQ	ABCDEFKNRSV 8
☎ +33 (0)2-51905556	4 BCDFHILNO**PQRTUY**	AE 9
@ contact@le-chaponnet.com	5 ABCDEFGI	BDGHIJ**P**TV10
	6A CEE	❶ €37,80
	6 ha 90T(100-120m²) 284**D**	❷ €47,00

🗺 N 46°36'15'' W 1°49'57''
🚐 D38 von St. Gilles Richtung Brem, danach Einbahnstraße rechts fahren.

Brétignolles-sur-Mer, F-85470 / P. de la L. 📶 ✿ CC€12 iD

🏕 La Trévillière****	1 ADE**IL**NOPQRST	ABCDFHQS**X** 6
🏠 rue de Bellevue	2 PRVXY	ABDE**FGH** 7
⏱ 4 Apr - 20 Sep	3 BE**FIL**Q	ABCDEFKNQRSUV 8
☎ +33 (0)2-51330505	4 BCDFHILNO**PQ**	DEJLUV 9
@ info@chadotel.com	5 ABDEFGIJKL	DGIIJJP**P**10
	10A CEE	❶ €32,50
	3,2 ha 69T(100-130m²) 101**D**	❷ €40,30

🗺 N 46°38'10'' W 1°51'30''
🚐 Von St. Gilles-Croix-de-Vie D38 Richtung Brétignolles. Nach 8 km an einer Bucht steht ein CP-Schild, angegebene Richtung links.

Brétignolles-sur-Mer, F-85470 / Pays de la Loire 📶 iD

🏕 Les Marsouins***	1 ADE**IL**NOPQRST	ABEFGHMNQSXY 6
🏠 15 rue du Prégneau	2 HOPQVXY	ABDE**FGH** 7
⏱ 1 Apr - 15 Okt	3 ABE**IL**Q	ABCDEFKNORSTV 8
☎ +33 (0)2-51901457	4 BCDFHILNO**PQRT**U	EK 9
@ marsouins.85@wanadoo.fr	5 ABDEFGIK	BGHIJL**P**TU10
	10A CEE	❶ €31,80
	6 ha 65T(100-120m²) 416**D**	❷ €40,80

🗺 N 46°37'58'' W 1°51'52''
🚐 Von Brétignolles über die D38 in Richtung St. Gilles. Hinter dem Kreisverkehr nach 700m links.

Chaillé-les-Marais, F-85450 / Pays de la Loire 📶 CC€12 iD

🏕 L'Île Cariot***	1 ADE**IL**NOPRT	ABFG 6
🏠 rue du 8 mai	2 PVXY	ABDE**FGH** 7
⏱ 1 Apr - 30 Sep	3 AELQS	ABCDEFNRV 8
☎ +33 (0)2-51567527	4 BDFHIO	BEJUV 9
@ camping.ilecariot@gmail.com	5 ABDGI	BGHIJOSTV10
	10A CEE	❶ €18,25
	4,5 ha 38T(70-120m²) 12**D**	❷ €25,40

🗺 N 46°23'31'' W 1°1'10''
🚐 Ab der D25, in der Ortschaft Chaillé-les-Marais mit Schildern angezeigt.

Challans, F-85300 / Pays de la Loire 📶 iD

🏕 Le Ragis***	1 A**J**LNOPQRST	ABCDFGHN 6
🏠 Le Ragis	2 PVXY	ABDE**FGH** 7
⏱ 1 Apr - 31 Okt	3 BELMQST	ABCDEFKNRSTV 8
☎ +33 (0)2-51680849	4 ABCDHNO**PQXY**	EUV 9
@ info@camping-leragis.com	5 ABDEFGK	BGHIJ**P**R10
	10A CEE	❶ €25,00
	3 ha 96T(100-160m²) 105**D**	❷ €35,00

🗺 N 46°49'7'' W 1°53'20''
🚐 Von Challans der D32 Richtung Les Sables d'Olonne. Nach etwa 4 km an der rechten Straßenseite.

Chambretaud, F-85500 / Pays de la Loire 📶 iD

🏕 Au Bois du Cé****	1 ADEHKNOPQRST	ABEFG 6
🏠 route du Puy du Fou	2 AFGPUVWX	ABDE**FGH** 7
⏱ 1 Apr - 30 Sep	3 A**H**LQS	ABCDEFJNOSUV 8
☎ +33 (0)2-51915432	4 BCDFINOU	EHJ 9
@ contact@	5 ABDEGK**LM**	BHIJ**P**TU10
camping-auboisduce.com	B 16A CEE	❶ €25,00
	4,8 ha 100T(100-110m²) 47**D**	❷ €31,40

🗺 N 46°54'52'' W 0°56'58''
🚐 A87 Ausfahrt 28; nach 7,5 km CP. Ab Chambretaud der Route Puy du Fou folgen. Der CP ist gut ausgeschildert.

Coëx, F-85220 / Pays de la Loire 📶 CC€14 iD

🏕 RCN La Ferme du Latois****	1 ACD**IL**NOPQRST	ABFGHN 6
🏠 D40	2 DGPVWX	ABDE**FH** 7
⏱ 25 Apr - 19 Sep	3 ABE**KL**QS	ABCDEFIKNQRSV 8
☎ +33 (0)2-51546730	4 **A**BDEFHILO	AEUV 9
@ ferme@rcn.fr	5 ACDEFGIJKL	ABHIJ**NP**R10
	10A CEE	❶ €36,50
	21 ha 176T(110-250m²) 43**D**	❷ €46,50

🗺 N 46°40'36'' W 1°46'8''
🚐 Coëx, D40 Richtung Brétignolles-sur-Mer, CP ausgeschildert.

Commequiers, F-85220 / Pays de la Loire 📶 N

🏕 Le Trèfle à 4 Feuilles***	1 ADJ**M**NOPQRST	EFN 6
🏠 La Jouère - route de Coëx	2 FPRUVXY	ABDE**FGH** 7
⏱ 15 Apr - 30 Sep	3 A**K**LQST	ABCDEFGIKNORSV 8
☎ +33 (0)2-51548754	4 DFHIKOQ	AELUV 9
@ letrefle@free.fr	5 ABDEFGK**LM**	BHIJ**NO**V10
	B 10A CEE	❶ €23,30
	51T(120-200m²) 12**D**	❷ €33,30

🗺 N 46°45'1'' W 1°47'59''
🚐 Ab Commequiers den CP-Schildern folgen, liegt an der D82.

Damvix, F-85420 / Pays de la Loire 📶 CC€12 iD

🏕 Camping des Conches***	1 ADEJ**M**NOPQRST	AB**N**XYZ 6
🏠 route du Grand Port	2 CGPVXY	ABDE**FH** 7
⏱ 1 Apr - 15 Okt	3 BLMQS	ABCDEFHNORSV 8
☎ +33 (0)2-51871706	4 FGH	ABE 9
@ campingdesconches@	5 DEG	BGHIJ**P**QRV10
orange.fr	B 10A CEE	❶ €18,20
	7 ha 77T(80-120m²) 12**D**	❷ €25,20

🗺 N 46°18'46'' W 0°43'57''
🚐 Von Fontenay-le-Comte Richtung Niort. Weiter Richtung Maillezais, danach nach Damvix. Der CP ist in der Ortschaft Damvix angezeigt.

Givrand/St.Gilles-Croix-de-Vie, F-85800 / P. de la L. 📶 CC€12 iD

🏕 Le Domaine de Beaulieu****	1 ADJ**M**NOPQRST	ABEFGHN 6
🏠 rue du Parc - Givrand	2 OPRVWX	ABDE**FG**HK 7
⏱ 4 Apr - 20 Sep	3 BE**IKL**MQT	ABCDEFNRSV 8
☎ +33 (0)2-51330505	4 BCDFHILNO**PQ**	DEJLUV 9
@ info@chadotel.com	5 ACDEFGIJK	BHIJ**NOP**ST10
	B 6A CEE	❶ €31,50
	8 ha 127T(100-125m²) 183**D**	❷ €39,50

🗺 N 46°40'16'' W 1°54'13''
🚐 Von St. Gilles-Croix-de-Vie die D38 Richtung Les Sables-d'Olonne. Nach 3 km auf der linken Seite.

Jard-sur-Mer, F-85520 / Pays de la Loire 📶 CC€16 iD

🏕 L'Oceano d'Or*****	1 ADE**IL**NOPQRST	ABFGH**X** 6
🏠 84 rue Georges Clémenceau	2 HOPRVWXY	ABDE**FGH** 7
⏱ 4 Apr - 20 Sep	3 BELMQ	ABCDEFKNRSV 8
☎ +33 (0)2 51336508	4 BCD**IL**NO**PQR**	EJLUV 9
@ info@chadotel.com	5 ACDEFG	ABGHIJMN**P**ST10
	B 10A	❶ €32,60
	8 ha 200T(100m²) 180**D**	❷ €40,60

🗺 N 46°25'15'' W 1°34'10''
🚐 Am Ortsausgang von Jard-sur-Mer auf der rechten Seite Richtung La Tranche an der D21.

Jard-sur-Mer, F-85520 / Pays de la Loire 📶 iD

🏕 La Ventouse***	1 ADE**IL**NOPRT	ABFG 6
🏠 rue Pierre Curie	2 BEOPQTUXY	ABDE**FGH** 7
⏱ 11 Apr - 27 Sep	3 BELQST	ABCDFNORSV 8
☎ +33 (0)2-51335865	4	BELUV 9
@ campings.parfums.ete@	5 ABDGL**M**	ABHIJO**P**T10
wanadoo.fr	10A	❶ €26,10
	5,5 ha 142T(80-100m²) 36**D**	❷ €35,50

🗺 N 46°24'45'' W 1°34'53''
🚐 In Jard-sur-Mer den Schildern 'Campings' folgen und dann 'Parfums d'Eté'.

Jard-sur-Mer, F-85520 / Pays de la Loire iD

🏕 Le Bosquet**	1 ADE**IL**NORT	Q 6
🏠 7 rue de l'Océan	2 EOQTVXY	ABDE**FGH** 7
⏱ 11 Apr - 27 Sep	3 BL	ABFNORSTUV 8
☎ +33 (0)2-51335657	4	BEFLUV 9
@ campings.parfums.ete@	5 AL	BHIJLTU10
wanadoo.fr	10A	❶ €22,10
	46T(80-100m²) 21**D**	❷ €30,50

🗺 N 46°24'40'' W 1°34'51''
🚐 In Jard-sur-Mer den Schildern 'Campings' folgen, und dann 'Parfums d'Eté'.

L'Aiguillon-sur-Mer, F-85460 / Pays de la Loire 📶 iD

🏕 Bel-Air****	1 ADE**IL**NOPQRT	ABEFGHIN**QR**STXY 6
🏠 route de Grues	2 HPQRVXY	ABDE**FGH** 7
⏱ 10 Apr - 25 Sep	3 BEF**HIL**QST	ABCDEFIKNQRSV 8
☎ +33 (0)2-51204194	4 ABCD**IL**NO**PQRT**U**XZ**	EUV 9
@ reception.belair@gmail.com	5 ABCDEFGI	ABGHIJMN**OP**TV21 10
	B 10A CEE	❶ €33,10
	7 ha 42T(80-100m²) 320**D**	❷ €51,10

🗺 N 46°20'36'' W 1°19'12''
🚐 D746 Luçon-l'Aiguillon. Beim Kreisverkehr vor der Brücke über die Lay rechts abbiegen und die zweite links. Gut ausgeschildert.

Les Fosses Rouges

Unweit der Feinsandstrände von Sables d'Olonne.

- Schwimmhalle mit Planschbecken.
- Große, schattige Plätze.
- Spielplatz und Minigolf.
- Alle Einrichtungen.
- Vermietung von Wohnwagen und Mobilheimen.
- Gratis WiFi.

**8 rue des Fosses Rouges
85180 Le Château-d'Olonne
Tel. 02-51951795
E-Mail:
info@camping-lesfossesrouges.com
Internet:
www.camping-lesfossesrouges.com**

L'Épine, F-85740 / Pays de la Loire · CC€14 iD

🏕 Camping de la Bosse**
📧 rue du Port
📅 1 Apr - 30 Sep
☎ +33 (0)2-53469747
@ labosse@originalcamping.com

1	ADE**JM**NOPQRST	KNPQS 6
2	BEFHKPQRUWX	BE**FGH** 7
3	BLQ	BFNORV 8
4	FH	F 9
5		BDHIJV 10
B	4A CEE	

① €23,70
② €29,90

📍 N 46°59'12'' W 2°17'1''
🚗 Auf der Halbinsel Noirmoutier der Beschilderung L'Épine folgen. Danach der Straße bis zum Stopschild am Hafen (Port du Morin)folgen. Dann links ab. CP nach 1 km rechts.

10,5 ha 312T(60-150m²) 47**D**

La Guérinière, F-85680 / Pays de la Loire · 📶 iD

🏕 Original Camping / Domaine les Moulins*****
📧 54 rue des Moulins
📅 1 Apr - 30 Sep
☎ +33 (0)2-51395138
@ moulins@originalcamping.com

1	ADEG**JM**NOPQRS**T**	ABFGKNPQUX 6
2	EHOPQTVWXY	BDE**FGH** 7
3	ABEFILQ	BDEFIJKNPQRSTUV 8
4	ABDFHILO**RUVXYZ**	BCLUV 9
5	ABCEGHI	ABGHIJNPTUYZ 10
B	16A CEE	

① €50,60
② €66,90

📍 N 46°57'58'' W 2°13'1''
🚗 Auf der Halbinsel Richtung Noirmoutier am Kreisel Richtung 'La Guérinière' abfahren. CP liegt gleich am Kreisel.

5,5 ha 40T(90-140m²) 138**D**

La Barre-de-Monts, F-85550 / P. de la L. · 📶 CC€14 iD

🏕 Campéole La Grande Côte***
📧 route de la Grande Côte
📅 4 Apr - 20 Sep
☎ +33 (0)2-51685189
@ grande-cote@campeole.com

1	ADE**JM**NOPQRST	ABFGKNQRSTX 6
2	BEHQTUWXY	ABE**FGH** 7
3	ABCEFL**RT**	ABDEFKNORSV 8
4	ABDFHILNO**PQX**	AEJLUV 9
5	ACDEFGK	ABDGHK**O**QTUVZ 10
B	10A CEE	

① €31,00
② €43,00

📍 N 46°53'8'' W 2°8'51''
🚗 Von Nantes oder La Roche-sur-Yon Richtung Noirmoutier bis La Barre-de-Monts. Danach nimmt man die Route de la Grande Côte. CP-Schildern folgen.

22 ha 481T(80-120m²) 329**D**

La Guyonnière, F-85600 / Pays de la Loire · 📶 iD

🏕 du Lac de la Chausselière***
📧 route des Herbiers
📅 1 Apr - 20 Okt
☎ +33 (0)2-51419840
@ camping@chausseliere.fr

1	ADJMNOPRST	ABN**Q**S**X** 6
2	DGPVXY	ABDEFH 7
3	AELQS	ABCDEFNQST 8
4	A**DHIOPQ**	BEJLMPQT 9
5	ABDEFGK	HIJ**NOP**STX 10
B	16A CEE	

① €20,50
② €26,50

📍 N 46°57'25'' W 1°14'44''
🚗 Vom Zentrum von Montaigu, Richtung Cholet bis Kreisverkehr. Dann rechts Richtung La Rochelle. Bei zweitem Kreisverkehr links D23 Richtung La Boissière, braune Schilder.

2,4 ha 80T(100-160m²) 24**D**

La Boissière-de-Montaigu, F-85600 / P. de la L. · 📶 ❀ iD

🏕 Domaine de L'Eden***
📧 La Raillière
📅 1 Jan - 31 Dez
☎ +33 (0)2-51416232
@ contact@camping-domaine-eden.fr

1	AD**IL**NOPQRST	ABNX 6
2	BDPQRVXY	BDE**FGH** 7
3	AE**HIL**MQT	BDFNRSTV 8
4	BDFHINO**PQ**	BEJUV 9
5	ABDEFGIL	FGHIJPTUV 10
10A	CEE	

① €20,65
② €27,00

📍 N 46°56'16'' W 1°13'11''
🚗 N137 von Montaigu in südlicher Richtung, nach 10 km D62 Richtung La Boissière-de-Montaigu, gut ausgeschildert.

15 ha 62T(100-140m²) 104**D**

La Tranche-sur-Mer, F-85360 / Pays de la Loire · 📶 iD

🏕 Baie d'Aunis Camping****
📧 10 rue du Pertuis Breton
📅 24 Apr - 13 Sep
☎ +33 (0)2-51274736
@ info@camping-baiedaunis.com

1	ADE**JK**NOPQRST	ABFGKMNQRSTWXYZ 6
2	EHOPQVWXY	ABDE**FGH** 7
3	ABELQ	ABCDEFJKNOQRSV 8
4	BCDFHIO	EJL 9
5	ADEFGIJK**L**	ABGHIJNPRZ 10

Anzeige auf Seite 181 · B 10A CEE

① €36,60
② €52,20

📍 N 46°20'46'' W 1°25'56''
🚗 Von La Roche-sur-Yon der D747 folgen. In La Tranche 'Centre Ville' folgen. Anschließend ausgeschildert.

2,5 ha 130T(80-100m²) 19**D**

La Chapelle-Hermier, F-85220 / P. de la L. · 📶 ❀ CC€16 iD

🏕 Le Pin Parasol*****
📧 Châteaulong
📅 24 Apr - 25 Sep
☎ +33 (0)2-51346472
@ contact@campingpinparasol.fr

1	ADE**JM**NOPQRST	ABEFGHI**N**QSXYZ 6
2	DFHIPUVWX	BE**FGH** 7
3	BDEF**KLMQR**STUV	DEFGIJKNQRSTU 8
4	**A**BCDEFGHILNO**PQ**RUV**XZ**	CEJLPQRTUVW 9
5	ABDEFGK**L**	BCDGHIJ**NP**RZ 10

Anzeige auf Seite 181 · B 10A CEE

① €41,15
② €49,35

📍 N 46°39'56'' W 1°45'21''
🚗 Von St. Gilles-Croix-de-Vie die D6 Richtung Coëx. Der Straße folgen bis zur D21. Rechts abbiegen, nach 2,5 km ist der CP ausgeschildert (rechts abbiegen).

12 ha 230T(150-250m²) 138**D**

La Tranche-sur-Mer, F-85360 / P. de la L. · 📶 CC€16 iD

🏕 Du Jard GC****
📧 123 bd Mar. de Lattre de Tassigny
📅 11 Mai - 12 Sep
☎ +33 (0)2-51274379
@ info@campingdujard.fr

1	ADHKNOPQRST	ABEFGHNQST 6
2	EHPVX	ABDE**FGH** 7
3	BE**ILMQ**	ABDEFGKNOQRSV 8
4	BDFILNO**PQ**RTU	ELV 9
5	ACDEFIJ	ABHIJNOST 10
10A	CEE	

① €37,20
② €49,20

📍 N 46°20'52'' W 1°23'13''
🚗 Von La Roche-sur-Yon über die D747 nach La Tranche. Den Schildern Griére-Plage folgen, dann ausgeschildert.

6 ha 180T(100-120m²) 200**D**

La Tranche-sur-Mer, F-85360 / P. de la L. 🛜 CC€12 iD

▲ La Grande Vallée**
🏠 145 blvd de Lattre de Tassigny
🔆 1 Apr - 30 Sep
☎ +33 (0)2-51301282
@ c.lagrandevallee@orange.fr

1	ADEILNOPRST		6
2	OPWXY	ABDEFGH	7
3	BLQ	ABCDFNRSV	8
4	B	BELUV	9
5	ADFGLM	BDGHIJOPR	10
B 10A CEE			
1 ha 52T(80-140m²) 13D			

❶ €24,35
❷ €31,75

🗺 N 46°20'52'' W 1°22'59''
🚗 Von La Roche-sur-Yon D747 nach La Tranche. Den Schildern La Grière-Plage folgen, weiter angezeigt.

Le Château-d'Olonne, F-85180 / P. de la L. 🛜 CC€14 iD

▲ Le Petit Paris***
🏠 41 rue du Petit Versailles
🔆 4 Apr - 30 Sep
☎ +33 (0)2-51220444
@ contact@
campingpetitparis.com

1	ADEILNOPQRT		CDFGH 6
2	OPVWXY	ABDEFGH	7
3	ABEKLQT	ABCDFKNRST	8
4	BDHINOPQ	BEV	9
5	ABDEG	BDHIJPR	10
10A CEE			
3 ha 115T(80-130m²) 118D			

❶ €30,10
❷ €38,40

🗺 N 46°28'25'' W 1°43'16''
🚗 Von Les Sables-d'Olonne der D949 Richtung Talmont-St. Hilaire folgen. An der Ampel geradeaus. Den CP-Schildern folgen.

Le Château-d'Olonne, F-85180 / P. de la L. 🛜 CC€14 iD

▲ Le Puits Rochais****
🏠 25 rue de Bourdigal
🔆 11 Apr - 30 Sep
☎ +33 (0)2-51210969
@ info@puitsrochais.com

1	ADEILNOPRST		ABFGH 6
2	HOPRVX	ABDEFGH	7
3	BHIKLMQ	ABCDEFJKNQRST	8
4	ABCDHILNOPQ	ELUV	9
5	ACDEFGHKM	BDGHIJOPT	10
10A CEE			
3,5 ha 60T(100m²) 160D			

❶ €37,10
❷ €46,90

🗺 N 46°28'53'' W 1°43'53''
🚗 D949 von Talmont-St. Hilaire Richtung Les Sables-d'Olonne. An der ersten Ampel in Le Château-d'Olonne links ab.

Le Château-d'Olonne, F-85180 / P. de la L. 🛜 CC€14 iD

▲ Les Fosses Rouges**
🏠 8 rue des Fosses Rouges
🔆 4 Apr - 24 Sep
☎ +33 (0)2-51951795
@ info@
camping-lesfossesrouges.com

1	ADEJMNOPQRST		CDFG 6
2	OPVXY	ABDEFGH	7
3	ABFILMQS	ABCDFNRS	8
4	NOPQ	DEV	9
5	ABCEGKLM	ABDGHIJORV	10
Anzeige auf Seite 180 10A			
3,5 ha 175T(75-120m²) 70D			

❶ €22,35
❷ €28,15

🗺 N 46°28'46'' W 1°44'28''
🚗 Von Talmont-St-Hilaire die D949 Richtung Les Sables-d'Olonne. Nach 7 km an der ersten Ampel links den CP-Schildern folgen.

Le Givre, F-85540 / Pays de la Loire 🛜 CC€12 iD

▲ La Grisse***
🔆 1 Jan - 31 Dez
☎ +33 (0)2-51308303
@ info@campinglagrisse.com

1	ADEILNOPQRST		6
2	PRVXY	BEFGH	7
3	ABFLQT	ABDEFNQRSTUV	8
4		EV	9
5	ADL	BDJPR	10
B 16A CEE			
2,4 ha 37T(120-350m²) 40D			

❶ €28,90
❷ €37,50

🗺 N 46°26'41'' W 1°23'53''
🚗 Von Moutiers nach La Tranche über die D747. Ca. 1 km nach der Kreuzung mit der D949 links. Camping ist deutlich ausgeschildert.

Le Perrier, F-85300 / Pays de la Loire 🛜 ♣ iD

▲ Le Jardin du Marais****
🏠 208 route de Saint-Gilles
🔆 1 Apr - 20 Okt
☎ +33 (0)2-51680917
@ info@lejardindumarais.eu

1	ADEILNOPQRST		ABEFGHN 6
2	PVX	ABDEFGH	7
3	AEKLQS	ABCDEFKNQRSTV	8
4	ABCDEFHILNOPQR	AEJLUVWY	9
5	ACDEFGIJKL	BGHIJNOTUV	10
B 16A CEE			
60T(80-180m²) 64D			

❶ €35,00
❷ €47,60

🗺 N 46°48'18'' W 1°58'48''
🚗 Von Challans die D753 Richtung St. Jean-de-Monts. Innerorts den Schildern des CP's folgen (Richtung St. Gilles-Croix-de-Vie).

Les Epesses, F-85590 / Pays de la Loire 🛜 ♣ CC€16 iD

▲ La Bretèche***
🏠 Base de Loisirs de Bretèche
🔆 1 Apr - 30 Sep
☎ +33 (0)2-51573334
@ contact@
campinglabreteche.com

1	ADEJMNOPQRST		ABFGNV 6
2	ADGPVWXY	ABDEFGH	7
3	ABLMQR	ABCDFNQRSV	8
4	ABCDEFHINOPQ	AJL	9
5	ADEGIKM	ABDGHIJLOPTUZ	10
B 10A CEE			
H178 3,5 ha 128T(80-110m²) 36D			

❶ €24,15
❷ €29,75

🗺 N 46°53'23'' W 0°53'57''
🚗 In Les Epesses ist der CP ausgeschildert.

Les Sables-d'Olonne, F-85100 / Pays de la Loire 🛜 iD

▲ La Dune des Sables****
🏠 La Paracou
🔆 11 Apr - 7 Nov
☎ +33 (0)2-51330505
@ info@chadotel.com

1	ADEILNOPQRST		ABFGHKNQS 6
2	EHMOPVW	ABDEFGHK	7
3	BEFIKLQ	ABCDEFJNRSV	8
4	BDHINOPQ	CELUV	9
5	ACDEFGIKL	BGHIKMPT	10
10A CEE			
7,5 ha 25T(80-100m²) 225D			

❶ €35,10
❷ €44,10

🗺 N 46°30'43'' W 1°48'51''
🚗 D949 aus Talmont. In Les Sables im zweiten Kreisverkehr den Schildern 'La Chaume' folgen. Dann angegeben mit Schildern.

Les Sables-d'Olonne, F-85100 / Pays de la Loire 🛜 iD

▲ Les Roses****
🏠 rue des Roses
🔆 11 Apr - 7 Nov
☎ +33 (0)2-51330505
@ info@chadotel.com

1	ADEILNORST		ABFGH 6
2	EHMOPQVWX	ABDEFGH	7
3	BLQ	ABCDEFNRSTUV	8
4	BCDIOPQ	EJKLV	9
5	ABEGIK	BHIJPT	10
10A CEE			
2,6 ha 104T(100m²) 166D			

❶ €35,10
❷ €44,10

🗺 N 46°29'30'' W 1°45'55''
🚗 D949 von Talmont Richtung Les Sables, in den Osten der Stadt (Avenue d'Aquitaine). Bei der Total-Tankstelle links in den Boulevard Ampère. Der CP liegt rechts.

Longeville-sur-Mer, F-85560 / P. de la L. 🛜 CC€14 iD

▲ Le Petit Rocher****
🏠 1250 avenue de Docteur Mathevet
🔆 3 Apr - 20 Sep
☎ +33 (0)2-51204194
@ contact@camp-atlantique.com

1	ADEILNOPRT		CDFGH 6
2	BEHOPQUVWXY	ABDEFGH	7
3	ABDELQST	ABCDFKNQRSV	8
4	ABCDFHILNPQUX	CEJUV	9
5	ACDEL	BHIJOPTVZ	10
10A CEE			
4,5 ha 76T(85-120m²) 135D			

❶ €33,20
❷ €51,20

🗺 N 46°24'13'' W 1°30'27''
🚗 Der D105 bis Longeville-sur-Mer folgen. Am Kreisel die D91a Richtung Le Rocher bis zum Meer nehmen. Der CP ist angezeigt.

Maché, F-85190 / Pays de la Loire 🛜 iD

▲ Val de Vie***
🏠 5 rue du Stade
🔆 1 Apr - 1 Okt
☎ +33 (0)2-51602102
@ campingvaldevie@bbox.fr

1	ADJMNOPQRST		ABNQSXYZ 6
2	DPRVWX	ABDEFH	7
3	AEKLMQST	ABCDEFKNRSTUV	8
4	BDFHZ	EUV	9
5	DGL	BFGHIJNORZ	10
B 10A CEE			
2,2 ha 78T(100-150m²) 25D			

❶ €24,85
❷ €32,25

🗺 N 46°45'11'' W 1°41'9''
🚗 D948 Aizenay-Challans. Im Dorf Maché ausgeschildert. Folgen Sie der D40 Richtung Brem-sur-Mer.

Noirmoutier-en-l'Île, F-85330 / Pays de la Loire

- des Roussières***
- rue des grandes Roussières
- 1 Apr - 30 Sep
- +33 (0)2-51391301
- roussieres@geotour.com
- N 47°0'53'' W 2°14'46''

1 ADEJMNOPQRST		KNQS 6
2 EHOPVWX		ABDEFGH 7
3 ABELQST		ABCDEFKNOQRS 8
4 BDFHILNOPQR		ELUVW 9
5 ABCDEGHIKLM		BGHJMNOTU10
B 10A CEE		

1 €27,30
2 €35,75
6 ha 175T(80-120m²) 94D

Von Nantes Richtung Noirmoutier, über die Brücke zur Insel bis Noirmoutier-en-L'Île, dann Richtung Le Vieil. CP ausgeschildert.

Noirmoutier-en-l'Île, F-85330 / P. de la L.

- Indigo Noirmoutier***
- 23, allée des Sableaux/ rue des Sabl
- +33 (0)2-51390624
- noirmoutier@camping-indigo.com
- 2 Apr - 4 Okt
- N 46°59'49'' W 2°13'14''

1 ADILNOPRST		KNPQRSWXY 6
2 BEFHJPQWXY		ABDFGH 7
3 ABFLQ		ABCDFINQRSV 8
4 ABDEFHILO		ARUV 9
5 ADEFGL		ABDGHJLNOTU10
B 10A CEE		

1 €30,20
2 €39,10
12 ha 386T(80-100m²) 100D

90 km südlich von Nantes. Zugang bis zur Insel über (gratis) Brücke bei Fromentines. Danach Richtung Noirmoutier-en-l'Île.

Notre-Dame-de-Riez, F-85270 / P. de la L.

- Domaine des Renardières***
- 13 chemin du chêne vert
- 1/4 - 2/9, 1/10 - 30/10
- +33 (0)2-51551417
- caroline.raffin@free.fr
- N 46°45'18'' W 1°53'53''

1 AILNOPQRST		ABFGN 6
2 BPQVWX		ABDEFGH 7
3 ABEKLQ		BDEFKMNORSV 8
4 ABCDFHILNOPQ		E 9
5 ABDEFGKL		ABDHIJPTUVZ10
6A		

1 €22,80
2 €32,20
3,5 ha 75T(90-130m²) 70D

Challans Richtung Sable d'Olonne (8 km), erste Kreuzung nach Spurwechsel (rechts). In Notre-Dame-de-Riez scharf rechts fahren. Ausgeschildert.

Olonne-sur-Mer, F-85340 / Pays de la Loire

- Domaine de l'Orée***
- rue des Amis de la Nature
- 1 Mai - 15 Sep
- +33 (0)2-51331359
- loree@free.fr
- N 46°32'58'' W 1°48'24''

1 ADJMNOPQRST		ABEFGHINQSXY 6
2 HOPVX		ABDEFGH 7
3 BCDEFHILMQST		ABCDEFKLNQRSTV 8
4 ABCDHILNOPQTUX		EJKLUV 9
5 ACDEFGIKL		BGHIJOTVZ10
6A		

1 €40,20
2 €53,20
7 ha 55T(100-140m²) 168D

An der D80, 3 km vom Zentrum von Olonne-sur-Mer. In Richtung Brétignolles.

Olonne-sur-Mer, F-85340 / Pays de la Loire

- la Gachère***
- Les Granges
- 1 Apr - 30 Sep
- +33 (0)2-51226582
- campinglagachere85@ wanadoo.fr
- N 46°35'25'' W 1°49'57''

1 ADEJMNOPQRST		ABFGN 6
2 BHPQVXY		ABDEFGH 7
3 BELMQS		CDEFKNPRSV 8
4 BCDFHINOPQ		ELUVY 9
5 ABDEFGIL		BHIJNPV10
10A CEE		

1 €29,10
2 €35,40
4,8 ha 106T 95D

Von Brem-sur-Mer die Strecke nach Les Sables d'Olonne durch den Forêt d'Olonne nehmen. Der CP ist gut ausgeschildert.

Olonne-sur-Mer, F-85340 / Pays de la Loire

- Le Bois Soleil****
- 94 chemin des Barres
- 12 Apr - 13 Sep
- +33 (0)2-51331197
- camping.boissoleil@ wanadoo.fr
- N 46°33'16'' W 1°48'20''

1 ADJLNOPQRST		ABEFGH 6
2 HPVXY		ABDEFGH 7
3 ABEIKLS		ABCDFKNQRSV 8
4 ABCDHILNOPQRTUV		DELUV 9
5 ABDEFGIKL		BHIJNOTUZ10
10A		

1 €31,00
2 €40,50
3,5 ha 60T(100-120m²) 283D

Auf der D80 2 km westlich von Olonne-sur-Mer Richtung Brétignolles. Auf der rechten Seite ausgeschildert.

Olonne-sur-Mer, F-85340 / Pays de la Loire

- Le Nid d'Été****
- 2 rue de la Vigne Verte
- 1 Apr - 30 Sep
- +33 (0)2-51953438
- info@leniddete.com
- N 46°32'0'' W 1°47'37''

1 ADEJLNOPQRST		ABCFGHNQSX 6
2 AHPVX		ABDEFGH 7
3 AEKLQ		CDEFNOQRSV 8
4 BDFHINOPQUY		EKLUV 9
5 ABDEFGILM		BDHIJOR10
10A CEE		

1 €32,20
2 €41,20
3 ha 100T(100-160m²) 46D

Ab Angers die A87 bis La Roche-sur-Yon folgen. Dort der Route Les Sables d'Olonne. In Olonne-sur-Mer den Schildern folgen.

St. Christophe-du-Ligneron, F-85670 / P. de la L.

- Domaine de Bellevue***
- Bellevue de Ligneron
- 1 Jan - 31 Dez
- +33 (0)2-51933066
- campingdebellevue85@ orange.fr
- N 46°48'54'' W 1°46'30''

1 ADJMNOPQRST		CDFGN 6
2 DPVX		ABDEFGH 7
3 ABEFLQST		ABCDEFKNRSTUV 8
4 BCDFHINOPQ		AELUV 9
5 ABDEFGIK		BFGHIJPR10
16A CEE		

1 €23,45
2 €32,45
13 ha 45T(100-200m²) 102D

Von La Roche-sur-Yon die D948 Richtung Challans. Innerorts von St. Christophe-du-Ligneron den Hinweisen folgen.

St. Gilles-Croix-de-Vie, F-85800 / Pays de la Loire

- Le Bahamas Beach****
- 168 rte des Sables
- 7 Apr - 22 Sep
- +33 (0)2-51330505
- info@chadotel.com
- N 46°40'41'' W 1°54'56''

1 ADJLNOPQRST		ABCFGHKNQSX 6
2 EHPQVWX		ABDEFGH 7
3 BEIKLQ		BDEFKNRSV 8
4 BCDFHILNOPQ		DEJLUV 9
5 ACDEFGIJK		ABGHIJNOPT10
B 6A CEE		

1 €32,50
2 €40,50
4 ha 90T(100-120m²) 146D

Von Brétignolles D38 Richtung St. Gilles-Croix-de-Vie. Nach ca. 8 km beim Kreisverkehr der Küstenstraße folgen. CP liegt ca. 1 km weiter links.

St. Gilles-Croix-de-Vie, F-85800 / Pays de la Loire

- Les Cyprès***
- route des Sables
- 4 Apr - 28 Sep
- +33 (0)2-51553898
- contact@ camping-lescypres85.com
- N 46°40'15'' W 1°54'31''

1 ADILNORST		ABEFGKNQSX 6
2 BEHOPVXY		ABDEFGH 7
3 AEGHLQT		ABCDEFKNORSV 8
4 BCDFHILNOPQSU		BELUV 9
5 ACDEFGIK		BGHIJOTZ10
10A		

1 €31,10
2 €44,50
4 ha 140T(80-120m²) 164D

Von Brétignolles über die D38 in Richtung St. Gilles-Croix-de-Vie fahren. Nach ca. 8 km im Kreisverkehr links halten, Richtung Küste. Ab dort links ausgeschildert.

St. Hilaire-de-Riez, F-85270 / Pays de la Loire

- Domaine des Salins***
- 43 chemin du Quart du Matelot
- 1 Apr - 30 Sep
- +33 (0)2-51593628
- contact@ domainedessalins.com
- N 46°45'46'' W 2°1'32''

1 ADJMNOPQRST		ABFG 6
2 HOPVWX		ABDEFGH 7
3 BKLMQS		ABCDFHNRSV 8
4 BDFHINOPQU		EJLUV 9
5 ABDEFGI		BGHJNPV10
B 6A		

1 €29,40
2 €37,70
3 ha 32T(80-100m²) 109D

Von St. Jean-de-Monts die RD38 Richtung St. Hilaire, in Orouet Richtung les Mouettes, weiter Richtung Les Becs, dann der CP-Beschilderung folgen.

St. Hilaire-de-Riez, F-85270 / Pays de la Loire

- La Parée Préneau***
- 23 avenue de la Parée Préneau
- 1 Mai - 15 Sep
- +33 (0)2-51543384
- camplapareepreneau@free.fr
- N 46°44'25'' W 1°59'9''

1 ADJMNOPQRST		ABEFGX 6
2 PQVXY		BDEFGH 7
3 AEKLQT		ABCDFKNRSV 8
4 BCDHILNOPQU		AEJLUV 9
5 ADEFGIKLM		BHIJNOTUZ10
6A		

1 €30,70
2 €39,80
1,5 ha 100T(100-160m²) 106D

D38 um St. Hilaire westlich bis zum Kreisverkehr an der Fina-Tankstelle. Dann die D123 Richtung La Pège. Nach 3 km ausgeschildert.

St. Hilaire-de-Riez, F-85270 / Pays de la Loire

- La Pège***
- 67 av. de la Pège
- 1 Apr - 13 Okt
- +33 (0)2-51543452
- info@campinglapege.com
- N 46°44'30'' W 2°0'20''

1 ADEJLNORST		ABFGKNQS 6
2 EHPQVXY		ABDEFH 7
3 AKL		ABCDEFKNORSV 8
4 FH		EJ 9
5 A		BGHIJORZ10
B 6A		

1 €28,10
2 €37,10
1,6 ha 80T(100-120m²) 25D

Die D38 von St. Hilaire bis zum Kreisverkehr an der Fina-Tankstelle. Dann die D123 Richtung 'La Pège'. Nach 4 km ausgeschildert an der Meeresseite.

St. Hilaire-de-Riez, F-85270 / P. de la L.

- La Plage****
- 106 av. de la Pège
- 15 Apr - 30 Sep
- +33 (0)2-51543393
- campinglaplage@ campingscollinet.com
- N 46°44'43'' W 2°0'36''

1 ADJMNOPRST		ABEFGHKNQSX 6
2 EHPQVX		ABDEFGH 7
3 ABEKLMPQ		ABCDEFKNORSV 8
4 ABCDHILNOPQU		AEFKLUV 9
5 ABDEFGIKL		BGHIJOR10
10A		

1 €31,10
2 €43,60
5,5 ha 46T(100-120m²) 239D

D38 um St. Hilaire bis zum Kreisverkehr an der Fina-Tankstelle. Dann die D123 Richtung 'La Pège'. CP nach 4,5 km ausgeschildert.

St. Hilaire-de-Riez, F-85270 / Pays de la Loire ⬤ CC€16 iD

🏕 La Plage de Riez***
📧 avenue des Mimosas
📅 1 Apr - 31 Okt
☎ +33 (0)2-51543423
@ riez85@free.fr
📍 N 46°43'22'' W 1°58'46''

1 ADEILNOPQRST	ABFGKNX 6
2 BEHPQVXY	ABDEFGH 7
3 AELQT	ABCDEFKNRSTV 8
4 BCDFHIOPQX	EUVY 9
5 ABDEFGIK	BFGHIJLPUV10
6A CEE	

❶ €30,80
❷ €41,80
11 ha 289T(80-140m²) 142D

🚗 Von Nantes aus: Richtung La Roche-sur-Yon über die Route Départementale, danach Challans, St. Hilaire-de-Riez/St. Gilles Croix-de-Vie und Richtung Sion-sur-L'Ocean (nicht Richtung Zentrum).

St. Hilaire-de-Riez, F-85270 / Pays de la Loire ⬤ iD

🏕 La Prairie****
📧 ch. des Roselières
📅 5 Apr - 30 Sep
☎ +33 (0)2-51540856
@ campinglaprairie@ campingscollinet.com
📍 N 46°44'20'' W 2°0'18''

1 ADILNOPQRST	ABEFGHKMQS 6
2 EHPQRVXY	ABDEFGH 7
3 ABELMQ	ABCDEFNRSV 8
4 BCDHILNOPQ	AEJKLUV 9
5 ABDEFGIK	BHIJNOR10
10A	

❶ €37,10
❷ €49,30
4,1 ha 50T(85-110m²) 224D

🚗 D38 um St. Hilaire Richtung Westen bis zum Kreisverkehr an der Fina-Tankstelle. Dann die D123 Richtung 'La Pège'. Nach 4 km ist der CP rechts ausgeschildert.

St. Hilaire-de-Riez, F-85270 / Pays de la Loire ⬤ iD

🏕 Le Clos des Pins****
📧 ch. des Roselières
📅 1 Apr - 30 Sep
☎ +33 (0)2-51543262
@ campingclosdespins@ campingscollinet.com
📍 N 46°44'52'' W 2°0'3''

1 ADILNOQRST	ABEFGH 6
2 QTUVXY	BEFGH 7
3 ABEKL	BDFKNRSV 8
4 BCDFHILNOPQ	AEFUV 9
5 ABDEFGIK	BHIJOTU10
10A CEE	

❶ €37,10
❷ €49,30
4,1 ha 60T(80-100m²) 422D

🚗 D38 um St. Hilaire Richtung Westen bis zum Kreisverkehr an der Fina-Tankstelle. Dann Richtung 'La Pège'. Nach 4 km sind die CPs rechts ausgeschildert.

St. Hilaire-de-Riez, F-85270 / Pays de la Loire ⬤ iD

🏕 Les Écureuils****
📧 100 avenue de la Pège
📅 25 Apr - 12 Sep
☎ +33 (0)2-51543371
@ info@ camping-aux-ecureuils.com
📍 N 46°44'41'' W 2°2'35''

1 ADJMNOPQRST	ABEFGHKNQSX 6
2 EHOPQVX	ABDEFGH 7
3 ABELMQ	ABCDEFKNQRSTV 8
4 BCDFHILNOPQRUV	EHL 9
5 ABDEFGIL	BHIJMNOR10
0A	

❶ €40,80
❷ €54,80
4,5 ha 32T(110-160m²) 294D

🚗 Die D38 um St. Hilaire-de-Riez herum, weiter die D123 Richtung La Pège. CP-Hinweis nach 4 km.

St. Hilaire-la-Forêt, F-85440 / Pays de la Loire ⬤ CC€12 iD

🏕 La Grand' Métairie****
📧 8 rue de la Vineuse en Plaine
📅 11 Apr - 26 Sep
☎ +33 (0)2-51333238
@ info@ camping-grandmetairie.com
📍 N 46°26'55'' W 1°31'35''

1 ADEILNOPQRST	ABEFGI 6
2 PRVXY	ABDEFGH 7
3 BEHLQT	ABCDEFKNRSTV 8
4 BCDHILNOPQRSTU	EFLUV 9
5 ABDEFGIJKL	BHIJOPSTZ10
10A	

❶ €28,70
❷ €40,70
3,8 ha 34T(80-100m²) 138D

🚗 La Roche-sur-Yon D747 bis Moutiers. D19 über Avrillé nach St. Hilaire-la-Forêt. Ab dort ist der CP ausgeschildert.

St. Jean-de-Monts, F-85160 / Pays de la Loire ⬤ iD

🏕 Acapulco*****
📧 63 avenue des Epines
📅 1 Mai - 10 Sep
☎ +33 (0)2-51592064
@ acapulco@sunmarina.com
📍 N 46°45'16'' W 2°0'49''

1 ADJMNOPRT	ABFGHI 6
2 HQVWX	ABEFGH 7
3 ABEFIKLM	ABCDEFGKNORSTUV 8
4 ABCDFHILNOPQUY	ELV 9
5 ABDEFGIL	BFHPR10
B 10A CEE	

❶ €45,20
❷ €55,20
7 ha 40T(80-140m²) 410D

🚗 Von Nantes Richtung Noirmoutier. Dann Richtung Machoul/Challans. NICHT St. Jean-de-Monts folgen, sondern St. Gilles-Croix-de-Vie (RD38). Dann der Route des Saldes folgen, Avenue d'Orouet und Avenue des Epines.

St. Jean-de-Monts, F-85160 / Pays de la Loire ⬤ ✿ CC€16 iD

🏕 Aux Coeurs Vendéens****
📧 251 rte Notre-Dame-de-Monts
📅 25 Apr - 25 Sep
☎ +33 (0)2-51588491
@ info@coeursvendeens.com
📍 N 46°48'35'' W 2°6'35''

1 ADILNOPQRST	ABCDFG 6
2 HOPVXY	ABDEFGH 7
3 ABEKLQRST	ABCDEFKNOQRSTU 8
4 ABCDFHILNOPQRTUVX	EILUV 9
5 ABDEFGKLM	ABDHJNOPRZ10
B 10A CEE	

❶ €34,70
❷ €43,40
2 ha 47T(60-120m²) 73D

🚗 Von St. Jean-de-Monts die D38 in nördlicher Richtung nach Noirmoutier. Der Camping liegt direkt an der D38.

St. Jean-de-Monts, F-85164 / P. de la L. ⬤ CC€14 iD

🏕 Campéole Les Sirénes***
📧 71 avenue des Demoiselles
📅 5 Apr - 13 Sep
☎ +33 (0)2-51580131
@ sirenes@campeole.com
📍 N 46°46'49'' W 2°3'18''

1 ADJMNOPQRT	ABFG 6
2 BHQVWX	ABDEFG 7
3 ABEKLQT	ABCDFNORS 8
4 BDFHLN	EJLUV 9
5 ABCDGM	BGHIJPTUZ10
B 10A CEE	

❶ €31,20
❷ €47,20
15 ha 158T(ab 90m²) 177D

🚗 Richtung Nantes/La Roche-sur-Yon. Challans und St. Jean-de-Monts folgen. Dann Le Bourg, La Plage und Palais des Congrès. Am Kreisel auf die Avenue des Demoiselle fahren. CP liegt 500m weiter an der linken Seite.

St. Jean-de-Monts, F-85160 / P. de la L. ⬤ CC€14 iD

🏕 Campéole Plage des Tonnelles - Dornier****
📧 18 route de la Tonnelle
📅 4 Apr - 13 Sep
☎ +33 (0)2-51588116
@ plage-tonnelles@campeole.com
📍 N 46°48'37'' W 2°7'12''

1 ADEJMNOPQRST	ABFGK 6
2 BEHOQTWX	ABDEFGH 7
3 BEKLRTU	ABCDEFGIKNORSV 8
4 BDFHILNORTU	AEFJLUV 9
5 ACDEGHM	ABDGHJPTUZ10
B 6A CEE	

❶ €31,20
❷ €47,20
25 ha 231T(70-110m²) 287D

🚗 Von Nantes aus Ri. Noirmoutier/Challans/St. Jean-de-Monts am ersten Kreisel von St. Jean-de-Monts, Ri. D38 Notre Dame-de-Monts/Noirmoutier. Nach 6 km am Kreisel Tonnelles links ab und den CP-Schildern folgen

St. Jean-de-Monts, F-85160 / P. de la L. ⬤ ✿ CC€16 iD

🏕 Camping-Caravaning La Forêt****
📧 190 chemin de la Rive
📅 1 Mai - 20 Sep
☎ +33 (0)2-51588463
@ camping-la-foret@wanadoo.fr
📍 N 46°49'6'' W 2°7'48''

1 ADJMNOPQRST	ABFG 6
2 EHOPQVX	ABDEFGH 7
3 ABKLQ	ABCDEFGHNPQRSTUV 8
4 FHIOQ	ELRUV 9
5 ABDEFL	ABGHIJNPTUVZ10
B 10A CEE	

❶ €36,10
❷ €44,10
1 ha 45T(88-120m²) 16D

🚗 In St. Jean-de-Monts die D38 Richtung Notre-Dame-de-Monts. Am Ortschild Notre-Dame-de-Monts links in die Chemin la Rive Straße. CP nach 300m links.

St. Jean-de-Monts, F-85160 / P. de la L. ⬤ CC€14 iD

🏕 l'Océan****
📧 67 rue de Notre Dame de Monts
📅 1 Apr - 19 Sep
☎ +33 (0)2-51580388
@ info@campinglocean.com
📍 N 46°48'1'' W 2°4'42''

1 ADEJMNOPQRST	ABFG 6
2 HOPQVWXY	ABDEFGH 7
3 ABEKLQU	ABCDFKNRSV 8
4 BCDFHILNOPQ	EJL 9
5 ADEGLM	ABDHJOST10
B 10A	

❶ €33,20
❷ €41,20
4,2 ha 94T(80-120m²) 113D

🚗 Von St. Jean-de-Monts Richtung Notre-Dame-de-Monts über die D38. Am Stadtende ist es der 1. links an der D38.

St. Jean-de-Monts, F-85169 / Pays de la Loire ⬤

🏕 La Buzelière****
📧 79 rue de Notre Dame
📅 1 Mai - 30 Sep
☎ +33 (0)2-51586480
@ info@buzeliere.com
📍 N 46°48'2'' W 2°4'51''

1 ADILNORT	ABFGHX 6
2 HOPQVWXY	ABDEFGH 7
3 BGIJKLQ	ABCDEFNRSUV 8
4 BCDFHNOQ	EL 9
5 ABDEFGIKLM	HHJNPTU10
B 10A	

❶ €32,80
❷ €39,90
2,5 ha 92T(80-120m²) 33D

🚗 CP 1 km nördlich von St. Jean-de-Monts, an Straße D38.

St. Jean-de-Monts, F-85160 / P. de la L. ⬤ CC€14 iD

🏕 La Davière Plage***
📧 197 rte de Notre Dame
📅 25 Apr - 30 Sep
☎ +33 (0)2-51582799
@ contact@daviereplage.com
📍 N 46°48'20'' W 2°6'5''

1 ADEJMNOPRST	ABFG 6
2 HOPQVWXY	ABDEFGH 7
3 BKL	ABCDFINORSV 8
4 BDFHNOPQHU	AEIUV 9
5 ABCDEFGIL	BGHJOTUV10
B 10A CEE	

❶ €28,55
❷ €38,30
3 ha 153T(90-135m²) 58D

🚗 Der CP liegt 1,5 km nördlich von St. Jean-de-Monts. Den D38 Richtung Notre-Dame-de-Monts folgen. CP links ab, am Chemin de la Davière.

St. Jean-de-Monts, F-85160 / P. de la L. ⬤ ✿ CC€16 iD

🏕 La Prairie****
📧 146 rue du Moulin Cassé
📅 4 Apr - 30 Sep
☎ +33 (0)2-51581604
@ campinglaprairie@free.fr
📍 N 46°48'15'' W 2°5'36''

1 ADEJMNOPQRT	ABFG 6
2 HOPVWX	ABDEFGH 7
3 ABKQS	ABCDFKNORST 8
4 BDFHILNOPQR	EUV 9
5 ABDEGKLM	BGHJPV10
B 6A	

❶ €31,20
❷ €40,30
2 ha 41T(85-100m²) 31D

🚗 Von St. Jean-de-Monts die D38 Richtung Notre-Dame-de-Monts. Der Camping liegt etwa 1,5 km nördlich von St. Jean-de-Monts, den Camping-Schildern folgen.

St. Jean-de-Monts, F-85160 / P. de la L. ⬤ CC€16 iD

🏕 La Yole****
📧 chemin des Bosses
📅 11 Apr - 24 Sep
☎ +33 (0)2-51586717
@ contact@la-yole.com
📍 N 46°45'23'' W 2°0'27''

1 ADEILNOPQRST	ABEFGHN 6
2 PQVXY	ABDEFGH 7
3 BEKLMQ	ABCDEFGIJKNQRSUV 8
4 BCDFGHILNOPQU	AEUV 9
5 ACDEFGIJK	ABGHIJOTUV10
B 10A	

❶ €36,50
❷ €49,90
9 ha 172T(90-150m²) 320D

🚗 Von St. Hilaire die D38B nordwestlich bis Le Pissot. Dann die D38, nach 4 km links angezeigt. Oder von St. Jean-de-Monts Richtung St. Hilaire, 6 km rechts.

St. Jean-de-Monts, F-85165 / P. de la L. ⬤ CC€16 iD

🏕 Le Bois Joly****
📧 46 rte de N.D. de Monts, B.P. 507
📅 4 Apr - 27 Sep
☎ +33 (0)2-51591163
@ campingboisjoly@wanadoo.fr
📍 N 46°47'59'' W 2°4'28''

1 ADEILNOPQRT	ABEFGHIN 6
2 CGHOPVWXY	ABDEFGH 7
3 ABEHIKLMQT	ABCDEFGJKNORSTUV 8
4 BCDFHILNOPQRTUZ	EFLUV 9
5 ABDEFGIKM	ABDFGHIJNOTUZ10
10A CEE	

❶ €36,20
❷ €45,20
7,5 ha 201T(80-110m²) 181D

🚗 D38 St. Jean-de-Monts Richtung Notre-Dame-de-Monts, CP am Ortsrand, direkt an Straße D38.

La Garangeoire ★★★★★

Dieser Camping mit internationaler Anmutung hat alles zu bieten, was Sie sich wünschen. Zahlreiche Aktivitäten des Animationsteam unterstreichen das. Sie müssen sich keinen Augenblick langweilen: es gibt immer was zu tun, besonders für Kinder. Angeln, Reitanlage, schwimmen, Bogenschießen und Tennis sind nur eine kleine Auswahl. Das große Landgut steht für Ruhe in einer grünen Oase. Der Camping ist bekannt für sein Restaurant mit ausführlicher Karte, wo Sie in einer netten Umgebung die französische Küche genießen können.

85150 St. Julien-des-Landes
Tel. 02-51466539
Fax 02-51466985
E-Mail: info@garangeoire.com
Internet: www.camping-la-garangeoire.com

LES CASTELS *****
Hôtellerie de Plein Air

St. Jean-de-Monts, F-85169 / Pays de la Loire

- ▲ Les Amiaux****
- 🏠 223 rte Notre Dame de Monts
- 🕐 2 Mai - 30 Sep
- ☎ +33 (0)2-51582222
- @ accueil@amiaux.fr

1 ADILNOPQRT	ABEFGH 6
2 HOPVWXY	ABDEFGH 7
3 ABDEKLMQR	ABCDEFNORSTUV 8
4 BCDFHILNOPQU	EILUV 9
5 ACDEFGIJKL	ABHJMPTUZ10
B 10A CEE	❶ € 38,20
16 ha 300T(100-120m²) 244D	❷ € 46,20

📍 N 46°48'28'' W 2°6'17''
🚗 D38 von St. Jean-de-Monts in nördlicher Richtung nach Noirmoutier, CP liegt direkt an Straße D38.

St. Jean-de-Monts, F-85160 / Pays de la Loire

- ▲ Les Genêts*****
- 🏠 55 avenue des Epines
- 🕐 1 Mai - 10 Sep
- ☎ +33 (0)2-51589394
- @ info@sunmarina.com

1 ADEJMNOPRT	ABEFGHI 6
2 HQVWX	ABDEFGH 7
3 ABEFKLM	BCDFGJKNORSTUV 8
4 ABCDFHILNOPQU	ELUV 9
5 ABDEFGI	ABFHNPTUZ10
B 10A CEE	❶ € 45,20
7,5 ha 80T(80-130m²) 360D	❷ € 55,20

📍 N 46°45'24'' W 2°0'44''
🚗 Von Nantes Richtung Noirmoutier. Dann Richtung Machoul/Challans. NICHT St. Jean-de-Monts folgen, sondern St. Gilles-Croix-de-Vie (RD38). Dann die Route des Saldes, Avenue d'Orouet und Avenue des Epines.

St. Jean-de-Monts, F-85164 / Pays de la Loire

- ▲ Les Jardins de l'Atlantique****
- 🏠 100 rue de la Caillauderie
- 🕐 1 Apr - 30 Sep
- ☎ +33 (0)2-51580574
- info@camping-jardins-atlantique.com

1 ADILNOPQRT	ABEFGH 6
2 BHOPQVWXY	ABDEFGH 7
3 ABDEIKLQT	ABCDFKNQRSV 8
4 BDFHILNOPQRTUV	EIUV 9
5 ABDEFGIKL	BHIJNOTUV10
B 6A	❶ € 27,20
5 ha 50T(80-110m²) 387D	❷ € 37,90

📍 N 46°46'15'' W 2°1'40''
🚗 Von Nantes aus Richtung Challans die D753 nach St. Jean-de-Monts/Plage des Demoiselles und den CP-Schildern folgen. Ist gut angezeigt.

St. Jean-de-Monts, F-85160 / Pays de la Loire

- ▲ Les Samaras***
- 🏠 53 chemin du Champ de Bataille
- 🕐 1 Apr - 15 Okt
- ☎ +33 (0)2-51595101
- @ contact@camping-lessamaras.fr

1 ADJMNOPQRT	ABCDFGHN 6
2 BPQVX	ABDEFGH 7
3 AFKLQT	ABCDEFNRSV 8
4 BDFHILNOPQ	BEUV 9
5 ACDEFGKL	BFHIJPV10
B 10A CEE	❶ € 28,20
1,3 ha 72T 39D	❷ € 37,90

📍 N 46°45'20'' W 1°58'47''
🚗 Von Challans die D753 Richtung St. Jean-de-Monts. Bei Le Perrier links ab auf die D59 und weiter den CP-Schildern folgen.

St. Jean-de-Monts, F-85160 / Pays de la Loire

- ▲ Plein Sud***
- 🏠 246 route Notre Dame de Monts
- 🕐 11 Apr - 13 Sep
- ☎ +33 (0)2-51591040
- @ info@campingpleinsud.com

1 ADILNOPRT	ABFG 6
2 HOPVWX	ABDEFGH 7
3 BEKL	BDFNQRSTUV 8
4 BDFHILNOPQ	AEUV 9
5 ABGKLM	BHJOR10
B 6A CEE	❶ € 31,70
2 ha 30T(90-100m²) 79D	❷ € 39,70

📍 N 46°48'35'' W 2°6'33''
🚗 An der D38 zwischen St. Jean-de-Monts und Notre-Dame-de-Monts.

St. Julien-des-Landes, F-85150 / P. de la L.

- ▲ Château La Forêt****
- 🏠 1 Mai - 5 Sep
- ☎ +33 (0)2-51466211
- @ camping@chateaulaforet.com

1 ADEJMNOPQRST	ABEFGHNQX 6
2 BDFGIPVXY	ABDEFGHK 7
3 ABCEFGHILMQST	BDFHKNQRSTU 8
4 ABCDFHIKLNOPQUXYZ	ACEJLPQRTUV 9
5 ABDEFGJL	ABDFGHIJNOPTVZ10
10A	❶ € 40,10
50 ha 150T(100-140m²) 110D	❷ € 53,10

📍 N 46°38'36'' W 1°42'41''
🚗 D12 La Chaize-Giraud in Richtung St. Julien-des-Landes. Nach der Kirche links auf die D55, danach ausgeschildert.

St. Julien-des-Landes, F-85150 / P. de la L.

- ▲ Flower Camping La Bretonnière****
- 🕐 4 Apr - 30 Sep
- ☎ +33 (0)2-51466244
- @ info@la-bretonniere.com

1 ADEJMNOPQRST	ABCDFGNQSXYZ 6
2 DHPWXY	ABDEFGH 7
3 ADEFKLMQ	ABCDFKNOQRSV 8
4 ABDEFHIOPQ	ACEJPQRTU 9
5 ABDEFGKL	BDGHIJOPR10
B 12A CEE	❶ € 30,00
5,5 ha 119T(140-200m²) 34D	❷ € 41,00

📍 N 46°38'39'' W 1°43'57''
🚗 Aus Angers die A87 Richtung Cholet, Roche-sur-Yonne. Hier Les Sables d'Olonne anhalten. Bei Ausfahrt La Mothe-Achard/St. Julien Richtung St. Gilles fahren.

St. Julien-des-Landes, F-85150 / P. de la L.

- ▲ La Garangeoire*****
- 🕐 18 Apr - 19 Sep
- ☎ +33 (0)2-51466539
- @ info@garangeoire.com

1 ADEJLNOPQRST	ABCDFGHNQSXYZ 6
2 DGPQVXY	ABDEFGH 7
3 BCEFGHIKLMNQRSTV	ABCDEFIJKNQRSTUV 8
4 ABCDEFHIJKLNOPQTUXZ	AEJLPQRTUVWY 9
5 ACDEFGIJKLM	ABCDGHIJNOTUZ10
Anzeige auf dieser Seite B 12A CEE	❶ € 43,50
20 ha 174T(120-180m²) 216D	❷ € 52,90

📍 N 46°39'39'' W 1°42'56''
🚗 Auf der N160 Les Sables d'Olonne - La Roche-sur-Yon bei La Mothe-Achard die D12 Richtung St. Julien-des-Landes nehmen. Danach D21 noch 3 km Richtung La Chapelle fahren, Camping auf der rechten Seite.

St. Julien-des-Landes, F-85150 / P. de la L.

- ▲ Village de la Guyonnière*****
- 🏠 La Guyonnière
- 🕐 25 Apr - 13 Sep
- ☎ +33 (0)2-51466259
- @ info@laguyonniere.com

1 ADEJMNOPQRST	ABCFGHINQSXYZ 6
2 ADFGHPRUVWXY	ABDEFGHK 7
3 ABEFGHILMNOST	ABCDEFNQRSTV 8
4 ABCDEFHIKLNOPQTUVXYZ	CEJKLPQRTUVW 9
5 ACDEFGIJKL	ABDFGHIJMNPSTZ10
Anzeige auf Seite 185 B 10A CEE	❶ € 40,90
30 ha 167T(150-300m²) 127D	❷ € 56,70

📍 N 46°39'0'' W 1°45'0''
🚗 A83 Nantes-Bordeaux/La Rochelle, Ausf. D763 La Roche-sur-Yon. Von Angers die A87 Cholet/La Roche-sur-Yon. Hier Ri. N160 Sables-d'Olonne. Bei Ausf. La Mothe-Achard/St. Julien folgen.

St. Laurent-sur-Sèvre, F-85290 / P. de la L.

- ▲ Le Rouge Gorge***
- 🏠 route de la Verrie
- 🕐 1 Apr - 30 Sep
- ☎ +33 (0)2-51678639
- @ campinglerougegorge@wanadoo.fr

1 ADEJMNOPRST	ABFGN 6
2 AGPVWXY	ABDEFGH 7
3 ABELQST	ABCDFHJKNORSTUV 8
4 BCDFHILO	ADEJLU 9
5 ABDEFGKL	ABDIJOQTUV10
B 13A CEE	❶ € 23,85
H106 2 ha 93T(100-200m²) 27D	❷ € 30,05

📍 N 46°57'30'' W 0°54'14''
🚗 In St. Laurent-sur-Sèvre ist der CP deutlich ausgeschildert.

St. Malo-du-Bois, F-85590 / Pays de la Loire

- ▲ La Vallée de Poupet
- 🕐 15 Mai - 15 Sep
- ☎ +33 (0)2-51923145
- @ camping@valleedepoupet.com

1 ADEJMNOPRST	ABFGNUV 6
2 BCGPXY	ABDEFGHK 7
3 ABHLQR	ABCDEFGNQRSTUV 8
4 BCDEFHIO	AFJLQR 9
5 ABEFGKLM	BGHIJLPRVZ10
B 8A	❶ € 24,70
H136 30 ha 94T(90-120m²) 25D	❷ € 26,90

📍 N 46°55'33'' W 0°52'27''
🚗 Ab der A83 Ausfahrt Les Herbiers. Ab Cholet Richtung St. Malo. Ab hier ist der CP gut ausgeschildert.

St. Martin-Lars-en-Ste-Hermine, F-85210 / P. de la L.

- ▲ Le Colombier****
- 🕐 1 Apr - 1 Okt
- ☎ +33 (0)2-51278384
- @ lecolombier.nat@wanadoo.fr

1 ADEJMNOPQRST	ABFGN 6
2 BCDGPTVWXY	ABDEFGH 7
3 ABELQRS	ABEFKNQRS 8
4 BCDFHIKNORTUVX	AEL 9
5 ABDEGIL	ABDHIJMNPQTUVZ10
FKK B 6A CEE	❶ € 28,50
H70 50 ha 176T(120-200m²) 82D	❷ € 37,10

📍 N 46°35'52'' W 0°58'9''
🚗 Von Noirt die N148 nach Ste Hermine, D8 durch Thiré Richtung La Caillère, links ab D52 St. Martin-Lars. Weiter mit kleinen Schildern angezeigt.

St. Michel-en-l'Herm, F-85580 / P. de la L.

- ▲ La Dive****
- 🏠 12 route de la Mer
- 🕐 1 Apr - 30 Sep
- ☎ +33 (0)2-51302694
- @ camping-la-dive@wanadoo.fr

1 ADEILNOPQRST	ABFGHI 6
2 OPVWXY	ABDEFGH 7
3 BDEFGHILQT	ABCDFKNQRST 8
4 BCDEFHKNOPRTU	BCEJUV 9
5 ABDEFIM	BGHIJMOPSTVZ10
B 10A CEE	❶ € 30,85
110T 153D	❷ € 40,85

📍 N 46°20'57'' W 1°14'53''
🚗 In St. Michel-en-l'Herm Richtung L'Aiguillon-sur-Mer. Am Ortsrand rechts ab, der Camping-Beschilderung folgen.

Frankreich

St. Michel-en-l'Herm, F-85580 / Pays de la Loire 🛜 iD

▲ Les Mizottes★★★★	1 ADE**IL**NOPRT	AEF 6
🏠 41 rue des Anciens Quais	2 OPRVXY	ABDE**FGH** 7
📅 1 Apr - 30 Sep	3 ABELQ	ABCDEFKNORSUV 8
☎ +33 (0)2-51302363	4 BDHILNO**PQ**	ELUV 9
@ accueil@	5 ABDFGK**LM**	BFGHIJO**P**T10
campinglesmizottes.fr	6A CEE	❶ €27,85
📍 N 46°20'58'' W 1°15'16''	3 ha 50T(82-140m²) 120D	❷ €36,35

🚗 An der D746 Richtung L'Aiguillon-sur-Mer. Am Rande des Dorfes.

St. Révérend, F-85220 / Pays de la Loire 🛜 iD

▲ Le Pont Rouge★★★	1 ADE**JL**NOPQRST	ABFG 6
🏠 av. Georges Clémenceau	2 COPQVX	ABDE**FGH** 7
📅 5 Apr - 30 Sep	3 BE**KL**QT	ABCDEFIKNRSUV 8
☎ +33 (0)2-51546850	4 BDFHILNOP	ADE 9
@ camping.pontrouge@	5 ABDEFGK**M**	BFHIJ**N**O**T**U10
wanadoo.fr	6A CEE	❶ €25,30
📍 N 46°41'47'' W 1°50'2''	2,1 ha 41T(100-120m²) 27D	❷ €34,30

🚗 Ob von Coex nach St. Gilles-Croix-de-Vie. Bei St. Révérend den kleinformatigen Schildern folgen.

St. Vincent-sur-Jard, F-85520 / P. de la L. 🛜 CC€12 iD

▲ La Bolée d'Air★★★★	1 ADE**IL**NOPQRST	ABEFGH 6
🏠 route du Bouil	2 GHPVWX	ABD**FGH** 7
📅 4 Apr - 20 Sep	3 ABEF**IKLM**QT	ABFKNRSV 8
☎ +33 (0)2-51330505	4 BCDINO**PQ**TU	EJLUV 9
@ info@chadotel.com	5 ABDEG	R**H**IK**PS**T10
	10A CEE	❶ €31,70
📍 N 46°25'5'' W 1°31'38''	6 ha 120T(80-100m²) 160D	❷ €39,70

🚗 Les Sables d'Olonne Richtung La Tranche-sur-Mer, 1,5 km hinter St. Vincent-sur-Jard (D21), rechts der Straße.

St. Vincent-sur-Jard, F-85520 / Pays de la Loire 🛜 iD

▲ La Mouette Cendrée★★★	1 ADE**IL**NOPRT	ABFGH 6
📅 1 Apr - 31 Okt	2 PVXY	ABDE**F** 7
☎ +33 (0)2-51335904	3 ABGHLQT	ABCDEFNORV 8
@ camping.mc@orange.fr	4 H	EJUV 9
	5 AL	BHIJO**T**UV10
	10A CEE	❶ €30,20
📍 N 46°25'32'' W 1°33'57''	1,2 ha 50T(80-100m²) 55D	❷ €39,20

🚗 Der D19 von Jard-sur-Mer Richtung St. Hilaire-la-Forêt folgen. Der CP ist links der Strecke gut angezeigt.

Talmont-St-Hilaire, F-85440 / Pays de la Loire 🛜 iD

▲ Le Paradis★★★	1 ADE**IL**NORT	ABCDFGX 6
🏠 rue de la Source	2 GOPUVXY	ABDE**FGH**K 7
📅 1 Apr - 30 Sep	3 BE**KL**QT	ABCDFKNORSV 8
☎ +33 (0)2-51222236	4 **A**BCDFHILNO**PQ**	AEJLUV 9
@ info@	5 ABDEFGIK**LM**	BHIJ**O**TUZ10
camping-leparadis85.com	10A CEE	❶ €27,20
📍 N 46°27'53'' W 1°39'18''	5 ha 69T(70-100m²) 100D	❷ €34,70

🚗 Von Talmont-St-Hilaire die D949 Richtung Les Sables-d'Olonne nehmen. Dann nach links auf die D4a Richtung Bourgenay. CP nach 1 km rechts, beschildert.

Talmont-St-Hilaire, F-85440 / Pays de la Loire 🛜 CC€14 iD

▲ Loyada★★★★★	1 ADE**IL**NOPRST	ABEFGHI 6
🏠 111 rue de la Source/av. de l'Atl.	2 PRVWX	BE**FG**H 7
📅 1 Apr - 11 Okt	3 ABEKLQRT	BDFJKNORSTUV 8
☎ +33 (0)2-51212810	4 BCDILNO**PQ**UX	BEFJLUV 9
@ contact@camping-loyada.fr	5 ABCDEGK**M**	BDHIJMO**P**TUZ10
	B 16A CEE	❶ €30,70
📍 N 46°27'57'' W 1°39'10''	H50 5 ha 28T(100-150m²) 198D	❷ €40,20

🚗 Von Talmont-St-Hilaire die D949 Richtung Les Sables-d'Olonne. Dann D4a links Richtung Bourgenay. CP nach 1 km rechts angezeigt.

Talmont-St-Hilaire, F-85440 / P. de la L. 🛜 CC€14 iD

▲ Sun Océan★★★	1 ADE**IL**NOPQRST	CDFG 6
🏠 538 av. des Sables	2 OPVXY	ABDE**FGH** 7
📅 28 Mär - 27 Sep	3 BELQST	ABCDFNRTUV 8
☎ +33 (0)2-51906124	4 BDFHINO**PQ**	EFJLV 9
@ camping-sunocean@	5 AD**G**L	B**H**IJO**T**10
wanadoo.fr	B 10A CEE	❶ €28,90
📍 N 46°28'14'' W 1°38'6''	2,2 ha 58T(100-140m²) 64D	❷ €39,60

🚗 An der D949 am Ortsausgang von Talmont-St-Hilaire Richtung Les Sables. Auf der rechten Seite.

Talmont-St-Hilaire, F-85440 / Pays de la Loire 🛜 CC€16 iD

▲ Yelloh! Village	1 ADE**IL**NOPQRST	ABEFGHINO 6
Le Littoral★★★★★	2 BE**J**MOPQVWXY	ABDE**FGH** 7
🏠 Le Porteau	3 ABDE**HKLM**QT	ABCDEFJKNOQRSTUV 8
📅 3 Apr - 30 Sep	4 **A**BCDFHILNO**PQ**U	EJLV 9
☎ +33 (0)2-51220464	5 ABCDEFGIJK**L**	ABDFGHIJ**NOP**TUZ10
@ info@campinglelittoral.com	Anzeige auf dieser Seite ❶ 10A CEE	❶ €46,20
📍 N 46°27'7'' W 1°42'6''	9 ha 100T(80-100m²) 360D	❷ €59,20

🚗 D949 von Talmont-St-Hilaire nach Les Sables-d'Olonne, kurz hinter der Trabrennbahn links ab. Weiter ausgeschildert.

Vendrennes, F-85250 / Pays de la Loire 🛜 CC€14 iD

▲ de la Motte★★★	1 ADE**JM**NOPQRST	ABFGN 6
🏠 La Motte	2 AOPVXY	ABDE**FG** 7
📅 1 Jan - 31 Dez	3 AEQS	ABCDEFJNRV 8
☎ +33 (0)2-51635967	4 BCD**F**HIKNO**PQ**	CL 9
@ contact@	5 ABDEFGKL	ABDHIJOR10
camping-lamotte.com	16A CEE	❶ €20,85
📍 N 46°49'38'' W 1°7'2''	3,4 ha 43T(100-140m²) 75D	❷ €25,65

🚗 Von der A83 oder A87 die Ausfahrt Les Essarts nehmen und weiter die D160 Richtung Cholet. Innerorts von Vendrennes ist der CP angezeigt.

Poitou-Charentes

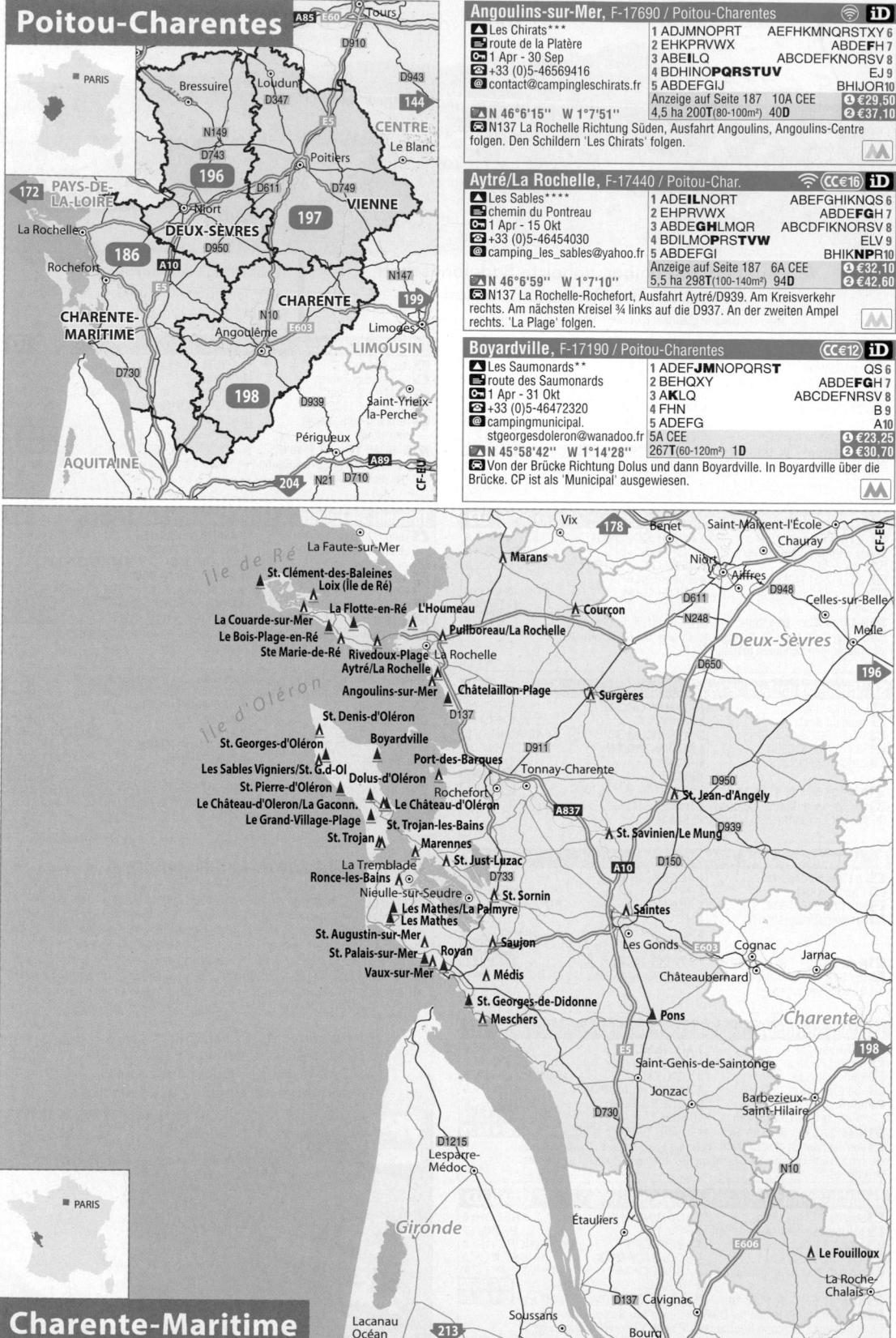

Angoulins-sur-Mer, F-17690 / Poitou-Charentes

Les Chirats★★★
route de la Platère
1 Apr - 30 Sep
+33 (0)5-46569416
contact@campingleschirats.fr
N 46°6'15'' W 1°7'51''
N137 La Rochelle Richtung Süden, Ausfahrt Angoulins, Angoulins-Centre folgen. Den Schildern 'Les Chirats' folgen.

1 ADJMNOPRT	AEFHKMNQRSTXY	6
2 EHKPRVWX	ABDE**F**H	7
3 ABE**I**LQ	ABCDEFKNORSV	8
4 BDHINO**PQRSTUV**	EJ	9
5 ABDEFGIJ	BHIJOR	10

Anzeige auf Seite 187 10A CEE
4,5 ha 200**T**(80-100m²) 40**D**
❶ €29,50
❷ €37,10

Aytré/La Rochelle, F-17440 / Poitou-Char. CC €16

Les Sables★★★★
chemin du Pontreau
1 Apr - 15 Okt
+33 (0)5-46454030
camping_les_sables@yahoo.fr
N 46°6'59'' W 1°7'10''
N137 La Rochelle-Rochefort, Ausfahrt Aytré/D939. Am Kreisverkehr rechts. Am nächsten Kreisel ¾ links auf die D937. An der zweiten Ampel rechts. 'La Plage' folgen.

1 ADE**I**LNORT	ABEFGHIKNQS	6
2 EHPRVWX	ABDE**F**GH	7
3 ABDE**GH**LMQR	ABCDFIKNORSV	8
4 BDILMO**PRSTVW**	ELV	9
5 ABDEFGI	BHIK**N**PR	10

Anzeige auf Seite 187 6A CEE
5,5 ha 298**T**(100-140m²) 94**D**
❶ €32,10
❷ €42,60

Boyardville, F-17190 / Poitou-Charentes CC €12

Les Saumonards★★
route des Saumonards
1 Apr - 31 Okt
+33 (0)5-46472320
campingmunicipal.
stgeorgesdoleron@wanadoo.fr
N 45°58'42'' W 1°14'28''
Von der Brücke Richtung Dolus und dann Boyardville. In Boyardville über die Brücke. CP ist als 'Municipal' ausgewiesen.

1 ADEF**JM**NOPQRS**T**	QS	6
2 BEHQXY	ABDE**F**GH	7
3 A**K**LQ	ABCDEFNRSV	8
4 FHN	B	9
5 ADEFG	A	10

5A CEE
267**T**(60-120m²) 1**D**
❶ €23,25
❷ €30,70

Map labels:

Poitou-Charentes

PARIS

CENTRE

PAYS-DE-LA-LOIRE

VIENNE

DEUX-SÈVRES

CHARENTE

CHARENTE-MARITIME

LIMOUSIN

AQUITAINE

Tours, Bressuire, Loudun, Poitiers, Le Blanc, Niort, La Rochelle, Rochefort, Angoulême, Limoges, Saint-Yrieix-la-Perche, Périgueux

Île de Ré, La Faute-sur-Mer, St. Clément-des-Baleines, Loix (Île de Ré), La Flotte-en-Ré, L'Houmeau, La Couarde-sur-Mer, Le Bois-Plage-en-Ré, Pulboreau/La Rochelle, Courçon, Marans, Ste Marie-de-Ré, Rivedoux-Plage, La Rochelle, Aytré/La Rochelle, Angoulins-sur-Mer, Châtelaillon-Plage, Surgères, Île d'Oléron, St. Denis d'Oléron, St. Georges-d'Oléron, Boyardville, Port-des-Barques, Les Sables Vigniers/St. G.d-Ol, Dolus-d'Oléron, Tonnay-Charente, St. Jean-d'Angely, St. Pierre-d'Oléron, Rochefort, Le Château-d'Oleron/La Gaconn., Le Château-d'Oléron, Le Grand-Village-Plage, St. Trojan-les-Bains, St. Savinien/Le Mung, St. Trojan, Marennes, La Tremblade, St. Just-Luzac, Ronce-les-Bains, Nieulle-sur-Seudre, St. Sornin, Saintes, Les Mathes/La Palmyre, Les Mathes, St. Augustin-sur-Mer, Saujon, Les Gonds, Cognac, Jarnac, St. Palais-sur-Mer, Royan, Vaux-sur-Mer, Médis, Châteaubernard, St. Georges-de-Didonne, Pons, Meschers, Charente, Saint-Genis-de-Saintonge, Jonzac, Barbezieux-Saint-Hilaire, Lespare-Médoc, Étauliers, Gironde, Le Fouilloux, La Roche-Chalais, Lacanau Océan, Soussans, Cavignac, Bourg

Deux-Sèvres, Vix, Benet, Saint-Maixent-l'École, Chauray, Niort, Aiffres, Celles-sur-Belle, Melle

Charente-Maritime

Les Sables ★★★

★ Große abgegrenzte Parzellen.
★ Freizeitprogramm für Jung und Alt.
★ Angelweiher, Tretboote.
★ Vermietung und Verkauf von Mobilheimen.

17440 Aytré/La Rochelle
Tel. und Fax 05-46454030
Internet: www.camping-les-sables.com

Dolus-d'Oléron, F-17550 / Poitou-Charentes 📶 iD

Camping Indigo Oléron Les Chênes Verts****
Passe de l'Ecuissière
27 Mai - 28 Sep
+33 (0)5-46753288
chenes-verts@camping-indigo.com
N 45°53'13'' W 1°16'31''
Von der Brücke nach Dolus. Am Kreisel Intermarché links, geradeaus. Dann angezeigt.

1 ADEILNOPRT	KNPQRST 6	
2 BEKPQUY	ABDEFGH 7	
3 BEFKLQRV	ABCDEFGHIKNQRS 8	
4 BDFHIL	FUV 9	
5 ABDEFGKL	ABHJNOTU 10	
10A CEE	① €32,70	
4 ha 95T 45D	② €43,90	

Dolus-d'Oléron, F-17550 / Poitou-Charentes 📶 CC€16 iD

Ostrea****
route des Huitres
1 Apr - 30 Sep
+33 (0)5-46476236
camping.ostrea@wanadoo.fr
N 45°54'46'' W 1°13'26''
Ab Brücke rechts Richtung Le Château, durch den Ort, rechts der Küstenstraße, CP nach 3 km.

1 ADJMNOPRST	CDEFGKQSWXY 6	
2 EFHPQRVWX	ABDFGH 7	
3 BEFKLQR	ABCDEFKNOQRSV 8	
4 BDHIJLNOPQU	DEUV 9	
5 ABEFGIKLM	ABGHJMPST 10	
Anzeige auf Seite 189 B 6A	① €33,70	
2 ha 60T(75-120m²) 53D	② €49,30	

L'Houmeau, F-17137 / Poitou-Charentes 📶 CC€16 iD

Au Petit Port de l'Houmeau***
rue des Sartières
1 Apr - 30 Sep
+33 (0)5-46509082
info@aupetitport.com
N 46°11'44'' W 1°11'17''
Umgehung von La Rochelle Richtung Ile de Ré. Ausfahrt Lagord. Am Kreisverkehr Ausfahrt D104 Nieul, dann D106 nach L'Houmeau.

1 ADEILNOPQRT	ABFGNQS 6	
2 JOPRVXY	ABDEFGH 7	
3 BKLQ	ABCDFKNQRSV 8	
4 HIO	EJV 9	
5 ABDGI	ABDHIJPUV 10	
Anzeige auf dieser Seite B 16A	① €26,35	
2,2 ha 58T(70-110m²) 75D	② €33,35	

La Couarde-sur-Mer, F-17670 / Poitou-Char. 📶 CC€16 iD

La Tour des Prises****
route d'Ars
4 Apr - 28 Sep
+33 (0)5-46298482
camping@lesprises.com
N 46°12'16'' W 1°26'47''
Hinter der Brücke Richtung La Flotte-en-Ré, dann nach St. Martin-de-Ré weiter nach Couarde-sur-Mer. Schließlich Richtung Ars-en-Ré, rechts ab. Vom Kreisel in Couarde aus ausgeschildert.

1 ADEILNOPQRST	ABEFG 6	
2 OPQVWXY	ABDEFGH 7	
3 BFLQS	ABCDEFIJKLMNOPRSV 8	
4 ABCDHIOPQ	ELUVW 9	
5 ABCDEFGM	ABDFGHIJNPTUWZ 10	
Anzeige auf dieser Seite B 16A CEE	① €43,70	
2,5 ha 85T(85-120m²) 55D	② €48,70	

Dolus-d'Oléron, F-17550 / Poitou-Charentes 📶 CC€14 iD

La Cailletière***
route de Boyardville
3 Apr - 27 Sep
+33 (0)5-46753633
camping.la.cailletiere@wanadoo.fr
N 45°54'59'' W 1°15'10''
Von der Unterführung Richtung St. Pierre. Am Kreisel in Dolus (am Intermarché) Richtung Boyardville. Weiter angezeigt.

1 ADEFJMNOPRST	ABFX 6	
2 BHMPSVXY	ABDEFGH 7	
3 BEKLQT	ABCDEFKNRSV 8	
4 BDFHNOPQ	EUV 9	
5 ADEFGKLM	BJPTUV 10	
B 10A	① €31,00	
3 ha 52T(80-120m²) 72D	② €40,00	

La Flotte-en-Ré, F-17630 / Poitou-Charentes 📶 CC€16 iD

La Grainetière****
route de St. Martin
3 Apr - 27 Sep
+33 (0)5-46096886
la-grainetiere@orange.fr
N 46°11'15'' W 1°20'37''
Nach der Mautbrücke via D735 nach La Flotte fahren. Kurz hinter La Flotte in Richtung St. Martin fahren. CP ist gut ausgeschildert.

1 ADEILNOPQRST	ABEFG 6	
2 BQVXY	ABEFGH 7	
3 ABGHKLQ	ABCDEFJKNQRSTUV 8	
4 BFIOPQU	ELUVW 9	
5 ABCDEFGKLM	BDGHIJNPTUZ 10	
Anzeige auf Seite 189 B 10A CEE	① €40,00	
2,6 ha 60T(80-120m²) 83D	② €45,00	

Frankreich

La Flotte-en-Ré, F-17630 / Poitou-Charentes

▲ Les Peupliers****	1 ADE**ILNORT**	ABFG 6
▦ D735	2 FHPQVWX	ABDE**FGH** 7
☛ 11 Apr - 27 Sep	3 ABEFLQST	ABCDEFKNQRSV 8
☎ +33 (0)2-51204194	4 BDHILNO**PQRTUVZ**	ELV 9
@ contact@camp-atlantique.com	5 ABDEFGIK	BGHIJ**P**TZ10
	10A CEE	❶ €42,20
◭ N 46°11'2'' W 1°18'30''	4,5 ha 40T(85-120m²) 196D	❷ €60,20

Von der Zollbrücke D735 Richtung La Flotte, kurz vor La Flotte links der Straße, über Kreisverkehr.

Le Bois-Plage-en-Ré, F-17580 / Poit.-Char.

▲ Campéole Les Amis de la Plage***	1 ABDE**JM**NOPQR**T**	KNOQSX 6
▦ 68 avenue du Pas des Boeufs	2 EHQTUVWXY	ABDE**FGK** 7
☛ 5 Apr - 28 Sep	3 BLQT	ABCDEFGKNORSV 8
☎ +33 (0)5-46092401	4 A**B**DHILN	EJLV 9
@ les-amis-de-la-plage@ campeole.com	5 AB**L**	ABDFGHIJ**O**TUVZ10
	10A CEE	❶ €28,30
◭ N 46°10'39'' W 1°23'12''	5 ha 136T(80-110m²) 83D	❷ €43,20

La Rochelle folgen, dann über die Brücke (Maut) zur Insel Ile de Ré.

Le Bois-Plage-en-Ré, F-17580 / Poitou-Charentes

▲ Interlude****	1 ABDE**ILNOR**	AEFGKNQRST 6
▦ 8 route de Gros Jonc	2 EHOPQUVWXY	ABDE**FGH** 7
☛ 11 Apr - 20 Sep	3 ABEF**HLMQ**	ABDEFIJKNQRSTUV 8
☎ +33 (0)5-46091822	4 BCDFHILNO**TUVXYZ**	ELUV 9
@ infos@interlude.fr	5 ACDEFGIJL	ABGHIJ**NP**TUVZ10
	10A CEE	❶ €50,20
◭ N 46°10'27'' W 1°22'44''	7,5 ha 148T(80-160m²) 194D	❷ €70,20

Nach Zollbrücke Schildern D201 'itinéraire sud' Richtung Le Bois Plage folgen, kurz vor dem Städtchen beim Kreisverkehr links, CP ausgeschildert.

Le Bois-Plage-en-Ré, F-17580 / Poitou-Char.

▲ Les Varennes****	1 ADE**ILNOPRT**	ABEK 6
▦ Raise Maritaise	2 EHPQVWX	BE**FGH** 7
☛ 11 Apr - 27 Sep	3 ABLQ	BDEFJKNOQRSV 8
☎ +33 (0)5-46091543	4 BDO	ELV 9
@ info@les-varennes.com	5 ABCFG	ABDGHIJPTUVZ10
	Anzeige auf dieser Seite B 10A CEE	❶ €38,90
◭ N 46°10'43'' W 1°22'59''	2,5 ha 56T(80-100m²) 85D	❷ €54,90

Ab der Mautstelle auf die D201 über den Kreisel. In Le Bois-Plage den Schildern 'Les Varennes' folgen.

Le Château-d'Oléron, F-17480 / Poit.-Char.

▲ Airotel Oléron****	1 ADF**JM**NOPRST	ABF**N**X 6
▦ 19 avenue de la Libération	2 DPRVWX	ABDE**FGH** 7
☛ 1 Apr - 30 Sep	3 BEF**GHIKLMQR**	ABCDEFNORSV 8
☎ +33 (0)5-46476182	4 BDEFHILNO**PQ**	BEIJUV 9
@ info@ camping-airotel-oleron.com	5 ABDEFGIJK**LM**	BHIJ**NP**RV10
	10A CEE	❶ €34,25
◭ N 45°52'57'' W 1°12'24''	7,4 ha 123T(80-150m²) 190D	❷ €50,90

Nach der Brücke in Richtung Le Château fahren, dort links Richtung 'Centre'. Bei 'Crédit Agricole' den Schildern folgen.

Le Château-d'Oléron, F-17480 / Poit.-Char.

▲ La Brande*****	1 AD**IL**NOPRST	CEFGHKNQSX 6
▦ route des Huitres	2 EGHPQRVWXY	ABDE**FGH** 7
☛ 27 Mär - 11 Nov	3 BE**IKLMNPQR**	ABCDEFIKL**MN**OQRSTU 8
☎ +33 (0)5-46476237	4 **A**BCDEFHILNO**PQT**UV	EJLQUV**W** 9
@ info@camping-labrande.com	5 ABDEFGIJK	ABGHJOTUV10
	B 10A	❶ €44,00
◭ N 45°54'15'' W 1°12'55''	5,5 ha 109T(100-200m²) 90D	❷ €61,00

Von Le Château der Küstenstraße Route des Huitres in nordwestlicher Richtung folgen, nach ca. 3 km CP links.

Le Château-d'Oleron/La Gaconn., F-17480 / Poit.-Char. 📶 CC€14 iD

▲ Le Fief Melin***
🏠 rue des Alizés
🗓 1 Mai - 30 Sep
☎ +33 (0)5-46476085
@ lefiefmelin@wanado.fr
📍 N 45°53'37'' W 1°12'52''

1 ADEJ**M**NOPRST	CDX 6
2 OPRVX	ABDE**F** 7
3 BEF**K**LQT	ABCDFNORV 8
4 BDFHIN**PQ**	EUV 9
5 ABDEGI**LM**	BHJ**O**R 10
Anzeige auf dieser Seite	B 10A CEE	❶ €32,40
3 ha 81**T**(82-130m²) 30**D**		❷ €39,00

🚗 Von der Brücke Richtung Le Château, dann Richtung Dolus bis La Gaconnière, rechts Rue des Illexés 400m folgen. Ⓜ

Le Grand-Village-Plage, F-17370 / Poit.-Char. 📶 CC€16 iD

▲ Camping-Club Les Pins****
🏠 6 allée des Pins
🗓 1 Apr - 30 Sep
☎ +33 (0)5-46475013
@ contact@lespinsdoleron.com
📍 N 45°51'44'' W 1°14'26''

1 ABDEF**JM**NOPQRST	AMNQUX 6
2 BHQTVWXY	ABDE**FG** 7
3 A**K**LQ	ABCDEFGINQRSTU 8
4 BCDFHILNO	ACEV 9
5 ADEFG**M**	BFGHIJ**P**TU 10
Anzeige auf Seite 191 10A CEE	❶ €29,85
6 ha 151**T**(80-100m²) 209**D**	❷ €43,00

🚗 Ab der Brücke, 1. Kreisel geradeaus, 2. Kreisel Richtung Grand-Village, 3. Kreisel rechts Richtung Centreville-Plage, 4. Kreisel geradeaus. Dort ist der CP ausgeschildert. Ⓜ

Le Maine ★☆★★☆

Familiärer Camping 1,5 km vom Meer. Für die totale Entspannung kann man das sonnige Mikroklima genießen. Vermietung von neuen Mobilheimen, voll ausgestattet mit allem Komfort. Alle Wassersportarten möglich. Beheiztes Sanitär. Gratis WiFi. In der Nebensaison 1 gratis Eintritt ins Freizeitbad in Dolus (3 km), bei Aufenthalt von mindestens 1 Woche für 2 Personen in einem Mobilheim.

24 route du Maine, 17370 Le Grand-Village-Plage • Tel. 05-46754276
WiFi
E-Mail: camping.lemaine@wanadoo.fr
Internet: www.campinglemaine.com

Le Grand-Village-Plage, F-17370 / Poit.-Char. 📶 CC€16 iD

▲ Le Maine****
🏠 24 route du Maine
🗓 1 Feb - 15 Nov
☎ +33 (0)5-46754276
@ camping.lemaine@wanadoo.fr
📍 N 45°52'53'' W 1°14'56''

1 ABDEF**JM**NOPQRST	X 6
2 HPRSVX	ABDE**FH** 7
3 A**K**LQ	ABCDEFJNRSV 8
4 BDFHINO	ELUVW 9
5 ABKL	BHJPR 10
Anzeige auf dieser Seite 10A CEE	❶ €30,65
1,7 ha 23**T**(85-100m²) 107**D**	❷ €45,65

🚗 Von der Brücke Richtung St. Pierre-d'Oléron nach der 1. Kreuzung am Kreisel die dritte Abfahrt. Dann Richtung Vert Bois. An der Ampel links. Nach 100m links. Ⓜ

Les Mathes, F-17570 / Poitou-Charentes 📶 CC€16 iD

▲ Beausoleil***
🏠 20 ave de la Coubre La Palmyre
🗓 1 Mai - 15 Sep
☎ +33 (0)5-46223003
@ camping.beausoleil@wanadoo.fr
📍 N 45°41'32'' W 1°11'10''

1 ADEJ**M**NOPRST	ABFGMN 6
2 BEHOPQTUVWXY	ABDE**FG** 7
3 B**K**L	ABCDEFNOS 8
4 BFLO**PQ**	BEL 9
5 ABDEFGIK**LM**	ABDHIJ**N P**TV 10
Anzeige auf Seite 191 10A CEE	❶ €35,10
3,5 ha 120**T**(70-120m²) 138**D**	❷ €43,30

🚗 Sie fahren nach La Palmyre, wo es am großen Kreisel Richtung Phare de la Coubre geht. Sie sehen den Campingplatz gleich rechts. Ⓜ

Le Fouilloux, F-17270 / Poitou-Charentes 📶 CC€12 iD

▲ La Motte*
🏠 D270, Lieu-dit La Motte
🗓 1 Jan - 31 Dez
☎ +33 (0)5-46042691
@ camping-la-motte17@orange.fr
📍 N 45°12'45'' W 0°8'16''

1 AJMNOPQRS**T**	N 6
2 DFGPRSVWXY	ABDE 7
3 A**G**Q	ABEFNQRV 8
4 FH	E 9
5 KLM	AFGHJ**N**PTUV 10
B 10A CEE	❶ €17,00
H73 3,5 ha 100**T**(125-200m²) 60**D**	❷ €21,00

🚗 A10 Ausfahrt Montguyon. Bei Montguyon Richtung St. Aigulin (D730). Am Kreisel beim Intermarché nach St. Aigulin (D730) weiter. Hinter Überführung 2. Straße links (D270). Camping nach 1,8 km. 12 km von der Ausfahrt N10. Ⓜ

Les Mathes, F-17570 / Poitou-Charentes 📶 CC€16 iD

▲ La Palombière***
🏠 1551 route de la Fouasse
🗓 1 Apr - 15 Okt
☎ +33 (0)5-46226925
@ camping.lapalombiere@wanadoo.fr
📍 N 45°43'24'' W 1°10'27''

1 A**J M**NOPQRT	ABFG 6
2 BOPSWXY	ABDE**FG H** 7
3 ABE**GHK**LQRS	ABCDEFGIJNRSV 8
4 BDFHO	BEJUVW 9
5 ABDEFI**LM**	ABDFGHIJNOTV 10
Anzeige auf dieser Seite 6-10A CEE	❶ €33,70
9,5 ha 218**T**(100-200m²) 61**D**	❷ €43,40

🚗 Auf der A10 Ausfahrt 35 bei Saintes Richtung Royan die N150. Dann den Schildern 'La Palmyre' folgen. Dort im großen Kreisel Richtung Les Mathes. CP im folgenden Kreisel angegeben. Ⓜ

VERMIETUNG VON MOBILHEIMEN

Le Fief Melin ★★★

Camping-Club ★★★★ Allée des Pins

LES PINS

17370 LE GRAND VILLAGE PLAGE
05 46 47 50 13

Ile d'Oléron

Les Mathes/La Palmyre, F-17570 / Poit.-Char. 🛜 (CC€16) iD

🔺 La Clé des Champs****	1 ADE**JM**NOPRST	ABCDFG**X** 6
📧 1188 route de la Fouasse	2 PVWXY	ABDE**FGH** 7
🔵 1 Apr - 15 Nov	3 BE**IKLQST**	ABCDFJKNQRS 8
☎ +33 (0)5-46224053	4 BCDILNO**PQRTUXZ**	AELUVW 9
@ contact@	5 ACDEFGIK**LM**	BDFHIJ**NOP**RVZ 10
la-cledeschamps.com	Anzeige auf dieser Seite 10A CEE	❶ €34,50
📍 N 45°43'16'' W 1°10'17''	7,6 ha 119**T**(80-100m²) 190**D**	❷ €45,30

🚗 Von La Palmyre hinter dem Kreisverkehr der Route de la Fouasse (D141/E4) folgen. Erster CP rechts.

Les Mathes/La Palmyre, F-17570 / Poit.-Char. 🛜 (CC€16) iD

🔺 La Pinède****	1 ADE**IL**NOPRT	AEFGHI 6
📧 2103 route de la Fouasse	2 BQVWXY	ABDE**FGH** 7
🔵 4 Apr - 26 Sep	3 BDEIKLQRT	ABCDEFK**LM**NQRSV 8
☎ +33 (0)5-46224513	4 BCDFIKLNO**PQ**	EJLUV 9
@ contact@	5 ABDEFGIJ	ABDFHIJNO**P**TVZ 10
campinglapinede.com	B 10A CEE	❶ €48,90
📍 N 45°43'41'' W 1°10'33''	8 ha 80**T**(80-100m²) 210**D**	❷ €60,90

🚗 Auf der A10 bei Saintes die Ausfahrt 35, Richtung Royan, N150. Bei Royan in Richtung La Palmyre. In Palmyre Richtung Les Mathes und dort ist der CP angezeigt.

Teilkarte Charente-Maritime auf Seite 186

Frankreich

La Clairière ★ ★ ★ ★

Ruhiger Familiencamping mitten im Wald von La Coubre. Animation sowie Tages- und Abendprogramme, Kinderclub, Wasserrutschbahn, Sportwettkämpfe. Radwege außerhalb des Campings, Reiten in 100m. Gastronomie, Imbiss, Pizzeria, Brot, Bar und SB-Markt. Besuche in direkter Umgebung: Fort Boyard, der Zoo von La Palmyre, I'le d'Aix, Austernzuchten usw.

Rue de Bois de la Pesse, 17390 Ronce-les-Bains • Tel. 05-46363663
Fax 05-46360674 • E-Mail: info@camping-la-clairiere.com
Internet: www.camping-la-clairiere.com

Les Sables Vigniers/St. G.d-OI, F-17190 / Poit.-Char. iD

🏕 Les Coquettes**
📧 476 rue de Ponthezière
📅 1 Jun - 15 Sep
☎ +33 (0)5-46765229
@ campcoquettes17@orange.fr

1	ACDF**JM**NOPQRST	AB 6
2	EHJPQVX	BE**FG** 7
3	B**KQ**	BDFRV 8
4		J 9
5		AHIJTU10
12A CEE		❶ €31,15
	1,5 ha 25**T**(100-140m²) 20**D**	❷ €41,85

📍 N 45°57'26'' W 1°22'41''
🚗 Von der Brücke aus die D734 Richtung St. Pierre, bei Chéray links, Richtung Sables Vigniers, dann angegeben.

Loix (Île de Ré), F-17111 / Poitou-Charentes 📶 CC€16 iD

🏕 Les Ilates****
📧 route du Grouin
📅 4 Apr - 27 Sep
☎ +33 (0)5-46290543
@ camping.les.ilates@flowercampings.com

1	ADE**IL**NOP**R**T	ABFG 6
2	PVWX	ABDE**FGH** 7
3	BFLMQT	ABCDEFKNQRSTU 8
4	BDLNO**PU**	AEJLV 9
5	ABDEFGI	BGHIJNPST10
B 10A CEE		❶ €44,00
	68**T**(90-115m²) 116**D**	❷ €58,00

📍 N 46°13'35'' W 1°25'34''
🚗 Der D102 bis kurz vor Loix folgen. Dann gut ausgeschildert.

Marans, F-17230 / Poitou-Charentes 📶 iD

🏕 Camping Municipal du Bois Dinot***
📧 route de Nantes
📅 1 Apr - 30 Sep
☎ +33 (0)5-46011051
@ campingmarans@orange.fr

1	ADE**JM**NOPRST	**ABN** 6
2	BCGPSVWXY	ABDE**FGH** 7
3	ABEFLQ	ABCDEFNRSV 8
4	FHI	9
5	AL	BFHIJNOTUVWX10
B 10A CEE		❶ €16,50
	17**D**	❷ €20,80

📍 N 46°19'1'' W 0°59'26''
🚗 N11 Richtung Le Raquehaud, dann N137 Richtung Marans. Durch den Ort, nach 1,5 km liegt rechts der CP.

Marennes, F-17320 / Poitou-Charentes 📶 CC€16 iD

🏕 Au Bon Air***
📧 9 avenue Pierre Voyer
📅 1 Apr - 30 Sep
☎ +33 (0)5-46850240
@ contact@aubonair.com

1	ADE**IL**NOPRS**T**	ABFGKMNQRSTUV 6
2	EHPVXY	ABDE**FGH** 7
3	BLQ**RT**	ABCDEFNORSV 8
4	BCDFHILNO**PQ**	EJL 9
5	ABDEG**KLM**	BDHIJ**NP**TUV10
16A CEE		❶ €28,70
	2,3 ha 40**T**(80-120m²) 89**D**	❷ €38,90

📍 N 45°49'8'' W 1°8'4''
🚗 Von Saintes Richtung Ile d'Oléron bis Marennes, dort Richtung Marennes (Plages), wo der CP angezeigt ist.

Médis, F-17600 / Poitou-Charentes 📶 iD

🏕 Sites & Paysages Le Clos Fleuri****
📧 8 Impasse du Clos Fleuri
📅 1 Jun - 15 Sep
☎ +33 (0)5-46056217
@ clos-fleuri@wanadoo.fr

1	ADE**JM**NOPRT	AF 6
2	HPRVWXY	ABDE**FGH** 7
3	ABEF**IKL**QRS	ABCDEFIKNOQRSV 8
4	HILO**PQT**	9
5	ABDEGIK**LM**	ABHJOR10
B 10A CEE		❶ €38,00
	3,5 ha 140**T**(90-110m²) 17**D**	❷ €52,50

📍 N 45°37'47'' W 0°56'47''
🚗 Auf der N150 von Royan nach Saintes in Médis gut ausgeschildert.

Meschers, F-17132 / Poitou-Charentes 📶 CC€16 iD

🏕 Le Soleil Levant****
📧 33 allée de la Longée
📅 1 Apr - 30 Sep
☎ +33 (0)5-46027662
@ info@camping-soleillevant.com

1	ADE**IL**NORT	AFHMNXY**Z** 6
2	HMOPRVWXY	ABDE**FGH** 7
3	BE**GH**LQRT	ABCDFNORSTU 8
4	ABDIO**PQX**	EUV 9
5	ABDEFGI	BFGHIJN**P**RV10
B 10A CEE		❶ €31,10
	3 ha 230**T**(76-100m²) 119**D**	❷ €41,50

📍 N 45°33'25'' W 0°56'47''
🚗 In Meschers Richtung Hafen folgen, CP kurz davor links, gut ausgeschildert.

Pons, F-17800 / Poitou-Charentes 📶 CC€16 iD

🏕 Moulins de la Vergne**
📧 64 route de Colombiers
📅 1 Feb - 31 Dez
☎ +33 (0)5-46900280
@ info@lesmoulinsdelavergne.com

1	ADE**JM**NOPQRT	AFJN 6
2	ACGIPRWXY	ABDE**FGH** 7
3	A**GH**QS	ABDEFJNQRTV 8
4	A**OP**	ADIJPQUVY 9
5	AEGIJKL	ABHJLORW10
10A CEE		❶ €21,00
	4,5 ha 50**T**(100-100m²) 11**D**	❷ €29,00

📍 N 45°35'40'' W 0°32'21''
🚗 Von Süden die A10, Ausfahrt 36. Von Norden, Ausfahrt 35. Richtung Pons über die N137. In Pons den gelben Schildern folgen.

Pons, F-17800 / Poitou-Charentes iD

🏕 Municipal Pons***
📧 1 avenue du Poitou
📅 1 Mai - 30 Sep
☎ +33 (0)5-46913672
@ campingmunicipalpons@voila.fr

1	A**J**MNOPRT	**AF**HN 6
2	ACGPRVWXY	ABDE**FH** 7
3	AELQ	ABCDEFNRTU 8
4	IO	9
5	ADLM	HIJR10
B 10A		❶ €15,00
	1 ha 60**T**(40-90m²)	❷ €21,00

📍 N 45°34'40'' W 0°33'19''
🚗 An der A10 gelegen. Ausfahrt 36, Richtung Pons (N137). Nächste Ausfahrt Pons/Centre Ville, ab da beschildert.

Port-des-Barques, F-17730 / Poit.-Char. 📶 ✿ CC€14 iD

🏕 Municipal de la Garenne***
📧 av. de l'Ile Madame
📅 1 Apr - 31 Okt
☎ +33 (0)5-46848066
@ camping@ville-portdesbarques.fr

1	ADE**JM**NOPQRST	AFKNQRSTX 6
2	EHOPQVWX	ABDE**FGH** 7
3	BEL**MQ**	ABCDEFNORSV 8
4	ADILN	EJ 9
5	ADEFG**L**	BHIJN**P**TUVZ10
10A CEE		❶ €21,30
	7 ha 242**T**(83-130m²) 55**D**	❷ €28,50

📍 N 45°56'53'' W 1°5'45''
🚗 N137 La Rochelle, bis Südrand Rochefort D733. Hinter der Charente-Brücke rechts die D238 und D125. Nach 12 km kurz hinter dem Ort links.

Puilboreau/La Rochelle, F-17138 / Poit.-Char. 📶 CC€16 iD

🏕 Le Beaulieu****
📧 3 rue du Treuil Gras
📅 1 Apr - 30 Sep
☎ +33 (0)5-46680438
@ contact@camping-la-rochelle.com

1	ADE**IL**NOPQR	ABCDFGH 6
2	APSVWXY	ABDEH 7
3	BLM	ABCDEFJKNQRSV 8
4	BCDHLN**PQTUX**	BEV 9
5	ABDEFI	ABFGHIJ**NP**TU10
10A CEE		❶ €30,90
	5 ha 35**T**(85-120m²) 137**D**	❷ €40,90

📍 N 46°10'40'' W 1°6'55''
🚗 Von Niort, 2 km vor La Rochelle Ausfahrt 'Centre Commercial Beaulieu'. Am 1. Kreisel der Campingbeschilderung folgen.

Rivedoux-Plage, F-17940 / Poitou-Charentes 📶 CC€16 iD

🏕 Campéole Le Platin***
📧 125 avenue Gustave Perreau
📅 11 Apr - 13 Sep
☎ +33 (0)5-46098410
@ platin@campeole.com

1	ADE**IL**NOPRS**T**	KNQRSTX 6
2	AEFHOPQRSWXY	ABDE**FGH** 7
3	ABLQS	ABCDEFGIKNORSV 8
4	BCDHILNO**P**	EFLUVW 9
5	AG**L**	BDFGHIJ**O**TUVZ10
10A CEE		❶ €28,20
	3,7 ha 139**T**(60-171m²) 106**D**	❷ €42,60

📍 N 46°9'35'' W 1°15'59''
🚗 Über die Brücke zur Île de Ré Richtung Rivedoux-Plage. Dann ausgeschildert.

Ronce-les-Bains, F-17390 / Poitou-Charentes 📶 iD

🏕 La Clairière****
📧 rue de Bois de la Pesse
📅 27 Jun - 5 Sep
☎ +33 (0)5-46363663
@ info@camping-la-clairiere.com

1	ADE**JM**NOPRS**T**	ABCDEFGHX 6
2	BHPQRVWXY	ABDE**FGH** 7
3	BE**GH**IKL**MQ**	ABCDF**LM**NRSV 8
4	BCDILNO**PQRX**	EJV 9
5	ACDEFGIK**LM**	ABFHIJ**NP**TUWZ10
Anzeige auf dieser Seite B 10A CEE		❶ €36,50
	12 ha 292**T**(90-150m²) 83**D**	❷ €46,50

📍 N 45°46'23'' W 1°10'0''
🚗 D25 Richtung La Tremblade, dort Schildern nach Ronce-les-Bains folgen. An der D25 gut ausgeschildert (La Clairière).

Royan, F-17200 / Poitou-Charentes 📶 CC€16 iD

🏕 Campéole Clairefontaine****
📧 18 rue du Colonel Lachaud
📅 3 Apr - 26 Sep
☎ +33 (0)5-46390811
@ clairefontaine@campeole.com

1	ADE**IL**NOPRS**T**	ABFGKMNSTX 6
2	EHOPRVXY	ABDE**FGH** 7
3	BE**KL**MTV	ABCDEFGIKNOQRS 8
4	BCDILNO**P**	EFJL 9
5	ADEFGIM	ABDGHIJ**NO**TUZ10
B 10A CEE		❶ €36,80
	5 ha 123**T**(80-100m²) 126**D**	❷ €57,40

📍 N 45°37'52'' W 1°3'0''
🚗 Auf der A10 bei Saintes die Ausfahrt 35 Richtung Royan die N150. In Royan Richtung Pontaillac (westlich von Royan). Dann ist der CP gut ausgeschildert.

Royan, F-17200 / Poitou-Charentes 📶 CC€16 iD

🏕 Le Royan***
📧 10 rue des Bleuets
📅 1 Apr - 12 Okt
☎ +33 (0)5-46390906
@ camping.le.royan@wanadoo.fr

1	ADE**IL**NOPRST	ABFGHIX 6
2	PRVWXY	ABDE**FGH** 7
3	BDE**KL**Q	ABCDFKNORSV 8
4	DILNO**PQ**S	EJUV 9
5	ABDEFGI**LM**	ABDGHIJN**PS**TV10
10A CEE		❶ €38,90
	3 ha 86**T**(80-100m²) 112**D**	❷ €46,90

📍 N 45°38'40'' W 1°2'30''
🚗 Von die A10, Ausfahrt 35 Saintes. Dann Richtung Royan. Kurz vor Royan am Kreisel Richtung La Palmyre via D25. Nach einigen Kilometern am Kreisel scharf rechts.

192

Teilkarte Charente-Maritime auf Seite 186

Frankreich

Saintes, F-17100 / Poitou-Charentes 📶 iD

▲ Au Fil de l'Eau***	1 ADEJMNOPRS**T**	A**N**UVXYZ 6
📧 6 rue de Courbiac	2 ACGOPQRSWXY	ABE**F**HK 7
📅 20 Apr - 15 Okt	3 BE**IK**LQ	ABCD**F**NQRV 8
☎ +33 (0)5-46930800	4 IO	EQR 9
@ campingaufildeleau@sfr.fr	5 ADEGE**IK**LM	ABFGHIJMNOR10
	B 10A	❶ €17,65
	5 ha 214**T**(100-140m²) 5**D**	❷ €22,65
📍 N 45°45'18'' W 0°37'42''		

🚗 A10 Ausfahrt 35, dann Richtung Zentrum Saintes. Dort der Beschilderung 'Municipal Camping' folgen. 🅼

Saujon, F-17600 / Poitou-Charentes 📶 CC€16 iD

▲ Du Lac***	1 ADE**JM**NORT	ABEH**N** 6
📧 Voie des Tourterelles	2 DGPRVWXY	ABDE**FGH** 7
📅 1 Mär - 31 Okt	3 AF**GHK**LMQST	ABCDEFNOQRSTU 8
☎ +33 (0)5-46068299	4 BFHILO**PQ**	DEFJUV 9
@ campingdesaujon@gmail.com	5 ABCDEFGJL	BFGHIJ**O**RVW10
	B 10A CEE	❶ €26,65
	3,7 ha 150**T**(120-260m²) 100**D**	❷ €37,85
📍 N 45°40'59'' W 0°56'16''		

🚙 Von der N150 bei Royan ist der CP gut ausgeschildert.

St. Augustin-sur-Mer, F-17570 / Poitou-Charentes 📶 iD

▲ Le Logis du Breuil***	1 ADE**JM**NOPQRST	AFX 6
📧 36 rue du Centre	2 BOPUVWXY	ABDE**FGH** 7
📅 9 Mai - 30 Sep	3 BE**K**LMQR	ABCDFI**LM**NOQRSTUV 8
☎ +33 (0)5-46232345	4 IO**PQ**	EIJLUV 9
@ info@logis-du-breuil.com	5 ACDEFGIJK**LM**	B**G**HI**J**NO**T**UW10
	B 10A CEE	❶ €30,75
	9 ha 390**T**(144-280m²) 62**D**	❷ €44,55
📍 N 45°40'32'' W 1°5'42''		

🚗 Von der A10 bei Saintes Ausfahrt 35, Richtung Royan, N150. Bei Royan Richtung St. Palais, bis Ausfahrt St. Augustin. Ab hier angezeigt. 🅼

St. Clément-des-Baleines, F-17590 / Poitou-Char. 📶 iD

▲ La Plage****	1 ADE**JM**NOPQRT	ABFG**K**NOQRSTWXYZ 6
📧 408 rue du Chaume	2 EHOPVX	ABDE**FGH** 7
📅 4 Apr - 19 Sep	3 BE**K**LMQ	ABCDEFGJKNOQRSV 8
☎ +33 (0)5-46294262	4 BCDHINO**PRT**V	BEKV 9
@ info@la-plage.com	5 ABDEFGIJ**LM**	B**G**HIJOPTU10
	10A CEE	❶ €51,70
	33**T** 106**D**	❷ €75,30
📍 N 46°14'28'' W 1°33'12''		

🚗 Auf Ile de Ré D735 bis hinter Ars-en-Ré, Schildern 'Phare des B' folgen. Hinter St. Clément-des-Baleines CP deutlich ausgeschildert. 🅼

St. Clément-des-Baleines, F-17590 / Poit.-Char. 📶 ✿ CC€16 iD

▲ Les Baleines***	1 ADE**JM**NOPQRST	**K**NOQRSTWXY 6
📧 chemin Devaude	2 EH**K**MOPQUVWXY	ABDE**FGH** 7
📅 18 Apr - 19 Sep	3 ABIKLQ	ABCDEF**K**NQRSV 8
☎ +33 (0)5-46294076	4 BFHLO	AELUV 9
@ contact@	5 ABCF**L**	ABDGHIJNOTU**V**Z10
camping-lesbaleines.com	B 10A CEE	❶ €40,20
	4,6 ha 166**T**(80-140m²) 33**D**	❷ €49,60
📍 N 46°14'23'' W 1°33'35''		

🚙 Von der Brücke Ri. 'Phare des Baleines'. (± 30 km). Vor dem Parkplatz von 'Le Phare' li. ab (ausgeschildert) in die Rue du Chaume und Rue de la Madeleine, dann geradeaus bis zum Cp.

St. Denis-d'Oléron, F-17650 / Poitou-Char. 📶 CC€16 iD

▲ Les Seulières**	1 ABDE**JM**NOPRT	**K**NOPQRSTW**X** 6
📧 1371 rue des Seulières	2 EHPRSWX	ABDE**FG** 7
📅 1 Apr - 31 Okt	3 **K**LQ	ABCDEFKNRSV 8
☎ +33 (0)5-46479051	4 FHINO	EJUV 9
@ campinglesseulieres@	5 ABK**L**	ABGJ**O**V10
wanadoo.fr	Anzeige auf dieser Seite 10A CEE	❶ €22,65
	2,5 ha 60**T**(80-100m²) 67**D**	❷ €30,45
📍 N 46°0'17'' W 1°22'59''		

🚙 Von der Überführung Richtung St. Pierre der D734 folgen, Richtung St. Denis, kurz vor der Ortschaft links, Richtung Les Seulières. Camping nach ±3 km angezeigt. 🅼

St. Georges-d'Oléron, F-17190 / Poit.-Char. 📶 CC€16 iD

▲ La Campière****	1 ADE**JM**NOPQRST	ABPQSTX 6
📧 route des Huttes - Chaucre	2 BEHPQVWXY	ABDE**FGH** 7
📅 11 Apr - 26 Sep	3 B**K**LQ	ABCDEFG**K**NOPQRSTUV 8
☎ +33 (0)5-46767225	4 BCDFHILO	AEJLUV 9
@ contact@la-campiere.com	5 ABDEF**GL**	ABEGHJ**P**UVX10
	B 10A CEE	❶ €37,75
	1,6 ha 51**T**(80-120m²) 15**D**	❷ €53,05
📍 N 45°59'28'' W 1°22'54''		

🚗 Ab der Brücke Richtung St. Pierre-d'Oléron, dann Richtung St. Denis-d'Oléron, Ausfahrt Cheray. 2.Straße links, hinter dem Fußballplatz. 🅼

St. Georges-d'Oléron, F-17190 / Poit.-Char. 📶 CC€14 iD

▲ Le Domaine d'Oléron****	1 ADE**IL**NOPQRST	A**F**H**X** 6
📧 La Jousselinière	2 PRVWXY	ABDE**FGH** 7
📅 4 Apr - 20 Sep	3 AE**K**LQT	ABCDFGKNRSV 8
☎ +33 (0)5-46765497	4 BCDHINO**P**	EUV 9
@ info@chadotel.com	5 ADEFGI	BGH**I**JP**L**YV10
	10A	❶ €34,50
	3,5 ha 56**T**(80-100m²) 60**D**	❷ €39,50
📍 N 45°58'4'' W 1°19'7''		

🚗 Vom Viadukt aus Richtung St. Pierre. Am Supermarkt Leclerc rechts. Nächster Kreisel links Richtung Bois Fleurie. Am Hugplatz vorbei nach rechts und sofort links.

St. Georges-d'Oléron, F-17190 / Poit.-Char. 📶 CC€16 iD

▲ Le Suroit****	1 AD**JM**NOPRST	CDFG**IK**NQSX**Y** 6
📧 1720 rue Pontézières	2 EHJPQRTUVWXY	ABDE**FGH** 7
📅 1 Apr - 30 Sep	3 BE**K**LQ	ABCDEFIJ**L**NORSTV 8
☎ +33 (0)5-46470200	4 B**D**ILNO**Q**	EUV 9
@ info@camping-lesuroit.com	5 ABDEFGJK**LM**	AB**H**IJ**MP**TUV10
	Anzeige auf dieser Seite B 10A CEE	❶ €34,70
	5 ha 221**T**(80-130m²) 15**D**	❷ €46,70
📍 N 45°56'53'' W 1°22'22''		

🚗 Von der Brücke N734 bis St. Gilles, CP nach 3 km links. 🅼

St. Georges-d'Oléron, F-17190 / Poit.-Char. 📶 ✿ CC€16 iD

▲ Les Gros Joncs GC*****	1 AD**JM**NORST	ABE**F**GHIKNOPX 6
📧 route de Pontehrières, BP 17	2 EHJPQRTVWXY	ABDE**FGH** 7
📅 1 Jan - 31 Dez	3 BEF**K**LQ	ABCDFKNOQRTUV 8
☎ +33 (0)5-46765229	4 BDEHILNO**PQRU**VXYZ	EFLUV 9
@ info@	5 ACDEFGJ	ABFGHIJ**NP**TUY10
camping-les-gros-joncs.com	Anzeige auf Seite 194 B 16A CEE	❶ €50,25
	5,1 ha 50**T**(94-240m²) 204**D**	❷ €59,35
📍 N 45°57'2'' W 1°22'48''		

🚗 Von der Brücke Richtung St. Pierre. Dann bei Chéray links Richtung Sables Vigniers, danach ausgeschildert. 🅼

LES GROS JONCS ★ ★ ★ ★ ★ G.C.

200m vom Meer liegt
Camping Les Gros Joncs.

NEU: Kurbäder, Balneotherapie, Schönheitssalon, Fitness. Überdachtes und beheiztes Schwimmbad (Stromschnellen, Jetstreams) - ganzjährig geöffnet. WiFi. Beheiztes Freibad mit Rutschbahn und großem Planschbecken -- geöffnet von April bis einschließlich September. Vermietung von komfortablen Wohnwagen, ausgestattet mit Zentralheizung und Sat-TV.

17190 St. Georges-d'Oléron • Tel. 05-46765229 • Fax 05-46766774
www.camping-les-gros-joncs.com • www.balneoleron.com
www.brochure-lesgrosjoncs.com • info@camping-les-gros-joncs.com

---

St. Georges-de-Didonne, F-17110 / Poit.-Char. 📶 (CC€14) iD

🏕 Dom. de la Fôret de Suzac/
Ocean Vacances****
🏠 63 allée des Bruyères
🚗 1 Apr - 20 Okt
☎ +33 (0)5-46068000
@ contact@oceanvacances.com
📍 N 45°35'1'' W 0°58'42''

1 ADEG**IL**NOPR**T**	AFHK 6
2 ABEOVWXY	ABDE**FGH** 7
3 AFILQST	ABCDEFKNQRSTV 8
4 ABDFHIJ**L**NO**PQRTUVWXYZ**	IKV 9
5 ACDEFGHJ	ABDHI**NP**TUV10
B 10A CEE	❶ €39,00
4,6 ha 45T(80-142m²) 62D	❷ €45,50

🚗 In St. Georges-de-Didonne die Küstenstraße Richtung Mechers nehmen. Den CP-Schildern folgen.

La Combinette ★ ★ ★ ★

Camping La Combinette heißt Sie herzlich willkommen auf der Ile d'Oléron in St. Trojan-les-Bains, einem geschützten Badeort mit Austernhafen, nicht weit vom Atlantik. La Combinette liegt 1 km vom Ort, mitten im Wald und 1 km vom Strand von Gatseau, über den Radweg erreichbar. Auf 4 ha finden Sie ca. 210 parzellierte Campplätze für Ihren Urlaub: Campen, Chalets, Mobilheime oder Komfortstudios. Genießen Sie das beheizte Schwimmbad, das Planschbecken, Fitness, Sauna, Hammam und Spa.

36 avenue des Bris, 17370 St. Trojan
Tel. 05-46760047 • E-Mail: la-combinette@wanadoo.fr
Internet: www.combinette-oleron.com

St. Georges-de-Didonne, F-17110 / Poit.-Char. 📶 (CC€16) iD

🏕 Ideal Camping***
🏠 16 avenue de Suzac
🚗 1 Mai - 13 Sep
☎ +33 (0)5-46052904
@ info@ideal-camping.com
📍 N 45°35'6'' W 0°59'7''

1 ADEFHK**N**ORT	ABFGHIKNQSWX 6
2 BEHOPQSVWXY	ABDE**FGH** 7
3 BCFLQ	ABCDEFNORV 8
4 FHINO**PQ**U	E 9
5 ACDEFGHIJK**M**	ABGHIJ**O**TU10
B 10A	❶ €38,70
8 ha 400T(90-100m²) 105D	❷ €45,20

🚗 D25 von Royan nach St. Georges-de-Didonne. Vor dem Zentrum von St. Georges-de-Didonne CP ausgeschildert.

Camping Puits de l'Auture
151 av. de la Grande Côte
17420 Saint Palais sur Mer
Tel: 0033 5 46 23 20 31
Internet: www.camping-puitsdelauture.com
E-Mail: campingpuitsdelauture@voila.fr

- Blick auf den Atlantik
- 250m vom Feinsandstrand
- 2000m von der Stadtmitte
- gleich an den Fahrradwegen
- Internet WiFi kostenlos
- große Stellplätze, im Schnitt 130 m²

St. Jean-d'Angely, F-17400 / Poitou-Char. 📶 (CC€14) iD

🏕 Val de Boutonne***
🏠 56 quai Bernouët
🚗 3 Apr - 27 Sep
☎ +33 (0)5-46322616
@ campingvaldeboutonne@
gmail.com
📍 N 45°56'55'' W 0°32'11''

1 AD**JM**NOPRS**T**	AF**N**QUVXYZ 6
2 ACDGPRVWXY	ABDE**FGH** 7
3 AELQ	ABCDEFNORTUV 8
4 OPQ	ADEJPQRTUV 9
5 AB**LM**	BGHIJ**NP**RV10
B 10A CEE	❶ €18,95
1,9 ha 99T(95-120m²) 49D	❷ €26,45

🚗 Von der A10 Ausfahrt 34 Richtung St. Jean-d'Angely (Ouest). Der CP ist sehr gut ausgeschildert.

St. Just-Luzac, F-17320 / Poitou-Charentes 📶 iD

🏕 Castel Camping
Séquoia Parc*****
🏠 La Josephtrie
🚗 13 Mai - 6 Sep
☎ +33 (0)5-46855555
@ info@sequoiaparc.com
📍 N 45°48'39'' W 1°3'41''

1 ADE**IL**NOPQR**T**	ABF**GH**IOX 6
2 GPVXY	ABDE**FGH** 7
3 BEF**GHLM**Q	ABCDEFJNQRSTUV 8
4 BCDHIKLNO**PQ**X	CEJLUVY 9
5 ACDEFGJK**LM**	ABGHIJ**NP**STXY10
Anzeige auf Seite 195 B 10A CEE	❶ €54,00
45 ha 226T(140m²) 647D	❷ €66,00

🚗 Via Paris Richtung Bordeaux über die A10. Bei Saintes die Ausfahrt Richtung Île d'Oléron D728. Dieser bis zur Abfahrt rechts zum CP hinter Saint Just folgen.

St. Palais-sur-Mer, F-17420 / Poitou-Char. 📶 (CC€16) iD

🏕 Des Deux Plages****
🏠 41 avenue des Acacias
🚗 1 Apr - 30 Sep
☎ +33 (0)5-46231142
@ contact@
campingdes2plages.fr
📍 N 45°38'45'' W 1°4'48''

1 ADE**IL**NOPQRS	ABMNQRSTUVW**X** 6
2 HMOPVWXY	ABDE**FGH** 7
3 B**K**LQR	ABCDFKNRSV 8
4 D**I**LNO**PQTUX**	ELUV 9
5 ABDEFGJK**L**	BDFHIJ**NP**TU10
10A CEE	❶ €37,25
3 ha 80T(80-140m²) 45D	❷ €50,75

🚗 Von der A10 bei Saintes, Ausfahrt 35 nach Royan. Am großen Kreisel bei Royan Richtung St. Palais. Im Zentrum ist der CP gut angezeigt.

St. Palais-sur-Mer, F-17420 / Poitou-Charentes 📶 iD

🏕 Domaine de Bernezac***
🏠 2 avenue de Bernezac
🚗 15 Mär - 15 Okt
☎ +33 (0)5-46390071
@ acccf-bernezac@acccf.com
📍 N 45°38'34'' W 1°4'37''

1 ADE**IL**NOPQRS**T**	KMNQRST**X** 6
2 EHOPTVWXY	ABDE**FGH** 7
3 B**K**LQ	ABCDFKNPQRS 8
4	EJ 9
5 AB**LM**	BHIJ**NP**TU10
6-10A CEE	❶ €29,40
61T(80-145m²) 3D	❷ €36,60

🚗 Von Paris der A10 folgen, Ausfahrt 35 Saintes. Dort Richtung Royan und weiter nach St. Palais. Dort mit blauen Tafeln gut angezeigt.

St. Palais-sur-Mer, F-17420 / Poitou-Char. 📶 (CC€16) iD

🏕 Puits de l'Auture****
🏠 151 av. de la Grande Côte
🚗 1 Mai - 30 Sep
☎ +33 (0)5-46232031
@ campingpuitsdelauture@
voila.fr
📍 N 45°38'59'' W 1°7'3''

1 ADE**JM**NOPQRST	KN**X** 6
2 EF**H**MOPRVWXY	ABDE**FGH**K 7
3 B**K**LQ	ABCDEFJKNQRSTUV 8
4 FHIOPQ	ELUV 9
5 AB**D**M	ABDFGHIJ**NP**TUV10
Anzeige auf dieser Seite B 10A	❶ €37,40
4 ha 186T(100-200m²) 16D	❷ €46,50

🚗 Von der A10 Ausfahrt 35 Richtung Royan. In Royan Richtung St. Palais-sur-Mer, weiter Richtung La Grande Côte an der Promenade.

St. Pierre-d'Oléron, F-17310 / Poitou-Char. 📶 (CC€14) iD

🏕 La Perroche Plage***
🏠 18 rue du Renclos (la Perroche)
🚗 1 Apr - 4 Okt
☎ +33 (0)5-46753733
@ laperroche@
oleron-camping.eu
📍 N 45°54'6'' W 1°18'9''

1 AD**JM**NOPRST	KMNOPQRSTUVX**Y** 6
2 EH**K**PQVWXY	ABDE**FGH** 7
3 BE**K**LQT	ABCDEFNORSV 8
4 H	BEUV 9
5 AB**K**L**M**	BGHIJ**P**TUV10
10A CEE	❶ €30,40
1,8 ha 72T(80-100m²) 30D	❷ €41,40

🚗 Nach der Brücke in Richtung Grand Village Plage, dort rechts dem Küstenweg folgen. Nach 8 km links vom Weg, 3 km vor La Cotinière.

St. Pierre-d'Oléron, F-17310 / Poitou-Char. 📶 CC€16 iD

🏕 Le Sous Bois***
🏠 avenue des Pins, La Cotinière
📅 1 Apr - 31 Okt
☎ +33 (0)5-46472246
@ resa.lesousbois@orange.fr

1 ABDEF**JM**NOPRST		KNX 6
2 BEHJKOPVWXY		ABDE**FG**H 7
3 AELQ		ABCDEFNRSV 8
4 BHIL**NTU**		AEJLUV 9
5 **M**		ABHJ**P**UV 10

Anzeige auf dieser Seite   10A CEE
2,5 ha 110T(80-130m²)   29D
❶ €33,70
❷ €36,70

📍 N 45°55'23''   W 1°20'29''
🚗 Von der Brücke Richtung St. Pierre. In St. Pierre Richtung La Cotinière. In La Cotinière Richtung L'Ileau. Weiter ausgeschildert.

St. Savinien/Le Mung, F-17350 / Poitou-Charentes 📶 iD

🏕 Ile aux Loisirs***
🏠 102 route St. Savinien
📅 1 Apr - 30 Sep
☎ +33 (0)5-46903511
@ ileauxloisirs@wanadoo.fr

1 AD**IL**NOPRT		**AB**FHNUXZ 6
2 ACGOPRVWXY		ABDE**FG**HK 7
3 BEF**IL**MQT		ABCDFINRSTUV 8
4 A**DEF**IOPQ		DEJNPQRUV 9
5 ABDEFGIJKLM		FHIJLPV 10

10A CEE
2 ha 82T(80-100m²)   47D
❶ €21,00
❷ €29,80

📍 N 45°52'40''   W 0°40'59''
🚗 A10 Ausfahrt St. Jean-d'Angéley, dann die D18 nach St. Savinien über die Brücke von Charente. Von da aus ist der CP gut ausgeschildert. Le Mung 50m weiter.

St. Sornin, F-17600 / Poitou-Charentes 📶 CC€16 iD

🏕 Les Etangs Mina***
🏠 Lieu-dit Cadeuil
📅 1 Apr - 28 Sep
☎ +33 (0)5-46228261
@ contact@campingmina.com

1 ADE**IL**NOPRST		AFN 6
2 CDGPRSVWXY		ABDE**FGK** 7
3 A**GH**LQT		ABCDEFGNQRSTV 8
4 BCDFHILN**O**PQ		FV 9
5 ABCDEFGIKM		BI**NO**STV 10

B 10A CEE
7 ha 55T(80-120m²)   26D
❶ €24,50
❷ €33,50

📍 N 45°45'35''   W 0°56'37''
🚗 A10 bis Saintes. Ausfahrt Marennes. Auf der D728 in St. Sornin den CP-Schildern folgen.

St. Trojan-les-Bains, F-17370 / Poitou-Charentes 📶 iD

🏕 Indigo Oléron Les Pins***
🏠 11 avenue des Bris
📅 29 Apr - 15 Sep
☎ +33 (0)5-46760239
@ oleron@camping-indigo.com

1 ADEFG**IL**NOPRST		ABO**X** 6
2 BFGHQUXY		ABDE**FGH** 7
3 ABFLQV		ABCDEFGINQRSU 8
4 BCDFH		ACUV 9
5 ABDEFGKL		BGHJNOTU 10

10A CEE
5 ha 163T(80-150m²)   66D
❶ €30,00
❷ €40,00

📍 N 45°49'53''   W 1°12'49''
🚗 Von Bordeaux: der A10 folgen. Ausfahrt 35 Richtung Saintes und dann Richtung Ile d' Oléron. Von Paris/Nantes: der A10 folgen. Ausfahrt 33 La Rochelle/Rochefort und dann Surgères/Rochefort/Ile d' Oléron folgen.

St. Trojan-les-Bains, F-17370 / Poitou-Char. 📶 CC€16 iD

🏕 La Combinette****
🏠 36 avenue des Bris
📅 1 Apr - 31 Okt
☎ +33 (0)5-46760047
@ la-combinette@wanadoo.fr

1 ADEF**IL**NOPQRST		ABFGMNPQRST**X** 6
2 BHQTVWXY		ABDE**FG**H 7
3 BE**KL**Q		ABCDEFJKNORSTUV 8
4 BCDHILNO**PRTUV**		EHJUV 9
5 ACDEFGIK**LM**		ABEGHIJPTUV 10

Anzeige auf Seite 194   B 10A CEE
4 ha 105T(80-120m²)   121D
❶ €32,90
❷ €51,90

📍 N 45°49'46''   W 1°13'1''
🚗 Von der Brücke Richtung St. Pierre. St. Trojan folgen bis zum Hafen. Am Kreisel am Hafen geradeaus. Am Kreisel mit Brunnen rechts ab. An der Gabelung links halten. Dann ist der CP ausgeschildert.

Le Sous Bois ★ ★ ★

Traditioneller Camping, im Norden von La Cotinière, 1,5 km von einem kleinen Fischerhafen. Sylvie und ihr Team empfangen Sie in einem Umfeld voller Komfort und vielen farbenfrohen Blumen. Gastfreundlicher Empfang und alles perfekt geregelt, so dass Sie traditionelles Campen ganz in der Nähe von schönen Stränden genießen können, einen angenehmen Urlaub erleben und die vorhandenen Schätze kennenlernen. Bis bald.

Avenue des Pins, La Cotinière, 17310 St. Pierre-d'Oléron
Tel. 05-46472246 • E-Mail: resa.lesousbois@orange.fr
Internet: www.camping-lesousbois-oleron.com

Ste Marie-de-Ré, F-17740 / Poitou-Charentes 📶 iD

🏕 Les Grenettes**
🏠 rue de l'Ermitage
📅 1 Jan - 31 Dez
☎ +33 (0)5-46302247
@ contact@hotel-les-grenettes.com

1 ADE**IL**NOPQRST		ABFHIKNQSX 6
2 EHKOPQVWXY		ABDE**FG** 7
3 BE**HL**MQ		ABCDEFKNQRSV 8
4 BO**X**		ELUV 9
5 ACDEGIJK**L**		ABGHIJ**O**TU 10

Anzeige auf dieser Seite   10A CEE
7 ha 70T(80-100m²)   154D
❶ €44,00
❷ €50,00

📍 N 46°9'39''   W 1°21'8''
🚗 Hinter der Mautbrücke Schildern D201 'Itinéraire Sud' in Richtung Le Bois-de-Plage folgen. Nach ca. 2 km links der Straße.

Frankreich

Surgères, F-17700 / Poitou-Charentes 🛜 CC€14 iD

🔺 Camping de la Gères***	1 ADE**IL**NOPQRS**T**	ABFG**N** 6
🏠 10 rue de la Gères	2 COPSVXY	ABDE**FGH** 7
⏱ 1 Mär - 16 Nov	3 ABLS	ABCDEFJNORSV 8
☎ +33 (0)5-46077997	4 BDH	BEFJU 9
@ contact@	5 ADEL	BDGHIJPRV10
campingdelageres.com	B 10-16A CEE	❶ € 19,00
📍 N 46°6'5'' W 0°45'12''	H50 1 ha 38**T**(80-120m²) 22**D**	❷ € 26,20
🚗 In Surgères ist der CP gut ausgeschildert.		

Vaux-sur-Mer, F-17640 / Poitou-Charentes 🛜 CC€16 iD

🔺 Le Nauzan-Plage****	1 ADE**JM**NOPRST	ABFMNX 6
🏠 39 ave de Nauzan Plage	2 EHOPRVWXY	ABDE**FGH** 7
⏱ 1 Mai - 30 Sep	3 ABEF**KLMN**ST	ABCDEFKNQRSUV 8
☎ +33 (0)5-46382913	4 DILNO**PQ**	ELUV 9
@ contact@	5 ACDEFGI	ABDFGHIJ**NPR**10
campinglenauzanplage.com	10A CEE	❶ € 40,30
📍 N 45°38'34'' W 1°4'20''	4,5 ha 165**T**(90-160m²) 70**D**	❷ € 51,60
🚗 Ab der A10 bei Saintes Ausfahrt 35 Richtung Royan, N150. Bei Royan Richtung Vaux-sur-Mer. In Vaux ist der CP gut ausgeschildert.		

Deux-Sèvres

Coulon, F-79510 / Poitou-Charentes 🛜 ✿ CC€16 iD

🔺 de la Venise Verte***	1 ADE**IL**NOPRST	AF**N**X 6
🏠 178 route des Bords de Sèvre	2 BCPRVWXY	ABDE**FGH** 7
⏱ 1 Apr - 30 Okt	3 ABELQ	ABCDEFKNQRSTUV 8
☎ +33 (0)5-49359036	4 FH	EJUVW 9
@ accueil@	5 AL	BDEGHIJPSTZ10
camping-laveniseverte.fr	B 10A CEE	❶ € 30,90
📍 N 46°18'54'' W 0°36'33''	2,2 ha 120**T**(80-187m²) 26**D**	❷ € 44,90
🚗 Aus Niort D9 Richtung Coulon, dann aus Coulon Richtung Irleau über die D123. CP liegt an dieser Straße.		

Airvault, F-79600 / Poitou-Charentes 🛜 CC€18 iD

🔺 de Courte Vallée***	1 ADEJMNOPQRST	AB**N** 6
🏠 rue Courte Vallée	2 CGPRVWXY	ABDE**FGH** 7
⏱ 1 Apr - 16 Okt	3 ABELQ	ABCDFNQRV 8
☎ +33 (0)5-49647065	4 ADFHO	EK 9
@ camping@	5 ABDEGIJL	BCDHIJ**PQ**TUW10
caravanningfrance.com	B 13A CEE	❶ € 33,00
📍 N 46°49'59'' W 0°8'53''	H102 3,5 ha 65**T**(110-130m²) 2**D**	❷ € 43,00
🚗 Ab Thouars D938, dann D725-bis nach Airvault, im Ort Schildern CP 'de Courte Vallée' folgen.		

Magné, F-79460 / Poitou-Charentes 🛜 CC€16 iD

🔺 Le Martin-Pêcheur****	1 ADE**JM**NOPRST	ABF**N** 6
🏠 155 avenue du Marais Poitevin	2 GOPVWXY	ABDE**FGH** 7
⏱ 1 Mai - 27 Sep	3 AB**KL**Q	ABCDEFGJKNQRS 8
☎ +33 (0)5-49357181	4 FHI	QR 9
@ info@	5 B	ABDFHIJPR10
le-martin-pecheur.com	B 10A CEE	❶ € 28,40
📍 N 46°18'47'' W 0°32'7''	H50 2,5 ha 57**T**(100-200m²)	❷ € 35,40
🚗 Von Niort D9 Richtung Coulon. Vor Coulon Richtung Magné. Magné und Coulon liegen ca. 3 km voneinander weg. Der Camping liegt an der D9 entlang.		

Argenton-les-Vallées, F-79150 / Poitou-Charentes 🛜 iD

🔺 Camping du Lac	1 ABJMNORST	**ABFGH**N 6
d'Hautibus**	2 CHPUVWX	ABDE**FGH** 7
🏠 rue de la Sablière	3 ABCELMQ	ABCDEFNOS 8
⏱ 1 Apr - 30 Sep	4 EFHI	JPT 9
☎ +33 (0)5-49659508	5 L	BHJLOTU10
@ campinghautibus@orange.fr	B 6A CEE	❶ € 12,30
📍 N 46°59'16'' W 0°27'6''	H110 0,7 ha 45**T**(100-120m²) 6**D**	❷ € 15,00
🚗 Im Zentrum Argenton-les-Vallées, die D748 Richtung Thouars. CP angezeigt mit 'Complexe Sportive'.		

Prailles, F-79370 / Poitou-Charentes 🛜 iD

🔺 Le Lambon**	1 A**JM**NOPQRST	L**N** 6
🏠 Prailles	2 DGHIPUVWX	ABDE**FGH** 7
⏱ 1 Apr - 30 Sep	3 ABFILMQ**RU**	ABEFNORV 8
☎ +33 (0)5-49328511	4 BCDFH	JQRTU 9
@ lambon.vacances@wanadoo.fr	5 ADGIL	HJNORZ10
	6A	❶ € 13,55
📍 N 46°18'5'' W 0°12'34''	H135 1 ha 45**T**(80-120m²) 7**D**	❷ € 18,00
🚗 D948 Niort-Melle, in Celles-sur-Belle den Schildern 'Lac du Lambon' folgen.		

Bois Vert/Com. du Tallud, F-79200 / Poit.-Char. 🛜 CC€16 iD

🔺 Le Bois Vert****	1 ADEJMNOPRST	ABF**N** 6
🏠 14 rue Boisseau	2 CGPRVWXY	ABDE**FGH** 7
⏱ 4 Apr - 31 Okt	3 ABLMQ	ABCDEFGIJKNPQRSTUV 8
☎ +33 (0)5-49647843	4 BDFHILO	AELUV 9
@ campingboisvert@orange.fr	5 ABDEFGIKLM	BDFHIJMN**P**TUV10
	B 10A CEE	❶ € 28,50
📍 N 46°38'30'' W 0°16'3''	H139 3 ha 88**T**(70-130m²) 18**D**	❷ € 38,50
🚗 Von Niort D743 bis zum Südwestrand von Parthenay, dann links D949bis, nach der Brücke sofort rechts.		

Secondigny, F-79130 / Poitou-Charentes 🛜 iD

🔺 du Moulin des Effres****	1 ADE**JM**NOPRS**T**	ABFGH**N** 6
🏠 Les Effres	2 DGHPTVWX	ABDE**FGH** 7
⏱ 11 Apr - 15 Sep	3 A**IL**MQ	ABCDFNRSTV 8
☎ +33 (0)5-49956197	4 BDFHINO**P**	ADETUV 9
@ contact@camping-	5 ABKL	AFGHIJ**O**TVZ10
lemoulindeseffres.com	B 6-10A CEE	❶ € 21,00
📍 N 46°36'21'' W 0°25'5''	2,5 ha 90**T**(100-120m²) 26**D**	❷ € 27,00
🚗 In Secondigny der Beschilderung folgen. CP liegt an der D748 ans Meer.		

Chef-Boutonne, F-79110 / Poitou-Charentes 🛜 CC€14 iD

🔺 Le Moulin***	1 ADE**JM**NOPRS**T**	AM 6
🏠 1 route de Niort	2 CGOPSVWXY	ABDE**FH**K 7
⏱ 1 Jan - 31 Dez	3 BLQ	ABCDEFNQRV 8
☎ +33 (0)5-49297346	4 **A**DFHI	E 9
@ info@campingchef.com	5 ADEGIJLM	BDFGHIJ**P**STV10
	B 10-16A	❶ € 20,30
📍 N 46°6'27'' W 0°5'34''	11 ha 37**T**(40-150m²) 7**D**	❷ € 24,70
🚗 In Chef-Boutonne der D740 Richtung Brioux folgen. CP ist ausgeschildert.		

St. Hilaire-la-Palud, F-79210 / Poitou-Char. 🛜 CC€16 iD

🔺 Le Lidon***	1 ADE**IL**NORST	ABF**N**XZ 6
🏠 Lieu-dit Lidon	2 CGPRVWXY	ABDE**FGH** 7
⏱ 11 Apr - 19 Sep	3 ABL	ABCDEFNQRSV 8
☎ +33 (0)5-49353364	4 BCDFHI	ADJPQV 9
@ info@le-lidon.com	5 ABDEFGI	BDHJ**OR**10
	B 10A	❶ € 28,90
📍 N 46°17'3'' W 0°44'36''	4 ha 123**T**(90-120m²) 17**D**	❷ € 35,90
🚗 N11 Niort Richtung Rochefort, rechtsab auf die D3, kurz nach St. Hilaire-la-Palud rechts, Ausfahrt Lidon, ausgeschildert.		

Frankreich

Chalandray, F-86190 / Poitou-Charentes 📶 CC€12 iD

▲ Du Bois de St. Hilaire	1 ADEJMNOPQRST	A 6
🚏 route de la Gare	2 BPVWXY	ABDE**FGH** 7
☀ 1 Mai - 30 Sep	3 ABEI**K**LM	ABEFN**Q**R 8
☎ +33 (0)5-49602084	4 FHIOPQ	UV 9
@ accueil@	5 L**M**	BDIJP**Q**R10
camping-st-hilaire.com	B 10A CEE	➊ €21,75
🏕 N 46°40'4'' W 0°0'11''	H89 8 ha 38T(100-198m²)	➋ €27,65

🚗 N149 von Poitiers Richtung Partenay. In Chalandray D24 Richtung Vauzailles. CP liegt nach 750m auf der rechten Seite. Ⓜ

Availles-Limouzine, F-86460 / Poitou-Charentes 📶 iD

▲ Le Parc**	1 ADJMNOPQRST	AFJNXYZ 6
☀ 1 Mai - 30 Sep	2 CFGIPVWXY	ABDE**F**H 7
☎ +33 (0)5-49485122	3 BEI**L**MQ	ABDFN**Q**RV 8
@ camping.leparc@wanadoo.fr	4 FIP**Q**	EJN**Q**T 9
	5 AGL**M**	BCGHJP10
	B 10A CEE	➊ €13,00
🏕 N 46°7'24'' F 0°39'35''	H62 40 ha 100T(80-100m²) 7D	➋ €17,60

🚗 N10/D148 Richtung Civray/Pressac, D34 bis Availles-Limouzine, den CP-Schildern folgen. Ⓜ

Chauvigny, F-86300 / Poitou-Charentes 📶 iD

▲ De la Fontaine***	1 ADJMNOPRST	6
🚏 42 rue de la Fontaine	2 DFOPVWXY	ABDE**FGH** 7
☀ 19 Apr - 30 Sep	3 ABQ	ABCDFNOQRSV 8
☎ +33 (0)5-49463194	4 FHO	HJL 9
@ camping-chauvigny@cg86.fr	5 AL**M**	BH.II PRVZ 10
	B 6-16A CEE	➊ €14,00
🏕 N 46°34'15'' E 0°39'12''	H68 2,8 ha 120T(100 120m²) 130D	➋ €18,20

🚗 N151 von Poitiers nach Chauvigny. Im Zentrum von Chauvigny links abbiegen. CP-Schildern folgen. Ⓜ

Avanton, F-86170 / Poitou-Charentes 📶 CC€16 iD

▲ Du Futur***	1 AD**JM**NOPQRST	A 6
🚏 9 rue des Bois	2 AGPVWX	ABE**FGH** 7
☀ 1 Apr - 4 Nov	3 ABEI**K**LQ	ABCDFN**Q**RV 8
☎ +33 (0)5-49540967	4 O**Q**	E 9
@ contact@	5 ABEG**LM**	BDFGHJ**O**PST10
camping-du-futur.com	Anzeige auf dieser Seite B 10A	➊ €23,70
🏕 N 46°39'22'' E 0°18'7''	H124 3 ha 54T(100-120m²) 15D	➋ €29,10

🚗 N10 Ausfahrt Avanton, den Pfeilen folgen, entlang der D757 (Straße nach Poitiers). Oder über die Autobahn 29. Ⓜ

Couhé, F-86700 / Poitou-Charentes 📶 CC€16 iD

▲ Sites & Paysages	1 AD**JM**NOPQRST	ABF**G**HN 6
Les Peupliers****	2 ABCGPVWXY	ABD**FG**H 7
☀ 2 Mai - 30 Sep	3 ABEI**L**Q	BDEFJK**LM**NPQRSTUV 8
☎ +33 (0)5-49592116	4 BDFILO**P**	EJ 9
@ info@lespeupliers.fr	5 ACDEFGIK**LM**	BDGHIJPR10
	Anzeige auf dieser Seite B 16A	➊ €35,60
🏕 N 46°18'44'' E 0°10'55''	H105 16 ha 187T(80-140m²) 43D	➋ €45,60

🚗 N10 Ausfahrt Couhé-Nord. Ⓜ

Bonnes, F-86300 / Poitou-Charentes 📶 iD

▲ Municipal Bonnes**	1 ADF**JM**NOPQRST	ABH**N**X 6
🚏 rue de la Varenne	2 CGPRVWX	ABDE**FGH** 7
☀ 1 Jun - 1 Sep	3 ABEF**LM**	ABCDFNORTV 8
☎ +33 (0)5-49564434	4 FI	JU 9
@ camping.bonnes@	5 L	BHJPR10
clubinternet.fr	B 10A	➊ €12,50
🏕 N 46°36'8'' E 0°35'56''	H73 1,2 ha 49T(80-100m²) 6D	➋ €15,40

🚗 N151 Poitiers nach Chauvigny, dann die D749 Richtung Châtellerault. Nach 55 km links abbiegen und der Beschilderung folgen. Ⓜ

Ingrandes, F-86220 / Poitou-Charentes 📶 CC€16 iD

▲ Le Petit Trianon	1 AD**JM**NOPQRST	ABF**G** 6
de Saint Ustre****	2 AFGPTVWXY	ABDE**FG**H 7
🚏 1 rue du Moulin St. Ustre	3 ABEI**L**Q	CDEFJKNQRSTUV 8
☀ 18 Apr - 11 Sep	4 ABDEFHIOU	AEHIKLV 9
☎ +33 (0)5-49026147	5 ABDEFJK**L**	ABF**G**HJNO**P**ST10
petit-trianon@camp-in-ouest.com	Anzeige auf Seite 198 B 10A	➊ €34,00
🏕 N 46°53'16'' E 0°35'13''	H80 7 ha 116T(120-150m²) 34D	➋ €43,00

🚗 N10 Tours-Poitiers, vor Ingrandes links, den Schildern folgen. Ⓜ

La Roche-Posay, F-86270 / Poitou-Charentes

⛺ La Roche-Posay Vacances****	1 ADILNOPRST	ACDFGHINU 6
	2 CGOPVWXY	ABDEFGH 7
🏠 route de Lesigny	3 BEFGHKLQ	ABCDEFJKLNOQRSV 8
📅 11 Apr - 20 Sep	4 BCDFHILNOQU	ELPQRUVY 9
☎ +33 (0)5-49433008	5 ADEFGILM	BDFHJNOPR10
@ info@larocheposay-vacances.com	B 16A CEE	➊ €34,80
🗺 N 46°47'57'' E 0°48'34''	H85 8,5 ha 200T(80-100m²) 79D	➋ €46,80

🚗 A10 Ausfahrt La Roche-Posay-Nord (km 273). Den Schildern La Roche-Posay folgen. Dann die D275 nach La Roche-Posay. Am Kreisel der Beschilderung Camping-Hippodrome folgen.

Lusignan, F-86600 / Poitou-Charentes

⛺ Municipal de Vauchiron	1 ADJMNOPRT	JNU 6
🏠 chemin de la Plage	2 CGPWXY	ABDEF 7
📅 15 Apr - 30 Sep	3 AILQ	ABCDEFNRV 8
☎ +33 (0)5-49433008	4 FHIO	EQR 9
@ lusignan@cg86.fr	5 ADGHL	HKLOR10
	B 13A CEE	➊ €13,70
🗺 N 46°26'14'' E 0°7'25''	H92 4 ha 100T 3D	➋ €17,50

🚗 An Straße N11 ausgeschildert, CP am Stadtrand.

Moncontour, F-86330 / Poitou-Charentes

⛺ Moncontour Active Park****	1 ADEJMNOPQRST	LMNW 6
🏠 Lac du Gué de Magne	2 BDGHIPVWXY	ABDEFHK 7
📅 1 Mai - 30 Sep	3 ABFILMQT	ABCDEFNQRV 8
☎ +33 (0)5-49223850	4 FH	JRUV 9
@ info@map86.fr	5 DGI	BHJOSTV10
	B 6A	➊ €22,80
🗺 N 46°53'11'' W 0°1'11''	4 ha 98T(75-120m²) 23D	➋ €30,80

🚗 Von Loudon Richtung Moncontour. In den Ort fahren und gleich rechts ist der Camping/Base de loisirs angezeigt.

Montmorillon, F-86500 / Poitou-Charentes

⛺ Mun. de L'Allochon***	1 AJMNOPRST	EN 6
🏠 avenue Fernand Tribot	2 CPVWXY	ABDF 7
📅 1 Mär - 31 Okt	3 ABLQ	ABDEFKNORSV 8
☎ +33 (0)5-49910233	4 FHIOQ	9
@ camping@ville-montmorillon.fr	5 AL	HJORV10
	B 10A CEE	➊ € 9,25
🗺 N 46°25'13'' E 0°52'32''	H86 0,8 ha 80T(50-80m²)	➋ €11,95

🚗 In Poitiers N147 nach Lussac, dann D727. Gleich am Ortseingang von Montmorillon über die Gartempe, danach rechts.

St. Cyr, F-86130 / Poitou-Charentes

⛺ Camping du Lac de Saint-Cyr****	1 ADJMNOPQRT	ABFGLNQRSTUXYZ 6
	2 DGHKPRVWXY	ABDEFG 7
📅 1 Apr - 30 Sep	3 ABEFJLMQR	CDFNQRTUV 8
☎ +33 (0)5-49625722	4 ABCDIOPR	AEMOQRTUV 9
@ contact@campinglacdesaintcyr.com	5 ABDEFGJKLM	BHJNOTUVZ10
	B 10A CEE	➊ €31,10
🗺 N 46°43'9'' E 0°27'33''	H58 5 ha 189T(90-120m²) 37D	➋ €41,60

🚗 In Beaumont-La Trichérie (nach 15 km) links den Schildern nach. Oder aus Richtung Poitiers kommend die N10 Richtung Châtellerault. In Baumont-La Trichérie rechts ab der Beschilderung folgen.

St. Georges-lès-Baillargeaux, F-86130 / Poit.-Char.

⛺ Le Futuriste****	1 ADJMNOPQRT	ABCDFGHN 6
📅 1 Jan - 31 Dez	2 AFGOPRVWX	ABDEFGH 7
☎ +33 (0)5-49524752	3 BEKLQ	ABCDEFJLNRTUV 8
@ camping-le-futuriste@wanadoo.fr	4 BCDIPQ	EJL 9
	5 ABDEGIM	BGJOR10
	B 6A	➊ €30,40
🗺 N 46°39'52'' E 0°23'41''	H107 2 ha 113T(100-120m²) 10D	➋ €37,60

🚗 N10 Ausfahrt Futurosope/Chasseneuil/St. Georges. Danach der Beschilderung folgen.

St. Pierre-de-Maillé, F-86260 / Poitou-Charentes

⛺ Mun. St. Pierre de Maillé**	1 AJMNOQRT	NX 6
🏠 route de Vicq	2 CGPXY	ABDEF 7
📅 15 Apr - 15 Okt	3 AELQ	ABCDFN 8
☎ +33 (0)5-49486411	4 FH	AQRU 9
@ campingsaintpierredemaille@orange.fr	5 L	HJOV10
	16A	➊ €13,00
🗺 N 46°41'5'' E 0°50'20''	H54 1 ha 93T 4D	➋ €17,50

🚗 D14 Châtellerault nach Vicq-sur-Gartempe, rechts D11 nach St. Pierre-de-Maillé, CP nach 5 km.

St. Savin, F-86310 / Poitou-Charentes

⛺ du Moulin**	1 AJMNOPRT	ABNXY 6
🏠 10 rue du 08 mai 1945	2 CGPWXY	ABDJ 7
📅 8 Mai - 30 Sep	3 ABEQ	ACFNRV 8
☎ +33 (0)5-49481802	4 FIO	GI 9
@ campingdumoulin@aol.com	5 L	GHJLTU10
	10A CEE	➊ €11,10
🗺 N 46°34'9'' E 0°52'6''	H79 50T(90-120m²) 6D	➋ €14,30

🚗 N151 Poitiers nach St. Savin, dort Schildern folgen.

Bignac, F-16170 / Poitou-Charentes

⛺ Marco de Bignac***	1 ADEJMNOPRST	AN 6
🏠 2 chemin de la Résistance	2 DOPVWXY	ABDEFH 7
📅 1 Mär - 31 Okt	3 AEFLMQ	ABCDFNQRSV 8
☎ +33 (0)5-45217841	4 DFHK	E 9
@ info@marcodebignac.com	5 ABEGJL	ABHIJOST10
	6A	➊ €29,30
🗺 N 45°47'52'' E 0°3'51''	H50 8 ha 83T(100m²) 2D	➋ €37,80

🚗 Die RN10 bei den Schildern La Touche D'Anais verlassen. Den Schildern 'Vars', 'Bignac' folgen und danach 'Camping Marco de Bignac'.

Cognac, F-16100 / Poitou-Charentes

⛺ Camping de Cognac***	1 ADEJMNOPRT	ANXZ 6
🏠 boulevard de Châtenay	2 CGOPRVWXY	ABDEFH 7
📅 1 Mai - 27 Sep	3 AKLQ	ABCDFNORSV 8
☎ +33 (0)5-45321332	4 FIO	AE 9
@ contact@campingdecognac.fr	5 ABDEGIL	ABHIJOSV10
	B 6A CEE	➊ €20,00
🗺 N 45°42'33'' W 0°18'46''	3 ha 170T(56-102m²) 10D	➋ €28,00

🚗 Auf der N141 Ausfahrt Cognac, der D945 bis ins Zenntrum folgen. Den Schildern zum CP folgen.

Map: Charente / Vienne / Deux-Sèvres / Charente-Maritime / Dordogne region showing Celles-sur-Belle, Melle, Civray, Ruffec, Condac, Confolens, St. Christophe, Mansle, Exideuil-sur-Vienne, Saint-Junien, Bignac, Pressignac, Chasseneuil-sur-Bonnieure, Champniers, Cognac, Angoulême, Seyaux, Eymouthiers/Montbron, Châteaubernard, Jonzac, Barbezieux-Saint-Hilaire, Ribérac, PARIS inset.

Frankreich

Condac, F-16700 / Poitou-Charentes 📶 CC€10 iD

🏕 Le Réjallant***	1 ADEJMNOPQRST	ABF 6
🏠 1 Jan - 31 Dez	2 CDPRSVWXY	ABDEFG 7
☎ +33 (0)5-45312906	3 BFLT	BDFJNRSTUV 8
@ camping@lerejallant.fr	4 BFHNO	E 9
	5 ABDEGKL	BDFGHIKPT10
	10A	① €19,50
🗺 N 46°0'54'' E 0°12'46''	H113 2 ha 50T(80-150m²) 31D	② €24,70

🚗 50 km südlich von Poitiers liegt Ruffec, Richtung Condac den Schildern 'Aire de Réjallant' folgen.

Mansle, F-16230 / Poitou-Charentes 📶 iD

🏕 Le Champion***	1 AJMNOPRST	NUV 6
📧 rue de Watlington	2 ACOPVWXY	ABDEF 7
🏠 15 Mai - 15 Sep	3 AEFILQ	ABCDFHNQRV 8
☎ +33 (0)5-45203141	4 FH	LQRUV 9
@ mairie.mansle@mansle.fr	5 DEGJL	GHJORV10
	B 16A CEE	① €16,40
🗺 N 45°52'42'' E 0°10'52''	H55 4 ha 115T(100-120m²)	② €19,90

🚗 N10 Poitiers-Bordeaux, Ausfahrt Mansle, der CP liegt links vor dem Städtchen (ostseitig). Gut ausgeschildert, auch aus anderen Richtungen (D739).

Exideuil-sur-Vienne, F-16150 / Poitou-Charentes 📶 iD

🏕 de la Rivière**	1 AILNOPQRST	ANU 6
🏕 La Rambaudie	2 CPUVWX	ABF 7
🏠 1 Jan - 31 Dez	3 AEFHILQS	ABCDEFGNQRTUV 8
☎ +33 (0)6-61484767	4 FH	QR 9
@ christophe.dervaux@	5 AI	BFGJPSTV10
gmail.com	B 16A CEE	① €18,75
🗺 N 45°53'21'' E 0°40'37''	H139 34T(100-120m²)	② €26,25

🚗 RN141 Limoges-Angoulême, bei Exideuil-sur-Vienne den Schildern folgen und die Vienne überqueren.

Pressignac, F-16150 / Poitou-Charentes 📶 iD

🏕 Résidence Euro Camping,	1 ADEJMNOPRST	AEFLMNQSUXY 6
Cp. des Lacs***	2 DFGHIPVWX	ABDEFG 7
🏕 La Guerlie	3 FGHILQT	CDFKNRSTUV 8
🏠 1 Apr - 30 Okt	4 FHIOPQ	EPQRU 9
☎ +33 (0)5-45311780	5 ABDEFGIJKL	ABGHIJOTUV10
@ info@campingdeslacs.com	B 16A CEE	① €30,00
🗺 N 45°48'15'' E 0°42'25''	H240 8 ha 120T(200-260m²) 64D	② €36,00

🚗 Die A20 Richtung Limoges. Dort die N141 Richtung Angoulême. In Chabanais D170 Richtung Pressignac. Den CP-Schildern 'Lacs de Haute-Charente' oder 'Camping des Lacs' folgen.

Eymouthiers/Montbron, F-16220 / Poit.-Char. 📶 ♿ CC€16 iD

🏕 Castel Camping	1 ADEHKNOPRT	ABFGJNU 6
Les Gorges du Chambon****	2 CFGHPTVWXY	BEFGH 7
🏕 Le Chambon	3 BFIKLMQSU	ABCDFHJKNQRSTV 8
🏠 25 Apr - 13 Sep	4 BCDEFHILOP	AEFIJLQU 9
☎ +33 (0)5-45707170	5 ABDEGJKL	ABDFGHIJNOSTV10
info@camping-gorgesduchambon.com	B 10A CEE	① €35,30
🗺 N 45°39'35'' E 0°33'29''	H139 28 ha 99T(132-300m²) 40D	② €51,30

🚗 N10 Poitiers-Angoulême, in Mansle links auf die D6 in Richtung La Rochefoucauld und Montbron, durch Montbron, in La Tricherie links auf die D163 (CP-Schildern folgen).

St. Christophe, F-16420 / Poitou-Charentes 📶 iD

🏕 Camping & Gîtes	1 AJMNOPRST	ABFG 6
"en Campagne"****	2 FGPRVWX	ABDEFGH 7
🏕 Essubras	3 ABLQSV	ABCDEFHNPQRSTU 8
🏠 1 Apr - 1 Okt	4 FHO	HIJUV 9
☎ +33 (0)5-45316757	5 ADILM	ABFGHJNPST10
@ info@encampagne.com	B 10A CEE	① €19,75
🗺 N 46°0'52'' E 0°52'45''	30T(150-240m²) 7D	② €29,50

🚗 Von der D82 im Zentrum von St. Christophe der D330 nach Nouic folgen. Der CP ist angezeigt.

Limousin

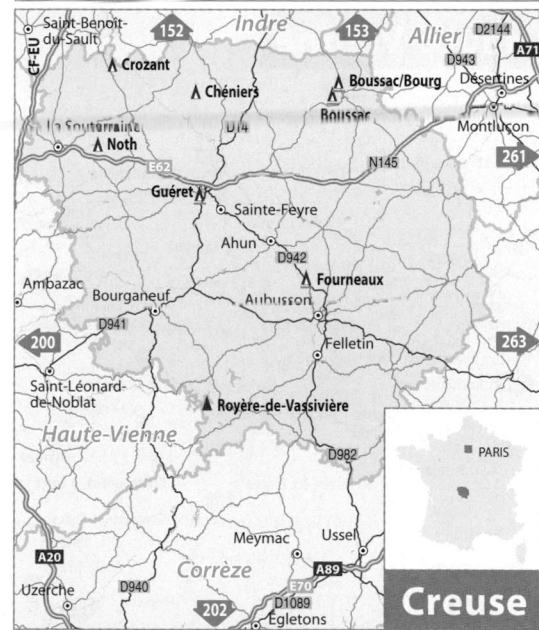

Creuse

Boussac, F-23600 / Limousin 📶 ♿ CC€16 iD

🏕 Creuse Nature Naturiste***	1 ADEFGJMNOPQRST	AEN 6
📧 route de Bétête, D15	2 BDGPRVXY	ABDEFGH 7
🏠 4 Apr - 31 Okt	3 AEKLQR	ABEFNQRTUV 8
☎ +33 (0)5-55651801	4 BCDEFHIOTX	ACDEFJLU 9
@ creuse.nature@wanadoo.fr	5 ABDEGIKL	ABDFGHIJMNPTVW10
	FKK B 10A	① €33,50
🗺 N 46°20'57'' E 2°11'11''	H350 19 ha 100T(80-160m²) 31D	② €42,50

🚗 Boussac liegt im Dreieck La Châtre-Montluçon-Guéret. In Boussac über die D15 Richtung Bétête. CP liegt an dieser Strecke; gut ausgeschildert.

Boussac/Bourg, F-23600 / Limousin 📶 ♿ CC€16 iD

🏕 Le Château de Poinsouze/	1 ADEFJKNOPRST	ABFHNQS 6
les Castels****	2 DGPRTVX	ABDEFGH 7
📧 route de la Châtre	3 ABELQST	ABCDFNQRSTUV 8
🏠 12 Mai - 13 Sep	4 FHILOQ	EIJLMOPQRTU 9
☎ +33 (0)5-55650221	5 ABDEGIKL	ABFGHJNPRW10
info.camping-de.poinsouze@orange.fr	B 25A CEE	① €30,00
🗺 N 46°22'20'' E 2°12'4''	H420 23 ha 123T(110-250m²) 45D	② €41,00

🚗 Von La Châtre über die D917 Richtung Boussac, 2 km vor Boussac ist der CP rechts der Straße ausgeschildert.

Chéniers, F-23220 / Limousin 📶 iD

🏕 Camping Moulin de Piot**	1 ADEJMNOPRST	JN 6
🏕 Moulin de Piot	2 BCPTUVWXY	ABDEFH 7
🏠 1 Apr - 31 Okt	3 ABELQRU	ABCDEFGIKNQSV 8
☎ +33 (0)5-55628090	4 BDEFIO	EJL 9
@ moulin-de-piot@orange.fr	5 ADGJL	BHIJLOR10
	B 10A CEE	① €16,00
🗺 N 46°20'50'' E 1°50'15''	H390 20 ha 75T(150-250m²) 14D	② €21,00

🚗 Kommend aus nördlicher Ri. A20 bis Ausf. 12 Ri. Montluçon, 4. Kreisverkehr re. Le Poinçonnet, li. ab Aigurande. In Aigurande die D6 Ri. Bonnat. Nach 7 km in Mersolle re. Chéniers. In Chéniers den Schildern 'Moulin de Piot' folgen, 800m.

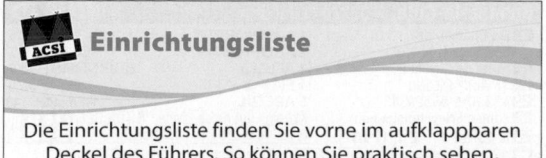

Einrichtungsliste

Die Einrichtungsliste finden Sie vorne im aufklappbaren Deckel des Führers. So können Sie praktisch sehen, was ein Camping so zu bieten hat.

Crozant, F-23160 / Limousin　　　　　iD

⌂ Municipal La Fontbonne	1 A**JM**NOPR**T**		**N** 6
✉ 11 rue Font Bonne	2 CGPRTVWXY		ABDE 7
⌚ 1 Mai - 30 Sep	3 BQ		ABCDEFN**V** 8
☎ +33 (0)5-55898012	4 F		9
@ mairie-crozant@wanadoo.fr	5 **LM**		BHJST10
	6A CEE		❶ € 10,70
⛰ N 46°23'20'' E 1°37'10''	H238 0,7 ha 33**T**(80m²)		❷ € 13,75

🚗 A20 Orléans-Limoges, aus Richtung Norden Ausfahrt 20 bzw. aus Richtung Süden Ausfahrt 21. Schildern Crozant folgen, CP liegt direkt im Ort Crozant. 🏔

Noth, F-23300 / Limousin　　　📶 iD

⌂ Camping de la Cazine*	1 ADJMNOPRST		AB**N** 6
✉ Moulin de la Cazine	2 ADFGPVWXY		ABDE**F** 7
⌚ 1 Jun - 15 Sep	3 AFLQ		ABEFNQRV 8
☎ +33 (0)5-55633117	4 BCD		E 9
@ pierreetcottages@sfr.fr	5 AB		BFGHJ**PV**10
	B 6A CEE		❶ € 19,40
⛰ N 46°14'46'' E 1°35'26''	H400 0,9 ha 18**T**(70-100m²) 10**D**		❷ € 23,00

🚗 A20 Paris-Limoges, Ausfahrt N145 Richtung Guéret. Dann die D49 Richtung Noth. Den Schildern folgen "Etang de la Cazine". 🏔

Fourneaux, F-23200 / Limousin　　📶 CC€12 iD

⌂ La Perle***	1 A**JM**NOPRST		AF**N** 6
✉ Commune de	2 FGPSTUVWXY		ABDE**F** 7
St. Médard-la-Rochette	3 ABEH**K**LQS		ABFGNQRSTV 8
⌚ 1 Apr - 30 Sep	4 FHKO		AEJ 9
☎ +33 (0)5-55830125	5 AGIJL		ABFHJ**P**TU10
@ info@camping-laperle.nl	10A		❶ € 19,50
⛰ N 46°1'18'' E 2°8'22''	H540 3 ha 33**T**(50-120m²) 14**D**		❷ € 23,00

🚗 A20, Ausfahrt 23 Richtung Guéret, dann D942 Richtung Aubusson. CP ist gut ausgeschildert. 🏔

Royère-de-Vassivière, F-23460 / Limousin　　iD

⌂ La Presqu'ile**	1 ADEFJMNOPQRS**T**	LMNQSUVWXY**Z** 6
✉ Broussas-Vassivière	2 DFGHIPRTVWXY	ABDE**F** 7
⌚ 1 Apr - 31 Okt	3 BFLQV	ABCDFNORSV 8
☎ +33 (0)5-55647898	4 CFHM	AFJ 9
@ presquile.camping@orange.fr	5 AB**L**	BHIJLR10
	B 10A CEE	❶ € 18,30
⛰ N 45°47'35'' E 1°54'16''	H650 6 ha 120**T**(80-120m²) 66**D**	❷ € 23,30

🚗 In Limoges Ausfahrt 35 Richtung Eymoutiers (D979), D43 Richtung Beaumont-du-Lac, in Vauveix Richtung Broussas. 🏔

Guéret, F-23000 / Limousin　　📶 CC€12 iD

⌂ de Courtille***	1 A**JM**NORT		L**N**QRST 6
✉ rue Georges Aulong	2 ADFGHIPVWXY		ABDE**FGH** 7
⌚ 1 Apr - 30 Sep	3 AL		ABCDFNOQRV 8
☎ +33 (0)5-55819224	4 FHO		E 9
@ contact@	5 ABL		BDGHIJ**P**TUV10
camping-courtille.com	B 10A CEE		❶ € 18,10
⛰ N 46°9'45'' E 1°51'31''	H489 2,7 ha 60**T**(80-100m²) 5**D**		❷ € 21,10

🚗 Von der A20 Ausfahrt 23 Richtung Guéret (N145). Dann Ausfahrt 49 und den CP-Schildern folgen. 🏔

Royère-de-Vassivière, F-23460 / Limousin　　iD

⌂ Les Terrasses du Lac***	1 ADEJMNOPRS**T**	LM**N**QRSTVWXY**Z** 6
✉ Vauveix	2 DFGHIPRUVWXY	BE**FG** 7
⌚ 5 Apr - 1 Nov	3 FLQ	BDFJNOPQRSV 8
☎ +33 (0)5-55647677	4 EFIO	MOPQR 9
@ lesterrassesdulac.camping@	5 AB**LM**	BHIJRV10
orange.fr	B 10A	❶ € 21,65
⛰ N 45°47'23'' E 1°53'50''	H650 4 ha 100**T**(80-110m²) 42**D**	❷ € 28,65

🚗 A20, Ausfahrt 35 Limoges. D979 Richtung Eymoutiers, dann D43 Richtung Beaumont-du-Lac, Richtung Vauveix. 🏔

Haute-Vienne

Aixe-sur-Vienne, F-87700 / Limousin　　📶 iD

⌂ Les Grèves**	1 ADEJMNOPRT		**ABCDEN**UV 6
✉ avenue J.Cl. Papon	2 CGOPRVXY		BDE**F**HK 7
⌚ 1 Jun - 30 Sep	3 BLQ		BDFNOPRV 8
☎ +33 (0)6-73672348	4 DEFIO		EQR 9
@ camping@	5 AEG**LM**		BGHJLORV10
mairie-aixesurvienne.fr	B 10A CEE		❶ € 15,20
⛰ N 45°47'56'' E 1°8'22''	H360 2,5 ha 55**T**(100-200m²) 4**D**		❷ € 19,20

🚗 In Limoges N21 Richtung Périgueux, in Aixe den Fluss überqueren und rechts abbiegen Richtung CP. 🏔

Ambazac, F-87240 / Limousin　　📶 iD

⌂ L'Ecrin Nature***	1 ABDE**JM**NOPRST		AB**N** 6
✉ Jonas	2 ABDFGPSUVWXY		ABDE**FGHJ** 7
⌚ 11 Apr - 16 Okt	3 ABFLV		ABCDFGNOSV 8
☎ +33 (0)6-52927165	4 **E**FGH		AEL 9
@ contact@	5 AB**L**M		ABFHJM**NPS**10
campinglecrinature.com	B 6A CEE		❶ € 17,50
⛰ N 45°58'17'' E 1°24'48''	H370 3,5 ha 61**T**(80-100m²) 13**D**		❷ € 21,50

🚗 A20 Ausfahrt 26 Richtung Ambazac. In Ambazac der Beschilderung Camping L'Erin Nature oder Plan d'eau de Jonars folgen. 🏔

Bonnac-la-Côte, F-87270 / Limousin　　📶 CC€18 iD

⌂ Du Château de	1 A**JM**NOPRS**T**		AL**N** 6
Leychoisier*****	2 ADGPRVWXY		BE**FGH**K 7
✉ route de Leychoisier	3 AFLMQ		BDFINQRSTUV 8
⌚ 15 Apr - 20 Sep	4 FIO**PQ**		JL 9
☎ +33 (0)5-55399343	5 ABEG**I**L		ADHJ**O**ST10
@ contact@leychoisier.com	Anzeige auf dieser Seite B 10A CEE		❶ € 34,00
⛰ N 45°56'0'' E 1°17'23''	H480 4 ha 80**T**(80-200m²) 4**D**		❷ € 46,00

🚗 A20 Châteauroux-Limoges, ca. 10 km vor Limoges rechts Ausfahrt 27. Richtung Bonnac-la-Côte, gut ausgeschildert. 🏔

Bujaleuf, F-87460 / Limousin

- Lac St. Hélène**
- route de la Plage
- 15 Mai - 30 Sep
- +33 (0)5-55692898
- mairie@bujaleuf.fr

1 AJMNOPRST	LMNQWXZ	6
2 DFGHIPRUVXY	BEFG	7
3 ALQ	BDFJKNOQRSV	8
4 FGHI	JRTU	9
5 ALM	BHJLOST	10
B 10A CEE	① €11,50	② €14,50

N 45°48'11'' E 1°37'46''
H300 2 ha 75T(100m²) 10D

N141 Limoges-St. Léonard. In St. Léonard D13 Richtung Peyrat-le-Château. Nach 4 km D14 Richtung Bujaleuf, dort Schildern folgen.

Châteauneuf-la-Forêt, F-87130 / Limousin

- Le Cheyenne***
- avenue Michel Sinibaldi
- 1 Mai - 30 Sep
- +33 (0)5-55693929
- campinglecheyenne@neuf.fr

1 ADEJMNOPRST	LMN	6
2 DFGHIPRVWXY	BDEFG	7
3 AFLMQ	BDFKNORV	8
4 FHIOQ	AEJL	9
5 ADEFGIJLM	BGHIJOSTV	10
6A CEE		
B 10A CEE	① €18,50	② €24,50

N 45°42'59'' E 1°36'5''
H410 1 ha 45T(90-120m²) 12D

A20 Ausfahrt 35 Richtung Eymoutiers. Auf der D979 Châteauneuf-la-Forêt der Beschilderung (Le Lac) folgen.

Châteauponsac, F-87290 / Limousin

- La Gartempe***
- avenue Ventenat
- 3 Apr - 25 Okt
- +33 (0)5-55765533
- camping-chateauponsac@orange.fr

1 ADEJMNOPRT	AFNU	6
2 ACFGOPUVWXY	ABDEFGH	7
3 ABFHILQ	ABFJKNORSV	8
4 FIOQX	EFJUVW	9
5 DEGI	ABHIJORV	10
B 10A CEE	① €18,90	② €25,90

N 46°7'54'' E 1°16'15''
H247 1,5 ha 40T(30-100m²) 15D

A20 Richtung Limoges, Ausfahrt 23.1 Bessines/Châteauponsac. Von Limoges, Ausfahrt 24. In Châteauponsac den Schildern folgen.

Cheissoux, F-87460 / Limousin

- Camping Lous Suais**
- 15 Mai - 15 Sep
- +33 (0)5-55695694
- lous.suais@wanadoo.fr

1 AGJMNOPRT	FLNQSXZ	6
2 BDFHPRTUVWXY	BEFG	7
3 AFLQSV	BEFGKNOPQRSV	8
4 ABCDEFHIOX	ADMQRT	9
5 ADEFGM	ABFHJLOTV	10
FKK B 6A CEE	① €21,70	
H350 6,5 ha 64T(80-120m²) 10D	② €30,70	

N 45°49'5'' E 1°39'11''

In Limoges Ausfahrt 34 Richtung St. Léonard. In St. Léonard D14 Richtung Lac de Vassivière. Nach 3 km D13 Richtung Champnètry. In Cheissoux erste Straße rechts. Beschilderung folgen.

Cognac-la-Forêt, F-87310 / Limousin

- Camping des Alouettes***
- 1 les Alouettes
- 1 Apr - 30 Sep
- +33 (0)5-55032693
- info@camping-des-alouettes.com

1 ADEJMNOPRT	ABFG	6
2 AFGPRVWXY	ABDEF	7
3 AFLQS	ABCDEFGINRSV	8
4 FHIO	AE	9
5 AGIL	ABDHIJNPT	10
B 10A CEE	① €21,90	② €28,80

N 45°49'30'' E 0°59'48''
H355 3,5 ha 68T(150m²) 9D

A20 Ausf. 28 Ri Périgeux (N520). Weiter Ri. Périgeux (D2000) bis zum Kreisel mit der Ausf. Cognac-la-Forêt (D10). Hinter der Ortschaft Cognac-la-Forêt den CP-Schildern folgen, Parkstreifen vor dem CP.

Cromac, F-87160 / Limousin

- Camping de Mondon**
- 4 Apr - 27 Sep
- +33 (0)5-55769334
- camping-mondon@orange.fr

1 ADEJMNOPRST	ABFGHN	6
2 ADFGIPTVWXY	ABDEFH	7
3 ABFILMQR	ABCDFNQRSV	8
4 BDFLP	FPT	9
5 ABDEFGIJL	BGHIJPR	10
B 10A	① €17,50	
H246 2 ha 72T(80-120m²) 7D	② €21,90	

N 46°19'55'' E 1°18'41''

A20 Orléans-Limoges, Ausfahrt 22 Richtung St. Sulpice-les-Feuilles, zunächst Schildern Mailhac-sur-Benaize und dann Schildern 'Lac de Mondon' folgen.

Ladignac-le-Long, F-87500 / Limousin

- Bel Air***
- rue Bel Air
- 1 Apr - 30 Okt
- +33 (0)5-55093982
- fceloisirs@orange.fr

1 ADEJMNOPRT	N	6
2 DFGPRUVWXY	BEFGH	7
3 ALMQ	BDFJNOQRTUV	8
4 BDFHIO	EL	9
5 ABLM	GHIJOR	10
B 10A CEE	① €16,70	② €21,70

N 45°35'26'' E 1°6'49''
H337 2,5 ha 100T(90-140m²) 10D

N21 Limoges-Périgeux. In Châlus Richtung Bussière-Galant. Dann Ladignac-le-Long folgen. Oder in Limoges Ausfahrt 36 Richtung St. Yrieix/Nexon.

Laurière, F-87370 / Limousin

- Lac du Pont à l'Age**
- 4 Apr - 13 Okt
- +33 (0)5-55714262

1 AJMNOPRST	LMNP	6
2 BDFGHIPRTUXY	ABDEF	7
3 BILQ	ABCDFNORV	8
4 FKQ	FT	9
5 DGL	HJR	10
B 16A	① €15,00	
H334 3,5 ha 166T(25-80m²) 5D	② €20,00	

N 46°5'38'' E 1°28'40''

A20, Ausfahrt 23 Bessines Gare/Fursac. D1 Richtung Fursac, Ausfahrt Folles über die D63. Beschilderung 'Lac du Pont à l'Age' folgen.

Peyrat-le-Château, F-87470 / Limousin

- Les 2 Iles
- Auphelle
- 1 Apr - 31 Okt
- +33 (0)5-55356081
- les2iles.camping@orange.fr

1 AJMNOPRST	LMNQRSTUWXYZ	6
2 BDFGHIPRSTUVWXY	ABDEFG	7
3 ABFMQ	ABCDFJKNORSV	8
4 FHIOQ	ELNOQRTU	9
5 ADEGLM	BFGHIJOSUWX	10
B 6A CEE	① €20,70	② €27,40

N 45°48'19'' E 1°50'37''
H650 2,8 ha 100T(80-120m²) 38D

Im Zentrum von Peyrat-le-Château Schilder Lac de Vassivière (D13) bis Auphelle folgen, ca. 7 km.

Rochechouart, F-87600 / Limousin

- de la Météorite****
- Boischenu 1
- 1 Apr - 30 Sep
- +33 (0)5-55036596
- campingdelameteorite@orange.fr

1 ADEFJMNORST	ABN	6
2 DGPTUVWXY	ABDEFGH	7
3 ABELMQ	ABDFHKNOQRS	8
4 FHI	EJLU	9
5 ABJL	ABGHJOSTV	10
B 10A CEE	① €21,00	② €27,00

N 45°49'4'' E 0°49'18''
H200 9 ha 34T(80-120m²) 16D

D675 von St. Junien, an Rochechouart vorbei rechts ab Richtung La Rochechouart, dann den Schildern folgen. Camping links am kleinen See.

St. Germain-les-Belles, F-87380 / Limousin

- de Montréal***
- rue du Petit Moulin
- 1 Jan - 31 Dez
- +33 (0)5-55718620
- contact@campingdemontreal.com

1 ADEJMNOPRST	ABLMN	6
2 ADGHPRUVWXY	BEFGH	7
3 ABEFLMQ	BDFJKNOQRSV	8
4 BDFIO	AEJLT	9
5 ADEFGILM	ABDHIJPST	10
B 10A	① €19,00	② €24,00

N 45°38'5'' E 1°30'5''
H350 2 ha 47T(80-130m²) 26D

A20 Ausfahrt 42. Richtung St. Germain-les-Belles. Dann den Schildern folgen (Plan d'eau de Montréal).

St. Hilaire-les-Places, F-87800 / Limousin

- Camping du Lac Plaisance***
- Impasse du Lac Plaisance
- 18 Apr - 30 Sep
- +33 (0)5-55581214
- info@campingdulacplaisance.com

1 ADEJMNOPRST	LMNQ	6
2 DGHIPRUVXY	BEFGHK	7
3 BILMQV	ABCDFKNOQRSV	8
4 DFHINOQ	AEJT	9
5 DEKLM	GHIJNPRVW	10
B 10A CEE	① €17,30	② €22,10

N 45°38'5'' E 1°9'37''
H320 2 ha 85T(80-150m²) 41D

A20 Ausfahrt 40 von Süden, Ausfahrt 36 von Norden. Hinter Nexon Richtung St. Hilaire-les-Places. Den Schildern 'Lac Plaisance' folgen.

St. Léonard-de-Noblat, F-87400 / Limousin

- Camping de Beaufort***
- Lieu-dit Beaufort
- 15 Apr - 30 Sep
- +33 (0)5-55560270
- info@campingdebeaufort.fr

1 ADEJMNOPRST	N	6
2 CGPRVWXY	BEFGH	7
3 BFLQ	BDFINQRSV	8
4 FHOQ	EF	9
5 ABM	GHIJNOR	10
B 15A	① €20,50	② €23,50

N 45°49'23'' E 1°29'31''
H230 2,5 ha 82T(90-120m²) 24D

A20 Ausfahrt 34 von Norden, Ausfahrt 35 von Süden. D941 Richtung Clermont-Ferrand. In St. Léonard-de-Noblat den CP-Schildern folgen.

St. Mathieu, F-87440 / Limousin

- Du Lac***
- Les Champs
- 1 Mai - 30 Sep
- +33 (0)5-55003430
- mairie.saint.mathieu@orange.fr

1 AJMNOPRST	LMNQ	6
2 DGHIPQVWXY	ABDEFH	7
3 ABEILQ	ABCDEFKNQRSTV	8
4 FHIOPQ	FQRT	9
5 ADEGL	BHIJORZ	10
B 5-10A CEE	① €14,40	② €19,60

N 45°42'51'' E 0°47'17''
H300 1 ha 42T(100-120m²) 3D

Von Limoges N21 Richtung Périgeux, 11 km vorbei an Aixe D699 (Richtung St. Mathieu). Ca. 3 km vor St. Mathieu rechts den Schildern folgen. (Auch gut ausgeschildert auf der D675.)

St. Pardoux, F-87250 / Limousin

- Fréaudour****
- Site de Freaudour
- 9 Mär - 8 Nov
- +33 (0)5-55765722
- camping.freaudour@orange.fr

1 ADEJMNOPRST	ALMNQSWXYZ	6
2 ABDFGHIOPTVWXY	ABDEFGH	7
3 AFHLMQ	ABCDFKNRSV	8
4 FHIOQ	EJLUV	9
5 ABDEGL	HIJORV	10
B 10A CEE	① €18,20	② €28,00

N 46°2'59'' E 1°16'44''
H375 4,5 ha 103T(80-150m²) 30D

A20 Richtung Limoges, Ausfahrt 25 Lac de St. Pardoux folgen, dann 'Site de Fréaudour'.

St. Yrieix-la-Perche, F-87500 / Limousin

- Municipal Arfeuille***
- route du Viaduc
- 15 Apr - 15 Sep
- +33 (0)5-55750875
- camping@saint-yrieix.fr

1 ADEJMNOPRST	ALMNQ	6
2 DFGHIPRUVWXY	BEFGH	7
3 BFILQR	BDFNOPQRSV	8
4 ABDEF	JT	9
5 AFGIJL	BGHIJNOR	10
B 10A CEE	① €15,00	② €19,60

N 45°31'41'' E 1°12'1''
H369 15 ha 75T(100-110m²) 22D

D704, von Limoges, vor Ortseingang rechts, Schildern folgen (Lac d'Arfeuille).

Corrèze

Argentat, F-19400 / Limousin 🛜 ✿ CC€14 iD

🏕 Au Soleil d'Oc****	1	ADEIL**N**OPQRST	AEFJ**N**UV 6
🏠 Monceaux-sur-Dordogne	2	CGJOPRUVXY	BE**FG**H 7
📅 18 Apr - 25 Okt	3	BEFILQ**RT**	ABCDEFJKNORSV 8
☎ +33 (0)5-55288484	4	BCFILNO**PQR**	EFJLQRUV 9
@ info@dordogne-soleil.com	5	ABDEFGI**L**	ABGHIJ**P**STV10
	B 6-10A CEE		① €28,80
🧭 N 45°4'31'' E 1°55'2''	H186 3,5 ha 99T(120-140m²)	45D	② €39,70

🚗 A20, Ausfahrt 45. Die D1120 Uzerche-Tulle-Argentat. In Argentat D12 Richtung Beaulieu, in Laygues (nach 3,5 km) links über die Brücke, direkt wieder links. ⛰

Argentat, F-19400 / Limousin 🛜 iD

🏕 Europe***	1	AJ**M**NOPRT	AFUV 6
🏠 Le Chambon	2	CGPRVWXY	BE**FG**H 7
📅 1 Apr - 31 Okt	3	BLQ	BCDFNPQRV 8
☎ +33 (0)5-55280770	4	FH	EQR 9
@ camping-europe@wanadoo.fr	5	AG	BHIJO10
	B 6A		① €24,40
🧭 N 45°4'37'' E 1°55'54''	2 ha 95T(100m²)	5D	② €32,00

🚗 Von Argentat Richtung Beaulieu (D12). Nach 1,5 km liegt der CP links der Straße. ⛰

Argentat, F-19400 / Limousin 🛜 iD

🏕 Le Gibanel****	1	ADE**JM**NOPQRST	ABFGL**N**UXY 6
📅 1 Jun - 31 Aug	2	DFGIOPRUVWXY	BE**FG**H 7
☎ +33 (0)5-55281011	3	BEFLQ	BDFIKNOQRSV 8
@ contact@ camping-gibanel.com	4	BCDFIO**PQR**	EILQR 9
	5	ACEFGH**KL**	BHIJOST10
	B 10A CEE		① €31,30
🧭 N 45°7'3'' E 1°57'41''	H190 8,5 ha 250T(80-120m²)	16D	② €43,50

🚗 Aus Tulle kommend vor Ortseingang Argentat D18 Richtung Egletons, CP ist ausgeschildert. ⛰

Argentat, F-19400 / Limousin 🛜 ✿ CC€16 iD

🏕 Le Vaurette****	1	ADEIL**N**OPQRST	ABFJ**N**U 6
🏠 Monceaux-sur-Dordogne	2	CFGJPRUVWXY	BE**FG**H 7
📅 1 Mai - 21 Sep	3	BELMQ	BDFKNPQRSV 8
☎ +33 (0)5-55280967	4	BCDEFILO**PQ**	EQRV 9
@ info@vaurette.com	5	ABCDEFGK**LM**	ABDGHIJ**O**ST10
	B 6A CEE		① €32,60
🧭 N 45°2'44'' E 1°53'2''	H170 4 ha 120T(90-140m²)	2D	② €45,40

🚗 A20 Ausfahrt 45 Richtung Tulle. Dann die N1120 bis Argentat nehmen. Am Kreisel die 12 Richtung Beaulieu nehmen. Danach der Beschilderung am Fluss entlang folgen. ⛰

Argentat, F-19400 / Limousin 🛜 iD

🏕 Municipal d'Argentat***	1	ADE**JM**NOPRST	ABFGHI**N** 6
🏠 route de Longour	2	CGOPRUVWXY	BE**FG**H 7
📅 1 Jun - 31 Aug	3	ABELMQ	BDFNRV 8
☎ +33 (0)5-55281384	4	FIO	9
@ camping.municipal@ argentat.fr	5	ADGL**M**	BGHIJLPRV10
	B 10A CEE		① €19,70
🧭 N 45°6'6'' E 1°56'37''	H170 5 ha 100T(80-130m²)		② €24,40

🚗 N120 von Tulle, im Zentrum Argentat links Richtung Egletons (1 km). ⛰

Aubazine, F-19190 / Limousin 🛜 CC€14 iD

🏕 Campéole Le Coiroux****	1	ADE**JM**NOPRT	ABFGLM**N** 6
🏠 Centre Touristique	2	BDGHIPRVWXY	BE**FG**H**K** 7
📅 1 Mai - 30 Sep	3	BEFI**J**LMQRS**TU**	BDFGIKNPQRSV 8
☎ +33 (0)5-55272196	4	A**B**CDEFINOU	AEJL 9
@ coiroux@campeole.com	5	ACDEFG**J**LM	ABDGHIJN**P**STVZ10
			① €26,20
🧭 N 45°11'10'' E 1°42'26''	H450 7 ha 62T(100-200m²)	112D	② €37,40

🚗 A89 Ausfahrt Tulle Ri. Beaulieu/Figeac. 2 km hinter St. Fortunade rechts Ri. Centre Touristique Coiroux. Oder A20 Ausfahrt 49 Ri. Tulle. In Gare d'Aubazine rechts. Centre touristique de Coiroux folgen. ⛰

Auriac, F-19220 / Limousin

🏕 Mun. d'Auriac***	1	ILNOPQRST	LM**N** 6
🏠 Le Bourg Auriac	2	DGHIPRTVX	ABDE**F** 7
📅 3 Apr - 13 Nov	3	AB**E**ILMQ	ABCDFNOV 8
☎ +33 (0)5-55282597	4	FIN**P**	DEQT 9
@ mairie.auriac@wanadoo.fr	5	DGL	BHJRVZ10
	B 6A		① €14,55
🧭 N 45°12'6'' E 2°8'49''	H611 2 ha 54T(80m²)	61D	② €20,00

🚗 Von St. Privat D145 Richtung La Besse. Danach D111 Richtung Auriac. ⛰

Beaulieu-sur-Dordogne, F-19120 / Limousin 🛜 CC€14 iD

🏕 Les Îles***	1	ADE**JM**NOPRST	ABFGJ**N**UX 6
🏠 bd Rodolphe de Turenne	2	CJPRVWXY	BE**FG**H 7
📅 25 Apr - 26 Sep	3	ABDFLQU	ABCDFJNORS 8
☎ +33 (0)5-55910265	4	FHIJOP	AELQRUV 9
@ info@campingdesiles.fr	5	ABDFG**L**	BDGJLNPSTV10
Anzeige auf Seite 203	B 10A CEE		① €30,70
🧭 N 44°58'46'' E 1°50'25''	H140 5 ha 145T(80-120m²)	40D	② €43,10

🚗 In Beaulieu Zentrum ausgeschildert. Einfahrt beschränkt auf 3m höhe Brücke. Andere Zufahrt möglich. ⛰

Beynat, F-19190 / Limousin 🛜 iD

🏕 Camping du Lac de Miel****	1	ADEIL**N**OPRT	CDLM**N** 6
🏠 Centre Touristique de Miel	2	DFGHIPRTWXY	BE**FG**H 7
📅 1 Mai - 31 Aug	3	BEF**I**KLMQ	BDFKNORSV 8
☎ +33 (0)5-55855066	4	BCFILO**PQ**	EFJQRT 9
@ info@camping-miel.com	5	ABDEFG**I**LM	BGHJOSTV10
	B 6-10A CEE		① €27,80
🧭 N 45°7'54'' E 1°45'47''	H490 7 ha 180T(150-300m²)	64D	② €38,70

🚗 N120 bis Tulle, dann N940 Richtung Beaulieu/Figeac bis Beynat, CP ausgeschildert. Auf der A20 bis Brive, D921 Richtung Argentat. ⛰

Bort-les-Orgues, F-19110 / Limousin 🛜 iD

🏕 Les Aubazines***	1	AD**JM**NOR**T**	LMNQSUVXYZ 6
🏠 Vioux-Les Aubazines	2	BDFGHKLPQUVWXY	ABDE**F**HK 7
📅 1 Mai - 15 Sep	3	ABELMQ	ABCDFNORST**U** 8
☎ +33 (0)5-55960838	4	A**E**ILO**U**	FHJQRU 9
@ lesaubaz@aol.com	5	ABEG**J**L	BFGHJLOQSUV10
	B 10A CEE		① €17,50
🧭 N 45°24'58'' E 2°28'49''	H575 5 ha 100T(80-160m²)	34D	② €21,90

🚗 Von Clermont-Ferrand aus Ausf. Rion, N89 nach Bordeaux und dann über D922 Ri. Bort-les-Orgues. Ein paar km hinter Lanobre rechts nach Ussel (D683). Hinter Staudamm direkt nach, CP rechts der Straße, beschildert als 'Complexe Aubazines'. ⛰

Collonges-la-Rouge, F-19500 / Limousin 🛜 iD

🏕 Le Moulin de la Valane***	1	ADE**JM**NOPQRT	ABFGH 6
📅 1 Mai - 30 Sep	2	CGPRVWXY	BE**FG**H 7
☎ +33 (0)5-55254159	3	BFLM**N**Q	ABDFJKNRSV 8
@ camping.collonges-meyssac@ wanadoo.fr	4	FHINO	EFU 9
	5	ADEGI**LM**	BHIJLOR10
	B 10A		① €22,00
🧭 N 45°3'41'' E 1°39'50''	H265 4 ha 75T(100-160m²)	34D	② €30,00

🚗 A20 Limoges-Brive, Ausfahrt Noailles Richtung Collonges-la-Rouge. Nach dem Dorf erste Straße links. ⛰

Donzenac, F-19270 / Limousin 🛜 iD

🏕 La Rivière***	1	ADE**JM**NORT	ABFG**N** 6
🏠 rte du camping Louis Madrias	2	ACOPRVWXY	ABE**F**HK 7
📅 1 Mai - 30 Sep	3	A**I**KLMQ	ABDFNQRV 8
☎ +33 (0)5-55856395	4	HIO	J 9
@ info@campingdonzenac.com	5	ALM	BFGHIJ**O**R10
	B 10A		① €22,00
🧭 N 45°13'8'' E 1°31'18''	H240 1,5 ha 60T(80-100m²)	14D	② €30,20

🚗 A20, die Ausfahrt 47 (von Paris) und Ausfahrt 48 (von Toulouse und Brive) Richtung Donzenac nehmen. Nach dem Städtchen am Kreisel rechts Richtung Ussac(1 km). ⛰

Liginiac, F-19160 / Limousin 🛜 iD

🏕 Camping Chantegril	1	AJMNOPRT	A 6
🏠 D20	2	BPVWXY	ABDE**F** 7
📅 19 Mai - 15 Sep	3	BE**GHK**LQV	ACEFHNRTUV 8
☎ +33 (0)5-55959162	4	ABCDEFGHI	ACJ 9
@ campingchantegril@ gmail.com	5	ADGL	ABHIJNOR10
	6A CEE		① €22,10
🧭 N 45°25'10'' E 2°20'11''	H569 5 ha 37T(100-140m²)	13D	② €31,70

🚗 A89 Richtung Ussel Ausfahrt 23. Im Kreisel Richtung Neuvic. Im nächsten Kreisel geradeaus, kurz danach Ausfahrt Liginiac. Ca. 10 km Kreuzung Richtung Liginiac die D20. Vor dem Ort liegt rechts der CP. ⛰

Bleiben Sie auf dem Laufenden der neusten Entwicklungen!

www.EUROCAMPINGS.eu

Liginiac, F-19160 / Limousin   iD

▲ Centre Touristique du Maury**	1 AJMNORS**T** LMNQSWXZ 6
🏠 Le Maury	2 DFGHPVWXY AB**FG**K 7
🕐 1 Mai - 15 Sep	3 AF**K**MQR BDFNRUV 8
☎ +33 (0)5-55959228	4 BCDFILNO IJQRU 9
@ lemaury@liginiac.fr	5 ADEGIJL BHIJRW 10
	B 16A CEE ❶ €14,00
	H600 2 ha 40**T**(50-100m²) 21**D** ❷ €19,00

📍 N 45°23'28''   E 2°18'17''
🚗 Von Ussel Richtung Neuvic D982. 4,5 km vor Neuvic links ab, D183 Richtung Chabrat/Manzagol. Nach 3 km rechts ab, den CP-Schildern 'Du Maury' folgen. Nach 900m CP-Einfahrt.

Lissac-sur-Couze, F-19600 / Limousin   🛜 iD

▲ La Prairie***	1 ADEJ**M**NOPRT ALMNQSTW 6
🕐 1 Jan - 31 Dez	2 ADFGHPRSTUVWXY BE**FG** 7
☎ +33 (0)5-55853797	3 ABE**K**LQSTV BDFJKNQRSTUV 8
@ camping.laprairie@orange.fr	4 BD**E**FGILNO FJMOQRUV 9
	5 ABDEFGI BFGHIJPVZ 10
	B 10A CEE ❶ €18,60
	H140 2,3 ha 77**T**(80-100m²) 36**D** ❷ €22,60

📍 N 45°5'59''   E 1°27'4''
🚗 A20 Limoges-Toulouse, Ausfahrt 51 Bordeaux/Périgueux. Dann Richtung Lissac-sur-Couze/Lac du Causse.

Marcillac-la-Croisille, F-19320 / Limousin   🛜 CC€12

▲ Camping du Lac***	1 DE**JM**NOPQRST LM**N**PQSUVWXYZ 6
🏠 28 route du Viaduc	2 DFGHIPTUVWXY ABDE**FG**H 7
🕐 3 Apr - 25 Okt	3 AB**L**MQ ABCDFNOQV 8
☎ +33 (0)5-55278138	4 BDFIO EFJ 9
@ campingdulac19@wanadoo.fr	5 ABGIM BHIJQR 10
	B 6A ❶ €16,40
	H500 3,5 ha 160**T**(80-120m²) 38**D** ❷ €21,20

📍 N 45°16'9''   E 2°0'33''
🚗 D978 Tulle-Mauriac. In der Stadt ausgeschildert. Oder D18 Egleton-Argentat, in der Stadt 'Complexe Touristique du Lac la Valette' folgen.

Monceaux-sur-Dordogne, F-19400 / Limousin   🛜 iD

▲ Echo du Malpas***	1 A**J**MNOPQRT AFHJNUV 6
🏠 Le Chambon	2 BCHIJPRXY BE**FG**H 7
🕐 1 Apr - 1 Nov	3 BE**H**LQS BDFKNOQRSV 8
☎ +33 (0)5-65108904	4 BCDEINO**PQ** AEQR 9
@ echodumalpas@medianet.fr	5 ADEFGJ ABHIOR 10
	B 6A CEE ❶ €27,80
	H190 6,6 ha 152**T**(100-250m²) 72**D** ❷ €37,80

📍 N 45°4'53''   E 1°55'16''
🚗 N20 Tulle-Argentat. Kurz vor der Stadt rechts abbiegen Richtung Beaulieu. Der erste CP nach 1 km.

Monceaux-sur-Dordogne, F-19400 / Limousin   🛜 iD

▲ Le Saulou****	1 ADE**JM**NOPRT AFJNUV 6
🏠 Vergnolles	2 CGHIJPRVWXY BE**FG**H 7
🕐 1 Apr - 31 Okt	3 BFLQ BDFKNORSV 8
☎ +33 (0)5-55281233	4 **A**BCDFILNO**PQ** BEJLQR 9
@ le.saulou@orange.fr	5 A**C**DEFGKI BHIJOS 10
	B 10A ❶ €22,80
	H174 8 ha 125**T**(130-200m²) 44**D** ❷ €31,80

📍 N 45°3'25''   E 1°54'53''
🚗 In Argentat Richtung Beaulieu (4 km), an der Brücke links auf die D116. Danach der Beschilderung folgen (ca. 2 km).

Neuvic, F-19160 / Limousin   🛜 iD

▲ Le Port de Neuvic**	1 AD**I**LNOPQRST LNWXZ 6
🏠 route d'Antiges	2 DFHPVX BE**F**HJ 7
🕐 4 Apr - 17 Okt	3 AF BDFLMNPRSTV 8
☎ +33 (0)5-55958118	4 GHIKNOQ EFJL 9
@ contact@	5 ABDEGHI**M** BHIJNOS 10
camping-port-de-neuvic.com	16A CEE ❶ €21,90
	H600 1,2 ha 65**T**(80-100m²) 45**D** ❷ €28,70

📍 N 45°23'48''   E 2°17'14''
🚗 Von Ussel D982 Richtung Neuvic. 3,5 km vor Neuvic (400m hinter der Brücke) links die D20e3 Richtung 'Antiges'. Nach 900m kommt der CP an der linken Seite.

Neuvic, F-19160 / Limousin   🛜 iD

▲ Domaine de Mialaret****	1 ACDEJMNOQRST AMN 6
🏠 route d'Egletons	2 BDFGPQSTVWXY ABDE**FG**HK 7
🕐 26 Apr - 5 Okt	3 ABEF**GHK**LMQRV ABCDFEJKNQRSV 8
☎ +33 (0)5-55460250	4 ABCEFHIJKLO**PQ** ABGJUW 9
@ info@lemialaret.com	5 ABDEFGIJLM ABGHJLMN**PR**Z 10
	Anzeige auf dieser Seite B 10A CEE ❶ €32,60
	H622 45 ha 140**T**(100-160m²) 98**D** ❷ €45,90

📍 N 45°22'56''   E 2°13'45''
🚗 A89 bis Ausfahrt 23 Ussel West, Schildern nach Neuvic D979 und D982 folgen. Hinter Neuvic in Ri. Egletons. Über die D991, ca. 4 km hinter Neuvic schmale Straße nach rechts; ausgeschildert. Nächste Kreuzung: D991 und D89.

Neuvic, F-19160 / Limousin   iD

▲ Le Soustran	1 AJMNOR**T** AFL**N** 6
🏠 Pellachal	2 DFGPUVWX ABD**FG** 7
🕐 1 Mai - 15 Sep	3 A**K**LQSV AFKNQRV 8
☎ +33 (0)5-55950371	4 EFHIKOQ DEUX 9
@ info@lesoustran.com	5 ADEIL ABHIJTU 10
	10A CEE ❶ €21,10
	H599 2 ha 40**T**(100-250m²) 8**D** ❷ €31,10

📍 N 45°24'40''   E 2°17'3''
🚗 A89 Brive Richtung Clermont-Ferrand. Ausfahrt 23 Meymac/Ussel. Richtung Neuvic. 4 km vor Neuvic rechts.

VALLÉE DE LA DORDOGNE
Les Îles ***

Geöffnet
vom 25/04 bis 26/09
185 STELLPLÄTZE

CATHERINE & JEAN-YVES CASTANET
Boulevard Rodolphe de Turenne
19120 Beaulieu-sur-Dordogne
Tel: +33 (0)5 55 91 02 65
info@campingdesiles.fr
www.campingdesiles.com

flower campings   **Camping, das ist menschlich**

Neuvic, F-19160 / Limousin   🛜

▲ Municipal du Lac***	1 BDEFJMNOPRT LMNQRSTUVW**XYZ** 6
🏠 La Plage	2 ABDFGHIPRSUVWXY BE**FG**H 7
🕐 1 Mär - 30 Nov	3 ABEFG**HIK**LQRS ABCDFNOQRSTV 8
☎ +33 (0)5-55958548	4 ABCDEFHIKNO**PQ** JOQRTV 9
@ camping.municipal523@	5 ABL BGHIJOTUV 10
gmail.com	B 16A CEE ❶ €15,00
	H584 5 ha 70**T**(80-100m²) 61**D** ❷ €21,30

📍 N 45°23'4''   E 2°17'34''
🚗 Von Ussel über die D982 in Neuvic über den ELF-Tankstelle 3. Straße li. Ri. Serandon und Municipal-Plage-Golf. Im Kreisverkehr li. Bei Golfplatz direkt li. danach hinter dem Restaurant rechts abbiegen.

Soursac, F-19550 / Limousin   🛜 iD

▲ Camping de la Plage -	1 A**J**MNOPRST HLM**N** 6
Pont Aubert***	2 BDFGHIPTUVWXY ABDE**FG**H 7
🏠 Le Bourg	3 BEFILQR ABCDFJNQRV 8
🕐 1 Jan - 31 Dez	4 ABD**E**FHIJKLNO EFIQRU 9
☎ +33 (0)5-55275543	5 AD**E**GILM BGHJQRV 10
@ campcorreze@orange.fr	B 8A ❶ €15,90
	H528 11 ha 84**T**(80-100m²) 40**D** ❷ €22,20

📍 N 45°16'50''   E 2°12'36''
🚗 Ab der A89 Ausfahrt 23 Ussel Richtung Neuvic/Soursac.

St. Martin-Seperl, F-19210 / Limousin   🛜 iD

▲ La Bonne Source**	1 AG**JM**NOPRST ABJN 6
🏠 Moulin de Gany	2 ACFGPRTUVWX BE**F**G 7
🕐 1 Jun - 31 Aug	3 AELQST BDFGKNQSRV 8
☎ +31 0342-476175	4 ADCDFI AIU 9
@ info@labonnesource.nl	5 ADG**L** ABIJO**S**T 10
	B 10A CEE ❶ €35,50
	H350 18 ha 90**T**(100-300m²) 6**D** ❷ €35,50

📍 N 45°24'25''   E 1°29'13''
🚗 A20 Limoges Ri. Brive-la-Gaillarde. Ausfahrt 44 Ri. Lubersac. Danach links ab die D155 Ri. Vigeois. Den Schildern folgen. Oder A20 Brive-la-Gaillarde - Limoges. Ausfahrt 45 Ri. Vigeois. Dann Ri. Lubersac. Ausgeschildert.

Treignac-sur-Vézère, F-19260 / Limousin   🛜 CC€12 iD

▲ La Plage***	1 ADE**JM**NOR**T** CDFGLNUVX 6
🏠 Lac des Bariousses	2 BDFGHPRUVWXY BE**FG**H 7
🕐 4 Apr - 27 Sep	3 AEFILQST BDFKNOPQRS 8
☎ +33 (0)5-55980854	4 BD**E**FHILO AEL 9
@ camping.laplage@	5 ABL**M** BGHIJLOST 10
flowercampings.com	B 6A ❶ €24,90
	H550 3,7 ha 96**T**(80-150m²) 82**D** ❷ €33,90

📍 N 45°33'35''   E 1°48'48''
🚗 A20 Ausfahrt 43 Richtung Treignac.

Aquitaine

Antonne, F-24420 / Aquitaine

- ⛺ Au Fil de l'Eau***
- 📮 6 allée des Platanes
- 🔓 1 Apr - 31 Okt
- ☎ +33 (0)5-53061788
- @ campingaufildeleau@wanadoo.fr
- 📍 N 45°12'47'' E 0°50'15''
- 🅿 Die N21 Limoges-Périgueux. Ca. 10 km vor Périgueux in Antonne links abbiegen (350m).

1 A**JM**NOPQRST		AFJNU 6
2 ACGIPRVWXY		BDE**FGH** 7
3 ABE**K**LQS		ABCDEFNRSV 8
4 FHIKO**PQ**		ADELQR 9
5 ABDEG**L**		BHJOV10
B 6A CEE		➊ €22,10
H96 2 ha 31**T**(90-100m²) 19**D**		➋ €30,10

Antonne-et-Trigonant, F-24420 / Aquitaine   CC €16

- ⛺ Huttopia Lanmary
- 📮 RD 69
- 🔓 2 Apr - 19 Okt
- ☎ +33 (0)5-53458863
- @ lanmary@huttopia.com
- 📍 N 45°14'33'' E 0°49'51''
- 🅿 Von der A20 nehmen Sie die Ausfahrt 28 Périgueux. Der N21 folgen, auf der D8 dann Richtung Antonne folgen. Links abbiegen auf die D69.

1 DE**IL**NOPRS		ABFG 6
2 BFGPTXY		BE**FG** 7
3 BFLQ		BDFGINQRS 8
4 BDFIO		AEF 9
5 ADFILM		BFGJNV10
B 10A CEE		➊ €46,00
H150 20 ha 71**T** 154**D**		➋ €56,20

Dordogne

Siehe Detail Dordogne

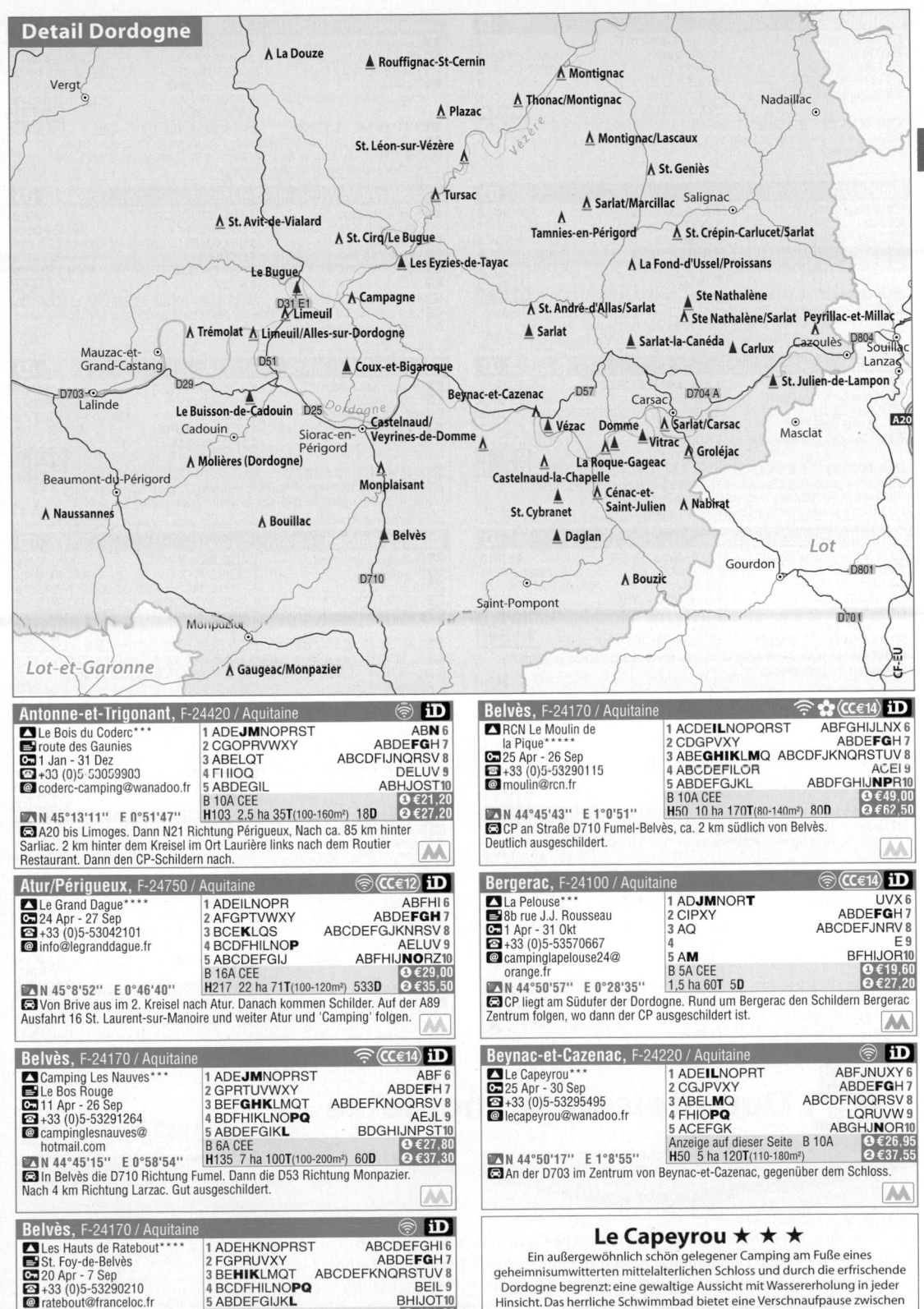

Detail Dordogne

Map labels:
Vergt · La Douze · Rouffignac-St-Cernin · Montignac · Nadaillac · Plazac · Thonac/Montignac · Montignac/Lascaux · St. Léon-sur-Vézère · St. Geniès · Tursac · Sarlat/Marcillac · Salignac · St. Avit-de-Vialard · St. Cirq/Le Bugue · Tamnies-en-Périgord · St. Crépin-Carlucet/Sarlat · Les Eyzies-de-Tayac · La Fond-d'Ussel/Proissans · Le Bugue · Campagne · Ste Nathalène · Limeuil · St. André-d'Allas/Sarlat · Ste Nathalène/Sarlat · Peyrillac-et-Millac · Trémolat · Limeuil/Alles-sur-Dordogne · Sarlat · Sarlat-la-Canéda · Cazoules · Souillac · Lanzac · Mauzac-et-Grand-Castang · Coux-et-Bigaroque · Sarlat/Carcillac · Carlux · Lalinde · Beynac-et-Cazenac · Carsac · St. Julien-de-Lampon · Le Buisson-de-Cadouin · Castelnaud/Veyrines-de-Domme · Vézac · Domme · Sarlat/Carsac · Masclat · Cadouin · Siorac-en-Périgord · Vitrac · Groléjac · Molières (Dordogne) · La Roque-Gageac · Beaumont-du-Périgord · Monplaisant · Castelnaud-la-Chapelle · Cénac-et-Saint-Julien · Nabirat · Naussannes · St. Cybranet · Lot · Bouillac · Belvès · Daglan · Gourdon · Bouzic · Saint-Pompont · Monpazier · Lot-et-Garonne · Gaugeac/Monpazier

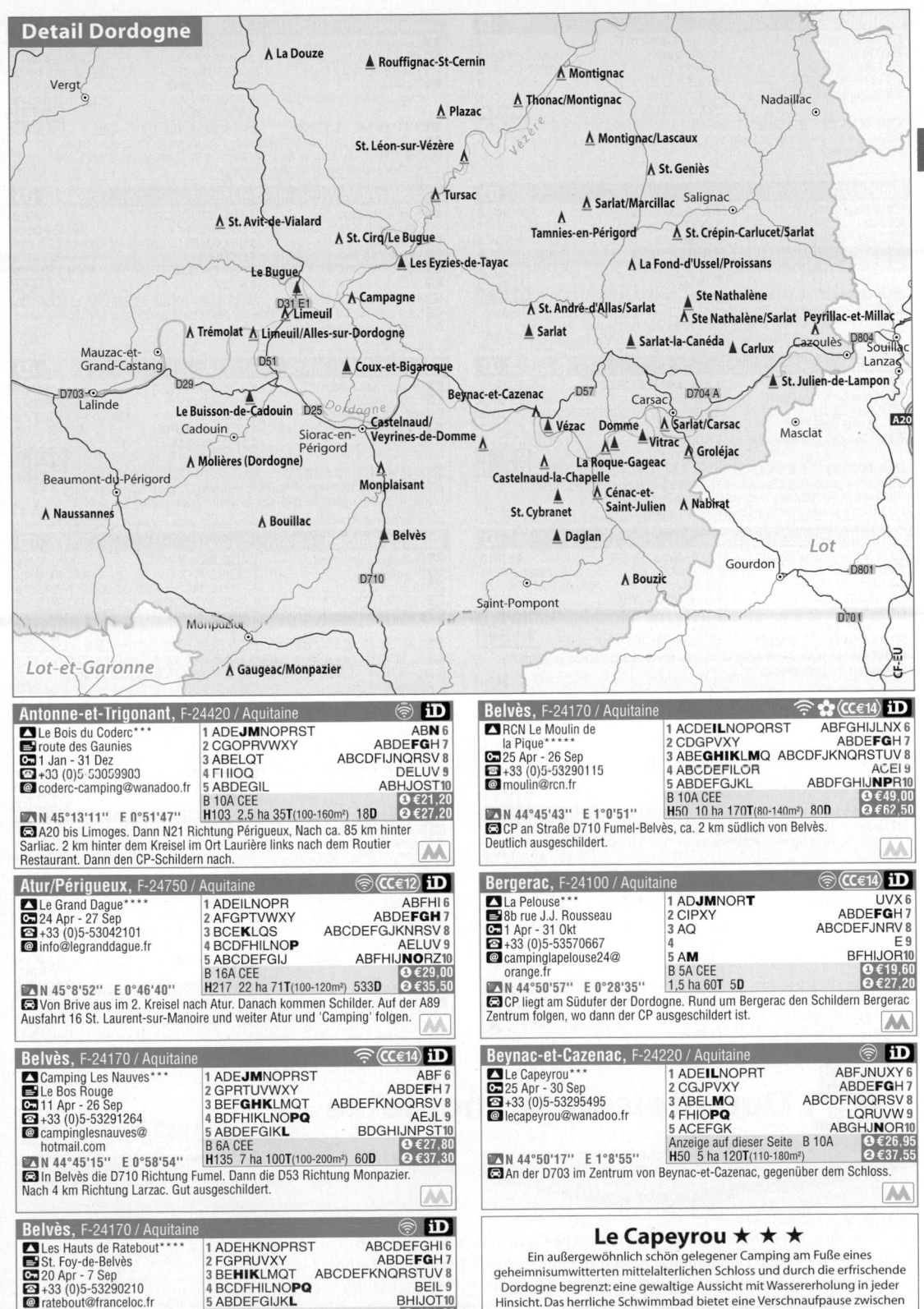

Antonne-et-Trigonant, F-24420 / Aquitaine

Le Bois du Coderc***
route des Gaunies
1 Jan - 31 Dez
+33 (0)5-53059900
coderc-camping@wanadoo.fr

1 ADE**JM**NOPRST	ABB**N**	6
2 CGOPRVVWXY	ABDE**FGH**	7
3 ABELQT	ABCDFIJNQRSV	8
4 F11IIOQ	DELUV	9
5 ABDEGIL	ABHJOST	10
B 10A CEE	① €21,20	
H103 2,5 ha 35T(100-160m²) 18D	② €27,20	

N 45°13'11'' E 0°51'47''
A20 bis Limoges. Dann N21 Richtung Périgueux, Nach ca. 85 km hinter Sarliac. 2 km hinter dem Kreisel im Ort Laurière links nach dem Routier Restaurant. Dann den CP-Schildern nach.

Atur/Périgueux, F-24750 / Aquitaine

Le Grand Dague****
24 Apr - 27 Sep
+33 (0)5-53042101
info@legranddague.fr

1 ADEILNOPR	ABFHI	6
2 AFGPTVWXY	ABDE**FGH**	7
3 BCE**KL**QS	ABCDEFGJKNRSV	8
4 BCDFHILNO**P**	AELUV	9
5 ABCDEFGIJ	ABFHIJ**NO**RZ	10
B 16A CEE	① €29,00	
H217 22 ha 71T(100-120m²) 533D	② €35,50	

N 45°8'52'' E 0°46'40''
Von Brive aus im 2. Kreisel nach Atur. Danach kommen Schilder. Auf der A89 Ausfahrt 16 St. Laurent-sur-Manoire und weiter Atur und 'Camping' folgen.

Belvès, F-24170 / Aquitaine

Camping Les Nauves***
Le Bos Rouge
11 Apr - 26 Sep
+33 (0)5-53291264
campinglesnauves@hotmail.com

1 ADE**JM**NOPRST	ABF	6
2 GPRTUVWXY	ABDEFH	7
3 BEF**GHK**LMQT	ABDEFKNOQRSV	8
4 BDFHIKLNO**PQ**	AEJL	9
5 ABDEFGIK**L**	BDGHIJNPST	10
B 6A CEE	① €27,80	
H135 7 ha 100T(100-200m²) 60D	② €37,30	

N 44°45'15'' E 0°58'54''
In Belvès die D710 Richtung Fumel. Dann die D53 Richtung Monpazier. Nach 4 km Richtung Larzac. Gut ausgeschildert.

Belvès, F-24170 / Aquitaine

Les Hauts de Ratebout****
St. Foy-de-Belvès
20 Apr - 7 Sep
+33 (0)5-53290210
ratebout@franceloc.fr

1 ADEHKNOPRST	ABCDEFGHI	6
2 FGPRUVXY	ABDE**FGH**	7
3 BE**HIK**LMQT	ABCDEFKNQRSTUV	8
4 BCDFHILNO**PQ**	BEIL	9
5 ABDEFGIJKL	BHIJOT	10
B 10A CEE	① €34,00	
H350 12 ha 60T(80-120m²) 179D	② €45,50	

N 44°44'29'' E 1°2'42''
An D710 Siorac-Fumel, 4 km südlich von Vaurrez. Von D710 ungefähr 4 km Richtung St. Foy-de-Belvès. Deutlich beschildert.

Belvès, F-24170 / Aquitaine

RCN Le Moulin de la Pique*****
25 Apr - 26 Sep
+33 (0)5-53290115
moulin@rcn.fr

1 ACDE**IL**NOPQRST	ABFGHIJLNX	6
2 CDGPVXY	ABDE**FGH**	7
3 ABE**GHIK**LMQ	ABCDFJKNQRSTUV	8
4 ABCDEFILOR	ACEI	9
5 ABDEFGJKL	ABDFGHIJ**NP**R	10
B 10A CEE	① €49,00	
H50 10 ha 170T(80-140m²) 80D	② €62,50	

N 44°45'43'' E 1°0'51''
CP an Straße D710 Fumel-Belvès, ca. 2 km südlich von Belvès. Deutlich ausgeschildert.

Bergerac, F-24100 / Aquitaine

La Pelouse***
8b rue J.J. Rousseau
1 Apr - 31 Okt
+33 (0)5-53570667
campinglapelouse24@orange.fr

1 AD**JM**NOR**T**	UVX	6
2 CIPXY	ABDE**FGH**	7
3 AQ	ABCDEFJNRV	8
4	E	9
5 A**M**	BFHIJOR	10
B 5A CEE	① €19,60	
H50 60T 5D	② €27,20	

N 44°50'57'' E 0°28'35''
CP liegt am Südufer der Dordogne. Rund um Bergerac den Schildern Bergerac Zentrum folgen, wo dann der CP ausgeschildert ist.

Beynac-et-Cazenac, F-24220 / Aquitaine

Le Capeyrou***
25 Apr - 30 Sep
+33 (0)5-53295495
lecapeyrou@wanadoo.fr

1 ADE**IL**NOPRT	ABFJNUXY	6
2 CGJPVXY	ABDE**FGH**	7
3 ABE**LM**Q	ABCDFNOQRSTUV	8
4 FHIO**PQ**	LQRUVW	9
5 ACEFGK	ABGHJNPR	10
Anzeige auf dieser Seite B 10A	① €26,95	
H50 5 ha 120T(110-180m²)	② €37,55	

N 44°50'17'' E 1°8'55''
An der D703 im Zentrum von Beynac-et-Cazenac, gegenüber dem Schloss.

Frankreich

Bouillac, F-24480 / Aquitaine 📶 iD

- ⛺ Terme d'Astor***
- 🚐 D26
- 📅 1 Mai - 30 Sep
- ☎ +33 (0)5-53632452
- @ camping@termedastor.com
- 📍 N 44°45'29'' E 0°54'8''

1 ADEGJMNORT		AF 6
2 GPTVWXY		ABDE**FG**H 7
3 AE**K**LQS		ABCDEFNQRSXY 8
4 BDEILOTU		EJ 9
5 ACDEGIJL		ABHJPTV10
FKK B 6A CEE		
H188 18 ha 80**T**(120-140m²)	30**D**	❶ €35,90 / ❷ €47,40

🚗 Auf der D2 sowohl in Cadouin als auch in Monpazier ist die D26 zum CP ausgeschildert.

Castelnaud-la-Chapelle, F-24250 / Aquitaine ⓒⓒ€16 iD

- ⛺ Camping Maisonneuve***
- 🚐 1 Apr - 15 Okt
- ☎ +33 (0)5-53295129
- @ contact@campingmaisonneuve.com
- 📍 N 44°48'18'' E 1°9'30''

1 ADE**JM**NOPQRST		ABF**J**NX 6
2 CIPVWXY		ABDE**FG**H 7
3 ABEF**IK**LQ		ABCDEFJKNORSV 8
4 BCDFINO**PQ**		BEILUV 9
5 ABDEFGJKL		BDGHIJORW10
B 6-10A CEE		❸ €28,60
H50 6 ha 140**T**(90-120m²)	13**D**	❷ €40,20

🚗 Von der D703 über die D57 Richtung Daglan. Hinter Castelnaud ist der CP ausgeschildert. Von Daglan die D57 Richtung St. Cybranet und Castelnaud. Vor Castelnaud ist der CP rechts angezeigt.

Bouzic, F-24250 / Aquitaine 📶 iD

- ⛺ Le Douzou***
- 🚐 D52
- 📅 1 Apr - 30 Sep
- ☎ +33 (0)5-53284160
- @ contact@campingledouzou.fr
- 📍 N 44°43'51'' E 1°14'18''

1 ADE**JM**NOPRST		ABF**J**NU 6
2 BCGIPUVWXY		ABDE**FH** 7
3 BE**H**KLQ		ABDFIJKNRSV 8
4 **A**BCDFHIOQ		ABELQRUV 9
5 ABDEFGKLM		BFGHIJORVW10
B 10A CEE		❶ €25,90
H100 5 ha 48**T**(100-150m²)	19**D**	❷ €34,30

🚗 D673 Gourdon-Fumel. Dann die D46 Ri. Domme, nach 3 km die D52 Richtung Daglan. CP links 2 km vor Bouzic. Von Daglan D60 Ri. Domme. Nach etwa 2 km rechts Richtung Bouzic die D52. CP rechts 2 km hinter Bouzic.

Castelnaud/Veyrines-de-Domme, F-24250 / Aq. 📶 ⓒⓒ€14 iD

- ⛺ Sites & Paysages Les Pastourels***
- 🚐 Le Brouillet
- 📅 14 Mai - 15 Sep
- ☎ +33 (0)5-53294217
- @ camping@lespastourels.com
- 📍 N 44°48'54'' E 1°6'2''

1 ADE**JM**NOPQRST		ABF 6
2 BFGPRUVXY		ABDE**FG**H 7
3 BEF**GHK**LQ		ABCDEFGKNQRSTUV 8
4 BCDFHIL		ABEJLU 9
5 ABDEF**GLM**		ABDHI**J**O**R**V10
B 6-10A		❶ €24,40
H200 12 ha 49**T**(100-250m²)	20**D**	❷ €34,30

🚗 Nach Castelnaud-la-Chapelle fahren, den Hinweisen Château des Milandes und dann den CP-Schildern folgen.

Brantôme, F-24310 / Aquitaine 📶 ✿ ⓒⓒ€14 iD

- ⛺ Brantôme Peyrelevade***
- 🚐 46 avenue André Maurois
- 📅 1 Mai - 30 Sep
- ☎ +33 (0)5-53057524
- @ info@camping-dordogne.net
- 📍 N 45°21'39'' E 0°39'37''

1 ADE**JM**NOPQRST		ABF**J**NU 6
2 CGHIPVWXY		ABDE**FG**H 7
3 ABEL**MQT**		ABCDEFGHJKNQRSTUV 8
4 FHO		AEUV 9
5 ABDEG**LM**		BDFGHIJPSTV10
B 10A CEE		❶ €26,10
H200 4 ha 127**T**(100-200m²)	23**D**	❷ €35,10

🚗 Von Perigueux/Brantôme aus durchfahren und dann Richtung Thiviers. Von Angoulême Richtung Zentrum und dann Richtung Thiviers. Etwa 1 km vor dem Zentrum. Den Schildern folgen.

Cénac-et-Saint-Julien, F-24250 / Aquitaine ⓒⓒ€12 iD

- ⛺ Le Pech de Caumont***
- 🚐 1 Apr - 30 Sep
- ☎ +33 (0)5-53282163
- @ info@pech-de-caumont.com
- 📍 N 44°47'12'' E 1°12'33''

1 ADE**JM**NOPRST		AFUV 6
2 BFGPRUVXY		ABDE**FG**H 7
3 BF**K**LQS		ABCDFNOQRSTV 8
4 BCDFHINO**PQ**		EJLQRUV 9
5 ABDEFGIL**M**		BDGHIJOR10
B 16A		❶ €22,90
H152 10 ha 100**T**(80-120m²)	23**D**	❷ €31,80

🚗 Von der D703 über 55 Sarlac Richtung Carsac D703. Weiter Richtung Cénac die D46. Der CP liegt 1,5 km südlich von der Dordogne. Ist angezeigt.

Campagne, F-24260 / Aquitaine 📶 iD

- ⛺ Le Val de la Marquise***
- 🚐 Le Moulin
- 📅 1 Apr - 30 Sep
- ☎ +33 (0)5-53547410
- @ contact@levaldelamarquise.com
- 📍 N 44°54'23'' E 0°58'27''

1 ADE**JM**NOPRS**T**		ABFN 6
2 BCDGLPRVY		ABDE**FG**H 7
3 B**H**LQU		ABCDEFJKNRSTU 8
4 BDEFHILNO**PQ**		EJKY 9
5 ABDEFG**M**		ABGHIJ**O**RV10
B 15A CEE		❶ €25,80
H60 4 ha 72**T**(100-180m²)	58**D**	❷ €34,20

🚗 Die Route von Le Bugue nach Les Eyzies nehmen und via D35 in Richtung St. Cyprien (ausgeschildert).

Champs-Romain, F-24470 / Aquitaine 📶 ✿ iD

- ⛺ Château Le Verdoyer****
- 🚐 Le Verdoyer
- 📅 19 Apr - 27 Sep
- ☎ +33 (0)5-53569464
- @ chateau@verdoyer.fr
- 📍 N 45°33'2'' E 0°47'43''

1 ADE**JM**NOPRST		ABFHLN 6
2 DGIPUVWXY		ABDE**FG**H 7
3 ABE**KL**MQ		CDFGJKLNPQRSTUV 8
4 ABCDFHINO**PQ**		AEGJKLUV 9
5 ACDEGIJKL		ABGHIJN**P**STZ10
B 10A		❶ €34,50
H307 25 ha 120**T**(100-150m²)	77**D**	❷ €44,50

🚗 Die N21 Limoges-Chalus, hier schon rechts ab auf die D6bis und D85 Richtung Nontron. Nach 20 km links ab beim Schild 'Chateau Le Verdoyer'. Gut ausgeschildert.

Carlux, F-24370 / Aquitaine 📶 iD

- ⛺ La Châtaigneraie****
- 🚐 Prats de Carlux
- 📅 23 Mai - 15 Sep
- ☎ +33 (0)5-53590361
- @ lachataigneraie@orange.fr
- 📍 N 44°54'3'' E 1°17'54''

1 ADE**IL**NOPR**T**		ABFH 6
2 BPQRUVX		ABDE**FG**H 7
3 BEFIL**M**PQ		ABCDFNQRS 8
4 FHILO**PQ**U		E 9
5 ABDEFGIK		BHIJ**NP**TV10
B 10A		❶ €36,05
H130 6 ha 118**T**(80-120m²)	71**D**	❷ €51,55

🚗 An der D704a Sarlat-Calviac ausgeschildert. Ab hier noch ca. 4 km. Oder A20, Ausfahrt Souillac, Richtung Sarlat, Ausfahrt Rouffillac/Carlux (rechts).

Coux-et-Bigaroque, F-24220 / Aquitaine ⓒⓒ€14 iD

- ⛺ Le Clou***
- 🚐 Meynard route D703
- 📅 18 Apr - 27 Sep
- ☎ +33 (0)5-53316332
- @ info@camping-le-clou.com
- 📍 N 44°51'42'' E 0°58'53''

1 ADE**JL**NORT		AFGH**N** 6
2 FGMPQRTVXY		ABDE**FG**HK 7
3 AEFIKLQS		ABCDFGIKNQRSV 8
4 BDFHIO**PX**		BEFI 9
5 ABDEFGIL		ABDHJOST10
B 6-10A CEE		❶ €33,50
H215 4 ha 66**T**(80-150m²)	61**D**	❷ €48,50

🚗 Der CP liegt zwischen Le Bugue und Coux-et-Bigaroque an der D703, ausgeschildert.

Carlux, F-24370 / Aquitaine 📶 iD

- ⛺ Les Ombrages**
- 🚐 Rouffillac
- 📅 19 Apr - 15 Okt
- ☎ +33 (0)9-53532555
- @ ombragesperigord@free.nl
- 📍 N 44°52'1'' E 1°21'29''

1 AD**JM**NOPRST		J**N**XY 6
2 CJOPRVX		ABD**F** 7
3 BEL**M**Q		ABCDEFNQRT 8
4 FHO		AEQRUV 9
5 ADG**L**		ABHK**N**O**ST**10
10A CEE		❶ €20,15
H100 2,4 ha 75**T**(120-200m²)	5**D**	❷ €27,15

🚗 A20, Ausfahrt Souillac. An der D703 Souillac-Sarlat gelegen, in der Nähe der Brücke bei Roufillac.

Coux-et-Bigaroque, F-24220 / Aquitaine 📶 iD

- ⛺ Les Valades****
- 🚐 D703
- 📅 3 Apr - 26 Sep
- ☎ +33 (0)5-53291427
- @ info@lesvalades.com
- 📍 N 44°51'38'' E 0°57'50''

1 ADE**IL**NORS**T**		ABFLN 6
2 DGIPTUVXY		ABDE**FG**H 7
3 ABLQS		ABCDEFL**N**PQRSTUV 8
4 FIO**Q**		BEJLQR 9
5 ABDEFGIJ**M**		BHJOP**R**10
B 10A		❶ €30,00
H150 12 ha 58**T**(120-400m²)	52**D**	❷ €42,00

🚗 CP liegt zwischen Le Bugue und Coux-et-Bigaroque an der Westseite der N703. Hinter der ausgeschilderten Ausfahrt dieser Straße 1,3 km folgen.

Durchreisecampingplätze

In diesem Führer finden Sie eine handliche Karte mit Campingplätzen an den wichtigen Durchgangsstrecken zu Ihrem Ferienziel. Durch die Farbe des jeweiligen Zeltchens können Sie erkennen, ob dieser Platz ganzjährig geöffnet ist oder nicht. Darüber hinaus gibt es für jeden Platz auch noch eine kurze redaktionelle Beschreibung, inklusive Routenbeschreibung und Öffnungszeiten.

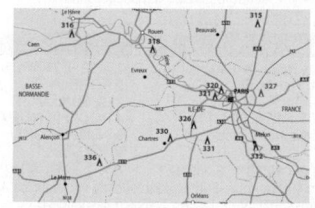

Daglan, F-24250 / Aquitaine 🛜 CC€14 iD

▲ La Peyrugue***   1 ADEJMNOPRT   AFN 6
🚃 D57   2 FGPRUVXY   ABEFGH 7
📅 1 Apr - 1 Okt   3 BEGJKLQRV   BDEFGNPQRST 8
☎ +33 (0)5-53284026   4 BCDFHIOPQ   AEHJL 9
@ camping@peyrugue.com   5 ABDEFGIKL   ABDHIJLPR10
   B 6-10A CEE   ❶ €31,95
   H83 5 ha 76T(95-160m²) 17D   ❷ €44,25

📍 N 44°45'9'' E 1°11'15'' A20 Limoges-Toulouse, Ausf. 55 Souillac, D820 Ri. Gourdon. Dann D673 Ri. Gourdon, rechts ab zur D801. Durch Gourdon wieder die D673 Ri. Fumel. D6, D46, D60 und D57 Durch Daglan Richtung St. Cybranet.

Daglan, F-24250 / Aquitaine 🛜 iD

▲ Le Daguet***   1 ADEJMNORST   AF 6
📅 1 Jun - 15 Sep   2 FGPRTUVX   ABEFGH 7
☎ +33 (0)5-53282955   3 BELQ   BCDFNQRV 8
@ camping-le-daguet@wanadoo.fr   4 FHINOPQ   BEI 9
   5 ABDEFGIL   BGHIJOR10
   B 3-10A CEE   ❶ €24,50
   H283 3 ha 30T(80-120m²) 72D   ❷ €30,50

📍 N 44°44'59'' E 1°9'20'' Auf der D57 St. Cybranet-Daglan nach 4 km rechts. Der CP ist gut ausgeschildert. Oder vom Zentrum Daglan ausgeschildert.

Daglan, F-24250 / Aquitaine 🛜 CC€16 iD

▲ Le Moulin de Paulhiac****   1 ADEJMNOPQRST   ABEFHJNUX 6
🚃 D57   2 CGJPVXY   ABDEFGH 7
📅 14 Mai - 17 Sep   3 ABEFKLQ   ABCDEFJKNQRSV 8
☎ +33 (0)5-53282088   4 ABCDFHILNOPQX   AELQRUV 9
@ francis.armagnac@wanadoo.fr   5 ACDEFGJKL   BDGHIJLNPR10
   B 10A CEE   ❶ €33,00
   H85 5 ha 160T(100-120m²) 32D   ❷ €45,00

📍 N 44°46'4'' E 1°10'35'' Von Souillac Richtung Sarlat, Vézac, Castelnaud (D57). Hinter St. Cybranet ist der CP ausgeschildert. Oder von Daglan die D57 Richtung St. Cybranet. Nach ± 4 km liegt der CP rechts.

Domme, F-24250 / Aquitaine 🛜 CC€12 iD

▲ Le Bosquet***   1 ADEILNOPRT   AB 6
🚃 La Rivière   2 GPRVXY   ABDEFGH 7
📅 11 Apr - 26 Sep   3 AKLQS   ABCDEFNQRSV 8
☎ +33 (0)5-53283739   4 BDEFHIOP   ELQRUV 9
@ info@lebosquet.com   5 ABDEFLM   BDGHIJPRV10
   B 10A CEE   ❶ €20,50
   H80 1,5 ha 36T(100-140m²) 21D   ❷ €28,75

📍 N 44°49'20'' E 1°13'36'' Von Souillac und Sarlat, Richtung Vallée-de-la-Dordogne bis nach Vitrac Port. Die Brücke überqueren. Der CP kommt in 300m und ist angezeigt.

Domme, F-24250 / Aquitaine 🛜 CC€12 iD

▲ Le Perpetuum***   1 AJMNOPQRST   ABFJNUX 6
🚃 D50 La Rivière   2 CJPRXY   ABDEFGH 7
📅 1 Mai - 10 Okt   3 ABEKLQ   ABCDEFJKNRSV 8
☎ +33 (0)5-53283518   4 BDEFHILNOPQ   DEQNUVW 9
@ luc.parsy@wanadoo.fr   5 ABDEFGIKL   BDGHJNORV10
   B 10A   ❶ €26,60
   H81 4,5 ha 120T(80-120m²) 141D   ❷ €37,90

📍 N 44°48'56'' E 1°13'14'' Von Sarlat, Souillac, Gourdon oder Bergerac aus, Richtung Vitrac Port auf der D703. Bei Vitrac über die Brücke und der Beschilderung folgen (an der Kreuzung rechts abbiegen zur D50). Nicht nach Domme fahren.

Douville, F-24140 / Aquitaine 🛜 CC€16 iD

▲ Lestaubière***   1 ADEILNOPRST   AFLMN 6
🚃 Pont-St-Mamet   2 ABDFGHIPRTVXY   ABEFGH 7
📅 18 Apr - 26 Sep   3 BEFLMQ   BDFKNQRST 8
☎ +33 (0)5-53829815   4 BDFILNOPQ   ABE 9
@ lestaubiere@gmail.com   5 ABDEFGIJKL   ABDGHJMOR10
   B 10A   ❶ €32,55
   H185 24 ha 104T(160-250m²) 15D   ❷ €44,90

📍 N 44°59'33'' E 0°35'50'' 19 km nördlich von Bergerac. Auf der N21 die Ausfahrt Pont-St-Mamet. 2 km weiter ist der CP.

Douville, F-24140 / Aquitaine 🛜 CC€12 iD

▲ Orphéo Negro   1 ADEJMNOPRT   AF 6
🚃 RN21, Les Trois Frères Lieu-dit   2 ABDGIPRVWXY   ABDEFH 7
📅 1 Apr - 30 Okt   3 ABDFGHIPRTVXY   ABDFNQV 8
☎ +33 (0)5-53829658   4 BFHOPQTU   EOT 9
@ camping@orpheonegro.com   5 ABDFIJ   FHIJOR10
   B 6A   ❶ €22,35
   H212 11 ha 90T(80-150m²) 12D   ❷ €30,35

📍 N 45°1'39'' E 0°37'1'' Von Périgueux der RN21 Richtung Bergerac folgen. Nach 25 km rechts der Strecke. Ist ausgeschildert.

Gaugeac/Monpazier, F-24540 / Aquitaine 🛜 iD

▲ Le Moulin de David****   1 ADEJMNORST   AFHLMN 6
📅 30 Mär - 10 Sep   2 BCDGIPRVWXY   BDEFGH 7
☎ +33 (0)5-53226525   3 BELMQST   ABCDFKNQRSV 8
@ contact@moulindedavid.com   4 ABDEFHILNOQ   ABCEUV 9
   5 ABCDEFGIJL   BGHIJNOPSTV10
   B 10A   ❶ €28,80
   H100 16 ha 94T(80-200m²) 132D   ❷ €40,80

📍 N 44°39'35'' E 0°52'44'' 3 km ab Monpazier links D2. Folge Richtung Villeréal, CP 700m von D2 entfernt, ausgeschildert.

Goléjac, F-24250 / Aquitaine 🛜 CC€14 iD

▲ Les Granges****   1 ADEJMNOPRST   ABCDFHIN 6
📅 25 Apr - 12 Sep   2 BGPRUVXY   ABDEFGH 7
☎ +33 (0)5-53281115   3 BEIKLQ   ABCDEFKNQRSV 8
@ contact@lesgranges-fr.com   4 BCDFHILNOPQX   BCEJLUV 9
   5 ADEFGJL   ABDHIJNOPQST10
   B 6A CEE   ❶ €31,20
   H300 6 ha 80T(90-100m²) 66D   ❷ €46,60

📍 N 44°48'57'' E 1°17'28'' CP ist an der D704 in Goléjac deutlich beschildert.

Hautefort, F-24390 / Aquitaine 🛜 iD

▲ Camping Du Coucou**   1 ADEJMNOPRT   AFN 6
🚃 Le Bois du Coucou   2 BDGPRUVWXY   ABDEF 7
📅 1 Apr - 15 Okt   3 BEFHLQ   ABDFINOQRSV 8
☎ +33 (0)5-53508067   4 ABCDFIOPQ   BEI 9
@ info@campingducoucou.com   5 ABGKLM   BHJLOSTV10
   B 10A CEE   ❶ €19,60
   H260 2 ha 50T(90-120m²) 43D   ❷ €25,80

📍 N 45°14'51'' E 1°8'18'' In Hautefort den Schildern (Etang Du Coucou) bis zum Ende am Meer folgen.

Jumilhac-le-Grand, F-24630 / Aquitaine 🛜 iD

▲ La Chatonnière***   1 AJMNOPRT   JMNU 6
🚃 D79 route de la Coquille   2 CGHPUVXY   BEFG 7
📅 30 Mai - 13 Sep   3 BLQR   BDFIKNPQRSV 8
☎ +33 (0)5-53525736   4 AFIO   ADEQRV 9
@ camping@chatonniere.com   5 ABEFKL   ABHIJPST10
   B 10A CEE   ❶ €27,00
   H240 7 ha 55T(95-140m²) 26D   ❷ €39,50

📍 N 45°30'4'' E 1°3'43'' N21 Limoges-Périgueux. An der Ampel in La Coquille nach links Richtung Jumilhac (11 km). Beschilderung folgen.

La Douze, F-24330 / Aquitaine 🛜 iD

▲ Laulurie en Perigord**   1 ADEGJMNOPRST   A 6
📅 15 Mai - 14 Sep   2 AGPRVWXY   BEFH 7
☎ +33 (0)5-53067400   3 BEKLMQ   ABFNOQRSV 8
@ toutain@laulurie.com   4 FHIO   DJ 9
   5 ABCDEGM   DEIIJNORV10
   FKK B 3-10A CEE   ❶ €30,00
   H200 7 ha 57T 7D   ❷ €40,00

📍 N 45°3'53'' E 0°53'18'' D710 Niversac-La Bugue, in La Douze links abbiegen. Dann noch 3 km auf einem guten Feldweg. Schildern folgen.

La Fond-d'Ussel/Proissans, F-24200 / Aquitaine 🛜 iD

▲ Le Val d'Ussel***   1 AHKNOPQR   ABF 6
📅 12 Apr - 15 Sep   2 BGPTUVX   ABDEFG 7
☎ +33 (0)5-53592873   3 AFILMQS   ABCDEFIKNQRSV 8
@ campinglevaldussel@homair.com   4 NOUXZ   EUV 9
   5 AD   BHJOSTZ10
   B 10A   ❶ €23,10
   H200 7 ha 93T(60-120m²) 95D   ❷ €32,10

📍 N 44°56'10'' E 1°13'56'' An der D704 Sarlat-Montignac ist ca. 12 km vor Sarlat der CP ausgeschildert. Ab hier noch ca. 8 km.

La Roche-Chalais, F-24490 / Aquitaine 🛜 iD

▲ Camping Municipal Les Gerbes***   1 AJMNORST   NUX 6
📅 15 Apr - 30 Sep   2 CGKPVWXY   BEFGH 7
☎ +33 (0)5-53914065   3 BELQ   ABDFNORV 8
@ campinggerbes@orange.fr   4 FHIO   ELQR 9
   5 AL   GHJPRV10
   B 10A   ❶ €12,70
   H150 4 ha 100T(80-120m²) 4D   ❷ €15,80

📍 N 45°8'56'' E 0°0'7'' D674 Angoulême - La Roche-Chalais. Hinterm Zentrum rechts abbiegen (800m).

La Roque-Gageac, F-24250 / Aquitaine 🛜 CC€12 iD

▲ Beau Rivage***   1 ADILNOPRST   ABFGJNUVXY 6
🚃 Lieu-dit 'Gaillardou'   2 CGIJPVXY   ABDEFGH 7
📅 25 Apr - 12 Sep   3 BKLMNQ   ABCDEFIKNQRSTV 8
☎ +33 (0)5-53283205   4 FHILOPQ   EFLQR 9
@ camping.beau.rivage@wanadoo.fr   5 ABCDEFGJKL   BFHIJOST10
   B 6A   ❶ €28,90
   9 ha 152T(80-200m²) 52D   ❷ €40,10

📍 N 44°48'58'' E 1°12'53'' A20 Ausfahrt 55 Souillac, Richtung Calviac-Carsac-Sarlat-Vitrac, dann den Schildern folgen (vor allem mit Caravans).

Lanouaille, F-24270 / Aquitaine 🛜 iD

▲ Centre de Tourisme de Rouffiac***   1 ADJMNOPQRT   LMNQRSTVWXY 6
📅 1 Mai - 30 Sep   2 BDGHIPTVXY   BEFGH 7
☎ +33 (0)5-53526879   3 BFLQRU   BDFKNQTV 8
@ contact@semitour.com   4 BCDFHIOQ   JMOPQRTUV 9
   5 ABDGIL   ABFHJOV10
   B 16A CEE   ❶ €20,30
   H300 7 ha 41T(100-150m²) 40D   ❷ €26,70

📍 N 45°24'56'' E 1°9'55'' D704 Limoges-Périgueux. Hinter Angoisse links. Dann der Beschilderung folgen nacht Base de Loisirs de Rouffiac.

Le Bugue, F-24260 / Aquitaine 🛜 CC€14 iD

▲ Les Trois Caupain***	1 ADEJMNOPRST	ABEFN 6
🏠 725 allée Paul-Jean-Souria	2 BCPVWXY	ABDEFGH 7
☀ 1 Apr - 31 Okt	3 ABEFLQ	ABCDEFIJKNORSTU 8
☎ +33 (0)6-85484425	4 BEFHINOQ	EQR 9
@ info@camping-bugue.com	5 ADEGIJLM	BDFGHIJOSTV 10
	B 16A CEE	① €22,80
📍N 44°54'33'' E 0°55'55''	H60 4 ha 112T(110-170m²) 46D	② €30,20

🚗 Rechts der D703 von Le Bugue nach Les Eyzies durch Schilder angezeigt.

Le Bugue, F-24260 / Aquitaine 🛜 CC€12 iD

▲ Rocher de la Granelle**	1 ADEJMNOPRST	AFHN 6
🏠 La Borie	2 BCFGIPVXY	ABDEFGH 7
☀ 1 Apr - 30 Sep	3 BELMQ	BDFNRSV 8
☎ +33 (0)5-53072432	4 BDINOPQ	AEIU 9
@ info@lagranelle.com	5 ABDEFGKLM	BFHIJLOSTV 10
	B 10A CEE	① €24,95
📍N 44°54'42'' E 0°55'0''	H131 7,5 ha 95T(80-150m²) 62D	② €32,95

🚗 Der CP liegt am südlichen Rand von Le Bugue an der Straße D31e Richtung Le Buisson und ist gut ausgeschildert.

Le Buisson-de-Cadouin, F-24480 / Aquitaine 🛜 iD

▲ Domaine de Fromengal****	1 ADJMNOPRST	ABFGHN 6
☀ 13 Apr - 31 Okt	2 FPVXY	ABDEFGH 7
☎ +33 (0)5-53631155	3 ABELMNQRS	ABCDEFJKNQRSTU 8
@ fromengal@	4 ABDEFHILNOPQ	AEJLU 9
domaine-fromengal.com	5 ABDEFGIJKLM	BFGHJNPSTX 10
	B 16A CEE	① €35,60
📍N 44°49'23'' E 0°51'37''	H187 22 ha 37T(80-120m²) 99D	② €48,60

🚗 Auf der D25, CP zwischen Caduin und Le Buisson gut ausgeschildert.

Le Buisson-de-Cadouin, F-24480 / Aquit. 🛜 CC€14 iD

▲ Du Pont de Vicq	1 DEJMNOPQRST	ABFGNUX 6
En Périgord***	2 CQWXY	ABDEFGH 7
🏠 avenue de La Dordogne	3 BLQS	ABCDEFNRSV 8
☀ 1 Apr - 31 Okt	4 BFHNOQ	EFQR 9
☎ +33 (0)5-53220173	5 ABDEFGILM	BFGHJLOSTV 10
@ le.pont.de.vicq@wanadoo.fr	B 6A CEE	① €23,00
📍N 44°51'13'' E 0°54'38''	5,5 ha 100T(100-110m²) 30D	② €32,20

🚗 Von Le Buisson-de-Cadouin Richtung Le Bugue. Kurz vor der Dordogne-Brücke liegt der CP an der rechten Straßenseite.

Les Eyzies-de-Tayac, F-24620 / Aquitaine 🛜 CC€16 iD

▲ La Rivière****	1 ADEJMNOPRT	ABFNXY 6
☀ 4 Apr - 11 Okt	2 CGPRVWXY	ABDEFGH 7
☎ +33 (0)5-53069714	3 ALMQ	ABCDFJKNQRSTU 8
@ la-riviere@wanadoo.fr	4 BDFHINO	AEGLQRUV 9
	5 ABCDEFGIJKLM	BFHJMNOST 10
	B 6-10A	① €29,20
📍N 44°56'12'' E 1°0'22''	7 ha 109T 20D	② €40,00

🚗 In Les Eyzies Richtung Périgueux folgen, über die Brücke (der Vézère). Gleich links, CP nach 200m.

Les Eyzies-de-Tayac, F-24620 / Aquitaine 🛜 CC€14 iD

▲ Le Pech Charmant***	1 ADEJMNOPRT	AFG 6
☀ 18 Apr - 12 Sep	2 BPRTUVWXY	BEFGH 7
☎ +33 (0)5-53359708	3 AEGHLQR	ABCDEFINQRSV 8
@ info@lepech.com	4 AFHILOPTU	AEGRUV 9
	5 ABDEFGIJKL	ABDFGHJNOTX 10
	Anzeige auf Seite 209 B 10A CEE	① €30,50
📍N 44°55'26'' E 1°1'46''	H200 17 ha 83T(100-180m²) 17D	② €42,75

🚗 Von Sarlat D47 Richtung Les Eyzies. Dort links Richtung Le Bugue, direkt nach der Werkstatt links. Wegen der Einbahnstraße den CP-Schildern folgen.

Limeuil, F-24510 / Aquitaine 🛜 CC€12 iD

▲ La Ferme de Perdigat***	1 AJMNOPRST	ABFGJNU 6
☀ 27 Mär - 11 Okt	2 CDGIPRSVWXY	ABDEFGH 7
☎ +33 (0)5-53633154	3 BELQ	ABCDEFGKNRSTV 8
@ accueil@perdigat.com	4 BDFHILQ	BDEILQRU 9
	5 ABDEGILM	BDFGHJOSTV 10
	B 10A	① €23,00
📍N 44°53'37'' E 0°54'52''	H60 7 ha 45T(90-220m²) 34D	② €32,90

🚗 Von Port de Limeuil nach Le Bugue. Ausgeschildert.

Limeuil/Alles-sur-Dordogne, F-24480 / Aq. 🛜 CC€14 iD

▲ Le Port de Limeuil****	1 ADEJMNOPRST	ABFGJNU 6
🏠 D31	2 CGJPQVXY	ABDEFGH 7
☀ 1 Mai - 30 Sep	3 BEFGLMQS	ABCDEFJNQRSTV 8
☎ +33 (0)5-53632976	4 BDFIOPQU	AEILQRUV 9
@ didierbonvallet@aol.com	5 ACDEFGIKL	ABDFGHJNOPST 10
	B 10A CEE	① €34,10
📍N 44°52'47'' E 0°53'9''	7 ha 90T(100-200m²) 75D	② €43,90

🚗 Von Le Bugue D31 Richtung Limeuil fahren. CP ist frühzeitig ausgeschildert.

Lisle, F-24350 / Aquitaine 🛜 CC€10 iD

▲ Du Pont**	1 AJMNOQRST	JNUV 6
🏠 Le Pont	2 CGHIPVWXY	BDF 7
☀ 1 Apr - 15 Okt	3 BLQS	BDFHNQRV 8
☎ +33 (0)6-30533827	4 OU	MQRY 9
@ contact@toofyk.fr	5 DGJL	DFGHJPRV 10
	B 16A	① €15,30
📍N 45°16'53'' E 0°32'24''	H210 2,5 ha 49T(80-110m²)	② €19,10

🚗 D939 Angoulême-Périgueux. Südlich von Brantôme D78 Richtung Boudeilles danach Lisle, kurz vor der Ortschaft rechts ab. Kurz vor der Brücke rechts.

Molières (Dordogne), F-24480 / Aquitaine 🛜 iD

▲ La Grande Veyière***	1 ADEJMNORT	A 6
🏠 D27	2 GKPTUVXY	ABDEFH 7
☀ 15 Jun - 15 Sep	3 BELQ	ABCDFINQRSV 8
☎ +33 (0)5-53632584	4 FHIOQ	BEL 9
@ la-grande-veyiere@wanadoo.fr	5 ABDEGL	ABFHJNORV 10
	B 6A	① €24,20
📍N 44°47'42'' E 0°50'1''	H171 4 ha 40T(80-120m²) 18D	② €31,70

🚗 Von Cadouin D25 Richtung Beaumont. Nach ungefähr 4 km D27 Richtung Molières. Der CP ist ausgeschildert.

Monfaucon, F-24130 / Aquitaine 🛜 iD

▲ Sites & Paysages de l'Etang	1 ADEILNOPRT	ABFHMN 6
de Bazange***	2 BDGIPRTUVXY	ABDEFHK 7
☀ 1 Mai - 30 Sep	3 BCEFJKLQR	ABCDFNQR 8
☎ +33 (0)5-53246479	4 ABCDEFILN	BCEJLU 9
@ celine.deangeli@wanadoo.fr	5 ABDEFGKLM	BHJOV 10
	B 6A CEE	① €28,10
📍N 44°55'3'' E 0°14'53''	H100 10 ha 50T(80-120m²) 44D	② €39,80

🚗 CP liegt an der D20, zwischen Mussidan und Le Fleix.

Monpazier, F-24540 / Aquitaine 🛜 iD

▲ Las Patrasses**	1 AJMNOPRT	AFH 6
🏠 Vergt-de-Biron	2 PRVWX	ABDEF 7
☀ 1 Apr - 30 Okt	3 AELQ	ABCDEFNQR 8
☎ +33 (0)5-53630587	4 IOPQU	BCEJU 9
@ contact@	5 ABDGL	BHJOV 10
camping-laspatrasses.com	B 10A	① €21,70
📍N 44°36'28'' E 0°50'35''	H145 2,5 ha 35T(100-150m²) 49D	② €29,70

🚗 D255 Villeréal Richtung Lacapelle-Biron. 10 km von Villeréal links, rechtzeitig ausgeschildert.

Monplaisant, F-24170 / Aquitaine 🛜 CC€12 iD

▲ La Lénotte***	1 ADEILNOPRST	ABFMN 6
🏠 D710	2 CGIPRVX	ABDFH 7
☀ 1 Apr - 31 Okt	3 ACIKLQ	ABCDEFINRST 8
☎ +33 (0)5-53302580	4 BDFHINOQ	AEL 9
@ contact@la-lenotte.com	5 ABDEFGKLM	BFGHIJORV 10
	B 10A CEE	① €18,40
📍N 44°47'46'' E 1°0'29''	H75 8 ha 39T(90-120m²) 44D	② €26,80

🚗 Bergerac-Sarlat 7 km östlich von Le Buisson-de-Cadouin. Bei Siorac 5 km der D710 folgen (die Bis-Toulouse).

Montignac, F-24290 / Aquitaine 🛜 CC€16 iD

▲ Le Moulin du Bleufond***	1 ADEJMNOPRST	ABFGNUV 6
🏠 avenue Aristide Briand	2 CGPRVWXY	BEFGH 7
☀ 1 Apr - 30 Okt	3 BLMQ	BDFJNPRSTUV 8
☎ +33 (0)5-53518395	4 BEFGHINOPTU	ELUV 9
@ info@bleufond.com	5 ABDEGILM	BDGHIJPV 10
	B 10A	① €29,80
📍N 45°3'36'' E 1°9'31''	H66 1,3 ha 61T(70-120m²) 21D	② €39,20

🚗 A89, Ausfahrt Thenon Richtung Montignac/Lascaux. In Montignac Richtung Valojoux Sergeac. Schildern folgen.

Montignac/Lascaux, F-24290 / Aquitaine 📶 CC€16 iD

🏕 La Fage****
🏠 la Chapelle-Aubareil
📅 11 Apr - 10 Okt
☎ +33 (0)5-53507650
@ contact@camping-lafage.com

1	ADEJMNOPRT	CDFG 6
2	BGPVWXY	ABDEFGH 7
3	ABCELQRST	ABCDEFKNQRSV 8
4	AEFHILNOPQ	AEJLY 9
5	ABCDEGIK	BGHJPRV10
B 10A		❶ €29,90
2,5 ha 61T(80-150m²) 25D		❷ €37,90

🛰 N 45°1'4'' E 1°11'17''
🚗 An der D704 nach 8 km zwischen Montignac und Sarlat, südlich der Höhlen von Lascaux. Danach den CP-Schildern folgen.

Montpon-Ménestérol, F-24700 / Aquitaine 📶 iD

🏕 La Cigaline***
🏠 1 rue de la Paix
📅 5 Apr - 30 Sep
☎ +33 (0)5-53802216
@ contact@lacigaline.fr

1	ADEJMNOPRS	NU 6
2	ACGPRSVWXY	ABDEF 7
3	ALQ	ABCDFNORT 8
4	BDFHOP	BEKLNQRTUV 9
5	ADGIL	BGHIJOQST10
B 10A		❶ €17,10
3,5 ha 120T(80-120m²) 12D		❷ €24,10

🛰 N 45°0'44'' E 0°9'29''
🚗 Von Ribérac D708 kommend, kurz hinter der Isle Brücke rechts. Von der A89 kommend, durch das Zentrum Richtung Ribérac, kurz vor der Brücke links.

Nabirat, F-24250 / Aquitaine 📶 iD

🏕 Les Pialades***
🏠 Liaubou Bas
📅 12 Apr - 27 Sep
☎ +33 (0)5-53285228
@ contact@lespialades.com

1	ADEJMNOPRST	ABFN 6
2	BGPRUVXY	ABDEFGH 7
3	BFIKLQ	ABCDFNOST 8
4	BDFHIOPQ	ABEFHJLUV 9
5	ABDEFGIJM	ABHIJNPRV10
B 10A CEE		❶ €25,90
H140 2,5 ha 50T(80-300m²) 36D		❷ €32,90

🛰 N 44°46'54'' E 1°17'20''
🚗 Der CP ist an der D704 ausgeschildert. Nach der Abfahrt Gourdon/Sarlat noch 3 km.

Naussannes, F-24440 / Aquitaine 📶 iD

🏕 Le Couderc***
📅 1 Apr - 15 Okt
☎ +33 (0)5-53224040
@ info@lecouderc.com

1	ADEGJMNOPQRT	ABFGN 6
2	CGPVWXY	ABDEFG 7
3	BEGHKLQSUV	ABEFNQRV 8
4	ABDFHILOTUX	ABJLV 9
5	ACDEFGJKL	ABJMNPRZ10
ГKK B 6A CEE		❶ €37,80
H120 33,5 ha 158T(120-200m²) 37D		❷ €48,60

🛰 N 44°45'20'' E 0°41'39''
🚗 Von Beaumont D25 Richtung Issigeac. Bei der Gabelung D19 Faux folgen, nach ungefähr 350m rechts ist es ausgeschildert.

Neuvic-sur-L'Isle, F-24190 / Aquitaine 📶 iD

🏕 Le Plein Air Neuvicois***
🏠 avenue de Planèze
📅 1 Jun - 15 Sep
☎ +33 (0)5-53815077
@ camping.le.plein.air@cegetel.net

1	ADEJMNOPRST	ABFGHJNUVXY 6
2	ACGIPVWXY	BEFGH 7
3	BLMQ	BDFJKNRSV 8
4	FHIOQ	AENPQR 9
5	AL	BGHIJNRV10
B 10A CEE		❶ €20,05
H250 2 ha 67T(100-120m²) 28D		❷ €26,25

🛰 N 45°6'28'' E 0°28'12''
🚗 Von Périgueux die N89 Richtung Bordeaux. Nach 25 km Ausfahrt Neuvic Ri. Zentrum. Der CP liegt im Stadtteil Planèze. Siehe CP-Schilder. Oder die A89, Ausfahrt Neuvic. Der CP ist gleich neben der Brücke am Freizeitcenter.

Nontron, F-24300 / Aquitaine 📶 iD

🏕 De Nontron**
🏠 Dessus de chez Rouchillou
📅 1 Jan - 15 Dez
☎ +33 (0)5-53560204
@ camping-de-montron@orange.fr

1	ADEJMNOPRST	EFGHN 6
2	CGPVXY	ABDEFH 7
3	BELMNS	ABDFJNORSV 8
4	FHIOPQ	EJ 9
5	ABDEIKLM	BGHJORV10
10A CEE		❶ €17,25
H160 2 ha 64T(80-120m²) 13D		❷ €22,25

🛰 N 45°31'10'' E 0°39'29''
🚗 Im Süden der Stadt an der N675 Richtung Brantôme links, in der Nähe von Schwimmbad und Sportzentrum.

Peyrillac-et-Millac, F-24370 / Aquitaine iD

🏕 Au Petit Bonheur***
📅 1 Apr - 30 Sep
☎ +33 (0)5-53297793
@ auptitbonheur24@gmail.com

1	ADJMNOPRT	ABF 6
2	AFGPUVWXY	ABDEFH 7
3	ABEFLQ	ABCDFNQRSTV 8
4	ABEFHINOPQRTU	AEJ 9
5	ACDEFGJKL	ABHJST10
B 10A		❶ €23,15
3 ha 54T 46D		❷ €31,35

🛰 N 44°53'57'' E 1°24'12''
🚗 A20 Ausfahrt 55 Souillac Ring Sarlat. Nach 9 km rechts ab in Peyrillac den CP-Schildern folgen.

Plazac, F-24580 / Aquitaine 📶 CC€14 iD

🏕 Le Lac***
📅 8 Mai - 30 Sep
☎ +33 (0)5-53507586
@ contact@campinglelac-dordogne.com

1	ADEJMNOPRT	ABFGLN 6
2	DGHIPRUVWXY	BEFGH 7
3	BEILMQ	BDFKNOPRSTUV 8
4	BDFILNOPQ	EFJTUV 9
5	ACDEGIM	BDFGHIJNOR10
B 10A		❶ €21,70
H197 8 ha 69T(100-180m²) 94D		❷ €31,00

🛰 N 45°1'52'' E 1°2'53''
🚗 A20, danach die A89 Ausfahrt 17 Richtung Montignac, Thonac, Plazac. Der Campingplatz ist ausgeschildert.

Ribérac, F-24600 / Aquitaine 📶 iD

🏕 de la Dronne
🏠 route d'Angoulême
📅 1 Jun - 15 Sep
☎ +33 (0)5-53905008
@ riberac@perigord.tm.fr

1	AJMNORST	NUV 6
2	CGOPVWXY	ABDEFH 7
3	AEL	ABFNORV 8
4	FH	LQR 9
5	AL	FGJORV10
B 16A CEE		❶ €13,30
H70 2 ha 90T(65-120m²)		❷ €17,95

🛰 N 45°15'28'' E 0°20'28''
🚗 Von der A89 Ausfahrt 13. Dann die D708 nach Ribérac Richtung Angoulême. Gleich stadtaußerhalb links an der Straße zum Fluss.

Rouffignac-St-Cernin, F-24580 / Aquitaine 📶 CC€14 iD

🏕 Bleu Soleil***
🏠 Domaine Touvent
📅 12 Apr - 30 Sep
☎ +33 (0)5-53054830
@ infos@camping-bleusoleil.com

1	ADEJMNORST	AF 6
2	FGPRUVWXY	ABDEFGH 7
3	ABEKLMQ	ABCDFIKNQRSV 8
4	DDFIIKOPQ	AFJKLU 9
5	ABDEFGJKL	BDFHJOR10
B 10A		❶ €22,70
H250 42 ha 90T(80-120m²) 26D		❷ €33,70

🛰 N 45°3'18'' E 0°59'30''
🚗 A89/E70 Brive-Périgueux, Ausfahrt 17. Dann N89 Richtung Bordeaux. An Thenon vorbei links ab die D31 Richtung Rouffignac. Vor Périgueux links den Schildern folgen.

Rouffignac-St-Cernin, F-24580 / Aquitaine 📶 iD

🏕 Le Coteau de l'Herm
🏠 Ld. La Coste
📅 15 Mai - 16 Sep
☎ +33 (0)5-53466777
@ info@naturisme-dordogne.com

1	ABGJMNOPRT	AF 6
2	FGPQRVWXY	BDEFHK 7
3	ABEKLQ	ABEFKNRV 8
4	FHI	DJV 9
5	ABDEGKL	ABHIJOSTV10
FKK B 10A CEE		❶ €29,60
H271 8 ha 50T(100-120m²) 3D		❷ €35,60

🛰 N 45°4'7'' E 0°58'12''
🚗 W: A89 Bordeaux-Lyon, Ausfahrt 16 Ri. Périgueux, am Kreisel Ri. Sarlat (D6089 und D710) bis Versannes. Links Ri. Rouffignac blauen Schildern folgen. O: A89 Ausfahrt 17 Richtung Thenon (D6089), 3 km hinter Thenon links (D31) Ri. Rouffignac blauen Schildern folgen.

Sarlat, F-24200 / Aquitaine 📶 iD

🏕 Le Montant****
🏠 St. André-d'Allas
📅 24 Sep
☎ +33 (0)5-53591850
@ lemontant@wanadoo.fr

1	ABDEILNOPRT	ABCDFGH 6
2	FGNPQRUVX	ABDEFG 7
3	ABEIKLQS	ABCDFJNRSTV 8
4	EFHILOPQU	EFJLUV 9
5	ABDEGJL	BHJORV10
B 10A CEE		❶ €34,90
H200 5 ha 100T(120-120m²) 47D		❷ €49,70

🛰 N 44°51'55'' E 1°11'16''
🚗 In Sarlat D57 Richtung Beynac. Hinter dem Gartencenter (Jardinerie) rechts ab. Beschilderung folgen.

Sarlat, F-24200 / Aquitaine 📶 CC€16 iD

🏕 Le Moulin du Roch*****
🏠 route des Eyzies
📅 13 Mai - 18 Sep
☎ +33 (0)5-53592027
@ moulin.du.roch@wanadoo.fr

1	ADEHKNOPRT	ABFNU 6
2	PRUVY	ABDEFGH 7
3	BEGHLQR	ABCDEFJKNRSTUV 8
4	AEFILOP	EFQR 9
5	ACEFGIJKL	ABHIJPST10
B 10A CEE		❶ €44,10
H300 8 ha 195T(100-120m²) 68D		❷ €59,10

🛰 N 44°54'30'' E 1°6'54''
🚗 An der D47 Sarlat-Les Eyzies.

Le Pech Charmant ★ ★ ★

Gemütlicher Campingplatz im Herzen der Dordogne:

• Moderne sanitäre Anlagen • Restaurant, Mini-Hof • Geräumige Stellplätze auf 17ha • Beheiztes Kinderbecken, Sauna, Jacuzzi • Wander- und Radwege, Reiten und Eselverleih!

Wir vermieten Luxussafarizelte, Holzhütten, Mobilhomes, ein Wohnmobil.

www.lepech.com

Sarlat, F-24200 / Aquitaine

Les Charmes***
St. André-d'Allas
3 Apr - 30 Sep
+33 (0)5-53310289
contact@
campinglescharmesdordogne.com
N 44°53'39'' E 1°6'51''
Südlich von Sarlat D25 Richtung Meyrals/Bergerac nehmen.

1 ADE**IL**NOR**T**	ACDHU 6
2 BPTUVWY	BE**FG**H 7
3 ABELMQS	ABCDEFNRS 8
4 EFHIO**PQ**	EFJQV 9
5 ABDEGIK	BGHJOST10
6A	❶ €25,20
5 ha 100T(100-110m²) 15D	❷ €35,70

St. Antoine-de-Breuilh, F-24230 / Aquitaine

La Rivière Fleurie***
180 rue T. Cart, Saint Aulaye
10 Apr - 20 Sep
+33 (0)5-53248280
info@la-riviere-fleurie.com
N 44°49'44'' E 0°7'21''
Von St. Foy über D936 Richtung Bordeaux. Beim Ortsausgang von
St. Antoine-de-Breuilh, CP gut ausgeschildert.

1 ADE**JM**NOPRS**T**	ABF**G**N**X** 6
2 CPRVWXY	ABDE**FG**H 7
3 AE**L**M	ABCDEFNRSTUV 8
4 BDFHINO**PQ**	EHILUV 9
5 ABDEFGI**L**	BHIJOTUV10
B 10A CEE	❶ €28,60
2,4 ha 66T(100-200m²) 60D	❷ €39,20

Sarlat-la-Canéda, F-24200 / Aquitaine

Indigo Sarlat les Périères****
rue Jean Gabin
2 Apr - 28 Sep
+33 (0)5-53590584
sarlat@camping-indigo.com
N 44°53'36'' E 1°13'41''
Von Parijs und Toulouse: A20 Ausfahrt Souillac. Von Bordeaux:
A89 Ausfahrt Périgueux.

1 ADE**JM**NOPRT	AEF 6
2 PUVXY	ABDE**FG**H 7
3 ABEL**MQ**	ABCDEFJNQRSTV 8
4 **I**O**T**	IJQR 9
5 ABDEFGKL	ABGHIJLMOST10
6A CEE	❶ €36,00
6 ha 100T(100-115m²) 16D	❷ €48,20

St. Astier, F-24110 / Aquitaine

Flower Camping Le Pontet***
Lieu dit Le Pontet (D41)
4 Apr - 27 Sep
+33 (0)5-53541422
camping.lepontet@
flowercampings.com
N 45°8'51'' E 0°31'59''
N89 Périgueux-Bordeaux oder A89 Richtung Bordeaux, Ausfahrt 14 Richtung
St. Astier. In Quartre Routes rechts Richtung St. Astier die D41 nehmen,
3 km.

1 ADE**JM**NORST	AFJ**N**XY 6
2 ACGIPVXY	BE**FG** 7
3 ABEFILQT	ABCDFNOQRSV 8
4 DFHILO	EJPQU 9
5 ADEFGI**L**	BDHJPSTV10
B 6A CEE	❶ €25,80
H250 3 ha 99T(100-120m²) 51D	❷ €34,30

Sarlat-la-Canéda, F-24200 / Aquitaine

Les Acacias***
avenue-de-la-Canéda
12 Apr - 30 Sep
+33 (0)5-53310850
camping-acacias@wanadoo.fr
N 44°51'27'' E 1°14'15''
In Sarlat Richtung Cahors, Abzweig La Canéda. Der CP ist mit CP-Schildern
ausgeschildert.

1 ADE**IL**NOPRT	ABF 6
2 BFGOPRTUVXY	ABDE**FG**HI 7
3 BE**KL**Q	ABCDEFJKNRSV 8
4 FHINOP	EQRUV 9
5 ABEFGL	DGHJNOST10
B 10A	❶ €22,60
H123 4 ha 102T(80-150m²) 20D	❷ €31,40

St. Aulaye, F-24410 / Aquitaine

Saint-Aulaye***
route d'Aubeterre
1 Jun - 20 Sep
+33 (0)5-53906220
camping-staulaye@voila.fr
N 45°12'28'' E 0°7'57''
A89 oder N84 Ausfahrt Montpon Ménestérol. D708 Richtung Ribérac.
In Echourgnac Richtung St. Aulaye. Durch den Ort, dort ausgeschildert.

1 A**IL**NOPRT	AF**H**J**N**U 6
2 CGHPVWXY	BE**FGH** 7
3 BEILMQ	ABCDFNRT 8
4 FHIO	EJPQU 9
5 ABL	BGHJOSTV10
B 10A	❶ €12,90
H50 3 ha 45T(100m²) 25D	❷ €16,30

Sarlat-la-Canéda, F-24200 / Aquitaine

Les Terrasses du Périgord***
Pech d'Orange
18 Apr - 20 Sep
+33 (0)5-53590225
terrasses-du-perigord@
wanadoo.fr
N 44°54'23'' E 1°14'13''
Am nördlichen Ortseingang von Sarlat Richtung Ste. Nathalène, nach 2 km an
Kreuzung links, Schildern folgen.

1 ADE**IL**NOPRT	AFG 6
2 FGPRUVXY	ABDE**F**H 7
3 BE**IKL**P**Q**	ABCDEFNQRSTU 8
4 FHIO**PQU**	EIJLQRUV 9
5 ABDEGHIK	BGHJ**N**PR10
B 16A CEE	❶ €25,70
6 ha 75T(120m²) 19D	❷ €34,80

St. Avit-de-Vialard, F-24260 / Aquitaine

Saint Avit Loisirs*****
28 Mär - 27 Sep
+33 (0)5-53026400
contact@saint-avit-loisirs.com
N 44°57'7'' E 0°51'1''
Von Le Bugue die D710 Richtung Périgueux. CP ist ausgeschildert.

1 ADE**JM**NOPQRST	ABEFHN 6
2 BDFGILPRUVXY	ABDE**FG**H 7
3 ABCDE**IK**LM**QRSTU**	ABCDEFJKNQRSTU 8
4 BDFHILNO**PQ**RUWY	CEGIJLUW 9
5 ACDEFGJK**L**	BDHIJ**N**PRZ10
B 6A CEE	❶ €47,10
H230 42 ha 199T(100m²) 198D	❷ €70,30

Sarlat/Carsac, F-24200 / Aquitaine

Le Plein Air des Bories***
Les Bories
25 Apr - 19 Sep
+33 (0)5-53281567
contact@
camping-desbories.com
N 44°49'59'' E 1°16'5''
A20, Ausfahrt Souillac. Über die D703 in Ri. Sarlat fahren. Nach Calviac li.
zum 'Vallée de la Dordogne' abbiegen. In Carsac unter der Eisenbahnbrücke
durch, dann die 2. Ausfahrt links nehmen. CP ausgeschildert.

1 ADE**JM**NORT	ACFJNUXY 6
2 CGHPQVWXY	BDE**F**H 7
3 BELMQ	BDFKNORSV 8
4 BCDFHILO**PQ**	EQRUV 9
5 ABDEFG**IM**	ABGHJNO**ST**10
B 6A	❶ €28,60
H75 3 ha 80T(100-120m²) 30D	❷ €38,10

St. Cirq/Le Bugue, F-24260 / Aquitaine

Brin d'Amour***
Fonvidal
1 Mai - 15 Okt
+33 (0)5-53072373
campingbrindamour@
orange.fr
N 44°56'42'' E 0°57'36''
Von Le Bugue D710 Richtung Périgueux, erste Straße rechts, CP ist dann
ausgeschildert.

1 ADE**IL**NOPRT	CDFGHN 6
2 BFGPRVWXY	BE**FG**H 7
3 BEFLMQS	BDFGIJKNRSV 8
4 FHINO**Q**	DEJUV 9
5 ABDEFGI**LM**	ABFGHIJNORV10
B 10A	❶ €23,90
H215 4,1 ha 53T(120-200m²) 37D	❷ €31,90

Sarlat/Marcillac, F-24200 / Aquitaine

Les Tailladis***
Marcillac/St. Quentin
15 Mär - 1 Nov
+33 (0)5-53591095
tailladis@wanadoo.fr
N 44°58'29'' E 1°11'16''
In Brive Richtung Montignac. Dann die D704 Richtung Sarlat. Nach Ortsschild
St. Genis (± 8 km) rechts die D48 Richtung Tamniès. Bis zur ersten
Kreuzung links Marcillac (± 6 km). Den Schildern folgen. Ist ausgeschildert.

1 ADE**IL**NORT	AFNX 6
2 CFGPTUVXY	ABDE**FG**H 7
3 ABELQS	ABCDEFJNRSV 8
4 A**F**HIP	AEKLQR 9
5 ACDEFGIJK**L**	ABHJ**N**P**S**T10
B 6A	❶ €26,55
H200 4,5 ha 78T(80-110m²) 22D	❷ €35,55

Legende Karten

Ein offenes Zelt bedeutet daß sich hier ein
Campingplatz befindet.

Ein geschlossenes Zelt bedeutet daß hier
mehrere Campingplätze zu finden sind.

Campingplätze die CampingCard ACSI
akzeptieren.

70 Auf dieser Seite finden Sie das Teilgebiet.

73 Pfeile mit Seitenangaben am Kartenrand
verweisen auf angrenzende Gebiete.

Die Übersichtskarte des betreffenden
Landes und im welchen Teilgebiet Sie
sich befinden.

St. André-d'Allas/Sarlat, F-24200 / Aquitaine

La Ferme de Villeneuve***
1 Apr - 31 Okt
+33 (0)5-53303090
contact@
fermedevilleneuve.com
N 44°54'16'' E 1°8'24''
Auf der D704 vor Sarlat links ab zur D47. Richtung Les Eyzies.
Nach 7 km CP links. Von Souillac vor Sarlat 1. Kreisel Richtung Bergerac.
Nach 300m rechts ab zur D25. Dann den CP-Schildern folgen.

1 ABDE**IL**NORT	ABF 6
2 FNPTUVWXY	ABDE**FG**HJ 7
3 ABEFLQR	ABEFNRST 8
4 FHNOPQR	ADEUV 9
5 ABDEFG	BJOST10
B 10A	❶ €25,90
H215 2,5 ha 100T(80-120m²) 25D	❷ €36,50

St. Antoine-d'Auberoche, F-24330 / Aquit.

de La Pélonie***
La Pélonie
18 Apr - 10 Okt
+33 (0)5-53075578
lapelonie@aol.com
N 45°7'54'' E 0°55'43''
Auf der D6089 (nicht die Autobahn nehmen) Brive-Périgueux fahren.
5 km hinter Fossemagne rechts abbiegen, dann noch 200m weiterfahren.
Oder aus Périgueux kommend, 5 km hinter St. Pierre links abbiegen.

1 ADE**JM**NOPRST	ABF**H** 6
2 AGPSVWXY	ABDE**FG**H 7
3 BE**GH**L**QRS**	ABCDFIJKNQRSUV 8
4 ADFHILNO**PQ**	AEFHV 9
5 ABDEFGJK**L**	ABDFGHIJLNOP**S**TV10
B 10A CEE	❶ €22,10
H200 3 ha 68T(100-120m²) 23D	❷ €32,30

St. Crépin-Carlucet/Sarlat, F-24590 / Aquit. 🛜 (CC€16) iD

▲ Les Peneyrals*****	1 ADE**IL**NOR**T**	ABC**FG**HN 6
📧 Le Poujol	2 PRUVX	ABD**EFGH** 7
🗓 8 Mai - 11 Sep	3 BE**FILMQRT**	ABCDE**F**JKNQRSUV 8
☎ +33 (0)5-53288571	4 BE**F**HILNO**PQ**	EFLQRUV 9
@ camping.peneyrals@ wanadoo.fr	5 ACDE**F**GIJK**L**	ABGHIJ**NP**STZ10
	B 10A	

📍 N 44°57'28'' E 1°16'20''   H260 13 ha 117**T**(100-120m²) 65**D**
❶ €38,75 ❷ €56,55

🚗 A20, Ausfahrt Brive oder Souillac, Richtung Salignac/Sarlat. Der CP ist ausgezeichnet. Liegt 12 km nördlich von Sarlat.

St. Cybranet, F-24250 / Aquitaine 🛜 iD

▲ Bel Ombrage***	1 ADEJMNOPQRST	AF**J**N**U** 6
📧 D57	2 CGKPVXY	BDE**FG** 7
🗓 1 Jun - 5 Sep	3 ABEKLQ	ABCDFNRSV 8
☎ +33 (0)5-53283414	4 FHI**P**	UV 9
@ belombrage@wanadoo.fr	5 ADE**F**GIJ	BGHIJP**R**10
	B 10A	

📍 N 44°47'28'' E 1°9'44''   H70 7 ha 180**T**(120-200m²)
❶ €22,65 ❷ €32,05

🚗 An der D57 bei St. Cybranet gelegen.

St. Cybranet, F-24250 / Aquitaine (CC€14) iD

▲ Camping Le Céou	1 ADE**JM**NOPQRST	ABF**H**N**U**X 6
📧 D57	2 BCGPRTUVWXY	ABD**EFGH** 7
🗓 1 Apr - 30 Okt	3 BELQ	ABCDEFKNQRSV 8
☎ +33 (0)5-53294623	4 BCDFHILO**PQ**	EJUV 9
@ contact@ camping-le-ceou.com	5 ABE**F**GIJKLM	BFGHIJNV10
	B 10A	

📍 N 44°46'47'' E 1°10'25''   H120 4 ha 58**T**(80-100m²) 30**D**
❶ €26,60 ❷ €37,00

🚗 An der D57 St. Cybranet-Daglan, nach ca. 1 km links und rechts der Straße.

St. Cybranet, F-24250 / Aquitaine 🛜 iD

▲ Les Cascades***	1 AJMNOPRST	AF**J**NX 6
🗓 1 Jun - 30 Sep	2 CGIP**F**Y	ABDE**FH** 7
☎ +33 (0)5-53283226	3 BEKLQ	ABCDEFKNRSV 8
@ les-cascades@wanadoo.fr	4 FHINO	DEJ 9
	5 ADE**F**G**IL**	B**H**IJO**R**V10
	B 6-10A CEE	

📍 N 44°46'42'' E 1°10'55''   H200 5 ha 100**T**(90-140m²) 12**D**
❶ €24,10 ❷ €31,70

🚗 In St. Cybranet D50 Richtung Cénac, nach 400m rechts abbiegen, CP ist deutlich ausgeschildert.

St. Geniès, F-24590 / Aquitaine 🛜 iD

▲ La Bouquerie*****	1 ADE**IL**NOPRST	ABCDE**F**GHIN 6
🗓 1 Jun - 6 Sep	2 B**F**GPRVWXY	ABDE**FG**H 7
☎ +33 (0)5-53289822	3 BE**F**G**HLMN**QR	ABCDEFJNQRSUV 8
@ contact@labouquerie.com	4 BCDFHILNO**PR**	EJ**K**QRUV 9
	5 ABCDE**F**GIJ	B**H**JOP**ST**10
	B 10A CEE	

📍 N 44°59'57'' E 1°14'46''   H400 8 ha 57**T**(80-120m²) 140**D**
❶ €37,85 ❷ €54,85

🚗 A20 Ausfahrt Brive. Die N89 Richtung Périgueux. In Le Lardin-St-Lazare Richtung Montignac, danach Sarlat (D704). An dieser Strecke angezeigt. Der Platz ist 12 km nördlich von Sarlat.

St. Jory-de-Chalais, F-24800 / Aquitaine 🛜 (CC€16) iD

▲ Maisonneuve**	1 A**J**MNOPRST	AN 6
📧 1 chemin de Maisonneuve/D98	2 CDGPVXY	ABDE**FG** 7
🗓 28 Mär - 31 Okt	3 AE**GH**LMQ	CDEFNOQRSUV 8
☎ +33 (0)5-53551063	4 FHIO**T**	EJ 9
@ camping.maisonneuve@ wanadoo.fr	5 ADE**F**GJL	BFGHJOSTV10
	B 10A CEE	

📍 N 45°29'58'' E 0°54'21''   H227 10,5 ha 46**T**(100-150m²) 13**D**
❶ €28,90 ❷ €39,40

🚗 N21 Süd von Limoges. Rechts bei Mavaleix die D98 Richtung St. Jory de Chalais. Der Camping ist gut anzeigt und befindet sich auf der linken Seite, wenn nach St. Jory de Chalais einfahren.

St. Julien-de-Lampon, F-24370 / Aquitaine 🛜 (CC€12) iD

▲ Le Mondou**	1 A**J**MNOPR**T**	AF 6
🗓 1 Apr - 15 Okt	2 GPTVXY	ABDE**FG** 7
☎ +33 (0)5-53297037	3 AELQ	ABCDFKNQRSV 8
@ lemondou@ camping-dordogne.info	4 BCDFHIO	AEJQRU 9
	5 ADE**G**I**L**	ABDHI**JP**STV10
	B 6A	

📍 N 44°51'48'' E 1°22'24''   H83 1,7 ha 49**T**(80-130m²) 13**D**
❶ €25,00 ❷ €33,50

🚗 A20 Ausfahrt 55 Souillac. Dann D804 Richtung Sarlat. Bei Rouffillac über die Brücke Richtung St. Julien-de-Lampon. Im Dorf ist der CP ausgeschildert.

St. Julien-de-Lampon, F-24370 / Aquitaine 🛜 iD

▲ Mun. Le Bourniou**	1 ADEJMNOPRST	**J**N**U** 6
🗓 1 Jun - 30 Sep	2 CGJPRVXY	ABDE**FG**H 7
☎ +33 (0)5-53298339	3 AEFLQ	ABCDFNRV 8
@ camping-le-bourniou@ wanadoo.fr	4 FHN**P**	EJ 9
	5 ADE**G**I**L**	BGHJLOSTV10
	B 6A CEE	

📍 N 44°51'51'' E 1°21'36''   H200 2 ha 160**T**(80-100m²) 2**D**
❶ €17,30 ❷ €22,10

🚗 A20 hinter Brive Ausfahrt 55 Richtung Souillac. Dann die D804 Richtung Sarlat. Bei Rouffillac links über die Brücke. Der CP kommt hinter der Brücke links.

St. Léon-sur-Vézère, F-24290 / Aquitaine 🛜 ✿ (CC€18) iD

▲ Le Paradis*****	1 ADE**JM**NOPRT	ABCD**F**G**J**N**U** 6
📧 La Rebeyrolle	2 CGPRVXY	BE**FGH** 7
🗓 1 Apr - 20 Okt	3 BELMQ	BDF**G**JKNPQRSTUV 8
☎ +33 (0)5-53507264	4 BCDE**F**ILNO**PQ**TUV	AE**J**LQRUVY 9
@ le-paradis@perigord.com	5 ACDE**F**GJK**LM**	ABGHIJ**NP**R10
	B 10A CEE	

📍 N 45°0'6'' E 1°4'17''   H71 8 ha 131**T**(80-200m²) 48**D**
❶ €35,70 ❷ €40,70

🚗 Der CP liegt an der D706 Montignac-Les Eyzies (nicht nach St. Léon abbiegen), der Beschilderung folgen.

St. Saud-Lacoussière, F-24470 / Aquitaine 🛜 (CC€12) iD

▲ Wakan Tanka - La Bûcherie**	1 AG**JM**NOPRT	6
📧 La Bûcherie	2 BPRTVWXY	ABDE**F**H 7
🗓 3 Apr - 30 Sep	3 ABER	ABCDFIKNRSV 8
☎ +33 (0)5-53605998	4 ABDFHIKL	AFI 9
@ info@wakantanka.nl	5 ADE**G**IL	ABDHIJOSTV10
	B 10A CEE	

📍 N 45°34'1'' E 0°50'16''   H330 7,5 ha 48**T**(80-250m²) 15**D**
❶ €20,25 ❷ €29,75

🚗 Von Limoges den Schildern Périgueux folgen (N21). In Châlus die D6bis Richtung Dournazac bis Les Trois Cerisiers. Richtung Nontron. Danach 4 km den Schildern folgen Wakan Tanka/La Bûcherie.

St. Sulpice-de-Mareuil, F-24340 / Aquitaine 🛜 iD

▲ Domaine de Corneuil	1 ADE**JM**NOP**RT**	A 6
📧 Corneuil - D708	2 FGPVWXY	ABDE**FG** 7
🗓 20 Jun - 7 Sep	3 **BGH**LQ	ABFNQRSV 8
☎ +33 (0)5-53607948	4 BFHI	AE 9
@ camping@corneuil.com	5 ADE**G**JL	AB**J**NO**T**U10
	B 10A	

📍 N 45°28'15'' E 0°32'11''   H140 5 ha 50**T**(100-140m²) 12**D**
❶ €24,00 ❷ €33,00

🚗 Auf halbem Weg D939 Angoulême-Périgueux, bei Mareuil links die D708 Ri. Nontron, 8 km. Oder: N21 Limoges-Périgueux. Bei Chalus rechts Ri. Nontron. Hier Ri. Brantôme und bei St. Martial rechts die D708 Ri. Mareuil (11 km).

Ste Nathalène, F-24200 / Aquitaine 🛜 ✿ iD

▲ Domaine des Mathieves**	1 ADE**JM**NOPRST	AF 6
📧 Les Mathieves	2 FGPWVXY	ABCDE**FG**H 7
🗓 18 Apr - 19 Sep	3 A**GH**LQ	ABFNRSV 8
☎ +33 (0)5-53592086	4 DFHIO	JUV 9
@ mathevies@mac.com	5 A**BI**	BFH,IP**R**10
	B 10A CEE	

📍 N 44°55'5'' E 1°16'40''   H120 5 ha 30**T**(170-200m²) 9**D**
❶ €46,10 ❷ €46,10

🚗 A20 Ausfahrt 55 Souillac Richtung Rouffillac. Danach Richtung Carlux, dann Sainte Nathalene. Den CP-Schildern folgen.

Ste Nathalène, F-24200 / Aquitaine 🛜 (CC€14) iD

▲ La Palombière*****	1 ADE**IL**NOPRT	ABF**G**HI 6
🗓 25 Apr - 13 Sep	2 FGPRUVWXY	ABE**FG**H 7
☎ +33 (0)5-53594234	3 BE**F**ILMQ	B**F**GJKNPQRSTU 8
@ contact@lapalombiere.fr	4 FHILNOPR**TUXY**	EJLV 9
	5 ADE**F**GJK**LM**	BHJM**N**PSTZ10
	B 10A CEE	

📍 N 44°54'23'' E 1°17'31''   H250 6,5 ha 68**T**(100-110m²) 61**D**
❶ €34,90 ❷ €60,00

🚗 A20, Ausf. Souillac, danach über die D704 in Ri. Sarlat. In Rouffiac re. abbiegen, dann auf die D47 Carlux-Sarlat. Der CP liegt 8 km hinter Sarlat in Ste Nathalène.

Ste Nathalène/Sarlat, F-24200 / Aquitaine 🛜 iD

▲ Les Grottes de Roffy****	1 ADE**IL**NOPRT	ABF**G** 6
📧 Lieu-dit Roffy	2 FGPRVWXY	ABDE**F**H 7
🗓 25 Apr - 13 Sep	3 BL	ABEFKNQSV 8
☎ +33 (0)5-53591561	4 A**F**LNO**PQUZ**	EQRUV 9
@ contact@roffy.fr	5 ACDE**F**GJK	B**H**JLM**N**O**P**ST10
	B 10A CEE	

📍 N 44°54'15'' E 1°16'55''   H250 5,5 ha 140**T**(80-120m²) 18**D**
❶ €33,50 ❷ €48,20

🚗 A20, Ausfahrt Souillac. Über die D704 in Richtung Sarlat fahren. In Rouffillac die Ausfahrt Carlux via D47 nehmen. Nach 6 km liegt der CP linker Hand der Straße.

Tamnies-en-Périgord, F-24620 / Aquitaine 🛜 iD

▲ Le Pont de Mazerat****	1 ADE**JM**NOPRST	AFN 6
🗓 4 Apr - 30 Sep	2 CGPUVY	ABDE**FG**H 7
☎ +33 (0)5-53291495	3 BEILQS	CDFNOQRS 8
@ le.pont.de.mazerat@ wanadoo.fr	4 FHILO**P**	ADEL 9
	5 ABDE**G**IK**L**	B**H**JOV10
	10A	

📍 N 44°57'54'' E 1°9'54''   H100 2 ha 43**T**(80-110m²) 49**D**
❶ €28,60 ❷ €40,30

🚗 Der CP liegt an der D48 von Les Eyzies nach St. Geniès am See von Tamnies.

Thiviers, F-24800 / Aquitaine 🛜 (CC€12) iD

▲ Le Repaire***	1 ADE**JM**NOPRT	AFN 6
📧 Le Repaire	2 DGIPVWXY	ABDE**FG**H 7
🗓 1 Apr - 1 Nov	3 A**L**MQ	CDEFHNQRV 8
☎ +33 (0)5-53526975	4 BCDFHIO**Q**	J 9
@ contact@camping-le-repaire.fr	5 ADG**L**M	D**F**GHJO**R**V10
	B 6A	

📍 N 45°24'47'' E 0°55'56''   H250 10 ha 90**T**(100-150m²) 10**D**
❶ €20,00 ❷ €26,00

🚗 N21 Limoges-Périgueux, an zweiter Ampel (große Kreuzung) in Thiviers nach links, D707 Richtung Lanouaille, Schildern folgen.

La Plage ★ ★ ★

Zwischen La Roque Gageac und Castelnaud im Herzen des goldenen Dreiecks der Dordogne, das als eines der 'Sites majeurs' der Aquitaine eingestuft wurde. Camping La Plage ist ein ruhiger Camping mit familiärem Charakter, wo Sie 83 schattige Plätze am Ufer der Dordogne genießen können, das Schwimmbad und die Bar mit kostenlosem WiFi-Punkt.

La Malartrie, 24220 Vézac • Tel. 05-53295083
E-Mail: campinglaplage24@orange.fr
Internet: www.camping-laplage.fr

Thonac/Montignac, F-24290 / Aquitaine 🛜 CC€14 iD

🔺 La Castillonderie***	1 ADE**JM**NOPRT	ABFN 6
🗓 4 Apr - 30 Sep	2 DGIPRVWXY	ABDEF**GH**I 7
☎ +33 (0)5-53507679	3 ABC**G**LQRT	ABDFGIJNQRSV 8
@ contact@	4 BDFHILNO	ABEJ 9
dordogne-castillonderie.fr	5 ABCDEFGIKL**M**	BDFHIJ**O**TU10
	B 3-10A CEE	❶ €30,50
📍N 45°2'27'' E 1°7'10''	H167 5 ha 54T(27m²) 19D	❷ €40,00

Auf der D706 Montignac-Les Eyzies und Thonac am Kreisel rechts Richtung Fanlac. Nach 1 km rechts. Der Beschilderung folgen.

Tourtoirac/Hautefort, F-24390 / Aquitaine 🛜 iD

🔺 Les Tourterelles***	1 AB**JM**NOPRS**T**	AF 6
🏞 Clos Faure	2 BPRTUVWY	BE**FGH** 7
🗓 15 Apr - 15 Sep	3 BEF**GH**LMQT	BDFNPRSV 8
☎ +33 (0)5-53511117	4 BDFHINO**PQ**	EJU 9
@ les-tourterelles@orange.fr	5 ABDEFGIJL	ABGHIJ**PT**10
	B 6A	❶ €34,50
📍N 45°16'49'' E 1°2'54''	H300 12 ha 99T(100-120m²) 53D	❷ €44,50

Von Limoges Ausfahrt 36 Richtung St. Yrieux (D704). Dann die D5 Cheirveix-Cubas, innerorts Tourtoirac nach rechts, einmal über die Brücke links, auf die D73 Richtung Coulaures. Der CP kommt nach ca. 1 km.

Trémolat, F-24510 / Aquitaine 🛜 iD

🔺 Base Nautique Trémolat***	1 ADE**JM**NOPRST	A**N**UWXYZ 6
🏞 D30	2 CGIPRVWXY	ABDE**FG** 7
🗓 1 Apr - 1 Nov	3 ABEFLMQ	ABCDFN**Q**R 8
☎ +33 (0)5-53228118	4 BDILNO**Q**	EQRT 9
@ tremolat@semitour.com	5 ADEGIL	ABFJNOS10
	B 16A CEE	❶ €23,50
📍N 44°52'45'' E 0°49'39''	H55 4 ha 65T(100-120m²) 66D	❷ €30,10

Von Le Bugue D703 folgen, nach Pézuls ausgeschildert.

Tursac, F-24620 / Aquitaine 🛜 CC€12 iD

🔺 Le Vézère Périgord***	1 ADE**IL**NOPRT	ACDFHU 6
🗓 25 Apr - 1 Nov	2 BPRTUVY	ABDE**FG** 7
☎ +33 (0)5-53069631	3 ABLMQS	ABCDEFKNQRSV 8
@ info@levezereperigord.com	4 FHIO**PQ**	AEJ 9
	5 ABDGI	BHJ**O**ST10
	B 10A CEE	❶ €26,90
📍N 44°58'33'' E 1°2'47''	H95 6 ha 103T(90-110m²) 49D	❷ €36,90

An D706 nördlich von Les Eyzies-de-Tayac.

Valeuil/Brantôme, F-24310 / Aquitaine 🛜 iD

🔺 Du Bas-Meygnaud	1 A**JM**NOPR**T**	AFU 6
🏞 D939	2 BGPTWY	BE**F** 7
🗓 1 Apr - 30 Sep	3 BELQ	ABCDFNRSV 8
☎ +33 (0)5-53055844	4 BFHI	ADEFJU 9
@ camping-du-bas-meygnaud@	5 ABDEFGIL	ABHIJ**O**STV10
wanadoo.fr	6A CEE	❶ €22,50
📍N 45°19'46'' E 0°38'14''	H350 1,7 ha 50T(100-120m²) 8D	❷ €30,50

In Brantôme D939 Richtung Périgueux, nach ca. 4 km nach rechts. Zweite Ausfahrt Lasserre nehmen. Dann den Schildern folgen. Achtung: nicht über Valeuil fahren. Von Périgueux 4 km vor Brantôme links.

Vendoire, F-24320 / Aquitaine 🛜 iD

🔺 Le Petit Lion***	1 ADE**JM**NOPRST	AF 6
🏞 lieu dit Le Petit Lyon	2 CPRVWXY	BE**F**GH 7
🗓 1 Jan - 31 Dez	3 AELMQS	BCDFN**Q**RSV 8
☎ +33 (0)5-53910074	4 FHIQ	BFHI 9
@ contact@	5 ABDGIL	BIJ**P**RV10
camping-petit-lion.com	B 10A CEE	❶ €19,50
📍N 45°24'29'' E 0°16'51''	H80 2 ha 31T(100-150m²) 14D	❷ €26,50

D939 Richtung Perigueux. Den Schildern 'Villebois Lavalette' folgen. Nach der Super U der D23 Richtung Aubeterre folgen. Dann die D17 nach Gurat. Von Gurat dem kleinen roten CP-Schild folgen.

Vézac, F-24220 / Aquitaine 🛜 iD

🔺 La Cabane	1 A**I**LNOR	EFJNXZ 6
🗓 1 Apr - 15 Okt	2 CGPWXY	BE**F** 7
☎ +33 (0)5-53295228	3 L	BFNRS 8
@ camping.la.cabane@	4	ADEG 9
wanadoo.fr	5 ABDF	O10
	10A CEE	❶ €18,20
📍N 44°49'33'' E 1°9'6''	2,5 ha 98T(80-110m²) 21D	❷ €25,45

Von Sarlat Richtung Vézac (Bergerac). Dann Richtung La Roque- Gageac. Der CP ist ausgeschildert.

Vézac, F-24220 / Aquitaine 🛜 CC€14 iD

🔺 La Plage***	1 A**JM**NOPRST	AFJXZ 6
🏞 La Malartrie	2 CFGPWXY	BE**F** 7
🗓 1 Apr - 30 Sep	3 ALQS	ABFNRV 8
☎ +33 (0)5-53295083	4 FGHO	EQR 9
@ campinglaplage24@orange.fr	5 ABDEFGK**L**	BHJOR10
	Anzeige auf dieser Seite 3-10A	❶ €21,60
📍N 44°49'26'' E 1°10'16''	3,5 ha 83T(80-120m²) 3D	❷ €30,00

Von Sarlat Richtung Vézac, Richtung Roque-Gageac, CP ist ausgeschildert.

Vézac, F-24220 / Aquitaine 🛜 CC€14 iD

🔺 Les Deux Vallées***	1 ACDE**JM**NOPRST	AFN 6
🏞 La Gare	2 PQVWXY	ABDE**FG**H 7
🗓 20 Feb - 7 Nov	3 ABE**K**LQ	ABCDFJNRSV 8
☎ +33 (0)5-53295355	4 ABFHILO**PQ**	EQRUV 9
@ contact@	5 ABEGIJKL	ABDGHJNP**R**10
campingles2vallees.com	B 10A CEE	❶ €32,50
📍N 44°50'8'' E 1°9'30''	H76 3,3 ha 94T(90-160m²) 16D	❷ €45,30

Der CP liegt an der D57 von Sarlat kurz hinter dem Ortschild Vézac rechts ab. Ausgeschildert.

Vieux-Mareuil, F-24340 / Aquitaine 🛜 CC€12 iD

🔺 Parc Touristique L'Etang Bleu	1 AD**JM**NOPQRS**T**	AN 6
🏞 D93	2 GPVXY	BE**FG**H 7
🗓 1 Apr - 20 Okt	3 AELQ	ABCDFNQRST 8
☎ +33 (0)5-53609270	4 DFHIO**PQR**	E 9
@ letangbleu@orange.fr	5 ABDEFGJK	BDHJ**P**R10
	B 10A	❶ €23,50
📍N 45°26'46'' E 0°30'32''	H110 10 ha 50T(100-160m²) 26D	❷ €29,00

Entlang der D939 von Angoulême. In Vieux-Mareuil (auf halben weg zwischen Angoulême und Périgueux) links ab (1,5 km). Gut ausgeschildert.

Villefranche-du-Périgord, F-24550 / Aquit. 🛜 CC€12 iD

🔺 La Bastide***	1 ACDE**IL**NOPRS**T**	ABFN 6
🏞 route de Cahors	2 FGPRSUVWXY	ABDE**FH** 7
🗓 4 Apr - 9 Sep	3 ABLMQ	ABCDFJKNQRSTU 8
☎ +33 (0)5-53289457	4 BDFHINO	EL 9
@ campinglabastide@wanadoo.fr	5 ABDEFGIJLM	BDFGHIJNPR10
	B 6-10A CEE	❶ €23,00
📍N 44°37'40'' E 1°4'57''	H200 2,5 ha 66T(80-130m²) 37D	❷ €29,40

An der D660. 500m von Villefranche-du-Périgord und 45 km von Cahors. CP ist ausgeschildert.

Vitrac, F-24200 / Aquitaine 🛜 iD

🔺 Domaine de Soleil Plage*****	1 ABDE**JL**NORT	ABCDFGHIJNUX 6
🏞 Caudon par Montfort	2 CGHJKPQRVXY	ABDE**FG**H 7
🗓 11 Apr - 30 Sep	3 BE**ILMQ**TU	ABCDEFGIJKNQRSTU 8
☎ +33 (0)5-53283333	4 BCDFHILO**PQ**RU	EFLQRUV 9
@ info@soleilplage.fr	5 ABCDEFGIJK**M**	ABFGHIJMN**PS**T10
	B 16A	❶ €40,40
📍N 44°49'28'' E 1°15'11''	H100 6 ha 106T(80-120m²) 97D	❷ €53,30

Der CP liegt an der D703 und ist in Vitrac und Montfort ausgeschildert.

Vitrac, F-24200 / Aquitaine 🛜 CC€14 iD

🔺 La Bouysse de Caudon***	1 ADE**JM**NORT	AFJNUX 6
🏞 Caudon/Vitrac	2 CJKPVWXY	ABDE**FG**H 7
🗓 4 Apr - 26 Sep	3 BELMQ	ABCDFNRSV 8
☎ +33 (0)5-53283305	4 EFHIO**PQ**	EIJLQRUV 9
@ info@labouysse.com	5 ABDEGK**L**	BDGHIJN**P**R10
	B 10A CEE	❶ €27,60
📍N 44°49'26'' E 1°15'3''	H200 5 ha 142T(100m²) 19D	❷ €37,60

An der Dordogne gelegen. An der D703 bei Vitrac und Montfort ausgeschildert.

Vitrac, F-24200 / Aquitaine 🛜 iD

🔺 La Sagne***	1 ADE**IL**NOPRST	CDFGJN 6
🏞 Lieu dit Lassagne	2 CPVWXY	ABDE**FG**H 7
🗓 4 Apr - 26 Sep	3 A**K**Q	ABCDEFKNQRSTU 8
☎ +33 (0)5-53281836	4 BDFHOU	AE 9
@ info@camping-la-sagne.fr	5 ABDFGL	BJ**P**TUV10
	B 16A CEE	❶ €32,10
📍N 44°49'31'' E 1°14'32''	3,5 ha 100T(100-120m²) 31D	❷ €40,30

Liegt an der Dordogne. Angezeigt an der D703 bei Vitrac und Montfort.

Gironde

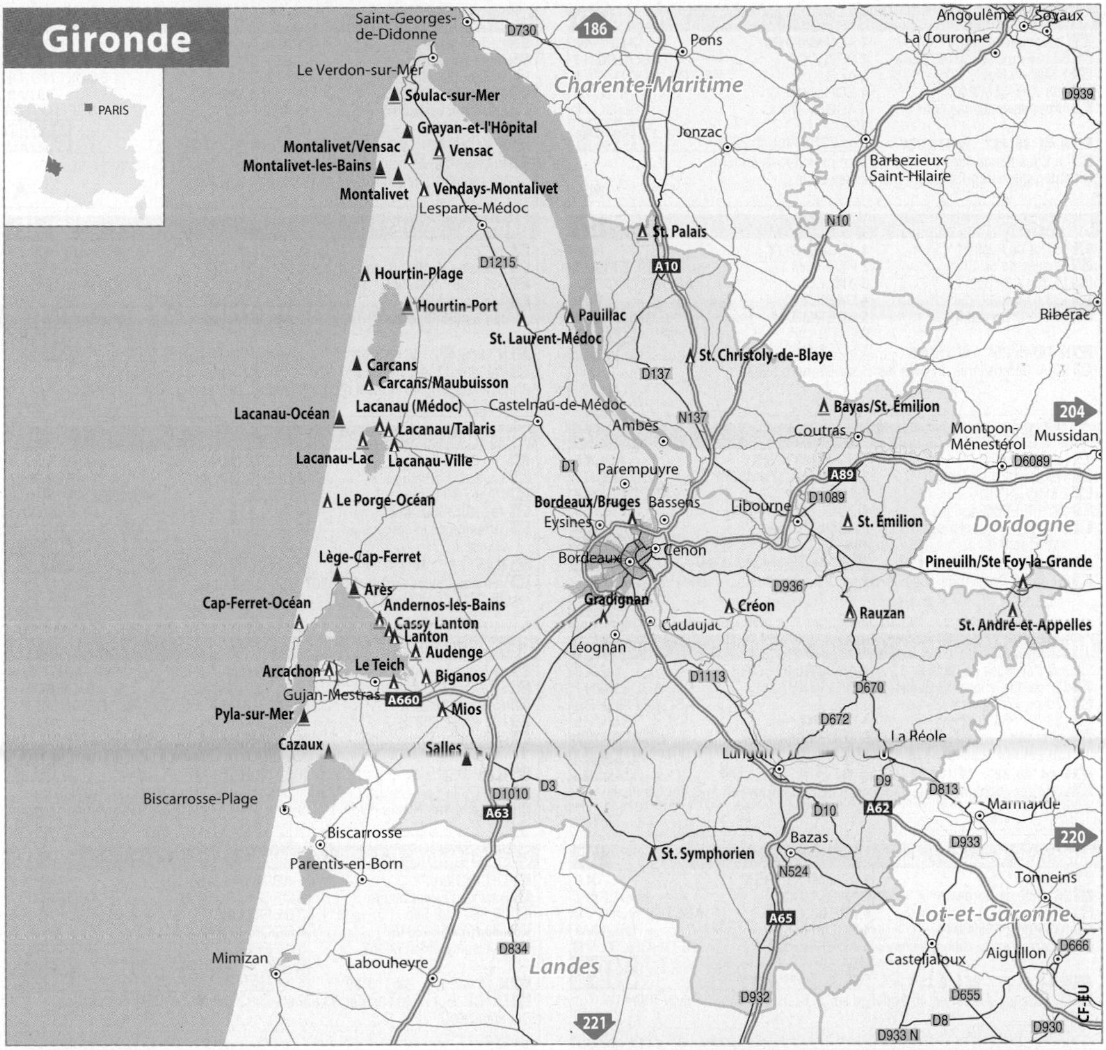

■ PARIS

Frankreich

Saint-Georges-de-Didonne · D730 · 186 · Pons · Angoulême · Soyaux

Charente-Maritime · La Couronne · D939

Le Verdon-sur-Mer

▲ Soulac-sur-Mer · Jonzac · Barbezieux-Saint-Hilaire

▲ Grayan-et-l'Hôpital

Montalivet/Vensac ▲ ▲ Vensac

Montalivet-les-Bains ▲ ▲

Montalivet ▲ Vendays-Montalivet · Ribérac

Lesparre-Médoc · ∧ St. Palais · N10

∧ Hourtin-Plage · D1215

▲ Hourtin-Port · ∧ Pauillac

St. Laurent-Médoc · ∧ St. Christoly-de-Blaye

▲ Carcans · D137

▲ Carcans/Maubuisson

Lacanau (Médoc) · Castelnau-de-Médoc · ∧ Bayas/St. Émilion · Montpon-Ménestérol · Mussidan · 204

Lacanau-Océan · ▲ ▲ Lacanau/Talaris · Ambès · N137 · Coutras · D6089

Lacanau-Lac · Lacanau-Ville · D1 · Parempuyre · A89 · Dordogne

∧ Le Porge-Océan · Bordeaux/Bruges · Bassens · Libourne · D1089 · ∧ St. Émilion

Lège-Cap-Ferret · Eysines · D936 · Pineuilh/Ste Foy-la-Grande

∧ Arès · Bordeaux · Cenon · St. André-et-Appelles

Cap-Ferret-Océan · Andernos-les-Bains · Gradignan · ∧ Créon · ∧ Rauzan

∧ Cassy Lanton · Cadaujac · D670

Lanton · Léognan

∧ Audenge · D1113 · D672 · La Réole

Arcachon ∧ · Le Teich · ∧ Biganos

Gujan-Mestras · A660 · Langon · D9

Pyla-sur-Mer ▲ · ∧ Mios · D813 · Marmande · A62 · 220

Cazaux ▲ · Salles · D1010 · D3 · D10 · A63 · Bazas · D933 · Tonneins

Biscarrosse-Plage · N524 · Casteljaloux · Aiguillon · D666

Biscarrosse · ∧ St. Symphorien · A65 · Lot-et-Garonne · D933 N · D930

Parentis-en-Born · D655 · D8

Mimizan · Labouheyre · D834 · Landes · D932 · 221

Andernos-les-Bains, F-33510 / Aquitaine ⏉ CC€16 iD

🏕 Fontaine Vieille***
📮 4 bd du Colonel Wurtz
🗓 1 Apr - 30 Sep
☎ +33 (0)5-56820167
@ contact@fontaine-vieille.com

1 ADJMNOPQRST	AFLSXZ 6
2 BDFHIOPQUVWXY	BDEFGH 7
3 AEKLQR	ABDFKNORS 8
4 BCDHIOPQ	EIKLUV 9
5 ACDEFGIKM	ABGHIJNOVZ 10
B 10A	

❶ €47,60
❷ €56,90

📍 N 44°43'34'' W 1°4'51''
13 ha 420T(100-150m²) 260D

Der CP liegt kurz hinter der Ortsmitte von Andernos in Richtung Biganos (D3).
CP ist an der D3 ausgeschildert.

Arcachon, F-33312 / Aquitaine ⏉ iD

🏕 Club d'Arcachon***
📮 5 allée de la Galaxie
🗓 1 Jan - 31 Dez
☎ +33 (0)5-56832415
@ info@camping-arcachon.com

1 ADGJMNOPQRT	ABFGH 6
2 ABOPQSTUVWXY	ABDEFGH 7
3 AEFKLQS	ABCDEFGHIJKLMNRSTUV 8
4 BDFHILOPQTXZ	EJLUV 9
5 ABDEFGIKL	ABFHIJNPTUV10
Anzeige auf dieser Seite 10A	

❶ €43,20
❷ €46,20

📍 N 44°39'4'' W 1°10'27''
6 ha 275T(30-100m²) 184D

Bordeaux-Arcachon (A660, N250). Ausfahrt D217 Abilles. Zuerst Abilles und danach Camping Club folgen.

Arès, F-33740 / Aquitaine ⏉ iD

🏕 Domaine des Abberts***
📮 rue des Abberts
🗓 1 Jun - 30 Sep
☎ +33 (0)5-56602680
@ campinglesabberts@wanadoo.fr

1 ABDJMNORT	ABFGH 6
2 GOPQVWXY	ABDEFGH 7
3 ALQ	ABCDEFNR 8
4 FHLQ	EKV 9
5 ADEFGIK	HIJOV10
B 6A	

❶ €36,50
❷ €51,50

📍 N 44°46'17'' W 1°8'40''
2 ha 40T(45-100m²) 90D

Arès Richtung Lège. Nach 200m links ab. Der CP ist ausgeschildert.

Arès, F-33740 / Aquitaine 〔🛜 CC€16 iD〕

- ⛺ La Canadienne****
- 🏠 82 rue du Général de Gaulle
- 📅 1 Mär - 5 Nov
- ☎ +33 (0)5-56602491
- @ info@lacanadienne.com
- 📍 N 44°46'43'' W 1°8'35''

1 ADJMNORT	ABFGX 6
2 BPQVXY	ABDEFGH 7
3 ALQ	ABCDFJKNQRSTV 8
4 BDHLNOPQ	ELUV 9
5 ADEFGIKL	BHIJOV10
15A	❶ €41,10
2 ha 20T(80-100m²) 97D	❷ €55,10

🚗 La Canadienne liegt 1 km vom Zentrum von Arès entfernt, Richtung Lège-Cap-Ferret auf der rechten Seite.

Arès, F-33740 / Aquitaine 〔🛜 iD〕

- ⛺ Le Pot de Résine**
- 🏠 29 allée de St. Brice
- 📅 15 Jun - 15 Sep
- ☎ +33 (0)5-56602531
- @ jeffbea@hotmail.fr
- 📍 N 44°45'25'' W 1°7'53''

1 ADJMNORT	AC 6
2 PQWXY	ABDEFGH 7
3 AKLQ	ABCDEFNORS 8
4 DFHIOPQ	EJ 9
5 ADEFGILM	BHIJNOV10
6A	❶ €27,45
1,5 ha 80T(60-110m²) 26D	❷ €37,90

🚗 D3 Andernos-Arès. In Arès der Beschilderung folgen.

Arès, F-33740 / Aquitaine 〔🛜〕

- ⛺ Les Goélands***
- 🏠 avenue de la Libération
- 📅 1 Mär - 31 Okt
- ☎ +33 (0)5-56825564
- @ camping-les-goelands@wanadoo.fr
- 📍 N 44°45'28'' W 1°7'12''

1 BDJMNOPRST	ABLX 6
2 BDFHOPQTVWXY	ABDEFGH 7
3 AJLQRT	ABCDEFNR 8
4 BDEFHILNOPQX	EUV 9
5 ABDEFGJLM	BHIJLOV10
10A CEE	❶ €35,45
10 ha 400T(60-140m²) 196D	❷ €50,45

🚗 CP an D3 Arès-Andernos auf rechter Seite, unmittelbar südlich von Arès.

Arès, F-33740 / Aquitaine 〔🛜 iD〕

- ⛺ Sites & Paysages La Cigale****
- 🏠 53 rue du Général de Gaulle
- 📅 27 Apr - 25 Sep
- ☎ +33 (0)5-56602259
- @ contact@camping-lacigale-ares.com
- 📍 N 44°46'22'' W 1°8'31''

1 ABDJMNOPQRST	AFX 6
2 OPVWXY	ABDEFGH 7
3 LQ	ABCDEFNQRS 8
4 FHOPQ	EJLUV 9
5 ABDEFGI	BGHIJNOV10
B 10A	❶ €39,95
3 ha 44T(90-150m²) 48D	❷ €50,15

🚗 Von Arès Richtung Lège, 500m nach dem Zentrum von Arès auf der linken Seite.

Audenge, F-33980 / Aquitaine 〔🛜 CC€16 iD〕

- ⛺ Le Braou***
- 🏠 26 route de Bordeaux
- 📅 1 Apr - 30 Sep
- ☎ +33 (0)5-56269003
- @ info@camping-audenge.com
- 📍 N 44°41'3'' W 1°0'15''

1 ADJMNOPRST	AX 6
2 APQVWXY	ABDEFG 7
3 AEFKLQ	ABCDEFNORTV 8
4 BCDFHIL	DEJKV 9
5 ADEFGIKL	BFGHIJNOTUV10
B 6A	❶ €29,90
90T(66-180m²) 85D	❷ €35,90

🚗 D3 Biganos-Andernos. In Audenge am 2. Kreisel rechts ab. Nach 700m CP rechts.

Bayas/St. Émilion, F-33230 〔🛜 CC€12 iD〕

- ⛺ Le Chêne du Lac***
- 🏠 3 Lieu-dit Châteauneuf
- 📅 1 Jan - 31 Dez
- ☎ +33 (0)5-57691378
- @ lechenedulac@orange.fr
- 📍 N 45°4'45'' W 0°12'24''

1 AJMNOPRST	JLMQ 6
2 ABCDGHIPQRVWXY	ABDEFH 7
3 AEFLQ	ABCDFNORTV 8
4 FIOQR	ADEMQRTUV 9
5 ABDEFGLM	ABGHJOPTUV10
B 10A	❶ €24,00
H61 4,6 ha 54T(96-180m²) 38D	❷ €31,00

🚗 N10 Bordeaux-Angoulême, Ausf. Laruscade/Guitres. Bayas liegt aus Richtung Guitres an der D247.

Biganos, F-33380 / Aquitaine 〔🛜 iD〕

- ⛺ Le Marache Vacances****
- 🏠 25 rue Gambetta
- 📅 1 Apr - 30 Sep
- ☎ +33 (0)5-57706119
- @ contact@marachevacances.com
- 📍 N 44°39'3'' W 0°58'45''

1 ADILNOPRT	ABFG 6
2 AOPVWXY	ABEFGH 7
3 AEIKLQ	ABCDEFORSV 8
4 ABEFHILOPQ	AEFUV 9
5 ADEFGILM	BFHJLPTUV10
B 16A	❶ €34,30
2,5 ha 75T(102-118m²) 85D	❷ €43,80

🚗 In der Nähe von Biganos Richtung Cap-Ferret. Der CP liegt kurz hinter Biganos an einer Seitenstraße der D3.

Bordeaux/Bruges, F-33520 〔🛜 CC€16 iD〕

- ⛺ Village du Lac
  Camping de Bordeaux****
- 🏠 bd Jacques Chaban Delmas
- 📅 1 Jan - 31 Dez
- ☎ +33 (0)5-57877060
- @ contact@village-du-lac.com
- 📍 N 44°53'52'' W 0°34'58''

1 ADEJMNOPRST	AF 6
2 ABDGIOPRSVWXY	ABDEFGH 7
3 AEFGJKLQ	ABCDEFJKNQRSV 8
4 FHIO	EFLUV 9
5 ABDEFGJ	ABFGHIJOPTUVX10
B 10A CEE	❶ €31,80
13 ha 100T(80-120m²) 240D	❷ €45,80

🚗 Von Rocade Ausfahrt 5. Dort 'Parc des Expositions' folgen. Gut angezeigt.

Cap-Ferret-Océan, F-33950 / Aquitaine 〔🛜 ✿ iD〕

- ⛺ Le Truc Vert****
- 🏠 route Forestière
- 📅 1 Mai - 30 Sep
- ☎ +33 (0)5-56608955
- @ info@trucvert.com
- 📍 N 44°42'56'' W 1°14'33''

1 ADILNOPQRST	KPQX 6
2 BEFHPQTUVXY	ABDEFGH 7
3 AELQ	BCDEFNOR 8
4 FHINOPQ	LUV 9
5 ACDFGIJK	ABFIJOTU10
B 6A	❶ €30,50
11 ha 480T(50-120m²)	❷ €39,50

🚗 In Lège-Cap-Ferret auf die D106 nach Cap-Ferret. In Les Jacquets die vierte Straße rechts abbiegen, CP ist ab hier ausgeschildert.

Carcans, F-33121 / Aquitaine 〔🛜 iD〕

- ⛺ de Coben les Pins**
- 🏠 Domaine de Bombannes
- ☎ +33 (0)5-56039502
- @ bombannes@camping-indigo.com
- 📍 N 45°5'47'' W 1°8'52''

1 ADEGILNOPQRST	ABFGLMNPQRSTUVWXYZ 6
2 BDHOQSVXY	ABDEFGK 7
3 BEKLMQV	ABCDEFKNQRSV 8
4 BDFHINOQ	BCLUV 9
5 ACDEFGILM	BFGHIJLNOTU10
16A CEE	❶ €26,95
13 ha 240T(100-250m²) 100D	❷ €35,35

🚗 Von der D3 in Carcans der D207 Richtung Maubuisson folgen. Am Ortsausgang im Kreisel rechts Richtung 'Domaine de Bombannes'. Camping nach 3 km rechts.

Carcans, F-33121 / Aquitaine 〔🛜 iD〕

- ⛺ De l'Océan**
- 🏠 1 rue du Camping
- 📅 1 Apr - 30 Sep
- ☎ +33 (0)5-56034144
- @ campingocean.carcans@orange.fr
- 📍 N 45°5'3'' W 1°11'8''

1 ADEGJMNOPRST	NQRSTWX 6
2 BEHPQTWXY	ABDEFH 7
3 BELQ	ABCDEFKNORSV 8
4 H	UVW 9
5 AC	ABFGHIKLNOTU10
16A	❶ €33,75
9 ha 447T(80-100m²)	❷ €38,95

🚗 Von der D3 in Carcans die D207 Richtung Carcans-Plage. Der CP ist in 13 km rechts, 300m vor dem Strand.

Carcans/Maubuisson, F-33121 / Aquitaine 〔🛜 iD〕

- ⛺ de Maubuisson***
- 🏠 81 av. de Maubuisson
- 📅 15 Mär - 15 Nov
- ☎ +33 (0)5-56033012
- @ camping.maubuisson@wanadoo.fr
- 📍 N 45°3'58'' W 1°8'23''

1 ADJMNOPQRST	ABFLNQRSTXY 6
2 DOQTUVWXY	ABDEFGH 7
3 BEFILMNQR	ABCDEFKNRSV 8
4 BCDHIOPQ	AEJK 9
5 ADEGIJKL	ABGHIJLNPTUVZ10
6A CEE	❶ €30,30
12,5 ha 468T(80-120m²) 181D	❷ €38,70

🚗 Von D3 in Carcans auf D207 Richtung Carcans-Plage, CP nach 7 km links am Ortseingang von Maubuisson.

Cassy-Lanton, F-33138 / Aquitaine 〔🛜 iD〕

- ⛺ Le Coq Hardi***
- 🏠 3 av. de la République
- 📅 30 Mär - 29 Sep
- ☎ +33 (0)5-56820180
- @ violesgalyon@aol.com
- 📍 N 44°42'50'' W 1°3'39''

1 ABDJMNOPQRST	AFHX 6
2 DFGHOPQVWXY	ABDEFGH 7
3 BEFIKLMQ	BDFNRS 8
4 BCDFHIOPQ	DEJV 9
5 ABEFGL	GIJNOV10
B 10A	❶ €35,20
8 ha 400T(100-120m²) 68D	❷ €45,70

🚗 Der CP liegt rechts an der D3 unmittelbar südlich von Andernos in Cassy. Gut angezeigt.

Cazaux, F-33260 / Aquitaine 〔🛜 iD〕

- ⛺ Camping du Lac***
- 🏠 74 rue Osmin Dupuy
- 📅 1 Apr - 30 Okt
- ☎ +33 (0)5-56222233
- @ contact@campingdulacdecazaux.fr
- 📍 N 44°31'54'' W 1°9'42''

1 ADJMNOPQRST	LSX 6
2 DHPQVWX	ABDEFGH 7
3 KLMQ	ABCEFNQRS 8
4 H	V 9
5 ADEFGIJLM	ABFGHIKPTUV10
B 10A	❶ €24,80
10 ha 90T(50-120m²)	❷ €31,80

🚗 Die D112 am Kreisel bei McDonalds in La Teste-de-Buch links Richtung Cazaux. Nach 8 km die erste Straße rechts über den Kreisel. Der CP liegt dann 500m weiter.

Créon, F-33670 / Aquitaine 〔🛜 iD〕

- ⛺ Bel-Air***
- 🏠 D671 Lorient-Sadirac
- 📅 16 Jan - 15 Dez
- ☎ +33 (0)5-56230190
- @ info@camping-bel-air.com
- 📍 N 44°47'2'' W 0°22'16''

1 ADILNOPRT	AF 6
2 AGOPVWX	ABDEFGH 7
3 BGHILQ	BDFJNORV 8
4 FHO	E 9
5 ADEFJL	BHIJPR10
B 10A	❶ €20,80
H102 2,2 ha 63T(80-180m²) 52D	❷ €26,00

🚗 CP an der D671 zwischen Bordeaux und Créon, 2 km vor Créon.

Gradignan, F-33170 / Aquitaine 〔🛜 iD〕

- ⛺ Beausoleil**
- 🏠 371 crs G de Gaulle
- 📅 1 Jan - 31 Dez
- ☎ +33 (0)5-56891766
- @ campingbeausoleil@wanadoo.fr
- 📍 N 44°45'21'' W 0°37'40''

1 AILNORT	6
2 AOPRVXY	BDFGH 7
3 LQ	ABCDEFJNRTUV 8
4	BIJPTU10
5 LM	Anzeige auf Seite 215 B 4-10A CEE ❶ €17,50
0,5 ha 27T(82-99m²) 4D	❷ €23,00

🚗 Umfahrung Bordeaux, Ausfahrt 16 nach Gradignan, durch Gradignan, CP 'Beau Soleil' nach ca. 4 km ausgeschildert.

Frankreich

Grayan-et-l'Hôpital, F-33590 / Aquitaine

▲ Des Familles***	1 A**JM**NOPRST	ABF**N** 6
🏠 3 chemin de la Lande	2 HPQVWXY	ABDE**FGH** 7
📅 1 Mär - 30 Nov	3 BEL**Q R**	ABCEFNOQRSV 8
☎ +33 (0)5-56094320	4 DDI IINO**PQ**	EUV 9
@ camping-des-familles@	5 ABDEFGIKL	BFHIJOTUV10
wanadoo.fr	10A	❶ €27,30
🗺 N 45°26'12'' W 1°5'30''	2 ha 50T(100-120m²) 59**D**	❷ €37,30

🔲 Der CP liegt an der D101. In Grayan ist der CP ausgeschildert. Auch von der N215 Ausfahrt Vensac oder Grayan-et-l'Hôpital. CP-Beschilderung folgen.

Grayan-et-l'Hôpital, F-33590 / Aquitaine

▲ Euronat****	1 ADE**JM**NOPRS**T**	AEFGHKMNQX 6
📅 4 Apr - 1 Nov	2 EHPQVWXY	ABDE**FGH** 7
☎ +33 (0)5-56093333	3 BEF**GHILMN**QR	ABEFNOQRSTUV 8
@ info@euronat.fr	4 BCDHIJLOPRS**TUVXYZ**	AEJLUV 9
	5 ACDEFHIJK	ABFGHIJ**NP**TUVY10
	FKK B 10A CEE	❶ €52,70
🗺 N 45°24'58'' W 1°7'55''	335 ha 947T(120-150m²) 637**D**	❷ €52,70

🔲 Von Montalivet Küstenstraße D102 in nördliche Richtung fahren, bis Tankstelle, nach 200m links.

Grayan-et-l'Hôpital, F-33590 / Aquitaine

▲ Les Franquettes**	1 ADE**JM**NOPQRST	A 6
🏠 50 rue des Goëlands	2 PVWXY	AD**F** 7
📅 15 Mär - 30 Nov	3 BEL**Q**	ACFNORV 8
☎ +33 (0)5-56094361	4 BDHINPQ	E 9
@ lesfranquettes@	5 ABDEFGL	BIJOV 10
lesfranquettes.com	6A	❶ €21,90
🗺 N 45°26'40'' W 1°5'9''	3,1 ha 76T(80-200m²) 77**D**	❷ €28,50

🔲 Von der D101 Ausfahrt Grayan-et-l'Hôpital. CP liegt in der Dorfmitte, schräg gegenüber der Kirche, gut ausgeschildert.

Hourtin-Plage, F-33990 / Aquitaine

▲ Airotel Cp. Carav.	1 ADE**JM**NOPRST	ABCDFHIKMQRSWX 6
de la Côte d'Argent*****	2 DEHOPQTUVWXY	ABDE**FGH** 7
📅 14 Mai - 13 Sep	3 BEF**GHLMQ**R	ABCDEFKNORSV 8
☎ +33 (0)5-56091025	4 BDHILNO**PQRS**U**Z**	EGKLUV 9
@ info@	5 ACDEFGIJKL M	ABFGHIJLN**P**TUY 10
camping-cote-dargent.com	Anzeige auf dieser Seite B 10A CEE	❶ €59,10
🗺 N 45°13'23'' W 1°9'53''	20 ha 870T(80-120m²) 552**D**	❷ €77,10

🔲 D101 Ausfahrt Hourtin-Plage bis zum Meer. Der CP liegt 400m vor dem Strand rechts.

Hourtin-Port, F-33990 / Aquitaine

▲ La Rotonde:	1 ADE**JM**NOPQRST	A**F**LMNOQSWXY 6
le Village Western****	2 DHOPQVWXY	ABDE**FGH** 7
🏠 chemin de Bécassine	3 BEF**GHLMN**QR	ABCDEFKNOQRSTUV 8
📅 11 Apr - 30 Sep	4 **A**BDHINO**PQ**	AEJLUV 9
☎ +33 (0)5-56091060	5 ACEFGJK**L**	BGHIJ**N**OTUV 10
@ village-western@orange.fr	10A	❶ €38,20
🗺 N 45°10'46'' W 1°4'29''	15 ha 191T(100-120m²) 226**D**	❷ €46,20

🔲 Im Zentrum von Hourtin nach Hourtin-Lac, nach ca. 1 km beim Schild Les Ourmes links, CP in unmittelbarer Nähe.

Hourtin-Port, F-33990 / Aquitaine

▲ Les Ourmes****	1 AD**IL**NOPRST	AFGLMN**Q**RSTWXY 6
🏠 90 avenue du Lac	2 DHOPQVWXY	ABD**FG**H 7
📅 1 Mai - 20 Sep	3 BEF**GHLMQ**	ABDEFHKNOQRSV 8
☎ +33 (0)5-56091276	4 ABDHINO**PQ**	EL 9
@ info@lesourmes.com	5 ACDEFGIKLM	ABFGHIJ**N**OTUV 10
	B 10A	❶ €36,90
🗺 N 45°10'55'' W 1°4'32''	7 ha 300T(80-100m²) 77**D**	❷ €44,50

🔲 Vom Zentrum von Hourtin nach Hourtin-Port fahren, ca. 1 km hinter Hourtin auf der Ecke, gut ausgeschildert.

Lacanau (Médoc), F-33680 / Aquitaine

▲ Talaris Vacances	1 BDE**JM**NOPQRST	ABF**H**I**N**W 6
Camping****	2 BOPQRVXY	BD**FG**H 7
🏠 avenue de l'Océan	3 BEF**IKLMQ**	BDFKNOQRSV 8
📅 11 Apr - 21 Sep	4 BCDHILNO**PQ**	BCEJUV 9
☎ +33 (0)5-56030415	5 ACDEFGM	ABGHIJLMN**P**TVZ 10
@ talaris@franceloc.fr	B 6A	❶ €46,20
🗺 N 45°0'29'' W 1°6'43''	12 ha 111T(100-200m²) 303**D**	❷ €57,70

🔲 Von Lacanau nach Lacanau-Lac. Der CP liegt vor dem See rechts an der Straße.

CAMPING **LA GRIGNE** LE PORGE-OCEAN ★★★

Tél : 00 33 (0) 5 56 26 54 88 - Fax : 00 33 (0) 5 56 26 52 07

info@lagrigne.com   www.camping-leporge.fr

Lanton, F-33138 / Aquitaine

Le Roumingue***
60 av. de Libération BP 19
9 Mär - 30 Nov
+33 (0)5-56829748
doc@roumingue.fr

1 ADEJMNOPQRST	AFLMNPQRSX 6	
2 DFGHOPQVWXY	ABDEFGH 7	
3 BEIKLMQR	ABCDEFNORS 8	
4 ABCDFHILNOQ	EHIJLUV 9	
5 ABDEFGJKL	ABFGHIJNPVZ10	
B 6A		① €31,90
32 ha 75T(110-180m²) 355D		② €39,90

N 44°42'17'' W 1°2'53''
Unmittelbar südlich von Andernos, in Cassy-Lanton an der D3.

Le Porge-Océan, F-33680 / Aquitaine

La Grigne***
35 avenue de l'Océan
1 Apr - 30 Sep
+33 (0)5-56265488
info@lagrigne.com

1 ADEJMNOPQRT	KQX 6	
2 BEHQTVXY	ABDEFGH 7	
3 AEFGHILMQ	ABCDEFNORS 8	
4 BCDFHIOPQ	AELMUV 9	
5 ACDEFGIM	ABFGHIJOTU10	
Anzeige auf dieser Seite B 10A CEE		① €30,60
30 ha 666T(80-100m²) 34D		② €37,80

N 44°53'35'' W 1°12'16''
CP liegt 9 km vom Zentrum von Le Porge entfernt, von da ab gut ausgeschildert.

Le Teich, F-33470 / Aquitaine

Ker Helen****
avenue de la Côte d'Argent
16 Apr - 15 Okt
+33 (0)5-56660379
camping.kerhelen@wanadoo.fr

1 AILNOPRT	AF 6	
2 APVXY	ABDEFGH 7	
3 ABEGL	ABCDFJKNOQRSUV 8	
4 FHILNOPQR	AEFUV 9	
5 BDEGIL	BFGHIJNPV10	
B 10A CEE		① €26,70
5 ha 140T(80-120m²) 66D		② €35,30

N 44°38'23'' W 1°2'35''
A63/A660 Richtung Arcachon, Ausfahrt 3 Le Teich, Beschilderung 'Parc Ornithologique' bis Le Teich folgen. Aus Richtung D650 CP-Schildern folgen.

Lacanau-Lac, F-33680 / Aquitaine

Le Tedey***
route de Longarisse
25 Apr - 19 Sep
+33 (0)5-56030015
camping@le-tedey.com

1 ADEJKNOPQRT	LNQRSTWXY 6	
2 BDHQVXY	ABDEFGH 7	
3 BEFIKLQ	ABCDFKNORSTV 8	
4 BCDHIO	ELUV 9	
5 ACEGKL	ABGHIJNPTUZ10	
B 10A CEE		① €34,10
14 ha 700T(80-100m²) 54D		② €41,50

N 44°58'56'' W 1°8'32''
D6 Lacanau Richtung Lacanau-Océan bis Le Moutchic, dort bis zur Straße bis zum Ende von Le Moutchic und zum Ende des Sees folgen, hier links.

Lège-Cap-Ferret, F-33950 / Aquitaine

Airotel Les Viviers****
1 avenue Léon Lesca
1 Apr - 20 Sep
+33 (0)5-56607004
reception@lesviviers.com

1 BDJMNOR	ABCFHILM 6	
2	ABCFGHK 7	
3 BCDEFIJLMNRST	ABEFNQRS 8	
4 ABCDFHINOPQRTUX	EILQTUV 9	
5 ACDEFGHIJK	ABCHIJLNOVZ10	
Anzeige auf Seite 217 B 10A CEE		① €75,10
33 ha 37T(50-120m²) 1250D		② €89,10

N 44°44'4'' W 1°11'46''
In Lège-Cap-Ferret Richtung Cap-Ferret. Nach ein paar Km liegt der Camping links.

Lacanau-Océan, F-33680 / Aquitaine

Airotel de L'Océan****
24 rue du Repos
4 Apr - 8 Nov
+33 (0)5-56032445
contact@airotel-ocean.com

1 ADEJMNOQRST	ABEFGHIKMNQRST 6	
2 EHQSTUVWXY	BEFGH 7	
3 BEKLMNQ	BDFKNORSV 8	
4 BCDHIJLMOPQRTUVXZ	EKLUV 9	
5 ACDEFGIJKL	ABFGHIJLNPTUVZ10	
B 15A CEE		① €55,20
9 ha 400T(80-100m²) 259D		② €69,20

N 45°0'32'' W 1°11'32''
D6 nach Lacanau-Océan, dann Schildern Plage-Nord folgen.

Lège-Cap-Ferret, F-33950 / Aquitaine

Aux Couleurs du Ferret
101 av. du Médoc
15 Apr - 31 Okt
+33 (0)5-24188448
contact@campingcapferret.com

1 ABJMNORT	6	
2 PQWXY	ABDEFGHK 7	
3	ABCDEFNR 8	
4	CEUV 9	
5 AE	AFIJOTV10	
B 6A		① €20,95
1 ha 39T(60-100m²) 35D		② €26,70

N 44°48'13'' W 1°7'59''
CP liegt links an der D3 von Lège-Cap-Ferret nach Le Porge, kurz hinter der Ortsmitte von Lège.

Lacanau-Océan, F-33680 / Aquitaine

Yelloh! Village Les Grands Pins*****
Plage Nord
24 Apr - 21 Sep
+33 (0)5-56032077
reception@lesgrandspins.com

1 ADEGJMNOPQRT	ABEFIKNQSWX 6	
2 BEHOPQRTUVWXY	BEFGH 7	
3 BEFKLMQR	BDFNQRSV 8	
4 BCDHLOPQRTUVY	EKLUV 9	
5 ACDEFGHIJKL	ABGHILMNPTV10	
B 10A CEE		① €54,20
14 ha 410T(100m²) 270D		② €70,20

N 45°0'40'' W 1°11'38''
Der D6 Von Lacanau nach Lacanau-Océan folgen. Weiter in Richtung Plage-Nord. Gut beschildert.

Lège-Cap-Ferret, F-33950 / Aquitaine

Brémontier**
115 Le Gr. Crohot Océan
1 Jun - 15 Sep
+33 (0)5-56600399
campingbremontier@wanadoo.fr

1 ABJMNOPRST	K 6	
2 BEHQXY	ABDEF 7	
3	ABCFN 8	
4	V 9	
5 ABF	IJL10	
B 6A 10A		① €21,45
2,5 ha 125T(60-110m²)		② €29,90

N 44°47'52'' W 1°13'33''
Von Lège Richtung 'Le Grand Crohot'.

Lacanau-Ville, F-33680 / Aquitaine

La Praise**
av. de la Côte d'Argent
4 Mai - 22 Sep
+33 (0)5-56035073
campinglapraise@hotmail.com

1 ABJMNOPRT	6	
2 PRWXY	AB 7	
3	ABDFN 8	
4	DE 9	
5 F	HIJ10	
B 6A		① €26,45
1 ha 40T(50-100m²) 12D		② €32,45

N 44°58'53'' W 1°4'46''
In Lacanau-Ville D3 Richtung Lacanau-Océan. Nach 300m rechts CP.

Lège-Cap-Ferret, F-33950 / Aquitaine

La Prairie**
93 avenue du Médoc
1 Mär - 30 Okt
+33 (0)5-56600975
camping.la.prairie@wanadoo.fr

1 ABJMNORT	AFX 6	
2 PVWX	ABDFGH 7	
3 ALQ	ABCDEFNOR 8	
4 HP	CEJL 9	
5 DEG	BHIJOV10	
B 10A		① €20,75
2,5 ha 83T(80-120m²) 56D		② €27,35

N 44°48'10'' W 1°8'1''
Der CP liegt auf der linken Seite der D3 von Lège-Cap-Ferret nach Le Porge.

Lacanau/Talaris, F-33680 / Aquitaine

Les Fougères Lacanau**
avenue de l'Océan
1 Jun - 15 Sep
+33 (0)5-56035676
contact@campinglesfougereslacanau.com

1 ADEILNOPRST	NQSWX 6	
2 OPQVWXY	ABDEFH 7	
3 EGKLQ	ABDFNORSV 8	
4	DE 9	
5 ALM	BFHIJOPTUV10	
6A CEE		① €33,15
2 ha 75T(80-110m²) 6D		② €41,85

N 45°0'7'' W 1°5'36''
CP liegt an der Straße D6 von Lacanau nach Lacanau-Océan, auf der linken Seite, ca. 1,5 km vor dem See.

Mios, F-33380 / Aquitaine

Municipal de l'Eyre***
allée de la Plage / BP14
1 Jan - 31 Dez
+33 (0)5-56264204
FAX +33 (0)5-57176205

1 AILNOPRT	JN 6	
2 ACGHOPQVX	ABDEFH 7	
3 BEGHLMNQRU	ABCDEFJNORV 8	
4 FH	QRUV 9	
5 ALM	GHJLV10	
B 10A CEE		① €22,50
2,5 ha 80T(80-130m²) 20D		② €28,50

N 44°36'17'' W 0°56'31''
Von A660 Ausfahrt 2, CP beim Postamt im Zentrum Mios, neben Sportzentrum CAP33.

Montalivet, F-33930 / Aquitaine 🛜 CC€16 iD

Centre Helio-Marin (CHM) Montalivet***
46 av. de l'Europe
28 Mär - 27 Sep
+33 (0)5-56737373
infos@chm-montalivet.com
N 45°21'48'' W 1°8'44''

1 ADE**JM**NOPRST	ABFGHIKMOQ 6	
2 EHOQVWXY	ABDE**FGH** 7	
3 BEFIL**MNQR**	ABEFJKNORTUV 8	
4 ABDFHILMNOPQR**TUVYZ**	ABEHJLUVW 9	
5 ACDEFGHIJKL	ABFGHIJ**NP**TUVYZ10	
FKK 16A CEE		❶ €42,70
200 ha 561**T**(100m²) 1408**D**		❷ €42,70

D101 folgen von Vendays-Montalivet Richtung Soulac. Nach 7 km in l'Hôpital links den Schildern CHM folgen.

Montalivet/Vensac, F-33590 / Aquitaine 🛜 iD

Le Tastesoule**
route des Lacs
1 Apr - 31 Okt
+33 (0)5-56095450
contact@ campingtastesoule.com
N 45°23'56'' W 1°5'43''

1 AJMNOPQRST	AN 6	
2 GHPRVWXY	ABD**F** 7	
3 BELQ	AFKNRSV 8	
4 FHIO**PQ**	EUV 9	
5 ABDEG**LM**	BHIJPTV10	
B 6A		❶ €23,20
3,5 ha 90**T**(100-120m²) 24**D**		❷ €32,20

Von Bordeaux via D1/N215 Richtung Le Verdon. Ausfahrt Vendays/Montalivet. In Vendays die D101 Richtung Grayan. Der CP kommt nach 6 km rechts.

Montalivet, F-33930 / Aquitaine 🛜 iD

La Chesnays***
8 route de Mayan
20 Apr - 22 Sep
+33 (0)5-56417274
lachesnays@ camping-montalivet.com
N 45°22'33'' W 1°4'57''

1 ADE**JM**NOPQRT	A 6	
2 BGPVWXY	BD**F** 7	
3 BELQ	ABDFINQRSV 8	
4 FHI	AEJUV 9	
5 ABEG**L**	BHIJOTUV10	
10A CEE		❶ €27,80
1,7 ha 44**T**(100-140m²) 21**D**		❷ €37,40

Der CP liegt an der D101 von Vendays nach Grayan-et-L'Hôpital ca. 2 km nördlich von Vendays in der Ortschaft Mayan, rechts der Strecke.

Pauillac, F-33250 / Aquitaine 🛜 iD

Mun. Les Gabarreys****
route de la Rivière
4 Apr - 10 Okt
+33 (0)5-56591003
camping.les.gabarreys@ wanadoo.fr
N 45°11'7'' W 0°44'32''

1 ADE**JM**NOPQRST	N 6	
2 CPRVWX	AB**EFGH** 7	
3 AEILQ	ABCDEFNQRV 8	
4 IO**TU**	EL 9	
5 A**L**	BGHIJOTUVZ10	
10A		❶ €22,20
1,6 ha 53**T**(100-150m²) 13**D**		❷ €30,70

Von der N215 Bordeaux-Le Verdon abfahren in St. Laurent-Médoc auf die D206 nach Pauillac. CP ist angedeutet und liegt südlich des Stadtes.

Montalivet-les-Bains, F-33930 / Aquitaine 🛜 CC€16 iD

Campéole Médoc Plage****
av. de l'Europe
1 Mai - 13 Sep
+33 (0)5-56093345
medoc-plage@campeole.com
N 45°22'12'' W 1°8'41''

1 ADEJMNOPQRST	ABFGHI**Q**RSX 6	
2 OPQVWXY	ABDE**FGH** 7	
3 BEFL**MQT**	ABCDEFKNORV 8	
4 **A**BCDHILNO**P**	AELUV 9	
5 ABDEG	ABFGHIJ**O**Q**TU**VZ10	
16A CEE		❶ €30,50
30 ha 393**T**(100-120m²) 512**D**		❷ €46,90

Im Baugebiet von Montalivet-les-Bains (D102) links abbiegen nach der Tankstelle an der linken Seite des Straße. Gut ausgeschildert.

Pineuilh/Ste Foy-la-Grande, F-33220 / Aquit. 🛜 CC€16 iD

Camping de la Bastide***
allée de Camping
1 Apr - 26 Okt
+33 (0)5-57461384
camping-bastide.com
N 44°50'39'' E 0°13'29''

1 ADE**JM**NOPRST	AJNUV 6	
2 CKPRVY	ABDE**FGH** 7	
3 ALQ	ABCDFNQRTU 8	
4 IO**Q**	ELQR 9	
5 L	BDFHIJNPST10	
B 10A		❶ €24,80
1,2 ha 28**T**(60-100m²) 20**D**		❷ €33,70

Von Bordeaux D936 nach Bergerac, bis Ste Foy. Über die D936 bis zum Kreisel am Super-U weiterfahren. Dann 3. Ausfahrt Richtung Krankenhaus. Nach 500m ausgeschildert.

Montalivet-les-Bains, F-33930 / Aquitaine 🛜 iD

Le Soleil d'Or***
Front de Mer
15 Apr - 30 Sep
+33 (0)5-56093137
info@campinglesoleildor.com
N 45°22'54'' W 1°9'30''

1 AJMNOPRS**T**	KMNQSTX 6	
2 EHOPQW	ABDE**FH** 7	
3 BQ	ABCDEFNRV 8	
4 HO**Q**	E 9	
5 ADEGI	BGHIJOTUV10	
B 10A CEE		❶ €27,00
2 ha 50**T**(100-120m²) 45**D**		❷ €35,50

Von Vendays-Montalivet der Straße nach Montalivet-les-Bains folgen, im Ortskern von Montalivet-les-Bains am Kreisverkehr rechts. Der Platz liegt am Strand.

Pyla-sur-Mer, F-33115 / Aquitaine 🛜 iD

de la Dune***
rte de Biscarrosse
12 Apr - 29 Sep
+33 (0)5-56227217
reception@ campingdeladune.fr
N 44°34'53'' W 1°12'45''

1 ADE**JM**NOPQRT	ABFKNQSW**X** 6	
2 BEFHOQTUVWXY	ABDE**FGH** 7	
3 AEF**KLMQ**	ABCDEFKNORS 8	
4 BDHILNO**PQX**	EJKLV 9	
5 ACEFGIJ	ABFGIJL**O**V10	
10A CEE		❶ €52,10
6 ha 180**T**(45-110m²) 102**D**		❷ €66,10

A660/N250 Bordeaux-Arcachon. Ausfahrt Dune de Pyla. 'Campings' folgen. Der zweite CP rechts.

Le Palace ★ ★ ★ ★

Gut ausgestatteter Campingplatz in Kiefern- und Laubwald, viele Mimosen. Strand 400m. Kleine Kinder können sicher in den 'Baines' spielen. Auf dem Campingplatz gibt es den Kinder-'Bambi-Club'.
Wasseranschluss auf dem Stellplatz, Grill gestattet auf Gemeinschafts-Plätzen. Mobilheim- und Ferienwohnungvermietung. Reservieren bis 1. Juni möglich (auch für Ferienwohnungen und Wohnwagen). Wir sprechen Englisch und Deutsch.

Bd Marsan de Montbrun, 33780 Soulac-sur-Mer
Tel. 05-56098022 • Fax 05-56098423
E-Mail: info@camping-palace.com
Internet: www.camping-palace.com

Pyla-sur-Mer, F-33115 / Aquitaine

🔺 Le Petit Nice Camping Club***
🏠 rte de Biscarrosse
📅 11 Apr - 28 Sep
☎ +33 (0)5-56227403
@ petit-nice@franceloc.fr
📍 N 44°34'43'' W 1°13'14''

1 ABDE**JM**NOPRST	ABFGKMNQR**X** 6	
2 BEFHOQTUVXY	ABDE**FGH** 7	
3 AEF**HK**LMQRT	ABCDEFJNQRSTU 8	
4 BCDHIJLNO**PQ**	AEKL 9	
5 ACDEFGIJ	BFGHIJNOV10	
B 10A CEE		❶ €41,10
5 ha 107T(54-150m²) 200**D**		❷ €52,60

🚗 A660, N250 Bordeaux-Arcachon. Ausfahrt Dune de Pyla. Den 'Campings' Schildern folgen. Der fünfte CP rechts.

Pyla-sur-Mer, F-33115 / Aquitaine

🔺 Panorama du Pyla****
🏠 route de Biscarrosse
📅 11 Apr - 30 Sep
☎ +33 (0)5-56221044
@ mail@camping-panorama.com
📍 N 44°34'22'' W 1°13'15''

1 ADJMNOPQRST	ABFGHIKNOPQSW**X** 6	
2 BEFHOQTUVXY	ABDE**FGH** 7	
3 ABEF**HIKLM**QT	ABCDEFGHIKNQRSV 8	
4 BCDFHILMNO**PQ**RTU**XZ**	AEJKLUV 9	
5 ABCDEFGJK**LM**	ABFGHIJLM**NP**TUV10	
B 10A CEE		❶ €46,10
H60 15 ha 450T(64-150m²) 92**D**		❷ €60,10

🚗 A660, N250 Bordeaux-Arcachon, Ausfahrt Dune de Pyla. 'Campings' folgen. Der vierte CP rechts.

Pyla-sur-Mer, F-33115 / Aquitaine

🔺 Pyla Camping***
🏠 rte de Biscarrosse
📅 12 Apr - 29 Sep
☎ +33 (0)5-56227456
@ info@pyla-camping.com
📍 N 44°34'40'' W 1°12'47''

1 BDJMNOPQRS**T**	ABFKN**X** 6	
2 BEFHOQTUVWXY	ABE**FGH**K 7	
3 AEF**KL**QRU	ABDFNRS 8	
4 BDHINO**PQ**	EKLV 9	
5 ACDEFGIJ	ABGHIJL**NO**TV10	
10A CEE		❶ €52,10
8,5 ha 160T(50-100m²) 270**D**		❷ €66,10

🚗 A660, N250 Bordeaux-Arcachon, Ausfahrt Dune de Pyla. Den Schildern 'Campings' folgen. Der 3. CP rechts.

Rauzan, F-33420 / Aquitaine

🔺 du Vieux Château***
🏠 D123
📅 28 Mär - 17 Okt
☎ +33 (0)5-57841538
@ contact@vieuxchateau.fr
📍 N 44°47'6'' W 0°7'32''

1 ADILNOPRST	ABF 6	
2 BPVXY	ABDEF 7	
3 ABELQRST	ABCDFNQRSV 8	
4 BDHINO	AEJ 9	
5 ABDEGJLM	ABDFHIJPTU10	
B 10A		❶ €28,60
2,5 ha 50T(110-130m²) 18**D**		❷ €36,85

🚗 In Rauzan Richtung 'Gendarmerie' die gegenüber liegende D123 und jetzt den Schildern 'du Château' folgen. CP in 300m.

Salles, F-33770 / Aquitaine

🔺 Camping de Bilos**
🏠 37 route de Bilos
📅 1 Jan - 31 Dez
☎ +33 (0)5-56883653
@ lebilos@aol.com
📍 N 44°31'13'' W 0°53'48''

1 AILNOPRT	6	
2 ABPQVXY	ABDE**F** 7	
3 AELQ	ACEFNORV 8	
4	D 9	
5 **L**	JV10	
B 6A		❶ €11,60
2 ha 85T(100m²) 42**D**		❷ €16,10

🚗 A63 Ausfahrt 21. In Salles von der D3 auf die D108 Richtung Lugos. Nach 2 km nehmen Sie die Ausfahrt Richtung Bilos.

Salles, F-33770 / Aquitaine

🔺 Parc du Val de l'Eyre***
🏠 8 route de Minoy
📅 1 Apr - 15 Okt
☎ +33 (0)5-56884703
@ levaldeleyre2@wanadoo.fr
📍 N 44°32'47'' W 0°52'25''

1 AILNOPRT	ABFGHNU 6	
2 ABCGOPQVWXY	ABDE**FGH** 7	
3 AEIL	ABCDFKNQRSV 8	
4 BDHILN**PQ**UY	EFGQR 9	
5 DEGIM	BIJLV10	
B 10A		❶ €35,80
13 ha 165T(100m²) 111**D**		❷ €49,80

🚗 Von der A63 Ausfahrt 21 Richtung Salles, entlang der D108 Richtung Lugos. Der CP liegt 500m weiter an der linken Seite gegenüber dem 'Carrefour'.

Soulac-sur-Mer, F-33780 / Aquitaine

🔺 de l'Océan***
🏠 62 passe de la Négade
📅 1 Jun - 15 Sep
☎ +33 (0)5-56097610
@ camping.ocean@wanadoo.fr
📍 N 45°28'49'' W 1°8'43''

1 AJMNOPQRST	KMNOQRST**X** 6	
2 BEHPQVWXY	ABDE**FGH** 7	
3 BLM	ABDFNORV 8	
4 IOPQ	LUV 9	
5 ACDEFGI**LM**	ABHIJ**NO**TUV10	
10A CEE		❶ €31,10
6 ha 300T(76-150m²)		❷ €37,50

🚗 In Soulac Richtung Plages de l'Amélie, dann gut ausgeschildert.

Soulac-sur-Mer, F-33780 / Aquitaine

🔺 Flower camping des Pins***
🏠 213 Passe de Formose l'Amilie
📅 1 Mai - 30 Sep
☎ +33 (0)5-56098252
@ contact@campingdespins.fr
📍 N 45°28'58'' W 1°7'38''

1 AILNORST	ABFGMN 6	
2 BHQRTUVWXY	ABDE**FGH** 7	
3 BEFLQR	ABCDEFTV 8	
4 BCDLNO**PQ**	BEUV 9	
5 ABDEFI**LM**	ABDFHIJNPTV10	
6A CEE		❶ €32,30
3,4 ha 150T(90-100m²) 96**D**		❷ €42,80

🚗 Auf der A10 Ausfahrt 25 Saintes Richtung Royan. Dort mit der Fähre über die Gironde nach Le Verdon. In Soulac auf die 'Route-des-Lacs' in südlicher Richtung. Ein auffallend gelbes Schild weist zum CP.

Soulac-sur-Mer, F-33780 / Aquitaine 📶 iD

🏔 Le Palace****	1 ADE**IL**NOPRT	ABCDFGHIKMNX 6
🏠 bd Marsan de Montbrun	2 BEHPQVXY	ABDE**FG**H 7
📅 11 Apr - 27 Sep	3 BDEFILMQR	ABCDEFGKNQRSTUV 8
☎ +33 (0)5-56098022	4 BCDFILNO**PQ**RUV	EJLV 9
@ info@camping-palace.com	5 ACDEFGIK**LM**	ABGHIJNOTUV10
	Anzeige auf Seite 218 10A CEE	➊ €44,10
🗺 N 45°30'6'' W 1°7'55''	16 ha 171**T**(88-220m²) 271**D**	➋ €58,10

🚌 Über Paris Richtung Bordeaux (A10). Bei Saintes Ausfahrt 35 Richtung Royan. Dort die Fähre nach Le Verdon nehmen. Danach Soulac, gut angezeigt.

Soulac-sur-Mer, F-33780 / Aquitaine 📶 (CC€16) iD

🏔 Les Lacs*****	1 ADE**JM**NOPQRST	AEFHIMNX 6
🏠 126 route des Lacs	2 HPQVWXY	ABDE**FG**H 7
📅 11 Apr - 31 Okt	3 ABE**GH**ILQR	ABCDEFJKNQRSTUV 8
☎ +33 (0)5-56097663	4 A**C**DEIKLNO**PQX**	EJUV 9
@ info@camping-les-lacs.com	5 ACDEFGIJKL	ABDFGHIJNPTUV10
	Anzeige auf dieser Seite 10A	➊ €37,60
🗺 N 45°29'0'' W 1°7'8''	5,8 ha 98**T**(102-170m²) 192**D**	➋ €47,60

🚌 Von Bordeaux: Rocade, Ausfahrt 7. Danach N215 (Le Verdon) oder D2 (Pauillac), entlang der D101. Vom Schiff aus zuerst nach Soulac, dann Richtung L'Amélie. Den Schildern 'Route des Lacs' folgen. CP liegt außerhalb der Ortschaft links.

Soulac-sur-Mer, F-33780 / Aquitaine 📶 (CC€16) iD

🏔 Soulac-Plage****	1 ADE**JL**NOPR**T**	ACDFHIKMNOQ 6
🏠 Lieu-dit l'Amélie	2 BEFHQTVWXY	ABDE**FG**H 7
📅 3 Apr - 13 Sep	3 BELQ**R**T	ABCDFKNQRS 8
☎ +33 (0)5-56098727	4 BCDILNO**PQ**	BELUV 9
@ soulacplage@sandaya.fr	5 ACDEFGIK**LM**	ABDHIJ**NP**QTUVZ10
	10A CEE	➊ €46,10
🗺 N 45°28'55'' W 1°9'4''	10 ha 182**T**(75-240m²) 361**D**	➋ €59,10

🚌 In L'Amélie-Plage direkt Richtung Strand.

St. André-et-Appelles, F-33220 / Aquitaine iD

🏔 Moulin des Sandaux	1 D**J**KNORT	ABEFGHN 6
📅 15 Mai - 15 Sep	2 CGPTUVXY	ABDE**FG**H 7
☎ +33 (0)5-57461769	3 AL	ABCDFGRT 8
@ domainedumoulindesandaux@	4 FGHIJOTU	BEFHJQUV 9
wanadoo.fr	5 AEFGHIJKLM	ABHJNOV10
	B 10A CEE	➊ €37,50
🗺 N 44°48'17'' E 0°10'20''	II54 0 ha 30**T**(70-90m²) 48**D**	➋ €47,50

🚌 Von Ste Foy-la-Grande Richtung St André-et-Appeltes dann Richtung Sandaux.

St. Christoly-de-Blaye, F-33920 / Aquitaine 📶 iD

🏔 Le Maine Blanc***	1 ADE**JM**NOPR**T**	AN 6
🏠 D22	2 BPQVWXY	ABDE**F** 7
📅 1 Jan - 31 Dez	3 AELQ	ABCDEFNORT 8
☎ +33 (0)5-57425281	4 IO**PQ**	EJ 9
@ lemaineblanc@orange.fr	5 ABDEGILM	BHIJPUV10
	10A CEE	➊ €13,00
🗺 N 45°8'24'' W 0°29'13''	H60 3 ha 95**T**(80-120m²) 49**D**	➋ €19,00

🚌 N10 Angoulême-Bordeaux, Ausfahrt St. Savin (D250), dann D22 Richtung St. Christoly folgen.

St. Émilion, F-33330 / Aquitaine 📶 ✿ (CC€16) iD

🏔 Yelloh! Village St. Émilion****	1 ADILNOPRST	ABFGHN 6
🏠 2 lieu dit Les Combes - D122	2 DGIPSVXY	BEFGH 7
📅 24 Apr - 20 Sep	3 BEILMQ	ABCDEFNOQRSV 8
☎ +33 (0)5-57247580	4 ABDEFHLO	EGQTVY 9
@ info@	5 ABDEFGIJK**LM**	ABFGHIJ**NP**R10
camping-saint-emilion.com	B 10A CEE	➊ €40,10
🗺 N 44°55'0'' W 0°8'31''	10 ha 125**T**(80-101m²) 44**D**	➋ €52,10

🚌 CP liegt zwischen St. Émilion und Montagne. Weiterfahren bis man die CP-Flaggen sieht. Die Strecke D243 nehmen, nicht über die D670.

St. Laurent-Médoc, F-33112 / Aquitaine 📶 iD

🏔 Le Paradis****	1 ADE**JM**NOPRST	CDFGHI 6
🏠 D1215	2 PVWXY	ABDE**FG**H 7
📅 15 Apr - 30 Sep	3 CEILQRS	ABCDEFKNRSV 8
☎ +33 (0)5-56594215	4 BDEFINOPQU	EFJUVW 9
@ leparadismedoc@orange.fr	5 ADEFG**KL**	BHIJ**NP**TUV10
	10A CEE	➊ €30,90
🗺 N 45°10'29'' W 0°50'24''	3,2 ha 70**T**(100-150m²) 57**D**	➋ €42,90

🚌 Von Bordeaux D1/N215 Richtung Le Verdon. Der CP kommt kurz hinter St. Laurent-Médoc links neben der N215.

St. Palais, F-33820 / Aquitaine 📶 (CC€14) iD

🏔 Chez Gendron**	1 ADE**JL**NOPRT	AF 6
🏠 2 chez Jandron	2 ABGPRSTUWXY	ABDE**FG** 7
📅 1 Mär - 31 Okt	3 AE**GH**LQS	ABEFIJNQRSTV 8
☎ +33 (0)5-57329647	4 **A**FHIOQ	EJUV 9
@ info@chezgendron.com	5 ADEGIJ**L**	ABHIJNQTUW10
	B 10A CEE	➊ €19,85
🗺 N 45°18'50'' W 0°36'12''	H60 3,5 ha 50**T**(100-160m²) 4**D**	➋ €28,25

🚌 Von Norden: A10 Ausfahrt 37. Auf der N137 durch Mirambeau und danach den Schildern folgen. Von Süden: Ausfahrt 38 St. Ciers-sur-Gironde und den CP-Schildern folgen.

Frankreich

St. Symphorien, F-33113 / Aquitaine 📶 iD

🏕 Vert Bord'Eau**
route de Sore
📅 29 Mär - 1 Nov
☎ +33 (0)5-56257954
@ camping@vertbordeau.com

1 ADJMNOPRT	ABN 6
2 BCGPQVXY	ABDEFG 7
3 BLQ	ABCDEFNQRV 8
4 BCDFHO	EV 9
5 ADEGIM	BIJNOTU 10
B 10A	

📍 N 44°25'5'' W 0°29'39''   4 ha 48T(100-200m²) 26D
❶ €22,00
❷ €30,00

🚗 In St. Symphorien der Beschilderung folgen.

Vendays-Montalivet, F-33930 / Aquitaine 📶 iD

🏕 Les Peupliers***
17 route de Sarnac
📅 15 Apr - 15 Okt
☎ +33 (0)5-56417044
@ lespeupliers33@hotmail.com

1 ADEILNOPRST	AN 6
2 HPRVWXY	ABDEFGH 7
3 BILQ	ABCDFNORSV 8
4 ADFHIOP	ADEUV 9
5 ABDEFGKM	BFHIJOTUV 10
10A	

📍 N 45°21'11'' W 1°3'35''   2,5 ha 100T(80-140m²) 43D
❶ €26,90
❷ €34,90

🚗 CP gut ausgeschildert, im Zentrum von Vendays CP-Schildern folgen.

Lot-et-Garonne

Vensac, F-33590 / Aquitaine 📶 (CC€14) iD

🏕 Les Acacias****
44 route St. Vivien
📅 1 Mai - 30 Sep
☎ +33 (0)5-56095881
@ contact@
les-acacias-du-medoc.fr

1 ADJMNOPQRST	ABFGN 6
2 BOPQRVWXY	BDFGH 7
3 BEFILQS	BDFKNQRSTV 8
4 ABDILNOPQU	ELUV 9
5 ABDEFGIJKL	ABHIJNPQTV 10
B 10A CEE	

📍 N 45°24'37'' W 1°2'7''   4 ha 100T(100-150m²) 201D
❶ €30,80
❷ €38,00

🚗 Der CP liegt nahe der N215 zwischen Vensac und St. Vivien-de-Médoc an der Straße 44 nach St. Vivien, CP auf der N215 ausgeschildert.

Ortsnamenregister

Hinten im Führer finden Sie das Ortsnamenregister.

Duras, F-47120 / Aquitaine 📶 (CC€16) iD

🏕 Le Cabri Holiday Village
Malherbe
📅 1 Mär - 1 Nov
☎ +33 (0)5-53838103
@ holidays@lecabri.eu.com

1 ADEJMNOPQRST	AMN 6
2 DFPRUVWXY	ABFGH 7
3 ABEGHIKLQ	ABCDEFIJNQRTU 8
4 FHI	EJUV 9
5 ADEGIJLM	BDFHJOR 10
B 16A CEE	

📍 N 44°40'56'' E 0°11'10''   H62 6 ha 40T(150m²) 10D
❶ €25,00
❷ €31,00

🚗 Von Duras aus Richtung D203. Savignac-de-Duras ist ausgeschildert.

Fumel, F-47500 / Aquitaine 📶 iD

🏕 Les Catalpas**
La Tour
📅 1 Apr - 15 Nov
☎ +33 (0)5-53711199
@ les-catalpas@wanadoo.fr

1 ADEJMNORST	AJNUWXZ 6
2 CFGPRSVWXY	ABDEFG 7
3 BEKLQ	ABEFJNRUV 8
4 FHIOPQ	EHJRV 9
5 ADEGLM	BFGHIJLOST 10
10A CEE	

📍 N 44°29'18'' E 0°59'48''   H83 2 ha 52T(70-100m²) 9D
❶ €21,50
❷ €29,50

🚗 In Fumel Richtung Puy-l'Évêque, 3 km hinter Fumel liegt der CP und ist ab Fumel gut ausgeschildert.

Lamontjoie, F-47310 / Aquitaine (CC€16) iD

🏕 Sites & Paysages
Saint-Louis***
131 route Départementale
📅 11 Apr - 30 Sep
☎ +33 (0)5 53 99 59 38
@ accueil@camping-lamontjoie.fr

1 ADILNORT	AMN 6
2 CDGIOPUVWXY	BEFH 7
3 BCELPQRS	ABDFGHKLNPQRSV 8
4 FIN	BQRVY 9
5 ADEFGILM	ABHIKNST 10
B 10A CEE	

📍 N 44°4'38'' E 0°31'5''   H100 20 ha 72T(100m²) 8D
❶ €27,50
❷ €35,50

🚗 Von Agen der N2 Richtung Auch volgen. Dann Richting Pau und Condom. 13 km der D931. Bei Lamontjoie rechts ab zur D131.

Agen/St. Hilaire-de-Lusignan, F-47450 / Aq. 📶 (CC€16) iD

🏕 Le Moulin de Mellet***
D107
📅 1 Apr - 15 Okt
☎ +33 (0)5-53875089
@ moulin.mellet@wanadoo.fr

1 AJMNOPQRST	AN 6
2 BCDGPVWY	BDF 7
3 BELQST	CDEFNRSV 8
4 BDIKO	EJTV 9
5 ABDEFGIKL	ABDHIJOR 10
B 10A CEE	

📍 N 44°14'38'' E 0°32'33''   H100 5 ha 42T(130-200m²) 8D
❶ €28,70
❷ €39,10

🚗 N113. 4 km westlich von Agen bei Colayrac-St-Cirq D107 Richtung Prayssas. Der CP ist hier ausgeschildert.

Moncrabeau, F-47600 / Aquitaine 📶 iD

🏕 Le Mouliat
Lieu-dit Mouliat/RD219
📅 1 Mai - 1 Okt
☎ +33 (0)5-53654328
@ contact@
camping-le-mouliat.fr

1 ADEJMNOPRT	ANUXY 6
2 CGPVWXY	ABDEFGH 7
3 ALS	ABCDFNOQRSV 8
4 FHINOQ	AELQT 9
5 ABDEFGIL	BHIJORVW 10
B 10A CEE	

📍 N 44°1'59'' E 0°22'1''   H65 4,5 ha 40T(120-300m²) 21D
❶ €24,00
❷ €31,20

🚗 Auf halber Strecke zwischen Nérac und Condom (D930) ist Moncrabeau angezeigt. Der CP liegt gleich vor dem Dorf links von der Straße.

Beauville, F-47470 / Aquitaine 📶 (CC€14) iD

🏕 Les 2 Lacs***
📅 1 Apr - 31 Okt
☎ +33 (0)5-53954541
@ camping-les-2-lacs@
wanadoo.fr

1 ADJMNORT	LMN 6
2 BDGHILPVXY	ABDEFG 7
3 ABELMQS	ABCDEFJNQRST 8
4 BDFHIO	BCDEJPR 9
5 ADEGJL	ABDHJOSTV 10
B 6A CEE	

📍 N 44°16'20'' E 0°53'17''   H212 22 ha 50T(100m²) 13D
❶ €23,90
❷ €29,60

🚗 Von Cahors D656 in Richtung Agen fahren. Dann Abzweig nach Beauville. Im Dorf den Schildern folgen.

Monflanquin, F-47150 / Aquitaine 📶 (CC€16) iD

🏕 Laborde****
Paulhiac
📅 1 Apr - 30 Sep
☎ +33 (0)5-53631488
@ domainelaborde@wanadoo.fr

1 ADEGJMNOPRST	AEFGHLN 6
2 CDGPRVWXY	ABDEFGHK 7
3 ABELMNQRS	ABEFJKNOQRSV 8
4 ABDEFHIKNORTUV	JL 9
5 ACDEFGJKLM	ABDFGHJNOTUV 10
FKK B 15A	

📍 N 44°36'50'' E 0°50'8''   H123 20 ha 150T(120-160m²) 80D
❶ €32,00
❷ €46,00

🚗 D255 Von Villeréal Richtung Lacapelle-Biron. 10 km von Villeréal liegt links die Straße zum CP und ist durch Domaine Laborde-Schilder ausgeschildert.

Dévillac/Villeréal, F-47210 / Aquitaine 📶 (CC€16) iD

🏕 Sites & Paysages
Fontaine du Roc***
Aux Moulaties
📅 1 Apr - 30 Sep
☎ +33 (0)5-53360816
@ fontaine.du.roc@wanadoo.fr

1 AJMNOPRST	AFHN 6
2 FGPRVWXY	ABDEFGHK 7
3 BEGHLQS	ABCDFKNQRSV 8
4 ABDEFHIKNOPRTUX	AEFJLU 9
5 ABDEFGIKL	ABDFGHIJNOTUV 10
B 10A	

📍 N 44°36'51'' E 0°49'8''   H138 2 ha 60T(120-175m²) 13D
❶ €24,50
❷ €36,50

🚗 Der CP liegt 500m von der Kreuzung der D255 (Villeréal-Lacapelle-Biron) und der D272 entfernt. Ausgeschildert.

Pujols, F-47300 / Aquitaine 📶 (CC€12) iD

🏕 Lot & Bastides à Pujols***
allée de Malbentre
📅 28 Mär - 4 Okt
☎ +33 (0)5-53368679
@ contact@
camping-lot-et-bastides.fr

1 ADEJMNOPQRST	ABF 6
2 OPVWX	ABDEFG 7
3 BFLQ	ABCDEFNQRTU 8
4 ABCDFHOU	AEJVW 9
5 ABDEG	BFGHJPRV 10
B 16A CEE	

📍 N 44°23'41'' E 0°41'13''   H64 12 ha 83T(115-140m²) 28D
❶ €20,10
❷ €28,10

🚗 Auf der N21 von Nortden am ersten Kreisel Richtung Villeneuve-sur-Lot (D661). Der Beschilderung Bordeaux und weiter Pujols folgen. Dann Piscine de Malbentre und/oder Camping folgen.

Rives/Villeréal, F-47210 / Aquitaine 🛜 iD

▲ De Bergougne****	1 ADE**JM**NORT ABFG 6
🚌 D250	2 DPUVXY ABDE**FGH** 7
🗓 1 Mai - 30 Sep	3 ALQ ABCDEFNQRSV 8
☎ +33 (0)5-53360130	4 FIO ADG**IL** 9
@ info@	5 ADG**IL** BHJOSTV10
camping-de-bergougne.com	B 6A
🗺 N 44°39'9'' E 0°43'25''	H108 1 ha 47T(150-200m²) 13D
	① €21,50
	② €29,10

🚗 Zwischen Rives und Villeréal über die D250, gut ausgeschildert.

Sauveterre-la-Lémance, F-47500 / Aquitaine 🛜 CCE14 iD

▲ Moulin du Périé****	1 ADE**JM**NOPQRST ALN 6
🚌 13 Mai - 16 Sep	2 CDGHPVXY ABDE**FGH** 7
🗓 +33 (0)5-53406726	3 BE**KLQT** ABCDEFIKNQRSTUV 8
@ moulinduperie@wanadoo.fr	4 BCDFHILNO**PQ** AEJUV 9
	5 ABDEFGJ**L** ABDFGHIJ**OR**10
🗺 N 44°35'26'' E 1°2'52''	B 6-10A CEE
	① €29,60
	② €40,95
	H138 5 ha 125T(80-120m²) 28D

🚗 Der CP ist ausgeschildert in Sauveterre-la-Lémance. Hinter dem Bahnübergang der Straße nach links folgen. Der CP liegt ca. 3 km vom Dorf entfernt in der Richtung Loubejac.

Rives/Villeréal, F-47210 / Aquitaine 🛜 iD

▲ Le Château de Fonrives****	1 AD**JM**NOPRT ACDEFHIN 6
🚌 D207	2 DGIPSVWXY ABDE**FGH** 7
🗓 12 Apr - 26 Sep	3 BE**HILM**QRT ABCDEFJKLNQRSTUV 8
☎ +33 (0)5-53366338	4 BCDFHILNO**PQRTUX** EJLUV 9
@ contact@	5 ACDEFGIJKL ABFHIJ**NOPR**10
campingchateaufonrives.com	B 10A
🗺 N 44°39'26'' E 0°43'54''	H90 20 ha 84T(80-150m²) 311D
	① €39,00
	② €54,00

🚗 Der CP liegt an der D207 Issigeac-Villeréal, am Dorf Rives und ist ausgeschildert.

St. Étienne-de-Villeréal, F-47210 / Aquitaine 🛜 CCE14 iD

▲ Les Ormes****	1 ADE**J**NOPR**T** AFN 6
🚌 Fauquie-Haut	2 DGPTVWXY ABDE**FG** 7
🗓 25 Apr - 12 Sep	3 BE**GHK**LMQ ABCDEFNQST 8
☎ +33 (0)5-53366026	4 BFHIOQR**X** AUVW 9
@ info@campinglesormes.com	5 ABDEFGIJKL BJORW10
	B 6A CEE
🗺 N 44°36'34'' E 0°45'51''	H125 10 ha 140T(150-250m²) 36D
	① €34,60
	② €47,10

🚗 An der D676 zwischen Villeréal und Monflaquin wird der Camping angezeigt. Dieser Straße weiter Richtung St. Étienne-de-Villeréal 2 km folgen.

Salles, F-47150 / Aquitaine 🛜 CCE12 iD

▲ Des Bastides****	1 ADE**JM**NOPRST AFH**IN** 6
🚌 Terre Rouge	2 BFGPRUVWXY ABDE**FGH**K 7
🗓 4 Apr - 30 Sep	3 BDE**KL**MQRST ABCDEFGHIJK**LM**NPRSV 8
☎ +33 (0)5-53408309	4 **AB**DEFHILNO**QU** BEFJKL 9
@ info@	5 ABDEFGIKL BHIJNOR10
campingdesbastides.com	B 6A CEE
🗺 N 44°33'10'' E 0°52'54''	① €33,90
	② €42,30
	H150 7 ha 80T(100-120m²) 25D

🚗 A20 Ausfahrt 57 Cahors Zentrum. Im Kreisverkehr D911/D811 Richtung Villeneuve. In Fumel D710 Richtung Périgueux 5 km folgen. Dann auf der D162 links nach Salles.

Villefranche-du-Queyran, F-47160 / Aquit. 🛜 CCE16 iD

▲ Moulin de Campech***	1 ADE**JM**NOPQRST ABN 6
🚌 D11	2 ABCGPSVWXY ABDE**FGH** 7
🗓 1 Apr - 7 Okt	3 A**KL** BDFNOQR 8
☎ +33 (0)5-53887243	4 FHI 9
@ camping@	5 ABDEGIJL BFHJM**OR**10
moulindecampech.co.uk	B 6A CEE
🗺 N 44°16'18'' E 0°11'27''	① €30,80
	② €42,05
	5 ha 46T(80-150m²)

🚗 Auf der Autobahn A62 Ausfahrt 6. Dann Richtung Montmarsan. Nach etwa 3 km Richtung Casteljaloux (D11). Nach 5 km liegt CP rechts der Strecke.

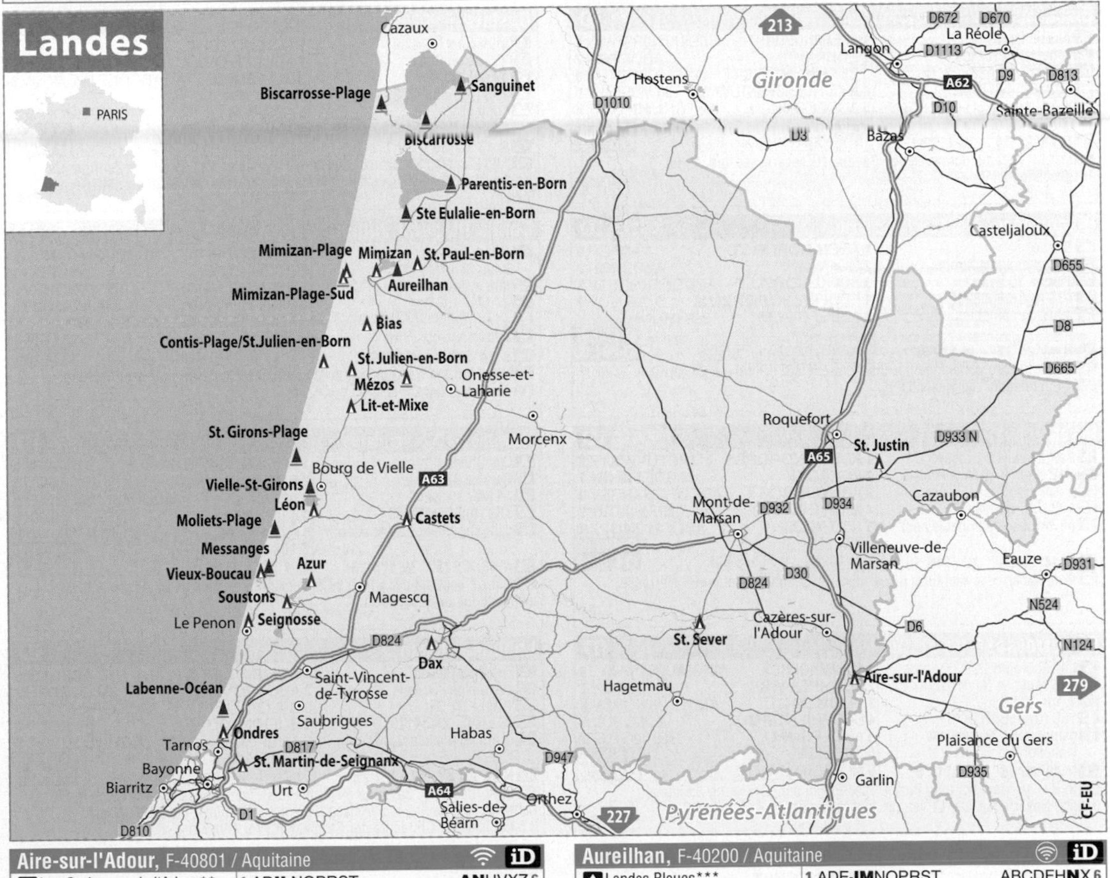

Landes

Aire-sur-l'Adour, F-40801 / Aquitaine 🛜 iD

▲ Les Ombrages de l'Adour**	1 AD**IL**NOPRST **AN**UVXZ 6
🚌 rue des Graviers	2 ACGOPSXY ABDE**FG** 7
🗓 26 Apr - 25 Okt	3 AEIQ BDFNOQRV 8
☎ +33 (0)5-58717510	4 FI DEQR 9
@ hetapsarl@yahoo.fr	5 B**DM** BFGHIJNPTU10
	B 10A CEE
🗺 N 43°42'9'' W 0°15'29''	① €17,10
	② €21,10
	H82 2 ha 92T(80-115m²) 10D

🚗 Der CP liegt am Fluss entlang, kurz hinter der Brücke und in der Nähe der Arena.

Aureilhan, F-40200 / Aquitaine 🛜 iD

▲ Landes Bleues***	1 ADE**JM**NOPRST ABCDFH**N**X 6
🚌 295 route de Castelnau	2 BPSVWXY ABDE**FGH** 7
🗓 1 Apr - 30 Sep	3 ABE**KL**QT ABCDFKNRSV 8
☎ +33 (0)5-58090142	4 BCDFHILNU E 9
@ info@	5 ABDEFGIJKL**M** BGHIJOTUV10
camping-landes-bleues.com	B 6A CEE
🗺 N 44°13'2'' W 1°11'5''	① €27,20
	② €35,20
	4,5 ha 57T(90-150m²) 127D

🚗 Von Labouheyre Richtung Mimizan. Kurz vor Aureilhan ist der CP gut ausgeschildert.

Aureilhan, F-40200 / Aquitaine

Villagecenter Aurilandes★★
1001 promenade de l'Étang
27 Apr - 29 Sep
+33 (0)4-99572121
accaurilandes@
village-center.fr
N 44°13'23'' W 1°11'40''

1 ADEJMNOPQRT	ABFGLNQSXY 6	
2 DGHPQVWY	ABDEFGH 7	
3 ABEKLQT	ABCDFNORSV 8	
4 BCDFILNOPRTU	AEUV 9	
5 ACDEGKLM	ABGHIJNPTUV10	
B 10A		
8 ha 341T(60-120m²) 140D	① €21,45	② €33,45

Von Labouheyre Richtung Mimizan. In Aureilhan gut ausgeschildert.

Azur, F-40140 / Aquitaine

La Paillotte★★★★
66 route des Campings
1 Mai - 19 Sep
+33 (0)5-58481212
paillotte@franceloc.fr
N 43°47'13'' W 1°18'33''

1 ADHKNOPRT	ABCDFGHILNQSXY 6	
2 ABDFGHPQVWXY	ABDEFGH 7	
3 BDEFIKLMQT	CDEFNQRSTUV 8	
4 BCDILNO	EJLQTUVW 9	
5 ABDFGJKM	ABHIJOTUVW10	
B 10A CEE		
7 ha 50T(100-120m²) 262D	① €40,50	② €55,50

Die N10 Bordeaux-Bayonne. In Magescq Richtung Azur (D150). Im Zentrum (Kirche) 1 km Richtung Lac.

Bias, F-40170 / Aquitaine

Camping Municipal Le Tatiou★★★
4 Apr - 30 Sep
+33 (0)5-58090476
camping-le-tatiou@bias40.fr
N 44°8'40'' W 1°14'24''

1 ADEJMNOPQRST	AF 6	
2 BPQVWXY	ABDFGH 7	
3 ABEFIKLMNQU	ABCDEFKNRSV 8	
4 BCDEFILNO	AEJLUV 9	
5 ACDEFGIKLM	ABIKLOTUVZ10	
B 10A CEE		
10 ha 254T(100m²) 346D	① €24,20	② €30,20

Die A10 bis Labouheyre, dann die D626 Richtung Mimizan. Von dort nach Bias, wo der CP ausgeschildert ist.

Biscarrosse, F-40600 / Aquitaine

Airotel La Rive★★★★★
route de Bordeaux
11 Apr - 30 Aug
+33 (0)5-58781233
info@larive.fr
N 44°27'39'' W 1°7'51''

1 ADEJMNOPQRST	ABCEFHILNQRSTWXY 6	
2 BDHPXY	ABDEFGH 7	
3 BEFHKLMQRST	BDFIJKNRSTUV 8	
4 ABCDFHILNOPQRTUVXYZ	EKLMOQRTUV 9	
5 ACDEFGIJKLM	ABFGHIJNPTVYZ10	
B 10A CEE		
15 ha 300T(100-150m²) 800D	① €54,00	② €73,30

Der CP liegt auf dem Weg von Sanguinet-Biscarosse und ist gut ausgeschildert.

Biscarrosse, F-40600 / Aquitaine

Bimbo★★★★
176 chemin de Bimbo
1 Apr - 30 Sep
+33 (0)5-58098233
info@campingbimbo.fr
N 44°25'37'' W 1°9'36''

1 ADEILNOPQRST	ABFGH 6	
2 GOPVXY	ABDEFGH 7	
3 BEFKLMQRSU	ABCDEFKNRSTV 8	
4 BCDFHILNOPQRTUX	AEJLUV 9	
5 ABDEFGIKLM	BDGHIJNPTUVZ10	
B 6A		
6 ha 69T(100-150m²) 126D	① €50,00	② €64,00

Auf dem Weg von Sanguinet-Biscarosse (D652) Richtung Biscarrosse-Plage. Der CP ist deutlich ausgeschildert.

Biscarrosse, F-40600 / Aquitaine

Campéole Navarrosse★★★★
712 chemin de Navarrosse
3 Apr - 30 Sep
+33 (0)5-58098432
navarrosse@campeole.com
N 44°25'54'' W 1°10'10''

1 ADEJMNOPQRST	LQRSTUVWXY 6	
2 BDHPQXY	ABDEFGHIK 7	
3 ABFKLMNQST	ABCDFGHNRSTV 8	
4 ABCDEFHILNOPQ	AEJLMNOPQRTUV 9	
5 ACDFGLM	ABDGHIJNOVZ10	
B 10A CEE		
8 ha 162T(80-110m²) 386D	① €30,00	② €46,20

Von Biscarrosse Richtung Biscarrosse-Plage, Sanguinet und Navarrosse.

Biscarrosse, F-40600 / Aquitaine

Les Écureuils★★★★
646 route de Navarrosse
1 Apr - 30 Sep
+33 (0)5-58090918
camping.les.ecureuils@
wanadoo.fr
N 44°25'46'' W 1°10'0''

1 ADEJMNOPRST	ABFGLNOQSTUWXYZ 6	
2 BDGHPQVWXY	ABDEFGH 7	
3 BEFIKLMQT	ABDEFJKNORSV 8	
4 BCDFHILNOPQU	EJLQUV 9	
5 ABDEFGIJM	BGHIJOTUZ10	
B 6-10A CEE		
6 ha 50T(70-100m²) 5D	① €50,00	② €66,00

In Biscarrosse Richtung Biscarrosse-Plage, dann Richtung Sanguinet; danach Navarrosse. Der CP ist gut ausgeschildert.

Biscarrosse, F-40600 / Aquitaine

Les Petits Ecureuils★★★
254 chemin de Crastail
1 Apr - 30 Sep
+33 (0)5-58780197
bisca.petits.ecureuils@
wanadoo.fr
N 44°24'17'' W 1°8'53''

1 AFJMNOPRST	AF 6	
2 GPRVXY	ABDEFG 7	
3 ABKLQ	ABCDEFKNQRV 8	
4 FHIPQ	E 9	
5 ADEGIKM	BHIJUV10	
B 6A CEE		
1,6 ha 70T(80-150m²) 40D	① €40,00	② €53,00

Von Sanguinet D652 nach Biscarrosse. Am 2. Kreisel ist der CP angezeigt. Der Beschilderung folgen.

Biscarrosse, F-40600 / Aquitaine

Mayotte Vacances★★★★★
368 chemin des Roseaux
4 Apr - 26 Sep
+33 (0)5-58780000
camping@
mayottevacances.com
N 44°26'7'' W 1°9'17''

1 ADEILNOQRST	ABCDEFGHILNQRSTUVWXYZ 6	
2 BDGHPQVWXY	ABDEFGH 7	
3 ABEFHIKLQ	ABCDFJKNQRSTUV 8	
4 BCDFHILNOPQRTUVXYZ	BEFLMNOPQRUVWY 9	
5 ACDEFGJKL	ABDGHIJNPTZ10	
B 16A CEE		
15 ha 163T(90-140m²) 773D	① €53,00	② €67,50

Der CP liegt am See von Biscarrosse, zwischen Sanguinet und Biscarrosse. Deutlich ausgeschildert.

Biscarrosse-Plage, F-40600 / Aquitaine

Campéole Le Vivier★★★
681 rue du Tit
25 Apr - 13 Sep
+33 (0)5-58782576
vivier@campeole.com
N 44°27'31'' W 1°14'25''

1 ADEILNORST	ABFX 6	
2 BHPQRXY	BEFGH 7	
3 BEKLMNT	ABCDFNR 8	
4 BCDFILNPQ	AEJLUV 9	
5 ABDEFGLM	ABDHIJLOVZ10	
B 10A CEE		
25 ha 462T 372D	① €30,50	② €47,30

Von Biscarrosse Richtung Biscarrosse-Plage. CP-Beschilderung folgen.

Biscarrosse-Plage, F-40600 / Aquitaine

Campéole Plage Sud★★★
230 rue des Bécasses
18 Apr - 13 Sep
+33 (0)5-58782124
plage-sud@campeole.com
N 44°26'29'' W 1°14'44''

1 ADEILNOPQRST	ABFGH 6	
2 BPQVXY	BEFGH 7	
3 ABEFKLQT	ABCDFKNRSV 8	
4 BCDFILNPQU	AEJLUV 9	
5 ADEFGKLM	ABDFGHIJNOVZ10	
B 6A CEE		
35 ha 601T(70-90m²) 522D	① €36,00	② €56,60

Von Biscarrosse Richtung Biscarrosse-Plage. Der CP-Beschilderung 'Plage-Sud' folgen.

Castets, F-40260 / Aquitaine

Municipal le Galan★★
73 rue du Stade
1 Feb - 30 Nov
+33 (0)5-58894352
contact@
camping-legalan.com
N 43°52'50'' W 1°8'16''

1 ADILNOPRST	FNU 6	
2 ABCDOPQVXY	ABDEFGH 7	
3 BEFLMNQ	ABCDEFJNOQRUV 8	
4 BDFIOPQ	AEFJ 9	
5 ABDELM	BGHIJOUVZ10	
B 10A		
4 ha 164T(80-100m²) 18D	① €16,90	② €22,05

A63 und N10 Bordeaux-Bayonne bis Ausfahrt 12 Castets. Im Zentrum Castets ist der CP ausgeschildert. CP liegt kurz hinter dem Kreisel an der D42 nach Taller.

Contis-Plage/St.Julien-en-Born, F-40170 / Aquit.

Yelloh! Village Lous Seurrots★★★★
606 avenue de l'Ocean-Contis
27 Mär - 30 Sep
+33 (0)5-58428582
info@seurrots.com
N 44°5'20'' W 1°19'1''

1 ADEILNOPRT	ABCDFGHKMNSU 6	
2 BCEHPQTXY	ABEFGH 7	
3 BEFHIKLMQRS	ABDFJKNQRSV 8	
4 BCDFHILNOPR	AJKLQRUV 9	
5 ACDEFGIJKLM	ABFGHIJNPUVYZ10	
B 10A CEE		
15 ha 220T(80-100m²) 608D	① €50,20	② €64,20

Von Mimizan Richtung Lit-et-Mixe und bei St. Julien-en-Born Richtung Contis-Plage. Der CP liegt an der Küste.

Dax, F-40100 / Aquitaine

Les Chênes★★★★
Bois de Boulogne
14 Mär - 1 Nov
+33 (0)5-58900553
camping-chenes@wanadoo.fr
N 43°42'43'' W 1°4'23''

1 ADFJMNOPRST	AFN 6	
2 BCOPQRSVWXY	ABDEFGH 7	
3 AEGHLQ	ABCDFJKNQRSTUV 8	
4 BDHIOP	EILUV 9	
5 ACEFKLM	BGHIJLPTUVW10	
B 10A		
5 ha 176T(80-100m²) 54D	① €21,20	② €29,20

Der CP liegt auf der linken Seite der Adour in 'Bois de Boulogne' und ist in Dax ziemlich gut ausgeschildert.

Labenne-Océan, F-40530 / Aquitaine

Les Pins Bleus★★★
avenue de l'Océan
1 Apr - 31 Okt
+33 (0)5-59454113
camping@lespinsbleus.com
N 43°36'8'' W 1°27'25''

1 ADFJMNOPRST	ABFGNX 6	
2 ABCHPQVWXY	ABCDEFGH 7	
3 BFLQ	ABCDEFKNRSV 8	
4 BDFHILNOU	AEJKUV 9	
5 ADEFGIL	BGHIJOTUVWZ10	
B 16A		
7 ha 90T(80-120m²) 106D	① €23,60	② €35,10

In Bordeaux Ri. Bayonne (A63) bis Ausf. 8 in Benesse-Maremne. Dort Ri. Labenne. In Labenne rechts nach Labenne-Océan über die D126. Nach 3,5 km liegt der CP rechts der Straße, kurz vor dem Fluss 'Boudigau'.

Labenne-Océan, F-40530 / Aquitaine

Sylvamar★★★★★
avenue de l'Océan
27 Mär - 4 Okt
+33 (0)5-59457516
camping@sylvamar.fr
N 43°35'44'' W 1°27'25''

1 ADJMNOPRST	ABEFGHI 6	
2 ABHPQVWXY	ABDEFGH 7	
3 BCDEFGHIKLMQRT	ABCDFJKNORSTUV 8	
4 BCDFHILNOPQRTUVXYZ	EJKLUV 9	
5 ACEFGJLM	ABDFGHIJNPTUVWYZ10	
Anzeige auf Seite 223 B 10A CEE		
14 ha 225T(100-150m²) 280D	① €53,20	② €68,20

In Bordeaux Ri. Bayonne über die A63 und N10 bis zur Ausfahrt 10 in St. Geours-de-Maremme und dann die D810 Ri. Labenne. In Labenne rechts nach Labenne-Océan über die D126. CP liegt nach ± 3 km rechts der Straße.

Mitten in der Natur, zwischen Wald, Dünen und Atlantik.

Yelloh! village SYLVAMAR ★★★★★
Avenue de l'Océan - 40530 Labenne-Océan
Tel. : +33 (0)5 59 45 75 16 - Fax : +33 (0)5 59 45 46 39
E-Mail: camping@sylvamar.fr - Web : www.sylvamar.fr

LeadingCampings

CAMPING ALBRET-PLAGE ★ ★ ★

Eine interessante Basis für einen feinen Familienurlaub! Gut gepflegtes und schattiges Gelände, das sich zu den Dünen hin streckt. Restaurant-Imbiss in der Hochsaison offen. Direkter Zugang zum Atlantik mit bewachtem Strand. Mietwohnwagen und Chalets. Es gibt einen kleinen Laden und Sie sind im Gehbereich zum geselligen Vieux-Boucau.

40660 Messanges • Tel. 05-58480367 • Fax 05-58482191
E-Mail: albretplage@wanadoo.fr • Internet: www.albretplage.fr

Léon, F-40550 / Aquitaine �a� iD

🏕 Punta Lago★★★★	1 ADJMNOPRST	AEFLMNQS 6
📧 1165 avenue du Lac	2 BDOPQVWXY	ABDEFGH 7
🕐 4 Apr - 27 Sep	3 BEFKLMNQ	CDEFKNQRSTUV 8
☎ +33 (0)5-58492440	4 BCDFHILNOTUYZ	EKLUV 9
@ contact@	5 ACDEGJKL	BFHIJNPTUVWYZ10
camping-puntalago.com	B 10A CEE	➊ €49,20
🗺 N 43°53'3'' W 1°18'51''	6 ha 90T(100-120m²) 134D	➋ €62,20

🚗 In Léon-Zentrum Richtung St. Girons und nach 200m links nach 'Lac de Léon'. Der CP liegt 200m vom See entfernt, ca. 1 km vom Léon-Zentrum.

Lit-et-Mixe, F-40170 / Aquitaine ⚫ iD

🏕 Le Soleil des Landes★★★★	1 ADJMNOPQRST	ABCDFGHIN 6
📧 route des Lacs	2 BPQVWXY	ABDEFGH 7
🕐 11 Apr - 21 Sep	3 BEFIKLMQ	ABCDFKNQRSV 8
☎ +33 (0)5-58428337	4 ABCDILNOPQRUXZ	EJLUV 9
@ campingsoleildeslandes@	5 ACDEFGIJM	ABGHIJNOPVZ10
homair.com	B 10A CEE	➊ €26,95
	10 ha 113T(100-140m²) 247D	➋ €35,95

🚗 Der CP liegt an der D652 in Lit-et-Mixe, zwischen Mimizan und Vieille-St. Girons.

Messanges, F-40660 / Aquitaine ⚫ ✿ (CC€16) iD

🏕 Airotel Le Vieux Port★★★★★	1 ADJMNOPRST	ABEFGHIKMNQSX 6
📧 route de la Plage Sud	2 BEHPQRTVXY	ABDEFGH 7
🕐 28 Mär - 27 Sep	3 BDEFGHIKLMNQST	CDEFKNQRSTUV 8
☎ +33 (0)1-76767000	4 BDFHILNOPQRSTUVXYZ	ABCEJKLUV 9
@ contact@levieuxport.com	5 ACDEFGJKM	ABFGHIKLNPVYZ10
	B 6A CEE	➊ €70,20
🗺 N 43°47'52'' W 1°24'4''	30 ha 800T(100-120m²) 1104D	➋ €84,10

🚗 D652 Léon-Vieux-Boucau, 1 km nördlich von Vieux-Boucau. Gut ausgeschildert.

Messanges, F-40660 / Aquitaine ⚫ ✿ iD

🏕 Airotel Lou Pignada★★★★★	1 ADJMNOPRST	ABEFGHI 6
📧 route d'Azur	2 BPQRVXY	ABDEFGH 7
🕐 23 Mär - 29 Sep	3 BDEKLMQ	CDEFKNQRSTUV 8
☎ +33 (0)1-76767000	4 BDFHIKLNOPQRT	DEJKLUV 9
@ contact@loupignada.com	5 ACDEFJKM	ABGHIJNPVWZ10
	B 6A	➊ €66,20
🗺 N 43°47'51'' W 1°22'55''	8 ha 10T(80-100m²) 611D	➋ €80,20

🚗 A63 en N10 Bordeaux-Bayonne, Ausfahrt 11 Magescq. Im Zentrum Richtung Azur und Messanges. Dort Richtung Vieux-Boucau. Ca. 1,5 km vor dem Zentrum links Richtung Azur. Den CP findet man 600m rechts der Straße.

Messanges, F-40660 / Aquitaine ⚫ (CC€14) iD

🏕 Albret-Plage★★★	1 ADJMNOQRST	KMNQR 6
📧 100 chemin du Junca	2 BEHOPQRSVWXY	ABDEFGH 7
🕐 1 Apr - 30 Sep	3 BEKLQ	ABCDEFNORV 8
☎ +33 (0)5-58480367	4 BDFHIOPQ	EJ 9
@ albretplage@wanadoo.fr	5 ACDEFGJKLM	BDHIJNOPTUVWZ10
	Anzeige auf dieser Seite B 6A	➊ €25,85
🗺 N 43°47'47'' W 1°24'1''	6 ha 125T(80-100m²) 249D	➋ €32,65

🚗 D652 Léon-Vieux-Boucau, 1 km nördlich von Vieux-Boucau. CP ist neben Le Vieux Port, hat aber eine eigene Zufahrtstraße an der D652.

Messanges, F-40660 / Aquitaine ⚫ (CC€12) iD

🏕 La Côte★★★★	1 ADJMNOPRST	AFG 6
📧 361 chemin de la Côte BP 37	2 PVXY	ABDEFGH 7
🕐 1 Apr - 30 Sep	3 BEFKLQ	CDEFKNQRSTUV 8
☎ +33 (0)5-58489494	4 FHIOPU	EIKLUV 9
@ info@campinglacote.com	5 ABEFKLM	BDGHIJNPTUVW10
	B 10A	➊ €30,90
🗺 N 43°48'1'' W 1°23'30''	3,5 ha 113T(100-130m²) 50D	➋ €39,50

🚗 In Bordeaux Ri. Bayonne über die A63 und die D810 bis Ausf. 11 Magescq. Im Zentrum von Magescq Ri. Azur und Messanges. Weiter nach Vieux-Boucau, D652. CP liegt 2 km vorbei dem Zentrum von Messanges rechts.

Messanges, F-40660 / Aquitaine ⚫ ✿ iD

🏕 Le Domaine de la Marina★★★★	1 ADJMNOPRT	CDFG 6
📧 rte de la Plage Sud	2 HPQVXY	ABDEFGH 7
🕐 23 Mär - 29 Sep	3 BEFIKLQT	ABCDEFKNQRSTU 8
☎ +33 (0)1-76767000	4 BD	ELUV 9
@ contact@	5 AC	ABHIKNPVZ10
domainedelamarina.com	B 8A CEE	➊ €46,20
🗺 N 43°47'49'' W 1°23'44''	8 ha 30T(100m²) 223D	➋ €60,00

🚗 CP liegt 1 km nördlich von Vieux-Boucau, in der Nähe des CP 'Le Vieux Port'.

Messanges, F-40660 / Aquitaine ⚫ (CC€12) iD

🏕 Les Acacias★★★	1 ADEJMNOPRT	6
📧 101 chemin du Houdin	2 PQSVWXY	ABDEFGH 7
🕐 25 Mär - 25 Okt	3 BEKLQ	ABCDFKNQRSTUV 8
☎ +33 (0)5-58480178	4 BDFHILPQ	DEKL 9
@ lesacacias@lesacacias.com	5 ACEFKLM	BDFGHIJNPTUVWZ10
	B 10A	➊ €24,70
🗺 N 43°47'54'' W 1°22'33''	3,4 ha 75T(90-120m²) 53D	➋ €31,70

🚗 A63 und N10 Bordeaux-Bayonne bis Ausfahrt 11 Magescq. Dann in Ri. Azur und Messanges. Dort Ri. Vieux-Boucau. 2 km vor Messanges-Zentrum am Kreisel links (Quartier Caliot Straße). Camping liegt 1 km weiter links.

Mézos, F-40170 / Aquitaine ⚫ (CC€16) iD

🏕 Le Village Tropical Sen Yan★★★★★	1 ADEJMNOPQRST	ACDEFHLN 6
📧 avenue de la Gare	2 DGPQVXY	ABEFGH 7
🕐 14 Mai - 15 Sep	3 ABDEFILMQRT	ABCDFJKNRSV 8
☎ +33 (0)5-58426005	4 BCDFHILNORTUX	EJLUV 9
@ reception@sen-yan.com	5 ACDEFGHIJKLM	ABHIJNPTZ10
	B 6-16A CEE	➊ €46,70
🗺 N 44°4'20'' W 1°9'23''	H50 8 ha 110T(80-150m²) 310D	➋ €62,20

🚗 Verlassen Sie die Schnellstraße N10/E5/E70 in Laharie. Nach 5 km ist der CP in Onesse-et-Laharie ausgeschildert.

Frankreich

Mimizan, F-40200 / Aquitaine

Camping Municipal du Lac★★ iD
- avenue de Woolsack
- 6 Mai - 6 Sep
- +33 (0)5-58090121
- lac@mimizan-camping.com

1	ADE**JM**NOPQRST	LQRST**X** 6
2	DPQVWXY	ABDE**FGH** 7
3	ABEF**J**LQ	ABCDFKNRSV 8
4	DFHIO	ALMOPQRUV 9
5	ADEFGI	BFGHIJLVZ10

Anzeige auf Seite 224   B 6A CEE   ❶ €26,35
271T(80-120m²) 61D   ❷ €36,25

N 44°13'12'' W 1°13'45''
In Ste Eulalie die D87 Richtung Mimizan nehmen. Der CP liegt 1,5 km vor Mimizan am See, links der Strecke.

Mimizan-Plage, F-40200 / Aquitaine

Municipal de la Plage★★★ 📶 ✿ iD
- boulevard de l'Atlantique
- 1 Apr - 30 Sep
- +33 (0)5-58090032
- contact@ mimizan-camping.com

1	ADE**JM**NOPQRST	K 6
2	PQVWX	ADDE**FGH** 7
3	ABEF**K**LQIJ	ABCDEFKNORSTV 8
4	BCDHILN	EFJKLMUV 9
5	ACDEF**KLM**	ABFGHIJL**NP**VZ10

Anzeige auf Seite B 6-10A CEE   ❶ €24,65
1,6 ha 463T(80-100m²) 209D   ❷ €39,45

N 44°12'59'' W 1°17'9''
Von Mimizan Richtung Mimizan-Plage. CP-Ausschilderung folgen.

Mimizan-Plage-Sud, F-40200 / Aquitaine

📶 CC€16 iD

Airotel Club Marina-Landes★★★★
- rue Marina
- 27 Apr - 20 Sep
- +33 (0)5-58091266
- contact@clubmarina.com

1	ADE**JM**NOPQRST	ABCDEFGHIKMNOS**X** 6
2	BCFHPQVXY	ABDE**FGH** 7
3	ABEFI**KLM**QT	ABDFJKNRSV 8
4	ABCDFHILMNO**PQ**RU**Y**	AEFIJLUV 9
5	ACDEFGIJK**LM**	ABDGHIJ**NP**TUV10

B 10A CEE   ❶ €58,20
9 ha 363T(80-110m²) 281D   ❷ €74,20

N 44°12'17'' W 1°17'27''
In Mimizan in Richtung Mimizan-Plage fahren (6 km). Entlang der Straße ausgeschildert.

Moliets-Plage, F-40660 / Aquitaine

CC€16 iD

Le Saint Martin★★★★
- 2655 avenue de l'Océan
- 1 Apr - 31 Okt
- +33 (0)5-58485230
- contact@ camping-saint-martin.com

1	AD**JM**NOPQRST	AE**F**GKMNQRS 6
2	EFHPQTUVWXY	ABDE**FGH** 7
3	BEF**K**LQ	CDFJKNRSTUV 8
4	BCDFHILNO**PTUX**	CJKLUVW 9
5	ACDFGJKM	ABDFGHIJ**NOP**TUYZ10

B 10A CEE   ❶ €46,30
18 ha 450T(80-150m²) 142D   ❷ €58,90

N 43°51'9'' W 1°23'13''
Aus Bordeaux nach Bayonne über die A63 und N10. Ausfahrt 'Castets', dann weiter bis Léon. Kurz vor Léon-Zentrum links ab nach Messanges. In Moliets Weg 'Moliets-Plage' nehmen. Der CP ist der letzte vor dem Atlantik.

Moliets-Plage, F-40660 / Aquitaine

📶 iD

Les Cigales★★★
- avenue de l'Océan
- 1 Apr - 30 Sep
- +33 (0)5-58485118
- reception@ camping-les-cigales.fr

1	AD**JM**NOPRST	KMQ 6
2	BEHOQSUVWXY	ABDE**FGH** 7
3	BEF**K**LMQ	CDEFKNOPRSTUV 8
4	HNO**PR**	EJKLUV 9
5	ACDEFGJK**LM**	ABFGHIK**P**TUVY10

Anzeige auf dieser Seite   B 10A   ❶ €27,70
23 ha 695T(80-120m²) 323D   ❷ €37,70

N 43°51'6'' W 1°23'2''
In Bordeaux Richtung Bayonne über die A63 und die RN10. Ausfahrt Castets Richtung Léon. Kurz vor dem Zentrum von Léon links Richtung Messanges. In Moliets Richtung Moliets-Plage. Der CP kommt nach ca. 2,5 km rechts.

Ondres, F-40440 / Aquitaine

📶 ✿ CC€16 iD

Du Lac★★★★★
- 518 rue de Janin
- 15 Mär - 31 Okt
- +33 (0)5-59452845
- contact@camping-du-lac.fr

1	ADF**I**LNO**RT**	ABFG**I**N 6
2	ACDOPQTUVWX	ABDE**FGH** 7
3	BL**MN**QT	ABCDEFGJKNQRSTUV 8
4	BDHILO**PTUVX**	AEJLPUV 9
5	ADEGJ**LM**	ABDGHIJNPTUV10

B 10A CEE   ❶ €44,10
3 ha 61T(100-120m²) 65D   ❷ €54,10

N 43°33'56'' W 1°27'12''
In Bordeaux Ri. Bayonne über die A63 bis Ausf. 7 und danach der D810 folgen (früher: RN10). Auf der D810 (=RN10) bleiben bis, ± 1 km vor Ondres-Mitte. Dort li. die Straße zum Ondres-Plage. Den ersten Kreisel ganz umrunden und den Schildern folgen.

Parentis-en-Born, F-40160 / Aquitaine

📶 CC€14 iD

L'Arbre d'Or★★★★
- 1037 route du Lac
- 1 Apr - 31 Okt
- +33 (0)5-58784156
- arbre-dor@hotmail.fr

1	ADEJMNOPQRST	ABCDEFL**N**QRSTUVWXYZ 6
2	BDGHPQVXY	ABDE**FGH** 7
3	BEF**K**LQ	ABDFKNQRSV 8
4	BCDFHILNO**P**U**Y**	DEJLMOSUV 9
5	ABDEFGIJKL**M**	BDGHIJ**P**TUV10

B 10A CEE   ❶ €29,20
5 ha 109T(90-120m²) 99D   ❷ €36,55

N 44°20'46'' W 1°5'35''
Von Bordeaux aus der A63/N10 folgen bis Liposthey. Dort die D43 nach Parentis. In Parentis ist der CP ausgeschildert.

Parentis-en-Born, F-40160 / Aquitaine

📶 iD

Le Pipiou★★★
- 382 route des Campings
- 1 Apr - 31 Okt
- +33 (0)5-58785725
- contact@camping-pipiou.fr

1	ADE**JM**NOPQRST	ABFGHLMNQRSTUVW**Y**Z 6
2	DGHPQVWXY	ABDE**FGH** 7
3	BEI**K**LQT	BDFGJKNQRSTU 8
4	ABCDEFHILNO**P**RU	EJMO**P**QTUV 9
5	ABDEFGIJKLM	ABGHIJN**P**TUVZ10

Anzeige auf dieser Seite   B 10A CEE   ❶ €28,00
6,8 ha 140T(100-140m²) 188D   ❷ €36,00

N 44°20'46'' W 1°4'4''
Von Parentis-en-Born die Straße in Richtung See von Parentis fahren. Beschilderung folgen.

Sanguinet, F-40460 / Aquitaine

📶 CC€14 iD

Campéole Le Lac Sanguinet★★★
- 526 rue de Pinton
- 18 Apr - 13 Sep
- +33 (0)5-58227080
- lac-sanguinet@campeole.com

1	ADE**JM**NOPQRST	ABFG**L**NUQRSTUVW**Y**Z 6
2	BDGHIPQVWXY	BE**FG**HIJ 7
3	ABEF**GHK**LQRTU	BDFKNQRSV 8
4	BCDHILN**PQ**Y	EFJL 9
5	ADEFG**I**LM	ABDGHIJ**O**VZV10

B 10A CEE   ❶ €38,30
10,6 ha 143T(80-150m²) 251D   ❷ €55,00

N 44°28'53'' W 1°5'36''
A10 Ausfahrt Arcachon. Der Straße am Bassin d'Arcachon folgen, Ausfahrt Mios/Biscarosse, dann Richtung Sanguinet. In Sanguinet liegt der CP am Meer. Ausgeschildert.

Sanguinet, F-40460 / Aquitaine 🛜 CC€16 iD

🔺 Les Grands Pins****	1 ADEJMNORST	ABCDEFGHILNQSTUWX 6
🏠 1039 avenue de Losa	2 BDGHPQVXY	ABDEFG 7
🔆 1 Apr - 27 Sep	3 BEFKLMQ	ABCDFIJNRSV 8
☎ +33 (0)5-58786174	4 BCDEFILNOPQ	EJUV 9
@ info@	5 ACDEFGIJLM	ABDGHPVZ10
campinglesgrandspins.com	B 10A CEE	① €46,50
📍 N 44°29'2'' W 1°5'24''	8 ha 65T(80-100m²) 429D	② €63,70

🚗 Der CP liegt in Sanguinet. Deutlich ausgeschildert liegt er am See.

Seignosse, F-40510 / Aquitaine 🛜 iD

🔺 Les Oyats****	1 ADJMNOPRST	ABFGHIKMQX 6
🏠 route de la Plage des Casernes	2 BEHOPQTVWXY	ABDEFGH 7
🔆 1 Mai - 30 Sep	3 BDEFILMNQT	ABCDEFNPRSV 8
☎ +33 (0)5-58735396	4 BDHILNOPQRU	BEJKLUV 9
@ contact@campinglesoyats.fr	5 ACDEFGJKM	BFGHIJNPVWZ10
		① €39,20
📍 N 43°43'30'' W 1°25'19''	17 ha 160T(80-100m²) 396D	② €49,20

🚗 Bordeaux Ri. Bayonne über die A63, Ausf. 10 Soustons. In Soustons die D652 nach Vieux Boucau. Nach 3 km links die D79 Ri. Seignosse/Hossegor/Capbreton. Nach 5 km rechts zum Plage des Caserbes. CP liegt ± 1 km links der Strecke.

Soustons, F-40140 / Aquitaine 🛜 iD

🔺 l'Airial****	1 ADEJMNOPRST	ABENQRSTVXY 6
🏠 61 avenue Port d'Albret	2 BDHOPQVWXY	ABDEFGH 7
🔆 1 Apr - 4 Okt	3 BEFKLMQ	CDFKNQRSV 8
☎ +33 (0)5-58411248	4 BCDFHILNOXZ	EJKTUV 9
@ contact@campinglairial.fr	5 ACDEFGJK	BFHIJNOPTUVWZ10
	B 10A CEE	① €35,00
📍 N 43°45'16'' W 1°21'7''	12 ha 288T(80-150m²) 223D	② €47,00

🚗 A63 und RN10 Bordeaux-Bayonne bis Ausfahrt 10 Soustons. In Soustons Richtung Messanges. Kurz hinter Soustons liegt der CP an einem Kreisel.

St. Girons-Plage, F-40560 / Aquitaine 🛜 CC€16 iD

🔺 Campéole Les Tourterelles***	1 ADJMNOPRST	ABFGKMQ 6
🏠 route de la Plage	2 BEFHOPQTUVWXY	ABDEFG 7
🔆 25 Apr - 30 Sep	3 BEFLQT	ABCDFNRSV 8
☎ +33 (0)5-58479312	4 ABDEHLNPQU	AEFKLMUV 9
@ tourterelles@campeole.com	5 ADFG	ABDFGHIJNPVZ10
	B 10A CEE	① €36,00
📍 N 43°57'18'' W 1°21'25''	20 ha 516T(80-120m²) 282D	② €56,60

🚗 In Bordeaux Richtung Bayonne über die A63 und die N10 bis Ausfahrt 12 Castets. Im Zentrum von Castets Richtung Linxe und St. Girons halten. Dort Richtung St. Girons-Plage bis kurz vor dem Strandende. CP liegt rechts der Straße.

St. Girons-Plage, F-40560 / Aquitaine 🛜 CC€16 iD

🔺 Eurosol****	1 ADFILNOPRT	ACDFI 6
🏠 4756 route de la Plage	2 BPQTVXY	ABDEFGH 7
🔆 12 Mai - 13 Sep	3 BEFILMQST	CDFKNQRSTUV 8
☎ +33 (0)5-58479014	4 BCDFHILNOPQ	ABEJKLMNUV 9
@ contact@	5 ACDEFGJKLM	ABDFGHIJLNPTUWZ10
camping-eurosol.com	B 10A CEE	① €40,80
📍 N 43°57'6'' W 1°21'7''	18 ha 327T(70-120m²) 169D	② €57,60

🚗 In Bordeaux Richtung Bayonne A63 und N10 bis Ausfahrt 12 (Castets) fahren. Im Zentrum von Castets Richtung Linxe und St. Girons halten. Dort in Richtung St. Girons-Plage fahren. Der CP liegt 5 km weiter links der D42.

St. Julien-en-Born, F-40170 / Aquitaine 🛜 iD

🔺 Municipal La Lette Fleurie***	1 ADEJMNOPQRST	AFNX 6
🏠 2530 route de Contis	2 BPQVXY	ABDEFGH 7
🔆 1 Apr - 30 Sep	3 BEFLMQ	ABCDFNORV 8
☎ +33 (0)5-58427409	4 BCDFHINOP	EKL 9
@ contact@	5 ABDEFGIJKLM	ABIJNPVZ10
camping-municipal-plage.com	B 10A	① €25,80
📍 N 44°4'55'' W 1°15'44''	15,5 ha 357T(90-110m²) 163D	② €31,80

🚗 Der CP liegt an der D652 von Mimizan Richtung St. Julien-en-Born. Von Mimizan Richtung Lit-et-Mixe und Richtung Contis-Plage. Der CP ist gut ausgeschildert.

St. Justin, F-40240 / Aquitaine 🛜 iD

🔺 Le Pin***	1 ADILNOPRT	AN 6
🏠 route de Roquefort	2 ABPQVXY	ABDEFG 7
🔆 1 Apr - 31 Okt	3 BEFLQS	ABCDEFKNRSV 8
☎ +33 (0)5-58448891	4 BDFILNOP	AEJ 9
@ camping.lepin@wanadoo.fr	5 ABEGJLM	BGHIJPV10
	B 6A	① €21,00
📍 N 44°0'7'' W 0°14'5''	H108 3 ha 45T(100-120m²) 29D	② €29,50

🚗 Der CP liegt zwischen Roquefort und St. Justin an der D626.

St. Martin-de-Seignanx, F-40390 / Aquitaine 🛜 iD

🔺 Sites & Paysages	1 ADFILNOPQRST	AF 6
Lou P'tit Poun****	2 APRUVWXY	ABDEFGH 7
🏠 110 Quartier Neuf	3 ABCDFKNQRSTUV 8	
🔆 13 Jun - 12 Sep	4 BIO	EJ 9
☎ +33 (0)5-59565579	5 ABDEGIKM	ABGHIJOTU10
@ contact@louptitpoun.com	B 10A	① €36,50
📍 N 43°31'28'' W 1°24'42''	3,8 ha 142T(100-120m²) 26D	② €51,35

🚗 A63, Bordeaux-Bayonne, Ausfahrt 6 Bayonne-Nord nehmen. D817 Richtung Pau. CP liegt nach ca. 7 km rechts der Straße nordöstlich von Bayonne.

St. Paul-en-Born, F-40200 / Aquitaine 🛜 iD

🔺 La Clairière***	1 ADEJMNOPQRST	ABFJNUX 6
🏠 1151 route de Talucat	2 CPQVWXY	ABDEFGH 7
🔆 1 Apr - 30 Sep	3 ABEIKLQ	ABCDFKNRSV 8
☎ +33 (0)5-58048307	4 BCDHILNO	AELUV 9
@ contact@camping-laclairiere.fr	5 ABDEFGIL	ABFGHIJPTUV10
	B 10A CEE	① €26,20
📍 N 44°14'3'' W 1°9'5''	3,4 ha 80T(100-130m²) 68D	② €36,70

🚗 Die A10 bis Labouheyre, dann die D626 Richtung Mimizan bis St. Paul-en-Born. Im Zentrum von St. Paul-en-Born ist der CP gut ausgeschildert.

St. Sever, F-40500 / Aquitaine 🛜 iD

🔺 Les Rives de l'Adour**	1 ADEJMNOPRST	AFN 6
🏠 avenue René Crabos	2 CPVWXY	ABDEFGH 7
🔆 1 Apr - 31 Okt	3 BLM	ABDFNQRSV 8
☎ +33 (0)5-58760460	4 FGH	DE 9
@ camping.deladour@orange.fr	5 AB	BFHJPRV10
	B 13A CEE	① €16,70
📍 N 43°45'59'' W 0°33'41''	1,3 ha 64T(170-250m²) 17D	② €21,10

🚗 Über St. Sever/Ville-Centre den CP-Schildern folgen.

Ste Eulalie-en-Born, F-40200 / Aquitaine 🛜 iD

🔺 Les Bruyères***	1 ADEJMNOPQRST	AFNX 6
🏠 719 route de Laffont	2 BPQVXY	BEFGH 7
🔆 1 Mai - 30 Sep	3 BEFKLMNQ	ABCDFNRSV 8
☎ +33 (0)5-58097336	4 BCDFHIOP	EJ 9
@ bonjour@	5 ABDEFGIJKLM	BGHIJNPRV10
camping-les-bruyeres.com	B 10A CEE	① €30,10
📍 N 44°17'37'' W 1°10'46''	3 ha 101T(80-110m²) 95D	② €42,50

🚗 Die D652 von Parentis-en-Born nehmen. Vor Ste Eulalie ist der CP ausgeschildert.

Ste Eulalie-en-Born, F-40200 / Aquitaine 🛜 CC€12 iD

🔺 Municipal Le Camping du	1 ADEJMNOPQRST	AFMNQSUWXYZ 6
Lac***	2 BDGHIPVWXY	ABDEFGH 7
🏠 1590 route du Lac	3 ABFKLQ	ABCDFJKNORSV 8
🔆 11 Apr - 30 Okt	4 FHN	AEMNOPQRTUV 9
☎ +33 (0)5-58097010	5 ABDEFGIKLM	ABDFGHIJPTUVZ10
@ contact@lecampingdulac.com	B 10A CEE	① €27,70
📍 N 44°18'28'' W 1°10'51''	6 ha 127T(80-150m²) 154D	② €32,30

🚗 In Parentis-en-Born die D652 Richtung Mimizan nehmen. Zwischen Gastes und Ste Eulalie-en-Born ist der CP gut ausgeschildert.

Nur bei Angabe dieses Logos CC wird die CampingCard ACSI akzeptiert.

Siehe auch die Gebrauchsanweisung hinten in diesem Führer

Vielle-St-Girons, F-40560 / Aquitaine 🛜 ⚙ CC€14 iD

▲ Arnaoutchot (FKK)***	1 AD**IL**NORT	AEFGHIKM**N**QS 6
🗐 5006 route de Pichelèbe	2 BEHPQTVXY	ABDE**FGH** 7
🕐 1 Apr - 27 Sep	3 BEF**IKLMN**QR	ABCDEFJKNOQRSV 8
☎ +33 (0)5-58491111	4 BDFHILMNO**PQRSTUVXYZ**	AEJKLUV 9
@ contact@arna.com	5 ACDEFGJK**LM**	BFGHIJL**NO**TUVZ 10
	FKK B 6A	❶ €49,45
🏕 N 43°54'24'' W 1°21'42''	25 ha 250**T**(100-120m²) 246**D**	❷ €66,45

🚗 A63 und N10 Bordeaux-Bayonne. Ausfahrt 12 Castets. Im Zentrum Castets Richtung Léon, 14 km. Vom Zentrum Léon Richtung St. Girons bis nach Vielle. Am Wasserturm links ab nach Arnaoutchot.

Vielle-St-Girons, F-40560 / Aquitaine 🛜 iD

▲ L'Océane***	1 ADFJMNOPQRST	ABFG 6
🗐 6348 route des Lacs	2 BHPVXY	ABDE**FGH** 7
🕐 13 Jun - 12 Sep	3 BELQST	ABCDFKNRV 8
☎ +33 (0)5-58429437	4 BDFINO	EIUV 9
@ campingloceane@wanadoo.fr	5 ADEFGI**LM**	BGHIJ**P**TUV 10
	B 16A CEE	❶ €29,20
🏕 N 43°55'22'' W 1°18'22''	3,5 ha 99**T** 59**D**	❷ €45,70

🚗 A63 Bordeaux Ri. Bayonne. Ausf. 12 Castets. Im Zentrum von Castets Ri. Léon nehmen. Vom Zentrum Léon Ri. St. Girons bis nach Vielle rein. Der CP ist etwa 2 km hinter dem Wasserturm links.

Vielle-St-Girons, F-40560 / Aquitaine 🛜 ⚙ CC€14 iD

▲ Le Col Vert****	1 AD**IL**NOPRST	ACDFGHILMNQRST**XYZ** 6
🗐 1548 route de l'Etang	2 BDFGHPVXY	ABDE**FGH** 7
🕐 1 Apr - 20 Sep	3 BEF**GHIKLMNQR**T	ABCDFJKLMNQRSTUV 8
☎ +33 (0)8-90710001	4 ABDFHIJKLNO**PQRTUVXYZ**	ABCEFJKLMOQRTUV 9
@ contact@colvert.com	5 ACDEFGJK**LM**	ABDFGHIJLMN**NO**TUVZ 10
	B 6A	❶ €47,30
🏕 N 43°54'10'' W 1°18'38''	30 ha 270**T**(100-130m²) 470**D**	❷ €59,50

🚗 A63 und N10 Bordeaux-Bayonne. Ausf. 12 nach Castets nehmen. Vom Zentrum Castets aus nach Léon fahren (14 km). Ab dem Zentrum Léons in Ri. St. Girons bis nach Vielle fahren. CP ist entlang der Straße ausgeschildert.

Vielle-St-Girons, F-40560 / Aquitaine 🛜 iD

▲ Parc du Bel Air	1 A**JM**NOPRST	6
🗐 route de Pichelèbe	2 BPQVWXY	ABDE**F** 7
🕐 15 Jun - 15 Sep	3 A**KL**Q	ABCDEFNRV 8
☎ +33 (0)5-58429928	4 H	EUV 9
@ camping-belair2@wanadoo.fr	5 A**L**	BHJ**P**TUV 10
	B 10A CEE	❶ €21,65
🏕 N 43°54'53'' W 1°19'8''	1,3 ha 30**T**(100-120m²) 15**D**	❷ €29,65

🚗 A63 und N10 Bordeaux-Bayonne. Ausf. 12 nach Castets nehmen. Vom Zentrum Léon Richtung St. Girons bis nach Vielle. Hinter dem Wasserturm unmittelbar links ab. Nach ca. 1 km CP links.

Vieux-Boucau, F-40480 / Aquitaine 🛜 iD

▲ Mun. Les Sablères***	1 AD**JM**NOPRST	KQ 6
🗐 boulevard du Marensin	2 EHOPQTVWX	ABDE**FGH** 7
🕐 29 Mär - 11 Okt	3 BEF**KL**Q	ABCDEFKNRSTUV 8
☎ +33 (0)5-58481229	4 H	BEJKL 9
@ contact@camping-les-sableres.com	5 AGL	ABGHIKLP**TUV**VZ 10
	B 10A CEE	❶ €25,10
🏕 N 43°47'37'' W 1°24'21''	13 ha 454**T**(80-160m²) 127**D**	❷ €32,10

🚗 A63 und N10 Bordeaux-Bayonne bis Ausfahrt 11 Magesq. In Magesq in Richtung Azur und Messanges fahren, danach in Richtung Vieux-Boucau. Der CP ist innerorts gut ausgeschildert.

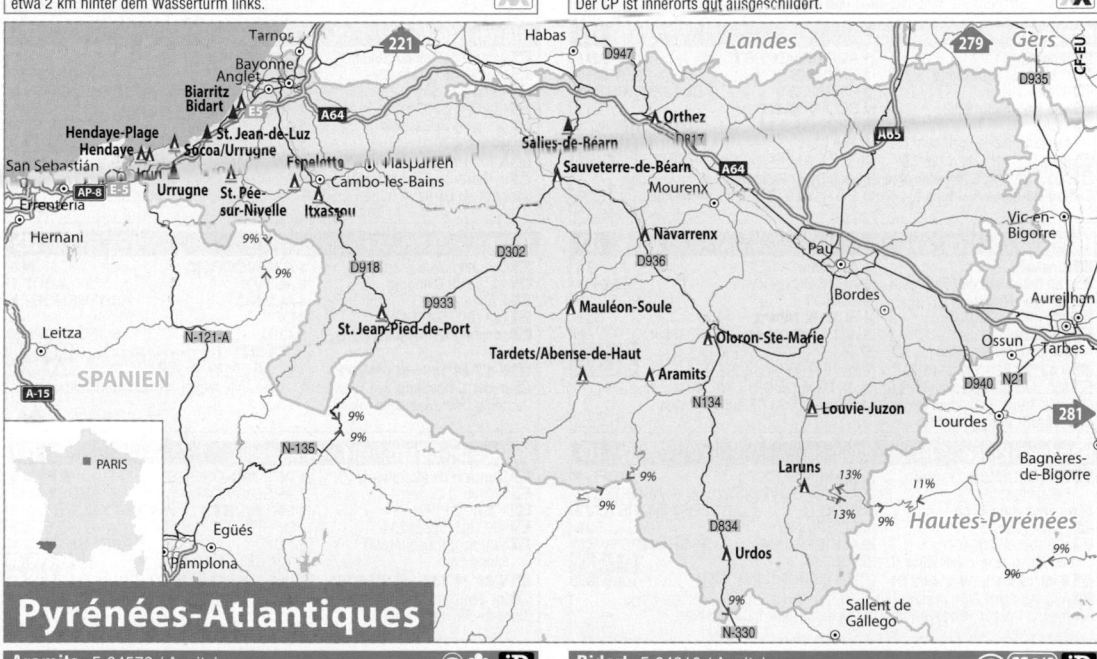

Frankreich

Pyrénées-Atlantiques

Aramits, F-64570 / Aquitaine 🛜 ⚙ iD

▲ Barétous-Pyrénées****	1 ADE**JM**NOPRST	ABFG**N** 6
🕐 1 Apr - 17 Okt	2 CPVWXY	ABDE**FGH** 7
☎ +33 (0)5-59341221	3 ALQ	ABCDFJNOQRV 8
@ contact@camping-pyrenees.com	4 **AE**FHILO**TUX**	AEJUV 9
	5 ABDEGI**L**	BHJ**NO**ST 10
	B 10A CEE	❶ €28,40
🏕 N 43°7'17'' W 0°43'56''	H280 2,5 ha 34**T**(90-130m²) 49**D**	❷ €39,90

🚗 In Oloron-Ste-Marie D919 Richtung Arette (ca. 13 km). CP im Zentrum von Aramits ausgeschildert.

Biarritz, F-64200 / Aquitaine 🛜 iD

▲ Biarritz***	1 AD**H**KNQRT	ABF 6
🗐 28 rue Harcet	2 AHOPRSUVWXY	BE**FGH** 7
🕐 1 Apr - 4 Okt	3 A**KL**Q	DFNQRSV 8
☎ +33 (0)5-59230012	4 BDO	AEKL 9
@ biarritz.camping@gmail.com	5 ACDEFGJK**LM**	ABHIK**N**PR 10
	Anzeige auf Seite 229 B 10A CEE	❶ €40,90
🏕 N 43°27'43'' W 1°34'11''	2,5 ha 81**T**(100-120m²) 86**D**	❷ €49,90

🚗 Von Bordeaux über die A63 Richtung Bayonne. Ausfahrt Biarritz und dann die D810 Richtung St. Jean-de-Luz. Nach 2 bis 3 km am Kreisel rechts, über die D655 und die D911. CP nach 5 km am 2. Kreisel angezeigt.

Bidart, F-64210 / Aquitaine 🛜 CC€16 iD

▲ Camping + Residence Oyam****	1 ADF**JM**NOPRST	ABFGHI 6
🗐 chemin Oyamburua	2 AOPUVXY	ABDE**FGH** 7
🕐 18 Apr - 19 Sep	3 AEF**KL**Q	ABCDEFKNQRSV 8
☎ +33 (0)5-59549161	4 BCDILNO**Q**	AEIJ 9
@ accueil@camping-oyam.com	5 ADEGI**M**	BFGHIJ**NP**ST 10
	B 6A	❶ €45,40
🏕 N 43°26'7'' W 1°34'58''	4,5 ha 54**T**(80-100m²) 306**D**	❷ €57,00

🚗 A63 Bayonne-St. Sébastian. Ausfahrt 4 Biarritz. Dann der D810 (früher N10) Richtung St. Jean-de-Luz. Am Supermarkt und Jardiland links ab und den CP-Schildern folgen. CP liegt ca. 1 km von der D810.

Bidart, F-64210 / Aquitaine 🛜 CC€16 iD

▲ Ilbarritz****	1 AD**JM**NOPRT	CDFHI 6
🗐 avenue de Biarritz	2 AEOPQTVWXY	ABDE**FGH** 7
🕐 27 Mär - 5 Okt	3 BDE**IKL**MQT	ABCDFJKNQRSV 8
☎ +33 (0)5-59230029	4 BDFHILNO**PQXZ**	EJKLUV 9
@ camping-ilbarritz.com	5 ACDEFGJK**LM**	ABDHIJL**NP**RZ 10
	B 10A CEE	❶ €50,10
🏕 N 43°27'11'' W 1°34'24''	10 ha 114**T**(80-120m²) 266**D**	❷ €65,10

🚗 A63 Bayonne-St. Sébastian Ausfahrt 4 Biarritz. Dann D810 (früher N10) Richtung St. Jean-de-Luz. Nach ca. 2,5 km rechts am Supermarkt die D911 Richtung Küste nehmen. CP kommt nach 300m rechts der Straße.

Bidart, F-64210 / Aquitaine

▲ Le Pavillon Royal*****
✉ avenue du Prince de Galles
🗓 15 Mai - 30 Sep
☎ +33 (0)5-59230054
@ info@pavillon-royal.com

1	ADHKNORST	ABFKMNS	6
2	ABEFHMOPQUVWX	ABDEFGH	7
3	BJKLQ	CDEFNOQRSV	8
4	DINOPQRXZ	IJKL	9
5	ACDEFGJKLM	ABGHIJNPRZ	10
B 10A CEE		❶ €59,10
5 ha 320T(80-100m²)	5D	❷ €87,10

📐 N 43°27'16'' W 1°34'34''
🚗 A63 Bayonne-St. Sebastián folgen. Die D810 Richtung St. Jean-de-Luz folgen. Nach ± 2,5 km rechts vom 'Intermarché' die Ausfahrt zur Küste zur D911 folgen. CP liegt nach 400 links von dieser Straße.

Bidart, F-64210 / Aquitaine

▲ Sunêlia Berrua****
✉ rue Berrua
🗓 1 Apr - 27 Sep
☎ +33 (0)5-59549666
@ contact@berrua.com

1	ADJMNOPRT	ABFGHIX	6
2	AOPUVWXY	BEFGH	7
3	BEKLMQR	CDFKNQRSV	8
4	BDILNOQUV	BEJVW	9
5	ACDEFGJKLM	ABGHIJNPRZ	10
B 6A		❶ €46,30
5 ha 90T	177D	❷ €56,10

📐 N 43°26'18'' W 1°34'55''
🚗 A63 Bayonne-St. Sebastián, Ausfahrt 4 Biarritz. Dann die D810 Richtung St. Jean-de-Luz. Am 'Intermarché' und im Zentrum von Bidart ist der CP links der Straße angezeigt. CP liegt etwa 800m von der D810 entfernt.

Bidart, F-64210 / Aquitaine

▲ Ur-Onea***
✉ rue de la Chapelle
🗓 11 Apr - 18 Sep
☎ +33 (0)5-59265361
@ contact@uronea.com

1	ADFJMNOPRST	ABCDFGI	6
2	AEOPUVXY	ABDEFGH	7
3	BEKLQ	BDFKNOQRSTUV	8
4	BDINOPQUY	EJKL	9
5	ACDEFGIKLM	ABDFGHIJMNPSTW	10
B 10A		❶ €42,10
5 ha 170T(80-140m²)	101D	❷ €53,10

📐 N 43°26'1'' W 1°35'25''
🚗 A63 Bayonne-St. Sebastián folgen. Dann D810 (früher RN10) nach St. Jean-de-Luz. Kurz hinter dem Zentrum von Bidart ist der CP auf der linken Straßenseite ausgeschildert und liegt ca. 400m von der D810.

Espelette, F-64250 / Aquitaine

▲ Biper Gorri****
✉ chemin de Lapitxague
🗓 4 Apr - 7 Nov
☎ +33 (0)5-59939688
@ info@camping-biper-gorri.com

1	ADFJMNOPRST	ABFGN	6
2	CPVWXY	BEFGH	7
3	BEHKLQ	BDFJKNQRSTU	8
4	BCDINOQRTUV	AEJ	9
5	ABDEFGJLM	BFGHIJNPRXZ	10
B 10A CEE		❶ €36,45
H77 2,5 ha 56T(100-120m²)	92D	❷ €48,25

📐 N 43°21'12'' W 1°26'59''
🚗 A63, Ausfahrt 5 Bayonne-Sud. Danach D932 Richtung Ustaritz und über Cambo-les-Bains Richtung Espelette. Dort ist der CP gut ausgeschildert.

Hendaye, F-64700 / Aquitaine

▲ Ametza****
✉ 156 boulevard de l'Empereur
🗓 15 Apr - 15 Okt
☎ +33 (0)5-59200705
@ contact@camping-ametza.com

1	ADJMNOPRST	ABFG	6
2	AFHOPQUVXY	BEFGH	7
3	BLMQT	DEFNQRSV	8
4	BDEHILNOPQ	EJ	9
5	ACDEFGJKLM	BDFGHIJNOSTWZ	10
B 6A		❶ €41,50
5 ha 140T(80-100m²)	105D	❷ €52,70

📐 N 43°22'22'' W 1°45'21''
🚗 A63, Ausfahrt St. Jean-de-Luz (Sud). Dann der D912 Socoa - Hendaye-Plage über die Corniche Basque folgen. Nach 4 km ist der CP auf der linken Straßenseite ausgeschildert.

Hendaye-Plage, F-64700 / Aquitaine

▲ Camping Village Eskualduna****
✉ chemin d'Asporotz
🗓 1 Mai - 30 Sep
☎ +33 (0)5-59200464
✉ contact@camping-eskualduna.fr

1	ADJMNOPRST	ABFG	6
2	ACGOPTUVWXY	ABDEFGH	7
3	BEKLQ	ABCDEFIKNQRSTUV	8
4	BDEFILNO	BEFGH	9
5	ACDEFGJKM	BFGHIJNPSTWZ	10
B 10A		❶ €42,00
10 ha 230T(80-120m²)	140D	❷ €58,00

📐 N 43°22'31'' W 1°44'21''
🚗 A63, Ausfahrt 2 St. Jean-de-Luz-Sud. Die D912 Socoa - Hendaye-Plage nehmen. 3 km vor Hendaye-Plage Corniche Basque entlang fahren.

Itxassou, F-64250 / Aquitaine

▲ Hiriberria***
✉ D918
🗓 1 Jan - 31 Dez
☎ +33 (0)5-59299809
@ hiriberria@wanadoo.fr

1	ADFJMNOPRST	CD	6
2	FPSUVXY	ABDEFGH	7
3	BELQ	ABCDFJKNOPQRSTUV	8
4	BDFIO	EJ	9
5	ADEFIM	BFGHIJORW	10
B 10A		❶ €26,80
H160 4,5 ha 189T(100-120m²)	36D	❷ €36,80

📐 N 43°20'19'' W 1°24'3''
🚗 A63 Ausfahrt 5 Bayonne-Sud. Danach die D932 über Ustaritz und Cambo-les-Bains Richtung St. Jean-Pied-de-Port. CP liegt 3 km südlich von Cambo links von der D918. An der Campingeinfahrt vorbeifahren bis zum 1. Kreisel, dann zurück zur Einfahrt.

Laruns, F-64440 / Aquitaine

▲ Du Valentin**
✉ route du Col d'Aubisque
🗓 18 Apr - 11 Nov
☎ +33 (0)5-59053933
@ camping.du.valentin@orange.fr

1	ADEJMNOPRT	AB	6
2	FPRUVXY	ABDEFGH	7
3	BLQ	ABCDEFHNOPQRUV	8
4	FIOU	E	9
5	ABDG	BCGJPR	10
B 6A		❶ €22,70
H600 4 ha 113T(30-150m²)	35D	❷ €27,90

📐 N 42°58'50'' W 0°24'51''
🚗 Im Zentrum von Laruns die Route Richtung Col d'Aubisque nehmen. Ca. 200m hinter der 2. Brücke links ab. Der CP ist ausgeschildert.

Louvie-Juzon, F-64260 / Aquitaine

▲ Le Rey***
✉ route de Lourdes
🗓 1/2 - 15/11, 1/12 - 15/1
☎ +33 (0)5-59057852
@ nadia@campinglerey.com

1	AILNOPRST	ABFGNU	6
2	GPTUVXY	ABDEFGH	7
3	AELQ	ABCDEFNQRV	8
4	ABDEFHIP	DEJ	9
5	ABDFLM	BCDHJPQRV	10
WB 10A CEE		❶ €22,00
H480 2,5 ha 24T(80-120m²)	24D	❷ €30,00

📐 N 43°5'22'' W 0°24'37''
🚗 Im Zentrum von Louvie-Juzonweg der Strecke nach Lourdes (D35) folgen. Durch den Ort fahren, ungefähr 0,4 km. CP ist ausgeschildert.

Mauléon-Soule, F-64130 / Aquitaine

▲ Uhaitza-l e Saison***
✉ route de Libarrenx
🗓 1 Apr - 15 Okt
☎ +33 (0)5-59281879
@ camping.uhaitza@wanadoo.fr

1	AJMNOPRST	JMNU	6
2	BCFHJKPUVY	ABDEFGH	7
3	ALQ	ABCDEFGKNORSTUV	8
4	FHIPQ	DEJ	9
5	ABGKLM	BGHJOR	10
B 10A CEE		❶ €25,10
H140 1,2 ha 43T(100-140m²)	17D	❷ €32,90

📐 N 43°12'28'' W 0°53'50''
🚗 2 km hinter dem Zentrum von Mauléon-Licharre an der D918 Richtung Tardets-Sorholus.

Navarrenx, F-64190 / Aquitaine

▲ Beau Rivage***
✉ allée des Marronniers
🗓 30 Mär - 12 Okt
☎ +33 (0)5-59661000
@ beaucamping@free.fr

1	ADEFJMNOPQRST	AJNU	6
2	CPSUVWXY	ABDEFGH	7
3	ALMQ	ABCDFGHIJKNPQRSV	8
4	FHI	JQRUV	9
5	EFLM	BFGHJPRVW	10
B 10A CEE		❶ €27,55
H140 2,5 ha 54T(80-140m²)	32D	❷ €36,50

📐 N 43°19'12'' W 0°45'41''
🚗 Auf der A64 Bayonne-Toulouse die Ausfahrt 7, 8 oder 9 nehmen, dann Richtung Navarrenx. Im Zentrum von Navarrenx ist der CP ausgeschildert.

Oloron-Ste-Marie, F-64400 / Aquitaine

▲ Camping Gîtes du Stade***
✉ chemin de Lagravette
🗓 1 Mai - 30 Sep
☎ +33 (0)5-59391126
@ camping-du-stade@wanadoo.fr

1	AJMNOPQRST		6
2	CFGOPVXY	ABDEFH	7
3	AELMQ	ABCDFHILNPRUV	8
4	FHI	DEJ	9
5	AL	BGHJLRV	10
B 10A		❶ €19,10
H280 3,5 ha 110T(80-130m²)	12D	❷ €26,10

📐 N 43°10'44'' W 0°37'24''
🚗 In Oloron auf der Umgehung den Schildern 'poids lourds' Richtung Zaragoza oder Col du Sampart folgen. Den CP-Schildern folgen. Zentrum meiden.

Orthez, F-64300 / Aquitaine

▲ Camping de la Source**
✉ 44 rue du Camping
🗓 1 Apr - 31 Okt
☎ +33 (0)5-59670481
@ campingdelasource@orange.fr

1	AJMNOQRST	N	6
2	ACTVX	ABDF	7
3	ALMNQ	ABDFHKNQRT	8
4	DF	J	9
5	ABL	BCFGHJORV	10
B 10A CEE		❶ €15,40
2 ha 39T(70-100m²)	16D	❷ €18,40

📐 N 43°29'15'' W 0°45'32''
🚗 In der Umgebung den Hinweisen Centre-Ville folgen, weiter den Schildern mit Camping oder Municipal folgen.

Salies-de-Béarn, F-64270 / Aquitaine

▲ Camping de Mosqueros**
✉ avenue al Cartero
🗓 1 Jan - 31 Dez
☎ +33 (0)5-59381294
@ camping2mosqueros@icloud.com

1	ADEJMNOPQRST	ABFG	6
2	APSUVWXY	ABDEFGH	7
3	EKLMQRT	ABCDEFKNOPRTUV	8
4	DFHIO	EUV	9
5	ABK	ABCFGHIJPVZ	10
H100 1 ha 64T(60-120m²)	4D	❶ €16,40
		❷ €19,40

📐 N 43°28'35'' W 0°56'18''
🚗 Im Zentrum von Salies-de-Béarn Richtung Bayonne. Dort den Schildern 'Base de Plein Air' folgen.

Salies-de-Béarn, F-64270 / Aquitaine 〈CC€14〉 iD

⛺ Domaine d'Esperbasque**	1 AJMNOPRT AF 6
🏠 route de Sauveterrre	2 AFGPTUXY BDEFG 7
⏰ 1 Mär - 31 Okt	3 AEGHKLQRS ABCDFNR 8
☎ +33 (0)5-59382104	4 ABDFHIOQ HI 9
@ info@esperbasque.com	5 ADGL ABCDFLOST10
	B 6A CEE ① €23,40
📍 N 43°27'11'' W 0°55'15''	H110 3 ha 94T(80-100m²) 8D ② €36,40

🚗 Auf der D933 zwischen Salies-de-Béarn und Sauveterre ist der CP an der Ostseite. Von Norden aus nicht links abbiegen, an der nächsten Ausfahrt wenden. Siehe Beschilderung.

Sauveterre-de-Béarn, F-64390 / Aquitaine 〈〉 iD

⛺ Du Gave**	1 AJMNOPQRST JNUV 6
🏠 chemin du Camping	2 CFGKOPQRVXY ABDEFG 7
⏰ 12 Apr - 11 Okt	3 KLQ ABCDFNOTU 8
☎ +33 (0)5-59385330	4 BCDF DE 9
@ campinologue@gmail.com	5 GKL BCHJLNPV10
	6A
	① ⚡ 16,80
📍 N 43°23'43'' W 0°56'27''	H60 1,5 ha 34T(80-140m²) 26D ② €20,00

🚗 Von Norden über die D933 wird Sauveterre-de-Béarn an 3 Kreiseln hinter einander angezeigt. CP liegt am 3. Kreisel vor dem Fluss.

Socoa/Urrugne, F-64122 / Aquitaine 〈CC€16〉 iD

⛺ Juantcho**	1 ADFJMNOPRST 6
🏠 875 route de la Corniche	2 AEFMPSTUVWXY ABDEFGH 7
⏰ 1 Mai - 18 Okt	3 AKLQ BDFNORS 8
☎ +33 (0)5-59471197	4 EL 9
@ juantcho64@gmail.com	5 AFM BFGJST10
	B 5A ① €27,10
📍 N 43°23'38'' W 1°41'30''	H50 6 ha 215T(80-100m²) 65D ② €36,40

🚗 Ausfahrt Autobahn St. Jean-de-Luz Sud nehmen und danach Richtung Socoa fahren. Der CP liegt entlang dem Küstenweg D912, nicht weit vom Leuchtturm.

St. Jean-de-Luz, F-64500 / Aquitaine 〈CC€14〉 iD

⛺ Atlantica****	1 ADJMNOPRT ABFGI 6
🏠 quartier Acotz/	2 AEOPTUVWXY ABDEFGH 7
chemin de Miquelenea	3 BEIKLQ DFNQRSTUV 8
⏰ 1 Apr - 30 Sep	4 BDHILNOPQRTUX AEJKLV 9
☎ +33 (0)5-59477244	5 ABDEFGILM BDGHIJLNPST10
@ info@campingatlantica.com	B 6A ① €40,70
📍 N 43°24'56'' W 1°36'58''	3,5 ha 73T(80-120m²) 125D ② €53,40

🚗 A63 Bayonne-St. Sebastián, Ausfahrt 3 St. Jean-de-Luz (Nord). D810 (ehemalige N10) Richtung Bayonne, 1 km weiter Abfahrt 'Acotz-plages'.

St. Jean-de-Luz, F-64500 / Aquitaine 〈CC€16〉 iD

⛺ Bord de Mer***	1 AFJMNOPRST KMNPQX 6
🏠 71, chemin d'Erromardie	2 AEFHMOPRVWX ABEFGH 7
⏰ 10 Apr - 1 Nov	3 A ABCDFNRSV 8
☎ +33 (0)5-59262461	4 I 9
@ bord-de-mer64@orange.fr	5 AGJM BDGHJPR10
	B 10A ① €34,00
📍 N 43°24'24'' W 1°38'31''	78T(90-120m²) ② €46,00

🚗 A63 Bayonne-St. Sébastian, Ausfahrt St. Jean-de-Luz (Nord). Dann Richtung St. Jean-de-Luz über die D810 (frühere RN10). Nach etwa 1 km rechts zum Plage Erromardie. Dieser Straße ca 2 km folgen bis zum CP an der linken Straßenseite.

St. Jean-de-Luz, F-64500 / Aquitaine iD

⛺ Inter-Plages**	1 AILNOPRT ABFKMNOPQS 6
🏠 305 route des Plages-Acotz	2 AEFHJMPRSUVX ABDEFGH 7
⏰ 1 Apr - 30 Sep	3 BKLQ BDEFJKNORSTUV 8
☎ +33 (0)5-59265694	4 IO EJUV 9
	5 ACDEFGIKLM GHIJNTUV10
	B 10A ① €39,00
📍 N 43°24'54'' W 1°37'36''	63T(20-100m²) 28D ② €55,00

🚗 A63 Bayonne - St. Jean-de-Luz. Ausfahrt 3 St. Jean-de-Luz Nord Richtung Bayonne über die RD 810 bis zu den Plages 'Acotz'. Einfahrt vom Ortsteil Acotz sofort links und auf dieser Straße bis zum CP bleiben.

St. Jean-de-Luz, F-64500 / Aquitaine 〈CC€16〉 iD

⛺ International Erromardie****	1 ADILNPRST ABKMNOPQ 6
🏠 allée de la Source/	2 AEFHMOPQVWXY BEFGH 7
Plage Erromardie	3 BDKLQ BDFKNQRSU 8
⏰ 4 Apr - 1 Nov	4 BDFHINOP ELUVW 9
☎ +33 (0)5-59260774	5 ACDEFGILM BDGHIJPST10
@ info@chadotel.com	B 10A CEE ① €33,50
📍 N 43°24'26'' W 1°38'19''	4 ha 70T(80-100m²) 146D ② €41,30

🚗 A63 Bayonne-St.Sébastian, Aus St. Jean-de-Luz (Nord). Dann Ri. St. Jean-de-Luz über die D810. Nach etwa 1 km re. zum Plage Erromardie. Der Straße folgen und kurz hinter dem 1. CP auf der linken Seite nach re. CP ausgeschildert.

St. Jean-de-Luz, F-64500 / Aquitaine 〈CC€14〉 iD

⛺ Itsas Mendi****	1 ADEJMNOPQRST ABCDFGHIKMNPQRSX 6
🏠 115 chemin de Duhartia-Acotz	2 AEFHOPTUVXY ABDEFGH 7
⏰ 27 Mär - 31 Okt	3 BDEFKLMQT ABCDEFJKNOQRSV 8
☎ +33 (0)5-59265026	4 BCDEFHKLMNOPQRTUX EKLVWXZ 9
@ itsas@wanadoo.fr	5 ACDEFGJKL ABGHIJNPHVZ10
	B 10A CEE ① €45,00
📍 N 43°24'50'' W 1°37'0''	9 ha 230T(80-100m²) 400D ② €53,50

🚗 N10 Bayonne-St. Jean-de-Luz. 3 km nördlich von St. Jean-de-Luz, Abfahrt 'Acôtz-plages' (A63, Ausfahrt 3 Nord).

St. Jean-de-Luz, F-64500 / Aquitaine 〈CC€14〉 iD

⛺ La Ferme Erromardie****	1 ADFJMNOPRST CDFGKMNOPQX 6
🏠 40 chemin Erromardie	2 AEHJKMOPVWXY ABDEFGH 7
⏰ 15 Mär - 30 Sep	3 BFJKLQ CDEFKNORSV 8
☎ +33 (0)5-50263420	4 BDHILNO EUVW 9
@ contact@	5 ABEFGJLM BDEGHIJPST10
camping-erromardie.com	B 16A ① €32,50
📍 N 43°24'20'' W 1°38'30''	2 ha 110T(70-120m²) 51D ② €41,50

🚗 A63 Bordeaux-Bayonne-San Sébastian, Ausfahrt 3 St. Jean-de-Luz Nord. Dann Richtung St. Jean-de-Luz Zentrum und nach ca. 1 km rechts der Strecke zum Plage Erromardie fahren. CP ist weiter angezeigt.

St. Jean-de-Luz, F-64500 / Aquitaine 〈CC€16〉 iD

⛺ Tamaris Plage****	1 ADEJMNOPRST AF 6
🏠 720 route des Plage - Acotz	2 AEFHJKMOPVXY ABDEFGH 7
⏰ 3 Apr - 1 Nov	3 AL ABCDFJKNOQRSV 8
☎ +33 (0)5-59265590	4 HIORU AEHK 9
@ tamaris1@wanadoo.fr	5 ADEGM ABDGHIJPR10
	B 7A ① €34,70
📍 N 43°25'3'' W 1°37'26''	30T(80-120m²) 51D ② €52,70

🚗 A63 Bordeaux Richtung Bayonne. Ausfahrt 3 in St. Jean-de-Luz(Nord) nehmen. Dann die D810 Richtung Bayonne. Nach etwa 2 km links Ausfahrt 'Acotz-plages' nehmen. Dort noch 1,5 km der Beschilderung, die das CP-Schild anzeigt.

St. Jean-Pied-de-Port, F-64220 / Aquitaine 〈CC€16〉 iD

⛺ Narbaïtz - Vacances	1 ADJMNOPRST ABFGN 6
Pyrénées Basques****	2 CFPVXY BDEFGH 7
🏠 route de Bayonne (Ascarat)	3 ALQ CDEFJKNRSV 8
⏰ 25 Apr - 22 Sep	4 AEFILO EJ 9
☎ +33 (0)5-59371013	5 ABDEIKLM BDGHIJNORW10
@ camping-narbaitz@wanadoo.fr	B 10A ① €38,30
📍 N 43°10'39'' W 1°15'34''	H150 2,8 ha 101T(80-100m²) 30D ② €48,80

🚗 A63 Ausfahrt 5 Bayonne-Sud. Danch die D932 und über Ustaritz und Cambo-les-Bains nach St. Jean-Pied-du-Port fahren. 2,5 km vor der Stadt in Ascarat liegt der CP rechts von der D918 in der Kurve.

St. Pée-sur-Nivelle, F-64310 / Aquitaine 〈CC€14〉 iD

⛺ d'Ibarron***	1 ADJMNOPRT ABF 6
🏠 D918	2 ACOPVWXY ABDEFGH 7
⏰ 1 Mai - 30 Sep	3 BELQ ABCDEFJKNORSV 8
☎ +33 (0)5-59541043	4 FHIO EU 9
@ camping.dibarron@	5 ABEFLM BFGHIJPST10
wanadoo.fr	B 10A ① €27,20
📍 N 43°21'28'' W 1°34'29''	3 ha 119T(80-130m²) 23D ② €36,55

🚗 A63 Ausfahrt 3 St. Jean-de-Luz Nord nehmen. Dann über die D810 Richtung St. Jean-de-Luz. Kurz vor dem Zentrum links ab in Richtung Ascain und St. Pée-sur-Nivelle. 2 km vor St. Pée liegt der CP am Kreisel und gegenüber dem Intermarché.

Frankreich

Tardets/Abense-de-Haut, F-64470 / Aq. 🛜 ✿ CC€16 iD

▲ du Pont d'Abense**	1 AJMNOPRST	JN 6
🏠 Abense-de-Haut	2 CFJOPWXY	ABDEHIJK 7
🕐 1 Jan - 31 Dez	3	ABCDEFNOQRV 8
☎ +33 (0)5-59285876	4 AEFH	EJ 9
@ camping.abense@wanadoo.fr	5 AKL	BCDGJPTU10
	10A	❶ €24,70
⛰ N 43°6'42'' W 0°51'49''	H220 1,5 ha 50T(90-100m²) 14D	❷ €31,70

🚗 Der D918 folgen bis nach Tardets. Kurz südlich vom Stadtzentrum wird Pont d'Abense angezeigt. Hinter der Brücke liegt der CP rechts. Ⓜ

Urdos, F-64490 / Aquitaine 🛜 iD

▲ Le Gave d'Aspe**	1 AJMNOPQRST	N 6
🏠 N134	2 BCFOPRTUVX	ABDEFK 7
🕐 1 Mai - 15 Sep	3 A	ABCDFHNOPQR 8
☎ +33 (0)5-59348826	4 FI	FI 9
@ campingaspe@gmail.com	5 AL	BGHJORV10
	B 10A CEE	❶ €14,50
⛰ N 42°52'37'' W 0°33'24''	H740 3 ha 80T(80-120m²) 7D	❷ €19,50

🚗 In Pau die N134 Ri. Spanien (Zaragossa). Auf dieser Strecke bis 1,5 km vor Urdos bleiben. CP ist ausgeschildert und liegt zwischen dem alten Bahnhof und der Ortsmitte. Wenn man von der Hauptstraße abfährt, 700m parallel zur Hauptstrasse nach Süden fahren. Ⓜ

Urrugne, F-64122 / Aquitaine 🛜 CC€16 iD

▲ Col d'Ibardin***	1 ADJMNOPRST	ABF 6
🏠 220 route d'Olhette	2 AFPQRTUVY	ABDEFGH 7
🕐 1 Apr - 30 Sep	3 BDEKLQT	ABCDFKNRSTUV 8
☎ +33 (0)5-59543121	4 BDEILNOPQ	ABEJ 9
@ info@col-ibardin.com	5 ACDEFGJKL	BDFGIJNORWZ10
	B 10A	❶ €41,00
⛰ N 43°20'2'' W 1°41'5''	H90 8 ha 105T(80-100m²) 103D	❷ €51,50

🚗 A63 Bayonne-St. Sébastien. Ausf. 2 St. Jean-de-Luz über die B810 (früher N10) Ri. Urrugne/Hendaye. Kurz vor Urrugne am Kreisel Ri. D4 (Col d'Ibardin). Nicht auf den Col hochfahren, sondern am Zollhäuschen li. halten. CP 200m re. der Strecke. Ⓜ

Urrugne, F-64122 / Aquitaine 🛜 CC€16 iD

▲ Larrouleta***	1 ADEJMNOPRST	CDFLMNQ 6
🏠 210 route de Socoa	2 ACDFGHOPRSVWXY	ABDEFGH 7
🕐 1 Jan - 31 Dez	3 BEKLMQ	ABCDFJKNQRSTUV 8
☎ +33 (0)5-59473784	4 FIO	KLT 9
@ info@larrouleta.com	5 ACDEGJKLM	BFGHIJNPR10
	B 5A	❶ €28,00
⛰ N 43°22'13'' W 1°41'10''	10 ha 300T(80-100m²)	❷ €39,50

🚗 Von Bordeaux der A63 Ri. Bayonne-St.Sébastian, Ausfahrt 2 (St. Jean-de-Luz Süd). Danach Ri. Küste und die Corniche Basque fahren. Hinter der Brücke 2. Straße li. nehmen, dann den Schildern folgen. ▲

Urrugne, F-64122 / Aquitaine 🛜 iD

▲ Mendi Azpian***	1 ADJMNOPRT	ABF 6
🏠 route du Col d'Ibardin	2 AFMPVXY	BEFGH 7
🕐 1 Apr - 15 Nov	3 BKLQ	BDFNOQRV 8
☎ +33 (0)5-59543346	4 BDINO	E 9
@ campingmendi-azpian@	5 ABDEFGLM	BHIJPR10
wanadoo.fr	B 10A	❶ €26,90
⛰ N 43°20'8'' W 1°41'31''	3 ha 58T(80-120m²) 59D	❷ €35,60

🚗 A63 Bayonne-St. Sebastián, Ausfahrt 2 St. Jean-de-Luz (Süd). Weiter die D810 Ri. Urrugne-Hendaye. Kurz vor der Orteinfahrt von Urrugne am Kreisel die D4 zum Col d'Ibardin. Der CP liegt nach etwa 4 km rechterhand. Ⓜ

Urrugne, F-64122 / Aquitaine 🛜 CC€16 iD

▲ Suhiberry****	1 ADJMNOPRT	AFN 6
🏠 1575 route de Socoa	2 ACPUVY	ABDEFGH 7
🕐 1 Mai - 30 Sep	3 BEKLMQT	ABCDFNQRSTUV 8
☎ +33 (0)5-59470623	4 BDFIOP	E 9
@ suhiberry@wanadoo.fr	5 ABDEFGIKLM	BGHIJNORW10
	B 10A	❶ €35,10
⛰ N 43°22'46'' W 1°41'28''	4 ha 119T(80-120m²) 56D	❷ €46,80

🚗 Von Bordeaux der A63 Bayonne-St. Sebastián, Ausfahrt 2 St. Jean-de-Luz Sud. Danach Richtung Socoa-Hendaye. Hinter der Brücke die 2. Straße links. Dort den CP-Schildern folgen. Ⓜ

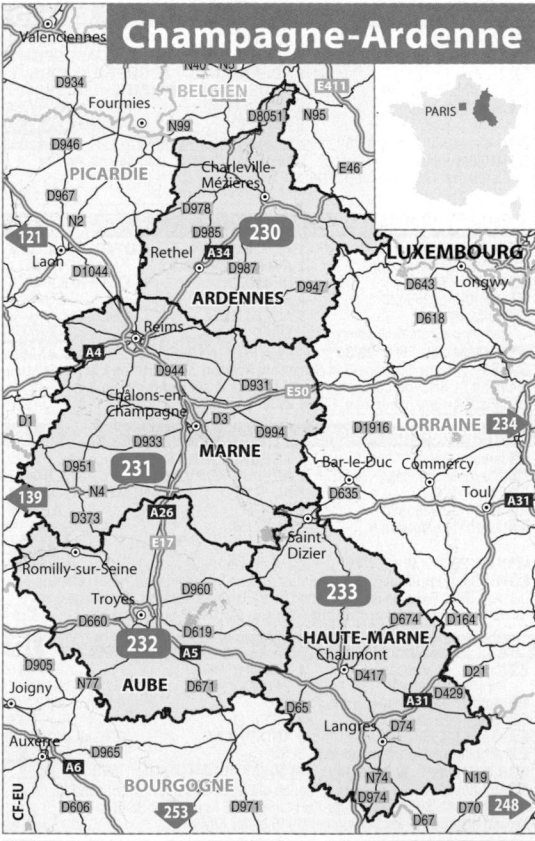

Champagne-Ardenne

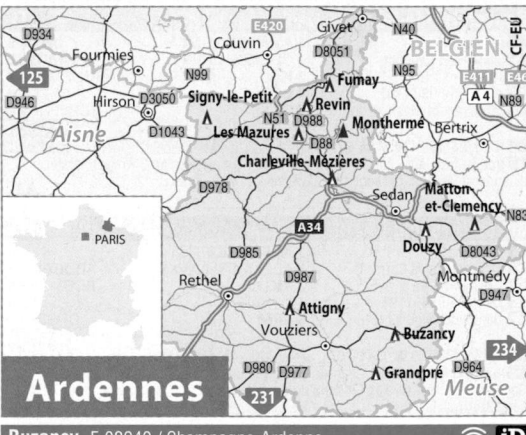

Ardennes

Buzancy, F-08240 / Champagne-Ardenne 🛜 iD

▲ La Samaritaine***	1 ADEJMNOPRT	LMN 6
🏠 3 rue des Étangs	2 CDGHIPRSVWXY	ABDEFGH 7
🕐 18 Apr - 19 Sep	3 ABLQS	ABCDEFGINQRSTUV 8
☎ +33 (0)3-24300888	4 BDFHIO	EJK 9
@ contact@	5 ABDL	FGHIJPRV10
camping-lasamaritaine.fr	B 10A CEE	❶ €20,20
⛰ N 49°25'35'' E 4°56'24''	H200 2,5 ha 106T(80-250m²) 16D	❷ €25,15

🚗 D947 nach Buzancy. Die letzten 3 km in weniger gutem Straßenzustand. Ⓜ

Charleville-Mézières, F-08000 / Champ.-Ardenne 🛜 iD

▲ Mun. du Mont Olympe***	1 ADEJMNOPRST	EFHINXYZ 6
🏠 rue des Pâquis	2 ACPVWXY	ABDEFG 7
🕐 1 Apr - 30 Sep	3 BEKLQ	ABCDEFJKNQRSV 8
☎ +33 (0)3-24332360	4 HIO	9
@ camping-charlevillemezieres@	5 AD	ABFGHKOTUV10
wanadoo.fr	B 10A CEE	❶ €19,55
⛰ N 49°46'44'' E 4°43'15''	H180 2,5 ha 120T(80-180m²)	❷ €23,15

🚗 Im Zentrum der Stadt Richtung Haltestelle (SNCF) fahren. Danach gut ausgeschildert. Ⓜ

Attigny, F-08130 / Champagne-Ardenne iD

▲ Mun. le Vallage**	1 ABDEJMNOPQRST	N 6
🏠 38 chemin de l'Assault	2 GPRSVWXY	ABDEF 7
🕐 1 Apr - 15 Okt	3 ABCLMQ	ABCDFJNTUV 8
☎ +33 (0)3-24712306	4	AHIJTU10
@ camping.levallage@orange.fr	5	
	10A CEE	❸ €15,85
⛰ N 49°29'0'' E 4°34'34''	H84 1,3 ha 69T(60-120m²)	❹ €19,85

🚗 In Attigny die D987 Richtung Charleville, Fluss überqueren und den Schildern nach links folgen. Der CP ist aus allen Richtungen gut ausgeschildert. Ⓜ

Douzy, F-08140 / Champagne-Ardenne 🛜 iD

▲ Municipal du Lac de Douzy***	1 ADEJMNOPRT	HLMN 6
🏠 route de Mouzon	2 ADFGIPSVWXY	ABDEF 7
🕐 1 Mai - 31 Okt	3 AEGHL	ABCDEFNQRSTUV 8
☎ +33 (0)3-24263119	4 OP	J 9
@ campingdouzy@gmail.com	5 ABDEFGIJKLM	ABFHKOST10
	6A CEE	❶ €14,50
⛰ N 49°39'45'' E 5°2'53''	H200 2,2 ha 60T(100-180m²) 5D	❷ €19,50

🚗 Im Zentrum von Douzy ist der CP gut ausgeschildert. Ⓜ

Fumay, F-08170 / Champagne-Arden • iD

🏕 Bellevue**	1 A**JM**NORST N 6
🚐 rue du Trou Gigot	2 CFGPRVWX BDE**FG** 7
🕐 11 Apr - 27 Sep	3 AELQ BCDEFGKNRSV 8
☎ +33 (0)3-24412815	4 H E 9
@ camping.fumay@orange.fr	5 AD HJRVZ10
	B 6A CEE ❶ €11,10
📍 N 49°59'16'' E 4°42'41''	H310 2 ha 60T(80-100m²) 6D ❷ €15,40

🚗 Von Givet N51 nach Fumay. Im Zentrum von Fumay ist der CP ausgeschildert.

Grandpré, F-08250 / Champagne-Ardenne • iD

🏕 Municipal de l'Argonne**	1 A**JM**NOPRST N 6
🚐 rue A. Bastide	2 CPWX ABDE**FGH** 7
🕐 1 Apr - 1 Okt	3 AL**M**Q ABCDFNO 8
☎ +33 (0)3-24305071	4 9
@ mairiegrandpre@wanadoo.fr	5 BHJST10
	10A ❶ €11,45
📍 N 49°20'19'' E 4°52'23''	H195 1,5 ha 70T(80-100m²) 40D ❷ €15,65

🚗 Über die D946 bis Grandpré, dann Richtung Semuc und den CP-Schildern folgen.

Les Mazures, F-08500 / Champagne-Ardenne 📶 (CC€14) iD

🏕 Du Lac des Vieilles Forges***	1 ADE**IL**NOPRST LNQSTXYZ 6
🕐 11 Apr - 15 Sep	2 BDGHRSUVY BE**FGH** 7
☎ +33 (0)3-24401731	3 BEFLQ BDFNRS 8
@ campinglesvieillesforges@	4 BFILO EL 9
homair.com	5 AD ABGHKO**P**RZ10
	B 10A ❶ €18,50
📍 N 49°52'21'' E 4°36'18''	H300 12 ha 300T(80-100m²) 58D ❷ €27,50

🚗 An der D40 von Renwez nach Les Mazures/Revin ist Lac des Vieilles Forges ausgeschildert.

Matton-et-Clemency, F-08110 / Champ.-Ardenne 📶 (CC€16)

🏕 Résidence du Banel*	1 DEJMNOPRST 6
🚐 11 rte du Banel	2 BCPRVWXY BDE**FG** 7
🕐 1 Apr - 31 Okt	3 BLQT ABCDEFLMNRTUV 8
☎ +33 (0)3-24271589	4 H**TU** J 9
@ residence-du-banel-sarl@	5 ADEGIJL BGHIJO**R**10
wanadoo.fr	B 16A CEE ❶ €26,00
	H1000 13 ha 32T(bis 200m²) 50D ❷ €31,10
📍 N 49°40'10'' E 6°10'11''	

🚗 Von Florenville Richtung Bouillon bis 'Barriere de Chasseppierre' (7 km). Weiter links, dann der Beschilderung folgen.

Monthermé, F-08800 / Champagne-Ardenne • iD

🏕 des Rapides de Phade	1 A**JK**NOPQRST 6
🚐 route de Thilay	2 BCGPRVWX BE**FG** 7
🕐 1 Apr - 30 Sep	3 LQ B**FJ**R 8
☎ +33 (0)3-51169907	4 D 9
@ laetitiachevalier@sfr.fr	5 AGI JR10
	B ❶ €14,00
📍 N 49°52'58'' E 4°46'32''	60T 13D ❷ €17,00

🚗 Der Camping liegt an der D31 zwischen Monthermé und Haulmé am Ufer der Semois.

Monthermé, F-08800 / Champagne-Ardenne • iD

🏕 Intercommunal du	1 A**JM**NOPRST N 6
Port Diseur**	2 CFOPRWXY ABDE**FGH** 7
🚐 rue A. Compain	3 L BCD**FJ**NO 8
🕐 12 Apr - 29 Sep	4 FH D 9
☎ +33 (0)3-24530121	5 A BHJR10
	B 6A CEE ❶ €15,50
📍 N 49°52'39'' E 4°44'31''	H140 2,5 ha 60T 3D ❷ €20,30

🚗 Der CP liegt an der D1 von Monthermé Richtung Bogny-sur-Meuse.

Revin, F-08500 / Champagne-Ardenne 📶 iD

🏕 Mun. Les Bateaux***	1 ADE**JM**NOPQRST N**UV** 6
🚐 quai Edgar Quinet	2 CFGOPVWXY BE**FGH** 7
🕐 1 Apr - 31 Okt	3 AEL BCD**FJ**KNQRSV 8
☎ +33 (0)3-24401565	4 E**FH**IO ELQRUV 9
@ campinglesbateaux@	5 AB**L**M BHJORV10
ville-revin.fr	B 6A CEE ❶ €12,05
📍 N 49°56'38'' E 4°37'54''	H320 1 ha 70T(80-100m²) 4D ❷ €14,95

🚗 Auf der D988 in Revin den CP-Schildern folgen.

Signy-le-Petit, F-08380 / Champagne-Ardenne 📶 iD

🏕 Domaine de la Motte*****	1 ADE**FJM**NOPRST EFG 6
🕐 1 Jan - 31 Dez	2 P**V**WXY ABDE**FGH** 7
☎ +33 (0)3-24535473	3 AEGILQ ABDFNRSV 8
@ campingprehugon@	4 BDE**FH**ILOQ**RSTV** EFJU 9
wanadoo.fr	5 AD**E**GJ ABE**G**HIJK**R**RVZ10
	B 6A CEE ❶ €17,50
📍 N 49°54'47'' E 4°17'14''	H242 1,5 ha 70T(80-100m²) 80D ❷ €21,50

🚗 Im Zentrum von Signy-le-Petit den Schildern 'Base de Loisirs' folgen. Der CP liegt auf der Spitze des Hügels.

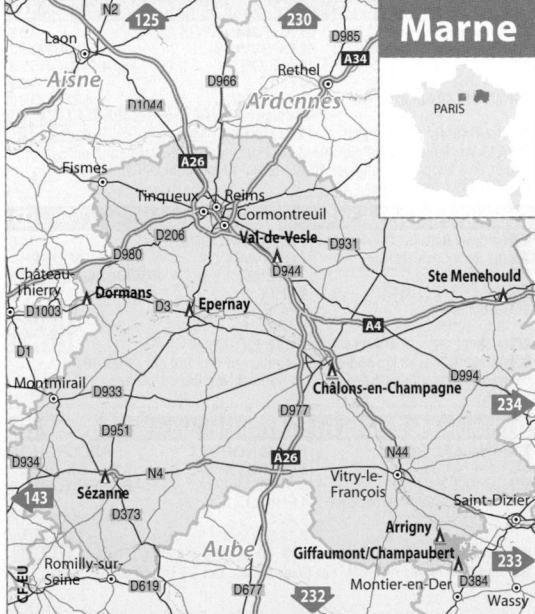

Marne

PARIS

CARAVANING
Jeden Monat NEU am Kiosk

Châlons-en-Champagne, F-51000 / Champ.-Ard. 📶 (CC€16) iD

🏕 Camping de	1 ADE**JM**NOPRS**T** N 6
Châlons-en-Champagne****	2 ADGOPSVWXY ABDE**FGH** 7
🚐 rue Plaisance	3 BEILMQ CDEF**K**NQRSTUV 8
🕐 9 Mär - 8 Nov	4 IO**PQ** EV 9
☎ +33 (0)3-26683800	5 ADEGL ABHJPR10
@ camping.chalons@orange.fr	B 10A ❶ €24,30
📍 N 48°56'9'' E 4°22'59''	H83 7,5 ha 148T(100-120m²) 8D ❷ €29,70

🚗 A26, Ausfahrt 18. Am Ortseingang rechts halten. CP ist ausgeschildert. Von der A4, Ausfahrt 27 zur N44. In Châlons auf die Umgehungsstraße Ausfahrt St. Memmie. CP-Schildern Municipal folgen.

Dormans, F-51700 / Champagne-Ardenne 📶 iD

🏕 Sous le Clocher**	1 AE**JM**NORT ABH**N** 6
🚐 D1 / rte de Vincelles	2 ACGPVX ABD**F** 7
🕐 21 Apr - 29 Sep	3 AEILQ ABDFNOQ 8
☎ +33 (0)3-26582179	4 9
@ guillaumet.dormans1@	5 A FHPST10
orange.fr	B 6A ❶ €13,10
📍 N 49°4'39'' E 3°38'13''	H71 2,5 ha 99T(80-100m²) 60D ❷ €16,50

🚗 Von Château-Thierry der N3 folgen, in Dormans auf die D18, hinter der Brücke gleich rechts abbiegen.

Epernay, F-51200 / Champagne-Ardenne • iD

🏕 Camping d'Epernay**	1 ADE**JM**NOPRST NUXY**Z** 6
🚐 allée de Cumières	2 CDGIOPVWXY ABDE**FGH** 7
🕐 27 Apr - 1 Okt	3 AEF**KLM**QRU ABDEFJNRV 8
☎ +33 (0)3-26553214	4 I LQRUV 9
@ camping.epernay@free.fr	5 ABDEFGILM ABGHIJLNPRV10
	B 5A CEE ❶ €20,90
📍 N 49°3'27'' E 3°57'1''	H110 1,5 ha 109T(90-110m²) ❷ €25,50

🚗 In Epernay den Schildern zum CP folgen.

Arrigny, F-51290 / Champagne-Ardenne 📶 (CC€14) iD

🏕 De la Forêt***	1 ADE**JM**NO**H**I ABFGLMN**Q**RSTX 6
🚐 Presqu'île de Larzicourt	2 BDGHPQRUVWXY BDE**FG** 7
🕐 1 Apr - 30 Sep	3 BELQ BDEFNQRSTV 8
☎ +33 (0)3-26726317	4 FHILO**P** JL 9
@ laforet51@wanadoo.fr	5 ABDFGKL**M** BFIJPRV10
	B ❶ €26,40
📍 N 48°36'14'' E 4°42'55''	H150 4 ha 100T(80-130m²) 25D ❷ €35,20

🚗 Von Vitry-le-Fr. Ri. 'Lac du Der'. Auf D13 ausgeschildert. Nahe Nordseite See. Um Stadt zu umfahren, von Châlons-en-Champagne aus N4 Ri. St. Dizier. Auf halbem Weg Ri. Süden nach Orconte, Larzicourt, Arrigny. Dann ausgeschildert.

Frankreich

Giffaumont/Champaubert, F-51290 / Champ.-Ardenne [iD]

- de la Plage**
- Station Nautique
- 1 Mai - 10 Sep
- +33 (0)6-08513824
- +33 (0)3-26726263
- N 48°33'1'' E 4°46'19''

1 ADEJMNORT	NQRSTVWXYZ	6
2 GHPVXY	ABDE	7
3 LPQ	ABEFNOV	8
4 FH	MOPQRTUVY	9
5 AGIJM	BHIJST	10
6A CEE		① €20,50
1,5 ha 86T(75-120m²) 5D		② €30,30

Von St. Dizier oder Vitry-le-François den Schildern 'Lac de Der' folgen. Dann den Schildern 'L'office de tourisme' und denen zum CP folgen.

Sézanne, F-51120 / Champagne-Ardenne [iD]

- Municipal de Sézanne**
- rte de Launat
- 1 Apr - 30 Sep
- +33 (0)3-26805700
- campingdesezanne@wanadoo.fr
- N 48°43'17'' E 3°42'8''

1 AJMNORT	ABFH	6
2 FGPTUVWX	ABDF	7
3 AELMQ	ABCDFNOQRUV	8
4		9
5 AL	BHIJRWZ	10
B 10A CEE		① €11,30
H185 2,5 ha 70T(100m²) 2D		② €15,45

In und um Sézanne gut ausgeschildert.

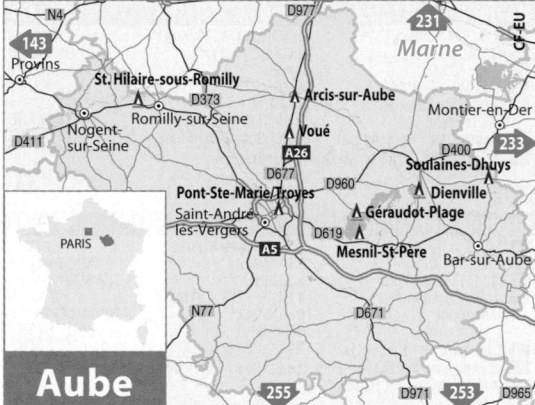

Municipal de Troyes ★ ★ ★

Entdecken Sie Troyes und Sie kommen wieder! • prächtige Landeshauptstadt mit Fachwerk aus dem 12. Jhdt. • Modevielfalt, Kultur und autofrei • beheiztes Schwimmbad, Spielraum, Trampolin, Supermarkt, Bar-Restaurant, Brot... • gratis WiFi • flache Radwege • Rezeption offen von 9.00 - 21.00 Uhr. Rufen Sie Dirk an: 0033-602281695. Willkommen!

7 rue Roger Salengro (N77), 10150 Pont-Ste-Marie/Troyes
Tel. und Fax 03-25810264 • E-Mail: info@troyescamping.net
Internet: www.troyescamping.net

Arcis-sur-Aube, F-10700 / Champagne-Ardenne [wifi] [iD]

- Camping de L'Ile Cherlieu***
- rue de Châlons
- 15 Apr - 1 Okt
- +33 (0)3-25379879
- camping-arcis@hermans.cx
- N 48°32'20'' E 4°8'36''

1 AJMNOPQRST	JNU	6
2 ACGHIJOPQSVWXY	ABDEFG	7
3 Q	ABCDFNQRV	8
4	U	9
5 LM	AHIJPR	10
B 16A CEE		① €21,00
H316 2,5 ha 80T(80-120m²)		② €29,00

Auf der D677 zwischen Châlons-en-Champagne und Troyes, 27 km nördlich der Umgehung Troyes. In Arcis auf der Nordseite der Brücke über die Aube. CP ist ausgeschildert.

Dienville, F-10500 / Champagne-Ardenne [CC€16] [iD]

- Du Tertre***
- route de Radonvilliers
- 20 Mär - 12 Okt
- +33 (0)3-25922650
- campingdutertre@wanadoo.fr
- N 48°20'56'' E 4°31'39''

1 ADEJMNOPQRST	ABFGLNPWXYZ	6
2 DHPSVX	ABDEF	7
3 BELQS	ABCDFNQRTUV	8
4 HIOQ	JUV	9
5 ADEGIKLM	ABHIJLOR	10
B 10A		① €25,25
H125 3,5 ha 102T(100-120m²) 67D		② €31,85

Von Troyes die D960 bis Piney. Dann D11 von Piney nach Dienville. Von Brienne-le-Chateau die D443 in Richtung Vendeuvre-sur-Barse nehmen und bis Dienville fahren. CP liegt gegenüber 'Port Dienville'.

Géraudot-Plage, F-10220 / Champ.-Ardenne [wifi] [CC€14] [iD]

- Les Rives du Lac/L'Epine aux Moines**
- rue de Fort St. Georges, RD43
- 1 Jan - 31 Dez
- +33 (0)3-25412436
- camping.lepineauxmoines@orange.fr
- N 48°18'10'' E 4°20'15''

1 ADEJMNOPQRST	LMNOSXY	6
2 DGHIPRSVWXY	BDEFG	7
3 AIKLQT	BCDFNORSV	8
4 F	ETV	9
5 ABDEFGKLM	CDFIJLNOPSTV	10
10A		① €26,10
3,5 ha 160T(80-120m²) 17D		② €33,60

Von Troyes D960 Richtung Piney. In oder vor Piney abfahren nach Geraudot. Von der D619 Troyes - Bar-sur-Aube Richtung Norden. D1 in Lusigny oder D79/D43 in Vendeuvre nach Geraudot. Liegt an der Nordseite von Lac d'Orient.

Ste Menehould, F-51800 / Champagne-Ardenne [wifi] [iD]

- Domaine de la Grelette**
- chemin de l'Alleval
- 1 Mai - 30 Sep
- +33 (0)3-26602476
- domainedelagrelette@gmail.com
- N 49°5'22'' E 4°54'34''

1 ADEJMNOPRST	N	6
2 ACGPWXY	ABDE	7
3 A	ABDEFNQR	8
4 F	EJ	9
5	AHJNOSTW	10
10A CEE		① €11,00
H143 2 ha 38T(100-110m²) 12D		② €17,00

Vom Ste Ménehould Zentrum N3 Richtung Verdun, ca. 1 km. Gut ausgeschildert.

Val-de-Vesle, F-51360 / Champagne-Ardenne [iD]

- Intercommunalité Val de Vesle**
- 8 rue du Routoir
- 1 Apr - 15 Okt
- +33 (0)3-26039179
- valdevesle.camping@orange.fr
- N 49°10'1'' E 4°12'51''

1 ADEJMNOPRST	N	6
2 CFGPRWXY	ABDE	7
3 LQ	ABCDFJNR	8
4		9
5 AL	BHIJR	10
B 10A CEE		① €13,70
H180 1,2 ha 50T(100m²)		② €18,50

Von Reims die RD944, beim 2. Schild in Val-de-Vesle links ab bei einem Getreidesilo. CP ist gut ausgeschildert.

Stellen Sie eine Beurteilung über die besuchten Campingplätze ein.
www.EUROCAMPINGS.eu

Mesnil-St-Père, F-10140 / Champagne-Ardenne [iD]

- Kawan Village-Lac d'Orient
- 17 route du Lac
- 4 Apr - 26 Sep
- +33 (0)3-25406185
- info@camping-lacdorient.com
- N 48°15'48'' E 4°20'48''

1 ADEJMNOPQRST	ABEFGNQRSTXYZ	6
2 GHPRSVWXY	ABDEFGH	7
3 BEL	ABCDFJKNQRSTUV	8
4 FHLO		9
5 ABEFGIM	ABFHKOR	10
B 10A CEE		① €35,00
4 ha 170T(80-160m²) 20D		② €47,30

D619 Troyes - Bar-sur-Aube, D43 Richtung Norden (zwischen La Villeneuve-au-Chêne und Lusigny-sur-Barce) nach Mesnil-St-Père. CP liegt an der Südseite des Lac d'Orient an der D43.

Pont-Ste-Marie/Troyes, F-10150 / Champ.-Ardenne [wifi] [iD]

- Municipal de Troyes***
- 7 rue Roger Salengro (N77)
- 1 Apr - 15 Okt
- +33 (0)3-25810264
- info@troyescamping.net
- N 48°18'40'' E 4°5'50''

1 ADEJMNOPRST	AB	6
2 OPSVWXY	ABDEFGH	7
3 BCLQST	BDEFKNQRSV	8
4 HOQ	V	9
5 ABFGIKL	ABFHJOR	10
Anzeige auf dieser Seite B 10A CEE		① €25,30
4 ha 150T(80-150m²)		② €34,10

A26, Ausfahrt Troyes/Pont-Ste-Marie, danach den CP-Schildern Municipal folgen. Aus anderen Richtungen Richtung Pont-Ste-Marie fahren. In der Stadt den Schildern folgen.

Soulaines-Dhuys, F-10200 / Champagne-Ardenne [wifi] [iD]

- La Croix Badeau***
- rue de la Croix Badeau
- 1 Apr - 30 Sep
- +33 (0)3-25270543
- responsable@croix-badeau.com
- N 48°22'37'' E 4°44'14''

1 ADEJMNOPRS	A	6
2 PSUVWXY	ABDEFH	7
3 BELMQ	ABCDFJNOQRTUV	8
4 FHO	DJUV	9
5 ADEGL	BHIJOR	10
B 15A		① €19,00
1,2 ha 40T(100-140m²) 6D		② €25,80

Auf der D384, 13 km südlich von Montier-en-Der. Auf der D960, 15,5 km östlich von Brienne-le-Château. 17 km nördlich von Bar-sur-Aube.

St. Hilaire-sous-Romilly, F-10100 / Champ.-Ard. [wifi] [CC€16] [iD]

- La Noue des Rois
- 1 Jan - 31 Dez
- +33 (0)3-25244160
- contact@lanouedesrois.com
- N 48°31'32'' E 3°39'53''

1 ADILNOPRST	ABCDFGHQ	6
2 DGIPSVX	ABDEFG	7
3 ABEILMQ	ABCDFIJNORTU	8
4 FHINO	E	9
5 ABD	ABFGHIJLOR	10
B 16A		① €30,00
H73 30 ha 250T(120-200m²) 180D		② €42,00

Der D619 Troyes - Romilly-sur-Seine folgen. Der CP ist gut ausgeschildert.

Voué, F-10700 / Champ.-Ardenne [iD]

- Camping de la Barbuise*
- D677
- 1 Jan - 31 Dez
- +33 (0)3-25375095
- N 48°27'58'' E 4°7'38''

1 AJMNOPQRST		6
2 APWX	AD	7
3 L	AEFNV	8
4		9
5 GLM	HJST	10
4A		① € 9,00
5 ha 50T		② €13,50

An der D677 zwischen Troyes (17 km) und Arcis-sur-Aube (9 km) etwas nördlich von Voué an der Ostseite der Straße.

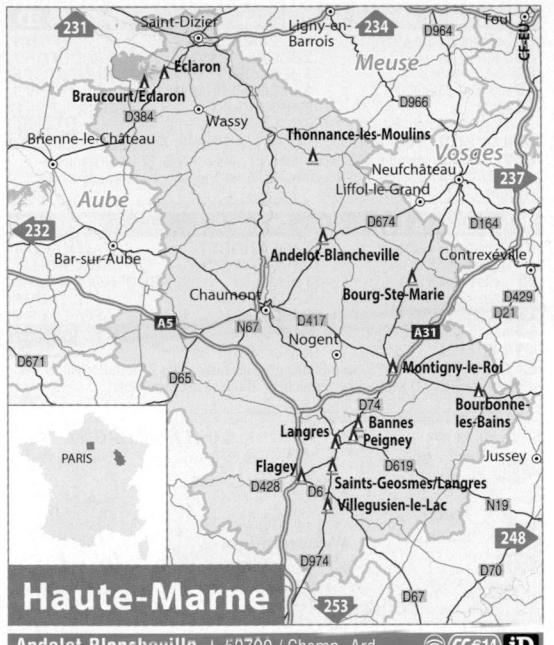

Haute-Marne

Bourg-Ste-Marie, F-52150 / Champ.-Ard. 📶 CC€14 iD

⛺ Les Hirondelles***	1 ADEJMNOPRST	6
🏠 rue du Moulin de Dona	2 AFPSVWX	ABDEFGHI 7
📅 1 Feb - 22 Dez	3 BLQ	ABCDEFJNQRSTUV 8
☎ +33 (0)3-10206164	4 IO	FJV 9
@ contact@	5 ABL	AFGHIJMNORV10
camping-les-hirondelles.eu	B 10A CEE	➊ €17,10
		➋ €23,10
📍 N 48°10'20'' E 5°33'4''	H347 4,6 ha 44T(100-180m²) 11D	

🚗 Von der A31 Ausfahrt 8.1 Bourmont zur N74. CP liegt 800m hinter Bourg-Ste-Marie. Ⓜ

Braucourt/Eclaron, F-52290 / Champagne-Ardenne 📶 iD

⛺ Presqu'île de	1 ADEJMNOPQRST	LMNPQRSTWX 6
Champaubert****	2 DJPRSVWXY	ABDEFG 7
📅 12 Apr - 18 Nov	3 ALM	ABCDEFNQRSV 8
☎ +33 (0)3-25041320	4 FHILO	EV 9
@ ilechampaubert@free.fr	5 ABDFG	BFHIJPST10
	B 16A	➊ €25,60
		➋ €35,60
📍 N 48°33'14'' E 4°47'33''	3,5 ha 49T(80-120m²) 120D	

🚗 An der Süd-Ostseite von Lac du Der-Chantecoq. Zwischen St. Dizier und Montier-en-Der an der D384 Schildern Lac du Der folgen. In Braucourt in der D153 nach Presqu'île de Champaubert/l'Eglise de Campaubert folgen bis zum CP links. Ⓜ

Eclaron, F-52290 / Champagne-Ardenne 📶 iD

⛺ Les Sources du Lac****	1 ADEJMNOPRT	ABFGLMNP 6
📅 18 Apr - 28 Sep	2 BDHPSVWXY	ABDEFGH 7
☎ +33 (0)3-25063424	3 BELQT	ABCDEFJKNQRSTU 8
@ lessourcesdulac@free.fr	4 FHLNX	EV 9
	5 ABEGIL	ABFHIJPR10
	16A CEE	➊ €35,60
		➋ €48,60
📍 N 48°34'19'' E 4°50'56''	3,8 ha 30T(80-100m²) 101D	

🚗 An der Nord-Ostseite des Sees und westlich der D384 zwischen St. Dizier und Montier-en-Der ca. 3 km südlich von Eclaron. Der CP ist ausgeschildert. Ⓜ

Flagey, F-52250 / Champagne-Ardenne 📶 CC€14 iD

⛺ Ferme de la Croisée	1 ADEJMNOPRST	6
🏠 3 route de Auberive	2 APSVWX	ABDE 7
📅 1 Mär - 31 Okt	3 AEFQ	ABCDEFNRV 8
☎ +33 (0)3-25880126	4	9
@ yannick.duronne52@orange.fr	5 ABDGIL	DFGHIJPST10
	B 10A CEE	➊ €17,00
📍 N 47°47'43'' E 5°13'58''	5 ha 106T(90-130m²)	

🚗 A31 Ausfahrt 6 Richtung Langres über die D420. CP liegt links der Straße nach 1 km. Ⓜ

Andelot Blancheville, F-52700 / Champ.-Ard. 📶 CC€14 iD

⛺ Le Moulin***	1 ADEJMNORST	CN 6
🏠 5 rue du Moulin	2 CPRVWXY	ABDEFG 7
📅 1 Mär - 15 Okt	3 AILQS	ABCDFNQRT 8
☎ +33 (0)3-25306948	4 BCDFHLO	AE 9
@ info@lemoulin-andelot.com	5 ADEFGJ	ADGHIJNOR 10
	B 10A	➊ €26,00
		➋ €36,00
📍 N 48°15'8'' E 6°17'00''	H350 2,8 ha 57T(80m²) 7D	

🚗 Andelot liegt an der D674 Neufchâteau-Chaumont. CP im Zentrum von Andelot deutlich ausgeschildert. Camping nur 500m von Route Nationale Ⓜ

Bannes, F-52360 / Champagne-Ardenne 📶 CC€16 iD

⛺ Hautoreille	1 ADEJMNOPRST	6
🏠 6 rue Boutonnier	2 PRVWXY	ABDEF 7
📅 2 Jan - 30 Nov	3 BQ	ABCDFJNQRSV 8
☎ +33 (0)3-25848340	4	DV 9
@ campinghautoreille@orange.fr	5 ABEGI	ADFGHIJPR 10
	10A CEE	➊ €19,90
		➋ €25,90
📍 N 47°53'42'' E 5°23'41''	H450 3,5 ha 100T(100-150m²) 12D	

🚗 Von Süden (A31: Ausfahrt 7) über N19 10 km Ri. Langres. An der Ampel vor Langres li. Ri. Neufchâteau über D74 nach Bannes. Von Norden(A31: Ausfahrt 8) über D74, Ri. Langres. 15 km. Ausgeschildert. Ⓜ

Langres, F-52200 / Champagne-Ardenne 📶 iD

⛺ Navarre	1 AJMNOPRST	6
🏠 9 bd Mar. de Lattre de Tassigny	2 AFPRWX	ABDE 7
📅 14 Mär - 2 Nov	3 A	ABCDEFJNRSUV 8
☎ +33 (0)3-25073792	4	9
@ campingnavarre@free.fr	5	AKOR 10
	Anzeige auf dieser Seite B 10A	➊ €16,90
📍 N 47°51'37'' E 5°19'47''	H465 1,8 ha 60T(80-100m²)	➋ €20,50

🚗 Langres Centre-Ville folgen, durch das Tor des Moulins und danach den CP-Schildern folgen. Keiner anderen Straße folgen, wegen zu enger Gassen in der Stadt. Ⓜ

Bourbonne-les-Bains, F-52400 / Champ.-Ardenne 📶 iD

⛺ Montmorency***	1 ADEJMNOPRST	6
🏠 rue du Stade / BP 7	2 FPRSTVWXY	ABDEFG 7
📅 22 Mär - 31 Okt	3 AQ	BCDFNRV 8
☎ +33 (0)3-25900864	4 FH	DEL 9
@ c.montmorency@wanadoo.fr	5 BGL	BGHIJOR 10
	6-10A CEE	➊ €18,60
		➋ €24,40
📍 N 47°57'26'' E 5°44'25''	H270 4 ha 75T(85-150m²) 12D	

🚗 Im Zentrum Bourbonne-les-Bains den Schildern (i) Montmorency folgen. Danach den Schildern nach. Ⓜ

Montigny-le-Roi, F-52140 / Champ.-Ardenne 📶 CC€14 iD

⛺ Du Chateau***	1 ADEJMNOPRST	6
🏠 rue Hubert Collot	2 AFPPRTUWXY	ABDE 7
📅 15 Apr - 30 Sep	3 BLMQ	ABCDFNQR 8
☎ +33 (0)3-25873893	4 F	9
@ campingmontigny52@	5 ABD	FGHIJOPR 10
wanadoo.fr	B 6-10A CEE	➊ €22,20
		➋ €29,60
📍 N 48°0'3'' E 5°29'47''	H400 6 ha 75T(90-110m²)	

🚗 A31 Ausfahrt 8 Montigny-le-Roi, Richtung Zentrum, CP ab hier gut ausgeschildert. Ⓜ

Peigney, F-52200 / Champagne-Ardenne 🛜 ⚙ (CC€16) iD

🏕 Le Lac de la Liez*****	1 ADEJMNOPRST	AEFHLMNQSWXYZ 6
🏠 rue des Voiliers	2 DFGHIPSTUVWXY	ABDEFGH 7
🕐 1 Apr - 30 Sep	3 BEHLMQRT	ABCDEFJKLNQRSTUV 8
☎ +33 (0)3-25902779	4 BDFHILOPQTU	EJMOPQRTUV 9
@ contact@camping-liez.fr	5 ACDEFGJL	BFGHIJNPRZ10
	B 10A CEE	① €34,90
🗺 N 47°52'19'' E 5°22'50''	6 ha 185T(90-140m²) 28D	② €43,90

🚗 Von Langres N19 Richtung Vesoul. Oder D74 Richtung Montigny. Den CP-Schildern folgen.

Thonnance-les-Moulins, F-52230 / Champ.-Ard. 🛜 ⚙ (CC€16) iD

🏕 La Forge de Ste Marie*****	1 ADEJMNOPRST	EFGN 6
🏠 D427	2 BCGPSUVWXY	ABDEFGH 7
🕐 18 Apr - 4 Sep	3 BEHLQRT	ABCDFIJKNQRSTUV 8
☎ +33 (0)3-25944200	4 ABDEFHIKLOPQU	EIV 9
@ info@	5 ABDEFGJKL	ABDFGHIJPRV10
laforgedesaintemarie.com	B 6-10A CEE	① €40,10
🗺 N 48°24'23'' E 5°16'16''	H250 11 ha 144T(100-200m²) 55D	② €50,10

🚗 Von Joinville über die D60 nach Thonnance-les-Joinville (2 km), dann über die D427 durch Poissons und Noncourt Richtung Thonnance-les-Moulins (10 km).

Saints-Geosmes/Langres, F-52200 / Champ.-Ard. (CC€14) iD

🏕 La Croix d'Arles***	1 ADEJMNOPRST	AF 6
🏠 route de Dijon	2 ABPRVWXY	ABDEFGH 7
🕐 15 Mär - 31 Okt	3 BILQ	ABCDEFNRS 8
☎ +33 (0)3-25882402	4 FHILOPQTU	AEF 9
@ croix.arles@yahoo.fr	5 ABDEGIKL	ADGHIJLORV10
	B 10A CEE	① €21,90
🗺 N 47°48'47'' E 5°19'16''	H420 7 ha 100T(85-100m²) 30D	② €27,90

🚗 Von der A31 Ausfahrt 6 Langres-Sud. D428 Richtung Langres, dann die D974 Richtung Dijon. Nach 2 km findet man den CP rechts; ist gut ausgeschildert.

Villegusien-le-Lac, F-52190 / Champ.-Ard. 🛜 (CC€14) iD

🏕 Camping du Lac de la	1 ADEILNORST	ALNQRST 6
Villegusien***	2 ADGPRTVWXY	ABDEFGHJ 7
🏠 rue le Bocage	3 BLMQ	ABCDFNOQRSTUV 8
🕐 1 Jan - 31 Dez	4 FHIO	UV 9
☎ +33 (0)7-70058719	5 ABDEGILM	AFGHIJLPR10
@ richard-emmanuel@hotmail.fr	B 16A CEE	① €19,90
🗺 N 47°44'24'' E 5°18'23''	H240 2 ha 80T(100m²)	② €25,90

🚗 Von der A31 Ausfahrt 5, vom Süden die Ausfahrt 6 oder 7, vom Norden ist der CP über die RN74 Dijon-Langres erreichbar. Deutlich ausgeschildert.

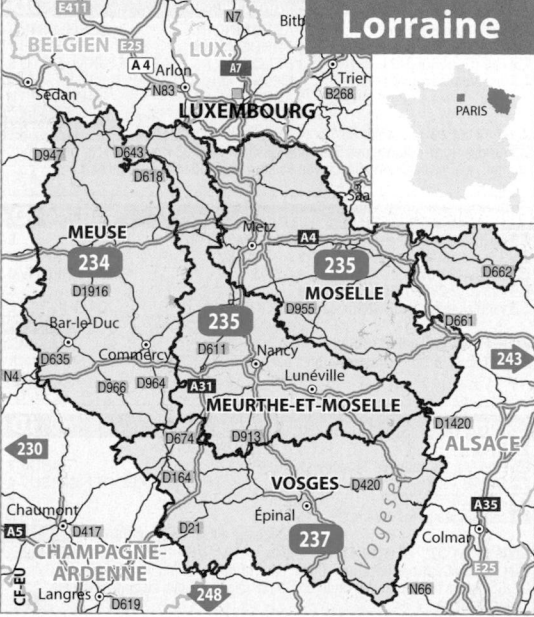

Varennes-en-Argonne, F-55270 / Lorraine 🛜 iD

🏕 Le Paquis**	1 AJMNOPRST	N 6
🏠 rue Saint Jean	2 COPWXY	ABDEF 7
🕐 5 Apr - 12 Okt	3 A	ABCDFNR 8
📠 +33 (0)3-29807143	4	DE 9
	5 AIJOPR	10
	16A	① €12,05
🗺 N 49°13'46'' E 5°2'4''	H136 1,5 ha 80T(80-150m²) 28D	② €16,00

🚗 An der D946 in Varennes-en-Argonne den CP-Schildern folgen. Große Caravans und Reisemobile müssen kurz vor dem CP das Einfädelverbot ignorieren (Kurve nach recht zu eng).

Verdun, F-55100 / Lorraine 🛜 (CC€14) iD

🏕 Les Breuils***	1 ADEJMNOPRST	ABFHN 6
🏠 allée des Breuils	2 ACDGOPRVXY	ABDEFGH 7
🕐 15 Mär - 15 Okt	3 BEFLQ	ABCDFNPRSUV 8
☎ +33 (0)3-29861531	4 I	ELUV 9
@ contact@	5 ACDGILM	BDGHIJMNOR10
camping-lesbreuils.com	B 6A CEE	① €23,55
🗺 N 49°9'14'' E 5°21'56''	H199 5,5 ha 162T(80-100m²) 24D	② €31,55

🚗 Nach der Ausfahrt Verdun, Richtung Verdun, beim Kreisverkehr erste links fahren. Ca. 3 km weiter deutlich ausgeschildert.

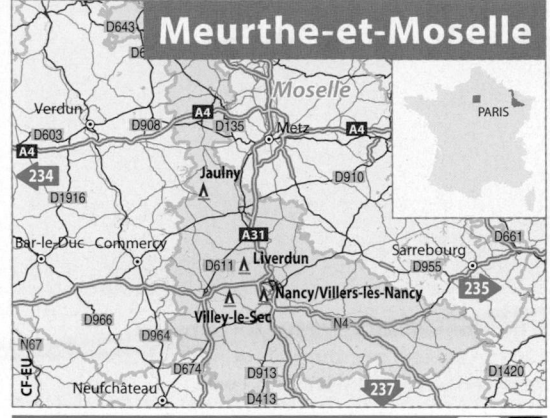

Meurthe-et-Moselle

Liverdun, F-54460 / Lorraine — 📶 CC€12 iD

⛺ Les Boucles de la Moselle**	1 ADE**JM**NOPQRS**T**	AM**N** 6
📧 7 avenue Eugène-Lerebourg	2 CGIOPRWXY	ABDEF 7
📅 1 Mai - 30 Sep	3 AE**KLM**	ABFNRV 8
☎ +33 (0)3-83244378	4 FH	DPUV 9
@ contact@	5 ABDEG**LM**	ABGHIL**O**RW10
lesbouclesdelamoselle.com	B 6A CEE	➊ €18,80
🗺 N 48°44'51'' E 6°3'28''	3,5 ha 165T(70-90m²) 22D	➋ €25,60

🚗 A31 Nancy, Ausf. 25, Ri. Pompey. Nach 1,2 km re. (D907) nach Saizerais. Dort li. nach Liverdun und Schildern folgen. Oder: Toul (A31), Ausf. 16. Am Kreisel D191 Ri. Fontenoy-sur-Moselle. Dann über Villy/St. Etienne nach Liverdun und den Schildern folgen. ⛺

Nancy/Villers-lès-Nancy, F-54600 / Lorraine — 📶 CC€14 iD

⛺ Campéole Le Brabois***	1 ADE**JM**NOPQRST	6
📧 2301 avenue Paul Muller	2 AOPRSVWXY	ABDE**FG**HIJ 7
📅 4 Mai - 14 Okt	3 BELQT	ABCDEFJNQRSV 8
☎ +33 (0)3-83271828	4 IO	E 9
@ brabois@campeole.com	5 ABDEGI	ABCDGHIJL**NP**RVZ10
	B 15A CEE	➊ €21,40
🗺 N 48°39'26'' E 6°8'25''	H370 4 ha 185T(70-100m²) 16D	➋ €33,80

🚗 Die A33 an der Ausfahrt 2B (Brabois) verlassen. Links einordnen, um an der Kreisel links ab zu biegen. Danach den CP-Schildern folgen. ⛺

Jaulny, F-54470 / Lorraine — CC€14 iD

⛺ Camping de la Pelouse**	1 ADE**IL**NORST	AB**J**N 6
📧 chemin de Fey	2 CPRSTVWXY	ABD**FG** 7
📅 28 Mär - 4 Okt	3 AQ	ABCDFNR 8
☎ +33 (0)3-83819167	4 I	D**J** 9
@ campingdelapelouse@	5 ABDGIK**L**	DHKRZ10
orange.fr	6A CEE	➊ €22,15
🗺 N 48°57'57'' E 5°53'7''	H340 3 ha 87T(110-115m²) 20D	➋ €28,35

🚗 A31 Ausfahrt 31 Ri. Ars-sur-Moselle via D6. Danach D91 Ri. Arnaville, dann D952 Ri. Onville. D28 weiter bis Jaulny und den CP-Schildern folgen. ⛺

Villey-le-Sec, F-54840 / Lorraine — 📶 CC€14 iD

⛺ Villey-le-Sec***	1 ADE**JM**NOPRST	N**X** 6
📧 34 rue de la Gare	2 ACGPRVWX	ABDE**FG** 7
📅 1 Apr - 15 Okt	3 BGLQT	ABCDFJKNRSTUV 8
☎ +33 (0)3-83636428	4 O	EJLY 9
@ info@campingvilleylesec.com	5 ACDEFGJ	BDHKL**O**RVWX10
	B 6-10A CEE	➊ €21,55
🗺 N 48°39'10'' E 5°59'33''	H213 3 ha 90T(90-120m²) 5D	➋ €28,05

🚗 Von Nancy: A31, Ausfahrt 15. Nach 1 km im Kreisel am Supermarkt Leclerc die 2. Straße D909 Richtung Villey-le-Sec nehmen. Nach 4 km in Ort den Schildern 'Camping/Base de Loisirs' folgen. ⛺

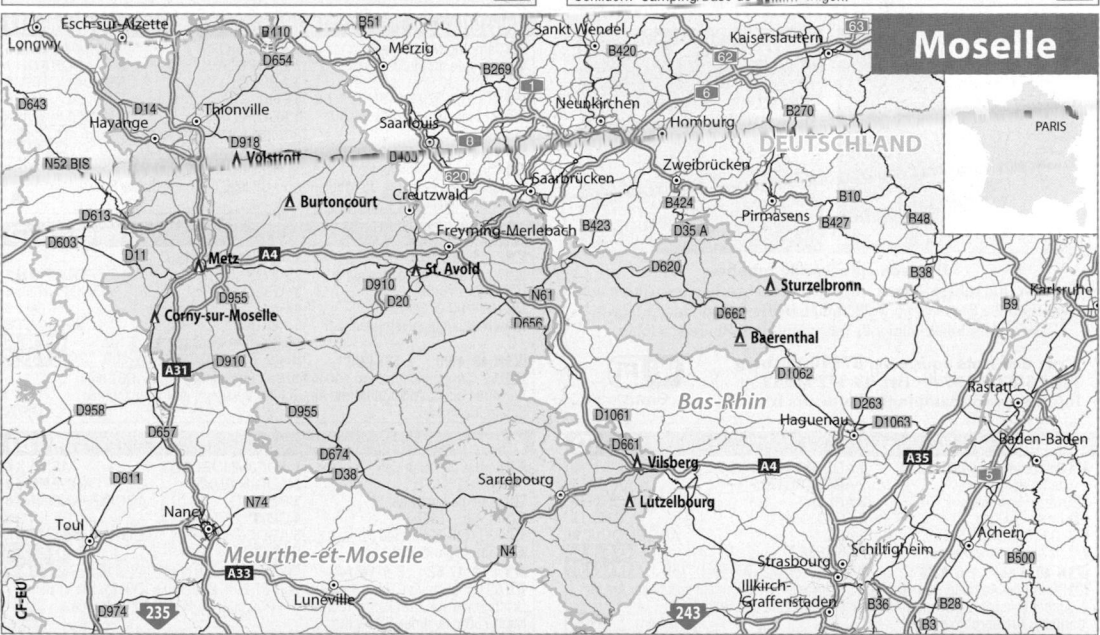

Moselle

Baerenthal, F-57230 / Lorraine — 📶 CC€16 iD

⛺ Ramstein Plage***	1 ADE**JM**NOPRST	ABL**MN** 6
📅 1 Apr - 30 Sep	2 DGPRVX	ABDE**FG**H 7
☎ +33 (0)3-87065073	3 BEMQ	BDFNRST 8
@ camping.ramstein@	4 BEFHIO	FT 9
wanadoo.fr	5 DEFIJL	ABDGHIJ**P**RVZ10
	Anzeige auf Seite 237 B 10A CEE	➊ €22,60
🗺 N 48°58'53'' E 7°30'53''	H250 12 ha 100T(100m²) 317D	➋ €30,80

🚗 Von Sarreguemines D662 Richtung Haguenau. Bei Phillipsbourg rechts ab auf die D36 nach Baerenthal. Der Beschilderung folgen. ⛺

Corny-sur-Moselle, F-57680 / Lorraine — 📶 iD

⛺ Le Paquis**	1 AD**JM**NOPQRST	N**X**YZ 6
📧 rue de la Moselle	2 ACPVWX	BDEF 7
📅 1 Mai - 1 Okt	3 AELQ	BFJNR 8
☎ +33 (0)3-87520359	4 IO	9
@ lepaquis@yahoo.fr	5 ADEGKLM	BCHIN**P**R10
	B 6A CEE	➊ €16,50
🗺 N 49°2'2'' E 6°3'33''	H50 1 ha 120T(80-100m²) 20D	➋ €23,30

🚗 A31 Metz-Nancy Ausfahrt 29 Richtung Féy über die D66. Dann nach Corny-sur-Moselle. Im Kreisel rechts. CP ist deutlich angezeigt. ⛺

Burtoncourt, F-57220 / Lorraine — 📶 CC€16 iD

⛺ La Croix du Bois Sacker**	1 AD**JM**NOPRST	LN 6
📧 D53a	2 BDGHIPVWX	B**F** 7
📅 1 Apr - 18 Okt	3 AELQ	ABDFNORTUV 8
☎ +33 (0)3-87357408	4 BFHIO	EJL 9
@ camping.croixsacker@	5 ABGKLM	BCDHIJLOR10
wanadoo.fr	6A	➊ €19,90
🗺 N 49°13'25'' E 6°23'59''	H300 11 ha 49T(80-120m²) 81D	➋ €25,90

🚗 A4 (nördlich von Metz) Richtung Strasbourg, Ausfahrt 37. D38 Malroy-Chieulles-Vany. Weiter die de D3 Richtung Bouzonville. Nach ± 13 km Richtung Burtoncourt. CP-Schildern folgen. ⛺

Lutzelbourg, F-57820 / Lorraine — 📶 CC€14 iD

⛺ Piscine du Plan Incliné***	1 A**J**LNOPRST	AFM**N**X 6
📧 D98	2 AGOPX	ABD**FG** 7
📅 28 Mär - 18 Okt	3 AEQ	ABCDFJKNR 8
☎ +33 (0)3-87253013	4 EFH	DE 9
@ campingplanincline@	5 ABEGIK	AFG**P**R10
wanadoo.fr	Anzeige auf Seite 236 B 6A CEE	➊ €17,50
🗺 N 48°43'10'' E 7°13'35''	H200 2 ha 45T(100m²) 26D	➋ €23,50

🚗 Von Phalsbourg D38 nach Lutzelbourg. Dort D98 Richtung Dabo. CP liegt kurz vor dem Schiffsaufzug, 2 km außerhalb von Lutzelbourg an der rechten Straßenseite. ⛺

Metz, F-57000 / Lorraine 🛜 iD

▲ Mun. de Metz-Plage***	1 ADJMNOPQRST	EN 6
⌂ allée de Metz-Plage	2 ACGOPVWX	ABDEFG 7
☷ 15 Apr - 1 Okt	3 ALQ	BDFKNRSUV 8
☎ +33 (0)3-87682648	4	9
@ campingmetz@mairie-metz.fr	5 ABDEILM	AFHIKNORVZ10
	B 16A CEE	❶ €21,10
▲ N 49°7'24'' E 6°10'11''	H50 3,5 ha 180T(80-100m²)	❷ €25,30

🚗 A31, Ausfahrt 33 Pontifroy/Metz Nord, dann den CP-Schildern folgen.

Camping Les Bouleaux ★ ★ ★

Deutsch sprechende Inhaber
Schöner und ruhiger Naturcamping mit sehr großen Stellplätzen auf welchen wir Sie herzlich willkommen heißen. Zwei Sanitärblocks, Bar, Speiselokal, Minigolf, Tischtennis und Kinderspielplatz.

5 rue des Trois Journaux, 57370 Vilsberg
Tel. 03-87241872 • Fax 03-87244652
Internet: www.campinglesbouleaux.fr

 WiFi Gratis

Sturzelbronn, F-57230 / Lorraine 🛜 CC€16 iD

▲ Camping Muhlenbach****	1 ADEILNORT	LMNXZ 6
⌂ 10 route du Muhlenbach	2 DFHPRUVX	ABDEFGH 7
☷ 1 Apr - 30 Sep	3 ABELQS	ABCDFNQRSV 8
☎ +33 (0)3-87062015	4 FHI	AEF 9
@ camping@muhlenbach.com	5 ACDFG	AGHIJLNOR10
	Anzeige auf dieser Seite B 6A CEE	❶ €23,50
▲ N 49°3'56'' E 7°35'37''	H260 12,5 ha 40T(100m²) 296D	❷ €31,50

🚗 Von Sarreguemines N62 Richtung Haguenau. D35 über Bitche nach Sturzelbronn. Hier Rue du Muhlenbach, CP liegt am Ende dieser Straße.

Vilsberg, F-57370 / Lorraine 🛜 CC€14 iD

▲ Les Bouleaux***	1 ADEJMNOPRST	6
⌂ 5 rue des Trois Journaux	2 APRX	ABDEFGH 7
☷ 1 Apr - 18 Okt	3 AEILQ	ABCDFNRSV 8
☎ +33 (0)3-87241872	4 FIO	DEJ 9
@ info@campinglesbouleaux.fr	5 ADGKL	AHIJOST10
	Anzeige auf dieser Seite B 10A	❶ €18,50
▲ N 48°47'0'' E 7°14'58''	H300 7 ha 85T(100-200m²) 20D	❷ €23,50

🚗 Der Camping liegt 2 km außerhalb von Phalsbourg an der N61 nach Sarreguemines. Nicht abfahren am Schild 'Vilsberg', erst am nächsten Schild 'Camping'.

St. Avold, F-57500 / Lorraine 🛜 iD

▲ Centre International	1 ADEJMNOPQRST	6
de Séjour***	2 ABPRUVWXY	ABDE 7
⌂ rue en Verrerie	3 AKLQ	ABCDEFJNQRTU 8
☷ 1 Jan - 31 Dez	4 FHIO	GHJU 9
☎ +33 (0)3-87927505	5 AGL	ABCHIJORVZ10
@ cis.stavold@wanadoo.fr	B 15A CEE	❶ €19,00
▲ N 49°6'35'' E 6°43'6''	H280 1,2 ha 30T(80-120m²) 18D	❷ €23,00

🚗 Die A4 bei Ausfahrt 39 verlassen, um nach St. Avold hinein zu fahren. An der 2. Ampel links: Rue du Puits. Am Kreisel rechts und den Schildern 'Camping Felsberg' folgen.

Volstroff, F-57940 / Lorraine 🛜 iD

▲ Centre de Loisirs et	1 ADEJMNOPQRT	AFMNX 6
Culture***	2 ADGIPVWXY	ABDEFGJ 7
⌂ route de Luttange	3 BEILMQ	ABCDEFKNORSV 8
☷ 11 Apr - 18 Okt	4 CDIT	EFJLTU 9
☎ +33 (0)3-82569340	5 ABDEGKLM	ABGHIKMNPSTXZ10
@ campingvol@sfr.fr	B 8A CEE	❶ €24,80
▲ N 49°17'52'' E 6°16'14''	H220 5,5 ha 80T(80-110m²) 85D	❷ €24,80

🚗 A31 südlich von Thionville, Ausfahrt 37,2 Ri. Sarrelouis (D918). Hinter dem Ortsbereich von Stuckange rechts (C1) Ri. Volstroff. Weiter Ri. Luttange. Nach 750m liegt der CP rechts.

Ramstein Plage ★ ★ ★

57230 Baerenthal
Tel. 03-87065073 • Internet: www.baerenthal.eu

Frankreich

Von der UNESCO eingestuft als 'Weltreservat Biosphäre'

CAMPING Qualité

Gratis beheiztes Schwimmbad

Prima Sanitär

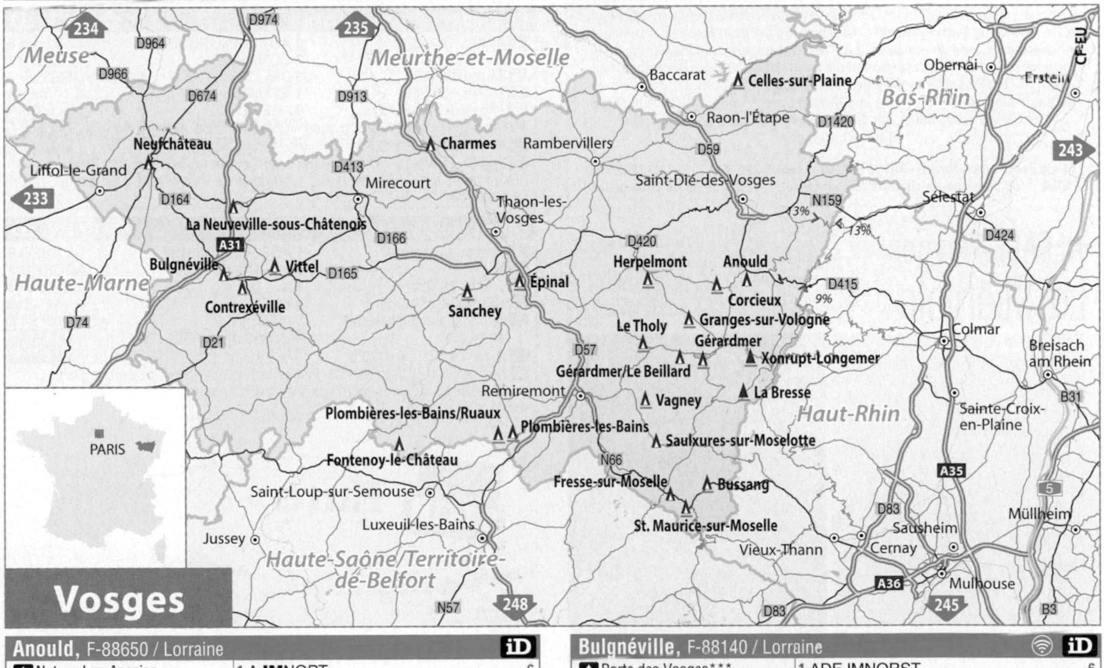

Vosses

Anould, F-88650 / Lorraine · iD

⛺ Nature Les Acacias	1 A**JM**NORT	6
⌂ rue Joanne d'Arc	2 GNPRUVXY	ABDE 7
🕐 15 Jun - 15 Sep	3 AE	ABCDFINRSV 8
☎ +33 (0)3-29571106	4 FHIP	9
@ contact@acaciascamp.com	5 A	AIJR10
	B 10A	❶ €15,50
🏕 N 48°10'34'' E 6°57'15''	H650 2,5 ha 39T(90-140m²)	❷ €21,40

🅿 Der CP liegt in Anould an der RN415 von St. Dié nach Colmar. Nach der Kreuzung mit der D8 nach Gérardmer, auf der rechten Seite den Schildern folgen.

Bulgnéville, F-88140 / Lorraine · 📶 iD

⛺ Porte des Vosges***	1 ADEJMNORST	6
⌂ rte de Suriauville, La grande Tranc	2 ARTWXY	ABDE 7
🕐 1 Apr - 31 Okt	3 AELQ	ABCDFNR 8
☎ +33 (0)3-29091200	4 O	BDH 9
@ contact@	5 ADEGL	GHIJOR10
camping-portedesvosges.com	B 6A CEE	❶ €19,00
🏕 N 48°11'57'' E 5°50'41''	H355 3,5 ha 100T(85m²) 4D	❷ €27,70

🅿 A31, Ausfahrt 9, durch Bulgnéville via D164 Richtung Contrexéville. Den CP-Schildern nach.

Bussang, F-88540 / Lorraine 🛜 (CC€16) iD

▲ Le Domaine de Champé★★★★★	1 ADE**IL**NOPQRST	AB**EFGHIN** 6
📧 14 rue des Champs-Navets	2 CGOPVWXY	ABDE**FG**H 7
🔓 1 Jan - 31 Dez	3 ABCDELMNQRS	BDFGHIJNPQRSTUV 8
☎ +33 (0)3-29616151	4 ABDEFHIKLNO**PRTUVWYZ**	EJUVWZ 9
@ info@	5 ADEFGJKL	ABDFGHIJPRZ10
domaine-de-champe.com	Anzeige auf dieser Seite WB 10A CEE	① €26,80
🏕 N 47°53'20'' E 6°51'27''	H650 5,5 ha 110T(100-120m²) 40D	② €36,80

🚗 CP in Bussang an der RN66 ausgeschildert. Bei der Kirche den CP-Schildern folgen. Ⓜ

Celles-sur-Plaine, F-88110 / Lorraine 🛜 (CC€16) iD

▲ Camping des Lacs★★★	1 ADEJMNOPRST	ABFGJLMN**Q**SUVXY 6
📧 6 Place de la Garde, BP3	2 CDGHPRVX	ABDE**FG**H 7
🔓 15 Apr - 30 Sep	3 ABE**ILMQRSTU**	BDFGJKNORSU 8
☎ +33 (0)3-29412800	4 **ABDFHILNOPQTV**	AFJQRTU 9
@ camping@paysdeslacs.com	5 ABDEIL	ABHIJOR10
	B 10A	① €24,00
🏕 N 48°27'18'' E 6°56'52''	H350 3 ha 127T(75-140m²) 36D	② €35,50

🚗 Von Nancy, zuerst die N4, dann die N59. In Raon-l'Étape 'Lacs de Pierre Percée' folgen. CP in Celles-sur-Plaine ausgeschildert. Ⓜ

Charmes, F-88130 / Lorraine iD

▲ Les Îles★★★	1 AJMNOPRT	JN 6
📧 20 rue de l'Écluse	2 ACPQX	ABDEF 7
🔓 1 Apr - 30 Sep	3 AEI**LMNQ**	ABCDEFNRV 8
☎ +33 (0)6-35126217	4 FI	QRUV 9
@ valerie.vad@gmail.com	5 ABDEK**LM**	GHIJLRZ10
	B 10A CEE	① €14,70
🏕 N 48°22'37'' E 6°17'23''	H300 3,5 ha 67T(100-200m²) 7D	② €20,70

🚗 Von Nancy N57 in Richtung Epinal, bei Charmes Ausfahrt Charmes/Mirecourt (D55), im Ort den CP-Schildern folgen. Ⓜ

Contrexéville, F-88140 / Lorraine 🛜 iD

▲ Le Tir aux Pigeons★★★	1 ADE**JM**NOPQRST	6
📧 rue du 11 Septembre	2 AFPQRSVWXY	ABDE**FG**H 7
🔓 1 Apr - 30 Okt	3 BLQ**R**	ABCDFNQRS 8
☎ +33 (0)3-29081506	4	EFV 9
@ campingletirauxpigeons@	5 ADEI	AIJP**R**10
orange.fr	B 10A CEE	① €20,45
🏕 N 48°10'49'' E 5°53'7''	H400 1 ha 80T(85-90m²) 9D	② €28,45

🚗 Von der A31 Ausfahrt 9, D165 in Richtung Contrexéville (neue Straße) oder D164 (alte Straße). In Contrexéville den CP-Schildern folgen. Ⓜ

Corcieux, F-88430 / Lorraine 🛜 ✿ (CC€14) iD

▲ Sites & Paysages	1 ADE**JM**NOPRST	AN 6
Au Clos de la Chaume★★★	2 CGPRVXY	B**EFG**H 7
📧 21 rue d'Alsace	3 BEL Q**R**	BDFIKNQRSTUV 8
🔓 25 Apr - 20 Sep	4 **EFHIPQ**	AEJ 9
☎ +33 (0)3-29507676	5 ABEK**L**	ABGIJL**PR**10
info@camping-closdelachaume.com	Anzeige auf dieser Seite B 6A	① €24,60
🏕 N 48°10'5'' E 6°53'24''	H570 5 ha 100T(80-150m²) 27D	② €34,10

🚗 Von St. Dié N415 Richtung Gérardmer/Colmar. In Anould rechts Richtung Gérardmer. 3 km weiter rechts Richtung Corcieux. Kurz vor dem Ort auf der rechten Seite. Ⓜ

Épinal, F-88000 / Lorraine 🛜 (CC€16) iD

▲ Parc du Château★★	1 ADEJMNOPQRST	ABFG 6
📧 37 chemin du Petit Chaperon Rouge	2 AOPVWXY	ABDE**FG** 7
🔓 1 Apr - 31 Okt	3 A	ABEFNRV 8
☎ +33 (0)3-29344365	4 FHO	B 9
@ camping.parcduchateau@	5 ADGHIKL	ADHIJNPST10
gmail.com	Anzeige auf Seite 239 10A	① €20,00
🏕 N 48°10'47'' E 6°28'5''	H375 1,7 ha 43T(60-200m²) 6D	② €27,00

🚗 N57 aus Nancy, Ausfahrt C3 'Épinal/Razimont'. Richtung Zentrum. Dann ausgeschildert. CP liegt 400m von der Ausfahrt entfernt, erste Straße rechts. Ⓜ

LES SAPINS ★ ★

★ 200m zum See von Gérardmer.

★ Große Stellplätze.

★ Stimmungsvoll und doch ruhig.

★ Freundlicher Empfang durch die Leitung.

★ Ausgangspunkt für schöne Wanderungen und Fahrradtouren.

★ Vermietung von Wohnwagen (2-5 Personen).

★ Internetmöglichkeit: WiFi.

88400 Gérardmer
Tel. 03-29631501
E-Mail: les.sapins@camping-gerardmer.com
Internet: www.camping-gerardmer.com

GERARDMER
CALME ET DETENTE

Fontenoy-le-Château, F-88240 / Lorraine 📶 iD

⛺ Fontenoy**	1 AJMNOPQRST	6
🏠 11 route de St. Loup	2 PRVWXY	ABDEFGH 7
🕐 15 Apr - 30 Sep	3 AELQ	CDEFNOR 8
☎ +33 (0)3-29363474	4 FHIP	EUV 9
@ marliesfontenoy@hotmail.com	5 BDEGJKL	ABHJORV10
	B 12A CEE	❶ €14,65
⛰ N 47°57'23'' E 6°12'42''	H300 1,2 ha 55T(100m²) 10D	❷ €19,55

🚗 Ab Épinal D434 über Bains-les-Bains nach Fontenoy-le-Château, CP im Dorf ausgeschildert.

Fresse-sur-Moselle, F-88160 / Lorraine iD

⛺ Mun. Bon Accueil**	1 AJMNOPRT	6
🏠 36 ter rue de Lorraine	2 OPRVWX	ABDE 7
🕐 1 Apr - 11 Nov	3 EMQ	AEFNQRV 8
☎ +33 (0)3-29250898	4 FH	9
@ cc-ballons-hautes-vosges-	5	GIIJRZ10
source moselle@orange.fr	16A CEE	❶ € 0,65
⛰ N 47°53'20'' E 0°40'43''	H300 0,5 ha 50T(100m²)	❷ €14,15

🚗 Von Le Thillot der N66 folgen Richtung St. Maurice-sur-Moselle/Mullhouse. Nach 1 km ist der CP mit Stade Municipal ausgeschildert (schräg gegenüber Aldi).

Gérardmer, F-88400 / Lorraine 📶 (CC€14) iD

⛺ Les Sapins**	1 AJMNOPRST	LN 6
🏠 18 chemin de Sapois	2 DGHPVY	ABDE 7
🕐 1 Apr - 10 Okt	3 BEL	ABCDFNOR 8
☎ +33 (0)3-29631501	4 FHIO	EI 9
@ les.sapins@	5 ABDGL	AHIJLNPR10
camping-gerardmer.com	Anzeige auf dieser Seite 10A	❶ €19,65
⛰ N 48°3'48'' E 6°51'21''	H666 1,3 ha 67T(80-120m²) 7D	❷ €26,05

🚗 CP liegt am südlichen Ende der Umgehungsstraße des Sees von Gérardmer (chemin du Tour du Lac, D69).

Gérardmer/Le Beillard, F-88400 / Lorraine 📶 iD

⛺ Les Granges-Bas**	1 ADEJMNORT	6
🏠 116 chemin des Granges-Bas	2 PQRTUVX	ABDEFG 7
🕐 1/1 - 26/10, 11/12 - 31/12	3 BLMQ	ABCDEFJKNRSV 8
☎ +33 (0)3-29631203	4 FHIO	EI 9
@ camping@lesgrangesbas.fr	5 ABKLM	ABFIJLOR10
	WB 6A	❶ €17,00
⛰ N 48°4'11'' E 6°48'26''	H640 2,8 ha 85T(95-160m²) 45D	❷ €22,20

🚗 Von Gérardmer D417 Richtung Remiremont, nach 6 km in Le Costet-Beillard links ab. Danach den Schildern folgen.

Granges-sur-Vologne, F-88640 / Lorraine 📶 (CC€10) iD

⛺ Flower Camping	1 ADEJMNOPRT	LN 6
La Sténiole***	2 CDGPRTUX	ABDEFGH 7
🏠 1 le Haut Rain	3 ABEFLQST	ABCDFGIJNOQRSV 8
🕐 15 Apr - 15 Okt	4 BFHIO	AEHI 9
☎ +33 (0)3-29514375	5 ABDEFGKL	ABGHJLPR10
@ steniole@wanadoo.fr	Anzeige auf Seite 238 B 10A CEE	❶ €22,20
⛰ N 48°7'16'' E 6°49'43''	H720 7 ha 119T(80-200m²) 14D	❷ €28,20

🚗 Von Gérardmer D423 Richtung Granges-sur-Vologne. Kurz vor Granges links ab. Den Schildern folgen.

Parc du Château ★ ★

• leckeres Tagesmenü • neues Sanitär
• gratis WiFi • Schwimmbad offen bis 22:00 Uhr

GPS: N 48°10'47'' E 6°28'5''

37 chemin du Petit Chaperon Rouge, 88000 Épinal
Tel. 03-29344365 • Fax 03-29642803
E-Mail: camping.parcduchateau@gmail.com
Internet: www.parcduchateau.com

Herpelmont, F-88600 / Lorraine 📶 (CC€16) iD

⛺ Domaine des Messires****	1 ADEJMNOPRST	LNX 6
🏠 rue des Messires	2 DHIPQRVXY	ABDEFG 7
🕐 17 Apr - 27 Sep	3 AILQ	CDFNQRSTV 8
☎ +33 (0)3-29585629	4 BFHIO	ABEQ 9
@ mail@	5 ADGL	ADHJOR10
domainedesmessires.com	Anzeige auf dieser Seite B 6A	❶ €28,20
⛰ N 48°10'43'' E 6°44'34''	H450 12 ha 119T(80-100m²) 35D	❷ €36,20

🚗 N57 Ausfahrt zur N420 Richtung St. Dié. Nach 27 km die D423 Richtung Bruyères/Gérardmer. Nach 4 km rechts Richtung Herpelmont/Lac des Messires.

CAMPING "DOMAINE DES MESSIRES" ★★★★

★ Kleiner Campingplatz (12 ha) in unberührter Natur ★ Wunderschöner See (5 ha) mit Sandstrand auf dem Gelände, wo Sie schwimmen und angeln können ★ Bistro am See ★ Niederländisches Personal ★ Circa 350 km von Frankfurt (keine Mautstrecke)

WiFi

88600 Herpelmont • Tel. 03-29585629
E-Mail: mail@domainedesmessires.com
Internet: www.domainedesmessires.com

La Bresse, F-88250 / Lorraine

▲ Belle-Hutte****	1 ADE**JM**NOPR**T**	ABH**N** 6
1 bis Vouille de Belle Hutte	2 CFPRUVX	ABDE**FGH** 7
1/1 - 15/11, 16/12 - 31/12	3 ABLQST	ABCDFJKNQRSV 8
+33 (0)3-29254975	4 FHIO**P**	IJ 9
@ camping-belle-hutte@	5 ABDGK**L**	AGHIJ**NPR**10
wanadoo.fr	Anzeige auf dieser Seite WB 10A	➊ €29,10
N 48°2'6'' E 6°57'45''	H900 3 ha 100T(80-120m²) 32D	➋ €38,50

🚗 In La Bresse nehmen Sie die D34 Richtung La Schlucht. 9 km weiter liegt der CP auf der linken Seite.

La Bresse, F-88250 / Lorraine

▲ Domaine du Haut des	1 ADE**JM**NOPRST	**N** 6
Bluches***	2 CFPUVX	ABDE**FGH** 7
5 rte des Planches	3 ABE**GHL**	ABDFIJKNRS 8
1/1 - 10/11, 11/12 - 31/12	4 FHIOP	GJ 9
+33 (0)3-29256480	5 ABEIL	AFGHIJLNOR10
@ hautdesbluches@labresse.fr	WB 13A CEE	➊ €19,70
N 47°59'56'' E 6°55'5''	H710 4,2 ha 109T(100m²) 51D	➋ €24,10

🚗 In La Bresse die D34 Richtung La Schlucht nehmen. CP liegt 4 km weiter auf der rechten Seite.

La Neuveville-sous-Châtenois, F-88170 / Lorraine

▲ L'Arc en Ciel**	1 ADEJMNOPRST	6
705 rue de la Halle	2 APTVW	ABDE 7
1 Mai - 20 Sep	3 AL	ABEFNQRV 8
+33 (0)3-69618140	4	9
@ info@larcenciel.eu	5 AE	HIJOR10
	B 10A CEE	➊ €18,50
N 48°17'37'' E 5°52'7''	1,6 ha 35T(80-100m²)	➋ €24,50

🚗 Von der A31 Ausfahrt 10 am Kreisel Richtung Epinal (D166). 1. Ausfahrt rechts. Der CP liegt nach 400m rechts.

Le Tholy, F-88530 / Lorraine

▲ de Noirrupt****	1 ADE**JM**NOPRT	AB**N** 6
15 chemin de l'Étang	2 FPUVXY	BDE**FGH** 7
1 Mai - 30 Sep	3 B**GL**MPQ	BDFNOQRSV 8
+33 (0)3-29618127	4 FHIO**T**	JL 9
@ info@jpvacances.com	5 ABEFK**LM**	BDGHIJ**NPR**10
	Anzeige auf Seite 241 B 6A CEE	➊ €27,65
N 48°5'20'' E 6°43'44''	H630 3 ha 70T(90-200m²) 12D	➋ €37,75

🚗 Von Gérardmer die D417 Richtung Remiremont fahren. Bei Le Tholy rechts ab auf die D11 fahren. Wenn man bei Le Tholy abfährt, nach 0,5 km links abbiegen. Den Pfeilen folgen.

Neufchâteau, F-88300 / Lorraine

▲ Intercommunal**	1 ILNORST	**EFN** 6
Place Raymond Pitet	2 OPSVWXY	ABDE 7
15 Mai - 30 Sep	3 BELM	BCDEFNQRTV 8
+33 (0)3-29941903	4 **T**	9
@ contact@	5	AHR10
paysdeneufchateau.com	B 6-12A CEE	➊ €16,25
N 48°21'26'' E 5°41'11''	H300 1 ha 50T(90-95m²)	➋ €21,05

🚗 CP im Stadtzentrum gut ausgeschildert.

Plombières-les-Bains, F-88370 / Lorraine

▲ de l'Hermitage***	1 ADE**JM**NOPRST	AB 6
54 rue du Boulot	2 CPRUVXY	BDE**FHK** 7
15 Apr - 15 Okt	3 ABLQ	ABCDFJNQRSV 8
+33 (0)3-29300187	4 FHIO**PQ**	EJ 9
@ camping.lo@wanadoo.fr	5 ABDKL	BDGHIJOR10
	10A CEE	➊ €18,50
N 47°58'2'' E 6°26'48''	H510 1,4 ha 48T(77-135m²) 7D	➋ €26,40

🚗 Ab Épinal N57 nach Plombières-les-Bains. In der Ortschaft den CP-Schildern Richtung Xertigny/Ruaux folgen. CP liegt kurz vor Plombières-les-Bains, rechts der D20.

Plombières-les-Bains/Ruaux, F-88370 / Lorr.

▲ Fraiteux***	1 **A**JMNOPQRST	6
81 rue du Camping	2 PRTUVWX	ABDE**FGH** 7
1/1 - 6/1, 1/2 - 31/12	3 ALQ	ABCDFJNOQRV 8
+33 (0)3-29660071	4 FH	EJ 9
@ campingfraiteux@orange.fr	5 ABDEGIK	ABDFHIJPR10
	WB 10A	➊ €16,10
N 47°57'55'' E 6°24'59''	H570 0,8 ha 35T(80-120m²) 6D	➋ €21,50

🚗 Ab Épinal N57 nach Plombières-les-Bains. Im Ort den CP-Schildern Richtung Ruaux folgen. CP liegt in Ruaux, ca. 4 km.

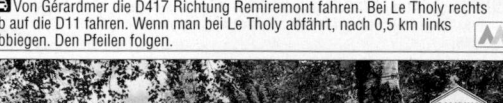

CAMPING DE NOIRRUPT ★ ★ ★ ★

88530 Le Tholy

Beheiztes Schwimmbad vom 1/6 bis 15/9

☆ Wunderschöne Sanitäranlagen
☆ Viele Sehenswürdigkeiten in der Umgebung
(Vogesen + Elsass)
☆ Tennis, Sauna...

★ Camping in einem Garten

☆ Prächtiges Wander- und Radgebiet

E-Mail: info@jpvacances.com • Internet: www.jpvacances.com • Tel. 03-29618127 (WiFi)

Sanchey, F-88390 / Lorraine (CC€18) iD

- 🏕 Club Lac de Bouzey★★★★
- 🏠 19 rue du Lac
- 📅 1 Feb - 31 Dez
- ☎ +33 (0)3-29824941
- @ lacdebouzey@orange.fr

1 ADE**JM**NOPRST	ABFGLN**QRST**UVXY 6	
2 ADGHOPRUVWXY	ABDE**FGH** 7	
3 ABE**GHKLQRSTU**	BDFJKNORSTUV 8	
4 **A**BDEFHIJLMNOP**X**	ELMOTUV 9	
5 ACDEFGIJKLM	ABFGHIJPRZ10	
Anzeige auf Seite 240 B 10A		❶ €37,90
H380 3,5 ha 155T(58-100m²) 37D		❷ €53,90

N57/E23 von Nancy Richtung Épinal. Ausfahrt Chavelot Richtung Uxegney. In Uxegney D41 Richtung Lac de Bouzey. Schildern folgen.

Saulxures-sur-Moselotte, F-88290 / Lorraine iD

- 🏕 Lac de Moselotte
- 🏠 336 Les Amias
- 📅 1 Jan - 31 Dez
- ☎ +33 (0)3-29245656
- @ contact@lac-moselotte.fr

1 ADE**JM**NOPRST	LMN 6	
2 DGIOPRTVWX	ABDE**FGH** 7	
3 BEFLPQRU	ABCDEFIJNQRUV 8	
4 FHILO**PQ**	EFJQTUV 9	
5 ABDEFGL	ABHJNONZ10	
W 10A		❶ €21,80
H450 10 ha 75T(100-120m²) 37D		❷ €27,80

Von Remiremont die N66 Richtung Le Thillot. In Le Thillot via D486 und D43 Richtung Saulxures-sur-Moselotte. Im Zentrum den Pfeilen 'Base de loisirs' folgen.

St. Maurice-sur-Moselle, F-88560 / Lorraine (CC€16) iD

- 🏕 Les Deux Ballons★★★
- 🏠 17 rue du Stade
- 📅 19 Apr - 27 Sep
- ☎ +33 (0)3-29251714
- @ stan0268@orange.fr

1 A**JM**NOPQRS**T**	ABFGHN 6	
2 COPRUVXY	ABDE**FGH** 7	
3 BELMQ**R**	BDFJNQRSV 8	
4 FHIQ	JLV 9	
5 AFGK**M**	ABDFGHJ**NPR**10	
10A CEE		❶ €31,90
H550 4 ha 153T(80-120m²) 13D		❷ €46,00

N66 Épinal-Mulhouse. In St. Maurice den CP-Schildern folgen.

Vagney, F-88120 / Lorraine (CC€16) iD

- 🏕 Du Mettey★★★★
- 🏠 chemin du Camping
- 📅 1/1 - 31/10, 1/12 - 31/12
- ☎ +33 (0)3-29231945
- @ campingdumettey@gmail.com

1 DEFGJKNOPRT	AF 6	
2 ABFGIPUVWXY	ABDE**FG**HK 7	
3 ABLQ	ABCDEFGHJKNQRSV 8	
4 ABFHIO**X**	BJV 9	
5 ABDEGIL**M**	BFHIJLNOST10	
WB 10A		❶ €23,00
H450 5,5 ha 85T(100-130m²) 13D		❷ €34,50

N57 Ausfahrt Mulhouse, danach Ausfahrt Remiremont. Am Kreisel rechts ab Richtung Vagney. Weiter Campingschildern folgen.

Vittel, F-88800 / Lorraine (CC€14) iD

- 🏕 Camping de Vittel★★★
- 🏠 270 rue Claude Bassot
- 📅 30 Mär - 18 Okt
- ☎ +33 (0)3-29080271
- @ vittel.camping@orange.fr

1 ADE**JM**NOPRST	6	
2 OPRSVWXY	ABDE**FG**H 7	
3 BE**KL**	ABCDEFGIJKNORSV 8	
4	E 9	
5 AL	ABFGHJLM10	
B 10A CEE		❶ €17,75
H340 2 ha 125T(85-125m²) 12D		❷ €25,45

A31, Ausfahrt 9, Richtung Vittel via D165 (neue Straße) oder D164 (alte Straße). In Vittel ist der Camping ausgeschildert.

Xonrupt-Longemer, F-88400 / Lorraine iD

- 🏕 Belle Rive★★
- 🏠 2493 route du Lac
- 📅 15 Mai - 15 Sep
- ☎ +33 (0)3-29633112

1 A**JM**NOPRT	LNQ 6	
2 DFGPRTVX	ABDE**FG** 7	
3 ABEL	ABE**FN**OR 8	
4 FHO	9	
5 ABI	HIJR10	
Anzeige auf dieser Seite 6A		❶ €11,05
H766 1,5 ha 100T(70-100m²) 35D		❷ €14,75

Von Gérardmer D417 nach Xonrupt-Longemer. Im Ort D67a zum CP. Dieser liegt 2,4 km nach dem Bach auf der linken Seite.

CAMPING BELLE RIVE ★ ★

2493 route du Lac, 88400 Xonrupt-Longemer
Tel. 03-29633112

Gut eingerichteter und ruhiger Familiencampingplatz direkt am See.

€ 3,20 für einen Stellplatz • € 2,50 pro Person (> 7 J.)

Xonrupt-Longemer, F-88400 / Lorraine (CC€16) iD

- 🏕 Flower Camping Verte Vallée★★★
- 🏠 4092 route du Lac
- 📅 1/1 - 1/11, 15/12 - 31/12
- ☎ +33 (0)3-29632177
- @ contact@campingvertevallee.com

1 ADE**JM**NOPRS**T**	ABCFGN 6	
2 CRVWX	BE**FG**HK 7	
3 ABELMSTV	ABCDEF**J**NQRSV 8	
4 BD**E**FHILNO**PQX**	ADE 9	
5 ABEGKLM	ABDHIJLNOPR10	
Anzeige auf dieser Seite W 10A		❶ €27,20
H742 3,5 ha 100T(90-140m²) 50D		❷ €36,70

Von Gérardmer aus die D417 Richtung Colmar. Gleich hinter Xonrupt am Hotel du Lac de Longemer die D67 rechts ab. Am Ende vom See ist dann der Camping.

LORRAINE
Verte Vallée ★★★

Geöffnet vom 15/12 bis 01/11
147 STELLPLÄTZE

Im Vallée des Lacs (Tal der Seen) nur 300m vom See von Longemer, unweit von Gerardmer. Ideal für Familien, Sportler und Naturliebhaber. Ideal für Wanderungen und Ausflüge in einem freundlichen, ruhigen und gemütlichen Ambiente. Bis bald.

PILAR & GÉRARD DUFOUR
4092, route du Lac
88400 Xonrupt-Longemer
Tel: +33 (0)3 29 63 21 77
contact@campingvertevallee.com
www.campingvertevallee.com

flower campings

Camping, das ist menschlich

Camping Les Jonquilles ★ ★

Es ist herrlich, auf diesem schönen Campingplatz (215 Stellplätze) am Rande des Sees von Longemer Quartier zu nehmen, mitten im Herzen der Vogesen. Unberührte Natur mit einem breiten Angebot an ausgeschilderten Wander- und Mountainbikerouten. Entfernung ungefähr 400 km von Aachen, mautfreie Anreise.

Route du Lac, 88400 Xonrupt-Longemer • Tel. 03-29633401 • Fax 03-29600928
E-Mail: info@camping-jonquilles.com • Internet: www.camping-jonquilles.com

---

Du Lac ★ ★

• Blick auf den See
• neue Terrasse
• Kinderspielplatz

3400 route du Lac,
88400 Xonrupt-Longemer
Tel. 03-29575291
E-Mail: agnes.albiser@orange.fr
Internet: www.campinglaclongemer.fr

Xonrupt-Longemer, F-88400 / Lorraine 🛜 **iD**

🏕 La Vologne★★	1 ADE**JM**NORT	6
🚏 route Retournemer	2 CFPRVX	ABDE**FG**H 7
📅 1 Mai - 30 Sep	3 BELQRS	ABCDFNORS 8
☎ +33 (0)3-29608723	4 FHIO	AIJ 9
@ camping@lavologne.com	5 ABKL	AHJLOR 10
	Anzeige auf dieser Seite	10A CEE
	H750 2,5 ha 95T(95-150m²) 7D	❶ €15,95 ❷ €19,60

🗺 N 48°3'45'' E 6°58'8''
📍 Von Gérardmer die D417 Richtung Colmar. Kurz hinter Xonrupt, beim Hotel du Lac de Longemer, die D67 rechts ab zum CP fahren.

Xonrupt-Longemer, F-88400 / Lorraine 🛜 **iD**

🏕 Du Lac★★	1 ADJMNOPRT	LNQ 6
🚏 3400 route du Lac	2 DFGIPX	BE**FG**HI 7
📅 1 Apr - 15 Okt	3 CELS	ABFJNORV 8
☎ +33 (0)3-29575291	4	U 9
@ agnes.albiser@orange.fr	5 ADEGJL	BHIJ**P**R 10
	Anzeige auf dieser Seite	B 12A
	H740 1,7 ha 100T(80-100m²)	❶ €14,50 ❷ €18,80

🗺 N 48°3'47'' E 6°57'24''
📍 Von Gérardmer die D417 nach Xonrupt-Longemer. Dann die D67 zum CP, der 2,8 km von der Kirche in Xonrupt-Longemer rechts der Straße liegt.

Xonrupt-Longemer, F-88400 / Lorraine 🛜 **CC€12 iD**

🏕 Les Jonquilles★★	1 ADE**JM**NOPRST	LNQSX 6
🚏 route du Lac	2 DFGKPRTVX	ABDE**FG**H 7
📅 17 Apr - 4 Okt	3 BELPQ	ABCDEFNORS 8
☎ +33 (0)3-29633401	4 DFHIO**P**	9
@ info@camping-jonquilles.com	5 ACDEFIKL	ABDFGHIJOR 10
	Anzeige auf dieser Seite	B 10A
	H740 4,5 ha 215T(80-120m²) 25D	❶ €17,75 ❷ €23,85

🗺 N 48°4'4'' E 6°56'53''
📍 Von Gérardmer die D417 nach Xonrupt-Longemer. In dem Dorf die D67a zum CP fahren, der 2,5 km links hinter der Kirche von Xonrupt-Longemer liegt.

La Vologne ★ ★

La Vologne ist ein angenehmer, ruhiger Familiencampingplatz. Hier kommt man nicht nur wegen der Freizeitangebote zum See, sondern auch wegen der Ruhe und um die wunderschöne Umgebung zu entdecken. Der Platz liegt ein paar hundert Meter vom See entfernt. 10% Rabatt in Vor- und Nachsaison.
Neu! Vermietung von Chalets.

Wi-Fi™   CAMPING Qualité

Route Retournemer, 88400 Xonrupt-Longemer
Tel. 03-29608723
E-Mail: camping@lavologne.com • Internet: www.lavologne.com

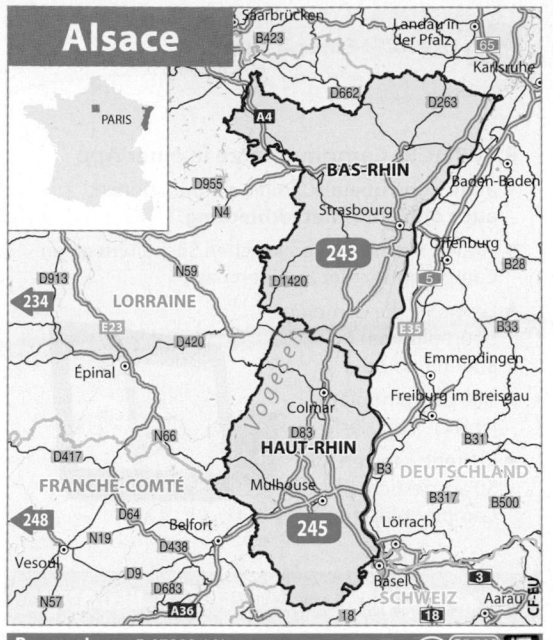

Alsace

Bas-Rhin

Frankreich

Bassemberg, F-67220 / Alsace 📶 CC€14 iD

🏕 Campéole Le Giessen****	1 ADE**JM**NOPRS**T**	ABEFGH 6
📧 route de Villé	2 CGPWXY	ABDE**FGK** 7
📅 4 Apr - 13 Sep	3 BEL**MQT**	ABCDEFKNORSV 8
☎ +33 (0)3-88589814	4 BCDINO**RTV**	EJ 9
@ giessen@campeole.com	5 ADEFG**LM**	ABGHIJ**PR**10
	B 6A CEE	❶ €78,40
📍 N 48°20'11'' E 7°17'20''	H205 4 ha 69T(80-110m²) 91**D**	❷ €69,00

🚐 Von Sélestat D424 in westlicher Richtung. Nach 12 km Villé, D39 nach Bassemberg. Den Schildern 'Campéole' folgen.

Dambach-la-Ville, F-67650 / Alsace 📶 iD

🏕 De l'Ours**	1 ADE**JM**NOPQRST	6
📧 2 rue du Stade	2 AOPWXY	ABDE**F** 7
📅 1 Apr - 31 Dez	3 **LMQ**	ABCDFNRV 8
☎ +33 (0)3-88924609	4	AE 9
@ camping.de.lours@orange.fr	5 BDEGLM	AHK**O**RV10
	B 10A CEE	❶ €14,20
📍 N 48°19'20'' E 7°26'35''	H180 1,8 ha 120T(70-120m²) 2**D**	❷ €16,70

🚐 A35, Ausfahrt 16, dann N422 Richtung Dambach-la-Ville. CP liegt nördlich der D210 und ist gut ausgeschildert.

Erstein, F-67150 / Alsace 📶 CC€16 iD

🏕 Wagelrott**	1 ADE**IL**NOPQR**T**	ALN 6
📧 rue de la Sucrerie	2 ADGOPRX	ABDE**FG** 7
📅 1/1 - 10/1, 1/4 - 31/12	3 ALQT	ABFJNR 8
☎ +33 (0)3-88980988	4 DHI	AE 9
@ contact@opale-dmcc.com	5 ADG	HIJ**PR**10
	Anzeige auf dieser Seite B 16A CEE	❶ €20,90
📍 N 48°24'50'' E 7°40'13''	H152 7 ha 80T(80m²) 203**D**	❷ €28,90

🚐 Von der D1083 Ausfahrt Erstein. Innerorts der Beschilderung folgen.

Gerstheim, F-67150 / Alsace 📶 iD

🏕 Camp au Clair Ruisseau**	1 ADE**JM**NOPQRST	LMN 6
📧 rue de Ried	2 CDGIJPVXY	ABDE**FG** 7
📅 1 Apr - 31 Okt	3 BF**GH**LQ	ABCDEFQUV 8
☎ +33 (0)3-88983004	4	EJ 9
@ info@clairruisseau.com	5 AB**LM**	ABFGHIJL**PR**VW10
	16A CEE	❶ €21,80
📍 N 48°23'16'' E 7°42'45''	H145 6 ha 91T 40D	❷ €28,00

🚐 A35 Ausfahrt 12. Die D426 bis hinter Erstein. Direkt nach der Zuckerfabrik am Kreisel rechts. Die D468 Richtung Gerstheim. Nach 300m links zur D320. Den CP-Schildern folgen.

Le Hohwald, F-67140 / Alsace iD

🏕 Herrenhaus**	1 ADE**JM**NOPRST	6
📧 28 rue du Herrenhaus	2 OPUVWXY	ABDE**FG**H 7
📅 1 Apr - 30 Sep	3 ALQ	ABCDEFJNOR 8
☎ +33 (0)3-88083090	4 FHIΩ	9
@ lecamping.herrenhaus@orange.fr	5 LM	ACFHJRV10
	Anzeige auf Seite 244 W 10A CEE	❶ €13,60
📍 N 48°24'20'' E 7°19'24''	H600 2 ha 80T(80-100m²) 35**D**	❷ €14,60

🚐 A35 Strasbourg-Sélestat, Ausfahrt 13 Mittelbergheim/Andlau/Le Hohwald. Im Zentrum links halten. Den Schildern 'Camping Municipal' folgen.

Molsheim, F-67120 / Alsace 📶 CC€14 iD

🏕 Municipal Molsheim**	1 ADE**JM**NOPRT	ABF**N**U 6
📧 6 rue des Sports	2 ACGPRVWXY	ABDE**FG** 7
📅 3 Apr - 25 Okt	3 B**GH**LQ	CDEFJNQRV 8
☎ +33 (0)3-88498245	4 H	EU 9
@ camping-molsheim@orange.fr	5 ABL	ABCDGHIJPRZ10
	Anzeige auf Seite 244 B 10A CEE	❶ €17,95
📍 N 48°32'29'' E 7°29'58''	1,6 ha 95T(80-100m²) 5**D**	❷ €24,45

🚐 A4 Ausfahrt Saverne. N4 nach Wasselone. Über die D422 nach Molsheim. Kurz hinter dem Zentrum vor der Brücke links ab. CP-Schildern folgen.

Camping Municipal Molsheim ★ ★

• Gemeindecamping • 95 Plätze • am Fluss der Bruche • in der Stadtmitte in der Nähe von Geschäften • gratis Freibad neben dem Campingplatz • ideale Lage für einen Ausflug nach **Straßburg** • in einer touristischen Umgebung: Start der berühmten Weinroute 'La route des vins d'Alsace' • Mobilheimvermietung • W-Lan kostenlos

6 rue des Sports, 67120 Molsheim
Tel. 03-88498245
E-Mail: camping-molsheim@orange.fr

Herrenhaus ★ ★

Camping am Waldrand für Liebhaber von Natur und Ruhe. Dicht an der GR 5. Sanitär für Behinderte zugänglich, 120 terrassenförmige Stellplätze.

28 rue du Herrenhaus, 67140 Le Hohwald
Tel. und Fax 03-88083090
E-Mail: lecamping.herrenhaus@orange.fr
Internet: www.pays-de-barr.com

Oberbronn, F-67110 / Alsace

▲ L'Oasis***	1 ADE**IL**NOPRT	ABE**FN** 6
🏠 3 rue du Frohret	2 FGPTVWXY	ABDE**FGH**J 7
🕐 15 Mär - 15 Nov	3 BEL**MQ**	ABCDFNQRSV 8
☎ +33 (0)3-88097196	4 AFHI**PRTUVY**	FJ 9
@ contact@opale-dmcc.com	5 ABDEGJ	ABFHIJ**NPR**10
	Anzeige auf Seite 245 B 10A CEE	❶ €22,90
▲ N 48°55'46'' E 7°36'15''	H520 9 ha 139T(100m²) 54D	❷ €30,20

Von Sarreguemines N62 über Bitche Richtung Haguenau. In Niederbronn D28 nach Oberbronn. Durch den Ort, 400m weiter links ab. Ist ausgeschildert.

CAMPING LES PORTES D'ALSACE SEASONOVA ★★★

• **Beheiztes Hallenbad**

40 rue du Père Liebermann
67700 Saverne
Tel. +33 (0)3 88 91 35 65

www.vacances-seasonova.com

Obernai, F-67210 / Alsace 📶 ✿ (CC€16) iD

▲ Mun. Le Vallon de l'Ehn***	1 ADE**JM**NOPRST	6
🏠 1 rue de Berlin	2 OPVWX	ABDE**FG** 7
🕐 1/1 - 11/1, 13/3 - 31/12	3 BLQV	ABCDEFJNQRSUV 8
☎ +33 (0)3-88953848	4 **AE**FGI	KLUV 9
@ camping@obernai.fr	5 ABDE**LM**	ABFGHIJPR10
	B 16A CEE	❶ €20,45
▲ N 48°27'53'' E 7°28'3''	H200 3 ha 95T(90-95m²)	❷ €25,45

Von Molsheim oder Strasbourg Ausfahrt Obernai. Nicht ins Centre Ville, am Kreisverkehr Le Mont-Ste-Odile folgen. Am Ende der Umgehungsstraße rechts ab und sofort wieder links ab. Nach 100m kommt der CP.

SAS Camping Ferme des Tuileries ★ ★ ★

Übersichtlicher, gut geführter Camping mit großen, flachen Plätzen auf Gras. Baden im angrenzenden See. Fitnessgeräte, Kinderspielplatz und Wasserrutschbahn. Im Juli und August ist unser Restaurant geöffnet. Vermietung von schönen Bungalows das ganze Jahr über.

1 rue des Tuileries, 67860 Rhinau • Tel. 03-88746045
Fax 03-88748535 • E-Mail: camping.fermetuileries@neuf.fr
Internet: www.fermedestuileries.com

Rhinau, F-67860 / Alsace 📶 iD

▲ SAS Camping Ferme des Tuileries***	1 AHKNOPRST	AHL 6
	2 DGHPWXY	ABDE**FG** 7
🏠 1 rue des Tuileries	3 BEF**ILM**Q	ABCDEFJKNQRS 8
🕐 1 Apr - 30 Sep	4 **H**P	FJU 9
☎ +33 (0)3-88746045	5 ABDEFGK**M**	AFGHIJ**PR**10
@ camping.fermetuileries@neuf.fr	Anzeige auf dieser Seite B 6A CEE	❶ €13,80
▲ N 48°19'16'' E 7°41'53''	H150 10 ha 100T(50-100m²) 56D	❷ €19,80

Die A35 an der Ausfahrt 14 (bei Sélestat) verlassen und über die N83 Richtung Strasbourg. Bei Benfeld die D5 und über Herbsheim und Boofzheim nach Rhinau, wo der CP ausgeschildert ist.

Saverne, F-67700 / Alsace 📶 (CC€16) iD

Seasonova Les Portes d'Alsace***	1 ADE**JM**NORT	CDFG 6
🏠 40, rue du père Liebermann	2 APRXY	ABDE**FGH** 7
🕐 3 Apr - 31 Okt	3 AL**MQ**	ABCDFJNQRT 8
☎ +33 (0)3-88913565	4 FIO	EUVW 9
@ contact@	5 AEF	AHIJ**PR**Z10
camping-lesportesdalsace.com	Anzeige auf dieser Seite B 16A CEE	❶ €26,90
▲ N 48°43'52'' E 7°21'19''	H240 3 ha 145T(80-120m²) 19D	❷ €32,90

Von der A4 Ausfahrt 45 Richtung Saverne. Vom Zentrum ist der CP augeschildert.

St. Pierre, F-67140 / Alsace iD

▲ Les Reflets de Saint Pierre**	1 A**JM**NOPQRST	6
🏠 rue de l'Eglise	2 ACFPVWXY	ABDE 7
🕐 1 Apr - 31 Okt	3 AEL**MQ**	ABCDEFNRSTUV 8
☎ +33 (0)3-89586431	4 H	9
@ reflets@calixo.net	5	BFHRV10
	B 6A CEE	❶ €18,30
▲ N 48°22'55'' E 7°28'26''	H147 0,8 ha 47T(60-110m²)	❷ €26,00

Die A35 an der Ausfahrt 13 verlassen und dann der D62 in westlicher Richtung folgen. Am Kreisel der N422 nach St. Pierre und dort der Beschilderung folgen.

Camping L'Oasis ★ ★ ★

Kleiner Camping in unberührter Natur mit gratis beheiztem Pool. Der Camping liegt im Gehbereich vom schönen elsässischen Örtchen mit Fachwerkhäusern und vielen Blumen. Schöner Fitnessraum mit überdachtem Schwimmbad. Mietchalets.

3 rue du Frohret
67110 Oberbronn
Tel. 03-88097196
Handy: 06-50519517
E-Mail: contact@opale-dmcc.com
Internet: www.opale-dmcc.com

Frankreich

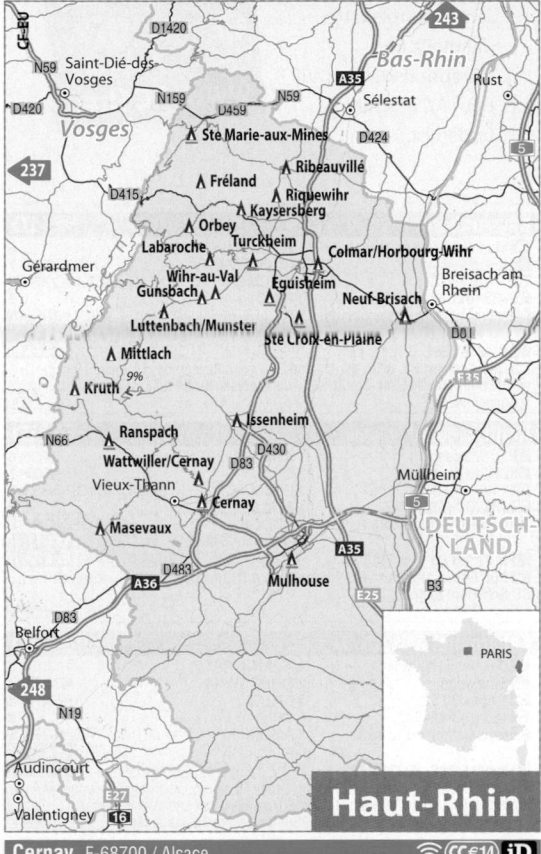

Gebrauchsanweisung

Um die Möglichkeiten des Führers optimal nutzen zu können, sollten Sie die Gebrauchsanweisung auf Seite 10 gut durchlesen. Hier finden Sie wertvolle Informationen, beispielsweise die Berechnung der Übernachtungspreise.

❶ € 25,00
❷ € 35,80

Eguisheim, F-68420 / Alsace

▲ Les Trois Châteaux***	1 ADE**JM**NORST	6
10 rue du Bassin	2 AOPRVWXY	ABDE**FG** 7
26/3 - 3/11, 28/11 - 24/12	3 A**KLQ**	ABCEFNQR 8
+33 (0)3-89231939	4 EFHIO	C 9
@ camping.eguisheim@orange.fr	5 K**LM**	ABCDFGHIJOR10
	B 10A CEE	❶ €19,00
N 48°2'37'' E 7°18'40''	H300 1,8 ha 133T(80-100m²) 18D	❷ €23,00

Die E35 an der Ausfahrt 28 verlassen. Dann die D1B Richtung Herrlisheim. Nach ± 7 km Richtung Eguisheim und dann den CP-Schildern folgen.

Fréland, F-68240 / Alsace

▲ Les Verts Bois**	1 ADE**JM**NOPQRST	6
3 rue de la Fonderie	2 CPRUVWXY	ABDE**FG** 7
1 Apr - 31 Okt	3 **K**	ABCDFJNR 8
+33 (0)3-89475725	4 FHI	9
@ gildas.douault@sfr.fr	5 ABEGJLM	AGHJPR10
	16A CEE	❶ €15,60
N 48°10'53'' E 7°11'4''	H480 1 ha 35T(50-100m²)	❷ €21,60

Von Colmar die N415 Richtung Col-de-Bonhomme. 3 km na Kaysersberg rechts ab auf die D11-III Richtung Fréland/Aubure. 500m nach Fréland in der Haarnadelkurve links. CP ist dort ausgeschildert.

Cernay, F-68700 / Alsace

▲ Les Cigognes***	1 ADE**JM**NOPRS**T**	ABE**FG** 6
16, rue René Guibert	2 PVWXY	ABDE**FG**H 7
1 Apr - 30 Sep	3 BEF**MQ**	ABDFJNRS 8
+33 (0)3-89755697	4 FHI	E 9
@ campinglescigognes@ wanadoo.fr	5 AGHIJL**PR**10	
	B 6A CEE	❶ €17,60
N 47°48'16'' E 7°10'12''	H360 4 ha 146T(80-100m²) 7D	❷ €23,50

A5 Richtung Basel, dann A36 Richtung Mulhouse, an Ausfahrt Than die A36 verlassen. Über die N66 Richtung Cernay und die D483 und den Schildern folgen. In Cernay vor der Brücke links.

Colmar/Horbourg-Wihr, F-68180 / Alsace

▲ Indigo Camping de l'Ill***	1 ADE**IL**NOPRS**T**	JN 6
1 allée du Camping	2 ACGOPUVWXY	ABDE**FG** 7
1/1 - 5/1, 27/3 - 31/12	3 A**LMQ**	ABDEFJNRSTV 8
+33 (0)3-89411594	4 HIO	AEV 9
@ colmar@camping-indigo.com	5 ADEFGLM	ABCFGHI**N**OTUX10
	16A CEE	❶ €21,50
N 48°4'47'' E 7°23'12''	H200 4 ha 150T(80-100m²) 18D	❷ €28,70

Von Sélestat: A4 danach A35, danach die D201 Richtung Colmar. Von Mulhouse: A35, Ausfahrt 25. Von Colmar die N415 in östlicher Richtung nach Horbourg-Wihr. Über die D418 zum CP, ist ausgeschildert.

Gunsbach, F-68140 / Alsace

▲ Beau Rivage**	1 ADE**JM**NOPQRST	6
8 rue des Champs	2 CPRVWXY	ABDE**F**H 7
1 Apr - 15 Okt	3 AELPQ	ABCDEFNQRSV 8
+33 (0)3-89774462	4 FHO	JUV 9
@ beaurivage.camping@ wanadoo.fr	5 ABG**LM**	ABGHIJORV10
	B 6A	❶ €14,40
N 48°2'46'' E 7°10'50''	H335 2 ha 93T(80-100m²) 34D	❷ €18,20

Von Colmar die N415 Richtung Munster. Nach 3 km bei Wintzenheim die D417 Richtung Munster. Am Kreisel vor Munster rechts und direkt wieder rechts nach Gunsbach. Den CP-Schildern folgen.

Issenheim, F-68500 / Alsace

▲ Le Florival***	1 ADEF**JM**NOPRST	AEFH 6
route de Soultz	2 BGOPVXY	ABDE**FG** 7
15 Apr - 15 Okt	3 BLQ	ABCDEFJNORSV 8
+33 (0)3-89742047	4 CDFHIO	J 9
@ contact@ camping-leflorival.com	5 ADIL	ABHIJOR10
	B 10A CEE	❶ €19,70
N 47°54'3'' E 7°14'10''	H300 3,5 ha 73T(100m²) 20D	❷ €25,30

Von der N83 Ausfahrt D430 Guebwiller/Issenheim fahren. Nach 1500m am Kreisel rechts ab die D5 nehmen und nach 200m links ab. Ist ausgeschildert.

ACSI Campingplatzkontrolle

Alle Campingplätze in diesem Führer wurden im vergangenen Jahr von einem unserer 327 ACSI-Inspektoren besucht und begutachtet.

Sie erkennen diese Campings an der Jahresprüfplakette, die meist im Rezeptionsbereich auf dem ACSI-Schild zu finden ist.

INSPECTED
2010 2011 2012 2013 2014
www.ACSI.eu

Kaysersberg, F-68240 / Alsace

▲ Municipal Kaysersberg★★★★	1 ADEJNOPQRST	6
🚲 rue des Acacias	2 ACOPRVWXY	ABDE**FGH** 7
☀ 1 Apr - 30 Sep	3 AKLMQ	ABCDEFJNQRSV 8
☎ +33 (0)3-89471447	4 FHIO	L 9
@ camping@ville-kaysersberg.fr	5 A	ABGHIJNPR 10

Anzeige auf dieser Seite B 8-13A CEE ❶ €18,60 ❷ €24,60
H450 1,1 ha 112T(100-150m²)

N 48°8'55'' E 7°15'17''
N83 Ausfahrt 23, dann die D4 und D28 nach Kaysersberg folgen. CP liegt westlich hinter Kaysersberg. An der Ampel abbiegen. CP ist gut ausgeschildert.

Kruth, F-68820 / Alsace

▲ Le Schlossberg★★★	1 ADEJMNOPRST	**NQX** 6
🚲 rue du Bourbach	2 CPRVY	ABDE**FGH** 7
☀ 1 Apr - 7 Okt	3 BELQ	ABDFKNOPQRSV 8
☎ +33 (0)3-89822676	4 FHILO	F 9
@ contact@schlossberg.fr	5 ABDGKL	ABGHIJ**OP**R 10

Anzeige auf Seite 247 6A CEE ❶ €17,10 ❷ €23,10
H512 5,2 ha 170T(100-120m²) 39D

N 47°56'36'' E 6°57'14''
N66 Épinal-Mulhouse bis Fellering, dann D13bis nach Kruth. In Kruth den CP-Schildern folgen.

Labaroche, F-68910 / Alsace

▲ Des Deux Hohnack★★	1 A**JM**NOPRST	6
🚲 Giragoutte	2 OPRTUWXY	ABDFH 7
☀ 1 Apr - 30 Sep	3 AKLQ	ABFNRV 8
☎ +33 (0)3-89498372	4 FHIO	U 9
@ regis.haffner@orange.fr	5 ADGIKLM	ABJNORV 10

6A CEE ❶ €17,50 ❷ €21,50
H750 1,7 ha 66T(60-100m²)

N 48°5'28'' E 7°11'48''
Über Col de Bonhomme Richtung Orbey Richtung Labaroche oder über Colmar Richtung Turckheim, danach Richtung Trois Epis und Labaroche. Danach CP-Schildern folgen. Bei 'camping 250m' direkt rechts abfahren.

Luttenbach/Munster, F-68140 / Alsace

▲ Les Amis de la Nature★★★	1 ADE**JM**NOPQRST	ABN 6
🚲 4 rue du Château	2 COPRVWXY	ABDE**FGH**J 7
☀ 1 Feb - 30 Nov	3 BEILQR	BDFJNQR 8
☎ +33 (0)3-89773860	4 AFHIOQR**T**	FJ 9
@ camping.an@wanadoo.fr	5 ACDEFGIL	ABGHIJLORV 10

Anzeige auf dieser Seite B 10A CEE ❶ €16,25 ❷ €22,65
H403 7 ha 212T(80-100m²) 217D

N 48°1'51'' E 7°6'49''
Von Colmar die D417 nach Munster. Dort Richtung Luttenbach/Épinal. Am Ende der Einkaufsstraße links ab Richtung Luttenbach. Direkt am Ortsschild Luttenbach links ab. Der CP ist ausgeschildert.

Masevaux, F-68290 / Alsace

▲ Camping de Masevaux★★★	1 ADEJMNOPRST	EN 6
🚲 3 rue du Stade	2 COPSVWXY	ABDE**FGH** 7
☀ 15 Mär - 31 Okt	3 BELMQ	ABCDEFJNQRSV 8
☎ +33 (0)3-89824229	4 FHIO	D 9
@ camping-masevaux@tv-com.net	5 AGL	ABHIJOR 10

6A CEE ❶ €15,90 ❷ €18,90
H400 3,5 ha 110T(100m²) 24D

N 47°46'42'' E 6°59'27''
A36 Ausfahrt 15 Masevaux. Ausfahrt zur N466 Pont d'Aspach und über die N83 nach Masevaux. Innerorts 'Centre-Ville' folgen, dann dem Hinweis 'Zone de Sport Loisirs'.

Mittlach, F-68380 / Alsace · iD

▲ Municipal Langenwasen*	1 ADE**JM**NOPQRST	**N** 6
▣ Langenwasen	2 CPRUVWXY	ABDE**FGH** 7
⬛ 20 Apr - 10 Okt	3 BLQ	ABEFNRS 8
☎ +33 (0)3-89776377	4 FHI	HUV 9
@ camping@mittlach.fr	5 ACK**LM**	ABHJR10
	Anzeige auf Seite 246 10A CEE	❶ €13,70
⬛⬛ N 47°58'58'' E 7°1'7''	H651 3 ha 134**T**(60-100m²) 26**D**	❷ €17,70

Von Colmar über die D417 nach Munster. Dort in Richtung Luttenbach/ Épinal fahren. Am Ende der Geschäftsstraße links abbiegen, in Richtung Luttenbach/Metzeral nach Mittlach. Dort ist der CP ausgeschildert. Ⓜ

Mulhouse, F-68200 / Alsace · 🛜 CC€14 iD

▲ Camping de l'Ill***	1 ADF**JM**NOPRS**T**	ABF**G** 6
▣ 1 rue P. Coubertin	2 ACGIPRVWXY	ABDE**FGH** 7
⬛ 1 Apr - 30 Sep	3 BEI**LM**	ABCDEFJNQRS 8
☎ +33 (0)3-89062066	4 **Q**	ADEFL 9
@ campingdelill@wanadoo.fr	5 ABFL	ABFGHIJL**P**STVZ10
	B 10A CEE	❶ €19,65
⬛⬛ N 47°44'4'' E 7°19'28''	H230 5,5 ha 185**T**(90-110m²) 31**D**	❷ €25,55

Von der A36 die Ausfahrt 16a Richtung Mulhouse. Ausfahrt 3 Mulhouse-Centre. Immer weiter, dann den CP-Schildern folgen. ⬛

Neuf-Brisach, F-68600 / Alsace · 🛜 CC€14 iD

▲ Vauban**	1 ADE**JM**NOPRS**T**	6
▣ Entrée Porte de Bâle	2 OPWXY	EF**GH**J 7
⬛ 1 Apr - 15 Okt	3 AQ	ABCFJNRV 8
☎ +33 (0)3-89725425	4 H**T**	AFVY 9
@ contact@camping-vauban.fr	5 ΛB**LM**	AFGHIJPRVX10
	B 10A CEE	❶ €17,80
⬛⬛ N 48°0'57'' E 7°32'8''	4 ha 120**T**(bis 100m²) 11**D**	❷ €22,60

A35 in Höhe von Colmar verlassen (Ausfahrt 25), N415 Richtung Freiburg. Nach 15 km am Kreisel links ab nach Neuf-Brisach und der Beschilderung folgen. Ⓜ

Orbey, F-68370 / Alsace · 🛜 iD

▲ Municipal Lefébure**	1 ADE**JM**NOPRST	
▣ rue Lefébure	2 BFPRVWXY	ABDE**FG** 7
⬛ 24 Apr - 4 Okt	3 AELMQ	ABCDFNRTV 8
☎ +33 (0)3-89713742	4 FH	AJ 9
@ jmiclo@aol.com	5 AKLM	ABHJPR10
	B 16A CEE	❶ €11,00
⬛⬛ N 48°7'49'' E 7°9'44''	H650 42**T**(70-100m²) 10**D**	❷ €18,50

Die N83 in Colmar in westlicher Richtung verlassen und über die N415 Richtung Nancy. Nach ± 15 km hinter Hachimette am Kreisel über die D48 nach Orbey. Gegenüber vom Intermarché rechts. Den CP-Schildern folgen. Ⓜ

Ranspach, F-68470 / Alsace · 🛜 CC€16 iD

▲ Les Bouleaux****	1 AD**JM**NOPQRST	ABF**GN** 6
▣ 8 rue des Bouleaux	2 CGOPTVXY	ABDE**FGH** 7
⬛ 1/1, 10/10, 1/12 - 31/12	3 BEFILQS	ABCDEFJNOQRSV 8
☎ +33 (0)3-89826470	4 ABCDFHINO**PQU**	,I 9
@ contact@alsace-camping.com	5 ABEFGIK	ABFHIJL**NPR**10
	Anzeige auf Seite 246 B 6-10A CEE	❶ €24,40
⬛⬛ N 47°52'48'' E 7°0'37''	H460 2,8 ha 50**T**(80-100m²) 57**D**	❷ €33,40

Von Nancy die N57 nach Remiremont folgen, dann die N66 etwa 10 km folgen. Hinter Col de Bussang liegt Ranspach. In Ranspach den Schildern folgen. Ⓜ

Ribeauvillé, F-68150 / Alsace · 🛜 iD

▲ Mun. Pierre de Coubertin****	1 ADE**JM**NOPQRST	**N** 6
▣ 23 rue L Landau	2 AOPVWXY	ADDE**FG** 7
⬛ 15 Mär - 15 Nov	3 BE**KLM**Q	ABCDEFJKNRSTUV 8
☎ +33 (0)3-89736671	4 FHIO	AJ 9
@ camping.ribeauville@ wanadoo.fr	5 ACK**LM**	AEFGHIJPR10
	B 16A CEE	❶ €17,30
⬛⬛ N 48°11'41'' E 7°20'10''	H250 3,5 ha 208**T**(80-120m²)	❷ €23,50

Auf der A35 Strasbourg-Colmar Ausfahrt 20 Richtung Ribeauville. Bei der Ampel 1. Straße rechts ab. Nach 400m kommt der CP. Ⓜ

Riquewihr, F-68340 / Alsace · 🛜 iD

▲ Camping de Riquewihr***	1 ADE**JM**NOPRS**T**	6
▣ 1 route du Vin	2 APRVWXY	ABDE**FG**H 7
⬛ 28/3 - 31/12, 1/1 - 3/1	3 BE**KLM**Q	BDFJKLNQRS 8
☎ +33 (0)3-89479008	4 FHI	9
@ info@campingriquewihr.com	5 A	ABF**GH**K**PR**10
	Anzeige auf dieser Seite B 10A CEE	❶ €19,40
⬛⬛ N 48°9'45'' E 7°19'1''	H300 4 ha 160**T**(60-120m²)	❷ €24,40

Die N83 aus Richtung Straßburg an der Ausfahrt 21 verlassen (oder aus Ri. Mulhouse/Colmar an der Ausfahrt 22) und dann weiter Richtung Ostheim/Riquewihr. CP angezeigt. Ⓜ

Ste Croix-en-Plaine, F-68127 / Alsace · 🛜 CC€16 iD

▲ ClairVacances****	1 ADEHKNOPRT	ABF**G** 6
▣ route de Herrlisheim	2 PRVWY	BE**FG**H 7
⬛ 16 Apr - 12 Okt	3 BFL	ABCDFJKNQRS 8
☎ +33 (0)3-89492728	4 BHIL	AJ 9
@ reception@clairvacances.com	5 ABDEK**L**	ABDFHIJPTU10
	B 16A CEE	❶ €30,00
⬛⬛ N 48°0'58'' E 7°21'1''	H185 4 ha 135**T**(90-100m²) 12**D**	❷ €38,50

Ausfahrt 27 von der A35 Richtung Herrlisheim. Danach CP-Schildern folgen. Ⓜ

Ste Marie-aux-Mines, F-68160 / Alsace · 🛜 CC€16 iD

▲ Les Reflets du Val d'Argent***	1 A**JM**NOPRT	AF**N** 6
▣ 20 route d'Untergrombach	2 COPRUVWXY	ABDE**FH** 7
⬛ 1 Jan - 31 Dez	3 AB**KLM**Q	ABCDEFNORV 8
☎ +33 (0)3-89586431	4 ABCDEFHINO**PT**	JLU 9
@ camping@les-reflets.com	5 ABEFGJK**LM**	ABFGHIJOR10
	Anzeige auf dieser Seite B 5-16A	❶ €21,40
⬛⬛ N 48°14'7'' E 7°10'14''	H450 3 ha 110**T**(90-110m²) 31**D**	❷ €32,50

N59 Sélestat-St. Dié. In Ste Marie-aux-Mines den CP-Schildern folgen. Ⓜ

Frankreich

Turckheim, F-68230 / Alsace CC€14 iD

▲ Le Médiéval	1 ADE**JM**NOPRST	6
⌂ 5 quai de la Fecht	2 CPRVWXY	ABDEF**G**H 7
⌂ 1/4 - 1/11, 28/11 - 24/12	3 B**KLM**	ABCDEFKNRSV 8
☎ +33 (0)3-89270200	4 FHIO	EUVW 9
@ camping.turckheim@	5 A**LM**	ABDFGHIKOTU10
laposte.net	B 16A CEE	① €18,60
◪ N 48°5'7'' E 7°16'21''	H235 2 ha 117T(80-100m²) 6D	② €22,60

☞ Die A35 bei Colmar verlassen, Ausfahrt 24 nach Logelbach. Am Kreisel Richtung Turckheim und direkt am Übergang links zum CP.

Wattwiller/Cernay, F-68700 / Alsace iD

▲ Les Sources***	1 ADE**JM**NOPQRST	AEF 6
⌂ route des Crêtes	2 BGQRUVWXY	ABDEF**G**H 7
⌂ 12 Apr - 30 Sep	3 BE**GHIK**L**MQ	ABCDFJNRS 8
☎ +33 (0)3-89754494	4 ABCD**E**FIO**PQ**	DEJ 9
@ camping.les.sources@	5 ABDEFGIL**M**	ABGHIJNOSTZ10
wanadoo.fr	6A CEE	① €32,65
◪ N 47°50'1'' E 7°9'56''	H540 15 ha 66T(80-100m²) 109D	② €44,65

☞ Von der N83 die Ausfahrt Cernay-Nord/Wattwiller nehmen und über Uffholtz nach Wattwiller fahren. Anschließend den Schildern folgen.

Wihr-au-Val, F-68230 / Alsace iD

▲ La Route Verte**	1 ADE**JM**NOPRT	6
⌂ 13 rue de la Gare	2 OPQTVWXY	ABDE**F** 7
⌂ 25 Apr - 30 Sep	3 ALQ	ABCDFNQRS 8
☎ +33 (0)3-89711010	4 FHI	V 9
@ info@camping-routeverte.com	5 BFG**KLM**	ABGHIJPR10
	B 10A CEE	① €13,65
◪ N 48°3'6'' E 7°12'18''	H320 0,9 ha 55T(80-105m²) 3D	② €17,65

☞ Wihr-au-Val liegt westlich von Colmar. Die N83 hinter Wintzenheim verlassen und der D417 folgen. Nach ca. 10 km rechts: D43. 300m nach CP 'Le Moulin' finden Sie 'La Route Verte' links der Straße.

Franche-Comté

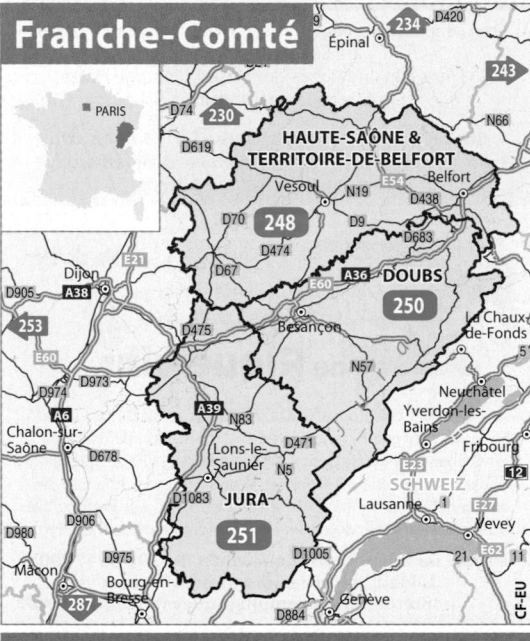

Belfort, F-90000 / Franche-Comté iD

▲ L'Etang des Forges***	1 ADE**JM**NOPRST	AB**N**QS 6
⌂ 11 rue Béthouart	2 ADGPVWXY	ABDEF**G**H 7
⌂ 7 Apr - 30 Sep	3 AELQ	CDFNOQRSV 8
☎ +33 (0)3-84225492	4 EFHIO	EFJ 9
@ contact@camping-belfort.com	5 ABD**KLM**	ABFHJ**NP**ST10
	B 10A CEE	① €21,00
◪ N 47°39'12'' E 6°51'54''	H260 3,5 ha 110T(90-110m²) 18D	② €30,00

☞ A36, Ausfahrt 13 nach Belfort (les Glacis du Château). Erst den Schildern 'centre ville' folgen, nach ca. 1 km denen des CP.

Boult, F-70190 / Franche-Comté iD

▲ La Tuilerie	1 A**JM**NOPRST	A 6
⌂ 1 Mai - 30 Sep	2 GPRTVWXY	ABDE**F** 7
☎ +33 (0)3-84917110	3 ALQ	ABEFNQR 8
	4 FHI	9
	5 ADGL	BJR 10
	10A	① €14,50
◪ N 47°23'15'' E 5°59'23''	H340 1,5 ha 35T(80m²)	② €21,50

☞ Hinter Rioz die N57 verlassen und die D15 nach Boult nehmen. Über die D33 nach Boult. Der CP ist mit Holzschildern angezeigt.

Champagney, F-70290 / Franche-Comté iD

▲ Camping Les Ballastières***	1 ADE**JM**NOQRST	ABF**N** 6
⌂ 20 rue du Pâquis	2 BCDFGPVWXY	ABDEF**G**H 7
⌂ 1 Apr - 31 Okt	3 BEQR	ABCDEFGJKNQRSTU 8
☎ +33 (0)3-84231122	4 FGHILNO	EQR 9
@ campingdesballastieres@	5 ABDGIK**LM**	ABFGHIJLOR10
orange.fr	B 16A CEE	① €21,40
◪ N 47°42'23'' E 6°40'26''	H372 5,2 ha 99T(120-280m²) 10D	② €26,80

☞ Von Ronchamp der D295 folgen. Dann links ab auf der D4. Der CP ist am Ortseingang links ausgeschildert.

Haute-Saône/Territoire-de-Belfort

Cromary, F-70190 / Franche-Comté CC€14 iD

▲ l'Esplanade**	1 A**JM**NOPRS**T**	JUVXY 6
⌂ rue du Pont	2 CFGIJPVWXY	BD**FG** 7
⌂ 1 Apr - 30 Sep	3 AE**GH**LQ	ABDFNR 8
☎ +33 (0)3-84918200	4 EO	BQR 9
@ lesplanade@ymail.com	5 ABDG**L**	ABHIJOR10
	B 4-8A	① €19,50
◪ N 47°21'32'' E 6°4'43''	H275 2,2 ha 37T(100-130m²) 10D	② €22,50

☞ Auf der N57 zwischen Vesoul und Besançon, ca. 9 km hinter Rioz, Ausf. re nach Voray und nach Cromary in entgegengesetzter Ri. auf die N57 (ca. 5 km) abbiegen. Dann D276 nach They und Cromary. Auf der N57 ist der CP ausgeschildert.

Fresse, F-70270 / Franche-Comté iD

▲ De la Broche**	1 A**JM**NOPQRST	LN 6
⌂ route du Mont de Vannes	2 BDPRUVWXY	ABDE**F** 7
⌂ 15 Apr - 15 Okt	3 ALQ	BDFINQRV 8
☎ +33 (0)3-84633140	4 FHIO	DF 9
@ contact@camping-broche.com	5 L	ABJST10
	10A CEE	① €12,00
◪ N 47°45'19'' E 6°39'10''	H480 2 ha 50T(120-160m²) 10D	② €16,00

☞ Von Épinal über die N57 und die N66 Richtung Le Thillot. Über die D486 Richtung Lure. Dann die D97 nach Fresse. Ab hier ist der CP ausgeschildert.

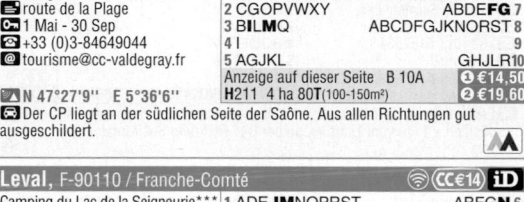

Gray, F-70100 / Franche-Comté   iD

▲ Longue Rive***	1 ADE**JM**NOPRST **ABFHN**QSWX**Y** 6
🏠 route de la Plage	2 CGOPVWXY ABDE**FG** 7
🕐 1 Mai - 30 Sep	3 B**ILMQ** ABCDFGJKNORST 8
☎ +33 (0)3-84649044	4 I 9
@ tourisme@cc-valdegray.fr	5 AGJKL GHJLR10
	Anzeige auf dieser Seite B 10A ❶ €14,50
📷🅰 N 47°27'9'' E 5°36'6''	H211 4 ha 80T(100-150m²) ❷ €19,60

🚗 Der CP liegt an der südlichen Seite der Saône. Aus allen Richtungen gut ausgeschildert.

Marnay, F-70150 / Franche-Comté   🛜 iD

▲ Vert Lagon****	1 ADE**JM**NOPRST AFN**U**VXZ 6
🏠 route de Besancon	2 CPVWXY B**FG** 7
🕐 2 Mai - 30 Sep	3 AIL**QR** ABDFJNRS 8
☎ +33 (0)3-84317316	4 FHI AEJQRU 9
@ contact@	5 ADEGL**M** FGHIKPR10
camping-vertlagon.com	B 10A CEE ❶ €21,00
📷🅰 N 47°17'20'' E 5°46'38''	H204 3 ha 70T(100-120m²) 23D ❷ €27,00

🚗 Von der A36 Ausfahrt 3. Richtung Graz via D67. Danach die D29 nach Marnay. Einfahrt links der Straße, kurz vor der Ortsmitte.

Leval, F-90110 / Franche-Comté   🛜 (CC€14) iD

Camping du Lac de la Seigneurie***	1 ADE**JM**NOPRST ABFG**N** 6
🏠 3 rue de la Seigneurie	2 ABDIPRSVXY ABDE**FG** 7
🕐 1 Apr - 31 Okt	3 BEF**KLQ** ABCDEFNOQV 8
☎ +33 (0)3-84230013	4 FH ADEJ 9
@ camping-du-lac-	5 ABEGI ABFGHJ**O**10
de-la-seigneurie@orange.fr	Anzeige auf dieser Seite 6-10A ❶ €20,00
📷🅰 N 47°44'9'' E 7°0'58''	H430 9,9 ha 77T(00-800m²) 33D ❷ €26,00

🚗 E36 Ausfahrt 14.1 'Fontaine', die 3. Ausfahrt im Kreisel D60A nehmen. Nächster Kreisel 1. Ausfahrt D12, rechts ab auf die D83. Von dort ist der CP ausgeschildert. CP liegt an der D11.

Rioz, F-70190 / Franche-Comté   🛜 iD

▲ Camping du Lac***	1 A**JM**NOP**RS**T AFH**N** 6
🏠 rue de la Faïencerie	2 DFOPUWXY ABDE 7
🕐 1 Apr - 30 Sep	3 BEFLMQ ABCDFJNQRSTU 8
☎ +33 (0)3-84919159	4 IO 9
@ campingderioz@orange.fr	5 L A**H**I**O**R10
	D 10A ❶ €15,20
📷🅰 N 47°25'31'' E 6°4'29''	H330 3 ha 56T(80-130m²) ❷ €18,20

🚗 Die N57 bei Rioz verlassen, in Rioz die D5 und D232, dann die D15 Richtung Montbozon. Den Schildern folgen.

Luxeuil-les-Bains, F-70300 / Franche-Comté   🛜 iD

▲ Domaine du Chatigny****	1 ADE**JM**NOPR**T** ABF 6
🏠 14 rue Grammont	2 FGOPTUVW ABDE**FG**HJK 7
🕐 15 Mär - 31 Okt	3 BELMQ ABCDEFJKNQRSTUV 8
☎ +33 (0)3-84939797	4 IO**PQ** EJL 9
@ camping.lechatigny@	5 ADGIL**M** ABFGI IJPRW10
chainethermale.fr	16A CEE ❶ €20,60
📷🅰 N 47°49'23'' E 6°22'55''	H500 3,5 ha 78T(100m²) 20D ❷ €24,60

🚗 Der N57 folgen. Am Supermarkt Auchan rausfahren. Rechts halten und weiterhin rechts ab und am Friedhof entlang. Einfahrt liegt in einer Steigung.

Vesoul, F-70000 / Franche-Comté   🛜 iD

▲ International du Lac***	1 ADE**JM**NOPRS**T** **AB**F**G**H**I**LNQSU 6
🏠 av. des rives du Lac	2 DGHILOPRSVXY ABDE**FG**HK 7
🕐 1 Jan - 31 Dez	3 BELMQ ABCDFJNOPRSUV 8
☎ +33 (0)3-84762286	4 FHIO**PQ** FJLUV 9
@ camping_dulac@yahoo.fr	5 ADEFGIL**M** ABFGHIJLN**PR**10
	B 6A CEE ❶ €18,40
📷🅰 N 47°37'49'' E 6°7'43''	H250 4 ha 174T(120m²) 14D ❷ €26,90

🚗 Von Épinal die N57/E23. Von Belfort die N19/E54. Dann Vesoul Richtung Besançon, und den CP-Schildern folgen.

Villersexel, F-70110 / Franche-Comté   🛜 iD

▲ Le Chapeau Chinois***	1 A**JM**NOPR**T** J**N**U**X** 6
🏠 9? rue du Chapeau Chinois	2 CIJPHRVXY ABDE**FG** 7
🕐 1 Apr - 10 Okt	3 AEL ACEFNQRS 8
☎ +33 (0)3-84634060	4 FH EJ 9
@ contact@	5 ABDEGL**M** ABFHIJLOR10
camping-villersexel.com	B 10A ❶ €17,90
📷🅰 N 47°33'30'' E 6°26'8''	H280 5 ha 77T(80-100m²) 8D ❷ €21,90

🚗 A36/E60 Besançon-Belfort, Ausfahrt 5 Richtung Villersexel/Lure (D50). Vorm Zentrum ist der CP schon ausgeschildert.

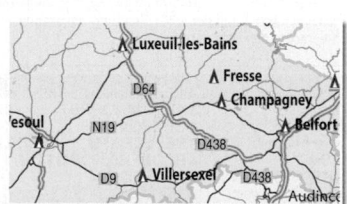

ACSI Detailkarte

Die Orte in denen die Plätze liegen, sind auf der Teilkarte **fett** gedruckt und zeigen ein offenes oder geschlossenes Zelt. Ein geschlossenes Zelt heißt, dass mehrere Campings um diesen betreffenden Ort liegen. Ein offenes Zelt heißt, dass ein Campingplatz in oder um diesen Ort liegt.

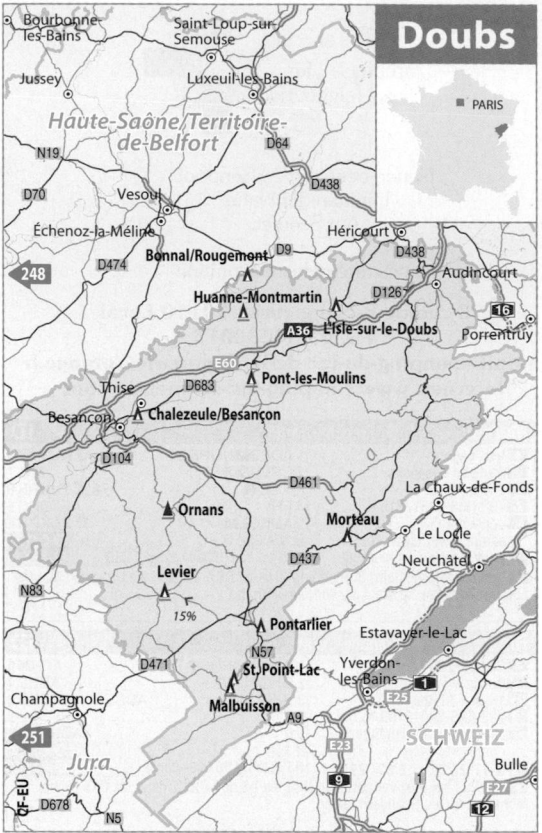

Doubs

■ PARIS

L'Isle-sur-le-Doubs, F-25250 / Franche-Comté 🛜 iD

🏕 Les Lûmes***
🏠 10 rue des Lûmes
🅲 1 Apr - 30 Sep
☎ +33 (0)3-81927305
@ contact@les-lumes.com

1 AJMNOPRT	JN 6
2 ACGJPVWX	ABDE 7
3 BEILQ	ABCDEFNS 8
4 FHO	DE 9
5 EFGKLM	AGHJNORV10
B 10A	❶ €18,10
	❷ €22,50

📷 N 47°27'8'' E 6°34'58''   H296 1 ha 70T(100m²) 9D

🚗 Von der A36, Ausfahrt L'Isle-sur-le-Doubs Richtung Stadtzentrum. Den Hinweisen folgen.

Levier, F-25270 / Franche-Comté 🛜 ✿ (CC€14) iD

🏕 Camping de la Forêt***
🏠 route de Septfontaine
🅲 1 Mai - 13 Sep
☎ +33 (0)3-81895346
@ camping@
  camping-dela-foret.com

1 ADEJMNOPQRST	AB 6
2 GPVWXY	ABDEFGH 7
3 BELQV	ABCDFKNQRSV 8
4 BCDEFHI	EJL 9
5 ABEKLM	ABHIJLOPST10
6-10A CEE	❶ €24,30
	❷ €30,70

📷 N 46°57'35'' E 6°7'58''   H719 2 ha 66T(100-120m²) 10D

🚗 Levier liegt an der D72 zwischen Salins-les-Bains und Pontarlier. Der CP liegt nordöstlich ± 1 km vom Zentrum, an der D41 Richtung Septfontaine.

Malbuisson, F-25160 / Franche-Comté 🛜 (CC€16) iD

🏕 Les Fuvettes***
🏠 24 route de la Plage des Perrières
🅲 1 Apr - 30 Sep
☎ +33 (0)3-81693150
@ les-fuvettes@wanadoo.fr

1 ADEJMNOPQRST	ABFGHILNQSX 6
2 DHKPVWXY	BDEFG 7
3 ABEILQST	ABCDFKNQRSV 8
4 BCDFHIKLN	EJMPQRT 9
5 ACDEFGIKM	ABDGHIJPST10
B 6A CEE	❶ €27,90
	❷ €36,30

📷 N 46°47'31'' E 6°17'36''   H840 6 ha 200T(80-140m²) 160D

🚗 Nach Pontarlier (an der N57) rechts abfahren, der D437 folgen bis Malbuisson Richtung Lac St. Point-Rive Droite. Im Ort rechts der CP-Ausschilderung folgen.

Morteau, F-25500 / Franche-Comté 🛜 iD

🏕 Le Cul de la Lune**
🏠 rue du Pont Rouge
🅲 1 Jun - 15 Sep
☎ +33 (0)3-81671752
@ otsi.morteau@wanadoo.fr

1 AJMNOPRST	JNU 6
2 CFGIPRVWXY	ABDEFGK 7
3 BS	ABCDEFNR 8
4 FHIO	9
5 ABL	BGHIJPRV10
Anzeige auf dieser Seite 10A CEE	❶ €19,00
	❷ €23,00

📷 N 47°3'11'' E 6°35'56''   H760 0,5 ha 40T(80-100m²)

🚗 Von Le Russey der D437 folgen. Der CP liegt in Zentrumsnähe und ist ausgeschildert. Am Uhren-Museum in die D48 einordnen, weiter nach Montlebon.

Ornans, F-25290 / Franche-Comté 🛜 (CC€16) iD

🏕 Le Chanet****
🏠 9 chemin du Chanet
🅲 2 Apr - 5 Okt
☎ +33 (0)3-81622344
@ contact@lechanet.com

1 ACDEJMNORT	ABFGNU 6
2 FGPSTVWXY	ABDEFGH 7
3 BLMQST	ABCDFJKNQRSV 8
4 BDFHILNOPQRTX	AEFILUV 9
5 ACDEFGIKLM	ABDFGHIJOR10
B 10A CEE	❶ €32,90
	❷ €39,60

📷 N 47°6'1'' E 6°7'40''   H400 2,5 ha 68T(80-120m²) 42D

🚗 D67 in Ornans verlassen und der D241 Richtung Chassagne-St-Denis folgen. Über die Brücke, rechts den Schildern folgen.

Ornans, F-25290 / Franche-Comté 🛜 iD

🏕 Sites & Paysages
  La Roche d'Ully****
🏠 allée de la Tour de Peilz
🅲 2 Apr - 11 Okt
☎ +33 (0)3-81571779
@ contact@larochedully.com

1 ADEJMNOPRST	ABEFGHJNUV 6
2 CFGPQVWX	ABDEFGHJ 7
3 BEFLQRSTU	ABCDFJKNPQRTV 8
4 BCDEFHILNOPQTUV	BJLQRU 9
5 ABDEFGJLM	ABGHIJLOR10
B 16A CEE	❶ €35,80
	❷ €48,10

📷 N 47°6'2'' E 6°9'37''   H340 3 ha 79T(100-250m²) 22D

🚗 Der D67 durch das Zentrum von Ornans folgen. Richtung Pontarlier. Hinter Ornans (hinter der Brücke) sofort links ab. Nach 100m links ab über dieselbe Brücke (Ampel).

Pont-les-Moulins, F-25110 / Franche-Comté 🛜 (CC€12) iD

🏕 de L'Île**
🏠 1 rue Pontarlier
🅲 1 Mai - 6 Sep
☎ +33 (0)3-81841523
@ info@campingdelile.fr

1 AJMNOPRT	JNU 6
2 ACPWX	ABDEFG 7
3 AEL	ACEFNOR 8
4 FHI	DEV 9
5 DGL	ABHKOR10
6A	❶ €16,90
	❷ €20,90

📷 N 47°19'30'' E 6°21'41''   H280 1,5 ha 35T(120-200m²) 10D

🚗 N83 folgen bis Beaume-les-Dames, hier Richtung Pont-les-Moulins. CP liegt am Ortseingang von Pont-les-Moulins, auf der linken Seite.

Le Cul de la Lune - Morteau

Schön gelegener, einfacher Camping an den Ufern des 'Doubs'. Wander- und Radrouten. Guter Ausgangspunkt für GR 5. Im Juni und September Nebensaisontarif. 2 Personen all-in: Hochsaison: € 19,00 Nebensaison: € 16,00.

Rue du Pont Rouge, 25500 Morteau · Tel. 03-81671752
E-Mail: otsi.morteau@wanadoo.fr
Internet: www.morteau.org/index.php?id=355

Bonnal/Rougemont, F-25680 / Franche-Comté 🛜 iD

🏕 Le Val de Bonnal*****
🏠 1, chemin du Moulin
🅲 7 Mai - 7 Sep
☎ +33 (0)3-81869087
@ val-de-bonnal@wanadoo.fr

1 ADEILNOPRST	ABFGHLNQU 6
2 CDGHIRVWXY	ABDEFGH 7
3 BEKLQR	ABCDEFKNQRSTUV 8
4 BCDFHILNOPQR	AEJLQRTU 9
5 ACDEFGKL	ABGHIKNOR10
B 10A CEE	❶ €51,35
	❷ €62,85

📷 N 47°30'28'' E 6°21'22''   H350 15 ha 272T(120-200m²) 176D

🚗 Von Luxeuil D64 nach Lure. D486 nach Villersexel, dann D9 nach Esprels und D49 nach Bonnal. CP ist ausgeschildert.

Chalezeule/Besançon, F-25220 / Franche-C. 🛜 (CC€16) iD

🏕 Camping de Besançon -
  La Plage***
🏠 12 route de Belfort
🅲 1 Apr - 30 Sep
☎ +33 (0)3-81880426
contact@campingdebesancon.com

1 ADEJMNOPRST	ABFGN 6
2 AOPSWXY	ABDEFGH 7
3 AEIKLQ	ABCDEFJKNOPQRSV 8
4 FHO	AE 9
5 AD	ABDFGHIKNPR10
16A CEE	❶ €24,15
	❷ €29,75

📷 N 47°15'57'' E 6°4'18''   H345 2,5 ha 106T(75-120m²) 6D

🚗 RD683, Belfort-Besançon. Der CP ist dort angezeigt.

Huanne-Montmartin, F-25680 / Franche-C. 🛜 (CC€16) iD

🏕 Du Bois de Reveuge****
🏠 route de Rougemont
🅲 25 Apr - 5 Sep
☎ +33 (0)3-81843860
@ info@
  campingduboisdereveuge.com

1 ADEJMNOPRST	ABEFGHINU 6
2 ABDFGHIPRSTUVWXY	ABDEFGH 7
3 BCDEGHIKLQR	ABDFNOQRSTUV 8
4 BDFHILNOPR	EJLPQRTUV 9
5 ABDEFGKL	ABFGHIJNPSTY10
6-16A CEE	❶ €35,00
	❷ €52,00

📷 N 47°26'26'' E 6°20'36''   H325 24 ha 168T(80-180m²) 152D

🚗 A36 Ausfahrt Baume-les-Dames, der Straße in Richtung Villersexel und den Schildern 'Camping Huanne' folgen.

Pontarlier, F-25300 / Franche-Comté 🛜 iD

▲ Le Larmont***	1 ADE**JM**NOPQRST	6
🏠 2 chemin du Toulombief	2 FGPSUVWXY	ABDE**FGH** 7
🗓 1/1 - 15/11, 15/12 - 31/12	3 **AGH**LQS	ABCDEFJKNPQRSTU 8
☎ +33 (0)3-81462333	4 FHO	J 9
@ lelarmont.pontarlier@	5 AGL	BFGHIJOR10
wanadoo.fr	W 10A CEE	➊ €22,30
📡 N 46°54'1'' E 6°22'27''	2,5 ha 58T(80-120m²) 16**D**	➋ €26,50
🚗 In Pontarlier den CP-Schildern folgen.		🅜

St. Point-Lac, F-25160 / Franche-Comté 🛜 iD

▲ Mun. St. Point-Lac***	1 ADE**JM**NOPQRT	LMNQSXYZ 6
🏠 8 rue du Port	2 DGHKPVWX	ABDE**FG** 7
🗓 15 Apr - 30 Sep	3 BELQ	ABCDFJNRSV 8
☎ +33 (0)3-81696164	4 FHIO	PTUW 9
@ camping-saintpointlac@	5 **LM**	ABGHIJOTU10
wanadoo.fr	B 16A CEE	➊ €19,50
📡 N 46°48'42'' E 6°18'12''	H859 0,7 ha 84T(80-100m²)	➋ €23,70
🚗 Nach Pontarlier die N57 rechts ab auf die D437 Richtung Lac St. Point-Rive Gauche. Kurz hinter Oye-et-Pallet rechts ab Richtung St. Point (D129). Im Ort den Schildern folgen.		🅜

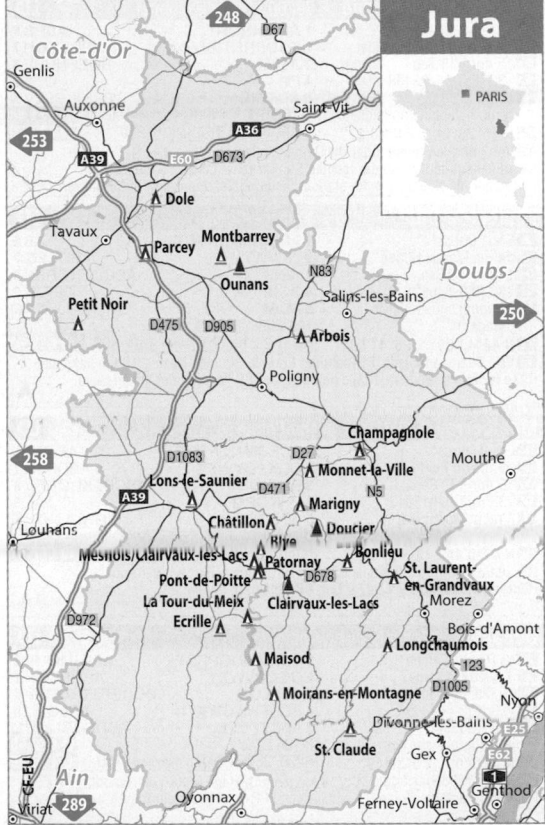

Jura

PARIS

Genlis, Auxonne, Saint-Vit, Dole, Tavaux, Parcey, Montbarrey, Ounans, Petit Noir, Salins-les-Bains, Arbois, Poligny, Champagnole, Mouthe, Monnet-la-Ville, Lons-le-Saunier, Marigny, Châtillon, Doucier, Mesnois/Clairvaux-les-Lacs, Blye, Patornay, Bonlieu, Pont-de-Poitte, St. Laurent-en-Grandvaux, La Tour-du-Meix, Clairvaux-les-Lacs, Morez, Ecrille, Bois-d'Amont, Maisod, Longchaumois, Moirans-en-Montagne, Nyon, Louhans, Divonne-les-Bains, St. Claude, Gex, Genthod, Oyonnax, Ferney-Voltaire, Viriat, Côte-d'Or, Doubs, Ain

Champagnole, F-39300 / Franche-Comté 🛜 CC€14 iD

▲ Camping de Boyse***	1 ADE**JM**NOPQRST	ABFGNO 6
🏠 20 rue Georges Vallerey	2 CGKPUVWXY	ABDE**FGH** 7
🗓 4 Apr - 30 Sep	3 ABEIKL**MNQ**	ABCDEFINRS 8
☎ +33 (0)3-84520032	4 BCDFHIO	DEU 9
@ camping-boyse@wanadoo.fr	5 ADEFGIM	ABGHIJORZ10
	B 10A CEE	➊ €23,10
📡 N 46°44'48'' E 5°53'57''	H537 7 ha 161T(100-150m²) 25**D**	➋ €31,20
🚗 Von Poligny die N5, am Ortsanfang von Champagnole. Jetzt die N5 Richtung Lons-le-Saunier und dann den CP-Schildern folgen.		🅜

Châtillon, F-39130 / Franche-Comté 🛜 ✿ iD

▲ Domaine de l'Épinette***	1 ADE**JM**NOPQRT	ABFGHJN**U** 6
🏠 15 rue de l'Épinette	2 CJPRSTUVWXY	BDE**FG** 7
🗓 13 Jun - 6 Sep	3 BLQ	ABDFNORS 8
☎ +33 (0)3-84257144	4 FHILO	AEJQR 9
@ contact@	5 ABDEFG**KM**	BFGHJOR10
domaine-epinette.com	6A CEE	➊ €27,60
📡 N 46°39'9'' E 5°43'17''	H466 7 ha 133T(80-100m²) 129**D**	➋ €30,60
🚗 Von Lons-le-Saunier die D474 Richtung Champagnole. Die D39 durch Vevy nach Châtillon. In Châtillon rechts den Schildern folgen (D151).		🅜

Clairvaux-les-Lacs, F-39130 / Franche-Comté 🛜 iD

▲ La Grisière et Europe Vacances***	1 ADE**JM**NOPQRST	LNQSX 6
	2 DHIPTVWXY	ABDE**FG** 7
🏠 chemin du Langard, BP 19	3 ABELQT	BDFNORSV 8
🗓 1 Mai - 30 Sep	4 FHO**P**	EQRTUV 9
☎ +33 (0)3-84258048	5 ABDEFG**KM**	GHI**NP**RⅢ
@ bailly@la-grisiere.com	10A	➊ €24,85
📡 N 46°34'3'' E 5°45'17''	H550 11 ha 530T(100m²) 20**D**	➋ €29,45
🚗 Clairvaux-les-Lacs einfahren über die N78. Die D118 kurz folgen und danach dem Schild 'Campings' folgen.		🅜

Clairvaux-les-Lacs, F-39130 / Franche-C. 🛜 CC€12 iD

▲ Le Grand Lac***	1 ADE**IL**NOPQRST	ABFGLMNQSX 6
🏠 chemin du Langard	2 DGHIPRUVWXY	ABDE**FG** 7
🗓 23 Mai - 27 Sep	3 AEFLQT	ABCDFIKNORSV 8
☎ +33 (0)3-84252214	4 BDFIⅡL	BELT 9
@ grandlac@odesia.eu	5 ABL	BDGHIJORV10
	10A CEE	➊ €28,40
📡 N 46°34'6'' E 5°45'19''	H560 6 ha 147T(80-100m²) 61**D**	➋ €34,70
🚗 Clairvaux-les-Lacs über die D678 einfahren. Dann kurz die D118, danach dem Schild 'Campings' folgen.		🅜

Clairvaux-les-Lacs, F-39130 / Franche-C. 🛜 ✿ CC€16 iD

▲ Yelloh! Village Fayolan****	1 ADE**IL**NOPQRS**T**	ABEFGHL**N**QSX 6
🏠 BP 52	2 DGHPRUVWXY	ABDE**FGH** 7
🗓 30 Apr - 6 Sep	3 ABEFLQRT	BDFIKNQRSTUV 8
☎ +33 (0)3-84258852	4 AB**CDEF**HILMNOTVY	AEJLQRU 9
@ lefayolan@odesia.eu	5 ACDEFGIJ**KM**	ABGHIJNPR10
	B 10A CEE	➊ €43,80
📡 N 46°33'51'' E 5°45'23''	H460 17 ha 308T(80-140m²) 296**D**	➋ €57,80
🚗 Über D678 nach Clairvaux-les-Lacs hineinfahren. Dann kurz der D118 und der CP-Beschilderung folgen.		🅜

Arbois, F-39600 / Franche-Comté 🛜 iD

▲ Les Vignes**	1 ADE**JM**NOPRT	**ABF** 6
🏠 5 rue de la piscine	2 PRSTUVWX	ARDE 7
🗓 15 Apr - 15 Sep	3 AELQ	ABCDFNRSTUV 8
☎ +33 (0)3-84661412	4 FHI	DEU 9
@ campinglesvignes@hotmail.com	5 ABDG	ABFGHJO**R**10
	10A CEE	➊ €20,90
📡 N 46°54'13'' E 5°47'11''	H307 5,2 ha 139T(100-120m²) 3**D**	➋ €24,70
🚗 Arbois liegt an der N83 zwischen Besançon und Poligny. In der Stadt ist der CP ausgeschildert.		🅜

Dole, F-39100 / Franche-Comté 🛜 CC€14 iD

▲ Du Pasquier***	1 ADE**JM**NORST	AB**N** 6
🏠 18 chemin Thévenot	2 ACGKPVWXY	ABDE**FG** 7
🗓 15 Mär - 25 Okt	3 BLQS	ABDEFNQRS 8
☎ +33 (0)3-84720261	4 N	EKQUV 9
@ lola@	5 ABDEK	ABFGHJPR10
camping-le-pasquier.com	B 10A	➊ €21,00
📡 N 47°5'22'' E 5°30'11''	H220 2 ha 120T(80-110m²) 14**D**	➋ €27,60
🚗 Von der A36 Ausfahrt Dole. In Dole den Schildern 'Camping' oder 'Stade-Camping' folgen.		🅜

Blye, F-39130 / Franche-Comté iD

▲ Les Claies	1 AJMNOPRT	6
🏠 rue Principale	2 PRVX	ABDE 7
🗓 15 Jun - 15 Sep	3 AELQ	ABCDFNOQ 8
☎ +33-84483055	4	D 9
	5 A	JST10
	6A CEE	➊ €13,30
📡 N 46°37'7'' E 5°42'6''	H476 1 ha 40T(90-100m²) 3**D**	➋ €17,90
🚗 Von Lons-le-Saunier über die D52 Richtung Clairvaux-les-Lacs. Für Caravans über die D678. D52 ist für Caravans verboten. Dann links die D151 und über Mesnois nach Blye.		🅜

Bonlieu, F-39130 / Franche-Comté 🛜 CC€14 iD

▲ Camping L'Abbaye***	1 ADE**JM**NOPQRST	N 6
🏠 2 route du Lac	2 CPSUVWXY	BDE**FGH** 7
🗓 1 Mai - 30 Sep	3 BE**GH**LQ	BDFNRSV 8
☎ +33 (0)3-84255704	4 FHO	9
@ camping.abbaye@wanadoo.fr	5 ABDEFGIJ**LM**	ABDFGHJPR10
	B 10A CEE	➊ €20,60
📡 N 46°35'48'' E 5°52'17''	H810 4 ha 80T(100-120m²) 7**D**	➋ €25,40
🚗 Von Clairvaux-les-Lacs nach Geneve auf die N78 und Bonlieu durchfahren. Hinter dem Wohngebiet nach ca. 1 km rechts ab nach 'Lac de Bonlieu' und CP.		🅜

Doucier, F-39130 / Franche-Comté 🛜 CC€16 iD

▲ Domaine de Chalain****	1 ADE**JM**NOPQRT	AEFGHILMN**Q**SUXY 6
🗓 24 Apr - 13 Sep	2 DGHKPUVWX	BE**FGH** 7
☎ +33 (0)3-84257878	3 ABE**FIJ**L**M**QRTV	BDFJKNRS 8
@ chalain@chalain.com	4 BCDFHILMO**TU**VY	AEJLQRU 9
	5 ACDEFGIK**LM**	ABDFGHIJ**NP**RYZ10
	B 10A CEE	➊ €40,70
📡 N 46°39'51'' E 5°48'50''	H474 30 ha 417T(90-240m²) 231**D**	➋ €46,70
🚗 Von Champagnole über die D471 in Richtung Lons-le-Saunier. Über die D27 in Richtung Clairvaux-les-Lacs. In Doucier den CP-Schildern folgen.		🅜

Doucier, F-39130 / Franche-Comté · iD

▲ Le Relais de l'Eventail**	1 ADE**JM**NOPQRST	**N** 6
▣ D326	2 CGPVWXY	BDE**FG** 7
☷ 27 Jun - 30 Aug	3 BLQ	ABCDFJNOV 8
☎ +33 (0)3-84257159	4 FI	FKL 9
@ relais.de.leventail@gmail.com	5 ADEGIM	ABGHJRZ10
	10A CEE	❶ €20,45
◪ N 46°36'52'' E 5°50'52''	H524 1,2 ha 53**T**(100-120m²) 2**D**	❷ €25,45

☷ In Doucier über die D326 den Schildern 'Cascades du Hérisson' folgen. Der CP liegt in der Nähe des Wasserfalls, rechts vorbei am bezahlten Parkplatz.

Doucier, F-39130 / Franche-Comté 🛜 CC€14 iD

▲ Les Merilles***	1 ADE**JM**NOPRT	ABFG**N**U 6
▣ rue des 3 Lacs	2 CGPVWXY	ABDE**FG**H 7
☷ 1 Apr - 30 Sep	3 BE**GH**LQS	ABCDEFIJK**L**NORSV 8
☎ +33 (0)3-84257306	4 ABCDEFHINO**P**	DEJQRUW 9
@ camping.lesmerilles@wanadoo.fr	5 ABDEGK**LM**	BDGHIJPR10
	B 10A CEE	❶ €22,15
◪ N 46°39'6'' E 5°46'29''	H513 2 ha 96**T**(80-140m²) 17**D**	❷ €30,20

☷ In Doucier über die D27 den Schildern Clairvaux-les-Lacs folgen. Der CP liegt ca. 150m vom Wohngebiet in Doucier entfernt.

Ecrille, F-39270 / Franche-Comté 🛜 CC€12 iD

▲ La Faz***	1 A**I**LNOPQRST	AN**X** 6
▣ 4 Pont de Vaux	2 CGPVXY	ABD**F** 7
☷ 1 Mai - 30 Sep	3 BELQ	BCDF**N**RV 8
☎ +33 (0)3-84254027	4 FIO**Q**	DEJL 9
@ camping.la.faz@sfr.fr	5 ABDEG**LM**	ABGIJOSTV10
	6A CEE	❶ €21,40
◪ N 46°30'35'' E 5°37'14''	H402 6 ha 99**T**(100-150m²) 17**D**	❷ €27,40

☷ Von Lons-le-Saunier die D52 Richtung Orgelet über die D678 und dann die D52e und D52 bis Orgelet. Die D470 nehmen und sofort rechts nach Ecrille. CP-Schildern folgen.

La Tour-du-Meix, F-39270 / Franche-Comté 🛜 CC€12 iD

▲ Surchauffant***	1 ADE**JM**NOPQRST	ABFL**N**QSWXYZ 6
▣ Le Pont de la Pyle	2 DGHPUVWXY	ABDE**FG** 7
☷ 24 Apr - 13 Sep	3 ABLQ	ABCDFKNRSTV 8
☎ +33 (0)3-84254108	4 BCDFGHIO	EJKLU 9
@ info@camping-surchauffant.fr	5 ABDEFGIJ**L**	ABGHIJ**P**RZ10
	10A CEE	❶ €25,50
◪ N 46°31'24'' E 5°40'27''	H455 3 ha 156**T**(80-110m²) 48**D**	❷ €33,50

☷ Von Lons-le-Saunier die N78 und dann die D52 nehmen. In Orgelet die D470 Richtung St. Claude. Der CP-Beschilderung folgen.

Longchaumois, F-39400 / Franche-Comté 🛜 iD

▲ Le Baptaillard**	1 A**J**MNOPRT	6
☷ 1/1 - 30/9, 1/12 - 31/12	2 BFGPTWXY	ABDE**F**H 7
☎ +33 (0)3-84606234	3 ALQ	ABCDEFJNOR 8
@ camping-lebaptaillard@orange.fr	4 FHI	IJ 9
	5 AB**K**LM	AHJOR10
	W 6-10A	❶ €16,80
◪ N 46°29'3'' E 5°56'54''	H900 5 ha 90**T**(ab 100m²) 28**D**	❷ €24,20

☷ Von Lons-le-Saunier über die N78 und N5 nach Morez, dann die D69 bis Baptaillard.

Lons-le-Saunier, F-39000 / Franche-Comté 🛜 CC€14 iD

▲ La Marjorie****	1 ADE**JM**NOPQRST	6
▣ 640 boulevard de l'Europe	2 ACGOPSVWXY	ABDE**FG**H 7
☷ 1 Apr - 15 Okt	3 ABE**FK**LQRSTV	ABCDFJKNQRSTUV 8
☎ +33 (0)3-84242694	4 ABDEFHILNO	EJLU 9
@ info@camping-marjorie.com	5 ABDEGK**LM**	ABFGHIJ**NOP**RV10
	B 10A CEE	❶ €24,00
◪ N 46°41'3'' E 5°34'7''	H277 7,5 ha 192**T**(100-120m²) 19**D**	❷ €31,60

☷ A39, Ausfahrt 7 aus Richtung Norden, 23 km auf 4-spuriger Schnellstraße N83. Aus Richtung Süden. 9 km über die N78. Den CP-Schildern folgen.

Maisod, F-39260 / Franche-Comté 🛜 iD

▲ Trélachaume***	1 ADE**JM**NOPRST	F**N**OQSWXYZ 6
▣ 50 route du Mont du Cerf	2 FGHIPRUVWXY	ABDE**FG**H 7
☷ 11 Apr - 5 Sep	3 BELQ	ABCD**F**N**Q**P 8
☎ +33 (0)3-84420326	4 ABEFHIO	AEFJLOPQR 9
@ info@trelachaume.fr	5 ABDEFG**I**L	ABHIJN**O**R10
	5-10A CEE	❶ €21,00
◪ N 46°28'7'' E 5°41'19''	H530 3,5 ha 180**T**(80-200m²) 36**D**	❷ €26,60

☷ Von Lons-le-Saunier die D52 bis Orgelet nehmen, über die D470 Richtung St. Claude. Nach der Pont de la Pyle erst den Schildern nach Maisod, danach den CP-Schildern folgen. Caravans müssen über die N78 Lons wegen der steilen Steigung umfahren (ist angezeigt).

Marigny, F-39130 / Franche-Comté 🛜 ✿ iD

▲ La Pergola*****	1 ADE**JM**NOPQRST	ABCDFGLNQSXY 6
▣ 1 rue des Vernois	2 DGHKPUVWXY	ABDE**FG**H 7
☷ 8 Mai - 6 Sep	3 ABE**FK**LQRST	ABCDEFKNQRSTU 8
☎ +33 (0)3-84257003	4 BCDFHILNOU	ELQRTU 9
@ contact@lapergola.com	5 ACDEFGH**I**K**M**	ABGHIJ**O**QR10
	B 10A CEE	❶ €46,70
◪ N 46°40'37'' E 5°46'49''	H493 12 ha 104**T**(100-120m²) 302**D**	❷ €60,70

☷ Kommend von Champagnole über die D471 bis Pont-du-Navoy. Dann links ab auf die D27 Richtung Doucier. Bei Lac de Chalain links, den CP-Schildern folgen.

Mesnois/Clairvaux-les-Lacs, F-39130 / Franche-C. 🛜 CC€16 iD

Sites & Paysages Beauregard****	1 ADE**JM**NOPQRST	AEFGH**N** 6
▣ 2 Grande rue Mesnois	2 PVXY	BE**FG**H 7
☷ 1 Apr - 30 Sep	3 BEILMQTV	BDFJKNORSUV 8
☎ +33 (0)3-84483251	4 FHITUVY	AE 9
@ reception@juracampingbeauregard.com	5 ABEFGIJ**LM**	BDF**G**HIJ**P**ST10
	Anzeige auf Seite 253 B 6A	❶ €31,30
◪ N 46°35'59'' E 5°41'18''	H460 6 ha 195**T**(100-120m²) 48**D**	❷ €40,10

☷ Von Lons-le-Saunier über die D52 Richtung Clairvaux-les-Lacs. Für Wohnwagen über D678 (D52 ist für Wohnwagen verboten). Dann den CP-Schildern folgen.

Moirans-en-Montagne, F-39260 / Franche-Comté 🛜 iD

▲ La Petite Montagne***	1 AD**JM**NORT	ABFG 6
▣ 54 avenue de St. Claude	2 FGOPRSTUVWXY	BDE**FG**H 7
☷ 15 Apr - 15 Sep	3 AELQ	BDEFNRSV 8
☎ +33 (0)3-84423498	4 F**P**	DEF 9
@ info@campinglapetitemontagne.com	5 ADEGI**L**	BFHIKPSTV10
	6-10A CEE	❶ €21,40
◪ N 46°25'14'' E 5°43'27''	H627 3 ha 70**T**(70-150m²) 28**D**	❷ €27,70

☷ Von Lons-le-Saunier über die D52 nach Orgelet, dann die D470. Hinter Moirans liegt der CP auf der rechten Straßenseite. Caravans müssen ab Lons über die N78 wegen der starken Steigung (ist angezeigt) herumfahren.

Monnet-la-Ville, F-39300 / Franche-Comté 🛜 iD

▲ Sous Doriat***	1 ADE**JM**NOPRT	AB 6
▣ 34 rue Marcel Hugon	2 GPVWXY	ABDE**FG** 7
☷ 1 Mai - 30 Sep	3 ABEKLQ	ABCDFNQRSV 8
☎ +33 (0)3-84512143	4 BCDI	DEFJK 9
@ camping.sousdoriat@orange.fr	5 DGM	BGHIJLOR10
	10A CEE	❶ €20,60
◪ N 46°43'20'' E 5°47'58''	H600 2,2 ha 120**T**(100-150m²) 40**D**	❷ €27,80

☷ Von Champagnole D471 Richtung Lons-le-Saunier. Nach ± 10 km links die D27e Richtung Monnet-la-Ville nehmen. Der CP liegt auf der linken Seite.

Montbarrey, F-39380 / Franche-Comté 🛜 CC€14 iD

▲ Les 3 Ours***	1 ADE**JM**NOPRST	A**F**J**N**U 6
▣ 28 rue du Pont	2 CGKPQVWXY	ABDE**F**H 7
☷ 15 Apr - 30 Sep	3 BEFLQS	ABCDFKNQRSV 8
☎ +33 (0)3-84815045	4 FHNO**PQ**	AE 9
@ h.rabbe@orange.fr	5 ABEGJL	BGHIJLN**O**R10
	B 10A	❶ €22,90
◪ N 47°0'44'' E 5°37'50''	H265 3,5 ha 73**T**(100-140m²) 20**D**	❷ €32,90

☷ Südlich von Dole über die N5 oder D405 durch Parcey. Weiter nach Pontarlier-Lausanne via D472. Den CP-Schildern folgen.

Ounans, F-39380 / Franche-Comté 🛜 CC€16 iD

▲ La Plage Blanche***	1 ADE**JM**NOPRST	AEFJM**N**UV 6
▣ 3 rue de la Plage	2 CGIJPVWXY	ABDE**FG**H 7
☷ 10 Mai - 15 Sep	3 ABELQ	ABCDEFJKNQRSV 8
☎ +33 (0)3-84376963	4 BCDFHILO**PQ**TU	AELQRU 9
@ reservation@la-plage-blanche.com	5 ABDEFGJ**L**	ABDF**G**HIJOR10
	B 10A CEE	❶ €29,50
◪ N 47°0'9'' E 5°39'49''	H220 22 ha 220**T**(120-200m²) 31**D**	❷ €39,00

☷ N5 Dole-Poligny folgen. Ca. 18 km nach Dole bei Mont-sous-Vaudrey D472 Richtung Pontarlier folgen. Anschließend CP-Beschilderung folgen.

Ounans, F-39380 / Franche-Comté 🛜 iD

▲ Le Val d'Amour***	1 ACDE**JM**NOPRST	AH 6
▣ 1 rue du Val d'Amour	2 GPVXY	ABDE**FG** 7
☷ 1 Apr - 30 Sep	3 BELQS	ABCDEFNOQRV 8
☎ +33 (0)3-84376189	4 BCDFHIO	ADEFJ 9
@ camping@levaldamour.com	5 DEGL	BGHIJLOST10
	B 10A CEE	❶ €24,00
◪ N 46°59'36'' E 5°40'15''	H220 3,5 ha 97**T**(140m²) 32**D**	❷ €32,00

☷ N5 Dole-Poligny folgen. Ca. 18 km hinter Dole bei Mont-sous-Vaudrey der D472 Richtung Pontarlier folgen. In Ounans den CP-Schildern folgen.

Parcey, F-39100 / Franche-Comté 🛜 CC€14 iD

▲ Les Bords de Loue***	1 ADE**JM**NOPRST	ABFGHJN**U** 6
▣ chemin du Camping	2 ACGKPRVWXY	ABDE**FG**H 7
☷ 1 Apr - 11 Okt	3 BEFH**J**L**MR**	ABCDFJKNQRSV 8
☎ +33 (0)3-84710382	4 BFINO	AEFQRUV 9
@ contact@jura-camping.fr	5 ABDEFGK**L**	BDF**G**HIJ**L**PR10
	B 10A	❶ €27,00
◪ N 47°0'59'' E 5°28'53''	H210 17 ha 264**T**(100-200m²) 108**D**	❷ €33,00

☷ Südlich von Dole N5 Richtung Genf bis Parcey folgen. Der CP ist von beiden Seiten aus gut ausgeschildert.

Patornay, F-39130 / Franche-Comté 🛜 CC€16 iD

▲ Le Moulin****	1 ADE**I**LNOPRT	ABCDFGHJN**U**X 6
▣ chemin du Camping	2 CGKPVXY	ABDE**FG** 7
☷ 25 Apr - 13 Sep	3 ABELQ	BDFKNQRSV 8
☎ +33 (0)3-84483121	4 BCDHILNOTUV	FL 9
@ contact@camping-moulin.com	5 ABDEFGKL**M**	ABDGHIJ**NOP**ST10
	B 6A CEE	❶ €34,60
◪ N 46°35'14'' E 5°42'3''	H455 5 ha 227**T**(80-100m²) 101**D**	❷ €44,60

☷ Von Lons-le-Saunier über die D52 Richtung Clairvaux-les-Lacs. Für Caravans über D678. D52 ist für Caravans verboten. In Patornay den CP-Schildern folgen.

Camping Beauregard

Jura ★★★★

www.juracampingbeauregard.com

Tel. / Fax : +33 (0)3 84 48 32 51

reception@juracampingbeauregard.com

Petit Noir, F-39120 / Franche-Comté 🛜 iD

⛺ Les Bords du Doubs**	1 ADE**JM**NOPRST	JNX 6
📧 38 route du Pont	2 CGJPVWXY	ABDF 7
📅 1 Mai - 30 Sep	3 BELQ	AEFNORV 8
☎ +33 (0)3-84810324	4 HIO**P**	D 9
@ bordsdudoubs@sfr.fr	5 AGL**M**	BHIJOST 10
	4-6A CEE	❶ €14,95
📍 N 46°55'25'' E 5°21'0''	H202 3,5 ha 102T(120-250m²) 2D	❷ €18,95

🚗 Die RN73. In Annaire die D11 nach Petit-Noir. In Petit-Noir der D13 Richtung Neublans und den Schildern folgen.

Pont-de-Poitte, F-39130 / Franche-Comté 🛜 iD

⛺ Des Pêcheurs***	1 ADE**JM**NOPRT	JNUX 6
📧 9 chemin de la Plage	2 CGPVWXY	ABDE**FG** 7
📅 15 Jun - 9 Sep	3 BELQT	ABCDEFNQRV 8
☎ +33 (0)3-84483133	4 IO	ER 9
@ contact@	5 AGKL**M**	BHJ**P**ST 10
camping-pecheurs.com	6A CEE	❶ €20 hill
📍 N 40°00'15'' E 5°41'43''	H444 3,5 ha 163T(80-150m²) 14D	❷ €26,60

🚗 Von Lons-le-Saunier über die D52 Richtung Clairvaux-les-Lacs. Füe Caravans über D678. D52 ist für Caravans verboten. In Pont-de-Poitte CP-Schildern folgen.

St. Claude, F-39200 / Franche-Comté 🛜 CC€12 iD

⛺ Flower Camping	1 ADE**JM**NOPRST	ABF**GN** 6
Le Martinet***	2 CGPRSTUVWXY	ABDE**FGH** 7
📧 12 le Martinet	3 A**KLMN**Q	ABCDFJKNQRSTUV 8
📅 1 Apr - 30 Sep	4 FHIO	BFJLW 9
☎ +33 (0)3-84450040	5 ABDEFGIL	ABFGHJPRV 10
@ contact@camping-saint-claude.fr	B 10A CEE	❶ €19,00
📍 N 46°22'18'' E 5°52'21''	H450 3 ha 111T(50-100m²) 14D	❷ €23,00

🚗 Am westlichen Ortseingang von St. Claude über die D436, der Brücke über die Bienne, an der Kathedrale rechts ab. CP-Schildern folgen.

St. Laurent-en-Grandvaux, F-39150 / Franche-C. 🛜 iD

⛺ Mun. du Champs de Mars***	1 ADE**JM**NOPQRST	6
📧 8 rue du Camping	2 PSVWX	ABDE**FGH** 7
📅 1/1 - 30/9, 15/12 - 31/12	3 ALQV	ABCDFJNRTUV 8
☎ +33 (0)3-84601930	4 BCDFHIO	J 9
@ champmars.camping@orange.fr	5 A**LM**	ADFGHIJPRZ 10
	W 10A	❶ €13,20
📍 N 46°34'34'' E 5°57'47''	H921 3 ha 133T(80-100m²) 40D	❷ €18,85

🚗 Aus Richtung Champagnole über N5 den Ort St. Laurent durchfahren. Nach ca. 1 km ist der CP ausgeschildert. Er liegt nach 600m rechts der Straße.

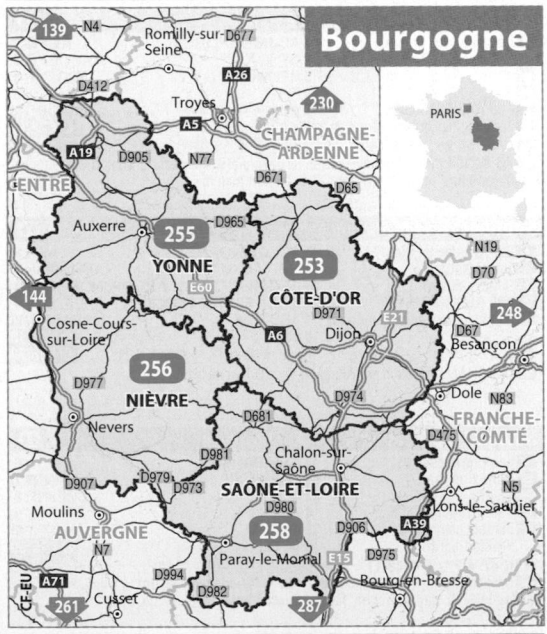

Bourgogne

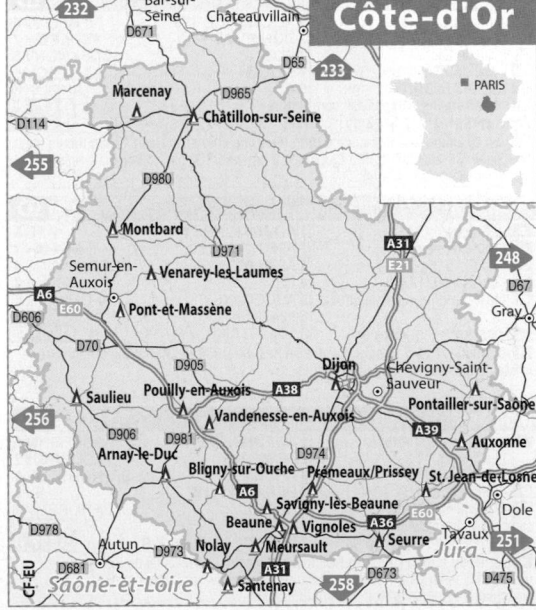

Côte-d'Or

Arnay-le-Duc, F-21230 / Bourgogne 🛜 CC€16 iD

⛺ Vivacamp de l'Étang de	1 ADE**JM**NOPRS**T**	ABF**GHLN** 6
Fouché****	2 DGHIPVWXY	ABDE**FG** 7
📧 rue du 8 Mai 1945	3 ABE**HLM**QT	ABCDFGJKNQRSV 8
📅 11 Apr - 10 Okt	4 BFHILO**PQ**	EFJQTV 9
☎ +33 (0)3-80900223	5 ABDEFGIL	BGHIJOST 10
@ info@campingfouche.com	B 10A CEE	❶ €27,60
📍 N 47°8'5'' E 4°29'49''	H345 8 ha 209T(80-140m²) 54D	❷ €36,60

🚗 In Arnay-le-Duc den CP-Schildern folgen. CP liegt 1,2 km östlich der N6.

Auxonne, F-21130 / Bourgogne 🛜 CC€16 iD

⛺ De l'Arquebuse***	1 ADE**JM**NOPRST	AB**FN**QSTWXYZ 6
📧 route d'Athée	2 ACGPRVWXY	ABDE**FG** 7
📅 19 Jan - 20 Dez	3 BEL**QRS**T	ABCDFJNOR 8
☎ +33 (0)3-80310689	4 O**PQ**	EFT 9
@ camping.arquebuse@wanadoo.fr	5 ABEFGJK	BDHIJN**P**R 10
	10A CEE	❶ €21,30
📍 N 47°11'56'' E 5°22'57''	H180 4,5 ha 100T(100m²) 26D	❷ €27,50

🚗 Von Dijon N5 Richtung Auxonne. Vor Auxonne Ausfahrt D24 Richtung Athée. Nach ca. 500m liegt der CP auf der rechten Seite.

Beaune, F-21200 / Bourgogne 📶 iD

🔺 Mun. Les Cent Vignes****	1 ADEJMNORT	6
📧 10 rue Auguste Dubois	2 AOPRSVWXY	ABDEFGH 7
🔓 15 Mär - 31 Okt	3 AEKLMQ	ABCDEFJKNQRSTUV 8
☎ +33 (0)3-80220391	4 O	9
@ campinglescentvignes@	5 ABEGIJLM	ABFHIJNPRVZ10
mairie-beaune.fr	B 10A CEE	① €20,90
📍 N 47°1'58'' E 4°50'21''	H234 2 ha 116T(100-120m²)	② €25,70

🚗 Die Umgehungsstraße in Beaune über die N74 Richtung Dijon verlassen. Nach ca. 800m links ab und nach 200m liegt rechts der CP.

Bligny-sur-Ouche, F-21360 / Bourgogne 📶 iD

🔺 Camping des Isles**	1 AJMNORT	N 6
📧 route Arnay-le-Duc	2 CGOPWXY	ABDEF 7
🔓 1 Mai - 30 Sep	3 ABLMQ	ABEFNOQV 8
☎ +33 (0)3-80247343	4 FH	HJPRV10
	5	
	6A CEE	① €13,40
📍 N 47°6'31'' E 4°39'38''	H360 1,2 ha 70T(90-120m²)	② €16,00

🚗 Im Ort den CP-Schildern folgen.

Châtillon-sur-Seine, F-21400 / Bourgogne 📶 CC€14 iD

🔺 Municipal Louis Rigoly**	1 ADEJMNOPRST	EFGN 6
📧 Esplan. St. Vorles	2 PSVWXY	ABDEFGHI 7
🔓 1 Apr - 4 Okt	3 AQ	ABFNRSTUV 8
☎ +33 (0)3-80910305	4 HIOTU	E 9
@ camping-chatillon-sur-seine@	5 ALM	BHJORV10
orange.fr	B 6A CEE	① €16,50
📍 N 47°51'34'' E 4°34'47''	H225 0,8 ha 43T(80-120m²) 2D	② €20,50

🚗 Von Paris die A5 Richtung Troyes, Ausfahrt 21. Weiter die D971 Richtung Bar-sur-Seine, danach Châtillon-sur-Seine.

Dijon, F-21000 / Bourgogne 📶 iD

🔺 Du Lac Kir***	1 ADEJMNOPRST	6
📧 3 bd Chanoine Kir	2 ACDOPRSVWXY	ABDEFG 7
🔓 30 Apr - 15 Okt	3 AELQ	ABCDEFNRV 8
☎ +33 (0)3-80305401	4 FHO	ABFHIKOR10
@ reservation@	5 ABKL	
camping-du-lac-dijon.com	10A CEE	① €19,60
📍 N 47°19'17'' E 5°0'40''	117T(80-120m²)	② €26,65

🚗 In Dijon den Schildern A38 (Paris) folgen. Der CP liegt am See 'Lac Kir'. Den CP-Schildern folgen.

Marcenay, F-21330 / Bourgogne 📶 CC€16 iD

🔺 Camping Les Grèbes du Lac	1 ADEJMNOPRST	AFLMQ 6
de Marcenay***	2 DGHIPVWXY	ABDEFGH 7
📧 5 rue du Lac	3 BLQ	CDFKNQRV 8
🔓 1 Mai - 30 Sep	4 FHIOQ	EPQV 9
☎ +33 (0)3-80816172	5 AL	AHIJOR10
@ info@campingmarcenaylac.com	B 10A	① €21,20
📍 N 47°52'12'' E 4°24'17''	H210 3,6 ha 90T(80-120m²) 5D	② €29,70

🚗 Von Châtillon-sur-Seine, die D965 Richtung Tonnerre. Nach 12 km rechts nach Marcenay. CP angezeigt. Von Laignes 4,8 km via D102 nach Marcenay. Hier den Hinweisen 'Lac' folgen.

Meursault, F-21190 / Bourgogne 📶 CC€16 iD

🔺 La Grappe d'Or***	1 ADJMNOPRST	AFH 6
📧 2 route de Volnay	2 AFPTUVWXY	BEFGH 7
🔓 1 Apr - 15 Okt	3 ABKLMQS	BDEFJKNQRS 8
☎ +33 (0)3-80212248	4 FH	EILUV 9
@ info@camping-meursault.com	5 ABDEGJKL	AFGHKPRZ10
	B 12A CEE	① €25,20
📍 N 46°59'8'' E 4°46'6''	3,5 ha 131T(80-100m²) 20D	② €31,60

🚗 A6 Ausfahrt 24.1 Beaune-Centre. In Beaune D974 Richtung Chalon-sur-Saône. In Meursault den CP-Schildern folgen.

Montbard, F-21500 / Bourgogne 📶 CC€14 iD

🔺 Municipal de Montbard	1 ADEJMNOPRT	ABEFGHN 6
'Les Treilles'***	2 FPSVWXY	ABDEFGH 7
📧 Michel Servet	3 ABLMNQ	BFJNQRSTUV 8
🔓 28 Mär - 2 Nov	4 DEFHOQTUV	EJ 9
☎ +33 (0)3-80926950	5 ABDGL	BFHIJPSUV10
camping.lestreilles@montbard.com	B 16A CEE	① €19,90
📍 N 47°37'52'' E 4°19'56''	2,5 ha 78T(100-110m²) 22D	② €27,10

🚗 Die D980 folgen rund um Montbard. Zwischen dem Canal de Bourgogne und der D5 nach Laignes an der scharfen Kurve die nördliche Strecke einschlagen. Angezeigt mit 'Camping/Piscine'.

Nolay, F-21340 / Bourgogne 📶 iD

🔺 Les Chaumes du Mont	1 ADEJMNORT	LM 6
📧 route de Couches	2 DGIJOPRUVWX	ABDE 7
🔓 1 Mai - 30 Sep	3 MQ	BDFNQRV 8
☎ +33 (0)3-45634001	4 FHO	9
@ campingleschaumes@sfr.fr	5 ADEGIL	BHJOR10
	B 12A CEE	① €17,70
📍 N 46°56'49'' E 4°37'23''	1,5 ha 70T(60-100m²)	② €22,70

🚗 A6, Ausfahrt 24.1 Beaune-Centre. D973 Richtung Autun. In Nolay vor dem Hotel de Ville den CP-Schildern folgen. Nach 600m liegt der CP links.

Pont-et-Massène, F-21140 / Bourgogne 📶 iD

🔺 Camping du Lac	1 ADEJMNOPRST	LMNQSUVWXYZ 6
📧 16 rue du Lac	2 ADFGHOPRVWXY	ABDEFGHK 7
🔓 1 Jan - 31 Dez	3 EFLMQT	ABCDEFNORSTV 8
☎ +33 (0)3-80970126	4 FGHIMNOP	9
@ camping-lacdepont@orange.fr	5 ABDEFGIKLM	FGHIJLNPRVW10
	B 6-10A	① €17,30
📍 N 47°28'6'' E 4°21'22''	H285 2,5 ha 150T(80-120m²)	② €25,30

🚗 An der A6 Paris-Lyon Ausfahrt 23 Richtung Semur-en-Auxois und den Schildern Lac du Pont folgen. Dort ist der CP. Auch an der D980 Saulieu-Montbard gut angezeigt.

Pontailler-sur-Saône, F-21270 / Bourgogne 📶 iD

🔺 La Chanoie***	1 AJMNOPRST	JNXYZ 6
📧 46 rue de la Chanoie	2 CGHIPVWXY	ABDEF 7
🔓 15 Apr - 15 Okt	3 ABELQ	ABCDEFKNOSUV 8
☎ +33 (0)3-80361058	4 FHNP	J 9
@ otpontailler@wanadoo.fr	5 AEGIKL	HIJNORZ10
	10A	① €15,70
📍 N 47°18'31'' E 5°25'32''	H175 6 ha 160T(80-120m²) 2D	② €19,20

🚗 Von Dijon die D959, durch Pontailler-sur-Saône fahren und kurz vor der Brücke links ab. CP-Schildern folgen.

Pouilly-en-Auxois, F-21320 / Bourgogne 📶 CC€16 iD

🔺 Camping Vert Auxois***	1 ADEJMNOPQRST	N 6
📧 15, voute du Canal de Bourgogne	2 ACFGOPSVXY	ABDEFG 7
🔓 10 Apr - 4 Okt	3 K	ABCDEFJNRTUV 8
☎ +33 (0)3-80907189	4 FGH	ABEL 9
@ contact@	5 ABDEGIKM	BDHIJNPRW10
camping-vert-auxois.fr	B 16A CEE	① €20,10
📍 N 47°15'55'' E 4°32'56''	H400 1,5 ha 66T(80-100m²) 8D	② €26,10

🚗 CP in Pouilly-en-Auxois ausgeschildert.

Prémeaux/Prissey, F-21700 / Bourgogne CC€16 iD

🔺 Du Moulin de Prissey	1 AFJMNOPQRST	N 6
📧 14, rue du Moulin de Prissey	2 ADGPTVWXY	ABDEF 7
🔓 1 Apr - 15 Okt	3 ALQ	ABCDEFNORTUV 8
☎ +33 (0)3-80623115	4 FGH	EJ 9
@ cpg.moulin.prissey@free.fr	5 AEILM	ABGHIJTU10
	B 6-10A CEE	① €18,10
📍 N 47°6'13'' E 4°56'29''	H210 1,1 ha 64T(83-120m²) 2D	② €22,60

🚗 Autobahn A31 zwischen Dijon und Beaune die Ausfahrt Nuits-St-Georges nehmen. In diesem Ort die D974 bis Prémeaux/Prissey nehmen. Ab dort den CP-Schildern folgen.

Santenay, F-21590 / Bourgogne 📶 CC€16 iD

🔺 Camping des Sources	1 ADJMNOPQRST	ABFG 6
Santenay***	2 GPRVX	ABDEFG 7
📧 avenue des Sources	3 BFLMQ	ABDFNR 8
🔓 3 Apr - 25 Okt	4 FH	9
☎ +33 (0)3-80206655	5 AB	BGHJPR10
@ camping-de-santenay@orange.fr	B 6A CEE	① €22,20
📍 N 46°54'26'' E 4°41'8''	3,1 ha 150T(90-120m²)	② €28,00

🚗 A6 Ausfahrt 24.1 Beaune-Centre. In Beaune D974 Richtung Chalon-sur-Saône nach Santenay. In Santenay den CP-Schildern folgen.

Saulieu, F-21210 / Bourgogne 📶 CC€16 iD

🔺 Camping de Saulieu***	1 ADEJMNOPRST	AFN 6
📧 Route Nationale	2 GPRVWXY	ABDEFGH 7
🔓 9 Mär - 8 Nov	3 BEGHILMQ	ABCDFJNQRSTUV 8
☎ +33 (0)3-80641619	4 ABCDEFHILOPQXZ	EFJLUV 9
@ camping.saulieu@wanadoo.fr	5 ABDFLM	BHJNORW10
	B 10A CEE	① €21,10
📍 N 47°17'22'' E 4°13'26''	H540 6 ha 68T(100-110m²) 32D	② €26,70

🚗 Der CP liegt nördlich am Ausgang vom Ort an der N6.

Savigny-lès-Beaune, F-21420 / Bourgogne 📶 iD

🔺 Les Premiers Prés**	1 ADEJMNORT	6
📧 route Bouilland	2 ACPVWXY	ABEFG 7
🔓 15 Mär - 15 Okt	3 AQ	BCFJNR 8
☎ +33 (0)3-80261506	4 F	9
@ contact.camping@	5 ADFGM	BGHJNOTW10
x-treme-bar.fr	B 6A CEE	① €15,50
📍 N 47°4'7'' E 4°48'11''	H275 1,5 ha 89T(80-100m²)	② €18,70

🚗 Umgehungsstraße in Beaune über die N74 verlassen Richtung Dijon. Nach 400m links ab, danach rechts halten. Beschilderung folgen (ca. 5 km).

Seurre, F-21250 / Bourgogne 📶 iD

🔺 de la Plage**	1 AJMNOPRST	ABFHNQRSWXYZ 6
📧 route de Pouilly	2 ACGPVWXY	BEFG 7
🔓 15 Mai - 30 Sep	3 BLQ	BFNORTUV 8
☎ +33 (0)3-80204922	4	DQR 9
@ camping.seurre@orange.fr	5 DEGILM	BHJOR10
	10A CEE	① €15,20
📍 N 47°0'1'' E 5°8'14''	H180 6 ha 110T(80-120m²) 2D	② €19,80

🚗 Der CP liegt an der D973 Richtung Beaune, westlich von Seurre.

St. Jean-de-Losne, F-21170 / Bourgogne   iD

▲ Les Herlequins***	1 AJMNOPRST	NWXYZ 6
📧 7 chemin de la Plage	2 CGIPRVWXY	BEF 7
🕐 1 Mai - 30 Sep	3 ALQ	BDFINRT 8
☎ +33 (0)3-80392226	4	DE 9
@ infoslesherlequins@gmail.com	5 AEI	HIJLR10
	B 10A	❶ €16,45
		❷ €20,45
🏕 N 47°6'8'' E 5°16'30''	H186 1 ha 65T(80-100m²) 18D	

Von der A36 Ausfahrt 1 Seurre. Dann die D976 Richtung St. Jean-de-Losne. Der CP-Beschilderung folgen.

Vandenesse-en-Auxois, F-21320 / Bourg.   📶 (CC€16) iD

▲ Du Lac de Panthier****	1 ADEJMNOPQRT	AEFHLNPQRSTXY 6
📧 7 chemin du Lac	2 ADFGHLPUVWXY	ABDEFGK 7
🕐 17 Apr - 11 Okt	3 ABCDKLQS	ABCDEFJKNQRSV 8
☎ +33 (0)3-80492194	4 BCDFHILNOPQRTX	EFLOQUV 9
@ info@lac-de-panthier.com	5 ABDEFGIJKLM	ABDFGHIJNPSTZ10
	B 6A CEE	❶ €28,60
		❷ €39,60
🏕 N 47°14'13'' E 4°37'41''	H390 7 ha 210T(110-150m²) 63D	

Am Autobahndreieck A6/A38 (Pouilly-en-Auxois) Autobahn verlassen. Richtung Dijon und Créancey, dann CP-Schildern folgen.

Venarey-les-Laumes, F-21150 / Bourgogne   📶 iD

▲ Municipal Alésia***	1 ADEJMNOPRT	6
📧 15 rue du Docteur Roux	2 CPSVWXY	ABDEFG 7
🕐 1 Apr - 15 Okt	3 AL	ABCDEFJNQRTUV 8
☎ +33 (0)3-80960776	4 FHIO	GJ 9
@ camping.venarey@orange.fr	5 ABLM	BHIJORV10
	16A CEE	❶ €15,70
		❷ €18,70
🏕 N 47°32'40'' E 4°27'2''	1,5 ha 60T(80-100m²) 11D	

Von Montbard der D980 auf 14 km Richtung Süden folgen. Von der A6 Ausfahrt 23 zur D980 Richtung Montbard. In Sémut-en-Auxois der D954 Richtung Osten bis Venarey-les-Laumes folgen. Camping ist angezeigt.

Vignoles, F-21200 / Bourgogne   📶 iD

▲ Les Bouleaux	1 AJMNORT	6
📧 11 rue Jaune	2 APQRVWXY	ABDE 7
🕐 1 Jan - 31 Dez	3 Q	ABCDEFJNR 8
☎ +33 (0)3-80222688	4	9
@ camping-lesbouleaux@ hotmail.fr	5 ABK	BHJOR10
	B 6A CEE	❶ €19,10
		❷ €24,10
🏕 N 47°1'37'' E 4°52'59''	H211 1,6 ha 46T(100-180m²)	

Autoroute Ausfahrt Beaune, D973 Richtung Dole, nach der Unterführung über die Schnellstraße D20 links ab. Der CP ist ausgeschildert.

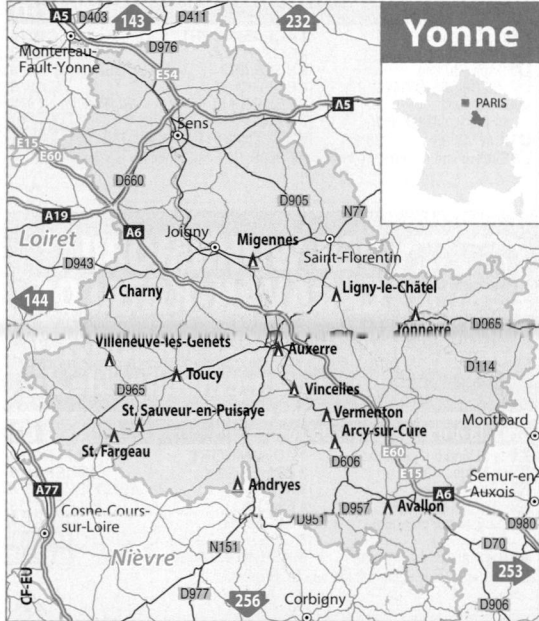

Yonne

Aktionen und News

www.twitter.com/ACSI

www.facebook.com/ACSIDeutschland

Avallon, F-89200 / Bourgogne   📶 iD

▲ Municipal Sous-Roche***	1 ADEJMNORT	6
📧 rue Sous Roche	2 ACGUVWXY	DEFGHK 7
🕐 1 Apr - 15 Okt	3 ABLQ	BCDFNOQR 8
☎ +33 (0)3-86341039	4 FO	J 9
@ campingsousroche@ ville avallon.fr	5 AB	BHIJNOPRV10
	B 6A CEE	❶ €17,20
		❷ €21,20
🏕 N 47°28'48'' E 3°54'49''	94T(80-100m²) 9D	

A6 Ausfahrt 22. Dann den Hinweisen Richtung Avallon folgen. CP ist ausgeschildert.

Charny, F-89120 / Bourgogne   📶 ✿ iD

▲ des Platanes***	1 ADEJMNORST	ABN 6
📧 41 route de la Mothe	2 COPVXY	ABDEFGH 7
🕐 2 Jun - 15 Sep	3 ALMQS	ABCDEFJNOQRTUV 8
☎ +33 (0)3-86918360	4 BDEFHILO	FI 9
@ campingdesplatanes@ wanadoo.fr	5 ABEFIKL	BFHIJO10
	B 16A CEE	❶ €17,00
		❷ €20,50
🏕 N 47°53'29'' E 3°5'39''	H130 2 ha 81T(100-120m²) 42D	

A6, Ausfahrt 18. Der empfohlenen Route zum CP folgen.

Andryes, F-89480 / Bourgogne   📶 ✿ (CC€16) iD

▲ Sites & Paysages Au Bois Joli***	1 ADEILNOPRT	ABFG 6
📧 2 route de Villeprenoy	2 BFPRTXY	ABDEFGH 7
🕐 1 Apr - 31 Okt	3 ABELMQV	ABCDEFGIJKNQRSTUV 8
☎ +33 (0)3-86817048	4 BFHL	ADEFLUV 9
@ info@campingauboisjoli.com	5 ABDFKLM	ABDFGHIJNORV10
	B 10A CEE	❶ €26,00
		❷ €33,25
🏕 N 47°31'0'' E 3°28'48''	H200 4,5 ha 92T(100-250m²) 9D	

Von Auxerre N151 in Richtung Bourges/Nevers. In Coulanges-sur-Yonne auf die D39 und den CP-Schildern folgen. Von Clamecy auf der N151 bleiben in Coulanges-sur-Yonne, 2. Ampel links die D39 Richtung Andryes, der CP-Beschilderung folgen.

Arcy-sur-Cure, F-89270 / Bourgogne   📶 iD

▲ L'Isle Saint Jean**	1 AJMNOPQRST	N 6
📧 rue Tardy	2 CGIPRWXY	ABDEFGH 7
🕐 1 Mai - 15 Sep	3 ALM	ABCDFNRSTUV 8
☎ +33 (0)3-86819808	4 FGIO	B 9
@ camping.arcysurcure@ gmail.com	5 AIL	BIJNOR10
	10A	❶ €13,80
		❷ €15,80
🏕 N 47°36'21'' E 3°45'24''	H119 1 ha 50T(80-100m²) 4D	

Auxerre-Avallon (N6) folgen. Kurz vor Arcy ist der Camping an der N6 mit einem Schild angezeigt.

Auxerre, F-89000 / Bourgogne   iD

▲ Municipal d'Auxerre***	1 ADEJMNORT	6
📧 route de Vaux	2 AOPVXY	ABDEFGH 7
🕐 15 Apr - 15 Okt	3 AELQ	ABCDEFJNOQRSUV 8
☎ +33 (0)3-86521115	4 O	9
@ camping.mairie@auxerre.com	5 ADGI	BGHIJR10
	B 6A CEE	❶ €11,70
		❷ €20,20
🏕 N 47°47'9'' E 3°35'17''	H102 3,5 ha 163T(100m²)	

Der CP liegt am Südrand der Stadt nahe beim Stadion. Beschilderung 'Camping' und/oder 'Stades' folgen.

Ligny-le-Châtel, F-89144 / Bourgogne   📶 iD

▲ Municipal La Noue Marrou***	1 ADJMNOPRST	6
📧 42 avenue de la Noue Marrou	2 CDFGIKPRVWXY	ABDEFH 7
🕐 1 Mai - 30 Sep	3 ABELM	ABCDFNRUV 8
☎ +33 (0)3-86475699	4	9
@ niccojah@yahoo.fr	5 L	BHIJNOPR10
	B 16A CEE	❶ €11,20
		❷ €13,00
🏕 N 47°53'43'' E 3°45'10''	1 ha 45T(100-150m²)	

N77 Troyes-Auxerre Ausfahrt Ligny-le-Chatel. Camping ist ausgeschildert.

Migennes, F-89400 / Bourgogne   📶 (CC€14) iD

▲ Les Confluents***	1 ADEJMNORST	AFGNX 6
📧 allée Léo Lagrange	2 ACGPRVXY	ABDEFH 7
🕐 1 Apr - 3 Nov	3 ABEFHLMQST	ABCDEFJKNQRSUV 8
☎ +33 (0)3-86809455	4 BDEFHINO	DEL 9
@ contact@les-confluents.com	5 ABDEGL	BFGHIJNOPRV10
	B 10A CEE	❶ €17,00
		❷ €22,00
🏕 N 47°57'24'' E 3°30'33''	1,5 ha 61T(80-150m²) 14D	

Von der N6 nach Migennes. Dann den CP-Schildern folgen.

St. Fargeau, F-89170 / Bourgogne   iD

▲ Mun. La Calanque***	1 ADEJMNORT	LMNQS 6
📧	2 BDHPQTUVWXY	ABDEFG 7
🕐 6 Apr - 29 Sep	3 AELQ	BDFJNOR 8
☎ +33 (0)3-86740455	4	DE 9
@ campingmunicipallacalanque@ nordnet.fr	5 ABL	BHIJR10
	10A CEE	❶ €13,90
		❷ €18,60
🏕 N 47°36'33'' E 3°7'10''	H237 6 ha 150T(80-200m²) 5D	

Von St. Fargeau in Richtung St. Sauveur den Schildern 'Lac Le Bourdon' folgen. Dann den CP-Schildern folgen.

St. Sauveur-en-Puisaye, F-89520 / Bourgogne

- ⌂ Parc des Joumiers***
- ☎ 27 Mär - 16 Okt
- ☎ +33 (0)3-86456628
- @ campingmoteljoumiers@ wanadoo.fr

1 DE**JM**NOPRS**T**		AB**N** 6
2 DFGHPSVWXY		ABDE**F**H 7
3 ABE**K**L**Q**T		ABCDEFJNQRTUV 8
4 FHI		EFGPY 9
5 ADEFGIKL**M**		BEGHIJ**NO**RV10
B 10A		① €19,80
H234 23 ha 200**T**(150m²)	36**D**	② €22,90

📍 N 47°37'51'' E 3°11'33''

🚗 Von Auxerre die D965 nehmen. In Mezilles der D7 Richtung St. Sauveur folgen. Der CP liegt kurz vorm Ort.

Tonnerre, F-89700 / Bourgogne

- ⌂ La Cascade**
- ☐ 8 avenue Aristide Briand
- ☎ 15 Apr - 30 Okt
- ☎ +33 (0)3-86551544
- @ campinglacascade1@orange.fr

1 AD**JM**NOPR**T**		AB 6
2 BCGPRWXY		ABDE**F**H 7
3 ABELQ		ABCDFJNQRV 8
4 FHIO		JV 9
5 ABDIKL**M**		AFGHIJNOPTU10
B 6A CEE		① €10,80
3 ha 71**T**(100m²)	10**D**	② €13,20

📍 N 47°51'36'' E 3°59'3''

🚗 Liegt zwischen Troyes und Auxerre. In Tonnerre ist der Camping ausgeschildert.

Toucy, F-89130 / Bourgogne

- ⌂ Camping des 4 Marlettes**
- ☐ rue du Pâtis
- ☎ 1 Apr - 14 Okt
- ☎ +33 (0)3-86441384
- @ campingdetoucy@wanadoo.fr

1 DEHKNOR**T**		**AB** 6
2 CDPVWXY		BE**FG**H 7
3 BI		BFNOQR 8
4		9
5 A		BGHIJR10
8A CEE		① €11,80
1,5 ha 48**T**(90-130m²)		② €15,00

📍 N 47°43'54'' E 3°17'50''

🚗 Toucy liegt an der D965: innerorts den CP-Schildern folgen.

Vermenton, F-89270 / Bourgogne

- ⌂ Les Coullemières***
- ☐ route de Coullemières
- ☎ 1 Apr - 30 Sep
- ☎ +33 (0)3-86815302
- @ contact@ camping-vermenton.com

1 ADE**JM**NOPRS**T**		JN**X** 6
2 CGHOPRSVWXY		ABDE**FG**H 7
3 BELMQ		ABCDEFJNOQR 8
4 IO		E 9
5 AB		BFGHIJOPR10
B 6A CEE		① €15,50
H104 1,5 ha 60**T**(80-120m²)	53**D**	② €17,90

📍 N 47°39'31'' E 3°43'51''

🚗 Auf der N6 Auxerre-Avalon ist der CP vor Vermenton gut ausgeschildert. Auf den Namen achten. Der CP liegt hinter der Haltestelle.

Villeneuve-les-Genêts, F-89350 / Bourgogne

- ⌂ Le Bois Guillaume****
- ☎ 1 Jan - 31 Dez
- ☎ +33 (0)3-86454541
- @ camping@bois-guillaume.com

1 ADE**JM**NOPRST		ABFGN 6
2 BGPVXY		ABDE**FG** 7
3 AELMQ		ABCDEFJKNRSTUV 8
4 BDFH**IP**		EFJVY 9
5 AEGIJK**L**		BGHIJ**NO**R10
B 10A		① €19,50
H186 8 ha 30**T**(100-150m²)	60**D**	② €26,30

📍 N 47°45'30'' E 3°5'59''

🚗 Von Auxerre über die D965 nach Mezilles. Dort die D7 nach Champignelles nehmen. 2 km vorm Dorf links ab. Schildern folgen.

Vincelles, F-89290 / Bourgogne

- ⌂ Les Ceriselles****
- ☐ route de Vincelottes
- ☎ 1 Apr - 30 Sep
- ☎ +33 (0)3-86425047
- @ camping@ cc-payscoulangeois.fr

1 ADE**JM**NOPR**T**		**CD**N 6
2 COPRVWX		ABDE**FG**H 7
3 BE**FI**LMQ		ABCDEFJNRSTUV 8
4 BDFHIO		EJUV 9
5 ABDEGILM		BDFGHIJLNOR10
B 10A CEE		① €19,00
H150 2,5 ha 81**T**(90-150m²)	18**D**	② €22,00

📍 N 47°42'25'' E 3°38'8''

🚗 Südlich von Auxerre, 10 km ab der D606. CP ist in Vincelles ausgeschildert.

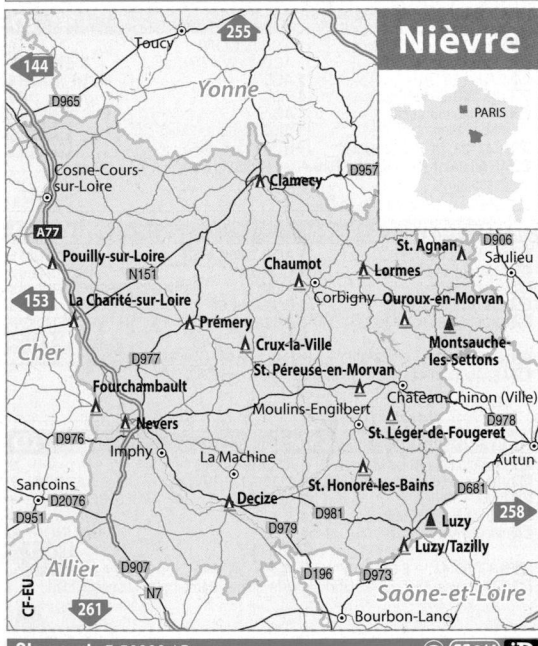

Chaumot, F-58800 / Bourgogne

- ⌂ de l'Ardan
- ☎ 1 Apr - 1 Okt
- ☎ +33 (0)3-86200770
- @ campingdelardan@wanadoo.fr

1 A**JM**NOPRS**T**		NX 6
2 COPRWXY		BDF**H** 7
3 EQ		ABCDFNRV 8
4 FH		DJV 9
5 AGJL		ABF**HJ**N**O**R10
B 10A CEE		① €18,50
H250 1,1 ha 40**T**(70-100m²)	6**D**	② €22,80

📍 N 47°15'31'' E 3°38'29''

🚗 Von Clamecy nach Corbigny. Dort den CP-Schildern Richtung Chitry-les-Mines folgen.

Clamecy, F-58500 / Bourgogne

- ⌂ Municipal du Pont-Picot*
- ☐ route de Chevroches Clamecy
- ☎ 1 Apr - 30 Sep
- ☎ +33 (0)7-86861431
- @ clamecycamping@orange.fr

1 ADEJLNOR**T**		NU**X** 6
2 CGPRX		ABDE**FG** 7
3 BQ		ABCDEFNOR 8
4		E 9
5 A**L**		BHJOR10
6A CEE		① €15,00
H150 3 ha 90**T**(70-120m²)	9**D**	② €15,00

📍 N 47°27'8'' E 3°31'40''

🚗 Von Clamecy in Richtung Nevers fahren. Den Schildern folgen.

Crux-la-Ville, F-58330 / Bourgogne

- ⌂ de l'Etang du Merle***
- ☐ Le Merle
- ☎ 3 Apr - 25 Okt
- ☎ +33 (0)3-86583842
- @ etangdumerle@orange.fr

1 ADE**JM**NOR**T**		AFLNQS 6
2 BDGHPQXY		ABDE**FG** 7
3 AELQ		ABCDFLMNRSV 8
4 FHIO**PQ**		EJLPQRTU 9
5 ABDEGKL		HIJLOR10
B		① €17,00
H343 6 ha 43**T**(80-100m²)	11**D**	② €23,80

📍 N 47°8'13'' E 3°29'35''

🚗 An der D34 gelegen, 6,8 km von St. Révérien.

Decize, F-58300 / Bourgogne

- ⌂ Les Halles***
- ☐ rue Marcel Merle
- ☎ 3 Apr - 25 Okt
- ☎ +33 (0)3-86251405
- @ camping.dehalles58@ orange.fr

1 A**JM**NOPRS**T**		**AB**EN**X** 6
2 CGPRVWXY		ABDE**FG**H 7
3 AE**HI**LMQ		ABCDEFNOR 8
4		EJT 9
5 ABDGKL		BFHJOR10
10A		① €15,20
3,5 ha 82**T**(80-100m²)	10**D**	② €19,20

📍 N 46°50'7'' E 3°27'21''

🚗 In Decize Richtung Moulins. Nach der Brücke in der Loire rechts halten; Schildern folgen.

Fourchambault, F-58600 / Bourgogne

- ⌂ De la Loire
- ☐ 2 rue de la Folie
- ☎ 29 Mär - 4 Nov
- ☎ +33 (0)3-86608159
- @ campingdelaloire@bbox.fr

1 ADF**I**LNOPRS**T**		NU 6
2 ACOPY		BD**FG**H 7
3 **K**M**Q**		BCFNORU 8
4 H		ADFJ 9
5 ADL		GHIJOR10
10A CEE		① €14,65
3 ha 70**T**(150m²)	12**D**	② €18,65

📍 N 47°0'43'' E 3°4'41''

🚗 Der CP ist in Fourchambault gut ausgeschildert.

La Charité-sur-Loire, F-58400 / Bourgogne

- ⌂ Municipal de la Saulaie***
- ☐ quai de la Saulaie
- ☎ 30 Apr - 30 Sep
- ☎ +33 (0)3-86700083
- @ camping@lacharitesurloire.fr

1 A**JM**NOR**T**		N**U** 6
2 ACDGHPQVXY		ABDE**F** 7
3 L		ABCDEFNQRSTU 8
4 **E**HIO		EQR 9
5 LM		BFHJLOR10
B 10A CEE		① €15,00
H152 1 ha 90**T**(bis 100m²)	4**D**	② €19,20

📍 N 47°10'37'' E 3°0'38''

🚗 In La Charité-sur-Loire den CP-Schildern folgen. Liegt an der Loire.

Lormes, F-58140 / Bourgogne 📶 CC€14 iD

⛺ de l'Etang du Goulot***	1 A**JM**NOPRST	LM**N**UV 6
🏕 rue des Campeurs	2 DFGHPRVWXY	ABDE**F** 7
📅 1 Mai - 30 Sep	3 ABEI**L**Q	ABCDEFGINQRTV 8
☎ +33 (0)-86228237	4 FHI	ABEFJPQRUVY 9
@ campingetangdugoulot@	5 DEIKL	ABDFGHJNORZ10
gmail.com	B 10A CEE	➊ €16,50
🏞 N 47°16'57'' E 3°49'21''	H425 3 ha 64T(75-300m²) 10D	➋ €19,25

🚗 Der CP liegt am Südrand von Lormes. Gut ausgeschildert.

Luzy, F-58170 / Bourgogne 📶 CC€18 iD

⛺ Domaine de la Gagère****	1 ADEG**JM**NOPRST	ABFG 6
🏕 1 Apr - 30 Sep	2 FGIPQRVWXY	ABDE**FGH** 7
☎ +33 (0)-86304811	3 AEFLQV	ABCDEFJKNQRSV 8
@ info@la-gagere.com	4 BDEFGLNO**TX**	ADEJLU 9
	5 ABCDEGI**L**	ABFGHJNPTUV10
	F**KK** B 6A CEE	➊ €35,15
🏞 N 46°49'0'' E 4°3'23''	H422 5 ha 120T(100-120m²) 21D	➋ €43,65

🚗 Von Autun D981 nach Luzy, La Gagère ist ca. 6 km vor Luzy auf der linken Seite ausgeschildert, von hier 3 km auf schmalem Weg bergauf.

Luzy, F-58170 / Bourgogne 📶 iD

⛺ La Bedure**	1 A**JM**NOPRST	ABFG 6
🏕 route d'Autun	2 OPRVWXY	ABDE**FGH** 7
📅 15 Mai - 15 Sep	3 AELQV	ABCDEFINRSV 8
☎ +33 (0)3-86306827	4 FGHIO	9
@ info@campinglabedure.com	5 DFGL	ABFGHJPST10
	6A CEE	➊ €18,60
🏞 N 46°47'47'' E 3°58'37''	2,5 ha 50T(110-300m²)	➋ €22,60

🚗 Von Luzy Richtung Autun (D981), am Ortsrand links. Den CP-Schildern folgen.

Luzy/Tazilly, F-58170 / Bourgogne CC€16 iD

⛺ Airotel Château de Chigy****	1 ADEJ**MN**OPRT	ACN 6
🏕 route Moulins	2 DGPQRTUVWXY	ABDEFGH 7
📅 25 Apr - 30 Sep	3 AEILQ	ABCDEF**JL**NQRS 8
☎ +33 (0)3-86301080	4 BDFHILO	AEFIJ 9
@ reception@	5 ABDEGIL	ABDJNR10
chateaudechigy.com.fr	B 6A CEE	➊ €36,00
🏞 N 46°45'28'' E 3°56'39''	10 ha 100T(100-150m²) 54D	➋ €44,00

🚗 In Luzy D973 Richtung Moulins, CP ausgeschildert.

Montsauche-les-Settons, F-58230 / Bourgogne 📶 iD

⛺ Chalets/Camping	1 ADE**JM**NOPQRST	CDEL**N**QRSTUVW**XYZ** 6
La Plage du Midi***	2 DFGHOPRSVWXY	ABDE**FGH** 7
🏕 Rive Droite / Lac des Settons	3 ABDELQ	ABCDEFJKNRS 8
📅 5 Apr - 15 Sep	4 BDFHINO**PQ**	FLMOPQRTU 9
☎ +33 (0)3-86845197	5 ACDEGKLM	BGHIJPRV10
@ campplagedumidi@aol.com	B 10A CEE	➊ €20,20
🏞 N 47°11'10'' E 4°4'18''	H600 3 ha 105T(100m²) 28D	➋ €26,00

🚗 Von Saulieu D977bis bis Montsauche, Richtung Lac des Settons (Rive Droite).

Montsauche-les-Settons, F-58230 / Bourgogne 📶 iD

⛺ l'Hermitage de Chevigny***	1 A**JM**NOPQRST	LNQSWXYZ 6
🏕 Chevigny / Rive Gauche	2 DFGHIPRVWXY	ABDE**FH**I 7
📅 15 Apr - 30 Sep	3 ABLQ	ABCDEFNOQRV 8
☎ +33 (0)3-86845097	4 FHO	GL 9
	5 ABFGK**LM**	AHJST10
	B 3-10A CEE	➊ €21,00
🏞 N 47°10'17'' E 4°3'40''	H600 2,2 ha 120T(90-110m²) 3D	➋ €26,20

🚗 Von Saulieu die D977bis bis Montsauche. In Montsauche Richtung Lac des Settons fahren (Rive Gauche). In Chevigny ausgeschildert.

Montsauche-les-Settons, F-58230 / Bourg. 📶 CC€14 iD

⛺ Les Mésanges***	1 ADE**JM**NOPQRST	LNQSWXY**Z** 6
🏕 Rive Gauche	2 DFGHIPRVWXY	ABDE**FGH**K 7
📅 14 Mai - 15 Sep	3 BELQ	CDFKNORSTUV 8
☎ +33 (0)3-86845577	4 FH	9
@ campinglesmesanges@	5 ABEF**L**	BHIJPR10
orange.fr	Anzeige auf dieser Seite B 16A	➊ €22,00
🏞 N 47°10'54'' E 4°3'10''	H595 5 ha 100T(100-200m²) 2D	➋ €27,80

🚗 Von Saulieu die D977 bis Montsauche-les-Settons. In Montsauche Richtung Lac des Settons fahren, dann Rive Gauche. Weiter den CP-Schildern nach.

Nevers, F-58000 / Bourgogne CC€16 iD

⛺ Camping De Nevers	1 A**JM**NOPRST	N**X** 6
🏕 rue de la Jonction	2 ACIPQRSVWXY	ABDE**FG**H 7
📅 11 Apr - 12 Okt	3 AQ	ABCDEFJNRSTUV 8
☎ +33 (0)	4 H	E 9
@ info@campingnevers.com	5 DGL	BDGHJNR10
	10A CEE	➊ €21,65
🏞 N 46°58'56'' E 3°9'39''	1,6 ha 73T(85-110m²) 2D	➋ €28,05

🚗 A77 Ausfahrt 37 Richtung Nevers. In Nevers liegt der CP rechts von der Brücke. Ausgeschildert. In Nevers Schildern 'Moulins' folgen.

Ouroux-en-Morvan, F-58230 / Bourgogne 📶 CC€12 iD

⛺ Les Genêts du Morvan***	1 ADE**JM**NOPRST	AF 6
🏕 route de l'Ormes	2 FPVWXY	BE**FG**H 7
📅 15 Apr - 30 Sep	3 ALQS	BDFKNQRSV 8
☎ +33 (0)3-86782288	4	E 9
@ camping.ouroux@orange.fr	5 ADEGL	BHJ**NOR**10
	6A CEE	➊ €17,50
🏞 N 47°11'19'' E 3°56'21''	H560 1 ha 60T(80-100m²) 3D	➋ €23,50

🚗 Von der D978 Château-Chinon die D37 nehmen, danach der D17 folgen. Von Lormes der D17 folgen. In Ouroux ist der CP ausgeschildert.

Pouilly-sur-Loire, F-58150 / Bourgogne iD

⛺ Le Malaga**	1 AB**JM**NOPQRS**T**	**N**UV 6
🏕 route des Loges	2 CGHPRWXY	ABDE 7
📅 1 Mai - 5 Sep	3 ABE**K**Q	ACEFNRT 8
☎ +33 (0)3-86391454	4 H	QR 9
@ contact@campingpouilly.com	5 ADGL	GHIJR10
	15A CEE	➊ €14,80
🏞 N 47°17'14'' E 2°56'44''	H142 3 ha 100T(ab 100m²)	➋ €20,60

🚗 Von der Autobahn (gratis) Ausfahrt Pouilly-sur-Loire (Ausfahrt 25) den CP-Schildern folgen.

Prémery, F-58700 / Bourgogne iD

⛺ de Prémery**	1 ABDEJMNOR	LM**N** 6
🏕 Les Prés de la ville	2 DGHIPQRSWX	ABDE**F**H 7
📅 24 Apr - 30 Sep	3 AL**M**Q	ABCDEFJNOQR 8
☎ +33 (0)9-65216556	4 FI	JU 9
@ camping-premery@orange.fr	5 ALM	HIJR10
	B 6A CEE	➊ € 9,80
🏞 N 47°10'41'' E 3°20'13''	2 ha 50T(bis 100m²) 20D	➋ €13,80

🚗 Prémery liegt an der D977 Nevers-Clamecy; CP ist deutlich angezeigt.

St. Agnan, F-58230 / Bourgogne iD

⛺ Le Château et Camping Du	1 ADE**JM**NOPQRT	LNQSV**X** 6
Lac**	2 DFGHINPWXY	ABDE**FGH**K 7
📅 1 Apr - 31 Okt	3 ABFLQS	ABCDEFKNOQ 8
☎ +33 (0)3-86787370	4 FH	GKR 9
@ info@campingbourgogne.fr	5 ABDGILM	ABFH**JL**NST10
	6A CEE	➊ €19,45
🏞 N 47°10'6'' E 4°5'41''	H540 4 ha 70T(100-120m²) 5D	➋ €24,45

🚗 An der Südseite vom St. Agnan See über die Brücke. Auch den Schildern Château folgen. Der CP liegt direkt gegenüber vom Rathaus St. Agnan.

St. Honoré-les-Bains, F-58360 / Bourgogne 📶 CC€16 iD

⛺ Camping et gîtes des	1 ADE**JM**NOPRST	AFH**N** 6
Bains***	2 CGPRVXY	ABDE**FG**H 7
🏕 15 av. Jean Mermoz	3 BEI**LM**QS	ABCDFKNOQRSV 8
📅 1 Apr - 31 Okt	4 BDFHINO**WXYZ**	EFGIL 9
☎ +33 (0)3-86307344	5 ABDEGIKLM	ABDGHJPR10
@ campinglesbains@gmail.com	B 6A CEE	➊ €20,85
🏞 N 46°54'23'' E 3°49'42''	4,5 ha 130T(80-100m²) 27D	➋ €28,25

🚗 In St. Honoré-les-Bains Richtung Vandenesse und den Schildern Des Bains folgen. Der CP liegt 200m hinter dem Park links.

St. Léger-de-Fougeret, F-58120 / Bourg. 📶 ✿ CC€16 iD

⛺ Sites & Paysages	1 ADE**JM**NOPRST	A**R**FGL**N** 6
Etang de la Fougeraie****	2 BCDFGIK**R**TUVWXY	BDE**FGH** 7
🏕 Hameau du Champs	3 ABLST	BDFHKNPQRSV 8
📅 28 Mär - 3 Okt	4 DFHO	AJLU 9
☎ +33 (0)3-86851185	5 ABCEFGIKL	ABGHIJLNOST10
@ info@campingfougeraie.fr	B 10A CEE	➊ €26,45
🏞 N 47°0'23'' E 3°54'18''	H440 10 ha 70T(90-600m²) 9D	➋ €37,65

🚗 Von Château-Chinon D27 Richtung Onlay. Nach ca. 4 km rechts auf D157 nach St. Léger-de-Fougeret, in St. Léger den CP-Schildern 2 km folgen.

St. Péreuse-en-Morvan, F-58110 / Bourg. 📶 CC€16 iD

⛺ Le Manoir de Bezolle****	1 ADE**JM**NORT	AFN 6
🏕 D11	2 BFGOPRTUVWXY	ABDE**FG**H 7
📅 31 Mär - 31 Okt	3 BILQS	ABCDEFI**JL**NQRSTV 8
☎ +33 (0)3-86844255	4 FH	AEJ 9
@ info@camping-bezolle.com	5 ACDEFGJL	ABDHIJPR10
	10A	➊ €30,80
🏞 N 47°3'27'' E 3°48'57''	H357 8 ha 100T(150-250m²) 22D	➋ €35,00

🚗 Auf der D978 von Nevers nach Autun, Ausfahrt St. Péreuse-en-Morvan. Dann den CP-Schildern folgen.

Saône-et-Loire

Autun, F-71400 / Bourgogne 〰 (CC€14) iD

▲ de la Porte d'Arroux***	1 ADEJMNOPRST	N 6
▤ rue du Traité d'Anvers	2 CGPSVY	ABDEFGH 7
☉ 3 Apr - 25 Okt	3 AKLQ	ABCDFNQRSV 8
☎ +33 (0)3-85521082	4 FIO	ELQVW 9
@ camping.autun@orange.fr	5 ABDEGIL	BGHKOR 10
	10A CEE	❶ €20,60
◪ N 46°57'53'' E 4°17'34''	2,5 ha 101T(50-100m²) 6D	❷ €24,40

🚗 A6 Ausfahrt 24.1 Beaune-Centre. D973 nach Autun. Von Autun D980 Richtung Saulieu/St. Forgeot. CP ist ausgeschildert.

Bourbon/Lancy, F-71140 / Bourgogne 〰 iD

▲ Camping et Village-chalets du Breuil***	1 ADJMNOPRST	AFLNV 6
	2 DGPRVWXY	ABDEFGH 7
▤ 11 rue des Eurimants	3 AKLQ	ABCDFJNRV 8
☉ 31 Mär - 30 Okt	4 FHI	EJQR 9
☎ +33 (0)3-85892098	5 ABKL	BGHJOR 10
camping.chaletsdubreuil@orange.fr	10A CEE	❶ €18,90
◪ N 46°37'9'' E 3°45'13''	2 ha 69T(80-105m²) 26D	❷ €26,40

🚗 CP liegt am Rande des Orts Richtung Decize.

Chagny, F-71150 / Bourgogne 〰 (CC€14) iD

▲ Pâquier Fané***	1 ADEJMNOPRST	ABFN 6
▤ 20 rue du Pâquier Fané	2 CGPVWXY	ABDEFGH 7
☉ 1 Apr - 31 Okt	3 AELMQ	ABCDFKNRS 8
☎ +33 (0)3-85872142	4 AFHI	EJL 9
@ camping-chagny@orange.fr	5 ADEFGIL	BDFGHJPR 10
	B 16A CEE	❶ €22,50
◪ N 46°54'43'' E 4°44'44''	1,8 ha 91T(70-100m²) 10D	❷ €28,50

🚗 A6, Ausfahrt 24.1 Beaune-Centre, D974 Richtung Chalon-sur-Saône. Nach 13 km N6 nach Chagny. In Chagny den Schildern 'Complexe sportif/ camping' folgen.

Chalon-sur-Saône/St. Marcel, F-71380 / Bourg. 〰 (CC€16) iD

▲ Du Pont de Bourgogne***	1 ADEJMNOPQRST	NSWX 6
▤ rue Julien Leneveu	2 CGPRSVWXY	ABDEFG 7
☉ 1 Apr - 30 Sep	3 AKL	ABCDEFGJKNQRSV 8
☎ +33 (0)3-85482686	4 HO	EV 9
@ campingchalon71@wanadoo.fr	5 ABDEFGIKL	BDGHKORZ 10
	B 10A CEE	❶ €29,80
◪ N 46°47'3'' E 4°52'21''	3 ha 91T(50-100m²) 9D	❷ €42,00

🚗 In Chalon-sur-Saône den Schildern 'Camping' und 'Roseraie St. Nicolas' folgen.

Charolles, F-71120 / Bourgogne 〰 iD

▲ Municipal***	1 ADJMNOPRST	ABN 6
☉ 1 Apr - 30 Sep	2 CPQRVX	ABDEFGH 7
☎ +33 (0)3-85240490	3 ALQ	ABCDFNQRSV 8
@ camping@ville-charolles.fr	4	EV 9
	5 A	BHJPR 10
	B 16A CEE	❶ €13,70
◪ N 46°26'22'' E 4°16'55''	0,6 ha 57T(60-80m²) 6D	❷ €16,10

🚗 CP liegt an der D33 Richtung Viry, ab Charolles ausgeschildert.

Chauffailles, F-71170 / Bourgogne 〰 iD

▲ Mun. les Feuilles***	1 ADJMNOPRST	N 6
▤ 18 la Chatillon	2 GPQSTVWXY	ABDEFH 7
☉ 1 Mai - 30 Sep	3 ABELMQ	ABCDFNOQRTV 8
☎ +33 (0)3-85264812	4 ADEFHIO	FJ 9
@ campingchauffailles@orange.fr	5 ALM	BHJLPRVZ 10
	Anzeige auf Seite 259 B 10A	❶ €17,90
◪ N 46°11'59'' E 4°20'14''	4 ha 67T(80-100m²) 16D	❷ €22,30

🚗 In Chauffailles D985 Richtung Les Echarmeaux, dann CP-Schildern folgen.

Cluny, F-71250 / Bourgogne 〰 iD

▲ Municipal de St. Vital***	1 ADEJMNOPRST	ABFGN 6
▤ 30 rue des Griottons	2 OPRVWX	ABDEFGH 7
☉ 26 Apr - 5 Okt	3 ALMQ	ABCDFNOQRV 8
☎ +33 (0)3-85590834	4 FH	JV 9
@ camping.st.vital@orange.fr	5 ABL	BHKORV 10
	6A CEE	❶ €18,50
◪ N 46°25'52'' E 4°40'4''	3 ha 171T(100m²) 2D	❷ €23,40

🚗 Von der D980 ist der CP über die D15 Richtung Fleurville zu erreichen. CP ist ausgeschildert.

Cormatin, F-71460 / Bourgogne ⏚ iD

▲ Le Hameau des Champs	1 ADE**JM**NOPRST	**N** 6
▤ route de Chalon	2 COPRVWX	ABDE**FG**H 7
⏻ 1 Apr - 30 Sep	3 AELQ	ABCDEFJNQRSTUV 8
☎ +33 (0)3-85507671	4 FHO	JV 9
@ camping.cormatin@	5 ABDEGL	ABGHJPTUV10
wanadoo.fr	13A CEE	❶ €18,10
🏕 N 46°32'54'' E 4°41'2''	1,6 ha 50T(100m²) 20**D**	❷ €23,10

🚗 Bei Tournus die A6, Ausfahrt 27, verlassen. In Tournus die D14 Richtung Cormatin. Im Ortsgebiet liegt der CP an der D981 (St. Boil-Cluny). CP ist ausgeschildert. Ⓜ

Crêches-sur-Saône, F-71680 / Bourgogne ⏚ iD

▲ du Port d'Arciat***	1 ADE**JM**NOPQRST	HLM**N**XYZ 6
⏻ 15 Mai - 15 Sep	2 ACDGHIPVXY	ABD**F** 7
☎ +33 (0)3-85371183	3 AELQ	ABCDFNR 8
@ camping@	4 I	9
creches-sur-saone.com	5 ADEGIJ	BHIJOR10
	6A CEE	❶ €16,90
🏕 N 46°14'26'' E 4°48'22''	5 ha 160T(80-120m²)	❷ €28,35

🚗 A6, Abfahrt Mâcon-Sud. D906 Richtung Villefranche. In Crêches-sur-Sâone links ab. CP ist ausgeschildert, vor der Brücke über die Sâone rechts. ▲

Digoin, F-71160 / Bourgogne ⏚ CC€14 iD

▲ La Chevrette***	1 ADE**JM**NOPRST	AB**N**X 6
▤ 41 rue de la Chevrette	2 COPRVY	BE**FG**H 7
⏻ 1 Apr - 8 Okt	3 BILQ	BDFJNQRST 8
☎ +33 (0)3-85531149	4 FHIO	EJLQR 9
@ info@lachevrette.com	5 ABDEGIL	ABDGHJLPR10
	10A CEE	❶ €21,20
🏕 N 46°28'47'' E 3°58'3''	1,6 ha 85T(60-100m²) 4**D**	❷ €27,90

🚗 In Digoin an der D979 von Moulin nach Paray-le-Monial ist der CP angezeigt. Ⓜ

Dompierre-les-Ormes, F-71520 / Bourg. ⏚ CC€18 iD

▲ Le Village des Meuniers****	1 ADE**JM**NOPRST	ABFGH 6
▤ 344 rue du Stade	2 GIPTUVWXY	ABDE**FG**H 7
⏻ 16 Mär - 31 Okt	3 ABEILMQS	ABCDEFKNQRSTUV 8
☎ +33 (0)3-85503660	4 BDFHILO**PQ**	AEJUVW 9
@ contact@	5 ABDEGJK**L**	ABDGHJOR10
villagedesmeuniers.com	8 16A CEE	❶ €31,20
🏕 N 46°21'50'' E 4°28'29''	4 ha 108T(80-160m²) 29**D**	❷ €11,00

🚗 A6 Mâcon-Sud Richtung Charolles N79. Dompierre-les-Ormes ist an der D41 ausgeschildert. In Dompierre den CP-Schildern folgen. Ⓜ

Epinac, F-71360 / Bourgogne ⏚ iD

▲ Du Pont Vert***	1 ADE**JM**NOPRST	JN 6
▤ rue de la Piscine	2 CGPVX	ABDE**FG**H 7
⏻ 1 Apr - 31 Okt	3 AEILQT	ABCDEFNQR 8
☎ +33 (0)3-85820026	4 DFHIO	EFUV 9
@ info@campingdupontvert.com	5 ABDEFGILM	BGHJNPR10
	10A CEE	❶ €18,40
🏕 N 46°59'9'' E 4°30'22''	3,8 ha 68T(80-120m²) 13**D**	❷ €21,90

🚗 A6 Abfahrt 24.1 Beaune-Centre. D973 Richtung Autun. Bei La Drée D43 Richtung Epinac. Hier den CP-Schildern folgen. Ⓜ

Étang-sur-Arroux, F-71190 / Bourgogne ⏚ CC€14 iD

▲ Des 2 Rives**	1 ADE**JM**NOPR**T**	JN 6
▤ 26-28 route de Toulon	2 CGIOPQVWXY	BDE**F**HIJK 7
⏻ 1 Jan - 31 Dez	3 AELQ	ABFJNRSV 8
☎ +33 (0)3-85823973	4 BFHIO	ADEGQRUVW 9
@ camping@des2rives.com	5 ADKL	ABDHJPRVZ10
	8 6A CEE	❶ €24,70
🏕 N 46°51'42'' E 4°11'31''	2,5 ha 100T(85-150m²) 18**D**	❷ €29,50

🚗 Von Autun nach Étang-sur-Arroux über die D681 nach Moulins-Luzy. Über die D994 nach Étang. In der Stadtmitte nach Toulon-sur-Arroux. Der CP liegt am Rande von Étang-sur-Arroux rechts an der D994. Ⓜ

Gigny-sur-Saône, F-71240 / Bourgogne ⏚ CC€18 iD

▲ Château de l'Épervière*****	1 ADE**JM**NOPQRST	ABEFGN 6
⏻ 1 Apr - 30 Sep	2 GPRSVWX	ABDE**FG**H 7
☎ +33 (0)3-85941690	3 AEL**MQ**	ABCDEFKNQRS 8
@ info@domaine-eperviere.com	4 FHILOQ**X**	ABEIV 9
	5 ACEFGJKL	ABFGHJNORZ10
	10A CEE	❶ €38,90
🏕 N 46°39'16'' E 4°56'39''	10 ha 106T(100-130m²) 54**D**	❷ €51,90

🚗 Von Sennecey-le-Grand (6 km nördlich von Tournus) die D906 verlassen in Richtung Gigny-sur-Saône (D18). Den CP-Schildern folgen. Ⓜ

Issy-l'Évêque, F-71760 / Bourgogne ⏚ iD

▲ Les Portes du Morvan****	1 ADE**JM**NOPRS**T**	ABFL**N** 6
▤ route de Grury	2 DFGHIPVWX	ABDE**FG**H 7
⏻ 1 Apr - 25 Okt	3 BEF**GH**ILMQ	ABCDEFKNORSV 8
☎ +33 (0)3-85249605	4 BCDFHIO**PR**	EJUVW 9
@ contact@	5 ABDGI**L**	ABFGHJO**R**10
camping-portesdumorvan.com	6A CEE	❶ €20,90
🏕 N 46°42'28'' E 3°57'37''	4 ha 70T(80-120m²) 16**D**	❷ €24,70

🚗 CP an der D973 nach Issy-l'Évêque ausgeschildert. ▲

La Celle-en-Morvan, F-71400 / Bourgogne ⏚ CC€16 iD

▲ Les Deux Rivières***	1 A**JM**NORST	**ABFGN** 6
▤ Le Pré Bouché	2 CGPVWXY	ABDE**FG**H 7
⏻ 1 Mai - 20 Sep	3 AFKLQV	ABCDFGINQRSV 8
☎ +33 (0)3-45740138	4 BDEFGHI	A**Y** 9
@ info@les2rivieres.com	5 ABDEKL	ABCDGHJ**N**PR10
	B 10A CEE	❶ €26,35
🏕 N 47°0'44'' E 4°11'30''	1,8 ha 41T(80-220m²) 2**D**	❷ €34,75

🚗 In La Celle-en-Morvan D978, von Autun-Château-Chinon, den CP-Schildern folgen. CP liegt 300m von der D978. ▲

La Clayette, F-71800 / Bourgogne ⏚ CC€14 iD

▲ Les Bruyères***	1 ADE**JM**NOPQRS**T**	ABFH**N** 6
▤ 9 route de Gibles, D79	2 DGPQRSTVWXY	ABDE**FG**H 7
⏻ 28 Mär - 15 Nov	3 BEILMQ	ABCDFJNQRSV 8
☎ +33 (0)3-85280915	4 FHO	AJ 9
@ contact@	5 ADEFGL	BFGIJOR10
campingbruyeres.com	D 10A CEE	❶ €19,40
🏕 N 46°17'30'' E 4°19'10''	2 ha 90T(90-150m²) 18**D**	❷ €26,40

🚗 Ort verlassen Richtung Mâcon/Lyon. Am Ortsende auf die D79, CP liegt dann links. ▲

La Tagnière, F-71190 / Bourgogne ⏚ CC€12 iD

▲ Le Paroy	1 AB**JM**NOPQRS**T**	N 6
⏻ 1 Apr - 30 Sep	2 DFPRUVWXY	ABDE**F**IJK 7
☎ +33 (0)3-85545927	3 AELQV	ABCDFNRSTUV 8
@ info@campingleparoy.com	4 FHIKO	ADFUVWY 9
	5 ABKL	ABDHJPRVWX10
	H400 1,2 ha 34T(100-250m²) 5**D**	❶ €23,00
🏕 N 46°46'38'' E 4°12'20''		❷ €28,00

🚗 Von Autun nach der N81 Richtung Moulin/Luzy. Nach 10 km links durch Étang-sur-Arroux Richtung Toulon. 3 km hinter Étang links nach La Tagnière (D224). In Tagnière den CP-Schildern folgen. ▲

Laives, F-71240 / Bourgogne ⏚ CC€16 iD

▲ La Héronnière***	1 ADE**JM**NOPQRST	ABFGLM**N**QXY 6
▤ route de la Ferté	2 CDGHPVXY	ABDE**FG** 7
⏻ 21 Mär - 2 Nov	3 ABELQ	ABDFJNOQRSV 8
☎ +33 (0)3-85449885	4 HIOQ	EJLTUV 9
@ camping.laives@wanadoo.fr	5 ABDEGJKL	BDFGHJOPST10
	B 10A CEE	❶ €27,20
🏕 N 46°40'19'' E 4°49'58''	2 ha 80T(100m²) 10**D**	❷ €36,90

🚗 Von N: A6 Ausfahrt 26 Chalon-sur-Saône. D906 Richtung Mâcon. Bei Varennes-le-Grand: D6 bis Ferté. D18 Richtung Lacs-des-Laives. Von S: A6 Ausfahrt 27 Tournus. In Sennecey-le-Grand: D18 Richtung Lacs-de-Laives. ▲

Lays-sur-le-Doubs, F-71270 / Bourgogne ⏚ iD

▲ Camping Les Pecheurs**	1 ADE**JM**NOPQRS**T**	ABJNUXYZ 6
▤ 3 rue du Pont	2 CGHPVWX	ABDE**F**H 7
⏻ 12 Apr - 30 Sep	3 ALQ	ABCDFNOPQRV 8
☎ +33 (0)3-85728232	4 FI	DEJQR 9
@ contact@	5 ADFGIKL	BGHJPSTV10
campinglespecheurs.com	10A CEE	❶ €18,10
🏕 N 46°55'47'' E 5°14'42''	H127 3 ha 50T(100-120m²) 31**D**	❷ €24,30

🚗 N73 bis Pourlans, D203 bis Lays-sur-le-Doubs. Den CP-Schildern folgen. ▲

Le Miroir, F-71480 / Bourgogne iD

▲ Crotenots*	1 A**JM**NOPQRST	N 6
▤ 120 rue du Camping	2 APXY	ABDE**FG** 7
⏻ 1 Apr - 15 Okt	3 ALQ	ACDEFNOQRV 8
☎ +33 (0)3-85767178	4 FHIO	DV 9
@ campingcrotenots@	5 AEGIJL	ABHIJST10
wanadoo.fr	6A CEE	❶ €14,00
🏕 N 46°34'14'' E 5°21'29''	H200 1,2 ha 35T(140m²) 1**D**	❷ €17,00

🚗 Auf der N83 zwischen Beaufort und Cousance in der Höhe von Augea Beschilderung folgen (5 km). A39 zwischen Dole und Bourg-en-Bresse Abfahrt 9. Dort CP ausgeschildert, noch 6 km. ▲

Camping de Mambré
★★★★

Schattige, sonnige und große Stellplätze in parkartiger Umgebung. Dieser Camping liegt am Rande der alten Stadt Paray-le-Monial. Sie können wunderbare Auto- und Radtouren durch Südburgund machen: durch die 'Voie Verte' und am 'Canal du Centre' entlang. Auf dem Camping Schwimmbad und Planschbecken, voll ausgestattete Mietchalets. Niederländische Inhaber.

19 rue du Gué Léger, 71600 Paray-le-Monial • Tel. 03-85888920
E-Mail: camping.plm@gmail.com
Internet: www.campingdemambre.com

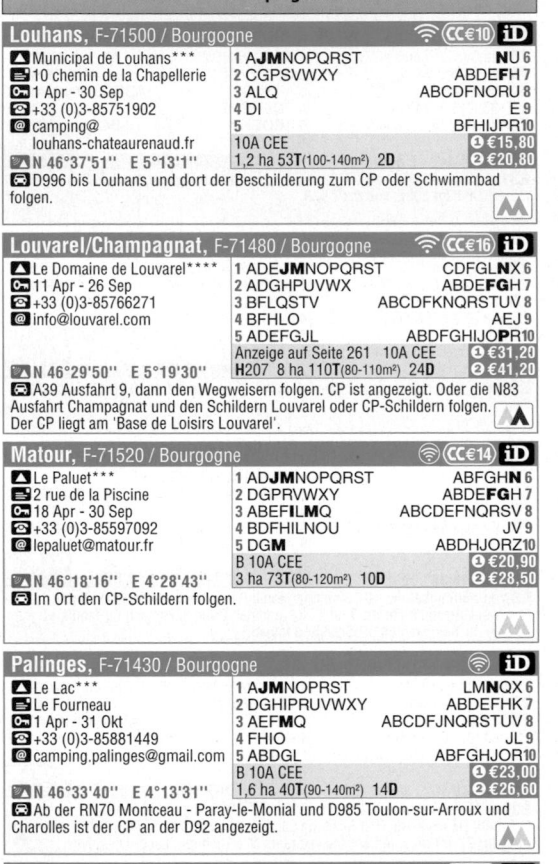

Louhans, F-71500 / Bourgogne 🛜 CC€10 iD

🏕 Municipal de Louhans***	1 AJMNOPQRST	NU 6
🏠 10 chemin de la Chapellerie	2 CGPSVWXY	ABDEFH 7
🕐 1 Apr - 30 Sep	3 ALQ	ABCDFNORU 8
☎ +33 (0)3-85751902	4 DI	E 9
@ camping@	5	BFHIJPR10
louhans-chateaurenaud.fr	10A CEE	❶ €15,80
📷 N 46°37'51'' E 5°13'1''	1,2 ha 53T(100-140m²) 2D	❷ €20,80

🚗 D996 bis Louhans und dort der Beschilderung zum CP folgen.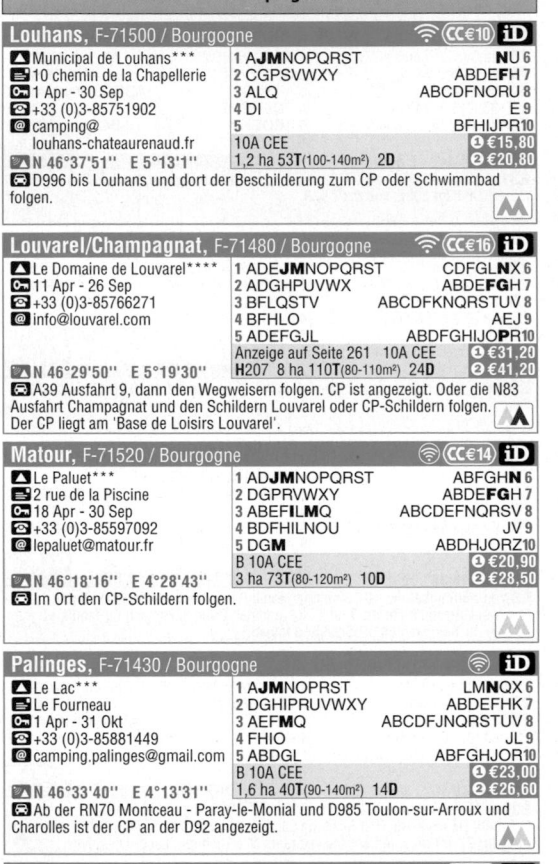

Louvarel/Champagnat, F-71480 / Bourgogne 🛜 CC€16 iD

🏕 Le Domaine de Louvarel****	1 ADEJMNOPQRST	CDFGLNX 6
🕐 11 Apr - 26 Sep	2 ADGHPUVWX	ABDEFGH 7
☎ +33 (0)3-85766271	3 BFLQSTV	ABCDFKNQRSTUV 8
@ info@louvarel.com	4 BFHLO	AEJ 9
	5 ADEFGJL	ABDFGHIJOPR10
	Anzeige auf Seite 261 10A CEE	❶ €31,20
📷 N 46°29'50'' E 5°19'30''	H207 8 ha 110T(80-110m²) 24D	❷ €41,20

🚗 A39 Ausfahrt 9, dann den Wegweisern folgen. CP ist angezeigt. Oder die N83 Ausfahrt Champagnat und den Schildern Louvarel oder CP-Schildern folgen. Der CP liegt am 'Base de Loisirs Louvarel'. 🅰

Matour, F-71520 / Bourgogne 🛜 CC€14 iD

🏕 Le Paluet***	1 ADJMNOPQRST	ABFGHN 6
🏠 2 rue de la Piscine	2 DGPRVWXY	ABDEFGH 7
🕐 18 Apr - 30 Sep	3 ABEFILMQ	ABCDEFNQRSV 8
☎ +33 (0)3-85597092	4 BDFHILNOU	JV 9
@ lepaluet@matour.fr	5 DGM	ABDHJORZ10
	B 10A CEE	❶ €20,90
📷 N 46°18'16'' E 4°28'43''	3 ha 73T(80-120m²) 10D	❷ €28,50

🚗 Im Ort den CP-Schildern folgen.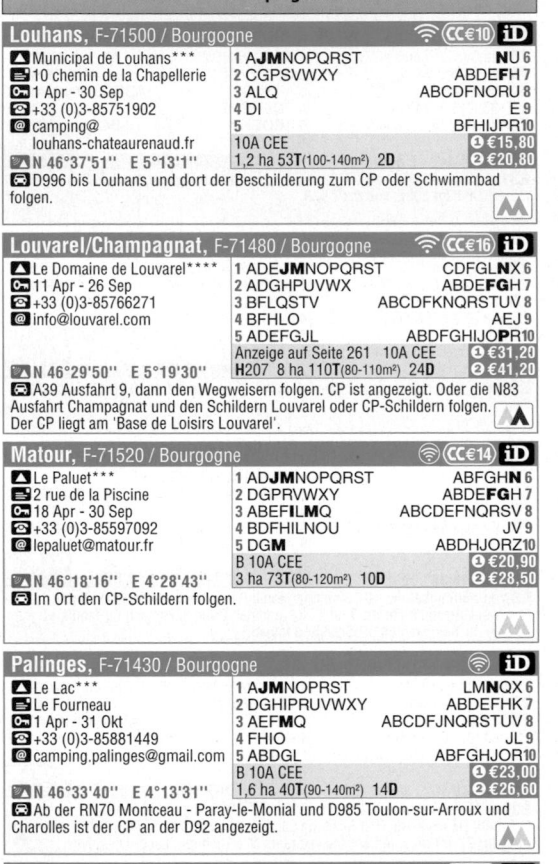

Palinges, F-71430 / Bourgogne 🛜 iD

🏕 Le Lac***	1 AJMNOPQRST	LMNQX 6
🏠 Le Fourneau	2 DGHIPRUVWXY	ABDEFHK 7
🕐 1 Apr - 31 Okt	3 AEFMQ	ABCDFJNQRSTUV 8
☎ +33 (0)3-85881449	4 FHIO	JL 9
@ camping.palinges@gmail.com	5 ABDGL	ABFGHJOR10
	B 10A CEE	❶ €23,00
📷 N 46°33'40'' E 4°13'31''	1,6 ha 40T(90-140m²) 14D	❷ €26,60

🚗 Ab der RN70 Montceau - Paray-le-Monial und D985 Toulon-sur-Arroux und Charolles ist der CP an der D92 angezeigt.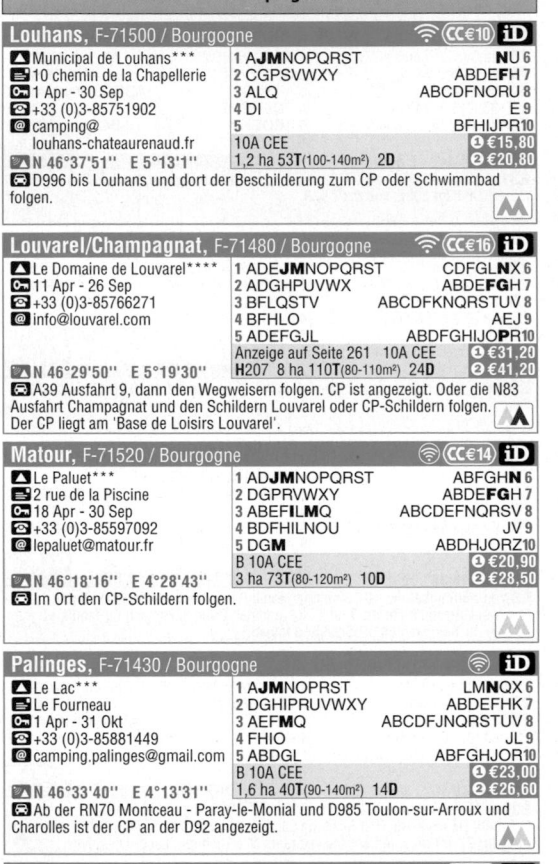

Paray-le-Monial, F-71600 / Bourgogne 🛜 CC€14 iD

🏕 de Mambré****	1 ADEJMNORT	AF 6
🏠 19 rue du Gué Léger	2 APRVWXY	ABDEFGHK 7
🕐 2 Mai - 3 Okt	3 AELQ	ADFJNQRS 8
☎ +33 (0)3-85888920	4 HO	EV 9
@ camping.plm@gmail.com	5 ABGL	ABDHJOPR10
	Anzeige auf dieser Seite 10A CEE	❶ €22,40
📷 N 46°27'26'' E 4°6'18''	6 ha 145T(80-100m²) 20D	❷ €28,00

🚗 Die N70 und N79 bei Paray-le-Monial-Sud verlassen. Am Canal-du-Centre an der D979 am Ortsrand von Paray-le-Monial ist der CP angezeigt.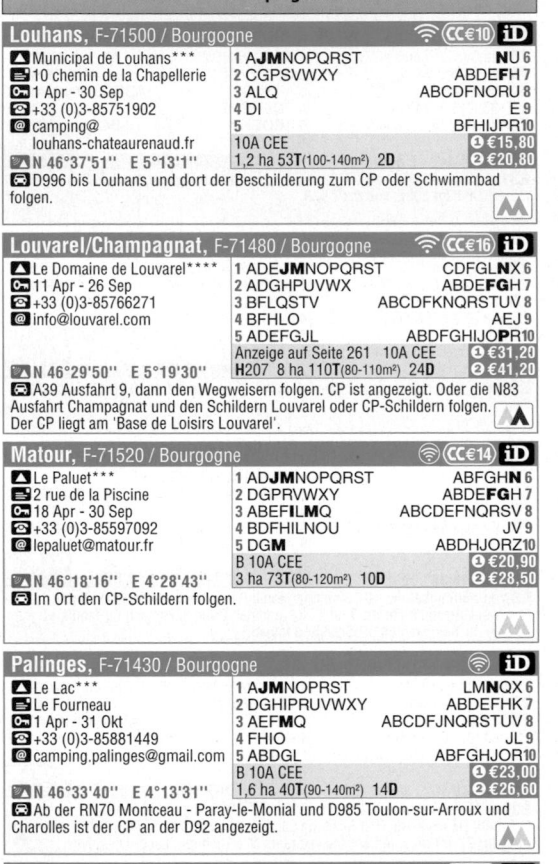

Salornay-sur-Guye, F-71250 / Bourgogne 🛜 iD

🏕 Municipal 'La Clochette'*	1 AJMNOPRST	N 6
🕐 23 Mai - 2 Sep	2 CPVX	ABDF 7
☎ +33 (0)3-85599011	3 ABEMQ	ABCDEFNR 8
@ mairie.salornay@wanadoo.fr	4 FH	9
	5	BGHJPRV10
	10A CEE	❶ €13,40
📷 N 46°31'4'' E 4°35'55''	1,2 ha 60T(60-120m²)	❷ €19,40

🚗 In Salornay-sur-Guye stehen an der D980 CP-Schilder. Der CP liegt an der D14 Richtung Taizé.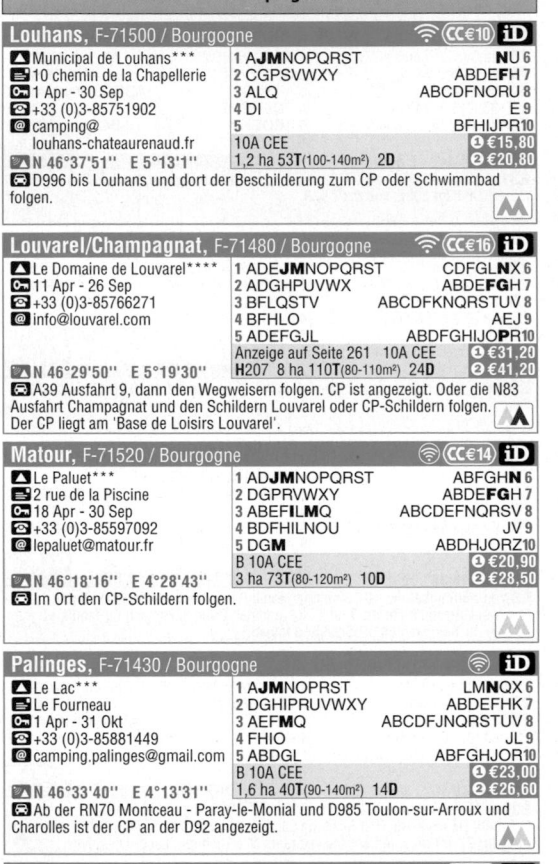

Match2Camp

Match2Camp ist ein praktisches Mittel, mit dem Sie schnell einen Camping finden können, der Ihren Vorstellung entspricht. Schauen Sie auf Seite 26 nach ausführlicheren Informationen.

Sancé/Mâcon, F-71000 / Bourgogne 🛜 iD

🏕 Municipal les Varennes****	1 ADEJMNOPQRST	ABF 6
🏠 1 rue d.G.Varennes	2 OPQVVXY	ABDEFGH 7
🕐 15 Mär - 31 Okt	3 AELQ	ABCDFJNQRSV 8
☎ +33 (0)3-85381622	4 HO	9
@ camping@ville-macon.fr	5 ABDEGIJ	AGHKPTUZ10
	B 10A	❶ €25,10
📷 N 46°19'49'' E 4°50'39''	5 ha 254T(70-100m²)	❷ €33,30

🚗 Der CP liegt im Dorf Sancé an der D906, ca. 3 km in Norden des Zentrums von Mâcon.

Savigny-sur-Grosne, F-71460 / Bourgogne 🛜 iD

🏕 Camping du Gué	1 ADEJMNOPQRST	N 6
🏠 Messeugne	2 CHIPRSVWXY	ABDE 7
🕐 3 Apr - 25 Okt	3 BQ	ABCDEFNQRV 8
☎ +33 (0)3-85925686	4 FHIO	9
@ camping.messeugne@orange.fr	5 ADEGL	BHJOST10
	10A CEE	❶ €16,40
📷 N 46°34'15'' E 4°39'46''	2 ha 47T(80-100m²) 40D	❷ €20,80

🚗 Von der D981 (Chagny-Cluny) 2 km nördlich von Cormatin, Richtung Messeugne D207. Hinter der Brücke über die Grosne ist die Campingeinfahrt rechts. Ist ausgeschildert.

St. Boil, F-71390 / Bourgogne 🛜 CC€16 iD

🏕 Moulin de Collonge****	1 ADEJMNOPRT	CLMN 6
🕐 1 Apr - 30 Sep	2 DGHIPVWX	ABDEFG 7
☎ +33 (0)3-85440032	3 AELQT	BCDFJKNQRSV 8
@ millofcollonge@wanadoo.fr	4 FHIO	EJV 9
	5 ABEFGIKL	BDHJOR10
	6A	❶ €25,25
📷 N 46°38'47'' E 4°41'41''	1 ha 50T(80-100m²) 13D	❷ €35,00

🚗 Auf der D981 am südlichen Ende von St. Boil auf die kleine Straße V5 fahren. Den CP-Schildern folgen.

St. Germain-du-Bois, F-71330 / Bourgogne 🛜 iD

🏕 Camping de l'Étang Titard**	1 AJMNOPRT	ABEN 6
🏠 route de Louhans	2 DGPVWXY	ABDEF 7
🕐 2 Mai - 15 Sep	3 LMQ	ABCDFQRV 8
☎ +33 (0)3-85720615	4 FHIO	J 9
@ mairie-71330-saint-germain-du-bois@wanadoo.fr	5	BHIJMOST10
	6A	❶ €10,20
📷 N 46°44'48'' E 5°14'46''	H208 2 ha 40T(90-120m²) 5D	❷ €14,00

🚗 Vom Zentrum St. Germain-du-Bois südlich Richting Louhans die D13. Der CP liegt dann links an der Straße, ± 1 km vom Zentrum.

St. Léger-sous-Beuvray, F-71990 / Bourg. 🛜 CC€12 iD

🏕 De La Boutière	1 AJMNOPRST	N 6
🏠 La Boutière	2 PQVWX	ABDEF 7
🕐 15 Apr - 15 Okt	3 ELQ	ABCDEFJNRTUV 8
☎ +33 (0)6-80408128	4 FH	E 9
@ camping@la-boutiere.com	5 KLM	ABDFHJPR10
	B 10A CEE	❶ €24,20
📷 N 46°55'54'' E 4°6'4''	2 ha 36T(100-150m²) 3D	❷ €30,60

🚗 Von Autun nach St. Léger-sous-Beuvray über die D681 Richtung Moulins-Luzy. Nach 4 km rechts Richtung St. Léger (D3) weiter bleiben, bis der CP angezeigt ist.

St. Point, F-71520 / Bourgogne 🛜 iD

🏕 du Lac de St. Point Lamartine***	1 ADEJMNOPRST	LNQXZ 6
🏠 Le Lac	2 BCDGIPTUVXY	ABDEFGH 7
🕐 1 Apr - 31 Okt	3 BELQ	ABCDFNRTV 8
☎ +33 (0)3-85505231	4 FHPQ	EFT 9
contact@campingsaintpoint.com	5 DEGIL	BFHJLOR10
	13A CEE	❶ €18,60
📷 N 46°20'13'' E 4°36'42''	3 ha 80T(70-100m²) 24D	❷ €23,60

🚗 A6, Ausfahrt 29 Mâcon-Sud, N79 Richtung Cluny. Nach 17 km Abzweig Cluny, direkt auf D17 wechseln. Im weiteren Verlauf D22 nach St. Point. CP liegt kurz hinter St. Point rechts am See.

Tournus, F-71700 / Bourgogne 🛜 CC€16 iD

🏕 Camping de Tournus***	1 ADEILNOPQRST	AFHN 6
🏠 14 rue des Canes	2 ACPSVWX	ABDEFG 7
🕐 1 Apr - 30 Sep	3 AL	ABCDFNOQRSV 8
☎ +33 (0)3-85511658	4 HO	V 9
@ camping-tournus@orange.fr	5 ABDEGKL	ABFGHJOTU10
	B 10A CEE	❶ €27,40
📷 N 46°34'25'' E 4°54'34''	1,5 ha 94T(80-100m²)	❷ €37,90

🚗 A6 Ausfahrt 27 Tournus. Der D906 Richtung Tournus folgen. Gegenüber vom Bahnhof abbiegen. Der CP ist ausgeschildert.

Le Domaine de Louvarel

★ ★ ★ ★

Ein kleiner 4**** Familiencamping im Süden von Burgund, auf der Grenze zum Jura und dem Ain. Ideal für Familien mit Kindern unter 12 Jahren. Am Freizeitsee gelegen. Überdachtes, beheiztes Schwimmbad, Restaurant und Kinderclub. In Autobahnnähe der A39 und Route Nationale N83.

71480 Louvarel/Champagnat
Tel. 03-85766271
E-Mail: info@louvarel.com
Internet: www.louvarel.com

Frankreich

Uchizy, F-71700 / Bourgogne CC 16 iD

▲ Le National 6**	1 A**JM**NOPRST	AFJ**N**QSWXYZ 6
🏖 Port d'Uchizy	2 CGPVWXY	ABDE**F** 7
📅 1 Apr - 30 Sep	3 ALQ	ABCDFKNORS 8
☎ +33 (0)3-85405390	4 HIO**P**	JUV 9
@ camping.uchizylen6@	5 ACDEFGIL	BJLOR10
wanadoo.fr	6A CEE	❶ €22,90
📍 N 46°29'16'' E 4°54'45''	6 ha 95T(100m²) 38D	❷ €33,10

🚗 Aus dem Norden liegt der CP links von der D906, in der Höhe der Gemeinde Uchizy (am Ufer der Saône). Den CP-Schildern folgen.

Verdun-sur-le-Doubs, F-71350 / Bourgogne iD

▲ La Plage**	1 ADE**JM**NOPQRS**T**	**ABFGHN**XYZ 6
🏖 Quai du Doubs Prolongé	2 CGOPVWXY	ABD**FG** 7
📅 1 Mai - 15 Sep	3 AL**MQ**	ACFJNORTV 8
☎ +33 (0)3-85915550	4 FHIO	D 9
@ camping.verdunsurledoubs@	5 AD**LM**	ABGIJL**O**R10
orange.fr	16A CEE	❶ €16,50
📍 N 46°54'3'' E 5°1'16''	H170 3,5 ha 135T(100-120m²) 1D	❷ €19,50

🚗 Von Dôle aus die D673, dann N73 Richtung Chalon-sur-Saône. In Pont-de-Charbonneau rechts die D970 und den CP-Schildern folgen.

Abrest/Vichy, F-03200 / Auvergne CC 14 iD

▲ La Croix St-Martin***	1 ADF**JM**NOPRST	ABN**U** 6
99 avenue des Graviers/ allée du cp	2 COPVWXY	ABDE**FGH** 7
📅 3 Apr - 10 Okt	3 BELQSTV	ABCDFINQRSV 8
☎ +33 (0)4-70326774	4 BDFHI**P**	EQU 9
@ camping-vichy@orange.fr	5 ABE**L**	ABGHJLPRV10
	B 10A CEE	❶ €19,90
📍 N 46°6'28'' E 3°26'12''	H260 3 ha 72T(100-200m²) 18D	❷ €28,70

🚗 In Vichy Richtung Thiers. Der CP ist ausgeschildert und liegt an dieser Strecke.

Arfeuilles, F-03120 / Auvergne iD

▲ Municipal La Boulère**	1 AILNORT	**N** 6
📅 1 Mai - 30 Sep	2 CDGPTXY	ABDE 7
☎ +33 (0)4-70555011	3 A**M**	ABCDFNOQ 8
@ mairie-arfeuilles@	4	9
pays-allier.com	5	J10
	10A CEE	❶ €12,10
📍 N 46°9'34'' E 3°44'6''	H450 1,5 ha 66T(100m²)	❷ €15,60

🚗 Ab der N7 Arfeuilles folgen. Der CP liegt am Ortsende, Richtung St. Pierre-Laval D207. Den CP-Schildern folgen.

Bellerive-sur-Allier, F-03700 / Auvergne iD

▲ Les Acacias au Bord du Lac****	1 ADEILNOPRS**T**	ABFGHN**Q**UWXZ 6
🏖 rue Claude Decloître	2 CGPQRVXY	ABDE**FG** 7
📅 7 Apr - 7 Okt	3 BEL**Q**	ABCDEFNOQRSV 8
☎ +33 (0)4-70323622	4 BDIO**P**	EKLQ 9
@ camping-acacias03@orange.fr	5 ABEGK	BEGHJPRV10
	B 10A	❶ €23,20
📍 N 46°6'59'' E 3°25'33''	H250 3 ha 96T(100m²) 30D	❷ €33,70

🚗 In Bellerive den Schildern 'campings' folgen. Am Fluss entlang.

Bellerive-sur-Allier/Vichy, F-03700 / Auv. 🛜 CC€16 iD

- ⛺ Beau Rivage sur les berges de l'Allier****
- ✉ rue Claude Decloître
- 🕐 1 Apr - 9 Okt
- ☎ +33 (0)4-70322685
- @ camping-beaurivage@wanadoo.fr
- 📍 N 46°6'56'' E 3°25'49''

1 ADJMNOPQRT	CDFGHN	6
2 CPVXY	ABDEFGH	7
3 BEFLQRT	ABCDEFJNOQRSV	8
4 BDINOQ	EHQTUV	9
5 ABDGKLM	BGHJMPRV	10
B 10A CEE		① €23,90
H250 2 ha 37T(100m²) 39D		② €34,30

🚗 In Bellerive fahren Sie Richtung Hauterive und folgen Sie den grünen Schildern mit 'Berges de l'Allier'. Bei Allier fahren Sie in die Straße 'rue Claude Decloitre'. Beau Rivage ist am Ender der Straße links.

Braize, F-03360 / Auvergne 🛜 iD

- ⛺ Champ de la Chapelle***
- ✉ Lieu dit Champ de la Chapelle
- 🕐 10 Apr - 30 Okt
- ☎ +33 (0)4-70061545
- @ info@champdelachapelle.com
- 📍 N 46°38'33'' E 2°39'20''

1 ADEJMNOPRST	A	6
2 BGPTWXY	ABDEFGH	7
3 AL	ABCDFKNRSTV	8
4 EFH	DE	9
5 ABDL	ABHIJNOR	10
B 10A CEE		① €19,50
5,8 ha 80T(100-250m²) 10D		② €24,50

🚗 A71 Ausfahrt St. Amand. Weiter Richtung Montluçon D2144. Ausfahrt 978A Tronçais. Am Kreisel geradeaus und nach 1,5 km links.

Brugheas/Vichy, F-03700 / Auvergne 🛜 iD

- ⛺ La Roseraie***
- ✉ 4 La Boucharde
- 🕐 1 Jan - 31 Dez
- ☎ +33 (0)4-70324333
- @ camping.laroseraie@wanadoo.fr
- 📍 N 46°4'46'' E 3°22'55''

1 ADJMNOPRST	ABFGH	6
2 PRVXY	BEFH	7
3 BEILR	CDFKNQRSV	8
4 DFINO	DEJLV	9
5 ADEGJL	ABGHIJPRV	10
B 6A CEE		① €19,50
H350 4,7 ha 80T(100-220m²) 27D		② €26,00

🚗 Ab der A71 nimmt man die Ausfahrt Gannat. Dann Richtung Vichy und den Pfeilen Bellerive-sur-Allier folgen. Bei Bellerive ist Brugheas angezeigt. Die D1093 Vichy-Randau nehmen. CP liegt an dieser Strecke.

Châtel-de-Neuvre, F-03500 / Auvergne 🛜 CC€14 iD

- ⛺ Deneuvre***
- ✉ route de Moulins
- 🕐 1 Apr - 30 Sep
- ☎ +33 (0)4-70420451
- @ campingdeneuvre@wanadoo.fr
- 📍 N 46°24'47'' E 3°19'8''

1 ADEJMNOPRT	JNUX	6
2 CHJKPVWXY	BDFG	7
3 ALQ	ABCDFINRSV	8
4 O	DLQRV	9
5 ABDEGIKLM	BDFGHJPR	10
B 4A		① €19,40
H220 1,2 ha 70T(70-115m²) 2D		② €27,40

🚗 Richtung Clermont-Ferrand/St. Pourçain. Auf der RD2009 (RN9) vor Châtel-de-Neuvre links ab. CP ausgeschildert.

Dompierre-sur-Besbre, F-03290 / Auvergne 🛜 iD

- ⛺ Les Bords de Besbre**
- ✉ Parc des Sports
- 🕐 15 Mai - 15 Sep
- ☎ +33 (0)4-70345557
- @ camping@mairie-dsb.fr
- 📍 N 46°30'58'' E 3°41'5''

1 AFJMNOPRST	EFGN	6
2 CPVX	ABDEFH	7
3 AEMQ	ABCDFJNORTUV	8
4 FH		9
5 A	BGHJPTU	10
10A		① €10,30
2 ha 67T(80-100m²)		② €13,80

🚗 Dorf Richtung Digoin verlassen. Der CP liegt hinter der Brücke rechts.

Ebreuil, F-03450 / Auvergne 🛜 CC€16 iD

- ⛺ Camping de la Filature****
- ✉ route de Chouvigny
- 🕐 15 Apr - 1 Okt
- ☎ +33 (0)4-70907201
- @ camping.filature@gmail.com
- 📍 N 46°6'30'' E 3°4'25''

1 ADJMNOPQRST	JNUX	6
2 ACGKPQVWXY	ABDEF	7
3 BEGILQV	ABCDEFNORSV	8
4 FIO		9
5 ACEGKLM	BHJOR	10
B 6A CEE		① €23,50
H300 3,5 ha 80T(100-150m²) 6D		② €30,50

🚗 A71, Ausfahrt 12 Richtung Ebreuil. Von Gannat über die D998 nach Ebreuil. Dort 'Gorges de la Sioule' folgen. Der CP liegt an der D915.

Gannat, F-03800 / Auvergne 🛜 iD

- ⛺ Municipal Le Mont Libre***
- ✉ 10 route de la Batisse
- 🕐 1 Apr - 31 Okt
- ☎ +33 (0)4-70901216
- @ camping.gannat@wanadoo.fr
- 📍 N 46°5'30'' E 3°11'38''

1 ADEJMNOPRT	AF	6
2 AFPUVWX	ABDEFGHK	7
3 BLMQRV	ABCDFNOQRSV	8
4 AEFIO	JL	9
5 ABGL	BFGHJLORV	10
B 10A		① €14,90
4 ha 60T 10D		② €18,30

🚗 Auf der RN9 Richtung Clermont-Ferrand. In Gannat ist der CP ausgeschildert.

Jenzat, F-03800 / Auvergne iD

- ⛺ Le Champ de la Sioule**
- 🕐 15 Apr - 21 Sep
- ☎ +33 (0)4-70568635
- @ mairie-jenzat@pays-allier.com
- 📍 N 46°9'57'' E 3°11'23''

1 ADJMNOPRT	JN	6
2 ACGJPQVWX	ABDEF	7
3 ALQ	ABDFNOQ	8
4	E	9
5 B	BHJLR	10
10A		① €13,85
H270 1 ha 48T(100-120m²) 2D		② €16,95

🚗 8 km nordöstlich von Gannat über die A71, Ausfahrt 12. Weiter Gannat folgen. Dann die N9, nach St. Pourçain-sur-Sioule. Dort die D42 Richtung Jenzat.

Lapalisse, F-03120 / Auvergne 🛜 iD

- ⛺ Camping de la Route Bleue***
- ✉ rue des Vignes/route de Roanne
- 🕐 1 Apr - 30 Sep
- ☎ +33 (0)4-70992631
- @ office.tourisme@cc-paysdelapalisse.fr
- 📍 N 46°14'36'' E 3°38'22''

1 AJMNORT	N	6
2 CPVX	ABDEFH	7
3 AELM	ABCDEFJNOR	8
4 E	EJ	9
5 A	AGIJNOR	10
B 10A		① €11,50
0,8 ha 56T(80-100m²) 8D		② €14,80

🚗 Die N7 Moulins-Roanne nehmen. Innerorts ist der CP angezeigt. Der CP liegt an der N7.

Ronnet, F-03420 / Auvergne 🛜 iD

- ⛺ La Chassagne*
- 🕐 1 Mai - 15 Sep
- ☎ +33 (0)4-70510807
- @ info@lachassagne.net
- 📍 N 46°12'12'' E 2°41'40''

1 AJMNORT	AN	6
2 PQTVWXY	ABDF	7
3 AKL	ACEFNR	8
4 FHI	BDIJ	9
5 AL	ABJOTU	10
6A		① €21,00
H500 2,5 ha 40T(90-400m²) 5D		② €27,00

🚗 Von der D2144 Montluçon - St. Éloy-les-Mines. Ausfahrt Ronnet. Der CP ist ausgeschildert.

Sazeret/Montmarault, F-03390 / Auvergne 🛜 iD

- ⛺ La Petite Valette***
- 🕐 1 Jun - 15 Sep
- ☎ +33 (0)4-70076457
- @ campinglapetitevalette@gmail.com
- 📍 N 46°21'34'' E 2°59'34''

1 ADEJMNOPRT	ABFN	6
2 ADGPVXY	ABDEFGH	7
3 ABCEFHKLQT	ABCDEFGIJNRS	8
4 BILOQ	AEJTVY	9
5 ABEFIJL	ABFHJOTV	10
B 6A		① €24,85
H500 4 ha 55T(90-150m²) 28D		② €33,95

🚗 A71 Ausfahrt 11 Montmarault; an Kreisel Richtungsschildern 'La Petite Valette' folgen. Alternativ von Moulins N79 bis Ausfahrt Le Montet Richtung Deux Chaises. Der Straße nach 6 km der CP-Beschilderung folgen.

St. Bonnet-Tronçais, F-03360 / Auvergne 🛜 iD

- ⛺ Champ-Fosse***
- 🕐 1 Apr - 15 Okt
- ☎ +33 (0)4-70061130
- @ champfosse@campingstroncais.com
- 📍 N 46°39'24'' E 2°41'18''

1 ADEJMNOPRST	ABFHLMNQSXY	6
2 BDGHIPTVX	ABDEFGH	7
3 BEFIKMQR	ABDEFKNOQRSV	8
4 AEFHINOPQ	EJLQT	9
5 ABDGLM	BHJLORVW	10
B 10A CEE		① €19,15
H218 3 ha 198T(80-120m²) 29D		② €25,75

🚗 A71/E11, Ausfahrt 'Foret de Tronçais'. CP-Beschilderung folgen.

St. Pourçain-sur-Sioule, F-03500 / Auvergne 🛜 iD

- ⛺ de l'Île de la Ronde***
- ✉ Île de la Ronde
- 🕐 1 Apr - 1 Okt
- ☎ +33 (0)4-70454543
- @ camping.iledelaronde@live.fr
- 📍 N 46°18'21'' E 3°17'33''

1 ADEJMNOPQRST	N	6
2 ACGOPRVWXY	ABDEF	7
3 BHILMQ	ABCDFLNOR	8
4 BDFHIN	AEUY	9
5 ABDGL	BFGHJORW	10
B 10A		① €13,50
H220 1,5 ha 59T(60-250m²) 3D		② €16,10

🚗 Autobahn Paris Richtung Clermont-Ferrand, Ausfahrt St. Pourcain-sur-Sioule, CP ist ab Zentrum ausgeschildert.

Treteau, F-03220 / Auvergne 🛜 iD

- ⛺ Domaine Sainte Marie
- ✉ route de Boucé
- 🕐 1 Mär - 30 Okt
- ☎ +33 (0)4-70348271
- @ info@campingdomainesaintemarie.eu
- 📍 N 46°21'8'' E 3°31'2''

1 AJMNOPRT	A	6
2 PRVWX	ADFG	7
3 AELQSV	ABCDEFGJNQRSV	8
4 FHO	AGHJ	9
5 ADEGJL	ABHJMPSTZ	10
10A		① €25,00
H260 5 ha 35T(42-250m²) 12D		② €25,00

🚗 Von der N7 nimmt man in Varennes-sur-Allier die D21 nach Treteau. Innerorts ist der CP ausgeschildert.

pro mobil · CARAVANING

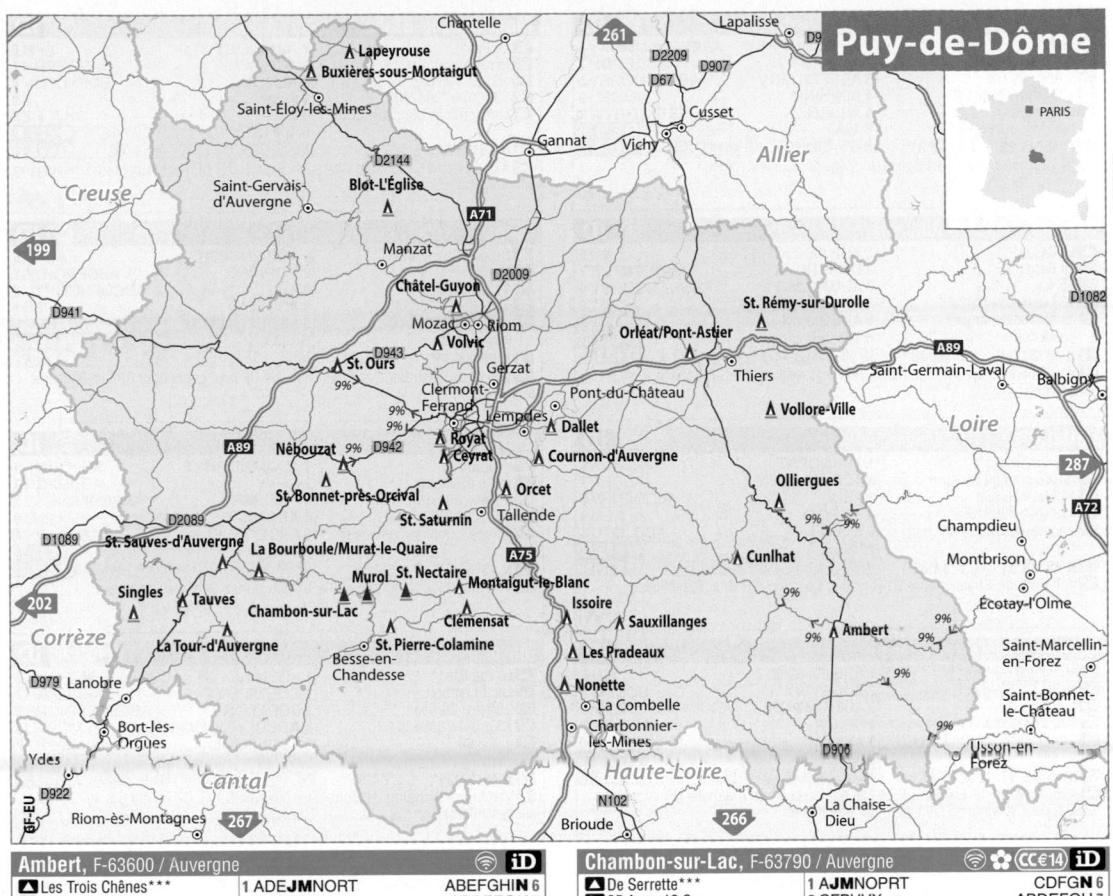

PARIS

Chantelle
Lapalisse
261
D2209 · D907
Lapeyrouse
Buxières-sous-Montaigut
D67
Cusset
Saint-Éloy-les-Mines
Gannat · Vichy
Allier
D2144
Saint-Gervais-d'Auvergne
Blot-L'Église
A71
199
Manzat
D2009
D941
Châtel-Guyon
St. Rémy-sur-Durolle
D1082
Mozac · Riom
Orléat/Pont-Astier
Volvic
Gerzat
A89
Saint-Germain-Laval
Balbigny
St. Ours
D943
Clermont-Ferrand
Pont-du-Château
Thiers
9%
Lempdes
Vollore-Ville
Loire
A89
Nébouzat
D942
Royat
Dallet
287
Ceyrat
Cournon-d'Auvergne
St. Bonnet-près-Orcival
Orcet
Olliergues
A72
D2089
St. Saturnin
Tallende
Champdieu
D1089
St. Sauves-d'Auvergne
A75
Montbrison
La Bourboule/Murat-le-Quaire
Cunlhat
Écotay-l'Olme
202
Singles
Tauves
Murol · St. Nectaire
Montaigut-le-Blanc
9%
Amber
Saint-Marcellin-en-Forez
Corrèze
Chambon-sur-Lac
Issoire
Sauxillanges
La Tour-d'Auvergne
Clémensat
Besse-en-Chandesse
St. Pierre-Colamine
Les Pradeaux
Saint-Bonnet-le-Château
D979 Lanobre
Nonette
La Combelle
Usson-en-Forez
D922
Bort-les-Orgues
Charbonnier-les-Mines
D906
Ydes
Cantal
Haute-Loire
La Chaise-Dieu
Riom-ès-Montagnes
267
N102
Brioude
266
263

Ambert, F-63600 / Auvergne		
Les Trois Chênes***	1 ADEJMNORT	ABEFGHIN 6
route du Puy	2 CGPVX	ABDEFGH 7
30 Apr - 30 Sep	3 ALQ	ABCDFNORSV 8
+33 (0)4-73823468	4 BDFIOP	J 9
tourisme@ville-ambert.fr	5 ADEFGIL	FGHJORVWZ10
	B 10A CEE	❶ €19,95
	H500 5 ha 94T(100-150m²) 18D	❷ €27,40
N 45°32'22'' E 3°43'43''		
In Ambert D906 in südlicher Richtung. Nach ca. 3 km liegt der CP auf der linken Seite.		

Blot-L'Église, F-63440 / Auvergne		
La Coccinelle**	1 ADEJMNOPRST	A 6
Le Bourg	2 FPRVWXY	BDFG 7
1 Mär - 31 Okt	3 ABELMQSU	ADFJNPQRS 8
+33 (0)4-73649315	4 BFHI	BDE 9
info@campingcoccinelle.com	5 ADEGL	ABDFHIJPTU10
	6A CEE	❶ €18,00
	H660 1,6 ha 41T(80-110m²) 9D	❷ €23,00
N 46°1'56'' E 2°57'23''		
Von der Mautstrecke A71 Ausfahrt 12.1 St. Pardoux halten. Dann den CP-Schildern folgen. Von Montluçon die D2144, in Pouzol den CP-Schildern folgen.		

Buxières-sous-Montaigut, F-63700 / Auvergne		
Les Suchères**	1 ACDEJMNOPRT	A 6
Les Suchères	2 PTVX	ABDEFG 7
1 Apr - 30 Sep	3 AEKLQ	ABCDFNORS 8
+33 (0)4-73859266	4 ABCEHIO	AEVW 9
sucheres@gmail.com	5 ABDEGIL	ABHJNST10
	6A	❶ €20,40
	H600 7,5 ha 35T(100-140m²) 10D	❷ €26,40
N 46°11'36'' E 2°49'10''		
Von Montmarault Richtung St. Eloy-les-Mines und auf der D13 bleiben bis zur CP-Beschilderung.		

Ceyrat, F-63122 / Auvergne		
Le Chanset***	1 ADEJMNOPRST	AB 6
rue du Chanset	2 FOPQRVY	ABDEFG 7
1 Jan - 31 Dez	3 AEILQ	ABCDEFNOQRV 8
+33 (0)4-73613073	4 ABDEINOP	BEJLV 9
camping.lechanset@ceyrat.fr	5 ABCDEFGIL	BGHIJPRZ10
	B 10A CEE	❶ €21,40
	H600 6 ha 114T(100-150m²) 39D	❷ €26,40
N 45°44'19'' E 3°3'42''		
In Clermont-Ferrand Ausfahrt 'Le Mont Dore/La Bourboulé, diesen Schildern folgen. Über die N89 nach Ceyrat, CP ausgeschildert.		

Chambon-sur-Lac, F-63790 / Auvergne		
De Serrette***	1 AJMNOPRT	CDFGN 6
25 Apr - 13 Sep	2 CFPUVX	ABDEFGH 7
+33 (0)4-73886767	3 ABL	ABCDFNORSV 8
camping de serrette@ wanadoo.fr	4 EFHIOPT	DEFL 9
	5 ABDEGKLM	BDHIJOST10
	10A CEE	❶ €24,75
	H1000 3 ha 75T(80-80m²) 18D	❷ €33,10
N 45°34'16'' E 2°53'28''		
A75 Ausfahrt 6 Richtung Le Mont Doré. Nach Murol den CP-Schildern folgen.		

Chambon-sur-Lac, F-63790 / Auvergne		
Les Bombes***	1 AJMNOPRST	ABFGN 6
chemin de Pétary	2 CFGPVXY	ABDEFGH 7
1 Mai - 15 Sep	3 ABEL	ABCDEFNORSTUV 8
+33 (0)4-73886403	4 FHO	AEV 9
lesbombes@orange.fr	5 ABDEFGM	BHJOR10
	B 10A	❶ €26,00
	H850 5 ha 132T(100-130m²) 37D	❷ €36,00
N 45°34'11'' E 2°54'8''		
Von der A75 Ausfahrt 6 Veyre-Monton zur D996 Richtung Le Mont Doré. Hinter Murol den CP-Schildern folgen.		

Châtel-Guyon, F-63140 / Auvergne		
Le Ranch des Volcans***	1 ADEJMNOPQRST	AF 6
route de la Piscine	2 AOPQVXY	ABDEFGH 7
21 Mär - 1 Nov	3 ABEILMQRS	ABCDFJNORS 8
+33 (0)4-73860247	4 BCDFHINOPQ	AEHJ 9
contact@ ranchdesvolcans.com	5 ABDEGIJKLM	BDFGHJLOQRW10
	B 6A	❶ €16,90
	H400 5 ha 278T(80-200m²) 41D	❷ €23,70
N 45°54'54'' E 3°4'38''		
A71, Ausfahrt Riom. Dann Richtung Châtel-Guyon. Der CP ist ausgeschildert.		

Clémensat, F-63320 / Auvergne		
La Gazelle	1 AILNORT	6
route de Saint-Floret	2 PRWXY	ABD 7
15 Mai - 15 Sep	3 AL	ABEFNOSV 8
+33 (0)4-73711479	4 FIQ	EGJ 9
contact@ camping-lagazelle.com	5 ADL	HJST10
	10A CEE	❶ €16,00
	H550 0,8 ha 30T(80-100m²) 9D	❷ €22,00
N 45°33'40'' E 3°6'21''		
A75 Ausfahrt 6 Richtung Champaix-Murol. In Montaigut Richtung Clémensat. Innerorts ist der CP angezeigt.		

Cournon-d'Auvergne, F-63800 / Auvergne 📶 ⚙ iD

🏕 Le Pré des Laveuses***
📧 rue des Laveuses
🕐 1 Apr - 25 Okt
☎ +33 (0)4-73848130
@ camping@
cournon-auvergne.fr
🗺 N 45°44'25'' E 3°13'21''

1 ADEILNOPRST	ABEFGHLMNUXY 6
2 ACDGHPVX	ABDEFGH 7
3 ABCEFILMQV	ABCDFNORSV 8
4 BDFHINO	AJQRU 9
5 ABDEGIL	GHIKLORVW10
B 10A	
H325 5 ha 100T(100-120m²) 55D	❶ €25,30 ❷ €34,10

🚗 In Cournon-d'Auvergne Schildern 'Zône des Loisirs' folgen.

Cunlhat, F-63590 / Auvergne 📶 iD

🏕 La Barge***
📧 La Barge
🕐 15 Apr - 11 Nov
☎ +33 (0)4-63332028
@ campingdelabarge@
gmail.com
🗺 N 45°37'31'' E 3°33'48''

1 ADEJMNOQRST	LNU 6
2 DGHPRUVX	ABDEFGHJK 7
3 AEGHILMQ	ABCDFNOQRSV 8
4 ABDEFHINOTUX	ACJPT 9
5 ADEGIJKM	HJLPST10
B 16A CEE	❶ €16,00
H700 1,8 ha 32T(60-100m²) 34D	❷ €23,50

🚗 Von Thiers durch Cunlhat, hinter dem Ortsausgang den CP-Schildern nach links folgen.

Dallet, F-63111 / Auvergne 📶 CC€12 iD

🏕 Les Ombrages***
📧 rue de pont du Chateau
🕐 14 Mai - 15 Sep
☎ +33 (0)4-73831097
@ lesombrages@hotmail.com
🗺 N 45°46'31'' E 3°14'31''

1 AHKNOPRT	AFJNUX 6
2 ACGJKPQRVY	ABDEF 7
3 AELV	ABCDFNRV 8
4 BFHIOQ	AEQ 9
5 ADEGIL	ABDJOTU10
B 6A CEE	❶ €25,00
H300 3 ha 90T(120-250m²) 8D	❷ €33,50

🚗 Von Pont-du-Château über D1 Richtung Cournon. CP ist ausgeschildert.

Issoire, F-63500 / Auvergne 📶 iD

🏕 Municipal du Mas***
📧 av. du Dr. Bienfait
🕐 1 Apr - 5 Nov
☎ +33 (0)4-73890359
@ camping-mas@wanadoo.fr
🗺 N 45°33'5'' E 3°16'27''

1 ADEJMNORST	NU 6
2 ADGPVWX	BDEFG 7
3 ABEILMPQR	ABCDFJNOQRSTV 8
4 DINOP	AEJLRU 9
5 ABKM	BGHJORVZ10
B 8A CEE	❶ €21,10
H375 4,4 ha 133T(80-100m²) 13D	❷ €26,10

🚗 A75, Ausfahrt 12 Issoire, CP ab hier gut beschildert. Alternativ N9, Abfahrt Issoire, vor Ortseingang D9 folgen, CP beschildert.

La Bourboule/Murat-le-Quaire, F-63150 / Auv. 📶 CC€14 iD

🏕 Le Panoramique***
📧 Le Pessy
🕐 15/2 - 15/3, 12/4 - 15/10
☎ +33 (0)4-73811879
@ info@camping-panoramique.fr
🗺 N 45°35'49'' E 2°45'4''

1 ADJMNOPRST	ABFG 6
2 AFGPRUVX	ABDEFGH 7
3 ABEKLQ	BDFJKNOQRSTUV 8
4 ADFHIKOPQ	J 9
5 ABDEFGKL	BGHJOTU10
W 10A	❶ €23,80
H1000 2,7 ha 50T(70-100m²) 67D	❷ €36,40

🚗 A89, Ausfahrt 25. Dann die D219 nach Murat-le-Quaire. Danach den CP-Schildern folgen.

La Tour-d'Auvergne, F-63680 / Auvergne 📶 iD

🏕 La Chauderie***
📧 route de Besse
🕐 9 Mai - 20 Sep
☎ + 31 06-33785345
@ info@la-chauderie.com
🗺 N 45°31'40'' E 2°42'2''

1 AJMNOPRST	JN 6
2 CFGPRSTUVWXY	ABDEFGHK 7
3 AEILQ	ABCDFIKNPQRSV 8
4 BFGHINO	AF 9
5 ADEFGIL	ABHJLNOPR10
6A	❶ €19,90
H939 4,2 ha 73T(90-150m²) 11D	❷ €25,90

🚗 An der Straße von Besse-en-Chandesse nach La Tour-d'Auvergne, 1,3 km vor La Tour-d'Auvergne. Der CP ist gut zu sehen.

Lapeyrouse, F-63700 / Auvergne 📶 iD

🏕 Les Marins***
📧 Lieu dit (La Loge)
🕐 17 Mai - 14 Sep
☎ +33 (0)9-60468436
@ campinglesmarins.lapeyrouse@
gmail.com
🗺 N 46°13'12'' E 2°53'4''

1 DEFJMNOPQRST	LM 6
2 DHVWX	ABDEFGH 7
3 ABEFLMQ	ABEFIKNSV 8
4 BFH	JLV 9
5 ADGL	BHJKLOTU10
B 10A CEE	❶ €20,80
H530 2 ha 63T(90-100m²) 6D	❷ €28,00

🚗 A71 Ausfahrt 11 Montmarault, Richtung Lapeyrouse. Der Campingbeschilderung folgen.

Les Pradeaux, F-63500 / Auvergne 📶 CC€16 iD

🏕 Château de Grange Fort***
📧 La Grange Fort
🕐 5 Apr - 31 Okt
☎ +33 (0)4-73710243
@ chateau@lagrangefort.eu
🗺 N 45°30'31'' E 3°17'5''

1 ADEJMNOPRT	AEFJNUX 6
2 ABCFGKPRTVWXY	ABDEFG 7
3 BEGHLMQRV	ADEFKNRSV 8
4 BDEFHILOPQT	ABEGIJQRU 9
5 ABDEFGIKL	ABFGHJNOR10
B 6A CEE	❶ €31,45
H430 7 ha 120T(80-120m²) 49D	❷ €41,65

🚗 A75, Ausfahrt 13 Richtung Parentignat. Nach 1,5 km am Kreisel erste Straße rechts Richtung St. Rémy-de-Chargnat via D999. Dann nach 1,5 km im 2. Kreisel wieder rechts Richtung Les Pradeaux (D34). Nach 1 km CP rechts.

Montaigut-le-Blanc, F-63320 / Auvergne 📶 iD

🏕 Le Pré***
📧 Place Amouroux
🕐 15 Apr - 30 Sep
☎ +33 (0)4-73967507
@ contact@campinglepre.com
🗺 N 45°35'6'' E 3°5'31''

1 AJMNORT	AFN 6
2 ACPVXY	ABDEFGH 7
3 ALMQV	BDFNQRSV 8
4 FHIP	J 9
5 L	GHJORZ10
B 10A CEE	❶ €21,80
H500 3 ha 112T(100-120m²) 7D	❷ €28,20

🚗 A75 Ausfahrt 6 Richtung Champeix-Murol. Der CP liegt kurz vorm Ortseingang Montaigut am Schwimmbad.

Murol, F-63790 / Auvergne 📶 ⚙ iD

🏕 Domaine du Marais***
📧 Le Marais
🕐 11 Jun - 18 Sep
☎ +33 (0)4-73888585
@ domainedumarais@
wanadoo.fr
🗺 N 45°34'35'' E 2°55'52''

1 ADEILNOPRT	ABFG 6
2 COPUVX	ABDEFGHJK 7
3 ABL	ABCDFNOQRTU 8
4 ABDEFIO	EF 9
5 ABDEFGIJKLM	BHJNPR10
B 16A CEE	❶ €25,70
H850 68T(100-200m²) 60D	❷ €36,70

🚗 Von Murol Richtung Lac Chambon. Der CP liegt gegenüber CP Les Fougères, ausgeschildert.

Murol, F-63790 / Auvergne 📶 iD

🏕 l'Europe****
📧 route de Jassat
🕐 1 Mär - 30 Sep
☎ +33 (0)4-73886046
@ europe.camping@orange.fr
🗺 N 45°34'5'' E 2°56'24''

1 ADJMNOPRST	ABFGHNX 6
2 GPVY	ABDEFGH 7
3 ABELMR	ABCDFKNRSV 8
4 ABCDEFHILNOPX	ELU 9
5 ABDEFGHKLM	ABHIJLPR10
B 10A CEE	❶ €33,70
H850 5,5 ha 40T(100-180m²) 348D	❷ €47,10

🚗 Von Murol Richtung Jassat. CP ist mit grünen Schildern angezeigt.

Murol, F-63790 / Auvergne 📶 ⚙ CC€16 iD

🏕 Le Pré Bas****
📧 Lac Chambon
🕐 25 Apr - 20 Sep
☎ +33 (0)4-73886304
@ prebas@
campingauvergne.com
🗺 N 45°34'31'' E 2°54'51''

1 ADEILNOPRT	ABCDFGHLMNQRSUX 6
2 CDGHIPSVXY	ABDEFGH 7
3 BCDELQS	ABCDEFIKNORS 8
4 ABCDEHIJOPQRTUVX	ELMQRTU 9
5 ABDEFGIJL	ABFGHJNPRZ10
B 6A CEE	❶ €32,90
H870 3,5 ha 71T(90-130m²) 209D	❷ €47,30

🚗 Von Murol Richtung Le Mont-Dore über die D996. CP ist mit grünen Schildern ausgeschildert.

Murol, F-63790 / Auvergne 📶 CC€14 iD

🏕 Le Repos du Baladin***
📧 Groire
🕐 25 Apr - 12 Sep
☎ +33 (0)4-73886193
@ reposbaladin@free.fr
🗺 N 45°34'25'' E 2°57'27''

1 AJMNORT	ABN 6
2 CFGPUVWXY	ABDEFGH 7
3 BELQ	ABDFGIJKNORSTUV 8
4 ABDFHIOPQ	EJL 9
5 ABDEFG	BDHJNOR10
B 10A CEE	❶ €26,25
H800 2,4 ha 67T(80-120m²) 48D	❷ €36,75

🚗 In Murol Richtung Syndicat d'Initiative. Dann Schildern 'Le Repos du Baladin' folgen.

Murol, F-63790 / Auvergne 📶 ⚙ iD

🏕 Les Fougères**
📧 Le Marais
🕐 1 Mai - 16 Sep
☎ +33 (0)4-73886708
@ camping-les-fougeres@
wanadoo.fr
🗺 N 45°34'32'' E 2°55'52''

1 ADEILNORT	ABFGN 6
2 COPUVX	ABDEFGH 7
3 ALQ	ABCDFNQS 8
4 ABDEFHIOPTU	DEFJL 9
5 ABDEFGIKLM	BHJNPR10
B 10A CEE	❶ €25,70
H850 2 ha 25T(90-120m²) 77D	❷ €36,70

🚗 Von Murol Richtung Lac Chambon. Via D996 liegt der CP an der linken Seite.

Murol, F-63790 / Auvergne 📶 iD

🏕 Sunêlia La Ribeyre*****
📧 Jassat
🕐 1 Mai - 15 Sep
☎ +33 (0)4-73886429
@ info@laribeyre.com
🗺 N 45°33'46'' E 2°56'19''

1 ADILNOPRST	ABCDFHILNU 6
2 CDGHIPVX	ABDEFGH 7
3 BDEFLMQ	BDFJKNRSTUV 8
4 ABEFHILOPX	EJLQ 9
5 ABDEFGILM	BHIJNPTUZ10
B 10A	❶ €36,05
H830 13 ha 290T(90-170m²) 153D	❷ €51,45

🚗 Von Murol Richtung Jassat. Der CP ist mit grünen Schildern gut ausgeschildert.

Nêbouzat, F-63210 / Auvergne 📶 CC€14 iD

🏕 Les Dômes***
📧 Les 4 routes de Nêbouzat
🕐 25 Apr - 4 Okt
☎ +33 (0)4-73871406
@ contact@les-domes.com
🗺 N 45°43'33'' E 2°53'25''

1 ADEJMNOPRST	CD 6
2 GOPRSVX	ABDEFGHK 7
3 AKLQ	ABCDEFHJKNOQRSUV 8
4 ABDEHIOPQ	DEFJL 9
5 ABDEFIJKL	ABDFGHIJNORV10
B 10A CEE	❶ €25,70
H850 1 ha 43T(80-100m²) 22D	❷ €34,70

🚗 A75, Ausfahrt 5 Richtung Aydat. Am Col de la Ventouse D2089 Richtung Ussel, Nêbouzat passieren. CP ist ausgeschildert.

Nonette, F-63340 / Auvergne (CC€14) iD

▲ Les Loges***
🏠 1 Apr - 15 Sep
☎ +33 (0)4-73716582
@ les.loges.nonette@wanadoo.fr

1 ADEJMNOPRST	ABFGHJNU	6
2 ACJKPQRVXY	ABDEFG HIK	7
3 ABFLQT	ABDFNRSV	8
4 ABDIOPT	EQ	9
5 ABDEFGIM	BDGHIJOS	10
6A CEE		

❶ € 21,50
❷ € 29,70

N 45°28'10'' E 3°16'20''
H330 3 ha 143T(80-130m²) 32D

A75, von Clermont-Ferrand Ausfahrt 17 Nonette, dann links ab den CP-Schildern folgen (ca. 5 km).

Olliergues, F-63880 / Auvergne (CC€14) iD

▲ Les Chelles***
🏠 1 Apr - 31 Okt
☎ +33 (0)4-73955434
@ info@camping-les-chelles.com

1 ADEJMNOPRST	ABFN	6
2 BFPRTUVXY	ABDEFGH	7
3 ALMQ	ABCDEFGNOSV	8
4 BFHILOPQ	BDEJ	9
5 ABDEGILM	ABFGHJNOR	10
B 10A CEE		

❶ € 18,90
❷ € 22,50

N 45°41'25'' E 3°37'59''
H600 3,5 ha 43T(80-180m²) 21D

Die D906 zwischen Thiers und Ambert. Auf dem Weg in den Ort Olliergues ist der CP deutlich angezeigt mit Pfeilen.

Orcet, F-63670 / Auvergne (CC€16) iD

▲ Le Clos Auroy****
🏠 rue de la Narse
🏠 1 Jan - 31 Dez
☎ +33 (0)4-73842697
@ orcet@wanadoo.fr

1 ADEJMNOPRT	ABFHIN	6
2 ACGOPRUVX	ABDEFG	7
3 ABEGLQSV	ABCDEFNOQRSV	8
4 ADFIO	BE	9
5 ADEGKLM	ABDGHJPR	10
B 5-10A		

❶ € 33,00
❷ € 42,40

N 45°42'1'' E 3°10'9''
H300 2,5 ha 82T(100-120m²) 20D

Sehr bequem erreichbar und 2,5 km von der A75 Clermont-Ferrand/Issoire. Die Ausfahrt 5 Richtung Orcet/Cournon nehmen. Danach der CP-Beschilderung folgen.

Orléat/Pont-Astier, F-63190 / Auvergne iD

▲ Le Pont-Astier***
🏠 Base de Loisirs
🏠 1 Mär - 30 Nov
☎ +33 (0)4-73536440
@ contact@camping-lepont-astier.fr

1 ADEJMNORT	AFNU	6
2 CGPQVX	ABDEFG	7
3 AEILMQ	ABCDFNOQRS	8
4 I	EUV	9
5 ABDEGIJL	BHJLOTUV	10
B 16A CEE		

❶ € 17,60
❷ € 25,60

N 45°52'6'' E 3°28'34''
H300 2,6 ha 00T(100m²) 9D

Von Clermont-Ferrand via N89 Richtung Thiers. In Pont-de-Dore über die D224 Richtung Maringues. Der CP ist nach ca. 4 km ausgeschildert.

Royat, F-63130 / Auvergne (CC€16) iD

▲ Indigo Royat****
🏠 route de Gravenoire
🏠 27 Mär - 2 Nov
☎ +33 (0)4-73359705
@ royat@camping-indigo.com

1 ADEILNOPQRST	ABFG	6
2 AFOPQUVX	BDEFGH	7
3 BELMQR	BDFJNQRSV	8
4 ABDFIOPQU	AEJ	9
5 ABDGII M	ABGHJNOTV	10
B 10A		

❶ € 31,90
❷ € 43,20

N 45°45'31'' E 3°3'16''
H600 8 ha 136T(80-120m²) 49D

Über die A71/72 Ausfahrt 15. Clermont-Ferrand Nord dann Richtung Tulle/Bordeaux/Chamaliers-Royat.

Sauxillanges, F-63490 / Auvergne iD

▲ Les Prairies de Sauxillanges***
🏠 chemin de Prairie
🏠 24 Mai - 30 Sep
☎ +33 (0)4-73968626
@ contact@campingdesauxillanges.fr

1 AILNOPQRST	AFJN	6
2 CDGPVXY	ABDEF	7
3 AELM	BDFNORTUV	8
4	D	9
5 AEKL	FGHJORZ	10
B 6A		

❶ € 17,60
❷ € 23,60

N 45°32'1'50'' E 3°21'50''
H440 1,5 ha 72T(100-200m²) 2D

A75, Ausfahrt 13 Richtung Sauxillanges. CP liegt am Ortseingang, Wegweisern 'Piscine' folgen.

Singles, F-63690 / Auvergne (CC€12) iD

▲ Hôtel de Plein Air
  Le Moulin de Serre***
🏠 D73, Vallée de la Burande
🏠 11 Apr - 19 Sep
☎ +33 (0)4-73211606
@ moulindeserre@orange.fr

1 ADEJLNOPRST	ABN	6
2 CPVWXY	ABDEFGH	7
3 BELMQRS	ABCDEFJNQRSTV	8
4 BDEFILOPQU	AEQU	9
5 ABDEGIKLM	BGHIJLOPRVW	10
10A		

❶ € 24,85
❷ € 30,75

N 45°32'35'' E 2°32'34''
H557 7 ha 64T(90-150m²) 36D

A89 Ausfahrt 25. D922 Richtung Bort-les-Orgues. 1 km südlich von Tauves, Ausfahrt rechts D29. Den CP-Schildern folgen.

St. Bonnet-près-Orcival, F-63210 / Auvergne iD

▲ La Haute Sioule***
🏠 route du Camping
🏠 1 Jan - 31 Dez
☎ +33 (0)4-73658332
@ info@camping-auvergne.info

1 ADEILNORT	N	6
2 CPQTUWX	ABDEFGHK	7
3 ABILPQ	ABCDEFJKNORSV	8
4 IOP	AF	9
5 BDEGIKL	BFGHJLNPRV	10
B 13A		

❶ € 22,00
❷ € 25,80

N 45°42'30'' E 2°51'40''
H850 3 ha 70T(bis 100m²) 23D

A75 Ausfahrt 5 Richtung Aydat. Weiter zur D2089 Richtung Pontgiaud bis zur Kreuzung mit der D216 folgen, hier Richtung Orcival. In St. Bonnet ausgeschildert.

St. Nectaire, F-63710 / Auvergne (CC€12) iD

▲ La Clé des Champs***
🏠 route des Granges
🏠 4 Apr - 27 Sep
☎ +33 (0)4-73885233
@ campingcledeschamps@free.fr

1 ADILNOPQRST	ABFN	6
2 CPVXY	ABDEFG	7
3 BLQSV	ABCDEFNORS	8
4 FHIOP	EJ	9
5 ABDEGIKL	BFGHJORV	10
B 6A		

❶ € 25,40
❷ € 36,00

N 45°34'31'' E 3°0'7''
H700 2 ha 63T(75-150m²) 30D

Von Murol die D996 Richtung Issoire, CP liegt direkt am Ortsausgang von St. Nectaire-Bas. Oder A75 Ausfahrt 6 Richtung Champaix. In Champaix Richtung St. Nectaire. CP kurz vor St. Nectaire angezeigt.

St. Nectaire, F-63710 / Auvergne iD

▲ La Vallée Verte***
🏠 route des Granges
🏠 15 Apr - 30 Sep
☎ +33 (0)4-73885268
@ lavalleeverte@neuf.fr

1 ADEJMNOPRST	CDFGN	6
2 CPVWXY	BEFG	7
3 BELQSV	ABCDEFJNQRSV	8
4 AFIO	J	9
5 ABDEGJL	BGHJOR	10
B 8A		

❶ € 25,70
❷ € 34,70

N 45°34'31'' E 2°59'58''
H700 2,5 ha 74T(80-100m²) 17D

Von Murol über die D996 nach Issoire. Direkt hinter St. Nectaire-Bas ist der CP angezeigt. Oder ab der A75 Ausfahrt 6 Richtung Champaix und dann nach St. Nectaire. Kurz vor St. Nectaire angezeigt.

St. Nectaire, F-63710 / Auvergne (CC€12) iD

▲ Le Viginet***
🏠 2 chemin du Manoir
🏠 11 Apr - 27 Sep
☎ +33 (0)4-73885380
@ info@camping-viginet.com

1 ADEJMNOPRST	ABFG	6
2 FGPSVWXY	ABDEFGHK	7
3 ABELQ	ABCDEFGKNOQRSTUV	8
4 FIO	CFJL	9
5 ABDEFGLM	ABDFGHJLOTUV	10
10A CEE		

❶ € 24,20
❷ € 32,30

N 45°34'46'' E 3°0'10''
H800 3,5 ha 65T(90-140m²) 30D

A75 Ausfahrt 6 Richtung St. Nectaire. Innerorts die erste Straße rechts.

St. Ours, F-63230 / Auvergne iD

▲ Bel-Air***
🏠 route de Porte
🏠 1 Mai - 30 Sep
☎ +33 (0)4-73887214
@ contact@campingbelair.fr

1 AJMNORST		6
2 AGPSTVXY	ABDEFGH	7
3 AEIKLQ	ABDFNRSV	8
4 FH	AF	9
5 ABGKL M	DFGHIKPTUV	10
B 10A CEE		

❶ € 18,80
❷ € 25,20

N 45°50'40'' E 2°52'35''
H800 2,3 ha 62T(90-120m²) 6D

Bei Riom Autobahn verlassen, dann Richtung Volvic fahren. Dann Richtung Pontgiaud. CP liegt rechts an der Straße zwischen St. Ours und Pontgiaud.

St. Pierre-Colamine, F-63610 / Auvergne iD

▲ L'Ombrage**
🏠 route de La Borìe
🏠 1/1 - 15/9, 15/12 - 31/12
☎ +33 (0)4-73967787
@ campombrage@orange.fr

1 AJMNOPRST	AN	6
2 PRUVY	ABDEFGH	7
3 AELQRS	ABCDEFHJNORSV	8
4 IOP	J	9
5 ABGKLM	BGHJPRV	10
10A CEE		

❶ € 20,80
❷ € 30,80

N 45°32'11'' E 2°58'36''
H800 2 ha 80T(70-140m²) 37D

Von Besse-en-Chandesse aus die D978 Richtung Clermont-Ferrand. Nach ± 5 km ist der CP ausgeschildert.

St. Rémy-sur-Durolle, F-63550 / Auvergne (CC€14) iD

▲ Camping Les Chanterelles***
🏠 Chapon
🏠 11 Apr - 3 Okt
☎ +33 (0)4-73943180
@ campingleschanterelles@yahoo.fr

1 ADEJMNOPRST	LNQRST	6
2 ADFGPQTUVXY	ABCDEFNOQR	8
3 AELQV	ABCDEFNOQR	8
4 EFIOP	BJLTU	9
5 ABGL	BFGJNOSTV	10
B 8A CEE		

❶ € 20,90
❷ € 25,90

N 45°54'11'' E 3°35'56''
H700 4 ha 140T(100-120m²) 12D

A72, Ausfahrt 3 St. Rémy-sur-Durolle. In St. Rémy ist Parc de Loisirs mit 'Campings' gut ausgeschildert.

St. Saturnin, F-63450 / Auvergne iD

▲ La Serre de Portelas*
🏠 4 route du Plateau
🏠 1 Jun - 15 Sep
☎ +33 (0)4-73393525
@ info@ffn-laserre.com

1 ADEGJMNOPRST	ABFG	6
2 AFGPRTUX	ABDF	7
3 BELMQR	ABCDEFNOQR	8
4 DFIO	E	9
5 ABGKL	ABFGIJLNORV	10
FKK B 6A CEE		

❶ € 23,80
❷ € 28,10

N 45°41'3'' E 3°3'42''
H800 15 ha 35T(100-150m²) 4D

A75, Ausfahrt 5 Richtung St. Amant-Tallende, CP vor dem Ort ausgeschildert (Richtung Theix).

St. Sauves-d'Auvergne, F-63950 / Auvergne iD

▲ Sites & Paysages
  Du Pont de la Dordogne***
🏠 Le Pont
🏠 15 Jun - 15 Sep
☎ +33 (0)4-73810192
@ camping.pont.dordogne@gmail.com

1 ADJMNOPRST	N	6
2 ACDGHIPVXY	BEFGHK	7
3 ABEIKLPQRS	BDFKMNOQRSTV	8
4 ABDEFGHIORTU	DFJLUY	9
5 ABCDEFGIKLM	ABEFGHIJLPR	10
10A CEE		

❶ € 24,40
❷ € 32,40

N 45°36'30'' E 2°41'24''
H850 3,5 ha 41T(120-130m²) 23D

A89 Ausfahrt 25. Den Schildern St. Sauves-d'Auvergne folgen. Danach den CP-Schildern folgen.

Frankreich

Tauves, F-63690 / Auvergne 🛜 ⚙ iD

🏔 Les Aurandeix****	1 ADJMNOPRST ABFG 6
🗓 15 Apr - 22 Sep	2 AGPVXY ABCDEFG HIJK 7
☎ +33 (0)4-73211406	3 BELMQ ABCDFIJNOQRSV 8
@ camping.les.aurandeix@	4 AEFIO DEJY 9
orange.fr	5 ABKLM ABHIJLMNOV10
	B 10A CEE ❶ €23,00
	H850 2,5 ha 75T(80-110m²) 31D ❷ €32,40
🧭 N 45°33'40'' E 2°37'29''	
🚗 Von der A71 zur A89. Ausfahrt 25 auf der D922 nach Tauves. Den CP-Schildern folgen.	

Vollore-Ville, F-63120 / Auvergne 🛜 CC€14 iD

🏔 Le Montbartoux**	1 AEILNOPRT A 6
🏢 Montbartoux	2 FPRTUVWXY ABDEF 7
🗓 1 Jan - 31 Dez	3 ALQR ABCDEFNOQRV 8
☎ +33 (0)4-73537005	4 EFHINOPQ DEJ 9
@ contact@	5 ADGILM ABGHJOSV10
camping-montbartoux.com	10A CEE ❶ €16,90
	H650 1,8 ha 35T(90-250m²) 14D ❷ €22,90
🧭 N 45°47'59'' E 3°36'59''	
🚗 A72 Clermont-Ferrand-St. Etienne. Ausfahrt 2 in Thiers Richtung Courpière. Kurz hinter Courpière Richtung Vollore-Ville. Ab Vollore- Ville Richtung Vollore-Montagne. CP angezeigt.	

Haute-Loire

Volvic, F-63530 / Auvergne 🛜 iD

🏔 Volvic Pierre et Sources***	1 ADEJMNOPRST 6
🏢 rue de Chancelas	2 FOPRTUVW ABDEFG HK 7
🗓 1 Mai - 30 Sep	3 BFLMQ CDEFNQST 8
☎ +33 (0)4-73335016	4 FIO J 9
@ camping@ville-volvic.fr	5 ABKL ABGHJPSUVZ10
	B 16A CEE ❶ €20,00
	H485 2 ha 58T(80-120m²) 10D ❷ €25,00
🧭 N 45°52'21'' E 3°2'49''	
🚗 Auf der A71 Ausfahrt 13 Riom. Auf der Umgehung Riom ist der CP schon angezeigt.	

CARAVANING
Jeden Monat NEU am Kiosk

Champagnac-le-Vieux, F-43440 / Auvergne 🛜 iD

🏔 La Chanterelle***	1 ADEJMNOPRT LMN 6
🏢 Le Plan d'Eau	2 DGHPQRUVWXY ABDEFG H 7
🗓 15 Apr - 15 Okt	3 BEFGHLMNQ ABCDFJNORTU 8
☎ +33 (0)4-71763400	4 ABCDEFINO ABEFUV 9
@ camping@champagnac.com	5 ABDEFGILM BHJORV10
	10A ❶ €21,00
	H880 3,5 ha 90T(80-100m²) 48D ❷ €27,10
🧭 N 45°21'56'' E 3°30'21''	
🚗 A75 vorbei Issoire an Ausfahrt 17 verlassen. D34 Richtung Jumeaux. D16 Richtung Auzon, D5 Richtung Champagnac-le-Vieux. Schildern 'Camping' und 'Plan d'Eau' folgen.	

Goudet, F-43150 / Auvergne 🛜 iD

🏔 Au Bord de l'Eau***	1 ADJMNOPRST AFJNUX 6
🗓 1 Mai - 30 Sep	2 CGHJPQVWXY ABDFG 7
☎ +33 (0)4-71571682	3 AELQT ABCDFNPRSV 8
@ campingaubordeleau@live.fr	4 BDFHIOPQ AEJU 9
	5 ABDEFGKL BGHIJLOST10
	B 6A ❶ €23,00
	H766 4 ha 75T(60-200m²) 24D ❷ €31,60
🧭 N 44°53'28'' E 3°55'15''	
🚗 Aus dem Norden: N88 in Costaros links auf D49 abbiegen, ca. 7 km bis Goudet. Vor der Brücke links.	

La Chaise-Dieu, F-43160 / Auvergne 🛜 iD

🏔 Municipal Les Prades	1 AJMNOPRST LN 6
🗓 1 Jun - 30 Sep	2 BCDFHIPRTXY BDFG HIK 7
☎ +33 (0)4-71061652	3 ABEGHLMQ BDFNORSV 8
@ jacques.bellut@wanadoo.fr	4 F F 9
	5 AL GHJRV10
	B 10A CEE ❶ €14,90
	H1060 3,5 ha 100T(70-100m²) 10D ❷ €19,50
🧭 N 45°20'3'' E 3°42'15''	
🚗 D906 Thiers - Ambert - La Chaise-Dieu. In La Chaise-Dieu CP-Schildern folgen.	

Brioude, F-43100 / Auvergne 🛜 ⚙ iD

🏔 Camping de la Bageasse***	1 ADEJMNOPRT AFJNU 6
🏢 avenue Bageasse	2 CIPRUVWXY ABDEFG H 7
🗓 9 Mär - 8 Nov	3 AFLQ ABCDFNORV 8
☎ +33 (0)4-71500770	4 CFHIOP EFJLQR 9
@ aquadis1@wanadoo.fr	5 ABDGIL BHIJOU10
	B 10A CEE ❶ €17,20
	H430 2 ha 49T(80-160m²) 23D ❷ €23,60
🧭 N 45°16'53'' E 3°24'16''	
🚗 A75 Ausfahrt 20 nach Brioude. Dann den CP-Schildern folgen. Etwa 3 km zum Zentrum.	

Lavoûte-sur-Loire, F-43800 / Auvergne 🛜 iD

🏔 Les Longes***	1 AJMNOPQRT EFN 6
🗓 1 Mai - 14 Sep	2 CPVX ABDEF 7
☎ +33 (0)4-71081879	3 AELMQ ABCDEFNRV 8
@ vacancesulvf@orange.fr	4
	5 L AHIJOR10
	B 6A ❶ €17,00
	H550 1 ha 56T(50-80m²) 21D ❷ €20,00
🧭 N 45°7'30'' E 3°55'27''	
🚗 D103 von Le Puy in nördlicher Richtung. CP in Lavoûte beschildert.	

Brives-Charensac, F-43700 / Auvergne 🛜 iD

🏔 Municipal d'Audinet***	1 ADEJMNOPRT ABFGN 6
🏢 avenue des Sports	2 CGOPQVWX ABDEF 7
🗓 30 Apr - 17 Sep	3 BELQ ABCDFNORSV 8
☎ +33 (0)4-71091018	4 FIO EJU 9
@ camping.audinet@wanadoo.fr	5 ABDEFG BHIJNOR10
	B 10A ❶ €22,10
	H564 3 ha 117T(64-100m²) 15D ❷ €31,40
🧭 N 45°2'38'' E 3°55'49''	
🚗 Im Ort Brives-Charensac mit Pfeilen ausgeschildert.	

Le Chambon-sur-Lignon, F-43400 / Auv. 🛜 CC€12 iD

🏔 Camping Le Lignon	1 ADEJMNOPRST N 6
🏢 7 route du Stade	2 CPRWXY ABDEFG H 7
🗓 15 Apr - 30 Sep	3 BKQ ABCDEFJNOQR 8
☎ +33 (0)4-71597286	4 DFGHIOXZ E 9
@ contact@	5 ADEFGIL BDFHIJORV10
campingdulignon.com	B 10A CEE ❶ €20,00
	H936 2,3 ha 76T(82-100m²) 12D ❷ €23,50
🧭 N 45°3'34'' E 4°17'49''	
🚗 Auf der Strecke Valence-le Puy, nimmt man auf der D15 die D103 nach Le Chambon. In der Ortsmitte den CP-Schildern folgen. Der CP kommt hinter der Feuerwehr und dem Sportzentrum.	

Chamalières-sur-Loire, F-43800 / Auvergne 🛜 CC€16 iD

🏔 CosyCamp****	1 ADEGJMNOPQRT ABEFG N 6
🏢 Les Ribes	2 CFGJOPVWXY BEFG H 7
🗓 23 Mai - 2 Okt	3 ABGHLQ BDFGIJKNQRSV 8
☎ +33 (0)4-71039112	4 BCEFIO AFJLQU 9
@ contact@cosycamp.fr	5 ABDFGIKLM ABGHIJPRVW10
	Anzeige ab Seite 267 B 16A CEE ❶ €29,00
	H500 4 ha 65T(100-300m²) 28D ❷ €36,00
🧭 N 45°12'31'' E 3°59'51''	
🚗 Von Le Puy-en-Velay der D103 folgen. In Chamalières-sur-Loire den Schildern folgen.	

Le Monastier-sur-Gazeille, F-43150 / Auvergne 🛜 iD

🏔 Estela**	1 AJMNOPQRT AJLN 6
🏢 route du Moulin de Savin	2 CDPVWXY BEFHK 7
🗓 15 Apr - 5 Okt	3 ALM ABCDFNTUV 8
☎ +33 (0)4-71038224	4 EFHITU AJ 9
@ contact@campingestela.com	5 ABDEFGIM BHIJOR10
	B 16A ❶ €20,50
	H840 59T(70-110m²) 13D ❷ €26,50
🧭 N 44°56'10'' E 3°59'8''	
🚗 Von Le-Puy-en-Velay die N88 Richtung St. Etienne. Nach einigen Km rechts die D535, die nach Monastier führt. Am Ortseingang angegeben.	

Le Puy-en-Velay, F-43000 / Auvergne 📶 iD

⛺ de Bouthezard**	1 AJMNOPRS**T** **N** 6
🏠 1 chemin de Bouthezard	2 COPQRX ABDE**FG** 7
📅 15 Mär - 31 Okt	3 **LM** ABCDFNRSV 8
☎ +33 (0)4-71095509	4 FO 9
@ romain.margerit@hotmail.fr	5 ABFLM ABFGHIK**P**R10
	B 6A CEE ❶ €15,30
🧭 N 45°3'2'' E 3°52'51''	H630 1,5 ha 90**T**(50-100m²) ❷ €18,30

🚗 In Le Puy-en-Velay ausgeschildert. CP liegt am Fuß der hohen Felsenkirche an der N88. ⛺

Lempdes-sur-Allagnon, F-43410 / Auvergne 📶 CC12 iD

⛺ Le Pont d'Allagnon***	1 AILNOPRS ABF**G**N 6
🏠 rue René Filiol	2 ACGIPRVXY ABDE**F**H 7
📅 28 Mär - 17 Okt	3 BEFILMQ ABCDEFNOQRSV 8
☎ +33 (0)4-71765369	4 FHI**Q** EF 9
@ centre.auvergne.camping@orange.fr	5 DG**LM** DGHIJORVZ10
	B 10A CEE ❶ €19,60
🧭 N 45°23'13'' E 3°15'57''	H430 1,7 ha 60**T**(80-140m²) 8**D** ❷ €24,60

🚗 Von Clermont-Ferrand die A75/E11. Ausfahrt 19 Richtung Lempdes. Der Beschilderung folgen. Ab St. Flour der A75 bis zur Ausfahrt 20 Richtung 'Centre Ville' folgen. Dort den Hinweisen zum CP folgen. ⛺

Paulhaguet, F-43230 / Auvergne 📶 iD

⛺ La Fridière**	1 AJMNOPRT N**U** 6
🏠 6 route d'Esfacy	2 CIPVWXY ABDE**F**IJK 7
📅 1 Apr - 1 Okt	3 BELQ BDFIJNORV 8
☎ +33 (0)4-71766554	4 FGHI D 9
@ info@campingfr.nl	5 ADGL ABGHIJNPRV10
	B 16A CEE ❶ €18,30
🧭 N 45°11'59'' E 3°31'14''	H538 3,8 ha 45**T**(80-150m²) 3**D** ❷ €22,70

🚗 Nach Clermont-Ferrand durchfahren bis zum Schildern Richtung Le Puy-en-Velay folgen und 15 km nach Brioude sieht man die Ausfahrt nach Paulhaguet. Die CP-Schilder weisen zum CP La Fridière. ⛺

Sauges, F-43170 / Auvergne 📶 iD

⛺ Camping Municipal Sporting de la Seuge****	1 ABJMNOPRS**T** LMN**Q**S 6
	2 CDGHIPRVWXY ABDE**FG**HIJ 7
🏠 av. du Gévaudan	3 BEF**LM**Q ABCDEFJKNOPRSV 8
📅 15 Mär - 15 Okt	4 BFHILNO**P** F**Q**RT 9
☎ +33 (0)4-71778062	5 ABDGL BFHJ**N**OTUV10
@ campingsauges@orange.fr	B 10A ❶ €14,10
🧭 N 44°57'20'' E 3°32'20''	H900 10 ha 92**T**(25-150m²) 10**D** ❷ €16,90

🚗 Von Langeac die D585 Richtung Süden. Der CP liegt rechts vom Zentrum von Sauges: von Sauges ausgeschildert mit Stade und Camping. ⛺

St. Didier-en-Velay, F-43140 / Auvergne 📶 CC12 iD

⛺ La Fressange***	1 ADE**JM**NOPRST **AB**N 6
🏠 Mairie	2 OPRTUVXY ABDE**F** 7
📅 24 Apr - 30 Sep	3 AELQ ABCDEFNOQ 8
☎ +33 (0)4-71662528	4 BFH J**U** 9
@ camping.lafressange@orange.fr	5 AGL FHIJLOR10
	B 15A CEE ❶ €17,95
🧭 N 45°18'4'' E 4°16'59''	H800 2 ha 65**T** 36**D** ❷ €25,00

🚗 N88 ab St. Étienne. bei Ausfahrt St. Didier-en-Velay verlassen. In La Séauve-sur-Semène links ab nach St. Didier-en-Velay. Im Ort Schildern folgen. ⛺

Frankreich

St. Paulien, F-43350 / Auvergne 📶 CC14 iD

⛺ La Rochelambert***	1 ADE**JM**NOPRST ABF**N** 6
🏠 route de Lanthenas	2 CIPRTUVWX ABDE**FG**H 7
📅 1 Apr - 30 Sep	3 BEFLMQT ABCDFJKNQRSV 8
☎ +33 (0)4-71005402	4 BFHINO**PT** BFJ 9
@ infos@camping-rochelambert.com	5 ABDEFGIL BDGHIJORZ10
	B 16A CEE ❶ €23,80
🧭 N 45°7'13'' E 3°47'38''	H700 4 ha 82**T**(80-120m²) 27**D** ❷ €32,80

🚗 Von der N102 Le Puy - Clermont-Ferrand wird der CP in Richtung St. Paulien ausgeschildert. Vom Zentrum St. Paulien (D906) den CP-Schildern und 'La Rochelambert' folgen (3 km). ⛺

Ste Sigolène, F-43600 / Auvergne 📶 CC16 iD

⛺ de Vaubarlet****	1 AD**JM**NOPRST ABF**G**N 6
📅 1 Mai - 30 Sep	2 CGPRVWX ABDE**FG**H 7
☎ +33 (0)4-71666495	3 AELQ ABCDFNOQRS 8
@ camping@vaubarlet.com	4 ABEHIO**P** ABF.J 9
	5 ABDEGKL ADIJION10
	B 16A ❶ €28,00
🧭 N 45°12'59'' E 4°12'45''	H580 3,5 ha 100**T**(80-120m²) 31**D** ❷ €35,00

🚗 Die N88 verlassen bei Ausfahrt Monistrol-sur-Loire/Ste. Sigolène. Im Kreisel nach Ste Sigolène. Im Kreisel vor dem Ort Richtung Grazac, dann ausgeschildert. ⛺

Vorey-sur-Arzon, F-43800 / Auvergne 📶 CC14 iD

⛺ Les Moulettes****	1 AILNOPRST ABFGHIN**U** 6
🏠 chemin de Félines	2 CGOPRVX ABDE**FG**H 7
📅 1 Mai - 15 Sep	3 BEFLQ ABCDFNRSTUV 8
☎ +33 (0)4-71037048	4 BCDEFHIO EJ**U** 9
@ contact@camping-les-moulettes.fr	5 DEFGILM BDFGHIJOPR10
	B 10A ❶ €23,50
🧭 N 45°11'11'' E 3°54'23''	H540 2 ha 55**T**(90-150m²) 16**D** ❷ €33,50

🚗 Von Le Puy-en-Velay der D103 folgen. In der Ortschaft Vorey ist der CP angezeigt. ⛺

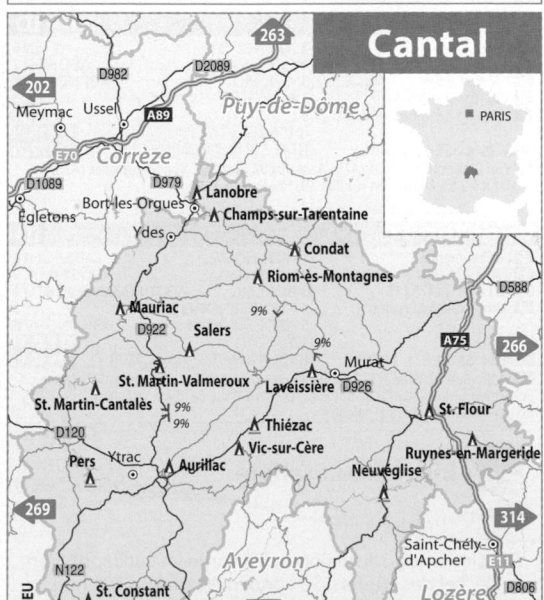

Cantal

Aurillac, F-15000 / Auvergne 📶 iD

⛺ De l'Ombrade***	1 ABJMNORT **N** 6
🏠 rue du Guê Bouliaga	2 CGOPRVWXY ABDE**F**H 7
📅 15 Jun - 15 Sep	3 AELQ ABCDEFNRV 8
☎ +33 (0)4-71482887	4 EI U 9
@ tourisme@laba.fr	5 LM BGHIJOR10
	10A ❶ €15,80
🧭 N 44°56'8'' E 2°27'21''	H632 7,5 ha 200**T**(80-120m²) ❷ €20,00

🚗 CP liegt in Aurillac-Nord am Jordanne an der Route du Puy Mary. In Aurillac manchmal ausgeschildert mit 'l'Ombrade'. ⛺

Champs-sur-Tarentaine, F-15270 / Auvergne iD

⛺ Mun. de la Tarentaine***	1 AJMNORST **AB**FG**J**N 6
🏠 Les Coudays	2 CGIPQVWXY ABDE**F**H 7
📅 15 Jun - 15 Sep	3 BEFILMQ ABCDFNOUV 8
☎ +33 (0)4-71787125	4 BCFHIO DE 9
@ contact@champs-marchal.org	5 L HIJR10
	B 10A ❶ €14,10
🧭 N 45°23'30'' E 2°33'2''	H469 4 ha 103**T**(80-120m²) 29**D** ❷ €17,95

🚗 Von Bort-les-Orgues über die D679 nach Condal. Der CP liegt im Ortseingang von Champs rechts. Ausgeschildert. Von Champs-sur-Tarentaine D679 Richtung Limoges. Nach 500m links ab D22 Richtung Saignes. Der CP ist angezeigt. ⛺

Condat, F-15190 / Auvergne · iD

▲ La Borie Basse**	1 AJMNOQRST	N 6
▤ route de Riom-ès-Montagnes	2 CFGIOPVWXY	ABDEFGHK 7
☀ 1 Mai - 30 Sep	3 AEGHILMNQ	ABCDFINRTV 8
☎ +33 (0)4-71785285	4 BCFHIJ	DEFI 9
@ camping_laboriebasse@	5 ABDEGILM	AHIJLNRV10
orange.fr	10A CEE	❶ €14,10
⛰ N 45°20'3'' E 2°45'31''	H716 4 ha 80T(90-100m²) 26D	❷ €19,10

� Von Condat über die D678 Richtung Riom-ès-Montagnes. Der CP liegt am Stadtrand, direkt hinter dem Ende eines Dorfes.

Lanobre, F-15270 / Auvergne · 🛜 iD

▲ Le Lac de la Siauve***	1 ADJMNOQRST	ABFGLNQSWXYZ 6
▤ La Siauve	2 DFGHJKPQTUVXY	ABDEFGH 7
☀ 1 Apr - 15 Okt	3 ABELQ	ABCDEFNOQRV 8
☎ +33 (0)4-71403185	4 BCDFIKLNOP	EFJ 9
@ campinglelacdelasiauve@	5 ABDEFGKL	BCFGHIJNOV10
orange.fr	B 8A CEE	❶ €21,00
⛰ N 45°25'50'' E 2°30'14''	H592 17 ha 220T(80-100m²) 56D	❷ €28,00

🚗 Von Clermont-Ferrand Ausfahrt Bordeaux, dann die N89 in Laqueraille. Dann via D922 Richtung Bort-les-Orgues. Hinter Lanobre ist der CP ausgeschildert.

Laveissière, F-15300 / Auvergne

▲ Municipal Le Vallagnon**	1 JMNOPQRST	ABFGN 6
☀ 1/6 - 4/9, 20/12 - 3/4	2 CPX	ABDEFG 7
☎ +33 (0)4-71201134	3 AE	ABFNOQRV 8
@ campinglaveissiere@orange.fr	4 FHIO	9
	5	HIJRV10
	W 15A	❶ €10,10
⛰ N 45°6'59'' E 2°48'41''	H922 3 ha 70T(100-120m²)	❷ €12,70

🚗 Von Murat der N122 nach Aurillac folgen. Danach Ausfahrt D139 Laveissière. Der CP liegt auf der linken Seite.

Mauriac, F-15200 / Auvergne · 🛜

▲ Le Val Saint-Jean****	1 ADEJMNOQRST	ABFGHLNQS 6
▤ Plan d'eau	2 DGHIPUVWXY	ABDEFGH 7
☀ 27 Apr - 29 Sep	3 ABEFJLRSUV	ABCDFNQRSV 8
☎ +33 (0)4-71673113	4 ABCDEFHIKLNO	FJLQRTU 9
@ valsaintjean@mauriac.fr	5 ABDEGILM	ABHIJLNORV10
	B 10A	❶ €24,50
⛰ N 45°13'7'' E 2°18'56''	H654 3,5 ha 91T(100-120m²) 35D	❷ €31,00

🚗 Aus Aurillac D922 Richtung Mauriac. Vor dem Zentrum ausgeschildert. Von Clermont-Ferrand: Ausfahrt Bordeaux N89/D922 nach Bort-les-Orgues/Mauriac.

Neuvéglise, F-15260 / Auvergne · 🛜 CC€14 iD

▲ Flower Camping	1 ADEJMNORST	CDFNU 6
Le Belvédère****	2 FPRUVX	ABDEFGH 7
▤ Lanau	3 ABELQ	ABCDEFNPQRSUV 8
☀ 12 Apr - 28 Sep	4 BDEFILNOQRT	ADEFJL 9
☎ +33 (0)4-71235050	5 ABDEFGIKLM	BDGHIJOST10
@ belvedere.cantal@orange.fr	B 15A	❶ €30,00
⛰ N 44°53'42'' E 3°0'5''	H700 3,5 ha 80T(60-120m²) 84D	❷ €40,50

🚗 Direkt am Ortsschild Lanau/St. Flour/Chaudes-Aigues der D921 folgen. Neuvéglise rechts liegen lassen. Sobald der Stausee in Sicht ist, rechts ab (ausgeschildert).

Pers, F-15290 / Auvergne · 🛜 CC€14 iD

▲ Du Viaduc***	1 ADEJLNORST	ALNQSUWXYZ 6
▤ Le Ribeyrès Village	2 DFIPRUVWXY	ABDEFGH 7
☀ 25 Apr - 11 Okt	3 BKLQS	ABCDEFJNPQRSV 8
☎ +33 (0)4-71647008	4 IP	EJR 9
@ campingduviaduc@	5 ABDEFGL	BDGHORV10
wanadoo.fr	10A CEE	❶ €21,40
⛰ N 44°54'21'' E 2°15'14''	H525 1,3 ha 45T(80-110m²) 15D	❷ €28,00

🚗 Von Aurillac die N122 Richtung Figeac. Nach Sansac rechts die D61 Richtung Pers. Von hier ist der CP ausgeschildert.

Riom-ès-Montagnes, F-15400 / Auvergne · 🛜 iD

▲ Le Sedour***	1 AJMNORT	A 6
▤ route de Condat	2 CGOPVXY	ABDEFHJK 7
☀ 1 Mai - 30 Sep	3 BELQ	ABCDFJNRTUV 8
☎ +33 (0)4-71780571	4 IO	EI 9
@ lesedour@orange.fr	5 ADILM	ABCFGHIJPRV10
	B 10A CEE	❶ €16,20
⛰ N 45°16'56'' E 2°40'2''	H850 1,5 ha 80T(60-100m²) 13D	❷ €20,40

🚗 Im Zentrum der Stadt ausgeschildert.

Ruynes-en-Margeride, F-15320 / Auvergne · iD

▲ Le Petit Bois***	1 ADEJMNOPRST	ABFG 6
☀ 26 Apr - 14 Sep	2 ABFGIPRTVWXY	ABDEFH 7
☎ +33 (0)4-71234226	3 ALMQ	ABCDEFKNQRV 8
@ contact@revea-vacances.com	4 BFHINO	FJKU 9
	5 ABL	GHIJRV10
	B 10A CEE	❶ €21,80
⛰ N 44°59'56'' E 3°13'8''	H920 7 ha 90T(100-150m²) 40D	❷ €28,00

🚗 A75 Ausfahrt 30 St. Flour verlassen. Über die D4 nach Ruynes-en-Margeride. Dort Schildern folgen.

Salers, F-15140 / Auvergne · iD

▲ Le Mouriol***	1 AJMNOPQRST	6
▤ route du Puy Mary	2 FPVWXY	ABDEF 7
☀ 15 Apr - 30 Okt	3 ABELMQ	ABCDFHNOQRV 8
☎ +33 (0)4-71407309	4 BCIO	J 9
@ camping.mouriol.salers@	5 AL	FJ10
orange.fr	B 16A CEE	❶ €19,80
⛰ N 45°8'51'' E 2°29'55''	H985 4 ha 80T(80-100m²) 10D	❷ €25,00

🚗 Von Mauriac D922 nach Aurillac. Nach 17 km links D680 nach Salers. Der CP befindet sich 1 km hinter Salers, gut beschildert: 'Camping Municipal'.

St. Constant, F-15600 / Auvergne · 🛜 CC€14 iD

▲ Moulin de Chaules***	1 ADEGILNOPRT	ABJN 6
▤ D28, route de Calvinette	2 BCFGIJPRUVXY	ABDEFGHK 7
☀ 11 Apr - 18 Okt	3 BLQ	ACEFKNQRSV 8
☎ +33 (0)4-71491102	4 BFHIO	AB 9
@ camping@	5 ABDEFGIL	BDGHIJNOSTV10
moulin-de-chaules.com	10A	❶ €27,00
⛰ N 44°40'54'' E 2°15'38''	H282 3,5 ha 50T(60-110m²) 9D	❷ €35,00

🚗 A20 Ausf. 56 Ri. Figeac und weiter Ri. Aurillac. In Maurs die D663 Ri. St. Constant. Hinter St. Constant links auf die D28 Ri. Mourjou. Der CP ist ausgeschildert.

St. Flour, F-15100 / Auvergne · 🛜 iD

▲ International Roche Murat***	1 AJMNOPRST	6
▤ N9	2 APRUVWX	ABDEFH 7
☀ 1 Apr - 1 Nov	3 BQ	ABCDFJNRSV 8
☎ +33 (0)4-71604363	4 I	J 9
@ courrier@	5 ABLM	BGHIKOR10
camping-saint-flour.com	16A	❶ €16,10
⛰ N 45°3'2'' E 3°6'28''	H930 3 ha 120T(50-100m²) 11D	❷ €19,60

🚗 Der CP liegt an der A75, etwas nördlich von St. Flour. Ausfahrt 28 nehmen. Am Kreisverkehr den Schildern folgen.

St. Martin-Cantalès, F-15140 / Auvergne · 🛜 iD

▲ Camping Pont du Rouffet	1 ADEJLNORT	LNPXY 6
▤ Pont du Rouffet	2 DFIJKPUVXY	ABDEFGH 7
☀ 16 Mai - 15 Sep	3 V	AEFNRV 8
☎ +33 (0)4-71694276	4 FIO	E 9
@ pontdurouffet@live.nl	5 AL	ABHIJOR10
	10A CEE	❶ €18,60
⛰ N 45°4'20'' E 2°15'32''	H439 0,8 ha 30T(70-120m²) 5D	❷ €23,60

🚗 Von D922 Aurillac-Mauriac, der D42 nach Westen folgen. Über Besse bis zum Ende der Straße (Sackgasse), rechts der Straße liegt der CP.

St. Martin-Valmeroux, F-15140 / Auvergne · iD

▲ Le Moulin du Teinturier***	1 AJMNOPQRST	ABFGN 6
▤ 9 rue de Montjoly	2 CGKOPVXY	ABDEFGH 7
☀ 15 Jun - 15 Sep	3 BCEILMQ	ABDFKNQRSTUV 8
☎ +33 (0)4-71694312	4 EFHIO	FL 9
@ moulin.du.teinturier@	5 LM	BFGHIJR10
gmail.com	B 10A CEE	❶ €20,50
⛰ N 45°6'59'' E 2°25'24''	H636 3 ha 85T(100-110m²) 20D	❷ €24,10

🚗 Von Mauriac über die D922 nach St. Martin-Valmeroux oder von Aurillac über die D922. Im Zentrum hinter der Brücke über die Maronne ist der CP, 2. Kreuzung links Richtung Loupiac.

Thiézac, F-15800 / Auvergne · 🛜 CC€14 iD

▲ La Bédisse***	1 AJMNORST	JN 6
▤ 3, rue de la Bédisse	2 CFPVWXY	ABDEFG 7
☀ 1 Mai - 30 Sep	3 AEILMQ	ABFNOPRV 8
☎ +33 (0)4-71470041	4 EFIKO	FZ 9
@ camping.thiezac@orange.fr	5 L	HIJO10
	B 10A CEE	❶ €18,00
⛰ N 45°0'48'' E 2°40'14''	H741 1,9 ha 90T(80-100m²) 3D	❷ €22,20

🚗 Von Clermont-Ferrand (A75) Ausfahrt 23 Massiac. Von Montpellier (A75) Ausfahrt 29 St. Flour. Von Aurillac RN122 Richtung Murat.

Vic-sur-Cère, F-15800 / Auvergne · 🛜 iD

▲ La Pommeraie****	1 ADILNORT	ABEFGHI 6
☀ 4 Mai - 21 Sep	2 NPRUVWXY	ABDEFGHK 7
☎ +33 (0)4-71475418	3 BCELMQ	ABCDFGJKNOQRSTU 8
@ pommeraie@wanadoo.fr	4 ABDEFILNOPQY	AE 9
	5 ABDEFGKLM	ABHIJNORV10
	10A	❶ €35,00
⛰ N 44°58'17'' E 2°37'59''	H800 4 ha 40T(60-110m²) 120D	❷ €48,60

🚗 In Vic-sur-Cère die N122 verlassen. Im Dorf den Schildern folgen Richtung Gemeinde Sportplätze/Schwimmbad. Dieser Straße ca. 3 km folgen. Schildern 'la Pommeraie' folgen.

ACSI Einrichtungsliste

Die Einrichtungsliste finden Sie vorne im aufklappbaren Deckel des Führers. So können Sie praktisch sehen, was ein Camping so zu bieten hat.

PARIS

Frankreich

AUVERGNE

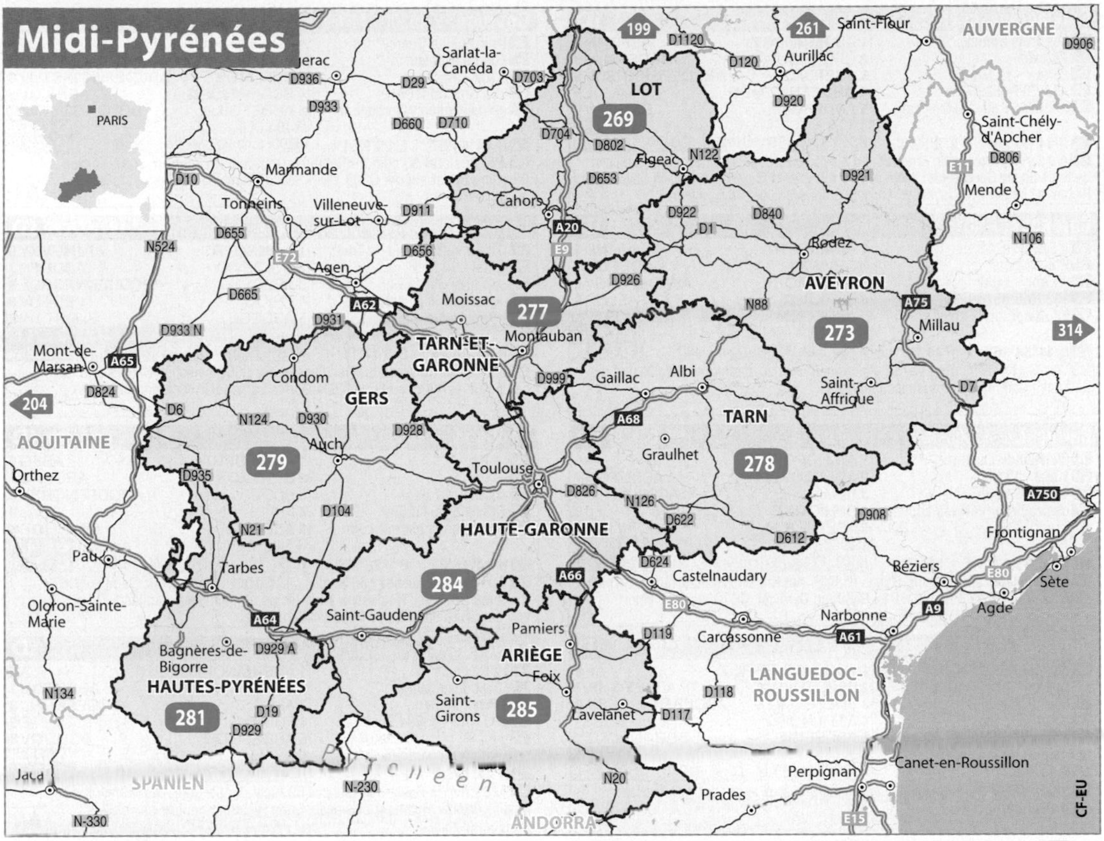

Saint-Flour

Gerac
Sarlat-la-Canéda
D936
D29
D120
Aurillac
D906

D933
D660
D710
D802
Figeac
N122
D921
Saint-Chély-d'Apcher
D806
Mende

Marmande
Tonneins
Villeneuve-sur-Lot
D911
Cahors
D653
D922
D840
E11

LOT 269

Agen
D655
D656
A20
E9
D926
D1
Rodez
N106
314

Mont-de-Marsan
A65
D933 N
D931
Moissac
Montauban
N88
AVEYRON
A75
Millau

D824
Condom
TARN-ET-GARONNE 277
Gaillac
Albi
Saint-Affrique
D7

204
D6
N124
D930
D999
A68
TARN 278
D750

AQUITAINE
GERS
Auch
D928
Toulouse
Graulhet

Orthez
D935
D104
D826
N126
D622
A750
Frontignan

Pau
N21
HAUTE-GARONNE
D612
D908
Béziers
E80
Sète

Tarbes
A66
D624
Castelnaudary
A9
Agde

284
A64
Saint-Gaudens
Pamiers
Narbonne
A61
Canet-en-Roussillon

HAUTES-PYRÉNÉES 281
Bagnères-de-Bigorre
D929 A
D19
D929
ARIÈGE
Foix
D119
Carcassonne
LANGUEDOC-ROUSSILLON

N134
Saint-Girons
285
Lavelanet
D118
D117

Jaca
SPANIEN
N-230
N20
Perpignan
Prades
E15

N-330
ANDORRA

CF-EU

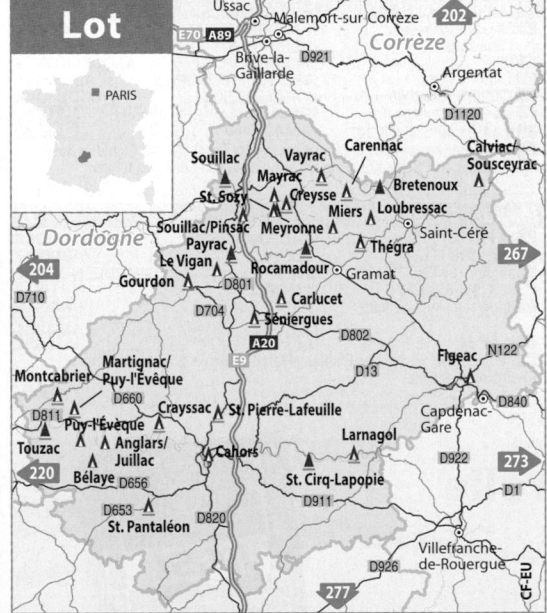

PARIS

Ussac
Malemort sur Corrèze
202
Corrèze

Brive-la-Gaillarde
D921
Argentat

D1120

Dordogne

Souillac
Vayrac
Carennac
Calviac/Sousceyrac

Mayrac
Creysse
Bretenoux
204
St. Sozy
Miers
Loubressac
267

Souillac/Pinsac
Meyronne
Thégra
Saint-Céré

Payrac
Le Vigan
Rocamadour
Gramat

Gourdon
D801
Carlucet

D704
Séniergues
D802
Figeac
N122

Martignac/Puy-l'Evêque
E9
A20
D13
D840

Montcabrier
D660
Crayssac
St. Pierre-Lafeuille
Capdenac-Gare

D811
Puy-l'Evêque
Larnagol
273

Touzac
Anglars/Juillac
Cahors
D922
D1

220
Bélaye
D656
St. Cirq-Lapopie
D911

D653
D820
Villefranche-de-Rouergue

St. Pantaléon
D926
277

CF-EU

Bélaye, F-46140 / Midi-Pyrénées 📶 🆔

🏕 La Tuque***	1 AG**JM**NOPRT	AFH 6
📅 25 Apr - 12 Sep	2 B**GP**QRTVWXY	ABD**FG** 7
☎ +33 (0)5-65213434	3 BEFILMQ	ABDFINQRSV 8
@ info@campinglatuque.nl	4 **B**DFIO**Q**	ABEFJU 9
	5 ABDEFGJK**L**	ABIJPT10
	6A	① €32,00
	H300 9 ha 75T(70-120m²) 25D	② €44,35

🧭 N 44°26'40'' E 1°10'21''

🚗 D811 Cahors Richtung Puy l'Evêque. In Prayssac Richtung Bélaye. Dort folgen Sie den Schildern 'La Tuque'.

Bretenoux, F-46130 / Midi-Pyrénées 📶 🆔

🏕 La Bourgnatelle****	1 **AIL**NOPRT	AF 6
📅 28 Mär - 31 Okt	2 C	BE**FGH** 7
☎ +33 (0)5-65108904	3 BLQ	BFKNR 8
@ contact@	4 **A**BDFHILO	AE 9
dordogne-vacances.fr	5 ADEF	BKO10
	10A CEE	① €27,80
	3 ha 54T(80-120m²) 81D	② €37,80

🧭 N 44°55'1'' E 1°50'12''

🚗 Der CP liegt an der Westseite der Ortsmitte an der Brücke neben dem Kreisverkehr.

Bretenoux, F-46130 / Midi-Pyrénées 📶 🆔

🏕 Les Chal. sur la Dordogne***	1 AD**JM**NOPRT	ABFGNU 6
📷 Girac Pont de Puybrun	2 C**GH**JPQVX	BE**FGH** 7
📅 1 Mai - 30 Sep	3 ABE**I**LQS	BCDFNOQRSV 8
☎ +33 (0)5-65109333	4 LO**PU**	DEJPQRUV 9
@ contact@camping-	5 ADEGIJ**L**	B**GH**J**NOS**TV10
chalet-sur-dordogne.com	B 10A CEE	① €22,00
	H100 2,5 ha 40T(100-110m²) 22D	② €29,00

🧭 N 44°55'10'' E 1°48'10''

🚗 A20, Ausfahrt 54 Richtung Martel/Bretenoux. An der D703. Kurz hinter Puybrun Richtung Bretenoux.

Anglars/Juillac, F-46140 / Midi-Pyrénées 📶 🆔

🏕 Floiras***	1 AD**JM**NOPRT	**J**N**X**Z 6
📅 1 Apr - 15 Okt	2 C**GP**QXY	ABD**FG** 7
☎ +33 (0)5-65362739	3 AE**GH**LQ	ABCDEFNRV 8
@ info@campingfloiras.com	4 EH	B**KN**QRUV 9
	5 AFGIK**L**	ABHJORW10
	B 10A CEE	① €26,85
	H100 1 ha 25T(140-240m²) 2D	② €36,35

🧭 N 44°28'34'' E 1°11'57''

🚗 Die D811 von Cahors nach Fumel. Bei Castelfranc links über die Brücke des Lot. Die D8 rechts ab nehmen. Der CP liegt 4 km weiter.

Cahors, F-46000 / Midi-Pyrénées 📶 🆔

🏕 SARL Rivière de Cabessut***	1 A**JM**NOPRST	A**J**N**X**Y 6
📍 rue de la Rivière	2 C**G**OPVXY	ABD**EF**H 7
📅 1 Apr - 30 Sep	3 ABEFIL**Q**R	ABCDEFKNOQRSV 8
☎ +33 (0)5-65300630	4 FIO**P**	E 9
@ contact@cabessut.com	5 ABFGK**L**	BFGHIJMORZ10
	B 10A CEE	① €20,90
	H110 3 ha 113T(80-100m²) 10D	② €30,30

🧭 N 44°27'50'' E 1°26'31''

🚗 An der Südseite von Cahors sieht man die an den Kreiseln die Schilder Richtung Rodez (D911). Einige Km weiter ist der CP angezeigt.

Calviac/Sousceyrac, F-46190 / Midi-Pyrénées 🛜 iD

- ▲ Les Trois Sources****
- ▤ Peyratel
- ⌚ 25 Apr - 12 Sep
- ☎ +33 (0)5-65330301
- @ info@les-trois-sources.com
- ▦ N 44°56'25" E 2°2'59"

1	ADJMNOPRT	ABFGHN 6
2	CFGHPQUVXY	ABDEFGHJ 7
3	ABEILMQ	ABCDEFGKNRSUV 8
4	ABDEFHIKLNOQ	AEJL 9
5	ABDEFGLM	BHIJORV10
B 10A		❶ €27,00
H600 7 ha 47T(100-150m²) 53D		❷ €39,00

Auf der N120 zwischen Argentat und Aurillac die D653 Richtung Laroquebrou und weiter Richtung Sousceyrac. Nach ca. 15 km rechts Richtung Calviac, dann weiter Richtung Lamativie. CP ist ausgeschildert. Empfohlen über Brive zu fahren.

Carennac, F-46110 / Midi-Pyrénées 🛜 CC€14 iD

- ▲ L'Eau Vive****
- ▤ Prés Nabots
- ⌚ 19 Apr - 5 Okt
- ☎ +33 (0)5-65109739
- @ info@dordogne-soleil.com
- ▦ N 44°54'36" E 1°44'27"

1	AJMNOPRT	AFJNU 6
2	CPVWXY	ABDEFGH 7
3	BFIKLMQ	ABCDEFNRSV 8
4	BDFIOPQ	AELQR 9
5	ABDEGLM	BGHIJOSTV10
B 6A CEE		❶ €25,60
H160 3 ha 90T(80-120m²) 40D		❷ €34,20

Von Martel D703 über Vayrac Richtung Carennac, dann über Bétaille und die D20 nach Carennac. CP ausgeschildert.

Carlucet, F-46500 / Midi-Pyrénées 🛜 CC€18 iD

- ▲ Château de Lacomté****
- ⌚ 1 Mai - 15 Sep
- ☎ +33 (0)5-65387546
- @ chateaulacomte@wanadoo.fr
- ▦ N 44°43'42" E 1°35'49"

1	AILNOPQRST	A 6
2	AGPRTUVWXY	ABDEFGH 7
3	ELMQ	ACDFJNRTU 8
4	DFHIOQXZ	EJ 9
5	ABEFGIJLM	BFHIJOR10
10A CEE		❶ €38,00
H300 12 ha 75T(110-140m²) 9D		

A20 Ausfahrt 56 Richtung Figeac (D802). Am Kreisel Richtung Gramat (D807). Nach ca. 3 km links ab auf die D32 Richtung Carlucet. CP ist ausgeschildert.

Crayssac, F-46150 / Midi-Pyrénées 🛜 CC€14 iD

- ▲ Campéole Les Reflets du Quercy****
- ▤ Mas de Bastide
- ⌚ 4 Apr - 20 Sep
- ☎ +33 (0)5-65300027
- @ reflets-du-quercy@campeole.com
- ▦ N 44°30'37" E 1°19'22"

1	ABCDJMNOPRST	AF 6
2	BFRSTUVWXY	ABDEFGHK 7
3	BDEFGLMQT	ABCDEFKNPQRSV 8
4	AEFILNOPQ	BCEJ 9
5	ABDEFGIL	BDGHIJNORZ10
10A CEE		❶ €28,40
H300 8 ha 41T(80-100m²) 97D		❷ €42,00

An der D811 (Cahors-Puy l'Évèque) bei Crayssac angezeigt, von der D911 noch etwa 3 km.

Creysse, F-46600 / Midi-Pyrénées 🛜 CC€12 iD

- ▲ Du Port***
- ⌚ 25 Apr - 27 Sep
- ☎ +33 (0)5-65322082
- @ contact@campingduport.com
- ▦ N 44°53'7" E 1°35'58"

1	ADEJMNORT	AJNUVXY 6
2	CGJPWXY	ABDEFGH 7
3	ABLQU	ABCDEFKNQRSV 8
4	FHIO	AEQRUV 9
5	ABCDKL	BHJOSTVZ10
Anzeige auf Seite 271 B 10A		❶ €20,00
H110 5 ha 97T(100-300m²) 13D		❷ €29,20

A20 Ausfahrt Rocamadour. Über die N140 bis Martel. In Martel über die D23 Richtung Creysse. Dann den CP-Schildern folgen.

Figeac, F-46100 / Midi-Pyrénées 🛜 iD

- ▲ Camping du Domaine du Surgié****
- ▤ base de Loisirs Surgié
- ⌚ 1 Apr - 30 Sep
- ☎ +33 (0)5-61648854
- @ contact@marc-montmija.com
- ▦ N 44°36'47" E 2°2'57"

1	ABDJMNOPRST	ABFGHNU 6
2	CGOPSUVWXY	ABDEFGH 7
3	AEILQS	ABCDFKNOPQRST 8
4	ABDEFHILNOP	AEJQRTU 9
5	ABDEFGJLM	BFGHIJNORV10
B 10A		❶ €26,80
H250 1 ha 103T(100-150m²) 56D		❷ €35,80

Von Aurillac N112 Richtung Figeac. In Figeac 'Base de Loisirs du Surgié' folgen. Der CP liegt ganz am Ende der Domäne.

Gourdon, F-46300 / Midi-Pyrénées 🛜 CC€12 iD

- ▲ Domaine Le Quercy****
- ▤ Ecoute s'il pleut
- ⌚ 1 Apr - 14 Sep
- ☎ +33 (0)5-65410619
- @ domainequercy@orange.fr
- ▦ N 44°44'57" E 1°22'31"

1	ADEIMNOPQRST	ABFHLN 6
2	BDGPRSUVXY	ABDEFGH 7
3	BEFLMQS	ABCDEFJKNRSTUV 8
4	BCDFHINOPQ	AEFJLUV 9
5	ABDEFGIL	BDFGHIJOSTVZ10
B 10A CEE		❶ €29,95
H200 5 ha 90T(80-120m²) 94D		❷ €42,50

A20 Ausfahrt 55 oder 56 Richtung Gourdon. Im Zentrum von Gourdon Richtung Sarlat auf der D704. Dem Schild 'Domaine Le Queroy' folgen.

Larnagol, F-46160 / Midi-Pyrénées 🛜 CC€16 iD

- ▲ Camping Ruisseau du Treil**
- ⌚ 9 Mai - 12 Sep
- ☎ +33 (0)5-65312339
- @ contact@lotcamping.com
- ▦ N 44°28'24" E 1°47'1"

1	AJMNOPRT	AFJNUVXY 6
2	CGIOPVXY	ABDEFH 7
3	BELQ	ABCDEFKNPQRSV 8
4	FHIOQ	BDEUV 9
5	ABDEGL	BJOSTVW10
B 6A CEE		❶ €24,60
H120 3,2 ha 46T(100-350m²) 4D		❷ €32,60

Der CP du Ruisseau du Treil liegt an der D662 zwischen Cahors und Cajarc, an der S-Kurve, 300m außerhalb des Dorfes Larnagol in Richtung Cajarc.

Le Vigan, F-46300 / Midi-Pyrénées 🛜 iD

- ▲ Le Rêve***
- ▤ Revers
- ⌚ 15 Mai - 21 Sep
- ☎ +33 (0)5-65412520
- @ info@campinglereve.com
- ▦ N 44°46'23" E 1°26'27"

1	AJMNOPRT	ABFG 6
2	GPRVWXY	ABDEFG 7
3	BLQV	ABCDEFNQRSV 8
4	FHI	AJ 9
5	ABDEGIL	ABGHIJOR10
B 6A CEE		❶ €24,50
H300 10 ha 54T(110-200m²) 6D		❷ €34,00

Von der A20 Ausfahrt 56 Souillac. D820 bis hinter Payrac. Dann die D673 Richtung Gourdon. Nach etwa 1 km rechts. Weiter wie beschildert. Oder von der D820 südlicher, D673 Schildern folgen.

Loubressac, F-46130 / Midi-Pyrénées 🛜 iD

- ▲ La Garrigue***
- ▤ Croix de la Balme
- ⌚ 1 Apr - 30 Sep
- ☎ +33 (0)5-65383488
- @ infos@camping-lagarrigue.com
- ▦ N 44°52'12" E 1°48'3"

1	ADEJMNOPRST	A 6
2	PRTUVWXY	ABDEFGH 7
3	ALQ	ABCDEFNQRV 8
4	FHIPQ	E 9
5	ABDEFGLM	BGHIJOV10
B 6A CEE		❶ €20,50
H280 2 ha 29T(90-120m²) 21D		❷ €27,60

A20 Brive-la-Gaillarde. Ausfahrt 52 Richtung St. Céré. Durch Vayrac en Bétaille. Weiter Richtung Carennac. Dann Richtung Loubressac halten. CP ist angezeigt.

Martignac/Puy-l'Évêque, F-46700 / Midi-Pyr. 🛜 CC€14 iD

- ▲ Sites & Paysages L'Evasion***
- ▤ D28
- ⌚ 1 Apr - 31 Okt
- ☎ +33 (0)5-65308009
- @ evasion@wanadoo.fr
- ▦ N 44°31'40" E 1°7'29"

1	ACDJMNOPRT	ABFGI 6
2	BFGPRVWY	ABDEFGH 7
3	ABDEFLMQST	ABCDEFNQST 8
4	ABCDEFHILNOPRU	ABEFIUV 9
5	ABDEFGJKLM	BCDHJOV10
Anzeige auf Seite 271 10A CEE		❶ €26,30
8 ha 52T 46D		❷ €44,30

Vom Zentrum vom Puy-l'-Evèque (neben der Post) die D28 Richtung Nord nach Martignac. Bis zur Kreuzung links und dann den Schildern folgen.

Mayrac, F-46200 / Midi-Pyrénées 🛜 iD

- ▲ Le Pic***
- ▤ Commune Mayrac
- ⌚ 15 Jun - 30 Sep
- ☎ +33 (0)5-65322504
- @ info@campinglepic.com
- ▦ N 44°54'4" E 1°34'10"

1	ADEJMNOPRT	ABF 6
2	BGPUXY	ABFGH 7
3	ALQ	ABCDEFNQRSV 8
4	FIOPQ	DEJ 9
5	ABDEFKM	HJNOST10
10A		❶ €21,70
3,6 ha 50T(80-120m²) 15D		❷ €29,10

A20 Ausfahrt 55 Souillac Richtung Martel. In Baladou rechts ab den CP-Schildern folgen.

Campingplatzkontrolle

Alle Campingplätze in diesem Führer wurden im vergangenen Jahr von einem unserer 130 ACSI-Inspektoren besucht und begutachtet.

Sie erkennen diese Campings an der Jahresprüfplakette, die meist im Rezeptionsbereich auf dem ACSI-Schild zu finden ist.

INSPECTED
2010 2011 2012 2013 2014
www.ACSI.eu

Frankreich

Meyronne, F-46200 / Midi-Pyrénées 🛜 iD

🏕 La Plage***	1 ADE**JM**NOPRST AFJ**N**U 6
🚏 Rive Gauche, D15	2 ACJPVWXY ABDE**F** 7
📅 1 Jun - 30 Sep	3 AELQ ABCDEFGNRSV 8
☎ +33 (0)5-65322326	4 DFINP DJLQRU 9
@ contact@	5 ABDEG**LM** BGHIJPST 10
camping-laplage.com	B 6A CEE
	❶ €18,20
🗺 N 44°52'34'' E 1°34'38''	H104 2 ha 74**T**(90-120m²) 13**D** ❷ €24,20

🚗 Von der A20, Ausfahrt 55 Richtung Martel. Erste Straße rechts Richtung St. Sozy/Meyronne (D15). CP ist ausgeschildert.

Miers, F-46500 / Midi-Pyrénées 🛜 iD

🏕 Le Pigeonnier***	1 ADE**JM**NOPQRST ABFG 6
📅 6 Apr - 3 Okt	2 FGPTVWXY ABDE**FG**H 7
☎ +33 (0)5-65337195	3 AELQ ABCDEFJKNQRSV 8
@ camping-le-pigeonnier@	4 BDFHIO E 9
orange.fr	5 AiDFGI BFGHJPRX 10
	D 10A OCC ❶ €21,60
🗺 N 44°51'9'' E 1°42'46''	H347 1 ha 45**T**(90-120m²) 14**D** ❷ €30,80

🚗 A20 Ausfahrt 54, Richtung Gouffre/Padirac, dann Richtung Miers. In Miers den CP-Schildern folgen.

Montcabrier, F-46700 / Midi-Pyrénées 🛜 CC€16 iD

🏕 Moulin de Laborde***	1 AHKNOPRT AF 6
🚏 Laborde	2 CGPRVXY ABDE**FG**H 7
📅 1 Mai - 8 Sep	3 BE**K**LMQ**RU** CDEFNRSV 8
☎ +33 (0)5-65246206	4 BFHI 9
@ moulindelaborde@wanadoo.fr	5 ABDEFGIK**L** ABDHIJOR 10
	B 6-10A ❶ €30,40
🗺 N 44°32'52'' E 1°5'1''	H121 12 ha 90**T**(100-150m²) ❷ €42,60

🚗 A20 Richtung Cahors, Ausfahrt 56. Dann auf D1 nach Gourdon. Weiter über D673 Richtung Fumel. 11 km vor Fumel ausgeschildert.

Payrac, F-46350 / Midi-Pyrénées 🛜 ❄ CC€16 iD

🏕 Les Pins****	1 ADE**JM**NOPRST ABEFGH 6
🚏 avenue de Toulouse	2 BGPRTUVWXY ABDE**FG**H 7
📅 11 Apr - 6 Sep	3 BEFLMQT ABCDFJNQRSUV 8
☎ +33 (0)5-65379632	4 ABDEFHILNO**PQTUXZ** ABEJL 9
@ info@les-pins-camping.com	5 ABDEFGIJL BDGHIKNPSTV 10
	B 10A CEE ❶ €29,50
🗺 N 44°47'22'' E 1°28'20''	H350 4 ha 49**T**(80-120m²) 81**D** ❷ €40,80

🚗 Der CP liegt in Payrac an der D820 und ist ausgeschildert. Von Souillac hinter Payrac an der rechten Seite.

Payrac, F-46350 / Midi-Pyrénées 🛜 iD

🏕 Panoramic**	1 AJMNOPQRST 6
🚏 route de Loupiac	2 ABFGPRWXY ABDE**FG**HJ 7
📅 1 Jan - 31 Dez	3 AELQ ABCDFJNQRSV 8
☎ +33 (0)5-65379845	4 EFHIO**PQ** DE 9
@ info@campingpanoramic.com	5 ABDEGIJK**L** ABFGHIJPRZ 10
	B 5A CEE ❶ €15,00
🗺 N 44°48'21'' E 1°28'29''	H300 1,5 ha 36**T**(80-120m²) 15**D** ❷ €21,00

🚗 Von der A20, Ausfahrt 55 Souillac. Dann die D820. CP liegt 500m vor Payrac.

Puy-l'Évèque, F-46700 / Midi-Pyrénées 🛜 iD

🏕 Camping Les Vignes***	1 AD**JM**NOPRS**T** ABJ**N**XY 6
🚏 Lieu dit le Meouré	2 CGHIPVXY ABDE**FG**H 7
📅 1 Apr - 30 Sep	3 BEFLMQS ABCDEFHIJNQRSV 8
☎ +33 (0)5-65308172	4 BDFJHILNO**PQ** BFJQRUV 9
@ contact@camping-lesvignes.fr	5 ABDEFGIL BHIJPTU 10
	10A CEE ❶ €21,30
🗺 N 44°28'41'' E 1°8'33''	H100 5 ha 90**T**(86-120m²) 28**D** ❷ €28,30

🚗 Aus Richtung Cahors, an der D811 (D911) ausgeschildert vor Puy-l'Évèque (links ab).

Rocamadour, F-46500 / Midi-Pyrénées 🛜 iD

🏕 Le Paradis du Campeur**	1 ADE**JM**NOPRST AB 6
🚏 l'Hospitalet	2 PVWXY ABDE**FG**H 7
📅 1 Apr - 30 Sep	3 ALQT ABCDEFNORV 8
☎ +33 (0)5-65336328	4 FH 9
@ lerelaisducampeur@orange.fr	5 L BGHIJOR 10
	10A CEE ❶ €20,60
🗺 N 44°48'16'' E 1°37'39''	H250 1,8 ha 104**T**(90-100m²) ❷ €29,20

🚗 Der CP liegt in L'Hospitalet bei Rocamadour und ist ausgeschildert.

Rocamadour, F-46500 / Midi-Pyrénées 🛜 iD

🏕 Le Roc***	1 ADE**JM**NOPQRST ABFG 6
🚏 route de Rocamadour	2 GPRVWXY ABDE**FG**H 7
📅 1 Apr - 31 Okt	3 BELQ ABCDEFHJNRSUV 8
☎ +33 (0)5-65336850	4 D**F**INO**PQ** EJ 9
@ campingloroc@wanadoo.fr	5 ABDEFG**I**L BFGHJPSTV 10
	B 16A CEE ❶ €21,80
🗺 N 44°49'9'' E 1°39'16''	H275 2 ha 49**T**(80-150m²) 12**D** ❷ €27,80

🚗 Gelegen an der D673, 3 km hinter Rocamadour, Richtung Padirac.

Rocamadour, F-46500 / Midi-Pyrénées 🛜 iD

🏕 Les Cigales***	1 ADE**JM**NOPRST ABFG 6
🚏 l'Hospitalet	2 GPRVWXY BE**FG**H 7
📅 1 Jul - 31 Aug	3 BEFLQS BDEFNRSUV 8
☎ +33 (0)5-65330444	4 BDFHINO**PQ** E 9
@ camping.cigales@wanadoo.fr	5 ABDEFGLM ABGHIJOR 10
	B 10A ❶ €27,00
🗺 N 44°48'16'' E 1°37'57''	H250 3 ha 40**T**(80-110m²) 52**D** ❷ €43,00

🚗 Der CP liegt in L'Hospitalet bei Rocamadour und ist ausgeschildert.

Rocamadour, F-46500 / Midi-Pyrénées 🛜 CC€16 iD

🏕 Padimadour****	1 ADE**JM**NOPRST AB 6
🚏 La Châtaigneraie-Varagne	2 GPTVWXY ABDE**FG**H 7
📅 30 Apr - 15 Okt	3 ACLQS ABCDEFGJNQRSV 8
☎ +33 (0)5-65337211	4 BDFIO JL 9
@ camping@padimadour.fr	5 ABDEFGI**M** BDFGIJPTUV 10
	B 10A CEE ❶ €33,50
🗺 N 44°49'5'' E 1°41'11''	H276 3 ha 25**T**(120-180m²) 27**D** ❷ €44,50

🚗 Von der A20 Ausfahrt 54 (von Norden) Richtung Gramat D840, Ausfahrt 56 (von Süden) Richtung Brive D840; in Rocamadour den CP-Schildern Padimadour folgen.

Les Granges ★ ★ ★

★ An der Dordogne
★ Vermietung von Kanus, Caravans und Mobilhomes
★ Sehr gut geeignet für Besuche der Touristenorte wie Rocamadour, Martel, usw.

46110 Vayrac • Tel. 05-65324658
E-Mail: info@les-granges.com • Internet: www.les-granges.com

Séniergues, F-46240 / Midi-Pyrénées 📶 CC€16 iD

▲ Domaine de la Faurie****	1 ADE**IL**NOPQRST	ABFG 6
🗓 5 Apr - 31 Okt	2 AFGPRSTUVWXY	ABDE**FG**H 7
☎ +33 (0)5-65211436	3 ALQST	ABCDEFJNQRSV 8
@ contact@	4 **A**BDEFHINO	AEJ 9
camping-lafaurie.com	5 ABDEFGJLM	BDFGHIJOTV10
	B 6A CEE	❶ €30,00
📍 N 44°41'32'' E 1°32'5''	H333 27 ha 64**T**(100-160m²) 30**D**	❷ €42,00
🚗 A20 Ausfahrt 56 Gourdon, im Kreisel rechts Richtung St. Germain du Belair und 5 km weiterfahren. CP-Schildern folgen. Oder ab Souillac Richtung Cahors via D820. Ausfahrt Montfaucon. CP angezeigt.		

Souillac, F-46200 / Midi-Pyrénées 📶 ✿ CC€16 iD

▲ Beter-uit Vakantiepark 'La Draille'****	1 ADE**IL**NORT	ABFHNUV 6
	2 ACGHPRUVY	ABDE**FGH** 7
🗓 25 Apr - 3 Okt	3 BE**GHIKLMQR**S	ABCDEFNRSV 8
☎ +33 (0)5-65326501	4 **A**EFHIJLO	AEJLQRUV 9
@ la.draille@wanadoo.nl	5 ACDEFGIK**L**	ABHJLM**OP**STZ10
	B 10A CEE	❶ €33,25
📍 N 44°56'9'' E 1°26'14''	H150 35 ha 146**T**(100-120m²) 83**D**	❷ €42,75
🚗 A20, Ausfahrt Souillac. Am Ortseingang von Souillac rechts auf die D15 und dann auf die D62.		

Souillac, F-46200 / Midi-Pyrénées 📶 CC€16 iD

▲ Domaine de la Paille Basse*****	1 ABDE**JM**NOPRST	AFHU 6
	2 AFPRSUVXY	BE**FGH** 7
🗓 13 Mai - 15 Sep	3 BEF**KLM**QT	BDFNQRS 8
☎ +33 (0)5-65378548	4 **A**EFHILO**P**	AEK 9
@ info@lapaillebasse.com	5 ABCDEGIJK	BHIJL**NORZ**10
	B 16A	❶ €40,90
📍 N 44°56'44'' E 1°26'29''	12 ha 120**T**(100-110m²) 84**D**	❷ €56,90
🚗 Im Westen von Souillac an der D15 gelegen. In Souillac Richtung Salignac.		

Souillac, F-46200 / Midi-Pyrénées 📶 CC€14 iD

▲ Les Ondines***	1 ADE**JM**NORT	ABFGJN**U**XY 6
🛏 rue des Ondines	2 ACPVWXY	BE**FGH** 7
🗓 25 Mai - 27 Sep	3 ABGHKLQ**RT**	ABCDEFHKNPQRSV 8
☎ +33 (0)5-65378644	4 **A**BCDEFHL	ABCELQRUV 9
@ camping.les.ondines@	5 ADGL**M**	BDHJPSTV10
flowercampings.com	6A CEE	❶ €27,50
📍 N 44°53'20'' E 1°28'29''	4 ha 135**T**(90-110m²) 75**D**	❷ €37,00
🚗 A20 Ausfahrt 55 Souillac und den CP-Schildern folgen.		

Souillac/Pinsac, F-46200 / Midi-Pyrénées 📶 iD

▲ La Verte Rive****	1 ADE**JM**NORT	AFJ**N**XY 6
🗓 1 Apr - 15 Okt	2 ACGIPVWXY	BE**FGH** 7
☎ +33 (0)5-65378596	3 ABLQ	ABEFKNQRSTU 8
@ camping-laverterive@	4 AFHIKNOPQ**U**	EQRUV 9
orange.fr	5 ABDEFGKL	BHJOSTV10
	B 10A CEE	❶ €23,00
📍 N 44°51'57'' E 1°29'50''	H200 1,5 ha 54**T**(80-110m²) 11**D**	❷ €32,00
🚗 A20 Ausfahrt 55 Souillac. Richtung Rocamadour über die D43. Der CP liegt nach 2 km an der rechten Seite.		

St. Cirq-Lapopie, F-46330 / Midi-Pyrén. 📶 ✿ CC€16 iD

▲ Camping Restaurant De la Plage****	1 ADE**JM**NOPRST	JM**N**UXYZ 6
	2 CFGHIKOPRSVWXY	ABDE**FG**H 7
🛏 Porte Roques	3 BELQS	ABCDEFGIJKNPQRSTUV 8
🗓 11 Apr - 30 Sep	4 **A**BDEFHILO**P**	BEJLQRUV 9
☎ +33 (0)5-65302951	5 ABDEFGJK**LM**	BDFGHIJLNOTUV10
@ camping-laplage@wanadoo.fr	B 10A	❶ €25,90
📍 N 44°28'8'' E 1°40'51''	H137 3 ha 93**T**(100-120m²) 27**D**	❷ €37,90
🚗 Die D653 von Cahors Richtung Figeac. Bei Vers die D662 Richtung St. Cirq. Bei Tour-de-Faure über die Brücke der Lot. CP nach 500m rechts an der D40.		

St. Cirq-Lapopie, F-46330 / Midi-Pyrénées 📶 CC€14 iD

▲ La Truffière***	1 ADE**IL**NOPRT	ABF 6
🛏 D42	2 BFGPRTUVWXY	ABE**FGH** 7
🗓 4 Apr - 20 Sep	3 BELQS	ABCDEFJKNQRSTV 8
☎ +33 (0)5-65302022	4 **A**BDEFHILO	J 9
@ contact@	5 ABDEGIK**M**	ABFGHIJOTUV10
camping-truffiere.com	6A CEE	❶ €23,70
📍 N 44°26'53'' E 1°40'29''	H300 4 ha 83**T**(100-120m²) 13**D**	❷ €34,10
🚗 Ausgeschildert ab St. Cirq-Lapopie. Ca. 3 km vom Ort entfernt.		

St. Pantaléon, F-46800 / Midi-Pyrénées 📶 CC€16 iD

▲ des Arcades***	1 AC**DIL**NOPRT	AFHN 6
🛏 Moulin de St. Martial	2 CDG**P**VX	ABDE**F** 7
🗓 30 Apr - 30 Sep	3 BEF**GH**KLQS	ABCDFNQRT 8
☎ +33 (0)5-65229227	4 **A**BDEFHILO	ACE 9
@ info@des-arcades.com	5 ADEFGJL	ABHJ**OP**RW10
	6A	❶ €28,80
📍 N 44°22'15'' E 1°18'28''	H120 12 ha 80**T**(70-140m²) 21**D**	❷ €40,30
🚗 A20 Ausfahrt 57. D820 Ri. Cahors, dann Richtung Montauban. Südlich von Cahors 2. Kreisel re. ab (durch den kleinen Tunnel). D653 Richtung Montcuq. CP liegt li., ca. 3 km vor St. Pantaléon.		

St. Pierre-Lafeuille, F-46090 / Midi-Pyrénées 📶 CC€14 iD

▲ Quercy Vacances****	1 ADE**JM**NOPQRST	AF 6
🛏 Le Mas de Lacombe	2 APRXY	ABDE**FH** 7
🗓 1 Apr - 30 Sep	3 BELQ	ABCDFKNQRSV 8
☎ +33 (0)5-65368715	4 DFHIO**PQTU**	ACEL 9
@ quercyvacances@wanadoo.fr	5 ABDEFGJKL	BDHIJNOR10
	B 10A CEE	❶ €23,30
📍 N 44°31'53'' E 1°27'33''	H350 5 ha 80**T**(100-130m²) 59**D**	❷ €31,30
🚗 RN20/D820 Brive-Cahors, 800m vor St. Pierre-Lafeuille ist der CP gut ausgeschildert, rechts ab. Nach 700m kommt der CP rechts. Oder: A20 Ausfahrt Cahors. Durch den Kreisel gelangt man auf die D820. Weiter wie Route oben.		

St. Sozy, F-46200 / Midi-Pyrénées 📶 iD

▲ Les Borgnes	1 ADE**JM**NORT	AFJ**N**XY 6
🛏 Au bord de la Dordogne	2 CGPWXY	ABDE**FH** 7
🗓 18 Apr - 19 Sep	3 ALQ	ABDFNRSV 8
☎ +33 (0)5-65322148	4 FO	EQR 9
@ info@campinglesborgnes.fr	5 AEGIM	BFHJO**S**TV10
	B 10A	❶ €16,65
📍 N 44°52'33'' E 1°34'23''	H100 4 ha 50**T**(100-160m²) 20**D**	❷ €22,05
🚗 Auf A20 Ausfahrt 55 Souillac. Richtung Martel über die D803. Dann rechts nach St. Sozy über D15. Den CP-Schildern folgen.		

Thégra, F-46500 / Midi-Pyrénées 📶 CC€16 iD

▲ Sites & Paysages Le Ventoulou****	1 ADE**IL**NOPRST	ABCDF 6
	2 PRUVWXY	BE**FG**H 7
🛏 Ventoulou	3 B**K**LQS	ABCDEFKNOQRSUV 8
🗓 1 Apr - 1 Nov	4 BDFHINO**P**	AEJLU 9
☎ +33 (0)5-65336701	5 ABDEFGIL**M**	BDGHIJ**NP**QSTV10
@ contact@leventoulou.com	B 10A CEE	❶ €30,80
📍 N 44°49'32'' E 1°46'42''	H300 2 ha 34**T**(100-120m²) 32**D**	❷ €43,80
🚗 An der D673 ist der CP ausgeschildert in Padirac. Er liegt an der D60.		

Touzac, F-46700 / Midi-Pyrénées 📶 CC€14 iD

▲ Le Ch'timi***	1 ADE**JM**NOPRT	AFJ**N**X 6
🛏 La Roque	2 CFPRVXY	ABDE**FH** 7
🗓 1 Apr - 30 Sep	3 AELMQ	ABCDFNPQRSV 8
☎ +33 (0)5-65365236	4 **A**BDFHILNO**PQ**	EFJQU 9
@ info@campinglechtimi.com	5 ABDEGIKL	ABDGHJNORZ10
	B 6A CEE	❶ €28,15
📍 N 44°29'53'' E 1°3'59''	H117 3,5 ha 77**T**(100-120m²) 13**D**	❷ €38,65
🚗 A20 Ausfahrt 57, D820 nach Cahors. Kurz vor Cahors im Kreisel scharf rechts. Der D811 bis Duravel, links die D58 nach Port de Vire. Am Kreisel rechts nach Touzac. Der CP ist dort angezeigt.		

Touzac, F-46700 / Midi-Pyrénées 📶 CC€14 iD

▲ Le Clos Bouyssac***	1 A**DIL**NORST	AFJ**N**UX 6
🗓 1 Apr - 30 Sep	2 BCGKPUVY	ABDE**FG** 7
☎ +33 (0)5-65365221	3 AELQ	ABDFNRSV 8
@ camping.leclosbouyssac@	4 DEFHINO**P**	AJQ 9
wanadoo.fr	5 ABDEGL	BGJOR10
	B 10A CEE	❶ €23,60
📍 N 44°28'49'' E 1°3'7''	H100 1,5 ha 85**T**(80-190m²) 15**D**	❷ €29,60
🚗 A20 Ausfahrt 57 Richtung Cahors. Kurz vor Cahors am Kreisel scharf rechts Richtung Fumel. In Duravel links über die D58 nach Port de Vire. Am Kreisel rechts ab nach Touzac. Der CP ist angezeigt.		

Vayrac, F-46110 / Midi-Pyrénées CC€14 iD

▲ Les Granges***	1 ADE**IL**NORT	AFJNUXY,6
🗓 1 Mai - 19 Sep	2 CGP**Q**RVWXY	ABDE**FG** 7
☎ +33 (0)5-65324658	3 ABE**GH**LQ	ABCDEFNORSV 8
@ info@les-granges.com	4 FHIO**PQ**	DEJQR 9
	5 ABCDEFGK**L**	BDGHJNSTV10
	Anzeige auf dieser Seite B 10A	❶ €21,70
📍 N 44°56'2'' E 1°40'47''	H100 5 ha 120**T**(110-130m²) 36**D**	❷ €27,90
🚗 A20, Ausfahrt 55 Souillac. Richtung Martel-Vayrac fahren. CP ist kurz vor Vayrac Centre ausgeschildert.		

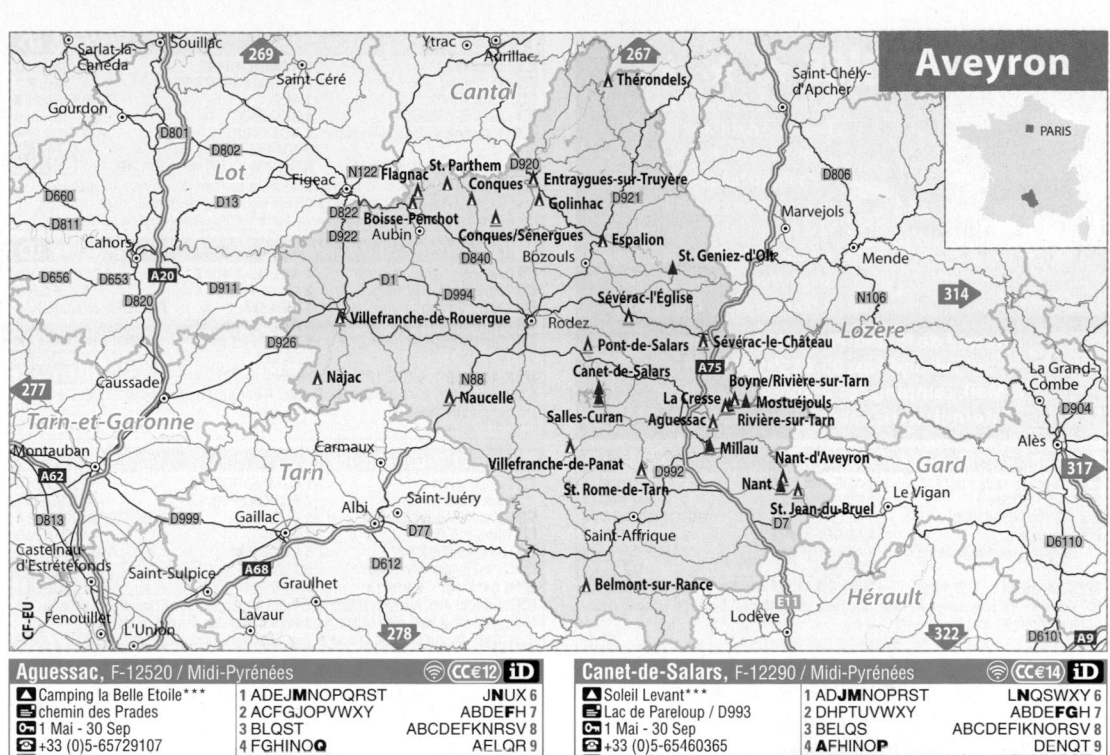

Aguessac, F-12520 / Midi-Pyrénées (CC€12) iD

Camping la Belle Etoile***	1 ADEJMNOPQRST	JNUX 6
chemin des Prades	2 ACFGJOPVWXY	ABDEFH 7
1 Mai - 30 Sep	3 BLQST	ABCDEFKNRSV 8
+33 (0)5-65729107	4 FGHINOQ	AELQR 9
contact@	5 DEFGJLM	BDFGHIJOR10
camping-labelleetoile.fr	B 6A CEE	1 €23,20
N 44°9'13'' E 3°5'53''	H300 2,5 ha 69T(150-300m²) 8D	2 €31,70

Von Norden: A75 Ausfahrt 44.1 Aguessac. Hinter der Apotheke links. Von Süden: A75 Ausfahrt 47 Millau. Richtung Aguessac. Hinter der Bahnlinie rechts.

Belmont-sur-Rance, F-12370 / Midi-Pyrénées iD

Le Val Fleuri	1 AJMNORT	JN 6
Impasse Raymond Fournier	2 COPVXY	ABDEF 7
1 Apr - 15 Okt	3 BLQ	ABCDEFINQRV 8
+33 (0)5-65990476	4 FK	AF 9
campingvalfleuri@orange.fr	5 BDEGJL	ABHIJOR10
	B 10A	1 €19,50
N 43°49'4'' E 2°45'3''	H434 1,3 ha 43T(80-110m²) 3D	2 €23,50

Millau-St. Afrique über die D992 und die D999. Dann Ausfahrt Belmont-sur-Rance über die D32.

Boisse-Penchot, F-12300 / Midi-Pyrénées

Le Roquelongue***	1 JMNORST	ABFGJNUXYZ 6
1 Jan - 31 Dez	2 CGILPRSVWXY	ABDEFG 7
+33 (0)5-65633967	3 ALMQS	ABCDEFJNOPQRUV 8
info@	4 ABDFHINOPQ	EJNQR 9
camping-roquelongue.com	5 ABDEGILM	BHIJNPTUV10
	B 10A	1 €23,20
N 44°35'17'' E 2°13'18''	H200 16 ha 39T(80-200m²) 26D	2 €31,65

A20 Ausfahrt 56 Richtung Figeac und dann Richtung Decazeville über die D840. Hinter La Roque-Bouillac Richtung Boisse-Penchot, wo der CP ausgeschildert ist.

Boyne/Rivière-sur-Tarn, F-12640 / Midi-Pyr. (CC€14) iD

Camping Moulin	1 ABJMNOPRT	JNUX 6
de la Galinière**	2 ABCFGIJKPQRVWXY	ABDEF 7
chemin des Condamines	3 ALQ	ABCDEFGKNORSV 8
1 Mai - 19 Sep	4 FHI	A 9
+33 (0)5-65626560	5 ADEFGIM	ABDHIJOST10
info@moulindelagaliniere.fr	B 6A CEE	1 €21,50
N 44°12'4'' E 3°9'34''	H375 2 ha 57T(90-150m²) 2D	2 €28,00

A75 Clermont-Ferrand, Ausfahrt 44.1 Aguessac. Den Schildern zu den 'Gorges du Tarn' folgen. Nach Boyne fahren, dort liegt der CP knapp außerhalb von Boyne am Tarn.

Canet-de-Salars, F-12290 / Midi-Pyrénées iD

Le Caussanel*****	1 ADEJMNOPRST	ABFHLNQSWXYZ 6
Lac de Pareloup	2 DKPRTUVWXY	ABDEFG 7
12 Mai - 6 Sep	3 BELMQU	BDEFKNQRSTUV 8
+33 (0)5-65468519	4 ABDEIKLNOP	EJQTU 9
info@lecaussanel.com	5 ACDEFGIKL	BHJPST10
	B 6A CEE	1 €35,95
N 44°12'56'' E 2°45'51''	H800 10 ha 108T(120m²) 100D	2 €48,95

A75, Ausfahrt 44.1. Die D911 Richtung Pont-de-Salars, weiter die D993 Richtung Salles-Curan. Dann die D538 Richtung Canet-de-Salars.

Canet-de-Salars, F-12290 / Midi-Pyrénées (CC€14) iD

Soleil Levant***	1 ADJMNOPRST	LNQSWXY 6
Lac de Pareloup / D993	2 DHPTUVWXY	ABDEFGH 7
1 Mai - 30 Sep	3 BELQS	ABCDEFIKNORSV 8
+33 (0)5-65460365	4 AFHINOP	DENQT 9
contact@	5 AUEFGIKLM	ABDH IMOST10
camping-soleil-levant.com	B 6A CEE	1 €28,35
N 44°12'55'' E 2°46'41''	H810 7 ha 170T(100-110m²) 35D	2 €40,35

A75, Ausfahrt 44.1 Richtung Pont-de-Salars. Der D911 folgen (27 km), kurz vor Pont-de-Salars links zur D993 Richtung Salles-Curan. Nach ca. 8 km liegt der CP links, kurz vor der Brücke.

Conques, F-12320 / Midi-Pyrénées iD

Beau Rivage***	1 ADJMNOPRST	AFJN 6
1 Apr - 30 Sep	2 CGJOPRVXY	ABDEFGH 7
+33 (0)5-65698223	3 BL	ABCDFNOPQRSUV 8
camping.conques@	4 FO	E 9
wanadoo.fr	5 ACDEFGKLM	BGHIJPR10
	B 10A	1 €26,40
N 44°35'59'' E 2°23'29''	H200 1 ha 48T(60-120m²) 12D	2 €34,90

Von Rodez der D901 folgen. Von Aurillac der D920, D601 und der D901 Richtung Süden folgen. In Conques dem Tal von Dourdou folgen. Der CP ist ausgeschildert.

Conques/Sénergues, F-12320 / Midi-Pyr. (CC€14) iD

Etang du Camp***	1 AJMNOPRST	N 6
1 Apr - 30 Sep	2 DFGPSVWXY	ABDEFH 7
+33 (0)5-65640195	3 AELQ	ABCDEFGJKNOPQRST 8
info@etangducamp.fr	4 FHI	AEUV 9
	5 ABLM	AHIJOR10
	B 6A	1 €19,50
N 44°33'34'' E 2°27'43''	H610 5 ha 60T(100-200m²) 5D	2 €25,50

Von Rodez Richtung Conques (D901). In St. Cyprien Richtung Sénergues auf der D502 die zur D46 wird. An der zweiten Straße links ist der CP angezeigt.

Entraygues-sur-Truyère, F-12140 / Midi-Pyr. (CC€12) iD

Camping le Val de Saures***	1 ADJMNOPRST	ABFGJNUX 6
1 Mai - 30 Sep	2 CFGKPVWXY	ABDEFGH 7
+33 (0)5-65445692	3 BELMQ	ABCDEFNPQRSV 8
info@	4 BDFHILNOP	AJLQR 9
camping-valdesaures.com	5 L	BGIKPRV10
	B 16A	1 €23,90
N 44°38'34'' E 2°33'54''	4 ha 115T(70-120m²) 16D	2 €30,90

Von Aurillac die D920 bis Entraygues, wo der CP angezeigt ist, oder von der Ausfahrt 42 der A75 über Laissac und Espaillon nach Entraygues.

Espalion, F-12500 / Midi-Pyrénées iD

Roc de l'Arche***	1 ADJMNOPRT	ABFN 6
Le Foirail	2 CGOPQRVWXY	ABDEF 7
11 Mai - 5 Apr	3 ALMNQ	ABCDEFNPRSTU 8
+33 (0)5-65440679	4 BDFN	EU 9
info@rocdelarche.com	5	BGHIOST10
	B 10A CEE	1 €25,60
N 44°31'20'' E 2°46'10''	H350 2,7 ha 75T(80-110m²) 20D	2 €41,50

In Espalion CP-Schildern folgen.

Flagnac, F-12300 / Midi-Pyrénées

🔺 Le Port de Lacombe****
🕐 1 Apr - 30 Sep
☎ +33 (0)5-65441008
@ accueil@campingleportdelacombe.fr

1 ADE**JM**NOPRST	ABFGHI**N**U	6
2 CDGIPVWXY	ABDE**FGH**	7
3 AELMQ	ABCDFNPQRTU	8
4 ABDEFIO**PQ**	EJQTU	9
5 ABDFGIK**M**	ABDHIJ**PRV**	10
B 6A CEE		① €30,90
		② €40,90

📷 N 44°36'34'' E 2°14'9''
H280 2,5 ha 51**T**(80-120m²) 46**D**

🚗 Von der D963 zwischen Aurillac und Decazeville in der Nähe von Flagnac den Schildern folgen zum CP.

Golinhac, F-12140 / Midi-Pyrénées

🔺 Camping Bellevue***
🕐 un point C tout
🕐 1 Apr - 30 Sep
☎ +33 (0)5-65445073
@ pole-bellevue12@orange.fr

1 ADJMNOPRT	ABF	6
2 FOPTUVWXY	ABDE**FGH**	7
3 AL	ABCDEFNOPQSV	8
4 LO	JL	9
5 DEFG	ABHJOST	10
10A		① €21,70
		② €29,70

📷 N 44°36'12'' E 2°35'0''
H669 1,1 ha 31**T**(60-80m²) 15**D**

🚗 Von Entraygues die D920 Richtung Estaing. Über die Brücke des Lot Richtung Golinhac. Der Beschilderung folgen.

La Cresse, F-12640 / Midi-Pyrénées 📶 CC€12 iD

🔺 Le Papillon***
📧 Les Canals
🕐 25 Apr - 3 Okt
☎ +33 (0)5-65590842
@ info@campinglepapillon.com

1 A**J**MNOPRST	JNU**X**	6
2 ACFGHIJPRUVWXY	ABE**F**	7
3 ALQ	BDFIKNRSV	8
4 BFGHIO	ADEL	9
5 ADEFGIKL	ABDHIJOR	10
B 10A CEE		① €22,45
		② €30,65

📷 N 44°11'12'' E 3°8'11''
H350 1,5 ha 41**T**(80-123m²) 4**D**

🚗 A75 Ausfahrt 44.1 Richtung Aguessac/Rivière-sur-Tarn (Navi aus!). Am Kleinkreisel links Richtung Gorges-du-Tarn. Bei La Cresse rechts über die Brücke. Innerorts an der Kirche links D187 Richtung Peyreleau. Nach 1500m erster Camping rechts.

Millau, F-12100 / Midi-Pyrénées 📶 CC€14 iD

🔺 Campéole Millau Plage***
📧 avenue De Millau-Plage
🕐 1 Mai - 20 Sep
☎ +33 (0)5-65614369
@ millauplage@campeole.com

1 ADE**IL**NOP**RT**	ABFGJ**N**UX	6
2 ACGOPQVWXY	ABDE**FGH**	7
3 B**EIL**QT	ABCDEFJKNQRSV	8
4 **ABD**FGILNO**PQ**	EL	9
5 ABDEGJ**LM**	ABDGHIJOP**STZ**	10
B 5A CEE		① €29,40
		② €42,40

📷 N 44°6'56'' E 3°5'10''
H368 5 ha 211**T**(80-170m²) 40**D**

🚗 Von der A75 Ausfahrt 44.1 Aguessac. Richtung Paulhe-Millau. Erster Camping auf der rechten Seite.

Millau, F-12100 / Midi-Pyrénées 📶 CC€12 iD

🔺 Camping des Deux Rivières***
📧 61 avenue de l'Aigoual
🕐 1 Apr - 15 Okt
☎ +33 (0)5-65600027
@ camp2rivieres@yahoo.fr

1 A**J**MNOPRST	JNUV**X**	6
2 ACFGIOPVXY	ABDE**FG**	7
3 BLQ	ABCDFGIJNOQRV	8
4 DFHIO	EQRUV	9
5 ABDEG**M**	ABDGHIJPR	10
B 10A CEE		① €21,00
		② €29,60

📷 N 44°6'10'' E 3°5'14''
62**T**(80-100m²) 2**D**

🚗 Nord-Süd A75, Ausfahrt 45 Millau; Süd-Nord A75, Ausfahrt 47 (mautfrei) La Cavalerie-Millau. Mit Maut Viaduc de Millau, Ausfahrt 45. In Millau den Schildern 'Campings' bis zur Cureplat Brücke folgen, über die Brücke direkt zum 1. CP li.

Millau, F-12100 / Midi-Pyrénées 📶 CC€14 iD

🔺 Camping Indigo Millau***
📧 455 avenue de l'Aigoual
🕐 22 Mai - 28 Sep
☎ +33 (0)5-65611883
@ millau@camping-indigo.com

1 ADE**JM**NOPQRS**T**	AB**J**NUVX**Y**	6
2 ACFGIJPVWXY	BDE**FG**	7
3 BLQ	BDFJKNOQRTUV	8
4 BDFGHIO	AEQRUV	9
5 ABDEFGIL	ABDGHIJOT	10
B 10A CEE		① €27,50
		② €37,30

📷 N 44°6'9'' E 3°5'27''
H365 3,5 ha 136**T**(100-190m²) 32**D**

🚗 Aus Richtung Clermont-Ferrand die A75, Ausfahrt 45 (Navi aus). Von Montpellier die A75, Ausfahrt 47. Danach den CP-Schildern bis zur Brücke 'Pont de Cureplat' folgen, am Kreisel die D991 und 1. CP rechts.

Millau, F-12100 / Midi-Pyrénées 📶 CC€14 iD

🔺 Du Viaduc****
📧 121 avenue de Millau-Plage
🕐 3 Apr - 28 Sep
☎ +33 (0)5-65601575
@ info@camping-du-viaduc.com

1 ADE**IL**NOPQRST	ABFGHIJ**N**UVX	6
2 ABCFGHKOPQVWXY	ABDE**FG**H	7
3 B**EL**QT	ABCDEFGJKNQRSTUV	8
4 BDFGHILNO**PQ**	AEQRUV	9
5 ACDEFGIK**M**	ABDGHIJ**NPR**	10
B 6A CEE		① €35,00
		② €51,00

📷 N 44°6'18'' E 3°5'18''
H358 5 ha 185**T**(80-130m²) 100**D**

🚗 Clermont-Ferrand A75, Ausf. 45 (Navi aus!), oder Montpellier die A75, Ausf. 47. Dann den Schildern 'Campings' folgen bis zur Brücke 'Pont de Cureplat', am Kreisel Richtung Paulhe D187, erster CP li.

Millau, F-12100 / Midi-Pyrénées 📶 CC€10 iD

🔺 Larribal***
📧 avenue de Millau-Plage
🕐 1 Apr - 31 Okt
☎ +33 (0)5-65590804
@ camping.larribal@wanadoo.fr

1 ADE**JM**NOPQRST	AF**J**NUX	6
2 ABCFGIJOPQVXY	ABDE**F**H	7
3 A**GH**Q	ABCDFGKNQRSV	8
4 FHIO**PQ**	AEL	9
5 ABGK**LM**	BDGHIJPR	10
B 6A CEE		① €18,15
		② €24,05

📷 N 44°6'37'' E 3°5'13''
H349 1,72 72**T**(80-110m²) 12**D**

🚗 Von Clermont-Ferrand (A75) Ausf. 45 (Navi abschalten!), oder von Montpellier (A75) Ausf. 47. Danach den Schildern 'Campings' folgen bis zur Brücke 'Pont de Cureplat'. Über die Brücke und am Kreisel Ri. Paulhe D187, 3. CP links.

Millau, F-12100 / Midi-Pyrénées 📶 CC€12 iD

🔺 Les Erables***
📧 avenue de Millau-Plage
🕐 1 Apr - 30 Sep
☎ +33 (0)5-65591513
@ camping-les-erables@orange.fr

1 ADE**JM**NOPQRST	J**N**PUVX	6
2 ABCFGIOPVWXY	BE**FG**H	7
3 ABE**H**LQ	BDEFJNRTUV	8
4 FGHIO**Q**	ELQRUV	9
5 ABDEGK**LM**	BDHIJPR	10
Anzeige auf dieser Seite B 10A CEE		① €20,00
		② €29,00

📷 N 44°6'20'' E 3°5'16''
H349 1,5 ha 72**T**(100m²) 6**D**

🚗 In Cureplat über die Brücke, 3. Ausfahrt im Kreisel Richtung Paulhe. In Millau den CP-Schildern folgen, zweiter CP links. Oder A75, Ausfahrt 45 Millau Zentrum. Siehe CP-Schilder (Navi abschalten).

Millau, F-12100 / Midi-Pyrénées 📶 CC€14 iD

🔺 Les Rivages****
📧 860 avenue de l'Aigoual
🕐 15 Apr - 30 Sep
☎ +33 (0)5-65610107
@ info@campinglesrivages.com

1 ADE**JM**NOPQRST	ABFGJ**N**UVX**Y**	6
2 ACFGIJPVWXY	ABDE**F**H	7
3 BCEF**GH**IL**M**OQS	ABCDFGIJKNRSTUV	8
4 **ABD**EFGHILNO**PQ**U	AEHQRUV	9
5 ACDEFGJKL	ABDFGHIJLNO**PR**V	10
Anzeige auf dieser Seite B 6-10A CEE		① €37,00
		② €47,00

📷 N 44°6'3'' E 3°5'45''
H363 7,5 ha 277**T**(100m²) 45**D**

🚗 A75 von Norden Ausfahrt 44.1 Richtung Millau. Von Süden Ausfahrt 47. Beschilderung 'Campings' folgen. Nach ca. 800m ist der CP ausgeschildert. (Navi abschalten).

Millau, F-12100 / Midi-Pyrénées ⏶ CC€12 iD

- ⛺ St. Lambert★★★
- 🏠 2050 avenue de l'Aigoual
- 📅 1 Mai - 30 Sep
- ☎ +33 (0)5-65600048
- @ camping.saintlambert@orange.fr
- 📍 N 44°5'59'' E 3°6'42''

1 ADEJMNOPRST	AJNUX 6
2 ABCFGHIJKPQVWXY	ABDEFGH 7
3 BEILQ	ABCDFGNRSV 8
4 DFHIOPQ	ADELUV 9
5 ACDEFGIKLM	ABDFGHIJOPSTVW10

Anzeige auf Seite 274   B 6A   ❶ €20,50
H365 3,5 ha 104T(80-160m²) 30D   ❷ €27,50

🚗 Von Millau die D991 Richtung La Roque-Sainte-Marguerite nehmen. Nach der Brücke von Cureplat finden Sie den CP. Den CP-Schildern folgen.

Mostuéjouls, F-12720 / Midi-Pyrénées ⏶ iD

- ⛺ Camping Les Bords du Tarn★★★
- 🏠 D907
- 📅 13 Jun - 8 Sep
- ☎ +33 (0)5-65626294
- @ lesbordsdutarn@orange.fr
- 📍 N 44°11'52'' E 3°11'39''

1 ADEJMNOPQRST	ABFGJNUXY 6
2 ABCFGJKOPQVXY	ABDEFGH 7
3 BELMQR	ABCDFNQRSV 8
4 BDFHINO	ADELQR 9
5 ACDEFGIKM	BGHIJPSTVW10

B 10A CEE   ❶ €28,80
H403 3 ha 90T(80-140m²) 20D   ❷ €39,80

🚗 A75 Ausfahrt 44.1 (Navi abschalten) Richtung Aguessac, dann Richtung Gorges du Tarn (D907). 1 km vor Le Rozier den Schildern 'Les Bords du Tarn' folgen.

Mostuéjouls, F-12720 / Midi-Pyrénées ⏶ iD

- ⛺ De l'Aubigue★★★
- 🏠 D907
- 📅 20 Apr - 30 Sep
- ☎ +33 (0)5-65626367
- @ info@campingdelaubigue.com
- 📍 N 44°11'49'' E 3°11'21''

1 AJMNOPQRST	AJNUVXY 6
2 ABCFGHIJKOPQRVWXY	ABDEFHK 7
3 BELMQ	ABCDFKNOQRSTUV 8
4 FGHIJOP	ELQRUV 9
5 ABFGKLM	ABDEFGHIJPRV10

Anzeige auf dieser Seite   B 10A CEE   ❶ €20,00
H380 1,5 ha 47T(100m²) 3D   ❷ €25,00

🚗 A75/N9. Ausfahrt 44.1 in Richtung Nant. Richtung Mostuéjouls, an der Kreuzung von Mostuéjouls, 1. CP rechts. 2 km vor Le Rozier an der D907, am Ufer des Tarn. Navi abschalten.

CAMPING DE L'AUBIGUE

- 300m Strand am Ufer des Tarn • Mostuéjouls: Site Classée • den ganzen Sommer über warm und sonnig
- Camping für Ruhesuchende • Forellenangeln
- schönes Schwimmbad! • Kano und Kajak • Reise- mobilanlagen • auf dem gesamten Camping gratis WiFi

D907, 12720 Mostuéjouls
Tel. 05-65626367/00-75376339
E-Mail: info@campingdelaubigue.com
Internet: www.campingdelaubigue.fr

Mostuéjouls, F-12720 / Midi-Pyrénées ⏶ iD

- ⛺ La Resclauze★★★
- 📅 1 Jul - 3 Sep
- ☎ +33 (0)5-65626556
- @ contact@camping-resclauze.com
- 📍 N 44°11'40'' E 3°11'4''

1 ADEJMNOPRT	ABFGJNUX 6
2 ABCFGJKOPQVWXY	BDEFH 7
3 BELQ	BDFNRSV 8
4 AFGHIPU	ELQ 9
5 ABDEFKM	BHIJOST10

B 6A CFE   ❶ €23,40
H480 1,5 ha 43T(88-130m²) 7D   ❷ €32,10

🚗 A75, Abfahrt 44.1 Aguessac (D907). Vor Le Rozier rechts. Schildern 'Resclauze' folgen.

Mostuéjouls, F-12720 / Midi-Pyrénées ⏶ iD

- ⛺ Le Saint-Pal et son Parc Longue-Lègue★★★
- 🏠 Saint-Pal
- 📅 12 Jun - 31 Aug
- ☎ +33 (0)5-65626446
- @ saintpal@orange.fr
- 📍 N 44°11'45'' E 3°11'59''

1 ADEILNOPRST	ABFGJNUXY 6
2 ABCFGIJOPVWXY	ABDEFGH 7
3 BEFLMQ	BDEFIJKNOQRSTUV 8
4 ABDEFGHILOQR	BDEQR 9
5 ABDEFGKLM	ABGHIJPTUVW10

Anzeige auf dieser Seite   ❶ €29,00
H392 2,5 ha 82T(80-100m²) 26D   ❷ €40,00

🚗 A75 Ausfahrt 44.1 Richtung Aguessac und Gorges du Tarn (D907) weiter folgen. Nacheinander Rivière-sur-Tarn/Boyne und 300m vor Le Rozier den Schildern folgen. CP liegt an der rechten Seite.

Najac, F-12270 / Midi-Pyrénées ⏶ iD

- ⛺ Le Païsserou★★★
- 🏠 Village de Chalets du Pomtet
- 📅 1 Mai - 30 Sep
- ☎ +33 (0)5-65297396
- @ info@camping-le-paisserou.com
- 📍 N 44°13'12'' E 1°58'9''

1 ADILNOPRT	ABFGJNUV 6
2 CGIJOPVXY	ABDEFH 7
3 BELMQ	ABCDEFNORSV 8
4 ABDEFHILNO	FJQRTUV 9
5 ABDEGIL	BGHIJLORV10

B 10A CEE   ❶ €23,60
H200 8 ha 58T(80-120m²) 40D   ❷ €29,60

🚗 A20 Richtung Toulouse Ausfahrt Laussade. D926 Richtung Villefranche-de-Rouergue bis Parisot; dann D84 bis kurz vor Najac. CP liegt hinter der Brücke direkt rechts der Strecke.

Nant, F-12230 / Midi-Pyrénées ⏶ iD

- ⛺ Le Roc qui Parle★★★
- 🏠 Les Cuns
- 📅 1 Apr - 30 Sep
- ☎ +33 (0)5-65622205
- @ contact@camping-roc-qui-parle-aveyron.fr
- 📍 N 44°2'15'' E 3°17'28''

1 ADEJMNOPQRST	JN 6
2 CFGIJKOPRUVXY	ABDEFH 7
3 BEILQV	ABCDFNQRTUV 8
4 FHI	EL 9
5 ABKLM	BGHIJORV10

B 10A CEE   ❶ €19,20
H500 4,5 ha 80T(130-140m²) 15D   ❷ €24,10

🚗 A75, Ausfahrt 47 nach La Cavalerie. Dort D999 Richtung Nant. Vor Nant 2 km, links Schildern Le Roc Qui Parle folgen.

Nant, F-12230 / Midi-Pyrénées ⏶ CC€12 iD

- ⛺ Sites & Paysages Les 2 Vallées★★★
- 🏠 route de l'Estrade Basse
- 📅 23 Apr - 12 Okt
- ☎ +33 (0)5-65622689
- @ contact@lesdeuxvallees.com
- 📍 N 44°1'2'' E 3°18'5''

1 ADEJMNOPRST	ABN 6
2 ABCFGOPVWXY	ABDEFGH 7
3 BEGHLMNQ	ABCDFJNOQRSTUV 8
4 ABDEFHIOP	BEJUVY 9
5 ADDEGIKM	DGHIJLNPRV10

Anzeige auf dieser Seite   B 6A CEE   ❶ €21,50
H520 2 ha 66T(80-140m²) 26D   ❷ €27,50

🚗 A75 Ausfahrt 47 La Cavalerie. D999 Richtung Nant. Danach den CP-Schildern folgen.

Nant-d'Aveyron, F-12230 / Midi-Pyrénées ⏶ CC€14 iD

- ⛺ RCN Val de Cantobre★★★★
- 📅 3 Apr - 28 Sep
- ☎ +33 (0)5-65584300
- @ cantobre@rcn.fr
- 📍 N 44°2'44'' E 3°18'3''

1 ADEJLNOPQRST	ABFGHIN 6
2 ABCFGIJPRSTUVWX	ABDEFGH 7
3 BEILMQ	ABCDEFKNOQRSV 8
4 ABCDEFHILNOPQU	AEJLU 9
5 ACDEFGJKL	ABDGHIJNPR10

B 6A CEE   ❶ €48,00
H450 6,5 ha 115T(60-150m²) 200D   ❷ €59,70

🚗 Nach Clermont-Ferrand die A75, über die Mautbrücke Millau Ausfahrt 47 Richtung Nant/La Cavalerie. Durch La Cavalerie Richtung Nant. In Nant ist der CP angezeigt. Nach 4 km auf der D991 CP rechts.

Naucelle, F-12800 / Midi-Pyrénées ⏶ CC€14 iD

- ⛺ Camping du Lac de Bonnefon★★★
- 🏠 Bonnefon
- 📅 1 Apr - 15 Okt
- ☎ +33 (0)5-65693320
- @ camping-du-lac-de-bonnefon@wanadoo.fr
- 📍 N 44°11'17'' E 2°20'54''

1 ADEILNOPRT	ABFN 6
2 DPTUVWX	ABDEFGH 7
3 BCFILQST	ACDFKNOQRTUV 8
4 ABCDHILNOPU	AEFJLU 9
5 ADEFGLM	BFGHJOPST10

10A CEE   ❶ €27,10
H500 4,5 ha 67T(80-165m²) 45D   ❷ €36,10

🚗 N88 Rodez-Albi, in Naucelle-Gare richtung Naucelle, dann Schildern folgen.

Pont-de-Salars, F-12290 / Midi-Pyrénées 🛜 CC€16 iD

🏕 Les Terrasses du Lac****	1 ADE**JM**NOPRST	ABFHLN**Q**SWXYZ	6
route du Vibal/La Souquette	2 DFKPRTUVWXY	ABDE**FG**	7
1 Apr - 30 Sep	3 ALQ	ABCDEFNQRSTUV	8
+33 (0)5-65468818	4 **A**BCDEILNO**PQ**U	EFJLPQ	9
campinglesterrasses@ orange.fr	5 ABDEFGIK**L**	BDFHJOSTV	10
	B 10A CEE		❶ €30,35
N 44°18'17'' E 2°44'7''	H740 6 ha 180T(80-100m²) 108D		❷ €40,35

A75, Ausfahrt 44.1 Pont-de-Salars. Über die D911 in Richtung Redez. Hinter Pont-de-Salars rechts auf die D523. CP ist dann gut ausgeschildert.

Rivière-sur-Tarn, F-12640 / Midi-Pyrénées 🛜 CC€16 iD

🏕 De Peyrelade****	1 ADE**JM**NOPRST	ABFGIJN**U**XY	6
rte des Gorges du Tarn	2 ABCFGHJPUVXY	ABDE**FG**H	7
13 Mai - 15 Sep	3 BDILM**Q**R	ABCDEFGIKNQRSV	8
+33 (0)5-65626254	4 **A**BDFGHILNO**PQ**UWY	AEQR	9
contact@ campingpeyrelade.com	5 ACDEFG**JK**L**M**	BDGHIJMO**P**R	10
	B 10A CEE		❶ €38,00
N 44°11'27'' E 3°9'25''	H382 4 ha 145T(90-130m²) 53D		❷ €51,00

A75, Ausfahrt 44.1. In Aguessac links (D907). Der 1. CP nach dem Dorf Rivière-sur-Tarn. Der CP liegt genau am Eingang vom Gorges du Tarn.

Rivière-sur-Tarn, F-12640 / Midi-Pyrénées 🛜 ❀ iD

🏕 Les Peupliers****	1 ADE**JM**NOPQRST	ABFHJN**U**XY	6
11 rue de la Combe	2 ACFGHJKOPQVWXY	ABDE**FG**H	7
1 Apr - 30 Sep	3 BELQST	ABCDEFGIKNQRSTUV	8
+33 (0)5-65598517	4 ABDEFGHILNO	EIL**Q**RU	9
lespeupliers12640@orange.fr	5 ACDEFG**JK**L**M**	BFGHIJNPR	10
	B 10A CEE		❶ €34,00
N 44°11'9'' E 3°7'51''	H356 2 ha 104T(100-140m²) 18D		❷ €44,00

A75, Ausfahrt 44.1, N9. In Aguessac an der Ampel links, D907 Gorges du Tarn (gut ausgeschildert), kurz vor Rivière-sur-Tarn sieht man eine grüne Gemüse/Obsthalle, am Weg gegenüber liegt der CP.

Salles-Curan, F-12410 / Midi-Pyrénées 🛜 iD

🏕 Les Genêts****	1 ADE**JM**NOPRT	ABFGLN**Q**SWXYZ	6
Lac de Pareloup	2 DHIPQVWXY	ABDE**FG**H	7
23 Mai - 12 Sep	3 BEILQT	ABCDEFIKNQRSTUV	8
+33 (0)5-65463534	4 BDILNO**PU**	AEJMNPQRTUV	9
contact@ camping-les-genets.fr	5 ACDEFG**KL**	ABHJNOTU	10
	B 10A CEE		❶ €36,45
N 44°11'21'' E 2°46'0''	H806 3 ha 163T(80-100m²) 136D		❷ €51,95

Östlich von Pont-de-Salars die D993 Richtung Salles-Curan. Von Salles-Curan auf die D577. CP ist gut ausgeschildert.

Salles-Curan, F-12410 / Midi-Pyrénées 🛜 CC€14 iD

🏕 Sites & Paysages Beau Rivage****	1 AD**JM**NORT	ABFGLN**P**QRSWXYZ	6
	2 DFHIKPTUVWXY	ABDE**FG**H	7
route de Vernhes	3 AFLQS	ABCDEFNOQRSV	8
1 Mai - 20 Sep	4 **A**BEILNO**PQ**	AEJMOQRTV	9
+33 (0)5-65463332	5 ACDEFG**IK**L	BGHJNO**PST**U	10
camping@beau-rivage.fr	6A CEE		❶ €36,40
N 44°12'9'' E 2°46'38''	H800 2 ha 56T(80-120m²) 48D		❷ €48,40

A75 Ausfahrt 44.1. Richtung Salles-Curan/Lac de Pareloup.

Sévérac-l'Église, F-12310 / Midi-Pyrén. 🛜 ❀ CC€16 iD

🏕 La Grange de Monteillac****	1 ADEF**JM**NOPRT	ABFG**N**	6
chemin de Monteillac	2 OPTVWXY	ABDE**FG**H	7
18 Mai - 19 Sep	3 BEL**MQ**	ABCDEFKNQRSTV	8
+33 (0)-65702100	4 ABCDEFHILNO**PQ**U	AEJLUV	9
info@ la-grange-de-monteillac.com	5 ACEFGIJK**L**	BHJN**PR**	10
	B 6-10-20A CEE		❶ €34,20
N 44°21'55'' E 2°51'5''	H650 4,5 ha 54T(90-276m²) 50D		❷ €45,80

Der CP liegt zwischen Rodez und Sévérac-le-Château an der N88. Ausfahrt Sévérac-l'Église, weiter gut ausgeschildert.

Sévérac-le-Château, F-12150 / Midi-Pyrén. 🛜 CC€16 iD

🏕 Les Calquières***	1 ADE**JM**NOPQRST	ABCDN	6
17 av. Jean Moulin	2 AFGOPUVWXY	ABDE**FG**H	7
27 Mär - 14 Okt	3 BELM**N**QRS	ABCDEFGHIKNQRSTUV	8
+33 (0)5-65476482	4 BDEFGHILNO	BDFGHIJOR	10
contact@ camping-calquieres.com	5 ABDEFGIL**M**		
	Anzeige auf dieser Seite B 6A CEE		❶ €25,90
N 44°19'11'' E 3°3'51''	H688 2,4 ha 88T(100-120m²) 12D		❷ €34,40

A75 Ausfahrt 42 Nord oder 43 Süd Sévérac-le-Château. (Nicht dem Navi folgen). Schildern folgen. CP liegt neben dem Schwimmbad.

St. Geniez-d'Olt, F-12130 / Midi-Pyrénées 🛜 iD

🏕 Camping Village Center La Boissière****	1 ADE**JL**NOPR**T**	ABN**U**XY	6
	2 CPRTVWXY	ABDE**FG**	7
route de la Cascade	3 ADE**HLMQ**RTU	ABCDEFHJNOPQRSV	8
5 Apr - 28 Sep	4 **A**BCD**E**FHILNO**PQ**U	AEFJLQRUW	9
+33 (0)5-65704043	5 ABDGKLM	ABGHJOSTZ	10
dirboissiere@village-center.fr	B 8A CEE		❶ €28,40
N 44°28'8'' E 2°58'57''	H475 5 ha 156T(80-100m²) 75D		❷ €42,20

A75, Ausfahrt 41. In St. Geniez den Schildern folgen.

St. Geniez-d'Olt, F-12130 / Midi-Pyrénées 🛜 ❀ iD

🏕 Marmotel****	1 AD**I**LNORT	AFHJN**U**	6
La Salle	2 CPVXY	ABE**FG**H	7
20 Apr - 22 Sep	3 AELM**Q**T	ABCDEFL**M**NQRSTUV	8
+33 (0)5-65704651	4 EILMO	EFJ	9
info@marmotel.com	5 ADEFGI**L**	BHJLOST	10
	10A		❶ €32,90
N 44°27'43'' E 2°57'47''	H439 5 ha 190T(80-120m²) 134D		❷ €45,30

A75, Ausfahrt 41. In St. Geniez den Schildern folgen.

St. Jean-du-Bruel, F-12230 / Midi-Pyrénées 🛜 CC€14 iD

🏕 La Dourbie****	1 ADE**JM**NOPQRST	ABFG**J**NX	6
route de Nant	2 CFG**J**KPVWX	ABDE**FG**H	7
17 Apr - 30 Sep	3 B**Q**S	ABCDEFJKNPQRSTUV	8
+33 (0)5-65460640	4 AFHINO**U**Y	EFL	9
campingladourbie@orange.fr	5 ABDEFG**J**L	BDFGHIJ**P**TUVW	10
	B 10A CEE		❶ €25,00
N 44°1'11'' E 3°20'46''	H530 2,3 ha 68T(100-163m²) 20D		❷ €35,00

A75 Ausfahrt 47 La Cavalerie. CP zwischen Nant und St. Jean-du-Bruel. 1 km vor St. Jean-du-Bruel an der Strecke Nant gut angezeigt.

St. Parthem, F-12300 / Midi-Pyrénées 🛜 iD

🏕 La Plaine**	1 ADE**JM**NOPRT	AB**J**N**U**	6
Le Bourg	2 CFG**J**PVWXY	ABDE**F**HK	7
1 Apr - 31 Okt	3 AELM**Q**	ABCDFNPRV	8
+33 (0)5-65640524	4 BHI	AE	9
info@camping-laplaine.com	5 ADFGI	ABHIJLOR	10
	B 6A CEE		❶ €22,50
N 44°37'46'' E 2°19'14''	H270 2,5 ha 61T(50-120m²) 8D		❷ €32,00

Von der A20 Ausfahrt 56 Richtung Figeac/Decazeville. In Decazeville auf der D963 Richtung Aurillac/Maurs bleiben. Nach der Brücke über den Lot rechts die D42 nach St. Parthem. Gleich ortsaußerhalb liegt der CP.

St. Rome-de-Tarn, F-12490 / Midi-Pyrénées 🛜 CC€16 iD

🏕 de la Cascade****	1 AD**I**LNOPRT	AFJN**U**WXYZ	6
	2 CFIPRTUVWXY	ABDE**FG**H	7
1 Jan - 31 Dez	3 BELM**Q**T	ABCDFJKNQRSV	8
+33 (0)5-65625659	4 EFHIJNO**PQ**	AEFJKLPQRTUV	9
contact@ camping-cascade-aveyron.com	5 ABDEFG**IK**L	BFGHJ**P**ST	10
	6A CEE		❶ €33,40
N 44°3'11'' E 2°53'59''	H360 4 ha 99T(80-120m²) 97D		❷ €40,40

In Millau die D992 Richtung Albi fahren. In St. Georges-de-Luzençon die D73 Richtung St. Rome-de-Tarn fahren. Im Dorf gut ausgeschildert.

Thérondels, F-12600 / Midi-Pyrénées 🛜 iD

🏕 La Source****	1 ADE**I**LNORT	ABFGHLN**Q**UXY**G**H	6
Presqu'ile-de-Laussac	2 DFG**K**PTUVXY	ABDE**FG**H	7
5 Jun - 6 Sep	3 BE**I**KLM**Q**	ABCDEFKNPQRSTU	8
+33 (0)5-65660562	4 **A**BDFILNO**P**	EJQT	9
info@camping-la-source.com	5 ACEFG**JK**L**M**	BHIJO**R**	10
	10A		❶ €30,80
N 44°51'13'' E 2°46'16''	H600 4 ha 62T(70-120m²) 39D		❷ €41,80

A75 Ausfahrt 28 Richtung St. Flour. Dort die D921 Richtung Rodez und an Les Tanes vorbei die D920 Richtung Pierrefort. Am Ort vorbei die D34 Richtung Paulhenc; weiter nach La Devèze wo der CP ist angezeigt.

Villefranche-de-Panat, F-12430 / Midi-Pyrénées 🛜 iD

⛰ St. Etienne***	1 AD**IL**NOPRT	LNQRSUWX 6
🏠 route de Rodez	2 DJPRTUVWX	ABDE**FGH** 7
📅 12 Apr - 15 Okt	3 AFLQS	ABCDEFNOQS 8
☎ +33 (0)5-65464518	4 **A**EFHINO	AEFJLQTV 9
@ franck.dupont06@orange.fr	5 ABDEFGIK**L**	BHJOST10
	6A CEE	① €20,70
📍 N 44°5'58'' E 2°41'33''	H700 1,5 ha 100T(90-100m²) 66D	② €25,10

🚗 In Salles-Curan D577 Richtung Alrance. Links ab auf die D659. Im Zentrum links Richtung Villefranche. Am Ende der Straße links (ca. 2 km).

Villefranche-de-Rouergue, F-12200 / Midi-Pyr. 🛜 CC€12 iD

⛰ Le Rouergue***	1 ADEF**JM**NOPRS**T**	A 6
🏠 35 avenue de Fondies	2 CPSVWXY	ABDE**FH**J 7
📅 11 Apr - 30 Sep	3 A**K**LQRS	ABCDEFNOPQRSTUV 8
☎ +33 (0)5-65451624	4 CD**E**FIOU	ADELV 9
@ campingrouergue@	5 ABDG**LM**	BDFGHIJMORZ10
wanadoo.fr	B 16A CEE	① €19,20
📍 N 44°20'33'' E 2°1'35''	H250 2 ha 93T(100-175m²) 30D	② €23,90

🚗 Der CP liegt 2 km vom Zentrum Villefranche-de-Rouergue. Den CP-Schildern 'Stade' folgen Richtung Monteils-Najac.

Molières (Tarn-et-Gar.), F-82220 / Midi-Pyr. 🛜 CC€16 iD

⛰ Domaine de Merlanes****	1 ADE**JM**NOPRST	ABFGN 6
🏠 Merlanes	2 DFGHPTVWXY	ABDE**FG** 7
📅 18 Apr - 26 Sep	3 BE**GH**LQ	ABCDFIKNQRSV 8
☎ +33 (0)6-11524247	4 ABIKNO	AEJ 9
@ simone.merlancs@gmail.com	5 ADEGL	ABDHIJORZ10
	8A CEE	① €35,55
📍 N 44°11'6'' E 1°23'17''	H150 6 ha 51T(200-300m²) 14D	② €48,70

🚗 N20 Cahors-Toulouse. Ausf. Montpezat-de-Q (D20). Kurz vor Molières li. Ri. St. Christophe. CP-Schildern folgen. Von Toulouse Ausf. 60 (Montauban-Nord). RN20 bis Réalville und dann Richtung Molières, danach Schildern folgen.

Beaumont-de-Lomagne, F-82500 / Midi-Pyrénées 🛜 iD

⛰ Le Lomagnol***	1 ADE**IL**NOPQRST	AFHN 6
🏠 avenue du Lac	2 DGPVWXY	ABDE**FH** 7
📅 1 Apr - 30 Okt	3 BEF**IL**MQ	ABCDFNORSV 8
☎ +33 (0)5-63261200	4 H**PTUZ**	EJMQRTU 9
@ lelomagnol@	5 ADEG	BGHIJMN**P**TUV10
village-de-loisirs.com	B 10A	① €18,20
📍 N 43°53'3'' E 0°59'42''	H103 3,6 ha 66T(100m²) 28D	② €24,10

🚗 Beaumont-de-Lomagne, dort Schildern 'Plan d'Eau' folgen.

Montech, F-82700 / Midi-Pyrénées 🛜 iD

⛰ Municipal de Montech***	1 ADE**JM**NOPRST	AFN 6
🏠 chemin de la Pierre	2 GPVWXY	ABDE**FG** 7
📅 1 Mär - 31 Okt	3 ABFLQ	CDFKNRSTV 8
☎ +33 (0)5-63311429	4 HIO**Q**	BF 9
@ contact@camping-montech.fr	5 DG**K**LM	HIJLOSTV10
	B 16A CEE	① €23,60
📍 N 43°57'58'' E 1°14'25''	131T(90-120m²) 20D	② €31,60

🚗 A20 Ausfahrt 65 Richtung Montauban Zentrum. Danach D928 Richtung Montech. Camping ist ausgeschildert.

Caylus, F-82160 / Midi-Pyrénées 🛜 CC€16 iD

⛰ De la Bonnette***	1 A**JM**NOPRS**T**	AN 6
🏠 672 route de la Bonnette	2 CFGOPVXY	ABDE**FG** 7
📅 21 Mär - 3 Okt	3 AELQS	ABCDEFNQRSTV 8
☎ +33 (0)5-63657020	4 FH	AE 9
@ info@campingbonnette.com	5 ADEG**J**L	ABGHIJ**PR**V10
	B 10A CEE	① €23,50
📍 N 44°14'2'' E 1°46'31''	H260 1,5 ha 50T(100m²) 7D	② €32,50

🚗 Von Caussade die A20. Ausfahrt 59 Richtung Rodez (D926). Durch Caylus durchfahren bis zur Garage auf der linken Seite. Hier rechts ab und den CP-Schildern folgen.

Montpezat-de-Quercy, F-82270 / Midi-Pyrénées 🛜 iD

⛰ Camping Le Faillal**	1 AD**IL**NOR**T**	AF 6
📅 3 Apr - 10 Okt	2 FGPSUVXY	ABDE**F**H 7
☎ +33 (0)5-63020708	3 AE**IL**MQ	ABCDE**F**NQRTUV 8
@ lefaillal@wanadoo.fr	4 AFIL	FIUV 9
	5 ABGL	FGHIJORV10
	10A CEE	① €20,80
📍 N 44°14'36'' E 1°28'38''	H300 3,5 ha 47T(80-140m²) 24D	② €26,30

🚗 A20, Ausfahrt 58 Cahors Sud. Die N20 Richtung Caussade. Ausfahrt Montpezat-de-Quercy. CP liegt rechts kurz vor Montpezat.

Cayriech, F-82240 / Midi-Pyrénées 🛜 CC€12 iD

⛰ Le Clos de la Lère***	1 AD**IL**NOR**T**	ABN 6
🏠 Lieu dit Clergue	2 CGPVX	ABDE**FGH** 7
📅 1 Mär - 15 Nov	3 BELMQS	ABCDFJKNQRSV 8
☎ +33 (0)5-63312041	4 FHIO	EJL 9
@ le-clos-de-la-lere@wanadoo.fr	5 ACDEGIK**L**	ABFGHIJOPRV10
	B 10A	① €20,50
📍 N 44°13'3'' E 1°36'47''	H150 1,5 ha 55T(80-130m²) 16D	② €28,70

🚗 D820 von Cahors nach Caussade. Nach 30 km Ausfahrt Lapendre (D103), dann nach Cayriech und dort ausgeschildert.

Montricoux, F-82800 / Midi-Pyrénées 🛜 CC€14 iD

⛰ Le Clos Lalande***	1 A**JM**NOPRST	AFN**X** 6
🏠 359 route de Bioule	2 CGOPVWXY	ABDE**FGH** 7
📅 28 Mär - 27 Sep	3 BE**GH**LMQ	ABCDEFINOQRSV 8
☎ +33 (0)5-63241889	4 BDFHIKNO	EJLQ 9
@ contact@	5 ADEFGL	BDGHIJORVW10
camping-lecloslalande.com	6A CEE	① €23,00
📍 N 44°4'39'' E 1°36'40''	H100 3 ha 60T(100-150m²) 11D	② €32,60

🚗 A20 bis Montauban, Ausfahrt 21. Dann die D115 Richtzung St. Antonin. In Montricoux ausgeschildert.

Garganvillar, F-82100 / Midi-Pyrénées iD

⛰ Camping Garganvilland**	1 ADEF**JM**NOPQRT	ABFHN 6
🏠 2315 route d'Angeville	2 AGIPVX	ABDE 7
📅 1 Apr - 31 Okt	3 AEHLQT	ABFNQRV 8
☎ +33 (0)5-63948860	4 BIO	BEL 9
@ camping-garganvilland@	5 ABDEGK	ABHIJLOR10
orange.fr	B 10A CEE	① €24,40
📍 N 43°59'17'' E 1°2'42''	H163 5 ha 93T(80-150m²) 14D	② €32,40

🚗 A62 Bordeaux-Toulouse, Ausfahrt 9 durch Castelsarrasin, dann St. Aignan. Danach Castelferrus, dann Garganvilland folgen.

Parisot, F-82160 / Midi-Pyrénées iD

⛰ Camping du Lac**	1 AD**J**LNORST	AQ 6
🏠 Base de Loisirs	2 BDGIPXY	ABDE**FG**H 7
📅 1 Apr - 31 Okt	3 BELMQ	CDEFNV 8
☎ +33 (0)5-63657065	4 F	ET 9
@ camping.parisot@orange.fr	5 ADEG**J**L	BHJOST10
	6A CEE	① €22,90
📍 N 44°16'12'' E 1°52'20''	H360 15 ha 66T(120-150m²) 5D	② €29,90

🚗 A20, Ausfahrt 59 Caussade. D926 Richtung Villefranche-de-Rouergue, Ausfahrt Parisot. Den Schildern 'Base de Loisir (Lac de Parisot)' folgen.

Moissac, F-82200 / Midi-Pyrénées 🛜 CC€14 iD

⛰ de l'île du Bidounet***	1 AD**JM**NOPRST	AFN**XY**Z 6
🏠 Saint Benoit	2 ACFGPRVXY	ABDEFGH 7
📅 1 Apr - 30 Sep	3 AELQ	ABCDFNORSV 8
☎ +33 (0)5-63325252	4 AEFILNO	EJLQ 9
@ info@camping-moissac.com	5 ABG**L**	BDFGHIJNOSTV10
	6A CEE	① €22,10
📍 N 44°5'47'' E 1°5'21''	H100 2,5 ha 100T(70-90m²) 12D	② €30,35

🚗 RD813 von Castelsarrasin nach Moissac. Unmittelbar vor Moissac CP-Schildern folgen.

Puygaillard-de-Quercy, F-82000 / Midi-Pyrénées iD

⛰ Camping Fargogne**	1 A**JM**NOPRT	AFN 6
🏠 Lieu Fargogne	2 BFGPQRVWXY	AB**FG** 7
📅 26 Apr - 12 Okt	3 A**H**ILQ	ABCDEFNPQRV 8
☎ +33 (0)5-63309561	4 BFIKO	DEJ 9
@ info@fargogne.com	5 ADGL	ABIJNOT10
	6A CEE	① €21,00
📍 N 43°59'32'' E 1°38'54''	H203 13 ha 24T(150-300m²) 6D	② €29,00

🚗 A20 Montauban Ausfahrt 62 Richtung Monclar. Dann die D8 Puycelci en Gaillac, 1,5 km hinter der scharfen Rechtskurve liegt der CP an der linken Seite.

Frankreich

Septfonds, F-82240 / Midi-Pyrénées ⊛ CC€16 iD

- ▲ De Bois-Redon***
- 🏠 10 chemin de Bonnet
- 🔓 1 Jan - 31 Dez
- ☎ +33 (0)5-63649249
- @ info@campingdeboisredon.com
- N 44°10'58'' E 1°36'13''

1	AILNOPR**T**	A 6
2	ABPRXY	ABC**F**H 7
3	BEFLQS	ABFJNRSV 8
4	DEFHIO	BCJUV 9
5	ADE**GL**	ABDHIJOTUV 10
10A CEE		① €23,50
H173 2,5 ha 34**T**(100-150m²) 8**D**		② €33,50

🚗 D926 Caussade Richtung Caylus, Villefranche-de-Rouergue. Bei Septfonds das GPS ausschalten und den CP-Schildern folgen. Hinter dem Kreisel Septfonds 3. Ausfahrt links. Ⓜ

St. Antonin-Noble-Val, F-82140 / Midi-Pyr. ⊛ CC€12 iD

- ▲ Les Gorges de l'Aveyron***
- 🏠 Lieu dit Marsac Bas
- 🔓 1 Mai - 27 Sep
- ☎ +33 (0)5-63306976
- @ info@camping-gorges-aveyron.com
- N 44°9'5'' E 1°46'18''

1	ABDE**JM**NOPRT	ABFG**J**N 6
2	CIPVWXY	ABDE**FG** 7
3	AELQT	ABCDFNRSV 8
4	AFHO**PQ**	EJ 9
5	ACDE**FG**M	BGHJOSTW 10
10A		① €28,50
H180 3,8 ha 80**T**(100-120m²) 31**D**		② €39,00

🚗 Von Caussade die N20 die D5 nach St. Antonin. Über die Brücke links in den Tunnel! Der CP ist nach etwa 1 km links. Ⓜ

St. Antonin-Noble-Val, F-82140 / Midi-Pyr. ⊛ CC€16 iD

- ▲ Sites & Paysages Les 3 Cantons***
- 🔓 15 Apr - 15 Sep
- ☎ +33 (0)5-63319857
- @ info@3cantons.fr
- N 44°11'37'' E 1°41'47''

1	ADE**IL**NORT	ABFG 6
2	ABRXY	ABE**FH** 7
3	BE**GH**LMQRSTUV	ABCDFINPQRSV 8
4	ABCDFHILNO	AEU 9
5	ABDEGIL	ABDFGHIJOTUVWY 10
6-10A		① €28,35
H340 15 ha 80**T**(80-150m²) 21**D**		② €40,55

🚗 In Caussade die D926 nach Caylus, Villefranche-de-Rouergue. Hinter Septfonds nicht die Abfahrt nach St. Antonin, sondern ca. 5 km auf der Durchgangsstraße bleiben. Rechts abbiegen. CP ist angezeigt. Ⓜ

Vazerac, F-82220 / Midi-Pyrénées ⊛ iD

- ▲ Camping Latapie***
- 🏠 Lieu dit Latapie
- 🔓 1 Jul - 6 Sep
- ☎ +33 (0)5-63677092
- @ info@campinglatapie.com
- N 44°11'24'' E 1°17'59''

1	AHKNOT	AFN 6
2	BDFGPRTUVWXY	ABDE**F** 7
3	AB**KL**QS	ABDFINRSV 8
4	FHI	ABHJOR 10
5	ADEGIJL	
B 10A CEE		① €27,70
		② €36,90

🚗 In Castelnau Ri. Molières, dann weiter Ri. Vazerac. In Vazerac auf der Kreuzung li., durch den Ort, der Straße bis auf den Hügel folgen, den Schildern li. ab folgen, CP bei grünem Haus mit Türmchen. Ⓜ

Castres, F-81100 / Midi-Pyrénées ⊛

- ▲ Camping de Gourjade***
- 🏠 rte de Roq. Courbe/Parc de Gourjade
- 🔓 1 Apr - 30 Sep
- ☎ +33 (0)5-63593351
- @ contact@campingdegourjade.net
- N 43°37'14'' E 2°15'14''

1	AD**JM**NOPRS**T**	A 6
2	BCGOPUVWXY	ABDE**FG** 7
3	ADE**HI**KLR	ABCDEFKNORSV 8
4	BDEFHIL	AE 9
5	ABDGIJL	BGHJ**N**ORV 10
B 16A CEE		① €16,50
H172 4 ha 100**T**(80-200m²) 14**D**		② €20,50

🚗 In Castres Richtung Brassac folgen und danach den CP-Schildern und den Tafeln Parc de Loisirs de Gourjade folgen. Ⓜ

Cordes-sur-Ciel, F-81170 / Midi-Pyrénées ⊛ CC€16 iD

- ▲ Camping Camp Redon***
- 🏠 D107
- 🔓 28 Mär - 18 Okt
- ☎ +33 (0)5-63561464
- @ info@campredon.com
- N 44°2'30'' E 2°1'1''

1	ADE**JM**NOPRT	AF 6
2	FGPRVWXY	ABDE**FG** 7
3	AELQ	ABCDEFNPQRSV 8
4	ABDFHILO	ABE 9
5	ABEFGIKL	ABDHIJOQRWZ 10
10A CEE		① €28,95
H344 3 ha 49**T**(100-120m²) 10**D**		② €43,65

🚗 Ausgeschildert an der D107 Cordes-Albi, 5 km Richtung Albi. Ⓜ

Cordes-sur-Ciel, F-81170 / Midi-Pyrénées ⊛ CC€16 iD

- ▲ Le Moulin de Julien***
- 🏠 D922
- 🔓 1 Mai - 13 Sep
- ☎ +33 (0)5-63561110
- @ contact@campingmoulindejulien.com
- N 44°3'14'' E 1°58'19''

1	AD**JM**NORS**T**	AH**N** 6
2	CGPRUVWXY	ABDE**F**H 7
3	BE**IL**Q	ABCDFKNQRS 8
4	O	EFJ 9
5	AG**K**M	BHIJ**P**ST 10
B 5A CEE		① €25,50
H200 8 ha 82**T**(100-120m²) 10**D**		② €36,50

🚗 Von Cordes die D600 Richtung Albi, nach 500m rechts die D922 Richtung Gaillac. Die Einfahrt zum CP ist nach 300m links. Ⓜ

Albi, F-81000 / Midi-Pyrénées ⊛ iD

- ▲ Albirondack Park**
- 🏠 31 allée de la piscine
- 🔓 20/1 - 10/11, 2/12 - 31/12
- ☎ +33 (0)5-63603706
- @ albirondack@orange.fr
- N 43°56'5'' E 2°9'50''

1	AD**JM**NOPRS**T**	ABFG 6
2	ABOPQRTUVWXY	ABDE**FGH** 7
3	B**KL**QT	ABCDEFKNQRSV 8
4	BDFHILOTUV	DEJ 9
5	AEGIJK	BHIJ**NP**TUV 10
B 10A CEE		① €36,50
H300 1,5 ha 54**T**(50-90m²) 40**D**		② €45,50

🚗 Auf der Umgehungsstraße von Albi, Rocade, immer Richtung Millau. Auf dieser Umgehung ist der CP ausgeschildert. Ⓜ

Damiatte, F-81220 / Midi-Pyrénées ⊛ iD

- ▲ Sites & Paysages Le Plan d'Eau***
- 🏠 La Cahuziere
- 🔓 15 Mai - 15 Sep
- ☎ +33 (0)5-63706607
- @ accueil@campingplandeau.com
- N 43°39'47'' E 1°58'17''

1	ADE**JM**NOPRT	LM**N** 6
2	DGOPVWXY	BDE**F**H 7
3	AE**KL**QS	ABCDEFNOQRSUV 8
4	BFHILNO**PQ**	ADEJL 9
5	ABDFG**L**	BGHIJ**O**ST 10
B 6A		① €24,15
H200 6 ha 33**T**(80-150m²) 47**D**		② €36,75

🚗 In St. Paul-de-Joux Ausfahrt Richtung Graulhet (D84), CP ausgeschildert. Ⓜ

Albine, F-81240 / Midi-Pyrénées ⊛ iD

- ▲ Camping Lestap***
- 🏠 Le Suc
- 🔓 7 Mär - 1 Nov
- ☎ +33 (0)5-63983474
- @ campinglestap@orange.fr
- N 43°27'15'' E 2°31'36''

1	AD**JM**NOPRT	AF**N** 6
2	BDGPTUVXY	ABDE**F** 7
3	AB**GH**LQ	ABFNQRSTUV 8
4	FHI	EV 9
5	ABDEFGL	BHIJNOTUV 10
B 6A CEE		① €24,40
H325 2,5 ha 36**T**(100-120m²) 6**D**		② €30,40

🚗 Von Mazamet die N612 Richtung Béziers. Ca. 15 km vom Mazamet aus rechts Richtung Albine (D88); in der Ortseinfahrt von Albine rechts zur Chemin du Lac. Weiter der Campingbeschilderung folgen. Ⓜ

Lacaune-les-Bains, F-81230 / Midi-Pyrénées ⊛ iD

- ▲ Camping des Sources Chaudes***
- 🏠 Domaine de Saint-Michel
- 🔓 1 Mai - 31 Okt
- ☎ +33 (0)5-63372239
- @ contact@campinglacaune.fr
- N 43°42'30'' E 2°42'15''

1	ABDE**IL**NOPRT	**ABEFGH** 6
2	GPUVWX	ABC**DEFG**HK 7
3	ABCDEILQ	ABCDEFJNQRSTUV 8
4	BCDEFHILNO**PQRTUV**	EFGLU 9
5	ABDGLM	BHIJNOPUVW 10
B 6A CEE		① €18,50
H700 3,4 ha 27**T**(86-190m²) 36**D**		② €22,50

🚗 In der Ortsmitte von Lacaune-les-Bains der Beschilderung Espace des Sources Chaudes folgen. Ⓜ

Ambialet, F-81430 / Midi-Pyrénées iD

- ▲ La Mise à l'Eau
- 🏠 Ld. Fedusse
- 🔓 1 Mai - 31 Okt
- ☎ +33 (0)5-63795829
- @ cristeaion2009@yahoo.fr
- N 43°56'29'' E 2°23'3''

1	A**JM**NOPRS**T**	AFJNUVXZ 6
2	BCHPXY	ABDE**F**H 7
3	ALQ	ABFNOPSV 8
4	FH	EQR 9
5	KL	HIJRV 10
10A		① €17,00
H202 1,3 ha 38**T**(50-80m²) 6**D**		② €23,00

🚗 Von Albi über die D999 bis hinter Villefranche. Dann über die D74 nach Ambialet. CP liegt an der D77, am Tarn entlang. Ⓜ

Lamontélarié, F-81260 / Midi-Pyrénées ⊛ iD

- ▲ Le Rouquié du Lac
- 🏠 Lac de la Ravière
- 🔓 1 Mai - 31 Okt
- ☎ +33 (0)5-63709806
- @ contact@campingrouquie.fr
- N 43°35'49'' E 2°36'28''

1	ABD**JM**NOPRS**T**	NSW 6
2	DFGHIPUVWXY	ABDE**FG**H 7
3	ABL	ABEFNQRSV 8
4	FHILNOP	EFLMOPQRT 9
5	ABDGKL**M**	HIJ**NO**RV 10
6A CEE		① €20,80
H690 3 ha 82**T**(85-148m²) 29**D**		② €27,85

🚗 Clermont-Ferrand-Millau von Millau Richtung St. Afrique über die D992. Dann der D32 bis Lacaune folgen. Dann die D607/D52 bis Lamontélarié. Ⓜ

Castelnau-de-Montmiral, F-81140 / Midi-Pyrénées ⊛ iD

- ▲ Du Chêne Vert***
- 🏠 Travers du Rieutort
- 🔓 15 Jun - 15 Sep
- ☎ +33 (0)5-63331610
- @ contact@campingduchenevert.fr
- N 43°58'36'' E 1°47'19''

1	ADE**IL**NOPRT	ABFG 6
2	BFGPRVXY	ABE**F**HK 7
3	ABFLQT	ABDFNQRV 8
4	BDFHILNO	AJL 9
5	ABDEFG**LM**	BHIJMNORV 10
10A		① €24,00
H168 11 ha 30**T**(80-120m²) 42**D**		② €34,00

🚗 Von Gaillac die D964 Richtung Puycelsi. 3 km hinter Castelnau de Montmiral den CP-Hinweisen folgen. Ⓜ

Frankreich

Le Bez, F-81260 / Midi-Pyrénées

Le Plô***	1 AJLNOPRT	ABF 6
Le Bourg	2 FGPQTUWXY	ABDEFG 7
1 Mai - 30 Sep	3 ABELQS	ABFINOQRSV 8
+33 (0)5-63740082	4 FHI	ADUY 9
info@leplo.com	5 AEL	ABHIJPR 10
	B 6A	❶ € 27,20
N 43°36'31'' E 2°28'18''	H650 3,8 ha 50T(90-135m²) 12D	❷ € 34,25

Von Lacaune D622 Richtung Brassac. Dort Ausfahrt nach Le Bez. Dort dem CP-Schild folgen; leicht zu erreichen.

Les Cammazes, F-81540 / Midi-Pyrénées

de la Rigole****	1 ADEJMNOPQRST	ABF 6
route du Barrage	2 BCPUVXY	BEFGH 7
1 Mai - 1 Okt	3 BELQRS	BDFIKNQRSV 8
+33 (0)5-63732899	4 ABCDEFHIKLOX	JUV 9
campings.occitanie@orange.fr	5 ABDEGLM	BFHIJNORV 10
	B 13A CEE	❶ € 27,45
N 43°24'28'' E 2°5'12''	H600 3 ha 30T(100-200m²) 23D	❷ € 37,25

Von Revel die D629 Richtung Les Cammazes fahren. In Les Cammazes ist der CP ausgeschildert.

Mazamet, F-81200 / Midi-Pyrénées

De la Lauze	1 ADJMNOPRST	EFG 6
chemin de la Lauze	2 GPVWXY	BEF 7
29 Apr - 30 Sep	3 ABEKLMNQ	BCDFIJKNORSTUV 8
+33 (0)5-63612469	4 FHIOQ	EL 9
contact@camping-mazamet.com	5 AL	BGHPRV 10
	Anzeige auf dieser Seite B 16A	❶ € 18,40
N 43°29'47'' E 2°23'27''	H240 1,7 ha 50T(80-140m²) 5D	❷ € 20,40

Ausfahrt Mazamet route Beziers. Ausgeschildert als 'camping municipal'.

De la Lauze

Am Fuße des 'Schwarzen Gebirges', in einem grünen Schmuckkästchen, Mazamet, die blumenschmückte Stadt mit 12000 Einwohnern, 50 schattige Stellplätze (100 m², Stromanschluss, Wasser, Abwasserkanal) Ruhe und Entspannung. Vermietung Wohnmobile (4 und 6 pers.). In der Nähe: Bergseen (Strand, Wassersport), Golf, Reiten, Angeln, Mountain-Bike, Segelfliegen.

Chemin de la Lauze, 81000 Mazamet • Tel. und Fax 05-63612469
E-Mail: contact@camping-mazamet.com
Internet: www.camping-mazamet.com

Nages, F-81320 / Midi-Pyrénées

Villagecenter Rieumontagné****	1 ADEJMNOPRST	ABLMNQSUXYZ 6
Lac du Laouzas	2 BDFGIPTUVWXY	ABDEFGHK 7
27 Apr - 30 Sep	3 ABLQ	ABCDEFNPQRSTUV 8
+33 (0)5-63372471	4 BEFHILNOPQ	AEFLU 9
dirrieumontagne@village-center.com	5 ABCDEFGIJKL	BFHIJNOT 10
	B 10A CEE	❶ € 25,00
N 43°38'52'' E 2°46'48''	H810 10,5 ha 192T(80-150m²) 176D	❷ € 37,00

Millau-St. Afrique über die D999 und D32 nach Lacaune. Von Lacaune die D622 Richtung Murat. In Latrivalle Richtung Nages. Danach erste Brücke links (2 km nach Nages). Dann den CP-Schildern folgen.

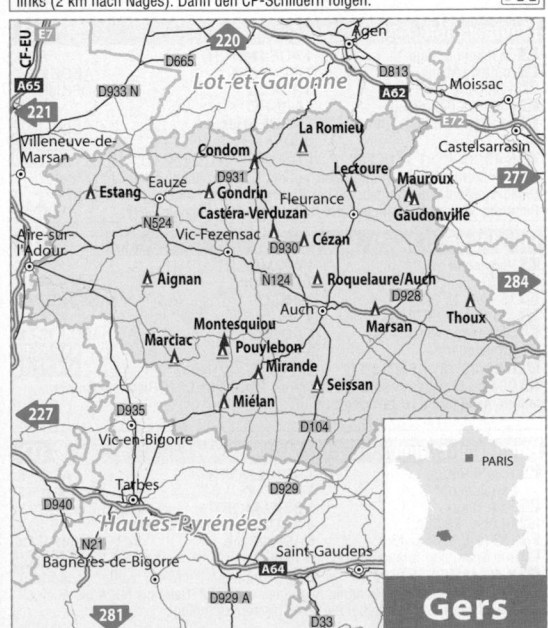

Rivières, F-81600 / Midi-Pyrénées

Les Pommiers d'Aiguelèze***	1 ABFGJNSWXYZ 6	
Espace Loisirs d'Aiguelèze	2 ACGPRSVWXY	ABDEF 7
1 Apr - 30 Sep	3 ABEFIKLMQS	ABCDFNQRSV 8
+33 (0)5-63330249	4 BHO	EFJV 9
info@camping-lespommiers.com	5 ABGILM	ABDGHIJLPTUV 10
	13A CEE	❶ € 25,80
N 43°54'32'' E 1°59'0''	H146 2,7 ha 54T(80-120m²) 20D	❷ € 33,80

A68, Ausfahrt 10 Lagrave. Weiter Espace Loisirs d'Aiguelèze folgen.

Sorèze, F-81540 / Midi-Pyrénées

St. Martin***	1 ADEJMNOPRT	A 6
rue du 19 mars 1962	2 GOPVWXY	BEFGH 7
1 Apr - 30 Sep	3 AELMQ	BDFNQRSV 8
+33 (0)5-63502019	4 BDFHNOXZ	EGIJW 9
campingsaintmartin@gmail.com	5 ABDEGL	BDFGHIJORV 10
	B 10A CEE	❶ € 24,10
N 43°27'16'' E 2°4'10''	H200 1,2 ha 39T(100-120m²) 25D	❷ € 32,50

In Revel D85 Richtung Sorèze. Der CP ist innerorts ausgeschildert.

Teillet, F-81120 / Midi-Pyrénées

Relais de l'entre Deux Lacs***	1 ADILNOPRST	AF 6
29 rue du Baron de Solignac	2 BIPRTUVWXY	ABDEFH 7
1 Apr - 30 Sep	3 ABLQR	ABCDEFNPQRSV 8
+33 (0)5-63557445	4 HIKI N	FJ 9
contact@campingdutarn.com	5 ADEGILM	BGHIJOTUV 10
	B 10A	❶ € 21,80
N 43°49'55'' E 2°20'21''	H500 4 ha 46T(80-150m²) 19D	❷ € 28,90

An der Straße D81 von Albi-Teille gelegen, hinter dem Ortskern rechts.

Trébas, F-81340 / Midi-Pyrénées

l'Amitié**	1 ADJMNOPRST	AFJNUV 6
Vallée du Tarn	2 CGJOPQVWXY	ABEF 7
1 Mai - 15 Sep	3 ABELMNQ	ABCDEFNQSV 8
+33 (0)5-63558407	4 FHILN	DEFQN 9
amitie@trebas.net	5 DEGIKLM	DFGHJPRV 10
	B 10A CEE	❶ € 18,80
N 43°56'30'' E 2°28'58''	H270 1 ha 60T(80-100m²) 24D	❷ € 24,80

A161, von Millau D999 Richtung Alban, dort nach Trébas; ca. 10 km.

Vabre, F-81330 / Midi-Pyrénées

La Vallée du Roussy**	1 ACJMNOPRST	JN 6
route de Vabre	2 BCGIKPRVWXY	ABDEF 7
1 Apr - 30 Sep	3 ALQ	ABDEFNRTV 8
+33 (0)5-63730544	4 FHO	A 9
campinglavalleederoussy@hotmail.com	5 ADFGIKL	AHIJORV 10
	B 10A CEE	❶ € 14,50
N 43°40'46'' E 2°23'9''	H275 3,2 ha 47T(112-140m²) 4D	❷ € 17,00

Von Castres die D58 nach Roquecourbe, dann Vabre folgen. 6 km vor Vabre rechts, über die schmale Brücke 1 km bis zum CP.

Bleiben Sie auf dem Laufenden der neusten Entwicklungen!

www.EUROCAMPINGS.eu

Aignan, F-32290 / Midi-Pyrénées

Le Domaine du Castex***	1 ADEJMNOPRST	A 6
20 Mär - 20 Okt	2 GPRVWXY	ABDEFH 7
+33 (0)5-62092513	3 AELMQS	ABDFNRUV 8
info@domaine-castex.com	4 FIO	EGIJW 9
	5 ADEGIL	ABFGHJPRV 10
	10A CEE	❶ € 21,80
N 43°41'34'' E 0°4'32''	H141 2,6 ha 37T(80-150m²) 25D	❷ € 33,80

Richtung Bordeaux, A65 Richtung Pau. Ausfahrt Aire-sur-l'Adour. Oder Richtung Toulouse, dann Auch (Mont-de-Marsan). Bei Dému Richtung Aignan.

Castéra-Verduzan, F-32410 / Midi-Pyrénées

La Plage de Verduzan***	1 ADEILNOPRST	LMNQXYZ 6
rue du Lac	2 CDGHPRVWXY	ABDEFH 7
1 Mai - 30 Sep	3 AELQ	ABCDEFKNOQRV 8
+33 (0)5-62681223	4 DFHINPQ	AE 9
camping.laplagedeverduzan@orange.fr	5 ADGL	BGHJORV 10
	B 10A CEE	❶ € 23,00
N 43°48'29'' E 0°25'52''	H105 3,2 ha 60T(80-160m²) 32D	❷ € 33,00

Von Castéra-Verduzan die D42 in Richtung St. Puy fahren. Nach ca. 500m links, CP ist ausgeschildert (Base de Loisir).

Cézan, F-32410 / Midi-Pyrénées 📶 iD

▲ Camping Domaine Les Angeles
🏠 Les Angeles
🗓 1 Jun - 1 Sep
☎ +33 (0)5-62652980
@ lesangeles@gmail.com

1 AHKNORT		AF 6
2 GPUVWXY		BEF 7
3 AELQ		ABDFNV 8
4 FHIQ		EJU 9
5 ABGL		ABHJNPRV10
10A		❶ €22,40
		❷ €33,80

📍 N 43°47'39'' E 0°31'11''
H150 2 ha 34T(70-120m²) 9D

🚗 N21 Agen-Auch. In Fleurance rechts ab die D103 Richtung Vic-Fezensac. In Préchac zweite Straße rechts Richtung Cézan, 3 km geradeaus und am Schild links. Ⓜ

Condom, F-32100 / Midi-Pyrénées 📶 iD

▲ Municipal de l'Argenté***
🏠 chemin de l'Argenté
🗓 1 Apr - 30 Sep
☎ +33 (0)5-62281732
@ camping.municipal@condom.org

1 AJMNOPRST		N 6
2 CGPVWXY		ABDEFH 7
3 BD		ABCDFNQRSV 8
4		J 9
5 A		HJPTUV10
B 6A CEE		
H69 1,6 ha 68T(80-120m²) 10D		❶ €16,75
		❷ €21,90

📍 N 43°56'53'' E 0°21'51''

🚗 Condom, D931 Richtung Eauze, nach 0,5 km beim Sportkomplex links ab, mit Schildern angedeutet. Ⓜ

Estang, F-32240 / Midi-Pyrénées 📶 iD

▲ Les Lacs de Courtès***
🏠 Base de Loisirs
🗓 25 Apr - 20 Okt
☎ +33 (0)5-62096198
@ contact@lacsdecourtes.com

1 ADFILNOPRST		ABFN 6
2 CDGPRSUVXY		ABDEFGH 7
3 AEFILMNQS		ABCDEFKNQRSUV 8
4 ABDEILNOPU		ADEJQ 9
5 ADEGKL		BFGHIJNPR10
B 6A		❶ €27,50
7 ha 55T(100-130m²) 71D		❷ €35,50

📍 N 43°51'53'' W 0°6'11''

🚗 CP liegt an der D152 Estang Richtung Panjas, kurz nach dem Dorf hinter der kleinen Kirche links. Ⓜ

Gaudonville, F-32380 / Midi-Pyrénées 📶 iD

▲ Centre Naturiste Deveze***
🏠 D167
🗓 1 Apr - 30 Sep
☎ +33 (0)5-62664386
@ deveze@deveze-nat.com

1 ADEJMNOQRT		AFNXZ 6
2 DGIPTUVWX		ABDEFGH 7
3 BEFLMQR		ABCDEFGKNQRV 8
4 DEFHILNQS		EFIJOV 9
5 ABDFGKLM		BFHJNOSTV10
FKK 5A CEE		❶ €26,70
H186 20 ha 163T(100-200m²) 37D		❷ €39,50

📍 N 43°53'28'' E 0°49'43''

🚗 In Gaudonville die D167 Richtung St. Clar fahren, nach ca. 2 km rechts, danach den Schildern folgen. Ⓜ

Gondrin, F-32330 / Midi-Pyrénées 📶 iD

▲ Le Pardaillan***
🏠 27 rue Pardaillan
🗓 20 Apr - 30 Sep
☎ +33 (0)5-62291669
@ camplepardaillan@wanadoo.fr

1 ADEJMNOQRT		F 6
2 BDOPRSVWXY		ABDEFGH 7
3 ABEFLQR		ABCDEFJKNRSUV 8
4 AEFILNOPQU		EFJUV 9
5 ADEFGIKM		ABFGHKNORV10
10A CEE		❶ €22,70
H172 2,8 ha 47T 58D		❷ €34,10

📍 N 43°52'55'' E 0°14'19''

🚗 In Gondrin D931 Richtung Eauze. Nach ca. 300m links CP-Beschilderung folgen. Ⓜ

La Romieu, F-32480 / Midi-Pyrénées 📶 (CC€16) iD

▲ Le Camp de Florence****
🗓 1 Apr - 10 Okt
☎ +33 (0)5-62281558
@ info@lecampdeflorence.com

1 ADEJMNOPQRST		AF 6
2 GPSVWXY		ABDEFGH 7
3 BEFLMQST		ABCDEFIKNQRSTUV 8
4 BCDEFHILNOPQU		AEJUV 9
5 ADEFGJL		ABFGHIJLNOPRYZ10
B 10A CEE		❶ €36,60
H191 15 ha 95T(100-250m²) 86D		❷ €47,70

📍 N 43°59'0'' E 0°30'7''

🚗 Von Agen D931 nach Condom. Bei Ligarde die D36, dann die D166 Richtung Collegiale de la Romieu. Links ab in den Ort und dann den CP-Schildern folgen. Ⓜ

Lectoure, F-32700 / Midi-Pyrénées 📶 iD

▲ Lac des Trois Vallées*****
🏠 Espardiagues
🗓 1 Jun - 6 Sep
☎ +33 (0)5-62688233
@ contact@lacdes3vallees.fr

1 ADEJMNOPQRST		ABFGHLMN 6
2 DGILRUVWXY		ABDEFGH 7
3 BEFHIKLMQT		ABCDEFKNQRSUV 8
4 ABDFHIKLMNOPQRTUYZ		AELQRTV 9
5 ACDEFGJKM		ABFGHIKMNPSTVY10
10A CEE		❶ €49,80
H170 140 ha 300T(80-180m²) 600D		❷ €67,80

📍 N 43°54'45'' E 0°38'55''

🚗 Von Lectoure die N21 in Richtung Auch fahren, nach ca. 1 km links vor der Brücke den Schildern folgen. Ⓜ

Marciac, F-32230 / Midi-Pyrénées 📶 (CC€12) iD

▲ Du Lac***
🗓 21 Mär - 10 Okt
☎ +33 (0)5-62082119
@ info@camping-marciac.com

1 ADEJMNOPRST		AB 6
2 GPSTUVWXY		BDEFH 7
3 BEKLQ		ABCDEFNOQRSV 8
4 FHI		K 9
5 ABDGKLM		ABFGHJNPR10
B 10A CEE		❶ €19,10
H160 4,5 ha 72T(100-120m²) 21D		❷ €24,10

📍 N 43°31'56'' E 0°10'0''

🚗 Folgen Sie in Marciac der D943 Richtung Bassoues, nach ca. 300m über die Brücke links. Vom See aus: den Schildern folgen. Von Plaisance die D3 links ab. Ⓜ

Marsan, F-32270 / Midi-Pyrénées 📶 iD

▲ Aramis***
🏠 Quartier Gaubette
🗓 15 Apr - 30 Sep
☎ +33 (0)5-62656011
@ contact@camping-aramis.com

1 ABDEJMNOPRT		ACDFGH 6
2 BGPRSTUVWXY		ABDEFGH 7
3 AEFILMQST		ABCDEFNQRSV 8
4 BDFHILNO		ADEFHJLU 9
5 ABDEFGIKLM		BFGHIJNORVZ10
9A CEE		❶ €25,50
6 ha 20T(80-200m²) 90D		❷ €32,00

📍 N 43°39'33'' E 0°44'4''

🚗 In der Umgebung von Marsan den Schildern folgen. Ⓜ

Mauroux, F-32380 / Midi-Pyrénées 📶 iD

▲ Camping le Néri
🏠 Ld Néri
🗓 1 Apr - 31 Okt
☎ +33 (0)5-81675010
@ contact@campingleneri.com

1 AJMNOPQRS		AN 6
2 DFPTVWXY		ABDEF 7
3 AILQ		ABCDEFNOQRTUV 8
4 INOT		ADEIL 9
5 ABDFGIKLM		JORV10
10A CEE		❶ €23,10
10 ha 40T(80-120m²) 15D		❷ €35,10

📍 N 43°53'52'' E 0°48'43''

🚗 In Mauroux der Beschilderung folgen. Ⓜ

Miélan, F-32170 / Midi-Pyrénées 📶 iD

▲ Les Reflets du Lac***
🏠 N21
🗓 1 Mai - 30 Sep
☎ +33 (0)5-62675176
@ lac.mielan@orange.fr

1 ADJMNOPRST		AFHMNQXY 6
2 DGHPVWXY		BDEFH 7
3 BEIKLMQ		ABCDEFKNORS 8
4 IOPQ		JQT 9
5 ABDEGIJKL		BGHJORV10
B 10A		❶ €24,10
H219 3,5 ha 105T(100-130m²) 26D		❷ €32,50

📍 N 43°26'55'' E 0°18'57''

🚗 Der N21 Auch-Mirande-Miélan folgen. 1,5 km vor Miélan liegt links das Hotel Les Vallons Du Lac. Rezeption im Hotel. Der CP selbst liegt hinter dem Hotel. Ⓜ

Mirande, F-32300 / Midi-Pyrénées iD

▲ De l'Ile du Pont***
🏠 au Batardeau
🗓 15 Apr - 30 Sep
☎ +33 (0)4-34091250
@ reservation@groupevla.fr

1 ADEJMNORT		NU 6
2 CDGOPVWX		ABDEFGH 7
3 BELQ		ABCDEFNOQRSV 8
4 EFIJOPQ		EJQRUV 9
5 ADEGI		BGHJSTV10
6A CEE		❶ €20,40
H153 5 ha 135T(100m²) 47D		❷ €29,40

📍 N 43°30'49'' E 0°24'32''

🚗 Folgen Sie der N21, in Mirande 'Poids Lourds' folgen. Der CP liegt östlich des Zentrums. Beschilderung folgen. Ⓜ

Montesquiou, F-32320 / Midi-Pyrénées 📶 iD

▲ Camping l'Anjou*
🏠 L'Anjou
🗓 1 Mai - 30 Sep
☎ +33 (0)5-62709524
@ clemens.van-voorst@orange.fr

1 ADEJMNORT		A 6
2 FGPVXY		ABDEFGH 7
3 BFLQ		BDFGJKNRSV 8
4 BFK		AEF 9
5 ABDIL		ABHJNOSTV10
6A CEE		❶ €19,40
H230 2 ha 32T(80-100m²) 6D		❷ €26,40

📍 N 43°34'37'' E 0°17'28''

🚗 Der CP liegt an der D943 zwischen Montesquiou und Bassoues. Ⓜ

Montesquiou, F-32320 / Midi-Pyrénées 📶 iD

▲ Château Le Haget***
🏠 route de Mielan
🗓 1 Mai - 30 Sep
☎ +33 (0)5-62709580
@ info@lehaget.com

1 ADEJMNORT		AF 6
2 GPVWXY		ABDEFH 7
3 BEKLQ		ABCDFKNRV 8
4 BEFHO		EGJ 9
5 ABDEFGJL		ABHJOR10
B 10A		❶ €27,50
H159 12 ha 80T(120-300m²) 23D		❷ €40,00

📍 N 43°34'4'' E 0°19'20''

🚗 Von Montauban Richtung Auch, auf der N124 an Auch vorbei, am Kreisel Richtung Montesquiou, dann an der Kreuzung hinter Montesquiou links ab Richtung Mielan. 1,5 km nach der Kreuzung auf der rechten Seite. Ⓜ

Pouylebon, F-32320 / Midi-Pyrénées 📶 (CC€12) iD

▲ Pouylebon
🏠 D216
🗓 15 Apr - 15 Okt
☎ +33 (0)5-62667210
@ campingpouylebon2@wanadoo.fr

1 ABJMNORT		A 6
2 GPVWXY		ABDEFG 7
3 AKLQ		ACFINQRV 8
4 FHI		K 9
5 ADGIL		ABDJOST10
6A CEE		❶ €20,00
H191 1 ha 25T(120m²)		❷ €27,10

📍 N 43°33'13'' E 0°18'11''

🚗 D34 bei Monclar westlich D159 fahren, Pouylebon D216 Richtung Norden fahren, nach 500m rechts Weg zum CP. Ⓜ

Roquelaure/Auch, F-32810 / Midi-Pyrénées 📶 (CC€16) iD

▲ Yelloh! Village Le Talouch****
🏠 Roquelaure
🗓 10 Apr - 20 Sep
☎ +33 (0)5-62655243
@ info@camping-talouch.com

1 ADEILNOPRT		ACDF 6
2 PVWXY		ABDEFGH 7
3 BEKLMQST		ABCDFKNQRSV 8
4 ABDEFGHILNOPQTUV		EJU 9
5 ABCDFGIL		ABFGHJNPST10
B 10A		❶ €40,60
H151 9 ha 104T(120-200m²) 70D		❷ €54,60

📍 N 43°42'46'' E 0°33'53''

🚗 A20 bis Montauban. Richtung Auch über die D928. Dann die N124 bis Auch, Ausfahrt Duran. Ca. 5 km über die D148 bis zum Camping. Ⓜ

Seissan, F-32260 / Midi-Pyrénées 🛜 CC€12 iD

🏕 Domaine Lacs de Gascogne	1 **AIL**NOPRST AFN 6
🏠 rue du Lac	2 DFGHIPUWXY ABDE**FGH** 7
🕐 1 Mai - 30 Sep	3 AB**KLQR** ABEFNQRUV 8
☎ +33 (0)5-62662794	4 BHILOR AEGRUV 9
@ info@	5 ADEGIL ABDFIJORV10
domainelacsdegascogne.eu	B 16A CEE ➊ €25,80
🏕 N 43°29'38'' E 0°34'47''	H160 14 ha 85**T**(90-120m²) 39**D** ➋ €39,80
🚗 Die D929 bis Ortsmitte Seissan, dann den Schildern Richtung CP folgen.	

Thoux, F-32430 / Midi-Pyrénées 🛜 iD

🏕 Lac de Thoux-St. Cricq***	1 ADE**JM**NOPQRST ALMNQRSTUXYZ 6
🏠 D654	2 DGHPVWXY ABDE**FGH** 7
🕐 1 Mai - 15 Sep	3 BEFILQS ABCDFNQRSUV 8
☎ +33 (0)5-62657129	4 BDLNO**UZ** ELMOPQRT 9
@ contact@	5 ABDEFG**JL** BFGHIJL**O**STVZ10
camping-lacdethoux.com	B 10A CEE ➊ €32,40
🏕 N 43°41'10'' E 1°0'5''	H55 5 ha 53**T**(100-150m²) 85**D** ➋ €46,40
🚗 Von St. Circq die D654 in Ri. Monbrun. Nach ca. 2 km auf der linken Seite, weiter ausgeschildert. Von L'Isle-Jourdain 12 km Ri. Cologne auf der D654 an der rechten Straßenseite ausgeschildert.	

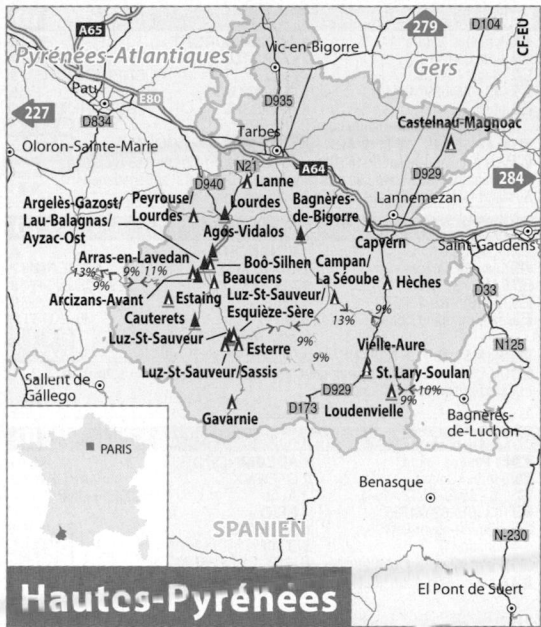

Agos-Vidalos, F-65400 / Midi-Pyrénées 🛜 iD

🏕 Flower Camping Soleil du Pibeste****	1 ACDE**JM**NOPRST ABF**NUV** 6
🏠 16 avenue de Lavedan	2 AFGOPTVX ABDE**FGH** 7
🕐 1 Mai - 1 Okt	3 BE**GHJ**LMQR ABCDEFHJNPQRSTUV 8
☎ +33 (0)5-62975323	4 **AE**FHILNOQ**X** EJUV 9
@ campingpibeste@gmail.com	5 ABDEFG**IL** BEFGHIJLNPQR10
🏕 N 43°2'9'' W 0°4'16''	B 15A CEE ➊ €37,95
	H405 1,7 ha 30**T**(90-130m²) 40**D** ➋ €50,55
🚗 In Lourdes auf die D821/N21 in Richtung Argelès-Gazost. Ausfahrt Porte des Vallées des Gaves/Agos-Vidalos nehmen. Der CP liegt rechts von der Straße in Agos.	

Argelès-Gazost, F-65400 / Midi-Pyrénées 🛜 CC€16 iD

🏕 Les Trois Vallées****	1 ADE**JM**NOPRST ABCD**FGH**I**NU** 6
🏠 avenue des Pyrénées	2 CFGOPRVXY ABDE**FGH** 7
🕐 11 Apr - 18 Okt	3 BEFLQRTU ABCDFGHIJKNOPRSTUV 8
☎ +33 (0)5-62903547	4 A**BCDEF**HILMOUV DEQRI IV 9
@ 3-vallees@wanadoo.fr	5 ADEFGH**I** A**D**BD**G**HIKLMN**NP**QRZ10
🏕 N 43°0'44'' W 0°5'50''	B 10A ➊ €45,70
	H420 15 ha 200**T**(100-170m²) 379**D** ➋ €69,70
🚗 Von Lourdes aus der D821A/N21 folgen bis zum Kreisel. An diesem Kreisel die erste Ausfahrt D821A. Der CP liegt am nächsten Kreisel (1. Ausfahrt).	

Agos-Vidalos, F-65400 / Midi-Pyrénées 🛜 CC€12 iD

🏕 La Châtaigneraie***	1 ADE**JM**NOPQRST ABFGH 6
🏠 46 avenue du Lavedan	2 FGOPUVXY ABDE**FGH** 7
🕐 1/1 - 15/10, 1/12 - 31/12	3 BLQS ABCDFGHIJKNPQRS 8
☎ +33 (0)5-62970740	4 FHIO EHI 9
@ camping.chataigneraie@ wanadoo.fr	5 **A**L BDGHIJPR10
🏕 N 43°1'55'' W 0°4'31''	WB 10A ➊ €29,85
	H430 1,8 ha 60**T**(80-100m²) 28**D** ➋ €39,05
🚗 In Lourdes auf die D821/N21 nach Argelès-Gazost. Dann Ausfahrt Agos-Vidalos nehmen. CP liegt in der Ortsmitte von Agos. Ausgeschildert.	

Argelès-Gazost/Ayzac-Ost, F-65400 / Midi-Pyr. 🛜 CC€14 iD

🏕 La Bergerie***	1 ADE**JM**NOPQRST ABFGH 6
🏠 8 chemin de la Bergerie	2 FOPVWY ABDE**FH** 7
🕐 1 Mai - 30 Sep	3 BDLQST ABCDEFI IKNPRSV 8
☎ +33 (0)5-62975999	4 **F**HIO**PU**Y E 9
@ sarl.campingdelabergerie@ aliceadsl.fr	5 AEFGK**L** BDGHJPR10
🏕 N 43°1'9'' W 0°5'44''	B 6A ➊ €31,55
	H440 3,5 ha 51**T**(100-130m²) 67**D** ➋ €45,65
🚗 Von Lourdes die D921 bis zum Kreisel. 1. Ausfahrt rechts. Folgender Kreisel 2. Ausfahrt. Dann nächster Kreisel 1. Ausfahrt Richtung Ayzac-Ost. Nach 400m liegt rechts der CP.	

Arcizans-Avant, F-65400 / Midi-Pyrénées 🛜 iD

🏕 Du Lac****	1 ADE**JM**NOPRST AB**NUV** 6
🏠 29 camin d'Azun	2 DFGPVXY ABDE**FGH** 7
🕐 20 Mai - 20 Sep	3 BE**K**LQU ABCDFHKNPQRSTUV 8
☎ +33 (0)5-62970188	4 **A**BE**F**HIO**P** JLU 9
@ campinglac@campinglac65.fr	5 ABEIK**LM** ABGHIJPRV10
🏕 N 42°59'10'' W 0°6'30''	B 16A ➊ €34,05
	H646 4 ha 86**T**(100-140m²) 25**D** ➋ €48,05
🚗 Von Lourdes der D821a folgen. Am 1. kreisel 1. Ausfahrt (D821a). Nächster Kreisel letzte Ausfahrt. Unten durch Argelès-Gazos. Der Strecke folgen bis zum Kreisel Arcizan-Avant. Dann den Schildern folgen.	

Argelès-Gazost/Lau-Balagnas, F-65400 / Midi-Pyr. 🛜 iD

🏕 Le Lavedan****	1 ADE**JM**NOPRST CDF 6
🏠 44 route des Vallées	2 FPVXY ABDE**FGH** 7
🕐 15 Mär - 30 Okt	3 BLQ ABCDEFHJKNPQRSTUV 8
☎ +33 (0)5-62971884	4 **A**BCDE**F**HIOU AEJL 9
@ michel.dubie@wanadoo.fr	5 ABDEFGKL BGHIK**NP**QRV10
🏕 N 42°59'17'' W 0°5'22''	B 10A ➊ €34,15
	H450 2 ha 58**T**(80-100m²) 50**D** ➋ €52,05
🚗 Von Lourdes die D921 nach Argelès-Gazost. Am 1. Kreisel die 1. Ausfahrt (D921b). Im folgenden Kreisel die letzte Ausfahrt. Dann unten durch Argelès-Gazost. CP ist angezeigt.	

Arras-en-Lavedan, F-65400 / Midi-Pyrénées 🛜 iD

🏕 L'Idéal**	1 AJMNOPQRS**T** AF 6
🏠 route du Val d'Azun	2 FGPRUVWXY BE**FG**H 7
🕐 1 Jun - 15 Sep	3 BLQSU BDFHKNOPRSV 8
☎ +33 (0)5-62970313	4 FHI**P** J 9
@ info@	5 **A**M BGHIJOR10
camping-ideal-pyrenees.com	B 10A ➊ €19,65
🏕 N 42°59'43'' W 0°7'14''	H600 2,5 ha 60**T**(90m²) 9**D** ➋ €26,40
🚗 In Argelès-Gazost die D918 Richtung Col d'Aubisque nehmen. Ca. 2 km außerhalb Argelès liegt der CP rechts der Strecke.	

Arcizans-Avant, F-65400 / Midi-Pyrénées iD

🏕 Les Châtaigniers***	1 A**J**M**N**OPRT CD**N** 6
🏠 11 rue Deth Bas	2 FGPRUVWXY ABDE**FGH** 7
🕐 15 Mai - 30 Sep	3 BLQ ABCDFHINOPRSV 8
☎ +33 (0)5-62979477	4 EFHIO EJ 9
@ contact@	5 **A**L BHJR10
camping-les-chataigniers.com	B 6A ➊ €25,45
🏕 N 42°59'8'' W 0°6'19''	H645 5 ha 45**T**(80-150m²) 6**D** ➋ €35,35
🚗 Von Lourdes der D821 folgen. Am 1. Kreisel 1. Ausfahrt (D821a). Nächster Kreisel 2. Ausfahrt. Dann unten durch Argelès-Gazost. Der Strecke bis zum Kreisel Arcizans-Avant folgen. Den Schildern folgen.	

Bagnères-de-Bigorre, F-65200 / Midi-Pyrénées 🛜 iD

🏕 Le Bigourdan***	1 A**J**MNOPRST A 6
🏠 79 avenue de la Mongie	2 GPVX ABDE**FGH** 7
🕐 6 Apr - 19 Okt	3 AE**KL** ABCDFJNR 8
☎ +33 (0)5-62951357	4 I E 9
	5 L BHKPR10
🏕 N 43°4'49'' E 0°8'23''	B 3-10A CEE ➊ €18,55
	H530 1,5 ha 40**T**(100-120m²) 8**D** ➋ €25,95
🚗 Von Tarbes der D935 folgen. CP liegt in Pouzac auf der linken Seite.	

Bagnères-de-Bigorre, F-65200 / Midi-Pyrén. 📶 CC€14 iD

🏔 Le Monlôo★★★★
🏠 6 route de la Plaine
📅 1 Jan - 31 Dez
☎ +33 (0)5-62951965
@ campingmonloo@yahoo.com
📍 N 43°4'51'' E 0°8'57''

1 ADE**JM**NOPRST	ABFGHLM 6	
2 CDFGHOPRTVXY	BDE**FG**H 7	
3 ABEF**KLM**QST	ABCDEFGJNRS 8	
4 DHIO	EJ 9	
5 ABDEL	BFGJPRV 10	
WB 10A		① €26,00
H528 3,5 ha 199T(100-120m²) 77**D**		② €35,80

Von Tarbes die D935 bis nach Bagnères-de-Bigorre. Am 1. Kreisel links und im nächsten Kreisel wieder links. CP ist ausgeschildert.

Bagnères-de-Bigorre, F-65200 / Midi-Pyrénées 📶 iD

🏔 Les Fruitiers★★★
🏠 route de Toulouse
📅 15 Apr - 31 Okt
☎ +33 (0)5-62952597
@ danielle.villemur@wanadoo.fr
📍 N 43°4'16'' E 0°9'23''

1 ADE**IL**NOPRST	6	
2 PVXY	ABDE**FG**H 7	
3 A**KL**	ABCDEFNR 8	
4 I	E 9	
5	HK**P**R 10	
B 2-6A		① €19,20
H550 1,5 ha 73T(80-110m²) 2**D**		② €26,50

Von Lourdes aus am Ortseingang von Bagnères Umgehungsstraße Richtung Lannemezan/St. Gaudens. In der Nähe des öffentlichen Schwimmbads, ausgeschildert.

Beaucens, F-65400 / Midi-Pyrénées 📶 iD

🏔 Le Viscos★★
🏠 route de Prechac
📅 1 Mai - 15 Okt
☎ +33 (0)5-62970545
@ domaineviscos@orange.fr
📍 N 42°58'51'' W 0°3'52''

1 ADE**JM**NOPQRST	AB 6	
2 FPTVXY	ABDE**FG**H 7	
3 AELQST	ABDFHNPQRS 8	
4 IO	E 9	
5 ABK**L**	BCIJMOR 10	
B 10A		① €17,35
H480 2 ha 69T(100-150m²) 11**D**		② €23,55

In Lourdes die D821 (N21) Richtung Luz-St-Sauveur/Gavarnie folgen. Der CP ist ausgeschildert.

Boô-Silhen, F-65400 / Midi-Pyrénées 📶 CC€12 iD

🏔 Deth-Potz★★
🏠 40 route de Silhen
📅 1/1 - 10/10, 10/12 - 31/12
☎ +33 (0)5-62903723
@ contact@deth-potz.fr
📍 N 43°0'40'' W 0°4'39''

1 ADE**JM**NORT	AF 6	
2 FPRTUVWXY	ABD**FH** 7	
3 AEILQT	ABCEFGHJKNOPRS 8	
4 BDFHIO	E 9	
5 ABK**LM**	BCDGIJOR 10	
WB 3-10A		① €16,95
H480 4 ha 76T(85-110m²) 36**D**		② €22,95

Von Lourdes Richtung Luz-St-Sauveur, Gavarnie. Am 2. Kreisel letzte Ausfahrt. Dann hinter der Brücke sofort links. Nach 1,5 km CP links.

Campan/La Séoube, F-65710 / Midi-Pyrénées 📶 iD

🏔 l'Orée des Monts★★★
🏠 route du Col d'Aspin
📅 1 Jan - 31 Dez
☎ +33 (0)5-62918398
@ oree.des.monts@wanadoo.fr
📍 N 42°58'1'' E 0°14'42''

1 AD**JM**NORST	ABFG**N** 6	
2 CFOPTUVWXY	ABDE**FG**H 7	
3 ALQS	ABCDFNORSV 8	
4 INO	DE 9	
5 ABDEFGKL	BFGHIJORV 10	
WB 2-10A		① €23,00
H937 1,7 ha 62T(90-120m²) 47**D**		② €32,20

CP liegt an der D918 zwischen Campan und Col d'Aspin unterhalb des Bergdörfchens La Séoube, aus beiden Richtungen gut erreichbar.

Capvern, F-65130 / Midi-Pyrénées 📶 iD

🏔 Les Craouès★★★
🏠 682 rue du 8 Mai 1945
📅 1 Apr - 30 Okt
☎ +33 (0)5-62390254
@ camping-les-craoues@orange.fr
📍 N 43°6'20'' E 0°19'24''

1 ADE**JM**NOPRST	AF 6	
2 AOPSVWXY	ABDE**FG**H 7	
3 A**KL**QS	ABCDEFKNOS 8	
4 O	AF 9	
5 A	BFGHK**L**PRV 10	
B 8A CEE		① €18,20
H597 1,5 ha 66T(85-150m²) 21**D**		② €25,60

A64 Ausfahrt 15 oder D817 am 1. Kreisel ist der CP angezeigt; die Einfahrt kommt nach 20m.

Castelnau-Magnoac, F-65230 / Midi-Pyr. 📶 ✿ CC€16 iD

🏔 l'Eglantière★★★
🏠 Ariès-Espenan
📅 18 Apr - 3 Okt
☎ +33 (0)5-62398800
@ infos@leglantiere.com
📍 N 43°15'49'' E 0°31'15''

1 AD**JM**NOPRST	ABFG**JN**UX 6	
2 CGIPVWXY	ABDE**FG**H 7	
3 AELQR	ABDEFGKNQRSV 8	
4 BEFHILOT	AEHJQUV 9	
5 ABCDEFGIJK**L**	ABFHJ**N**OR 10	
FKK B 16A CEE		① €42,00
H300 50 ha 80T(90-200m²) 36**D**		② €53,70

D929 Lannemezan Richtung Castelnau-Magnoac. CP ist ca. 2 km vor Castelnau-Magnoac ausgeschildert.

Cauterets, F-65110 / Midi-Pyrénées 📶 CC€14 iD

🏔 Cabaliros★★★
🏠 93 avenue du Mamelon Vert
📅 22 Mai - 30 Sep
☎ +33 (0)5-62925536
@ info@camping-cabaliros.fr
📍 N 42°54'11'' W 0°6'26''

1 ADE**JM**NOPQRST	**N** 6	
2 CFGOPTUVWXY	ABDE**FG**HK 7	
3 AL	ABCDEFHKNOPRST 8	
4 FHIO	E 9	
5 DEL	BDGIJOQR 10	
B 6A		① €19,35
H930 2 ha 94T(85-130m²) 6**D**		② €27,35

In Cauterets auf der Infotafel angegeben. Rechts die Brücke über den Fluss nehmen, CP ist beschildert.

Cauterets, F-65110 / Midi-Pyrénées 📶 iD

🏔 Le Péguère★★
🏠 31 route de Pierrefitte
📅 4 Apr - 30 Sep
☎ +33 (0)5-62925291
@ campingpeguere@wanadoo.fr
📍 N 42°54'10'' W 0°6'22''

1 ADE**JM**NOPQRST	**N** 6	
2 CFOPRTVWXY	ABD**FG**HK 7	
3 ALQ	ABCDEFHNOPRSTUV 8	
4 FHIO	EJ 9	
5 L	BGHJORV 10	
B 10A CEE		① €15,30
H950 3,5 ha 126T(90-140m²) 34**D**		② €22,35

In Pierrefitte die Route Richtung Cauterets nehmen. Am Ortseingang von Cauterets rechts abbiegen.

Estaing, F-65400 / Midi-Pyrénées 📶 CC€16 iD

🏔 Pyrénées Natura★★★★
🏠 route du Lac
📅 18 Apr - 10 Okt
☎ +33 (0)5-62974544
@ info@camping-pyrenees-natura.com
📍 N 42°56'29'' W 0°10'41''

1 ADE**JM**NOPQRT	N**U** 6	
2 CFIPSTUX	BE**FG**H 7	
3 ALQ	BDFHKNPQRSV 8	
4 FHIO**QTUY**	E 9	
5 ABDEGKL	BDFGHIJ**N**PRZ 10	
		① €29,80
H970 2 ha 47T(90-150m²) 19**D**		② €35,65

Von Argeles-Gazost D918 (Richtung Col d'Azun) bis zur D13 Richtung Bun. Dann den Schildern Lac d'Estaing folgen. Der zuerst angegebenen Ausfahrt hinter Estaing auf der D918 nicht mit dem Caravan folgen.

Esterre, F-65120 / Midi-Pyrénées 📶 iD

🏔 Le Bergons★★
🏠 route de Barèges
📅 8 Mai - 31 Okt
☎ +33 (0)5-62929077
@ info@camping-bergons.com
📍 N 42°52'25'' E 0°0'11''

1 AD**IL**NORT	6	
2 GPRUVWX	A**B**DE**FG**H 7	
3 ABCLQ	ABCDFJNORV 8	
4 FHIP	E 9	
5 AL	BHK**P**ST 10	
B 3-6A CEE		① €15,50
1 ha 59T(70-100m²) 14**D**		② €21,00

Die D921 in Luz-St-Sauveur, dann die D918 Richtung Col du Tourmalet. In Esterre nach 100m CP rechts.

Gavarnie, F-65120 / Midi-Pyrénées 📶 iD

🏔 Le Pain de Sucre★★
🏠 quartier Couret
📅 1/6 - 30/9, 15/12 - 15/4
☎ +33 (0)5-62924755
@ camping-gavarnie@wanadoo.fr
📍 N 42°45'34'' E 0°0'2''

1 ADE**JM**NOPQRST	N**U** 6	
2 CFOPVX	ABDE**FG** 7	
3 ALQ	ABCDEFHJNPQRV 8	
4 E**F**IO	EJ 9	
5 ADEFG**L**	BGJOR 10	
WB 10A		① €19,50
H1210 1,5 ha 36T(88-130m²) 26**D**		② €26,55

Auf der D921 4 km hinter Gèdre und 3 km vor Gavarnie.

Hèches, F-65250 / Midi-Pyrénées 📶 iD

🏔 La Bourie★★
🏠 Rebouc
📅 1 Mär - 15 Nov
☎ +33 (0)5-62987319
@ campinglabourie@gmail.com
📍 N 43°0'1'' E 0°22'45''

1 A**IL**NOPRST	A**F**N 6	
2 CGOPX	ABDE**FG**H 7	
3 ABELQ	ABCDEFJNOR 8	
4 FHIO	BEGJ 9	
5 ADEFI	FGHIJ**OR** 10	
WB 6-8-10A		① €17,70
H585 2,6 ha 45T(100m²) 88**D**		② €22,90

A64 afslag 16 und D929 Richtung Spanien/Bielsa-Tunnel gleich hinter Hèches. In Rebouc ist der CP ausgeschildert.

Lanne, F-65380 / Midi-Pyrénées iD

🏔 La Bergerie★★★
🏠 79 rue des Chênes
📅 15 Mär - 15 Okt
☎ +33 (0)5-62454005
@ camping-la-bergerie@orange.fr
📍 N 43°10'14'' E 0°0'6''

1 ADE**JM**NORST	AF**N** 6	
2 ACOPRVWXY	ABDE**FG**H 7	
3 AE**KL**Q	ABDFJNRV 8	
4 LNO	EL 9	
5 ABDFGL	ABFHJ**N**RV 10	
B 10A CEE		① €22,70
H329 4 ha 100T(100-110m²) 23**D**		② €32,50

Auf dem Weg von Tarbes nach Lourdes (N21) die Ausfahrt D16 nach Lanne. Nach 200m rechts ab.

Loudenvielle, F-65510 / Midi-Pyrénées 📶 CC€14 iD

- La Pène Blanche**
- 1/1 - 3/11, 20/12 - 31/12
- +33 (0)5-62996885
- info@peneblanche.com
- N 42°47'48'' E 0°24'23''

1 ADEJMNOPRST		6
2 CFGPSUWX	ABDEFGH	7
3 BL	ABCDFJNRV	8
4 ABDFH	BEUW	9
5 A	BDHJOR10	
WB 10A CEE		❶ €25,90
H980 3,5 ha 76T(80-120m²) 48D		❷ €36,90

🚗 Der D929 bis nach Arreau hinein folgen, dann links den D618 folgen. An der Kreuzung mit der D25 Richtung Loudenvielle. 50m vor dem Ort ist der CP rechts.

Lourdes, F-65100 / Midi-Pyrénées 📶 CC€12 iD

- Camping de Sarsan***
- 4 avenue Jean Moulin
- 1 Apr - 15 Okt
- +33 (0)5-62944309
- camping.sarsan@wanadoo.fr
- N 43°6'9'' W 0°1'39''

1 AJMNOPQRST	C	6
2 CFGPRVXY	ABDEFH	7
3 AKL	ABCDEFHNPRV	8
4 FHI	EL	9
5 ABLM	BCDGHIJOR10	
B 10A		❶ €19,40
H410 1,8 ha 67T(100-150m²) 21D		❷ €27,40

🚗 Von Tarbes in der Ortseinfahrt von Lourdes die erste Straße links, Zône Industrielle du Monge, dieser Straße weiter folgen. CP ist angezeigt.

Lourdes, F-65100 / Midi-Pyrénées 📶 iD

- D'Arrouach**
- 9 rue des Trois Archanges
- 15 Mär - 31 Okt
- +33 (0)5-62421143
- contact@camping-arrouach.com
- N 43°6'13'' W 0°4'4''

1 ADEJMNOPQRST	UV	6
2 BFOPUVWY	ABDEFHIJK	7
3 BKLQ	ABEFHNPQRS	8
4 ADEFHIOR	EGILU	9
5 ABEGKLM	BFGHIJORN10	
B 5A		❶ €16,50
H390 13 ha 48T(90-130m²) 11D		❷ €20,70

🚗 Am Ortsausgang von Lourdes in Richtung Pau entweder über die D937 oder über die zweite Ausfahrt auf die D940 (Pau über Soumoulou). Ausgeschildert.

Lourdes, F-65100 / Midi-Pyrénées iD

- Du Loup**
- route de la Forêt
- 3/5 - 16/8, 1/9 - 11/10
- +33 (0)5-62942360
- N 43°5'52'' W 0°4'11''

1 AJMNOPRT	N	6
2 FGPTX	ABDEFGH	7
3 A	ABCDFHLNPRV	8
4 FHI	ABGHJR10	9
5 ABLM		
B 6A		❶ €16,50
H375 1,5 ha 60T(50-80m²)		❷ €22,35

🚗 Von Tarbes an der N21 nach Lourdes. Dort Richtung Bétharram bis zur Bahnlinie. Überqueren und rechts ab Richtung Denkmal bis zur Brücke. Links Richtung Ségus über die D13. Dort ist der CP angezeigt.

Lourdes, F-65100 / Midi-Pyrénées 📶 CC€14 iD

- La Forêt***
- route de la Forêt
- 28 Mär - 31 Okt
- +33 (0)5-62940438
- hello@camping-hautes-pyrenees.com
- N 43°5'44'' W 0°4'29''

1 ADEJMNOPQRST	NU	6
2 BFOPRVWXY	ABDEFGH	7
3 BEKLS	ABCDEFHKNPRSV	8
4 FHIO	BEF	9
5 ABEGJKLM	BCDEGHIJPR10	
B 10A		❶ €19,40
H413 3 ha 80T(85-120m²) 23D		❷ €27,20

🚗 In Lourdes Richtung Pau. Nach 1,5 km Richtung St. Pé/Bétharram. Nach 1 km links über die Bahnlinie. Dann vor dem Wallfahrtsplatz rechts über die Brücke dann weiter Richtung Ségus angegeben.

Lourdes, F-65100 / Midi-Pyrénées 📶 CC€14 iD

- Le Moulin du Monge***
- 28 avenue Jean Moulin
- 1 Apr - 10 Okt
- +33 (0)5-62942815
- camping.moulin.monge@wanadoo.fr
- N 43°6'56'' W 0°1'53''

1 ADEJMNOPQRST	CDF	6
2 AFOPVXY	ABDEFGH	7
3 BEKLQS	ABCDEFHJKNPQRSV	8
4 AEFHIOT	EJL	9
5 ABCLM	BDFGHIKPR10	
B 6A CEE		❶ €22,40
H410 1,3 ha 55T(100-140m²) 25D		❷ €32,20

🚗 Von Tarbes kurz vor Lourdes links abbiegen (Zône Industrielle de Monge). Nach 100m CP links der Strecke.

Lourdes, F-65100 / Midi-Pyrénées 📶 iD

- Le Vieux Berger**
- 2 route de Julos
- 15 Apr - 15 Nov
- +33 (0)5-62946057
- levieuxberger@gmail.com
- N 43°6'16'' W 0°1'59''

1 AJMNOPRST		6
2 FOPVWXY	ABDEFGH	7
3 BKQS	ABFNORV	8
4 I	D	9
5 AL	BCFGIJOR10	
B 10A		❶ €16,40
H403 1,8 ha 56T(80-100m²) 1D		❷ €21,10

🚗 Von Norden am 1. Kreisel, 2. Ausfahrt Richtung Argelès/Gavarnie. Nach 300m links voreinfädeln. Von Süden, o.g. Kreisel umdrehen wegen scharfer Kurver in der Einfahrt.

Lourdes, F-65100 / Midi-Pyrénées 📶 iD

- Plein Soleil***
- 11 avenue du Monge
- 4 Apr - 10 Okt
- +33 (0)5-62944093
- contact@camping-pleinsoleil.com
- N 43°6'54'' W 0°2'12''

1 ADEJMNOPRST	CD	6
2 FOPRUVWX	ABDEFGH	7
3 AKLQ	ABCDEFJKNQRSTUV	8
4 AEFHIOPQ	DEJL	9
5 AFGLM	BCGHIJNOR10	
13A CEE		❶ €22,90
H425 1,5 ha 35T(100m²) 11D		❷ €30,40

🚗 Von Tarbes über die N21 kann man in der Ortseinfahrt von Lourdes die erste, aber auch die zweite Ausfahrt rechts nehmen. Der CP ist an beiden Ausfahrten angezeigt, danach noch ca. 200m.

Luz-St-Sauveur, F-65120 / Midi-Pyrénées 📶 CC€14 iD

- International****
- B.P. 4
- 16 Mai - 30 Sep
- +33 (0)5-62928202
- camping.international.luz@wanadoo.fr
- N 42°52'58'' W 0°0'49''

1 ADEJMNOPRST	CDFGHN	6
2 FPTVX	BDEFGH	7
3 BEILQST	BDFHJNPQRS	8
4 BFHIU	E	9
5 ABCEGKM	BDGHIKPR10	
B 10A CEE		❶ €32,65
H700 4,5 ha 130T(75-120m²) 50D		❷ €43,70

🚗 D921 Richtung Luz-St-Sauveur. Ca. 1 km vor Luz-St-Sauveur liegt der CP.

Luz-St-Sauveur, F-65120 / Midi-Pyrénées 📶 iD

- Les Cascades**
- 9 rue Sainte Barbe
- 1/1 - 30/9, 1/12 - 31/12
- +33 (0)5-62928585
- cathy.sesque@wanadoo.fr
- N 42°52'11'' W 0°0'8''

1 ADEJMNORT	AFN	6
2 CFPRTUX	ABDEFGHIJ	7
3 AL	ABCDEFJNSTU	8
4 AEFHTU	E	9
5 ADEGJL	BHJOR10	
WB 6A		❶ €28,40
H712 2 ha 52T(50-100m²) 53D		❷ €38,90

🚗 In Luz-St-Sauveur Richtung Cirque de Gavarnie, dann am Gemeinde-Schwimmbad und Kasino vorbei (ca. 800m), dann 1. Straße links Richtung 'Chapelle de Solférino'. CP ist beschildert.

Luz-St-Sauveur, F-65120 / Midi-Pyrénées 📶 CC€14 iD

- Sites & Paysages Pyrénévasion****
- route de Luz-Ardiden/Sazos
- 1/1 - 20/10, 20/11 - 31/12
- +33 (0)5-62929154
- camping-pyrenevasion@wanadoo.fr
- N 42°52'56'' W 0°1'20''

1 ADEJMNOPQRST	ABEFGN	6
2 FPRTUVX	ABDEFGH	7
3 BELMQS	ABCDFJNQRSTUV	8
4 ABCDFHINORTUY	EIJ	9
5 ABDEFGKL	BDGHJNPQR10	
WB 10A		❶ €32,60
H830 2,5 ha 68T(80-130m²) 32D		❷ €43,10

🚗 In Luz-St-Sauveur die Straße Richtung Luz-Ardiden fahren und dieser ca. 3 km folgen, bis nach Sazos. Ausgeschildert.

Luz-St-Sauveur/Esquièze-Sère, F-65120 / Midi-Pyr. 📶 CC€14 iD

- Airotel Pyrénées*****
- 46 avenue du Barège
- 1 Mai - 27 Sep
- +33 (0)5-62928918
- airotel.pyrenees@wanadoo.fr
- N 42°52'49'' W 0°0'40''

1 ADEJMNOPQRT	ABEFH	6
2 FGPTUVX	ABDEFGH	7
3 BELQTU	BDFHJKNOPQRS	8
4 ABCDEFHIORTUV	EIJ	9
5 ABCKL	BGHJPR10	
B 10A		❶ €35,15
H700 2,8 ha 75T(80-100m²) 140D		❷ €48,50

🚗 D921 Richtung Luz-St-Sauveur. Ca. 1 km vor Luz-St-Sauveur liegt der CP links an der D921. Der CP ist gut ausgeschildert.

Luz-St-Sauveur/Sassis, F-65120 / Midi-Pyrénées 📶

- Le Hounta***
- Le Village
- 1/2 - 15/10, 18/12 - 4/1
- +33 (0)5-62929590
- info@campinglehounta.com
- N 42°52'19'' W 0°0'53''

1 ADEJMNOPQRST	N	6
2 FGPRVXY	ABDEFGH	7
3 BLQ	ABCDEFJNOQRS	8
4 EFHIOP	EJ	9
5 ABEFKM	BGHIJPR10	
WB 10A CEE		❶ €19,45
H650 2 ha 81T(75-100m²) 44D		❷ €26,85

🚗 Kurz vor Luz-St-Sauveur (vor Brücke) an der D921, D12 Richtung Sassis fahren. Nach Sassis liegt der CP an der linken Straßenseite, kurz vor Elektrizitätswerk.

Peyrouse/Lourdes, F-65270 / Midi-Pyrénées 📶

- Le Prat dou Rey**
- 31 route de Pau
- 1 Apr - 15 Okt
- +33 (0)5-62418154
- lepratdourey@orange.fr
- N 43°6'3'' W 0°7'43''

1 ADEJMNOPQRST	ANUV	6
2 FPVWXY	ABDEFG	7
3 AEKLMQT	ABCDEFHNOPRSTV	8
4 BCDINO	DEJU	9
5 ABDEFGILM	ABFHJPR10	
B 10A CEE		❶ €20,00
H368 4,8 ha 130T(100-200m²) 34D		❷ €28,15

🚗 D937 Richtung Pau (über Bétharram), ca. 6 km vor Lourdes ist der CP ausgeschildert.

St. Lary-Soulan, F-65170 / Midi-Pyrénées CC€14 iD

- Le Rioumajou****
- chemin du Bernet/Bourisp
- 1 Jan - 31 Dez
- +33 (0)5-62394832
- lerioumajou@wanadoo.fr
- N 42°50'19'' E 0°20'20''

1 ADEJMNOPRST	ABFNU	6
2 CGPRSVXY	ABDEFGH	7
3 ABELQ	ABCDEFJKNQRSV	8
4 ABDEFINOPQTU	AE	9
5 ABDEGKL	BGHJNRVZ10	
WB 2-10A		❶ €26,40
H800 5 ha 192T(100-130m²) 70D		❷ €35,85

🚗 In Arreau der D929 Richtung St. Lary-Soulan folgen. Ca. 1,5 km hinter der Brücke Bazus-Aure den Campingschildern folgen.

Vielle-Aure, F-65170 / Midi-Pyrénées 📶

- Le Lustou***
- 89 chemin d'Agos
- 1 Jan - 31 Dez
- +33 (0)5-62394064
- contact@lustou.com
- N 42°50'42'' E 0°20'17''

1 EILNOPRST	NU	6
2 CFPRVWX	ABDEFH	7
3 BELQ	ABCDFJNORSTU	8
4 AEIO	E	9
5 ABEGK	BGHIJOV10	
WB 10A		❶ €17,60
H780 3,5 ha 59T(100-120m²) 6D		❷ €24,40

🚗 D929, Ausfahrt Vielle-Aure D19. Der CP ist dann ausgeschildert.

Haute-Garonne

Martres-Tolosane, F-31220 / Midi-Pyrén. 🛜 ✿ (CC€16) iD

⛰ Sites & Paysages	1 ADEJMNOPRST	ABFGHNU 6
Le Moulin****	2 ACGIPVXY	ABDEFGHK 7
🏠 avenue de Saint Vidian	3 ABCELMQRST	ABCDEFJKNQRSTUV 8
⏱ 30 Mär - 2 Okt	4 BDFHIKLNOPQRX	ABEFJLQUVYZ 9
☎ +33 (0)5-61988640	5 ABDEFGIKL	BDGHIJNPRVW10
@ info@campinglemoulin.com	B 10A	❶ €28,90
📍 N 43°11'29'' E 1°1'0''	H260 10 ha 61T(80-200m²) 38D	❷ €40,90
🚐 Martres-Tolosane liegt an der A64 Toulouse-Tarbes, Ausfahrt 22, oder Ausfahrt 21 von Süden her. Innerorts ist der CP ausgeschildert.		🅼

Montauban-de-Luchon, F-31110 / Midi-Pyrénées 🛜 iD

⛰ Arôme Vanille***	1 ADEILNOPRST	6
🏠 route de Subercarrere	2 FPRTVWXY	ABDEF 7
⏱ 1 Apr - 15 Okt	3 ABCKLMQST	ABCDEFNRS 8
☎ +33 (0)5-61790038	4 IOP	EJUV 9
@ aromevanille@orange.fr	5 ABDEFGIJLM	BHJLNOPRV10
	B 6-10A	❶ €20,40
📍 N 42°47'41'' E 0°36'29''	H637 4,3 ha 128T(90-100m²) 30D	❷ €26,00
🚐 Im Zentrum von Luchon Richtung Montauban. Dort ausgeschildert.		🅼

Montgeard/Nailloux, F-31560 / Midi-Pyrénées 🛜 iD

⛰ Camping du Lac de	1 ADEJMNOPRT	AN 6
la Thésauque***	2 ADGPUVXY	ABDEFH 7
🏠 Lac de la Thésauque	3 BILQ	ABCDFJNQRV 8
⏱ 1 Jan - 31 Dez	4 FO	EJT 9
☎ +33 (0)5-61813467	5 ABDEFGIJKLM	HIJPTU10
@ camping@thesauque.com	6A CEE	❶ €21,60
📍 N 43°21'18'' E 1°38'55''	H200 2 ha 34T(75-90m²) 19D	❷ €30,60
🚐 Der CP liegt an der D622 Auterive-Villefranche. Von Nailloux und der A61 wird der See von Thésauque ausgeschildert.		🅼

Bagnères-de-Luchon, F-31110 / Midi-Pyrénées 🛜 iD

⛰ Camping Au Fil de l'Oô**	1 ADEJMNOPRST	U 6
🏠 37 avenue de Venasque	2 CFGPVWXY	ABDEFGH 7
⏱ 15 Mär - 8 Nov	3 AKLQ	ABCDEFJNOR 8
☎ +33 (0)5-61793074	4 FHIO	EUV 9
@ campingaufildeloo@	5 ABE	BGHIJPRV10
gmail.com	2-10A	❶ €18,50
📍 N 42°46'40'' E 0°36'1''	H630 2,5 ha 104T(80-120m²) 32D	❷ €24,50
🚐 In Bagnères-de-Luchon der Strecke nach Superbagnères folgen, dort ist es der zweite Camping links.		🅼

Montréjeau, F-31210 / Midi-Pyrénées 🛜 (CC€12) iD

⛰ Midi Pyrénées***	1 AILNORT	AB 6
🏠 chemin de Loubet	2 AFPSTUXY	ABDEFGH 7
⏱ 1 Jan - 31 Dez	3 AEILQ	ABCDEFJNORS 8
☎ +33 (0)5-61958679	4 IOPQY	EJ 9
@ camping.midi-pyrenees@	5 DEFGKL	BFHJPR10
wanadoo.fr	B 10A CEE	❶ €18,10
📍 N 43°5'31'' E 0°33'14''	H500 10 ha 110T(100-120m²) 33D	❷ €25,60
🚐 A65/E80 Ausfahrt 17 und die N117 Richtung Montréjeau, dann Avenue du Nord/Z.I. (Zone Industrielle) folgen. Camping ist angezeigt.		🅼

Boulogne-sur-Gesse, F-31350 / Midi-Pyrénées iD

⛰ du Lac**	1 AILNOPRST	ABFGH 6
🏠 rue du Lac	2 PWX	ABDEF 7
⏱ 1 Apr - 30 Sep	3 ABLMQ	ABCDFINOQR 8
☎ +33 (0)5-61882054	4 AIMN	J 9
@ villagevacancesboulogne@	5 ALM	BHJR10
wanadoo.fr	B 10A	❶ €18,60
📍 N 43°17'1'' E 0°39'24''	H300 2,7 ha 100T(90-120m²) 74D	❷ €23,60
🚐 In Toulouse D632 über Samatan nach Boulogne-sur-Gesse. Ausgeschildert ab Boulogne-Zentrum mit 'centre nautique/lac'.		🅼

Puysségur, F-31480 / Midi-Pyrénées 🛜 iD

⛰ Namasté****	1 AJMNORT	AFN 6
⏱ 1 Mai - 15 Okt	2 BOPUVWXY	ABDEFGH 7
☎ +33 (0)5-61857784	3 ABELQS	ABCDEFKNQRSUV 8
@ contact@	4 DFHIT	EJL 9
camping-namaste.com	5 ABDEG	ABGHIJOUV10
	B 16A CEE	❶ €29,00
📍 N 43°45'3'' E 1°3'41''	H300 10 ha 39T(80-150m²) 21D	❷ €42,00
🚐 Von Toulouse über Blagnac die D1 Richtung Mondonville. Dann geht die N224 in die D1 über bis Puysségur. Der CP ist ausgeschildert.		🅼

Cassagnabère, F-31420 / Midi-Pyrénées 🛜 (CC€16) iD

⛰ Pré Fixe***	1 ADEILNOPRT	ABFG 6
🏠 route de St. Gaudens	2 FGPRUVWXY	ABDEFH 7
⏱ 1 Mai - 30 Sep	3 ALMQS	ABCDEFNQRS 8
☎ +33 (0)5-61987100	4 BILOX	AJ 9
@ contact@	5 ABDGIL	BDHJORV10
camping-pre-fixe.com	B 16A	❶ €24,40
📍 N 43°13'33'' E 0°47'21''	H401 1,2 ha 32T(80-110m²) 11D	❷ €35,40
🚐 Von Toulouse-Tarbes A64 Ausfahrt 21 und D817 Richtung Tarbes. Nach 2 km am Kreisel D635 Richtung Aurignac, dann 8 km bis Cassagnabère und dort den CP-Schildern folgen.		🅼

St. Bertrand-de-Comminges, F-31510 / Midi-Pyrénées iD

⛰ Es Pibous***	1 ADEILNOPRST	AF 6
🏠 chemin St. Juste	2 APVY	ABDEF 7
⏱ 1 Apr - 31 Okt	3 AKQ	ABCDFJNORSTV 8
☎ +33 (0)5-61883142	4 FHIO	EL 9
@ contact@es-pibous.fr	5 ABKL	ABGHJRV10
	B 10A CEE	❶ €17,80
📍 N 43°1'43'' E 0°34'43''	H463 1,7 ha 54T(100m²) 12D	❷ €25,05
🚐 In Montréjeau N125 Richtung Luchon bis Labroquère. Dann D26 Richtung St. Bertrand-de-Comminges. Dort ausgeschildert.		🅼

Luchon/Moustajon, F-31110 / Midi-Pyrénées 🛜 (CC€14) iD

⛰ Pradelongue***	1 ADEJMNOPRST	ABF 6
🏠 D125	2 CFGPQRVWXY	ABDEFGH 7
⏱ 1 Apr - 30 Sep	3 BCEKLQS	ABCDEFIJNQRSTUV 8
☎ +33 (0)5-61798644	4 AEFHIOQ	E 9
@ camping.pradelongue@	5 ALM	ABDFGHIJPRY10
wanadoo.fr	B 2-10A	❶ €24,15
📍 N 42°48'31'' E 0°35'50''	H609 4,1 ha 117T(100-150m²) 18D	❷ €33,90
🚐 D125, ca. 2 km vor Luchon Abzweigung Antignac und Moustajon folgen. Der CP befindet sich in der Nähe des Supermarktes.		🅼

Toulouse, F-31200 / Midi-Pyrénées 🛜 (CC€16) iD

⛰ Camping Toulouse	1 ADEJMNOPQRST	NW 6
Le Rupé***	2 ADOPSVWXY	ABDEFGH 7
🏠 21 chemin du Pont de Rupé	3 ABLMQS	ABCDEFJKNRSTUV 8
⏱ 1 Jan - 31 Dez	4 NOQRTU	E 9
☎ +33 (0)5-61700735	5 ABDEFIKLM	FGHIJNPRV10
@ campinglerupe31@wanadoo.fr	B 10A CEE	❶ €28,20
📍 N 43°39'21'' E 1°24'56''	H300 4 ha 84T(80-120m²) 72D	❷ €34,20
🚐 Umgehungsring Toulouse, Ausfahrt Sesquieres (33). Cp. ist ausgeschildert und liegt nördlich der Stadt.		🅼

Ariège

■ PARIS

Muret · Castanet-Tolosan · Revel
Haute-Garonne
Auterive · Castelnaudary
Mazères
Aude
Pamiers
Le Mas-d'Azil · Rieux-de-Pelleport/Varilhes · Mirepoix
La Bastide-de-Sérou · Aigues-Vives · Camon
Saint-Girons · Foix · Léran
Gudas
Montgailhard · Lavelanet
Seix · Oust · Surba · Mercus-Garrabet
Le Trein-d'Ustou · Alliat/Niaux · Tarascon-sur-Ariège · Ornolac-Ussat-les-Bains
Aulus-les-Bains · Vicdessos · Les Cabannes
Aston · Sorgeat
SPANIEN · Ax-les-Thermes · Ascou
Mérens-les-Vals
L'Hospitalet-près-l'Andorre
ANDORRA

Ax-les-Thermes, F-09110 / Midi-Pyrénées (CC€16) iD

▲ Le Malazéou****	1 ADEJMNOPQRST	ABN 6
▤ RN20	2 CPRVWXY	BEFGH 7
⟳ 1/1 - 11/11, 19/12 - 31/12	3 BLQ	ABCDFJKNOQRS 8
☎ +33 (0)5-61646914	4 BINORT	EJ 9
@ camping.malazeou@	5 DEGIM	BDHIKNORZ10
wanadoo.fr	WB 10A	❶ €31,20
	H693 6 ha 151T(90-100m²) 105D	❷ €46,55

🚗 Der CP liegt an der N20, 1 km nördlich von Ax-les-Thermes.

Camon, F-09500 / Midi-Pyrénées (CC€14) iD

▲ Camping de la Besse***	1 ADEJMNOPRST	A 6
⟳ 1 Mai - 31 Okt	2 FGHIPVWXY	ABDEFH 7
☎ +33 (0)5-61688463	3 ALMQ	ABCDEFNOQRSV 8
@ contact@	4 FHIKO	ABEFU 9
camping-labesse.com	5 ABDEFGLM	BDJRV10
	B 16A CEE	❶ €20,90
	H450 200 ha 50T(150-250m²) 41D	❷ €32,90

🚗 Von Toulouse die A66 Richtung Andorra. Ausfahrt 6 Mirepoix (D119). Dann die D625. An der Siedlung der D7 nach Camon folgen. 1 km hinter Camon der Beschilderung folgen.

Camon, F-09500 / Midi-Pyrénées iD

▲ La Pibola***	1 ADEJMNOPRT	AB 6
▤ Le Cazalet	2 PRVWXY	ABDEFGH 7
⟳ 1 Apr - 30 Sep	3 AFLQRS	CDEFNV 8
☎ +33 (0)5-61681214	4 BCDFHILOQ	ABCEFJLU 9
@ contact@campinglapibola.com	5 ABL	ABHIJPRV10
	B 16A	❶ €23,60
	H400 2,5 ha 31T(80-150m²) 29D	❷ €33,10

🚗 D119 bis Mirepoix, die D625. In La Bastide-de-Bousignac die D7 bis Camon und dann den CP-Schildern folgen.

Foix, F-09000 / Midi-Pyrénées iD

▲ Du Lac***	1 ADEJMNOPRST	AFNX 6
▤ Labarre	2 CDGPVX	ABDEFGH 7
⟳ 1 Jan - 31 Dez	3 AELMQ	ABCDFJNORSV 8
☎ +33 (0)5-61651158	4 IOPQ	EJLQU 9
@ camping-du-lac@wanadoo tr	5 ADFL	ABGHIKLORV10
	B 16A CEE	❶ €26,60
	H545 5 ha 135T(90-110m²) 28D	❷ €39,60

🚗 Der CP liegt an der Nordseite von Foix Richtung Toulouse an der N20.

Gudas, F-09120 / Midi-Pyrénées iD

▲ Millefleurs / Naturiste	1 AGJMNOPRST	6
▤ Le Tuilier	2 ABFGPUVWXY	ABDEFGJ 7
⟳ 1 Apr - 1 Nov	3 AQS	ABEFNQRSV 8
☎ +33 (0)5-61607756	4 FIIT	D 9
@ info@camping-millefleurs.com	5 AL	ABHIJORVW10
	FKK B 10A CEE	❶ €25,75
	H500 27 ha 40T(100-140m²) 3D	❷ €31,75

🚗 In Foix die D1 (L'Herm) nehmen. Dann die D13 (Col de Py) und dann Richtung Gudas. Der CP ist ausgeschildert. Für Reisemobile und Caravans ist D1 und die D13 ausgewiesen.

Aigues-Vives, F-09600 / Midi-Pyrénées iD

▲ Sites & Paysages La Sorre***	1 AJMNOPRST	A 6
▤ 5 chemin de la Serre	2 BFGOPUVWXY	ABDFH 7
⟳ 1 Apr - 30 Sep	3 ABCLQ	ABDFGIKNORSV 8
☎ +33 (0)5-61030616	4 EFHI	EFJ 9
@ contact@	5 ABGL	BFGHIJORV10
camping-la-serre.com	B 5A CEE	❶ €20,00
	H450 10,5 ha 51T(200-500m²) 15D	❷ €42,00

🚗 D625 von Mirepoix nach Lavelanet. In Aigues-Vives den CP-Schildern folgen.

Alliat/Niaux, F 09400 / Midi-Pyrénées (CC€16) iD

▲ Des Grottes***	1 ADJLNOPQRST	ABFHIN 6
⟳ 1 Mär - 15 Okt	2 CFGPVX	ABDEFGH 7
☎ +33 (0)5-61058821	3 BEGLQ	ABDEFHJKNPQRSV 8
@ info@campingdesgrottes.com	4 BDFHILNOPQRTU	F 9
	5 ACDEFGIKL	BDGHJOR10
	B 16A CEE	❶ €28,00
	H600 / ha 120T(90-110m²) 80D	❷ €38,00

🚗 Von Foix N20 Richtung Andorra. Direkt hinter Tarascon rechts ab Richtung Niaux/Vicdessos. CP nach 2 km rechts.

L'Hospitalet-près-l'Andorre, F-09390 / Midi-Pyr. iD

▲ La Porte des Cimes	1 AJMNOPQRST	6
⟳ 1 Jun - 31 Okt	2 FOPUWX	ABDFG 7
☎ +33 (0)5-61052110	3 AM	ABCDFJNSV 8
@ contact@	4 EFO	9
camping-hospitalet.com	5 L	BHKNORV10
	B 15A	❶ €15,40
	H1430 2 ha 60T	❷ €20,60

🚗 An der N20, 25 km südlich von Ax-les-Thermes vor L'Hospitalet direkt an der Straße.

Ascou, F-09110 / Midi-Pyrénées iD

▲ Ascou la Forge***	1 AJMNOPQRST	NUV 6
▤ Ascou la Forge	2 CDFPX	ABDEFGH 7
⟳ 1 Jan - 31 Dez	3 AELQSV	ABCDFGINRSV 8
☎ +33 (0)5-61646003	4 ACEFIO	AFIJ 9
@ info@ascou-la-forge.fr	5 ABCDGJKLM	ABJPR10
	WB 10A CEE	❶ €24,00
	H1092 1,5 ha 55T(100-120m²) 8D	❷ €33,50

🚗 Im Kreisverkehr in Ax-les-Thermes den Schildern 'Ascou/Pailhères' folgen. Vom Ortsausgang Ascou noch 3 km bis zum CP.

La Bastide-de-Sérou, F-09240 / Midi-Pyrén. (CC€14) iD

▲ L'Arize****	1 ADEJMNOPQRST	AN 6
▤ Bourtol	2 CGPVWXY	ABDEFGH 7
⟳ 4 Apr - 3 Nov	3 BEGHKLQ	CDEFKNQRSTUV 8
☎ +33 (0)5-61658151	4 BDFHIO	EJLV 9
@ mail@camping-arize.com	5 ABDEGL	ABDFGHIJNPRV10
	B 10A CEE	❶ €29,20
	H415 3 ha 71T(95-200m²) 23D	❷ €38,00

🚗 La Bastide-de-Sérou liegt an der D117 von Foix Richtung St. Girons. Der CP ist ausgeschildert.

Aston, F-09310 / Midi-Pyrénées iD

▲ Le Pas de l'Ours***	1 ADEILNOPRT	ABHN 6
▤ Les Gesquis	2 CGPRVX	ABDEFGH 7
⟳ 1 Jun - 6 Sep	3 BEFLMQ	ABCDFNQRSV 8
☎ +33 (0)5-61649033	4 BFGILNOP	JU 9
@ contact@lepasdelours.fr	5 AGLM	BHIJNPRV10
	B 6A	❶ €27,00
	H562 3,5 ha 30T(80-100m²) 31D	❷ €38,00

🚗 N20 Tarascon - Ax-les-Thermes, Ausfahrt Les Cabannes, Schildern 'Aston' folgen. CP dann ausgeschildert.

Lavelanet, F-09300 / Midi-Pyrénées iD

▲ Le Pré Cathare***	1 AJMNOPRST	ABFGNU 6
▤ rue Jacquard	2 PX	BEFH 7
⟳ 15 Mär - 31 Okt	3 BEILQR	BDFNRSU 8
☎ +33 (0)5-61015554	4 AEIO	EJUV 9
@ leprecathare@orange.fr	5 DGL	BHIJOUV10
	15A CEE	❶ €19,80
	H553 2 ha 20T(80-100m²) 68D	❷ €27,80

🚗 In Lavelanet gut ausgeschildert, aber nicht dem Navi in Lavelanet folgen. CP liegt an der Südseite der Stadt (Richtung Foix).

Aulus-les-Bains, F-09140 / Midi-Pyrénées iD

▲ Le Couledous**	1 ADEILNOPQRST	N 6
⟳ 1 Jan - 31 Dez	2 CQPVX	ABDEFGH 7
☎ +33 (0)5-61664356	3 BLQ	ABCDFJNOQRSV 8
@ camping.couledous@orange.fr	4	F 9
	5 L	BGHIJOSV10
	WB 10A CEE	❶ €20,10
	H736 2,4 ha 72T(80-120m²) 27D	❷ €27,30

🚗 Von St. Girons die D618 nach Oust. Dann die D32 Richtung Aulus-les-Bains. Der CP liegt vor der Ortschaft rechts.

Le Mas-d'Azil, F-09290 / Midi-Pyrénées ((CC€16)) iD

▲ Le Petit Pyrénéen***	1 ADE**JM**NOPRT	AJ 6
▤ Castagnès	2 CGIPVWXY	ABDE**FH** 7
🚫 3 Apr - 5 Okt	3 AL**MQS**	ABCDFNORSV 8
☎ +33 (0)5-61697137	4 F	EF 9
@ contact@	5 ABDEGKLM	BDGIJLPR 10
campinglepetitpyreneen.com	B 16A CEE	① €22,30
📍 N 43°4'44'' E 1°22'41''	H250 1,6 ha 45T(80-140m²) 15D	② €32,30

🚗 A64 Ausfahrt 27 Carbonne/Montesquieu /Volvestre. Die D628 bis Sabarat nehmen. Danach den Schildern Le Mas-d'Azil folgen.

Le Trein-d'Ustou, F-09140 / Midi-Pyrénées iD

▲ Le Montagnou***	1 ADEJMNOPR**ST**	AB**JN** 6
▤ route de Guzet	2 CGPVY	ABDE**FG**H 7
🚫 1/1 - 31/10, 1/12 - 31/12	3 BLQ	ABCDEFJNQRSV 8
☎ +33 (0)5-61669497	4 FIQ	AE 9
@ campinglemontagnou@	5 ABDEGKL	BGHIJOR 10
wanadoo.fr	WB 10A	① €21,80
📍 N 42°48'40'' E 1°15'20''	H694 1,2 ha 40T(100m²) 15D	② €31,10

🚗 Von St. Girons die Straße nach Seix, dann D3 Richtung Valée d'Ustou. Nach 4 km links ab Richtung Le Trein-d'Ustou (D8f). Den CP-Schildern folgen.

Léran, F-09600 / Midi-Pyrénées ((CC€14)) iD

▲ La Régate***	1 AD**JM**NOPRT	ALNQRSTUVWXYZ 6
▤ avenue Montjean - route du Lac	2 BDPRUVY	BE**FH** 7
🚫 28 Mär - 17 Okt	3 BELQ	BDFKNQRSV 8
☎ +33 (0)5-61030917	4 **E**FHINOPQ	EJMOPQRTUV 9
@ contact@	5 ABEGHIK**L**	BHIJOSV 10
campinglaregate.com	B 10A CEE	① €24,60
📍 N 42°59'2'' E 1°56'8''	H405 2 ha 38T(90-110m²) 23D	② €35,60

🚗 D625 Lavelanet-Mirepoix, bei Aiges-Vives Ausfahrt Léran. In Léran Schildern zum CP oder See folgen. Nicht dem Navi folgen.

Les Cabannes, F-09310 / Midi-Pyrénées iD

▲ Camping Municipal	1 AF**J**MNOR**T**	N 6
Bois de Boulonge	2 CFOPVWXY	BDE**FH** 7
🚫 1 Jan - 31 Dez	3 AL**Q**	ABCDFJNORV 8
☎ +33 (0)5-61647745	4 I	9
@ camping@lescabannes.com	5	BHJRV 10
	WB 10A CEE	① €16,20
📍 N 42°47'12'' E 1°41'26''	H536 1,6 ha 37T(80-100m²) 45D	② €19,70

🚗 N20 von Foix Richtung Andorra. An Tarascon vorbei, Ausfahrt Les Cabannes. Im Ort dem Schild 'Camping Municipal' folgen.

Mazères, F-09270 / Midi-Pyrénées ((CC€12)) iD

▲ Campéole La Bastide***	1 ADHKNOPQRST	AN 6
▤ route de Belpech	2 ABCIPUX	B**FGK** 7
🚫 1 Mai - 15 Sep	3 BFT	BDFNOQ 8
☎ +33 (0)5-61693882	4 BDN	EJL 9
@ la-bastide@campeole.com	5 ADH	SVZ 10
	16A CEE	**Preise auf**
📍 N 43°15'8'' E 1°40'56''	6 ha 80T(100-200m²)	**Anfrage**

🚗 Die A66, Ausfahrt Mazères/Saverdun. In Mazères der Route de Belpech folgen.

Mercus-Garrabet, F-09400 / Midi-Pyrénées iD

▲ Du Lac Mercus	1 ADE**J**LNOR**T**	ABFNUXZ 6
▤ 1 Promenade du Camping	2 ADFGINPRUVWXY	BDE**F** 7
🚫 1 Apr - 1 Nov	3 AL**Q**	ABCDEFIKNOQRSV 8
☎ +33 (0)5-61059061	4 FI	DEJQ 9
@ info@	5 ABL	BHIJPR 10
campingdulacmercus.com	B 10A CEE	① €29,00
📍 N 42°52'18'' E 1°37'20''	H470 1,4 ha 41T(80-150m²) 24D	② €40,40

🚗 N20 von Foix Richtung Andorra. Ausfahrt 14 Mercus folgen. In Mercus den Schildern 'Camping du Lac' folgen.

Mérens-les-Vals, F-09110 / Midi-Pyrénées iD

▲ Camping de Mérens***	1 ADE**JM**NOPQRST	N 6
🚫 1 Jan - 31 Dez	2 CPVX	ABDE**FG**H 7
☎ +33 (0)5-61028540	3 AELQ	ABCDFJNOQRT 8
@ camping.merens@wanadoo.fr	4 AEFHIO	J 9
	5 ACEGK**L**	ABHJORV 10
	WB 10A CEE	① €15,80
📍 N 42°39'1'' E 1°50'4''	H1109 2 ha 66T(80-100m²) 19D	② €21,40

🚗 Ab Ax-les-Thermes durch Mérens-les-Vals fahren. Hinter dem Ort zeigt ein großes Schild die CP-Einfahrt an. Von Andorra aus rechts einordnen, um nach links abzubiegen. Achtung: nur kurze Einfädelmöglichkeit! Dem kleinen kurvenreichen Weg folgen.

Montgailhard, F-09330 / Midi-Pyrénées iD

▲ La Roucateille***	1 ADE**JM**NOPRST	N 6
▤ 15 rue du Pradal	2 ABCGIOPQVY	ABDE**FH** 7
🚫 1 Mai - 30 Sep	3 AL**Q**	ABCDFNOQRSV 8
☎ +33 (0)5-61640592	4 FHIO	DE 9
@ info@roucateille.com	5 ADEGIL	BGHJLNOR 10
		① €19,80
📍 N 42°55'51'' E 1°38'19''	H650 2 ha 71T(90-130m²) 30D	② €26,80

🚗 Aus Richtung Toulouse die 61 bis Ausfahrt 11, Montgailhard. Den CP-Schildern folgen.

Ornolac-Ussat-les-Bains, F-09400 / Midi-Pyrénées iD

▲ Ariège Evasion***	1 AD**J**MNOPRST	**N**UVX 6
▤ Espace de Loisirs	2 CFPVXY	ABD**FG**HIK 7
🚫 1 Mai - 2 Okt	3 AELU	ABCDFLNORSV 8
☎ +33 (0)5-61051111	4 AEFI	GJLQR 9
@ contact@ariege-evasion.com	5 ADEGIL	ABHIJORV 10
	B 10A	① €22,60
📍 N 42°49'1'' E 1°38'5''	H500 2 ha 70T(90-170m²) 14D	② €27,60

🚗 Ussat-les-Bains liegt an der N20, ca. 3 km südlich von Tarascon, CP ist ausgeschildert.

Oust, F-09140 / Midi-Pyrénées iD

▲ Les 4 Saisons***	1 ADE**JM**NOPQRS	AJ**N** 6
▤ route d'Aulus-les-Bains	2 BCGOPVY	BE**FG**H 7
🚫 1 Jan - 31 Dez	3 BEHLQ	BDFJNOQRSTV 8
☎ +33 (0)5-61965555	4 FHINOQ	GHL 9
@ camping.ariege@gmail.com	5 ADEFGJK**LM**	BFGHJL**O**TU 10
	WB 10A	① €23,60
📍 N 42°52'22'' E 1°13'13''	H500 3,5 ha 108T(80-150m²) 63D	② €30,10

🚗 Von St. Girons D618 Richtung Seix/Oust. Der CP ist gut ausgeschildert.

Pamiers, F-09100 / Midi-Pyrénées iD

▲ Kawan Village l'Apamée***	1 ABDE**JM**NOPRST	ANU 6
▤ route de St. Girons	2 ACGJOPVWXY	ABDE**FG**H 7
🚫 1 Apr - 31 Okt	3 ABLQS	ABDFKNQRSV 8
☎ +33 (0)5-61600689	4 A**BCD**EFHILNO**PQ**	AEJU 9
@ campingapamee@orange.fr	5 ABDEGILM	ABGHIJLOSTV 10
	B 10A CEE	① €29,60
📍 N 43°7'30'' E 1°36'7''	H300 2,5 ha 60T(100-150m²) 40D	② €39,60

🚗 Der CP liegt in Pamiers an der N20. Der CP ist ausgeschildert.

Rieux-de-Pelleport/Varilhes, F-09120 / Midi-Pyr. ((CC€16)) iD

▲ Les Mijeannes***	1 ADE**JM**NOPRST	ABN**U** 6
▤ D311	2 ACGJPQVWXY	ABDE**FG**H 7
🚫 1 Jan - 31 Dez	3 ABEFILQ	ABCDEFJNQRSV 8
☎ +33 (0)5-61608223	4 BDFHIO**PQ**	DEFJLQU 9
@ lesmijeannes@orange.fr	5 ABDEGK**LM**	BDGHIJNORVX 10
	B 10A CEE	① €26,50
📍 N 43°3'45'' E 1°37'17''	H300 10 ha 152T(100-240m²) 23D	② €34,70

🚗 Mautstrecke ab Toulouse, Ausfahrt 7 Varilhes. In Varilhes beim Rathaus (Hotel de Ville) nach Rieux abbiegen. Der CP ist ausgeschildert.

Seix, F-09140 / Midi-Pyrénées iD

▲ Le Haut Salat***	1 ADE**JM**NOPRST	ABN**U** 6
▤ route de Soueix	2 COPVY	ABDE**FG**H 7
🚫 15 Jan - 15 Dez	3 BELQ	ABCDEFJNORSV 8
☎ +33 (0)5-61668178	4 FHILNO**PQ**	E 9
@ camping.le-haut-salat@	5 ABDGK**LM**	ABGHIJOR 10
wanadoo.fr	W 10A	① €21,10
📍 N 42°52'14'' E 1°12'24''	H502 2,5 ha 76T(90-110m²) 60D	② €30,95

🚗 Von St. Girons D618 entweder D3 Richtung Seix. Im Kreisel vor Seix rechts. CP-Schildern folgen.

Sorgeat, F-09110 / Midi-Pyrénées iD

▲ La Prade	1 ADE**JM**NOPQR**T**	6
🚫 1 Jan - 31 Dez	2 BFGPVX	ABDEFG 7
☎ +33 (0)5-61643634	3 AL**Q**	ABDFJNORV 8
@ info@	4 F	E 9
camping-ariege-sorgeat.fr	5 AB**L**	BHJ**P**RV 10
	WB 10A CEE	① €17,00
📍 N 42°43'58'' E 1°51'15''	2 ha 50T(25-65m²) 19D	② €20,60

🚗 Im Zentrum von Ax-les-Thermes am Kreisel Richtung Ascou. Nach 3,5 km links nach Sorgeat. Innerorts gut angezeigt. Viele Haarnadelkurven.

Surba, F-09400 / Midi-Pyrénées ((CC€12)) iD

▲ Le Sédour**	1 AD**J**MNOPQRST	N 6
▤ Florac	2 APXY	ABDE**FG** 7
🚫 1 Jan - 31 Dez	3 ALR	CDFJNQRV 8
☎ +33 (0)7-82939772	4 O	J 9
@ campinglesedour@orange.fr	5 AGK	HJOR 10
	10A	① €21,60
📍 N 42°51'21'' E 1°35'20''	H493 1,5 ha 50T(90-130m²) 30D	② €27,60

🚗 Von Foix über die N20 nach Tarascon-sur-Ariège. Am Kreisel die erste Ausfahrt Richtung St-Girons (D618) nehmen. Nach 100m rechts ist der CP angezeigt.

ACSI Ortsnamenregister

Hinten im Führer finden Sie das Ortsnamenregister.

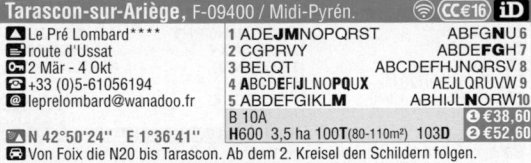

Tarascon-sur-Ariège, F-09400 / Midi-Pyrén. ⌂ CC€16 iD

▲ Le Pré Lombard****	1 ADEJMNOPQRST	ABFGNU 6
⬛ route d'Ussat	2 CGPRVY	ABDEFGH 7
☷ 2 Mär - 4 Okt	3 BELQT	ABCDEFHJNQRSV 8
☎ +33 (0)5-61056194	4 ABCDEFIJLNOPQUX	AEJLQRUVW 9
@ leprelombard@wanadoo.fr	5 ABDEFGIKLM	ABHIJLNORW10
	B 10A	① €38,60
⬛ N 42°50'24'' E 1°36'41''	H600 3,5 ha 100T(80-110m²) 103D	② €52,60

⬛ Von Foix die N20 bis Tarascon. Ab dem 2. Kreisel den Schildern folgen. Von Tarascon mit der Navigation aufpassen!

Vicdessos, F-09220 / Midi-Pyrénées ⌂ iD

▲ La Bexanelle***	1 ADEJMNOPQRST	AN 6
☷ 1 Jan - 31 Dez	2 CFPVXY	ABDEFGH 7
☎ +33 (0)5-61648222	3 BELQU	ABCDFJKNOQRSV 8
@ info@labexanelle.com	4 EFIO	AEFJ 9
	5 ABFGKL	BHIJORV10
	WB 10A CEE	① €22,50
⬛ N 42°46'7'' E 1°29'34''	H706 2 ha 197T(80-100m²) 48D	② €31,50

⬛ CP liegt an der Nordseite von Vicdessos und ist ausgeschildert.

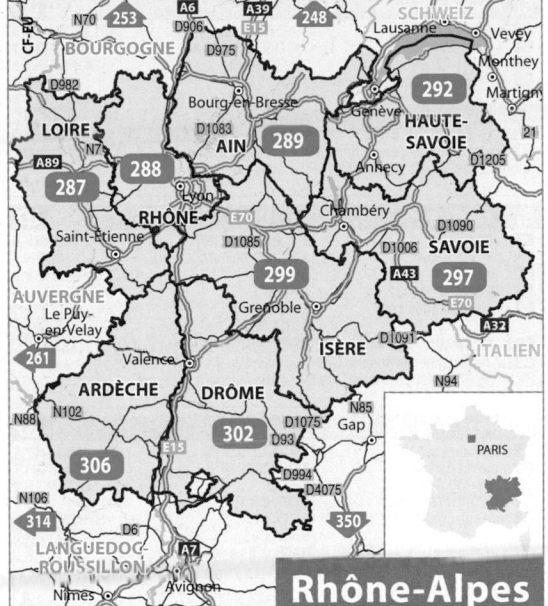

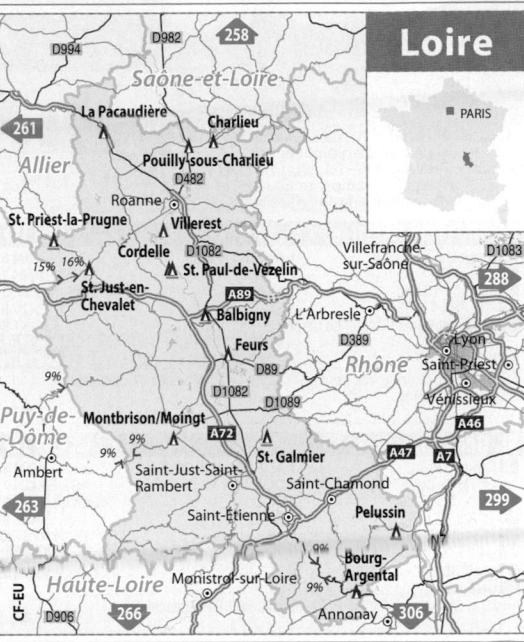

Balbigny, F-42510 / Rhône-Alpes ⌂ CC€14 iD

▲ La Route Bleue***	1 ADJMNOPRST	AFN 6
⬛ Pralery, D56	2 ACGPRVXY	BEFGH 7
☷ 15 Mär - 31 Okt	3 Q	ABDEFNOQRV 8
☎ +33 (0)4-77272497	4 HIO	E 9
@ camping.balbigny@wanadoo.fr	5 ADEFGKL	BGHIJPST10
	10A	① €20,90
⬛ N 45°49'32'' E 4°10'35''	H320 2 ha 100T(100m²) 2D	② €27,90

⬛ An der Nordseite von Balbigny. Von der N82 die D56 nehmen. Der CP ist ausgeschildert.

Feurs, F-42110 / Rhône-Alpes iD

▲ Municipal du Palais***	1 ABDJMNOPRST	6
⬛ 9, route de Civens	2 APX	ABDEF 7
☷ 1 Apr - 31 Okt	3 AELQ	ABCDEFJNORUV 8
☎ +33 (0)4-77264341	4 Q	9
	5 DG	HJR10
	B 16A CEE	① €16,40
⬛ N 45°45'16'' E 4°13'33''	H346 6 ha 385T(100-120m²) 150D	② €19,50

⬛ Von Roanne aus der N82 folgen. Kurz vor Feurs ist links der CP. Beschilderung folgen.

Bourg-Argental, F-42220 / Rhône-Alpes ⌂ iD

▲ L'Astree***	1 ADEJMNOPRST	ABFGHN 6
⬛ chemin de Vernat	2 COPRVXY	BEFGH 7
☷ 1 Jan - 31 Dez	3 AELMNQ	ABCDFIKQS 8
☎ +33 (0)4-77397297	4 IOPQ	FJU 9
@ prl@bourgargental.fr	5 AGLM	BHIJOPRV10
	B 6A	① €19,50
⬛ N 45°17'57'' E 4°34'55''	H550 1,5 ha 16T(20-100m²) 22D	② €23,50

⬛ CP liegt an der N82, östlich von Bourg-Argental.

La Pacaudière, F-42310 / Rhône-Alpes

▲ Municipal BeauSoleil**	1 ILNORT	AF 6
⬛ route de Vivans	2 PQTVWX	ABDEF 7
☷ 1 Mai - 30 Sep	3 AEILMQ	ABDFNOR 8
☎ +33 (0)4-77641150	4 IO	IJ 9
@ lapacaudiere@wanadoo.fr	5	GHJR10
	6A	① €15,85
⬛ N 45°35'29'' E 3°52'35''	H330 2 ha 51T(80-110m²) 6D	② €21,65

⬛ Von Lapalisse über N7, im Ort La Pacaudière links abbiegen.

Charlieu, F-42190 / Rhône-Alpes ⌂ iD

▲ Municipal de la Douze***	1 AJMNOPRST	ABFN 6
⬛ chemin du Camping	2 CGPVX	BEFGH 7
☷ 1 Apr - 30 Sep	3 AELMQ	ABCDFJNOQR 8
☎ +33 (0)4-77728601	4 FHI	EUV 9
@ camp-charlieu@voila.fr	5 ABDEG	BHJLOR10
	10A CEE	① €14,50
⬛ N 46°9'31'' E 4°10'50''	2,5 ha 70T(70-100m²) 36D	② €19,30

⬛ In Charlieu Schildern 'Complexe Sportif' folgen.

Montbrison/Moingt, F-42600 / Rhône-Alpes iD

▲ Municipal du Surizet***	1 AJMNOPRST	AN 6
⬛ 31 rue du Surizet	2 COPVXY	ABDEFG 7
☷ 15 Apr - 15 Okt	3 AL	ABFHJNOQRV 8
☎ +33 (0)4-77580830	4 P	9
@ campingmunicipal@	5	GHIJR10
ville-montbrison.fr	10A	① €14,10
⬛ N 45°35'29'' E 4°4'41''	2,5 ha 96T(100m²) 10D	② €18,70

⬛ In Montbrison Richtung St. Anthème, St. Étienne via D496. Beschilderung links folgen. Südlich von Montbrison.

Cordelle, F-42123 / Rhône-Alpes ⌂ iD

▲ Mars****	1 ADEJMNOPRT	ABFNQWX 6
⬛ RD56, route du Château de la Roche	2 FPUVX	ABDEFGH 7
☷ 1 Apr - 15 Okt	3 AKLQ	ABCDFJNOQRSTU 8
☎ +33 (0)4-77649442	4 EFH	AEJ 9
@ campingdemars@yahoo.fr	5 ACDEGJKL	BHIJOR10
	B 10A CEE	① €30,50
⬛ N 45°55'8'' E 4°3'53''	H473 1,8 ha 46T(5-41m²) 17D	② €39,50

⬛ Von Roanne D43 und dann D56 folgen. Nach Cordelle befindet sich der CP an rechten Straßenseite. CP-Beschilderung folgen.

Pelussin, F-42410 / Rhône-Alpes ⌂ CC€16 iD

▲ Sites & Paysages	1 ADEJMNOPRST	ABFN 6
Bel'Epoque du Pilat***	2 BCFPRTUVXY	BEFH 7
⬛ 2 rte de la Vialle	3 ABCLMQS	BDEFKNQRS 8
☷ 1 Apr - 30 Sep	4 BFHILP	CELU 9
☎ +33 (0)4-74876060	5 ADEGKLM	BHIJOPR10
@ contact@camping-belepoque.fr	B 6A CEE	① €27,00
⬛ N 45°24'50'' E 4°41'29''	H414 3,5 ha 55T(50-150m²) 27D	② €34,50

⬛ A7 Ausfahrt 10 Ampuis. Auf der N86 Richtung Serrières. D7 Richtung Pelussin. In Pelussin im Kreisel der D79 und Schildern folgen. Nicht dem GPS folgen, sondern nach dieser Anleitung fahren.

Frankreich

Frankreich

Camping d'Arpheuilles ***
Der einzige am Ufer des 'Lac de Villerest'

Vermietung von Mobilheimen

Privatstrand   Schwimmbäder   Imbiss
Kanu   Minigolf   Gratis WiFi

Camping d'Arpheuilles ***
St Paul de Vezelin 42590 - Tel : +33 (0)4 77 63 43 43
arpheuilles.camp@gmail.com
www.camping-arpheuilles.com

St. Just-en-Chevalet, F-42430 / Rhône-Alpes

⛺ Le Verdillé**	1	ADEJMNOPRT	ABFGHN 6
🏠 Le Verdillé	2	ACPVWXY	ABDEFGJ 7
📅 1 Mai - 31 Aug	3	BEIMNQ	ABEFJNORUV 8
☎ +33 (0)6-80126333	4	DFHIP	B 9
@ camping.le.verdille@	5	ABDEFGIL	BGHJLNOR10
gmail.com	16A CEE		① €13,40
🗺 N 45°54'52'' E 3°50'25''	H600 1,2 ha 60T(100m²) 2D		② €18,90

🚗 Von der A72 Ausfahrt 4 Noirétable. Dann die D53 nach St. Just-en-Chevalet. Innerorts ist der CP ausgeschildert.

St. Paul-de-Vézelin, F-42590 / Rhône-Alpes

⛺ D'Arpheuilles***	1	ADEJMNORT	AFLNQSXYZ 6
📅 11 Apr - 30 Sep	2	CDGHPUVWXY	BDEFGH 7
☎ +33 (0)4-77634343	3	ACEFILQ	BDFNORV 8
@ arpheuilles.camp@gmail.com	4	IQ	EPQ 9
	5	ABDEGIKL	BHIJOSTV10
	Anzeige auf dieser Seite B 6-10A		① €24,50
🗺 N 45°54'42'' E 4°3'57''	H400 3,5 ha 72T(120m²) 15D		② €32,50

🚗 Von St. Paul-de-Vézelin der D8 in Richtung Dancé folgen. Der CP liegt ein paar Kilometer außerhalb des Dorfes. CP ist ausgeschildert.

St. Priest-la-Prugne, F-42830 / Rhône-Alpes

⛺ Le Paradou	1	AJMNOPQRT	AJLNX 6
🏠 Le Moulin Poyet	2	BCDFPRTVWXY	ABFH 7
📅 1 Apr - 1 Okt	3	ALQSV	ABCDEFNQRSV 8
☎ +33 (0)4-77649032	4	FHKO	ABDEJQTU 9
@ info@le-paradou.com	5	ABGJ	BHJOSTVW10
	B 10A CEE		① €25,65
🗺 N 45°57'49'' E 3°44'28''	H700 9 ha 47T(80-130m²) 16D		② €34,65

🚗 N7 bis Roanne. In Roanne Richtung Saint-Just-en-Chevalet. Von dort aus Richtung St. Priest-la-Prugne. Weiter der Beschilderung folgen.

Pouilly-sous-Charlieu, F-42720 / Rhône-Alpes

⛺ Municipal Les Ilots**	1	AJMNOPRST	JN 6
🏠 les Ilots	2	CPVXY	ABDEFHK 7
📅 15 Mai - 15 Sep	3	AEFLMQ	ABCDFJNOQR 8
☎ +33 (0)4-77608067	4	BC	DUV 9
@ campinglesilots42@orange.fr	5	AL	JOST10
	10A CEE		① €11,05
🗺 N 46°8'57'' E 4°6'44''	1,2 ha 50T(bis 100m²) 1D		② €14,70

🚗 D487. Im Zentrum von Pouilly Richtung D482 Montceau/Autun. Der CP ist ab Ortsrand angezeigt.

Villerest, F-42300 / Rhône-Alpes

⛺ L'Orée du Lac***	1	AJMNOPRT	AFLMNQSXY 6
🏠 route du Barrage	2	CDGPUVXY	BDEFGH 7
📅 1 Apr - 30 Sep	3	BLQ	BDFNOS 8
☎ +33 (0)4-77696088	4	DFHNO	DEL 9
@ loreedulac@wanadoo.fr	5	BDGILM	BHIJNOST10
	B 10A CEE		① €22,20
🗺 N 45°59'18'' E 4°2'41''	H350 2,5 ha 53T(80-100m²) 10D		② €29,80

🚗 Von Roanne N7 Richtung Lyon, Ausfahrt Le Coteau D43 und dann D84 folgen. Schilder 'Barage-Villerest' folgen. Über Barage ist rechts der CP.

St. Galmier, F-42330 / Rhône-Alpes

⛺ Campéole	1	ADFJMNOPQRT	ABN 6
Le Val de Coise****	2	CGPTUVX	ABDEFGH 7
🏠 route de la Thiery	3	BELQ	ABCDFNRSV 8
📅 11 Apr - 11 Okt	4	BDIO	AEJ 9
☎ +33 (0)4-77541482	5	AB	BGHJOST10
@ val-de-coise@campeole.com	B 16A CEE		① €21,50
🗺 N 45°35'34'' E 4°20'8''	H400 3,5 ha 92T(80-100m²) 52D		② €33,70

🚗 Unterhalb Lyons via A7 und A47 Richtung St. Étienne. Dann A72 bis Ausfahrt St. Galmier folgen. In St. Galmier ist CP ausgeschildert.

Cublize/Amplepuis, F-69550 / Rhône-Alpes

⛺ Campeole Lac des Sapins****	1	ADEJMNOPRST	ALMNQRSTX 6
📅 1 Mai - 27 Sep	2	CDGHIPRSVWXY	ABDEFG 7
☎ +33 (0)4-74895283	3	BEGHILMQR	ABCDEFKNORSTUV 8
@ lacdessapins@campeole.com	4	DFHLTUX	AEJLMNOPQRTUVW 9
	5	ABDG	ABDGHJLPRZ10
	B 16A CEE		① €23,40
🗺 N 46°0'47'' E 4°22'54''	H450 8 ha 85T(50-100m²) 106D		② €36,20

🚗 Im Ort CP-Schildern folgen. Dorf-CP passieren, nach ca. 600m folgt die Einfahrt zum CP 'Du Lac des Sapins'.

Fleurie, F-69820 / Rhône-Alpes

⛺ VivaCamp	1	ADEJMNOPQRST	A 6
La Grappe Fleurie****	2	FPUVXY	BEFGH 7
🏠 rue de la Grappe Fleurie	3	BLMQT	ABCDEFGHJNQRSTUV 8
📅 11 Apr - 10 Okt	4	ABCDEFHINPQ	EFJUV 9
☎ +33 (0)4-74698007	5	ABDEFGL	ABDGHJOPTU10
@ info@beaujolais-camping.com	16A CEE		① €21,90
🗺 N 46°11'16'' E 4°41'56''	H200 3,5 ha 60T(70-150m²) 29D		② €32,90

🚗 A6 Ausfahrt Mâcon-Sud. D906 Richtung Villefranche. Hinter (dem Hotel) La Maison Blanche rechts D32 nach Fleurie. Den CP-Schildern folgen.

Lyon/Dardilly, F-69570 / Rhône-Alpes

⛺ Camping Indigo International	1	ADILNOPRST	AF 6
de Lyon****	2	AOPRTUVXY	ABDEFGH 7
🏠 allée du Camping International	3	AELQ	ABCDEFJNRSV 8
📅 1 Jan - 31 Dez	4	IO	E 9
☎ +33 (0)4-78356455	5	EGI	AGHKV10
@ lyon@camping-indigo.com	B 10A CEE		① €28,20
🗺 N 45°49'11'' E 4°45'42''	H300 6 ha 185T(80m²) 54D		② €36,75

🚗 Von Paris: A6 Lyon - Villefranche-sur-Saône. Ausfahrt 33. Den Schildern 'Complexe Touristique' und/oder den Schildern 'Camping Porte de Lyon' folgen.

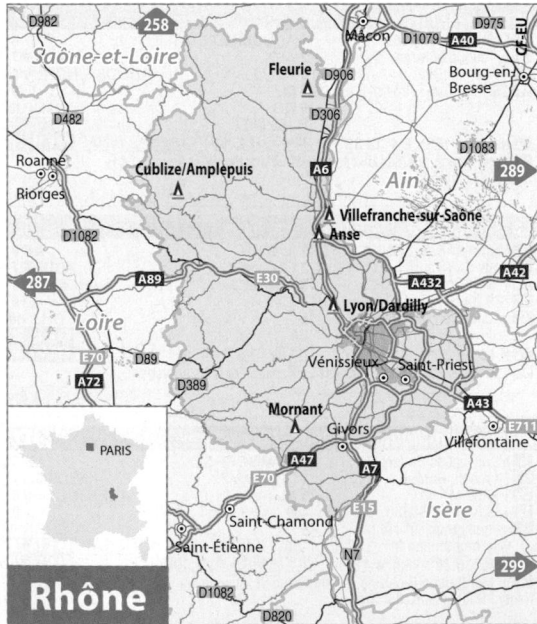

Saône-et-Loire — **Rhône** — **Loire**

Anse, F-69480 / Rhône-Alpes

⛺ Les Portes du Beaujolais****	1	ADEJMNOPRST	AFHN 6
🏠 495 avenue Jean Vacher	2	ACGPRVWXY	ABDEFH 7
📅 1 Mär - 31 Okt	3	BEILMQR	ABDFJKNRSTUV 8
☎ +33 (0)4-74671287	4	BDHINOPQ	AEJQTU 9
@ contact@	5	ABDEFGI	BGHIKPR10
camping-beaujolais.com	B 10A CEE		① €27,50
🗺 N 45°56'26'' E 4°43'36''	H300 10 ha 198T(100m²) 91D		② €35,90

🚗 Von Norden, A6 Ausfahrt 31.2 Anse und anschließend N6 Richtung Anse/Villefranche. Hinter der Saône-Brücke rechts ab und der Beschilderung folgen. Von Süden Ausfahrt 33.1.

Villefranche-sur-Saône, F-69400 / Rh.-Alpes

⛺ Camping Parc Beaujolais*	1	ADEJMNOPRT	LN 6
🏠 2788 route de Riottier	2	ACDPVXY	ABDEFGH 7
📅 15 Mai - 16 Sep	3	ALQ	ABCDFKNORSUV 8
☎ +33 (0)4-74653348	4	O	9
@ contact@	5	AGIJM	HIJO10
campingparc.beaujolais.com	10A CEE		① €18,60
🗺 N 45°58'21'' E 4°45'7''	4 ha 128T(100m²)		② €26,90

🚗 Ausfahrt Mautweg Villefranche-sur-Saône. Der CP ist ausgeschildert.

Frankreich

Artemare, F-01510 / Rhône-Alpes ⓦ CC€12 iD

🏕 Sites & Paysages
Le Vaugrais***
🏠 chemin le Vaugrais
📅 1 Mär - 10 Dez
☎ +33 (0)4-79873734
@ contact@camping-le-vaugrais.fr
📍 N 45°52'28'' E 5°41'2''

1 ADJMNORST	ABN	6
2 CPSVWX	ABDEFH	7
3 AL	ABFNOQRSTUV	8
4 FHI	EJUV	9
5 ADE	BDHOSV	10
B 6-10A CEE		
	❶ €23,90	
H258 1,6 ha 50T(80-120m²)	7D	❷ €33,90

🚗 Von Belley die N504 Richtung Ambérieu und Bugey, hinter Pugieu rechts ab, der D904 bis Artemare folgen. Von Ambérieu und Bugey die N504 Richtung Belley, vor Pugieu links der D904 bis Artemare folgen. Ausgeschildert.

Bourg-en-Bresse, F-01000 / Rhône-Alpes ⓦ iD

🏕 Municipal de Challes***
🏠 5 allée du Centre Nautique
📅 1 Apr - 15 Okt
☎ +33 (0)4-74453721
@ camping-municipal-bourgenbresse@wanadoo.fr
📍 N 46°12'34'' E 5°14'26''

1 ADEJMNOPRST	**ABEFGHI**	6
2 AGOPQRSVXY	ABDEFG	7
3 ABE**K**LQ	ABCDEFJKNQRTUV	8
4 H**RSTUV**	L	9
5 ABDEFG**IL**M	AFHIJPR	10
10-16A CEE		❶ €17,80
H300 2,7 ha 93T(80-100m³)		❷ €17,80

🚗 Von Bourg-en-Bresse aus die N83 Richtung Nord-Osten Lons-le-Saunier. Der CP liegt in der Nähe vom Schwimmbad rechts von der Straße.

Châtillon-sur-Chalaronne, F-01400 / Rhône-Alpes ⓦ iD

🏕 Mun. du Vieux Moulin****
🏠 avenue Jean Jaures
📅 1 Mai - 30 Sep
☎ +33 (0)4-74550479
@ camping@
chatillon-sur-chalaronne.com
📍 N 46°6'58'' E 4°57'44''

1 ADE**JM**NOPRST		6
2 CGOPRVWXY	ABDE**FGH**	7
3 AELQ	BDEFKNOQRS	8
4 HIO	F	9
5	BFGHJOR	10
B 10A CEE		❶ €25,65
3 ha 61T(80-100m²)	64D	❷ €33,65

🚗 CP liegt rechts der D7 (von Châtillon Richtung Marlieux).

Chézery-Forens, F-01410 / Rhône-Alpes ⓦ iD

🏕 Le Valserine**
🏠 route de Confort
📅 1 Jan - 31 Dez
☎ +33 (0)4-50562088
@ campingvalserine@gmail.com
📍 N 46°13'3'' E 5°51'51''

1 ADE**JM**NOPQRST	AB	6
2 CGOPSWXY	ABDE**FGH**	7
3 AELMQS	ABCDEFJNOQRSV	8
4 **AEF**H	EJUW	9
5 ADEFGIL	HJPRV	10
W 10A CEE		❶ €18,00
H551 2 ha 80T(80-120m²)	28D	❷ €24,00

🚗 Von Nantua die N84 Richtung Bellegarde/Genève. In Chézery-Forens rechts ab, dann liegt der CP rechts an der Straße.

Cormoranche-sur-Saône, F-01290 / Rh.-Alpes ⓦ CC€14 iD

🏕 du Lac****
🏠 Base de Loisirs,
365 chemin du Lac
📅 1 Mai - 30 Sep
☎ +33 (0)4-85239710
@ contact@lac-cormoranche.com
📍 N 46°15'5'' E 4°49'33''

1 ADE**JM**NOPRST	LMN**Q**STXY	6
2 ADGHIPQVWXY	ABDE**FGH**	7
3 BEF**KL**QRT	CDFHOQRS	8
4 BCDEFHILNO**P**	ABEJLQRTUV	9
5 ABDEFGIL	BDGHIKLNORVZ	10
Anzeige auf dieser Seite 10A CEE		❶ €21,55
4 ha 93T(80-100m²)	52D	❷ €27,35

🚗 In Mâcon-Centre die D906 (N6) Ri. Lyon. In Crèches li. (D51) über die Saône. In Cormoranche der Beschilderung Base de Loisirs nach. A40 Ri. Bourg. Ausf. 3 Macon-Sud via Pont-de-Veyle nach Cormoranche.

Culoz, F-01350 / Rhône-Alpes ⓦ CC€16 iD

🏕 VivaCamp Le Colombier***
🏠 Ile de Verbaou
📅 25 Apr - 26 Sep
☎ +33 (0)4-79871900
@ info@camping-alpes.net
📍 N 45°51'0'' E 5°47'38''

1 AD**JM**NOPRST	LM	6
2 DGHIPRVWXY	ABDE**FGH**	7
3 BEFILMQ	ABCDFJNOQRSTUV	8
4 FHIO	DEU	9
5 AD**F**-GI**KL**	DFHJURV	10
B 10A		❶ €21,70
H235 1,5 ha 54T(70-100m²)	24D	❷ €32,20

🚗 A40 Richtung Genève. Ausfahrt 11 Eloise. Danach die RN508 bis Frangy, und in Frangy Richtung Seyssel fahren. Die D992 Richtung Culoz. Am Kreisverkehr in Culoz liegt der CP rechts von der Straße.

Divonne-les-Bains, F-01220 / Rhône-Alpes ⓦ CC€14 iD

🏕 Indigo Divonne -
Le Fleutron***
🏠 Quart. Villard, 2465 Vie de l'Etraz
📅 23 Mär - 15 Nov
☎ +33 (0)4-50200105
@ fleutron@camping-indigo.com
📍 N 46°22'29'' E 6°7'16''

1 ADIL**N**OPRST	ABFN	6
2 ACFPTUVWXY	ABDE**FGH**	7
3 BE**KLMN**Q	ABCDFJNOQR	8
4 ABDEFHIO	ABCEJV	9
5 ABDEFGIL	ABGHIJNOTU	10
10A CEE		❶ €29,90
H600 8 ha 159T(80-150m²)	65D	❷ €40,90

🚗 D984 von Gex Richtung Divonne. Vor Divonne fahren Sie Richtung St. Gixet und folgen Sie der CP-Beschilderung.

Hautecourt-Romanèche, F-01250 / Rhône-Alpes ⓦ iD

🏕 Camping de l'île Chambod***
🏠 3232 rte du Port
📅 18 Apr - 20 Sep
☎ +33 (0)4-74372541
@ contact@
campingilechambod.com
📍 N 46°7'40'' E 5°25'42''

1 AD**JM**NOPRST	AF**N**UWXYZ	6
2 DPVY	ABDE**FG**	7
3 ABILQ	ABCDFKNQRSV	8
4 BHIO**P**	AELQRUV	9
5 ABDEGIK**L**	BGHIJL**N**PRV	10
5-10A		❶ €20,10
H350 2,5 ha 110T(80-100m²)	11D	❷ €26,30

🚗 Von Pont-d'Ain Ausfahrt 9, RN75 Richtung Genève. Nach 1 km RN84 Richtung Nantua. In Poncin der D81 folgen und danach Richtung L'Ile Chambod. Den CP-Schildern folgen.

Hauteville-Lompnès, F-01110 / Rhône-Alpes ⓦ CC€14 iD

🏕 Les 12 Cols***
🏠 chemin de Cormaranche
📅 1/1 - 11/10, 18/12 - 31/12
☎ +33 (0)4-37865587
@ contact@camping-les12cols.fr
📍 N 45°58'15'' E 5°35'44''

1 ADEIL**N**OPRT	A**N**	6
2 GPUVWXY	ABDE**FG**	7
3 AE**KL**MOQ	ABCDEFJNQRTV	8
4 FHIK	EJUV	9
5 A**GL**	BFGHJ**N**P**V**	10
WB 10A CEE		❶ €26,55
H820 100T(85-135m²)		❷ €35,35

🚗 A40 Ausfahrt St. Martin-du-Fresne. Dann den Pfeilen Ri. Hauteville-Lompnes nach. A42 Ausgfahrt Ambérieu-en-Bugey Richtung Belley die RN504 Tenay. Richtung Hauteville-Lompnes.

Massignieu-de-Rives, F-01300 / Rh. Alpes ⓦ CC€16 iD

🏕 VivaCamp
Lac du Lit du Roi****
🏠 La Tuillière
📅 25 Apr - 19 Sep
☎ +33 (0)4-79421203
@ info@camping-savoie.com
📍 N 45°46'7'' E 5°46'11''

1 ADE**JM**NOPRST	AFLM**N**QSXYZ	6
2 DGIPRUVWXY	ABDE**FGH**	7
3 ADLMQT	ABCDFNOQRSTUV	8
4 BCDEFHILNO**PQ**	EFJPQUV	9
5 ABEFGIKL	BHJOS	10
B 10A		❶ €27,70
H235 2,5 ha 90T(80-120m²)	47D	❷ €38,70

🚗 A40 Richtung Genève. Ausfahrt 11 nach Eloise. RN508 Richtung Frangy, danach D992 Richtung Culoz. Die D992 nach Culoz noch ca. 12 km folgen. Über die Brücke nach Massignieu-de-Rives. Gut ausgeschildert.

aux rives du soleil
***camping | restaurant | piscine

Camping Aux Rives du Soleil***

- Geräumige Stellplätze von mindestens 100 m²;
- Moderne Mietobjekte (Mobilheime und Zelte);
- Großer Platz für Durchgangscamper, ein idealer Zwischenstopp;
- Grüne, fischreiche Wasserumgebung;

Bourgogne ~ Frankreich

- Saubere Sanitärgebäude, 2 Schwimmbäder und gratis Wi-Fi;
- Ausführliches Animationsprogramm;
- Niederländische Eigentümer, deutschsprachig;
- Mehr Information: www.rivesdusoleil.com

Matafelon-Granges, F-01580 / Rhône-Alpes ⓒ Ⓒ€16 iD

⛺ Les Gorges de l'Oignin***	1 ADEJMNORT	ABFLNQXZ 6
🏠 rue du Lac	2 DFGIPRSUVWXY	ABDEFG 7
📅 15 Apr - 20 Sep	3 ABEKLQ	ABCDEFJNRSTW 8
☎ +33 (0)4-74768097	4 BFIKLOP	EJLT 9
@ camping.lesgorgesdeloignin@ wanadoo.fr	5 ABDEFGIKL	BDHIJOR10
	10A CEE	❶ €29,10
🛰 N 46°15'19'' E 5°33'26''	H400 2,6 ha 128T 46D	❷ €38,50

🚌 Von Bourg-en-Bresse Richtung Nantua, dann im Kreisel links zur D18 bis Matafelon. Den CP-Schildern folgen. Von Oyonax aus ist Matafelon nicht angezeigt!

Montrevel-en-Bresse, F-01340 / Rh.-Alpes ⓒ Ⓒ€16 iD

⛺ La Plaine Tonique****	1 ADEJMNOPRST	ABCEFGHILMNQRSTW 6
🏠 599 route d'Etrez	2 ACDGHOPVY	ABDEFGJ 7
📅 11 Apr - 18 Sep	3 BEFHILMQRS	ABCDEFKNQRSV 8
☎ +33 (0)4 74308052	4 BCFHILNOT	BEJLMOQRTU 9
@ plaine.tonique@wanadoo.fr	5 ADEGI	ABFGHIJLNORV10
	Anzeige auf Seite 291 A 10A CEE	❶ €30,00
🛰 N 46°20'21'' E 5°8'12''	H280 15 ha 380T(100m²) 167D	❷ €41,00

🚌 In Montrevel-en-Bresse D28 Richtung Etrez/Marboz folgen. Der CP liegt links der Strecke.

Murs-et-Gélignieux, F-01300 / Rhône-Alpes ⓒ Ⓒ€16 iD

⛺ L'Île de la Comtesse****	1 ADEJMNORST	ABFGHNQSWXYZ 6
🏠 route des Abrets	2 ACDPQVWX	BDEFGH 7
📅 1 Mai - 6 Sep	3 ADEFLQS	BCFNQRSTUV 8
☎ +33 (0)4-79872333	4 EHILNOPQ	AEFJV 9
@ camping.comtesse@ wanadoo.fr	5 ACDEFGIKL	BGHJNPST10
	B 6A CEE	❶ €31,35
🛰 N 45°38'23'' E 5°38'56''	H210 3 ha 60T(100-120m²) 41D	❷ €44,45

🚌 A43 Lyon-Chambéry, Ausfahrt 10 Chimilin/Aoste und dann über die D592 Richtung Belley. Hinter der 2. Brücke kommt rechts der CP.

Nantua, F-01130 / Rhône-Alpes ⓒ iD

⛺ Camping du Signal	1 ACJMNOPRST	N 6
🏠 17 avenue du camping	2 ACFPSVWX	ABDEH 7
📅 1 Apr - 31 Okt	3 ACEMQ	ABCDEFNORS 8
☎ +33 (0)4-74750209	4 DFHI	AF 9
@ contact@camping-nantua.fr	5 DIL	BFHJORV10
	16A CEE	❶ €17,10
🛰 N 46°9'5'' E 5°36'1''	H480 2,5 ha 40T(71-110m²) 10D	❷ €22,10

🚌 Von der A40 Ausfahrt 8 oder weiter auf der A404 die Ausfahrt 9 nehmen. Über die N84 am See entlang bis es rechts ab zum CP geht.

Poncin, F-01450 / Rhône-Alpes ⓒ iD

⛺ Vallée de l'Ain***	1 ADEJMNOPRST	ABFGJNUXY 6
🏠 route d'Allemant	2 ACGIJOPQSVWXY	ABDEFH 7
📅 1 Apr - 30 Sep	3 BELMQ	ABCDEFNOTUV 8
☎ +33 (0)4-74357211	4 FHINPQ	EJ 9
@ camping-vallee-de-l-ain@ orange.fr	5 ABDEFGIKL	BFGHIJNOTUV10
	10-16A CEE	❶ €21,00
🛰 N 46°5'24'' E 5°24'15''	H250 2,5 ha 85T(80-110m²) 25D	❷ €28,20

🚌 Von Pont-d'Ain aus N84 Richtung Nantua/Genève. Durch Poncin durchfahren. Der CP ist direkt hinter Poncin am Ain.

Pont-d'Ain, F-01160 / Rhône-Alpes ⓒ iD

⛺ De l'Oiselon***	1 AJMNOPQRST	ANUX 6
🏠 rue Émile Lebreüs	2 ACGHKPQRSVY	ABDEF 7
📅 21 Mär - 11 Okt	3 BELMQ	ABCDEFNORSTV 8
☎ +33 (0)4-74390523	4 NP	DELQRU 9
@ campingoiselon@free.fr	5 AFGKLM	GHJORV10
	6-10A	❶ €16,45
🛰 N 46°2'48'' E 5°20'40''	H235 6,4 ha 180T(100m²) 125D	❷ €22,05

🚌 Von Pont-d'Ain in Richtung Süden über die D1075 Richtung Ambérieu-en-Bugey. Gleich nach der Brücke links ab.

Pont-de-Vaux, F-01190 / Rhône-Alpes ⓒ Ⓒ€16 iD

⛺ Aux Rives du Soleil***	1 ADEJMNOPQRST	AFJNQSWXYZ 6
🏠 D933A	2 ACGIPRVWXY	ABDFG 7
📅 17 Apr - 12 Okt	3 AEKLQST	ABCDFNQRSV 8
☎ +33 (0)3-85303365	4 DFHILOP	AEPQRVWY 9
@ info@rivesdusoleil.com	5 ABDEFGIJKL	ABDGHJOR10
	Anzeige auf dieser Seite B 6A	❶ €28,50
🛰 N 46°26'49'' E 4°53'56''	7 ha 160T(100m²) 31D	❷ €41,50

🚌 Von Norden: A6 Ausfahrt 27 Tournus. Von Süden: A6 Ausfahrt Mâcon. Mâcon-Nord. Dann die D906 Richtung Pont-de-Vaux. Am Kreisel Fleurville über die Saône. CP liegt an der Saône.

Pont-de-Vaux, F-01190 / Rhône-Alpes Ⓒ€14

⛺ Champ d'Été****	1 JMNORS	EL 6
🏠 Champ d'Été	2 DGPVWXY	ABDE 7
📅 28 Mär - 15 Okt	3 A	ABCDEFNV 8
☎ +33 (0)3-85239610	4	J 9
@ camping.champdete@ wanadoo.fr	5	10
		❶ €24,60
🛰 N 46°25'46'' E 4°56'01''	130T(80-100m²) 31D	❷ €30,60

🚌 Bei Fleurville (D906) über die Saône nach Pont-de-Vaux (D933). In Pont-de-Vaux der Beschilderung Base-de-loisirs und Camping folgen.

Pont-de-Vaux, F-01190 / Rhône-Alpes ⓒ Ⓒ€14 iD

⛺ Les Ripettes***	1 ADEJMNOPQRT	A 6
📅 1 Apr - 30 Sep	2 PSVXY	ABDEFGH 7
☎ +33 (0)3-85306658	3 ALQ	ABCDFNOQRT 8
@ info@ camping-les-ripettes.com	4 FH	B 9
	5 ADL	BDFHJORV10
	10A CEE	❶ €21,65
🛰 N 46°26'40'' E 4°58'50''	2,5 ha 55T(150-400m²) 1D	❷ €27,65

🚌 Bei Fleureville D906 über die Saône nach Pont-de-Vaux (D933). In Pont-de-Vaux Ri. St. Trivier-de-Courtes (D2). Nach 4 km, hinter St. Bénigne an den Wassertürmen, liegt links der CP.

Priay, F-01160 / Rhône-Alpes ⓒ iD

⛺ l'Escapade	1 ADEJMNOPRST	N 6
🏠 route d'Ambronay	2 ACGHKOPRSWXY	ABDEFH 7
📅 10 Mär - 30 Sep	3 AL	ABCDEFNOPRSV 8
☎ +33 (0)6-19260972	4 HO	DE 9
@ direction@camping-ain.fr	5 DEKLM	FGHIJOR10
	6A	❶ €16,45
🛰 N 46°0'13'' E 5°17'54''	H230 1,5 ha 65T(100-200m²) 65D	❷ €21,45

🚌 A42 Pont-Ain-Lyon, Ausfahrt 8. D5 Richtung Priay. CP liegt direkt vorne an der D12.

Serrières-de-Briord, F-01470 / Rhône-Alpes ⓒ iD

⛺ du Point Vert***	1 ADEJMNOPRST	AFJMNQSTWXYZ 6
🏠 chemin du Point Vert	2 CDGHIPVWXY	ABDEFG 7
📅 4 Apr - 4 Okt	3 AEFLM	ABDFNQRV 8
☎ +33 (0)4-74361345	4 BDFHINOPQR	EORTU 9
@ campingdupointvert@wibox.fr	5 ABGJK	BHJLPRV10
	B 10A	❶ €24,00
🛰 N 45°48'57'' E 5°25'37''	H230 3 ha 85T(80-120m²) 55D	❷ €33,00

🚌 Ab Bourg-en-Bresse Richtung Lyon, Ausfahrt Ambérieu. N75 Richtung Langnieu. Am Kreisel Richtung St. Sorlim - Sault Brénaz - Serrières-de-Briord, durch den Ort, dann den CP-Schildern folgen.

Seyssel, F-01420 / Rhône-Alpes ⓒ iD

⛺ International***	1 ADJMNOPRT	ABFG 6
🏠 chemin de la Barotte	2 PQUVWXY	ABDEFGH 7
📅 23 Mai - 30 Sep	3 AELQ	ABCDFNQRV 8
☎ +33 (0)4-50592847	4 AEILO	EU 9
@ camp.inter@wanadoo.fr	5 ABDEFGIKL	BHIJNOST10
	6-10A	❶ €25,60
🛰 N 45°56'59'' E 5°49'24''	H325 1,5 ha 45T(80-140m²) 15D	❷ €33,60

🚌 In Mâcon A40 Ri. Genève. Ausf. 11, Eloise. N508 Ri. Annecy. Vor Frangy Ri. Seyssel, Rhône überqueren und direkt re. Nach ± 100m li. Nach 1 km CP re. Wegen der schwierigen Zufahrt am CP vorbeifahren und nach 1 km wenden.

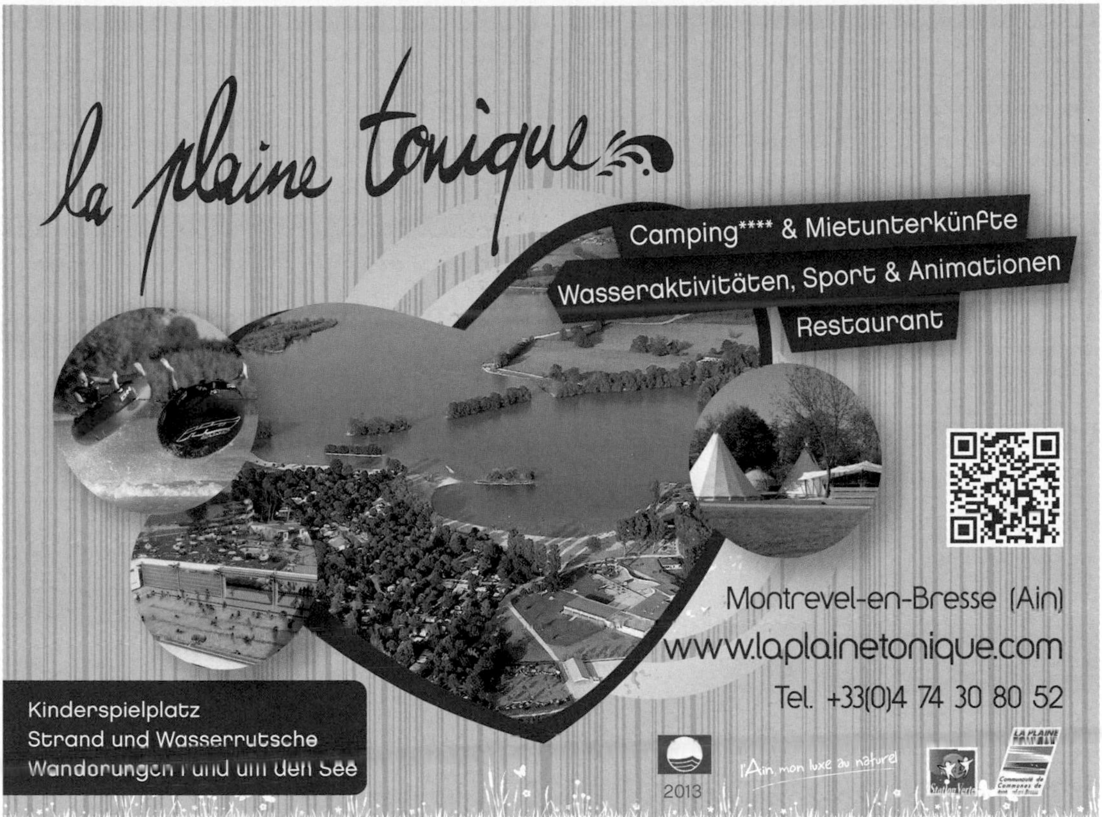

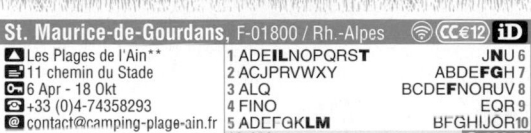
St. Maurice-de-Gourdans, F-01800 / Rh.-Alpes

Les Plages de l'Ain**	1 ADE**ILNOPQRST**	JNU 6
11 chemin du Stade	2 ACJPRVWXY	ABDE**FGH** 7
6 Apr - 18 Okt	3 ALQ	BCDE**F**NORUV 8
+33 (0)4-74358293	4 FINO	EQR 9
contact@camping-plage-ain.fr	5 ADEFGK**LM**	B**F**GHIJOR 10
	10-16A	① €22,50
N 45°48'31" E 5°11'4"	H160 3 ha 100**T**(150-200m²) 42**D**	② €33,00

A42 Ausfahrt 7 Pérouges/Meximieux, D65B Richtung St. Maurice-de-Gourdans und den Hinweisen Stade und Camping folgen.

St. Nizier-le-Désert, F-01320 / Rhône-Alpes

La Nizière	1 ADE**JM**NOPQRST	AF**N** 6
28 Mär - 27 Sep	2 BDGIPSVWXY	ABDE**FG** 7
+33 (0)4-74303516	3 BLQ	ABCDEFNOQRV 8
laniziere@cc-chalamont.com	4 E**FI**IN	FUV 9
	5 ABDEFGI	FGHJPRVZ 10
	B 6A	① €16,55
N 46°3'15" E 5°9'30"	H294 13 ha 71**T**(70-150m²) 8**D**	② €20,95

Von Bourg-en-Bresse die N83 Richtung Lyon. Bei St.-Paul-de-Varax die D70 (B) nehmen, in St. Nizier die D90. CP liegt etwas östlich vom Ort.

St. Nizier-le-Bouchoux, F-01560 / Rhône-Alpes

Domaine de Mépillat	1 ADE**JM**NOP**RT**	AF**N** 6
route de Cormoz	2 ADGIPUVWXY	ABDE**FH** 7
1 Apr - 30 Sep	3 AEFLQ	ABCDFKNOQRSTUV 8
+33 (0)4-74529724	4 EFIO	BHV 9
contact@camping-mepillat.fr	5 ABDEFGILM	AHIJNOR 10
	10A CEE	① €17,20
N 46°27'6" E 5°11'22"	H205 5 ha 82**T**(75-100m²) 3**D**	② €23,20

A39 Ausfahrt 10 nach St. Trivier-de-Courtes (D56). Nach 7 km links an der Straße.

St. Paul-de-Varax, F-01240 / Rhône-Alpes

Domaine de la Dombes****	1 A**DJM**NOPQRST	A**N** 6
Etang du Moulin, chemin de Verfey	2 BCDGHPRSVXY	ABDE**FGH** 7
1 Mär - 31 Okt	3 ABEF**IKLMN**QR	ABCDEFINORSV 8
+33 (0)4-74303232	4 BCFHIKO**Q**	BEFJLVW 9
contact@	5 ABDEFGIKLM	ABDFGHIJ**NOR** 10
domainedeladombes.com	Anzeige auf dieser Seite B 10A CEE	① €23,10
N 46°5'11" E 5°9'7"	H261 34 ha 159**T**(100-200m²) 41**D**	② €29,60

Von Lyon oder Bourg-en-Bresse die N83 nehmen. In St. Paul-de-Varax die D70a Richtung St. Nizier-le-Desert. Den Schildern folgen.

Thoissey, F-01140 / Rhône-Alpes

▲ Camping de Thoissey***	1 AJMNOPQRST	ABFGH**N**WXYZ 6
▤ Le Port	2 ACGPVWXY	ABDE**FG** 7
⊙ 15 Apr - 30 Sep	3 ABEQ	ABCDEFKNORSV 8
☎ +33 (0)4-74651226	4 FHO**PQ**	EQR 9
@ christophe.oudart@hotmail.fr	5 ADEGI	HJOST 10
	10A CEE	❶ €26,00
◪ N 46°9'55'' E 4°47'32''	13 ha 280T(100-200m²) 22**D**	❷ €26,00

🚗 Auf der D906 (N6) von Norden nach Romanèche-Thorins Richtung Thoissey D9. Von Süden Richtung Thoissey D9. Der CP liegt kurz hinter der Brücke über die Saône rechts.

Trévoux, F-01600 / Rhône-Alpes

▲ Sites & Paysages Kanopee Village***	1 ADEJMNOPQRST	ABFGHI 6
	2 CPVXY	ABDE 7
▤ rue Robert Baltié	3 A	ABCDFNOPV 8
⊙ 1 Apr - 30 Sep	4 **TV**	J 9
☎ +33 (0)4-74084483	5 AB	IJ**O**T 10
@ contact@kanopee-village.com	B 10A CEE	❶ €25,00
◪ N 45°56'21'' E 4°46'6''	H1783 2,5 ha 200T(100-140m²) 13**D**	❷ €34,00

🚗 Von Norden A46, Ausfahrt 2 (Trévoux). Dem Ortsschild folgen. Der Camping ist ausgeschildert. Von Süden A6 Ausfahrt 32.

Villars-les-Dombes, F-01330 / Rhône-Alpes

▲ Le Nid du Parc****	1 ADE**JM**NOPR**T**	ABFGH**N** 6
▤ 164 avenue des Nations	2 CGIPRSVWXY	ABDE**FG**H 7
⊙ 18 Apr - 31 Okt	3 ABCE**KLMNQ**	ABCDEFKNQRSTUV 8
☎ +33 (0)4-74980021	4 ABDE**F**HIO	AEVW 9
@ camping@ parcdesoiseaux.com	5 ADEIL	ABFGHIJOTU 10
	6A CEE	❶ €26,90
◪ N 45°59'49'' E 5°1'51''	H280 4,5 ha 160T(80-100m²) 31**D**	❷ €35,90

🚗 Von Bourg-en-Bresse aus RD1083 folgen, im Ort ausgeschildert.

Virieu-le-Grand, F-01510 / Rhône-Alpes

▲ Du Lac***	1 AD**JL**NOPRST	LM**N** 6
▤ D904	2 DGHIOPUVWXY	ABDE**F** 7
⊙ 1 Mai - 7 Sep	3 AEFLQ	ABCDEFNRV 8
☎ +33 (0)4-79878202	4 DFIO	E 9
@ campingvirieu@orange.fr	5 ABDG**ILM**	BHIJOTUV 10
	B 10A CEE	❶ €20,75
◪ N 45°49'47'' E 5°38'40''	H260 1,6 ha 75T(90-150m²) 7**D**	❷ €28,75

🚗 Von Belley die N504 Richtung Ambérieu und Bugey, hinter Pugieu rechts ab die D904 nehmen. Von Ambérieu und Bugey die N504 Richtung Belley, vor Pugieu links die D904 Richtung Virieu-le-Grand.

Vonnas, F-01540 / Rhône-Alpes

▲ Le Renom***	1 ADE**JM**NOPQRST	ABFGH**N** 6
▤ 240 avenue des Sports	2 CPVWX	ABDE**FG**H 7
⊙ 28 Mär - 27 Sep	3 AEL**MQ**	ABCDFNRSV 8
☎ +33 (0)4-74500275	4 DHIN	E 9
@ campingvonnas@wanadoo.fr	5 D**IL**	BFGHJPR 10
	10A CEE	❶ €24,20
◪ N 46°13'15'' E 4°59'15''	2,6 ha 82T(80-100m²) 20**D**	❷ €32,50

🚗 Der CP ist innerorts Vonnas ausgeschildert.

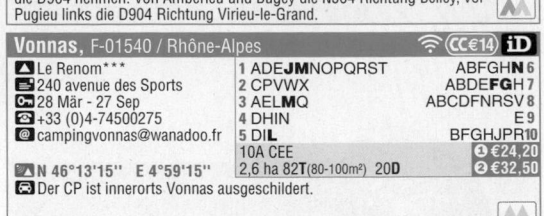

Haute-Savoie

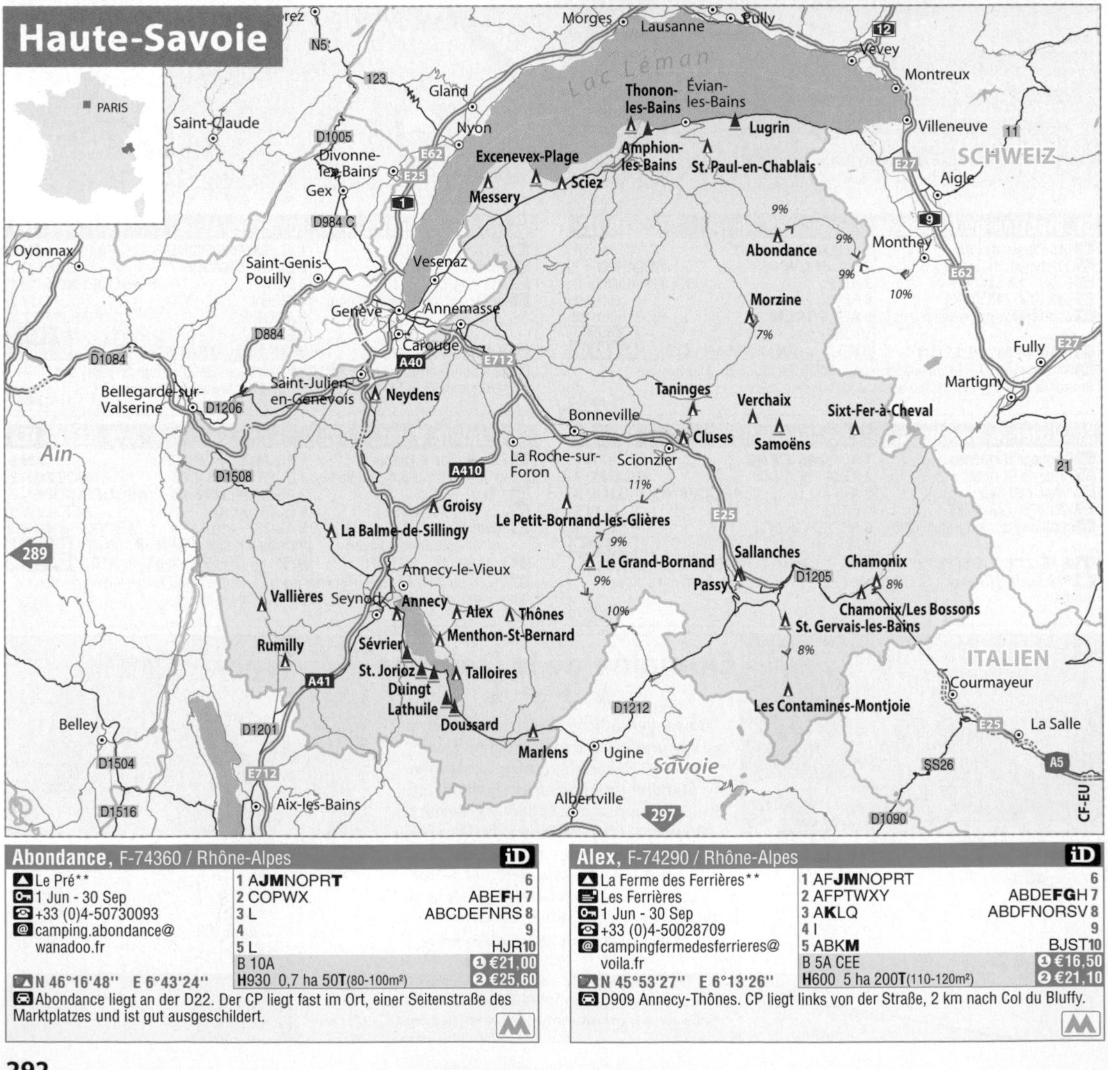

PARIS

SCHWEIZ

ITALIEN

Abondance, F-74360 / Rhône-Alpes

▲ Le Pré**	1 A**JM**NOPR**T**	6
⊙ 1 Jun - 30 Sep	2 COPWX	ABE**FH** 7
☎ +33 (0)4-50730093	3 L	ABCDEFNRS 8
@ camping.abondance@ wanadoo.fr	4	9
	5 L	HJR 10
	B 10A	❶ €21,00
◪ N 46°16'48'' E 6°43'24''	H930 0,7 ha 50T(80-100m²)	❷ €25,66

🚗 Abondance liegt an der D22. Der CP liegt fast im Ort, einer Seitenstraße des Marktplatzes und ist gut ausgeschildert.

Alex, F-74290 / Rhône-Alpes

▲ La Ferme des Ferrières**	1 AF**JM**NOPRT	6
▤ Les Ferrières	2 AFPTWXY	ABDE**FG**H 7
⊙ 1 Jun - 30 Sep	3 A**KL**Q	ABDFNORSV 8
☎ +33 (0)4-50028709	4 I	9
@ campingfermedesferrieres@ voila.fr	5 ABK**M**	BJST 10
	B 5A CEE	❶ €16,50
◪ N 45°53'27'' E 6°13'26''	H600 5 ha 200T(110-120m²)	❷ €21,10

🚗 D909 Annecy-Thônes. CP liegt links von der Straße, 2 km nach Col du Bluffy.

Amphion-les-Bains, F-74500 / Rhône-Alpes 🆔

🏕 Le Grand Pré**	1 AJMNOPR**T**	NOQSW 6
🏠 275 route du Vieux Mottay	2 GJOPVX	ABD**FGH** 7
📅 1 Jun - 30 Aug	3 L**M**Q	ABCFNORUV 8
☎ +33 (0)4-50700045	4	L 9
	5 AK	R10
	6A	❶ €18,00
🗺 N 46°23'38'' E 6°31'52''	H380 0,8 ha 30T(100-120m²)	❷ €24,70

🚗 Von Thonon N5 Richtung Evian. Links an Cora SB-Markt vorbei. Bei nächstem Kreisverkehr links. Schildern folgen. Ⓜ

Amphion-les-Bains, F-74500 / Rhône-Alpes 🛜 🆔

🏕 Les Huttins**	1 AJMNOPRS**T**	6
🏠 350 rue de la Plaine	2 OPVWX	ABDE**FH** 7
📅 1 Mai - 30 Sep	3 I**L**MQ	ABCFNO 8
☎ +33 (0)4-50700309	4 EIO	E 9
@ infos@	5 A	BJOR10
camping-leshuttins.com	6A	❶ €21,50
🗺 N 46°23'39'' E 6°31'41''	H370 1,5 ha 98T(70-100m²) 8D	❷ €28,80

🚗 Von Thonon-les-Bains N5 Richtung Evian. Links fahren Sie an einem Cora SB-Markt vorbei. Danach die 1. Straße links, CP-Schildern folgen. Ⓜ

Annecy, F-74000 / Rhône-Alpes 🛜 🆔

🏕 Le Belvédère***	1 ADJMNOPRT	6
🏠 8 route du Semnoz	2 ABFOPRSUVWXY	ABDE**FGH** 7
📅 28 Mär - 10 Okt	3 AI**K**LQ	CDFJNRTUV 8
☎ +33 (0)4-50454830	4 FHIO	J 9
@ camping@ville-annecy.fr	5 ABDEFGIK**LM**	ABFGHIJORV10
	B 16A	❶ €26,00
🗺 N 45°53'25'' E 6°7'56''	H520 3 ha 91T(70-110m²) 12D	❷ €32,00

🚗 A41 Ausfahrt 16 Annecy-Sud. Straße Annecy-Albertville. Im Zentrum bei Krankenhaus Straße Richtung Semnoz 1 km folgen. CP liegt dann rechts. Ⓜ

Chamonix, F-74400 / Rhône-Alpes 🛜 🆔

🏕 L'Île des Barrats***	1 AF**JM**NOPR**T**	6
🏠 185 chemin de l'Île des Barrats	2 AFOPVXY	BDE**FGH** 7
📅 1 Jun - 20 Sep	3 A	ABCDEFNQRTUV 8
☎ +33 (0)4-50535144	4	J 9
@ campingiledesbarrats74@	5 **L**	FGHIJOR10
orange.fr	B 10A	❶ €30,30
🗺 N 45°54'54'' E 6°51'41''	II1040 0,8 ha 49T(80-120m²) 4D	❷ €30,00

🚗 Kurz hinter der Zufahrt zum Mont Blanc Tunnel, 1. Kreisel links Richtung Hopital. Am nächsten Kreisel wieder links. Nach 400m liegt der CP gegenüber dem Krankenhaus. Ⓜ

Chamonix/Les Bossons, F-74400 / Rhône-Alpes 🛜

🏕 Les Deux Glaciers***	1 ADFJMNOPQRT	6
🏠 80 rte des Tissières	2 FOPQRTUVWXY	ABDE**FGH** 7
📅 1/1 - 15/11, 15/12 - 31/12	3 B**K**L	ABCDEFJNQRSV 8
☎ +33 (0)4-50531584	4 FI	EJ 9
@ info@les2glaciers.com	5 AEGJK**L**	HJOR10
	W 10A	❶ €21,20
🗺 N 45°54'8'' E 6°50'15''	H1000 1,6 ha 120T(80-100m²) 21D	❷ €30,80

🚗 3 km vor Chamonix rechts Richtung Les Bossons/Tremplin/Télésiège. Dann 2. CP rechts. Ⓜ

Cluses, F-74300 / Rhône-Alpes 🛜 🆔

🏕 La Corbaz**	1 ADE**JM**NOPRST	A 6
🏠 460 av. des Glières	2 AOPVWXY	BE**FG** 7
📅 1 Jan - 31 Dez	3 BLQ	BDFNORST 8
☎ +33 (0)4-50984403	4 I	EJ 9
@ camping.lacorbaz@wanadoo.fr	5 ADGIJKLM	BHIO**P**R10
	W 16A CEE	❶ €23,20
🗺 N 46°4'9'' E 6°34'24''	H485 1,8 ha 76T(80-100m²) 40D	❷ €30,20

🚗 An der D19 Cluses-Thijez. Ausschilderung ab Cluses. Ⓜ

Doussard, F-74210 / Rhône-Alpes 🛜 CC16 🆔

🏕 Campéole La Nublière***	1 ADJMNOPRST	LNOPQRSTWXYZ 6
🏠 30 allée de la Nublière	2 CDFGHKOPRSVY	ABDE**FG** 7
📅 1 Mai - 20 Sep	3 BEF**IKLMN**QT	ABCDFGJKNPRSV 8
☎ +33 (0)4-50443344	4 BCDHILNO	AEJLOQRTUV 9
@ nubliere@campeole.com	5 ACDEFGJK**LM**	ABDGHIJ**O**STWZ10
	B 6A CEE	❶ €30,20
🗺 N 45°47'24'' E 6°13'4''	H440 11 ha 350T(100-110m²) 210D	❷ €46,00

🚗 D1508 Annecy-Albertville. Der CP liegt an dieser Straße in der Gemeinde Doussard und ist im Süd-Westen des Sees gut ausgeschildert. Ⓜ

Doussard, F-74210 / Rhône-Alpes 🛜 🆔

🏕 International du Lac Bleu*****	1 ADJMNOPRST	ABFGILN**O**PQRSTWXYZ 6
🏠 route de la Plage	2 DFGHOPVXY	ABDE**FGH**K 7
📅 4 Apr - 19 Sep	3 BDEF**IKLMN**Q	DEFJKNQRSV 8
☎ +33 (0)4-50443018	4 BCDHILNO**PQ**UY	EGHIMOQRSTUV 9
@ contact@camping-lac-bleu.fr	5 ACDEFGJK**LM**	ABGHINPRW10
	B 10A CEE	❶ €44,10
🗺 N 45°47'24'' E 6°13'4''	H440 3,3 ha 177T(100-110m²) 71D	❷ €58,30

🚗 D1508 Annecy-Albertville. Der CP liegt an dieser Straße und ist südwestlich des Sees gut ausgeschildert. Ⓜ

Doussard, F-74210 / Rhône-Alpes 🛜 CC16 🆔

🏕 La Ferme de la Serraz*****	1 AJMNOPRT	**ABEFGN** 6
🏠 rue de la Poste	2 OPVWXY	ABDE**FGH** 7
📅 1 Mai - 12 Sep	3 B**K**L	ABCDFKNQRSTUV 8
☎ +33 (0)4-50443068	4 FHIO**PQRTUVYZ**	EUVW 9
@ info@campinglaserraz.com	5 ADEFGIK**LM**	BDGHIJN**P**STZ10
	B 6A CEE	❶ €35,00
🗺 N 45°46'31'' E 6°13'34''	H470 3,5 ha 79T(80-120m²) 101D	❷ €50,00

🚗 D1508 Annecy-Albertville. Der CP ist am südlichen Seeufer am Kreisverkehr, der ins Zentrum von Doussard führt, ausgeschildert. Ⓜ

Doussard, F-74210 / Rhône-Alpes 🛜 🆔

🏕 La Ravoire****	1 ADF**JM**NOPRST	ABFGHX 6
🏠 route de la Ravoire	2 FOPVWXY	ABDE**FGH** 7
📅 22 Mai - 12 Sep	3 BE**K**LQ	ABCDEFKNQRSTUV 8
☎ +33 (0)4-50443700	4 DHIO**PQ**	EJ 9
@ info@campinglaravoire.com	5 ABDEFGK**L**	BHIJ**NO**R10
	B 15A CEE	❶ €32,30
🗺 N 45°48'9'' E 6°12'35''	H470 2 ha 69T(80-110m²) 66D	❷ €41,50

🚗 Route Annecy-Albertville D1508. An der Ampel in Brédannaz (Lathuile) sind die CPs mit grünen Schildern angezeigt. Ⓜ

Duingt, F-74410 / Rhône-Alpes 🛜 🆔

🏕 Le Familial**	1 AJMNOPRST	**X** 6
🏠 400 route de Magnonnet	2 CFOPVWXY	ABDE**F** 7
📅 1 Apr - 30 Sep	3 AFLQ	CDEFNRV 8
☎ +33 (0)4-50686991	4 BCDHIO	EI 9
@ contact@	5 AB**M**	BGIJ**O**ST10
annecy-camping-familial.com	6A	❶ €20,20
🗺 N 45°49'28'' E 6°11'6''	37T 5D	❷ €26,80

🚗 Von Annecy die D1508 Richtung Albertville bis ca. 500m vor dem Zentrum Duingt. Dann rechts die D8 Richtung Entrevernes. Hinter Fahrradweg ca. 200m die 2. Straße rechts. Gut angezeigt. Ⓜ

Duingt, F-74410 / Rhône-Alpes 🛜 CC16 🆔

🏕 Mun. Les Champs Fleuris**	1 AJMNOPRST	6
🏠 631 voie Romaine	2 FOPVWXY	ABDE**FGH**K 7
📅 18 Apr - 26 Sep	3 B**K**LQ	ABDFNORSV 8
☎ +33 (0)4-50685731	4 FH	DDE 9
@ camping@duingt.fr	5 A**LM**	ABDGHJ**NO**R10
	B 6A	❶ €21,60
🗺 N 45°49'36'' E 6°11'19''	H450 1,5 ha 111T(80-120m²) 10D	❷ €33,00

🚗 D1508 Annecy-Albertville. Der CP befindet sich zwischen St. Jorioz und Duingt an der N1508, Ausfahrt Entrevernes. Gut ausgeschildert. Ⓜ

Excenevex-Plage, F-74140 / Rhône-Alpes 🛜 CC16 🆔

🏕 Campéole La Pinède***	1 ADE**IL**NOPRST	ABCDFGLMNOQSW**XY**Z 6
🏠 10 avenue de la Plage	2 BDGHIOPQVXY	ABDE**FGH** 7
📅 11 Apr - 13 Sep	3 BE**GILM**QT	ABCDFNOR 8
☎ +33 (0)4-50728505	4 ILNO**TUXYZ**	EJKMOTV 9
@ pinede@campeole.com	5 ACK	ABFHIJMN**OPR**10
	B 10A CEE	❶ €29,30
🗺 N 46°20'45'' E 6°21'29''	H380 12 ha 246T 282D	❷ €44,10

🚗 N5 Genf Richtung Thonon-les-Bains. Vor Bonnatrait links Richtung Yvoire/Excenevex. Nach Kreisverkehr liegt der CP nach 500m rechts. Ⓜ

Groisy, F-74570 / Rhône-Alpes 🛜 🌼 🆔

🏕 Moulin Dollay****	1 AC**JM**NOPRT	J**N** 6
🏠 206 rue du Moulin Dollay	2 ABCGKOPRVXY	ABDE**FG**H 7
📅 1 Mai - 30 Sep	3 AE**K**Q	BDFGIKNQRSTUV 8
☎ +33 (0)4-50680031	4 IO	I 9
@ moulin.dollay@orange.fr	5 AG	AFGHIJ**N**ORV10
	B 6A CEE	❶ €23,60
🗺 N 46°0'9'' E 6°11'27''	H690 3 ha 30T(100-140m²) 2D	❷ €30,60

🚗 D1203 von Annecy Richtung La Roche-sur-Foron, Ausfahrt Thorens-Glières (D2). Der CP liegt sofort nach Kreisverkehr an der Rue du Moulin Dollay. Ⓜ

La Balme-de-Sillingy, F-74330 / Rhône-Alpes 🛜

🏕 Domaine de la Caille***	1 BD**JM**NOPRT	AF 6
🏠 18 chemin de la Caille	2 PVWXY	ABD**FH** 7
📅 1 Mai - 30 Sep	3 BELMQT	ABDFNR 8
☎ +33 (0)4-50688521	4 FIO	GIJ 9
@ contact@	5 AEGJ**LM**	BFGHIJTU10
domainedelacaille.com	B 12A CEE	❶ €21,00
🗺 N 45°58'41'' E 6°2'8''	4 ha 30T(100-250m²) 43D	❷ €29,40

🚗 A40 Richtung Genf Ausfahrt 11 Eloise und dann links Richtung Annecy. Der CP liegt hinter Frangy, etwa 2 km vor der Ortseinfahrt La Balme-de-Sillingy an der linken Seite der Strecke. Ⓜ

Lathuile, F-74210 / Rhône-Alpes 🛜 CC16 🆔

🏕 l'Idéal****	1 ADF**JM**NOPRT	ACDFGHI 6
🏠 715 route de Chaparon	2 FPTUVWXY	ABDE**FGH** 7
📅 1 Mai - 20 Sep	3 BE**I**KLMQT	CDFKNQRSV 8
☎ +33 (0)4-50443297	4 BCDHILNO**PQU**Y	DEIUV 9
@ camping-ideal@wanadoo.fr	5 ABDEFGJK**L**	ABFGHIJ**O**STW10
	B 6A	❶ €36,80
🗺 N 45°47'43'' E 6°12'21''	H480 3 ha 180T(80-110m²) 213D	❷ €52,80

🚗 Route Annecy-Albertville D1508. An der Ampel in Brédannaz (Lathuile) wird CP mit grünen Schildern angezeigt. Ⓜ

Lathuile, F-74210 / Rhône-Alpes 〔📶〕 iD

▲ La Ferme***	1 ADF**JM**NOPRT · ABCDFG 6
🏠 1170 route de Chaparon	2 PTUVXY · ABDE**FG**H 7
📅 24 Apr - 13 Sep	3 B**K**LQT · ABCDEFKNQRSV 8
☎ +33 (0)4-50443310	4 BCDINO**PQUVY** · EHV 9
@ info@campinglaferme.com	5 ACDEFG**KL** · ABHIJ**O**STX10
	B 10A CEE · ❶ €27,90
📍 N 45°47'59'' E 6°12'20''	H450 2,5 ha 120T(80-110m²) 109D · ❷ €37,70

🚗 D1508 Annecy-Albertville. An der Ampel in Brédannaz in Duingt vorbei rechts Richtung Chaparon. CP angezeigt auf grünen Schildern. Noch 2 km, dann liegt der CP links der Strecke. ▵

Lathuile, F-74210 / Rhône-Alpes 〔📶〕 iD

▲ Les Fontaines****	1 ADF**JM**NOPRST · ABCDFGH**X** 6
🏠 1295 route de Chaparon	2 FPUVXY · ABDE**FG**H 7
📅 1 Mai - 20 Sep	3 BE**K**LQ**RT** · CDFJKNQRSV 8
☎ +33 (0)4-50443122	4 BCDFHIO**PQU** · AEJ 9
@ info@	5 ACDEFGJK**L** · BHIJ**NP**STW10
campinglesfontaines.com	Anzeige auf Seite 295 B 6A · ❶ €36,20
📍 N 45°48'2'' E 6°12'17''	H480 2 ha 105T(80-100m²) 65D · ❷ €52,20

🚗 Route Annecy-Albertville D1508. An Ampel in Brédannaz (Lathuile) sind die CPs mit grünen Schildern angezeigt. ▵

Le Grand-Bornand, F-74450 / Rhône-Alpes 〔📶〕 (CC€18) iD

▲ l'Escale***	1 ADF**JM**NOPQRST · ABEFGN 6
🏠 33 chemin du Plein Air	2 CFOPRUVWX · ABDE**FG**H 7
📅 22/5 - 27/9, 19/12 - 12/4	3 B**I**KLM**QRS** · CDEFIJKNQRSTUV 8
☎ +33 (0)4-50022069	4 FH**IJ**LO**PQ**U · EGHIJUVW 9
@ contact@campinglescale.com	5 AEGJKM · BDFGHIJL**N**ORVXZ10
	WB 10A CEE · ❶ €32,30
📍 N 45°56'26'' E 6°25'40''	H900 3,2 ha 142T(80-100m²) 63D · ❷ €45,70

🚗 A41 Ausf. Annecy-Nord, dann Ri. Thônes. In Thônes Ri. St. Jean-de-Sixt. Dort im Kreisel nach Le Grand-Bornand. Vor dem Zentrum re nach 'Vallee du Bouchet'. Dort geht es re zum CP (1 km). ▵

Le Petit-Bornand-les-Glières, F-74130 / Rhône-Alpes iD

▲ Camping Municipal	1 A**J**M**N**O**RT** · 6
'Les Marronniers'**	2 CPTXY · ABDE 7
🏠 Le fond des Prés	3 L · ACE**F**NOQ 8
📅 15 Jun - 31 Aug	4 I · 9
☎ +33 (0)4-50035474	5 LM · BFGJVZ10
@ maptbo@mairie-petit-bornand.fr	2A CEE · ❶ €17,50
📍 N 46°0'16'' E 6°23'39''	H675 1,8 ha 46T(90-120m²) · ❷ €21,50

🚗 Von Bonneville aus (D12) und Richtung Le Petit-Bornand liegt der CP vor dem Ort rechts gegenüber der Kirche. ▵

Les Contamines-Montjoie, F-74170 / Rhône-Alpes 〔📶〕 iD

▲ Le Pontet***	1 ADJMNOPQRST · LMN 6
🏠 2485 rte de Notre Dame	2 CDFGHIOPRVWXY · ABDE**FG**H 7
de la Gorge	3 AE**GHI**LM**N**Q**RS**TU · ABCDFJNOQRSV 8
📅 1/1 - 30/9, 19/12 - 31/12	4 FIO · J 9
☎ +33 (0)4-50470404	5 BCDF**KL**M · BGHIJOR10
@ campinglepontet74@orange.fr	WB 10A · ❶ €21,10
📍 N 45°48'9'' E 6°43'19''	H1200 2,8 ha 150T(90-120m²) 12D · ❷ €28,30

🚗 A40 Ausfahrt St. Gervais Richtung St. Gervais-Zentrum. Hinter dem Zentrum 9 km bis Les Contamines. 3 km hinter dem Zentrum links von der D902, die Route de Notre Dame de la Gorge. ▲

Lugrin, F-74500 / Rhône-Alpes 〔📶〕 (CC€16) iD

▲ La Vieille-Eglise***	1 ACDE**JM**NOPRT · ABFG 6
🏠 53 route des Prés Parrau	2 GPUVX · BD**FG**H 7
📅 11 Apr - 17 Okt	3 AILQ · BDFNRTUV 8
☎ +33 (0)4-50760195	4 **IP** · DEH 9
@ campingvieilleeglise@	5 ABG · BHKN**P**RV10
wanadoo.fr	B 10A CEE · ❶ €26,65
📍 N 46°24'2'' E 6°38'48''	H437 2 ha 73T(100-120m²) 31D · ❷ €37,25

🚗 Von Evian-les-Bains auf die D1005 am See entlang Richtung Osten fahren. Ab Lugrin ist der CP gut ausgeschildert. ▵

Lugrin, F-74500 / Rhône-Alpes iD

▲ Le Rys**	1 AJMNOP**RT** · N 6
🏠 38 route de Rys	2 FPRUVX · ABDE**FG** 7
📅 1 Mai - 30 Sep	3 ALQ · ACFNR 8
☎ +33 (0)4-50760575	4 · DE 9
@ jeanmichel.blanc@wanadoo.fr	5 ABK · BJR10
	10A · ❶ €18,70
📍 N 46°24'10'' E 6°40'37''	H450 2 ha 85T(60-120m²) 24D · ❷ €25,20

🚗 Von Evian-les-Bains D1005 Richtung Osten und Lugrin folgen. In Lugrin ist der CP überall gut ausgeschildert. ▵

Lugrin, F-74500 / Rhône-Alpes iD

▲ Les Myosotis**	1 A**J**M**N**O**R**T · 6
🏠 28 chemin du Grand Tronc	2 FPRUVX · ABDE**F**H 7
📅 8 Mai - 13 Sep	3 ALQ · ABCDFNOR 8
☎ +33 (0)4-50760759	4 · J 9
@ campinglesmyosotis@	5 K · BJR10
wanadoo.fr	6A · ❶ €18,45
📍 N 46°23'56'' E 6°39'54''	H500 0,8 ha 58T(80-100m²) 1D · ❷ €23,15

🚗 Von Evian aus D1005 Richtung Osten und Lugrin folgen. Von der Schweiz aus Richtung Evian. In Lugrin ist der CP gut ausgeschildert. ▵

Marlens, F-74210 / Rhône-Alpes 〔📶〕 (CC€16) iD

▲ Champ Tillet***	1 ADF**JM**NOPRST · ABFG 6
🏠 D1508	2 OPQRVWXY · ABDE**FG**H 7
📅 1 Apr - 30 Sep	3 B**K**LQS · ABCDFJKNQRSV 8
☎ +33 (0)4-50443374	4 HNO · BEJUV 9
@ duchamptillet@wanadoo.fr	5 AEFGJL · BDGHIKNOST10
	B 10A CEE · ❶ €32,30
📍 N 45°45'43'' E 6°20'12''	H470 3 ha 104T(80-110m²) 29D · ❷ €43,30

🚗 D1508 Annecy-Albertville. Der CP liegt an der N508, ca. 4 km hinter Faverges an der rechten Seite. Gut ausgeschildert. ▵

Menthon-St-Bernard, F-74290 / Rhône-Alpes iD

▲ Le Clos Don Jean**	1 A**J**MNOP**R**T · **X** 6
🏠 435, route du Clos don Jean	2 AFOPTVWXY · ABDE**F**H 7
📅 1 Jun - 1 Sep	3 B**K**LQS · ABCDEFKNOQRSV 8
☎ +33 (0)4-50601866	4 **I** · 9
@ donjean74@orange.fr	5 AKL · BGHJR10
	B 6A · ❶ €23,35
📍 N 45°51'46'' E 6°11'49''	H480 1 ha 55T(90-100m²) 9D · ❷ €30,45

🚗 In Annecy Richtung Thônes und Ostufer (Rive est) des Sees folgen bis kurz vor Menthon. Der CP liegt nördlich von Menthon und ist in Les Moulins ausgeschildert. ▵

Messery, F-74140 / Rhône-Alpes 〔📶〕 iD

▲ Relais du Léman***	1 A**J**MNOPRST · CN 6
🏠 67 route de Repingons	2 BGIJOPVXY · BE**FG**H 7
📅 1 Apr - 1 Okt	3 BF**H**LQ · ABD**F**NORV 8
☎ +33 (0)4-50947111	4 EF · JU 9
@ info@relaisduleman.com	5 ABDEFGM · BHIJOSTV10
	6A · ❶ €28,40
📍 N 46°20'38'' E 6°17'3''	H390 4,5 ha 40T(100-150m²) 87D · ❷ €36,40

🚗 Von Douvaine die D60 Richtung Messery nehmen. Dort die D25 nach Chens-s/Leman. Der CP befindet sich dan links an der D25 kurz außerhalb des Ortes. ▵

Morzine, F-74110 / Rhône-Alpes iD

▲ Les Marmottes***	1 AJMNOPRS**T** · 6
🏠 Essert-Romand	2 PRVW · BE**FG**H 7
📅 20/6 - 6/9, 19/12 - 30/3	3 ALQ · BDFNRS 8
☎ +33 (0)4-50757444	4 **I** · EGH 9
@ camping.les.marmottes@	5 A · BHIKRV10
wanadoo.fr	WB 10A CEE · ❶ €25,90
📍 N 46°11'42'' E 6°40'38''	H930 1,5 ha 26T(75-100m²) 4D · ❷ €33,90

🚗 Am besten die D902 von Thonon-les-Bains Richtung Morzine nehmen, hinter St. Jean-d'Aulps die D328 Richtung Essert-Romand. Der CP liegt am Ende der Dorfstraße. ▵

Neydens, F-74160 / Rhône-Alpes 〔📶〕 ✿ (CC€18) iD

▲ Sites & Paysages	1 ADE**JM**NOPRST · ABEF 6
La Colombière****	2 AFOPSVX · ABDE**FG**HK 7
🏠 166 chemin Neuf	3 ABCE**K**LMQRT · ABCDEFJKNQRSTUV 8
📅 1 Apr - 31 Okt	4 ABDEFHILNOQ**TU**V · EFJLVW 9
☎ +33 (0)4-50351314	5 ABEFGIJKL · ABDFGHIJ**NP**RVXZ10
@ la.colombiere@wanadoo.fr	B 6-15A · ❶ €38,70
📍 N 46°7'11'' E 6°6'19''	H560 2,3 ha 113T(80-120m²) 65D · ❷ €46,70

🚗 Von Lausanne aus Schildern 'France' folgen. Von Macon A40, Ausfahrt St. Julien. Grüne Schildern Annecy D1201 bis zum Ort Neydens/ Camping folgen. ▵

Passy, F-74190 / Rhône-Alpes 〔📶〕 iD

▲ Villagecenter Les Iles***	1 ADE**JM**NOPRST · LMNQX 6
🏠 245 route des Lacs	2 ADFGHORVXY · ABDE**FG**H 7
📅 4 Apr - 26 Sep	3 BEFLQ**ST** · ABCDFJNOQSV 8
☎ +33 (0)4-99572121	4 BCDILNO**PQ** · EJU 9
@ contact@village-center.com	5 ADEFGJ**L** · ABGHIKN**P**TU10
	B 10A CEE · ❶ €17,50
📍 N 45°55'27'' E 6°39'2''	H550 3 ha 136T(60-150m²) 94D · ❷ €27,50

🚗 A40, Ausfahrt Sallanches. Richtung Chamonix fahren. 2 km vorbei dem Zentrum von Sallanches ist der CP links der D1205 ausgeschildert. ▲

Camping Les Fontaines
Lac d'Annecy - Haute Savoie
1295 rte de chaparon 74210 LATHUILE

- 17 km von Annecy und 2 km vom See
- Mobilheim- und Chaletverleih
- Schwimmbad - Wasserrutsche
- Überdachtes Schwimmbad
- Multi-Sportgelände
- Animation
- Bar Restaurant

SEE VON ANNECY
www.campingleslontaines.com
Email:info@campingleslontaines.com
Tel: +33 4 50 44 31 22   Fax:+33 4 50 44 87 80

Frankreich

Rumilly, F-74150 / Rhône-Alpes ⓦ ©©€14 iD

Le Madrid***
410 route de Saint-Félix
1 Apr - 15 Okt
+33 (0)4-50011257
contact@
camping-le-madrid.com
N 45°50'28'' E 5°57'47''

1	ADE**JM**NORST	AF 6
2	AOPSVWXY	ABDE**FGH** 7
3	AELQ	ABCDEFJNOQRSTUV 8
4	DHIO**P**	EJ 9
5	ADEFGJK**L**	ABFGHIJ**PR**10
B 10-16A		① €20,00 / ② €25,00

H354 3 ha 73T(80-120m²) 36D

Von Annecy die A41 Richtung Chambéry, Ausfahrt 15. In Alby-sur-Chéran die D3 Richtung Rumilly. Am 1. Kreisel die Straße nach Saint Felix nehmen.

Sévrier, F-74320 / Rhône-Alpes ⓦ ©©€16 iD

Le Panoramic***
1011 route de Cessenaz
24 Apr - 30 Sep
+33 (0)4-50524309
info@
camping-le-panoramic.com
N 45°50'35'' E 6°8'30''

1	ADF**IL**NOPRT	ABFGX 6
2	AFPTUVWXY	ABDE**FGH** 7
3	ALQ	ABCDFKNORSV 8
4	BCDFINO**PQ**	EGJ 9
5	ACDEFG**JM**	BDGHIJL**PR**10
B 10A CEE		① €28,60 / ② €38,15

H650 2 ha 149T(80-110m²) 40D

In Annecy Richtung Albertville über die D1508. Kurz hinter Sévrier am 1. Kreisel, 1. Ausfahrt rechts zum Col de Leschaux. Nach etwa 3 km kommt eine kleine Brücke. 300m dahinter ist der CP links angezeigt.

Sallanches, F-74704 / Rhône-Alpes ⓦ iD

Mont Blanc Plage**
Lacs de la Cavettaz
1 Jun - 15 Sep
+33 (0)4-50581428
heatrice.brosse2@wanadoo.fr
N 45°55'29'' E 6°39'19''

1	AJ**M**NOPQRS**T**	HLM**N** 6
2	ADFGHKPVWXY	ABDE**FGH** 7
3	ALMQ	ABCDFNQRV 8
4	IO	9
5	ADEGJ**L**	ABHI**O**R10
1I1A		① C17,00 / ② €24,70

H550 7 ha 100T(90-100m²)

In der Ortsmitte von Sallanches links nach Passy. Immer geradeaus bis zur Autobahn. Dort rechts ab und parallel zur Autobahn bleiben bis zum Ende. Dort ist der Eingang des CP's.

Sixt-Fer-à-Cheval, F-74740 / Rhône-Alpes ⓦ iD

Municipal le Pelly**
1 Jun - 6 Sep
+33 (0)4-50341217
camping@sixtferacheval.com
N 46°4'29'' E 6°50'3''

1	AD**JM**NOR**T**	6
2	BCFGPRTUVWX	ABDE**F** 7
3	AGHLQ	ABCDFNRS 8
4		F 9
5	ADL	FH**IJ**QHV10
9A		① €15,10 / ② €18,50

H955 2,7 ha 103T(80-100m²) 1D

Von Samoëns der D907 Richtung Sixt folgen. Der cp liegt 6 km hinter Sixt und den Parkplätzen am Straßenende.

Samoëns, F-74340 / Rhône-Alpes ⓦ ©©€16 iD

Camping Caravaneige
Le Giffre***
1064 route du Lac aux Dames
1 Jan - 31 Dez
+33 (0)4-50344192
camping.samoens@wanadoo.fr
N 46°4'38'' E 6°43'7''

1	ADE**JM**NOPRS**T**	ABHNU 6
2	CDFGOPRVWXY	ABDE**FG** 7
3	BCE**GIL**MQR	ABCDFNORSTUV 8
4	H	AF**LI**9
5		BFGHIKL**N**PRVWZ10
WB 6-10A CEE		① €24,95 / ② €30,95

H765 6,9 ha 212T(80-110m²) 48D

Nach Samoëns über die D907. Dan CP-Schildern folgen.

St. Gervais-les-Bains, F-74170 / Rh.-Alpes ⓦ ✿ ©©€18 iD

Nature & Lodge
Les Dômes de Miage****
197 route des Contamines
18 Mai - 20 Sep
+33 (0)4-50934596
info@camping-mont-blanc.com
N 45°52'25'' E 6°43'13''

1	AD**JM**NOPQRST	6
2	AFOPVWXY	ABDE**FGH** 7
3	BELQ	ABCDFJKNQRSV 8
4	FIO	JL 9
5	ACEGJK**L**M	ABDFGHIKNORV**M**WZ10
B 12A CEE		① €29,80 / ② €39,00

H900 2,5 ha 150T(90-200m²) 1D

A40 Ausfahrt 21 St. Gervais. Ins St. Gervais-Zentrum dort Richtung Les Contamines. Nach 2 km ist der CP links von der Straße.

Sciez, F-74140 / Rhône-Alpes ⓦ ✿ iD

Le Chatelet***
658 chemin des Hutins Vieux
1 Apr - 24 Okt
+33 (0)4-50725260
info@camping-chatelet.com
N 46°20'28'' E 6°23'49''

1	ADE**JM**NOPRS**T**	LMNQRSTWXY 6
2	DGJOPVX	ABE**FGH** 7
3	BLQ	BDFJNQRSV 8
4		AJLU 9
5	AGKL	ABGHIJ**NOR**10
B 6-10A CEE		① €23,90 / ② €32,90

H389 3,4 ha 48T(95-100m²) 100D

Folgen Sie der N5 von Genf in Richtung Thonon-les-Bains. Nach dem Ort Bonnatrait ist der CP ausgeschildert, an der Straße links.

St. Jorioz, F-74410 / Rhône-Alpes ⓦ ©©€16 iD

International du Lac d'Annecy****
1184 route d'Albertville (D1508)
25 Apr - 19 Sep
+33 (0)4-50686793
contact@
camping-lac-annecy.com
N 45°49'51'' E 6°10'42''

1	AD**JM**NOPRT	ABFGHI 6
2	AFOPVWXY	ABDE**FGH** 7
3	AE**KL**QS	ABCDFKNQRSTUV 8
4	BCDHILNOY	BEJLUV 9
5	ADEFGI	ABDHI**NPR**10
B 10A CEE		① €36,00 / ② €53,80

H450 2 ha 140T(80-95m²) 32D

D1508 Annecy Richtung Albertville. Der CP liegt an diese Straße, kurz vor St. Jorioz-Zentrum.

Sévrier, F-74320 / Rhône-Alpes ⓦ ©©€16 iD

Au Coeur du Lac***
3233 route d'Albertville
1 Apr - 30 Sep
+33 (0)4-50524645
info@aucoeurdulac.com
N 45°51'17'' E 6°8'39''

1	ADFJKNOPRS**T**	LNQSWX 6
2	ADFGOPTUVWXY	ABDE**FGH** 7
3	AFL**MNPQ**	ABCDEFJNORSTUV 8
4	DEFHIO**PQ**	ERUV 9
5	ABDEFK**LM**	BFGHI**NPSTW**10
B 13A CEE		① €28,20 / ② €37,70

H465 1,7 ha 73T(70-100m²) 10D

Route Annecy-Albertville. Von Annecy: am Ortsausgang von Sévrier links von der D1508 abbiegen, 500m hinter McDonalds.

St. Jorioz, F-74410 / Rhône-Alpes ⓦ ©©€16 iD

Le Crêtoux***
1059 route d'Entredozon
1 Apr - 15 Nov
+33 (0)4-50686194
info@campingcretoux.com
N 45°49'4'' E 6°8'54''

1	AD**JM**NOR**T**	**N** 6
2	FNPTUVWXY	ABDE**FGH** 7
3	BKL	ABCDFJKNORSV 8
4	IO	DEFIJ 9
5	A**M**	BDFGHJNOST10
B 10A		① €23,00 / ② €30,50

H575 6 ha 75T(100-120m²) 15D

D1508 Annecy-Albertville. In St. Jorioz an der Ampel Richtung D10a St. Eustache. Weiter ausgeschildert (ca. 2 km). Kurze, steile Zufahrt.

Sévrier, F-74320 / Rhône-Alpes ⓦ ©©€16 iD

l'Aloua**
492 route de Piron
18 Apr - 19 Sep
+33 (0)4-50526006
camping.aloua@wanadoo.fr
N 45°50'38'' E 6°9'13''

1	ADF**I**KNOPRT	X 6
2	AOPRVWXY	ABDE**FGH** 7
3	A**KL**Q	BDFNQRSV 8
4	HINO**PQ**	EUVW 9
5	ADEFG**LM**	BGHIKOSTW10
B 10A		① €23,10 / ② €32,10

H465 2,3 ha 173T(90-130m²) 10D

D1508 Annecy-Albertville. Zwischen Sévrier und St. Jorioz liegt der CP hinter dem SB-Markt Carrefour. An Kreisverkehr abbiegen.

St. Jorioz, F-74410 / Rhône-Alpes ⓦ ©©€16 iD

Le Solitaire du Lac***
615 route de Sales
3 Apr - 26 Sep
+33 (0)4-50685930
campinglesolitaire@
wanadoo.fr
N 45°50'27'' E 6°9'53''

1	AD**JM**NOPRST	LNQS**X** 6
2	ADGHPRVWXY	ABDE**FGH** 7
3	BKLQ	ABCDFKNQRSV 8
4	HIO**PQ**	EUV 9
5	ABEK**LM**	BDGHJ**N**OPSTW10
B 6A		① €28,00 / ② €37,00

H450 4,5 ha 185T(80-120m²) 15D

D1508 Annecy-Albertville. Kurz vor St. Jorioz-Zentrum Richtung See fahren. Ausgeschildert.

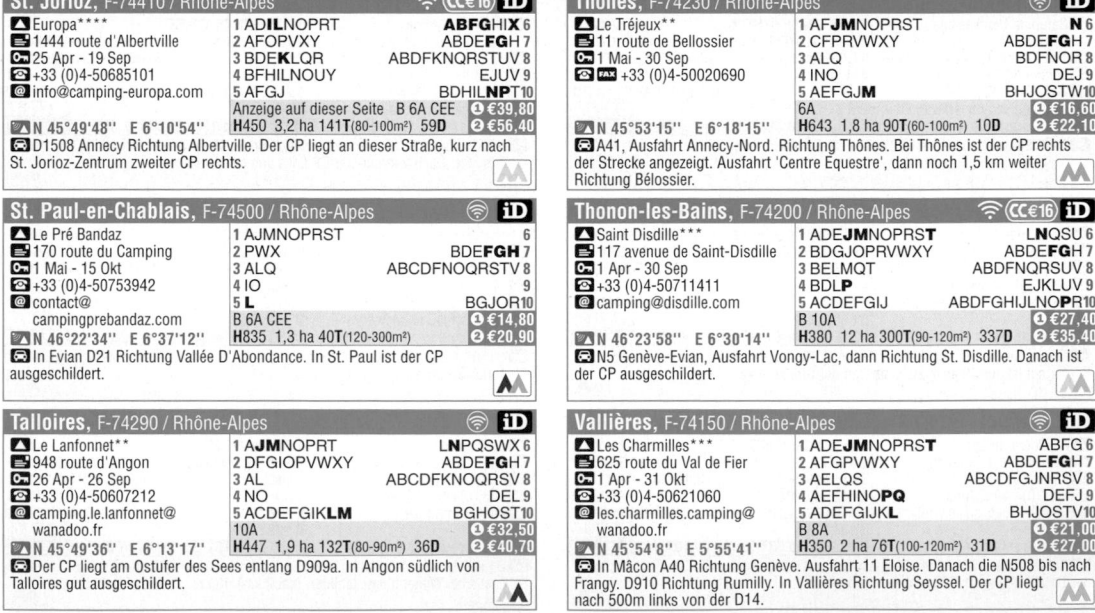

St. Jorioz, F-74410 / Rhône-Alpes

Europa★★★★
1444 route d'Albertville
25 Apr - 19 Sep
+33 (0)4-50685101
info@camping-europa.com
N 45°49'48'' E 6°10'54''

1 ADILNOPRT	ABFGHIX 6
2 AFOPVXY	ABDEFGH 7
3 BDEKLQR	ABDFKNQRSTUV 8
4 BFHILNOUY	EJUV 9
5 AFGJ	BDHILNPT 10

Anzeige auf dieser Seite B 6A CEE ①€39,80
H450 3,2 ha 141T(80-100m²) 59D ②€56,40

D1508 Annecy Richtung Albertville. Der CP liegt an dieser Straße, kurz nach St. Jorioz-Zentrum zweiter CP rechts.

Thônes, F-74230 / Rhône-Alpes

Le Tréjeux★★
11 route de Bellossier
1 Mai - 30 Sep
+33 (0)4-50020690
N 45°53'15'' E 6°18'15''

1 AFJMNOPRST	N 6
2 CFPRVWXY	ABDEFGH 7
3 ALQ	BDFNOR 8
4 INO	DEJ 9
5 AEFGJM	BHJOSTW 10
6A	①€16,60

H643 1,8 ha 90T(60-100m²) 10D ②€22,10

A41, Ausfahrt Annecy-Nord. Richtung Thônes. Bei Thônes ist der CP rechts der Strecke angezeigt. Ausfahrt 'Centre Equestre', dann noch 1,5 km weiter Richtung Bélossier.

St. Paul-en-Chablais, F-74500 / Rhône-Alpes

Le Pré Bandaz
170 route du Camping
1 Mai - 15 Okt
+33 (0)4-50753942
contact@campingprebandaz.com
N 46°22'34'' E 6°37'12''

1 AJMNOPRST	6
2 PWX	BDEFGH 7
3 ALQ	ABCDFNOQRSTV 8
4 IO	9
5 L	BGJOR 10

B 6A CEE ①€14,80
H835 1,3 ha 40T(120-300m²) ②€20,90

In Evian D21 Richtung Vallée D'Abondance. In St. Paul ist der CP ausgeschildert.

Thonon-les-Bains, F-74200 / Rhône-Alpes

Saint Disdille★★★
117 avenue de Saint-Disdille
1 Apr - 30 Sep
+33 (0)4-50711411
camping@disdille.com
N 46°23'58'' E 6°30'14''

1 ADEJMNOPRST	LNQSU 6
2 BDGJOPRVWXY	ABDEFGH 7
3 BELMQT	ABDFNQRSUV 8
4 BDLP	EJKLUV 9
5 ACDEFGIJ	ABDFGHIJLNOPR 10

B 10A ①€27,40
H380 12 ha 300T(90-120m²) 337D ②€35,40

N5 Genève-Evian, Ausfahrt Vongy-Lac, dann Richtung St. Disdille. Danach ist der CP ausgeschildert.

Talloires, F-74290 / Rhône-Alpes

Le Lanfonnet★★
948 route d'Angon
26 Apr - 26 Sep
+33 (0)4-50607212
camping.le.lanfonnet@wanadoo.fr
N 45°49'36'' E 6°13'17''

1 AJMNOPRT	LNPQSWX 6
2 DFGIOPVWXY	ABDEFGH 7
3 AL	ABCDFKNOQRSV 8
4 NO	DEL 9
5 ACDEFGIKLM	BGHOST 10
10A	①€32,50

H447 1,9 ha 132T(80-90m²) 36D ②€40,70

Der CP liegt am Ostufer des Sees entlang D909a. In Angon südlich von Talloires gut ausgeschildert.

Vallières, F-74150 / Rhône-Alpes

Les Charmilles★★★
625 route du Val de Fier
1 Apr - 31 Okt
+33 (0)4-50621060
les.charmilles.camping@wanadoo.fr
N 45°54'8'' E 5°55'41''

1 ADEJMNOPRST	ABFG 6
2 AFGPVWXY	ABDEFGH 7
3 AELQS	ABCDFGJNRSV 8
4 AEFHINOPQ	DEFJ 9
5 ADEFGIJKL	BHJOSTV 10

B 8A ①€21,00
H350 2 ha 76T(100-120m²) 31D ②€27,00

In Mâcon A40 Richtung Genève. Ausfahrt 11 Eloise. Danach die N508 bis nach Frangy. D910 Richtung Rumilly. In Vallières Richtung Seyssel. Der CP liegt nach 500m links von der D14.

Taninges, F-74440 / Rhône-Alpes

Municipal des Thézières★★
166 route du Stade
1 Jan - 31 Dez
+33 (0)4-50342559
camping.taninges@wanadoo.fr
N 46°5'56'' E 6°35'17''

1 ADEFJMNORT	N 6
2 ACOPVWXY	ABDEFG 7
3 AELMQ	ABCDFJNRV 8
4	9
5	FGHIKPR 10

WB 10A ①€13,40
H640 2,4 ha 112T(80-100m²) ②€17,00

D902 Cluses Richtung Taninges. Der CP liegt links an der Strecke vor Taninges.

Verchaix, F-74440 / Rhône-Alpes

Municipal Lacs et Montagnes★★
1 Jan - 31 Dez
+33 (0)6-79576959
+33 (0)4-50901012
N 46°5'22'' E 6°40'43''

1 ADEJMNOPRST	U 6
2 COPVX	ABDEFGH 7
3 AMQ	ABCDEFJNOR 8
4	EK 9
5	BHRZ 10

WB 10A CEE ①€14,50
H700 2 ha 100T(80-120m²) 10D ②€18,50

Von Taninges der D907 Richtung Samoëns folgen, Ausfahrt Verchaix. CP liegt in der Ortseinfahrt von Verchaix rechts.

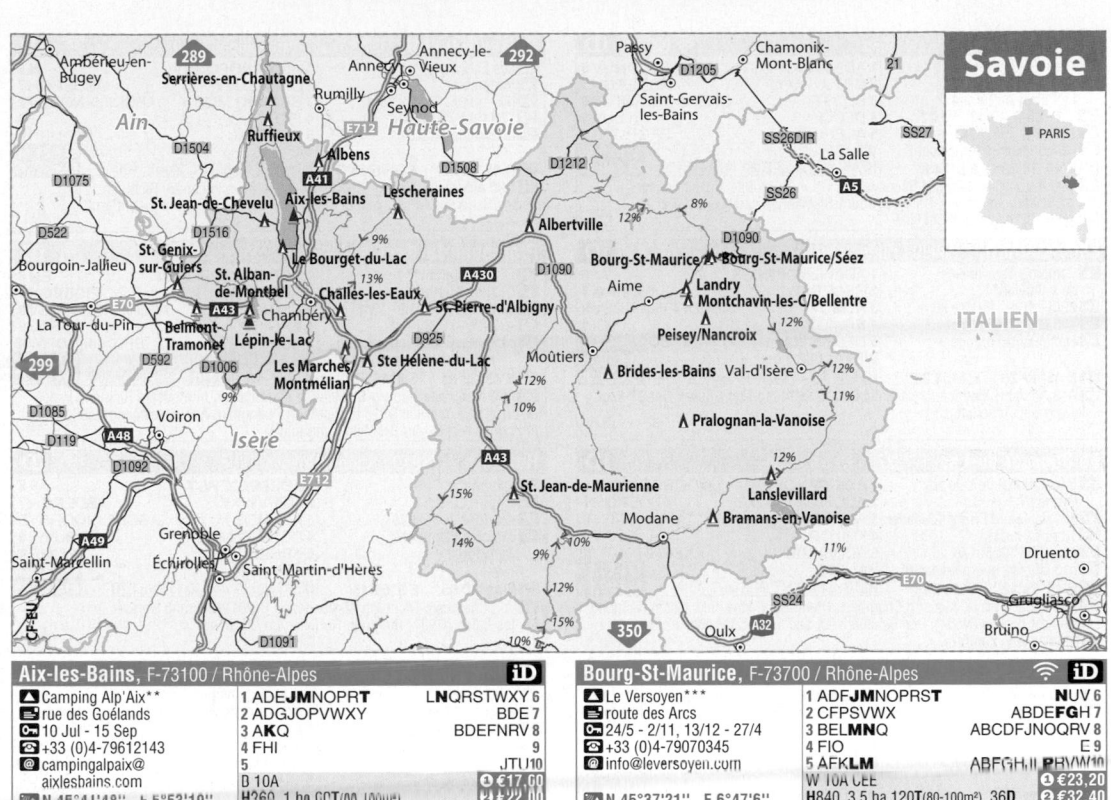

Aix-les-Bains, F-73100 / Rhône-Alpes · iD

▲ Camping Alp'Aix**	1 ADE**JM**NOPR**T**	L**N**QRSTWXY 6
🏠 rue des Goélands	2 ADGJOPVWXY	BDE 7
🕐 10 Jul - 15 Sep	3 A**KQ**	BDEFNRV 8
☎ +33 (0)4-79612143	4 FHI	9
@ campingalpaix@	5	JTU10
aixlesbains.com	B 10A	① € 17,60
	H260 1 ha CCT(80-100m²)	② € 22,00

📍 N 45°41'48'' E 5°53'10''

🚗 A43 Ausfahrt 14 Grésy-sur-Aix, dann der N201 Les Lacs folgen, danach Les Ports Campings folgen.

Aix-les-Bains, F-73100 / Rhône-Alpes · 🛜 CC€16 iD

▲ International du Sierroz***	1 ADE**JM**NOPRST	LMN**O**QRSTUWX**YZ** 6
🏠 blvd Robert Barrier	2 ACDGOPRSVWXY	ABDE**FGH** 7
🕐 14 Mär - 14 Nov	3 B**K**LQ	ABCDEFJKNOQRSTUV 8
☎ +33 (0)4-79618989	4 **E**FHIO	EMOQUVW 9
@ info@camping-sierroz.com	5 ADEGJK**L**	ABEFGHIJ**N**PTUV**YZ**10
	B 6-10A CEE	① € 22,80
	H260 4,5 ha 166**T**(95-110m²) 34**D**	② € 29,40

📍 N 45°42'3'' E 5°53'11''

🚗 A43 Ausfahrt 14 Grésy-sur-Aix, dann den N201 nach Les Lacs folgen, danach Les Ports Campings folgen.

Albens, F-73410 / Rhône-Alpes · iD

▲ Beauséjour	1 A**JM**NORST	6
🏠 La Rippe	2 AFPTWXY	ABDE**F** 7
🕐 1 Jul - 31 Aug	3 A**KQ**	ABCDFNORV 8
☎ +33 (0)4-79541520	4	DEF 9
@ martinepicon@orange.fr	5 **K**LM	BGJST10
	6-10A	① € 16,00
	H355 2 ha 100**T** 8**D**	② € 20,15

📍 N 45°47'5'' E 5°56'33''

🚗 A43, Ausfahrt Grésy und N201 Richtung Norden (Annecy) bis Albens. Anschließend den Schildern folgen.

Albertville, F-73200 / Rhône-Alpes · 🛜 iD

▲ Les Adoubes	1 ADEJMNOPQRST	6
🏠 24 avenue du Camping	2 ACFOPRWXY	BDE**FG**HJ**K** 7
🕐 1/1 - 30/10, 1/12 - 31/12	3 AEQ	ABCDFJNOQRV 8
☎ +33 (0)4-79320662	4 O	BJL 9
@ hello@camping-albertville.fr	5 AGKLM	ABHIK**P**STV10
	W 10A CEE	① € 20,50
	H350 3 ha 90**T**(80-120m²) 14**D**	② € 24,50

🚗 Auf der A43 Ausfahrt 30 Richtung Ugine, Annecy. Dann den Campingschildern folgen.

Belmont-Tramonet, F-73330 / Rhône-Alpes · 🛜 CC€14 iD

▲ Des Trois Lacs****	1 ADE**JM**NOPRS**T**	ABFIJ**N** 6
🕐 17 Apr - 20 Sep	2 ACPVXY	ABDE**FG**H 7
☎ +33 (0)4-76370403	3 BEL**MQ**S	ABCDEFKNQRSV 8
@ info@les3lacs.com	4 BDFILO**PQ**	AE 9
	5 ACDEFGJK**L**	ABDHJOST10
	B 10A	① € 37,50
	H340 5 ha 65**T**(100-250m²) 37**D**	② € 51,00

📍 N 45°33'33'' E 5°40'33''

🚗 A43 Lyon-Chambéry, Ausf. 11 St. Génix/Belmont-Tramonet. Links halten, Ri. Belmont-Tramonet und Pont de Beauvoisin. Der CP liegt direkt hinter der Brücke, rechts von der D916a.

Bourg-St-Maurice, F-73700 / Rhône-Alpes · 🛜 iD

▲ Le Versoyen***	1 ADF**JM**NOPRST	N**U**V 6
🏠 route des Arcs	2 CFPSVWX	ABDE**FG**H 7
🕐 24/5 - 2/11, 13/12 - 27/4	3 BEL**MN**Q	ABCDFJNOQRV 8
☎ +33 (0)4-79070345	4 FIO	E 9
@ info@leversoyen.com	5 AFK**LM**	ABFGH,II,PHVW10
	W 10A CEE	① € 23,20
	H840 3,5 ha 120**T**(80-100m²) 36**D**	② € 32,40

📍 N 45°37'21'' E 6°47'6''

🚗 Von Albertville über Moutiers nach Bourg-St-Maurice. Nach dem Bahnhof rechts Richtung Les Arcs. Dann noch ca. 300m.

Bourg-St-Maurice/Séez, F-73700 / Rh.-Alpes · 🛜 ✿ iD

▲ Le Reclus**	1 ADF**JM**NOPRST	N 6
🏠 D1090, Pont du Reclus	2 BCFOPRTUVWXY	ABDE**FG**HIJ 7
🕐 1 Jan - 31 Dez	3 BLQ	ABCDEFJNOQRSV 8
☎ +33 (0)4-79410105	4 FIO	AEGJ 9
@ contact@campinglereclus.com	5 ADEGIK**LM**	ABFGHIJORV10
	WB 10A CEE	① € 20,80
	H900 1,8 ha 80**T**(80-100m²) 17**D**	② € 28,80

📍 N 45°37'33'' E 6°47'34''

🚗 D1090 Albertville - Bourg-St-Maurice/Tarentaise. In Bourg Richtung Val d'Isère, 2 km weiter ist der CP ausgeschildert (rechts).

Bramans-en-Vanoise, F-73500 / Rh.-Alpes · 🛜 CC€14 iD

▲ Val d'Ambin	1 ADE**IL**NOPQRS**T**	N 6
Bramans-Vanoise**	2 AFOPRUVWXY	ABDE**FG**H 7
🏠 602 route de l'Église	3 BEL**MQ**R	ABCDFJNORSV 8
🕐 20 Apr - 30 Okt	4 A**E**FHI	AEGJ 9
☎ +33 (0)4-79050305	5 A	BDGHJLPR10
@ campingbramans@gmail.com	B 6A CEE	① € 17,20
	H1240 4 ha 155**T**(100-115m²) 18**D**	② € 22,60

📍 N 45°13'44'' E 6°46'51''

🚗 D1006 St. Jean-de-Maurienne - Col du Mt. Cenis. CP liegt nach Zentrum hinter Kirche von Bramans und 200m von der N6 entfernt.

Brides-les-Bains, F-73570 / Rhône-Alpes · 🛜 iD

▲ La Piat**	1 ADE**IL**NOPQRS**T**	6
🕐 11 Apr - 10 Okt	2 OPRSUVWXY	ABDE**FG**H 7
☎ +33 (0)4-79552274	3 ALQT	DEUVW 9
@ contact@	4 FH	DEUVW 9
camping-brideslesbains.com	5 AJK**L**	BGHJ**P**RW10
	B 3-10A CEE	① € 14,95
	H604 2,5 ha 80**T**(80-90m²) 9**D**	② € 18,95

📍 N 45°27'11'' E 6°33'42''

🚗 N90 Albertville-Moutiers, anschließend D915 Richtung Bozel und nach 5 km links Richtung Brides-les-Bains. Im Zentrum rechts Beschilderung folgen.

Challes-les-Eaux, F-73190 / Rhône-Alpes · 🛜 CC€14 iD

▲ Municipal Le Savoy***	1 ADE**JM**NORST	M**N** 6
🏠 av. du Parc	2 ADJOPSVWX	ABDE**FG** 7
🕐 15 Mär - 15 Okt	3 AL**MN**Q	ABCDEFJNQRSTUV 8
☎ +33 (0)4-79729731	4 FHIO	EFJ 9
@ camping@	5 ADEGK**L**M	ABFGHIJOTUV10
ville-challesleseaux.com	B 10A	① € 17,60
	H287 2,8 ha 70**T**(80-150m²) 11**D**	② € 21,20

📍 N 45°33'5'' E 5°59'3''

🚗 A43 Lyon-Chambéry. In Chambéry Richtung Grenoble bis zur Ausfahrt Challes-les-Eaux. Dann die N6 Albertville-Grenoble. CP liegt kurz vorm Zentrum auf der linken Seite der Straße.

Landry, F-73210 / Rhône-Alpes 📶 CC€16 iD

🏕 l'Eden de la Vanoise***	1 ADF**JM**NOPRS**T**	ABCD**N**UV 6
🚐 Av. de la Gare-	2 CPTUVWXY	ABDE**FG**H 7
Le Perrey au Levant	3 BLQST	CDEFJKNQRSTUV 8
⛺ 1/1 - 25/9, 12/12 - 31/12	4 DFOQ	EUV 9
☎ +33 (0)4-79076181	5 ADEFGKL	BFGHIJPR10
@ campingleden@gmail.com	WB 10A	❶ €28,00
📷 N 45°34'33'' E 6°44'8''	H745 2,7 ha 130**T**(80-140m²) 14**D**	❷ €40,30

�➡ N90 Albertville Richtung Tarentaise-Tal bis nach Moutiers. Den Schildern Bourg-St-Maurice folgen. 7 km vor Bourg-St-Maurice nach Landry/Peisey-Nancroix. CP nach ca 200m links.

Lanslevillard, F-73480 / Rhône-Alpes 📶 CC€14 iD

🏕 Camping Caravaneige	1 ADEFILNOPQRST	6
de Val Cenis***	2 CFOPRVW	ABDE**FG** 7
⛺ 29/5 - 30/9, 13/12 - 30/4	3 AL**M**Q	ABCDEFGJKNRSV 8
☎ +33 (0)4-79059052	4 **EFHIOT**	DI 9
@ campoland@orange.fr	5 DEFGIKLM	BDGHJOR10
	WB 10A CEE	❶ €19,40
📷 N 45°17'28'' E 6°54'32''	H1450 2,5 ha 86**T**(100-140m²) 37**D**	❷ €26,00

🛡 A43 Ausfahrt Modané. Danach die D1006 Richtung Mont-Cenis. Der CP liegt links von der Ortschaft.

Le Bourget-du-Lac, F-73370 / Rhône-Alpes 📶 iD

🏕 International de L'Ile aux	1 ADE**JM**NOPRST	LN**O**QRSTW**XYZ** 6
Cygnes***	2 ACDFJOPRVWXY	ABDE**FG**H 7
🚐 501 boulevard Ernest Coudurier	3 A**E**KLQ	ABCDEFKNORSV 8
⛺ 18 Apr - 4 Okt	4 FHIL**O**P	EJVW 9
☎ +33 (0)4-79250176	5 ACDEFG**I**L	ABGHIJNOTU10
@ camping@lebourgetdulac.fr	B 6A CEE	❶ €24,60
📷 N 45°39'12'' E 5°51'48''	H253 3 ha 207**T**(90-100m²) 48**D**	❷ €29,20

🛡 A43 Lyon-Chambéry, Ausfahrt Chambéry. Hinter der Péage links halten Richtung Le Bourget-du-Lac (N504). Den Schildern 'Le Lac' folgen. CP liegt am See, kurz hinter dem Zentrum.

Lépin-le-Lac, F-73610 / Rhône-Alpes 📶 CC€14 iD

🏕 Le Curtelet***	1 A**JM**NOPRT	LN 6
🚐 Lac d'Aiguebelette	2 ADGIPVWXY	BE**FG**H 7
⛺ 15 Mai - 20 Sep	3 BEIL**M**	BDFNQRSV 8
☎ +33 (0)4-79441122	4	9
@ lecurtelet@orange.fr	5 AG**L**	BHIJ**P**R10
	B 4-6-10A	❶ €22,90
📷 N 45°32'23'' E 5°46'45''	H400 1,3 ha 91**T**(90-110m²)	❷ €29,50

🛡 A43 Lyon-Chambéry, Ausfahrt Lac d'Aiguebelette. Nach der Mautkasse im Kreisverkehr rechts, dann nach 300m links Richtung St. Alban-de-Montbel. Über das südliche Ufer nach Lépin-le-Lac. Der CP liegt links an der Straße D921d.

Lépin-le-Lac, F-73610 / Rhône-Alpes 📶 CC€14 iD

🏕 Les Peupliers**	1 ADE**JM**NOPRST	LN 6
🚐 D921d / Lac d'Aiguebelette	2 ADGHIPVWXY	ABDE**FG** 7
⛺ 1 Apr - 31 Okt	3 AELQ	ABCDFNORSV 8
☎ +33 (0)4-79360048	4 **IPQ**	JP 9
@ info@	5 ADGKL	BDGJLN**P**ST10
camping-lespeupliers.net	B 6A CEE	❶ €18,95
📷 N 45°32'19'' E 5°47'57''	H380 3 ha 114**T**(70-100m²) 42**D**	❷ €25,25

🛡 A43 Lyon-Chambéry. Ausfahrt 'Lac d'Aiguebelette'. Hinter der Mautstelle am Kreisel links Richtung Aiguebelette und Lépin-le-Lac. Nach ca. 9 bis 10 km CP rechts.

Les Marches/Montmélian, F-73800 / Rhône-Alpes 📶 iD

🏕 La Ferme du Lac***	1 ADE**JM**NOPRST	AB**N** 6
🚐 Lac St. André	2 AJOPRSVWXY	ABDE**F**H 7
⛺ 15 Apr - 15 Sep	3 AC**K**LQ	ABCDEFGINORSV 8
☎ +33 (0)4-79281348	4 FHI**O**P	9
@ campinglafermedulac@	5 ADEK**LM**	BFGHJN**O**RX10
wanadoo.fr	B 10A CEE	❶ €18,50
📷 N 45°29'46'' E 5°59'35''	H327 2,6 ha 70**T**(90-200m²) 30**D**	❷ €23,50

🛡 A43 Lyon-Chambéry-Grenoble, Ausfahrt 21 Les Marches/Montmélian. D1090 Richtung Grenoble bis nach Les Marches. In der Kurve in Les Marches dem Schild 'Lac St. André' folgen. CP ist gut ausgeschildert.

Lescheraines, F-73340 / Rhône-Alpes 📶 iD

🏕 Municipal de l'Île***	1 ADF**JM**NOPRST	FHLMN**O**6
🚐 Base de Loisirs	2 CDFGIPRUVWXY	ABDE**FG**H 7
⛺ 18 Apr - 26 Sep	3 BF**GHL**MQ	DFNRSTUV 8
☎ +33 (0)4-79638000	4 BDFINO	EJTU 9
@ contact@savoie-camping.com	5 ADEGJ**LM**	ABFGHIJLORVW10
	B 10A CEE	❶ €19,90
📷 N 45°42'11'' E 6°6'42''	H650 5 ha 196**T**(80-120m²) 19**D**	❷ €26,75

🛡 A41 Aix-les-Bains, Ausfahrt Aix-les-Bains-Nord. D911 Richtung Lescheraines/ Le Chatelard. Der CP liegt 1 km südlich von Lescheraines. Die Schilder 'Base de Loisirs' führen zum CP.

Montchavin-les-C/Bellentre, F-73210 / Rh.-Alpes 📶 iD

🏕 de Montchavin-les-Coches**	1 ADJMNOPRS**T**	6
🚐 D225	2 FPRSUVWX	ABDE**FG**H 7
⛺ 1/1 - 30/9, 1/11 - 31/12	3 ALQ	ABCDFJKNOQRV 8
☎ +33 (0)4-79078323	4 FIO	BE 9
@ campingmontchavin@	5 L	BGHJ**O**R10
orange.fr	W 10A	❶ €22,00
📷 N 45°33'38'' E 6°44'22''	H1187 1,3 ha 45**T**(80-100m²) 21**D**	❷ €33,05

🛡 Von Moutiers, N90 folgen. Nach Bellentre Richtung Montchavin-les-Coches. Dann ist CP ausgeschildert. CP links vom Ortszentrum.

Peisey/Nancroix, F-73210 / Rhône-Alpes 📶 iD

🏕 Les Lanchettes***	1 AD**JM**NOPQRST	**N** 6
🚐 Nancroix	2 CFPRSUVWXY	ABDE**FG**H 7
⛺ 6/6 - 19/9, 12/12 - 25/4	3 BE**GHK**LMQS	ABCDFJKNQRSV 8
☎ +33 (0)4-79079307	4 FIO	J 9
@ lanchettes@free.fr	5 ADEGJKL	BGHJPR10
	WB 10A	❶ €21,60
📷 N 45°31'52'' E 6°46'33''	H1470 2 ha 69**T**(80-140m²) 10**D**	❷ €29,35

🛡 N90 Albertville- Bourg-St-Maurice/Tarentaise. In Landry Richtung Peisey/Nancroix. CP ist nach dem Ort Nancroix, 10 km vom Tal entfernt.

Pralognan-la-Vanoise, F-73710 / Rhône-Alpes 📶 iD

🏕 Le Parc Isertan***	1 ACDE**JM**NOPQRS**T**	E**N** 6
🚐 Quartier Isertan	2 CFOPRVW	ABDE**FG**H 7
⛺ 28/5 - 30/9, 20/12 - 13/4	3 BE**GHI**L**M**PQ	ABCDFJKNOQRSV 8
☎ +33 (0)4-79087524	4 **EFG**IO**P**	AEGJ 9
@ camping@alpes-lodges.com	5 ADEFGIJKL	BFGHIJLN**O**RW10
	WB 10A CEE	❶ €21,00
📷 N 45°22'35'' E 6°43'20''	H1429 4,5 ha 250**T**(100-120m²) 36**D**	❷ €42,20

🛡 N90 Albertville - Bourg-St-Maurice (Tarentaise). In Moûtiers Richtung Vallée de Bozel und über die D915 in Richtung Pralognan. Am Ortseingangsschild Pralognan rechts, der Beschilderung folgen.

Ruffieux, F-73310 / Rhône-Alpes 📶 iD

🏕 Saumont***	1 AD**JM**NOPRS	AF 6
⛺ 1 Apr - 17 Okt	2 CGPVWXY	ABDE**FG**H 7
☎ +33 (0)4-79542626	3 AEL**M**QS	ABCDFJNOQRSV 8
@ camping.saumont@	4 BCDFHILNO**Q**	EQRUVW 9
wanadoo.fr	5 ABDEFG**K**L	ABIJ**O**R10
	6-10A	❶ €22,80
📷 N 45°50'55'' E 5°50'15''	H240 2,5 ha 45**T**(80-130m²) 22**D**	❷ €30,00

🛡 Von Chambéry Richtung Aix-les-Bains (N201) Richtung Seyssel; in Aix-les-Bains (D991) Richtung Ruffieux; im Ort links.

Serrières-en-Chautagne, F-73310 / Rhône-Alpes 📶 iD

🏕 Le Clairet**	1 A**JM**NOPR**T**	LN 6
⛺ 1 Apr - 15 Okt	2 CDGILOPVWXY	BE**FG**H 7
☎ +33 (0)4-79637515	3 AQ	BDFNTV 8
@ camping.clairet@wanadoo.fr	4 FHN	DE 9
	5 DEGIK**LM**	BHJ**P**RW10
	B 16A	❶ €16,70
📷 N 45°52'51'' E 5°50'29''	H230 1,6 ha 54**T**(80-110m²) 36**D**	❷ €21,50

🛡 Von Chambéry die A41, Ausfahrt 14 Aix-les-Bains, dann die D991 Richtung Seyssel. A40 Ausfahrt 11, dann die N508 Richtung Frangy, dann die D992 Richtung Seyssel oder D991 Richtung Aix-les-Bains.

St. Alban-de-Montbel, F-73610 / Rh.-Alpes 📶 CC€16 iD

🏕 Le Sougey****	1 ADE**JM**NORS**T**	LM**N** 6
🚐 Lac Rive Ouest	2 ADGHIPQVWXY	ABDE**FG**H 7
⛺ 1 Mai - 13 Sep	3 BELQ	CDEFNQRTVW 8
☎ +33 (0)4-79360144	4 BHILO	EFQRTVW 9
@ info@camping-sougey.com	5 ACDEFGJL	BDHIJN**P**R10
	B 6-10A CEE	❶ €24,60
📷 N 45°33'21'' E 5°47'27''	H380 4 ha 148**T**(85-150m²) 15**D**	❷ €33,20

🛡 A43 Lyon-Chambéry, Ausfahrt Lac d'Aiguebelette. Nach der Mautstelle im Kreisverkehr rechts abbiegen und nach 300m im nächsten Kreisverkehr links Richtung St. Alban-de-Montbel abbiegen. CP ist nach 2 km gut ausgeschildert.

St. Genix-sur-Guiers, F-73240 / Rh.-Alpes 📶 CC€14 iD

🏕 Les Bords du Guiers**	1 ADE**JL**NORST	AJ**N** 6
🚐 rte de Pont de Beauvoisin	2 ACGPRVWXY	ABE**FG** 7
⛺ 25 Apr - 20 Sep	3 AFL**M**Q	ABCDFNOPQRV 8
☎ +33 (0)4-76317140	4 BFHNO	AEV 9
@ info@lesbordsduguiers.com	5 ADEIK**L**	ABDKNORZ10
	B 6-10A CEE	❶ €21,80
📷 N 45°35'45'' E 5°38'5''	H340 1,5 ha 55**T**(120-160m²) 9**D**	❷ €28,40

🛡 Von A43 aus Ausfahrt 11 Richtung St. Genix-sur-Guiers. Von der D1075 Evrien, D1516 nach Aoste, dann St. Genix-sur-Guiers folgen. In St. Genix am Kreisel 1. Abfahrt rechts, dann den CP-Schildern folgen.

St. Jean-de-Chevelu, F-73170 / Rhône-Alpes 📶 iD

🏕 Camping des Lacs***	1 ADE**JM**NOPRS**T**	JLMN**Q**U 6
⛺ 15 Jun - 30 Aug	2 ACDFGHIOPVWXY	ABDE**FG**H 7
☎ +33 (0)6-62483738	3 ALQS	ABCDEFIKNQRSV 8
@ camping-des-lacs@	4 **A**EFHILO	AE 9
wanadoo.fr	5 ABDEFGIK**L**	BFGHJPR10
	B 16A CEE	❶ €28,95
📷 N 45°41'38'' E 5°49'29''	H350 4 ha 120**T**(100-150m²) 20**D**	❷ €38,75

🛡 A41 bis Chambéry, Ausfahrt 13, N504 Richtung Aix-les-Bains Tunnel Richtung Yenne, danach über die D210 Richtung St. Jean-de-Chevelu; dort ist der CP ausgeschildert.

St. Jean-de-Maurienne, F-73300 / Rh.-Alpes 📶 CC€16 iD

🏕 Des Grands Cols***	1 ADEF**JM**NOPQRST	6
🚐 422 ave du Mont-Cenis	2 AFOPRSVWXY	ABD**FG** 7
⛺ 14 Mai - 19 Sep	3 BELQ	ABCDEFKNOQRSTUV 8
☎ +33 (0)4-79642802	4 FHIO**PQ**	EW 9
@ info@	5 ABDGK**LM**	BDFGHJLOR10
campingdesgrandscols.com	B 16A CEE	❶ €22,00
📷 N 45°16'15'' E 6°21'2''	H565 2 ha 92**T**(80-100m²) 7**D**	❷ €34,00

🛡 D1006 Chambéry - St. Jean-de-Maurienne. In St. Jean Richtung Zentrum, danach den Schildern 'Toutes directions' und 'Camping' folgen.

St. Pierre-d'Albigny, F-73250 / Rhône-Alpes 🛜 CC€16 iD

- ▲ Lac de Carouge***
- 🏢 Base de Loisirs
- ⊙ 25 Apr - 5 Sep
- ☎ +33 (0)6-25913831
- @ campinglacdecarouge@orange.fr
- 📍 N 45°33'24'' E 6°9'59''

1	ADJMNOPRST	LMN	6
2	ADFHIJPVWXY	ABDEFGH	7
3	BEHLQ	ABCDEFGKNQRSV	8
4	BDFILNO	AETV	9
5	ABDEFJKLM	ABDGHIORVW	10
B 10A CEE			
H400 1,9 ha 64T(100-120m²)		17D	
① €26,00		② €34,00	

🚗 Von Chambéry A43, Ausfahrt 23 St. Pierre-d'Albigny, in 3,5 km vor dem CP gut angezeigt. Von Albertville die A43, Ausfahrt 24 nach St. Pierre-d'Albigny und dort den CP-Schildern folgen.

Ste Hélène-du-Lac, F-73800 / Rhône-Alpes 🛜 iD

- ▲ l'Escale**
- 🏢 Lieu-dit La Gare
- ⊙ 1 Apr - 30 Sep
- ☎ +33 (0)4-79840411
- @ campingescale@wanadoo.fr
- 📍 N 45°28'38'' E 6°2'24''

1	ADILNOPQRST	AF	6
2	APQVWX	ABDEF	7
3	BL	ABCFNOQRSV	8
4	AEFHO	E	9
5	ADEGKLM	ABHIPTUVX	10
B 10A CEE			
H259 1,5 ha 55T(100-140m²)		15D	
① €19,15		② €24,55	

🚗 D1006 auf der Höhe von Montmélian Richtung Ste-Hélène-du-Lac. Hinweisschilder an der D1006 beachten.

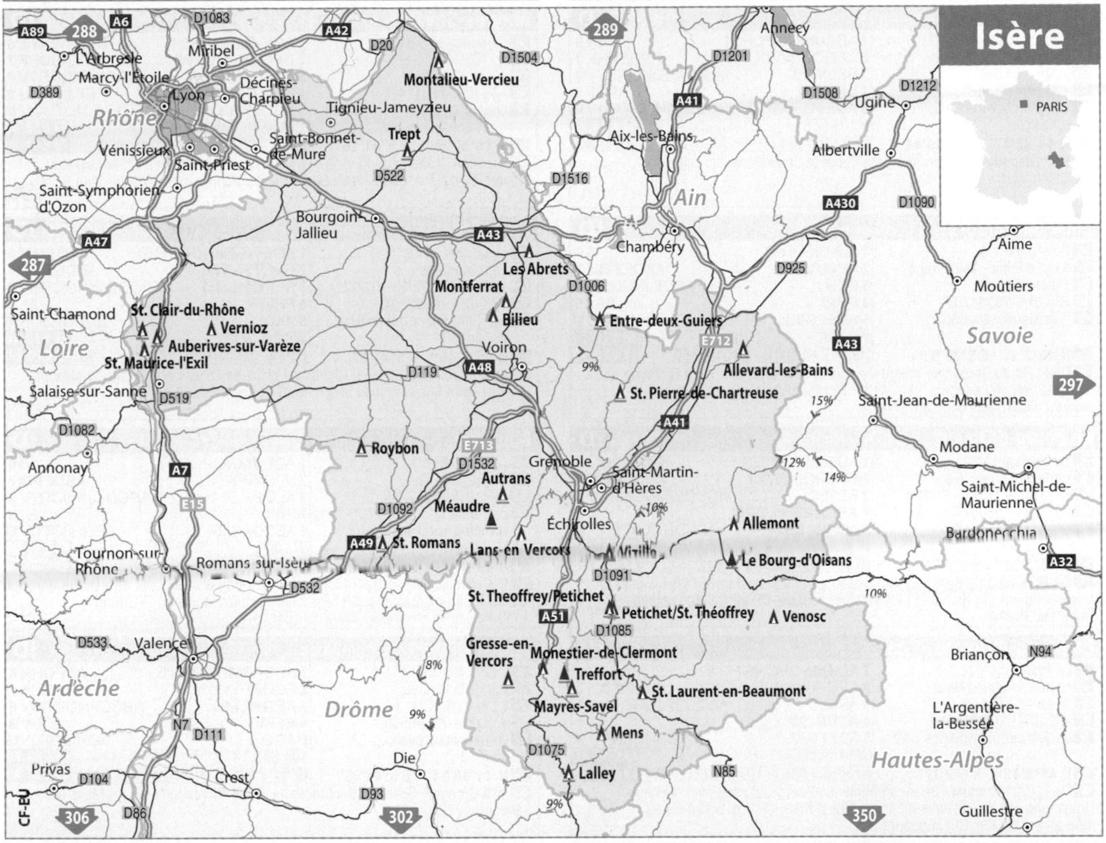

Allemont, F-38114 / Rhône-Alpes 🛜 iD

- ▲ Le Grand Calme***
- ⊙ 1 Mai - 30 Okt
- ☎ +33 (0)6-84302175
- @ info@ campinglegrandcalme.com
- 📍 N 45°7'41'' E 6°2'18''

1	ADEJMNOPQRST		6
2	CFOPVWXY	ABDEF	7
3	AQV	ABCDEFNQRV	8
4	FH	EJ	9
5	CDEFGKL	BCGJLOR	10
B 10A			
H694 3 ha 114T(100-110m²)		21D	
① €18,05		② €22,45	

🚗 D1091 Richtung Briançon. In Rochetaillée D526 Richtung Allemont/Col du Glandon. Der CP liegt mitten im Ort rechts von der Straße. Gut angezeigt.

Autrans, F-38880 / Rhône-Alpes CC€16 iD

- ▲ Yelloh! Village Au Joyeux Réveil****
- 🏢 Le Chateau
- ⊙ 1 Mai - 30 Sep
- ☎ +33 (0)4-76953344
- @ camping-au-joyeux-reveil@ wanadoo.fr
- 📍 N 45°10'31'' E 5°32'53''

1	ADEFJMNOPRST	ABCEFH	6
2	FOPTVWXY	ABDEFGH	7
3	BEGHLQT	ABCDEFJNOPQRSV	8
4	BCDEFHILNOTUVX	E	9
5	ADEFGIJKL	BDGHJLR	10
B 6A			
H1049 3 ha 57T(80-105m²)		40D	
① €43,50		② €60,50	

🚗 In Grenoble (Sassenage) Richtung Villard-de-Lans D531. In Lans-en-Vercors am Kreisel Richtung Autrans D106. Im Zentrum an Kreisverkehr rechts (ca. 300m).

Allevard-les-Bains, F-38580 / Rhône-Alpes 🛜 CC€16 iD

- ▲ Clair Matin***
- 🏢 20 rue de Pommiers
- ⊙ 25 Apr - 11 Okt
- ☎ +33 (0)4-76975519
- @ contact@ camping-clair-matin.com
- 📍 N 45°23'19'' E 6°3'53''

1	ADEJMNOPQRST	AF	6
2	BFOPUVXY	ABDEFGH	7
3	BELQ	ABCDFINORSV	8
4	ABCDEFHILO	EJL	9
5	ADEGIKLM	ABCDFGHJPRX	10
B 2-10A			
H512 5,5 ha 195T(100-110m²)		151D	
① €28,30		② €34,60	

🚗 A41 Ausfahrt 23, Le Touvet. Dann via D29 nach Goncelin. Danach auf die D525 in Richtung Allevard. Der CP liegt links in der Straße, kurz vor dem Kreisverkehr.

Bilieu, F-38850 / Rhône-Alpes 🛜 iD

- ▲ Le Bord du Lac***
- 🏢 687 route du Bord du Lac
- ⊙ 15 Mär - 30 Sep
- ☎ +33 (0)4-76066700
- @ camping.bilieu@live.fr
- 📍 N 45°26'47'' E 5°31'53''

1	ADEJMNOPQRST	LNQRSTXYZ	6
2	DFGKOPRUVXY	ABDEF	7
3	ALQTV	ABCDFNQRV	8
4	BDFHI	J	9
5	ADEFGKL	BGHIJORZ	10
B 10A			
H505 2 ha 69T(70-120m²)		8D	
① €19,00		② €24,80	

🚗 D1075. In Montferrat D50C Richtung Lac du Paladru. CP liegt am Seeufer, auf der Höhe von Bilieu.

Auberives-sur-Varèze, F-38550 / Rhône-Alpes CC€16 iD

- ▲ Camping des Nations***
- 🏢 RN7, 8 Bis
- ⊙ 1 Mär - 30 Okt
- ☎ +33 (0)4-74849513
- @ contact@ campingdesnations.com
- 📍 N 45°24'46'' E 4°48'48''

1	ADEJMNOPQRST	A	6
2	AOPVXY	ABDEFGH	7
3	BLQ	ABCDEFJRV	8
4	OQ	E	9
5	AEGI	IJNR	10
B 8A			
H200 1,5 ha 60T(100m²)		8D	
① €22,00		② €31,00	

🚗 A7, Ausfahrt Vienne, N7 folgen bis Auberives-s-V. CP liegt rechts an der Straße, südlich des Ortes.

Entre-deux-Guiers, F-38380 / Rhône-Alpes 🛜 CC€14 iD

- ▲ L'Arc en Ciel***
- 🏢 chemin des Berges
- ⊙ 1 Mär - 15 Okt
- ☎ +33 (0)4-76660697
- @ info@ camping-arc-en-ciel.com
- 📍 N 45°26'5'' E 5°45'22''

1	ADJMNOPQRST	ABFN	6
2	CKOPQVXY	BDEFGH	7
3	BLMQ	BDEFNORV	8
4	FHOP	EJ	9
5	FKL	ABDFGHJNPR	10
B 2-6A CEE			
H383 1,3 ha 60T(100-110m²)		26D	
① €19,80		② €29,00	

🚗 D1006 von Chambéry nach Les Echelles. Weiter D520 Richtung St. Laurent-du-Pont. Am Kreisverkehr den CP-Schildern folgen.

Gresse-en-Vercors, F-38650 / Rhône-Alpes 🛜 CC€16 iD

🏕 Les 4 Saisons***
🏠 La Rivoire
⌖ 1/5 - 15/10, 20/12 - 31/3
☎ +33 (0)4-76343027
@ camping-les4saisons@orange.fr
🗺 N 44°53'48'' E 5°33'20''

1	ADEILNOPQRST	ABN 6
2	CFGOPSUVX	ABDEFGH 7
3	GHJLMQRU	ABCDFJNORSV 8
4	FHIJO	EJU 9
5	ABDEFGKL	ABDGHIJOPRV10
W 10A CEE		❶ €23,20
H1205 2,2 ha 85T(75-100m²) 24D		❷ €32,35

Im Norden von Monestier-de-Clermont den Schildern nach Gresse-en-Vercors folgen. An der Kirche rechts fortsetzen; dann im 1. Kreisel links und nach 400m wieder links. Nicht die beschwerliche Route südlich von Monestier-de-Clermont nehmen. 🗺

Lalley, F-38930 / Rhône-Alpes 🛜 CC€16 iD

🏕 Sites & Paysages Belle Roche***
⌖ 1 Apr - 30 Sep
☎ +33 (0)4-76347533
@ camping.belleroche@gmail.com
🗺 N 44°45'17'' E 5°40'44''

1	ADEJMNOPQRST	AN 6
2	CFGOPRVWX	ABDEFHK 7
3	BELMQS	ABCDEFJNQRSTV 8
4	EFHIOR	ADEF 9
5	ADEFGJLM	ABDGHIJNOTUV10
B 10A CEE		❶ €24,25
H900 2,5 ha 57T(100-250m²) 15D		❷ €34,75

N57 Grenoble-Sisteron. Vor dem Col de la Croix-Haute bei Lalley ausgeschildert. 🗺

Lans-en-Vercors, F-38250 / Rhône-Alpes 🛜 iD

🏕 Bois-Sigu***
🏠 315 Le Peuil - Veille route
⌖ 1 Jan - 31 Dez
☎ +33 (0)4-76954702
@ bois.sigu@wanadoo.fr
🗺 N 45°7'4'' E 5°35'9''

1	AJMNOPRST	A 6
2	FPRUVWX	ABDEFGH 7
3	BELQ	ABDFJNOQRS 8
4	FHIO	EFJ 9
5	ADEFGIKL	BHJLOTU10
WB 10A		❶ €18,70
H987 2 ha 100T(90-110m²) 75D		❷ €26,70

D531 Route Grenoble - Villard-de-Lans. An Kreisverkehr nicht Richtung Lans-en-Vercors, sondern 1 km weiter Richtung Villard. Dann links, gut ausgeschildert. Le Peuil-Camping. 🗺

Le Bourg-d'Oisans, F-38520 / Rhône-Alpes 🛜 CC€16 iD

🏕 La Cascade****
🏠 route de l'Alpe d'Huez
⌖ 1/1 - 30/9, 15/12 - 31/12
☎ +33 (0)4-76800242
@ lacascade@wanadoo.fr
🗺 N 45°3'51'' E 6°2'21''

1	ADEJMNOPRST	ABFGNU 6
2	CFOPQRVWXY	ABDEFGH 7
3	BEFLQ	ABCDEFJNOQRSV 8
4	ABCDEFHILOPQ	J 9
5	ADFGKLM	ABCDHIJLNPRVX10
W 16A		❶ €37,35
H739 2,5 ha 128T(90-100m²) 33D		❷ €55,55

D1091 Grenoble-Briançon. Am Ortsausgang von Le Bourg-d'Oisans über die Umgehung links in Richtung l'Alpe d'Huez liegt der CP nach 500m rechter Hand der Straße. 🗺

Le Bourg-d'Oisans, F-38520 / Rhône-Alpes 🛜 iD

🏕 La Piscine*****
🏠 route de l'Alpe d'Huez
⌖ 1 Feb - 31 Okt
☎ +33 (0)4-76800241
@ infos@camping-piscine.com
🗺 N 45°3'49'' E 6°2'17''

1	ADJMNOPQRST	ABFG 6
2	CFOPRVWXY	ABDEFGH 7
3	ABELQ	ABCDEFJNOQRSV 8
4	AFHINOP	EJZ 9
5	ADEFGKL	BGHIJLNPR10
WB 16A CEE		❶ €38,85
H730 2,5 ha 127T(100-130m²) 40D		❷ €51,85

Die D1091 Grenoble-Briançon. Hinter Le Bourg-d'Oisans über die neue Umgehung am Kreisel links Richtung Alpe d'Huez. CP liegt 500m weiter links an der Straße. Gut angezeigt. 🗺

Le Bourg-d'Oisans, F-38520 / Rhône-Alpes 🛜 iD

🏕 Le Colporteur****
🏠 Le Mas du Plan
⌖ 1 Apr - 30 Sep
☎ +33 (0)4-76791144
@ info@camping-colporteur.com
🗺 N 45°3'9'' E 6°2'9''

1	ADEJMNOPRST	ABFGHN 6
2	FGPVXY	ABDEFGH 7
3	BELMT	ABCDFIKNOQRSTUV 8
4	BCDFGHILNOP	EJ 9
5	ADEFGIL	BCFGHJPR10
B 16A CEE		❶ €35,35
H743 3,6 ha 150T(95-119m²) 40D		❷ €44,35

N91 Grenoble-Briançon. Am Ortsausgang von Le Bourg-d'Oisans rechts abbiegen. Der CP liegt 200m weiter. Gut ausgeschildert. 🗺

Le Bourg-d'Oisans, F-38520 / Rhône-Alpes 🛜 CC€14 iD

🏕 RCN Belledonne****
🏠 Rochetaillée
⌖ 25 Apr - 19 Sep
☎ +33 (0)4-76800718
@ belledonne@rcn.nl
🗺 N 45°6'53'' E 6°0'32''

1	ADEILNOPRST	ABFG 6
2	FOPQVXY	ABDEFGH 7
3	BELMQ	ABCDEFKNOPQRSV 8
4	ABCEFHILNOPTVZ	E 9
5	ADEFGJKL	ABCDHJNPRW10
B 6A		❶ €46,50
H730 4 ha 175T(80-140m²) 24D		❷ €57,00

D1091 Grenoble-Briançon. In Rochetaillée rechts ab Richtung Allemont (D526). Der CP liegt nach 500m rechts der Straße und ist angezeigt. 🗺

Le Bourg-d'Oisans, F-38520 / Rh.-Alpes 🛜 ❀ CC€18 iD

🏕 Sites & Pays. A la Rencontre du Soleil*****
🏠 route de l'Alpe d'Huez
⌖ 1 Mai - 30 Sep
☎ +33 (0)4-76791222
@ contact@rencontresoleil.fr
🗺 N 45°3'54'' E 6°2'24''

1	ADEILNOPRST	ABC 6
2	CFOPQRVXY	ABDEFGH 7
3	BELMQ	ABCDFJKNOQRSV 8
4	ABCDFGHOP	EFJ 9
5	ADEFGIJKLM	BDHJNPR10
B 10A CEE		❶ €41,00
H730 1,5 ha 48T(80-120m²) 25D		❷ €57,40

D1091 Grenoble-Briançon. Beim Verlassen der Umgehung in Le Bourg-d'Oisans am Kreisel Richtung L'Alpe-d'Huez. Gut angezeigt. 🗺

Les Abrets, F-38490 / Rhône-Alpes 🛜 iD

🏕 Le Coin Tranquille****
🏠 6 chemin des Vignes (Le Véroud)
⌖ 1 Apr - 31 Okt
☎ +33 (0)4-76321348
@ contact@coin-tranquille.com
🗺 N 45°32'29'' E 5°36'29''

1	ADEJMNOPRST	ABF 6
2	AFPVWXY	ABDEFGH 7
3	BELRT	ABCDEFJNQRSV 8
4	BDFHILNO	JV 9
5	ADEFGJKL	ABGHIJOSTW10
B 6-10A		❶ €36,00
H398 10 ha 180T(100-120m²) 15D		❷ €49,00

A43 Lyon-Chambéry. Ausfahrt 10 Les Abrets. Am Kreisel links bis zur Ortsmitte. Dann N6 Richtung Pont-de-Beauvoisin. Nach 1,5 km ist der CP links der Strecke ausgeschildert. Über die Schienen und dem Weg noch 1 km folgen.

Mayres-Savel, F-38350 / Rhône-Alpes 🛜 CC€12 iD

🏕 Camping de Savel**
🏠 D116
⌖ 1 Apr - 30 Okt
☎ +33 (0)4-76811479
@ contact@camping-savel.com
🗺 N 44°52'56'' E 5°41'16''

1	ADEJMNOPRST	ALNQSUWXYZ 6
2	DFGIJKPRUVWXYZ	ABDEF 7
3	ACELQ	ABCDFKNRSTV 8
4	DFHINOPRTV	EFJMNQU 9
5	ABDEFGILM	BDFGHIJLNOTUWZ10
12A CEE		❶ €28,00
H480 7 ha 100T(100-120m²) 70D		❷ €41,00

Grenoble N85 Richtung Vizille-La Mure. Im Ort La Mure an Kreisverkehr Mayres-Savel und 'Camping de Savel' folgen, dann noch 15 km bis zum CP. 🗺

Méaudre, F-38112 / Rhône-Alpes 🛜 CC€14 iD

🏕 Les Buissonnets***
🏠 Les Grangeons
⌖ 1/1 - 31/10, 12/12 - 31/12
☎ +33 (0)4-76952104
@ camping-les-buissonnets@wanadoo.fr
🗺 N 45°7'46'' E 5°31'57''

1	ADEFGJMNOPRST	ABFGN 6
2	FGOPRVWX	ABDEFGH 7
3	BEFGHLMQ	ABCDFJKNOQRSV 8
4	FHIOP	EL 9
5	AKL	BDFGHJOR10
WB 2-10A CEE		❶ €19,10
H1010 2,3 ha 109T(100-110m²) 49D		❷ €28,60

In Grenoble (Sassenage) Richtung Villard-de-Lans. Dann Richtung Méaudre. CP liegt beim Schwimmbad 300m nördlich des Ortskerns. 🗺

Méaudre, F-38112 / Rhône-Alpes 🛜 iD

🏕 Les Eymes***
⌖ 1 Mai - 30 Sep
☎ +33 (0)4-76952485
@ contact@camping-les-eymes.com
🗺 N 45°8'40'' E 5°30'55''

1	ADEJMNOPRST	AB 6
2	FPUVWXY	ABDEFG 7
3	ALQS	ABCDFJNOQRTV 8
4	FHIO	EJ 9
5	ABDEFGIJK	BFGHJOTUV10
W 10A		❶ €21,00
H1026 1,3 ha 35T(80-110m²) 10D		❷ €28,00

In Grenoble (Sassenage) Richtung Villard-de-Lans. In Lans-en-Vercors am Kreisel Richtung Méaudre. CP liegt 2 km nach Ortsausgang Richtung Autrans. 🗺

Mens, F-38710 / Rhône-Alpes 🛜 iD

🏕 Le Pré Rolland***
🏠 rue de la Piscine
⌖ 21 Apr - 13 Okt
☎ +33 (0)4-76346580
@ contact@prerolland.fr
🗺 N 44°48'54'' E 5°44'56''

1	ADEFJMNOPRST	ABFGHN 6
2	FGOPRVWXY	ABDEFGHK 7
3	AEGHLMQ	ABCDFNOQRSV 8
4	EFHIO	EJUV 9
5	ADEGL	BGHIJOTUV10
10A CEE		❶ €23,40
H755 2,5 ha 90T(100-200m²) 17D		❷ €36,40

N75 Grenoble-Sisteron. Bei Clelles die D526 Richtung Mens. In Mens den Schildern folgen. 🗺

Monestier-de-Clermont, F-38650 / Rhône-Alpes 🛜 iD

🏕 Municipal Les Portes du Trièves***
🏠 chemin des Chambons
⌖ 1 Mai - 30 Sep
☎ +33 (0)4-76340124
@ accueil@campingportesdutrieves.fr
🗺 N 44°54'55'' E 5°37'41''

1	ADEJMNOPRST	AB 6
2	AGPQRUVX	ABDEFGH 7
3	BLMQ	ABCDFJNQRS 8
4	FHIO	EL 9
5		HIJORV10
10A CEE		❶ €15,00
H850 1,4 ha 45T(80-90m²) 4D		❷ €21,00

Grenoble die A51 nehmen. Diese endet bei Monestier. Monestier-de-Clermont folgen. In Monestier den CP-Schildern folgen. 🗺

Montalieu-Vercieu, F-38390 / Rhône-Alpes 🛜 iD

🏕 Vallée Bleue***
🏠 Base de Loisirs
⌖ 4 Apr - 31 Okt
☎ +33 (0)4-74886367
@ camping.valleebleue@wanadoo.fr
🗺 N 45°49'39'' E 5°25'14''

1	ADFJMNOPRST	ABFGHIMNQSUWXYZ 6
2	CDGIKPVXY	ABDEFG 7
3	AELMQ	ABCDFNORTUV 8
4	FH	ETU 9
5	ABKLM	ABFGHIJPSW10
B 6A		❶ €24,65
H200 1,5 ha 120T(80-100m²) 42D		❷ €35,30

Von Bourg-en Bresse in Richtung Lyon. Ausfahrt Ambérieu, dann über die N75 Richtung Lagnieu. Danach Richtung Grenoble bis Montalieu-Vercieu. Am Kreisel innerorts links Richtung Base de Loisirs abbiegen. CP ist ausgeschildert. 🗺

Montferrat, F-38620 / Rhône-Alpes 🛜 iD

🏕 International de Montferrat**
🏠 1578 rue des Chevaliers de l'An Mil
⌖ 15 Apr - 30 Sep
☎ +33 (0)4-76553394
@ campingmontferrat@gmail.com
🗺 N 45°28'4'' E 5°33'31''

1	AJMNOPRST	LMNQRSTXYZ 6
2	DFGJOPVX	ABDFH 7
3	BEFL	ACDFNRSV 8
4	ABFHLP	BJQRU 9
5	ADEFG	ABHJLOPST10
B 6A		❶ €22,55
H492 2,5 ha 100T(70-110m²) 60D		❷ €28,45

Von Voiron aus D1075 bis Montferrat. Im Ort links Richtung Lac de Paladru/Camping D50/D50c. Gut ausgeschildert. 🗺

Teilkarte Isère auf Seite 299

Petichet/St. Théoffrey, F-38119 / Rh.-Alpes CC€16 iD

- Ser Sirant***
- Lac de Laffrey
- 25 Apr - 4 Okt
- +33 (0)4-76839197
- info@campingsersirant.com
- N 45°0'0'' E 5°46'39''

1 ADJMNOPRST	LNOQRSTUVXYZ 6
2 DFGIJPUVWXY	ABDEFGH 7
3 ABCEGHLQS	BDFGJKNORSV 8
4 ABCEFHILMO	EJMPQRU 9
5 ABDEFGIJL	ABDFGHIJLNOPRW10
10A	
H910 2 ha 87T(90-110m²) 12D	❶ €26,60 / ❷ €36,80

N85 route Napoléon, 30 km südlich von Grenoble Richtung Gap. In Örtchen Petichet an der Ampel links ab. Den Schildern folgen.

St. Romans (Isère), F-38160 / Rhône-Alpes CC€14 iD

- Le Lac du Marandan***
- 657 route des Marandans
- 30 Apr - 13 Sep
- +33 (0)4-76644177
- contact@ camping-lac-marandan.com
- N 45°6'11'' E 5°17'30''

1 ADJMNOPQRST	LMN 6
2 ABDFGHPRVXY	ABDEFG 7
3 BEFLMQSTV	ABCDEFKNOQRSV 8
4 BCDFHILNP	AEFJPQUV 9
5 ABDEFGIKLM	BDGHIJLOPRZ10
B 6-10A CEE	
H207 3 ha 100T(80-130m²) 25D	❶ €29,50 / ❷ €40,00

D1532 zwischen Grenoble und Valence. In St. Romans ist der CP gut ausgeschildert. Durch Base de Loisirs zum CP Lac du Marandan. Oder: A49, Ausfahrt St. Marcellin.

Roybon, F-38940 / Rhône-Alpes CC€12 iD

- Camping de Roybon***
- D20
- 1 Mai - 30 Sep
- +33 (0)4-76362367
- info@campingroybon.com
- N 45°14'49'' E 5°14'53''

1 ADEJMNOPRST	ABLMNQR 6
2 CDGJOPVWXY	BDFH 7
3 AEFGLQ	ACDFNORSV 8
4 FHIO	EPT 9
5 ADEGIKL	ABDGHIJLOSTVWX10
B 10A CEE	
H525 2,5 ha 85T(80-110m²) 16D	❶ €18,40 / ❷ €20,15

A7/E15 Ausfahrt 12, die D519 in Richtung Voiron. Rechts ab die D71 Bressieux/Roybon. Der CP liegt 1 km außerhalb des Ortes und ist ausgeschildert.

St. Theoffrey/Petichet, F-38119 / Rh.-Alpes CC€14 iD

- Au Pré du Lac***
- 2 Mär - 26 Okt
- +33 (0)4-76839134
- aupredulac@aupredulac.eu
- N 45°0'5'' E 5°46'21''

1 ADEJMNOPRST	LNOPQRSTUVXY 6
2 DFGIOPUWVXY	BDEF 7
3 ABELQ	ABDFJKNRS 8
4 FHIOQ	EFJLQ 9
5 AGIJL	ABDGHJNOTU10
	❶ €23,60
H900 3,5 ha 80T(60-120m²) 27D	❷ €31,20

Grenoble Richtung Gap. A480 Ausfahrt 8 Richtung Vizille. In Vizille Richtung Gap über die N85. Durch Laffrey. Dann den CP-Schildern folgen.

St. Clair-du-Rhône, F-38370 / Rhône-Alpes CC€16 iD

- Le Daxia****
- route de Péage de Roussillon D4
- 1 Apr - 30 Sep
- +33 (0)4-74563920
- info@campingledaxia.com
- N 45°25'27'' E 4°46'56''

1 ADJMNOPQRST	AFHN 6
2 CPRVXY	ABDEFG 7
3 BDEILQ	ABCDFKNRSV 8
4 FHIP	J 9
5 ADEFGI	GJORV10
Anzeige auf dieser Seite B 6A	❶ €22,75
H300 7,5 ha 116T(100-150m²) 7D	❷ €28,75

Auf der A7 Ausfahrt Vienne, der N7 folgen bis zur D4 rechts. Dann Richtung St. Clair-du-Rhône fahren. Im Dorf den CP-Schildern folgen.

Treffort, F-38650 / Rhône-Alpes CC€12 iD

- Camping d'Herbelon***
- Lac de Monteynard
- 1 Mai - 30 Sep
- +33 (0)4-76340547
- info@camping-dherbelon.com
- N 44°53'55'' E 5°40'25''

1 ADEJMNOPRST	ABFGNQRSTUWXYZ 6
2 ADFGHJKPVWX	ABDEFGH 7
3 ABEFLQST	ABCDEFNQRS 8
4 BFHINP	ELMOQRUV 9
5 ABDEFGJKL	ABGHIJLORV10
10A CEE	❶ €31,10
H495 0,6 ha 52T(75-150m²) 20D	❷ €42,90

Via Grenoble A51 Ausfahrt 13. Richtung Lac de Monteynard-Avignonet. Weiter Sinard-Treffort. Den Schildern folgen. Nicht Ausfahrt Treffort nehmen, sondern rechts halten.

St. Laurent-en-Beaumont, F-38350 / Rhône-Alpes iD

- Belvédère de l'Obiou***
- Les Egats
- 15 Apr - 15 Okt
- +33 (0)4-76304080
- info@camping-obiou.com
- N 44°52'35'' E 5°50'13''

1 ADEJMNOPRST	ABCEU 6
2 FIPRUVWXY	ABDEFGH 7
3 BLQ	BDFIJNQRSTUV 8
4 FHOP	EG 9
5 ABEGJKLM	ABFGHIKMNPR10
10A CEE	❶ €23,00
H850 1 ha 54T(70-110m²) 12D	❷ €30,20

Vor Grenoble die A48 Richtung Gap, Ausfahrt 8 auf der N85 Richtung Gap. Nach + 10 km für Caravans rechts Richtung Champ sur Drac, La Mure, dann wieder N85. CP links, ist gut ausgeschildert.

Treffort, F-38650 / Rhône-Alpes CC€12 iD

- Camping de la Plage**
- Sous Jullières
- 4 Apr - 16 Okt
- +33 (0)4-76340631
- contact@ camping2laplage.com
- N 44°54'33'' E 5°40'15''

1 ADEJMNORT	FHLNQRSTUWXY 6
2 ADFIJKRUVWXY	ABDEFG 7
3 BDELQ	ABDFNQRTUV 8
4 FHNO	BCEV 9
5 ABDEFGIL	ABDHIJNPQTUV10
B 10A CEE	❶ €27,20
2 ha 75T(80-150m²) 38D	❷ €36,20

Über Grenoble A51, Ausfahrt 13 Richtung Lac de Monteynard. Weiter Sinard/Treffort. Am See ist der CP ausgeschildert. Links halten.

St. Maurice-l'Exil, F-38550 / Rhône-Alpes iD

- La Colombière****
- 1 rue Alfred de Musset
- 1 Apr - 31 Okt
- +33 (0)4-74862567
- contact@ camping-lacolombiere.com
- N 45°23'50'' E 4°47'11''

1 ADEJMNOPRT	CDH 6
2 APRSUVWXY	ABDEFG 7
3 ALMS	ABCDFOSV 8
4	E 9
5 AB	JOR10
B 9A CEE	❶ €20,00
4 ha 92T(100m²) 35D	❷ €30,00

A7 Ausfahrt Vienne, N7 Richtung Valence um 20 km. Weiter rechts Richtung St. Maurice-l'Exil. CP wird an der N7 mit den Schildern 'La Colombière + ACSI' angezeigt.

Trept, F-38460 / Rhône-Alpes CC€16 iD

- Sites & Paysages Les 3 Lacs du Soleil****
- La Plaine de Serrières
- 1 Mai - 6 Sep
- +33 (0)4-74929206
- les3lacsdusoleil@hotmail.fr
- N 45°41'21'' E 5°21'6''

1 ADEJMNORST	AFHLMN 6
2 DGHIKOPVWXY	ABDEFGH 7
3 BEFILMQRS	ABCDEFNQRSV 8
4 BCDFHILOPQR	ABEJTV 9
5 ABDEFGIK	BHJLNPSTWZ10
B 6A	❶ €35,50
H270 2,6 ha 160T(100-120m²) 58D	❷ €43,50

Von Bourg-en-Bresse in Richtung Lyon fahren, Ausfahrt Ambérieu nehmen. N75 Richtung Lagnieu. Weiter Richtung Lancin. Der D522 und D517 Richtung Trept und Crémieu folgen. CP liegt ca. 3 km vor Trept. Gut ausgeschildert.

St. Pierre-de-Chartreuse, F-38380 / Rh.-Alpes CC€16 iD

- Sites & Paysages De Martinière***
- route du Col de Porte
- 1 Mai - 13 Sep
- +33 (0)4-76886036
- camping-de-martiniere@orange.fr
- N 45°19'32'' E 5°47'51''

1 ADEJMNOPQRST	ABFG 6
2 FOPRVWXY	ABDEF 7
3 AELQSTV	ABCDFNORV 8
4 FHI	AEJ 9
5 ABDGIK	BDGHIJOTUV10
B 6-10A	❶ €27,50
H947 2,5 ha 85T(80-110m²) 17D	❷ €38,20

Mit dem Caravan via St. Laurent-du-Pont. Richtung St. Pierre-de-Chartreuse. 1 km vor St. Pierre in Diat rechts Richtung Col de Porte. CP liegt 2 km weiter.

Venosc, F-38520 / Rhône-Alpes iD

- Le Champ du Moulin***
- Le Bourg d'Arud
- 1/6 - 15/9, 15/12 - 30/4
- +33 (0)4-76800738
- info@champ-du-moulin.com
- N 44°59'11'' E 6°7'13''

1 ADEJMNOPQRST	ABFGHNU 6
2 CFOPRVWXY	ABDEFGH 7
3 BELMQ	ABCDFJNQRSV 8
4 FHIOPT	AEIJ 9
5 ACDEFGJKLM	BGHJPRX10
WB 6-10A	❶ €27,00
H938 1,5 ha 50T(80-110m²) 59D	❷ €36,90

D1091 nach Le Bourg-d'Oisans (5 km) Richtung Briançon, dann D530 Richtung Venosc. CP liegt 1 km hinter der Ausfahrt Richtung Venosc, rechts von der Straße. Gut angezeigt.

Frankreich

Vernioz, F-38150 / Rhône-Alpes

▲ Le Bontemps****	1 ADJMNOPQRST	AFGHN 6
⊞ 5, Impasse du Bontemps	2 CGIPSVWXY	ABDEFGH 7
⌂ 4 Apr - 27 Sep	3 BEILMNQR	ABCDEFKNOQRSTUV 8
☎ +33 (0)4-74578352	4 BCDFHIOPR	EGJL 9
@ info@	5 ADEGJKL	BFGHIJLMOPSTV10
camping-lebontemps.com	B 10A	① €31,00
N 45°25'42'' E 4°55'42''	H267 8 ha 120T(100-150m²) 114D	② €42,00

A7 Ausfahrt 9 Vienne, N7 Richtung Valance, in Reventin-Vaugris D31 und Schildern folgen, gut ausgeschildert.

Vizille, F-38220 / Rhône-Alpes

▲ Le Bois de Cornage***	1 ADJMNOPQRST	AF 6
⊞ 110 chemin du Camping	2 BFOPVY	ABDEFGH 7
⌂ 1 Apr - 31 Okt	3 BELQV	ACFNOQRSU 8
☎ +33 (0)4-76681239	4 FHO	E 9
@ campingvizille@orange.fr	5 ADEFGILM	BDGIJPTU10
	B 16A CEE	① €21,00
N 45°5'11'' E 5°46'12''	H297 3,6 ha 115T 29D	② €29,30

D1085 Grenoble-Sisteron. Vom Kreisel in Vizille den Schildern folgen (14 km). CP ist angezeigt.

Bénivay-Ollon/Buis-les-Baronn., F-26170 / Rh.-Alpes

▲ Domaine de l'Écluse***	1 AILNOPRST	ABFGH 6
⊞ Barastrage	2 CQRSUVWXY	ABDEFH 7
⌂ 25 Apr - 20 Sep	3 ABEFLQ	ABCDEFNORS 8
☎ +33 (0)4-75280732	4 FHINOP	EJ 9
@ camp.ecluse@wanadoo.fr	5 ABDEFHIKL	BHIJOTU10
	B 6A	① €28,50
N 44°17'23'' E 5°11'30''	3,5 ha 53T(100-150m²) 44D	② €38,50

Von Vaison-la-Romaine aus gibt es eine bequemere Route für Caravans. Ein paar hundert Meter vor Buis-les-Baronnies, direkt hinter dem Kreisel und der Brücke links ab zur D147 Richtung Bénivay-Ollon und den Schildern folgen.

Bourdeaux, F-26460 / Rhône-Alpes

▲ Yelloh! Village	1 ADEJMNOPQRST	ABEFHI 6
Les Bois du Châtelas*****	2 FPRTUVWX	ABDEFGH 7
⊞ route de Dieulefit	3 BDEGHLQRST	ABCDEFGIJKNQRSTUV 8
⌂ 10 Apr - 13 Sep	4 ABCDEFHILNOPQRTUVXZ	AEFJLU 9
☎ +33 (0)4-75006080	5 ACDEFGIJKLM	BDGHIJLQPQTUZ10
@ reservation@chatelas.com	B 10A CEE	① €46,70
N 44°34'42'' E 5°7'39''	H500 17 ha 52T(90-120m²) 188D	② €61,70

Von Norden: A7 Ausfahrt 15 Valence-Sud. Richtung Gap und Crest. In Crest Richtung Bourdeaux-Dieulefit. Cp liegt knapp südlich von Bourdeaux, links von einer Kurve.

Buis-les-Baronnies, F-26170 / Rhône-Alpes

▲ Domaine La Gautière***	1 ADJMNOPRST	AFN 7
⊞ La Penne-sur-Ouvèze	2 FRTUVWX	ABDEFH 7
⌂ 1 Apr - 31 Okt	3 BEQ	ABCDEFKNRSV 8
☎ +33 (0)4-75280268	4 FHIOP	EJ 9
@ accueil@	5 ABDEFGIKL	ABFGHIJLPTUV10
camping-lagautiere.com	Anzeige auf dieser Seite B 6A	① €23,00
N 44°15'8'' E 5°14'35''	H365 3,5 ha 20T(100-120m²) 24D	② €29,20

Vaison-la-Romaine Richtung Buis-les-Baronnies, vor dem Ort links den Schildern folgen.

Buis-les-Baronnies, F-26170 / Rhône-Alpes

▲ La Fontaine d'Annibal***	1 ADEJMNOPRT	A 6
⊞ Quai de l'Ouvèze	2 CFPRVWX	ABDEFH 7
⌂ 4 Apr - 18 Okt	3 AEFLQ	ABCDEFNSV 8
☎ +33 (0)4-75280312	4 AHIJN	AEJ 9
@ contact@	5 ABGILM	BDHIJOV10
vacances-baronnies.com	B 10A CEE	① €24,00
N 44°17'3'' E 5°16'55''	2 ha 42T(70-120m²) 28D	② €31,00

Von Vaison-la-Romaine/Nyons Richtung Buis-les-Baronnies und im Zentrum Richtung Séderon. 300m weiter am Quai du Pont Neuf links ab Richtung CP.

Camping Domaine La Gautière ★ ★ ★

- Charmanter, ländlicher Camping im Olivenbaumgarten in der warme Provence. • In einem großen Tal mit rustikalen, bewachsenden Bergen.
- Restaurant, Terrasse und Schwimmbad geschützt gegen den Mistral.
- Vermietung von Chalets und Mobilheimen. • In der Nähe des historischen Städtchens Buis-les-Baronnies.

La Penne-sur-Ouvèze, 26170 Buis-les-Baronnies
E-Mail: accueil@camping-lagautiere.com
Internet: www.camping-lagautiere.com ©

Anneyron, F-26140 / Rhône-Alpes

▲ Flower camping	1 ADEJMNOPRT	AFN 6
La Châtaigneraie****	2 FGPRTUVWXY	ABDEFGH 7
⊞ 50 route de Font-Flacher	3 BEGKLMQS	ABCDEFGKNQRSUV 8
⌂ 4 Apr - 27 Sep	4 BDFHILNOPTUXZ	AEJLU 9
☎ +33 (0)4-75314333	5 ACDEFGJKL	ABDHIJNOPT10
@ contact@chataigneraie.com	B 10A	① €27,50
N 45°15'18'' E 4°54'13''	H330 2 ha 30T(90-120m²) 40D	② €35,50

Von der A7 Ausfahrt 12 Chanas. Die N7 Richtung Valence, dann vor dem Ort Le Creux-de-la-Tine Richtung Anneyron D1. In Anneyron den CP-Schildern folgen.

Barbières, F-26300 / Rhône-Alpes

▲ Le Gallo-Romain****	1 ADEJMNOPRST	AFNUV 6
⊞ 1090 route du Col de Tourniol	2 ACFGPRUVXY	ABEFGH 7
⌂ 18 Apr - 26 Sep	3 ABEGHKLQT	ABCDEFIJKNQRSTV 8
☎ +33 (0)4-75474407	4 ABCDEFHILOPQ	ELUV 9
@ info@legalloromain.net	5 ABDEFGJL	ABDHIJLNOUX10
	B 6A CEE	① €37,20
N 44°56'40'' E 5°9'4''	H450 3 ha 75T(80-100m²) 28D	② €49,70

A7 ab Lyon, Ausfahrt 14 Richtung Grenoble via A49. Auf der A49 Ausfahrt 5 Richtung Alixan. In Alixan der D101 Richtung Barbières folgen. Der D101 von Alixan über Besayes den CP-Schildern folgen (D101). Hinter Barbières liegt der CP rechts.

Chabeuil, F-26120 / Rhône-Alpes

▲ Le Grand Lierne****	1 ABDEIKNOPRT	ABCFGHI 6
⊞ Les Garalands	2 BPQRVXY	ABDEFGH 7
⌂ 27 Apr - 16 Sep	3 BDEIKLQRS	ABCDEFIJKNQRS 8
☎ +33 (0)4-75598314	4 BDILNOPQ	BEJKL 9
@ grand-lierne@francloc.fr	5 ABDEFGIJKL	ABHIJOTUV10
	10A CEE	① €41,00
N 44°54'56'' E 5°3'53''	7 ha 50T(80-100m²) 402D	② €52,50

Über Valence-Süd (A7) Richtung Grenoble und dann Chabeuil. Von Chabeuil gut ausgeschildert, D125. Richtung Romans halten. Über Valence-Nord (Ausfahrt 14) und dann N71 um Valence, Ausfahrt 34 auf diesem Ring. Ist gut ausgeschildert.

Chantemerle-les-Blés, F-26600 / Rhône-Alpes 🛜 iD

- ⛰ Chante Merle*** — 1 AJMNOPRT — ABN 6
- 🏠 D109 — 2 APRVXY — ABDE**FG** 7
- 🕐 1 Feb - 15 Dez — 3 ALQ — ABCDEFJNRSV 8
- ☎ +33 (0)4-75074973 — 4 DI — EJ 9
- @ campingchantemerle@ — 5 A — BJOTU 10
  wanadoo.fr — 10A CEE — ① €19,80
- 📍 N 45°6'26'' E 4°53'27'' — H200 2 ha 24T(100m²) 28D — ② €22,80

🚘 In Tain-l'Hermitage der Beschilderung Chantemerle-les-Blés folgen. CP liegt an der D109 und ist ausgeschildert.

Châteauneuf-de-Galaure, F-26330 / Rh.-Alpes 🛜 CC€12 iD

- ⛰ Château de Galaure — 1 ADE**JM**NOPQRST — AFHN 6
- 🏠 D51 — 2 CPVWXY — ABD**F** 7
- 🕐 24 Apr - 27 Sep — 3 BCELQS — ABCFNRV 8
- ☎ +33 (0)4-75686522 — 4 BCLO**TY** — J 9
- @ info@chateaudegalaure.com — 5 ABDEFGI — BGHIJ**NO**R 10
- — B 7,5A — ① €39,00
- 📍 N 45°13'26'' E 4°57'3'' — H190 12 ha 166T(100-120m²) 188D — ② €50,00

🚘 Abfahrt Chanas, dann N7 Richtung Valence bis kurz hinter St. Vallier. Dann D51 Richtung St. Uze und Hauterives. Der CP liegt ca. 10 km hinter St. Uze an der D51 vor Châteauneuf-de-Galaure.

Châteauneuf-sur-Isère, F-26300 / Rhône-Alpes 🛜 CC€16

- ⛰ Le Soleil Fruité**** — 1 D**I**KNOPRS**T** — ACDFGH 6
- 🏠 Les Pêches — 2 AFPRVWX — BDE**FG**H 7
- 🕐 25 Apr - 15 Sep — 3 B**F**KLQST — ABCDEFGKNSV 8
- ☎ +33 (0)4-75841970 — 4 ABDILNO — AE 9
- @ contact@lesoleilfruite.com — 5 ABDEFG — BGHIJNOTU 10
- — B 6A CEE — ① €32,90
- 📍 N 44°59'58'' E 4°54'8'' — 3,5 ha 138T(140m²) 37D — ② €43,90

🚘 Ausfahrt Valence Nord A7. Richtung Lyon A7. Richtung Pont d'Isère. Den CP-Schildern folgen.

Châtillon-en-Diois, F-26410 / Rhône-Alpes 🛜 iD

- ⛰ Municipal Les Chaussières — 1 ADE**JM**NOPQRST — A**B**FGHNU 6
- 🏠 Les Chaussières — 2 CFOPRVWXY — ABD**F** 7
- 🕐 1 Apr - 15 Okt — 3 ABEI**MQ** — ABCDFNORSV 8
- ☎ +33 (0)6-43002500 — 4 BFH — JU 8
- @ camping.chatillonendiois@ — 5 DGI**LM** — BHJNOTUZ 10
  wanadoo.fr — B 10A CEE — ① €20,60
- 📍 N 44 41 38 E 5 29 1 — H560 2 ha 159T(60-110m²) 20D — ② €26,70

🚘 Von Valence die D93 nach Die. Hinter Die die D539 Richtung Châtillon-en-Diois. In die Stadt hinein. Nach 1 km über die Brücke rechts ab. Dann noch 500m lang.

Châtillon-en-Diois, F-26410 / Rhône-Alpes 🛜 CC€16 iD

- ⛰ VivaCamp Le Lac Bleu*** — 1 ADE**JM**NOPRST — CDFG**J**L**N**PXZ 6
- 🏠 Quartier la Touche — 2 CDFGHIPRVWXY — ABDE**F** 7
- 🕐 18 Apr - 26 Sep — 3 ABFLQ — ABCDEFKNQRSV 8
- ☎ +33 (0)4-75218530 — 4 ABCDEFHILNO**PQU** — EQUV 9
- @ info@lacbleu-diois.com — 5 ABDEFGIK**M** — BDHIJNOTU 10
- — B 6A CEE — ① €30,80
- 📍 N 44°40'59'' E 5°26'56'' — H550 6,5 ha 75T(100-130m²) 153D — ② €42,50

🚘 Aus Loriol Richtung Die, danach die D539 Richtung Châtillon-en-Diois. 1 km hinter St. Roman rechts ab. CP ist gut angezeigt.

Comps/Dieulefit, F-26220 / Rhône-Alpes 🛜

- ⛰ Sites & Paysages La Source — 1 ADE**I**LNOPQRST — AFH 6
  du Jabron*** — 2 CPRUVWXY — ABDE**FGH**K 7
- 🏠 D538 — 3 ALQ — ABCDFKNRSV 8
- 🕐 1 Apr - 3 Okt — 4 BDFHILO — CDJUV 9
- ☎ +33 (0)4-75906130 — 5 ACDEGIJK**L** — BHIJMNOTU 10
- @ contact@campinglasource.com — B 10A CEE — ① €34,50
- 📍 N 44°33'7'' E 5°5'16'' — H450 5,5 ha 49T(100-160m²) 52D — ② €44,50

🚘 A7 Ausfahrt Montélimar Nord/Dieulefit (D540). In Dieulefit die D538 Richtung Bourdeaux/Crest (Nord-Ost). Noch etwa 3 km zum CP. Von Süden Ausfahrt Montélimar-Sud, Richtung Dieulefit/Crest.

Crest, F-26400 / Rhône-Alpes 🛜 CC€16 iD

- ⛰ Les Clorinthes*** — 1 AD**JM**NOPRS**T** — AFJNU 6
- 🏠 Quai Soubeyran — 2 CGKPRVWXY — ABDE**FG**H 7
- 🕐 26 Apr - 13 Sep — 3 ABE**GHKLMQ** — ABCDFNRSV 8
- ☎ +33 (0)4-75250528 — 4 **A**BCD**E**FHILNO**P** — AEJQRU 9
- @ clorinthes@wanadoo.fr — 5 ADEFG**M** — BDGHIJL**O**P**TU**10
- — 6A CEE — ① €30,90
- 📍 N 44°43'27'' E 5°1'40'' — H198 4 ha 154T(90-120m²) 32D — ② €42,70

🚘 Die A7 bei Loriol verlassen. D104 Richtung Crest. An der 2. Ampel links Richtung Zentrum. Über die Schienen. Am großen Kreisel mit dem Denkmal rechts ab. 600m am Fluss entlang bis zum Campingplatz.

Die, F-26150 / Rhône-Alpes 🛜 CC€12 iD

- ⛰ Chamarges** — 1 ADE**I**LNOPRS**T** — A**N**UX 6
- 🏠 route de Valence — 2 CFGKPWXY — ABDE 7
- 🕐 28 Mär - 4 Okt — 3 AELQ — ABCDEFNOQRV 8
- ☎ +33 (0)4-75221413 — 4 BFHO — JQRU 9
- @ campingchamarges@orange.fr — 5 ADEFIJLM — BIJOTU 10
- — Anzeige auf dieser Seite B 6A CEE — ① €18,90
- 📍 N 44°45'44'' E 5°20'47'' — H410 3,5 ha 150T(80-110m²) 6D — ② €26,60

🚘 Von Valence D93. CP kurz vor Die ausgeschildert. Am Kreisel die Ausfahrt zum CP nehmen. Schild rechts der Straße.

Die, F-26150 / Rhône-Alpes 🛜 iD

- ⛰ de la Pinède**** — 1 ADE**I**LNOPRST — ABFGHJ**NU** 6
- 🏠 135 impasse du Pont Neuf — 2 BCFKRVWXY — ABDE**F**H 7
- 🕐 25 Apr - 14 Sep — 3 BE**GHLMQ**R — ABCDFJKNQRSTUV 8
- ☎ +33 (0)4-75221777 — 4 ABCDFHILNO**PQTUVXY** — EJLQRUW 9
- @ info@camping-pinede.com — 5 ABDEFGIJK**L** — ABGHIJ**NO**TUV 10
- — 10A CEE — ① €37,90
- 📍 N 44°45'26'' E 5°21'12'' — H410 8 ha 120T(80-150m²) 84D — ② €51,90

🚘 Von Valence die D93. CP liegt kurz vor Die, direkt hinter dem Kreisel rechts der Straße. Höhere Reisemobile fahren durch das Zentrum von Die. Direkt hinter der Bahnlinie rechts, dann sofort wieder rechts.

Die, F-26150 / Rhône-Alpes 🛜 CC€12 iD

- ⛰ Le Glandasse*** — 1 ADE**JM**NOPQRT — ABFGJNU 6
- 🏠 Quartier de la Maladrerie — 2 BCFGJPQRVWXY — ABD**FG**H 7
- 🕐 10 Apr - 30 Sep — 3 ABEILQ — ABCDEFKNRSV 8
- ☎ +33 (0)4-75220250 — 4 BDFHILNOPU — ELQRU 9
- @ camping-glandasse@ — 5 ABDEFGIK**LM** — BHIJOR 10
  wanadoo.fr — B 6A CEE — ① €25,40
- 📍 N 44°44'41'' E 5°23'7'' — H418 3,5 ha 120T(100-120m²) 34D — ② €33,90

🚘 Ausfahrt Valence, dann Richtung Crest/Die. Nach dem Zentrum von Die 1 km südlich von Die Richtung Gap. CP ist gut ausgeschildert. Durch einen Tunnel (Höhe 2,80m) kommt man zum CP.

Die, F-26150 / Rhône-Alpes 🛜 ❄ CC€14 iD

- ⛰ Le Riou-Merle*** — 1 A**I**LNOPRST — A 6
- 🏠 330 avenue Rhin et Danube — 2 FPRVWXY — ABDE**F**H 7
- 🕐 1 Apr - 15 Okt — 3 BLQ — ABCDFNRSV 8
- ☎ +33 (0)4-75222131 — 4 FH — EJUVW 9
- @ lcrioumerle@gmail.com — 5 AEGIJLM — BGHJ**P**TUV 10
- — B 6A CEE — ① €26,90
- 📍 N 44°45'16'' E 5°22'40'' — 2,5 ha 97T(70-300m²) 24D — ② €37,30

🚘 Von Crest vor dem Zentrum von Die Richtung Gap. Man fährt um das Zentrum. Am großen Kreisel wieder Richtung Zentrum. Kurz vorm Zentrum rechts.

Dieulefit, F-26220 / Rhône-Alpes 🛜 CC€16 iD

- ⛰ Huttopia Dieulefit*** — 1 ADEG**I**LNOPR**T** — ABL 6
- 🏠 Quartier d'Espeluche — 2 BDFGPRWXY — ABDE**FG**H 7
- 🕐 2 Apr - 19 Okt — 3 BF**H**LQR — ABCDEFGJNQRSV 8
- ☎ +33 (0)4-75546394 — 4 BDFIO — FU 9
- @ dieulefit@huttopia.com — 5 ACDEFGIL — ABHIJNTU 10
- — — ① €47,50
- 📍 N 44°32'24'' E 5°3'29'' — H198 20 ha 90T(120-300m²) 74D — ② €60,00

🚘 A7 Ausfahrt Montélimar Nord. Richtung Dieulefit (D540). In Dieulefit Richtung Krankenhaus (Santé). Links am Krankenhaus der Beschilderung folgen. Noch 1 km über den Feldweg.

Dieulefit, F-26220 / Rhône-Alpes 🛜 CC€14 iD

- ⛰ Le Domaine des Grands Prés*** — 1 ADE**I**LNOPRST — AFN 6
- 🏠 Les Grands Prés — 2 COPRVWXY — ABDE**FG**H 7
- 🕐 20 Mär - 1 Nov — 3 AL**MQ** — ABCDEFJKNRSV 8
- ☎ +33 (0)4-75499436 — 4 FHIO**TUX** — AFJLUV 9
- @ info@lesgrandspres- — 5 AL — ABHIJ**O**P**TU**V 10
  dromeprovencale.com — B 10A CEE — ① €23,90
- 📍 N 44°31'18'' E 5°3'41'' — H380 1,9 ha 50T(80-100m²) 61D — ② €31,90

🚘 A7 Ausfahrt Montélimar-Nord. Richtung Dieulefit (D540). Am Ortseingang an der Südseite der Straße rechts. Schildern folgen.

Grâne, F-26400 / Rhône-Alpes 🛜 CC€16 iD

- ⛰ Les 4 Saisons*** — 1 ADE**JM**NOPQRST — ABF 6
- 🏠 495 route de Roche-sur-Grâne — 2 AFPQRTUVWXY — ABDE**F**H 7
- 🕐 1 Apr - 30 Sep — 3 ALQT — ABCDEFKNQRSV 8
- ☎ +33 (0)4-75626417 — 4 BCDFHILNO**PQ** — AEJ 9
- @ contact@ — 5 ADGLM — BHIJ**P**TU 10
  camping-4-saisons.com — B 6A CEE — ① €32,30
- 📍 N 44°43'37'' E 4°55'37'' — 3 ha 61T(80-130m²) 38D — ② €42,80

🚘 A7 Ausfahrt 16 Richtung Loriol, danach Richtung Crest. Danach Ausfahrt Grâne. Durchfahren bis zum Kreisel mit der Ausfahrt Grâne und Camping.

Grignan, F-26230 / Rhône-Alpes iD

- ⛰ Les Truffières*** — 1 ADHKNOPR**T** — ABF 6
- 🏠 1100 chemin de Belle Vue d'Air — 2 PQRVWXY — ABDF**H** 7
- 🕐 20 Apr - 20 Sep — 3 BELQ — ABCDEFNR 8
- ☎ +33 (0)4-75469362 — 4 — EL 9
- @ info@lestruffieres.com — 5 ADEGJ — BHIJV 10
- — 10A CEE — ① €26,20
- 📍 N 44°24'40'' E 4°53'28'' — H110 3 ha 73T(100-120m²) 12D — ② €34,50

🚘 A7, Ausfahrt Montélimar-Sud, N7 Richtung Marseille, Ausfahrt Nyons/Gap. Nach 17 km Ausfahrt D71 Chamaret.

Hauterives, F-26390 / Rhône-Alpes 📶 (CC€12) iD

⛺ Le Château***	1 ADEJMNOPRST	ABFGN 6
🏠 5 route de Romans (D538)	2 COPRSVWXY	ABDEFG 7
📅 4 Apr - 26 Sep	3 BEHLQ	ABCDEFGKNOQRSV 8
☎ +33 (0)4-75688019	4 ABCDEFHILOP	AEJV 9
@ contact@	5 ACDEGIJKL	BDFGIJNPTUV10
camping-hauterives.com	B 10A CEE	❶ €27,50
🗺 N 45°15'10'' E 5°1'37''	H302 4 ha 73T(80-120m²) 72D	❷ €33,70

🚗 A7 Ausfahrt 12. Über die D519 und D538 nach Hauterives. Gut angegeben.

Menglon, F-26410 / Rhône-Alpes 📶 iD

⛺ Sites & Paysages l'Hirondelle****	1 ADEJMNOPQRST	ABFGHIJNU 6
	2 BCFGJPQRXY	ABDEFGH 7
🏠 Bois de St. Ferréol	3 BEGHILQRT	ABCDEFGIKNOQRSV 8
📅 25 Apr - 13 Sep	4 ABDEFHILO	AEJLUV 9
☎ +33 (0)4-75218208	5 ABDEFGIJKLM	BIJNPTUVZ10
@ contact@camping-hirondelle.com	B 6A CEE	❶ €42,70
🗺 N 44°40'53'' E 5°26'49''	H500 14 ha 123T(80-300m²) 114D	❷ €59,00

🚗 Von Die die D93 Richtung Süden an der Drôme entlang. Dann links D539 Richtung Châtillon-en-Diois. Hinter St. Roman D140. Über die Brücke. CP liegt rechts.

La Motte-Chalancon, F-26470 / Rh.-Alpes 📶 ✿ (CC€14) iD

⛺ La Ferme de Clareau***	1 AJMNOPRST	AN 6
🏠 route de Die (RD 61)	2 BCFPTWXY	ABDFH 7
📅 17 Apr - 11 Okt	3 AFLQ	ABEFNO 8
☎ +33 (0)4-75272603	4 EFHI	AU 9
@ campingfermeclareau@	5 AEFGIM	BDJOTUV10
wanadoo.fr	10A CEE	❶ €21,90
🗺 N 44°28'43'' E 5°23'43''	H570 9 ha 42T(100-500m²) 16D	❷ €31,50

🚗 A7 Ausfahrt Montélimar Süd. D94 Richtung Nyons und Gap. Bei Rémuzat die D61 Richtung La Motte-Chalancon. Auf der D61 den Schildern durch das Zentrum und den CP-Schildern folgen.

Mirabel-et-Blacons, F-26400 / Rhône-Alpes 📶 (CC€16) iD

⛺ Gervanne Camping****	1 ADEJMNOPQRST	ABFGJNU 6
🏠 Bellevue	2 CKOPRVWXY	ABDEFGH 7
📅 1 Apr - 30 Sep	3 ABEFLQ	ABCDEFIJKNOQRSTUV 8
☎ +33 (0)4-75400020	4 ABCDEFHLNOPQ	EJLOV 9
@ info@gervanne-camping.com	5 ACDEFGIJKLM	ABGHIJNOPTUZ10
	Anzeige auf Seite 305 B 6A CEE	❶ €32,00
🗺 N 44°42'39'' E 5°5'23''	H220 3,8 ha 150T(90-157m²) 54D	❷ €41,40

🚗 A7 Ausfahrt Valence Richtung Crest D111. Vor Crest Richtung Die D164. 6 km hinter Crest links ab und man kommt nach Mirabel-et-Blacons. CP ausgeschildert.

La Motte-Chalancon, F-26470 / Rhône-Alpes 📶 iD

⛺ La Piboure**	1 AJMNORT	AFJN 6
🏠 Quartier St. Pierre	2 CKPRVWXY	ABDF 7
📅 1 Apr - 30 Sep	3 BELMQ	ABCDEFNOR 8
☎ +33 (0)4-75272284	4 I	DE 9
@ contact@	5 ADEFGIK	BIJOV10
camping-lapiboure.com	6A	❶ €18,50
🗺 N 44°28'31'' E 5°22'24''	H533 4 ha 100T(90-120m²) 6D	❷ €22,50

🚗 N94 Ausfahrt Montélimar-Süd Richtung Valréas-Nyons. Von Nyons Richtung Gap, bei Rémuzat links den Weg nach La Motte-Chalancon einschlagen.

Mirabel-et-Blacons, F-26400 / Rhône-Alpes 📶 iD

⛺ Val Drôme Soleil	1 AILNOPRST	AEF 6
🏠 830 chemin Sans Souci	2 BFGRSUVWXY	ABDEFG 7
📅 1 Apr - 31 Okt	3 ALQS	ABEFIJNQRSV 8
☎ +33 (0)4-75400157	4 ABCDEFHINORTU	DI 9
@ camping@valdromesoleil.com	5 ABDEGIJL	ABHJNOPTUZ10
	FKK 6A CEE	❶ €30,90
🗺 N 44°42'25'' E 5°8'0''	H327 11 ha 120T(40-150m²) 57D	❷ €49,10

🚗 A1 Ausfahrt Valence D111 Richtung Crest. Hinter Crest die D93 Richtung Die. Hinter Mirabel-et-Blacons links zur D617 nach Charsac-Montclair.

Le Grand-Serre, F-26530 / Rhône-Alpes 📶 (CC€10) iD

⛺ Le Grand Cerf****	1 ADEJMNOPRST	AF 6
📅 11 Apr - 14 Sep	2 FGHOPTUVWXY	ABDEF 7
☎ +33 (0)4-75688614	3 BEFLMQS	ABCDFNOQRS 8
@ contact@campingdrome.fr	4 BCDFHKNO	DEJUV 9
	5 ADEFGIJL	BDGHJOTUV10
	B 10A	❶ €27,50
🗺 N 45°16'17'' E 5°6'6''	H435 2 ha 60T(80-160m²) 22D	❷ €34,00

🚗 N7 Valence-Vienne. In Sablon D519 Richtung Beaurepaire. Dort rechts ab Richtung Hauterive. Hier D51 nach Le Grand-Serre. Gut ausgeschildert.

Mirmande, F-26270 / Rhône-Alpes 📶 iD

⛺ La Poche	1 ADEJMNOPRT	ABF 6
🏠 Quartier la Poche	2 ABCFGPRUVWXY	ABDF 7
📅 1 Apr - 1 Okt	3 AEGLQRS	ABCDEFKNOQRSV 8
☎ +33 (0)4-75630288	4 ABCDEFHILNO	EI 9
@ camping@la-poche.com	5 ABDGJKLM	ABHJLNOTUX10
	B 6A CEE	❶ €26,30
🗺 N 44°41'13'' E 4°51'16''	H230 3,5 ha 72T(80-140m²) 29D	❷ €30,50

🚗 Von Norden: A7 Ausfahrt 16 Loriol, links Richtung Loriol/Montélimar. Nach ca. 2 km links ab nach Mirmande. Von Süden: A7 Ausfahrt 17 Montélimar-Nord Richtung Valence. Nach 2 km rechts ab nach Mirmande und dann der Beschilderung folgen.

Le Poët-Célard, F-26460 / Rhône-Alpes 📶 iD

⛺ Le Couspeau****	1 ADEJMNOPRST	ABCDFGH 6
🏠 Quartier Bellevue	2 FPRTUVWXY	ABDEFG 7
📅 18 Apr - 15 Sep	3 BDELQT	ABCDEFGIKNQRSTUV 8
☎ +33 (0)4-75533014	4 ABDEFHIL	AEJ 9
@ info@couspeau.com	5 ABDEFGIJKL	BGHIJOPTUVZ10
	6A CEE	❶ €38,80
🗺 N 44°35'47'' E 5°6'40''	H550 8 ha 100T(100-180m²) 100D	❷ €50,80

🚗 A7 Ausfahrt 15 in Valence-Sud. D111 Valence-Crest. In Crest Richtung Dieulefit, danach Bourdeaux. In Bourdeaux Richtung Dieulefit. Südlich von Bourdeaux ausgeschildert.

Montélimar-Nord/La Coucourde, F-26740 / Rh.-Alpes 📶 iD

⛺ Floral**	1 AJMNOPQRST	A 6
🏠 75, RN7	2 AORSTUVWXY	ABDEFGH 7
📅 1 Jan - 31 Dez	3 AQS	ABCDEFJNRSTV 8
☎ +33 (0)4-75900669	4 I	EHI 9
@ deminfo@campingfloral.com	5 AEIKLM	BHIJO10
	Anzeige auf Seite 305 B 6A CEE	❶ €17,00
🗺 N 44°38'13'' E 4°46'27''	H50 1,5 ha 21T(100m²) 24D	❷ €22,00

🚗 Ausfahrt 17 Montélimar-Nord, N7 Richtung Les Tourettes. Dann 5 km sudlich. Richtung Montélimar am Ortsende von La Coucourde liegt der CP links.

Luc-en-Diois, F-26310 / Rhône-Alpes 📶 (CC€12) iD

⛺ Les Foulons***	1 ADEJMNOPQRST	ABFGJNU 6
🏠 rue de la Piscine	2 CFGOPVWXY	ABDEF 7
📅 10 Apr - 20 Okt	3 ABEFGHLMNQ	ABCDFNRTV 8
☎ +33 (0)4-75213614	4 ABDFGHIO	DEFJUVW 9
@ contact@	5 ADEFGIKL	BDFHIJOTUV10
camping-luc-en-diois.com	B 10A CEE	❶ €23,75
🗺 N 44°36'56'' E 5°26'46''	H520 1,8 ha 100T(80-130m²) 46D	❷ €31,75

🚗 Auf der D93 von Die nach Gap, in der Ortschaft Luc-en-Diois an der Westseite der Straße, nach der Ortsmitte den Schildern folgen.

Montrigaud, F-26350 / Rhône-Alpes 📶 (CC€14) iD

⛺ La Grivelière****	1 ADEILNOPRST	ABFG 6
📅 1 Apr - 30 Sep	2 CGPRSVXY	ABDEF 7
☎ +33 (0)4-75717071	3 BEGHLQSV	ABCDEFGKNRSV 8
@ courrier@lagriveliere.com	4 FHINOPQ	AEFJ 9
	5 ABDFGIKLM	BDHJOTUVW10
	B 6A CEE	❶ €26,20
🗺 N 45°13'18'' E 5°10'1''	H427 2,5 ha 35T(60-120m²) 33D	❷ €34,00

🚗 D538 Beaurepaire - Romans-sur-Isère. In Le Cabaret-Neuf D67 Richtung Montrigaud. Am Kreisverkehr Schildern folgen.

Lus-la-Croix-Haute, F-26620 / Rhône-Alpes 📶 (CC€14) iD

⛺ Champ la Chèvre***	1 ABDEJMNOPRST	ABCDFG 6
🏠 Le Village	2 FGPTUWX	ABDF 7
📅 20 Apr - 28 Sep	3 ABLQT	ABDEFGIJKNQRSV 8
☎ +33 (0)4-92585014	4 ABDFHIOU	EFJ 9
@ champlachevre@orange.fr	5 DEFGIJKL	BFGIJNOPST10
	6A CEE	❶ €29,10
🗺 N 44°39'52'' E 5°42'26''	3,7 ha 85T(80-150m²) 33D	❷ €41,30

🚗 Von Grenoble N75 Richtung Sisteron. Hinter dem Col de la Croix-Haute nach Lus-la-Croix-Haute hinein. Dort ist der CP angezeigt.

Novézan/Venterol/Nyons, F-26110 / Rh.-Alpes 📶 (CC€16) iD

⛺ Les Terrasses Provençales****	1 ADJMNOPRT	AB 6
🏠 450 route de Rousset	2 FPRSUVWXY	ABDEFGHK 7
📅 1 Apr - 30 Sep	3 BFLQ	ABCDFJNQRSV 8
☎ +33 (0)4-75279236	4 FHIOPQ	EUVW 9
@ lesterrassesprovencales@	5 ABDEFGIKLM	BGHIJNOTU10
gmail.com	B 10A CEE	❶ €26,40
🗺 N 44°24'30'' E 5°4'48''	2,5 ha 69T(80-100m²) 20D	❷ €32,85

🚗 Der CP liegt zwischen Valréas und Nyons D538. Von Valréas 3 km vor Venterol.

Marsanne, F-26740 / Rhône-Alpes 📶 (CC€16) iD

⛺ Les Bastets***	1 ADEJMNOPQRST	AF 6
🏠 Quartier les Bastets	2 AFPQRTUVWXY	ABDEFG 7
📅 25 Apr - 30 Sep	3 ABEIKLQR	ABCDEFJKNQRSTUV 8
☎ +33 (0)4-75903503	4 ABCDEFHILNOPQ	AEJU 9
@ contact@	5 ABDEFGJKLM	ABDGHIJLOTUV10
campingslesbastets.com	B 10A CEE	❶ €36,60
🗺 N 44°39'29'' E 4°53'28''	H250 3,5 ha 61T(80-120m²) 66D	❷ €47,60

🚗 A7, Ausfahrt 17 Montélimar-Nord. Richtung Tourette und weiter Richtung La Coucourde. Im Zentrum links Richtung Sauzet. Dann Richtung Condillac/Marsanne.

Nyons, F-26110 / Rhône-Alpes 📶 iD

⛺ Les Clos****	1 ACDJMNORT	AFJN 6
🏠 route de Gap	2 CJKQRSUVWXY	ABDEFG 7
📅 1 Apr - 30 Sep	3 ABELQ	ABCDEFJNRSTUV 8
☎ +33 (0)4-75262990	4 FHI	BEFL 9
@ info@campinglesclos.com	5 ABDEKL	BHIJPTUV10
	B 10A	❶ €28,30
🗺 N 44°21'56'' E 5°9'14''	H282 2,2 ha 82T(80-120m²) 27D	❷ €37,20

🚗 A7, Ausfahrt Montélimar-Sud, D94 Richtung Grignan/Nyons.

Domaine du Couriou ★★★★

• prächtiger Aquapark, der größte in der Umgebung
• einmaliger Panoramablick • sonnige und schattige,
ruhige Plätze • gutes Restaurant mit herrlicher Aussicht
• leicht zu erreichen

D93, 26310 Recoubeau-Jansac
Tel. 04-75213323 • E-Mail: contact@lecouriou.fr
Internet: www.drome-campings.com

Frankreich

Recoubeau-Jansac, F-26310 / Rhône-Alpes ⊚ (CC€12) iD

Domaine du Couriou★★★★
D93
1 Apr - 15 Sep
+33 (0)4-75213323
contact@lecouriou.fr

1 ADE**JM**NOPRST	ABFHINUV 6	
2 FPRUVWXY	ABDE**FGH** 7	
3 BE**GH**LQT	ABCDFNQRSV 8	
4 BCDFHILNO**PQTUVX**	EJL 9	
5 ABDEFIKLM	ABHIJNOTUV10	
Anzeige auf dieser Seite B 10A CEE	❶ €37,60	
H500 7 ha 90T(80-150m²) 82D	❷ €50,10	

N 44°39'31'' E 5°24'26''
Ausfahrt Valence-Sud Richtung Gap/Crest/Die. Nach Die Richtung Gap. Auf der rechten Seite vor Recoubea liegt der CP.

Sahune, F-26510 / Rhône-Alpes ⊚ (CC€14) iD

Les Ramières★★★★
11 Apr - 11 Sep
+33 (0)4-75274045
contact@lesramieres.com

1 ADE**JM**NORST	ABFGJN 6	
2 CFGIJPRTUVWX	BEF 7	
3 ABFLQ	BDFGIKNQRSTUV 8	
4 ANO	E 9	
5 ABCDEFGILM	BDHIJNOTU10	
10A	❶ €31,60	
H355 20 ha 40T(100-150m²) 75D	❷ €43,10	

N 44°23'57'' E 5°15'0''
Ausfahrt Montélimar-S Ri. Grignan, Valréas, dann Nyons. Die Strecke nach Gap bis Sahune. In Sahune rechts über die Brücke und rechts den Hinweisen folgen. Die Asphaltstraße zum CP folgen, der letzte Km ist etwas eng.

Saillans, F-26340 / Rhône-Alpes ⊚ (CC€14) iD

Les Chapelains
RD493
18 Apr - 15 Sep
+33 (0)4-75215547
camping@chapelains.fr

1 ADE**JM**NOPRT	JNU 6	
2 CFJPRVXY	ABDEF 7	
3 AL	ABCDEFIKNQRSV 8	
4 BCDFHI	AELUV 9	
5 ABIJ	ABHIJOTU10	
B 10A	❶ €22,60	
H266 1 ha 40T(80-115m²) 7D	❷ €29,60	

N 44°41'44'' E 5°10'53''
D104/D164 bis zum Kreisel vor Saillans. Dort zur D493 abbiegen, kurz vor der Ortschaft liegt der CP an der rechten Seite.

St. Avit, F-26330 / Rhône-Alpes ⊚ (CC€14) iD

Domaine La Garenne★★★★
156 chemin de Chablezin
20 Apr - 30 Sep
+33 (0)4-75686226
garenne.drome@wanadoo.fr

1 AD**JM**NOPRST	ABF 6	
2 PQUVXY	ABDE**FH**I 7	
3 BELQ	ABCDEFNORV 8	
4 BDIN**PQ**	DEFJU 9	
5 GL	GIJLOV10	
B 6A	❶ €33,40	
H250 14 ha 100T(160 000m²) 50D	❷ €43,30	

N 45°12'7'' E 4°57'24''
Ausfahrt Chanas, N7 Richtung Valence bis kurz hinter St. Vallier. D51 Richtung St. Uze und Hauterives. In Châteauneuf-de-Galaure rechts Richtung St. Donat (D53). Nach 4 km auf der linken Seite liegt der CP.

Camping Floral ©

Kleiner, ruhiger Familiencamping mit Schwimmbad. Ideal als Etappenplatz zum Mittelmeer oder um die herrliche Gegend zu besichtigen. Verschiedene mittelalterliche Städte in den Bergen. Bär und Restaurant auch ganzjährig geöffnet. 6 km vom wunderbaren Zentrum Montélimars.

75, RN7, 26740 Montélimar-Nord/La Coucourde • Tel. 04-75900669
E-Mail: deminfo@campingfloral.com • Internet: www.campingfloral.com

---

St. Donat-sur-Herbasse, F-26260 / Rhône-Alpes ⊚ iD

Domaine du Lac de Champos★★★
BP2
20 Apr - 9 Sep
+33 (0)4-75451781
contact@lacdechampos.com

1 AD**JM**NOPRST	LMNQ 6	
2 CDGHIPRSUVWX	ABDE**FGH** 7	
3 **LMR**	ABCDFIKNRSV 8	
4 BCDHNO**PQ**	FJLQR 9	
5 ADEG**LM**	BFGHIJLO10	
10A CEE	❶ €19,80	
H 4 ha 60T(100m²) 23D	❷ €25,80	

N 45°8'10'' E 5°0'19''
A7 Ausfahrt Tain-L'Hermitage Richtung Romans. Danach Richtung St. Donat. Den CP-Schildern nach. Der CP liegt an der D67.

St. Donat-sur-Herbasse, F-26260 / Rhône-Alpes ⊚ iD

Les Ulèzes★★★★
route de Romans
1 Apr - 31 Okt
+33 (0)4-75478320
contact@domaine-des-ulezes.com

1 ADE**JM**NOPRST	AN 6	
2 CPQVWXY	ABDE**FGH** 7	
3 BEILQ	ABDFIKNQRSTUV 8	
4 BCDILO**PQ**	DEJ 9	
5 ABDEFG**I**M	BGHJNO**PT**U10	
B 10A CEE	❶ €23,70	
H220 3,5 ha 85T(100m²) 12D	❷ €32,70	

N 45°7'9'' E 4°59'34''
A7 Ausfahrt Tain-l'Hermitage, Richtung Romans. In Curron D67 nach St. Donat. CP-Schildern folgen. CP liegt rechts an der D53.

St. Sorlin-en-Val-d'Or, F-26210 / Rhône-Alpes iD

International Château de la Perouze★★★★
Chambre des Moines
15 Jun - 15 Sep
+33 (0)4-75317021
+33 (0)4-75317575

1 AGHKNOPR**T**	AN 6	
2 GPVXWXY	ADEF 7	
3 AELQ	BDFKNRSTUV 8	
4 **PST**	EGL 9	
5 DGK	IJR10	
	❶ €25,00	
H174 14 ha 160T(100-120m²) 48D	❷ €37,00	

N 45°16'58'' E 4°58'41''
A7 Lyon-Marseille. Ausfahrt Chanas. Den Schildern 'Camping Château de la Perouze' via Bougé/Chambulud - Eninouze - St. Sorlin (17 km) folgen.

Tain-l'Hermitage, F-26600 / Rhône-Alpes ⊚ iD

Mun. les Lucs★★★
56 avenue Pres. Roosevelt
15 Mär - 15 Okt
+33 (0)4-75083282
camping.leslucs@orange.fr

1 AD**JM**NORT	ABFGN**X** 6	
2 ACFPQRVXY	ABDE**F** 7	
3 ALQ	ABCDFJNOPQRV 8	
4	9	
5	AHIJO10	
10A CEE	❶ €18,50	
H200 1,3 ha 54T(100m²)	❷ €24,30	

N 45°4'3'' E 4°50'47''
A7 Lyon-Marseille, Ausfahrt Tain-l'Hermitage. N95 Richtung Tain-l'Hermitage fahren. Hinter Bahnübergang erste links ab bis zur N7. CP-Schildern folgen (Caravans bis 5,5m Länge).

Tulette, F-26790 / Rhône-Alpes ⊚ ❀ (CC€16) iD

Les Rives de l'Aygues★★★
route de Cairanne
1 Mai - 25 Sep
+33 (0)4-75983750
camping.aygues@wanadoo.fr

1 AD**I**LNOPRST	ABFJ 6	
2 BCPQRSVWXY	ABDE**F** 7	
3 ABELQS	ABCDEFNRSTV 8	
4 FHINO**PQ**	F.I 9	
5 ABDEFGKI	BI IJ**PT**10	
B 6 10A CEE	❶ €27,00	
H100 3,5 ha 100T(80-300m²) 8D	❷ €36,20	

N 44°15'53'' E 4°55'54''
A7 Ausfahrt Bollène Richtung Vaison-la-Romaine, in Tulette rechts und den Schildern folgen.

Vercheny, F-26340 / Rhône-Alpes ⊚ (CC€14) iD

Les Acacias★★★
Les Tours
1 Apr - 30 Sep
+33 (0)4-75217251
infos@campinglesacacias.com

1 ADE**JM**NOPRT	JNUV 6	
2 BCFJRVXY	ABDE**F**J 7	
3 BLST	ABCDEFNOQRV 8	
4 AB**C**DFHILQ	AEQR 9	
5 ABCDEG**LM**	BHIJLOTUW10	
B 6A CEE	❶ €28,10	
3,6 ha 90T(80-120m²) 36D	❷ €37,70	

N 44°41'44'' E 5°14'29''
A7 Ausfahrt Valence Richtung Crest (D111). Hinter Crest Richtung Die (D93). CP liegt zwischen Crest und Die an der D93. 2 km vor Vercheny an der Südseite der Straße.

Vercheny, F-26340 / Rhône-Alpes ⊚ iD

Les Tuillères★★★
route de Die
8 Mai - 6 Sep
+33 (0)4-75211886
contact@tuilleres.com

1 ADE**JL**NOPQRST	ABFJNU 6	
2 CFGPVWXY	ABDFH 7	
3 BELQS	ABCDEFINRSV 8	
4 BCFHI	EF 9	
5 ADEG**L**	ABIJLOTU10	
B 6A CEE	❶ €28,60	
H500 4 ha 90T(100-220m²) 22D	❷ €39,60	

N 44°43'1'' E 5°15'48''
Über Valence oder Loriol an Crest vorbei die D93 nach Vercheny. Von Crest fährt man duch Vercheny nach Die. Der CP liegt kurz außerhalb des Ortes an der rechten Seite.

Gervanne Camping ★★★★

Schattenreicher Camping an der Drôme. Prächtiges Schwimmbad mit Jacuzzi, die gesamte Saison über beheizt. Herzlicher Empfang durch Catherine und Jean-François. Vermietung von Chalets. Restaurant, Kräuterladen. Startpunkt für unvergessliche Touren in das Vercors und ins Drôme Provençale.

Bellevue, 26400 Mirabel-et-Blacons • Tel. 04-75400020
Fax 04-75400397 • E-Mail: info@gervanne-camping.com
Internet: www.gervanne-camping.com

Teilkarte Drôme auf Seite 302

305

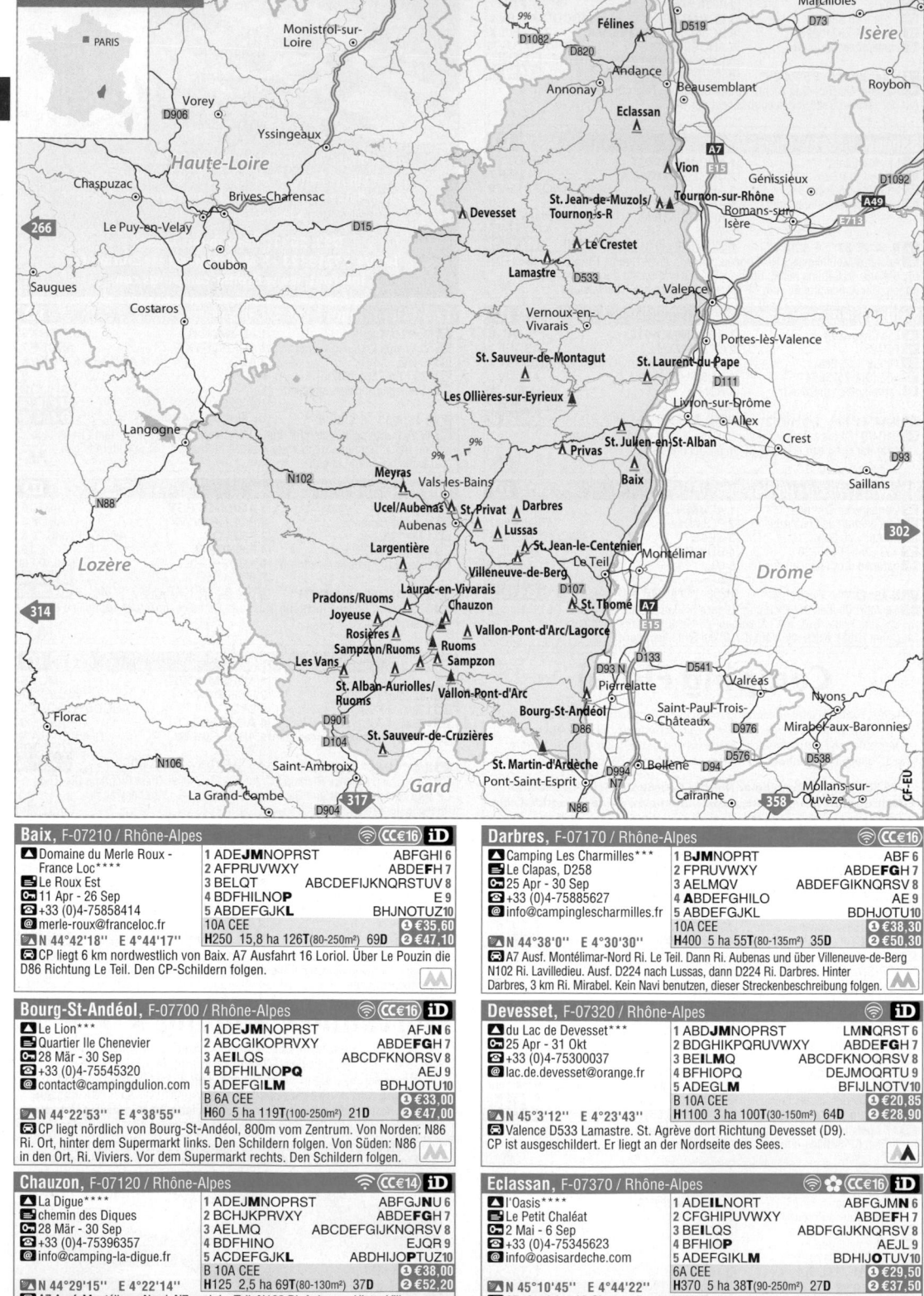

Ardèche

Frankreich

Baix, F-07210 / Rhône-Alpes   ⓦ CC€16 iD

Domaine du Merle Roux - France Loc****		
🏕 Le Roux Est		
📅 11 Apr - 26 Sep		
☎ +33 (0)4-75858414		
@ merle-roux@franceloc.fr		

1	ADEJMNOPRST	ABFGHI 6
2	AFPRUVWXY	ABDEFH 7
3	BELQT	ABCDEFIJKNQRSTUV 8
4	BDFHILNOP	E 9
5	ADEFGJKL	BHJNOTUZ10
10A CEE		❶ €35,60
		❷ €47,10

H250 15,8 ha 126T(80-250m²) 69D

📍 N 44°42'18''   E 4°44'17''

CP liegt 6 km nordwestlich von Baix. A7 Ausfahrt 16 Loriol. Über Le Pouzin die D86 Richtung Le Teil. Den CP-Schildern folgen.

Bourg-St-Andéol, F-07700 / Rhône-Alpes   ⓦ CC€16 iD

Le Lion***		
🏕 Quartier Ile Chenevier		
📅 28 Mär - 30 Sep		
☎ +33 (0)4-75545320		
@ contact@campingdulion.com		

1	ADEJMNOPRST	AFJN 6
2	ABCGIKOPRVXY	ABDEFGH 7
3	AEILQS	ABCDFKNORSV 8
4	BDFHILNOPQ	AEJ 9
5	ADEFGILM	BDHJOTU10
B 6A CEE		❶ €33,00
		❷ €47,00

H60 5 ha 119T(100-250m²) 21D

📍 N 44°22'53''   E 4°38'55''

CP liegt nördlich von Bourg-St-Andéol, 800m vom Zentrum. Von Norden: N86 Ri. Ort, hinter dem Supermarkt links. Den Schildern folgen. Von Süden: N86 in den Ort, Ri. Viviers. Vor dem Supermarkt rechts. Den Schildern folgen.

Chauzon, F-07120 / Rhône-Alpes   ⓦ CC€14 iD

La Digue****		
🏕 chemin des Diques		
📅 28 Mär - 30 Sep		
☎ +33 (0)4-75396357		
@ info@camping-la-digue.fr		

1	ADEJMNOPRST	ABFGJNU 6
2	BCHJKPRVXY	ABDEFGH 7
3	AELMQ	ABCDEFGIJKNQRSV 8
4	BDFHINO	EJQR 9
5	ACDEFGJKL	ABDHIJOPTUZ10
B 10A CEE		❶ €38,00
		❷ €52,20

H125 2,5 ha 69T(80-130m²) 37D

📍 N 44°29'15''   E 4°22'14''

A7 Ausf. Montélimar-Nord. N7 nach Le Teil. N102 Ri. Aubenas. Hinter Villeneuve-de-Berg am Kreisel li D103. Dann li D579 Ri. Vallon. In Pradons am S-Markt re nach Chauzon. Vorm Ort li 'Campings' folgen dann den CP-Schildern folgen.

Darbres, F-07170 / Rhône-Alpes   ⓦ CC€16

Camping Les Charmilles***		
🏕 Le Clapas, D258		
📅 25 Apr - 30 Sep		
☎ +33 (0)4-75885627		
@ info@campingcharmilles.fr		

1	BJMNOPRT	ABF 6
2	FPRUVWXY	ABDEFGH 7
3	AELMQV	ABDEFGIKNQRSV 8
4	ABDEFGHILO	AE 9
5	ABDEFGJKL	BDHJOTU10
10A CEE		❶ €38,30
		❷ €50,30

H400 5 ha 55T(80-135m²) 35D

📍 N 44°38'0''   E 4°30'30''

A7 Ausf. Montélimar-Nord Ri. Le Teil. Dann Ri. Aubenas und über Villeneuve-de-Berg N102 Ri. Lavilledieu. Ausf. D224 nach Lussas, dann D224 Ri. Darbres. Hinter Darbres, 3 km Ri. Mirabel. Kein Navi benutzen, dieser Streckenbeschreibung folgen.

Devesset, F-07320 / Rhône-Alpes   ⓦ iD

du Lac de Devesset***		
📅 25 Apr - 31 Okt		
☎ +33 (0)4-75300037		
@ lac.de.devesset@orange.fr		

1	ABDJMNOPRST	LMNQRST 6
2	BDGHIKPQRUVWXY	ABDEFGH 7
3	BEILMQ	ABCDFKNOQRSV 8
4	BFHIOPQ	DEJMOQRTU 9
5	ADEGLM	BFIJLNOTV10
B 10A CEE		❶ €20,85
		❷ €28,90

H1100 3 ha 100T(30-150m²) 64D

📍 N 45°3'12''   E 4°23'43''

Valence D533 Lamastre. St. Agrève dort Richtung Devesset (D9). CP ist ausgeschildert. Er liegt an der Nordseite des Sees.

Eclassan, F-07370 / Rhône-Alpes   ⓦ ✿ CC€16 iD

l'Oasis****		
🏕 Le Petit Chaléat		
📅 2 Mai - 6 Sep		
☎ +33 (0)4-75345623		
@ info@oasisardeche.com		

1	ADEILNORT	ABFGJMN 6
2	CFGHIPUVWXY	ABDEFH 7
3	BEILQS	ABDFGIJKNQRSV 8
4	BFHIOP	AEJL 9
5	ADEFGIKLM	BDHIJOTUV10
6A CEE		❶ €29,50
		❷ €37,50

H370 5 ha 38T(90-250m²) 27D

📍 N 45°10'45''   E 4°44'22''

A7, Ausfahrt 12 Chanas. Dann die N7 Richtung Valence bis St. Vallier. D86 über die Rhône nach Sarras. Dort die D6 Richtung Eclassan und den CP-Schildern folgen.

Félines, F-07340 / Rhône-Alpes 📶 iD

▲ du Bas-Larin***	1 AJMNOPRST	AF 6
⌂ 1 Apr - 30 Sep	2 AGOPRUVWXY	ABDEF 7
☎ +33 (0)4-75348793	3 BEHILQ	ABCDEFIKNOQRS 8
@ camping.baslarin@wanadoo.fr	4 IP	ADE 9
	5 ADEGKLM	BGHIKOR 10
	10A CEE	❶ €21,80
	H320 2,2 ha 31T 37D	❷ €27,80

🅿 N 45°18'31'' E 4°44'48''
🚗 A7 Ausfahrt 12 Chanas über die Rhône nach Serrières. Am Kreisel die N82 Richtung Annonay nehmen. Nach ca. 3 km liegt der CP auf der linken Seite, es gibt eine breite Einfädelspur.

Joyeuse, F-07260 / Rhône-Alpes 📶 CC€16 iD

▲ La Nouzarède***	1 ADEJMNOPQRS	ABFGJN 6
▤ chemin d'Orival	2 BCGHJPRVXY	ABDEF 7
⌂ 11 Apr - 20 Sep	3 AELMQ	ABCDFGJKNPRSTUV 8
☎ +33 (0)4-75399201	4 BCDLNOQU	E 9
@ campingnouzarede@	5 ABDEFGJM	BDHIJPTU 10
wanadoo.fr	Anzeige auf dieser Seite 10A	❶ €29,50
	H120 2 ha 58T(80-120m²) 90D	❷ €42,90

🅿 N 44°29'2'' E 4°14'8''
🚗 A7, Ausfahrt Montélimar-Nord Richtung Le Teil/Aubenas. In Le Teil N102 bis Aubenas. Dort N104 Richtung Alès. Bei Joyeuse CP-Beschilderung folgen.

Lamastre, F-07270 / Rhône-Alpes 📶 CC€14 iD

▲ Camping de Retourtour***	1 AJMNOPRST	JLMN 6
▤ 1 rue de Retourtour	2 CDGHIJPRSVWXY	ABDEF 7
⌂ 11 Apr - 25 Sep	3 BEHILQU	ABCDEFNORSV 8
☎ +33 (0)4-75064071	4 BDFHILOPQR	DEJUY 9
@ campingderetourtour@	5 ABDEFGIKLM	ABGHIJOPTU 10
wanadoo.fr	B 13A CEE	❶ €23,35
	H393 2,9 ha 85T(90-120m²) 56D	❷ €31,85

🅿 N 44°59'30'' E 4°33'55''
🚗 Von Tournon die D534 nach Lamastre, dort Richtung St. Agreve. Nach 1,5 km ein CP-Schild, dort rechts ab nach unten fahren.

Largentière, F-07110 / Rhône-Alpes 📶 ✿ CC€16 iD

▲ Domaine	1 ADEJMNOPQRST	ABEFGHIJN 6
Les Ranchisses*****	2 CKPQRVXY	BEFGH 7
▤ route de Rocher	3 BEFILMQRT	BDFIJKNPRTUV 8
⌂ 11 Apr - 20 Sep	4 BCDFGHILNOPRTUVXYZ	EQRUV 9
☎ +33 (0)4-75883197	5 ACDEFGJM	ABDGHIJNOPQTU 10
@ reception@lcsranchisses.fr	10A CEE	❶ €47,80
		❷ €67,80
🅿 N 44°33'28'' E 4°17'0''	H276 10 ha 102T(85-120m²) 231D	

🚗 A7 Ausfahrt Montélimar-Nord Ri. Le Teil/Aubenas. In Le Teil N102 nach Aubenas. Dort N104 Ri. Alès. Hinter Uzer die D5 nach Largentière. Am Ortsende links auf der D5 Ri. Rocher halten. CP-Schildern befolgen.

Laurac-en-Vivarais, F-07110 / Rhône-Alpes 📶 CC€14 iD

▲ Les Châtaigniers Camping***	1 ADEILNOPRT	AF 6
▤ Le Mas de Peyrot	2 FPRUVWXY	BDF 7
⌂ 1 Apr - 30 Sep	3 ALQ	ABCDFNRSTUV 8
☎ +33 (0)4-75368626	4 FHI	EL 9
@ chataigniers07@orange.fr	5 AGLM	BDHIJOTU 10
	10A CEE	❶ €23,65
	H160 1,2 ha 59T(90-100m²) 12D	❷ €30,15

🅿 N 44°30'14'' E 4°17'40''
🚗 A7 Ausfahrt Montélimar-Nord Richtung Le Teil/Aubenas. Bei Le Teil N102 nach Aubenas, hier D104 Richtung Alès. CP liegt hinter Prends-toi-Gardes auf der rechten Seite.

Le Crestet, F-07270 / Rhône-Alpes 📶 CC€14 iD

▲ Les Roches****	1 ADEJMNOPRST	ABJN 6
⌂ 1 Apr - 30 Sep	2 BCFGHIJPRUVXY	BEFGH 7
☎ +33 (0)4-75062020	3 AELQ	BDFKNORSTV 8
@ camproches@nordnet.fr	4 BDFHIOP	EJL 9
	5 ABDEFGIJKLM	BHIJT 10
	B 6A CEE	❶ €27,50
	4 ha 50T(100m²) 31D	❷ €39,50

🅿 N 45°0'38'' E 4°37'25''
🚗 Von Tournon D534 Richtung Lamastre. Nicht in den Ort Le Crestet hineinfahren, sondern immer auf der Straße bleiben bis Sie den CP- oder Restaurantschild Les Roches rechts Straße sehen und den Schildern folgen.

Les Ollières-sur-Eyrieux, F-07360 / Rh.-Alpes 📶 CC€14 iD

▲ Le Chambourlas***	1 ADEJMNOPRST	ABFN 6
▤ Chambon de Bavas, D2	2 CDGHPRVXY	ABDEFHK 7
⌂ 15 Apr - 30 Sep	3 AELQS	ABCDFHKNQRSV 8
☎ +33 (0)4-75662431	4 BDFHIL	BCEJL 9
@ info@chambourlas.com	5 ABDEFGIKL	ABDHJOTU 10
	Anzeige auf dieser Seite 10A CEE	❶ €28,50
	H407 2,5 ha 64T(100-200m²) 16D	❷ €39,00

🅿 N 44°46'53'' E 4°37'5''
🚗 Autobahn Ausfahrt Loriol nehmen, dann auf die D304 Richtung Privas. In Privas rechts abbiegen nach Les Ollières/Le Cheylard über die D2. Nach ca. 13 km liegt rechts der CP.

Les Ollières-sur-Eyrieux, F-07360 / Rh.-Alpes 📶 CC€16 iD

▲ VivaCamp	1 ADEILNOPRST	ABFJNU 6
Le Mas de Champel****	2 CFHOPQRUVWX	ABDEFGH 7
▤ quartier Champel	3 AEFLQST	ABCDEFJKNOQRSTV 8
⌂ 25 Apr - 19 Sep	4 BCDFHILNOPQTUX	AEQRV 9
☎ +33 (0)4-75662323	5 ABDEFGJLM	ABDGHJOT 10
@ masdechampel@wanadoo.fr	B 10A CEE	❶ €31,00
	H181 4 ha 56T(100-130m²) 56D	❷ €42,70

🅿 N 44°48'26'' E 4°36'54''
🚗 Von der A7, Ausf. Valence-Sud. Dann die D86 Ri. La Voulte. Hinter La Voulte die D120 Ri. Les Ollières-sur-Eyrieux. Von Süden die A7 Ausf. Loriol. Dann die N304 Ri. Privas. Weiter auf der D265 Ri. Les Ollières-sur-Eyrieux.

Les Vans, F-07140 / Rhône-Alpes 📶 CC€16 iD

▲ Lou Rouchetou***	1 AJMNOPQRST	AFJN 6
▤ Chassagnes	2 CHJKPRVXY	ABDEFH 7
⌂ 1 Apr - 30 Sep	3 AELQT	ABCDEFGJKNORS 8
☎ +33 (0)4-75373313	4 DFINO	EK 9
@ info@rouchetou.com	5 ABEFGJKM	BFGHIJPTU 10
	Anzeige auf dieser Seite B 10A CEE	❶ €28,50
	H150 5 ha 100T(80-100m²) 20D	❷ €39,50

🅿 N 44°24'38'' E 4°10'16''
🚗 A7 Ausfahrt 17 Montélimar-Nord. Dort Ri. Le Teil/Auberas. In Le Teil Nioz nach Auberas. Dort die N104 Ri. Alès. ± 3 km hinter Joyeuse rechts Ri. Les Vans/ Chambonas =104A. Dann D295 Richtung Chassognes. Ausgeschildert.

Meyras, F-07380 / Rhône-Alpes   CC€16 iD

▲ Le Ventadour***	1 ADE**JL**NOPRST	**JN** 6
⌂ Pont de Rolandy	2 CHKPRVWXY	BE**FG**H 7
⊙ 18 Apr - 4 Okt	3 AELQV	ABCDFIJNORSV 8
☎ +33 (0)4-75941815	4 ABDFHINO**PQX**	EU 9
@ info@leventadour.com	5 ABDEFGI**KL**	ABDGHKOTUX 10
	Anzeige auf dieser Seite 10A	❶ €29,20
◢ N 44°40'6'' E 4°17'0''	H309 3,5 ha 115T(70-150m²) 21D	❷ €39,20

A7 Ausfahrt Montélimar-Nord nach Le Teil. N102 nach Aubenas. In Aubenas weiter der N102 folgen. Nach Pont de Labeaume CP auf der linken Seite. Von Le Puy aus erst N88, vor Pradelles N102 nach Aubenas. CP rechts.

Pradons/Ruoms, F-07120 / Rhône-Alpes   iD

▲ Camping de Laborie***	1 ADE**JM**NOPQRS	ABF**JN** 6
⌂ 780 route de Ruoms	2 BCJKLPRVWXY	BD**FG**H 7
⊙ 4 Apr - 19 Sep	3 AEFLQST	ABCDEFGKNQRSV 8
☎ +33 (0)4-75397226	4 BFHINO**PQ**U	EQR 9
@ camping-de-laborie@ wanadoo.fr	5 ABDFGK**M**	CHJ**O**TUV 10
	Anzeige auf dieser Seite B 6-10A CEE	❶ €32,10
◢ N 44°28'47'' E 4°22'41''	H130 3 ha 68T(100-150m²) 16D	❷ €41,70

A7 Ausfahrt Montélimar-Nord. Dann Richtung Le Teil. Dort die N102 Richtung Aubenas. Hinter Villeneuve-de-Berg links D103. Bei Vogüé am Kreisel links D579. Der Straße bis zum Camping auf der linken Straßenseite folgen.

Pradons/Ruoms, F-07120 / Rhône-Alpes   CC€14 iD

▲ Du Pont****	1 ADE**IL**NOPRST	ABFG**J**NU 6
⌂ 225A, route du Cirque de Gens	2 BCHJOPRVXY	ABDEFH 7
⊙ 27 Mär - 20 Sep	3 ALQ	ABCDEFKNQRSV 8
☎ +33 (0)4-75939398	4 BDEFHINO**PQ**	EFLQR 9
@ campingdupont07@ wanadoo.fr	5 ADEFGI**M**	BDHIJ**P**TUVZ 10
	Anzeige auf dieser Seite B 10A CEE	❶ €36,30
◢ N 44°28'29'' E 4°21'7''	H133 1,5 ha 52T(80-150m²) 19D	❷ €49,20

A7 Ausfahrt Montélimar-Nord, N7 nach Le Teil, danach die N102 Richtung Aubenas. Hinter Villeneuve-de-Berg im Kreisel links die D103. Dann links die D579 Ri. Vallon. In Pradons am Supermarkt rechts. CP links.

Pradons/Ruoms, F-07120 / Rhône-Alpes   CC€16 iD

▲ Les Coudoulets****	1 ADE**IL**NOPRST	ABFG**J**NU 6
⌂ 125 chemin de l'Ardèche	2 CHJKOPRUVWXY	ABC**DEFG**H 7
⊙ 18 Apr - 19 Sep	3 AELQT	ABCDEFG**JKL**NOQRSTUV 8
☎ +33 (0)4-75939495	4 BDEFHILNO**P**U	EJLQRUV 9
@ camping@coudoulets.com	5 ADEFGIL**M**	ABDFGHIJM**P**TUV 10
	Anzeige auf Seite B 16A	❶ €36,00
◢ N 44°28'36'' E 4°21'30''	H120 2,5 ha 100T(80-160m²) 38D	❷ €49,10

A7, Ausfahrt Montélimar-Nord Richtung Le Teil. In Le Teil N102 Richtung Aubenas. Nach der Gefällstrecke bei Villeneuve-de-Berg am Kreisel links D103, bei Vogüé links auf die D57. CP liegt rechts vor dem Ort Pradons.

Privas, F-07000 / Rhône-Alpes   iD

▲ Ardèche Camping****	1 ABDE**JM**NOPQRST	ABCDFHM**N** 6
⌂ chemin du Camping	2 CGKPUVXY	BEFH 7
⊙ 11 Apr - 27 Sep	3 BELMNQST	ABCDFGKNQRSV 8
☎ +33 (0)4-75640580	4 BCDEFHLNOR	AEFJ 9
@ ardechecamping07@ gmail.com	5 ADEFGJ	BHJN**P**TUV 10
	B 10A CEE	❶ €32,70
◢ N 44°43'34'' E 4°35'53''	H400 5,5 ha 116T(100-150m²) 50D	❷ €44,00

A7 Ausfahrt 16 Loriol. Richtung Le Pouzin. Dort Richtung Aubenas N304 (früher D104). In Privas die D2 Richtung Montélimar. Am ersten Kreisel Richtung Villeneuve-de-Berg. Camping links, neben Espace Ouvèze.

Rosières, F-07260 / Rhône-Alpes   CC€16 iD

▲ Domaine Arleblanc Camping****	1 ADEJMNOPQRST	ABF**J**NU 6
⌂ Domaine Arleblanc	2 CHJPRVWXY	ABDE**FG**H 7
⊙ 28 Mär - 30 Okt	3 AE**IL**MQ	ABCDEFGJKNORSTUV 8
☎ +33 (0)4-75395311	4 BCDEFHILNO**PQ**	EILQRU 9
@ info@arleblanc.com	5 ACDEFGJK**LM**	ABDGHIJNOPTUZ 10
	Anzeige auf Seite 309 6A CEE	❶ €32,00
◢ N 44°27'51'' E 4°16'22''	H120 7 ha 127T(100-150m²) 45D	❷ €38,00

A7, Ausfahrt Montélimar Nord. N7 nach Le Teil. Dort die N102 nach Aubenas, dann die D104 Richtung Alès. Vor Rosières am Supermarkt links. Den CP-Schildern folgen. CP liegt rechts der Strecke.

Ruoms, F-07120 / Rhône-Alpes   CC€12 iD

▲ Peyroche**	1 ADE**JM**NOPRS**T**	**J**NU 6
⌂ route de Saint-Alban	2 CKPRVWXY	ABDE**FG**H 7
⊙ 28 Mär - 6 Sep	3 AELQ	ABCDEFJNQRV 8
☎ +33 (0)4-75397939	4 BCDEFINO**P**	AEQR 9
@ info@camping-peyroche.com	5 ADEFGK**LM**	ABDGHIJPTUZ 10
	10A CEE	❶ €24,45
◢ N 44°26'57'' E 4°20'1''	H100 8 ha 118T(80-200m²) 42D	❷ €30,45

A7 Ausfahrt Montélimar-Nord. Ri. Le Teil, dann N102 Ri. Aubenas. Bei Villeneuve-de-Berg am Kreisel links ab die D103. Dann links die D579 Ri. Vallon. 2 km hinter Pradons rechts Ri. Ruoms, dann Ri. St. Alban-Auriolles. CP-Schildern folgen.

Ruoms, F-07120 / Rhône-Alpes   CC€14 iD

▲ Sites & Paysages Le Petit Bois***	1 ADE**JM**NOPRST	ABCDFGHNU 6
⌂ 87 rue du Petit Bois	2 PRUVWXY	ABDE**FG**H 7
⊙ 1 Apr - 26 Sep	3 AELQT	ABCDEFGIJKNQRSV 8
☎ +33 (0)4-75396072	4 ABCDEFHILNO**PTV**	AEIJLQRU 9
@ vacances@campinglepetitbois.fr	5 ADEFGIKL	BDFGHIJOTU 10
	Anzeige auf Seite 309 B 10A CEE	❶ €36,80
◢ N 44°27'41'' E 4°20'15''	H120 3,7 ha 53T(100-120m²) 61D	❷ €49,80

A7 Ausf. Montélimar-Nord, Ri. Le Teil. Dann die D102 Ri. Aubenas. Bei Villeneuve-de-Berg am Kreisel li, D103. Bei Vogüé die D579 Ri. Vallon. In Ruoms am 1. Kreisel re. Bei Gamm Vert re. Den Schildern folgen.

Les Arches ★ ★ ★ ★

Süd-Ardèche

offen vom 24/4 - 20/09/2015

• schöner, ländlich gelegener und ruhiger Camping auf 10 ha
• am Fluss mit Bademöglichkeiten • beheiztes **Schwimmbad** mit Planschbecken (15/5 - 15/9) • günstige Lage hinsichtl. Sehenswürdigkeiten
• große Stellplätze mit abwechselnder Bepflanzung
• moderne **Chalets** zu vermieten (bis 8 Pers.) und modernes Sanitär
• Wander- und Radmöglichkeiten (E-Bikes, Rennräder, Mountainbikes) vom Camping aus • Ortschaft mit Lebensmittelladen in 1000m
• Bar und Restaurant (Hochsaison) • Sportanlagen für Jung und Alt
• Sport- und Bastelaktivitäten für Kinder bis 12 Jahre (Hochsaison)

Le Cluzel, Route de Mirabel, D458 • F-07580 St. Jean-le-Centenier
www.camping-les-arches.com
Tel. 0033(0)4-75367519 • Fax 0033(0)9-63534272

Frankreich

Ruoms, F-07120 / Rhône-Alpes ⏚ (CC€16) iD

🏠 Sunêlia Aluna Vacances*****	
📧 route de Lagorce	
📅 11 Apr - 13 Sep	
☎ +33 (0)4-75939315	
@ alunavacances@wanadoo.fr	

1 ADE**IL**NOPRS	ABCDFGHIU 6
2 BQRUVXY	ABDE**FGH**7
3 ADEGHL**MNQT**	ABEFGJKNQRSV 8
4 **ABCDE**FILNO**PQRUVXYZ**	ELQR 9
5 ACDEFGJK**M**	BDGHIJPUVZ10
B 10A CEE	❶ €50,40
H140 15 ha 60T(120m²) 230D	❷ €71,00

🧭 N 44°26'49'' E 4°21'55''
🚗 Von Ruoms die D559 Richtung Lagorce folgen. Nach 2 km liegt der CP auf der rechten Seite.

St. Jean-de-Muzols/Tournon-s-R, F-07300 / Rh.-Alpes ⏚ (CC€14) iD

🏠 Le Castelet***	
📧 113 route du Grand Pont	
📅 11 Apr - 12 Sep	
☎ +33 (0)4-75080948	
@ courrier@ camping-lecastelet.com	

1 A**JM**NOPRT	AFJN 6
2 ACGIKOPRUVXY	BE**FH**7
3 BE**HLQ**	BDFKNOQRS 8
4 BFHO**PQ**	EJ 9
5 A**GKLM**	BDGHIJNOT10
B 10A CEE	❶ €25,95
H120 3 ha 55T(88-110m²) 18D	❷ €36,90

🧭 N 45°4'4'' E 4°47'6''
🚗 A7 Ausfahrt 13 Tournon. Über die Rhône die N86 Richtung St. Jean-de-Muzols. In der Ortseinfahrt von St. Jean-de-Muzols links die D238. Nach 4 km ist der CP links angezeigt.

flower camping
Camping, das ist menschlich

BASSE ARDÈCHE - Le Riviera ★★★★
Geöffnet von 18/04 bis 20/09 - 176 STELLPLÄTZE

NICOLAS GABILLAUD & ISABELLE BOUYENVAL
07120 Sampzon
Tel. 33 (0)4 73 39 67 57
leriviera@wanadoo.fr
www.campingleriviera.com

CAMPING ★★★★
Les **coudoulets**

125 chemin de l'Ardèche
07120 Pradons/Ruoms
Tel. 04.75.93.94.95 - Fax 04.75.39.65.89
camping@coudoulets.com
www.coudoulets.com

Gemütlicher Familiencamping an der Ardèche. Originelle Animation in der Hochsaison. Freundliche Leitung.

★ Beheiztes Schwimmbad und verspieltes Kinderbecken.
★ Schöne Stellplätze.
★ Vollausgestattete Steinbungalows zu vermieten, u.a. mit Heizung, Geschirrspüler.
★ Mobilheime für maximal 5 Personen.
★ Kinder- und Privatsanitär.

Sampzon, F-07120 / Rhône-Alpes ⏚ (CC€16) iD

🏠 Flower camping Le Rivièra****	
📧 3319 route du Rocher, D161	
📅 18 Apr - 20 Sep	
☎ +33 (0)4-75396757	
@ leriviera@wanadoo.fr	

1 ADE**JM**NOPRST	ABFGJNU 6
2 CHKOPQRVWXY	ABDE**FGH**7
3 AELQ	ABCDEFGJKNRSV 8
4 **ABCDE**FHILNO**PQ**	AELQRU 9
5 ABDEFGJ**M**	BDHIK**M**PT10
Anzeige auf dieser Seite B 10A	❶ €45,70
H188 6,5 ha 135T(85-100m²) 55D	❷ €61,70

🧭 N 44°25'45'' E 4°21'19''
🚗 A7 Ausfahrt Montélimar-Nord die N102 Ri. Aubenas. Hinter dem Gefälle bei Villeneuve-de-Berg am Kreisel links ab die D103. Bei Vogüé links die D579 Ri. Vallon. Etwa 3 km nach Ruoms über die Brücke rechts.

St. Jean-le-Centenier, F-07580 / Rh.-Alpes ⏚ (CC€16) iD

🏠 Les Arches****	
📧 Le Cluzel, route de Mirabel, D458	
📅 24 Apr - 20 Sep	
☎ +33 (0)4-75367519	
@ info@camping-les-arches.com	

1 ADE**IL**NOPRST	ABFGJN 6
2 CIOPRUVWXY	ABDE**FHK**7
3 ALQU	ABCDEFIKNRSV 8
4 BFHIO	AIJLUW 9
5 ADEFGIL	ABDGHJO**P**TUW10
Anzeige auf dieser Seite 10A CEE	❶ €31,25
H300 10 ha 133T(70-200m²) 44D	❷ €40,75

🧭 N 44°35'15'' E 4°31'33''
🚗 A7, Ausfahrt Montélimar-Nord. Dann Richtung Le Teil. Dort die N102 nach Aubenas. Ausfahrt St. Jean-le-Centenier überspringen. Vor der Tankstelle Richtung Mirabel (D458). Den Schildern folgen. Kein Navi benutzen.

Domaine Arleblanc Camping ★ ★ ★ ★

Im Süden der Ardèche. Familiencampingplatz, ideal für Sport in der frischen Luft. Neues Sanitär. WLAN auch auf dem Gelände. Offen vom 28/3 bis 30/10.

Domaine Arleblanc, 07260 Rosières • Tel. 04-75395311
Fax 04-75399398 • E-Mail: info@arleblanc.com
Internet: www.arleblanc.com

Sampzon/Ruoms, F-07120 / Rhône-Alpes ⏚ (CC€14) iD

🏠 RCN La Bastide en Ardèche****	
📧 D111, 1 route d'Alès	
📅 28 Mär - 26 Sep	
☎ +33 (0)4-75396472	
@ bastide@rcn.fr	

1 ADE**IL**NOPRT	ABFGJNU 6
2 CHJPRVWXY	ABDE**FGH**7
3 AEF**GHLMQV**	ABCDEFGIJKNPQRSTUV 8
4 **ABCDE**FHILNO**PQ**	AELQRU 9
5 ACDEFGJK**M**	ABDHIK**P**TUZ10
B 6A CEE	❶ €52,00
H80 7,8 ha 210T(100-140m²) 90D	❷ €64,80

🧭 N 44°25'23'' E 4°19'18''
🚗 A7 Ausfahrt Montélimar-Nord, Ri. Le Teil. Da die N102 Ri. Aubenas. Nach der Gefällstrecke bei Villeneuve-de-Berg am Kreisel links D103. Danach links D579 Ri. Vallon. Hinter Ruoms nach Alès, D111. 1 km hinter der Brücke liegt der CP links.

St. Alban-Auriolles/Ruoms, F-07120 / Rh.-Alpes ⏚ ❄ (CC€18) iD

🏠 Sunêlia Le Ranç Davaine*****	
📧 500 chemin du Ranc Davaine	
📅 11 Apr - 13 Sep	
☎ +33 (0)4-75396055	
@ camping.ranc.davaine@ wanadoo.fr	

1 ADE**IL**NOPR3T	ACD**FGH**JN**U** 6
2 CJPRVXY	ABDE**FGH**7
3 BDE**GHLMNQT**	ABCDEFGJKNQRSV 8
4 **ABCDE**FILNO**PQRTUVXYZ**	AELQR 9
5 ACDEFGJK**M**	BDGHIJLPUVZ10
B 10A CEE	❶ €53,40
H120 13 ha 52T(85-150m²) 283D	❷ €75,00

🧭 N 44°24'49'' E 4°16'18''
🚗 In Ruoms die D579 verlassen Richtung Alès (D111). Nach 5 km (bei Grospierres) rechts auf die D246. Am Ende der Straße links Richtung Chandolas. Der CP liegt links.

CampingCard ACSI

Sites & paysages

Beheiztes Schwimmbad - Multisportgelände
800m vom Ruoms - 600m von der Ardèche

Camping Le Petit Bois ★ ★ ★

87 rue du Petit Bois - 07120 Ruoms
vacances@campinglepetitbois.fr - Telefon: 0033(0)475396072

www.campinglepetitbois.fr

Frankreich

St. Julien-en-St-Alban, F-07000 / Rh.-Alpes

▲ L'Albanou***	1 ADE**JM**NOPQRST	AB**FJ** 6
▣ chemin de Pampelonne	2 ACGKOPRVWXY	ABDE**FG** 7
17 Apr - 30 Sep	3 AELQS	ABCDEFNRV 8
+33 (0)4-75660097	4 BFHILU	E 9
@ campingalbanou@orange.fr	5 ABDEG**LM**	BDFGHJOTU 10
	Anzeige auf dieser Seite 10A CEE	① €27,10
N 44°45'26'' E 4°42'46''	H107 2 ha 84T(100-110m²) 3D	② €35,10

A7 Ausfahrt 16 Loriol danach Richtung Le Pouzin. Dann Richtung Aubenas über die N304. Vor dem Dorf Campingplatz links. Schildern folgen.

St. Laurent-du-Pape, F-07800 / Rh.-Alpes

▲ La Garenne***	1 A**JM**NOPRT	AF 6
▣ Montée de la Garenne	2 AOPQRUVWXY	ABDE**FGH** 7
1 Apr - 1 Okt	3 BFLQ	ABCDEFIKNRSV 8
+33 (0)4-75622462	4 **A**BDEFHILO	AEUV 9
@ info@	5 ABDEFGJKL	ABDHJO 10
campinglagarenne-ardeche.fr	B 6A CEE	① €37,00
N 44°49'34'' E 4°45'44''	H120 6 ha 100T(80-125m²) 18D	② €51,00

A7 Ausfahrt Loriol Ri. Privas. Direkt über die Rhône in Le Pouzin auf die D86 nach La Voulte fahren. Dort den Schildern Ri. nach St. Laurent-du-Pape folgen. Innerorts den CP-Schildern folgen. An der Post abbiegen.

St. Martin-d'Ardèche, F-07700 / Rh.-Alpes

▲ Des Gorges****	1 ADE**JM**NOPRT	ABFG**JM**N**U** 6
▣ Sauze	2 CHKPRUVWXY	ABDE**FH** 7
1 Apr - 15 Sep	3 AELQ	ABCDEFGJKNOQRSV 8
+33 (0)4-75046109	4 BCDFIKLNOPU	EHLQRV 9
@ info@	5 ACDEFG**JM**	ABDGHIJ**P**TU 10
camping-des-gorges.com	Anzeige auf dieser Seite 10A CEE	① €44,00
N 44°18'40'' E 4°33'22''	H60 3 ha 115T(80-120m²) 25D	② €59,80

A7 Ausfahrt Bollène D994 auffahren, Richtung Pont-St-Esprit. Dort die D86 Richtung St. Just. In St. Just die D201 Richtung St. Martin-d'Ardèche. Danach Richtung Sauze und den Schildern folgen.

St. Martin-d'Ardèche, F-07700 / Rh.-Alpes

▲ Indigo Le Moulin***	1 ADE**IL**NOPRST	ABJN**U** 6
▣ Le Moulin	2 CFGJKPRVWXY	ABDE**FG** 7
30 Apr - 28 Sep	3 BELQ	ABCDEFGINOQRSV 8
+33 (0)4-75046620	4 BCDFIO**PQ**	AEQRU 9
@ moulin@camping-indigo.com	5 ABDEFGIL	BDGHJNOTU 10
	10A CEE	① €34,20
N 44°18'2'' E 4°34'17''	7 ha 126T(100-200m²) 71D	② €45,90

A7 Ausfahrt Bollène. Weiter Richtung Pont Saint Esprit. Danach den Schildern 'Gorges de l'Ardeche' bis Saint Martin-d'Ardèche folgen.

St. Privat, F-07200 / Rhône-Alpes

▲ Le Plan d'Eau***	1 ADE**JM**NOPRST	ABFG**J**N 6
▣ route de Lussas	2 CGKPRVXY	ABDE**FH** 7
1 Mai - 26 Sep	3 AEFLQ	ABCDEFKNRSV 8
+33 (0)4-75354498	4 BCDFGHILNO**Q**	AEJ 9
@ info@campingleplandeau.fr	5 ABDEFGIKLM	ABDGHJOVZ 10
	Anzeige auf Seite 311 8A CEE	① €35,80
N 44°37'8'' E 4°25'56''	H204 3 ha 75T(80-150m²) 27D	② €46,20

A7 Ausfahrt Montélimar-Nord Richtung Le Teil/Aubenas. Vor Aubenas am Kreisel rechts D304 Richtung St. Privat/Privas. Richtung Lussas danach den CP-Schildern folgen. CP liegt rechts. Navi nicht benutzen.

St. Sauveur-de-Cruzières, F-07460 / Rh.-Alpes

▲ Camping de la Claysse****	1 A**JM**NOPRS	AJN 6
▣ La Digue	2 CIPRUVXY	ABDE**FH** 7
1 Apr - 30 Sep	3 AELQU	ABCDEFGJKNQRSV 8
+33 (0)4-75354065	4 BCDEFHINO**PR**	EU 9
@ camping.claysse@wanadoo.fr	5 ADEFG**IL**M	ABHIJ**P**TUV 10
	B 10A CEE	① €31,10
N 44°18'2'' E 4°14'57''	H170 1 ha 45T(70-90m²) 13D	② €37,60

A7 Ausf. 19 Bollène. N86 nach Pont St. Esprit. Dort D6086 Ri. Bourg St. Andéol. Nach 2,5 km li. die D901. In Barjac der Strecke nach St. Sauveur folgen. Nicht innerorts abbiegen, sondern etwas weiter am Parkplatz li.

St. Sauveur-de-Montagut, F-07190 / Rh.-Alpes

▲ l'Ardéchois*****	1 AD**JM**NOPQRST	ABFG**J**N 6
▣ Le Chambon Gluiras, D102	2 CFGHIKPRUVWXY	ABDE**FGH** 7
9 Mai - 20 Sep	3 AELQ	ABCDEFGIJKNQRSV 8
+33 (0)4-75666187	4 BCD**E**FHILO**PQ**	EJU 9
@ ardechois.camping@	5 ABDEGJKL	ABGHJMN**P**TU 10
wanadoo.fr	B 10A CEE	① €35,50
N 44°49'44'' E 4°31'23''	H420 6,5 ha 78T(90-160m²) 56D	② €49,80

A7 Ausfahrt 15 Valence-Sud. Richtung Le Puy-en-Velay. N7 Montélimar. Rechts D111a Carmes-sur-Rhone. D86 Ri. Privas. In Beauchastel D21. D120 Ri. Le Cheylard bis St. Sauveur. Dort D102 Ri. Mezilhac. Nach 8 km CP rechts.

St. Thomé, F-07220 / Rhône-Alpes

▲ Le Médiéval***	1 ADEJMNOPRST	ABF**N** 6
▣ Le Moulin de la Roche	2 CKOPRVXY	ABDE**FG** 7
1 Apr - 31 Okt	3 ALQT	ABCDEFJNRSV 8
+33 (0)4-75526876	4 BCDEFHILNO**P**	EJLUW 9
@ contact@	5 ABDEFGIL**M**	BDHJOST 10
camping-lemedieval.fr	Anzeige auf Seite 311 6A CEE	① €26,50
N 44°30'25'' E 4°37'9''	H80 4 ha 95T(80-120m²) 29D	② €36,50

A7 Ausf. Montélimar-Sud/Viviers. 1 km auf der N7 Ri. Montélimar über die D126/D73 nach Viviers, dann die N86 Ri. Le Teil. Nach 6 km die D107 Ri. St. Thomé, CP li. Von N: durchfahren bis zum 1. Kreisel St. Thomé, einmal rund und zurück zur D107, CP li.

Tournon-sur-Rhône, F-07300 / Rhône-Alpes

▲ Camping de Tournon HPA***	1 AD**JM**NOPQRST	NUVXYZ 6
▣ 1 prom. Roche Defrance	2 ACFOPVWXY	ABD**FGH** 7
1 Jan - 31 Dez	3 AL	ABCDFJKNOQRSV 8
+33 (0)4-75080528	4 FHI	EJ 9
@ camping@	5 K	FGHIJNPTU 10
camping-tournon.com	B 6A CEE	① €22,00
N 45°4'18'' E 4°49'40''	1,1 ha 56T(60-100m²) 23D	② €29,00

A7 Ausfahrt 13 Tain l'Hermitage. Über die Brücke nach Tournon und rechts der Isère folgen. Den CP-Schildern nach.

Tournon-sur-Rhône, F-07300 / Rhône-Alpes CC€16 iD

▲ Les Acacias***	1 AD**JM**NOPQRST	AF**JN** 6
🏠 190, route de Lamastre	2 ACJOPWXY	ABDE**FH** 7
📅 1 Apr - 30 Sep	3 ACEFILQS	ABCDEFNOQR 8
☎ +33 (0)4-75088390	4 BDFGHINOP	EJL 9
@ info@acacias-camping.com	5 ADEFCIKLM	DDI IJ**O**TU10
	6-10A CEE	❶ €25,40
🗺 N 45°3'57'' E 4°47'41''	H133 2,4 ha 44**T**(80-200m²) 30**D**	❷ €32,80

🚗 A7 Ausfahrt 13 Tournon. Über die Rhône rechts. Am Kreisel Richtung Lamastre.

Ucel/Aubenas, F-07200 / Rhône-Alpes CC€16 iD

▲ Domaine de Gil****	1 ADEIKNOPRS**T**	ABFG**JN** 6
🏠 91 route de Vals	2 CGHJKPRVXY	ABDE**FGH** 7
📅 18 Apr - 20 Sep	3 AE**I**LMQ	ABCDFKNOQRSTUV 8
☎ +33 (0)4-75946363	4 BDFHILO**PQ**U	E 9
@ resa@domaine-de-gil.com	5 ABDEFGJKL	BDGHIJ**N**O**P**TU10
	Anzeige auf dieser Seite B 10A CEE	❶ €41,20
🗺 N 44°38'33'' E 4°22'47''	H240 4,5 ha 28**T**(80-130m²) 52**D**	❷ €52,80

🚗 A7 Ausf. Montélimar-Nord Ri. Le Teil/Aubenas. Kurz vor Aubenas am Kreisverkehr re. D304 Ri. St. Privat/Privas. Ausfahrt St. Privat, St. Privat/Ucel folgen. In Pont d'Ucel am Kreisverkehr Vals-les-Bains/Ucel. Nach 2km CP an der linken Seite.

Tournon-sur-Rhône, F-07300 / Rhône-Alpes iD

▲ Les Sables**	1 AD**JM**NOPRT	AF**N** 6
🏠 218 route de Lamastre	2 ACGIOPQVXY	ABDE**FH** 7
📅 4 Apr - 27 Sep	3 ABILQ	ABCDEFJMNORV 8
☎ +33 (0)4-75082005	4 BDINOP	AEJU 9
@ camping.les.sables@ wanadoo.fr	5 ADGKL	BHJOTU10
	6A CEE	❶ €21,35
🗺 N 45°3'52'' E 4°47'33''	H140 3 ha 28**T**(70-150m²) 64**D**	❷ €28,70

🚗 A7 Ausfahrt Tournon. Über die Rhône rechts. Am Kreisel Richtung Lamastre.

Vallon-Pont-d'Arc, F-07150 / Rhône-Alpes CC€16 iD

▲ Beau Rivage****	1 ADE**JM**NOPRST	ABFGJMN**UV** 6
🏠 quartier les Mazes	2 CHPRVXY	ABDE**FH** 7
📅 30 Apr - 12 Sep	3 BEFLQT	ABCDEFJKNOQRSV 8
☎ +33 (0)4-75880354	4 BILNO**PQ**	ELQR 9
@ campingbeaurivage@ wanadoo.fr	5 ABDEFG**JLM**	BDHIJOTU10
	Anzeige auf Seite 310 B 10A CEE	❶ €36,20
🗺 N 44°24'23'' E 4°21'51''	H100 2,2 ha 86**T**(100-110m²) 14**D**	❷ €46,80

🚗 Von Ruoms aus D579 Richtung Vallon-Pont-d'Arc folgen. Bei Les Mazes rechts ab und CP-Beschilderung folgen. Mit Tom-Tom bitte unsere Anfahrt befolgen.

ARC EN CIEL
CAMPING ★★★
07150 Vallon Pont d'Arc
Tel. 00 33 475 88 04 65
www.arcenciel-camping.com

In einer prächtigen naturreichen Umgebung. Privat Sandstrand. Parzellierte Plätze 100 m². Bar, Restaurant, Pizzeria, Laden. Abendprogramme. Vermietung von Kanus. Man spricht Deutsch und Holländisch. Vermietung von Mobilheimen.

Vallon-Pont-d'Arc, F-07150 / Rhône-Alpes

▲ Arc en Ciel***	1 ADE**JM**NOPRST	AFJ**N**U 6
🏠 Les Mazes	2 CHPRVXY	ABDE**FH** 7
🗓 15 Apr - 15 Sep	3 AEGHLQRT	ABCDEFKNRSV 8
☎ +33 (0)4-5880465	4 ABCDEFHILNO**PQ**UY	AELQRU 9
@ camping.arcenciel@wanadoo.fr	5 ACDEFGJKM	ABHIJOTUV10
	Anzeige auf dieser Seite B 10A CEE	❶ €38,70
▲ N 44°24'45'' E 4°21'1''	H120 5 ha 138T(80-120m²) 80D	❷ €51,70

🚐 A7 Ausfahrt Montélimar-Nord. Der N7 Ri. Le Teil, dann der N102 Ri. Aubenas. Nach der Gefällstrecke bei Villeneuve-de-Berg am Kreisel links auf die D103 Ri. Vallon-Pont-d'Arc. In Les Mazes rechts ab. Schildern folgen.

Vallon-Pont-d'Arc, F-07150 / Rhône-Alpes

▲ Domaine de L'Esquiras****	1 ADE**JM**NOPRST	AF 6
🏠 1280 chemin du Fez	2 FPRVWX	ABDE**F**H 7
🗓 3 Apr - 30 Sep	3 ALQ	ABCDFGKNRSV 8
☎ +33 (0)4-75880416	4 **ABCD**EFHILNO**P**	ELQR 9
@ esquiras@orange.fr	5 ABDE**F**G**JM**	BDFGHIJPTUVWX10
	Anzeige auf dieser Seite B 10A CEE	❶ €35,20
▲ N 44°24'55'' E 4°22'41''	H110 3 ha 49T(80-120m²) 60D	❷ €48,20

🚐 Von Ruoms der D579 Richtung Vallon-Pont-d'Arc folgen. Kurz vor dem Ort am Kreisel links ab (3. Abfahrt) und dann den CP-Schildern nach.

★★★★
Domaine de l'Esquiras
WOHNWAGEN - MOBILHEIME
BAR RESTAURANT

Familiencamping in Natur und Ruhe, ganz in der Nähe zur Ortsmitte von Vallon Pont d'Arc.

GRATIS WIFI

Chemin du Fez - 07150 Vallon Pont d'Arc - ARDECHE - **Tel : 04 75 88 04 16**
www.camping-esquiras.com - E-Mail: esquiras@orange.fr

Vallon-Pont-d'Arc, F-07150 / Rhône-Alpes

▲ International Camping****	1 ADE**JM**NOPRST	ABFG**J**MNUV 6
🏠 65 Impasse de la Plaine	2 CJKOPRVXY	ABE**F**H 7
🗓 1 Mai - 30 Sep	3 AELQ	ABCDFKNRSV 8
☎ +33 (0)4-75880099	4 BCDFHILNORU**X**	EJQR 9
@ inter.camp@wanadoo.fr	5 ABDEFG**J**M	ABDGHIKM**P**TUV10
	Anzeige auf dieser Seite B 10A	❶ €38,00
▲ N 44°23'52'' E 4°22'59''	H97 3 ha 105T(90-130m²) 25D	❷ €50,00

🚐 A7 Ausf. Montélimar-Nord. N86 Ri. Le Teil, dann der N102 Ri. Aubenas. Hinter Villeneuve-de-Berg am Kreisel links Ri. Vallon-Pont-d'Arc die D103. Dann die D579 nach Vallon-Pont-d'Arc. Ri. Salavas. Hinter der Brücke rechts ab.

Vallon-Pont-d'Arc, F-07150 / Rhône-Alpes

▲ La Roubine*****	1 ADE**JM**NOPRT	ABFG**J**NU 6
🏠 route de Ruoms	2 BCHPVXY	ABDE**FG**H 7
🗓 27 Apr - 14 Sep	3 ADEFILMQ	ABCDEFIJKNQRSV 8
☎ +33 (0)4-75880456	4 BCDILO**PTUXZ**	ELQR 9
@ roubine.ardeche@wanadoo.fr	5 ACDEFG**J**KM	ABGHIJ**P**VZ10
	B 10A CEE	❶ €52,20
▲ N 44°24'20'' E 4°22'45''	H120 7 ha 97T(100m²) 38D	❷ €69,80

🚐 Von Ruoms die D579 Richtung Vallon-Pont-d'Arc. Kurz vor Vallon am Kreisel rechts ab und den CP-Schildern folgen.

Vallon-Pont-d'Arc, F-07150 / Rhône-Alpes

▲ Camping Nature Parc L'Ardéchois*****	1 ADE**JM**NOPRST	ABFG**J**MNUV 6
	2 CHKPQVXY	ABDE**FG**H 7
🏠 route des Gorges, D290	3 AEFILMQ	ABCDEFGIJK**LM**NQRSTUV 8
🗓 28 Mär - 30 Sep	4 **A**BCDEFHILNO**PQ**RXY	AELQRU 9
☎ +33 (0)4-75880663	5 ACDEFG**J**KM	ABGHIJMN**P**TVZ10
@ ardechoiscamping@wanadoo.fr	B 10A CEE	❶ €56,20
▲ N 44°23'53'' E 4°23'56''	H80 6 ha 205T(90-200m²) 35D	❷ €73,40

🚐 A7 Ausfahrt Montélimar-Nord. N86 Richtung Le Teil, dann N102 Ri. Aubenas. Nach der Gefällstrecke bei Villeneuve-de-Berg am Kreisel links D103 Ri. Vallon-Pont-d'Arc, dann Routes des Gorges. CP ausgeschildert.

Vallon-Pont-d'Arc, F-07150 / Rhône-Alpes

▲ Mondial Camping****	1 ADE**JM**NOPRST	ABFG**H**JMN 6
🏠 route des Gorges, D290	2 CHJKPRVXY	ABDE**FG**H 7
🗓 27 Mär - 27 Sep	3 AE**GH**ILMQR	ABCDEFIJKNOQRSTUV 8
☎ +33 (0)4-75880044	4 BCDFILNO**PQ**	AELQR 9
@ reserv-info@mondial-camping.com	5 ACDEFG**J**KL**M**	ABDGHIJNOTU10
	Anzeige auf Seite 313 B 10A CEE	❶ €46,70
▲ N 44°23'50'' E 4°24'4''	H80 4,2 ha 216T(90-110m²) 31D	❷ €59,70

🚐 Von Vallon-Pont-d'Arc der D290 folgen (Route des Gorges). Nach 1 km ist es der dritte CP rechts.

International Camping ★ ★ ★ ★

Gleich am Zentrum von Vallon-Pont-d'Arc am Ufer der Ardèche. Familiäre Atmosphäre mit 130 Stellplätzen mit Schwimmbad, Restaurant, Imbiss, Minishop und in der Hochsaison Animation für Kinder und Erwachsene. Einzelne Komfortplätze von 100 bis 130 m², von denen einige Blick auf die Ardèche haben. Vom Camping aus können sie bequem mit dem Kajak oder Kanu die umwerfende 'Gorges de l'Ardèche' entdecken.

65 Impasse de la Plaine, 07150 Vallon-Pont-d'Arc
Tel. 04-75880099 • E-Mail: inter.camp@wanadoo.fr
Internet: www.camping-ardeche-international.com

Domaine de Chadeyron ★★★

Ruhiger Terrassencamping auf einer Domäne von 43 Hektar.
Schwimmbad, Laden, Imbiss und prima Sanitär.
Mobilheime zu vermieten. Französische und Niederländische Leitung.
Wir sprechen Deutsch.

Quartier de Chadeyron, D1, 07150 Vallon Pont d'Arc/Lagorce
Tel. 04-75880481
E-Mail: infos@campingchadeyron.com
Internet: www.campingchadeyron.com

Suchen Sie online nach der Einrichtung und finden Sie den Camping, der zu Ihnen passt!

www.EUROCAMPINGS.eu

Vallon-Pont-d'Arc, F-07150 / Rhône-Alpes

△ Le Provencal****	1 ADE**JM**NOPRST	ABFG**J**NUV 6
🚏 route des Gorges, D290	2 CJKPRVXY	ABDEF**G**H 7
⏰ 11 Apr - 20 Sep	3 AELM**Q**	BDFGJKNQRSV 8
☎ +33 (0)4-75880048	4 **A**BCDEFHILNO**PQU**	ELQR 9
@ camping.le.provencal@ wanadoo.fr	5 ACDEFGJK**M**	BGHIKMPTU 10
	8A CEE	❶ €45,80
◰◳ N 44°23'52'' E 4°24'0''	H86 3,5 ha 174**T**(100-120m²) 25**D**	❷ €58,80

🚗 Von Vallon-Pont-d'Arc der D290 folgen (Route des Gorges). Nach 1 km ist es der zweite CP auf der rechten Seite.

Vallon-Pont-d'Arc/Lagorce, F-07150 / Rh.-Alpes

△ Domaine de Chadeyron***	1 ADE**JM**NOPRS**T**	ABFG 6
🚏 Quartier de Chadeyron, D1	2 FPRUVWXY	ABDEF**G**H 7
⏰ 3 Apr - 16 Okt	3 ALQ	ABDFIJKNQRSTUV 8
☎ +33 (0)4-75880481	4 BCDFHIO**P**	EJQR 9
@ infos@campingchadeyron.com	5 ABDFGL	ABDGHJNPTUX 10
	Anzeige auf dieser Seite B 10A CEE	❶ €32,40
◰◳ N 44°28'2'' E 4°24'50''	H150 1,5 ha 16**T**(100-150m²) 19**D**	❷ €43,80

🚗 A7 Ausfahrt Montélimar-Nord. N7 Ri. Le Teil. Die N102 Ri. Aubenas. Hinter Villeneuve-de-Berg am Kreisel li. zur D103. Bei Vogüé li. Ri. Vallon. Links auf die D1 und weiter folgen. Der CP liegt re. Letzen Teil nicht dem Navi folgen, sondern der Beschilderung.

Villeneuve-de-Berg, F-07170 / Rhône-Alpes

△ Domaine le Pommier*****	1 ADE**JM**NOPRS**T**	ABFGHI 6
🚏 N102	2 CFJKOPRUVWXY	ABDEF**G**H 7
⏰ 24 Apr - 5 Sep	3 BE**I**LM**Q**	ABCDEFGIJKNQRSV 8
☎ +33 (0)4-75948281	4 **A**BCDEFHILNO**P**U	AEJ 9
@ info@campinglepommier.com	5 ACDEGJK**L**	ABDFHIJM**P**QTUZ 10
	6A CEE	❶ €47,50
◰◳ N 44°34'21'' E 4°30'40''	H337 30 ha 204**T**(80-120m²) 440**D**	❷ €59,50

🚗 A7 Ausfahrt Montélimar-Nord Richtung Le Teil/Aubenas. In Le Teil N102 nach Villeneuve-de-Berg. CP liegt vor dem Ort und dem Kreisverkehr rechts.

Vion, F-07610 / Rhône-Alpes

△ Iserand***	1 DE**I**LNORT	AF**N** 6
🚏 1307 rue Royale	2 ACPRUVWXY	ABDEF**G**H 7
⏰ 17 Apr - 13 Sep	3 BE**I**KLQ	ABCDEFJKNOQRT 8
☎ +33 (0)4-75080173	4 EFHILO**P**	JUV 9
@ iserand@sfr.fr	5 ABDEGKL**M**	BHIKORV 10
	10A	❶ €22,00
◰◳ N 45°7'16'' E 4°48'1''	H128 2 ha 44**T**(80-100m²) 16**D**	❷ €30,00

🚗 A7, Ausfahrt 13 Tournon. CP liegt an der N86, nördlich von Vion.

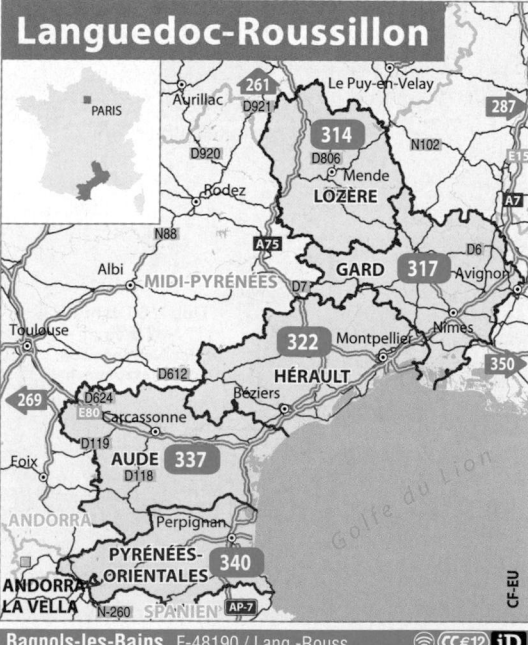

Languedoc-Roussillon

Lozère

Bagnols-les-Bains, F-48190 / Lang.-Rouss.

△ Le Tivoli	1 ABD**JM**NOPRT	N 6
🚏 rte Mende Tivoli	2 CGOPVWXY	ABDE**FG** 7
⏰ 4 Apr - 2 Nov	3 AMQ	ABFJNOPQTV 8
☎ +33 (0)4-66476593	4	J 9
@ contact@revea-vacances.com	5	BGHJOTUV 10
	B 10A CEE	❶ €15,30
◰◳ N 44°30'30'' E 3°39'38''	H920 1,5 ha 91**T**(50-100m²) 7**D**	❷ €22,20

🚗 Von der A75 Ausfahrt 39 Richtung Mende und dann weiter Richtung Langogne über die N88. 3 km hinter Bedaroux die D901. CP liegt kurz vor dem Ort an der Strecke.

Barjac, F-48000 / Languedoc-Roussillon

△ Le Clos des Peupliers**	1 ADE**JM**NORST	ABFG**J**N 6
🚏 RN88	2 CFOPRVWXY	ABDE**FG**HK 7
⏰ 1 Apr - 30 Sep	3 ALQ	ABCDEFNOQRTU 8
☎ +33 (0)4-66470116	4 DFHIOPQ	EI 9
@ leclosdespeupliers@ wanadoo.fr	5 DEFGLM	BGHIJPV 10
	B 10A CEE	❶ €19,50
◰◳ N 44°30'13'' E 3°24'41''	H654 3,2 ha 61**T**(90-240m²) 37**D**	❷ €25,50

🚗 Von der A75 die Ausfahrt 39 nehmen. Der RN88 Richtung Mende bis Bayac folgen. Dann ist der CP angezeigt.

Bédouès/Florac, F-48400 / Lang.-Rouss. 📶 CC€14 iD

⛺ Camping Chantemerle**	1 ADE**JM**NOPQRST	**JN**U 6
🏠 La Pontèze	2 BCFGHJKPUVWXY	ABDE**F** 7
🕐 1 Apr – 12 Nov	3 BLQ	ABCDF**N**ORS**V** 8
☎ +33 (0)4-66451966	4 FHIO	ADEUV**W** 9
@ chante-merle@wanadoo.fr	5 ABEFGJK	ABDGHIJNOTUV10
	Anzeige auf dieser Seite B 10A CEE	❶ €20,00
📷 N 44°20'43'' E 3°36'38''	H586 2,5 ha 66T(150-200m²) 14D	❷ €27,00

🚗 A75 Ausfahrt 39.1 über die N109 Ri. Mende nach Florac. 2,5 km vor Florac am Kreisel links nach Bedoues. Hinter der Ortschaft an der römischen Brücke sofort links. Der CP-Beschilderung folgen.

Blajoux, F-48320 / Languedoc-Roussillon 📶 iD

⛺ Del Ron***	1 ADE**JM**NOPQRST	A**J**N**U**XY 6
🕐 15 Jun – 15 Sep	2 BCFGHJKPRUVWXY	ABDE**F** 7
☎ +33 (0)4-66485471	3 BILMQU	ABCDFINRV 8
@ camping.delron@orange.fr	4 FHIO	EJO**R** 9
	5 ABDEFGIL	GHIJOTUV10
	B 5A CEE	❶ €24,00
📷 N 44°20'12'' E 3°28'39''	H450 3,5 ha 100T(90-150m²) 13D	❷ €31,70

🚗 Im Herzen der Gorges du Tarn gleich bei Sainte Enimi in der Otrschaft Blajoux findet man diesen CP. Der Beschilderung 'Del Ron' folgen.

Chastanier, F-48300 / Languedoc-Rouss. 📶 ❀ CC€12 iD

⛺ Du Pont de Braye***	1 ADE**JM**NOPRST	**J**N 6
🏠 Lieu dit de Braye	2 CFGPUVWXY	ABDE**FG**H 7
🕐 1 Mai – 20 Sep	3 ABKLQ	ABCDFJNOPQPRSV 8
☎ +33 (0)4-66695304	4 A**DE**FIO	AIJV 9
@ accueil@	5 ABDEFG**L**	BDGHIJPV10
camping-lozere-naussac.fr	B 6A	❶ €17,00
📷 N 44°43'32'' E 3°44'52''	H1065 1,5 ha 28T(80-100m²) 8D	❷ €21,40

🚗 N88 südlich von Langogne Richtung Naussac, Kreuzung links. Entlang der D34 bis hinter Chastanier. CP ist ausgeschildert.

Chastanier, F-48300 / Languedoc-Roussillon iD

⛺ Les Sous Bois du Lac***	1 ABD**JM**NOPRST	ABFG**N** 6
🏠 Bessettes	2 BFGPQWXY	ABDE**F** 7
🕐 1 Mai – 18 Okt	3 AEKLQST	ABCDEFKNORSV 8
☎ +33 (0)4-66695243	4 **A**BDEFHILNO**PQ**	EFI 9
@ joel.feminier@wanadoo.fr	5 ABDEFGJKM	BHJILNTU10
	D 0A	❶ €19,00
	H1027 20 ha 73T(90-100m²) 112D	❷ €26,70
📷 N 44°44'20'' E 3°46'10''		

🚗 Aus Langogne die N88 Richtung Mende. An der Stadt vorbei rechts Richtung Lac de Naussac auf die D962. Dann die D994 Richtung Bessettes. Der CP ist ausgeschildert.

Florac, F-48400 / Languedoc-Roussillon 📶 iD

⛺ Chon du Tarn**	1 A**JM**NOPQRST	**J**N 6
🏠 Bédouès	2 CFHIJKPVWXY	ABDE**FG** 7
🕐 1 Mai – 5 Okt	3 BELMQ	ABCDEFNPRV 8
☎ +33 (0)4-66450914	4 FI	DL 9
@ info@	5 ACGK**LM**	ABGHIJOV10
camping-chondutarn.com	B 6A CEE	❶ €15,60
📷 N 44°20'41'' E 3°36'19''	H550 2 ha 100T(100-103m²) 25D	❷ €21,20

🚗 CP liegt bei Florac 2 km von der N106 entfernt an der D998 und ist ausgeschildert.

Florac, F-48400 / Languedoc-Roussillon 📶 CC€14 iD

⛺ Pont du Tarn***	1 ADE**JM**NOPQRST	ABFG**N** 6
🏠 route de Pont de Montvert, D998	2 CFGHIJKPRVWXY	ABDE**FG**H 7
	3 BELQ	ABCDEFIJNORSTUV 8
🕐 1 Apr – 1 Nov	4 BCDFGHILNO	CEL 9
☎ +33 (0)4-66451826	5 ADEGIK**LM**	ABCDGHIJPTUV10
@ contact@camping-florac.com	Anzeige auf Seite 316 B 10A CEE	❶ €25,60
📷 N 44°20'17'' E 3°35'26''	H534 5,5 ha 153T(80-150m²) 56D	❷ €32,20

🚗 A75, Ausfahrt 39 Richtung Florac. Und dann N106 und D998 folgen.

Ispagnac, F-48320 / Languedoc-Roussillon 📶 iD

⛺ Le Pré Morjal***	1 ADE**JM**NOPQRT	ABFG**J**N**U**X 6
🕐 3 Apr – 2 Nov	2 BCFGHIJKPVWXY	ABDE**FG**HK 7
☎ +33 (0)4-66454357	3 BELMQ	ABCDEFGIJKNORSV 8
@ lepremorjal@gmail.com	4 FGHIO**Q**	A**J**LUV 9
	5 ABDEG**LM**	BGHIJUOVWZ10
	B 10A CEE	❶ €23,20
	H600 3 ha 115T(100-110m²) 24D	❷ €29,60
📷 N 44°22'20'' E 3°31'49''		

🚗 Von Florac aus liegt der CP hinter dem Ortskern links, neben Sportplatz und Schwimmbad. Ausgeschildert.

La Bastide-Puylaurent, F-48250 / Lang.-Rouss. 📶 iD

⛺ Camping de l'Allier**	1 AD**JM**NOPQRST	**J**NU 6
🕐 26 Apr – 18 Okt	2 CDG**J**PQVWXY	BD**FG**H 7
☎ +33 (0)4-66460406	3 AKLQ	BDFKNOPRSV 8
@ camping.allier@yahoo.fr	4 EFHIO**P**	DEQU 9
	5 ADFGIK**LM**	BHIJLNOTU10
	B 6A	❶ €18,20
📷 N 44°34'33'' E 3°53'37''	H1050 1,7 ha 38T(60-100m²) 26D	❷ €25,30

🚗 Von Langogne D906. In Bastide D6 Richtung Mende/Chasserades. Nach 2 km liegt der CP auf der linken Seite.

Langogne, F-48300 / Languedoc-Roussillon 📶 iD

⛺ La Cigale de l'Allier**	1 ADE**JM**NOPQRST	AB**J**N 6
🏠 9 route de St Alban	2 CFGPTWXY	ABDE**FG** 7
🕐 1 Apr – 31 Okt	3 AKL	ABCDFJNOPQRSV 8
☎ +33 (0)4-66468572	4 DI	ADE 9
@ contact@lacigaledelallier.fr	5 ADEGKLM	BGHIJOST10
	D 10A CEE	❶ €10,40
📷 N 44°43'40'' E 3°51'52''	H900 2,6 ha 60T(80-100m²) 23D	❷ €22,20

🚗 N88 von Pradelles nach Langogne. Hinter der Bahnbrücke links, weiter über den Fluss und wieder links der Straße folgen.

Langogne/Naussac, F-48300 / Lang.-Rouss. 📶 CC€14 iD

⛺ Les Terrasses du Lac***	1 AD**JM**NOPRST	ABFGLNQRSTUVXY**Z** 6
🏠 Lac de Naussac - D26	2 DFG**R**STWXY	ABDE**FG**H 7
🕐 15 Apr – 30 Sep	3 AE**K**LMQ	ABCDFGJNOPQRSV 8
☎ +33 (0)4-66692962	4 BDFHILO	EFGK 9
@ info@naussac.com	5 ABDEG**J**L	ABGHI**JN**PTUV10
	B 10A	❶ €23,30
📷 N 44°44'2'' E 3°50'8''	H950 6 ha 180T(80-140m²) 30D	❷ €31,50

🚗 N88, südlich von Langogne Richtung Naussac. Der CP ist ausgeschildert.

Le Rozier, F-48150 / Languedoc-Roussillon 📶 CC€14 iD

⛺ Municipal de Brouillet***	1 ADE**JM**NOPQRST	ABFG**J**NUVXY 6
🏠 chemin de Brouillet	2 CFG**IJ**KOPQVWXY	ABDE**F**H 7
🕐 1 Apr – 30 Sep	3 BELQ	ABDEFNRSUV 8
☎ +33 (0)5-65626398	4 AE**F**HIO	ELQR 9
@ contact@campinglerozier.com	5 L	BDGHI**J**OPTUVVY10
	Anzeige auf dieser Seite B 6A CEE	❶ €22,00
📷 N 44°11'29'' E 3°12'16''	H400 5 ha 159T(100-120m²) 6D	❷ €27,40

🚗 In Augessac A75, Abfahrt 44.1 (Navi aus!). Schildern 'Gorges du Tarn' folgen bis Le Rozier. Der CP liegt im Herzen von Le Rozier.

LOZÈRE
Le Pont du Tarn ***

Geöffnet vom 01/04 bis 01/11
181 STELLPLÄTZE

Le Rozier/Peyreleau, F-12720 / Lang.-Rouss. [wifi] [CC€14] [iD]

Les Prades****
D187
1 Mai - 15 Sep
+33 (0)5-65626209
lesprades@orange.fr

1 ADEJMNOPQRT	ABFGHJNUXY 6
2 ACFGJKPQVWXY	ABDEFH 7
3 BELMQR	ABCDEFGIKNOQRSTUV 8
4 ABDEFGHILOPQTUY	EGQR 9
5 ACDEFGJKLM	ABDFGHIJNOST10
B 6A CEE	❶ €31,50

N 44°11'59'' E 3°10'24''   H384 5 ha 178T(100-120m²) 32D   ❷ €44,50

A75, Ausfahrt 44.1 (Navi ausschalten!). Der N9 bis Aguessac folgen. Links ab zur D907 Gorges du Tarn. Ri. La Cresse (über die Brücke). In La Cresse links nach D187. CP liegt nach ca. 4 km auf der linken Seite.

Les Vignes, F-48210 / Languedoc-Roussillon [wifi] [iD]

Beldoire***
D907 Bis
8 Mai - 12 Sep
+33 (0)4-66488279
camping-beldoire@orange.fr

1 ADEJMNOPRST	ABJNPUVXY 6
2 BCFGIJMPQUVWXY	ABDEFH 7
3 BELQSU	ABDFNORSV 8
4 ABDEFGHIKNO	AEQRUVW 9
5 ACDEFGIKLM	BHIJLOSTVW10
B 6A CEE	❶ €30,00

N 44°17'13'' E 3°14'2''   H350 5,5 ha 118T(80-120m²) 24D   ❷ €37,00

A75, Ausfahrt 42 Sévérac-le-Château. Richtung Gorges du Tarn, danach Le Massegros/Les Vignes.

Les Vignes, F-48210 / Languedoc-Roussillon [wifi] [CC€14] [iD]

La Blaquière***
D907bis
28 Apr - 20 Sep
+33 (0)4-66485493
contact@campingblaquiere.fr

1 ADEJMNOPRT	JNPUXY 6
2 BCGJKPQUVWXY	ABDEFGH 7
3 BEFLQSU	ABCDFKNOQRSV 8
4 ABDEFGHINOZ	BEQRUVW 9
5 ACDEFGIKLM	BHIJLOSTV10
Anzeige auf dieser Seite B 10A CEE	❶ €21,00

N 44°18'17'' E 3°16'5''   H415 1,5 ha 79T(80-120m²) 26D   ❷ €30,20

Über die A75 von Sévérac-le-Château Ausfahrt 44 Massegros nach Les Vignes. Hinter Les Vignes 6 km Richtung Ste Enimie un den Schildern folgen.

Marvejols, F-48100 / Languedoc-Roussillon [wifi] [iD]

VVF Villages Le Coulagnet**
L'Empery
15 Mai - 15 Sep
+33 (0)4-66320369
marvejols@valvvf.fr

1 ADJMNORT	AF 6
2 CPVWXY	ABDEFGH 7
3 ALMQ	ABCDEFNOPTU 8
4 ABDEFILP	J 9
5 AL	BHJOV10
B 5A CEE	❶ €18,80

N 44°33'3'' E 3°18'16''   H650 1 ha 30T(60-130m²) 50D   ❷ €18,80

Von der N9 in Marvejols-Zentrum über Pont de Peyre. Dort ist der CP ausgeschildert. Caravans müssen etwas weiter drehen.

Meyrueis, F-48150 / Languedoc-Roussillon [wifi] [flower] [iD]

La Cascade***
Salvinsac
5 Apr - 12 Okt
+33 (0)4-66454545
contact@camping-la-cascade.com

1 ADEJMNOPRST	JN 6
2 CFGJKPUVWXY	ABDEFH 7
3 BELQS	ABDFJNOPRSV 8
4 FGHIOR	JLU 9
5 ABEIKLM	BGHIJOTUV10
16A CEE	❶ €23,50

N 44°11'43'' E 3°27'20''   H782 1,7 ha 41T(100-200m²) 26D   ❷ €28,10

Liegt an der Route de Florac, der Verbindung zwischen Meyrueis und Florac. Aus Meyrueis kommend ist es der 2. CP hinter dem Ort; ausgeschildert.

Rocles, F-48300 / Languedoc-Roussillon [wifi] [iD]

Le Rondin des Bois***
1 Mai - 30 Sep
+33 (0)4-66695046
rondin.com@wanadoo.fr

1 ABDJMNOPRST	ABFNQRSTUXY 6
2 FGHPRUX	ADEFG 7
3 ABEGHIKLQSU	ABCDFNPRSV 8
4 ADFHILNP	AEJMOPQRU 9
5 ABDEFGJ	ABGHIJLNOT10
B 10A	❶ €20,80

N 44°44'17'' E 3°46'51''   H1000 3 ha 64T(40-100m²) 18D   ❷ €25,00

N88 Langogne-Mende. Am Ende von Langogne rechts ab, Richtung Lac de Naussac. Danach D962, dann D994 Richtung Rocles. CP ist ausgeschildert.

St. Alban-sur-Limagnole, F-48120 / Lang.-Rouss. [wifi] [CC€14] [iD]

Le Galier**
route de Saint Chély
1 Mär - 30 Sep
+33 (0)4-66315880
accueil@campinglegalier.fr

1 ABDJMNOPRST	AFJN 6
2 BCGPWXY	ABDEFH 7
3 ALMQ	ABEFNOPRV 8
4 BEFI	E 9
5 ADFGKLM	BHIJLOTV10
B 6A	❶ €19,40

N 44°46'31'' E 3°22'20''   H950 4 ha 66T(100-200m²) 24D   ❷ €25,80

A75 bis St. Alban, Ausfahrt 34, dort N106 Richtung St. Alban-sur-Limagnole folgen. Der CP liegt ca. 800m vor dem Ort an der D987.

Ste Enimie, F-48210 / Languedoc-Roussillon [wifi] [iD]

Couderc***
route de Millau
1 Apr - 25 Sep
+33 (0)4-66485053
contact@campingcouderc.fr

1 ADEJMNOPQRST	AFJNUX 6
2 BCFGJKPQUVWXY	ABDEFGH 7
3 BLQ	ABCDFKNOQRSV 8
4 FGHIO	EQR 9
5 ABEGKM	ABFGHIJOTUV10
B 16A CEE	❶ €27,90

N 44°21'14'' E 3°24'6''   H460 5,2 ha 130T(80-100m²) 14D   ❷ €35,35

Von Ste Enimie aus 'Gorges du Tarn' Richtung Millau folgen. Nach dem Ort erster CP links.

Ste Enimie, F-48210 / Languedoc-Roussillon [wifi] [iD]

Les Fayards***
route de Millau
30 Apr - 7 Sep
+33 (0)4-66485736
info@camping-les-fayards.com

1 ADJMNOPQRST	JNUX 6
2 BCFGJPQVWXY	ABDEFGH 7
3 BEFLQ	ABCDFNORTUV 8
4 FGHI	EJQR 9
5 ACDEGKLM	BHIJOTUV10
B 16A CEE	❶ €26,00

N 44°20'47'' E 3°23'44''   H450 2 ha 57T(80-180m²) 40D   ❷ €31,00

A75 Banassac-La Canourgue, Ausfahrt 40. Schildern Gorges du Tarn folgen, in Ste Enimie D907bis Richtung Millau bis zum 2. CP nach Ste Enimie.

Ste Enimie/La Chadenède, F-48210 / Lang.-Rouss. [wifi] [iD]

Les Osiers***
Montbrun
15 Apr - 15 Sep
+33 (0)4-66485179
philippe.monteils@wanadoo.fr

1 AJMNOPQRST	JNUVXY 6
2 CFHJKPQVWXY	ABDEF 7
3 BLQ	ABCDFKNORV 8
4 EFHRX	ELQR 9
5 ABKLM	BHJPV10
10A CEE	❶ €18,80

N 44°20'4'' E 3°28'49''   H460 1,3 ha 60T(70-120m²) 54D   ❷ €25,00

In Montbrun zwischen Ispagne und Le Blajoux, die Brücke über den Tarn. Den Schildern folgen.

Villefort, F-48800 / Languedoc-Roussillon [wifi] [iD]

Du Lac***
1 Mai - 30 Sep
+33 (0)4-66468127
camping-lac@orange.fr

1 ADEJMNOPQRT	AFLMNPQRSTUVWXYZ 6
2 DFGHILPRUVY	ABDEH 7
3 ABFHKLMQRU	ABCDFNRSTU 8
4 ABDEFGIKLM	DEJLMNOPQRTW 9
5 ADFHINO	BFHIJOTUVW10
B 10A CEE	❶ €19,00

N 44°27'43'' E 3°55'41''   H580 4 ha 45T(85-100m²) 86D   ❷ €25,40

A75 Ausfahrt 34, N106 nach Mende. Dann N88, D901 in Richtung Villefort (Schilder Morangiès). Oder A7 Privas (N104) in Richtung Aubenas, dann D104 Richtung Les Vans und Villefort.

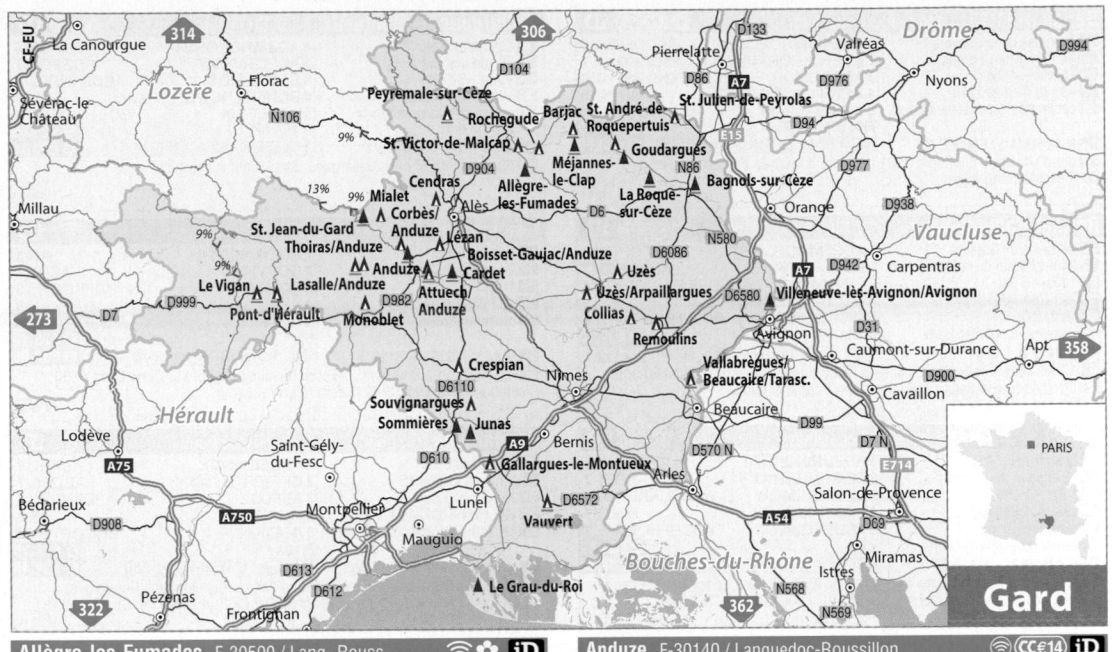

Gard

Allègre-les-Fumades, F-30500 / Lang.-Rouss. 🛜✿ iD

🏕 Château de Boisson★★★★★
▣ Boisson
🔓 12 Apr - 27 Sep
☎ +33 (0)4-66248561
@ reception@
chateaudeboisson.com

1 ADEJKNOPQRST	AEFGHI 6
2 PRTUVXY	ABDE**FGH** 7
3 ABEL**MNQTU**	ABCDEFGIJKLNQRSUV 8
4 BILNO**PQ**	EFI 9
5 ABDEFGHIL	ABFHIJ**NPT**10
B 6A CEE	

H150 7,5 ha 178T(85-120m²) 161D
❶ € 43,90 ❷ € 60,70

▦ N 44°12'34'' E 4°15'24''
🅿 Der CP liegt mitten im Dreieck Alès-St. Ambroix-Lussan. Am Kreuzung D37 mit D7, D16 wählen. CP nach ± 500m zur Bergseite hin im Örtchen Boisson. Ⓜ

Anduze, F-30140 / Languedoc-Roussillon 🛜 CC€14 iD

🏕 Le Pradal★★★
▣ rte de Générargues
🔓 28 Mär - 3 Okt
☎ +33 (0)4-66617981
@ camping-le-pradal@orange.fr

1 ADEJMNOPRST	AFJMN 6
2 BCFGJKPQVWXY	ABDE**FGH** 7
3 BLMQST	ABCDEFGIJKNRSTUV 8
4 DFHINO**PQ**	AEL 9
5 ABDEFGIK**LM**	BDGHIJMOTU10
B 10A CEE	

H150 3,5 ha 106T(80-100m²) 33D
❶ € 33,10 ❷ € 43,10

▦ N 44°3'44'' E 3°58'58''
🅿 A7 Bollène. Danach Strecke Bagnols-Alès-Anduze, vor der Brücke rechts, beschildert (500m). Ⓜ

Allègre-les-Fumades, F-30500 / Languedoc-Rouss. 🛜 iD

🏕 Domaine des Fumades★★★★
▣ 10 Apr - 14 Sep
☎ +33 (0)4-66248078
@ fumades@franceloc.fr

1 ADJMNOPRT	ABCDEFGHIN 6
2 CPQRVXY	ABDE**FGH** 7
3 BE**HILMNQRT**	ABCDFKNOQRSV 8
4 CDFHILNO**PQU**	EIJL 9
5 ACDEFGIJK	BIJNOTU10
B 6A CEE	

H132 7 ha 130T(80-120m²) 301D
❶ € 36,10 ❷ € 47,60

▦ N 44°11'5'' E 4°13'45''
🅿 Der CP liegt mitten im Dreieck Alès-St. Ambroix-Lussan. 19 km hinter Barjac auf der D7 und 15 km vor Alès 'Les Fumades' folgen. CP nach 500m. Ⓜ

Anduze, F-30140 / Languedoc-Roussillon 🛜 CC€12 iD

🏕 Les Fauvettes★★★
▣ rte de St. Jean-du-Gard
🔓 25 Apr - 30 Sep
☎ +33 (0)4-66617223
@ camping-les-fauvettes@
wanadoo.fr

1 ADE**JM**NOPQRST	AFHMN 6
2 BFGOPUVXY	ABDEFH 7
3 BE**KLQ**	ABCDEFGINOQRSV 8
4 BCDFGILNO**PQ**	EJUV 9
5 ABDEFGIJL	BHIJNOT10
B 10A CEE	

H130 4 ha 102T(80-140m²) 40D
❶ € 27,10 ❷ € 37,00

▦ N 44°3'37'' E 3°58'26''
🅿 CP liegt an D907 Anduze - St. Jean-du-Gard, beschildert. Ⓜ

Anduze, F-30140 / Languedoc-Roussillon 🛜 iD

🏕 de L'Arche★★★★
▣ Quartier de Labahou
🔓 1 Apr - 30 Sep
☎ +33 (0)4-66617408
@ camping.arche@wanadoo.fr

1 ADE**JM**NOPQRST	ABCDEFGHIJNPX 6
2 BCFGHJKMOPQUVXY	ABDEFH 7
3 ABEF**HKLQ**QST	ABCDEFIJKNPQRSTUV 8
4 ADCEFHILO**QTUVX**Y	EJL 9
5 ABDEFGIJKLM	ABGHIJMNPTUWX10
B 10A CEE	

H130 5 ha 266T(90-125m²) 70D
❶ € 45,10 ❷ € 58,90

▦ N 44°4'7'' E 3°58'19''
🅿 Von Anduze D907 Richtung St. Jean-du-Gard, 2,5 km nach der Brücke. An Hotel 'La Porte des Cévennes' rechts abbiegen. Ⓜ

Attuech/Anduze, F-30140 / Lang.-Rouss. 🛜 CC€14 iD

🏕 Le Fief d'Anduze★★★
▣ 195 chemin du Plan d'Eau
🔓 1 Apr - 30 Sep
☎ +33 (0)4-66618171
@ lefiefdanduze@wanadoo.fr

1 AD**JM**NOPQRST	ABFJNP 6
2 CDFHJKPRVWXY	ABDEFH 7
3 AEGHKLQRST	ACDFKNOQRSV 8
4 BDEFGINO**PQTUV**	DE 9
5 ABDEFIKLM	ABDHIJNPT10
B 10A	

6 ha 90T(80-100m²) 22D
❶ € 26,25 ❷ € 35,00

▦ N 44°1'37'' E 4°1'40''
🅿 Ausfahrt Bollène Richtung Alès, dann Richtung. Montpellier. In St. Christol-les-Alès Richtung Anduze. Hinter dem Intermarché links nach Lézan. Hinter der Gardon Brücke am Kreisel nach Anduze, 2. CP rechts. Ⓜ

Anduze, F-30140 / Languedoc-Roussillon 🛜 iD

🏕 Le Bel Été★★★★
▣ route de Nîmes
🔓 1 Apr - 30 Sep
☎ +33 (0)4-66617604
@ contact@camping-bel-ete.com

1 ADEJ**M**NOPRST	AFJM**N** 6
2 CFGJKPVXY	ABDE**FH** 7
3 BEFI**KLMN**QS	ABCDEFKNQRST 8
4 BDFHINO**P**	EL 9
5 ABDEFGIJKM	BHIJMNPTU10
B 16A CEE	

H120 2,9 ha 68T(85-115m²) 29D
❶ € 36,10 ❷ € 48,10

▦ N 44°2'19'' E 3°59'38''
🅿 A7, Ausfahrt Bollène, via Alès Richtung Anduze. Via Rte de Nîmes. Ca. 1,5 km nach Brücke Schildern Le Bel Été folgen. Ⓜ

Bagnols-sur-Cèze, F-30200 / Lang.-Rouss. 🛜 CC€18 iD

🏕 La Coquille★★★
▣ route de Carmignan
🔓 2 Apr - 15 Sep
☎ +33 (0)4-66890305
@ campinglacoquille@
wanadoo.fr

1 ADE**IL**NOPRT	AFJN 6
2 CRVY	BEF**G**HK 7
3 AILQ	BDFNRST 8
4 EHO	EU 9
5 ADEFL	BDHIJPTUV10
B 6-10A CEE	

1,5 ha 30T(90-110m²) 2D
❶ € 30,70 ❷ € 40,30

▦ N 44°10'34'' E 4°38'9''
🅿 A7, Ausfahrt 19 Bollène Richtung Pont-St-Esprit und Bagnols-sur-Cèze. Der CP liegt 1 km hinter dem Dorf an der D360. Ⓜ

Anduze, F-30140 / Languedoc-Roussillon 🛜 CC€16 iD

🏕 Le Castel Rose★★★
▣ 610 chemin Recoulin
🔓 1 Apr - 28 Sep
☎ +33 (0)4-66618015
@ castelrose@wanadoo.fr

1 A**JM**NOPRST	ABFGJ**K**NPX 6
2 BCFGHIJKOPQVWXY	ABDE**FGH** 7
3 BEF**HK**LQST	ABCDEFGIJKNOPQRSTU 8
4 ABCDFHILNO**PQRTUV**	AEJLQUV 9
5 ABDEFGIJK**LM**	BDGHIJMNPTU10
B 10A CEE	

H130 7 ha 208T(100-260m²) 95D
❶ € 36,40 ❷ € 49,40

▦ N 44°3'52'' E 3°58'37''
🅿 Von Anduze der D907 Ri. St. Jean-du-Gard folgen. Hinter der Kurve erste Straße rechts, bís zum Straßenende. Ⓜ

Bagnols-sur-Cèze, F-30200 / Lang.-Rouss. 🛜 CC€18 iD

🏕 Les Genêts d'Or★★★
▣ 1840 chemin de Carmignan
🔓 20 Apr - 20 Sep
☎ +33 (0)4-66895867
@ info@
camping-genets-dor.com

1 ADE**IK**NOPRT	ABFJNU 6
2 CJKPRVWXY	ABDE**FGH** 7
3 ABEF**HLQ**	ABCDEFJKNRSV 8
4 A**H**IO**PQ**	E 9
5 ABDEFGJKL	ABDGHIJPTU10
B 6-10A CEE	

8 ha 120T(90-100m²) 8D
❶ € 33,20 ❷ € 44,20

▦ N 44°10'25'' E 4°38'13''
🅿 A7, Ausfahrt Bollène. Dann D994 Ri. Pont-St-Esprit, dort N86 in Ri. Bagnols-sur-Cèze. 500m nach dem Ortsschild, aber vor der Tankstelle links abbiegen, CP-Schildern folgen. Ⓜ

Barjac, F-30430 / Languedoc-Roussillon 📶 ✿ CC€16 iD

- 🏕 Domaine de la Sablière★★★★
- ✉ St. Privat-de-Champclos
- 📅 28 Mär - 4 Okt
- ☎ +33 (0)4-66245116
- @ contact@villagesabliere.com

1 ADEGJMNOPQRST	ABCDFJNU 6
2 BCFJHKPQRTUVWXY	ABDEFGHK 7
3 ABEFILMQR	ABCDEFKNQRSTUV 8
4 AEFHILNOPQRTVZ	AEJKL 9
5 ACDEFGIJKM	ABGHIJOTUWXZ10
FKK B 10A CEE	① €45,00
H235 62 ha 204T(100-120m²) 305D	② €52,60

🚗 Von Pont-Saint-Esprit die D901 nehmen, danach an der linken Seite die D266. Der Beschilderung folgen.

📍 N 44°16'1'' E 4°21'7''

Boisset-Gaujac/Anduze, F-30140 / Lang.-Rouss. 📶 CC€16 iD

- 🏕 Domaine de Gaujac★★★
- ✉ 2406 chemin de la Madeleine
- 📅 1 Mai - 5 Sep
- ☎ +33 (0)4-66616757
- @ contact@domaine-de-gaujac.com

1 ADEJMNOPQRST	ABFGHIJN 6
2 BCJKPQUVY	ABDEFGH 7
3 BIKLMQST	ABCDEFJKNOPRSTV 8
4 BCDFHILNOPQUY	EQJ 9
5 ABCDEFGKLM	ABFGHIJMNOTUVWZ10
B 10A CEE	① €31,10
H130 10 ha 145T(80-110m²) 205D	② €45,50

🚗 A7 Ausfahrt Alès/Bollène. Vor Alès Richtung Montpellier/St. Christol/Anduze. 5 km vor Anduze in Bagard links Richtung Boisset & Gaujac.

📍 N 44°2'9'' E 4°1'26''

Cardet, F-30350 / Languedoc-Roussillon 📶 CC€16 iD

- 🏕 Beau Rivage★★
- ✉ 22 chemin du Bosquet
- 📅 1 Apr - 1 Okt
- ☎ +33 (0)4-66830248
- @ receptie@campingbeaurivage.com

1 ADEJMNOPQRT	ABFJN 6
2 BCGHIJPQRWXY	ABDEF 7
3 BEGHILMQV	ABFGJKNPRSV 8
4 ABDFHINO	EQUV 9
5 ABDEFGIKL	ABDGHJOPRXZ10
B 6A	① €34,90
H60 5 ha 124T(85-125m²) 10D	② €42,90

🚗 Von Alès Schildern Nîmes folgen, zweite Ausfahrt nach Ledignan/Ners dann Anduze, nach Fußgängerüberweg die D6110, vierte Ausfahrt in Cardet.

📍 N 44°1'40'' E 4°4'27''

Cardet, F-30350 / Languedoc-Roussillon 📶 iD

- 🏕 Camping du Chercheur d'or
- ✉ 615 chemin du Libac
- 📅 1 Apr - 30 Sep
- ☎ +33 (0)4-66838244
- @ camping-chercheur-dor@orange.fr

1 ADEJMNOPRST	AFHJN 6
2 CGIPWXY	ABDEFHK 7
3 ABDFLQ	ABCDEFNORSV 8
4 BDOPQRX	EJ 9
5 ABDEFGLM	BHIJLNOSTV10
B 6A CEE	① €24,90
H105 10 ha 100T(80-100m²) 84D	② €31,10

🚗 Von Alès die N106, dann die D982. In Cardet den Chemin du Mas de Libac nehmen. CP an der linken Seite.

📍 N 44°1'46'' E 4°5'14''

Cendras, F-30480 / Languedoc-Roussillon 📶 iD

- 🏕 La Croix Clémentine★★★★
- 📅 1 Apr - 15 Sep
- ☎ +33 (0)4-66865269
- @ clementine@clementine.fr

1 ADEFJMNOPQRST	ABFGN 6
2 BOPRTUVXY	ABEFGH 7
3 ABEFGHILMNQ	ABCDEFKNORSV 8
4 ABDEFIJNO	EFJLUV 9
5 ABCDEFGIJKLM	BFGHIJLOTUVWX10
B 6-10A	① €35,00
H175 10 ha 185T(90-150m²) 131D	② €53,90

🚗 A7 Ausfahrt Bollène/Pont-St-Esprit, dann D994. In Pont-St-Esprit N86 nach Bagnols-sur-Cèze. Dann D6 nach Alès. In Alès Richtung Mende. In Cendras ausgeschildert.

📍 N 44°9'7'' E 4°2'35''

Collias, F-30210 / Languedoc-Roussillon 📶 iD

- 🏕 Le Barralet★★★
- ✉ chemin de Grès
- 📅 1 Apr - 30 Sep
- ☎ +33 (0)4-66228452
- @ camping@barralet.fr

1 ADEJMNOPRT	AFJNU 6
2 ACFJKPQRTUVWXY	ABDEF 7
3 AEGHKLQ	ACDFNQRSV 8
4 DFHINOP	EQR 9
5 ABDEFGIJLM	BGHIJPTU10
B 6A CEE	① €28,10
H57 7 ha 66T(80-100m²) 66D	② €40,10

🚗 Über die D19 und die D981 von Remoulins nach Uzès. Dort Collias über die D112, dann die D3 fahren. Danach Schildern folgen.

📍 N 43°57'29'' E 4°29'14''

Corbès/Anduze, F-30140 / Languedoc-Roussillon 📶 iD

- 🏕 Cévennes-Provence★★★
- ✉ Corbès-Thoiras
- 📅 20 Mär - 1 Okt
- ☎ +33 (0)4-66617310
- @ info@campingcp.com

1 ADEJMNOPRT	JNP 6
2 BCFGHIJKOPQUVWXY	ABDEFGH 7
3 BEFHILMQRUV	ABCDEFGHIJKNOPRSV 8
4 ABDEFHIJOPQX	GJLUV 9
5 ACDEFGIJKLM	ABGHIJMNOTUVZ10
Anzeige auf Seite 319 B 10A CEE	① €31,60
H125 30 ha 226T(80-200m²) 35D	② €43,40

🚗 A7, Ausfahrt Bollène, bei Alès Richtung Montpellier in Anduze (D907), Richtung St. Jean-du-Gard, 3 km nach Anduze an Bushaltestelle rechts (D284 Rte de Corbes).

📍 N 44°4'41'' E 3°57'53''

Crespian, F-30260 / Languedoc-Roussillon 📶 iD

- 🏕 Mas de Reilhe★★★★
- ✉ N110
- 📅 25 Apr - 13 Sep
- ☎ +33 (0)4-66778212
- @ info@camping-mas-de-reilhe.fr

1 ADJMNOPRT	ABFGN 6
2 PQRTUVXY	BDEFH 7
3 BELMQST	BDFKNQRSTUV 8
4 BDFIOPQRU	BEJLUV 9
5 ABEFGJLM	BGHIJPTUVZ10
B 10A CEE	① €32,50
H80 3 ha 68T(70-100m²) 27D	② €45,80

🚗 A9, Ausfahrt Nîmes-Ouest, dann via D999 Richtung Le Vigan. An Kreuzung mit N110 Montpellier-Alès Richtung Crespian. CP ist ausgeschildert.

📍 N 43°52'43'' E 4°5'47''

Gallargues-le-Montueux, F-30660 / Lang.-Rouss. 📶 CC€16 iD

- 🏕 Les Amandiers★★★★
- ✉ 20 rue des Stades
- 📅 1 Apr - 30 Sep
- ☎ +33 (0)4-66352802
- @ camping-lesamandiers@orange.fr

1 ADJMNOPQRST	ABFGN 6
2 AOPQRVWXY	BDEFGH 7
3 BEGHLMQT	ABDFKNRSU 8
4 BCDFHILNOPQRSTUVW	EUV 9
5 ABDEFGIK	BDGHIJOTUV10
B 16A CEE	① €28,05
3 ha 87T(70-120m²) 140D	② €40,10

🚗 A9, Ausfahrt 26 nach Gallargues. Danach gut ausgeschildert.

📍 N 43°43'0'' E 4°10'1''

Goudargues, F-30630 / Languedoc-Roussillon 📶 iD

- 🏕 La Grenouille★★★
- ✉ 2 avenue du Lavoir
- 📅 1 Apr - 5 Okt
- ☎ +33 (0)4-66822136
- @ campinggard@orange.fr

1 ADEILNORT	AN 6
2 COPVXY	ABDF 7
3 AGHLQ	CDFKOQRS 8
4	J 9
5 LM	BGHJPTUV10
	① €25,40
H76 1,2 ha 50T(60-90m²) 4D	② €32,90

🚗 A7, Ausfahrt 19. In Pont-St-Esprit Richtung Bagnol-sur-Cèze. Dann D980 Richtung Barjac. Den CP-Schildern folgen.

📍 N 44°12'51'' E 4°28'8''

Goudargues, F-30630 / Languedoc-Roussillon 📶 iD

- 🏕 Le St. Michelet★★★
- ✉ route de Frigoulet
- 📅 26 Apr - 15 Sep
- ☎ +33 (0)4-66822499
- @ lesaintmichelet@orange.fr

1 ABDEILNORT	ABFNU 6
2 CFGIPRTUVWXY	ABDFG 7
3 ABFLQ	ABDFNRSV 8
4 BFLNP	AE 9
5 ADEFGIL	BHIJOPTUV10
B 10A	① €27,70
H90 5 ha 108T(50-110m²) 56D	② €39,40

🚗 Die D980 Bagnols-sur-Cèze Richtung Barjac, Ausfahrt nach Goudargues. Innerorts die Route de Frigoulet nehmen. Der CP liegt neben der Strecke.

📍 N 44°13'19'' E 4°27'45''

Goudargues, F-30630 / Languedoc-Roussillon 📶 iD

- 🏕 Les Amarines★★★
- ✉ route de Goudargues
- 📅 1 Apr - 1 Okt
- ☎ +33 (0)4-66822492
- @ les.amarines@wanadoo.fr

1 ADEILNOPRST	ABJN 6
2 CGIKPVWXY	BEFG 7
3 ABFLQ	ACEFKNOQRSTUV 8
4 BDFHIOQ	9
5 ADKM	BHIJPR10
B 10A CEE	① €28,30
H90 4,5 ha 120T(60-120m²) 25D	② €37,00

🚗 D980 Bagnols-sur-Cèze Richtung Barjac. Nach ca. 15 km links ab Richtung Goudargues.

📍 N 44°13'11'' E 4°28'48''

Junas, F-30250 / Languedoc-Roussillon 📶 iD

- 🏕 L'Olivier★★★
- ✉ route de Congénies
- 📅 1 Apr - 20 Okt
- ☎ +33 (0)4-66803952
- @ camping.lolivier@wanadoo.fr

1 ADEFJMNOPRT	AFN 6
2 BOQRWX	ABDEFH 7
3 AILMQS	ABCDFKNORSV 8
4 ADFHP	AEJL 9
5 ABIKLM	BHKPT10
B 10A CEE	① €22,40
1 ha 30T(50-70m²) 21D	② €32,00

🚗 A9 Ausfahrt 26 Richtung Sommières. Dann die D22 nach Junas. Der Beschilderung folgen.

📍 N 43°46'12'' E 4°7'33''

Junas, F-30250 / Languedoc-Roussillon 📶 ✿ CC€14 iD

- 🏕 Les Chenes★★
- ✉ 95 chemin des Tuileries Basses
- 📅 5 Apr - 11 Okt
- ☎ +33 (0)4-66809907
- @ chenes@wanadoo.fr

1 ADEJMNOPRT	AFN 6
2 ABPRTVXY	BDF 7
3 AELQRST	BDFKNORSV 8
4 BCDFH	EU 9
5 ABDEFKLM	BDHJPTUZ10
B 10A CEE	① €21,40
H200 1,7 ha 69T(80-100m²) 18D	② €29,50

🚗 Auf der A9 die Ausfahrt Gallargues in den Ort hinein, Richtung Sommières (6 km). Danach ist der CP angezeigt.

📍 N 43°45'41'' E 4°7'16''

La Roque-sur-Cèze, F-30200 / Lang.-Rouss. 📶 CC€16 iD

- 🏕 La Vallée Verte★★★★
- ✉ route De Donnat
- 📅 25 Apr - 19 Sep
- ☎ +33 (0)4-66790889
- @ info@la-vallee-verte.com

1 ACDEJMNOPRT	AFHJN 6
2 BCFHIJKPQRTUVXY	BEF 7
3 ABEFLMQ	BDFNORS 8
4 AEILNOQ	ACEJ 9
5 ABEFGJL	ABDHJOTUZ10
6A CEE	① €47,20
H80 36 ha 80T(75-100m²) 62D	② €53,60

🚗 A7 Ausfahrt Bollène/Pont-St-Esprit. D994 Ri. Pont-St-Esprit. N86 Ri. Bagnols-sur-Cèze. D6 nach Alès. Nach 3,5 km D143 Ri. La Roque-sur-Cèze. 1,5 km nach Donnat rechts. Bei Gabelung Ri. La Roque, nach 1,5 km rechts ab.

📍 N 44°10'53'' E 4°32'7''

La Roque-sur-Cèze, F-30200 / Lang.-Rouss. 📶 CC€16 iD

- 🏕 Les Cascades★★★★
- 📅 24 Apr - 27 Sep
- ☎ +33 (0)4-66827297
- @ infos@campinglescascades.com

1 ADEJMNOPRT	ABFJLN 6
2 BCDGJMPRTUVXY	ABDEFG 7
3 AELQT	ABCDEFKNQRSUV 8
4 BDFLNO	EU 9
5 ACDEFGIL	BHIJNPTUZ10
Anzeige auf Seite 319 B 10A CEE	① €40,70
H85 6 ha 76T(90-120m²) 57D	② €51,40

🚗 Für Caravans und große Autos nur, aber prima, erreichbar über die D6 Bagnols-Alès. Ausfahrt nacht Donnat (D143). Dann noch 3 km.

📍 N 44°11'19'' E 4°31'31''

Frankreich

Lasalle/Anduze, F-30460 / Lang.-Rouss. ℹ️

La Salendrinque***
route de St. Hippolyte-du-Fort
1 Mai - 15 Sep
+33 (0)4-66852457
info@
campinglasalendrinque.fr
N 44°2'19'' E 3°51'42''

1 ADE**JM**NOPQR**T**		ABFG**J**N 6
2 BCFGHIJPTUVWXY		ABDE**F** 7
3 BELQ		ABCDEFJKNPRSTU 8
4 FHIOQ		EFJL 9
5 ADEFGK**LM**		DDGI IJOTUV 10
B 10A CEE		① €26,40
H280 77T(80-140m²) 22D		② €35,90

Von Lyon-Bollène-Alès-Andruze-Lasalle-Rte. St. Hippolyte-du-Fort. Von Clermont-Ferrand, hinter der Millau Brücke, Ausf. 'Cornus–La Couvertoirade–Alzon–Le Vigan', Ausf. 48. Weiter Alzon, Le Vigan, Ganges, Saint Hippolyte du Fort und Lasalle folgen.

Le Vigan, F-30120 / Languedoc-Roussillon ℹ️

Le Val de l'Arre***
route Du Pont de la Croix
1 Apr - 30 Sep
+33 (0)4-67810277
valdelarre@wanadoo.fr
N 43°59'29'' E 3°38'14''

1 ADE**IL**NORT		AFJ**N**X 6
2 CGPRVXY		ABDE**FGH** 7
3 BELQ		BDFNOQRSV 8
4 DIO		EIL 9
5 ACDEGIK**M**		ABGHIJ**P** 10
B 10A		① €28,40
H216 8 ha 135T(80-120m²) 36D		② €40,90

Über die A75 Ausfahrt 48 Le Vignan D999. 2,5 km hinter Le Vignan am Kreisel rechts. Oder Via A6/A7/A9 Ausfahrt Nîmes West. Ring um Nîmes Richtung Alès. Dann D999 und 2,5 km vor Le Vignan am Kreisel links.

Le Grau-du-Roi, F-30240 / Languedoc-Roussillon ℹ️

L'Abri de Camargue****
320, route du Phare de l'Espiguette
1 Apr - 30 Sep
+33 (0)4-66515483
contact@abridecamargue.fr
N 43°31'21'' E 4°8'57''

1 ABD**IL**NORT		ABEFGNOPQRSTUV 6
2 HOPQVY		ABDE**FGH** 7
3 BEGH**K**LQT		ABCDEFKNQRTUV 8
4 BDFHILNOPQR		EL 9
5 ACDEFGIJK**LM**		ABHI**NP** 10
B 6A CEE		① €61,80
4 ha 55T(80-90m²) 214D		② €69,80

Von Nîmes auf der A9, Ausfahrt 26 Gallargues. Dann Richtung Strände Aigues-Mortes. In Le Grau-du-Roi Richtung l'Espiguette.

Lézan, F-30350 / Languedoc-Roussillon ℹ️

Le Mas des Chênes**
D982, 760 route des Cévennes
15 Apr - 15 Sep
+33 (0)4-66544830
info@
campingmasdeschenes.com
N 44°4'40'' E 4°3'8''

1 AD**JM**NOPQRST		
2 C**J**PVVXY		ABDE**F** 7
3 A**GHL**Q		ABCDFKNQRS 8
4 HO**PQ**		E 9
5 ABGJ		FGH IJOTUV 10
B 10A CEE		① €24,00
6 ha 173T(100-120m²) 13D		② €34,80

Von Alès der Beschilderung Nimes folgen. Zweite Ausfahrt Richtung Lodignan/Nord. Dann Richtung Anduze. Der CP liegt hinter Cardot, rechts von der D982.

Le Grau-du-Roi, F-30240 / Languedoc-Rouss. ℹ️

L'Espiguette***
route de l'Espiguette
28 Mär - 1 Nov
+33 (0)4-66514392
reception@
campingespiguette.fr
N 43°30'23'' E 4°7'42''

1 ADE**JM**NOPRST		FHKMNOQSWXYZ 6
2 EFGHOPQVWXY		ABDE**FGH** 7
3 BDEF**GIK**LQRS		ABCDEFKNRS 8
4 BDFHIJLNOP**QR**		JKLUV 9
5 ACDEFGHIK**M**		AFGHIJL**NOPQR**Y 10
B 6A		① €39,20
45 ha 1300T(70-100m²) 1103D		② €53,60

Letzter CP an der Route de l'Espiguette, am Strand. CP wird gut ausgeschildert.

Méjannes-le-Clap, F-30430 / Lang.-Rouss. ℹ️

La Genèse***
route de la Genèse
28 Mär - 12 Sep
+33 (0)5-56737373
info@lagenese.com
N 44°16'3'' E 4°22'13''

1 ADE**JM**NOR**T**		ABFJNU 6
2 BCHJKPQRTVXY		ABD**FGK** 7
3 ABEILMNQRST		ABEFINOR 8
4 ABDELMNO**PQ**T		AEJKQ 9
5 ACDEFGIJK**L**		ABHIJ**NO**TUV 10
FKK 6A CEE		① €31,10
H310 50 ha 325T(90-130m²) 135D		② €40,10

A7 Ausfahrt Bollène, D994 Richtung Pont-St-Esprit. Dann N86 Richtung Bagnols-sur-Cèze, dann D6 Richtung Alès. Nach 23,5 km Richtung Lussan auf der D979 abbiegen. In Méjannes ausgeschildert.

Le Grau-du-Roi, F-30240 / Languedoc-Roussillon ℹ️

Les Jardins de Tivoli****
route de l'Espiguette
1 Apr - 30 Sep
+33 (0)4-66539700
contact@
lesjardinsdetivoli.com
N 43°31'19'' E 4°8'57''

1 ADE**IL**NOPRT		AFHIKMQ 6
2 EHOQVXY		ABDEFGH 7
3 BEILMQ		LMNTU 8
4 BDFHILMO**PQ**RY		EJLV 9
5 ACDEFGIJK**L**		ABGHIJMOTU 10
10A CEE		① €60,00
7 ha 160T 193D		② €60,00

D62B (le Grau-du-Roi- l'Espiguette). Der CP befindet sich direkt hinter dem Kreisel, am Karussel rechts.

Méjannes-le-Clap, F-30430 / Languedoc-Roussillon ℹ️

Residence Club Les Dolmens Camping***
route d'Uzès
30 Mär - 30 Sep
+33 (0)9-64032536
contact@lesdolmens.com
N 44°12'40'' E 4°20'28''

1 ABDEG**IL**NOPQRST		ABCD 6
2 BGPRSVWXY		ABDE**F** 7
3 ABELQ		ABCDEFNORTUV 8
4 BNO**Q**		ADEFUV 9
5 ABDEFGIJK		BFHIJ**NO**V 10
B 10A CEE		① €27,20
H325 6 ha 60T(85-140m²) 68D		② €35,00

A7, Ausfahrt Bollène, D994 Richtung Pont-St-Esprit. Dann D6 Richtung Alès. An Abzweigung Lussan D979. CP liegt rechts vor Méjannes-le-Clap.

Mialet, F-30140 / Languedoc-Roussillon 🛜 iD

🔺 Les Plans***	1 ADEJMNOPRST	AFHIJNU 6
🏠 D50	2 CFGJKOPRSVWXY	ABDF 7
🔓 15 Apr - 9 Sep	3 BEFILQS	ABCDEFKNORSTV 8
☎ +33 (0)4-66850246	4 ABDEFHILNO**PQR**	EGJ 9
@ info@camping-les-plans.fr	5 ABCDEFGIJK**M**	ABGHIJ**NP**TU10
	B 10A CEE	❶ €25,10
📷🅰 N 44°7'30'' E 3°55'7''	H185 6,5 ha 133T(80-100m²) 252D	❷ €31,10

🚗 Route du Soleil - Bollène - Pt. St. Esprit-Bagnols - Alès - Anduze - Generargues - Mialet -> Beschilderung -> Camping links.

Ⓜ

Monoblet, F-30170 / Languedoc-Roussillon 🛜 iD

🔺 De Graniers**	1 ADEJMNOR**T**	A 6
🏠 route de St. Hippolyte-du-Fort	2 BCGPRUVXY	ABD**F**H 7
🔓 1 Mär - 31 Okt	3 ABELQ	ABCFNRSV 8
☎ +33 (0)4-66251924	4 HIN	BEJKU 9
@ camping-graniers@orange.fr	5 ABDGIK**LM**	BHIJ**O**TUV10
	B 6A CEE	❶ €24,50
📷🅰 N 43°58'48'' E 3°53'5''	H262 15 ha 50T(80-100m²) 18D	❷ €32,20

🚗 In St. Hippolyte-du-Fort D133 Richtung Monoblet/Anduze folgen. Anschließend ist der CP ausgeschildert.

Ⓜ

Peyremale-sur-Cèze, F-30160 / Lang.-Rouss. 🛜 (CC€18) iD

🔺 des Drouilhèdes***	1 ADJMNOPRT	JN 6
🔓 1 Mai - 15 Sep	2 CGJKPQVXY	ABD**F**H 7
☎ +33 (0)4-66250480	3 BEFILQ	ABCDEFGNPQRSV 8
@ info@campingcevennes.com	4 FHLO**Q**	JVY 9
	5 ABEGIK**LM**	ABDHIJOTVXZ10
	Anzeige auf Seite 321 B 6A CEE	❶ €31,70
📷🅰 N 44°17'27'' E 4°4'3''	H185 2,5 ha 90T(60-100m²) 10D	❷ €41,10

🚗 D51 St. Ambroix-Bessèges. In Bessèges D17 Richtung Peyremale. Nach einigen km rechts, 3 km westlich von Bessèges.

Ⓜ

Pont-d'Hérault, F-30440 / Languedoc-Rouss. 🛜 (CC€16) iD

🔺 Les Gorges de l'Hérault**	1 ADEJMNOPQRS**T**	AFN 6
🏠 route de Pont d'Hérault	2 CJOPQVXY	BDE**F** 7
🔓 1 Apr - 30 Sep	3 ABLQ	BFNOS 8
☎ +33 (0)4-67824223	4 BCDFNOQ	BEK 9
@ contact@camping-lesgorgesdelherault.com	5 ACDGIK**M**	BHIJPTUV10
	10A CEE	❶ €26,40
📷🅰 N 43°59'32'' E 3°40'59''	H194 2,5 ha 50T(70-190m²) 52D	❷ €35,90

🚗 Camping liegt an der D999 zwischen Ganges und Le Vignan in Höhe der Pont-d'Hérault.

Ⓜ

Remoulins, F-30210 / Languedoc-Roussillon 🛜 iD

🔺 La Sousta****	1 ADE**JM**NOPQRS**T**	AFJNU 6
🏠 avenue du Pont du Gard	2 ABCFGJPQRVWXY	ABDE**F**GH 7
🔓 2 Mär - 31 Okt	3 BE**KLM**QR	ABCDEFNOQRSV 8
☎ +33 (0)4-66371280	4 BDFHILNOP	EJQRUV 9
@ info@lasousta.fr	5 ACDEFGIJK**LM**	ABGHIJ**AN**PTU10
	B 6A	❶ €31,00
📷🅰 N 43°56'55'' E 4°32'42''	12 ha 236T(70-120m²) 68D	❷ €40,00

🚗 Durch das Zentrum von Remoulins hinter der Brücke rechts ab nach Pont du Gard, an der rechten Flußseite (Rive Droite).

Ⓜ

Rochegude, F-30430 / Languedoc-Roussillon 🛜 iD

🔺 Universal***	1 ADEJMNOPRST	AFNU 6
🏠 chemin de Belbuis	2 CGJKPQVWXY	BE**F**H 7
🔓 26 Apr - 30 Sep	3 ABEQ	BDFNV 8
☎ +33 (0)4-66244126	4	AEJLU 9
@ contact@camping-universal.com	5 ABDEFGIJKLM	BHIJLNOR10
	B 6A	❶ €32,10
📷🅰 N 44°14'16'' E 4°16'27''	H200 4,5 ha 88T(100-250m²) 40D	❷ €42,10

🚗 D51 Barjac-St. Ambroix. Der CP liegt neben der Strecke und ist gut angezeigt.

Ⓜ

Sommières, F-30250 / Languedoc-Roussillon 🛜 ✿ iD

🔺 Domaine de Massereau*****	1 ADE**JM**NOPQRS**T**	ABFGH**N** 6
🏠 1990 route d'Aubais	2 ABGQVWXY	ABD**F**H 7
🔓 11 Apr - 24 Okt	3 ABEF**GH**IL**MN**QS	CDEFKNQRSTU 8
☎ +33 (0)4-66531120	4 ABFHILO**PQR**TUV**X**	EJLUV 9
@ camping@massereau.fr	5 ACDEFGIJK**LM**	ABGHIJ**NP**QTYZ10
	Anzeige auf Seite 321 B 16A CEE	❶ €47,40
📷🅰 N 43°45'58'' E 4°5'50''	H50 8 ha 90T(100-200m²) 61D	❷ €65,60

🚗 A9, Ausfahrt 26 Richtung Gallargues, dann Richtung Sommières, in Sommières Richtung Aubais, ist angezeigt.

Ⓜ

Sommières, F-30250 / Languedoc-Roussillon 🛜 iD

🔺 Municipal de Garanel**	1 AJMNOPQRST	AN 6
🏠 rue Eugène Rouché	2 ACOQRVXY	ABD**F**H 7
🔓 1 Apr - 30 Sep	3 ALMQ	ACFNORV 8
☎ +33 (0)4-66803349	4 FH	9
@ campingmunicipal.sommieres@wanadoo.fr	5 A**L**	BHIJOTUVW10
	4A CEE	❶ €15,85
📷🅰 N 43°47'13'' E 4°5'13''	0,6 ha 60T(80m²)	❷ €20,55

🚗 A9, Ausfahrt 25 Nîmes-Ouest und dann D40 Richtung Sommières folgen. In Sommières-Zentrum Schildern 'Arènes' und 'Camping' folgen.

Ⓜ

Souvignargues, F-30250 / Languedoc-Roussillon 🛜 iD

🔺 Le Pré Saint André***	1 AD**JM**NOPQRT	AFN 6
🏠 16 route d'Uzès	2 QRVXY	ABDEFH 7
🔓 15 Jan - 15 Dez	3 ALQSV	ABCDEFNRSV 8
☎ +33 (0)4-66809585	4 BCDFHIN**PQ**	ACEJ 9
@ lepresaintandre@orange.fr	5 ABDEGIL**M**	ABHIJ**NP**TU10
	B 10A CEE	❶ €23,50
📷🅰 N 43°48'57'' E 4°7'28''	H112 1,7 ha 50T(75-90m²) 23D	❷ €31,50

🚗 Ausfahrt Nîmes-Ouest, Richtung Le Vigan, nach ca. 5 km im 2. Kreisverkehr Richtung Sommières, dann Souvignargues.

Ⓜ

St. André-de-Roquepertuis, F-30630 / Lang.-Rouss. 🛜 iD

🔺 La Plage**	1 ADE**JM**ST	JNUV 6
🏠 Le Courau	2 CGIJKOPRVWXY	ABDEFH 7
🔓 1 Mai - 15 Sep	3 ABLMNQ	ABCDFKNOQRSV 8
☎ +33 (0)4-66509729	4 O**PQ**	9
@ info@campinglaplage-gard.com	5 ADEGIK**M**	BHIJOR10
	8-16A CEE	❶ €22,20
📷🅰 N 44°14'44'' E 4°27'2''	H100 2 ha 80T(80-300m²) 7D	❷ €29,60

🚗 Von Bagnols Richtung Barjac. CP liegt links von der Straße.

Ⓜ

St. Jean-du-Gard, F-30270 / Languedoc-Roussillon 🛜 iD

🔺 La Foret***	1 ADFJMNOPQRST	ABF 6
🏠 Falguieres	2 BFGNPQUVY	ABDEF 7
🔓 15 Mai - 7 Sep	3 BLQ	ABCDEFNQRSV 8
☎ +33 (0)4-66853700	4 FH**P**	BJ 9
@ laforet30@aol.com	5 ABDEFGK**LM**	BHIJ**O**TU10
	B 4-6-10A CEE	❶ €34,20
📷🅰 N 44°7'55'' E 3°53'25''	3 ha 60T(90-250m²) 15D	❷ €49,20

🚗 Von Anduze (D907) in St.Jean-du-Gard an der Ampel re. D983 Ri. Mialet und St. Germain-de-Calberte. Nach 400m an der Kreuzung li, St. Germain-de-Calberte. Nach 1,5 km re, am Ende von der kleine Straße liegt re der CP.

Ⓜ

St. Jean-du-Gard, F-30270 / Languedoc-Rouss. 🛜 ✿ iD

🔺 Les Sources***	1 ACDE**JM**NNOPRST	ABFGM 6
🏠 route de Mialet	2 BFGOPQUVWXY	ABDE**FG**HK 7
🔓 1 Apr - 30 Sep	3 BFLQ	ABCDEFJKLMNOQRSTUV 8
☎ +33 (0)4-66853803	4 BD**E**FGHILNO**PQ**	DEJ 9
@ camping-des-sources@wanadoo.fr	5 ACDEFGIJL**M**	BFGHIJMN**O**TU10
	B 6-10A CEE	❶ €28,55
📷🅰 N 44°6'48'' E 3°53'31''	H202 2,4 ha 69T(80-120m²) 43D	❷ €38,55

🚗 A7 Bollène - Pont-St-Esprit - Bagnols-sur-Cèze - Alès - Anduze - St. Jean-du-Gard. Nach Ampel rechts 1,2 km.

Ⓜ

St. Jean-du-Gard, F-30270 / Lang.-Rouss. 🛜 (CC€16) iD

🔺 Mas de la Cam****	1 ADEILNOPQRT	ABFGJNP 6
🏠 route de St. André-de-Valborgne	2 BCFGIJPVWXY	ABDEFH 7
🔓 25 Apr - 20 Sep	3 BEHL**MQ**	ABCDEFKNOQRSV 8
☎ +33 (0)4-66851202	4 ABDFHINO**PQ**Y	I 9
@ camping@masdelacam.fr	5 ACDEFGIJK**LM**	BDHIJNOTU10
	Anzeige auf Seite 321 B 6-10A CEE	❶ €41,10
📷🅰 N 44°6'45'' E 3°51'16''	H206 8 ha 200T(80-120m²) 9D	❷ €52,10

🚗 A7 Bollène, Pont-St-Esprit, Bagnols-sur-Cèze, Alès, Richtung Montpellier, St. Christol, Anduze, St. Jean-du-Gard Richtung St. André-de-Valbogne.

Ⓜ

St. Julien-de-Peyrolas, F-30760 / Lang.-Rouss. 🛜 iD

🔺 Le Peyrolais***	1 ADEILNOPQRST	JNU 6
🏠 821 chemin du Camping	2 CIPVWXY	ABDEFH 7
🔓 4 Apr - 26 Sep	3 BILQT	ABCDEFNRSV 8
☎ +33 (0)4-66821494	4 FINO**PQ**	EFQR 9
@ lepeyrolais@orange.fr	5 ABDEFGIJLM	ABHIJ**P**TUV10
	10A CEE	❶ €25,30
📷🅰 N 44°17'23'' E 4°35'22''	H54 5 ha 100T 24D	❷ €33,60

🚗 Ausfahrt Bollène Richtung Pont-St-Esprit. Danach die D6086. Weiter links ab die D901 Richtung Barjac. CP nach 5 km.

Ⓜ

St. Victor-de-Malcap, F-30500 / Languedoc-Rouss. 🛜 iD

🔺 Domaine de Labeiller****	1 ABJMNOPQRT	AFHN 6
🏠 1701 route de Barjac	2 DPQRTUVXY	ABDEFH 7
🔓 1 Jun - 31 Aug	3 BEL**MQ**	ABCDEFKNORSV 8
☎ +33 (0)4-66241527	4 INO**PQ**	EI 9
@ campinglabeiller@wanadoo.fr	5 ABDEFGIKM	BCHJNPST10
	6A CEE	❶ €38,10
📷🅰 N 44°14'30'' E 4°13'38''	H144 8 ha 216T(100-130m²) 58D	❷ €50,10

🚗 D51 Barjac-St. Ambroix. CP liegt 3 km vor St. Ambroix und ist gut angezeigt.

Ⓜ

Thoiras/Anduze, F-30140 / Languedoc-Roussillon 🛜 iD

🔺 La Pommeraie****	1 ABDE**JM**NOPQRST	AFJN 6
🏠 route de Lasalle	2 BCFGHIOPVWXY	ABDE**FG**H 7
🔓 12 Apr - 19 Sep	3 BEL**MN**QR	ABCDEFKNORSV 8
☎ +33 (0)4-66852052	4 ABDEFHILMNO**PQ**	EFJL 9
@ info@la-pommeraie.fr	5 ABDEFGIJL	BGHIJN**O**PTUZW10
	B 6-10A CEE	❶ €30,30
📷🅰 N 44°2'37'' E 3°52'54''	H170 7,5 ha 130T(90-120m²) 86D	❷ €40,70

🚗 D907 von Anduze nach St. Jean-du-Gard. Dann D57, bei der Brücke in St. Jean links bleiben, nach Lasalle. CP ist beschildert (6 km).

Ⓜ

camping mas de la cam ★★★★
F-30270 St Jean du Gard
www.camping-cevennes.info
www.fiets-cevennen.com

Uzès, F-30700 / Languedoc-Roussillon 🛜 iD

🏔 Centre de Vacances Le Moulin Neuf***
🏕 St. Quentin-la-Poterie
📅 1 Apr - 22 Sep
☎ +33 (0)4-66221721
@ lemoulinneuf@yahoo.fr
📍 N 44°1'56'' E 4°27'20''

1 ADEJMNOR**T**		A 6
2 GIPVXY		ABDE**F**H 7
3 ABE**IKLM**Q		ABCDEFKNQRS 8
4 BDEFILNO**PQ**		J 9
5 ABDEFIK**LM**		ABHIJOR10
B 5A		➊ €24,10
H140 5 ha 137T(90-110m²) 34**D**		➋ €29,35

🚗 Von der D982 Uzes-Bagnols die D5 Richtung St. Quentin nehmen. Dann die D405.

Uzès/Arpaillargues, F-30700 / Lang.-Rouss. 🛜 ⚙ iD

🏔 Le Mas de Rey****
🏕 D982
📅 1 Apr - 15 Okt
☎ +33 (0)4-66221827
@ info@campingmasderey.com
📍 N 43°59'53'' E 4°23'3''

1 ACDE**JM**NOPRT		ABF**G**N 6
2 BPQRVXY		ABDE**F**HK 7
3 BE**KL**QV		ABCDEFKNRSV 8
4 FHIOPU		AJL 9
5 ABEIK**LM**		ABHIJPTUV10
B 10A		➊ €40,10
H80 5 ha GOT(100-120m²) 100		➌ €45,00

🚗 Von Uzès die D982 Richtung Anduze fahren, hier den Schildern zum CP folgen. CP links.

Vallabrègues/Beaucaire/Tarasc., F-30300 / Lang.-Rouss. 🛜 (CC€16) iD

🏔 Lou Vincen***
📅 1 Apr - 31 Okt
☎ +33 (0)4-66592129
@ campinglouvincen@wanadoo.fr
📍 N 43°51'18'' E 4°37'32''

1 ADEF**JM**NOPRT		AN 6
2 CDOPQRVXY		ABDE**F**H 7
3 AELMQ		ABCDFNORTU 8
4 FH		E 9
5 ABK**LM**		BDHIJ**NP**ST10
6A		➊ €27,10
1,4 ha 69T(bis 100m²) 20**D**		➋ €39,20

🚗 Von Beaucaire-Tarascon Richtung Vallabrègues. Im Ort ist der CP nahe der Rhône ausgeschildert.

Vauvert, F-30600 / Languedoc-Roussillon 🛜 ⚙ (CC€14) iD

🏔 Le Mas de Mourgues**
🏕 Gallician
📅 15 Mär - 15 Okt
☎ +33 (0)4-66733088
@ info@masdemourgues.com
📍 N 43°39'16'' E 4°17'44''

1 ADE**JL**NOPRST		AB 6
2 QRWXY		ABDEFK 7
3 ALQ		A**B**FNQRV 8
4 BFH		AE 9
5 ABEFGLM		BDFGHJ**P**TUV10
B 10A CEE		➊ €26,90
2 ha 62T(50-100m²) 21**D**		➋ €32,90

🚗 A9 Ausfahrt 26 Richtung Gallargues. Dann die N313 Richtung Aimargues. Weiter die N572. Hinter Vauvert liegt links der CP.

Villeneuve-lez-Avignon/Avignon, F-30400 / Lang.-Rouss. 🛜 (CC€14) iD

🏔 Campéole L'ile des Papes****
🏕 1497, D780
📅 28 Mär - 11 Nov
☎ +33 (0)4-90151590
@ ile-des-papes@campeole.com
📍 N 43°59'37'' E 4°49'4''

1 ADE**JM**NOPRS**T**		ABF**I**N 6
2 ACFGOPQRVWXY		ABE**FG** 7
3 BE**IKL**Q		ABCDFKNQRSV 8
4 BDFHILNO**PQ**		A**C**FJLV 9
5 AB**EG**J**LM**		ABGHIJN**P**TUVZ10
B 10A CEE		➊ €33,10
20 ha 176T(100m²) 205**D**		➋ €43,70

🚗 A9, Ausfahrt Roquemaure, Richtung Roquemaure-Zentrum, dann Sauveterre und Barrage-de-Villeneuve. Dort ausgeschildert.

Villeneuve-lez-Avignon/Avignon, F-30400 / Lang.-Rouss. 🛜 (CC€16) iD

🏔 VivaCamp La Laune***
🏕 chemin Saint-Honoré
📅 30 Mär - 17 Okt
☎ +33 (0)4-90257606
@ vivacamplalaune@gmail.com
📍 N 43°58'14'' E 4°47'56''

1 ADE**JM**NORS**T**		N 6
2 AOPQRVXY		ABDE**F**H 7
3 AE**KL**MQ		ABCDEFNQRV 8
4 FHIO**P**		E 9
5 ABDEFGI**LM**		ABHJOTUVZ10
B 6A CEE		➊ €25,90
H50 2,3 ha 126T(80-100m²) 7**D**		➋ €35,20

🚗 A9 Ausfahrt 22 über die D976 nach Roquemaure. Dann die D980 nach Villeneuve-lez-Avignon. CP ausgeschildert.

Hérault

Agde, F-34300 / Languedoc-Roussillon (CC€16) iD

Camping Le Neptune****
46 blvd du St. Christ
5 Apr - 4 Okt
+33 (0)4-67942394
info@campingleneptune.com
N 43°17'53'' E 3°27'23''

1	AJMNOPRST	ABFMNXYZ 6
2	AHPVWXY	ABDEFGH 7
3	BEKLQ	BDEFKNOQRSV 8
4	BHIORU	ELV 9
5	ABDEFGKLM	BCHIJPTUVZ 10

Anzeige auf Seite 323   B 10A CEE
2,7 ha 100T(70-120m²) 55D   ① €37,70 ② €59,70

A9 Ausfahrt Agde Richtung Agde. Dann Ausfahrt Le Grau-d'Agde. CP liegt nach etwa 3 km auf der linken Seite.

Agde, F-34300 / Languedoc-Roussillon (CC€12) iD

Les Mimosas****
98 route de Guiraudette
16 Mär - 17 Okt
+33 (0)4-67016736
contact@ campingmimosas.com
N 43°17'17'' E 3°28'14''

1	ADEJMNORST	ABFGN 6
2	OQVWXY	ABDEFHK 7
3	ABKLQ	ABCDEFKNRSTV 8
4	BDHI	ELUV 9
5	ACDEF	BDHIJNPTU 10

B 16A
1,6 ha 26T(80-110m²) 83D   ① €37,00 ② €47,00

A9 Ausfahrt Cap d'Agde. (D112). Weiter Ausfahrt Le Grau-d'Agde. Am Kreisel mit Bild, die 2. Ausfahrt rechts. Den CP-Schildern folgen.

Agde, F-34300 / Languedoc-Roussillon (CC€16) iD

L'Escale***
route de la Tamarissière
28 Mär - 27 Sep
+33 (0)4-67212109
camping-lescale@hotmail.fr
N 43°17'49'' E 3°26'57''

1	ADJMNOPRST	AFNQSWXYZ 6
2	ACHPVY	BEFGH 7
3	BGKLQ	BDFNORSV 8
4	BDILP	EUVW 9
5	ABDEFGIJK	ABDHIJNPTUVZ 10

B 6A
2,5 ha 50T(80-90m²) 181D   ① €38,40 ② €45,60

A9, Ausfahrt Agde nehmen. Im Kreisverkehr auf die N312, Richtung Agde. Ausfahrt Tamarissière nehmen. Nach ca. 3 km liegt rechts neben der Straße der CP.

Agde, F-34300 / Languedoc-Roussillon (CC€16) iD

Les Romarins****
6 route du Grau
28 Mär - 2 Okt
+33 (0)4-67941859
contact@romarins.com
N 43°17'40'' E 3°27'0''

1	ADEJMNOPRST	ABNXZ 6
2	ACHOPVWXY	ABDEFH 7
3	BEKLQ	ABCDFKNRSV 8
4	BDHILNOP	DEHJLV 9
5	ABDEFGIM	ABCDHIJMNOPTU 10

Anzeige auf Seite 323   B 10A CEE
2,5 ha 120T(80-115m²) 54D   ① €35,00 ② €46,80

A9, Ausfahrt Agde. Richtung Agde. Bei Agde Ausfahrt Le Grau-d'Agde. Nach circa 3 km links.

Agde, F-34300 / Languedoc-Roussillon (CC€12) iD

La Pepinière***
3 route du Grau d'Agde
14 Mär - 16 Okt
+33 (0)4-67941094
reception@lapepiniere.com
N 43°17'47'' E 3°27'8''

1	ADEILNOPRST	ABFGN 6
2	CORVWX	ABDEFGH 7
3	BEKLQ	ABDFNRV 8
4	BDHILNPQT	ELUVW 9
5	ADG	BDHIJPTU 10

B 10A CEE
1,9 ha 35T(80-100m²) 29D   ① €30,00 ② €38,80

Von der A9: Cap d'Agde. Auf der D612 Ausfahrt Grau d'Agde. Dann der Beschilderung 'Camping des Berges de L'Hérault' folgen. CP ist angezeigt.

Agde, F-34300 / Languedoc-Roussillon (CC€14) iD

Le Cap Agathois***
11, rue des Entrepreneurs
15 Apr - 14 Sep
+33 (0)4-67940221
info@ campingcapagathois.com
N 43°18'33'' E 3°29'31''

1	ADEJMNOPQRT	ABFGHI 6
2	APVWXY	ABDEFG 7
3	BDEKLQ	ABCDEFKNRSV 8
4	BCDHINOPQU	EUVW 9
5	ABDEFGM	BDHIJMOTUVZ 10

Anzeige auf Seite 323   10A CEE
4 ha 60T 97D   ① €30,00 ② €43,00

Von Marseillan-Plage der D612 Richtung Agde folgen. Vom Kreisel aus ist der Camping ausgeschildert.

Radweg vor dem Campingplatz

Strand in 2 km

Camping Le Neptune ★ ★ ★
Mietwohnwagen und Wohnwagenplätze

FISH FOR FREE

zu vermieten

WiFi GRATIS

am Fluss entlang

beheiztes Schwimmbad

Terrasse am Schwimmbad

Aniane, F-34150 / Languedoc-Roussillon

▲ Camp. Naturiste	1 D**JM**NORT	AF 6
La Source St. Pierre	2 ACPQRVWXY	BE**FH** 7
🏠 1 route de Gignac	3 ALQS	BFNOQRV 8
🕐 1 Mai - 30 Sep	4 DINO	ADER 9
☎ +33 (0)4-67577695	5 ADEGI	DIJKPTUVZ10
@ campingstpierre@hotmail.com	**FKK** 10A CEE	➊ €33,50
📍 N 43°40'18'' E 3°33'39''	71**T**(80-100m²) 27**D**	➋ €43,45

Balaruc-les-Bains, F-34540 / Languedoc-Roussillon � iD

▲ Sites & Paysages	1 ADE**JM**NOPRT	ABFGN 6
Le Mas du Padre★★★★	2 AHJNRTVXY	ABDE**FH** 7
🏠 4 chemin du Mas du Padre	3 BELQ	ABCDEFKNQRSTUV 8
🕐 1 Apr - 31 Okt	4 BCDIO**P**	EFJ 9
☎ +33 (0)4-67485341	5 **AM**	ABHIJ**N**OR10
@ contact@mas-du-padre.com	B 6+10A CEE	➊ €36,50
📍 N 43°27'8'' E 3°41'32''	1,8 ha 88**T**(80-100m²) 27**D**	➋ €44,80
🚗 A9 Ausfahrt Sète. 1. Kreisel rechts ab. Am 2. Kreisel geradeaus(Richtung Sète), 40m danach 1. Ausfahrt rechts Richtung Barlaruc-les-Bains. Am Kreisel links ab und über die Brücke. Dann sofort 1. Ausfahrt rechts (Le chemin du Mas du Padre).		

Boisseron, F-34160 / Languedoc-Roussillon � (CC€14) iD

▲ Domaine de Gajan★★★★	1 ADE**JM**NOPR**T**	ABFNO 6
🏠 rue de Pie Bouquet	2 ABCQRVWXY	BE**FGH** 7
🕐 1 Apr - 30 Sep	3 A**H**LMQ	ADFKNRSV 8
☎ +33 (0)4-66809430	4 BDFHILNOPQ	BE**J** 9
@ info@	5 ABDEFGIKLM	BDGHIJOTV10
campingdomainedegajan.com	B 16A CEE	➊ €30,50
📍 N 43°46'1'' E 4°4'28''	3 ha 51**T**(80-120m²) 63**D**	➋ €40,90
🚗 A9 Ausfahrt Lunel. Danach ca. 7 km Boisseron. In Boisseron der Beschilderung folgen und vor der Brücke rechts. Nach 250m kommt der CP.		

Bouzigues, F-34140 / Languedoc-Roussillon � iD

▲ Lou Labech★★★	1 A**JM**NOPRT	N 6
🏠 chemin du Stade	2 AHPRTUVWXY	ABDE**FH** 7
🕐 28 Mär - 27 Okt	3	ABCDEFNQV 8
☎ +33 (0)4-67783038	4 O	DFL 9
@ contact@lou-labech.fr	5 ABI	ABIJNOUV10
	B 6-10A	➊ €28,80
📍 N 43°27'2'' E 3°39'56''	0,7 ha 48**T**(80-138m²) 10**D**	➋ €34,20
🚗 A9 Ausfahrt 33 Richtung Mèze/Bouzigues. Nach ca 4 km links ab Richtung Bouzigues. (Mit Wohnwagen: nicht in den Ort, sondern die RN113 Richtung Gigean). Nach 400m rechts. Innerorts den CP-Schildern folgen.		

Brissac, F-34190 / Languedoc-Roussillon � iD

▲ Domaine d'Anglas★★★	1 AE**IL**NOPRST	J 6
🕐 12 Apr - 15 Sep	2 CFKPUVWXY	AD**FG** 7
☎ +33 (0)4-67737018	3 ABELQ	ACFNS 8
@ contact@camping-anglas.com	4 EI	BEJQU 9
	5 ADEFGIL	BFIJOV10
	10A	➊ €28,20
📍 N 43°52'34'' E 3°42'59''	H126 5 ha 78**T**(60-120m²) 22**D**	➋ €39,20
🚗 CP liegt zwischen der CD108 von St. Bauzille-de-Putois nach Brissac und Hérault.		

Les Romarins ★ ★ ★ ★
6 route du Grau, Agde

Les Romarins

Gratis WiFi auf der Terrasse • Familiäre Atmosphäre • Beheiztes Schwimmbad

34300 Agde · Tel. 04-67941859
E-Mail: contact@romarins.com
Internet: www.romarins.com

Brissac, F-34190 / Languedoc-Roussillon � (CC€16) iD

▲ Le Val d'Hérault★★★★	1 ADE**JM**NOPR**T**	A**J**N**U**X 6
🏠 D4	2 CGHPQRUVWXY	BE**F** 7
🕐 15 Mär - 31 Okt	3 BELQ	BDEFNRS 8
☎ +33 (0)4-67737229	4 INO**P**Q	BEJQR 9
@ levaldherault@orange.fr	5 ABDEFGIK	BDIJO10
	6A CEE	➊ €29,90
📍 N 43°50'48'' E 3°42'19''	H100 3,5 ha 135**T**(60-80m²) 55**D**	➋ €40,70
🚗 Kommend von Nîmes nach Le Vigan über die D999: Auf der Umgehung um Ganges am Kreisverkehr mit Wasserrad Richtung Cazilhac fahren. Der CP liegt im Süden von Brissac an der D4.		

Les Sablettes ★★★

Familiencampingplatz 800m vom Strand, 2 km von Agde.
Schwimmbad mit Rutschbahn, Planschbecken, Whirlpool,
Freizeitraum, Spielplatz, Tischtennis, Kegelbahn. Stellplätze für Zelte,
Caravans und Reisemobile. WLAN gratis an der Restaurantbar.

55 chemin de Baluffe, 34300 Grau-d'Agde
Tel. 04-67943665 • E-Mail: lessablettes@hotmail.fr
Internet: www.campinglessablettes.com

Cap-d'Agde, F-34300 / Languedoc-Rouss.

Camping Mer et Soleil★★★★
88 chemin de Notre Dame-St. Martin
11 Apr - 3 Okt
+33 (0)4-67942114
contact@
camping-mer-soleil.com
N 43°17'11'' E 3°28'41''

1 ADEJMNOPQRT	ABFGHIMNQRSTUV 6
2 AHOPQVX	ABDEFGHK 7
3 BEKLMR	BDFKNOQRSV 8
4 ABCDEHILNOPQRSTUVXYZ	AELUV 9
5 ACDEFGJKLM	ABDHIKOPQSTZ10
Anzeige auf Seite 325 B 6A CEE	❶ €47,00
9 ha 83T(60-100m²) 350D	❷ €62,00

Von der A9 (oder N312) Ausfahrt 34 Cap d'Agde, weiter Rochelongue, nach der Brücke über den Hérault nach rechts, Rochelongue. CP-Schildern folgen.

Cap-d'Agde, F-34300 / Languedoc-Rouss.

La Mer★★★
route de Rochelongue
11 Apr - 4 Okt
+33 (0)4-67947221
camping-la-mer@wanadoo.fr
N 43°16'43'' E 3°28'43''

1 AILNOPRT	KNQRSX 6
2 AEHOPQVXY	ABDEFH 7
3 BKLQT	ABCDEFKNORS 8
4 BDHINOPQ	EFUV 9
5 ADFGLM	ABDHIJNOTU10
B 6A	❶ €33,40
3 ha 93T(60-90m²) 32D	❷ €41,40

A9 Ausfahrt Agde N312, geht über in die D112, Ausfahrt Agde/Rochelongue. Am Kreisel Richtung Rochelongue. Am 2. Kreisel links. An der T-Kreuzung rechts etwa 500m.

Cap-d'Agde, F-34300 / Languedoc-Rouss.

Le Rochelongue★★★★
route de Rochelongue
4 Apr - 10 Okt
+33 (0)4-67212551
le.rochelongue@wanadoo.fr
N 43°16'45'' E 3°28'53''

1 ADEJMNOPRST	ABFGKMNQRSTXY 6
2 AEHOPQVWX	ABDEFGH 7
3 BKLQ	ABCDEFKNOPQRSTUV 8
4 BCDHILNOPXZ	EL 9
5 ABDEFGKM	BDGHIJPTU10
Anzeige auf Seite 325 B 10A CEE	❶ €49,30
2,5 ha 44T(80-90m²) 63D	❷ €65,80

Auf der A9 die Ausfahrt Cap d'Agde nehmen. 800m von Cap d'Agde den CP-Schildern folgen, auf denen Le Rochelongue angegeben steht.

Castries, F-34160 / Languedoc-Roussillon

de Fondespierre★★★
277 chemin Pioch Viala
1/1 - 28/5, 2/6 - 17/12
+33 (0)4-67912003
accueil@
campingfondespierre.fr
N 43°41'38'' E 3°59'46''

1 ADEILNORT	AB 6
2 AFRTUVWXY	BEFGH 7
3 BEFLMQST	BDFNORSV 8
4 I	AEFLUY 9
5 ABGKL	BDGHIJPV10
16A	❶ €33,00
H59 2,1 ha 59T(60-120m²) 72D	❷ €43,00

A9, Ausfahrt 28 Richtung Vendargues, rechts, Richtung Castries fahren. Von Castries D610 folgen und 800m hinter dem Dorf links Richtung 'Domaine de Fondespierre'. Dann ausgeschildert.

Clapiers, F-34830 / Languedoc-Roussillon

Le Plein Air des Chênes★★★★
avenue Georges Frêche
3 Apr - 11 Okt
+33 (0)4-67020253
pleinairdeschenes@sandaya.fr
N 43°39'6'' E 3°53'46''

1 ADEJMNOPQRST	ABFHI 6
2 AORUVXY	BEFG 7
3 BCDEGILMQ	ABCDFLNORSV 8
4 BCDILNOPQU	EJK 9
5 ABDEGIJ	ABDHIJNP10
B 10A	❶ €52,50
8 ha 83T(50-80m²) 310D	❷ €67,00

A9, Ausfahrt Vendargues. Richtung Jacou/Clapiers über die D21. In Clapiers liegt der CP an der D112. Ist ausgeschildert.

Clermont-l'Hérault, F-34800 / Languedoc-Rouss.

Les Rivières★★★
route de la Sablière
5 Apr - 15 Sep
+33 (0)4-67967553
camping-les-rivieres@
wanadoo.fr
N 43°36'55'' E 3°29'40''

1 AEJMNOPRST	AFHJN 6
2 ACPSVWXY	ABDEFH 7
3 ABCELQ	ABCDFNRV 8
4 INOPU	EFU 9
5 DFGIL	BGHIJNOV10
5A	❶ €31,65
6,8 ha 118T(80-100m²) 41D	❷ €39,65

A75 Ausfahrt Clermont-L'Hérault, über die D2 nach Canet. In Canet Richtung La Sablière. CP liegt an der Strecke nach La Sablière.

Colombiers, F-34440 / Languedoc-Roussillon

Les Peupliers★★★
7 promenade de l'Ancien Stade
15 Jan - 15 Nov
+33 (0)4-67370526
contact@
camping-colombiers.com
N 43°19'6'' E 3°8'35''

1 ADEJMNOPQRST	AF 6
2 APRVWXY	BEFGH 7
3 BLS	BFGIJKNRSV 8
4 DFHO	EJ 9
5 ADEFGIKL	BDGHIJOPTUV10
B 10A CEE	❶ €27,50
H57 1 ha 50T(75-100m²) 48D	❷ €33,30

A9 Ausfahrt 36 Béziers-West. Dann im Kreisel Richtung D64 Castres/Mazamet, dritte Straße rechts Richtung D11 Capastang/Montady. In Montady im Kreisel Richtung Colombiers-Les Peupliers folgen und nicht dem GPS/Navi!

Fabrègues, F-34690 / Languedoc-Rouss.

Le Botanic
Launac-le-Vieux
1 Apr - 10 Okt
+33 (0)4-67855318
contact@
camping-le-botanic.com
N 43°32'28'' E 3°44'51''

1 ADEILNOPQRST	ABFG 6
2 APRVWXY	ABDEFH 7
3 AQ	ABEFKNRSV 8
4 BDK	ABFU 9
5 ADEFGIKL	BDGHIJPTU10
B 10A CEE	❶ €28,40
H50 2 ha 62T(90-180m²) 24D	❷ €36,40

A9 Ausfahrt 32 oder 33. Zwischen Fabrègues und Gigean auf der D613 Richtung Cournonterral. Nach 800m kommt der Camping links.

Fontès, F-34320 / Languedoc-Roussillon

L'Evasion★★★
route de Cabrières
15 Mär - 4 Nov
+33 (0)4-67253200
cordierseverine@hotmail.fr
N 43°32'51'' E 3°22'48''

1 AJMNORT	A 6
2 AFPQRUVWX	ABEFGH 7
3 B	ABFKNORSTV 8
4 BCDFIKLNOPQ	E 9
5 ABDEFGIKL	BDHIJPTUV10
10A CEE	❶ €22,50
H50 2,7 ha 35T(80-120m²) 39D	❷ €29,50

A75 Ausfahrt 58 Richtung Adissan. Hinter Adissan Richtung Fontès. In Fontès die D124 Richtung Cabrières. Camping liegt an dieser Straße.

Frontignan-Plage, F-34110 / Lang.-Rouss.

Camping Village Intern. Les Tamaris★★★★★
140 avenue d'Ingril
3 Apr - 11 Okt
+33 (0)4-67434477
lestamaris@sandaya.fr
N 43°27'0'' E 3°48'21''

1 ADEJMNOPQRT	AFKMNQSW 6
2 DEHOPQRVWXY	ABDEFGH 7
3 BFHLQR	ABCDEFJKNQRSTUV 8
4 BCDILNOPQR	EJLUV 9
5 ACDEFGJKM	ABDHIJOPRZ10
B 10A CEE	❶ €59,00
5 ha 137T(75-105m²) 113D	❷ €79,00

Der CP liegt an der D50. Bei den CP-Schildern dem Schild nach links folgen. Gut ausgeschildert.

Gignac, F-34150 / Languedoc-Roussillon

La Meuse★★★
route d'Aniane
1 Apr - 30 Sep
+33 (0)4-67579297
camping.meuse@wanadoo.fr
N 43°39'43'' E 3°33'32''

1 ADEJMNORST	U 6
2 ACPVWXY	ABDEF 7
3 ABLMQ	ABCDEFNRV 8
4 I	E 9
5 DEGL	BHIJOU10
16A CEE	❶ €17,00
H77 3,4 ha 91T(60-100m²) 9D	❷ €21,00

A750 und RD32. In Gignac Zentrum den Pfeilen folgen.

Grau-d'Agde, F-34300 / Languedoc-Rouss.

Les Sablettes★★★
55 chemin de Baluffe
1 Apr - 30 Sep
+33 (0)4-67943665
lessablettes@hotmail.fr
N 43°17'17'' E 3°27'46''

1 ADEILNOPRT	AFHN 6
2 AHOQRVWXY	BEFH 7
3 BKLQT	ABDFGNORSTV 8
4 BCDHILNOPQ	EJ 9
5 ADEFGIM	BGHIJOPTU10
Anzeige auf dieser Seite B 6A CEE	❶ €37,00
2,5 ha 91T(70-90m²) 112D	❷ €48,00

A9 Ausfahrt Cap d'Agde (D112). Weiter die Ausfahrt Grau d'Agde und am Kreisel mit dem Denkmal die 2. Ausfahrt nehmen. Am folgenden Kreisel 1. Ausfahrt, den CP-Schildern folgen.

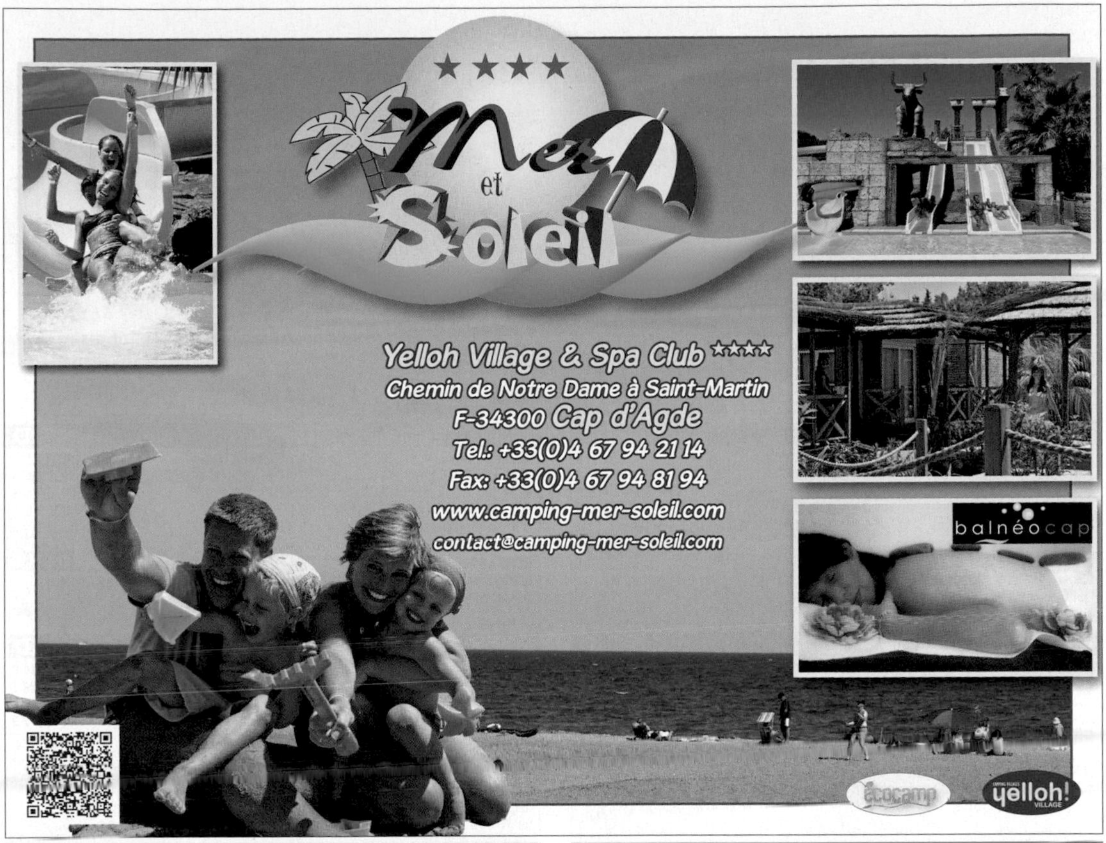

La Grande-Motte, F-34280 / Languedoc-Roussillon 📶 iD

🏕 Le Garden★★★★	1 ADE**JM**NOPQRST	AFKMNQSW 6
🏠 avenue de la Petite Motte	2 ABEHOQRVXY	ABDE**FGH** 7
📅 1 Apr - 3 Okt	3 A**KLQ**	CDEFNRSTU 8
☎ +33 (0)4-67565009	4 FHLO	EL 9
📠 +33 (0)4-67562569	5 ACDEFGIJM	AGHIJOTU10
	B 10A CEE	① €45,20
📍 N 43°33'47'' E 4°4'22''	3,5 ha 83T(50-100m²) 121D	② €55,00

🚗 A9 Ausfahrt Gallargues Richtung Lunel, über die D61 nach La Grande-Motte. In La Grande-Motte Richtung La Petite Motte. Dann rechts anhalten (2x).

Lamalou-les-Bains, F-34600 / Languedoc-Roussillon iD

🏕 Domaine de Gatinié★★★	1 A**JM**NOPRST	A**J**NUX 6
🏠 route de Gatinié	2 CKPRUVWXY	ABDE**F**H 7
📅 1 Mai - 31 Aug	3 ABE**KLQ**	ABDEFNORS 8
☎ +33 (0)4-67957195	4 FI**QQ**	E 9
@ gatinie@wanadoo.fr	5 BGIK	BHIJ**N**V10
	10A	① €25,60
📍 N 43°34'35'' E 3°4'6''	H159 3 ha 71T(80-150m²) 18D	② €41,60

🚗 Von Bédarieux der D908 folgen bis Lamalou-les-Bains. Bei der 1. Ampel links, über die Orb rechts.

La Salvetat-sur-Agout, F-34330 / Lang.-Rouss. 📶 iD

🏕 Goudal★★	1 A**JM**NOPRT	ALUW**XYZ** 6
🏠 route de Lacaune	2 BCDFGHPQRTUVWXY	ABD**FG** 7
📅 1 Jun - 15 Sep	3 ABEF**GH**LQS	ABEFGJKNRSTV 8
☎ +33 (0)4-67976044	4 BFHIL	AFJY 9
@ info@goudal.com	5 ADEG**LM**	ABFGHIJMNOTVZ10
	6A CEE	① €23,65
📍 N 43°37'39'' E 2°40'43''	H750 5 ha 100T(60-150m²) 17D	② €31,15

🚗 Clermont-Ferrand - Millau - St. Affrique - Lacaune, 15 km auf der D907 Richtung La Salvetat.

Lansargues/Mauguio, F-34130 / Lang.-Rouss. 📶 CC€14 iD

🏕 Le Fou du Roi★★★	1 ADEJMNOPRS**T**	AFN 6
🏠 chemin des Codoniers	2 ORVWXY	BEFHK 7
📅 1 Apr - 15 Okt	3 A**KLQS**	ABDFKNQRSV 8
☎ +33 (0)4-67867808	4 BDHINO**PQTU**	EL 9
@ campinglefouduroi@free.fr	5 ABDEG**LM**	BDGHIJPTV10
	B 10A CEE	① €32,60
📍 N 43°39'6'' E 4°3'59''	1,9 ha 50T(bis 120m²) 46D	② €42,80

🚗 Von Lunel D24 nach Lansargues/Mauguio. Der CP ist entlang der D24 ausgeschildert.

Teilkarte Hérault auf Seite 322

Frankreich

Lattes, F-34970 / Languedoc-Roussillon

🅳

▲ L'Oasis Palavasienne★★★★
🛏 route de Palavas
🗓 25 Apr - 5 Sep
☎ +33 (0)4-67151161
@ oasis.palavasienne@wanadoo.fr
📍 N 43°33'13'' E 3°53'37''

1	ADEILNORT	ABFN 6
2	ACOPRVX	ABDEFGH 7
3	BELQ	ABCDEFNRS 8
4	IOPQRTV	EGKLUV 9
5	ABDEFGIK	BGHILNUV10
B	10A CEE	① €40,90
3,8 ha 40T(60-80m²)	340D	② €48,90

🚗 A9, Ausfahrt Montpellier-Sud, Richtung Lattes/Palavas. Der CP liegt an der D986.

Lattes, F-34970 / Languedoc-Roussillon

🛜 🅳

▲ Le Parc★★★
🛏 CD172
🗓 1 Jan - 31 Dez
☎ +33 (0)4-67658567
@ camping-le-parc@wanadoo.fr
📍 N 43°34'35'' E 3°55'32''

1	ADEILNOPRT	ABF 6
2	AORVXY	BDFGH 7
3	ABLQ	ACFJNRV 8
4	IOR	EV 9
5	ABDEFGM	BHIJPTUV10
	10A CEE	① €29,90
1,6 ha 68T(70-100m²)	33D	② €37,90

🚗 A9 Ausfahrt 29 Richtung Flughafen am Kreisel die 4. Abfahrt. GPS: Route de Mauguis 34970 Lattes.

Laurens, F-34480 / Languedoc-Roussillon

🛜 ✿ CC€16 🅳

▲ Sites & Paysages L'Oliveraie★★★★
🛏 chemin de Bédarieux
🗓 1 Mär - 31 Okt
☎ +33 (0)4-67902436
@ oliveraie@free.fr
📍 N 43°32'10'' E 3°11'10''

1	ADEILNOPRT	AF 6
2	GPRUVWXY	ABEFH 7
3	BEGHILMQRS	BCDEFJKNOQRSTV 8
4	BCDFHINOP	EFLUV 9
5	ACDEFGIKL	ABDGHIJNPTUV10
B	10A CEE	① €32,00
H186 7 ha 78T(85-150m²)	32D	② €42,00

🚗 Der CP liegt an einer Seitenstraße der D909, ca. 1,5 km nördlich von Laurens. Entlang der D909 steht auf den Schildern: 'Centre de Loisirs de l'Oliveraie'.

Lodève, F-34700 / Languedoc-Roussillon

🛜 🅳

▲ Domaine de Lambeyran★★★
🛏 Hameau de Lambeyran
🗓 20 Mai - 20 Sep
☎ +33 (0)4-67441399
@ lambeyran@wanadoo.fr
📍 N 43°44'11'' E 3°15'52''

1	ADEHKNOPQRST	ABF 6
2	ACFPTUVWXY	ABDEF 7
3	ABELQ	ABEFNORSV 8
4	FINO	DEIJ 9
5	ABCDEGK	ABHJNOTUV10
FKK	6A CEE	① €32,90
H444 345 ha 160T(100-160m²)	21D	② €43,10

🚗 A75 bis Lodeve, dort Richtung Lunas fahren. Abbiegen Richtung L'Ambayran. D35e bergaufwärts bis CP folgen.

Lodève, F-34700 / Languedoc-Roussillon

🛜 🅳

▲ Les Vailhès★★
🛏 Lac du Salagou
🗓 1 Apr - 30 Sep
☎ +33 (0)4-67442598
@ camping@lodevoisetlarzac.fr
📍 N 43°40'13'' E 3°21'21''

1	AEJMNORT	LNQRSTXY 6
2	ADFJORUVWXY	ABDEF 7
3	ABFLQR	ABEFNQRV 8
4	I	MOPTU 9
5	ADG	HIJLOTUV10
	10A CEE	① €20,10
H137 4 ha 239T(50-100m²)		② €24,50

🚗 A75 von Montpellier Ausfahrt 55 und den Pfeilen folgen. A75 von Millau Ausfahrt 54 und den Pfeilen folgen.

Lodève, F-34700 / Languedoc-Roussillon

🛜 CC€16 🅳

▲ Les Vals★★★
🛏 2000 route du Puech
🗓 15 Apr - 30 Okt
☎ +33 (0)4-30401780
@ campinglesvals@yahoo.fr
📍 N 43°42'43'' E 3°19'19''

1	ADEGJLNORT	AJN 6
2	ACPQRUVWXY	BEFGH 7
3	ABEILMQ	BDFKNRV 8
4	BDFGINOX	EFV 9
5	ABDEFGIKLM	ABDHJPU10
B	6A CEE	① €25,60
H150 3,5 ha 65T(80-180m²)	32D	② €37,60

🚗 N: Ausf. 52 von der A75 Richtung Lodève. Nich Ri. Zentrum sondern der Av. Fumel folgen. Re. über die Brücke Vinas Ri. Puech. 2 km auf der D148. S: Ausf. 53 von der A75 Ri. Zentrum Lodève. Aan der Vinasbrücke Ri. Puech. 2 km auf der D148.

Loupian, F-34140 / Languedoc-Roussillon

🛜 CC€12 🅳

▲ Municipal de Loupian★★★
🛏 route de Mèze
🗓 4 Apr - 18 Okt
☎ +33 (0)4-67435767
@ camping@loupian.fr
📍 N 43°26'42'' E 3°36'55''

1	ADEJMNOPQRST	6
2	AOPRVWXY	ABDEFH 7
3	ALMNQS	ABCDFNRSV 8
4	BHIN	E 9
5	ADEGILM	ABDHIJPTUV10
B	6A CEE	① €17,70
1,7 ha 90T(60-100m²)	2D	② €24,00

🚗 A9 Ausfahrt 33 (Sète) D613 Mèze. In Loupian ist der CP angezeigt.

Lunel, F-34400 / Languedoc-Roussillon

🛜 CC€14 🅳

▲ Bon Port★★★★
🛏 383 chemin du Mas St. Ange
🗓 4 Apr - 30 Sep
☎ +33 (0)4-67711565
@ reservation@campingbonport.com
📍 N 43°39'20'' E 4°8'31''

1	ADEFJMNOPQRST	AFHIN 6
2	AOPRVXY	ABDEFGH 7
3	BEGHKLQT	ABCDFIKNRSV 8
4	BDFHILNPQU	EUV 9
5	ACDEFGIKL	BDHJPTZ10
Anzeige auf dieser Seite	B 6A	① €37,40
5 ha 185T(80-100m²)	94D	② €48,40

🚗 Gelegen an der D61 von Lunel nach La Grande Motte. 2 km hinter Lunel ausgeschildert, auf der linken Seite.

Marseillan-Plage, F-34340 / Lang.-Rouss.

🛜 CC€16 🅳

▲ Beauregard Plage★★★
🛏 250 chemin de l'Airette
🗓 28 Mär - 15 Okt
☎ +33 (0)4-67771545
@ reception@camping-beauregard-plage.com
📍 N 43°18'54'' E 3°32'56''

1	ADEJKNOPRST	KMNQSTX 6
2	EHOPQVWXY	BEFH 7
3	ABKLQ	BDEFNPRSV 8
4	HIO	UV 9
5	ADEGIJLM	ABCDGHIJPTU10
Anzeige auf dieser Seite	B 6A CEE	① €39,50
3,3 ha 200T(80-155m²)		② €54,50

🚗 D112 von Agde Richtung Sète, 1. Kreisel rechts Richtung Plage du Rieu. Nächster Kreisel links. Hinter dem nächsten Kreisel geradeaus. Der CP liegt rechts.

Marseillan-Plage, F-34340 / Lang.-Rouss.

🛜 CC€14 🅳

▲ Camping Robinson★★★
🛏 Quai de Plaisance
🗓 25 Apr - 26 Sep
☎ +33 (0)4-67219007
@ reception@camping-robinson.com
📍 N 43°19'9'' E 3°33'24''

1	ADEJMNOPQRST	KNXYZ 6
2	EHOPQVWXY	BEF 7
3	BEKLQ	BDFKNORSV 8
4	BCDHINOPQ	AENUV 9
5	ABDEFGKLM	ABCDHINPTUZ10
Anzeige auf Seite 327	B 10A CEE	① €36,00
2,5 ha 130T(60-120m²)	62D	② €46,00

🚗 A9 Ausfahrt Agde oder Sète, danach Richtung Marseillan-Plage. Den CP-Schildern folgen.

LA CRÉOLE
★ ★ ★

Gemütlicher Campingplatz im Schatten hoher Pappeln direkt an einem feinsandigen Strand. In der Hochsaison werden regelmäßig Aktivitäten für groß und klein organisiert. In nächster Nähe gibt es Läden, Supermärkte, Pizzeria, Boots-, Surfboard- und Fahrradverleih.
4 km entfernt liegt Aqualand, der größte Wasservergnügungspark Europas.

34340 Marseillan-Plage
Tel. 04-67219269 • Fax 04-67265816
Internet: www.campinglacreole.com

Marseillan-Plage, F-34340 / Lang.-Rouss. 🛜 (CC€14) iD

🏠 Dunes et Soleil****	1 ADEIKNOPQRST IKNQSX 6
🏕 380 chemin de l'Airette	2 AEHOPQVWXY ABDEFG 7
📅 11 Apr - 27 Sep	3 BKLQ ABCDFGKNRSV 8
☎ +33 (0)4 67771868	4 BDHINO EV 9
@ campingdunesetsoleil@	5 ADEFG ABDGHIJOPTZ10
homair.com	B 6A CEE ① €39,10
🗺 N 43°18'50'' E 3°32'52''	3 ha 65T(70-130m²) 115D ② €47,10

🚗 D112 von Agde Richtung Sète. 1. Kreisel rechts Richtung Plage du Rieu. Am nächsten Kreisel links. Am folgenden Kreisel geradeaus. CP ist rechts. ⛰

Marseillan-Plage, F-34340 / Lang.-Rouss. 🛜 (CC€16) iD

🏠 La Créole***	1 ADEJMNOPRST KMNQS 6
🏕 74 av. des Campings	2 AEHOPQRVWXY ABDEFH 7
📅 28 Mär - 10 Okt	3 BEFKLQ ABCDFKNRSV 8
☎ +33 (0)4-67219269	4 BCDHINR ELUV 9
@ campinglacreole@orange.fr	5 DGLM ABDFGHIJPTUVY 10
	Anzeige auf dieser Seite B 6A CEE ① €39,00
🗺 N 43°18'46'' E 3°32'47''	1,5 ha 94T(80-95m²) 18D ② €53,00

🚗 D112 von Agde nach Sète. Zweiter Kreisverkehr rechts, Richtung Marseillan-Plage. CP-Schildern folgen. ⛰

Gratis 📶 WiFi™ # CAMPING EUROP 2000 ★ ★ ★

34340 Marseillan-Plage • Tel. und Fax 04-67219285

E-Mail: contact@camping-europ2000.com • Internet: www.camping-europ2000.com

geöffnet vom 1. April bis 13. Oktober - bei Cap d'Agde - 50m zum Strand

Marseillan-Plage, F-34340 / Languedoc-Roussillon 🛜 iD

🏠 Europ 2000***	1 ADEJMNOPRST KN 6
🏕 960 av. des Campings	2 AEHOPQSVWXY BEFGH 7
📅 1 Apr - 13 Okt	3 BEK BDFNORSV 8
☎ +33 (0)4-67219285	4 I E 9
@ contact@	5 ACEKM ABFHIJPTU 10
camping-europ2000.com	Anzeige auf dieser Seite B 10A CEE ① €35,00
🗺 N 43°18'23'' E 3°32'21''	2,5 ha 154T(100-120m²) 22D ② €47,00

🚗 N112 Agde-Sète, am ersten Kreisel rechts nach Plage Ouest. Am folgenden Kreisel 1. Straße rechts ab, ungefähr 500m. ⛰

Marseillan-Plage, F-34340 / Languedoc-Roussillon 🛜 iD

🏠 La Plage***	1 ADEJMNOPQRST KNQ 6
🏕 69 chemin du Payrollet	2 EHORVWXY ABEFGH 7
📅 14 Mär - 31 Okt	3 BKLQ ABCDFKNOQRSV 8
☎ +33 (0)4-67219254	4 IO EKLUV 9
@ info@laplage-camping.net	5 ADEFGJKL ABGHIJPRY 10
	B 10A CEE ① €42,00
🗺 N 43°18'35'' E 3°32'45''	1,3 ha 105T(70-100m²) 7D ② €58,00

🚗 D112 von Agde beim ersten Kreisverkehr rechts, Plage du Rieu, an der Kreuzung mit der Hauptstraße geradeaus weiter. ⛰

HÉRAULT - Robinson ***

Geöffnet von 25/04 bis 26/09 - 133 STELLPLÄTZE - 65 VERMIETUNG

PATRICE PICHERY
Quai de Plaisance
34340 Marseillan-Plage
Tel. +33 (0)4 67 21 90 07
Tel. +33 (0)6 24 17 75 81 (Nebensaison)
reception@camping-robinson.com
www.camping-robinson.com

flower campings | Camping, das ist menschlich

Frankreich

Marseillan-Plage, F-34340 / Languedoc-Roussillon 🛜 iD

🏕 Les Médit. Beach Club Nouvelle Floride*****
🏠 avenue des Campings
📅 28 Mär - 26 Sep
☎ +33 (0)4-67219449
@ info@beach-club-floride.com
📍 N 43°18'34'' E 3°32'32''

1	ADEJMNOPQRST	ABEFHIKMNQS 6
2	AEHPQVWXY	ABDEFGH 7
3	BEFKLQT	ABCDEFJKNOQRSTUV 8
4	BCDHILNOPQ	EL 9
5	ACDEFGJ	ABHIJPRYZ10

Anzeige auf Seite 329 B 6A CEE ❶ €56,10
8 ha 230T(80-100m²) 160D ❷ €76,10

🚗 D112 von Agde Richtung Sète; erster Kreisverkehr rechts Richtung Plage de Rieu und beim nächsten wieder rechts. Der CP liegt auf der linken Seite.

Marseillan-Plage, F-34340 / Lang.-Rouss. 🛜 CC€16 iD

🏕 Les Méditerranées Beach Club Charlemagne*****
🏠 445 avenue des Campings
📅 28 Mär - 26 Sep
☎ +33 (0)4-67219249
@ info@beach-club-charlemagne.com
📍 N 43°18'37'' E 3°32'36''

1	ADEJMNOPRST	ABEFGHIKMNQS 6
2	AEHOQVX	ABDEFGH 7
3	BFKLQ	ABCDEFKNOQRSTUV 8
4	DOPQ	EL 9
5	ACDEFGIJKM	ABDHIJPRYZ10

Anzeige auf Seite 329 B 10A CEE ❶ €56,10
7 ha 153T(70-100m²) 312D ❷ €76,10

🚗 Von Agde über die D112, 1. Kreisel, Plage de Rieu, rechts ab. Nach dem letzten Kreisel in Marseillan-Plage liegt der CP an der rechten Seite.

Marseillan-Plage, F-34340 / Lang.-Rouss. 🛜 CC€16 iD

🏕 Les Méditerranées Beach Garden****
🏠 avenue des Campings
📅 28 Mär - 26 Sep
☎ +33 (0)4-67219283
@ info@beach-garden-camping.com
📍 N 43°18'21'' E 3°32'16''

1	ADEJMNOPQRS	ABEFGHKNQR 6
2	EHOPQSVWXY	ABDEFGH 7
3	BFKL	BDFKNQRS 8
4	BDHILOQ	ELV 9
5	ACFGIJ	ABHIJOPSTZ10

Anzeige auf Seite 329 B 6A CEE ❶ €54,10
11 ha 617T(80-100m²) 80D ❷ €74,10

🚗 A9 Ausfahrt Agde und über die D112, 1. Kreisel rechts (Plage de Rieu). An der Kreuzung mit der Hauptstraße von Marseillan-Plage, rechts ab. Camping Beach Garden liegt am Ende der Straße. Ist eine Sackgasse.

Marseillan-Plage, F-34340 / Lang.-Rouss. 🛜 CC€14 iD

🏕 Le Galet***
🏠 avenue des Campings
📅 1 Apr - 30 Sep
☎ +33 (0)4-67219561
@ reception@camping-galet.com
📍 N 43°18'41'' E 3°32'40''

1	ADEJMNORT	ABFGHKNQT 6
2	EHNOQVWX	ABDEFGH 7
3	BKLT	BDEFNORSV 8
4	HI	EL 9
5	AGM	BDHIJOPTUZ10

Anzeige auf dieser Seite B 10A ❶ €44,50
2,9 ha 150T(50-80m²) 121D ❷ €55,50

🚗 A9 Ausfahrt Agde und von hier Richtung Sète. Am ersten Kreisel (Ranch la Camargue) rechts ab, weiter am 2. Kreisel links ab!

Montblanc, F-34290 / Languedoc-Roussillon 🛜 CC€16 iD

🏕 Le Rebau***
🏠 rue du Rebau
📅 14 Mär - 17 Okt
☎ +33 (0)4-67985078
@ gilbert@camping-lerebau.fr
📍 N 43°23'54'' E 3°22'24''

1	AJMNOPRST	A 6
2	AOPVXY	ABDFH 7
3	BEKLQ	ABDFKNORS 8
4	NOP	E 9
5	ADGKL	ABHJOUZ10

Anzeige auf dieser Seite B 6A ❶ €28,00
3 ha 117T(80-120m²) 39D ❷ €35,00

🚗 A75 Ausfahrt 62 Montblanc. Oder A9 Ausfahrt 34 Richtung Pézenas über die D13. Nach 4 km die D18 Richtung Montblanc.

Montoulieu, F-34190 / Languedoc-Roussillon 🛜 CC€10 iD

🏕 Le Grillon***
🏠 Place de l'Église
📅 1 Jan - 31 Dez
☎ +33 (0)4-67737931
@ camping@montoulieu.fr
📍 N 43°55'36'' E 3°47'22''

1	ADEGJMNOPQRST	AF 6
2	FPUVWXY	BEFH 7
3	ABL	BDFKNRS 8
4	AFHOQ	BJLQRUW 9
5	ABDEJL	BDHIJOTUV10

B 10A ❶ €15,70
H200 2 ha 30T(80-140m²) 9D ❷ €21,10

🚗 D986 Ganges-Montpellier in Höhe von St. Bauzille-de-Putois die D108 Richtung Montoulieu nehmen. Innerorts ist der Camping angezeigt.

Palavas-les-Flots, F-34250 / Languedoc-Roussillon 🛜 iD

🏕 Les Roquilles***
🏠 267 bis, av. St. Maurice
📅 15 Apr - 15 Sep
☎ +33 (0)4-67680347
@ roquilles@wanadoo.fr
📍 N 43°32'19'' E 3°57'38''

1	ADEHKNORT	AFGHIKMNPQSWX 6
2	AEHOPQRVWX	BDEFH 7
3	BEGHLMQ	ABCDFNOR 8
4	NOPQ	EGJL 9
5	ACDEFGI	ABHIJPRVZ10

6A CEE ❶ €43,60
15 ha 650T(80-100m²) 320D ❷ €52,75

🚗 A9, Ausfahrt 30; über D986 Richtung Lattes und Palavas. Über die D62 von Palavas in Richtung Richtung Carnon. Den Pfeilen folgen.

Palavas-les-Flots, F-34250 / Languedoc-Roussillon 🛜 iD

🏕 Palavas Camping
🏠 route de Maguelone
📅 6 Apr - 30 Sep
☎ +33 (0)4-67680128
@ palavasvo@gmail.com
📍 N 43°31'10'' E 3°54'34''

1	ADEHKNORT	ABFKNQWX 6
2	ADEFGHIJOQRVWX	ABDEF 7
3	ABEFLQ	ABCDEFKNQRS 8
4	BCDIJLNOPQ	ELU 9
5	ACDGIJL	ABGHIJNRV10

6A CEE ❶ €50,00
2 ha 40T(60-100m²) 800D ❷ €62,00

🚗 Auf der A9 Ausfahrt 30 Richtung Palavas-les-Flots auf der D986. Am letzten Kreisel rechts die D62E2 nach Maguelone bis zum Ende.

Pézenas, F-34120 / Languedoc-Roussillon 🛜 iD

🏕 Saint Christol**
🏠 route de Nizas
📅 1 Apr - 15 Sep
☎ +33 (0)4-67980900
@ saintchristol@worldonline.fr
📍 N 43°27'58'' E 3°25'24''

1	ADJMNOPRST	AFN 6
2	ABORVY	ABEF 7
3	ABLQ	ABFNRSV 8
4	IOP	J 9
5	ABDEFIL	BHIJPTUV10

B 10A ❶ €24,70
1,5 ha 90T(80-100m²) 8D ❷ €31,80

🚗 Von Clermont-l'Hérault via N9 Richtung Pézenas. Am Ortseingang von Pézenas vor Brücke rechts.

Pinet, F-34850 / Languedoc-Roussillon CC€16 iD

🏕 Espace Naturiste/ Terre de Soleil***
🏠 Domaine St. Jean-des-Sources
📅 2 Mai - 20 Sep
☎ +33 (0)4-67779909
@ naturisme.t2s@free.fr
📍 N 43°24'13'' E 3°32'23''

1	AILNOPQRT	A 6
2	PVXY	ABDEH 7
3	ELQ	ABCDFMNQRTUV 8
4	FHIMOX	AEGJLVW 9
5	ABDEGILM	ABHJTU10

FKK 10A ❶ €30,00
5 ha 116T(80-110m²) 86D

🚗 A9 Ausfahrt Mèze nehmen. Dann die D113 Richtung Mèze und weiter rechts die D51/Domaine St. Jean de Sources. Der CP liegt an diesem Weg (D51), zwischen Marseillan und Mèze.

L'Emeraude ★ ★ ★ ★
Portiragnes-Plage
• 800m vom Mittelmeer
• schönes Freizeitbad
• neben dem 'Canal du midi'

Internet: www.campinglemeraude.com

Portiragnes-Plage, F-34420 / Lang.-Rouss. 🛜 CC€16 iD

🏕 Les Sablons★★★★★
🏠 av. des Muriers/Plage Est
📅 11 Apr - 30 Sep
☎ +33 (0)4-67909055
@ contact@les-sablons.com

1 ADE**JM**NOPRST	ABFGHIKMNQSTWXY	6
2 ADEHOPQRVXY	ABDE**FG**HK	7
3 BCE**GHK**LMQR	ABCDFIJKNQRSUV	8
4 A**ABDEFHILMNOPQ**RUXYZ	EJLOQRTUVY	9
5 ACDEFGHIJK	ABGHI**NOP**SYZ	10

Anzeige auf Seite 331 B 10A CEE ❶ €56,95
15 ha 223**T**(85-120m²) 895**D** ❷ €78,95

📍 N 43°16'48'' E 3°21'51''
🚗 A9 Ausfahrt Béziers-Est, Richtung Valras-Plage. Im Kreisel links Richtung Portiragnes. Dann Richtung Portiragnes-Plage. Hinter dem Kreisel links. 〽

Sérignan, F-34410 / Languedoc-Roussillon 🛜 iD

🏕 Le Paradis★★★★
🏠 route de Valras
📅 1 Apr - 30 Sep
☎ +33 (0)4-67322403
@ paradiscamping34@aol.com

1 ADEHKNOPRT	AB	6
2 AOPVXY	ABDE**FG**H	7
3 B**KL**Q	ABCDEFGKNQRSV	8
4 FHIO**PQ**	H	9
5 ABDEFG**I**L	BHIJOTUV	10

B 10A CEE ❶ €33,50
2,2 ha 87**T**(80-115m²) 66**D** ❷ €43,50

📍 N 43°16'9'' E 3°17'6''
🚗 A9, Ausfahrt Béziers Est, Richtung Valras. Im Kreisverkehr bei Sérignan zum CP links abbiegen. 〽

Portiragnes-Plage, F-34420 / Languedoc-Roussillon 🛜 iD

🏕 L'Emeraude★★★★
🏠 D37
📅 22 Mai - 6 Sep
☎ +33 (0)4-67909376
@ contact@
   campinglemeraude.com

1 ADE**JM**NOPRST	AFHINQRSTX	6
2 ACHOPVXY	BDE**F**H	7
3 BE**GH**LQ	ABCDEFNRSV	8
4 BDHINO**PU**	EJK	9
5 ACDEFGIJKL	ABHIJ**P**ST	10

Anzeige auf dieser Seite 5A CEE ❶ €46,65
4,5 ha 250**T**(80-100m²) 285**D** ❷ €54,65

📍 N 43°17'16'' E 3°21'44''
🚗 Der CP liegt an der D37 von Portiragnes nach Portiragnes-Plage, rechts. 〽

Sérignan-Plage, F-34410 / Languedoc-Rouss. 🛜 CC€16 iD

🏕 Aloha★★★★★
🏠 allée des dunes
📅 23 Apr - 14 Sep
☎ +33 (0)4-67397130
@ info@alohacamping.com

1 ADE**JM**NOPRST	ABFGHIKMNQSXY	6
2 AEHPQVXY	BE**FG**H	7
3 ABDEF**GHILM**QT	BDFGJKNQRSV	8
4 BDILMO**PQ**RUY**Z**	EJLUV	9
5 ACDEFGIJK**M**	ABFGHIJ**PQ**RYZ	10

B 10A CEE ❶ €58,65
6 ha 155**T**(80-100m²) 513**D** ❷ €75,65

📍 N 43°16'2'' E 3°20'6''
🚗 A9, Ausfahrt Béziers-Est Richtung Sérignan. Dann die D37e Richtung Sérignan-Plage. Der CP ist rechts am Meer. 〽

Portiragnes-Plage, F-34420 / Languedoc-Roussillon 🛜 iD

🏕 Les Mimosas★★★★
🏠 Port Cassafières
📅 23 Mai - 5 Sep
☎ +33 (0)4-67909292
@ les.mimosas.portiragnes@
   wanadoo.fr

1 ADE**JM**NOPRS**T**	AFHI**N**XZ	6
2 ACGHOPRVX	BE**FG**H	7
3 BE**GHK**LQ	BDFIK**L**MNQRSV	8
4 ABDHILN**PQR**TU**X**YZ	AEJKLNUV	9
5 ACDEFGIJKL	ABGHIJ**NP**TUVYZ	10

Anzeige auf dieser Seite B 10A CEE ❶ €47,65
7 ha 200**T**(80-100m²) 414**D** ❷ €68,65

📍 N 43°17'27'' E 3°22'22''
🚗 A9 Ausfahrt Agde/Pézenas, Richtung Agde. Dann N112 Richtung Béziers. 2. Ausfahrt von Portiragnes nach Portiragnes-Plage hinter der Brücke des Kanals du Midi links an der D137. 〽

Sérignan-Plage, F-34410 / Lang.-Rouss. 🛜 CC€14 iD

🏕 Beauséjour★★★★
🏠 Domaine de Beauséjour
📅 1 Apr - 30 Sep
☎ +33 (0)4-67395093
@ info@
   camping-beausejour.com

1 ADE**IL**NOPRST	ABFGKMNQSTUW	6
2 AEGHPQVXY	BE**FG**H	7
3 BDE**GH**LQ	BDFIK**LM**NOQRSV	8
4 BDILNO**PQR**TU**V**XYZ	EFLU	9
5 ACDEFGIJKL	ABHIJORYZ	10

Anzeige auf Seite 331 B 10A CEE ❶ €48,20
9 ha 170**T**(100m²) 286**D** ❷ €60,20

📍 N 43°16'1'' E 3°19'49''
🚗 A9 Ausfahrt Béziers-Est Richtung Sérignan. Dann Richtung Sérignan-Plage. In der Kehre rechts ab den Schildern folgen. 〽

Sérignan-Plage, F-34410 / Languedoc-Roussillon

🏕 La Maïre***
📅 1 Apr - 15 Sep
☎ +33 (0)4-67397200
@ richard.borgc@wanadoo.fr

1 ADE**JM**NOPRT	**AF**KNQSWX 6	
2 AEGHPQVY	ABDE**FH** 7	
3 B**GHI**LQ	ABCDEFNOQRSV 8	
4 BCDIOP**R**	CJL 9	
5 ACDEFGIJKL	HIJ**P**TUVZ10	
B 10A		❶ €39,00
3,8 ha 72**T**(90-95m²) 139**D**		❷ €53,00

N 43°16'16'' E 3°19'45''
🚗 A9, Ausfahrt Béziers-Est, Richtung Sérignan. Dann auf die D37e nach Sérignan-Plage; der 1. CP links.

Sérignan-Plage, F-34410 / Languedoc-Rouss.

🏕 Le Sérignan Plage*****
📅 23 Apr - 28 Sep
☎ +33 (0)4-67323533
@ info@leserignanplage.com

1 AD**IL**NOPRST	ABEFGHIKMNQS 6	
2 AEGHPQVWX	ABDE**FG**H 7	
3 ABCE**FGHL**MQ**S**T	ABCDEFIJNQRSTV 8	
4 ABDIJLMNO**PQ**RUY**Z**	AEJLUV 9	
5 ACDEFGHIJK**L**	ABDGHIJN**O**P**QP**TVYZ10	
B 10A CEE		❶ €58,20
42 ha 260**T**(80-140m²) 1270**D**		❷ €77,20

N 43°16'19'' E 3°19'40''
🚗 A9 Ausfahrt Sérignan. Dann die D37e nach Sérignan-Plage. Wo die CPs anfangen rechts und den Schildern folgen.

Sérignan-Plage, F-34410 / Languedoc-Roussillon

🏕 Le Sérignan-Plage Nature*****
Sérignan-Plage
📅 23 Apr - 28 Sep
☎ +33 (0)4-67320961
@ info@leserignannature.com

1 AD**IL**NORST	KMNS 6	
2 AEHPQVX	ABDE**FG** 7	
3 ABE**GHI**LMQ	ABCDEFNOQRSV 8	
4 DDILO**P**UY	A**E**LUV 9	
5 ACEFGIJK	ABGHIJ**NP**TVYZ10	
FKK B 10A CEE		❶ €58,20
7 ha 99**T**(80-95m²) 274**D**		❷ €78,20

N 43°15'48'' E 3°19'12''
🚗 A9 Ausfahrt Béziers-Est Richtung Sérignan. Dann die D37e Richtung Sérignan-Plage wo alle CPs beginnen, rechts ab den Schildern folgen.

Soubès/Lodève, F-34700 / Languedoc-Roussillon

🏕 Des Sources***
1445, chemin d'Aubaygues
📅 1 Mai - 30 Sep
☎ +33 (0)4-67443202
@ camping-sources@orange.fr

1 A**IL**NOR**T**	A 6	
2 ACF**P**RUVWXY	ABDE**F** 7	
3 ABLQS	BFNORSV 8	
4 I	DFJ 9	
5 ABDEFGI**LM**	BHIJ**NP**10	
B 10A CEE		❶ €27,60
H252 1,2 ha 36**T**(40-80m²) 15**D**		❷ €36,10

N 43°45'43'' E 3°21'26''
🚗 A75 Ausfahrt 52 Richtung Cirque de Navacelle. Am Ortseingang von Soubès Richtung Fozières. Erste Straße links Richtung Aubaygues. CP nach 1,5 km.

Frankreich

Sérignan-Plage, F-34410 / Languedoc-Rouss.

Le Clos Virgile★★★★
CD37
2 Mai - 13 Sep
+33 (0)4-67322064
contact@leclosvirgile.fr
N 43°16'12'' E 3°19'52''
A9 Ausfahrt Béziers-Est Richtung Sérignan. Weiter an der D37e Richtung Sérignan-Plage, der zweite CP links.

1 AJMNORT	AEFHKNQS	6
2 AEHPRVY	BDEFGH	7
3 ABEGHILQ	ABCDFKNOQRSV	8
4 BDILNOUY	EIJL	9
5 ACDEFGIJKL	ABDGHIJPTUVV	10
Anzeige auf dieser Seite	B 10A	
5 ha 300T(80-90m²) 102D	① €44,50 ② €60,50	

St. Chinian, F-34360 / Languedoc-Roussillon

Les Terrasses/Municipal★★★
555 route de Saint Pons
30 Mär - 30 Sep
+33 (0)6-12901455
contact@ campinglesterrasses.net
N 43°25'16'' E 2°56'3''
Vom Ring um Beziers Richtung Mazamet die D612, 1 km hinter St. Chinian. Der Beschilderung folgen: Camping Municipal (Les Terrasses).

1 ADJMNOPRST	AN	6
2 FGPQRUWXY	ABDFH	7
3 ABMN	ABCDFKNRS	8
4 FH		9
5 ALM	ABFHIJNOV	10
B 16A CEE		
H172 50T(60-90m²)	① €21,00 ② €27,00	

St. André-de-Sangonis, F-34725 / Lang.-Rouss.

Le Septimanien★★★
route de Cambous
1 Mai - 13 Sep
+33 (0)4-67578423
leseptimanien@yahoo.fr
N 43°38'26'' E 3°29'43''
A75, Ausfahrt St. André-de-Sangonis und dann ausgeschildert.

1 ABDEJMNOPRST	AFN	6
2 APRVWXY	ABDEFH	7
3 ABCELQ	ABEFNRV	8
4 IQ	EF	9
5 ABDEFGIL	BHIJOTUV	10
B 6A CEE		
H68 3 ha 86T(100m²) 20D	① €26,90 ② €34,90	

St. Pons-de-Thomières, F-34220 / Lang.-Rouss.

Les Cerisiers du Jaur★★★
route de Bédarieux
4 Apr - 25 Okt
+33 (0)4-67953033
info@cerisierdujaur.com
N 43°29'25'' E 2°47'6''
A9 Ausfahrt Bézièrs. Richtung St. Pons-de-Thomières auf der N112 oder D612 folgen. Bei St. Pons D908 Richtung Bédarieux. Nach 500m rechts.

1 ADEJMNOPRST	AFMNOUV	6
2 CGHOPRTUVWXY	ABDFH	7
3 ABELQ	ABCDEFGIKLMNPQRSTUV	8
4 AFHO	EJUV	9
5 ABDEFL	ABFGHJOTUV	10
B 16A CEE		
H280 2 ha 106T(100-170m²) 8D	① €27,00 ② €38,00	

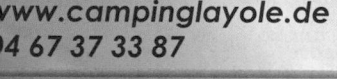

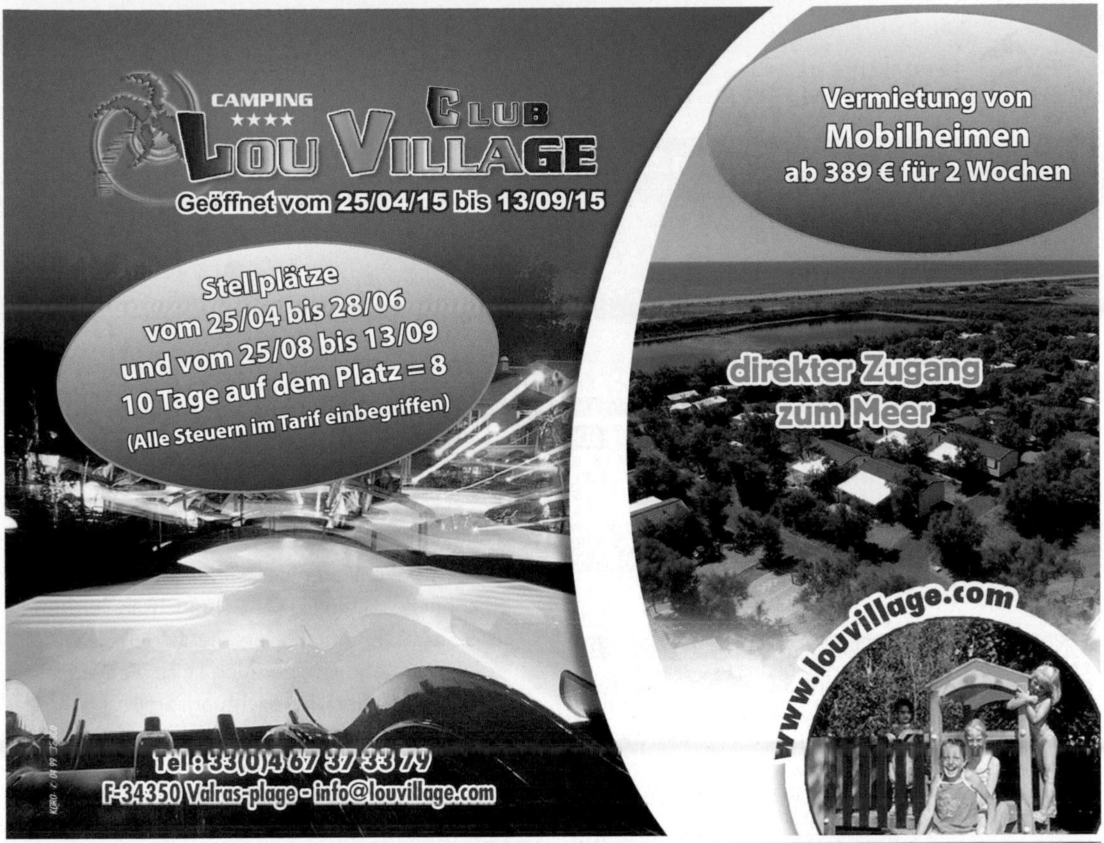

Frankreich

▲ Blue Bayou*****	1 ADJMNOPQRST	ABFGHIKNOPQRSTW 6
Vendres Plage Ouest	2 AEHOPQVWXY	ABDEFGH 7
19 Apr - 20 Sep	3 BDEGHMQT	ABCDFJKLMNRSV 8
+33 (0)4-67374197	4 BCDILNOPQR	EJL 9
@ infobluebayou@orange.fr	5 ACDEFGIJK	ABHIJNPTU 10
	B 10A CEE	➊ €49,00
	6 ha 120T(80-100m²) 175D	➋ €67,00
N 43°13'38'' E 3°14'38''		

Der Campingplatz liegt an der Straße Valras-Plage Ouest - Vendres Plage D37E9. Camping liegt südwestlich von Vendres-Plage.

▲ Lou Village****	1 ADEJMNOPQRT	ABFGHIKMNQSW 6
route de Vendres	2 AEGHOPRVXY	ABDEFH 7
25 Apr - 13 Sep	3 BEFGHLMQ	ABCDFKNRSV 8
+33 (0)4-67373379	4 BDILNOPQ	F.II TX7 9
@ info@louvillage.com	5 ACDEFGIJKL	ABGHIKNOSTY 10
	Anzeige auf dieser Seite B 10A CEE	➊ €53,50
	7 ha 100T(80-100m²) 500D	➋ €63,60
N 43°14'1'' E 3°15'38''		

Von Valras aus befindet sich der CP am Meer, kurz vor La Yole, Weg links, ca. 200m links. CP Valras Plage Ouest-Beschilderung folgen.

▲ Domaine La Yole - Wine Resort*****	1 ADEJMNOPRT	AFGHIKNPQSW 6
	2 AEGHOPQRVXY	ABDEFGH 7
route de Vendres / CS 10715	3 BEHILMQRS	ABCDEFJKLNQRSTUV 8
25 Apr - 19 Sep	4 BCDHIKLNOPQU	ACEJLUV 9
+33 (0)4-67373387	5 ACDEFGIJKM	ABGHIJMNPSTYZ 10
infocamping@layolewineresort.com	Anzeige auf Seite 332 B 10A	➊ €55,00
N 43°14'14'' E 3°15'45''	23 ha 599T(70-100m²) 1047D	➋ €70,00

Der CP liegt am Ende des Boulevards in Valras (Valras-Plage Ouest) an der D37e. Gut ausgeschildert.

▲ La Plage et du Bord de Mer**	1 ADEHKNOPQRST	ABFHIKMNQRST 6
route de Vendres	2 AEGHOPQVWXY	ABDEFGH 7
25 Apr - 20 Sep	3 ABEILMQST	ABCDEFKNORSV 8
+33 (0)4-67373438	4 BCIOPQU	BELUVY 9
@ reservation@ camping-plage-mediterranee.com	5 ACDEFGIJKL	ABEFGHIJNPTU 10
	Anzeige auf dieser Seite B 10A	➊ €48,00
N 43°14'7'' E 3°16'8''	13 ha 560T(80-100m²) 65D	➋ €58,00

Der CP liegt am boulevard Valras-Plage Ouest. In der Ortseinfahrt von Valras-Plage den Schildern folgen.

DOMAINE DE LA DRAGONNIÈRE
CAMPING VILLAGE CLUB ★★★★★
VIAS-SUR-MER

Geöffnet von 27.03 bis 01.11.15

100% Vergnügen

100% Komfort

100% Klub

Erleben Sie das Mittelmeergefühl

WWW.DRAGONNIERE.COM - +33 (0)4 67 01 03 10

Valras-Plage/Vendres-Plage, F-34350 / Lang.-Rouss. 🛜 (CC€14) iD

🔺 Le Palmira Beach★★★	1 ADE**IL**NOPRS**T**	ABFGKNOPQSW**X**Y 6
🏠 avenue du port de Vendres	2 AEHOQW	BE**FG** 7
🕐 2 Apr - 30 Okt	3 B**GH**LQT	ABDFGKNRT 8
☎ +33 (0)4-67942900	4 **ABCDFINOPQTU**	E 9
@ contact@palmirabeach.fr	5 ABDEFGIKL**M**	BHIJ**P**TU10
	B 10A CEE	➊ €44,60
🚩 N 43°13'44'' E 3°14'44''	4 ha 102**T**(ab 100m²) 60**D**	➋ €51,50
🚗 Aus Richtung Valras der Beschilderung Vendres-Plage folgen. Danach den Campingschildern folgen.		

Vendres-Plage/Valras-Plage, F-34350 / Lang.-Rouss. 🛜 (CC€16) iD

🔺 Les Vagues★★★★	1 ADE**IL**NOPQRST	ABFGHIKNQSW 6
🏠 chemin de Montilles	2 AEGHOQRVXY	ABDE**FG**H 7
🕐 3 Apr - 13 Sep	3 ABE**GH**ILQST	ABCDEFKNRSTUV 8
☎ +33 (0)4-67373312	4 BCDILMNO**PQ**Ru**XZ**	BEFLUVX 9
@ t.hannier@sandaya.fr	5 ACDEFGHIJK	ABDHIJ**NOP**Y10
	B 6A	➊ €58,00
🚩 N 43°13'51'' E 3°15'13''	8 ha 107**T**(85-100m²) 342**D**	➋ €71,50
🚗 Von Valras aus den Schildern Valras-Plage Ouest folgen. Dann CP-Schildern folgen.		

Vias, F-34450 / Languedoc-Roussillon 🛜 ✿ (CC€18) iD

🔺 Domaine de la Dragonnière★★★★★	1 ADE**IL**NOPRS**T**	ABEFGHIU 6
	2 AHOPVX	BE**FG**HK 7
🏠 RD612	3 BCDEF**K**LQRSTUV	BDFHJKLMNPRSTUV 8
🕐 27 Mär - 1 Nov	4 ABCDHIJ**L**MNO**PTVXYZ**	CEJLUVZ 9
☎ +33 (0)4-67010310	5 ACDEFGIJK	ABCDHIJ**NOPQ**TVYZ10
@ contact@dragonniere.com	Anzeige auf dieser Seite B 10A CEE	➊ €72,00
🚩 N 43°18'45'' E 3°21'48''	20 ha 60**T**(100-120m²) 1637**D**	➋ €86,50
🚗 Von der A9 zwischen der Ausfahrt 34 und 36 Ri. A75 Beziers-Centre. Hinter der Mautstelle, Ausfahrt 64 Ri. Beziers/Cap d'Agde. An der Kreuzung zum Flughafen rechts ab. Der Beschilderung folgen.		

Vias-Plage, F-34450 / Languedoc-Rouss. 🛜 ✿ (CC€14) iD

🔺 Camping Club Californie-Plage★★★★	1 ADE**JM**NOPRS**T**	ABCDFGHIKMNQX 6
	2 AEHMPQVWXY	ABDE**FG**H 7
🏠 Côte Ouest	3 BEF**K**LMQR	BCDEFKNQRSV 8
🕐 1 Apr - 30 Sep	4 ABDILNO**PQ**UY	ELUV 9
☎ +33 (0)4-67216469	5 ACDEFGHIJ	ABDF**GHIJ**PQRZ10
@ info@californie-plage.fr	Anzeige auf dieser Seite B 10A CEE	➊ €45,30
🚩 N 43°17'26'' E 3°23'55''	5,5 ha 273**T**(80-100m²) 240**D**	➋ €74,60
🚗 A9, Ausfahrt Agde/Pézenas Richtung Agde, dann der N112 Ausfahrt Vias-Plage, dann über die Brücke. Côte Ouest und den Schildern folgen.		

Vias, F-34450 / Languedoc-Roussillon 🛜 iD

🔺 Roucan Plage★★	1 ADE**JM**NOPRS**T**	KNQSWX 6
🏠 Vias-Plage	2 AEHQVW	ABDF 7
🕐 1 Apr - 30 Sep	3 A**HK**LQ	ABCDEFINR 8
☎ +33 (0)4-67216465	4 NO**PQ**	E 9
@ roucanplage@hotmail.fr	5 ADEFGK**L**	BHIJOPV10
	B 10A CEE	➊ €28,40
🚩 N 43°17'14'' E 3°23'47''	1 ha 25**T**(80-100m²) 45**D**	➋ €38,40
🚗 A9, Ausfahrt Agde/Pézenas Richtung Agde. Dann N112 Vias-Plage über die Brücke Côte Ouest. D137 Schildern folgen.		

Vias-Plage, F-34450 / Languedoc-Roussillon 🛜 (CC€16) iD

🔺 Camping Club Le Napoléon★★★★	1 AD**JM**NOPRS**T**	ABFGKMNOPQSW**X**Y 6
	2 AEHPQVY	ABDE**FG**H 7
🏠 1171 av. de la Méditerranée	3 ABE**GHIK**LMQR	ABCDEFNOQRSTUV 8
🕐 10 Apr - 27 Sep	4 BCDHILMNO**PQR**TUV**XYZ**	AEFGIJKLVX 9
☎ +33 (0)4-67010780	5 ACDEFGHIJK	ABGHIJL**NP**QTUY10
reception@camping-napoleon.fr	B 10A CEE	➊ €52,90
🚩 N 43°17'31'' E 3°24'58''	3,4 ha 120**T**(80-100m²) 260**D**	➋ €66,90
🚗 D612, Ausfahrt Vias-Plage, dann 'Campings Sud', am Ende der Straße rechts.		

LE MAS DE LA PLAGE
CAMPING VIAS MÉDITERRANÉE

Farinette • 34450 Vias Plage

Tel. 0033 (0) 467 21 64 27 • Fax 0033 (0) 467 21 01 36
www.lemasdelaplage.com • lemasdelaplage@wanadoo.fr

Frankreich

Vias-Plage, F-34450 / Languedoc-Roussillon   🛜 (CC€14) iD

🔺 Flower Camping	1 ADEI**LNOR**T	ABFGKMNQWX 6
Le Mas de la Plage****	2 AEHQVY	ABDE**FGH** 7
📧 Farinette	3 BLQ	BDFKNRSV 8
🔓 4 Apr - 27 Sep	4 BCDINO**PRUVXZ**	EJLUV 9
☎ +33 (0)4-67216427	5 ACDEFGIK	BHIK**P**TUZ10
@ lemasdelaplage@wanadoo.fr	Anzeige auf dieser Seite B 10A CEE	❶ €44,30
🗺 N 43°17'29'' E 3°24'48''	2,5 ha 43T(80-90m²) 252D	❷ €54,30

🚗 A9, Ausfahrt Agde. Ausfahrt Vias/Portiragnes/Béziers. Dann Vias-Plage/CP Sud. Am Kreisel geradeaus. Den CP-Schildern folgen.   Ⓜ

Vias-Plage, F-34450 / Languedoc-Roussillon   🛜 (CC€16) iD

🔺 L'Air Marin****	1 A**JM**NOR**T**	AEFHNQSWXZ 6
🔓 1 Mai - 12 Sep	2 ACHPRVXY	ABDE**FG**H 7
☎ +33 (0)4-67216490	3 ABEL**MQ**	ACEFNORST 8
@ info@camping-air-marin.fr	4 BDHILO**PQ**RUY**Z**	EFL 9
	5 ACDEFGIJK	ABGHIJ**P**TV10
	B 6A	❶ €43,50
🗺 N 43°18'8'' E 3°25'19''	8 ha 150T(70-120m²) 220D	❷ €59,50

🚗 A9, Ausfahrt Agde/Pézenas Richtung Agde. Dann N112 Ausfahrt Vias-Plage, zum CP 'Côte Est' und den Schildern folgen.   Ⓜ

Camping Helios ★ ★ ★

150m vom Strand   Komfort

Ruhe

und Sonne

34450 Vias-Plage • Tel. und Fax 04-67216366 • Internet: www.camping-helios.com

---

Vias-Plage, F-34450 / Languedoc-Roussillon   🛜 (CC€14) iD

🔺 Helios***	1 AD**JM**NOPRST	KNXY 6
📧 avenue des Pêcheurs	2 ACEHQVY	ABDE**F**H 7
🔓 25 Apr - 27 Sep	3 BEL**Q**	ABDEFLNORSV 8
☎ +33 (0)4-67216366	4 DINO**PTUVXYZ**	EFU 9
@ contact@camping-helios.com	5 ACDEGIKL	ABDHIJ**P**TUZ10
	Anzeige auf dieser Seite B 6A CEE	❶ €36,20
🗺 N 43°17'33'' E 3°24'26''	3 ha 108T(80-90m²) 139D	❷ €46,20

🚗 A9, Ausfahrt Agde/Pézenas. D612 Richtung Agde; Ausfahrt Vias-Plage. Dann 'Campings Sud' und am Kreisel den Schildern folgen.   Ⓜ

Vias-Plage, F-34450 / Languedoc-Roussillon   🛜 (CC€14) iD

🔺 Le Méditerranée Plage****	1 ACDE**JM**NOPRST	ABFGHKMNQSX 6
📧 D137	2 AEHPQRVXY	ABDE**FG**H 7
🔓 4 Apr - 30 Sep	3 ABE**GH**ILMQR	ABCDFJKNOQRSV 8
☎ +33 (0)4-67909907	4 ABDEHIKLNO**PQ**	ELUV 9
@ contact@	5 ACDEFGIJK	ABGHIJ**N**ORYZ10
mediterranee-plage.com	Anzeige auf dieser Seite B 6A CEE	❶ €46,00
🗺 N 43°16'55'' E 3°22'15''	7 ha 160T(80-90m²) 500D	❷ €59,00

🚗 A9/A75 Ausfahrt 63 Béziers-centre, Ri. Agde/Sète. Na 3,5 km am Kreisel Ri. Agde/Sète. Nach 1,5 km rechts Ri. Portiragnes-Plage. Über die Brücke vom Canal du Midi links abbiegen und dann den Schildern folgen.   Ⓜ

★ ★ ★ ★
Le Méditerranée
CAMPING VILLAGE
plage

ZIRKUS-WORKSHOP
für Kinder von 6-12 Jahren
• vom 14. April bis 9. Mai
• vom 25. August
bis 5. September

Geöffnet
vom 4. April
bis 30. September
2015

34450 Vias Plage, Süd-Frankreich
Tel.: +334 67 90 99 07
Fax +334 67 90 99 17

www.mediterranee-plage.com
contact@mediterranee-plage.com

www.camping-farret.com

Vic-la-Gardiole, F-34110 / Languedoc-Roussillon 🛜 iD

🏕 Altea Camping***	1 ADE**JM**NOPRS**T**	AFN 6
🏠 1 route des Aresquières	2 HJOPRVXY	ABDE**FHK** 7
🔓 1 Jan - 31 Dez	3 AL	ABCDFKNRSV 8
☎ +33 (0)4-67781409	4 DIN	EJ 9
@ contact@alteacamping.com	5 ADEFGKL**M**	BHJ**NP**TV10
	B 6-8A CEE	➊ €29,00
🗺 N 43°30'3'' E 3°47'22''	2,5 ha 116**T**(80-100m²) 36**D**	➋ €38,50

🚗 CP liegt an der D612, im Kreisel Richtung Vic-la-Gardiole. CP unmittelbar links.

Villeneuve-lès-Béziers, F-34420 / Lang.-Rouss. 🛜 (CC€14) iD

🏕 Les Berges du Canal***	1 ABDE**JM**NOPRS**T**	AFN**XZ** 6
🏠 promenade des Vernets	2 ACOPRVY	ABE**FG**H 7
🔓 21 Mär - 17 Okt	3 ABCELQ	BDFIJKLNOQRSV 8
☎ +33 (0)4-67393609	4 ABDHIO**PQTX**	ELNUV 9
@ contact@lesbergesducanal.fr	5 ADEFGIJKL	ABFGHIJL**P**TU10
	Anzeige auf Seite 336 B 16A CEE	➊ €26,00
🗺 N 43°19'0'' E 3°17'4''	1,5 ha 30**T**(80-90m²) 86**D**	➋ €37,00

🚗 Der CP liegt im Dorf am Canal du Midi, von Béziers vor der Brücke links ab.

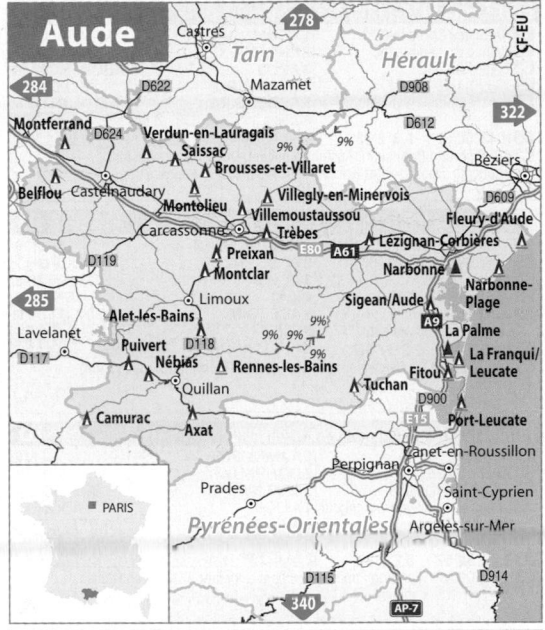

Aude

ACSI Startseite

- Infos zu den ACSI Produkten
- Geben Sie Ihre Meinung ab

www.ACSI.eu

Camurac, F-11340 / Languedoc-Roussillon 🛜 iD

🏕 Les Sapins**	1 AG**JM**NOPQR**T**	AFNUV 6
🔓 1/1 - 1/11, 15/12 - 31/12	2 FGPVWXY	AB**FG** 7
☎ +33 (0)4-68203811	3 AE**GHI**LQSV	ABCDFGIJNRSV 8
@ info@lessapins-camurac.com	4 BC**DEFG**HIO	AEJ 9
	5 ADDEFGIK**L**	ABFHJ(OTU10
	WB 10A CEE	➊ €23,50
🗺 N 42°47'30'' E 1°55'30''	H1280 3,5 ha 72**T**(80-100m²) 29**D**	➋ €33,50

🚗 Von Foix die D117 nach Lavelanet. Dann die D117 Richtung Belesta und weiter über die D16/D29/D613 nach Camurac. Dort den CP-Schildern folgen. In Camurac mit dem Navi aufpassen.

Alet-les-Bains, F-11580 / Languedoc-Roussillon 🛜 iD

🏕 Val d'Aleth	1 AD**JM**NOPQRS**T**	**ABFG**JNUV 6
🏠 chemin de la Paoulette	2 CPSVXY	BE**FG** 7
🔓 1 Jan - 31 Dez	3 AM	BFJNRV 8
☎ +33 (0)4-68699040	4 FH	GU 9
@ camping@valdaleth.com	5 **KLM**	BFGHIJN**O**TUV10
	B 10A CEE	➊ €20,25
🗺 N 42°59'42'' E 2°15'19''	H200 0,5 ha 37**T**(70-110m²) 8**D**	➋ €25,45

🚗 A61 Carcassonne-Ouest, danach die D118 Richtung Limoux. 8 km südlich von Limoux Richtung Alet-les-Bains.

Fitou, F-11510 / Languedoc-Roussillon 🛜 (CC€16) iD

🏕 Le Fun***	1 ADE**IL**NOPRST	ABFGNQ 6
🏠 Domaine des Bergeries	2 ADFGPRSTVWXY	BEF 7
🔓 28 Mär - 11 Nov	3 BEMQ	BDFKNOR 8
☎ +33 (0)4-68457107	4 IO	BE 9
@ contact@lefun-camping.com	5 ABDEGL**M**	BFGHIJ**NP**V10
	B 6A CEE	➊ €29,40
🗺 N 42°54'51'' E 2°59'56''	10 ha 100**T**(80-180m²) 137**D**	➋ €38,40

🚗 A9 Ausfahrt 40 Richtung Perpignan über die D6009. Der CP ist ausgeschildert.

Axat, F-11140 / Languedoc-Roussillon 🛜 iD

🏕 Le Moulin du Pont d'Alies***	1 ADE**IL**NORST	ABFGNU 6
🔓 1 Mär - 30 Nov	2 COPRVY	BE**FG**H 7
☎ +33 (0)4-68205327	3 ABLQ	BDFNOPR 8
@ contact@alies.fr	4 GINO**P**	EF 9
	5 ABDEGIK	BHIN**O**RVZ10
	B 10A	➊ €25,00
🗺 N 42°48'44'' E 2°14'17''	H389 2 ha 100**T**(80-120m²) 25**D**	➋ €35,50

🚗 D117 Quillan Richtung Axat. 100m vor Axat.

Fleury-d'Aude, F-11560 / Languedoc-Rouss.

🏕 Naturiste	1 ADE**JL**NOPRST	ABFKQ 6
La Grande Cosse****	2 EGHPQRVWX	ABE**FG**H 7
🏠 Saint-Pierre-la-Mer	3 BEFLMQR	ABCDEFNQRSV 8
🔓 24 Apr - 11 Okt	4 BCDEHILNO**QR**	BELU 9
☎ +33 (0)4-68336187	5 ACEFGIJKL	ABGHIJMN**OP**TVZ10
@ contact@grandecosse.fr	Anzeige auf Seite 339 FKK 10A CEE	➊ €46,00
🗺 N 43°12'21'' E 3°12'39''	15 ha 330**T**(100-130m²) 285**D**	➋ €60,00

🚗 A9, Ausfahrt Béziers-Ouest Ri. Béziers. Dann nach Lespignan/Fleury. Am Kreisel geradeaus Ri. Les Cabanes. Nach ca. 3 km CP-Schild.

Belflou, F-11410 / Languedoc-Roussillon 🛜 iD

🏕 Le Cathare***	1 ABDE**JM**NOPRST	LNQRSTX 6
🔓 15 Apr - 15 Nov	2 DFGIPRUVWX	ABDE**FH** 7
☎ +33 (0)4-68603249	3 AILQ	CDEFNORV 8
@ cazanave.monique@	4 F	EF 9
wanadoo.fr	5 AEGK**LM**	BHIJOV10
	10A CEE	➊ €21,20
🗺 N 43°18'41'' E 1°48'11''	H230 2 ha 42**T**(40-120m²) 17**D**	➋ €29,60

🚗 A61 du Montpellier, Ausfahrt Villefranche-de-Lauragais. Danach Richtung 'Barrage de la Ganguise'. Vom Damm ab ausgeschildert.

La Palme, F-11480 / Languedoc-Roussillon 🛜 iD

🏕 Flower Camping	1 ADE**JM**NOPRS**T**	6
Domaine de La Palme***	2 AOPVWX	ABDE**FK** 7
🏠 79 chemin du Stade	3 AMS	ABFK 8
🔓 4 Apr - 30 Sep	4 BDFO	BEUV 9
☎ +33 (0)4-68485040	5 A**L**	ABHIJOTU10
@ info@camping-la-palme.com	B 6A CEE	➊ €23,40
🗺 N 42°58'19'' E 2°59'51''	1 ha 45**T**(65-120m²) 24**D**	➋ €30,40

🚗 Von Montpellier/Narbonne A9 Richtung Perpignan, Ausf. 39 Sigean/Port-la-Nouvelle. D6009 Richtung Perpignan. Bei Les Cabanes am Kreisel links Richtung Port-la-Nouvelle und dann La Palme. Innerorts 1. Straße links.

Brousses-et-Villaret, F-11390 / Languedoc-Rouss. 🛜 iD

🏕 Le Martinet Rouge***	1 ADE**IL**NOPRT	AF 6
🏠 CD203	2 CGPSXY	ABDE**FG**H 7
🔓 15 Mai - 15 Sep	3 ABELQ	ABCDEFGIJNRSV 8
☎ +33 (0)4-68265198	4 FHIO**QU**	EJL 9
@ camping.lemartinetrouge@	5 ABDEGIK**L**	ABFHIJO10
orange.fr	B 10A CEE	➊ €29,00
🗺 N 43°20'21'' E 2°15'7''	63**T**(90-125m²) 10**D**	➋ €38,00

🚗 Die D118 Carcassonne-Cestres, Ausfahrt D103 nach Brousses et Villaret. Der CP ist in Brousses-et-Villaret angezeigt.

La Palme, F-11480 / Languedoc-Roussillon 🛜 (CC€16) iD

🏕 Le Clapotis**	1 AD**JM**NOPQRT	ABFGLNQ 6
🏠 2000 chemin de Prade	2 ADRSUVWXY	ABDE**F** 7
🔓 11 Apr - 10 Okt	3 BEFLQ	ABCDEFGNORS 8
☎ +33 (0)5-56737373	4 BCDFHILNO**Q**	BEH 9
@ reservations@socnat.fr	5 ABDGI	ABFHIJ**P**UVZ10
	FKK B 10A CEE	➊ €31,10
🗺 N 42°57'28'' E 2°59'45''	6,5 ha 115**T**(70-110m²) 148**D**	➋ €38,10

🚗 Von Montpellier/Narbonne A9 Richtung Perpignan bis zur Ausfahrt 39 Sigean. Dann Ri. Perpignan über die D6009. Am Kreisel von La Palme links und nach 400m rechts, den Campingschildern folgen.

Camping la Pinède ★ ★ ★

Im Zentrum vom Land der Katharer gelegen.
Zwischen Carcassonne und dem Mittelmeer.
Dicht am Canal du Midi. Ideal für Radfahrer.

Rue des Rousillons, 11200 Lézignan-Corbières • Tel. und Fax 04-68270508
E-Mail: reception@campinglapinede.fr
Internet: www.campinglapinede.fr

Lézignan-Corbières, F-11200 / Languedoc-Rouss.

Camping la Pinède***
rue des Rousillous
1 Apr - 30 Okt
+33 (0)4-68270508
reception@campinglapinede.fr

1 A**JM**NORT	ABF	6
2 APRTUVXY	ABDE**FH**	7
3 BL**MNQ**	BDFKNORSV	8
4 EFI	BE	9
5 ABDEGIK**LM**	BHIJOV	10
Anzeige auf dieser Seite B 6A CEE	❶ €19,30	
H78 3,5 ha 68T(90-160m²) 26D	❷ €26,70	

N 43°12'12'' E 2°45'6''
An der N113, 1 km östlich von Lézignan, rechts von der Straße Richtung Carcassonne.

Montclar, F-11250 / Languedoc-Roussillon

Yelloh! Village
Domaine d'Arnauteille*****
D43
2 Apr - 15 Sep
+33 (0)4-68268453
info@arnauteille.com

1 AD**JM**NOPRST	ABFGINUV	6
2 FPRTUVX	ABDE**FH**	7
3 BE**GHLQ**	BCDEFJKNQRSTU	8
4 ADEFHILO**QUY**	EFJ	9
5 ABCEFGIJK**L**	BGHIJMN**OT**10	
10A CEE	❶ €44,00	
H270 7 ha 108T(80-160m²) 90D	❷ €59,00	

N 43°7'27'' E 2°15'40''
An der D118 zwischen Limoux (10 km) und Carcassonne (15 km), Ausfahrt D43, 2 km Richtung Montclar. CP-Beschilderung folgen.

Montferrand, F-11320 / Languedoc-Roussillon

Sites & Paysages
Domaine St. Laurent***
Les Touzets
1 Apr - 15 Okt
+33 (0)4-68601580
campingsaintlaurent@orange.fr

1 ADE**JL**NOPRST	A	6
2 BFPVWXY	ABDE**FH**	7
3 AELMQS	ABFNOQRV	8
4 FHKOQ**T**	AEY	9
5 ADEGIL	ABHI**J**O**T**UV10	
B 6A CEE	❶ €26,40	
H235 80 ha 45T(70-250m²) 13D	❷ €36,20	

N 43°23'14'' E 1°49'54''
A61 Ausfahrt 20 Richtung Carcassonne (D622A und D6113). Danach die D43 Richtung Revel. Nach 4 km rechts Richtung St. Laurent (D218). An der Kirche links. Ist ausgeschildert.

Montolieu, F-11170 / Languedoc-Roussillon

Camping de Montolieu
D629
15 Mär - 31 Okt
+33 (0)4-68769501
campingdemontolieu@gmail.com

1 AD**JM**NORST	**ABF**GN	6
2 PRSVWXY	ABDE**FH**	7
3 AELQ	ABCDFNQRV	8
4 AEFI	EL	9
5 ABG	BHIJNO**P**TUV10	
B 10A CEE	❶ €18,00	
H135 1 ha 43T(80-120m²) 8D	❷ €24,00	

N 43°17'52'' E 2°13'20''
Vom Ring Carcassonne zur D6113 Richtung Castelnaudary. Ausfahrt Montolieu D29 bis 1 km vor der Ortschaft, nach rechts angezeigt.

Narbonne, F-11100 / Languedoc-Roussillon

Camping La Nautique****
La Nautique
1 Mär - 31 Okt
+33 (0)4-68904819
info@campinglanautique.com

1 ADE**JM**NOPRST	ABFGHNOPRS	6
2 ADFGPRTVWXY	ABDE**FGH**	7
3 ABEF**I**LMQR	LQRTUV	8
4 ABCD**E**FGHILNO**PQ**	ELMOQTUV	9
5 ACDEFGJL	ABDGHIJ**NO**TUZ10	
B 10A	❶ €45,40	
16 ha 250T(130-140m²) 230D	❷ €59,90	

N 43°8'50'' E 3°0'14''
A9, Ausfahrt 38 Narbonne-Sud. Am Kreisverkehr links, Schildern La Nautique folgen. Nach ca. 2,5 km CP rechts.

Narbonne, F-11100 / Languedoc-Roussillon

Yelloh! Village
Les Mimosas****
chaussée de Mandirac
30 Mär - 31 Okt
+33 (0)4-68490372
info@lesmimosas.com

1 ADE**I**LNOPRS**T**	ABFGHINQS	6
2 ACDGPRVX	ABDE**FGH**	7
3 BE**GH**ILMQR	BCDEFKNQRS	8
4 BDFHILNO**P**R**TU**X**Z**	EFJKLUV	9
5 ABCEFGIJKL	ABCDGHIJ**NP**QTVZ10	
B 10A CEE	❶ €46,00	
9 ha 140T(80-130m²) 114D	❷ €61,00	

N 43°8'12'' E 3°1'32''
A9, Ausfahrt Narbonne-Sud. In Narbonne den Schildern 'La Nautique' folgen. Dann den CP-Schildern Mandirac folgen.

Narbonne-Plage, F-11100 / Lang.-Rouss.

Campéole
La Côte des Roses***
route de Gruissan
1 Mai - 6 Sep
+33 (0)4-68498365
cote-des-roses@campeole.com

1 A**JM**NOPQRS**T**	ACDFGKNQSW	6
2 ADEHOPQRVWXY	BDE**FG**H	7
3 BDE**GI**LQT	ABDEFGIKNORSV	8
4 BCDHINO	BCEJLUV	9
5 ACDEFGIJKL	ABGHIJM**O**TUVZ10	
B 6A	❶ €32,90	
16 ha 470T(80-100m²) 400D	❷ €48,90	

N 43°8'37'' E 3°8'39''
CP liegt 2 km südlich von Narbonne-Plage an der Verbindungsstraße von Narbonne-Plage Richtung Gruissan.

Nébias, F-11500 / Languedoc-Roussillon

Le Fontaulié-Sud
1 Jun - 15 Sep
+33 (0)4-68201762
lefontauliesud@free.fr

1 ADF**IL**NORT	AF	6
2 BGPTVXY	ABD**FH**	7
3 ABLQU	ABDFNRV	8
4 FHI**Q**	EJU	9
5 ABEG	FHIJV10	
4A CEE	❶ €24,50	
H575 4 ha 69T(90-120m²) 16D	❷ €32,50	

N 42°53'34'' E 2°6'17''
N117 Quillan-Foix. Bei Nébias ist der CP ausgeschildert.

Port-Leucate, F-11370 / Languedoc-Rouss.

Rives des Corbières***
avenue du Languedoc
1 Apr - 30 Sep
+33 (0)4-68409031
rivescamping@wanadoo.fr

1 AD**JM**NOPQRT	AFKMNOQS	6
2 EHQRVWXY	ABDE**FG**	7
3 AELQ	ABCDFNORV	8
4 BCDINO**PQ**	ELMTUV	9
5 ABDEFG**JM**	BDHIJ**P**TUV10	
Anzeige auf Seite 339 B 6A	❶ €43,05	
6 ha 192T(80-100m²) 95D	❷ €43,30	

N 42°50'57'' E 3°2'26''
A9, Richtung Perpignan, Ausfahrt Leucate. D627 bis zur Ausfahrt Port-Leucate. Dann zweiter Kreisverkehr rechts. CP nach ca. 700m.

Preixan, F-11250 / Languedoc-Roussillon

Airotel Village Grand Sud***
Le Breil-d'Aude / D118
1 Apr - 30 Sep
+33 (0)4-68268818
accueil@
camping-grandsud.com

1 AD**JL**NOPRST	AHJN	6
2 ACDGPRVXY	ABDE**FG**H	7
3 ALMQ	BDFJKNRS	8
4 IO**Q**	EFJLQ	9
5 ABEFG**IM**	BGIKLO**T**UV10	
6A CEE	❶ €32,00	
H127 11 ha 50T(100-120m²) 96D	❷ €44,00	

N 43°9'31'' E 2°17'36''
A61 Ausfahrt 23 Carcassonne-Ouest, weiter Richtung Limoux (7 km), die D118.

Puivert, F-11230 / Languedoc-Roussillon

De Puivert**
1 Apr - 30 Sep
+33 (0)4-68200058
camping-de-puivert@orange.fr

1 A**JM**NOPRT	LN	6
2 DGHPSUXY	BE**FH**	7
3 BEFLMQ	BDFKNRS	8
4 AEFHI	ADQRU	9
5 ABDEIL	BFHJOTV10	
B 10A CEE	❶ €19,20	
2 ha 62T(90-110m²) 17D	❷ €24,20	

N 42°54'57'' E 2°2'39''
D117 Quillan Richtung Foix. Puivert liegt ungefähr 16 km von Quillan.

Rennes-les-Bains, F-11190 / Languedoc-Rouss.

La Bernède**
19, chemin de la Bernède
1 Apr - 31 Okt
+33 (0)6-37272234
infos@labernede.fr

1 ADEJKNOPQRST	JN	6
2 BCFORSVX	AE**FH**	7
3 AE**K**Q	ABCDFNOQTUV	8
4 DFIO	ABEL	9
5 ABI	BFHIJMNTU10	
16A CEE	❶ €21,60	
H300 1 ha 80T(80-100m²) 24D	❷ €27,60	

N 42°54'54'' E 2°19'5''
D118 Carcassonne Richtung Quillan. In Couiza auf die D813 abbiegen. Nach 5,5 km nach Rennes-les-Bains (D14) abbiegen.

Saissac, F-11310 / Languedoc-Roussillon

La Porte d'Autan
rue Boris Vian
10 Apr - 16 Okt
+33 (0)4-68763608
laportedautan@yahoo.fr

1 ADE**IL**NORST	AFN	6
2 BFGOPVWXY	ABD**FH**	7
3 ABLQRS	ABCDFGINORV	8
4 EF	AFU	9
5 BG**LM**	BHIJNOV10	
6A	❶ €21,00	
H504 71T(80-150m²) 7D	❷ €29,40	

N 43°21'42'' E 2°9'39''
Ring Carcassonne Richtung Castelnaudary D6113, rechts nach Sassiac D629. Durch den Ort nach 0,5 km links am Kreisel. Ausgeschildert.

Sigean/Aude, F-11130 / Languedoc-Roussillon

La Grange Neuve***
17 La Grange Neuve Nord
1 Jan - 31 Dez
+33 (0)4-68485870
info@campingsigean.com

1 ADEF**JM**NORT	ABFG	6
2 AQRUVX	BE**FH**	7
3 ABLQ	BDFNRSV	8
4 **A**EIO	DEFU	9
5 ABDEFGIJK**L**	ABGHIN**P**UV10	
B 6A CEE	❶ €25,00	
2,5 ha 49T(80-95m²) 35D	❷ €33,00	

N 43°4'0'' E 2°56'30''
A9/E15, Ausfahrt Sigean. 5 km Richtung Narbonne via N9. Der CP liegt rechts von der Straße, nahe 'Reserve Africaine'.

Trèbes, F-11800 / Languedoc-Roussillon

A l'Ombre des
Micocouliers****
chemin de la Lande
1 Apr - 30 Sep
+33 (0)4-68786175
infos@campingmicocouliers.com

1 ADEF**JM**NOPRST	ABCDEFN	6
2 ACOPQVY	BE**FH**J	7
3 ABI**KL**Q	BDFKNORSUV	8
4 FHIO	JU	9
5 ADEGIJK**LM**	BHIJN**P**RVW10	
B 16A CEE	❶ €25,60	
2 ha 70T(90-120m²) 10D	❷ €37,00	

N 43°12'24'' E 2°26'31''
A61/E80 Ausfahrt 24 Richtung Trèbes über die RN113. Der CP ist innerorts gut angezeigt.

Frankreich

Tuchan, F-11350 / Languedoc-Roussillon iD

Domaine La Peiriere	1 ADF**JM**NOPRST	AMN 6
route de Paziols	2 BDGRVY	AD 7
1 Apr - 30 Sep	3	ABFNPRV 8
+33 (0)4-68454650	4 FGHI	ADE 9
lapeiriere@lapeiriere.com	5 DEFGIL	FGKVZ10
	10A CEE	❶ €22,40
N 42°52'59'' E 2°43'6''	H50 2 ha 80**T**(80-100m²) 76**D**	❷ €34,90

Perpignan Richtung Quillan via D117. Nach Estagel rechts D611 Richtung Tuchan (ca. 20 km).

Villegly-en-Minervois, F-11600 / Lang.-Rouss. (CC€16) iD

Sites & Paysages	1 AD**IL**NORT	ABF 6
Le Moulin de Ste Anne****	2 COPRTUVX	ABDE**F**K 7
chemin de Ste Anne	3 ABELST	ABCDEFJNRTUV 8
1 Apr - 31 Okt	4 A**F**HIU	AJ 9
+33 (0)4-68722080	5 ADEFIL	BGHJPTUV10
contact@moulindesainteanne.com	B 10A CEE	❶ €26,00
N 43°16'59'' E 2°26'29''	H141 1,6 ha 43**T**(bis 120m²) 32**D**	❷ €34,20

A61 Ausfahrt 23 Richtung Mazamet. Im Kreisverkehr D620 Richtung Villegly (beschildert).

Verdun-en-Lauragais, F-11400 / Languedoc-Rouss. iD

Yelloh! Village	1 ADE**JM**NOPRT	AFLN 6
Le Bout du Monde	2 BCDFGINPTUVWXY	ABDE**FG**HJ 7
Ferme de Rhodes	3 ABEFGHLMRU	ABCDEFGKNQRSTUV 8
1 Apr - 30 Sep	4 ABDEFHIKLNOQ	BCEL 9
+33 (0)4-68949596	5 ABCDEFGIJKL**M**	ABFGHJMN**O**PTUV10
info@campingleboutdumonde.fr	16A CEE	❶ €36,00
N 43°22'36'' E 2°4'29''	H600 14 ha 46**T**(40-100m²) 101**D**	❷ €49,00

A61 Ausfahrt 21 Richtung Toulouse. Am 5. Kreisel Richtung St. Papoul. Hier weiter den Schildern Le Bout du Monde folgen (weiß auf schwarzem Hintergrund).

Villemoustaussou, F-11620 / Languedoc-Roussillon iD

Das Pinhiers***	1 AD**JM**NOR**T**	AN 6
ch. du Pont Neuf	2 APRTVWXY	ABDE**F**H 7
1 Apr - 31 Okt	3 B**I**KLQ	ABCDFKNORSV 8
+33 (0)4-68478190	4 B**F**HINO**Q**	AELUV 9
campindaspinhiers@wanadoo.fr	5 ABDGM	BFGHIJOTUVWX10
	B 10A CEE	❶ €18,00
N 43°15'35'' E 2°21'58''	H127 2 ha 56**T**(80m²) 20**D**	❷ €25,00

Der CP liegt 800m außerhalb von Villemoustaussou. Der Ort ist nördlich von Carcassonne.

Pyrénées-Orientales

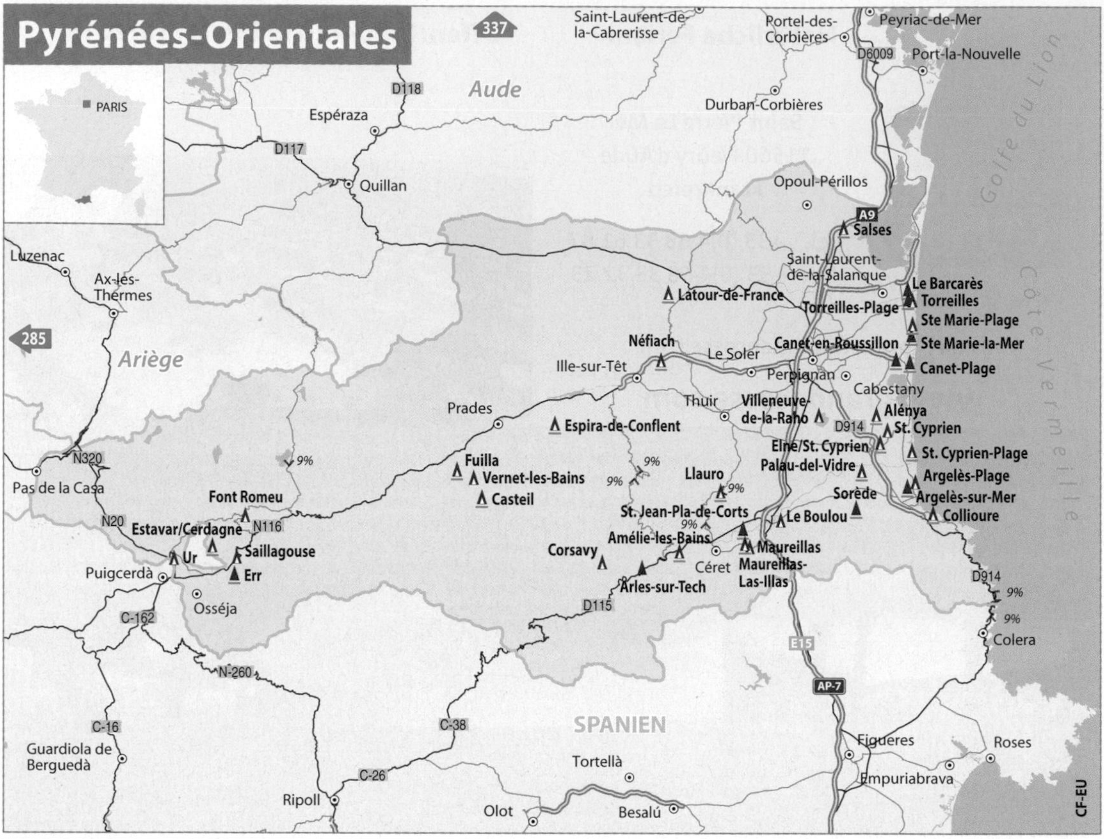

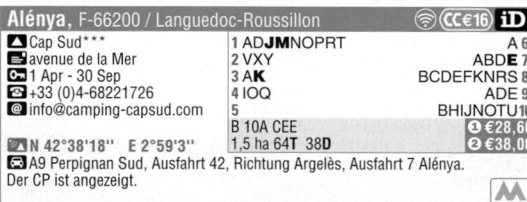

Map labels: PARIS · Aude · 337 · Saint-Laurent-de-la-Cabrerisse · Portel-des-Corbières · Peyriac-de-Mer · D6009 · Port-la-Nouvelle · Espéraza · D118 · Durban-Corbières · Opoul-Périllos · Golfe du Lion · D117 · Quillan · A9 · Salses · Luzenac · Saint-Laurent-de-la-Salanque · Le Barcarès · Ax-les-Thermes · Latour-de-France · Torreilles · Torreilles-Plage · Ste Marie-Plage · 285 · Néfiach · Le Soler · Canet-en-Roussillon · Ste Marie-la-Mer · Ariège · Ille-sur-Têt · Perpignan · Canet-Plage · Côte vermeille · Prades · Thuir · Cabestany · Espira-de-Conflent · Villeneuve-de-la-Raho · Alénya · N320 · D914 · St. Cyprien · Pas de la Casa · Fuilla · Vernet-les-Bains · Llauro · Eine/St. Cyprien · St. Cyprien-Plage · N20 · Casteil · Palau-del-Vidre · Argelès-Plage · Font Romeu · St. Jean-Pla-de-Corts · Sorède · Argelès-sur-Mer · Estavar/Cerdagne · N116 · Le Boulou · Collioure · Ur · Saillagouse · Amélie-les-Bains · Maureillas · Puigcerdà · Err · Corsavy · Céret · Maureillas-Las-Illas · C-162 · Osséja · Arles-sur-Tech · D115 · D914 · E15 · Colera · AP-7 · SPANIEN · C-16 · C-38 · Figueres · Roses · Guardiola de Berguedà · C-26 · Tortellà · Empuriabrava · Ripoll · Olot · Besalú · CF-EU

Alénya, F-66200 / Languedoc-Roussillon 🛜 CC€16 iD

🏕 Cap Sud***
🏠 avenue de la Mer
🕐 1 Apr – 30 Sep
☎ +33 (0)4-68221726
@ info@camping-capsud.com

1	ADJMNOPRT	A 6
2	VXY	ABDE 7
3	AK	BCDEFKNRS 8
4	IOQ	ADE 9
5		BHIJNOTU10
B	10A CEE	① €28,60
1,5 ha 64T	38D	② €38,00

📍 N 42°38'18'' E 2°59'3''
🚗 A9 Perpignan Sud, Ausfahrt 42, Richtung Argelès, Ausfahrt 7 Alénya. Der CP ist angezeigt.

Amélie-les-Bains, F-66110 / Lang.-Rouss. 🛜 CC€16 iD

🏕 Aloha Camping Club
🏠 Domaine Al Camp Roigt
🕐 15 Mär – 15 Nov
☎ +33 (0)4-68394312
@ info@
aloha-camping-amelie.com

1	ABFJMNOPRST	ABFNUV 6
2	BCFGIOPRTVXY	ABDEFGH 7
3	ABFGHILMNQRU	ABCDEFGIJKLMNOPQRSTV 8
4	ACDEFHLOPQRSTUVWYZ	EFU 9
5	ADGKLM	ABFGHIJNOV10
B	6A CEE	① €24,25
H182 2,5 ha 110T	(70-100m²) 71D	② €33,35

📍 N 42°28'53'' E 2°41'40''
🚗 A9 Ausfahrt Le Boulou. Ri. Amélie-les-Bains. D115, kurz vor Amélie-les-Bains die D15 Ri. Reynes. Weiter gut angezeigt.

Argelès-Plage, F-66702 / Languedoc-Roussillon 🛜

🏕 Roussillonnais***
🏠 boulevard de la Mer
🕐 1 Apr – 9 Nov
☎ +33 (0)4-68811042
@ contact@
le-roussillonnais.com

1	BDEJMNOPQRST	KNQSX 6
2	EHOQVWXY	ABDEFGH 7
3	BEFKLMQ	ABCDFKNORSV 8
4	BCDILNOPQ	AEJLMOTU 9
5	ACDEFGIJLM	ABFGHINOTUVZ10
B	6A CEE	① €33,90
10 ha 559T	(80-180m²) 174D	② €43,90

📍 N 42°34'2'' E 3°2'19''
🚗 A9, Ausfahrt Perpignan-Sud, D914 in Richtung Argelès-sur-Mer, Ausfahrt 10 in Richtung Taxo-d'Avall. 2. Kreisverkehr links in Richtung Plage Nord, bis CP beschildert ist.

Argelès-sur-Mer, F-66701 / Lang.-Rouss. 🛜 CC€14 iD

🏕 Comangès***
🏠 avenue du Général de Gaulle
🕐 11 Apr – 1 Okt
☎ +33 (0)4-68811562
@ infos@
campingcomanges.com

1	ADJMNOPQRST	K 6
2	EOPRVX	BEFGH 7
3	AEKL	ABCDEFNORSV 8
4	I	EL 9
5		BDGHIPTU10
B	10A CEE	① €33,40
1 ha 71T	(70-90m²) 19D	② €48,40

📍 N 42°33'5'' E 3°2'40''
🚗 A9, Ausfahrt Perpignan-Sud, D914 Richtung Argelès-sur-Mer bis Ausfahrt 10, Richtung Argelès. Am 2. Kreisverkehr Richtung Argelès, Les Plages. Im Ort Richtung 'Centre Plage'.

Argelès-sur-Mer, F-66700 / Languedoc-Roussillon 🛜 iD

🏕 de Pujol****
🏠 avenue de la Retirada 1939
🕐 20 Apr – 12 Okt
☎ +33 (0)4-68810025
@ postmaster@
campingdepujol.com

1	ADEILNOPRT	AFX 6
2	GOPRVWXY	BDEFGH 7
3	ABEIKLQ	ABCDEFKLMNORSV 8
4	BDILNOQU	E 9
5	ABDEFGIKM	BHIJOTU10
B	6A	① €39,20
6,3 ha 220T	(80-120m²) 100D	② €55,20

📍 N 42°33'25'' E 3°1'46''
🚗 A9, Ausfahrt Perpignan-Sud, N114 Richtung Argelès-sur-Mer bis Ausfahrt 10. Erster Kreisverkehr Richtung Argelès, zweiter Kreisverkehr Richtung Pujols, dritter Kreisverkehr Richtung Plage Nord.

Argelès-sur-Mer, F-66701 / Lang.-Rouss. 🛜 CC€18 iD

🏕 La Chapelle****
🏠 Place de L'Europe – avenue du Tech
🕐 18 Apr – 27 Sep
☎ +33 (0)4-68812814
@ contactlc@
camping-la-chapelle.com

1	ADEJMNOPQRST	ABCDFGHKMX 6
2	CEHOVY	ABDEFGH 7
3	BEIKLMQT	ABCDEFGKNORSV 8
4	BDLNOR	EL 9
5	ABEFG	ABDFGHIJPTUV10
B	6-10A CEE	① €46,90
9,7 ha 299T	(80-120m²) 299D	② €71,90

📍 N 42°33'10'' E 3°2'35''
🚗 A9 Ausfahrt 42 Perpignan-Süd, weiter die D914 Richtung Argelès-sur-Mer. Ausfahrt 10 Richtung Chemin de Pujol und Plage Centre. Der CP liegt gegenüber dem 'Office du Tourisme'.

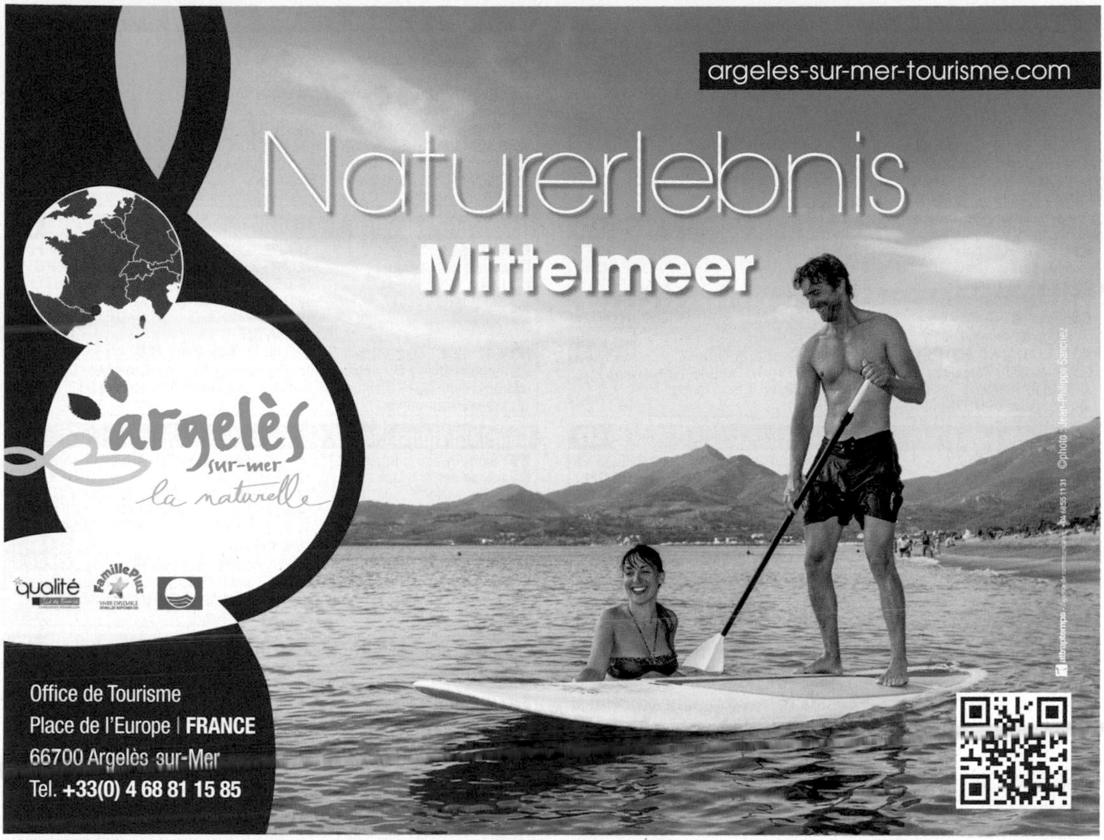

Argelès-sur-Mer, F-66702 / Lang.-Rouss. (CC€16) iD

La Marende****	1 AD**JM**NOPQRST	ABFGKMNOQRX 6
avenue du Littoral	2 EHOPVXY	ABDE**FG**H 7
18 Apr - 28 Sep	3 BE**K**LQR	ABCDEFGHIJKNOPQRSTUV 8
+33 (0)4-68811209	4 BDFINO**PUXYZ**	ELUVW 9
info@marende.com	5 ACDEFGIK**LM**	ABDGHINOTUV 10
	B 6-10A CEE	① €37,40
N 42°34'20'' E 3°2'28''	2,5 ha 137**T**(90-120m²) 71**D**	② €53,00

A9, Ausfahrt Perpignan-Sud, D914 Richtung Argelès-sur-Mer bis Ausfahrt 10 Richtung Taxo-d'Avall, zweiter Kreisverkehr links und so lange Richtung Plage Nord bis CP angezeigt wird.

Argelès-sur-Mer, F-66700 / Lang.-Rouss. (CC€14) iD

La Roseraie***	1 ADE**IL**NOPRT	ABFGX 6
Taxo-d'Avall	2 GOPRVXY	ABDE**FG**H 7
30 Mär - 19 Sep	3 BE**IK**LQ	ABCDFKNQRS 8
+33 (0)4 68811703	4 **ABCDE**ILNO**PQX**Y	EJLUV 9
info@camping-la-roseraie.fr	5 ACDEFGI**M**	ABDHI**NOT** 10
	B 6A	① €37,90
N 42°34'16'' E 2°59'57''	9 ha 80**T**(100m²) 309**D**	② €50,80

A9, Ausfahrt Perpignan-Sud, D914 Richtung Argelès-sur-Mer. Hinter Elne Ausfahrt 10 Richtung Taxo-d'Avall. Dann den Schildern folgen.

Argelès-sur-Mer, F-66700 / Languedoc-Roussillon iD

La Massane***	1 ADE**IL**NORT	AF 6
avenue Molière	2 PRVY	ABD**FG**H 7
1 Apr - 30 Sep	3 ADI**K**LQ	ABCDEFNOQRS 8
+33 (0)4-68810685	4 BDIN	DEL 9
info@camping-massane.com	5 ABGK**M**	BHIJNOTU 10
	B 6-10A CEE	① €28,40
N 42°33'3'' E 3°1'52''	2,7 ha 154**T**(80-100m²) 30**D**	② €41,60

A9, Ausfahrt Perpignan-Sud, D914 Richtung Argelès-sur-Mer bis Ausfahrt 10 Richtung Taxo-d'Avall. Zweiter Kreisverkehr Richtung Pujols, am nächsten Kreisverkehr geradeaus CP-Ausschilderung folgen.

Argelès-sur-Mer, F-66701 / Lang.-Rouss. (CC€16) iD

Le Dauphin****	1 AD**JM**NOPQRT	ABFGHIX 6
route de Taxo à la Mer	2 GOPRVX	ABDE**FG**H 7
11 Apr - 25 Sep	3 BEF**K**LMQ	ABCDEF**L**NQRSTUV 8
+33 (0)4-68811754	4 BCDILNO**PQ**U**XY**	CEUV 9
info@campingledauphin.com	5 ACDEFGI	ABDHIJ**NOP**TU 10
	Anzeige auf dieser Seite B 10A	① €47,20
N 42°34'21'' E 3°1'18''	7,5 ha 129**T**(100-120m²) 217**D**	② €63,20

A9, Ausfahrt Perpignan-Sud, D914 Richtung Argelès-sur-Mer, Ausfahrt 10 Taxo-d'Avall. 2. Kreisverkehr links Richtung Taxo-d'Avall, Plage Nord. Beschildert.

NEUES BEHEIZTES SCHWIMMBAD

Le Dauphin

+33 (0)4 68 81 17 54

www.campingledauphin.com

Plansch- und Spielbecken - Lernbecken - Massagebänke

Stellplätze mit privatem Sanitärbereich

Teilkarte Pyrénées-Orientales auf Seite 340

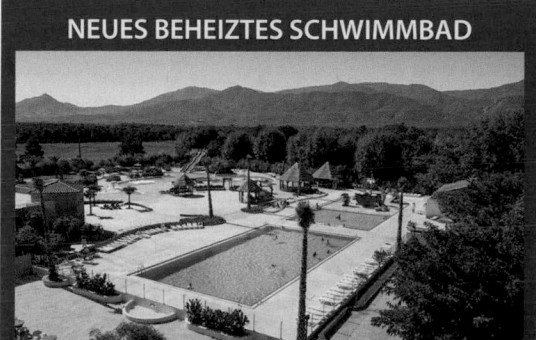

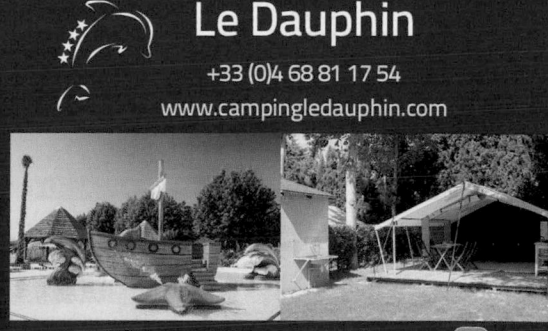

Argelès-sur-Mer, F-66700 / Languedoc-Roussillon 📶 iD

▲ Le Littoral*****
🛣 route du Littoral
🗓 11 Apr - 26 Sep
☎ +33 (0)2-53817000
@ contact@ms-vacances.com
📍 N 42°34'50'' E 3°1'59''

1 ADEILNOPRT	ABCDFGH 6
2 HOPQRVY	BEFGH 7
3 ABEFKLMQST	ABCDEFNQRSV 8
4 BCDFILNOPQRTUVXYZ	ELUV 9
5 ABEFGIM	BHIJPTVZ 10

B 10A CEE ① €47,20
6 ha 49T(80-110m²) 290D ② €71,20

🚗 A9 Ausfahrt Perpignan-Sud. D914 Richtung Argelès-sur-Mer bis zur Ausfahrt 10 Richtung Taxo-d'Avall. Am zweiten Kreisel links ab Richtung Plage Nord und St. Cyprien.

Argelès-sur-Mer, F-66700 / Lang.-Rouss. 📶 CC€16 iD

▲ Le Romarin***
route de Sorède, chemin des Vignes
🗓 11 Apr - 19 Sep
☎ +33 (0)4-68810263
@ contact@camping-romarin.com
📍 N 42°32'24'' E 2°59'43''

1 ADEILNOPRT	ABF 6
2 ABPQVWXY	ABDEFGH 7
3 ALQT	ABCDFNRV 8
4 BCDFINOX	EFUVY 9
5 ABDEFGIKLM	BDGHIJNOTU 10

B 6-10A CEE ① €37,90
2,5 ha 41T(80-140m²) 80D ② €49,90

🚗 A9 Ausfahrt Perpignan-Sud, D914 Richtung Argelès-sur-Mer bis Ausfahrt 11. Am Kreisel Richtung 'Les Olivettes'. Nach 1,3 km am Kreisel rechts. Am nächsten Kreisel rechts. CP in 200m.

Argelès-sur-Mer, F-66702 / Lang.-Rouss. 📶 CC€16 iD

▲ Le Soleil*****
🛣 route du Littoral
🗓 6 Mai - 19 Sep
☎ +33 (0)4-68811448
@ camping.lesoleil@wanadoo.fr
📍 N 42°34'33'' E 3°2'33''

1 ADEJMNOPRT	ABFGHIKMNOQSX 6
2 CEHOPQVXY	ABDEFGH 7
3 BEKLQST	ABCDEFJNQRSTUV 8
4 BCDIMNOPQRUY	ELMOUV 9
5 ACDEFGIJKM	ABDGHIJMNOTUYZ 10

Anzeige auf Seite 343 B 6-10A CEE ① €47,50
12 ha 434T(90-120m²) 406D ② €71,30

🚗 A9, Ausfahrt Perpignan-Sud, D914 Richtung Argelès-sur-Mer bis Ausfahrt 10 Richtung Taxo-d'Avall. Zweiter Kreisverkehr links und so lange Richtung Plage Nord, bis CP angezeigt wird.

Argelès-sur-Mer, F-66701 / Lang.-Rouss. 📶 CC€18 iD

▲ Les Criques de Porteils*****
🛣 RD114 - Corniche de Collioure
🗓 28 Mär - 24 Okt
☎ +33 (0)4-68811273
@ contactcdp@lescriques.com
📍 N 42°32'2'' E 3°4'4''

1 ADEJMNOPRT	ABFGHKMOPQSX 6
2 EFJKMPQRTUVXY	ABDEFGH 7
3 ABELMQT	ABCDFJKNOQRS 8
4 AEFLOUY	AEL 9
5 ACEFGIM	ABDFGHIJNPT 10

Anzeige auf Seite 343 B 6-10A CEE ① €54,70
5 ha 179T(80-100m²) 69D ② €79,70

🚗 A9 Richtung Perpignan. Ausfahrt 42 Perpignan Sud Richtung Argelès-sur-Mer, D914 Richtung Collioure bis Ausfahrt 13. 'Collioure par la corniche' bis l'Hotel du Golfe, rechts ab fahren.

Argelès-sur-Mer, F-66702 / Lang.-Rouss. 📶 CC€12 iD

▲ Les Marsouins****
🛣 route de la Retirada
🗓 18 Apr - 19 Sep
☎ +33 (0)4-68811481
@ info@campsud.com
📍 N 42°33'49'' E 3°2'5''

1 ADILNOPQRST	ABFGHOQU 6
2 GOPVXY	ABDEFGH 7
3 BEFGHKLQ	CDEFNQRSTUV 8
4 ABCDILMNOPQR	ELMR 9
5 ACDEFGIJKLM	ABFGHIJNOTZ 10

B 5A CEE ① €43,20
12 ha 372T(80-130m²) 215D ② €60,20

🚗 A9, Ausfahrt Perpignan-Sud, D914 Richtung Argelès-sur-Mer, Ausfahrt 10. Erster Kreisverkehr in Richtung Argelès, zweiter Kreisverkehr in Richtung Pujols, dritter Kreisverkehr in Richtung Plage Nord.

Argelès-sur-Mer, F-66702 / Lang.-Rouss. 📶 CC€16 iD

▲ Les Pins***
🛣 avenue du Tech
🗓 4 Apr - 4 Okt
☎ +33 (0)4-68811046
@ camping@les-pins.com
📍 N 42°33'21'' E 3°2'32''

1 ADJLNOPQRT	ABFHKMNX 6
2 EHMOPVY	ABDEFGH 7
3 ABKLQ	ABCDEFJKNRSV 8
4 BDINOPQXZ	BDHIJOPTUZ 10
5 ADEFGI	BDHIJOPTUZ 10

Anzeige auf Seite 343 B 6A CEE ① €47,90
4 ha 216T(85-95m²) 110D ② €60,90

🚗 A9, Ausfahrt Perpignan-Sud, D914 Richtung Argelès-sur-Mer bis Ausfahrt 10. Richtung Argelès. 2. Kreisverkehr Richtung Argelès, Les Plages. Im Ort dann Richtung 'Centre Plage' und 'Plage des Pins'.

Arles-sur-Tech, F-66150 / Languedoc-Roussillon 📶 iD

▲ Du Riuferrer**
🗓 1 Mär - 31 Okt
☎ +33 (0)4-68391106
@ campingriuferrer@libertysurf.com
📍 N 42°27'26'' E 2°37'33''

1 ADILNOST	J 6
2 CPRVY	ABDEF 7
3 GHQ	ACDEFNORS 8
4 EI	E 9
5 DEFGK	BHIJOV 10

10A CEE ① €20,60
H310 4 ha 150T(75-120m²) 8D ② €29,60

🚗 CP 1 km von Arles-sur-Tech entfernt, an Straße D115 ausgeschildert.

Arles-sur-Tech, F-66150 / Languedoc-Roussillon iD

▲ Le Vallespir***
🛣 Alzine Rodone
🗓 1 Apr - 1 Nov
☎ +33 (0)4-68399000
@ info@campingvallespir.com
📍 N 42°28'1'' E 2°39'6''

1 ADILNORST	AFJN 6
2 CPRVXY	ABDEFGH 7
3 AELMQ	ABCDEFNOPRS 8
4 IO	EL 9
5 DEFGIK	BHIJTU 10

B 10A CEE ① €25,85
H250 140T(86-95m²) 40D ② €36,15

🚗 D115 Le Boulou-Arles, ca. 1 km vor Arles ist CP ausgeschildert.

Canet-en-Roussillon, F-66140 / Lang.-Rouss. 📶 ✿ iD

▲ Les Fontaines***
🛣 avenue de Saint Nazaire
🗓 1 Mai - 15 Sep
☎ +33 (0)4-68822257
@ info@camping-les-fontaines.com
📍 N 42°41'20'' E 2°59'57''

1 ADJMNOPRST	AFX 6
2 OPRVWX	ABDEFGH 7
3 AEKLQR	ABDFNRSV 8
4 BCDHIKNQ	EUV 9
5 ABDGM	BGHIJNOPTUV 10

B 10A CEE ① €36,40
5 ha 56T(140-200m²) 104D ② €43,40

🚗 A9, Ausfahrt 41 Perpignan Centre Richtung Le Barcarès/Canet über die D83 und D81. Dann die D617 Richtung St. Nazaire. Hinter der Ausfahrt St. Nazaire die D11 am Kreisel geradeaus. CP nach 1200m links.

Canet-en-Roussillon, F-66140 / Lang.-Rouss. 📶 CC€16 iD

▲ Ma Prairie****
🛣 avenue des Coteaux
🗓 11 Apr - 20 Sep
☎ +33 (0)4-68732617
@ contact@maprairie.com
📍 N 42°42'4'' E 2°59'54''

1 ADEJLNOPQRT	ABFHX 6
2 OPVXY	ABDEFGH 7
3 BEKLQT	ABCDEFNQRSTUV 8
4 BCDILNOPQRU	ABELUV 9
5 ADEGIKL	ABDHIJPTUVZ 10

B 10A CEE ① €51,20
4,5 ha 171T(65-100m²) 88D ② €65,20

🚗 A9, Ausfahrt 41 Perpignan-Centre Richtung Le Barcarès-Canet über D83 und D81, dann D617 Richtung St. Nazaire, nach Ausfahrt St. Nazaire D11, am Kreisverkehr rechts.

Canet-en-Roussillon, F-66141 / Languedoc-Rouss. 📶 iD

▲ Yelloo! Village le Brasilia*****
🛣 avenue des Anneaux du Roussillon
🗓 11 Apr - 3 Okt
☎ +33 (0)4-68802382
@ info@lebrasilia.fr
📍 N 42°42'30'' E 3°2'8''

1 ADEJMNOPQRST	ABFGHIKMNQSX 6
2 CEHOPQVXY	BDEFGH 7
3 BEFHKLQRT	ABCDEFJKNQRSTUV 8
4 ABCDHILMNOPQRUXZ	EFLTUV 9
5 ACDEFGIJKL	ABGHIJMNOPQTUYZ 10

B 6-10A CEE ① €58,20
15 ha 444T(80-120m²) 282D ② €76,20

🚗 A9, Ausfahrt 41 Perpignan-Centre. D83 und D81 Richtung Le Barcarès/Canet. In Canet erster Kreisel Richtung Ste Marie und dann direkt rechts Richtung 'Zone Artisanale las Bigues' den CP-Schildern folgen.

Canet-Plage, F-66140 / Languedoc-Rouss. 📶 CC€14 iD

▲ Le Bosquet***
🛣 av. des Anneaux du Roussillon
🗓 11 Apr - 10 Okt
☎ +33 (0)4-68802380
@ campinglebosquet@club-internet.fr
📍 N 42°42'33'' E 3°1'59''

1 ADJMNOPQRT	AFKN 6
2 CEOPQRVWXY	BEFGHK 7
3 ABEKLQ	ABCDFKNORS 8
4 BCDILNOPQU	ELU 9
5 ABDEFGLM	BDHIJOTUZ 10

B 10A ① €44,40
1,5 ha 73T(80-100m²) 44D ② €57,40

🚗 A9 Ausfahrt 41 Perpignan-Centre Richtung Barcarès/Canet via D83 und D81. In Canet 1. Kreisel Richtung Ste Marie, dann direkt rechts Richtung 'Zone Artisanale las Bigues', den CP-Schildern folgen.

Canet-Plage, F-66141 / Languedoc-Roussillon 📶 iD

▲ Les Peupliers****
🛣 av. des Anneaux du Roussillon
🗓 1 Mai - 20 Sep
☎ +33 (0)4-68803587
@ contact@camping-les-peupliers.fr
📍 N 42°42'25'' E 3°1'49''

1 ADJMNOPRT	ABFGHKN 6
2 EHPVY	ABDEFGH 7
3 AEKLQ	ABCDEFNORSV 8
4 DNOPQ	AEJLUV 9
5 ABDEFGIM	ABHIJOTUVZ 10

B 6A ① €55,20
4 ha 75T(80-100m²) 154D ② €71,20

🚗 A9, Ausfahrt 41 Perpignan-Centre. Richtung Barcarès/Canet via D83 und D81. In Canet 1. Kreisel Richtung Ste Marie, dann direkt rechts Richtung 'Zone Artisanale las Bigues' den CP-Schildern nach.

Canet-Plage, F-66140 / Languedoc-Roussillon 📶 CC€16 iD

▲ Mar Estang****
🛣 route de St. Cyprien
🗓 25 Apr - 12 Sep
☎ +33 (0)4-68803553
@ contactme@marestang.com
📍 N 42°40'31'' E 3°1'52''

1 ADEJMNOPQRST	ABFHIKMOPQSX 6
2 ADEHOPQSVX	ABDEFGH 7
3 ABEFKLMQ	ABCDEFKNRS 8
4 BCDILMNOPRUXZ	AELUV 9
5 ACDEFGIJ	ABDFGHIJLPTVY 10

B 6A CEE ① €51,40
13 ha 150T(60-100m²) 450D ② €81,40

🚗 A9, Ausfahrt 41 Richtung Le Barcarès und Canet-en-Roussillon. In Canet Richtung St. Cyprien oder Plage Sud. Südlich von Canet liegt der CP rechts.

Casteil, F-66820 / Languedoc-Roussillon 📶 CC€16 iD

▲ Domaine-St-Martin***
🛣 6 boulevard de la Cascade
🗓 1 Apr - 11 Okt
☎ +33 (0)4-68055209
@ domainesaintmartin66@gmail.com
📍 N 42°32'0'' E 2°23'52''

1 AJLNORST	A 6
2 BFORTUVXY	ABDEFG 7
3 ALMQV	ABCDFJNPQRV 8
4 FIOQ	AEV 9
5 ABEGIL	ABHJNPTUX 10

10A ① €28,70
H800 6,5 ha 65T(90-225m²) 18D ② €37,30

🚗 N116 Prades-Villefranche. Kreisel Richtung Vernet-les-Bains/Casteil. CP ist angezeigt.

Le Soleil ★ ★ ★ ★ ★

Direkt am Meer - beheiztes Schwimmbad - beheiztes Sanitär

• große parzellierte Plätze • Geschäfte • Kühleis reservieren empfohlen • Grand Comfort Plätze • WLAN auf der gesamten Anlage • Rutschbahnen • Mobilheimvermietung • Hunde gestattet

Route du Littoral, 66702 Argelès-sur-Mer
Tel. 04-68811448 • Fax 04-68814434
E-Mail: camping.lesoleil@wanadoo.fr
Internet: www.camping-le-soleil.fr

Frankreich

Collioure, F-66190 / Languedoc-Roussillon 🛜 CC €16 iD

⛰ Camping Les Amandiers**	1 ADE**JM**NOPR**T**	KNPQU 6
🚏 route des Campings	2 BEJMNPUVWXY	ABDE**FG** 7
📅 28 Mär - 11 Okt	3 ALQ	ABEFNORV 8
☎ +33 (0)4-68811469	4 FO	CEJR 9
@ contact@	5 ABDEFGIJK	BDFGHIJOTU10
camping-les-amandiers.com	Anzeige auf dieser Seite B 10A CEE	❶ €37,40
📍 N 42°31'53'' E 3°4'18''	1,8 ha 64**T**(60-90m²) 19**D**	❷ €50,40

🚗 A9 Richtung Perpignan, Ausfahrt 42 Perpignan-Sud Richtung Argelès-sur-Mer. D914 Richtung Collioure bis Ausfahrt 13 Collioure par la corniche. Den CP-Schildern bis kurz vor Collioure folgen, dann links ab. Ⓜ

Camping Les Amandiers ★ ★

• 1 km bis zum Zentrum von Collioure
• 200m bis zum Strand, Kajakvermietung
• schattige Plätze und gratis WiFi
• Mobilheimvermietung, Ferienhäuser und Lodges

Route des Campings, 66190 Collioure
Tel. 04-68811469
E-Mail: contact@camping-les-amandiers.com
Internet: www.camping-les-amandiers.com

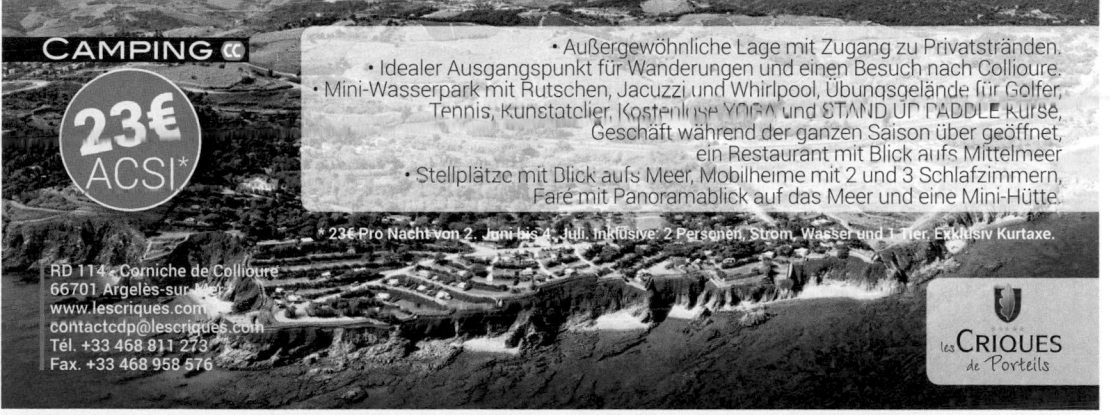

CAMPING CC

23€ ACSI*

• Außergewöhnliche Lage mit Zugang zu Privatstränden.
• Idealer Ausgangspunkt für Wanderungen und einen Besuch nach Collioure.
• Mini-Wasserpark mit Rutschen, Jacuzzi und Whirlpool, Übungsgelände für Golfer, Tennis, Kunstatelier, Kostenlose YOGA und STAND UP PADDLE Kurse, Geschäft während der ganzen Saison über geöffnet, ein Restaurant mit Blick aufs Mittelmeer
• Stellplätze mit Blick aufs Meer, Mobilheime mit 2 und 3 Schlafzimmern, Fare mit Panoramablick auf das Meer und eine Mini-Hütte.

* 23€ Pro Nacht von 2. Juni bis 4. Juli. Inklusive: 2 Personen, Strom, Wasser und 1 Tier. Exklusiv Kurtaxe.

RD 114 - Corniche de Collioure
66701 Argelès-sur-Mer
www.lescriques.com
contactcdp@lescriques.com
Tél. +33 468 811 273
Fax. +33 468 958 576

les **CRIQUES** de Porteils

Corsavy, F-66150 / Languedoc-Roussillon iD

⛰ Le Cortsavi**	1 ABILNORT	N 6
🚏 route de Batère	2 CGPRTVX	BE 7
📅 1 Apr - 31 Okt	3 ABQ	ABDFLN 8
☎ +33 (0)4-68878924	4 IO	DEI 9
@ info@camping-cortsavi.com	5 DEGHI	BHJL10
	B 6A	❶ €17,00
📍 N 42°28'9'' E 2°34'42''	H816 50**T**(90m²) 10**D**	❷ €24,20

🚗 Le Boulou D115 Richtung West nach Arles-sur-Tech, 500m nach Arles Schild Corsavy. CP ist ausgeschildert. Ⓜ

Elne/St. Cyprien, F-66200 / Lang.-Rouss. 🛜 CC €16 iD

⛰ Le Florida****	1 ADE**IL**NOPRST	AFH 6
🚏 route Latour Bas Elne	2 OPRVXY	ABDE**FG**H 7
📅 1 Jan - 31 Dez	3 BE**HK**LMQ	ABCDEFJNQRSV 8
☎ +33 (0)4-68378088	4 ABCDILNO**PQ**	EI 9
@ info@campingleflorida.com	5 ADEFGL	ABDFGHIJLMPTZ10
	Anzeige auf Seite 345 B 5A CEE	❶ €41,85
📍 N 42°36'26'' E 2°59'28''	7 ha 70**T**(100-135m²) 88**D**	❷ €45,85

🚗 A9 Ausfahrt Perpignan-Süd Richtung Argelès-sur-Mer. An der N114 die Ausfahrt 7 Latour-Bas-Elne nehmen, via D11 Richtung Elne-Centre. Dann über die D40 Richtung St. Cyprien. Ⓜ

CC

Les Pins ★ ★ ★

Ruhe und Schatten. 5 Minuten vom Zentrum Argelès-Plage genießen Sie einen exzellenten Strand (200m). Spazieren Sie am Meer entlang zum Hafen und zu den Wanderwegen. Schwimmbad in totaler Harmonie mit der Umgebung. Idealer Ausgangspunkt für Ausflüge in die Pyrenäen und nach Spanien.

Avenue du Tech,
66702 Argelès-sur-Mer
Tel. 04-68811046 • Fax 04-68813506
E-Mail: camping@les-pins.com
Internet: www.les-pins.com

Teilkarte Pyrénées-Orientales auf Seite 340

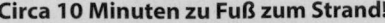

Frankreich

Err, F-66800 / Languedoc-Roussillon · (CC€14) iD

▲ Las Closas***	1 ADEILNOPQRT	**AH**N 6
🏠 1 place St. Genis	2 FPVY	ABDE**FH** 7
🔓 1/1 - 27/9, 25/10 - 31/12	3 BLQV	ABCDFNOPR 8
☎ +33 (0)4-68047142	4 AE	EL 9
@ camping.las.closas@	5 F	BHIJR10
wanadoo.fr	W 6A	➊ €21,60
▲ N 42°26'26'' E 2°1'55''	H1350 2 ha 114T(bis 100m²) 10D	➋ €29,70

🚗 Der CP wird an der Ausfahrt Err auf die N116 von Mont-Louis nach Bourg-Madame ausgeschildert.

Err, F-66800 / Languedoc-Roussillon · 📶 iD

▲ Le Puigmal***	1 ADE**I**LNOPQRST	**ABFH**N 6
🏠 30 route du Puigmal	2 CFGOPVXY	ABDE**FH** 7
🔓 1 Jan - 31 Dez	3 ABEL**M**	ABCDFJNOPR 8
☎ +33 (0)4-68047183	4 EI	ELV 9
@ contact@	5	BGHIJ**PR**10
camping-le-puigmal.fr	Anzeige auf dieser Seite 6A	➊ €20,80
▲ N 42°26'17'' E 2°2'2''	H1350 3,2 ha 125T(100m²) 8D	➋ €29,10

🚗 Auf der N116 von Bourg-Madame nach Mont-Louis ist der CP bei der Ausfahrt Err ausgeschildert.

Espira-de-Conflent, F-66320 / Lang.-Rouss. · 📶 (CC€16) iD

▲ Le Canigou***	1 ADE**J**LNOPQRST	JN 6
🏠 14 Apr - 30 Sep	2 CKPRTVXY	ABD**FG** 7
☎ +33 (0)4-68058540	3 AELQRV	ABCDEFNPRS 8
@ info@camping-canigou.com	4 **A**EGIO**PQ**	ABGHJLPT10
	5 ABDEFGIK	ABGHIJTU10
	10A	➊ €32,25
▲ N 42°37'0'' E 2°30'5''	H290 4 ha 115T(100m²) 19D	➋ €47,25

🚗 Bei Perpignan N116 in Richtung Prades fahren. Ca. 2,5 km nach Vinça links abbiegen. Espira-de-Conflent ist ausgeschildert.

Estavar/Cerdagne, F-66800 / Lang.-Rouss. · 📶 (CC€14) iD

▲ L'Enclave***	1 ADE**J**MNOPRT	ABFG 6
🏠 2 rue des Vynials	2 CFPUVXY	ABDE**FG** 7
🔓 1/1 - 5/10, 19/12 - 31/12	3 BEILMQ	ABCDEFJNOQRSV 8
☎ +33 (0)4-68047227	4 ABDEFHIO**PQTU**	E 9
@ contact@	5 ABDEFIK	ABGHIJOTU10
camping-lenclave.com	WB 10A	➊ €31,50
▲ N 42°28'8'' E 1°59'55''	H1224 4 ha 175T(80-130m²) 28D	➋ €40,95

🚗 Von Puigcerda/Saillagouse N154 Richtung Llivia. Dann Schilder Estavar und CP folgen. CP liegt an der D33.

Font Romeu, F-66120 / Languedoc-Roussillon · iD

▲ Huttopia Font-Romeu***	1 ADE**FI**KNORST	ABFG 6
🏠 route de Mont Louis	2 ABFGNOPRSTWXY	ABDE**FG**H 7
🔓 20/6 - 16/9, 5/12 - 8/4	3 ALQ	ABCDEFGJQRSV 8
☎ +33 (0)4-68300932	4 ABDIOQ	AJ 9
@ font-romeu@huttopia.com	5 ADFGI	ABFHJNT10
	W 10A CEE	➊ €34,10
▲ N 42°30'21'' E 2°2'44''	H1800 125T(100-120m²) 54D	➋ €46,90

🚗 Perpignan Richtung Andorra N116. Bei Mont-Louis am Kreisel Richtung Font Romeu D618. Der CP wird angezeigt.

Fuilla, F-66820 / Languedoc-Roussillon · 📶 (CC€16) iD

▲ Le Rotja***	1 ADE**J**MNOPRST	AFN 6
🏠 avenue de la Rotja	2 ABFPRSVXY	ABDE**F** 7
🔓 1 Apr - 17 Okt	3 BLQ	ABDFIKNPQRSU 8
☎ +33 (0)4-68965275	4 AEFHLO	DJU 9
@ camping@	5 ABDGIKL	ABHIJ**N**OPTUZ10
camping-lerotja.com	B 6A	➊ €27,50
▲ N 42°33'45'' E 2°21'34''	H540 1,6 ha 75T(80-100m²) 11D	➋ €36,50

🚗 N116 nach Villefranche Richtung Mont-Louis. Nach ca. 500m, nach Villefranche, Ausfahrt Fuilla.

Latour-de-France, F-66720 / Languedoc-Rouss. · (CC€12) iD

▲ La Tour de France**	1 AB**I**LNORST	A 6
🏠 ave du Général de Gaulle	2 CPRVXY	BD**F** 7
🔓 4 Apr - 18 Okt	3 ABLMQ	ABFINRSV 8
☎ +33 (0)6-15142346	4 HIQ	EF 9
@ contact@	5 ABDFGH	ABFHIJMVZ10
camping-latourdefrance.fr	6A CEE	➊ €26,80
▲ N 42°45'57'' E 2°39'56''	H1701 1,5 ha 70T(50-120m²) 13D	➋ €35,90

🚗 Millas Richtung Estnagel. In Estnagel Richtung Latour-de-France. An der D17 wird der CP angezeigt.

Le Barcarès, F-66423 / Lang.-Rouss. · 📶 ✿ (CC€14) iD

▲ California****	1 ADE**J**MNOPQR**T**	ABFH 6
🏠 route de St. Laurent	2 AGOPRVWXY	ABDE**FG**H 7
🔓 1 Mai - 20 Sep	3 ABELM**Q**ST	ABCDEFKNQRS 8
☎ +33 (0)4-68861608	4 BCDILNOP**Q**	EJL 9
@ camping-california@	5 ABDEFGI**J**L	ABDGHI**N**OTUZ10
wanadoo.fr	Anzeige auf dieser Seite B 10A CEE	➊ €46,50
▲ N 42°46'33'' E 3°1'22''	6 ha 86T(70-100m²) 170D	➋ €59,30

🚗 A9, Ausfahrt Perpignan-Centre. D83 Richtung Le Barcarès bis Ausfahrt 9. Über die D81 Richtung Canet bis 1. Ausfahrt St. Laurent, Richtung Le Barcarès-Village.

Le Barcarès, F-66420 / Languedoc-Roussillon · 📶 iD

▲ L'Oasis***	1 ADE**I**LNOPQRT	ABFH 6
🏠 route de St. Laurent	2 AOPRVWXY	ABDE**FG**H 7
🔓 4 Mai - 14 Sep	3 ALMQ	ABCDFNORSV 8
☎ +33 (0)4-68861243	4 BDILNOP**QU**	EL 9
@ info@camping-oasis.com	5 ABDEFGI	BGHI**P**TUV10
	B 10A CEE	➊ €40,90
▲ N 42°46'35'' E 3°1'29''	9,7 ha 224T(80-100m²) 266D	➋ €53,80

🚗 A9, Ausfahrt Perpignan-Centre. D83 Richtung Le Barcarès bis Ausfahrt 9. Über D81 Richtung Canet bis 1. Ausfahrt St. Laurent, Richtung Le Barcarès-Village.

Le Barcarès, F-66423 / Languedoc-Roussillon · 📶 iD

▲ La Croix du Sud****	1 AD**I**LNOQR**T**	ABFG**X** 6
🏠 route St. Laurent	2 AOPRVX	ABDE**FG**H 7
🔓 4 Apr - 30 Sep	3 AELQ	ABEFNORS 8
☎ +33 (0)4-68861661	4 **A**BCDINOP**Q**U	EJLUV 9
@ contact@lacroixdusud.fr	5 ABDEFGIK**LM**	BHINP TUV10
	10A CEE	➊ €45,20
▲ N 42°46'37'' E 3°1'39''	3 ha 49T(80-100m²) 138D	➋ €64,20

🚗 A9, Ausfahrt Perpignan-Centre. D83 Richtung Le Barcarès bis Abzweig 9. Über die D81 Richtung Canet bis zum ersten Ausfahrt St. Laurent, Richtung Le Barcarès-Village.

Le Barcarès, F-66420 / Languedoc-Roussillon · 📶 (CC€14) iD

▲ Le Floride &	1 ADE**I**LNOPQR**T**	ABEFGHIJKMNQ 6
l'Embouchure****	2 ACEHORVXY	ABDE**FG**H**K** 7
🏠 route de St. Laurent	3 ABDELQRT ABCDFK**LM**NORSTUV 8
🔓 1 Apr - 4 Okt	4 **A**BCDILNOP**QRU**X**Z**	ABDHIPTUZ10
☎ +33 (0)4-68861175	5 ABDEFGIJKM	ABDHIPTUZ10
@ contact@floride.fr	Anzeige auf Seite 345 B 10A	➊ €47,30
▲ N 42°46'44'' E 3°1'47''	12 ha 200T(80-130m²) 417D	➋ €60,70

🚗 A9 Ausfahrt Perpignan-Centre. D83 Richtung Le Barcarès bis Ausfahrt 9, D81 Richtung Canet. Erste Ausfahrt St. Laurent Richtung Le Barcarès-Village.

Le Barcarès, F-66420 / Languedoc-Rouss. 📶 ❀ (CC€16) iD

▲ Le Pré Catalan****	1 ADILNOPRT	ABFG 6
🏠 route de St. Laurent	2 APRVX	ABDEFGH 7
📅 25 Apr - 19 Sep	3 BDELMQ	ABCDEFNQRS 8
☎ +33 (0)4-68861260	4 BCDILNOPQ	AFIJV 9
@ info@precatalan.com	5 ABDEFGIKM	ABHINPTU10
	B 10A CEE	❶ €45,90
📍 N 42°46'52'' E 3°1'22''	3 ha 38T(80-100m²) 212D	❷ €61,60

🚗 A9 Ausfahrt 9 Perpignan-Centre. D83 Richtung Le Barcarès bis Ausfahrt 9. D81 Richtung Canet bis 1. Ausfahrt St. Laurent-de-la-Salanque, Richtung Le Barcarès-Village.

Llauro, F-66300 / Languedoc-Roussillon 📶 (CC€14) iD

▲ Al Comu	1 AJMNOPQRST	6
🏠 route Fourques	2 RSTVXY	ABDEFI 7
📅 28 Mär - 15 Okt	3 AELQV	ABEFNPRV 8
☎ +33 (0)4-68304208	4 FH	9
@ alcomu@wanadoo.fr	5 ABL	ABHIJOTU10
	16A	❶ €19,40
📍 N 42°32'55'' E 2°45'13''	H300 2,5 ha 35T(90-110m²)	❷ €27,10

🚗 D615 Thuir Richtung Llauro. Ungefähr 800m vor Llauro liegt rechts die CP.

Le Boulou, F-66160 / Languedoc-Roussillon 📶 iD

▲ Les Oliviers***	1 ADEJMNOPRST	A 6
🏠 rte d'Argelès	2 ACFPRSVX	ABEFHIJK 7
📅 1 Jan - 31 Dez	3 AQ	ABCDEFJLMNPRTV 8
☎ +33 (0)4-68831286	4 MNO	DEFL 9
@ camping@lesoliviers.com	5 ADEG	ABFHIJNPUZ10
	6A CEE	❶ €25,80
📍 N 42°31'16'' E 2°50'43''	H75 1,5 ha 80T(60-100m²) 40D	❷ €35,00

🚗 A9 Ausfahrt 43 Le Boulou, dann richtung Argelès-sur-Mer. Der CP ist dann angezeigt.

Maureillas, F-66480 / Languedoc-Roussillon iD

▲ Les Pins - Le Congo****	1 ADILNOPRST	ANO 6
🏠 route de Céret	2 ACRTVY	ABEFGH 7
📅 1 Apr - 30 Nov	3 ABELMNQT	BDFNOPRS 8
☎ +33 (0)9-65011350	4 IQ	E 9
@ lespinslecongo@hotmail.fr	5 ABDEFGIK	BHIJUV10
	10A CEE	❶ €25,65
📍 N 42°29'27'' E 2°47'51''	70T(90-100m²) 8D	❷ €34,10

🚗 Von der A9/N9/D115 Richtung Céret. In St. Jean-de-Corts D13 Richtung Maureillas. Bei der Kreuzung rechts, dann noch 100m.

Le Sainte Marie ★ ★ ★ ★

Ruhiger, stilvoller und schattiger Camping im 15 ha Wald mit großen Stellplätzen von 80 bis 110 m², durch schöne Bepflanzung parzelliert. 12 km nach Perpignan und 30 Minuten Fahrt nach Spanien. Nur 1 km von einem kleinen unbewachten Strand, wo Hunde erlaubt sind und nur 2,5 km zum sauberen Strand von Sainte Marie. Der Platz verfügt über ein 400 m² traditionelles Schwimmbad mit Sprungbrett und eine Badeanlage mit Rutschbahnen, Planschbecken, Wasserspielen, Whirlpool, Fontänen und Wasserfällen. Für Kinder diverse Aktivitäten wie: Miniclub, Streichelzoo, Spielplatz, Minigolf, Springkissen und Trampolin. Sportfeld, Beachvolleyball und Tischtennis. Laden, Bar-Restaurant, Wäscherei. Vermietung voll ausgestatteter Mobilheime. Gratis WiFi-Punkt. Rabatt in Vor- und Nachsaison.

Rue des Clauses, 66470 Ste Marie-la-Mer • Tel. 04-68804810
E-Mail: camping@lesaintemarie.com
Internet: www.campinglesaintemarie.com

Maureillas-Las-Illas, F-66480 / Lang.-Rouss.

▲ Les Bruyères***	1 AJMNOPRT	AF 6
➡ route de Céret	2 ABPRTVY	BEFH 7
⏱ 10 Mär - 15 Nov	3 AILQ	BDFNORTV 8
☎ +33 (0)4-68832664	4 IJLNOQ	E 9
@ campinglesbruyeres@live.fr	5 ADGKLM	BHIJNOPTUV10
	6A CEE	❶ €25,60
⬛▲N 42°29'32'' E 2°47'42''	4 ha 95T(80-180m²) 62D	❷ €33,70

A9 Ausfahrt 43. Gerona folgen (D900). Dann D618. Durch Maureillas. Der Camping ist angezeigt.

Néfiach, F-66170 / Languedoc-Roussillon

▲ La Garenne***	1 ADJMNOPQRST	ACF 6
➡ D916	2 AOPRVXY	ABDFH 7
⏱ 1 Mär - 30 Nov	3 AELQ	ABEFJNORSV 8
☎ +33 (0)4-68571576	4 ENOQ	AEJU 9
@ contact@camping-lagarenne.fr	5 ADEFGIL	BDFGHIJNPTU10
	B 10A CEE	❶ €29,00
⬛▲N 42°41'26'' E 2°39'28''	H120 3,5 ha 73T(80-130m²) 16D	❷ €39,00

In Perpignan den grünen Schildern Richtung Andorra la Vella/Prades folgen (N116, gebührenfreie Autobahn). Nach etwa 11 km Ausf. Néfiach. Am Kreisel D916 Richtung Néfiach bis zum CP.

Palau-del-Vidre, F-66690 / Lang.-Rouss.

▲ Le Haras***	1 ADILNOPQRT	A 6
➡ Domaine St. Galdric	2 OPRVXY	ABDEFGH 7
⏱ 1 Apr - 30 Sep	3 BELQRS	ABEFNQRV 8
☎ +33 (0)4-68221450	4 BCDIKOQ	E 9
@ haras8@wanadoo.fr	5 ADEGIL	BDGIJPTUV10
	B 10A CEE	❶ €38,40
⬛▲N 42°34'33'' E 2°57'53''	4 ha 99T(80-100m²) 32D	❷ €49,20

A9, Ausfahrt Perpignan-Sud, RD914 Richtung Argelès-sur-Mer. Ausfahrt 9 Palau-del-Vidre. CP liegt links vor dem Ort.

Saillagouse, F-66800 / Languedoc-Roussillon

▲ Domaine Le Cerdan***	1 AILNOPQRST	N 6
➡ 11 rte d'Estavar	2 CFPRVXY	ABDFGH 7
⏱ 1 Jan - 31 Dez	3 BLMQ	ABCDFJNR 8
☎ +33 (0)4-68047046	4 IPQ	EK 9
@ lecerdan@lecerdan.com	5 ABKL	BGHIJPV10
	W 6A	❶ €18,10
⬛▲N 42°27'37'' E 2°2'7''	H1316 3 ha 120T(100m²) 15D	❷ €24,50

N116, ins Zentrum von Saillagouse, CP ausgeschildert.

Salses, F-66600 / Languedoc-Roussillon

▲ International du Roussillon**	1 ADEGILNOPRST	AF 6
⏱ 1 Jan - 31 Dez	2 ADRVXY	ABDEF 7
☎ +33 (0)4-68386072	3 ABL	ABCDEFKRV 8
@ camping-roussillon@ wanadoo.fr	4 OQ	AE 9
	5 ADGIKLM	ABHIJNPU10
	B 10A CEE	❶ €25,45
⬛▲N 42°50'39'' E 2°55'40''	2,5 ha 80T 65D	❷ €37,45

Von Montpellier die A9, Ausfahrt 40 Richtung D900 Fitou/Salses le Château. Von L'Espagne A9, Ausfahrt 41 Richtung D900 Salses le Château.

Sorède, F-66690 / Languedoc-Roussillon

▲ La Coscolleda***	1 ADEJMNOPQRT	ABFG 6
➡ 27 rue de la Coscolleda	2 BCOPRUVXY	ABDEFH 7
⏱ 1 Apr - 1 Okt	3 ALQ	ABCDEFJR 8
☎ +33 (0)4-68891665	4 FHI	EHIJL 9
@ camping-la-coscolleda@ wanadoo.fr	5 ADEGKLM	BDHJPTU10
	B 10A CEE	❶ €31,80
⬛▲N 42°32'5'' E 2°57'36''	1,3 ha 35T(80-120m²) 26D	❷ €39,80

A9 Ausfahrt 43 Le Boulou. Argelès-sur-Mer folgen (D618) bis zur Ausfahrt St. André/Sorède. Am ersten Kreisel Richtung Sorède (D11) und vor Sorède links ab.

Sorède, F-66690 / Languedoc-Roussillon

▲ Les Micocouliers***	1 AFJMNOPRST	AF 6
➡ rte de Palau del Vidre	2 BCFRVXY	ADFGH 7
⏱ 1 Apr - 30 Sep	3 ABLQ	ABCFKSV 8
☎ +33 (0)4-68892027	4 ILNO	EF 9
@ contact@ camping-les-micocouliers.com	5 ACDEFGIKLM	BFHIJNOTV10
	6A	❶ €31,30
⬛▲N 42°32'5'' E 2°57'21''	4 ha 200T(80-160m²) 29D	❷ €41,10

D618 Le Boulou Richtung Argeles. Ausfahrt D11 Richtung Sorède, am ersten Kreisel ist die CP-Einfahrt.

St. Cyprien, F-66750 / Languedoc-Roussillon

▲ Le Bosc d'en Roug***	1 ADJMNOPRT	ABFG 6
➡ D40	2 PRVWXY	ABDFGH 7
⏱ 28 Mär - 27 Sep	3 BEKLMQ	ABCDFNTV 8
☎ +33 (0)4-68210795	4 BCDILNPQ	AEFL 9
@ reservation@ camping-saint-cyprien.com	5 ABDEFGIKLM	BHIJOTUZ10
	B 10A CEE	❶ €28,80
⬛▲N 42°37'24'' E 3°0'4''	11 ha 42T(70-110m²) 595D	❷ €38,80

A9, Ausfahrt 41 Perpignan-Centre Richtung Canet-en-Roussillon, dann D81 Richtung St. Cyprien, vor St. Cyprien-Plage 'Route du Golf', CP-Schildern folgen.

St. Cyprien-Plage, F-66750 / Lang.-Rouss.

▲ Cala Gogo*****	1 ADEJMNOPRT	ABFGKMNOX 6
Les Capellans, av. Armand Lanoux	2 EHOPRVX	ABDEFGH 7
⏱ 29 Apr - 26 Sep	3 BEKLMQ	ABCDEFJNOQRSTUV 8
☎ +33 (0)4-68210712	4 BCDILMNOP	AELUV 9
@ camping.calagogo@ wanadoo.fr	5 ACDEFGIJKL	ABDGHIJNOTYZ10
	Anzeige auf Seite 347 B 6-10A CEE	❶ €45,95
⬛▲N 42°35'58'' E 3°2'18''	12 ha 383T(80-125m²) 264D	❷ €69,35

A9 Ausfahrt 42 Perpignan-Sud, Richtung Argelès-sur-Mer. Der D914 weiter folgen bis Ausfahrt 7 Richtung St. Cyprien und Elne. Über Latour-Bas-Elne nach St. Cyprien-Plage. Dann 'Grand Stade' und den CP-Schildern folgen.

St. Jean-Pla-de-Corts, F-66490 / Lang.-Rouss.

▲ de la Vallée***	1 ADILNOPQRST	ABFNOQRSTUVW 6
➡ route de Maureillas	2 ACGHIMPRVY	BEF 7
⏱ 1 Apr - 31 Okt	3 ABEL	BDFKMNORSV 8
☎ +33 (0)4-68832320	4 IOQ	E 9
@ campingdelavallee@yahoo.fr	5 ABDEFGK	ABGHIJPTU10
	B 6A CEE	❶ €23,20
⬛▲N 42°30'24'' E 2°47'40''	H80 10 ha 100T 40D	❷ €32,60

Le Boulou Richtung Céret D115. Am Kreisel in St. Jean Pla de Corts Richtung Ortsmitte über die Brücke links. CP ist angezeigt.

St. Jean-Pla-de-Corts, F-66490 / Languedoc-Rouss.

▲ Les Casteillets***	1 ABDILNOPRST	AF 6
⏱ 1 Jan - 31 Dez	2 AFGPRVX	ABDEFH 7
☎ +33 (0)4-68832683	3 ABEILMNQR	BDFKNQR 8
@ jc@campinglescasteillets.com	4 MNOPQ	AE 9
	5 ABFGJKL	ABGHIJNTUV10
	6A	❶ €20,80
⬛▲N 42°30'37'' E 2°47'0''	5 ha 134T(95-100m²) 80D	❷ €31,20

A9 Ausfahrt 43. Richtung Céret über die D115. Der CP ist ausgeschildert.

Ste Marie-la-Mer, F-66470 / Languedoc-Roussillon

▲ La Pergola***	1 BDEILNOPRT	ABFGHKMNPQRS 6
➡ 21 av. Frederic Mistral	2 EHOQRVXY	ABDEFGH 7
⏱ 3 Apr - 20 Sep	3 ABLQT	ABCDFNOQRSTUV 8
☎ +33 (0)2-51204194	4 BDHILOP	E 9
@ contact@camp-atlantique.com	5 ABDEFGI	BDHIJPTUZ10
	B 10A CEE	❶ €39,00
⬛▲N 42°43'36'' E 3°1'59''	3 ha 51T(80-115m²) 130D	❷ €57,00

Küstenstraße D81, Ausfahrt Ste Marie-Plage. Danach im Kreisverkehr geradeaus an der zweiten Kreuzung rechts. Den Schildern folgen.

Ste Marie-la-Mer, F-66470 / Lang.-Rouss. 🛜 (CC€16) iD
- 🏕 Le Palais de la Mer★★★★
- av. de Las-Illes
- 9 Mai - 26 Sep
- ☎ +33 (0)4-68730794
- @ contact@palaisdelamer.com

1 ADJMNOPQRST	ABFGKMNQS 6
2 EHPRVY	ABDEFGH 7
3 BEFILMQT	ABCDEFNOQRSTV 8
4 BCDHIKLNOPQRUV	EL 9
5 ACDEFGIJKLM	ABDHIJOPTU10
10A	

3 ha 122T(80-100m²) 59D — ① €46,00 ② €57,50

N 42°44'26'' E 3°2'1''
Küstenstraße D81, Ausfahrt Ste Marie-Plage. Dann am Kreisverkehr geradeaus, dritte Kreuzung links. Der CP ist ausgeschildert.

Ste Marie-Plage, F-66477 / Lang.-Rouss. 🛜 (CC€14) iD
- 🏕 De la Plage★★★
- av. de las-Illes
- 1 Mär - 31 Okt
- ☎ +33 (0)4-68806859
- @ contact@camping-municipal-de-la-plage.com

1 ADEJMNOPRT	AFKMNQRST 6
2 EHOPRVXY	ABDEFG 7
3 EILMQR	ABCDFJNRSV 8
4 BCDHILNOPQRTUVXZ	EJLMPQRT 9
5 ACDEFGIJKL	BDGHIJPTU10

Anzeige auf Seite 349 B 6A CEE — ① €39,20 ② €57,20

N 42°44'22'' E 3°2'2''
Küstenstraße D81, Ausfahrt Ste Marie-Plage. Danach am Kreisverkehr geradeaus und an der dritten Straße links. Den CP-Schildern folgen.

Ste Marie-la-Mer, F-66470 / Lang.-Rouss. 🛜 (CC€12) iD
- 🏕 Le Sainte Marie★★★★
- rue des Clauses
- 4 Apr - 31 Okt
- ☎ +33 (0)4-68804810
- @ camping@lesaintemarie.com

1 ADEJMNORT	AFHN 6
2 PVY	ABDEFH 7
3 ABEFHILQST	ABCDEFKNORSV 8
4 BCDHIKLNOPQU	ELU 9
5 ABDEFGIM	ABDHIJNPTUV10

Anzeige auf Seite 346 B 10A CEE — ① €36,40 ② €46,35
15 ha 150T(80-110m²) 136D

N 42°42'51'' E 3°1'53''
Küstenstraße D81, am Kreisverkehr Ausfahrt Ste Marie-Village nehmen, dort den Schildern folgen. Durch den Tunnel (Höhe 2,30m) oder rechts herumfahren.

Torreilles, F-66440 / Languedoc-Roussillon 🛜 iD
- 🏕 Village Camping Spa Marisol★★★★★
- boulevard de la Plage
- 11 Apr - 10 Sep
- ☎ +33 (0)4-68280407
- @ marisol@camping-marisol.com

1 ADILNOPRT	ABFGHIKMNOPQRS 6
2 AEGHOQVWXY	ABDEFGH 7
3 ABDEFLQR	ABCDFNOQRS 8
4 BCDILMNOPQRTUVXYZ	AELUV 9
5 ACDEFGIJLM	ABHIJNOPTY10

Anzeige auf dieser Seite B 10A CEE — ① €62,10 ② €84,10
9 ha 71T(90-120m²) 306D

N 42°46'4'' E 3°1'58''
A9 Ausfahrt Perpignan-Centre. D83 Richtung Le Barcarès, dann Richtung Canet/St. Cyprien bis Ausfahrt Torreilles-Plage.

Teilkarte Pyrénées-Orientales auf Seite 340

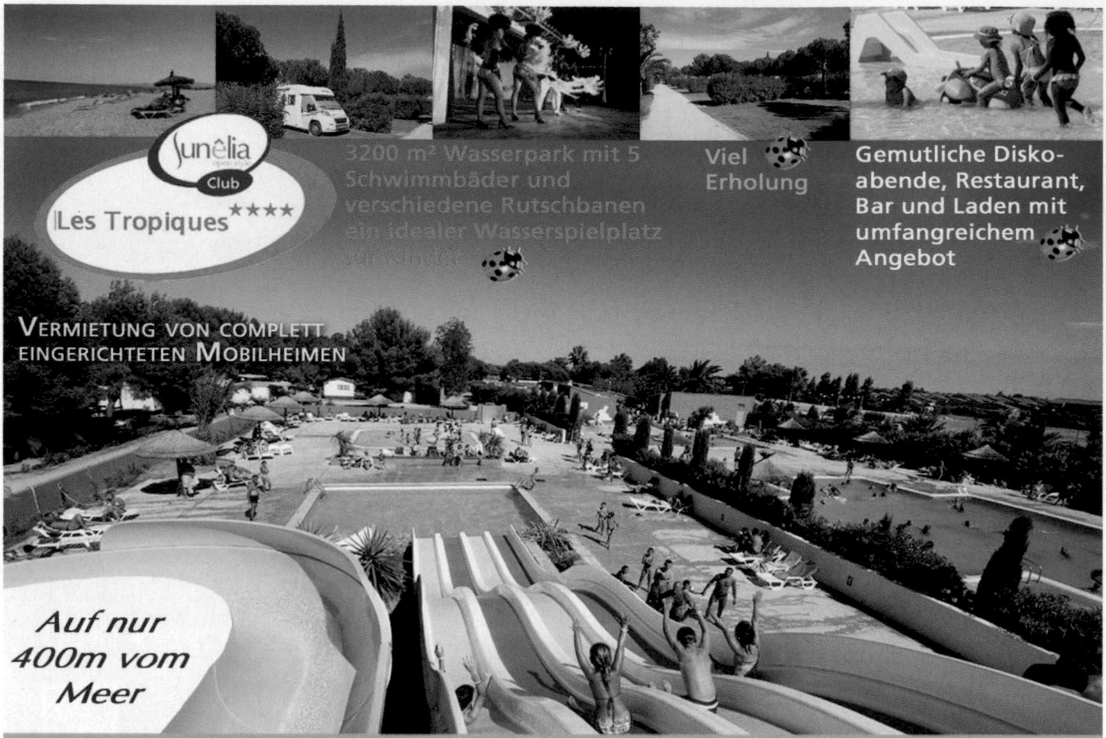

Torreilles-Plage, F-66440 / Lang.-Rouss. 🛜 (CC€14) iD

⛺ Le Trivoly★★★★	1 ADE**IL**NOPQRT	ABFGH 6
📧 boulevard des Plages	2 AOPRVWX	ABDE**FGH** 7
🛏 4 Apr - 20 Sep	3 BELMQT	ABCDFNRSV 8
☎ +33 (0)2-51330505	4 BCDILNO**PQ**	AELUV 9
@ info@chadotel.com	5 ABDEG	BDGHIJ**P**TV10
	B 16A CEE	❶ €36,10
🧭 N 42°45'57'' E 3°1'37''	5 ha 35**T**(80-120m²) 249**D**	❷ €44,10

🚗 A9 Ausfahrt Perpignan-Centre. D83 Richtung Le Barcarès, dann Richtung Canet/St. Cyprien bis Ausfahrt Torreilles-Plage. Ⓜ

Torreilles-Plage, F-66440 / Lang.-Rouss. 🛜 ✿ (CC€16) iD

⛺ Les Tropiques★★★★	1 AD**JM**NOPQRS**T**	ABF**GH**KMN**QX** 6
📧 boulevard de la Plage	2 AEHOPRVWXY	ABDE**FGH** 7
🛏 4 Apr - 4 Okt	3 ABELMQRT	ABCDFKNOQRSV 8
☎ +33 (0)4-68280509	4 BCDIMNO**PQRUVWXYZ**	EJLUV 9
@ contact@	5 ACDEFGIJ**L** ABDGHIJ**NOP**TUYZ10	
campinglestropiques.com	Anzeige auf dieser Seite B 10A CEE	❶ €55,10
🧭 N 42°46'3'' E 3°1'47''	8 ha 88**T**(100-115m²) 362**D**	❷ €71,10

🚗 A9 Ausfahrt Perpignan-Centre. D83 Richtung Le Barcarès, dann Richtung Canet/St. Cyprien bis Ausfahrt Torreilles-Plage. Ⓜ

Ur, F-66760 / Languedoc-Roussillon 🛜 iD

⛺ De la Gare	1 ADE**IL**NOPRST	**N** 6
📧 route d'Espagne	2 OPVX	ABDE**FGH** 7
🛏 1 Jan - 23 Sep	3 AELQ	ABCDFJNOQRSV 8
☎ +33 (0)4-68048095	4 FIQ	DEJ 9
@ yves.wurtz662@orange.fr	5 A**K**LM	ABGHJOTUV10
	WB 16A	❶ €19,50
🧭 N 42°27'21'' E 1°56'32''	H1200 1,5 ha 69**T**(70-90m²) 24**D**	❷ €25,50

🚗 Von Perpignan: die N116 bis Bourg-Madame. Dann die N20 nach Ur. Kurz vor Ur rechts. Von Toulouse: die N20 durch den Tunnel oder den Col de Puymorens, bis 3 km vor Bourg-Madame. Ⓜ

Vernet-les-Bains, F-66820 / Languedoc-Roussillon 🛜 iD

⛺ Del Bosc	1 ADE**JL**NOPQRST	AB**N** 6
📧 72 ave Clémenceau	2 BCFQRTUVX	ABDE**FGH** 7
🛏 5 Apr - 5 Okt	3 AL	ABDFOQRV 8
☎ +33 (0)4-68055454	4 HIO	DE 9
@ franck.guiot73@orange.fr	5 ABG**KLM**	BHIJ**P**TUV10
	B 10A CEE	❶ €24,50
🧭 N 42°33'23'' E 2°23'5''	5 ha 90**T**(90-140m²) 13**D**	❷ €32,50

🚗 D116 Villefrance - Vernet-les-Bains. Kurz vor Vernet-les-Bains, gegenüber vom Eco Marché liegt Del Bosc. Ⓜ

ACSI Geografisch suchen

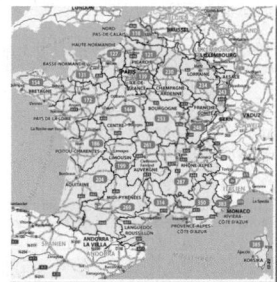

Schlagen Sie Seite 110 mit der Übersichtskarte dieses Landes auf. Suchen Sie das Gebiet Ihrer Wahl und gehen Sie zur entsprechenden Teilkarte. Hier sehen Sie alle Campingplätze auf einen Blick.

Villeneuve-de-la-Raho, F-66180 / Languedoc-Rouss. iD

⛺ Mun. Les Rives du Lac★★	1 ADE**JM**NOPR**T**	LMN**Q**RUVX**Y** 6
📧 chemin de la Serre	2 ADHQRVWX	BD**FG** 7
🛏 1 Apr - 31 Okt	3 AE**K**LQ	ABCDFNR 8
☎ +33 (0)4-68558351	4	AE 9
@ camping.villeneuveraho@	5 ADEGI	BGHIJTU10
wanadoo.fr	B 6A CEE	❶ €19,60
🧭 N 42°38'15'' E 2°53'53''	3 ha 140**T**(64-100m²) 18**D**	❷ €25,90

🚗 A9, Ausfahrt Perpignan-Sud Richtung Porte d'Espagne. Über die N9 Richtung Barcelona, Le Boulou. Am großen Geschäft Auchan, erste Ausfahrt Richtung Villeneuve-de-la-Raho. Den Schildern 'Le Lac' folgen. Ⓜ

Camping de La Plage

★★★

DIREKT AM STRAND

Camping de la Plage***
Sainte Marie la Mer

un Village à la plage

Der direkt am Strand gelegene „Camping Municipal" lädt Sie zu sonnenverwöhnten Ferien an der Mittelmeerküste ein.

Großzügig angelegte und mit Bäumen bewachsene Stellplätze, komfortable Unterkünfte und direkter Zugang zum Strand...

Sowohl der Strandbereich als auch die Swimmingpool-Anlage sind überwacht. Ein Kinderspielplatz sowie ein Mini-Club versprechen Spaß und Abenteuer.

Ein Wellness-Bereich mit Hammam, Whirlpool, Sauna und einem Schönheitspflegeangebot laden zu Entspannung ein.

Ein W-LAN-Zugang steht auf sämtlichen Stellplätzen zur Verfügung.

Die Anlage verfügt zudem über ein Restaurant mit Bar, ein Geschäft sowie einen Lounge-Bereich.

Tel : 04.68.80.68.59

Avenue de las-Illes - 66477 Ste Marie-Plage
E-Mail: contact@camping-municipal-de-la-plage.com
Site: www.camping-municipal-de-la-plage.com

Provence-Alpes-Côte d'Azur

Baratier, F-05200 / Prov.-Alpes-Côte d'Azur � (CC€16) iD

▲ Les Airelles★★★★
🚏 route des Orres
🕐 25 Mai - 26 Sep
☎ +33 (0)4-92431157
@ info@lesairelles.com
📍 N 44°31'52'' E 6°30'3''

1 ADE**IL**NOPRT		ABF**N** 6
2 BCFPRUVWXY		ABDEFH 7
3 ABELQST	ABCDEFGHKNQRSV 8	
4 BCD**E**FHINO**P**		AEJKL 9
5 ADEFGIL		BHIJ**N**OPRV 10

Anzeige auf Seite 351 B 10A CEE ①€26,60
H900 5 ha 86T(80-130m²) 60D ②€38,20

🚗 Kommend von der N94 Gap, am ersten Kreisel vor Embrun Richtung Baratier/Les Orres. CP ist gut ausgeschildert an der D40.

Baratier/Embrun, F-05200 / Prov.-Alpes-C. d'Az. ⣿ iD

▲ Les Deux Bois★★★
🚏 Route de Pra Fouran
🕐 23 Mai - 13 Sep
☎ +33 (0)4-92435414
@ info@camping-les2bois.com
📍 N 44°32'18'' E 6°29'32''

1 ADE**JL**NORT		AN 6
2 CFGOPRUVWXY		ABDE**FGH** 7
3 BLQ	ABCDEFKNOQRSV 8	
4 BFHI		JL 9
5 ADEFGIL		BHIJOR 10

H850 2,5 ha 104T(70-110m²) 4D ①€22,05
②€30,55

🚗 Auf der N94 beim Kreisverkehr in Crots-Embrun nach Baratier abfahren, dann CP-Schilder beachten.

Barret-sur-Méouge, F-05300 / Prov.-Alpes-C. d'Az. ⣿ iD

▲ des Gorges de la Méouge★★★
🚏 Le Serre
🕐 1 Mai - 30 Sep
☎ +33 (0)4-92650847
@ campinggorgesdelameouge@wanadoo.fr
📍 N 44°15'40'' E 5°44'18''

1 A**J**MNOPRST		AFJN 6
2 CFKPVXY		ABE**FH** 7
3 ABEL**MQ**		BDFLNORS 8
4 FH		JKV 9
5 ABK		BGHIJPR 10
B 10A		①€23,40

H642 2,5 ha 95T(90-130m²) 13D ②€34,80

🚗 N75 Sisteron-Laragne. In Laragne der Gorges de la Méouge folgen. Folgen Sie Barret-sur-Méouge und den CP-Schildern.

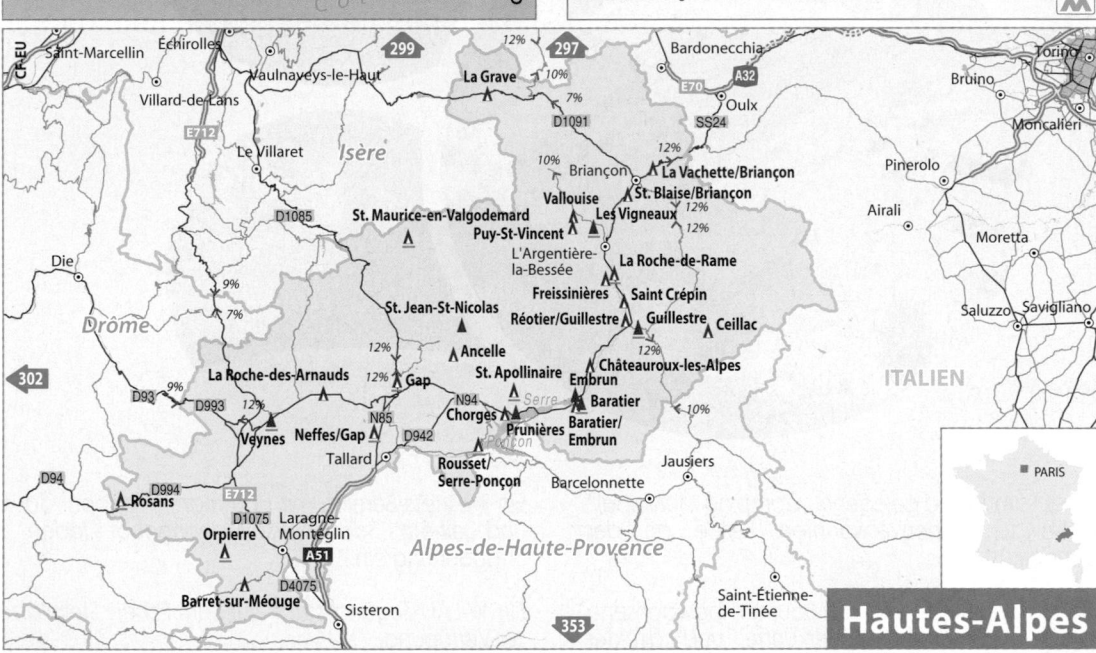

Hautes-Alpes

Ancelle, F-05260 / Provence-Alpes-Côte d'Azur ⣿ iD

▲ Les Auches★★★
🚏 D13
🕐 1 Apr - 11 Nov
☎ +33 (0)4-92508028
@ info@lesauches.com
📍 N 44°37'28'' E 6°12'35''

1 ADE**IL**NOPRT		ABFGN 6
2 FGOPVWXY		ABDE**FGH** 7
3 AB**H**LQT		ABDFNORS 8
4 ABEFHIOU		EHIJL 9
5 ADEFG**L**		BFHIJ**O**STV 10
B 6A CEE		①€24,00

H1350 3 ha 70T(70-110m²) 41D ②€31,00

🚗 4 km nördlich von Gap den Schildern Ancelle folgen (N85-D944-D13). In Ancelle wird der CP ausgeschildert.

Ceillac, F-05600 / Provence-Alpes-Côte d'Azur ⣿ iD

▲ Les Mélèzes★★★
🚏 La Rua des Reynauds
🕐 1 Jun - 5 Sep
☎ +33 (0)4-92452193
@ camping-les-melezes@wanadoo.fr
📍 N 44°39'14'' E 6°47'20''

1 ACDEJMNOPRST		6
2 BCFGPUVWXY		ABDE**FGH** 7
3 ALQ	ABCDEFHJNOQRST 8	
4 **A**EFH		L 9
5 AEFGL		BGHIJNPR 10
16A CEE		①€25,20

H1700 3 ha 100T(100-170m²) ②€34,00

🚗 Briançon Richtung Süden auf der N94 über Guillestre die D902 Richtung Naturpark Queyras. Nach 6 km die D60. CP angezeigt.

Baratier, F-05200 / Prov.-Alpes-C. d'Az. ⣿ ❀ (CC€14) iD

▲ Le Petit Liou★★
🚏 ancienne route de Baratier
🕐 1 Mai - 21 Sep
☎ +33 (0)4-92431910
@ info@camping-lepetitliou.com
📍 N 44°32'50'' E 6°29'31''

1 ADE**IL**NOPRST		ABFG 6
2 BFOPRVWXY		ABDEF 7
3 BLQV	ABDEFKNOQRSV 8	
4 FHILNO		BCEFJW 9
5 ABDEFGIK**LM**		BGHJOQR 10

Anzeige auf Seite 351 10A CEE ①€21,30
H800 4,5 ha 280T(85-120m²) 39D ②€32,70

🚗 Auf der N94 von Gap nach Briançon, am ersten Kreisverkehr kurz vor Embrun rechts ab. Nach 150m die erste Straße links, dann wieder die erste rechts. CP ausgeschildert.

Châteauroux-les-Alpes, F-05380 / Prov.-Alpes-C. d'Az. ⣿ iD

▲ Les Cariamas★★★
🚏 Fontmolines
🕐 1 Apr - 31 Okt
☎ +33 (0)4-92432263
@ cariamas@free.fr
📍 N 44°36'10'' E 6°31'17''

1 AD**J**MNOPRST		AFN 6
2 CFPUVWXY		ABDE**FG**HK 7
3 ALQ	ABCDEF**LM**NRSTU 8	
4 FH		AEJU 9
5 ABEK**L**		ABFHIJLNORV 10
B 20A CEE		①€23,25

H953 6 ha 150T(70-120m²) 97D ②€32,75

🚗 Südlich von Briançon über die N94 Richtung Zentrum von Châteauroux-les-Alpes. Schildern folgen. CP ist gut ausgeschildert.

Chorges, F-05230 / Provence-Alpes-Côte d'Azur 📶 iD

🏕 Municipal Baie St. Michel***	1 ADE**JM**NORS**T**	LNQRSTWXY**Z** 6
🗓 15 Mai - 15 Sep	2 DFGKLOPRUVX	ABDE**F** 7
☎ +33 (0)4-92506772	3 ALQ	ABCDFNRTUV 8
@ camping-baie@orange.fr	4 FH	JMNOPQRT 9
	5 AFL	ABHIJLPTU10
	16A CEE	💶 €19,60
	H820 6,5 ha 113T(60-80m²) 10D	💶 €25,20
📍 N 44°31'41'' E 6°19'29''		

🚗 Südseite der N94, 4 km im Osten von Chorges. Direkt am See gelegen. Von Chorges gut ausgeschildert. Ⓜ

Embrun, F-05200 / Prov.-Alpes-Côte d'Azur 📶 (CC€16) iD

🏕 La Vieille Ferme****	1 A**JM**NOPRST	NU 6
🏠 La Clapière	2 OPQVY	ABDE**F**H 7
🗓 26 Apr - 1 Okt	3 AELQ	ABDFGIKNQRSTUV 8
☎ +33 (0)4-92430408	4 **A**FHILO	AIK 9
@ info@campingembrun.com	5 ADEFGIL	ABHIJL**NOP**RV10
		💶 €32,60
	H800 2,6 ha 100T(112-130m²) 8D	💶 €42,60
📍 N 44°33'15'' E 6°29'10''		

🚗 N94 von Gap nach Briançon. Im Kreisel Richtung Embrun, dann hinter der Brücke die erste Straße rechts, dann weiter direkt links. Den Campingschildern folgen. Ⓜ

Embrun, F-05200 / Provence-Alpes-Côte d'Azur 📶 iD

🏕 Les Grillons***	1 ADE**JM**NOPRST	ABN**X** 6
🏠 route de la Madeleine	2 FPVXY	ABDE**FGH** 7
🗓 15 Mai - 10 Sep	3 AB**LMQ**	ABCDFKNORSV 8
☎ +33 (0)4-92433275	4 FH	AE 9
@ info@lesgrillons.com	5 AEF**L**	BHIJ**OP**R10
	B 16A CEE	💶 €22,75
	H850 2 ha 69T(90-100m²) 18D	💶 €30,50
📍 N 44°32'46'' E 6°29'56''		

🚗 N94, im Kreisverkehr in Crots den Schildern 'Le Baratier' folgen (D40). Bei der Gabelung links D340. Schildern folgen. Ⓜ

Embrun, F-05200 / Provence-Alpes-Côte d'Azur 📶 iD

🏕 Les Tourelles***	1 ADE**IL**NOPRT	AF 6
🏠 Quartier Ste Marthe	2 BCFOPUVY	ABDE**F**H 7
🗓 27 Jun - 15 Sep	3 BLQ	ABCDFKNOQRSV 8
☎ +33 (0)4-92431531	4 AIO	EL 9
@ michel.verney@wanadoo.fr	5 ABDEFGK**L**	BFGHIJNPR10
	D 10A CEE	💶 €20,00
	H870 4 ha 100T(80-140m²) 20D	💶 €33,85
📍 N 44°33'30'' E 6°28'56''		

🚗 Von Gap kommend, am Ortseingang von Embrun am Kreisverkehr (Embrun) links abbiegen. Quartier Ste Marthe, Richtung Plan d'Eau, erste Straße rechts. Dem CP-Schild folgen. Ⓜ

Embrun, F-05200 / Provence-Alpes-Côte d'Azur 📶 iD

🏕 Municipal de la Clapière****	1 ABDE**JM**NOPRST	A**F**HLMNQRSTUVW 6
🏠 avenue du Lac	2 BDGIKORUVX	ABE**FG**H 7
🗓 26 Apr - 28 Sep	3 ABEFIL**MNQS**	ABCDFKNOQRSV 8
☎ +33 (0)4-92430183	4 HIL**NQ**	EJKT 9
@ info@	5 ABCDEFGI	ABHIKOTU10
camping-embrun-clapiere.com	B 10A CEE	💶 €23,65
	H800 6 ha 271T(60-140m²) 20D	💶 €31,65
📍 N 44°33'4'' E 6°28'38''		

🚗 Die N94 von Gap nach Briançon. In der Ortseinfahrt von Embrun den Schildern 'Plan d'Eau' folgen. Dann den CP-Schildern. Ⓜ

Freissinières, F-05310 / Prov.-Alpes-Côte d'Azur 📶 iD

🏕 Les Allouviers*	1 ADE**IL**NOPRST	UX 6
🗓 1 Mai - 30 Sep	2 BCDFNOPRVWXY	ABDE**FG** 7
☎ +33 (0)4-92209324	3 BEL**MQ**	ABCDFKNOQRSV 8
@ info@camping-freissinieres.fr	4 FHIO	JL 9
	5 ABDFGLM	BHIJLNORV10
	10A CEE	💶 €18,20
	H1200 3,9 ha 155T(60-130m²) 4D	💶 €25,00
📍 N 44°44'30'' E 6°33'42''		

🚗 Von Gap nach Briançon über die N94, kurz hinter La Roche-de-Rame, D38 links ab. Steile Auffahrt. Ⓜ

Gap, F-05000 / Provence-Alpes-Côte d'Azur 📶 (CC€16) iD

🏕 Alpes Dauphiné***	1 ACDE**JM**NOPRST	ABF 6
🏠 route Napoléon / N85	2 BFOPTUVWXY	ABDE**F**H 7
🗓 13 Apr - 20 Okt	3 ABEF**KL**Q	ABCDEFGJKNRSV 8
☎ +33 (0)4-92512995	4 BEFHILOU	EFGJL 9
@ info@alpesdauphine.com	5 ABDEFGIJK**L**	ABDFGHIJOR10
	B 10A CEE	💶 €26,20
	H900 10 ha 150T(70-120m²) 72D	💶 €36,50
📍 N 44°34'49'' E 6°4'57''		

🚗 3 km im Norden von Gap rechts 'Route Napoléon', Richtung Grenoble. Gut ausgeschildert. Ⓜ

Guillestre, F-05600 / Prov.-Alpes-Côte d'Azur 📶 (CC€14) iD

🏕 Mun. La Rochette***	1 ADE**JM**NOPRST	A**BFG**NUV 6
🏠 route des Campings	2 CFGPRTVX	ABDE**FG**H 7
🗓 15 Mai - 30 Sep	3 AL**MNQ**	ABCDEFNORSV 8
☎ +33 (0)4-92450215	4 FGHIO**P**	DW 9
@ guillestre@aol.com	5 ABCDEFGI**LM**	ABDHIJL**NOP**TUZ10
	B 10A CEE	💶 €19,50
	H1000 4,4 ha 190T(70-130m²) 7D	💶 €24,90
📍 N 44°39'30'' E 6°38'17''		

🚗 Über die N94, ca. 30 km südlich von Briançon die D902a Richtung Guillestre fahren. Nach ungefähr 1 km rechts ab. Den Camping-Schildern folgen bis zum Ende des Weges. Ⓜ

Guillestre, F-05600 / Provence-Alpes-Côte d'Azur 📶 iD

🏕 Parc Le Villard****	1 ADE**IL**NOPRS**T**	ABFG**N**U 6
🗓 1/1 - 30/10, 15/12 - 31/12	2 CFGPRVWXY	ABDE**FGH**J 7
☎ +33 (0)4-92450654	3 ABEFIL**MQ**T	BCDFNORSV 8
@ info@camping-levillard.com	4 BD**E**FGHILO	BEJLUVW 9
	5 ABDFGIKL	BHIJNOPRV10
	B 15A CEE	💶 €27,00
	H1000 3 ha 70T(110m²) 27D	💶 €35,00
📍 N 44°39'33'' E 6°37'35''		

🚗 Über die N94 im Norden von Embrun fährt man die D902a, anschließend noch 1 km rechts ab. Ⓜ

Guillestre, F-05600 / Prov.-Alpes-Côte d'Azur 📶 (CC€12) iD

🏕 St-James-les-Pins***	1 ADE**JM**NOPRST	6
🗓 1/1 - 15/11, 15/12 - 31/12	2 BCPRVXY	ABDE**FGH** 7
☎ +33 (0)4-92450824	3 BELQ	ABDFJNRV 8
@ camping@lesaintjames.com	4 CDFHIO	EFGIL 9
	5 ABEK**L**	BHIJ**NO**TUV10
	W 10A CEE	💶 €19,10
	H1000 3 ha 90T(80-120m²) 40D	💶 €24,95
📍 N 44°39'26'' E 6°37'58''		

🚗 Via N94 nördlich von Embrun, die D902a, danach noch 1 km rechts. Den CP-Schildern folgen. Ⓜ

La Grave, F-05320 / Provence-Alpes-Côte d'Azur 📶 iD

🏕 Le Gravelotte**	1 ADE**JM**NOPQRST	ABN 6
🗓 10 Jun - 30 Sep	2 CFGOPRWXY	ABDE**F** 7
☎ +33 (0)4-76799314	3 AELQ	ABCDEFNOQRSV 8
@ minoroland@neuf.fr	4 FH**P**	9
	5 ABGL	ABGJLNOR10
	5A CEE	💶 €17,60
	H1401 3 ha 75T(120-150m²)	💶 €22,50
📍 N 45°2'38'' E 6°17'57''		

🚗 D1091 Le Bourg-d'Oisans - Briançon. Von Le Bourg-d'Oisans kommend, rechts ohne Strecke, 800m vor La Grave. Die CP-Zufahrt ist gut angezeigt. ⛰

La Roche-de-Rame, F-05310 / Prov.-Alpes-C. d'Az. 📶 (CC€14) iD

🏕 Camping du Lac**	1 ADJMNOPRS**T**	LNOUV 6
🏠 N94	2 CDFGHOPRVWXY	ADF**H** 7
🗓 1 Mai - 30 Sep	3 AEFLQ	ABCDFNRSV 8
☎ +33 (0)4-92209031	4 FGH	ADJ 9
@ campingdulacrochederame@	5 ADEFIJLM	BGIJNOR10
orange.fr	B 10A CEE	💶 €19,00
	H936 1,3 ha 81T(70-120m²) 8D	💶 €24,60
📍 N 44°44'49'' E 6°34'53''		

🚗 Über die N94, 20 km südlich von Briançon im Zentrum von La Roche-de-Rame links am See. ⛰

Le Roustou ★ ★ ★

Unser Campingplatz liegt am Wasser vom See von Serre-Ponçon, auf einer Halbinsel von 9 Hektar. Ideal für den Wassersport. Wir vermieten auch schöne Holzbungalows.

RN94, 05230 Prunières · Tel. 04-92506263
E-Mail: info@campingleroustou.com
Internet: www.campingleroustou.com

Frankreich

Prunières, F-05230 / Prov.-Alpes-Côte d'Azur 📶 CC€16 iD

▲ Le Nautic***	1 ACDEJMNOPRST	ABFGLNQSWXYZ 6
⌂ N94	2 DFGIKMRSUVWXY	ABE**FHK** 7
⌛ 14 Mai - 15 Sep	3 ALQ	ABDFNRSV 8
☎ +33 (0)4-92506249	4 FHINO	JL 9
@ campinglenautic@wanadoo.fr	5 ABDEFGKL	BCDGHIJ**OR**10
	B 6A CEE	❶ €28,20
⛺N 44°31'39'' E 6°21'31''	H830 3 ha 100T(60-120m²) 14D	❷ €37,70

🚗 Ungefähr 22 km östlich von Gap auf der N94. Kurz vor der Brücke über die Straße unmittelbar rechts. Der CP ist gut ausgeschildert.

Prunières, F-05230 / Prov.-Alpes-Côte d'Azur 📶 CC€16 iD

▲ Le Roustou***	1 ADEJMNOPRST	AFL**N**PQSXY**Z** 6
⌂ RN94	2 DFGIPRUVX	ABDE**F** 7
⌛ 11 Mai - 25 Sep	3 BEL**MQ**	ABCDFNORSTV 8
☎ +33 (0)4-92506263	4 IO	FIJL 9
@ info@campingleroustou.com	5 ADEFGIL	HIJPR10
	Anzeige auf dieser Seite B 6A	❶ €26,60
⛺N 44°31'28'' E 6°20'27''	H800 9 ha 227T(80-150m²) 32D	❷ €36,20

🚗 Am See Serre-Ponçon gelegen, auf halben Weges zwischen Chorges und Savines-le-Lac gelegen. Gut ausgeschildert. Auf der N94 bleiben.

La Roche-des-Arnauds, F-05400 / Prov.-Alpes-C. d'Az. 📶 iD

▲ Le Parc des Sérigons***	1 ADE**J**MNOPRST	AF 6
⌛ 1 Apr - 31 Okt	2 BCFGPQRXY	ABDE**FH** 7
☎ +33 (0)4-92578177	3 ABE**GH**LMQ	ABCDEFJKNRSV 8
@ contact@	4 BCDEFHILO**Q**	AEFJ 9
camping-serigons.com	5 ABDEFGIKL	BGHIJOTU10
	10A CEE	❶ €23,30
⛺N 44°33'52'' E 5°55'3''	H920 15 ha 130T(130-200m²) 54D	❷ €33,90

🚗 N75 Grenoble-Sisteron, Richtung Veynes. In Veynes Richtung Gap - La Roche-des-Arnauds. Links stehen große CP-Schildern. Wegen der Sicherheit besser rechts abbiegen und dann überqueren.

La Vachette/Briançon, F-05100 / Prov.-Alpes-C. d'Az. 📶 iD

▲ Les Gentianes**	1 A**J**MNOPRST	AB**N** 6
⌛ 1/1 - 30/9, 1/11 - 31/12	2 CFOPRVWXY	ABDE**FG** 7
☎ +33 (0)4-92212141	3 E**GHJ**LT	ABCDEFJNRSV 8
@ campinglesgentianes@	4 FHIOP	9
wanadoo.fr	5 AL	AHIJ**P**TU10
	WB 10A CEE	❶ €23,20
⛺N 44°55'6'' E 6°40'28''	H1368 0,5 ha 37T(60-100m²) 52D	❷ €34,05

🚗 Durch Briançon nach Italien (ca. 4 km) in La Vachette D994 in nördliche Richtung. Hier am Ende ist der CP auf der rechten Seite.

Les Vigneaux, F-05120 / Prov.-Alpes-C. d'Az. CC€16 iD

▲ Campéole Le Courounba***	1 ABDE**JL**NOPRS**T**	ABFG**H**N**U** 6
⌂ Le Pont Du Rif	2 BCFGIOPRVWXY	ABDE**FGH** 7
⌛ 16 Mai - 17 Sep	3 ABEFLMQT	ABCDEFJKNRSV 8
☎ +33 (0)4-92230209	4 BFHLO**TU**	EL 9
@ courounba@campeole.com	5 ABDEFGIL**M**	ABDGHIJ**NO**SZ10
	B 10A CEE	❶ €31,00
⛺N 44°49'30'' E 6°31'33''	H1130 12 ha 250T(70-130m²) 90D	❷ €46,80

🚗 In L'Argentière-la-Bessée N94 den Schildern Richtung Les Vigneaux folgen, dort über die Brücke rechts.

Les Vigneaux, F-05120 / Provence-Alpes-Côte d'Azur iD

▲ Campéole Les Vaudois*	1 ABDE**JL**NOPR**T**	ABFG**H**N 6
⌂ La Ruinette	2 BCGWXY	ABDE 7
⌛ 1 Jul - 31 Aug	3	ABCDEFNO 8
☎ +33 (0)4-92230209	4	9
@ vaudois@campeole.com	5 A	JLS10
	6A CEE	❶ €21,10
⛺N 44°49'11'' E 6°32'48''	H1100 3 ha 135T(40-80m²)	❷ €32,70

🚗 Von Briançon N94 Ri. Prelles/St. Martin-de-Queyrières, dann D104A Ri. l'Argentière. Durch La Batie-des-Vigneaux Ri. Les Vigneaux. Von Gap die N94 Ri. Embrun, dann D104A Ri. l'Argentière. Durch La Batie-des-Vigneaux Ri. Les Vigneaux.

Neffes/Gap, F-05000 / Prov.-Alpes-C. d'Az. 📶 CC€16 iD

▲ Les Bonnets***	1 ADE**J**MNOPRST	AFNUX 6
⌂ Quartier Les Bonnets	2 ABPRWXY	ABDE**FGH** 7
⌛ 17 Mai - 17 Okt	3 BE**H**LQS	ABCDFHJNORSV 8
☎ +33 (0)6-88731359	4 BCDFHILNO	DEJL 9
@ camping.les.bonnets@	5 ABDEFGIK**L**	BHIJLO**R**W10
wanadoo.fr	B 10A	❶ €17,40
⛺N 44°29'57'' E 6°1'44''	H750 5,8 ha 120T(90-130m²) 61D	❷ €24,40

🚗 N85 von Gap nach Süden, dann D46 ca. 3 km, rechts ab nach Neffes. Nach dem Ort links, wie mit Camping-Wegweisern beschildert.

Orpierre, F-05700 / Prov.-Alpes-Côte d'Azur 📶 CC€16 iD

▲ Les Princes d'Orange****	1 A**J**MNOPRST	ABFG**H**N 6
⌂ Flonsaine	2 DFPRUVXY	ABDE**FGH** 7
⌛ 1 Apr - 31 Okt	3 BE**I**LQU	ABCDFKNQRS 8
☎ +33 (0)4-92662253	4 A**B**EILO**P**	AEJ 9
@ campingorpierre@wanadoo.fr	5 ADEFGI	BDFHIJL**P**TU10
	10A CEE	❶ €40,00
⛺N 44°18'39'' E 5°41'41''	H712 20 ha 89T(80-110m²) 35D	❷ €50,00

🚗 N75 Serres-Sisteron. In Eyquians abfahren. In Orpierre liegt der Camping.

Puy-St-Vincent, F-05290 / Prov.-Alpes-Côte d'Azur 📶 iD

▲ Croque Loisirs**	1 A**J**MNOPRT	6
⌂ Les Landes	2 BFOPQUVWXY	BE**FH** 7
⌛ 1 Jun - 15 Sep	3 ALQ	ABDFNQRV 8
☎ +33 (0)4-92222903	4 **AE**FHO	AD 9
@ info@	5 AL	BHIJORV10
campingpuysaintvincent.nl	5-10A	❶ €22,50
⛺N 44°49'33'' E 6°29'17''	H1400 2,1 ha 50T(65-90m²) 2D	❷ €32,50

🚗 Auf der N94 Briançon-Gap die Ausfahrt nach Argentière nehmen. Danach Richtung Vallouise. Vor Vallouise links ab, dann den Schildern folgen.

Réotier/Guillestre, F-05600 / Prov.-Alpes-C. d'Az. 📶 iD

▲ La Fontaine	1 ABDJMNOPQRST	JNU 6
⌂ Les Eyssarts	2 BCFGPRUVWXY	ABDE**F** 7
⌛ 1 Mai - 30 Sep	3 ALQS	ABCDEFGHINPRSV 8
☎ +33 (0)4-92451684	4 FHO	E 9
@ camping.lafontaine@	5 ABD**L**	AHIJNOTUV10
gmail.com	B 10A CEE	❶ €17,50
⛺N 44°40'28'' E 6°36'17''	H940 10 ha 80T(70-150m²) 7D	❷ €25,10

🚗 Auf der N94 Richtung Briançon, Ortseinfahrt von Eygliers, erste Straße links. Camping ist gut ausgeschildert.

Rosans, F-05150 / Prov.-Alpes-Côte d'Azur 📶 CC€16 iD

▲ Les Hauts de Rosans**	1 ADE**J**MNOPRST	A 6
⌂ rte du Col de Pomerol	2 DFPRTUVWXY	ABDE**FH** 7
⌛ 25 Apr - 15 Okt	3 ABFQ	ABCDEFHKNQRSV 8
☎ +33 (0)4-92666155	4 BCDFHINOQ	BEJ 9
@ contact@	5 ADFG**I**M	BCDHIJPU10
camping-hautsderosans.com	10A CEE	❶ €23,60
⛺N 44°23'44'' E 5°27'40''	H700 7 ha 70T(80-140m²) 8D	❷ €31,60

🚗 Nyons-Gap D94, im Zentrum Rosans links. Schildern 'Col de Pommerol' folgen.

Rousset/Serre-Ponçon, F-05190 / Prov.-Alpes-C. d'Az. 📶 CC€16 iD

▲ La Viste****	1 ADE**I**LNORT	ABFH**N** 6
⌂ Serre-Ponçon	2 FPUVXY	ABDE**FG** 7
⌛ 12 Mai - 15 Sep	3 BELQ**R**U	BCDFINORS 8
☎ +33 (0)4-92544339	4 FILO	EJ 9
@ camping@laviste.fr	5 BDEFIJ**L**	BGHIJNOTU10
	5A CEE	❶ €26,75
⛺N 44°28'33'' E 6°15'48''	H840 6 ha 160T(90-120m²) 70D	❷ €35,75

🚗 D900 Gap-Barcelonnette, Ausfahrt D3. Dann nach Rousset, oder für Caravans die N94 Gap-Briançon Ausfahrt D3.

Saint Crépin, F-05600 / Provence-Alpes-Côte d'Azur 📶 iD

▲ Camping de L'Ile	1 AEJMNOPQRST	ABFG**N**UV 6
⌛ 1 Mai - 30 Sep	2 CDFGOPRVWXY	ABDE**FH** 7
☎ +33 (0)492451331	3 ABFLMQ	ABCDEFNOQRV 8
@ camping@saintcrepin.com	4 FHO	J 9
	5 ADEG	BHJNORZ10
	10A CEE	❶ €20,10
⛺N 44°42'18'' E 6°36'9''	H900 5 ha 97T(100-200m²) 3D	❷ €26,30

🚗 Der Camping liegt an der N94 und ist gut ausgeschildert.

St. Apollinaire, F-05160 / Prov.-Alpes-C. d'Az. 📶 ✿ CC€14 iD

▲ Campéole Le Clos du Lac***	1 ADE**J**MNOPRST	LN 6
⌂ route des Lacs	2 DFGKNPTUVWX	ABDE**F** 7
⌛ 16 Mai - 20 Sep	3 BFILQT	ABCDEFNPRSV 8
☎ +33 (0)4-92442743	4 FH**TU**	E 9
@ clos-du-lac@campeole.com	5 ABL	BHIJOTV**Z**10
	B 15A CEE	❶ €21,60
⛺N 44°33'42'' E 6°20'46''	H1485 2 ha 46T(50-100m²) 18D	❷ €33,40

🚗 Von Norden: Grenoble, Gap, Chorges, D9, St. Apollinaire. Von Süden: A51 bis La Saulce, Tallard, Chorges, St. Apollinaire.

St. Blaise/Briançon, F-05100 / Prov.-Alpes-C. d'Az. 🛜 iD

🏕 Des Cinq Vallées****	1 ADE**IL**NORST	ABFG**N**U 6
📅 1 Jun - 20 Sep	2 FGOPRUVWXY	BDE**FGH** 7
☎ +33 (0)4-92210627	3 AELQ	ABCDEFKNORS 8
@ info@camping5vallees.com	4 BDEFHINO**PQ**R	EUW 9
	5 ACDEFGIK**L**	BHI**NO**R10
	B 16A CEE	💶 €28,90
📍 N 44°52'36'' E 6°36'59''	H1200 4,5 ha 180T(80-110m²) 31D	💶 €41,30
🚐 Über die N94, ca. 2,5 km südwestlich von Briançon, beim Fluss Durance.		🏔

St. Jean-St-Nicolas, F-05260 / Prov.-Alpes-C. d'Az. 🛜 iD

🏕 Le Diamant****	1 ADE**JM**NOPRST	**N** 6
🏘 Pont-du-Fossé	2 BCFOPVX	ABDE**F**GHK 7
📅 1 Mai - 30 Sep	3 AEILQU	ABCDFKNOQRSTUV 8
☎ +33 (0)4-92559125	4 EFHILNO	DE 9
@ info@campingdiamant.com	5 ABDEFGKL**M**	BHIJ**OP**R10
		💶 €23,10
📍 N 44°39'55'' E 6°13'10''	H1100 4 ha 100T(80-120m²) 19D	💶 €30,90
🚐 Von Grenoble: der N85 Richtung Gap folgen, 1 km nach Brutinel links ab auf die D114, dann via D944 Richtung Pont-du-Fossé. Der CP liegt links von der Straße.		🏔

St. Jean-St-Nicolas, F-05260 / Prov.-Alpes-C. d'Az. 🛜 iD

🏕 Les 6 Stations***	1 ADE**JM**NOPRST	AB**N** 6
🏘 Pont-du-Fossé	2 BCFPRVWXY	ABDE**F** 7
📅 1 Jan - 31 Dez	3 BFLQ	ABCDEFJNORSV 8
☎ +33 (0)4-92559195	4 D**E**FHO	EJ 9
@ info@camping-ecrins.com	5 ADFGIKL	BHIJ**O**R10
	W 10A CEE	💶 €21,40
📍 N 44°40'13'' E 6°14'27''	H1150 2,3 ha 38T(70-110m²) 32D	💶 €28,40
🚐 Von Grenoble nach Gap über die N85. Nach Brutinel die D944 Richtung Orcières/Merlette. Der CP liegt auf der rechten Seite hinter St. Jean-St-Nicolas.		🏔

St. Maurice-en-Valgodemard, F-05800 / Prov.-Alpes-C. d'Az. 🛜 CC€14 iD

🏕 Le Bocage**	1 ADE**JM**NOPRT	AB**N** 6
🏘 Hameau le Roux	2 BCFOPRVWXY	ABD**FG** 7
📅 15 Apr - 15 Okt	3 AFLQ	ABDFKNORS 8
☎ +33 (0)4-92218648	4 F	DEJU 9
@ campinglebocage@orange.fr	5 ABGL	ABCGHIJ**P**TUV10
	10A CEE	💶 €21,40
📍 N 44°48'43'' E 6°6'45''	H975 1,3 ha 41T(70-150m²) 10D	💶 €31,40
🚐 Von Grenoble nach Gap über die N85. In Saint-Firmin die D985a nehmen. Nach 8 km kommt der Camping.		🏔

Vallouise, F-05290 / Provence-Alpes-Côte d'Azur 🛜 iD

🏕 Camping Indigo Vallouise***	1 ADE**JM**NOPR**T**	AB**N**UV 6
🏘 chemin des Chambonnettes	2 CF**O**PRVWXY	ABDE**FGH** 7
📅 1 Jun - 15 Sep	3 BELMQ	ABCDEFJNQRSV 8
☎ +33 (0)4-92233026	4 BDEFGIO	AF 9
@ vallouise@	5 ABDFGL	BGHIJNOP**T**UV10
camping-indigo.com	B 10A CEE	💶 €28,70
📍 N 44°50'39'' E 6°29'25''	H1200 6,5 ha 136T(80-100m²) 40D	💶 €39,50
🚐 In L'Argentière-la-Bessée auf die D994 fahren. In Vallouise links über den Fluss.		🏔

Alpes-de-Haute-Provence

Die Provence der Alpen
Les Rives du lac*** direkt am See
Veynes   camping-lac.com

Veynes, F-05400 / Prov.-Alpes-Côte d'Azur 🛜 CC€16 iD

🏕 Camping Solaire****	1 A**IL**NOPRST	AF**N**U 6
🏘 Quartier des Iscles	2 FPVWXY	ABDE**FGH** 7
📅 1 Jan - 31 Dez	3 BE**GHIL**Q	ABCDEFJKNOQRSV 8
☎ +33 (0)4-92581234	4 BCFGHILNO**PQ**U	DEJKLUV 9
@ info@camping-solaire.com	5 ABDEFGIK**LM**	BHIJL**NP**TU10
	B 6A CEE	💶 €28,30
📍 N 44°31'14'' E 5°48'15''	6,5 ha 158T(150-200m²) 95D	💶 €40,30
🚐 Von Grenoble die N75 Richtung Sisteron. Dann die D994 Richtung Veynes. Den Schildern Plan d'Eau und Camping folgen.		🏔

Veynes, F-05400 / Prov.-Alpes-C. d'Az. 🛜 ❀ CC€14 iD

🏕 Les Rives du Lac***	1 ADE**JM**NOPQRST	ABCDJLMNQU 6
🏘 Plan d'eau Les Iscles	2 CDFIJPVWXY	ABDE**FH** 7
📅 25 Apr - 20 Sep	3 ABCE**GHI**LQS	ABCDFJKNRSV 8
☎ +33 (0)4-92572090	4 A**BD**EFGHILO	BE**F**IQTUVW 9
@ booking@camping-lac.com	5 ACDFFGI**M**	ABDHIJNOTU10
	Anzeige auf dieser Seite B 10A CEE	💶 €28,00
📍 N 44°31'8'' E 5°47'06''	H830 2,7 ha 111T(80-190m²) 27D	💶 €41,30
🚐 Ab Grenoble die N75 Richtung Sisteron. Dann die D994 Richtung Veynes. Den Schildern Plan d'Eau und Camping folgen.		🏔

Einrichtungsliste

Die Einrichtungsliste finden Sie vorne im aufklappbaren Deckel des Führers. So können Sie praktisch sehen, was ein Camping so zu bieten hat.

Annot, F-04240 / Provence-Alpes-Côte d'Azur 🛜 CC€14 iD

🏕 La Ribière**	1 A**JM**NOPRS**T**	**N** 6
🏘 route du Fugeret	2 CFPRVWXY	ABDEFH 7
📅 14 Mär - 1 Nov	3 AE**GH**LQ	ABCDEFJKNRSV 8
☎ +33 (0)4-92832144	4 FHIO	AEJ 9
@ info@la-ribiere.com	5 ADFG**M**	BDGHIJNOTUV10
	B 6-10A CEE	💶 €19,20
📍 N 43°58'18'' E 6°39'28''	H700 1 ha 64T(70-100m²) 22D	💶 €25,50
🚐 CP liegt 0,7 km nördlich von Annot (D908).		🏔

Banon, F-04150 / Provence-Alpes-Côte d'Azur 🛜 CC€14 iD

🏕 L'Epi Bleu***	1 ADILNOPRS**T**	ABFG 6
🏘 Les Gravières	2 BFRSUVWXY	ABDE**F**H 7
📅 4 Apr - 30 Sep	3 ABFGHLQRT	ABCDEFJNOQRSV 8
☎ +33 (0)4-92733030	4 **A**BCDEFHILNOPQ**X**	EJU 9
@ campingepibleu@aol.com	5 ABDEFGILM	BDHIJP**T**UVZ10
	Anzeige auf dieser Seite B 10A CEE	💶 €29,50
📍 N 44°1'36'' E 5°37'52''	H780 2 ha 40T(65-130m²) 48D	💶 €40,50
🚐 A7, Ausfahrt Avignon-Sud Richtung Apt und danach Banon. In Banon Schildern folgen.		🏔

L'Epi Bleu, Banon ★ ★ ★

Natürlicher Campingplatz umgeben von Lavendelfeldern im Lubéron, große Plätze mit teilweise Schatten, beheiztes Schwimmbad, im Sommer Reiten, abseits der Städte, aber in 1 km vom Ort mit Cafés, Restaurant und Geschäft, noch wenig Tourismus.

Les Gravières, 04150 Banon • Tel. 04-92733030
campingepibleu@aol.com • www.campingepibleu.com © 🏔

Frankreich

Camping du Brec ★ ★

Authentischer, einfacher, aber korrekt gepflegter Camping in einer beeindruckende schönen Umgebung. Prima Camping für sportliche Camper: Baden, Angeln, Kanu und Kajak gratis. Die sympathischen Inhaber kennen die Umgebung bestens und können ihre Gäste sehr gut beraten. Ideal auch für Familien mit Kindern (sacht abfallender Strand). Camping strahlt Ruhe aus. Das nahegelegene Städtchen Entrevaux ist historisch interessant.

04320 Entrevaux · Tel. 04-93054245
E-Mail: info@camping-dubrec.com
Internet: www.camping-dubrec.com

Barcelonnette, F-04400 / Prov.-Alpes-Côte d'Azur 🛜 iD

▲ Le Tampico***	1 ADE**JM**NOPRT	**N** 6
🚏 70 av. Emile Aubert	2 COPRSVWXY	ABD**FH** 7
🗓 4 Mai - 15 Okt	3 A**KL**Q	ABCDFJNORSV 8
☎ +33 (0)4-92810255	4 HO	EFJ 9
@ contact@letampico.fr	5 AEFGK**M**	BFHIJOTU 10
	6A CEE	❶ €21,00
▲🏔 N 44°23'0'' E 6°38'5''	H1100 2 ha 80**T**(100-110m²) 10**D**	❷ €26,00

🚗 In Barcelonnette ausgeschildert, D902 Richtung Col de la Cayolle und Col d'Allos. ⛺

Beynes, F-04270 / Provence-Alpes-Côte d'Azur (CC€16) iD

▲ La Célestine***	1 ADE**JM**NOPS**T**	AF 6
🚏 D907	2 CFPRVWXY	ABDE**F** 7
🗓 1 Mai - 30 Sep	3 BELQ	ABCDEFHNPRV 8
☎ +33 (0)7-86183508	4 FIO	E 9
@ lacelestin@wanadoo.fr	5 AFG	HJ 10
	B 10A	❶ €23,00
▲🏔 N 43°58'13'' E 6°11'31''	H540 3 ha 92**T**(80-200m²) 8**D**	❷ €31,00

🚗 Etwa 10 km südlich von Digne die N85 Richtung Mezel (D907) verlassen. Von Mezel aus ist der CP angezeigt. ⛺

Castellane, F-04120 / Provence-Alpes-Côte d'Azur 🛜 iD

▲ Domaine du Verdon****	1 ADE**JM**NOPQRS**T**	ABFGHINUV**X** 6
🗓 15 Mai - 15 Sep	2 CFGJPVWXY	ABDE**FG** 7
☎ +33 (0)4-92836129	3 BE**GH**ILQR	ABCDEFNOQRSTUV 8
@ contact@	4 **A**BCDE**F**HILNO**PQ**	EFKLUVY 9
camp-du-verdon.com	5 ACDEFGIJK**M**	ABFGHIJLNPTUVZ 10
	Anzeige auf Seite 355 B 16A CEE	❶ €49,00
▲🏔 N 43°50'20'' E 6°29'39''	H723 14 ha 280**T**(80-150m²) 440**D**	❷ €77,00

🚗 Der CP liegt ca. 1,5 km südlich von Castellane, Richtung D952 Comps/Moustiers. ⛺

Castellane, F-04120 / Prov.-Alpes-C. d'Az. 🛜 (CC€12) iD

▲ La Ferme de Castellane***	1 ADE**JM**NOPQRST	6
Quartier La Lagne, route de Grasse	2 CF**P**TUVWXY	ABDE**FG**HK 7
🗓 27 Mär - 30 Sep	3 B**GH**LQ	ABCDEFHKNOPQRSV 8
☎ +33 (0)4-92836777	4 FHINO	EJ 9
@ accueil@	5 AB**M**	BDF**G**HIJNOTU 10
camping-la-ferme.com	Anzeige auf Seite 355 B 6A CEE	❶ €27,40
▲🏔 N 43°50'18'' E 6°32'31''	H740 1,3 ha 33**T**(80-100m²) 30**D**	❷ €35,40

🚗 Vom Zentrum Castellane Richtung Grasse folgen. 1 km weiter ist der CP angegeben. ⛺

Castellane, F-04120 / Provence-Alpes-Côte d'Azur 🛜 iD

▲ Notre-Dame*	1 ADE**JM**NOPRST	N**UV**X 6
🚏 rte des Gorges du Verdon	2 CFOPVY	ABDE**FG**H 7
🗓 1 Apr - 10 Okt	3 AL	ABCDEFHNOPQRSV 8
☎ +33 (0)4-92836302	4 FH	EJ 9
@ camping notredame@	5 ABFGK**LM**	BGHIJPTUV 10
wanadoo.fr	B 6A CEE	❶ €25,40
▲🏔 N 43°50'45'' E 6°30'16''	H720 0,8 ha 32**T**(70-90m²) 24**D**	❷ €34,80

🚗 Der CP liegt etwas südlich von Castellane (kurz hinter Wohngebiet) an der D952 nach Comps/Moustiers. ⛺

Castellane, F-04120 / Prov.-Alpes-C. d'Az. 🛜 (CC€12) iD

▲ Provençal***	1 A**JM**NOPRS**T**	6
🚏 route de Digne	2 FPVWXY	ABDEFH 7
🗓 8 Mai - 13 Sep	3 AELQ	ABCDEFNQRS 8
☎ +33 (0)4-92836550	4 FHI	EJ 9
@ camping-provencal@orange.fr	5 ABF**M**	BDHJOT 10
	B 6A CEE	❶ €21,90
▲🏔 N 43°51'21'' E 6°29'43''	H724 40**T**(80m²) 8**D**	❷ €31,90

🚗 CP liegt an der D4085 (Digne-Castellane) rund 1 km vor Castellane. ⛺

Chasteuil/Castellane, F-04120 / Prov.-Alpes-C. d'Az. 🛜 (CC€14) iD

▲ Indigo Gorges du Verdon****	1 A**JM**NOPQR**T**	AB**N**U**X** 6
🚏 Clos d'Arémus	2 CF**K**OPVXY	ABDE**FGH** 7
🗓 29 Apr - 28 Sep	3 BEL	ABCDEFHKNOPRSV 8
☎ +33 (0)4-92836364	4 BCDEFINO	EJKL 9
@ aremus@	5 ACDEFGIJK	BG**H**IJMNOTUZ 10
camping-gorgesduverdon.com	B 6A	❶ €32,30
▲🏔 N 43°49'22'' E 6°25'53''	H660 7 ha 188**T**(80-120m²) 102**D**	❷ €42,80

🚗 Der CP liegt ca. 10 km im Süden von Castellane, auf dem Weg nach Draguignan D952. ⛺

Dauphin/Forcalquier, F-04300 / Prov.-Alpes-C. d'Az. 🛜 (CC€14) iD

▲ L'Eau Vive***	1 ADE**JM**NOPRST	ABF**M**N 6
🚏 RD13	2 ABCOPRVWXY	ABDE**F**H 7
🗓 1 Apr - 31 Okt	3 ABEFILMQR	ABDFNRS 8
☎ +33 (0)4-92795191	4 B**E**ILNOQ**U**	DEIJ 9
@ camping.leauvive04@	5 ABDE**G**I**L**	BG**H**IJMN**O**TUV 10
gmail.com	B 6A CEE	❶ €23,50
▲🏔 N 43°54'40'' E 5°46'53''	H400 6 ha 90**T**(100-200m²) 42**D**	❷ €32,00

🚗 Auf der A51 Ausfahrt 19, dann die N96 bis nach Volx. In Volx der D13 folgen bis hinter Dauphin. ⛺

Digne-les-Bains, F-04000 / Prov.-Alpes-Côte d'Azur 🛜

▲ Camping du Bourg**	1 A**I**LNOPRT	6
🚏 route de Barcelonnette	2 CFGPRUVWXY	ABDE**F**H 7
🗓 1 Apr - 15 Okt	3 BLM**N**Q	ABCDEFHJKNOR 8
☎ +33 (0)4-92310487	4 FO	E 9
@ campingdubourg@orange.fr	5 AKLM	BHIJ**NP**TUV 10
	B 6A	❶ €21,00
▲🏔 N 44°6'6'' E 6°14'59''	H600 3 ha 74**T**(80-110m²) 70**D**	❷ €30,00

🚗 Vom Zentrum Digne Richtung Barcelonette. Der CP ist kurz hinter Digne und den Tennisplätzen. ⛺

Digne-les-Bains, F-04000 / Prov.-Alpes-Côte d'Azur 🛜

▲ Les Eaux Chaudes***	1 AD**I**LNOPRST	AF 6
🚏 32 avenue des Thermes	2 COPVX	ABDE**FG**H 7
🗓 1 Apr - 31 Okt	3 BEK**L**Q	ABCDEFKNOQRSV 8
☎ +33 (0)4-92323104	4 BDFHLNO	EJ 9
@ info@	5 ABGLM	BGHIJ**N**OTU 10
campingleseauxchaudes.com	6A	❶ €25,50
▲🏔 N 44°5'12'' E 6°15'3''	H600 0,5 ha 100**T**(100-110m²) 64**D**	❷ €37,00

🚗 Vom Zentrum von Digne Richtung 'Les Thermes' fahren. Ausgeschildert. ⛺

Entrevaux, F-04320 / Prov.-Alpes-Côte d'Azur 🛜 iD

▲ du Brec**	1 ADE**JM**NOPRST	LM**N**U 6
🗓 15 Mär - 15 Okt	2 CDFJPRVWXY	ABDE**FG**H 7
☎ +33 (0)4-93054245	3 AELQ	ABCDEFJKNQRSV 8
@ info@camping-dubrec.com	4 FO	JQR 9
	5 ADEFGLM	ABDHIJ**NP**TUZ 10
	Anzeige auf dieser Seite B 10A CEE	❶ €22,35
▲🏔 N 43°57'42'' E 6°47'56''	H500 3,8 ha 76**T**(80-140m²) 11**D**	❷ €29,25

🚗 N202, 4 km westlich von Entrevaux ist der CP ausgeschildert. ⛺

Esparron-de-Verdon, F-04800 / Prov.-Alpes-C. d'Az. 🛜 iD

▲ La Grangeonne**	1 A**JM**NOPR**T**	6
🚏 route de Quinson	2 BPRUVWXY	ADF 7
🗓 15 Mai - 15 Sep	3 AL	AFNOV 8
☎ +33 (0)4-92771687	4 F	ADE 9
@ lagrangeonne@	5 AC**D**	BJNO**T**V 10
camping-esparron.com	B 4-6A	❶ €21,40
▲🏔 N 43°44'15'' E 5°58'55''	1,5 ha 51**T** 11**D**	❷ €27,40

🚗 Auf der A51 die Ausfahrt Gréoux-les-Bains nemen, dann Richtung Esparron-de-Verdon. Im Zentrum den Pfeilen folgen. ⛺

Forcalquier, F-04300 / Prov.-Alpes-C. d'Az. 🛜 (CC€14) iD

▲ Indigo Forcalquier***	1 ADE**I**LNOPR**T**	ABFG 6
🚏 route de Sigonce	2 PRVWXY	ABDE**F**H 7
🗓 23 Apr - 28 Sep	3 AELQ	ABCDEFIJKNQRSTUV 8
☎ +33 (0)4-92752794	4 ABCDEFHIJLNO	CEFJU 9
@ forcalquier@	5 ABDEFGI**L**	ABGHIJNOT 10
camping-indigo.com	B 10A CEE	❶ €29,60
▲🏔 N 43°57'43'' E 5°47'14''	H500 4 ha 80**T**(80-110m²) 54**D**	❷ €40,60

🚗 A51 Sisteron - Aix-en-Provence folgen bis Ausfahrt 19. Dann weiter N100 Richtung Forcalquier. Im Zentrum den Pfeilen 'Indigo Camping' folgen. ⛺

DOMAINE DU VERDON ☆ ☆ ☆ ☆

Domaine du Verdon - Castellane Ihr idealer Ferienort an den Ufern des Verdon ★ In der Nähe der Gorges du Verdon ★ Alle Anlagen in Betrieb zwischen 15. Mai - 15. September

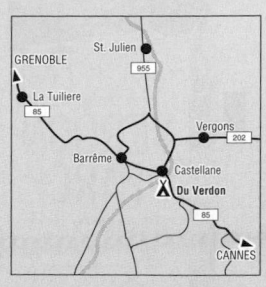

...s Gelände liegt in einer typischen provencalischen Landschaft. Das Hauptgebäude ist ein alter provenzalischer Bauernhof. ...s gibt ein Clubhaus, Bügelraum, Bibliothek, Selbstbedienungsladen, Bar-Restaurant, Tagesmenüservice, Eissalon usw. ...er Campingplatz organisiert allerlei Wassersportaktivitäten in der Umgebung. Bogenschießen ist gratis. Weiter gibt es ein ...beheiztes Schwimmbad mit gratis Eintritt. In der Nähe vom Schwimmbad gibt es einen großen überdachten Spielsaal ...ischtennis, Tischfußball). An einigen Stellen ist der Fluss tief genug zum schwimmen. Die Sanitäranlagen sind sehr gut. Jeder Stellplatz ist abgegrenzt. In der Hochsaison täglich Wettkämpfe (Tischtennis, Boules).

In der Umgebung kann man schön wandern. 6 km weiter gibt es einen Badesee, zum Boot fahren und fischen. Touren sind möglich in die berühmte Verdon-Schlucht, in die Parfümstadt Grasse, nach Moustiers-Ste-Marie.

Der Camping befindet sich in der Nähe der Gorges du Verdon, einem einzigartigen Naturparadies.

04120 Castellane ★ Tel. 04-92836129 ★ Fax 04-92836937
Internet: www.camp-du-verdon.com

Forcalquier, F-04300 / Prov.-Alpes-C. d'Az. 📶 CC€18 iD

▲ Naturistencamping	1 ADEG**JM**NOPRST ABFHN 6
Les Lauzons★★★★	2 BCFGPRTUVWXY ABDE**FH** 7
🏠 Limans	3 ABELQR ABCDEFJKNOQRSTV 8
📅 11 Apr - 11 Okt	4 E**F**ILNOQT**X** BEF 9
☎ +33 (0)4-92730060	5 ADEFGIK**LM** ABHJ**NO**TUV10
@ leslauzons@wanadoo.fr	FKK B 10A CEE ❶ €37,60
🗺 N 43°58'22'' E 5°44'15''	H500 60 ha 163T(40-250m²) 44D ❷ €49,60
🚗 A51 Sisteron - Aix-en-Provence, Ausfahrt 19. Dann weiter die N100 an Forcalquier vorbei. Am Kreisdel D950 Richtung Limans.	Ⓜ

Gréoux-les-Bains, F-04800 / Prov.-Alpes-C. d'Az. 📶 CC€16 iD

▲ Verdon Parc★★★★	1 ADE**IL**NOPRT AEFN 6
🏠 Domaine de la Paludette	2 ACJPRSVX ABDE**FG**H 7
📅 10 Apr - 1 Nov	3 BEFLMQT ABCDEFIJNORSTUV 8
☎ +33 (0)4-92780808	4 BD**F**I IILNO BELVW 9
@ info@campingverdonparc.fr	5 ABDEFG**IM** ABGHIKNO**P**TUVZ10
	Anzeige auf Seite 356 10A CEE ❶ €36,00
🗺 N 43°45'6'' E 5°53'39''	H350 12 ha 120T(80-180m²) 188D ❷ €49,00
🚗 In Gréoux-les-Bains am Kreisel der Strecke nach Varages folgen (D8). CP ist gut angezeigt.	Ⓜ

Gréoux-les-Bains, F-04800 / Prov.-Alpes-C. d'Az. 📶 iD

▲ Regain★★★	1 A**JM**NOPRST JN 6
🏠 route de Saint Pierre	2 ACGJKPRVXY ABDEF 7
📅 1 Apr - 20 Okt	3 ABCDEFNORUV 8
☎ +33 (0)4-92780923	4 9
@ camping.regain@	5 AE**L** AJOTUV10
club-internet.fr	B 10A CEE ❶ €24,00
🗺 N 43°44'53'' E 5°52'44''	H360 3 ha 83T(100m²) ❷ €32,00
🚗 In Gréoux-les-Bains am Kreisverkehr der D8 folgen Richtung Varages. CP wird weiter ausgeschildert.	Ⓜ

La Garde/Castellane, F-04120 / Prov.-Alpes-C. d'Az. 📶 CC€14 iD

▲ RCN Les Collines de	1 ADE**IL**NOPQRT ABFGHUX 6
Castellane★★★★	2 BFGPQRTUVWXY ABDE**FG**H 7
🏠 route de Grasse	3 BEL**MQR** ABCDFHKNPQRSTUV 8
📅 25 Apr - 19 Sep	4 BCDEFHILNO**PQ** EJU 9
☎ +33 (0)4-92836896	5 ABDEFGIJL ABDHIJ**NP**TU10
@ collines@rcn.fr	B 8-12A ❶ €45,45
🗺 N 43°49'27'' E 6°34'12''	H960 10 ha 140T(80-150m²) 80D ❷ €56,45
🚗 Der CP liegt an der N85 Richtung Grasse, 6 km im Südosten von Castellane.	Ⓜ

La Ferme de Castellane
★ ★ ★

Auf Camping La Ferme de Castellane werden Sie von Gérard und Elisabeth empfangen. Ein ruhiger, schattiger Camping mit Bäumen und einem kleinen durchfließenden Flüsschen. Auf eine erholsame Art können Sie unter einer Pergola das W-Lan benutzen. Neues Sanitär steht Ihnen zur Verfügung. Das Ufer an der Wasserseite ist auf Jung und Alt (Tischtennis, Boules, Klettergerüst usw.) eingestellt und abends bis 23 Uhr beleuchtet. Wir hoffen Sie bald in unserem kleinen Paradies in familiärer und gemütlicher Atmosphäre willkommen zu heißen.

Quartier La Lagne, route de Grasse
04120 Castellane
Tel. 04-92836777 • Fax 04-92837592
E-Mail: accueil@camping-la-ferme.com
Internet: www.camping-la-ferme.com

La Saulce/Curbans, F-05110 / Prov.-Alpes-C. d'Az.

- ▲ Du Lac***
- 🛣 rte Napoléon
- 📅 1 Apr - 30 Okt
- ☎ +33 (0)4-92542310
- @ info@au-camping-du-lac.com

1 ADJMNOPRST	ABFGHILNUXZ 6
2 ADFGJPRVWXY	BEFGH 7
3 ABDEHLMNQT	BDFKNRSV 8
4 BCDFHINOPQ	DEQR 9
5 ABDEFGIKL	BGHIJNPTUV10
B 10A CEE	① €28,20
H545 3,6 ha 65T(80-120m²) 73D	② €38,20

📍 N 44°25'32'' E 6°1'46''

🚗 N85 von Gap aus 15 km nach Süden links ab am See. Von Gap Richtung Sisteron. In Curbans angezeigt.

Le Vernet, F-04140 / Prov.-Alpes-Côte d'Azur

- ▲ Lou Passavou***
- 📅 1 Mai - 15 Sep
- ☎ +33 (0)4-92351467
- @ loupassavous@orange.fr

1 AGJMNOPRT	ABN 6
2 FOPRVX	BEFGH 7
3 AELMQ	ABCDFKNRSV 8
4 BEFHIOP	AE 9
5 ADEFGIJL	ABDHIJOPTUV10
6A CEE	① €27,75
H1200 1,5 ha 57T(80-120m²) 5D	② €36,60

📍 N 44°16'55'' E 6°23'29''

🚗 Von Gap Richtung Barcelonette, dann die D900 Richtung Digne-les-Bains bei Le Vernet ausgeschildert. Von Gap nicht die D900c.

Les Thuiles, F-04580 / Provence-Alpes-Côte d'Azur

- ▲ Le Fontarache***
- 🛣 D900
- 📅 1 Jun - 15 Sep
- ☎ +33 (0)4-92819042
- @ reception@camping-fontarache.fr

1 ACDILNOPRT	ABFNUV 6
2 COPRVXY	BEFGH 7
3 BEKLMQ	BDFKNORSTUV 8
4 BEFHNOP	DEJLQV 9
5 ADEFGHLM	BFGHIKLNPTU10
6A CEE	① €25,20
H1100 6 ha 150T(110-120m²) 19D	② €33,70

📍 N 44°23'34'' E 6°34'31''

🚗 D900 Gap-Barcelonnette. Bei Les Thuiles ausgeschildert.

Manosque, F-04100 / Prov.-Alpes-C. d'Az.

- ▲ Camping Provence Vallée***
- 🛣 1138 avenue de la Repasse
- 📅 7 Mär - 15 Nov
- ☎ +33 (0)4-92722808
- @ contact@provence-vallee.fr

1 ADEJMNOPRT	AF 6
2 AOPVWXY	BEFG 7
3 AKLQT	ABDFNORUV 8
4 BCDOX	BCEL 9
5 ADEFGL	ABGHKNOTUV10
9A	① €25,00
H280 3,2 ha 86T(80-110m²) 24D	② €32,00

📍 N 43°49'48'' E 5°45'49''

🚗 A51 Ausfahrt 18 Richtung Manosque. Vor der Ortsmitte Richtung Apt. Campingplatz ist gut angezeigt.

Méolans-Revel, F-04340 / Prov.-Alpes-C. d'Az.

- ▲ Camping River***
- 📅 9 Mai - 30 Sep
- ☎ +33 (0)4-92855713
- @ info@camping-river.eu

1 ADGJMNOPRT	ABLNUV 6
2 CDHJOPRVXY	BEFHK 7
3 BKLQ	ABDFGINRSV 8
4 EFHIO	BE 9
5 ABDEFGIJKLM	ABDFHIJLNOTUVW10
6A CEE	① €26,85
1 ha 40T(80-130m²) 14D	② €35,85

📍 N 44°23'47'' E 6°29'20''

🚗 Liegt an der D900 Gap-Barcelonnette. In Le Martinet an der Brücke rechts ab. CP ist ausgeschildert.

Méolans-Revel, F-04340 / Prov.-Alpes-C. d'Az.

- ▲ Dom. Loisirs de l'Ubaye****
- 🛣 D900
- 📅 15 Mai - 15 Okt
- ☎ +33 (0)4-92810196
- @ info@loisirsubaye.com

1 ADILNORT	ABFGJNUX 6
2 CGKOPRTUVXY	ABDEFGH 7
3 BELMQTU	ABCDFKNQRSUV 8
4 ABDEFHIJMOP	EGJLUV 9
5 ACDEFGIJKL	BGHIJLMNOTUV10
6A	① €28,50
H1050 10 ha 268T(100-120m²) 66D	② €38,00

📍 N 44°23'49'' E 6°32'44''

🚗 Auf dem Weg von Gap-Barcelonnette; 8 km im Westen von Barcelonnette, auf der rechten Seite. Ausgeschildert.

Méolans-Revel, F-04340 / Prov.-Alpes-Côte d'Azur

- ▲ Rioclar***
- 🛣 D900
- 📅 1 Mai - 15 Sep
- ☎ +33 (0)4-92811032
- @ rioclar@wanadoo.fr

1 ADEJMNOPQRT	ABJLNUV 6
2 BCDFGJOPRUVY	ABDEFGH 7
3 ABEIKLMQ	ABCDFJNQRSTU 8
4 BCDFHILNOPQ	DEJQRU 9
5 ACDEFGIJKLM	ABHIJLNOTU10
10A	① €28,50
H1100 8 ha 202T(110-200m²) 33D	② €39,00

📍 N 44°23'58'' E 6°31'54''

🚗 D900 Gap-Barcelonnette. 3 km vor Les Thuiles an der rechten Seite.

Montclar, F-04140 / Provence-Alpes-Côte d'Azur

- ▲ l'Etoile des Neiges****
- 📅 14/5 - 6/9, 18/12 - 21/3
- ☎ +33 (0)4-92350708
- @ contact@etoile-des-neiges.com

1 ADEILNORT	ABCDEFGHN 6
2 BCGPRUVX	ABDEFGH 7
3 ABEGLMQST	BDFJKNQRSTV 8
4 ABDEFGHILNOQRTUVYZ	EJU 9
5 ADEFGIJKL	BFGHIJOPR10
W 6A	① €37,00
H1300 1,5 ha 79T(80-110m²) 96D	② €49,00

📍 N 44°24'36'' E 6°21'1''

🚗 Von Gap Richtung Barcelonette. Dann die D900 Richtung Digne. Ist in Montclar ausgeschildert.

Moustiers-Ste-Marie, F-04360 / Prov.-Alpes-C. d'Az.

- ▲ Saint Clair***
- 🛣 D952
- 📅 25 Apr - 20 Sep
- ☎ +33 (0)4-92746715
- @ direction@camping-st-clair.com

1 ADEJMNOPRT	X 6
2 BCFPUVWXY	ABDEFH 7
3 BLQ	ABCDEFGHJKNOPRS 8
4 F	EJKL 9
5 ABDEFKM	BDGHIJPTUV10
Anzeige auf Seite 357 B 6A CEE	① €22,60
H525 3 ha 145T(88-136m²) 20D	② €28,80

📍 N 43°49'41'' E 6°13'28''

🚗 CP-Zufahrt liegt am Kreisel, 3 km südlich von Moustiers-Ste-Marie.

Moustiers-Ste-Marie, F-04360 / Prov.-Alpes-C. d'Az.

- ▲ Saint Jean***
- 🛣 Quartier Saint Jean
- 📅 28 Mär - 11 Okt
- ☎ +33 (0)4-92746685
- @ contact@camping-st-jean.fr

1 ADEJMNOPRST	NX 6
2 CFOPVWXY	ABDEFH 7
3 BEILQ	ABCDEFHJKNOPQRSUV 8
4 AFHO	ELUV 9
5 ABDEFGKM	BDGHIJNPTUV10
Anzeige auf Seite 357 B 6 B-10A	① €22,80
H600 1,7 ha 108T(80-150m²) 32D	② €32,10

📍 N 43°50'37'' E 6°12'54''

🚗 D592, der Camping liegt links der Straße hinter dem Kreisel Richtung Riez.

Niozelles, F-04300 / Prov.-Alpes-Côte d'Azur

- ▲ Sites & Paysages Moulin de Ventre****
- 🛣 N100
- 📅 11 Apr - 30 Sep
- ☎ +33 (0)4-92786331
- @ moulindeventre@gmail.com

1 ADJMNOPRT	AFLNX 6
2 ACDGHIOPRVX	BEFGH 7
3 ABELQT	BDFJKNQRSTUV 8
4 BFHILNOTV	EFHIJPT 9
5 ABDEFGIKL	BDGHIJLOTV10
B 10A CEE	① €38,50
H365 28 ha 104T(100m²) 22D	② €52,50

📍 N 43°56'1'' E 5°52'4''

🚗 Auf der A51 bis Ausfahrt Brillane. In Brillane die N100 fahren, der CP liegt an dieser Strecke. Nach 2,5 km liegt der Camping auf der linken Seite.

Oraison, F-04700 / Prov.-Alpes-Côte d'Azur

- ▲ Les Oliviers****
- 🛣 chemin St. Sauveur
- 📅 1 Jan - 31 Dez
- ☎ +33 (0)4-92782000
- @ camping-oraison@wanadoo.fr

1 AGJMNOPRT	A 6
2 AFOPRSVWXY	BEFH 7
3 ACEFLQ	ABDFNRTV 8
4 BDFHILNOP	EJ 9
5 ABDEGILM	BDFGHIJOTUVW10
B 10A CEE	① €25,50
2 ha 33T(25-110m²) 18D	② €33,00

📍 N 43°55'23'' E 5°55'25''

🚗 A51 Ausfahrt 19 La Brillane. Dann auf die N96 Richtung Oraison. Im Zentrum den CP-Schildern folgen.

Camping Saint Clair
★ ★ ★

Angenehmer, schattiger, am Fluss gelegener Camping mit außergwöhnlichem Panorama auf die sehr beeindruckende Naturschönheit in der direkten Umgebung.
Sowohl Lac Ste Croix als auch das touristische Moustiers befinden sich nur ein paar Kilometer entfernt.
Keine Animation.

D952, 04360 Moustiers-Ste-Marie
Tel. 04-92746715 • Fax 04-84508074
E-Mail: direction@camping-st-clair.com
Internet: www.camping-st-clair.com

Salignac/Sisteron, F-04290 / Prov.-Alpes-Côte d'Azur · iD

⛺ Camping Caravaning	1 ADJMNOPRST	A N 6
Le Jas du Moine***	2 ABORVXY	ABDEF 7
📅 1 Mär - 31 Okt	3 BELQ	ABCDEFINRSV 8
☎ +33 (0)4-92614043	4 EINOPS	DEJLV 9
@ lejasdumoine@wanadoo.fr	5 ADEFGIKLM	FGHIJLT10
	10A CEE	❶ € 22,30
	H600 4,5 ha 100T(80-100m²) 26D	❷ € 29,10

🚗 An der D4, 4 km südlich von Sisteron. CP ist bei Volonne und Sisteron gut angezeigt. 〽

Seyne-les-Alpes, F-04140 / Prov.-Alpes-Côte d'Azur · 📶 iD

⛺ de la Blanche**	1 ACILNORST	N 6
route de Chardavon	2 BCGPSVWY	ABDEFGHK 7
📅 1 Jan - 31 Dez	3 ALQS	ABDEFJNOQRTUV 8
☎ +33 (0)4-92350255	4 FHI	DEUV 9
@ campingdelablanche@yahoo.fr	5 ABDGKL	BFGHIJPTUV10
	10A CEE	❶ € 19,50
	1,6 ha 40T(80-100m²) 67D	❷ € 27,60

🚗 Von Gap Richtung Barcelonette. Dann die D900 Richtung Digne. In Seyne ist der CP ausgeschildert. 〽

Seyne-les-Alpes, F-04140 / Prov.-Alpes-C. d'Az. · (CC€16) iD

⛺ Les Prairies***	1 ADEILNORT	AB N 6
Haute Greyere	2 CGPRVXY	ABEFGH 7
📅 1 Mai - 13 Sep	3 ABLQU	ABCDFJKNOQRSTUV 8
☎ +33 (0)4-92351021	4 FHINO	EJL 9
@ info@campinglesprairies.com	5 ABDEFGIL	BGHIJTV10
	B 10A CEE	❶ € 25,50
	H1150 3,9 ha 100T(100-140m²) 10D	❷ € 34,90

🚗 Von Gap Richtung Barcelonette. Dann die D900 Richtung Digne. Bei Seyne ausgeschildert. 〽

Sisteron, F-04200 / Provence-Alpes-Côte d'Azur · 📶 iD

⛺ Les Prés Hauts****	1 ADFJMNOPRST	AFN 6
44 chemin Les Prés Hauts	2 CFPRVWXY	BEFH 7
📅 1 Apr - 30 Sep	3 ABEFLMQ	BDEFNR 8
☎ +33 (0)4-92611969	4 AEIO	E 9
@ contact@	5 AB	BFHIJOUV10
camping-sisteron.com	B 10A CEE	❶ € 26,50
N 44°12'52'' E 5°56'10''	H466 2,5 ha 141T(70-100m²) 20D	❷ € 33,50

🚗 Fahren Sie vom Zentrum von Sisteron die N85 Richtung Gap. Am 1. Kreisverkehr den Schildern folgen. 〽

St. Maime, F-04300 / Prov.-Alpes-C. d'Az. · 📶 (CC€12) iD

⛺ La Rivière***	1 AEJMNOPRT	AFN 6
Lieu-dit 'Les Côtes'	2 ACDFGKLPRVX	ABDEF 7
📅 11 Apr - 20 Sep	3 AEKLQ	ABCDFFJNRS 8
☎ +33 (0)4-92795466	4 BDEINOPX	BCEJ 9
@ camping-lariviere@orange.fr	5 ABDEFGIL	BHJMPTV10
	Anzeige auf dieser Seite 6A	❶ € 28,50
N 43°53'52'' E 5°48'23''	H350 3,5 ha 44T(50-100m²) 68D	❷ € 38,00

🚗 A51 Ausfahrt 19 La Brillanne. Weiter die N96 Richtung Manosque. Nach 7 km die D13 nehmen. Der CP liegt rechts von der Straße. 〽

La Rivière ★ ★ ★

Camping im Herzen des Nationalparks von Luberon zwischen den Hügeln, mit Thymian und Lavendel bewachsen. Kommen Sie die frische Luft genießen und lassen sich mit einer Massage auf Basis ätherischer Öle auf dem Campingplatz verwöhnen. Sie werden herzlich empfangen in einem familiären Ambiente.

Lieu-dit 'Les Côtes', 04300 St. Maime
Tel. 0033-4-92795466 • E-Mail: camping-lariviere@orange.fr
Internet: www.camping-lariviere.com

St. Vincent-les-Forts, F-04340 / Prov.-Alpes-C. d'Az. · 📶 (CC€14) iD

⛺ Campéole Le Lac***	1 ADJMNORT	AFLMNQSUWXYZ 6
Le Fein	2 DGIPRTUVWXY	ABDEFG 7
📅 16 Mai - 27 Sep	3 ABEFLQT	ABCDEFNORSV 8
☎ +33 (0)4-92855157	4 BCFILN	DEFJQRT 9
@ lac@campeole.com	5 ACDEFGIL	ABDHIJNOTZ10
	6A CEE	❶ € 30,20
N 44°27'25'' E 6°21'49''	H657 14 ha 300T(100-110m²) 108D	❷ € 46,00

🚗 D900 Gap-Barcelonnette, zwischen La Bréole und Le Lauzet-Ubaye, ausgeschildert. 〽

Saint Jean ★ ★ ★

Der Camping liegt zentral im einmaligen Naturparadies der Gorges du Verdon. Der Lac de Ste Croix ist gleich in der Nähe (4 km). Das Zentrum von Moustiers-Ste-Marie, einer der schönsten Orte Frankreichs und als Porzellanstadt weltberühmt, liegt 700m entfernt (Fußgängerweg). Schöner gepflegter Camping mit hilfsbereiter Rezeption.

Quartier Saint Jean
04360 Moustiers-Ste-Marie
Tel. und Fax 04-92746685
E-Mail: contact@camping-st-jean.fr
Internet: www.camping-st-jean.fr

Frankreich

Valensole, F-04210 / Provence-Alpes-Côte d'Azur 🛜 iD

- 🏕 Oxygène***
- 🏠 Les Chabrands-Villedieu
- 📅 1 Mai - 15 Sep
- ☎ +33 (0)4-92724177
- @ sarloxygene@libertysurf.fr

1	A**JL**NOPRST	A 6
2	AFPRVWXY	ABDE**FH** 7
3	BELQ	ABCDFKNRSV 8
4	BDFINR	9
5	ADFG**L**	BGHIJOTU10

B 6-10A CEE — ❶ €25,00
H380 2,5 ha 100**T**(80-200m²) — ❷ €34,50

📐 N 43°49'25'' E 5°51'14''
🚗 Auf der A51 Ausfahrt 18 und die Durance überqueren (rechts ab). Achtung: danach nicht mehr Valensole folgen, sondern der D4. CP liegt an der Strecke. 🅜

Vaucluse

Bouches-du-Rhône

PARIS

Apt, F-84400 / Provence-Alpes-Côte d'Azur 🛜 CC€16 iD

- 🏕 Le Luberon***
- 🏠 avenue de Saignon
- 📅 1 Apr - 26 Sep
- ☎ +33 (0)4-90048540
- @ leluberon@wanadoo.fr

1	ADE**FILN**OR**T**	ABFG 6
2	PRTUVY	ABDE**FG**H 7
3	AKLQ	BDEFIJNRSV 8
4	BDFIO	EJ 9
5	ADG**M**	BFGHIJLO**P**TV10

Anzeige auf dieser Seite 35**D** — ❶ €32,10
H350 4 ha 75**T**(80-150m²) — ❷ €46,10

📐 N 43°51'58'' E 5°24'47''
🚗 N100. Beim Kreisverkehr an der Ostseite von Apt die D48 Richtung Saignon 'village' fahren. 🅜

Volonne, F-04290 / Prov.-Alpes-Côte d'Azur 🛜 CC€14 iD

- 🏕 l'Hippocampe****
- 🏠 route Napoleon
- 📅 25 Apr - 30 Sep
- ☎ +33 (0)4-92335000
- @ camping@l-hippocampe.com

1	ADE**IL**NOPRST	ABFGH**NUV** 6
2	ADGIPRVY	BE**FG**H 7
3	BE**GHKLM**QR	BDFNQRSTUV 8
4	**ABD**EFHILMOPQX	AEJQRTUV 9
5	ABDEFGIK	ABDFGHIJ**NOP**TUZ10

B 10A CEE — ❶ €42,00
H430 11 ha 447**T**(100-130m²) 286**D** — ❷ €56,00

📐 N 44°6'16'' E 6°1'1''
🚗 Von Sisteron die N85 in südlicher Richtung fahren. Dann Ausfahrt Volonne nehmen. CP liegt im Süden von Volonne. 🅜

Apt, F-84400 / Provence-Alpes-Côte d'Azur 🛜 iD

- 🏕 Les Cèdres**
- 🏠 63 Impasse de la Fantaisie
- 📅 15 Feb - 15 Nov
- ☎ +33 (0)4-90741461
- @ lucie.bouillet@yahoo.fr

1	ADE**JM**NOR**T**	6
2	CGOPRVWXY	ABDE**FHI** 7
3	ALQU	ABEFJNQRV 8
4	HO	ADF 9
5	ABDFG**LM**	ABHIJOT10

B 10A CEE — ❶ €15,00
1,8 ha 75**T** 9**D** — ❷ €18,00

📐 N 43°52'39'' E 5°24'11''
🚗 Der A7 Ausfahrt Cavaillon (25) folgen. Dann der D900 nach Apt. In der Stadtmitte den Wegweisern folgen. 🅜

Avignon, F-84000 / Prov.-Alpes-Côte d'Azur 🛜 CC€16 iD

- 🏕 Bagatelle***
- 🏠 Île de la Barthelasse
- 📅 1 Jan - 31 Dez
- ☎ +33 (0)4-90863039
- @ camping.bagatelle@ wanadoo.fr

1	ADE**IL**NOPQRST	**N** 6
2	ACFGIOQRVWXY	ABDE**FG**H 7
3	AE**KQ**	ABCDEFIJNOQRSTUV 8
4	FHIO**P**	G 9
5	ACDEFGHIJKM	ABDFGHIL**NO**P**TU**Z10

Anzeige auf dieser Seite B 6A CEE — ❶ €29,85
4 ha 217**T**(80-130m²) 40**D** — ❷ €38,35

📐 N 43°57'10'' E 4°47'59''
🚗 Von der A9 nach Avignon. Der Platz liegt auf der Île de la Barthelasse, gegenüber dem Palast der Papste. Auf der Brücke ist der CP ausgeschildert. 🅜

Avignon, F-84000 / Prov.-Alpes-Côte d'Azur 🛜 CC€16 iD

- 🏕 du Pont d'Avignon****
- 🏠 10 chemin de la Barthelasse
- 📅 2 Mär - 22 Nov
- ☎ +33 (0)4-90806350
- @ camping.lepontdavignon@ orange.fr

1	ADE**JM**NOPQRST	AF**NU** 6
2	ACOPQRVXY	ABDE**FG**H 7
3	ABE**K**LMQV	ABCDEFNOQR 8
4	BDFHILO**PQ**	JLV 9
5	ACDEFGI**LM**	ABGHIKLN**P**R10

B 10A — ❶ €30,70
7,6 ha 290**T**(60-100m²) 14**D** — ❷ €41,70

📐 N 43°57'24'' E 4°48'7''
🚗 Von Remoulins und der A9 nach der Brücke rechts ab. Schildern 'Île de la Barthelasse' folgen. 🅜

Bédoin, F-84410 / Provence-Alpes-Côte d'Azur 🛜 iD

- 🏕 Camping Le Pastory**
- 🏠 1105 route de Malaucène
- 📅 1 Apr - 30 Sep
- ☎ +33 (0)4-90128583
- @ info@camping-le-pastory.com

1	ABDE**JM**NOPRS**T**	6
2	FPRSVWXY	ABDEF 7
3	ALQ	ABCDEFNRTU 8
4	D	E 9
5	ABM	ABHJL**PV**10

Anzeige auf Seite 359 B 10A CEE — ❶ €19,50
H350 1,6 ha 90**T**(100-130m²) 19**D** — ❷ €27,00

📐 N 44°7'54'' E 5°10'15''
🚗 A7 Ausfahrt Orange-Süd nach Carpentras Richtung Bédoin. Im Zentrum von Bédoin der Beschilderung folgen. 🅜

Bollène, F-84500 / Prov.-Alpes-Côte d'Azur 🛜 CC€14 iD

- 🏕 La Simioune**
- 🏠 60 route de L'embisque
- 📅 1 Jan - 31 Dez
- ☎ +33 (0)4-90631791
- @ camping@la-simioune.fr

1	ADE**JM**NOPQRST	AF 6
2	ABFQRSUVWXY	ABDE**H**K 7
3	BEHLQS	ABCDEFKNRSTV 8
4	ABFGIKO	BEJKU 9
5	ABDEFGIKLM	BHIJOTV10

B 10A CEE — ❶ €22,90
H150 3 ha 80**T**(100-200m²) 19**D** — ❷ €30,40

📐 N 44°17'50'' E 4°47'15''
🚗 A7 in Bollène verlassen. Nach dem Kreisverkehr Richtung Carpentras und von dort den Schildern folgen. (Richtung Suze la Rousse). 🅜

Le Bouquier ★ ★

© 🏕

Cyprien lädt Sie auf diesem Familiencamping mit vielen sportiven Angeboten ein: Rad fahren, Wandern, Klettern. Schönes Schwimmbad mit Sauna, Jacuzzi, Fitness. Ruhig und entspannt in der Natur erholen, höheres Sondergelände für Zelte, schöne Aussicht, dicht am Mont Ventoux, bei Avignon, Orange und Vaison-la-Romaine.

Route de Malaucène, 84330 Caromb (Vaucluse)
Tel. und Fax 04-90623013 • E-Mail: campinglebouquier@gmail.com
Internet: www.lebouquier.com

Caromb (Vaucluse), F-84330 / Prov.-Alpes-C. d'Az. 📶 iD

🏕 Le Bouquier**	1 AJMNORT	A 6
🏠 route de Malaucène	2 FQRUVWXY	ABDEFHK 7
📅 15 Mär - 1 Nov	3 ALQS	ABCDFJNQRV 8
☎ +33 (0)4-90623013	4 FHORTU	E 9
@ campinglebouquier@gmail.com	5 ADEGHILM	BHIJOTUV10
	Anzeige auf dieser Seite B 10A CEE	➊ €18,00
📍 N 44°7'25'' E 5°6'35''	1,5 ha 50T(80-100m²) 7D	➋ €21,00

🚗 A7 Ausfahrt Bollène/Cairanne/Vacqueyras/Beaurnes de Venise/Caromb. Den Pfeilen folgen.

PROVENCE - Lou Comtadou ***

Geöffnet vom 01/04 bis 30/09 - 97 Stellplätze

PHILIPPE SANTOS
Route de Saint-Didier
881, avenue Pierre de Coubertin
84200 Carpentras
Tel: +33 (0) 4 90 67 03 16
info@campingloucomtadou.com
www.campingloucomtadou.com

Camping, das ist menschlich

Carpentras, F-84200 / Prov.-Alpes-C. d'Az. 📶 CC€16 iD

🏕 Lou Comtadou***	1 ADJMNOPRST	ABFH 6
🏠 881 av. Pierre de Coubertin	2 GPVXY	ABDEF 7
📅 1 Apr - 30 Sep	3 ABQ	ABCDFNRST 8
☎ +33 (0)4-90670316	4 IOP	AEFL 9
@ info@campingloucomtadou.com	5 ABDEGIL	ABGHIJPTU10
	Anzeige auf dieser Seite B 6A CEE	➊ €29,70
📍 N 44°2'20'' E 5°0'10''	H70 2 ha 97T(100-110m²) 26D	➋ €40,70

🚗 Ringstraße durch Carpentras folgen, dann Richtung St. Didier. Nach 2. Ampel rechts wie beschildert. Am Ortsausgang bei Sportkomplex links ab

Cavaillon, F-84300 / Prov.-Alpes-Côte d'Azur 📶 CC€14 iD

🏕 de la Durance***	1 ADEJMNOPRST	6
🏠 495 avenue Boscodomini	2 APQRVWXY	ABDEFGH 7
📅 1 Apr - 30 Sep	3 AELM	ABCDFJNOPRSTUV 8
☎ +33 (0)4-90711178	4	AEJ 9
@ contact@camping-durance.com	5 ADLM	ABDGHIOR10
	B 4-10A CEE	➊ €18,60
📍 N 43°49'18'' E 5°2'12''	4 ha 104T(80-120m²) 26D	➋ €24,20

🚗 Auf der A7 Ausfahrt 25 Cavaillon. Die Durance überqueren. Am 1. Kreisel rechts ab. Dann den CP-Schildern folgen.

Châteauneuf-de-Gadagne, F-84470 / Prov.-Alpes-C. d'Az. 📶 CC€16 iD

🏕 Fontisson**	1 ADEJMNOPRT	AFN 6
🏠 1125 route d'Avignon	2 AQRTWX	ABDEFH 7
📅 4 Apr - 10 Okt	3 AEGIKLMPQT	ABCDEFNRSV 8
☎ +33 (0)4-90225977	4 BDFHOP	AEFL 9
@ info@campingfontisson.com	5 ABFGLM	BDHJNPTUV10
	B 10A CEE	➊ €28,10
📍 N 43°55'44'' E 4°56'1''	H100 2 ha 30T(80-100m²) 25D	➋ €39,20

🚗 In Avignon Ausfahrt Nord, Richtung Carpentras. Dann über Vedène, Richtung Saint-Saturnin. In Châteauneuf die RN100 nach Avignon.

Camping Le Pastory ★ ★

Willkommen auf Le Pastory, einem Familiencamping für Leute, die Ruhe suchen, mit herzlichem Empfang. Mitten in den Weinfeldern und 10 Minuten vom Ort. Schöne Aussicht auf den Mont Ventoux, dem Idol des Radrennsportes. Die Stellplätze auf dem Camping sind eben, gut erreichbar und sonnig oder schattig.

1105 route de Malaucène, 84410 Bédoin • Tel. 04-90128583
E-Mail: info@camping-le-pastory.com
Internet: www.camping-le-pastory.com
© 🏕

Châteauneuf-du-Pape, F-84230 / Prov.-Alpes-C. d'Az. 📶 CC€16 iD

🏕 L'Art de Vivre**	1 ADJMNOPRST	AF 6
🏠 Quartier Islon Saint Luc	2 ABCOPRSVXY	ABDEFG 7
📅 4 Apr - 27 Sep	3 BFLMNQ	ABCDFNRV 8
☎ +33 (0)4-90026543	4 FHI	AFJUV 9
@ contact@camping-artdevivre.com	5 ADGIKLM	ABHIJNOTUV10
	10A	➊ €26,40
📍 N 44°2'29'' E 4°49'28''	3,5 ha 82T(80-120m²) 24D	➋ €37,90

🚗 Ausfahrt 22 Orange von der A7 oder A9. Danach Richtung Courthézon/Châteauneuf-du-Pape und im Zentrum den CP-Schildern folgen.

Cucuron, F-84160 / Provence-Alpes-Côte d'Azur 📶 iD

🏕 Le Moulin à Vent**	1 ADJMNOPRT	6
🏠 245 chemin de Gastoule	2 PQRUVXY	ABDEFH 7
📅 1 Apr - 4 Okt	3 AELQ	ABCDEFNOQRSV 8
☎ +33 (0)4-90772577	4 I	EJ 9
@ contact@le-moulin-a-vent.com	5 AL	ABFGHJPTUV10
	B 10A CEE	➊ €19,90
📍 N 43°45'24'' E 5°26'42''	H292 2,3 ha 75T(80-130m²) 6D	➋ €29,90

🚗 A7 bis Ausfahrt 25 Cavaillon. Richtung Pertuis bis nach Villelaure. Dann die D182 Richtung Cucuron.

Gordes, F-84220 / Prov.-Alpes-C. d'Az. 📶 ❄ CC€18 iD

🏕 Camping des Sources***	1 ABDEFJKNOPRT	ABFG 6
🏠 route de Murs	2 FRUVWXY	ABDEF 7
📅 4 Apr - 26 Sep	3 AEILQ	ABCDFJNRSV 8
☎ +33 (0)4-90721248	4 BFHINOR	EFJUW 9
@ campingdessources@wanadoo.fr	5 ABEGL	BDGHIJOT10
	6A CEE	➊ €36,10
📍 N 43°55'37'' E 5°12'8''	H500 3,5 ha 40T(80-120m²) 120D	➋ €49,50

🚗 Avignon-Süd Richtung Apt, danach die N100 folgen. Weiter Gordes bis ins Zentrum. Camping ist angezeigt.

Grillon, F-84600 / Provence-Alpes-Côte d'Azur 📶 CC€14 iD

🏕 Le Garrigon****	1 ADEJMNOPRST	AFH 6
🏠 chemin de Visan	2 FPRVWX	ABDEF 7
📅 16 Mär - 14 Nov	3 ALQ	ABCDEFIJKRSTUV 8
☎ +33 (0)4-90287294	4 BDHIO	E 9
@ contact@camping-garrigon.com	5 ABDEG	BDGHIJNPU10
	B 16A CEE	➊ €28,50
📍 N 44°22'59'' E 4°55'51''	H150 1,4 ha 120T(80-160m²) 63D	➋ €40,00

🚗 A7 Ausfahrt Montelimar-Süd Richtung Gap zwischen Grignan und Valréas. Den Schildern in Grillon folgen.

Jonquières, F-84150 / Provence-Alpes-Côte d'Azur 📶 iD

🏕 Les Peupliers**	1 AJMNOPRST	ABFGN 6
🏠 rte de Carpentras	2 GOPRY	BEF 7
📅 23 Apr - 2 Okt	3 BLM	BDFNOR 8
☎ +33 (0)4-90706709	4	K 9
@ camping@jonquieres.fr	5	BJPTU10
	B 10A	➊ €16,40
📍 N 44°6'49'' E 4°54'13''	H80 2 ha 79T(50-110m²)	➋ €25,90

🚗 A7, Ausfahrt Orange-Sud, danach N7 Richtung Carpentras. In Jonquières Pfeilen folgen.

L'Isle-sur-la-Sorgue, F-84800 / Prov.-Alpes-C. d'Az. 📶 ❄ CC€16 iD

🏕 Airotel La Sorguette***	1 ADEJMNOPRT	JNUV 6
🏠 route d'Apt	2 ACGPVX	ABDEFGH 7
📅 15 Mär - 15 Okt	3 AEKLQ	ABCDEFKNOQNS 8
☎ +33 (0)4-00380571	4 BDIOP	AEFJKQRUV 9
@ info@camping-sorguette.com	5 ABDEGKLM	ABDGHIJNOPRVW10
	B 10A CEE	➊ €29,20
📍 N 43°54'52'' E 5°4'17''	5 ha 116T(100-110m²) 43D	➋ €37,20

🚗 A7 Avignon Sud - l'Isle-sur-la-Sorgue. Der N100 in den Südosten von l'Isle-sur-la-Sorgue folgen.

Lagnes, F-84800 / Prov.-Alpes-C. d'Az. 📶 ❄ CC€16 iD

🏕 La Coutelière***	1 ADJLNOPRT	ABFGJNU 6
🏠 2765 route de Fontaine de Vaucluse	2 CIOPVXY	ABDEF 7
📅 1 Apr - 10 Okt	3 AEKLMQ	ABCDEFGJKNQRSV 8
☎ +33 (0)4-90203397	4 BFHILPQ	EFJLQU 9
@ info@camping-lacouteliere.com	5 ABDFGIKM	BDGHJPTU10
	Anzeige auf dieser Seite B 10A CEE	➊ €32,00
📍 N 43°54'39'' E 5°6'24''	H60 2,8 ha 75T(80-142m²) 29D	➋ €45,20

🚗 A7, Ausfahrt 24. Dann Richtung Apt via D973 und D22. Nach ca. 12 km links zur D24 Richtung Lagnes und Fontaine de Vaucluse. Ab hier CP ausgeschildert.

La Coutelière ★ ★ ★

Zwischen Fontaine de Vaucluse und L'Isle-sur-la-Sorgue gelegen, besonders empfohlen für Familien mit kleinen Kindern oder Kleingruppen die auf der Suche nach Ruhe und Komfort sind. Flache und schattige Plätze. Schwimmbad, Planschbecken und gratis Tennis. Direkt Zugang zum Fluss zum Kanu/Kajak fahren oder baden und angeln.

Route de Fontaine de Vaucluse (D24)
84800 Lagnes
Tel. 04-90203397
E-Mail:
info@camping-lacouteliere.com
Internet:
www.camping-lacouteliere.com

Lourmarin, F-84160 / Prov.-Alpes-C. d'Az. 📶 CC€16 iD

🏕 Les Hautes Prairies***	1 ADEJMNOPQRST	A 6
🛏 route de Vaugines	2 PRVXY	BEF 7
📅 11 Apr - 11 Okt	3 AELQS	BDFGJKNQRSTUV 8
☎ +33 (0)4-90680289	4 BDEINO	EGJ 9
@ leshautesprairies@wanadoo.fr	5 ABDEGIKLM	BGHIJPUVZ 10
	B 10A CEE	❶ €29,00
📍 N 43°46'4'' E 5°22'23''	H243 3,7 ha 135T(80-120m²) 61D	❷ €42,00

🚐 A7, Ausfahrt 25 bis Cavaillon fahren. Danach D973 Richtung Pertuis nehmen. In Lourmarin den Schildern folgen.

Malemort-du-Comtat, F-84570 / Prov.-Alpes-C. d'Az. 📶 iD

🏕 Font Neuve***	1 AJMNOPRST	A 6
🛏 660 chemin de l'Annonciade	2 PRTUVWXY	ABDEFH 7
📅 15 Apr - 30 Sep	3 BLMNQ	ABCDEFKNOQRSTU 8
☎ +33 (0)4-90699000	4 EFHINO	JL 9
@ campingfontneuve@orange.fr	5 AEGIL	BHIJLOT 10
	B 10A CEE	❶ €22,80
📍 N 44°0'50'' E 5°10'16''	H150 1,5 ha 55T(80-120m²) 5D	❷ €29,20

🚐 Vor Carpentras nach Mazan die D4 und D5 nach Malemort. Pfeilen folgen.

Camping Le Ventoux ★ ★ ★

46 Plätze zwischen Weingärten mit grandioser Aussicht auf den Mont Ventoux. Schwimmbad mit gemütlicher Terrasse. Gutes Sanitär. Ausgezeichnetes Restaurant. Plätze mit Schatten und/oder Sonne und Gelegenheiten zum Radfahren und Wandern. Nähe Carpentras, Orange und Avignon.

1348 chemin de la Combe, 84380 Mazan • Tel. und Fax 04-90697094
E-Mail: info@camping-le-ventoux.com
Internet: www.camping-le-ventoux.com

Mazan, F-84380 / Provence-Alpes-Côte d'Azur 📶 CC€16 iD

🏕 Le Ventoux***	1 ADEJMNOPRST	AF 6
🛏 1348 chemin de la Combe	2 FQRSVWXY	ABDEFGH 7
📅 15 Mär - 31 Okt	3 BEFLQ	ABCDEFIJKNRSV 8
☎ +33 (0)4-90697094	4 BCDFHIO	EJ 9
@ info@camping-le-ventoux.com	5 ABEGIJL	ABDHIJPR 10
	Anzeige auf dieser Seite B 10A CEE	❶ €24,20
📍 N 44°4'50'' E 5°6'50''	H156 1,5 ha 46T(90-120m²) 16D	❷ €31,20

🚐 A7 Ausfahrt Orange-Süd, Richtung Carpentras. Hinter Carpentras D974 Richtung Bédoin/Mont Ventoux, danach Camping-Schildern folgen.

Camping La Pinède en Provence ★ ★

Ein charmanter Terrassencamping in einem Tannenwald im Herzen der Provence. Kleines Schwimmbad, Mietwohnwagen und Empfangsraum mit Bar für einen geselligen Urlaub.

La Maresque, 84430 Mondragon
Tel. 04-90408298
E-Mail: contact@camping-pinede-provence.com
Internet: www.camping-pinede-provence.com

Mondragon, F-84430 / Prov.-Alpes-C. d'Az. 📶 CC€16 iD

Camping La Pinède en Provence**	1 ADEJMNOPRST	ABFGH 6
🏕 La Maresque	2 ABPQRTUXY	ABDEFGH 7
📅 1 Jan - 31 Dez	3 ABELQ	ABCDEFJNRSTUV 8
☎ +33 (0)4-90408298	4 FHINOP	EJ 9
@ contact@ camping-pinede-provence.com	5 ABCDEFGILM	BDGHIJNPTUV 10
	Anzeige auf dieser Seite B 13A CEE	❶ €24,40
📍 N 44°14'37'' E 4°43'45''	3,5 ha 109T 24D	❷ €33,50

🚐 Ausfahrt 19 Bollène, am Kreisel Richtung Stadtzentrum und danach Richtung Mondragon. Den Camping-Schildern folgen.

Orange, F-84100 / Provence-Alpes-Côte d'Azur 📶 iD

🏕 Manon	1 ADEJMNOPRST	AF 6
🛏 1321, rue Alexis Carrel	2 APQRVWXY	ABDEFH 7
📅 1 Apr - 31 Okt	3 ABLMNQS	ABCDEFKNOQRSV 8
☎ +33 (0)6-17264201	4 OPR	ELV 9
@ campingmanon@yahoo.fr	5 ABDFGIKM	ABCFHIJPV 10
	Anzeige auf dieser Seite B 10A CEE	❶ €29,20
📍 N 44°8'48'' E 4°47'42''	H100 1,7 ha 50T(65-110m²) 8D	❷ €41,20

🚐 A7, Ausfahrt Orange-Centre. (Beim McDonalds-Kreisverkehr links, dann hinter dem Lyceum links). Anschließend den CP-Schildern Richtung Le Jonquier folgen.

Camping Manon in Orange

Patrick heißt Sie auf diesem kleinen, ruhigen Camping gleich am Arc de Triomphe und nah am Zentrum willkommen. Im antiken Römischen Theater sind im Sommer Musikvorstellungen. Immerhin 300 Sonnentage im Jahr und eventuell Schatten von Pinien und Zypressen an Ihrem Platz.

1321, rue Alexis Carrel, 84100 Orange • Tel. 06-17264201
Fax 04-90511697 • E-Mail: campingmanon@yahoo.fr
Internet: www.camping-manon.com

Pernes-les-Fontaines, F-84210 / Prov.-Alpes-C. d'Az. 📶 CC€16 iD

🏕 Les Fontaines****	1 ADEILNOPRST	AF 6
🛏 125 chemin de la Chapelette	2 PVWX	ABDEFGH 7
📅 27 Mär - 11 Okt	3 ALQ	ABCDFKNQRSTUV 8
☎ +33 (0)4-90468255	4 BDNOU	EFL 9
@ contact@ campingfontaines.com	5 ABDEFGJLM	BGHIJPR 10
	B 6A CEE	❶ €34,90
📍 N 44°0'23'' E 5°2'18''	2,1 ha 65T(100-115m²) 41D	❷ €48,50

🚐 Auf der A7 Ausfahrt Le Pontet (Avignon Nord). Richtung Carpentras. In Pernes-les-Fontaines den Hinweisen folgen.

Rustrel, F-84400 / Provence-Alpes-Côte d'Azur 📶 iD

🏕 Le Colorado	1 AJMNOPRT	AN 6
🛏 Quartier Notre Dame des Anges	2 BFPQRVY	ABEFH 7
📅 1 Apr - 15 Okt	3 AELQ	ABCDFNRSTV 8
☎ +33 (0)4-90049037	4 FGHI	EV 9
@ campinglecolorado@yahoo.fr	5 ADFGIL	BJNOVZ 10
	B 10A CEE	❶ €26,25
📍 N 43°54'47'' E 5°28'12''	H430 5 ha 50T 20D	❷ €35,25

🚐 Von Apt der D22 Richtung Rustrel. Nch etwa 8 km rechts ab. CP ist angezeigt.

Sorgues, F-84700 / Prov.-Alpes-Côte d'Azur 📶 CC€16 iD

🏕 La Montagne***	1 ACDEJMNOPQRT	ABFGN 6
🛏 944 chemin de la Montagne	2 ABQRTVXY	ABDEFGH 7
📅 1 Jan - 31 Dez	3 ELQ	ABCDFJNRSTU 8
☎ +33 (0)4-90833666	4 CDFHINOPU	EJLUV 9
@ camping.lamontagne@ wanadoo.fr	5 ABDEFGILM	BDGHIJOTU 10
	B 16A CEE	❶ €28,40
📍 N 44°1'15'' E 4°53'30''	1,8 ha 31T(70-90m²) 20D	❷ €39,90

🚐 Auf der A7 die Ausfahrt 23 Avignon Nord nehmen, Richtung Carpentras, nach 800m rechts Richtung Sorgues. Dann ist der Camping ausgeschildert.

St. Saturnin-les-Apt, F-84490 / Prov.-Alpes-C. d'Az. 📶 CC€16 iD

🏕 Domaine des Chênes Blancs***	1 ADEFJMNOPRT	AF 6
	2 BRVWXY	ABDEF 7
🛏 route de Gargas	3 BEFLQ	ABEFKNRSV 8
📅 28 Mär - 17 Okt	4 BCDHX	9
☎ +33 (0)4-90740920	5 ABDEFGIKL	BDFHIJNPUV 10
@ contact@leschenesblancs.com	Anzeige auf Seite 361 B 10A CEE	❶ €32,55
📍 N 43°55'15'' E 5°20'28''	4 ha 122T(80-100m²) 49D	❷ €43,55

🚐 Von der A7 Ausfahrt 24 Richtung Apt (D900) folgen. Kurz vor Apt der D943 folgen und dann die D2.

St.Marcellin/Vaison-la-Romaine, F-84110 / Prov.-Alpes-C. d'Az. 📶 CC€16 iD

🏕 Le Voconce***	1 ADJMNORST	AFJN 6
🛏 route de St. Marcellin	2 CKRVXY	ABDEFH 7
📅 1 Apr - 15 Okt	3 ABELQ	ACDEFNRS 8
☎ +33 (0)4-90362810	4 IOP	AEJ 9
@ contact@ camping-voconce.com	5 ABDGK	BHIJOTUV 10
	Anzeige auf Seite 361 B 10A	❶ €23,10
📍 N 44°13'29'' E 5°6'17''	H349 96T(70-100m²) 17D	❷ €33,65

🚐 A7/E15, Ausfahrt Bollène. Richtung Vaison-la-Romaine. In Vaison-la-Romaine Richtung St. Marcellin und danach den Schildern folgen.

Vaison-la-Romaine, F-84110 / Prov.-Alpes-C. d'Az. 📶 ✿ iD

🏕 du Théâtre Romain****	1 ADJMNOPRST	ABFG 6
🛏 chemin du Brusquet	2 OPRTVXY	BEFG 7
📅 15 Mär - 5 Nov	3 BLQ	BDFJNOQRS 8
☎ +33 (0)4-90287866	4 I	ELV 9
@ info@camping-theatre.com	5 AB	BGHIJNPR 10
	B 10A CEE	❶ €29,10
📍 N 44°14'42'' E 5°4'43''	H200 1 ha 69T(80-120m²) 9D	❷ €42,60

🚐 A7 Ausfahrt Bollène. D94, D20, D975 Avenue Leou Beraud folgen. Avenue St. Quenin bis Rondpoint Theatre Romain. Schildern folgen.

Camping de l'Ayguette ★ ★ ★ © 🅜

• in der Provence 5 km von Vaison-la-Romaine • in der Nähe vom Mont Ventoux • um einen Weinberg, im Wald mit 75 schönen Plätzen auf Terrassen • beheiztes Schwimmbad und Restaurant • Animation für die Jugend in der Hochsaison • hervorragender Familiencamping • Sonderangebote in der Nebensaison

84110 Vaison-la-Romaine/Faucon • Tel. 04-90464035 • Fax 04-90464617
E-Mail: info@ayguette.com • Internet: www.ayguette.com

Vaison-la-Romaine/Faucon, F-84110 / Prov.-Alpes-C. d'Az. 🛜 CC€16 iD

🏕 de l'Ayguette★★★	1 ADJMNORT	AB 6
🏠 Quartier de l'Ayguette, CD86	2 PRUVXY	BDEFH 7
🗓 3 Apr - 27 Sep	3 ABELQ	BDFNORS 8
☎ +33 (0)4-90464035	4 AIOP	E 9
@ info@ayguette.com	5 ABDEFGIK**L**	ABGHIJ**O**TU10
	Anzeige auf dieser Seite 10A	① €02,10
	H311 3 ha 75T(80-200m²) 48D	② €40,10

📍 N 44°15'44'' E 5°7'45''

🚗 Die Strecke Vaison-la-Romaine - Nyons - Gap nehmen. Nach einigen Km nördlich der Kreuzung am Intermarché den Schildern nach Faucon. Von N von Nyons-Vaison-la-Romaine durch Mirabel. An der Kreuzung li nach Faucon. Vor Faucon re. Siehe CP-Schilder. 🅜

CAMPING LE VOCONCE ★ ★ ★
ST. MARCELLIN

Ein gastfreundliches Ehepaar führt diesen ruhigen Familiencampingplatz am Ufer eines Flusses. Schöne Aussicht auf Crestet und den Mont Ventoux. 4 km von Vaison-la-Romaine, inmitten von Weingärten, schönes Schwimmbad und gemütliche Familienveranstaltungen.

Route de St. Marcellin, 84110 St. Marcellin/Vaison-la-Romaine
Internet: www.camping-voconce.com © 🅜

Valréas, F-84600 / Prov.-Alpes-Côte d'Azur 🛜 CC€14 iD

🏕 La Coronne★★★	1 A**JM**NOPRS**T**	AF 6
🏠 route du Pegue	2 CPRSVWXY	ABDE**F** 7
🗓 28 Mär - 18 Okt	3 BLQ	ABCDEFNRS 8
☎ +33 (0)4-90350378	4 FHI	EJ 9
@ contact@lacoronne.com	5 ADEFGI	BDHIJOTU10
	Anzeige auf dieser Seite B 8A CEE	① €25,90
	H170 2 ha 50T(80-130m²) 57D	② €38,40

📍 N 44°23'34'' E 4°59'32''

🚗 Ausfahrt Montélimar Süd. Richtung Nyons. Kurz vor Valréas links ab und den Pfeilen folgen. 🅜

Vedène, F-84270 / Prov.-Alpes-C. d'Az. 🛜 ✿ CC€16 iD

🏕 Flory★★★	1 ADE**JM**NOPRS**T**	AF**NU** 6
🏠 385 route d'Entraigues	2 AFPQTVWXY	ABDE**FGH** 7
🗓 30 Mär - 30 Sep	3 AEGH**K**LQV	ABCDFKNOQRSV 8
☎ +33 (0)4-90310051	4 BDFHIO	EUV 9
@ infos@campingflory.com	5 ABDG**K**L**M**	BDGHIJPTU10
	B 10A	① €28,40
	H50 6,5 ha 138T(80-200m²) 40D	② €40,40

📍 N 43°59'25'' E 4°54'49''

🚗 A7, die Ausfahrt Avignon Nord, in Richtung Carpentras fahren. Nach 3 km dem zweiten Schild Vedène (rechts) folgen. 🅜

Villes-sur-Auzon, F-84570 / Prov.-Alpes-C. d'Az. 🛜 iD

🏕 Camping Municipal	1 ADJMNOPQRS**T**	A 6
de Villes-sur-Auzon	2 PRWXY	ABDE 7
🏠 30 chemin du Stade	3 ABMQ	ABEFNORV 8
🗓 1 Apr - 15 Okt	4	9
☎ +33 (0)6-75138013	5	BCHIJO10
@ point-infos@villes-sur-auzon.fr	B 10A CEE	① €18,60
	61T(80-100m²)	② €27,10

🚗 In Villes-sur-Auzon der Beschilderung folgen. 🅜

Villes-sur-Auzon, F-84570 / Prov.-Alpes-C. d'Az. 🛜 ✿ CC€18 iD

🏕 Les Verguettes★★★★	1 AD**JM**NOPRT	AF 6
🏠 119 bis route de Carpentras	2 FPRUVWXY	ABDE**FH** 7
🗓 2 Apr - 4 Okt	3 BILQ	ABCDFGJNRSUV 8
☎ +33 (0)4-90618818	4 CDFHIO	EKL 9
@ info@provence-camping.com	5 AEGI	BDGHIJ**NP**TUV10
	Anzeige auf dieser Seite B 10A CEE	① €32,50
	H250 2 ha 70T(80-110m²) 8D	② €44,70

📍 N 44°3'26'' E 5°13'42''

🚗 Der CP liegt an der D942 Carpentras-Mazan- Villes-sur-Auzon - Sault. Im Ort den Schildern folgen. 🅜

Visan, F-84820 / Provence-Alpes-Côte d'Azur 🛜 CC€14 iD

🏕 Camping de L'Hérein★★★	1 ADJMNOPRS**T**	AF 6
🏠 879 route de Bouchet	2 GPRVXY	ABDE**F** 7
🗓 28 Mär - 15 Okt	3 BEQT	ABCDFKNORS 8
☎ +33 (0)4-90419599	4 BDEIO**P**	E 9
@ accueil@campingvisan.com	5 ABDEGI	BHIJOTU10
	B 6A CEE	① €20,30
	H200 3 ha 75T(80-300m²) 32D	② €25,30

📍 N 44°18'44'' E 4°56'9''

🚗 Bei Bollène A7 verlassen Richtung Suze-la-Rousse. In Tulette nach Visan, dann kurz Valreas folgen und danach Richtung Bouchet auf die D161 Visan-Bouchet. 🅜

Bouches-du-Rhône

Aix-en-Provence, F-13100 / Prov.-Alpes-C. d'Az. 🛜 iD

- 🏕 Camping Chantecler****
- 🏤 41 av. du Val St. André
- 📅 1 Jan - 31 Dez
- ☎ +33 (0)4-42261298
- @ info@campingchantecler.com

1 ADEI**L**NORT	AF 6
2 AGOPRTUVWXY	ABDE**FGH** 7
3 ABEF**K**LQ	ABCDEFJNQRS 8
4 IO	EJL 9
5 ABDEGILM	AGHIJL**NP**TU10
B 6-10A CEE	❶ €28,60
	❷ €40,40

📍N 43°30'55'' E 5°28'27'' H600 8 ha 219T(50-200m²) 52D

🚗 A8 Richtung Nice/Aix-en-Provence, Ausfahrt 31. Weiter wie beschildert.

Albaron/Arles, F-13123 / Prov.-Alpes-C. d'Az. 🛜 CC€14 iD

- 🏕 Le Domaine du Crin Blanc***
- 🏤 CD37 - Hameau de Saliers
- 📅 1 Apr - 30 Sep
- ☎ +33 (0)4-66874878
- @ camping-crin.blanc@ wanadoo.fr

1 ADEF**JM**NOPRST	ABFGHI**N**O**X** 6
2 FPQRVX	ABDE**FGH**K 7
3 BE**GHK**LMQR	ABCDFKNORSV 8
4 BDFHILNO**PQ**	EUV 9
5 ABDEFG**L**M	BDGHIJMPTUV10
10A CEE	❶ €25,00
4,5 ha 50T(90-160m²) 240D	❷ €34,50

📍N 43°39'44'' E 4°28'26''

🚗 Von Arles D570 Richtung Stes Maries-de-la-Mer. In Albaron rechts CD37 Richtung St. Gilles. Nach 7 km dann auf der linken Seite.

Arles/Pont-de-Crau, F-13200 / Prov.-Alpes-C. d'Az. 🛜 CC€16 iD

- 🏕 L'Arlesienne***
- 🏤 145 Draille Marseillaise
- 📅 1 Apr - 1 Nov
- ☎ +33 (0)4-90960212
- @ camping@larlesienne.com

1 ABDE**JM**NOPQRST	ABFG**N** 6
2 AOPQRVWX	ABDEF 7
3 AE**K**LQ	ABCDFNRSV 8
4 BDFHIO**P**	E 9
5 ADEFG**I**M	BDFGHJLPTU10
B 6-10A CEE	❶ €27,00
2,2 ha 74T(80-90m²) 27D	❷ €35,00

📍N 43°39'34'' E 4°39'15''

🚗 Der CP liegt in Pont-de-Crau an der Südostseite von Arles, Richtung St. Martin-de-Crau. Hier ausgeschildert.

Aubagne, F-13400 / Provence-Alpes-Côte d'Azur 🛜 iD

- 🏕 Camping du Garlaban**
- 🏤 1915 chemin de la Thuilière
- 📅 1 Apr - 30 Sep
- ☎ +33 (0)4-42821995
- @ contact@ camping-garlaban.com

1 A**J**L**N**OR	6
2 ABOPVY	BEF**H** 7
3 EL	BFJNV 8
4	AD 9
5 AB	BGJOU10
B 16A CEE	❶ €27,40
7,5 ha 66T(88-150m²) 7D	❷ €35,40

📍N 43°17'54'' E 5°32'11''

🚗 A7 Ausfahrt Aubagne-Zentrum.

Beaurecueil, F-13100 / Prov.-Alpes-C. d'Az. 🛜 CC€16 iD

- 🏕 Sainte Victoire**
- 🏤 Quartier Le Paradou
- 📅 3 Feb - 15 Nov
- ☎ +33 (0)4-42669131
- @ campingstevictoire@orange.fr

1 A**J**M**N**OPRST	6
2 ABCFGIORVWXY	ABDE**FH** 7
3 ALS	ABCDEFIJNORV 8
4 O	AEFU 9
5 ABFG**K**M	BDGJ**NO**TU10
6A CEE	❶ €20,40
H253 2 ha 85T(80-170m²) 26D	❷ €30,50

📍N 43°31'2'' E 5°32'26''

🚗 In Aix der A8 Richtung Nice/Toulon folgen. Ausfahrt 31. Weiter dann 2x rechts Richtung Palette/Beaurecueil. Dann den Pfeilen folgen.

Ceyreste, F-13600 / Prov.-Alpes-Côte d'Azur 🛜 CC€18 iD

- 🏕 Camping de Ceyreste****
- 🏤 av. Eugène Julien
- 📅 28 Mär - 11 Nov
- ☎ +33 (0)4-42830768
- @ campingceyreste@yahoo.fr

1 A**J**L**N**OR	ABF**H** 6
2 AFRUVXY	ABDE**FH** 7
3 AE**I**LQS	ABCDFNORSV 8
4 BDLP	DEKL 9
5 ABDGK	ABDGHIJ**NP**TU10
6A	❶ €32,00
H160 3 ha 40T(60-100m²) 112D	❷ €36,50

📍N 43°13'13'' E 5°37'43''

🚗 A50 bis Ausfahrt 9 La Ciotat. Dann den Schildern 'Ceyreste' folgen.

Charleval, F-13350 / Provence-Alpes-Côte d'Azur 🛜 iD

- 🏕 Luberon Parc****
- 🏤 avenue du Bois, BP235
- 📅 17 Apr - 13 Sep
- ☎ +33 (0)4-42966060
- @ camping@luberonparc.fr

1 ADH**K**NORT	ACDF**H** 6
2 ABFRSXY	ABDE**FGH** 7
3 BE**K**LT	ABCDFGKNRSTUV 8
4 BDFGILNO	CE 9
5 ABEFG**I**M	BIKOTUV10
B 10A CEE	❶ €44,80
H174 6 ha 90T(80-120m²) 92D	❷ €57,00

📍N 43°42'50'' E 5°14'44''

🚗 Auf der A7 die Ausfahrt 26 nehmen (Sénas), dann der D7N Lambesc folgen. Ausfahrt zur D561.

Châteaurenard, F-13160 / Prov.-Alpes-C. d'Az. 🛜 CC€16 iD

- 🏕 La Roquette***
- 🏤 745 ave Jean Mermoz
- 📅 30 Mär - 3 Nov
- ☎ +33 (0)4-90944681
- @ contact@ camping-la-roquette.com

1 ADE**J**MNOPQRS**T**	ABFG**N** 6
2 APQRVWXY	ABDE**FH** 7
3 AE**K**LMQRS	BDFNOQRSV 8
4 BDFHINO**PQXZ**	DE 9
5 ADEFG**I**L	BCDHJPTUV10
B 10A	❶ €25,00
1,4 ha 61T(85-100m²) 15D	❷ €37,00

📍N 43°53'1'' E 4°52'13''

🚗 A7, Ausfahrt Avignon-Süd, Richtung Châteaurenard. Der CP ist dort ausgeschildert.

Fontvieille, F-13990 / Provence-Alpes-Côte d'Azur 🛜 iD

- 🏕 Municipal Les Pins***
- 🏤 rue Michelet
- 📅 11 Apr - 13 Sep
- ☎ +33 (0)4-90547869
- @ campingmunicipal.lespins@ wanadoo.fr

1 ADE**J**M**N**OPQRST	6
2 BPQRTVWX	ABDE**FG**H 7
3 AE**K**LQ	ABCDEFNOQRSUV 8
4 FHIO	9
5 AL	ABHIJPTU10
6A	❶ €21,10
4 ha 150T(70-100m²)	❷ €23,10

📍N 43°43'25'' E 4°43'7''

🚗 D33 von Avignon Richtung Arles. CP ist in Fontvieille ausgeschildert.

Graveson, F-13690 / Prov.-Alpes-Côte d'Azur 🛜 CC€16 iD

- 🏕 Les Micocouliers***
- 🏤 445 rte de Cassoulen / D5
- 📅 15 Mär - 15 Okt
- ☎ +33 (0)4-90958149
- @ micocou@orange.fr

1 ADE**J**M**N**OPQRST	AF 6
2 AGPRVWXY	ABDE**FH** 7
3 A**GHK**LQ	CDFKNOPRV 8
4 FHR	E 9
5 AB**L**M	ABDGHJ**O**TU10
B 6A CEE	❶ €29,70
2 ha 115T(100m²) 6D	❷ €41,30

📍N 43°50'39'' E 4°46'53''

🚗 A7, Ausfahrt Avignon-Süd, Richtung Châteaurenard (D28), Richtung Graveson, zwischen Graveson und Maillane.

Istres, F-13800 / Provence-Alpes-Côte d'Azur 🛜 CC16 iD

▲ Vallon des Cigales**
🏠 31 route de St. Chamas
📅 1 Jan - 31 Dez
☎ +33 (0)4-42565157
@ campingvallondescigales@hotmail.fr
📍 N 43°31'23'' E 5°0'19''

1 ADJKOPRST	ALNPQ 6
2 BDFHJKMOPQWXY	ABDEFG 7
3 AKL	ABCDFGNRSV 8
4 DFHINOP	E 9
5 ADEFGIKL	BDHIJLNPTUZ10
B 16A CEE	
6 ha 30T(100-120m²) 70D	① €27,60 ② €29,60

🚗 CP liegt an der D16 am Seeufer von Berre zwischen Istres und St. Chamas.

La Ciotat, F-13600 / Provence-Alpes-Côte d'Azur 🛜 iD

▲ La Baie des Anges****
🏠 chemin des Plaines Baronnes
📅 12 Apr - 1 Okt
☎ +33 (0)4-42831504
@ sergecarcolse@homair.com
📍 N 43°11'17'' E 5°39'40''

1 ABILNOPQRT	AFHX 6
2 AJKMOPSVWXY	ABDEFH 7
3 AEFLMNQ	ABCDEFGIKNQRSV 8
4 ABCDILNORX	AEFJUV 9
5 ABDEFGIKM	ABFHIKNPTUZ10
B 10A CEE	
H50 10 ha 96T(80-100m²) 351D	① €35,00 ② €50,00

🚗 Vom Zentrum von La Ciotat N558 Richtung Toulon. Nach 2 km kommt man zum CP.

La Couronne, F-13500 / Prov.-Alpes-Côte d'Azur 🛜 ✿ iD

▲ Le Marius***
🏠 route de la Saulce
📅 5 Apr - 11 Nov
☎ +33 (0)4-42807029
@ contact@camping-marius.com
📍 N 43°20'4'' F 5°4'0''

1 ADILNORT	KMNOPQS 6
2 AEHKMRVWXY	AFGH 7
3 A	ABCDEFNQRSV 8
4 EFINTXZ	BGJQU 9
5 ABDEFHILM	ADJNOT10
Anzeige auf dieser Seite B 6A CEE	① €33,00
2 ha 25T(60-90m²) 78D	② €42,00

🚗 Der A7 Richtung Marseille bis zum Abzweig Richtung Fos-sur-Mer folgen (A55). Ausfahrt 8 nehmen und der D9 bis nach La Couronne folgen. CP ist angezeigt.

La Couronne, F-13500 / Prov.-Alpes-C. d'Az. 🛜 CC16 iD

▲ Pascalounet**
🏠 route de la Saulce
📅 1 Apr - 30 Sep
☎ +33 (0)4-42807156
@ contact@camping-pascalounet.com
📍 N 43°20'4'' E 5°4'11''

1 ABDJMNORT	KMNPQ 6
2 AEHMORVWXY	ADF 7
3 BLQ	BFNQT 8
4 BFHN	E 9
5 ADKL	BHIJPTU10
Anzeige auf dieser Seite 6A CEE	① €35,60
2 ha 35T(70-80m²) 80D	② €42,00

🚗 Der A7 Richtung Marseille bis zum Abzweig der A55 Richtung Fos-sur-Mer folgen. Ausfahrt 8 nehmen und der D9 bis nach La Couronne folgen.

Lambesc, F-13410 / Prov.-Alpes-Côte d'Azur 🛜 CC16 iD

▲ Provence Camping**
🏠 avenue d'Aix
📅 1 Apr - 30 Sep
☎ +33 (0)4-42570578
@ provence.camping@wanadoo.fr
📍 N 43°38'23'' E 5°16'31''

1 ADEJMNORT	A 6
2 BRSTUVXY	BEFGH 7
3 BELQ	ABCDEFNRSV 8
4 BDI	AEJ 9
5 ABDEGILM	BDFHIJNPTU10
B 10A CEE	① €21,40
1,3 ha 54T(72-143m²) 49D	② €30,40

🚗 Von Aix-en-Provence der D7n Richtung Salon-de-Provence. Hinter St-Cannat bei der Ortseinfahrt von Lambesc links ab (D917).

Mallemort, F-13370 / Prov.-Alpes-C. d'Az. 🛜 CC16 iD

▲ Durance Luberon****
🏠 Domaine du Vergon
📅 1 Apr - 30 Sep
☎ +33 (0)4-90591336
@ duranceluberon@orange.fr
📍 N 43°43'16'' E 5°12'18''

1 AJMNOPRST	A 6
2 AGPVWXY	ABDEFH 7
3 BEGHKLQ	ABCDEFIJKNRSV 8
4	E 9
5 ADGL	BDHIJOPTUV10
B 6-10A CEE	① €28,00
H181 4 ha 100T(100-150m²) 8D	② €36,00

🚗 A7 verlassen an Ausfahrt 26. Dann der N7 folgen Richtung Aix-en-Provence. Nach 6 km Richtung Mallemort fahren. Der CP liegt kurz vor Charleval an der D561.

Mallemort, F-13370 / Provence-Alpes-Côte d'Azur 🛜 iD

▲ Fontenelle**
🏠 Hameau de Fontenelle
📅 1 Apr - 30 Sep
☎ +33 (0)4-90591154
@ camping.fontenelle@free.fr
📍 N 43°43'15'' E 5°9'38''
🚗

1 AILNOPQRT	AF 6
2 APVY	ABEF 7
3 AL	ABFHNOV 8
4 BCDNO	E 9
5 ADEIL	BFHIJNPR10
6A	① €18,50
3 ha 50T(80-200m²) 20D	② €26,50

Martigues, F-13500 / Provence-Alpes-Côte d'Azur 🛜 iD

▲ Le Mas****
🏠 Plage de Sainte-Croix
📅 14 Mär - 2 Nov
☎ +33 (0)4 42807034
@ camping.le-mas@wanadoo.fr
📍 N 43°19'54'' E 5°4'25''

1 ADJMNORT	ABFGKNQSX 6
2 EHRTUVX	ABDEFGH 7
3 AELQ	ABCDEFNORS 8
4 OP	EJLTV 9
5 ACDEFGHIJK	ABFGHIJLNPT10
B 10A CEE	① €35,00
5 ha 104T(80m²) 271D	② €52,40

🚗 Der D49 folgen, und vor Couronne links ab. Nach 2 km liegt der CP auf der rechten Seite.

Maussane-les-Alpilles, F-13520 / Prov.-Alpes-C. d'Az. 🛜 iD

▲ Municipal Les Romarins***
🏠 15 Mär - 30 Nov
☎ +33 (0)4-90543360
@ camping-municipal-maussane@wanadoo.fr
📍 N 43°43'16'' E 4°48'34''

1 ADEJMNOPQRT	AFN 6
2 PRVY	ABDEFH 7
3 AKLMQ	ABCDFKNOQRV 8
4 FHIOPQ	9
5 AKL	BHIJPRVYZ10
B 10A CEE	① €20,30
3 ha 146T(70-100m²)	② €30,00

🚗 Der CP liegt an der D5. Von Maussane über die D17 Richtung Arles, danach die D5 nehmen. Liegt am Rand des Stadtzentrums von St. Rémy.

Orgon, F-13660 / Provence-Alpes-Côte d'Azur 🛜 CC16 iD

▲ La Vallée Heureuse***
🏠 Impasse Lavau
📅 28 Mär - 31 Okt
☎ +33 (0)4-90441713
@ contact@valleeheureuse.com
📍 N 43°46'55'' E 5°2'22''

1 ADEJMNOPRT	AFN 6
2 ADFGPRSUVXY	BEFGH 7
3 AILMQUV	BDFHKNQRSTUV 8
4 BCDFILOQ	EKV 9
5 ABGLM	BDHJMNPTU10
Anzeige auf dieser Seite 16A CEE	① €25,10
H80 9 ha 180T(70-200m²) 4D	② €33,10

🚗 A7 bis nach Cavaillon, Ausfahrt 25. Richtung St. Rémy-de-Provence. Richtung Sénas bis nach Orgon. CP ist angezeigt.

Peynier, F-13790 / Prov.-Alpes-Côte d'Azur 🛜 CC16 iD

▲ Le Devançon***
🏠 chemin de Pourrachon
📅 10 Mär - 10 Nov
☎ +33 (0)4-42531006
@ ledevancon@orange.fr
📍 N 43°26'32'' E 5°37'46''

1 ADEJMNOPRST	AF 6
2 BRSUVXY	ABDEFGH 7
3 BLQS	ABCDEFJRSV 8
4 FIO	EFJL 9
5 AL	DFGIJO10
B 6-10A CEE	① €27,00
H300 1,4 ha 53T(85-150m²) 33D	② €38,00

🚗 A8 Aix-en-Provence - Nizza. Ausfahrt 32. D6 Ri. Trets. An der Kreuzung zur D56b rechts Ri. Peynier. Innerorts 'Centre-Ville' halten. Dann D908 Ri. Marseille. Hinter der Brücke rechts, der Chemin de Pourrachon bis zum Camping folgen.

Salon-de-Provence, F-13300 / Prov.-Alpes-C. d'Az.

Nostradamus***
route d'Eyguières
1 Mär - 31 Okt
+33 (0)4-90560836
gilles.nostra@gmail.com

1 ADJLNOPRT	AFJN 6
2 ACOPVXY	ABD**FGH**K 7
3 AEKLQ	BDFIKNRSV 8
4 BDHINO	EI 9
5 ABDEFGI**L**	ABGHIJL**O**STV10

B 6A CEE ① €28,25
H90 2,7 ha 65T(80-120m²) 20D ② €34,25
N 43°40'41'' E 5°3'52''

A7, Ausfahrt 27 Salon-de-Provence. Von Salon-de-Provence über die D17 in Richtung Eyguières fahren. Nach einigen Kilometern ist der CP ausgeschildert.

St. Martin-de-Crau, F-13310 / Prov.-Alpes-C. d'Az.

de La Chapelette***
Mas de la Chapelette
1 Feb - 31 Dez
+33 (0)4-90984481
chapelette2@gmail.com

1 AJMNOPQRST	ABN 6
2 AGPRVXY	BE**FH**K 7
3 BELQ	BDFNRSV 8
4 BDHINO**PQ**	DE 9
5 ABDEGIK**LM**	BGHI**P**TV10

B 10A CEE ① €25,50
2,5 ha 40T(80-100m²) 80D ② €36,00
N 43°37'31'' E 4°45'2''

Von Arles aus über die N113 Richtung Fos Ausfahrt 9. Nach ca. 400m links. Von St. Martin Richtung Raphèle. Anschließend gut ausgeschildert.

St. Martin-de-Crau, F-13310 / Prov.-Alpes-C. d'Az.

De La Crau***
ave de Saint Roch
21 Mär - 11 Okt
+33 (0)4-90471709
contact@campingdelacrau.com

1 ADE**J**MNOPRST	AN 6
2 AOPQRVXY	ABDE**FH** 7
3 AEKLQ	ABCDEFIKNRSV 8
4 HIOP	GIJK 9
5 ACDEGIJL	BDFGHJPRY10

B 10A CEE ① €26,00
3 ha 35T(ab 80m²) 44D ② €36,30
N 43°38'16'' E 4°48'21''

Von St. Rémy-de-Provence (D27) bis zum Zentrum von St. Martin fahren. Dann Richtung Arles über die N113, der CP liegt auf der rechten Seite.

St. Mitre-les-Remparts, F-13920 / Prov.-Alpes-C. d'Az.

Félix de la Bastide**
Massane Est
1 Apr - 15 Okt
+33 (0)4-42809935
info@campingfelix.com

1 B**J**MNORT	AFNQSWX 6
2 DKOPWX	ABDE**F** 7
3 AL	ABCEFNR 8
4 FO	I 9
5 ABFGIL	BG**J**NPTUZ10

B 10A ① €26,15
8 ha 100T(100-200m²) 2D ② €36,65
N 43°28'8'' E 5°1'20''

In Istres D5 Martigues, St. Mitre-les-Remparts. Am Ende des Wohngebietes von Istres ca. 2 km Ausfahrt D52: Varage, Massane (Les Plages). Am CP Neptune vorbei, anschließend links ab zum CP.

St. Mitre-les-Remparts, F-13920 / Prov.-Alpes-C. d'Az.

Le Neptune***
4 allée Gustave Eiffel
1 Jan - 31 Dez
+33 (0)4-42440660
campingneptune@wanadoo.fr

1 D**J**MNOPQRST	AFLMNQSWXY 6
2 ADFGOPSVWXY	ABDE**FG**J 7
3 AFLQ	ABEFJNORTUV 8
4 FH	E 9
5 A**M**	BH**J**N**T**U10

Anzeige auf dieser Seite 16A CEE ① €21,60
60T(100m²) 60D ② €28,55
N 43°28'6'' E 5°1'6''

In Istres D5 Richtung Martigues folgen. Am Ende der Ortsbebauung am Kreisel Richtung Varage Massane (Les Plages) folgen.

St. Rémy-de-Provence, F-13210 / Prov.-Alpes-C. d'Az.

Le Parc de la Bastide***
12 avenue Jean Moulin
3 Mär - 3 Nov
+33 (0)4-32619486
auberthonore@orange.fr

1 A**J**MNOPQRST	A 6
2 PRVWX	ABDEFH 7
3 EKQS	CDEFJKNRSV 8
4 FHO	EK 9
5 ABKL	ABDGHIJPTU10

B 6A CEE ① €28,60
70T(80-140m²) 6D ② €36,10
N 43°47'24'' E 4°50'39''

Von Noves D30 nach St. Rémy. In St. Rémy nach dem 2. Kreisel links Richtung Stadtmitte. CP nach 50m an der linken Seite.

St. Rémy-de-Provence, F-13210 / Prov.-Alpes-C. d'Az.

Mas de Nicolas****
avenue Plaisance du Touch
15 Mär - 15 Okt
+33 (0)4-90922705
contact@camping-masdenicolas.com

1 ADE**JM**NOPRST	ABF**N** 6
2 FGPRTUVXY	ABDE**FG**H 7
3 A**K**LQ	ABCDEFJKNOQRSV 8
4 BDFHINO**P**R**T**UV	EJKL 9
5 ABDEFG**L**M	BGHIJNO**P**TUV10

B 6A ① €32,30
3,5 ha 132T(90-100m²) 34D ② €45,10
N 43°47'46'' E 4°50'19''

In St. Rémy wird der CP angezeigt. Bei den Sportfeldern.

St. Rémy-de-Provence, F-13210 / Prov.-Alpes-C. d'Az.

Monplaisir****
chemin de Monplaisir
10 Mär - 25 Okt
+33 (0)4-90922270
reception@camping-monplaisir.fr

1 ADE**J**MNOPR**T**	AF**N** 6
2 GPRVXY	ABDE**FG**HK 7
3 BE**K**LQR	ABCDEFGIJKNQRSV 8
4 BDFHILO	EK 9
5 ABCDFGIK**LM**	ABGHIJ**N**PTU10

B 10A CEE ① €35,20
2,8 ha 128T(80-110m²) 12D ② €50,00
N 43°47'50'' E 4°49'28''

Kommend von Avignon am Kreisverkehr rechts, danach die D5. Der CP ist ausgeschildert.

St. Rémy-de-Provence, F-13210 / Prov.-Alpes-C. d'Az.

Pegomas***
3 avenue Jean Moulin
15 Mär - 24 Okt
+33 (0)4-90920121
contact@campingpegomas.com

1 ADE**IL**NOPRT	AF**N** 6
2 PRVWXY	ABDE**FG** 7
3 B**K**LMQ	CDEFGIKNORSV 8
4 FHIOR	EK 9
5 ABDG**K**L	ABGHIJNPTUV10

B 6A CEE ① €31,10
2 ha 110T(80-100m²) 6D ② €47,30
N 43°47'19'' E 4°50'29''

In St. Rémy Richtung Cavaillon fahren, danach Richtung Noves und den CP-Schildern folgen. Der CP liegt 500m hinter dem Zentrum von St. Rémy.

Stes Maries-de-la-Mer, F-13460 / Prov.-Alpes-C. d'Az.

Le Clos du Rhône****
route d'Aigues-Mortes, CD38
4 Apr - 6 Nov
+33 (0)4-90978599
info@camping-leclos.fr

1 ADE**JM**NOPQRST	ABFGHKMNOPQRX 6
2 EHOQVWXY	ABDE**FG**H 7
3 BEGHLQT	ABCDFJKNQRSTUV 8
4 BCFHILNO**PRUV**XY	BEKLUV 9
5 ACDEFGH**L**M	ABDGHIJLN**P**TUV10

Anzeige auf Seite 365 B 16A CEE ① €32,70
7 ha 264T(60-100m²) 112D ② €42,10
N 43°27'0'' E 4°24'6''

Von Arles hinter Chateau d'Avignon rechts D38c. Nach einigen Km links ab, D38. Vor Stes Maries-de-la-Mer rechts. Der CP ist ausgeschildert.

Tarascon-sur-Rhône, F-13150 / Prov.-Alpes-C. d'Az.

Saint-Gabriel***
D33
9 Mär - 20 Nov
+33 (0)4-90911983
contact@campingsaintgabriel.com

1 ADE**IL**NOPQRT	ABFG**N** 6
2 PRVXY	ABDEFH 7
3 A**K**LQS	ABCDEFKNOQRSTUV 8
4 DFHIO**PQ**R	E 9
5 ABDEFGI**LM**	BCDHIJ**P**RV10

B 6A ① €25,50
1,2 ha 45T(70-110m²) 23D ② €38,50
N 43°46'0'' E 4°41'32''

CP liegt an der Kreuzung N570/D33. Hauptrichtung Arles N570 fahren von Tarascon. Richtung Maussane.

Le Clos du Rhône

★ ★ ★ ★

Großer Camping im Stil der Camargue. Direkt an einem Feinsandstrand gelegen und 800m von Saintes-Maries-de-la-Mer. Gegenüber vom Camping hat man Sicht auf die Carmargue. Einige Plätze haben eine Pergola für den Schatten.

Route d'Aigues-Mortes, CD38, 13460 Stes Maries-de-la-Mer
Tel. 04-90978599 • Fax 04-90977885
E-Mail: info@camping-leclos.fr • Internet: www.camping-leclos.fr

Frankreich

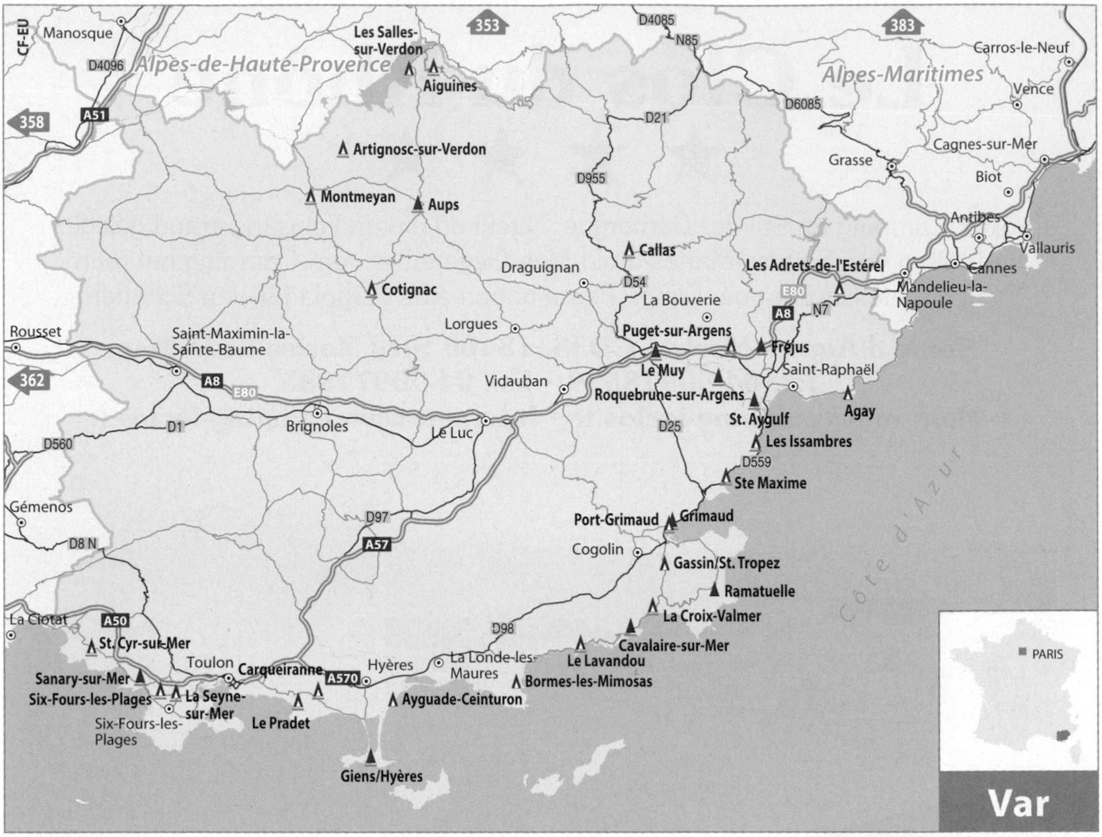

Map region: Var — Côte d'Azur / Alpes-de-Haute-Provence / Alpes-Maritimes

Map labels include: Manosque, Les Salles-sur-Verdon, Carros-le-Neuf, Aiguines, Vence, Artignosc-sur-Verdon, Cagnes-sur-Mer, Grasse, Biot, Montmeyan, Aups, Antibes, Cotignac, Callas, Les Adrets-de-l'Estérel, Cannes, Vallauris, Draguignan, La Bouverie, Mandelieu-la-Napoule, Rousset, Saint-Maximin-la-Sainte-Baume, Lorgues, Puget-sur-Argens, Fréjus, Saint-Raphaël, Vidauban, Le Muy, Roquebrune-sur-Argens, Agay, Brignoles, Le Luc, St. Aygulf, Les Issambres, Gémenos, Port-Grimaud, Grimaud, Ste Maxime, Cogolin, Gassin/St. Tropez, La Ciotat, Ramatuelle, St. Cyr-sur-Mer, La Croix-Valmer, Cavalaire-sur-Mer, Toulon, Carqueiranne, Hyères, La Londe-les-Maures, Le Lavandou, Sanary-sur-Mer, La Seyne-sur-Mer, Le Pradet, Ayguade-Ceinturon, Bormes-les-Mimosas, Six-Fours-les-Plages, Giens/Hyères

Côte d'Azur

Var

PARIS

Agay, F-83530 / Provence-Alpes-Côte d'Azur

▲ Campéole Le Dramont★★★
986 blv 36me division du Texas
1 Apr - 30 Sep
+33 (0)4-94820768
@ dramont@campeole.com

N 43°25'4'' E 6°50'54''

1 ADE**JM**NOPRS**T**	AFKMNOPQRSTUX**Z** 6
2 BEFJMOPRTVWXY	ABDE**FG**H 7
3 BEF**KLQT**	ABCDFJKNRSV 8
4 **ABCDEFINOUXZ**	EFJLQRSU 9
5 ACDFGIJK**M**	ABGHIJ**NO**TUZ10
B 10A CEE	① €48,20
6,5 ha 185T(60-130m²) 189D	② €63,70

Vom Zentrum St. Raphaël 7 km entlang der RN98 zum Mittelmeer folgen in östliche Richtung. Im Dorf Le Dramont ist der CP ausgeschildert.

Artignosc-sur-Verdon, F-83630 / Prov.-Alpes-C. d'Az.

▲ L'Avelanède
route de Baudinard
4 Apr - 15 Nov
+33 (0)4-94807157
@ bonjour@
camping-l-avelanede.com

N 43°41'22'' E 6°6'35''

1 A**J**M**N**OPRS**T**	ABEFG 6
2 BOPRWXY	BDE**F** 7
3 BEL**Q**	ABCDFNORV 8
4 FH	BEUV 9
5 ADEFGIL	DJOTU10
B 6A CEE	① €28,50
H515 12 ha 50T(80-200m²) 39D	② €38,50

Die Campingeinfahrt liegt direkt an der Kreuzung der D71 mit der D471, 2,9 km von Artignosc-sur-Verdon.

Aiguines, F-83630 / Prov.-Alpes-Côte d'Azur

▲ L'Aigle★★★
Quartier Saint Pierre
26 Apr - 14 Sep
+33 (0)4-94842375
@ aigle@campasun.eu

N 43°46'35'' E 6°14'43''

1 ADE**JM**NOPR**T**	X 6
2 BFPTUVWXY	ABDE**F**H 7
3 BLP	ABDFHNOPRSV 8
4 FHO	AEF 9
5 AEFGIJLM	BDFGHIJ**NO**VW10
B 6A CEE	① €31,20
H900 5 ha 80T(80-120m²) 44D	② €44,20

Der CP liegt 600m östlich von der Ortschaft Aiguines (D19).

Aups, F-83630 / Provence-Alpes-Côte d'Azur

▲ International★★★
495 rte de Fox Amphoux
1 Apr - 30 Sep
+33 (0)4-94700680
@ info@
internationalcamping-aups.com

N 43°37'29'' E 6°13'4''

1 ADE**JM**NOPQRST	AX 6
2 GOPRVWXY	BE**F** 7
3 AL**MQ**	ABCDFHNOPRV 8
4 IMNO	E 9
5 ADEFG**IM**	BHIJNP**TU**10
Anzeige auf Seite 367 B 10A CEE	① €31,50
H500 4 ha 190T(80-100m²) 99D	② €44,55

Aus südlicher Richtung nach Aups kommend müssen Sie kurz vorm Marktplatz links abbiegen.

AUPS INTERNATIONAL CAMPING ★ ★ ★

Der Campingplatz ist geöffnet vom 1. April bis zum 30. September und hat 190 Stellplätze im Schatten. Das Gelände liegt günstig. Nur wenige Minuten zu Fuß vom Zentrum Aups und 20 Autominuten von den Gorges du Verdon und dem See von St. Croix.

Der Campingplatz bietet viel Freizeitangebote und Komfort: Schwimmbad, Tennisplatz, Boulespiel, Tischtennis, Bar, Terrasse und Restaurant.

83630 Aups
Tel. 04-94700680 • Fax 04-94701051
E-Mail: info@internationalcamping-aups.com
Internet: www.internationalcamping-aups.com

Aups, F-83630 / Provence-Alpes-Côte d'Azur ⓒⓒ€18 iD

🏕 Les Prés***	1 ADE**JM**NOPR**T** AFX 6
📧 181, Carraire n°1,	2 FOPVWXY ABDE**FH** 7
rte de Tourtour	3 B**LMQ** ABCDEFJNRSV 8
🔓 1 Mär - 31 Okt	4 B**O** EJL 9
☎ +33 (0)4-94700093	5 AD**GKM** BDFHIJ**P**TUV10
@ contact@camping-lespres.com	B 6A ❶ €27,10
📍 N 43°37'26'' E 6°13'44''	H502 2 ha 80**T**(70-137m²) 28**D** ❷ €37,80

🚗 Campingplatz 300m vom Zentrum Aups. Vom Zentrum Richtung Tourtour. Camping ist angezeigt. Die letzten 150m geht es über einen Privatweg (Splitt).

Aups, F-83630 / Provence-Alpes-Côte d'Azur   iD

🏕 Saint Lazare***	1 A**J**M**N**OPRS ABFG 6
📧 route de Moissac	2 BFPRTVXY ABDE**F** 7
🔓 1 Apr - 30 Sep	3 B**E**LQ ABCDFNORS 8
☎ +33 (0)4-94701286	4 BCDHILNO**PQ** E 9
@ camping.caravaning.st-lazare@	5 ADEFGIKL ABJ**O**TU10
orange.fr	10A ❶ €23,40
📍 N 43°38'12'' E 6°12'31''	H490 3 ha 56**T** 5**D** ❷ €31,20

🚗 D9 Aups Richtung Moissac-Bellevue. Camping liegt 2 km außerhalb von Aups, rechts an der Straße. Camping ist gut angezeigt.

Ayguade-Ceinturon, F-83400 / Prov.-Alpes-C. d'Az.   iD

🏕 Domaine du Ceinturon III****	1 ADE**JM**NOPR**T** ABFGKMNPQ 6
📧 2 rue des Saraniers	2 EHJOPVWXY ABDE**FGH** 7
🔓 28 Mär - 30 Sep	3 BELM**QT** ABCDEFHJKNOPRSV 8
☎ +33 (0)4-94663265	4 BCDO**U** EFLUV 9
@ contact@ceinturon3.fr	5 ABDEFGIJ**KM** AHIJ**NO**TU10
	B 10A CEE ❶ €38,00
📍 N 43°6'3'' E 6°10'10''	3 ha 159**T**(80-100m²) 41**D** ❷ €41,45

🚗 Von Hyères Richtung Les Salins fahren, Richtung Ayguade.

Bormes-les-Mimosas, F-83230 / Prov.-Alpes-C. d'Az.   iD

🏕 Camp du Domaine*****	1 ADE**J**KNOPRST KNOPQRSTWXY 6
📧 BP207 / La Favière	2 EFHOPQTUVWXY ABDE**FGH** 7
🔓 4 Apr - 31 Okt	3 BEFL**MNQRS** ABCDEFHKNOPRSTUV 8
☎ +33 (0)4-94710312	4 **A**BCDEILNO**PQZ** EJKLMOQST 9
@ mail@campdudomaine.com	5 ACDEFGIJKM ABCGHIJ**NP**TUZ10
	Anz. auf Umschlag+367+371 B 10-16A ❶ €50,20
📍 N 43°7'5'' E 6°21'7''	45 ha 1173**T**(80-200m²) 170**D** ❷ €66,50

🚗 Kreisverkehr zwischen Bormes und Le Lavandou. Am Kreisverkehr Richtung La Favière fahren, 2,5 km weiterfahren.

Callas, F-83830 / Provence-Alpes-Côte d'Azur   ⓒⓒ€16 iD

🏕 Les Blimouses**	1 ADE**F JM**NOPRS**T** AFH 6
📧 Quartier Les Blimouses	2 BOPUVWXY ABD**F**H 7
🔓 1 Mär - 31 Dez	3 BE**GH**LQ ABCDEFNRSTV 8
☎ +33 (0)4-944/8341	4 BCDFINOUY E 9
@ camping.les.blimouses@	5 ADEFGIK**M** BDFGHIJOTU10
wanadoo.fr	B 16A CEE ❶ €29,40
📍 N 43°34'28'' E 6°31'55''	H350 6 ha 72**T**(70-150m²) 41**D** ❷ €36,40

🚗 A8 Ausfahrt Le Muy, Richtung Callas dan weiter auf der N562, danach weiter über die N225.

Carqueiranne, F-83320 / Prov.-Alpes-C. d'Az.   ⓒⓒ€16 iD

🏕 Le Beau Vezé****	1 ADE**JM**NOPR**T** AFH**X** 6
📧 route de la Moutonne	2 ABFPRTUVXY ABDE**FHK** 7
🔓 1 Mai - 15 Sep	3 BFI**K**LMQ ABCDFKNORS 8
☎ +33 (0)4-94576530	4 **A**BC**DE**LNO EHJL 9
@ info@camping-beauveze.com	5 ABDEFGIJ**LM** ABDHIJ**NP**TU10
	❶ €36,20
📍 N 43°6'39'' E 6°3'37''	5 ha 118**T**(80-130m²) 34**D** ❷ €48,20

🚗 Der Campingplatz ist an der RD559 angezeigt.

★★★★
Camping - Caravaning
Bonporteau

www.bonporteau.fr

contact@bonporteau.fr

Tel. +33 494 640 324

Fax +33 494 641 862

208 chemin Train des Pignes Cavalaire S/ Mer

Cavalaire-sur-Mer, F-83240 / Prov.-Alpes-C. d'Az. 🛜 (CC€18) iD

⛰ Bonporteau****	1 AJMNOPRT ABFGKNOPQSWX 6
🚉 208 chemin Train des Pignes	2 EFHMOPQTUVWXY ABDEF 7
📅 15 Mär - 15 Okt	3 BLQ ABCDEFHJKNOPRSTUV 8
☎ +33 (0)4-94640324	4 BCDINOPU EL 9
@ contact@bonporteau.fr	5 ACDEFGIJM AFHIJNPTU10
	Anzeige auf dieser Seite B 10A CEE ❶ €58,20
	3 ha 110T(80-120m²) 70D ❷ €64,20
📍N 43°10'2'' E 6°31'9''	

🚗 Im Zentrum von Cavalaire ist der CP deutlich ausgeschildert.

Cavalaire-sur-Mer, F-83240 / Prov.-Alpes-C. d'Az. 🛜 (CC€18) iD

⛰ de la Baie****	1 ADEJMNOPRT ABFGKMNOPQRSTW 6
🚉 bd Pasteur / BP12	2 EFHOPQTUVWXY ABDEFGH 7
📅 15 Mär - 15 Nov	3 BEFLMNQU ABCDEFHJKNPQRSV 8
☎ +33 (0)4-94640815	4 BCDINOPQU EJLMNOQSTUVWXZ 9
@ contact@camping-baie.com	5 ACDEFGIJM ABGHIJOPTUZ10
	Anz. auf Umschlag + 368 + 369 B 10A CEE ❶ €58,65
	6,5 ha 150T(80-120m²) 390D ❷ €64,65
📍N 43°10'10'' E 6°31'47''	

🚗 A8, Ausfahrt Le Muy, Richtung Ste Maxime. Von dort nach La Croix Valmer. Cavalaire Zentrum (Hafen). Im Zentrum den Pfeilen folgen.

De la Baie ★★★★

Bd Pasteur, B.P. 12 • 83240 Cavalaire-sur-Mer
Tel. 04-94640815 • Fax 04-94646610
Internet: www.camping-baie.com

Cotignac, F-83570 / Prov.-Alpes-Côte d'Azur 🛜 (CC€14) iD

⛰ Camping des Pouverels	1 ADEFJMNOPRST 6
🚉 3070 chemin des Pouverels	2 BUVWXY BDFJK 7
📅 1 Apr - 31 Okt	3 A ABCFKN 8
☎ +33 (0)4-94047191	4 FH A 9
@ campingcotignac@orange.fr	5 AL AIOTU10
	13A ❶ €18,00
📍N 43°32'16'' E 6°8'55''	H160 3 ha 40T(60-100m²) 2D ❷ €24,50

🚗 D22, Camping liegt 2 km außerhalb von Cotignac.

Fréjus, F-83600 / Provence-Alpes-Côte d'Azur 🛜 (CC€14) iD

⛰ Camping Caravaning Le Fréjus***	1 ADEJMNOPRST ABFGHX 6
	2 AFOPVXY ABDEFGH 7
3401 rue des Combatt. d'Afr.du Nord	3 BELMQT ABCDEFHJKNOPRSTV 8
📅 15 Jan - 15 Dez	4 ABCDEILNOP AEJLUV 9
☎ +33 (0)4-94199460	5 ABDEFGIJM ABCDGHIJNPTU10
@ contact@lefrejus.com	B 6A CEE ❶ €39,35
📍N 43°27'50'' E 6°43'28''	8 ha 110T(80-100m²) 160D ❷ €49,40

🚗 A8 bei Fréjus verlassen: Ausfahrt 38. Anschließend zwei mal nach rechts, CP liegt auf der linken Seite.

Cavalaire-sur-Mer, F-83240 / Prov.-Alpes-C. d'Az. 🛜 (CC€16) iD

⛰ Camping Cros de Mouton****	1 ADEJMNOPQRST ABFGX 6
🚉 chemin du Cros de Mouton	2 BFHMORTUVWXY ABDEFH 7
📅 22 Mär - 31 Okt	3 BLQ ABCDEFHJKNPQRSTUV 8
☎ +33 (0)4-94641087	4 BCDEINOQUXZ EJLUV 9
@ campingcrosdemouton@ wanadoo.fr	5 ABDEFGIJM ABCDHIJNPTUZ10
	Anzeige auf dieser Seite B 10A ❶ €34,90
📍N 43°10'56'' E 6°31'0''	H110 6 ha 125T(60-200m²) 74D ❷ €45,30

🚗 A8 Ausfahrt Le Muy Richtung Ste Maxime. Richtung St. Tropez danach Richtung Cavalaire. Pfeilen folgen.

Fréjus, F-83600 / Provence-Alpes-Côte d'Azur 🛜 ❄ iD

⛰ Domaine du Colombier*****	1 ADEJMNOPRST ABFGHIOPX 6
1052 rue des Comb. en Afr. du Nord	2 AFHOPRUVWXY ABDEFGH 7
📅 4 Apr - 12 Okt	3 BDEHKLMQT ABCDEFHJKNPQRSTU 8
☎ +33 (0)4-94515601	4 ABCDILMNOPQRUVXYZ ELUVWXZ 9
@ info@ domaine-du-colombier.com	5 ACDEFGIJM ABCGHIJNPQTUVZ10
	Anzeige auf Seite 370 B 16A ❶ €60,20
📍N 43°26'45'' E 6°43'37''	10 ha 22T 363D ❷ €78,45

🚗 A8 Ausfahrt 38 Richtung Caïs. Rechts am ersten und zweiten Kreisel, an der Kreuzung nach links, zweiter folgender Kreisel geradeaus, 1 km weiter Club Colombier links.

www.crosdemouton.com
83240 Cavalaire - FRANCE
Tel. : +33(0)4 94 64 10 87   campingcrosdemouton@wanadoo.fr

Cros de Mouton
CAMPING CARAVANING ★★★★

CAVALAIRE CÔTE D'AZUR

Camping, Vermietung von Chalets und Wohnwagen , 5 Minuten von den Stränden.

De la Baie ★ ★ ★ ★

Mitten im Badeort Cavalaire-sur-Mer und doch in einer ruhigen Lage liegt dieser Campingplatz mit ausgezeichneten Einrichtungen und seinem herrlichen Schwimmbad (beheizt) und Jacuzzi. Nur 400m entfernt befinden sich ein schöner Sandstrand und ein gemütlicher Hafen. Der Campingplatz wird ausgezeichnet geführt und überwacht. Es gibt eine prima Atmosphäre. Auch sehr geeignet für Familien mit Kindern.

Bd Pasteur, B.P. 12 • 83240 Cavalaire-sur-Mer
Tel. 04-94640815 • Fax 04-94646610
Internet: www.camping-baie.com

Fréjus, F-83600 / Provence-Alpes-Côte d'Azur

▲ Holiday Green*****	1 ADE**IL**NOPRT	ABEFGHIO 6
▤ 1900, RD4	2 ABFOPRUVXY	ABDE**FGH** 7
☀ 4 Apr - 30 Sep	3 BDE**GHIKLMN**QRTU	ABCDEFGHIJKNPQRSTUV 8
☎ +33 (0)4-94198830	4 **A**BCDEFHILMNO**PQRU**V**XYZ**	ELUV 9
@ info@holidaygreen.com	5 ACDEFGIJK**M**	ABHIJL**NOP**QUYZ10
	B 15A CEE	❶ €57,20
▦ N 43°29'6'' E 6°43'1''	15 ha 33**T**(80-120m²) 1050**D**	❷ €74,85

🚗 A8 bei Ausfahrt 38 Fréjus verlassen. Danach Richtung CD 4 Bagnols-en-Forêt.
Ca. 1 km weiter liegt der CP auf der rechten Seite.

Fréjus, F-83618 / Provence-Alpes-Côte d'Azur

▲ La Baume/La Palmeraie*****	1 ADE**JM**NOPRST	ABEFGHI 6
3775 rue des Comb. d'Afr. du Nord	2 AFOPRVWXY	ABDE**FGH** 7
☀ 28 Mär - 26 Sep	3 BEF**KLMN**QR**ST**	ABCDEFHJKNOPQRSTUV 8
☎ +33 (0)4-94198888	4 **A**BCDEILMNO**PQ**RUV**XZ**	EIJLUV 9
@ reception@	5 ACDEFGIJK**M**	ABDHIJ**NOZ**10
labaume-lapalmeraie.com	Anzeige auf Seite 373 B 6A	❶ €54,20
▦ N 43°27'59'' E 6°43'23''	27 ha 230**T**(90-130m²) 921**D**	❷ €77,20

🚗 A8 bei Fréjus sortie 38 verlassen. Anschließend 2 mal nach rechts, der CP liegt
auf der linken Seite.

Gassin/St. Tropez, F-83580 / Prov.-Alpes-C. d'Az.

▲ Parc Saint-James	1 ADE**IL**NOPRT	ABFX 6
Parc Montana****	2 BFG**O**PTUVWXY	ABDE**FGH** 7
▤ route de Bourrian	3 BEF**IKLMQ**	ABCDEFKNQRSV 8
☀ 10 Jan - 30 Nov	4 BCDHILMNO**PQU**	EL 9
☎ +33 (0)4-94552020	5 ACDEFGIJK**M**	ABHIJNOUZ10
gassin@camping-parcsaintjames.com	B 10A CEE	❶ €42,20
▦ N 43°14'27'' E 6°34'27''	31 ha 20**T**(50-120m²) 411**D**	❷ €52,20

🚗 Vom Zentrum Ste Maxime aus dem Küstenweg in Richtung St. Tropez folgen.
Nach 8 km Verkehrsknotenpunkt (Lunapark). Richtung La Croix-Valmer/
Le Lavandou, nach 2 km liegt der CP auf der linken Seite.

Fréjus, F-83600 / Prov.-Alpes-Côte d'Azur

▲ La Pierre Verte****	1 ADE**JM**NOPRT	ABFGHO 6
▤ 1880 route Départementale 4	2 ABFOPUVWXY	ABDE**FGH** 7
☀ 11 Apr - 27 Sep	3 BEF**HILMN**QRST	ABCDEFHKNOPRSTUV 8
☎ +33 (0)4-94408830	4 **A**BCDILNOP**QU**	EUV 9
@ info@	5 ACDEFGIJK**M**	ABDFGHIJ**NP**TUZ10
campinglapierreverte.com	B 6-10A CEE	❶ €42,20
▦ N 43°29'3'' E 6°43'13''	28 ha 150**T**(80-120m²) 500**D**	❷ €56,20

🚗 A8 bei Ausfahrt 38 Fréjus verlassen. Danach Richtung Bagnols-en-Forêt.
Nach ca. 3 km liegt der CP rechts.

Giens/Hyères, F-83400 / Provence-Alpes-Côte d'Azur

▲ International****	1 AHKNORT	ABFGKNOPQRSUW 6
▤ 1737 route de la Madrague	2 EFHOPUVWXY	ABDE**FGH**K 7
☀ 20 Mär - 6 Nov	3 BEFLQ	ABCDEFHJKNPRSTUV 8
☎ +33 (0)4-94589016	4 BCDEILNO**PQRTU**V**XYZ**	EHILMQRSUV 9
@ thierry.coulomb@wanadoo.fr	5 ACDEFGIJK**M**	ABCHIJ**NPZ**10
	Anzeige auf dieser Seite B 6A CEE	❶ €38,00
▦ N 43°2'29'' E 6°7'41''	2,5 ha 161**T**(15-80m²) 111**D**	❷ €48,00

🚗 Wenn man von Hyères oder Le Lavandou auf der Halbinsel von Giens
ankommt, steht der CP deutlich ausgeschildert.

Fréjus, F-83600 / Provence-Alpes-Côte d'Azur

▲ Les Pins Parasols****	1 A**JM**NORT	ABFH 6
3360 rue des Combatt. d'Afr.du Nord	2 AFGOPUVXY	ABDE**FH** 7
☀ 4 Apr - 25 Sep	3 BE**KLMQ**	ABCDEFJKLNRSV 8
☎ +33 (0)4-94408843	4 **A**INOP	ELUV 9
@ lespinsparasols@wanadoo.fr	5 ACDEFGIJM	BCDHIJ**NOZ**10
	B 6A	❶ €31,90
▦ N 43°27'50'' E 6°43'32''	4,5 ha 144**T**(80-100m²) 44**D**	❷ €42,80

🚗 A8 bei Fréjus verlassen: Ausfahrt 38. Anschließend 2 mal rechts ab, der CP
liegt auf der rechten Seite.

Giens/Hyères, F-83400 / Prov.-Alpes-Côte d'Azur

▲ L'île d'Or***	1 AHKNORT	KNOPQSW 6
▤ boulevard Alsace-Lorraine	2 EHMOPQVXY	ABDE**FH** 7
☀ 1 Jun - 30 Sep	3 BFLQ	ABCDEFHJNOPRSV 8
☎ +33 (0)4-94582055	4 FHIN**P**	E 9
@ thierry.coulomb@wanadoo.fr	5 ABDEFGIJK**M**	ABCHIJ**O**10
	Anzeige auf dieser Seite B 6A	❶ €32,00
▦ N 43°2'22'' E 6°8'50''	1,5 ha 160**T**(15-140m²) 60**D**	❷ €42,00

🚗 Von Toulon aus erreicht man Hyères über die A570, bis zur Halbinsel Giens.
Von Nizza aus über die A8 bis Hyères fahren. Den Schildern 'Le Port -
Presqu'île de Giens' folgen.

La Baume
CAMPING RESORT
★★★★★

La Palmeraie
RESIDENCE DE TOURISME
★★★

Le Sud grandeur Nature

Bastidons zu vermieten.
1, 2 oder 3 Zimmer
Mobilheime - 4/6 Personen
- 2/4 Personen oder 3 Zimmer
NEU - Mobilheime mit 3 Zimmern
Aircondition mit 2 Bädern -
WiFi - internationale Kanäle
Apartments - 6 oder 10 Personen.

Von April bis September:
Animation in der ganzen
Saison, Kabarett,
Discotheken, Kinderclub.
5 Kilometer von einem
Feinsandstrand bei Fréjus
und Saint Raphaël.

Beheiztes Sanitär,
parzellierte Plätze,
6 Pools, davon
2 überdacht und beheizt,
6 Wasserrutschen und Whirlpool.
Verspieltes beheiztes
Kinderplanschbecken.

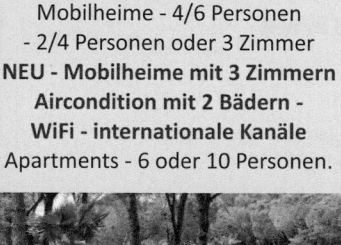

3775, Rue des Combattants d'Afrique du Nord   83618 FREJUS Cedex
Tel: +33 (0)4 94 19 88 88   -   Fax: +33 (0)4 94 19 83 50
E-Mail : reception@labaume-lapalmeraie.com

www.labaume-lapalmeraie.com

Frankreich

Giens/Hyères, F-83400 / Provence-Alpes-Côte d'Azur 📶 iD

🏕 La Presqu'île de Giens★★★★
🏠 153 route de la Madrague
🗓 4 Apr - 11 Okt
☎ +33 (0)4-94582286
@ info@camping-giens.com

1 ADE**JM**NOPRT	NOPQUX 6
2 FHOPRUVWXY	ABDE**FG**H 7
3 BEL**Q**S	ABCDEFHIJKNPRSV 8
4 BCDEILNO**PQ**	EJLU 9
5 ACDEFGIJK**M**	ABGHIJ**NPU**10
B 16A CEE	❶ €35,60
7 ha 168T(50-120m²) 108D	❷ €49,60

🏔 N 43°2'28'' E 6°8'36''
🚗 Der CP ist deutlich ausgeschildert wenn man auf der Halbinsel von Giens ankommt.

Giens/Hyères, F-83400 / Prov.-Alpes-C. d'Az. 📶 (CC€16) iD

🏕 La Tour Fondue
🏠 avenue des Arbanais
🗓 28 Mär - 1 Nov
☎ +33 (0)4-94582286
@ info@
camping-latourfondue.com

1 ADE**JM**NOPRT	KNOPQSX 6
2 EFHJMOPRTVWX	ABDE**FH** 7
3 L	ABCDEFNRS 8
4 FO	EL 9
5 ABDEFGI	AGHIJ**NPU**10
10A	❶ €30,95
2,3 ha 119T(50-120m²) 21D	❷ €44,45

🏔 N 43°1'47'' E 6°9'22''
🚗 Auf der Halbinsel wird der CP ausgeschildert.

Giens/Hyères, F-83400 / Prov.-Alpes-C. d'Az. 📶 (CC€16) iD

🏕 Olbia★★★
🏠 545 ave René de Knyff, La Madrague
🗓 4 Apr - 4 Okt
☎ +33 (0)4-94582196
@ info@camping-olbia.com

1 ADE**IL**NORT	KNOPQSWX 6
2 BEHMOPRTUVXY	ABDE**FH** 7
3 BL	ABCDEFHKNOPRS 8
4 FO	LNQR 9
5 ABDEFGIK**M**	ABDGHIJ**NPU**10
B 15A CEE	❶ €33,20
110T	❷ €44,60

🏔 N 43°2'23'' E 6°6'12''
🚗 Der CP liegt ca. 500m östlich vom Hafenstädtchen Madrague auf der Halbinsel von Giens.

Grimaud, F-83310 / Provence-Alpes-Côte d'Azur 📶 ⚙ iD

🏕 Domaine des Naïades★★★★
🏠 655 chemin des Mûres
🗓 11 Apr - 3 Okt
☎ +33 (0)4-94556780
@ info@lesnaiades.com

1 ADE**JM**NOPRT	ABFHINOPQRST 6
2 FHOPRTUVWXY	ABDE**FGH** 7
3 BE**K**LQ	ABCDEFHJKNRSV 8
4 BCDILNOP	ELUV 9
5 ACDEFGIJ**M**	ABGHIJ**NPU**Z10
Anzeige auf dieser Seite 10A CEE	❶ €65,20
13 ha 116T 345D	❷ €72,50

🏔 N 43°17'7'' E 6°34'47''
🚗 A8 Ausfahrt Le Muy. Richtung St. Tropez. 7 km westlich von Ste Maxime am Kreisverkehr den Pfeilen St. Pons-les-Mûres folgen.

Grimaud, F-83310 / Prov.-Alpes-Côte d'Azur 📶 (CC€18) iD

🏕 Les Mûres★★★
🏠 2721 route du Littoral
🗓 28 Mär - 2 Okt
☎ +33 (0)4-94561697
@ info@
camping-des-mures.com

1 ADE**JM**NOPRT	KMNPQSW 6
2 EFHOPQUVWXY	ABDE**FH** 7
3 BEF**J**KLQ	ABCDEFKNRSTV 8
4 BCDILNO**PQ**	ELUV 9
5 ACDEFGIJ**M**	ABCDGHIJ**NP**TUZ10
Anzeige auf Seite 375 B 6A CEE	❶ €41,20
7 ha 604T(80-130m²) 65D	❷ €55,20

🏔 N 43°17'2'' E 6°35'30''
🚗 Vom Zentrum Ste Maxime den Küstenweg in Richtung St. Tropez folgen. Nach ca. 5 km liegt der CP auf der rechten Seite.

ACSI Legende Karten

🅰 Ein offenes Zelt bedeutet daß sich hier ein Campingplatz befindet.

🅰 Ein geschlossenes Zelt bedeutet daß hier mehrere Campingplätze zu finden sind.

🅰 🅰 Campingplätze die CampingCard ACSI akzeptieren.

70 Auf dieser Seite finden Sie das Teilgebiet.

73 Pfeile mit Seitenangaben am Kartenrand verweisen auf angrenzende Gebiete.

🗺 PARIS Die Übersichtskarte des betreffenden Landes und im welchen Teilgebiet Sie sich befinden.

ES MÛRES

-DEPUIS 1951-

CAMPING - CARAVANING.

***

2721 Rt du littoral - 83310 Grimaud
Camping. +33 (0)4 94 56 16 97
Mobil-home. +33 (0)4 94 56 16 17
Email. info@camping-des-mures.com
www.camping-des-mures.com

IM HERZEN DES GOLFS
VON SAINT-TROPEZ

Sélection Camping ★★★★
EMPLACEMENTS - MOBIL-HOMES - STUDIOS - APPARTEMENTS

LA CROIX VALMER - CÔTE D'AZUR

Im Herzen der Halbinsel von Saint Tropez gelegen, in einem 4 ha großen Pinienwald und in der Nähe eines wunderschönen feinsandigen Strandes (400m). Beheiztes Schwimmbad, Bar, Restaurant mit Terrasse. Für den Aufenthalt: Campingstellplätze und Mietunterkünfte mit viel Komfort.

Sélection Camping ★★★★ 310, boulevard de la Mer
BP 88, 83420 La Croix-Valmer
Tel. +33 (0)4 94 55 10 30 • Fax +33(0)4 94 55 10 39
www.selectioncamping.com • E-Mail: camping-selection@wanadoo.fr

---

La Croix-Valmer, F-83420 / Prov.-Alpes-C. d'Az. 📶 (CC€18) iD

- 🏕 Sélection Camping★★★★
- 📧 310 boulevard de la Mer
- 📅 15 Mär - 15 Okt
- ☎ +33 (0)4-94551030
- @ camping-selection@wanadoo.fr
- 📍 N 43°11'40'' E 6°33'18''

1 ADE**J**KNOPRT	ABFGNPQRSTWX	6
2 EFHOPQTUVXY	ABDE**FG**H	7
3 BEILQ	ABCDEFHJKNOPQRSV	8
4 BCDFHILNO**PQ**U	EHLMO	9
5 ACDEFGIJK**M**	BCDGHIJ**NP**TU	10
Anzeige auf dieser Seite	B 10A	❶ €52,20
4 ha 117**T**(65-80m²)	79**D**	❷ €60,20

🚌 In La Croix-Valmer Richtung Le Lavandou fahren. Nach 2 km Kreisverkehr ist der CP ausgeschildert.   Ⓜ

Le Lavandou, F-83980 / Prov.-Alpes-C. d'Az. 📶 (CC€16) iD

- 🏕 Parc Camping de Pramousquier★★
- 📧 chemin de la Faveirolle
- 📅 18 Apr - 4 Okt
- ☎ +33 (0)4-94058395
- @ camping-lavandou@wanadoo.fr
- 📍 N 43°9'23'' E 6°26'33''

1 ADE**J**MNORT	KNQSWX	6
2 EFHOPRTUVWXY	ABDE**FG**H	7
3 B**K**LQ	ABCDEFHNORV	8
4 BCDHO**P**	AEJL	9
5 ABDEFGIJK**M**	BGHIK**NO**TUZ	10
B 4-6-10A		❶ €32,05
4,5 ha 152**T**(70-100m²)	13**D**	❷ €42,05

🚌 Der CP liegt an dem Küstenweg, ganz vorne im Ort Pramousquier (Ostseite).   Ⓜ

La Seyne-sur-Mer, F-83500 / Prov.-Alpes-C. d'Az. 📶 (CC€16) iD

- 🏕 Les Fontanettes★★★
- 📧 523, avenue Marcel-Paul
- 📅 1 Jan - 31 Dez
- ☎ +33 (0)4-94947507
- @ camping.les.fontanettes@wanadoo.fr
- 📍 N 43°6'37'' E 5°51'11''

1 ADJ**M**NORT	AF	6
2 ABORSUVXY	BE**F**H	7
3 A**K**Q	BDFNRTV	8
4 BDINO	DEFJ	9
5 ADEGL**M**	ABDHIJ**O**	10
B 6-10A CEE		❶ €26,70
H50 1,2 ha 32**T**(ab 30m²)	118**D**	❷ €37,70

🚌 Ausfahrt 13 Richtung La Seyne-sur-Mer. Am Kreisel die 2. Ausfahrt und den Schildern Zentrum D26 folgen. Am folgenden Kreisel D63 folgen.   Ⓜ

Le Muy, F-83490 / Prov.-Alpes-Côte d'Azur 📶 (CC€18) iD

- 🏕 Les Cigales★★★★
- 📧 4 chemin de Jas de la Paro
- 📅 14 Mär - 18 Okt
- ☎ +33 (0)4-94451208
- @ contact@camping-les-cigales-sud.fr
- 📍 N 43°27'44'' E 6°32'37''

1 ADE**J**MNOPQRST	ABFG**X**	6
2 ABGOPUVWXY	ABDE**FG**H	7
3 BEKLMNQRS	ABCDEFHIKNPQRSTUV	8
4 ABCDILNO**PRU**	EJL	9
5 ABDEFGIJK**M**	ABDFGHIJMNOTU	10
Anzeige auf Seite 377	B 10A CEE	❶ €47,00
10 ha 90**T**(80-180m²)	776**D**	❷ €65,60

🚌 A8 Ausfahrt Le Muy, Kreisel, 3. Ausfahrt links.   Ⓜ

378 route de l'Argentière
83600 Les Adrets de l'Estérel
Var - Provence Alpe Côte d'Azur
GPS: N 43°31'44'' E 6°50'23''

Tel : +33(0)4 94 40 90 67
Fax : +33(0)4 94 19 35 92

info@lesphilippons.com
www.lesphilippons.com

les PHILIPPONS
Les Adrets de l'Esterel - camping

Ruhiger Camping im Var zwischen Fréjus und Cannes im Herzen des Esterel. Der Campingplatz besteht aus 14 Mietobjekten, 106 Stellplätzen, Schwimmbad, Spielen für Kinder und Restaurant. Dicht an den Stränden, dem Mittelmeer, dem See von St. Cassien und den Orten Fayence, Seillans, Mons...

Terrassenförmiger Park, u.a. mit Sonnenschutztannen, Palmen, Oliven und Mimosen. Einmaliger Platz, wo Sie vollkommen zur Ruhe kommen und die Freiheit genießen. Unser Camping Les Cigales – in einem von Flüssen durchzogenen Tal zwischen dem Maures- und Esterelgebirge – ist ein hervorragender Ausgangspunkt für Ausflüge an die Côte d'Azur, das Hinterland Var und die Gorges du Verdon. In Naturlage und nur 20 km von den Stränden von St. Maxime und Fréjus/St. Raphaël, können Sie unsere fünf Schwimmbäder, von denen eins beheizt ist, genießen und fünf Rutschbahnen. Verschiedene Spielgelände, darunter eine Taupyramide, ein Multisportareal, Tennisplatz und ein Half-Court Tennisplatz. Von unserem Park aus kann man zahlreiche Naturaktivitäten unternehmen: es gibt einen Fischweiher und für die Mutigen gibt es unseren Hochseilgarten 'Le Vallon Perdu'.

Information und Reservierungen:

Camping Les Cigales
4 chemin de Jas de la Paro
83490 Le Muy
Tel. (00.33) 04-94451208
Fax (00.33) 04-94459280
E-Mail: contact@camping-les-cigales-sud.fr
Internet: www.camping-les-cigales-sud.fr

Les Cigales ✳ ✳ ✳ ✳

Le Muy, F-83490 / Prov.-Alpes-Côte d'Azur 🛜 (CC€14) iD

▲ RCN Domaine de la Noguière***	1 ADE**IL**NOPRT AFHN 6
🚌 RN7, 1617 route de Fréjus	2 AFGOPRVWXY ABDE**FGH** 7
⏰ 21 Mär - 31 Okt	3 BE**KLMQ** ABCDEFHKNPQRSV 8
☎ +33 (0)4-94451378	4 **A**BCDILNO EL 9
@ noguiere@rcn.fr	5 ABDEFGIJKL ABHIJ**NP**TUZ10
	B 6A ❶ €48,60
🌐 N 43°28'5'' E 6°35'31''	14 ha 183**T**(50-120m²) 54**D** ❷ €59,60
🚗 Der CP liegt ungefähr 1 km östlich von Le Muy an der N7.	🅼

Le Pradet, F-83220 / Prov.-Alpes-Côte d'Azur 🛜 (CC€14) iD

▲ L'Artaudois***	1 ADE**JM**NORT AFN 6
🚌 657 chemin de l'artaude	2 BFHJPHUVXY ABDE**FGH** 7
⏰ 1 Apr - 15 Okt	3 BE**KL**QR ABCDEFHKNPRSTUV 8
☎ +33 (0)4-94217261	4 ABCDE**IL**NO**P** AE 9
@ info@artaudois.fr	5 ADFGK**M** ABDHIJN**P**U10
	B 10A ❶ €32,20
🌐 N 43°5'58'' E 6°1'51''	H50 3,5 ha 47**T**(80-100m²) 150**D** ❷ €43,20
🚗 Vom Zentrum Le Pradet Richtung Carquieranne. Am ersten Kreisel 2. Ausfahrt nehmen.	🅼

Les Adrets-de-l'Estérel, F-83600 / Prov.-Alpes-C. d'Az. 🛜 (CC€16) iD

▲ Les Philippons***	1 ADE**JM**NOPRST AF 6
🚌 D237, 378 route de l'Argentière	2 ABFPQRUVWXY ABD**FH** 7
⏰ 11 Apr - 3 Okt	3 B**KL**Q ABCDFHNOPRV 8
☎ +33 (0)4-94409060 /	4 Ö FJL 9
@ info@lesphilippons.com	5 ABDEFGIK**M** BDHIJ**NP**TU10
	Anzeige auf Seite 376 10A CEE ❶ €32,60
🌐 N 43°31'44'' E 6°50'23''	H206 5,2 ha 120**T**(80-160m²) 28**D** ❷ €43,80
🚗 A8 Ausfahrt 39 Richtung Les Adrets-de-l'Estérel, am Kreisel ist der CP ausgeschildert.	🅼

Les Issambres, F-83380 / Prov.-Alpes-C. d'Az. 🛜 (CC€16) iD

▲ Au Paradis des Campeurs****	1 ADE**JM**NOPRST KMNOPQRX 6
▲ La Gaillarde-Plage	2 EFHMOPTUVWXY ABDE**FGH** 7
⏰ 1 Apr - 3 Okt	3 BEF**JK**LQ ABCDEFHKNPRSTUV 8
☎ +33 (0)4-94969355	4 FHIO EL 9
🖷 +33 (0)4-94496299	5 ACDEFGIJK**M** ABGHIJ**MNP**T10
	Anzeige auf dieser Seite B 6A CEE ❶ €32,30
🌐 N 43°21'58'' E 6°42'43''	2,7 ha 180**T**(60-120m²) 17**D** ❷ €44,30
🚗 An der N98 zwischen St. Aygulf und Les Issambres.	🅼

La Bastiane ★★★★★
Camping & Bungalows depuis 1972

1056, chemin de Suvières
83480 Puget-sur-Argens
Tél : 0033 (0)4 94 55 55 94
E-mail : info@labastiane.com

Var - Provence - Côte d'Azur - French Riviera

www.labastiane.com

Familiäre Atmosphäre

Les Salles-sur-Verdon, F-83630 / Prov.-Alpes-C. d'Az.

🏕 Camping Les Pins****	1 ADE**IL**NOPRST	LNPQRSTUVVXZ 6
📅 1 Apr - 10 Okt	2 BDFKOPRUVXY	ABDE**FG**H 7
☎ +33 (0)4-98102380	3 BELQ	ABCDEFKNQRSTUV 8
@ campinglespins83@orange.fr	4 AF	LQ 9
	5 K	ABFGHIJ**NP**TUV10
	B 6A CEE	❶ €22,60
🏔 N 43°46'35'' E 6°12'33''	H550 2 ha 104T(80-120m²)	❷ €31,75
🛣 Camping ist von der D957 aus angezeigt.		

Puget-sur-Argens, F-83480 / Prov.-Alpes-C. d'Az.

🏕 La Bastiane*****	1 ADE**IL**NOPR**T**	ABFG 6
🏠 1056 chemin des Suvières	2 ABGPRVVWXY	ABDE**FG**H 7
📅 11 Apr - 18 Okt	3 BE**GHKLMQ**	ABCDEFHJKNPQRSV 8
☎ +33 (0)4-94555594	4 **A**BCDFHILNO**PQ**U	DELUV 9
@ info@labastiane.com	5 ACDEFGIJKM	BCDHIJL**NP**UZ10
	Anzeige auf dieser Seite B 10A	❶ €48,20
🏔 N 43°28'11'' E 6°40'44''	3,5 ha 70T(80-100m²) 110D	❷ €60,20
🛣 CP an der N7 ausgeschildert. Westlich von Puget-sur-Argens.		

Montmeyan, F-83670 / Prov.-Alpes-C. d'Az.

🏕 Château de l'Eouvière****	1 A**JM**NOPQRS**T**	ANX 6
🏠 route de Tavernes	2 BFGOPUVVWXY	AB**C**DE**F**H 7
📅 1 Mai - 27 Sep	3 BE**FLMQ**	ABCDFHKNPQRSV 8
☎ +33 (0)4-94807554	4 FHIO**Q**	EI 9
@ contact@leouviere.com	5 ABDEG**IM**	BDGHIJL**O**TU10
	B 10A CEE	❶ €32,00
🏔 N 43°38'20'' E 6°3'38''	H500 30 ha 80T(100-170m²) 22D	❷ €45,00
🛣 Montmeyan durchfahren, den Schildern Richtung Barjols folgen. Ab dem nächsten Kreisel in der Nähe ist der CP deutlich angezeigt.		

Ramatuelle, F-83350 / Provence-Alpes-Côte d'Azur

🏕 Campéole La Croix du Sud***	1 ADE**JM**NOR**T**	AF 6
🏠 route des Plages	2 FHOPRUVVWXY	ABDE**F**H 7
📅 1 Apr - 15 Okt	3 B**KLQ**	ABCDFHKNOPQRSV 8
☎ +33 (0)4-94555123	4 BCDILNO**PQ**	EFJLUV 9
@ croix-du-sud@campeole.com	5 ACDEFGIJKM	BHIJ**NO**TZ10
		❶ €48,40
🏔 N 43°12'51'' E 6°38'28''	3 ha 35T(70-100m²) 77D	❷ €63,90
🛣 Kurz vor St. Tropez rechts ab; Les Plages. Nach 6 km ist der CP auf der rechten Seite.		

Port-Grimaud, F-83310 / Prov.-Alpes-C. d'Az.

🏕 Les Prairies de la Mer***	1 ADE**JM**NOPR**T**	KMNOPQRSTW 6
🏠 1910 route du Littoral	2 EFHOPQVVWXY	ABDE**FG**H 7
📅 28 Mär - 12 Okt	3 BE**F**G**HKLMN**PQR**S**T	ABCDEFHJKNPQRSV 8
☎ +33 (0)4-94790909	4 ABCDILMNO**PQRTUV**XZ	EILMNOQSTUV 9
@ prairies@riviera-villages.com	5 ACDEFGIJK**M**	ABDGHIK**NP**QTUYZ10
	Anzeige auf Seite 379 B 6A	❶ €65,00
🏔 N 43°16'52'' E 6°34'57''	22 ha 100T(50-100m²) 1603D	❷ €73,00
🛣 Vom Zentrum von Ste Maxime Küstenweg in Richtung St. Tropez folgen. Nach ca. 6 km liegt der CP an der linken Seite.		

Ramatuelle, F-83350 / Provence-Alpes-Côte d'Azur

🏕 Les Tournels*****	1 ADE**JM**NOPR**T**	ABE**FG**HINOQRSTW 6
🏠 route de Camarat	2 BFHOPQRUVVWXY	ABDE**FG**H 7
📅 1 Apr - 15 Nov	3 BE**FKLMQ**	ABCDEFHJKNOPQRSTUV 8
☎ +33 (0)4-94559090	4 BCDILMNO**PQRTUV**XYZ	EJKLU 9
@ info@tournels.com	5 ACDEFGIJK**M**	ABCGHIJ**NP**TUZ10
	B 10A	❶ €64,20
🏔 N 43°12'19'' E 6°39'4''	H50 20 ha 604T(80-110m²) 692D	❷ €79,20
🛣 Kreisverkehr ca. 5 km vor St. Tropez: Richtung Ramatuelle, Les Plages.		

prairies de la mer

1910 Rte du littoral
83310 PORT-GRIMAUD
+33 4 94 79 09 09
prairies@riviera-villages.com
www.riviera-villages.com

Roquebrune-sur-Argens, F-83520 / Prov.-Alpes-C. d'Az. 📶 CC€16 iD

🏕 Domaine de la Bergerie★★★★★	1 ADEJMNOPRT AEFHIN 6
🛣 route du Col du Bougnon	2 ABCDPRTUVWXY ABDEFGH 7
📅 25 Apr - 30 Sep	3 BDEFHIKLMNQR ABCDEFHJKNOPQRSTUV 8
☎ +33 (0)4-98114545	4 ABCDEFHIJKLMNOPRTUVXYZ ELUV 9
@ info@domainelabergerie.com	5 ACDEFGHIJKM ABDHIKNPTUZ10
	Anzeige auf dieser Seite B 6-10A CEE ① €43,50
	60 ha 200T(80-200m²) 400D ② €64,70
🏔 N 43°23'55'' E 6°40'30''	

🚗 Von St. Aygulf Richtung Roquebrune-sur-Argens. Nach ca. 5 km im Kreisverkehr links ab Richtung Col du Bougnon. Nach 1 km ist der CP ausgeschildert.

Roquebrune-sur-Argens, F-83520 / Prov.-Alpes-C. d'Az. 📶 CC€12 iD

🏕 Le Vaudois★★★	1 ADEJMNOPRT AFNX 6
🛣 D7	2 AOPRVWXY ABDEFH 7
📅 25 Apr - 30 Sep	3 BKLQ ABCDEFHNPRSV 8
☎ +33 (0)4-94813770	4 IO E 9
@ camping.vaudois@wanadoo.fr	5 ABDFM BDHIJNOTU10
	B 10A CEE ① €32,70
	3 ha 44T(80-110m²) 69D ② €45,70
🏔 N 43°24'39'' E 6°41'31''	

🚗 Der CP liegt an der D7, 4 km nördlich von St. Aygulf.

Roquebrune-sur-Argens, F-83520 / Prov.-Alpes-C. d'Az. 📶 CC€16 iD

🏕 Leï Suves★★★★	1 ADEJMNOPRT ABFGNX 6
🛣 route de Marchandise, bd Ric Hochet	2 ABFOPRUVWXY ABDEFGH 7
📅 4 Apr - 15 Okt	3 BEGHKLMQ ABCDEFHJKNPRSTUV 8
☎ +33 (0)4-94454395	4 ABCDFHILNOPQ DEL 9
@ camping.lei.suves@ wanadoo.fr	5 ACDEFGIJKM ABDGHIJNPT10
	Anzeige auf Seite 381 B 6A CEE ① €49,20
	7,5 ha 160T(80-120m²) 249D ② €59,80
🏔 N 43°28'40'' E 6°38'19''	

🚗 A8 Ausfahrt Le Muy, Richtung Fréjus über die N7, beim Kreisverkehr in der Höhe von Roquebrune-sur-Argens links ab Richtung La Bouverie.

Roquebrune-sur-Argens, F-83520 / Prov.-Alpes-C. d'Az. 📶 CC€16 iD

🏕 Les Pêcheurs★★★★	1 ADEJMNOPRT ABFGLNWXY 6
📅 4 Apr - 29 Sep	2 ACDFOPVWXY ABDEFGH 7
☎ +33 (0)4-94457125	3 BEIKLQR ABCDEFHJKNPRSV 8
@ info@	4 ABCDEILNOPQTUXY AEJLQTUV 9
camping-les-pecheurs.com	5 ABDEFGIJKM BDGHIJNPTUZ10
	B 10A CEE ① €50,70
	5 ha 113T(80-100m²) 92D ② €61,85
🏔 N 43°27'4'' E 6°38'2''	

🚗 A8, Ausfahrt Le Muy, Richtung Roquebrune. CP liegt kurz vor dem Dorf, gegenüber vom See.

Roquebrune-sur-Argens, F-83520 / Prov.-Alpes-C. d'Az. 📶 CC€16 iD

🏕 Moulin des Iscles★★★	1 ADEJMNORT NX 6
🛣 chemin du Moulin des Iscles	2 ACFPVWXY ABDEFGH 7
📅 1 Apr - 30 Sep	3 BEIKLQ ABCDEFHJKNOPRSTUV 8
☎ +33 (0)4-94457074	4 ABCDIO EILQUV 9
@ moulin.iscles@wanadoo.fr	5 ACDEFIKM BDHIJNPTUZ10
	B 6A ① €27,90
	1,3 ha 79T(70-100m²) 11D ② €30,20
🏔 N 43°26'43'' E 6°39'28''	

🚗 A8, Ausfahrt Le Muy, weiter N7 Richtung Fréjus. Nach ca. 10 km rechts ab, Roquebrune. CP liegt etwas südlich des Dorfes, Richtung St. Aygulf.

Provence, Côte d'Azur

Roquebrune sur Argens

Leï Suves ★★★★
Camping Club - Caravaning

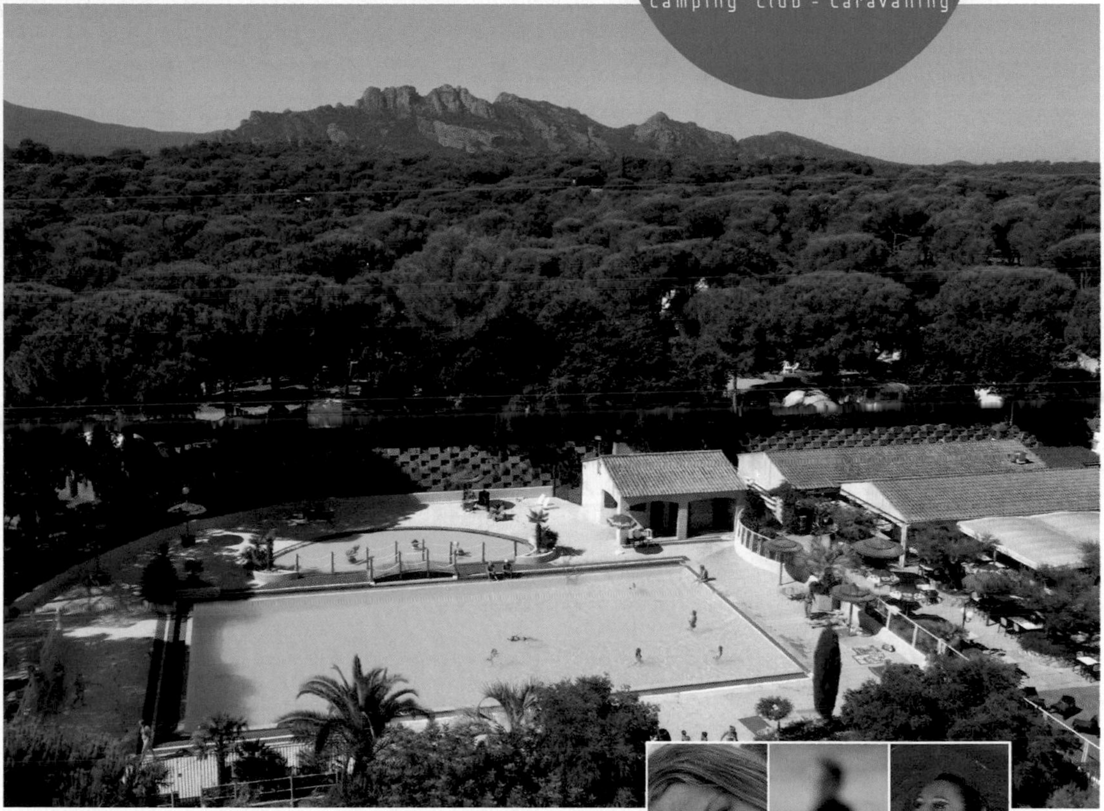

Genießen Sie von Ihrem Zelt, dem Wohnwagen oder Camper die Leichtigkeit der Provence. Leï Suves liegt in dieser Gegend, voller schöner Orte, die man besuchen kann, und mit einem herrlichen Klima, gleich bei den herrlichen Sandstränden der Côte d'Azur.

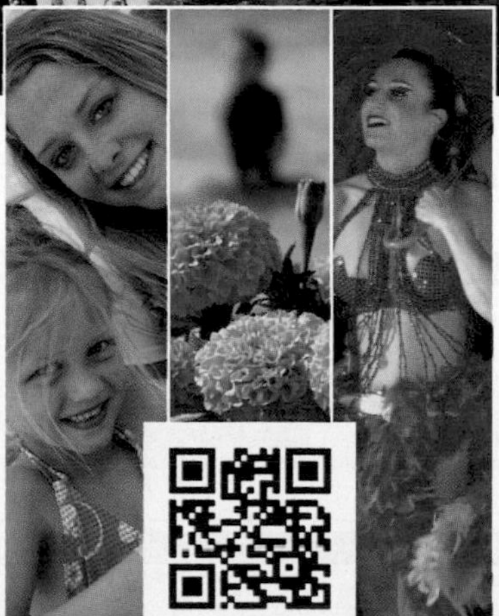

lei-suves.com

Route de Marchandise, Bd Ric Hochet - 83520 Roquebrune-sur-Argens
+33 (0)4 94 45 43 95 - GPS: 43°28'40" N 6°38'19"
E - camping.lei.suves@wanadoo.fr

Sanary-sur-Mer, F-83110 / Prov.-Alpes-C. d'Az. 📶 CC€16 iD

▲ Campasun
Le Mas de Pierredon★★★★
🏠 652 chemin Raoul Coletta
📅 18 Apr - 28 Sep
☎ +33 (0)4-94742502
@ pierredon@campasun.eu
📍 N 43°7'54'' E 5°48'53''
🚗 A50 Ausfahrt 12 Sanary Richtung Jardin Exotique. Hinter Mercedes Richtung Ollioules, dann den Schildern folgen.

1 ADE**JL**NOPR**T**		ABFH 6
2 APRTUVX		ABDE**FH** 7
3 AEI**K**LMQ	ABCDEFIJKLNQRS 8	
4 BDILNOPU		EJLV 9
5 ABDEFGIJL		BDGHIO**PT**10
B 10A CEE		① €48,50
4 ha 60**T**(70-100m²) 60**D**		② €66,90

Sanary-sur-Mer, F-83110 / Prov.-Alpes-C. d'Az. 📶 CC€18 iD

▲ Campasun
Le Parc Mogador★★★★
🏠 167 chemin de Beaucours
📅 28 Mär - 2 Nov
☎ +33 (0)4-94745316
@ mogador@campasun.eu
📍 N 43°7'26'' E 5°47'16''
🚗 A50, Ausfahrt 12 Bandol. Der D559 folgen Richtung Sanary. Ca. 2 km vor der Ortschaft liegt rechts der CP.

1 ADE**JM**NOPR**T**		ABF 6
2 ABJOPRVX		ABDE**FG**H 7
3 AB**K**LPQ	ABCDEFIJKNQRSTUV 8	
4 BDILNOPQ		EJLV 9
5 ABDEFG**K**L		BDFGHIJO**PT**U10
B 10A CEE		① €42,00
3 ha 80**T**(80-100m²) 172**D**		② €58,90

Six-Fours-les-Plages, F-83140 / Prov.-Alpes-C. d'Az. 📶 CC€16 iD

▲ Hôtellerie de Plein Air
Les Playes★★★★
🏠 419 rue Grand
📅 1 Jan - 31 Dez
☎ +33 (0)4-94255757
@ camplayes@wanadoo.fr
📍 N 43°6'47'' E 5°49'50''
🚗 In Six-Fours-les-Plages den Pfeilen folgen nach Les Playes. CP ist angezeigt.

1 ADF**JM**NOPR**T**		ABFG 6
2 ABORUVWXY		ABDE**F** 7
3 L	ABCDFIJNQRSTUV 8	
4 BDO**Q**		E 9
5 ABDEG**M**		BDFGHJNOU10
B 10A		① €38,70
1,5 ha 47**T**(50-80m²) 106**D**		② €50,65

St. Aygulf, F-83370 / Prov.-Alpes-Côte d'Azur 📶 CC€14 iD

▲ La Barque★★★
🏠 Quartier les Fougerettes D8
📅 28 Mär - 31 Okt
☎ +33 (0)4-94813186
@ lecamping-labarque@club-internet.fr
📍 N 43°25'3'' E 6°42'12''
🚗 Vom Zentrum St. Aygulf Richtung Roquebrune. Nach 4 km am Kreisel rechts ab. Nach 500m kommt der CP.

1 ADE**JM**NOPRS**T**		ANX**Z** 6
2 ACOPQVXY		ABDE**FG**H 7
3 BE**K**LQ	ABCDFHKNPRST 8	
4 **A**BCDFHLNOP**Q**U		ELUVWX**Z** 9
5 ADEFGIJK**M**		BDGHIJN**P**TU10
B 16A CEE		① €34,85
3 ha 42**T**(100-150m²) 149**D**		② €48,85

St. Aygulf, F-83370 / Prov.-Alpes-Côte d'Azur 📶 CC€18 iD

▲ La Plage d'Argens★★★
🏠 541, RD559
📅 4 Apr - 11 Okt
☎ +33 (0)4-94511497
@ info@laplagedargens.fr
📍 N 43°24'32'' E 6°43'30''
🚗 An der N98, 3 km östlich von St. Aygulf.

1 ADE**JM**NOR**T**		ABFGKMNPQRST**X**Y**Z** 6
2 ACEGHOPRVXY		ABDE**FG**H 7
3 BF**K**LQ	ABCDEFIKNORSV 8	
4 **A**BCD**E**ILNO**PQ**		AELUV 9
5 ACDEFGIJK**M**		ABDGHIJ**NP**T**Z**10
Anzeige auf dieser Seite B 5A CEE		① €41,20
7 ha 315**T**(80-100m²) 74**D**		② €56,20

St. Aygulf, F-83370 / Prov.-Alpes-Côte d'Azur 📶 CC€16 iD

▲ Les Jardins du Maï Taï★★★
🏠 99 route de Roquebrune
📅 18 Apr - 3 Okt
☎ +33 (0)4-94454893
@ lesjardinsdumaitai@gmail.com
📍 N 43°24'37'' E 6°42'29''
🚗 Vom Zentrum St. Aygulf Richtung Roquebrune-sur-Argens folgen. Nach knapp 2 km liegt der CP an der rechten Seite.

1 ADE**JM**NOR**T**		AFX 6
2 AHOPWXY		ABDE**FH** 7
3 BE**FK**LQ	ABDFHKNPRSTUV 8	
4 **A**BCDILNO**P**		EUV 9
5 ADEFGIK**M**		ABDHIJNOU10
B 16A		① €41,20
1,5 ha 34**T**(90-120m²) 49**D**		② €57,80

St. Aygulf, F-83370 / Provence-Alpes-Côte d'Azur 📶 iD

▲ Les Lauriers Roses★★★★
🏠 Grands Châteaux de Villepey
📅 25 Apr - 26 Sep
☎ +33 (0)4-94812446
@ lauriersroses-camping@orange.fr
📍 N 43°24'25'' E 6°42'33''
🚗 A8, Ausfahrt Puget-sur-Argens, Richtung Roquebrune-sur-Argens/St. Aygulf. Danach den Pfeilen zum CP folgen.

1 ADE**JM**NOPR**T**		ABFO 6
2 AFOPRUVWXY		ABDE**FH** 7
3 BE**FK**LQ	ABCDEFKNQRSTV 8	
4 **A**BCDEFHIO**QX**		ELUV 9
5 ADEGIJK**L**		ABFGHIJ**NP**T**Z**10
6A CEE		① €46,20
2 ha 69**T**(80-120m²) 16**D**		② €64,35

St. Aygulf, F-83370 / Prov.-Alpes-Côte d'Azur 📶 CC€18 iD

▲ Sandaya Riviera d'Azur★★★★
🏠 189 Les Grands Chât.de Villepey/RD7
📅 4 Apr - 12 Okt
☎ +33 (0)4-94810159
@ residenceducampeur@sandaya.fr
📍 N 43°24'33'' E 6°42'32''
🚗 Der CP liegt an der RD7, 2 km nördlich von St. Aygulf.

1 ADE**JM**NOPRS**T**		ABFGHN 6
2 ACGHOPRVWXY		ABDE**FG**H 7
3 BE**FIKL**M**Q**RST	ABCDEFHKLNPRTUV 8	
4 BCDE**F**HILMNO**PQX**		ACELUVWY 9
5 ACDEFGIJK**M**		BDHIJ**NP**QTUZ10
B 10A CEE		① €66,00
10 ha 131**T**(100m²) 312**D**		② €78,50

St. Cyr-sur-Mer, F-83270 / Prov.-Alpes-C. d'Az. 📶 CC€16 iD

🏕 Le Clos Sainte Thérèse***	1 ADILNORT	AF 6
� route de Bandol	2 AFORUVX	ABDEFH 7
📅 4 Apr - 30 Sep	3 AKLQ	ABCDFJNOQRSV 8
☎ +33 (0)4-94321221	4 BCDFINOPU	AEFIL 9
@ camping@clos-therese.com	5 ABDEFGILM	BFGHIKMPU10
	B 6-10A CEE	❶ €33,50
🚗 N 43°9'35'' E 5°43'46''	H100 4 ha 80T(65-150m²) 46D	❷ €42,10

Der A50 bis Ausfahrt St. Cyr-sur-Mer folgen, dann Richtung Bandol. Kurz vor dem Zentrum rechts ab.

Ste Maxime, F-83120 / Prov.-Alpes-C. d'Az. 📶 CC€16 iD

🏕 Les Cigalons**	1 ADEJMNOPRT	KMNOPQRSWX 6
🚗 34 ave du Croiseur Léger Le Malin	2 EFHOPQUVWXY	ABDEFH 7
📅 28 Mär - 17 Okt	3 AKQ	ABCDEFHNOPRV 8
☎ +33 (0)4-94960551	4 O	J 9
@ campingcigalon@wanadoo.fr	5 ADFG	BCDHIJNPTU10
	B 10A CEE	❶ €34,50
🚗 N 43°19'50'' E 6°40'1''	30T(70-100m²) 17D	❷ €44,00

A8, Ausfahrt 36 Le Muy. Einmal an der Küste links Richtung Fréjus. CP nach 5 km links.

Rivièra-Côte d'Azur
Alpes-Maritimes

Auribeau-sur-Siagne, F-06810 / Rivièra-C. d'Az. 📶 iD

🏕 Le Parc des Monges***	1 AJMNOPRST	ABFGJN 6
🚗 635 chemin du Gabre	2 CFOPVWXY	ABDEFH 7
📅 25 Apr - 26 Sep	3 BKLQ	ABCDEFHKNOPRSV 8
☎ +33 (0)4-93609171	4 BCDEFHINOU	EJ 9
@ contact@parcdesmonges.fr	5 ADEG	BGHIJNPTU10
	B 10A CEE	❶ €32,30
🚗 N 43°36'23'' E 6°54'9''	H212 1,4 ha 50T(40-100m²) 30D	❷ €43,50

A8 Ausfahrt Mandelieu Centre, Richtung Grasse. Weiter nach Pégonas und von dort nach Auribeau.

Cagnes-sur-Mer, F-06800 / Rivièra-Côte d'Azur 📶 iD

🏕 Le Colombier***	1 AIKNOPRT	A 6
🚗 35 chemin Sainte Colombe	2 AORVXY	ABDEFGHK 7
📅 1 Apr - 30 Sep	3 ABCLQ	ABCDEFJKNORV 8
☎ +33 (0)4-93731277	4 O	EHK 9
@ campinglecolombier06@ gmail.com	5 DM	BGHIJNOTUV10
	6A CEE	❶ €30,20
🚗 N 43°40'17'' E 7°8'20''	1,1 ha 34T(80-110m²) 3D	❷ €43,70

Auf der A8 Ausfahrt 47. Dann Richtung Zentrum Cagnes-sur-Mer, dann Colline de la Route de Vence bis zum Kreisel Durante folgen. Der CP-Beschilderung folgen und danach dem CP-Schild Le Colombier.

Antibes, F-06600 / Rivièra-Côte d'Azur 📶 CC€16 iD

🏕 Le Rossignol***	1 ADILNOPRT	ABF 6
🚗 2074 av. M. Pellissier/av. J. Grec	2 AJOPRUVY	ABDEFH 7
📅 29 Mär - 26 Sep	3 AKLQ	ABCDEFKNQRSTUV 8
☎ +33 (0)4-93335698	4 IO	EFL 9
@ campinglerossignol@ wanadoo.fr	5 ABGM	BDGHIJNPTU10
	B 10A CEE	❶ €32,60
🚗 N 43°36'23'' E 7°6'43''	1,8 ha 111T(90-110m²) 27D	❷ €44,60

A8 Ausfahrt 44 Antibes, Richtung Marineland. CP ist ausgeschildert.

Cagnes-sur-Mer, F-06800 / Rivièra-C. d'Az. 📶 CC€16 iD

🏕 Le Val Fleuri***	1 ADILNOPRST	ABFG 6
🚗 139 chemin Vallon des Vaux	2 AGJOPRUVXY	ABDEFH 7
📅 4 Apr - 26 Sep	3 ABLQ	ABCDEFHJNRV 8
☎ +33 (0)4 93312174	4 O	EHI 9
@ valfleur2@wanadoo.fr	5 ABDM	ABDHIKPTU10
	6A CEE	❶ €30,80
🚗 N 43°41'14'' E 7°9'21''	H70 1,5 ha 86T(80-100m²) 23D	❷ €35,80

A8 Ausfahrt Cagnes-sur-Mer. Dann die N7 Richtung Nice. Durch Cagnes-sur-Mer ausgeschildert.

Antibes, F-06600 / Rivièra-Côte d'Azur 📶 CC€16 iD

🏕 Les Frênes***	1 ADEILNOPQRST	AF 6
🚗 avenue du Pylône	2 AGOPRVXY	ABDEFGH 7
📅 23 Mai - 26 Sep	3 BILQ	ABCDEFKNQRSV 8
☎ +33 (0)4-93333652	4	DEFL 9
@ contact@ camping-lesfrenes.com	5 ABCDEFGKM	BDFGHIJLNPT10
	B 8A CEE	❶ €34,00
🚗 N 43°36'45'' E 7°7'4''	2,5 ha 200T(80-100m²) 72D	❷ €47,40

A8 Ausfahrt 44 Antibes/Juan les Pins, weiter Richtung Sophia Antipolis/ Marineland/Biot. Den CP-Schildern folgen.

La Colle-sur-Loup, F-06480 / Riv.-C. d'Az. 📶 CC€14 iD

🏕 Le Vallon Rouge***	1 ACDEILNOPRST	AFJNO 6
🚗 route de Roquefort / D6	2 ABCGJOPRVY	ABDEFGHJK 7
📅 5 Apr - 28 Sep	3 ABEGILQ	ABCDFKNQRSV 8
☎ +33 (0)4-93328612	4 ABCDFILMNOPQ	AEJKLU 9
@ info@auvallonrouge.com	5 ABDEFGIJKL	BDHIJLNOTU10
	Anzeige auf dieser Seite 10A	❶ €42,80
🚗 N 43°41'4'' E 7°4'24''	3 ha 80T(70-100m²) 77D	❷ €54,80

A8, Ausfahrt 47 Richtung Villeneuve-Loubet, danach D6 Richtung Grasse. Schildern folgen.

Frankreich

La Colle-sur-Loup, F-06480 / Riv.-C. d'Az. 🛜 CC€16 iD

🏕 Sites & Paysages Les Pinèdes★★★★
📫 route du Pont de Pierre
🕐 23 Mär – 30 Sep
☎ +33 (0)4-93329894
@ info@lespinedes.com
📶 N 43°40'54'' E 7°5'0''
🚗 A8, Ausfahrt 47 Richtung Villeneuve-Loubet, Ausfahrt La Colle, Straße D6 Richtung Grasse folgen.

1 AD**IL**NOPR**T**	ABFGJ**N** 6
2 ABCOPSUVXY	ABDE**FG**H 7
3 BE**GK**LQRU	ABCDFJKNOQRSTUV 8
4 BDFILOP**R**	EJKL 9
5 ACDEFGIJ**M**	ABDGHIJL**NP**TU10
Anzeige auf dieser Seite 10A	① € 43,20
H400 4 ha 106**T**(80-110m²) 41**D**	② € 55,80

Le Bar-sur-Loup, F-06620 / Rivièra-C. d'Az. 🛜 CC€16 iD

🏕 Les Gorges du Loup★★★
📫 965 chemin des Vergers
🕐 11 Apr – 26 Sep
☎ +33 (0)4-93424506
@ info@lesgorgesduloup.com
📶 N 43°42'6'' E 6°59'43''
🚗 A8 Ausf. 47, Ri. Roquefort-les-Pins, Ri. Le Rouret, Ri. Châteauneuf und dann Ri. Bar-sur-Loup. Der Campingplatz ist gleich ortsaußerhalb angezeigt (etwa 1,5 km).

1 A**J**MNOPR**T**	A 6
2 FOPRUVXY	ABDE**F**H 7
3 B**EK**LQ	ABCDEFHKNOPRV 8
4 BCDIO	DEIJL 9
5 ABDEFGIK**M**	BDHIJ**NP**TU10
B 6-10A CEE	① € 30,50
H300 1,6 ha 65**T**(80-160m²) 34**D**	② € 41,50

Mandelieu-la-Napoule, F-06210 / Riv.-C. d'Az. 🛜 CC€18 iD

🏕 Les Cigales★★★★
📫 505 av. de la Mer
🕐 1/1 - 15/11, 15/12 - 31/12
☎ +33 (0)4-93492353
@ campingcigales@wanadoo.fr
📶 N 43°32'01'' E 6°56'33''
🚗 A8, Ausfahrt 40; erste Straße rechts ab, zweite Ampel links. Oder N98, zwischen La Napoule und Cannes Richtung Mandelieu-Centre fahren.

1 ADE**J**MNOPRST	AFMNOPQRSTW**XZ** 6
2 ACFHOPQVWXY	ABDE**FG**H 7
3 B**K**LQ	ABCDEFHJKNPRSTUV 8
4 **AE**IO	EHUV 9
5 ADEFGIJ	ABFGHIJNOTU10
Anzeige auf dieser Seite B 6A	① € 53,00
2 ha 64**T**(20-120m²) 39**D**	② € 70,20

Le Cannet/Cannes, F-06110 / Riv.-C. d'Az. 🛜 CC€18 iD

🏕 Le Ranch★★★
📫 chemin Saint Joseph, l'Aubarède
🕐 15 Apr – 15 Okt
☎ +33 (0)4-93460011
@ info@leranchcamping.fr
📶 N 43°33'52'' E 6°58'40''
🚗 A8 Ausfahrt Le Cannet. Der D809 Richtung La Bocca folgen. Der Campingplatz ist gut angezeigt.

1 ADE**J**MNOPQRS	CE 6
2 FHORTUVXY	ABDE**F**H 7
3 ABE**K**LQS	ABCDFGKNRSTV 8
4 FHIO**PQ**R	EFGHL 9
5 ABDEFG**M**	BDGJ**P**TU10
B 6A CEE	① € 29,40
H100 2 ha 71**T**(80-150m²) 30**D**	② € 37,40

Puget-Théniers, F-06260 / Rivièra-C. d'Az. 🛜 CC€16 iD

🏕 Origan★★★★
🕐 25 Apr – 30 Sep
☎ +33 (0)4-93050600
@ origan@orange.fr
📶 N 43°57'26'' E 6°51'35''
🚗 Ca. 500m westlich des Dorfes Puget-Théniers (in der Nähe des Bahnübergangs), dem Pfeil folgen.

1 ADE**J**MNOPRST	ABF**H**N 6
2 BCFGRTUVWY	ABDE**F**H 7
3 BELMR	ABCDEFKNOQRSV 8
4 ABCDEFLNOQRTU**VX**	AEJL 9
5 ABDEFGJKL	ABDFHJNOTUVZ10
FKK B 6A	① € 39,20
H500 35 ha 60**T**(50-100m²) 120**D**	② € 55,20

Mandelieu-la-Napoule, F-06210 / Riv.-C. d'Az. 🛜 iD

🏕 Camping Côté Mer★★★
📫 630 boulevard du Bon Puits
🕐 11 Apr – 25 Sep
☎ +33 (0)4-93499419
@ info@campingcotemer.fr
📶 N 43°31'21'' E 6°55'55''
🚗 A8 Ausfahrt 40 Mandelieu Centre, links ab nach La Napoule (Av. de Cannes) über die Brücke. Danach über 3 Kreisel geradeaus. Der Camping ist gut angezeigt.

1 ADF**IL**NOPR**T**	AB 6
2 FOPRVXY	ABDE**FG**H 7
3 B**K**LQ	ABCDFHNPRV 8
4 FHN	EJ 9
5 ADEFGIJ	BGHIJNOTU10
B 6-10A	① € 42,80
81**T**(70-100m²) 62**D**	② € 48,80

ACSI Club iD

Das Camping Carnet für Europa

Nur € 4,95

Mandelieu-la-Napoule, F-06210 / Rivièra-C. d'Az. 🛜 iD

🏕 Camping de l'Argentière★★★
📫 264 boulevard du Bon Puits
🕐 1 Jan – 31 Dez
☎ +33 (0)4-93499504
@ contact@campingdelargentiere.com
📶 N 43°33'32'' E 6°56'0''
🚗 A8 Ausfahrt 40 Mandelieu-Centre. Links ab Richtung La Napoule (Avenue de Cannes). Über die Brücke, danach über drei Kreisel geradeaus. Camping ist gut angezeigt.

1 ADE**JM**NOPQRST	N**X** 6
2 CFOPRVX	ABDE**FG**H 7
3 B**K**LM	ABCDEFHJKNPRSTUV 8
4 CDFNO	E 9
5 ADEFIK**M**	ABGHIJPTU10
Anzeige auf dieser Seite B 10A	① € 33,80
30**T**(80-110m²) 70**D**	② € 44,80

Sospel, F-06380 / Rivièra-Côte d'Azur 📶 iD

🏕 Domaine Ste Madeleine***	1 AJMNOPQRST	AB 6
📧 route du Moulinet	2 CFPUVXY	ABEF 7
📅 28 Mär - 3 Okt	3 AQ	ABDEFNRV 8
☎ +33 (0)4-93041048	4 FH	JL 9
@ camp@	5 ACM	ABJNPTU10
camping-sainte-madeleine.com	B 10A CEE	❶ €25,40
📍 N 43°53'47'' E 7°24'57''	H199 4 ha 90T(80-100m²) 13D	❷ €35,00

🚗 A8 Ausfahrt Menton. D2566 Richtung Sospel (über viele Haarnadelkurven), im Zentrum links, Richtung du Moulinet. Von Sospel, Richtung Col de Turini. 4 km, ausgeschildert.

Vence, F-06140 / Rivièra-Côte d'Azur 📶 iD

🏕 La Bergerie***	1 ABDEJMNOPRST	A 6
📧 1330 chemin de la Sine	2 ABGOPRVY	ABDEFH 7
📅 25 Mär - 15 Okt	3 BLMQ	ABCDEFKNOQRSUV 8
☎ +33 (0)4-93580936	4 FH	J 9
@ info@	5 ACDEGIJKM	GHIJOTU10
camping-domainedelabergerie.com	B 5A	❶ €33,40
📍 N 43°42'44'' E 7°5'24''	H400 13 ha 450T(80-160m²) 2D	❷ €42,40

🚗 Ab der Autobahn Vence folgen. GPS erst Vence benutzen. Vom Zentrum Vence aus 2 km Richtung Tourrettes-sur-Loup/Grasse fahren. Nach 2 km beim Kreisverkehr links ab. 1 km den Pfeilen folgen.

Villeneuve-Loubet, F-06270 / Rivièra-Côte d'Azur iD

🏕 Parc St.-James Le Sourire****	1 ADILNORT	AF 6
📧 route de Grasse	2 AGOPRVXY	ABDEFGH 7
📅 28 Jun - 30 Aug	3 AIKLQ	ABCDEFNORV 8
☎ +33 (0)4-93209611	4 IOPQR	E 9
@ lesourire@	5 ADEFGIJ	AHIKL10
camping-parcsaintjames.com	6A	❶ €33,00
📍 N 43°39'36'' E 7°6'9''	9 ha 100T(70-100m²) 185D	❷ €41,00

🚗 Ausfahrt 47 Villeneuve-Loubet, Richtung Villeneuve-Loubet/Grasse fahren. Ca. 4 km geradeaus weiter liegt an der D2085 Quartier La Vanade.

Villeneuve-Loubet-Plage, F-06270 / Riv.-Côte d'Azur 📶 iD

🏕 La Vieille Ferme****	1 ABDEFJMNOPQRST	ABCDEFG 6
📧 296 boulevard des Groules	2 ABJOPRSUVWXY	ABDEFGH 7
📅 1 Jan - 31 Dez	3 BKLQRT	ABCDEFJNQRSTUV 8
☎ +33 (0)4-93334144	4 BDFHNO	JKL 9
@ info@vieilleferme.com	5 ABDEKM	ABGHIJNOTU10
		❶ €11,00
📍 N 43°37'12'' E 7°7'33''	2,8 ha 120T(80-100m²) 32D	❷ €53,00

🚗 Ausfahrt Antibes, Richtung Antibes, bei der N7 Richtung Nice. 900m nach Marineland links ab.

Villeneuve-Loubet-Plage, F-06270 / Riv.-Côte d'Azur 📶 iD

🏕 Motel Camping Hippodrome***	1 ABILNOPRST	ABCDE 6
📧 5 avenue des Rives	2 AEHJOSVY	ABDEFGHK 7
📅 1 Jan - 31 Dez	3 ALQ	ABCDEFJKNQRSTU 8
☎ +33 (0)4-93200200	4 NOSU	HL 9
@ contact@	5	BGHINPTU10
camping-hippodrome.com	Anzeige auf dieser Seite B 10A CEE	❶ €35,25
📍 N 43°38'31'' E 7°8'17''	0,8 ha 53T(85-140m²) 15D	❷ €46,25

🚗 A8 Ausfahrt 46 Villeneuve-Loubet, danach die N7. Küstenstraße Richtung Nice, beim Géant Casino links. CP beschildert.

Villeneuve-Loubet-Plage, F-06270 / Riv.-Côte d'Azur 📶 iD

🏕 Parc des Maurettes***	1 ADEJMNOPRST	KMNQSW 6
📧 730 av. du Doct. Lefebvre	2 AEJOPRUVY	ABDEFGH 7
📅 10 Jan - 15 Nov	3 ABLQ	ABCDEFJNOQRTUV 8
☎ +33 (0)4-93209191	4 FIOTU	GHJL 9
@ info@parcdesmaurettes.com	5 KM	ABEFGHIJMNPRTUV10
	B 16A CEE	❶ €35,80
📍 N 43°37'52'' E 7°7'46''	2 ha 108T(80-110m²) 21D	❷ €45,80

🚗 A8 von Nizza Ausfahrt 47 Villeneuve-Loubet Richtung Antibes. Von Cannes Ausfahrt 46 Bouches-du-Loup Richtung Antibes. Auf D6007 am Supermarkt Intermarché rechts ab.

Korsika

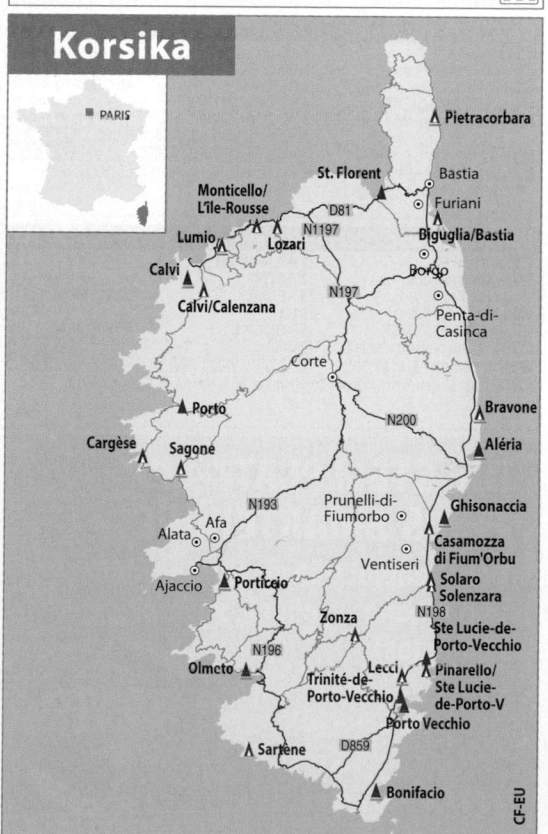

Aléria, F-20270 / KorsiKa 📶 CC€18 iD

🏕 Marina d'Aléria****	1 ADEILNOPRT	FKMNX 6
📧 route de la Mer	2 BEFHPQVXY	ABDEFGH 7
📅 25 Apr - 10 Okt	3 BFLMQT	ABCDEFKNRSV 8
☎ +33 (0)4-95570142	4 BCDILNOPR	EJKLMQRV 9
@ info@marina-aleria.com	5 ACDEFGJKL	ABDHIJPRZ10
	Anzeige auf dieser Seite B 9A CEE	❶ €45,30
📍 N 42°6'41'' E 9°33'5''	9 ha 130T(80-120m²) 213D	❷ €56,05

🚗 In Aléria, an der Kreuzung Richtung Küste. Gut ausgeschildert. Küstenweg ca. 3 km.

Frankreich

385

Map labels (Korsika): PARIS, Pietracorbara, St. Florent, Bastia, Furiani, Monticello/L'île-Rousse, D81, N1197, Biguglia/Bastia, Lumio, Lozari, Borgo, Calvi, N197, Calvi/Calenzana, Penta-di-Casinca, Corte, Porto, N200, Bravone, Cargèse, Sagone, Aléria, N193, Prunelli-di-Fiumorbo, Ghisonaccia, Alata, Afa, Casamozza di Fium'Orbu, Ajaccio, Porticcio, Ventiseri, Solaro, Solenzara, Zonza, N198, Ste Lucie-de-Porto-Vecchio, Olmeto, N196, Lecci, Pinarello/Ste Lucie-de-Porto-V, Trinité-de-Porto-Vecchio, Porto Vecchio, Sartène, D859, Bonifacio, CF-EU

Aléria, F-20270 / Korsika 📶 CC€18 iD

🏕 Riva Bella Thalasso & Spa Resort****	1 ADEG**IL**NOPRST	KNPQSWX 6
🏠 B.P. 21	2 BDEFHQRTY	BE**FG**H 7
📅 20 Jan - 20 Dez	3 BEFLMQR	ABEFNQRS 8
☎ +33 (0)4-95388110	4 ADE**I**KNO**PQRSTUVWXYZ**	AJKLMORTUV 9
@ riva-bella@orange.fr	5 ACDEFGJKL	ABDHIJ**NPT**U10
	Anzeige auf dieser Seite FKK B 10A	❶ €41,50
📍 N 42°9'55'' E 9°32'39''	78 ha 200T(100-120m²) 162D	❷ €57,90

🚗 Entlang der N198, 9 km nördlich von Aléria, dann 3 km auf eigenem Landweg Richtung Küste.

Biguglia/Bastia, F-20620 / Korsika 📶 iD

🏕 San Damiano***	1 ADE**JM**NOPRT	AFKNQX 6
🏠 Lido de la Marana	2 BEFHOQVY	ABDE**FG**H 7
📅 1 Apr - 2 Nov	3 BF**GHLMQ**	ABDEFKNRSV 8
☎ +33 (0)4-95336802	4 DHINO	EJKL 9
@ san.damiano@wanadoo.fr	5 ACDFGJK**LM**	HIJLNOTUZ10
	B 6A CEE	❶ €32,60
📍 N 42°37'45'' E 9°28'2''	12 ha 320T(80-120m²) 87D	❷ €46,80

🚗 Von Bastia aus die N193. Am Kreisel (rechts ist Furiani) links Richtung Lido Marana. Der Strecke folgen, mit dem Caravan nicht den 2,60m Tunnel, sondern rechts halten bis der CP angezeigt ist.

Bonifacio, F-20169 / Korsika 📶 CC€16 iD

🏕 Pian del Fosse***	1 ACDE**IL**NOR**T**	X 6
🏠 route de Santa Manza	2 PUVY	ABDE**FG**H 7
📅 20 Apr - 15 Okt	3 B**GHK**LQ	ABCDEFKNORSV 8
☎ +33 (0)4-95731634	4 O	FJ 9
@ pian.del.fosse@wanadoo.fr	5 ABDG**K**LM	BDFGHIJLO**V**10
	B 4-6-10A CEE	❶ €34,40
📍 N 41°23'59'' E 9°12'4''	H100 5 ha 100T(40-80m²) 24D	❷ €44,00

🚗 3,5 km hinter Bonifacio an der D60 Richtung Golfe de Sant'Amanza. Gut ausgeschildert, auf der rechten Seite.

Bonifacio, F-20169 / Korsika iD

🏕 Rondinara***	1 ABDE**JM**NOR**T**	AKMNQSUWX 6
🏠 Suartone	2 EFHNPRTUVWX	ABDE**FG** 7
📅 15 Mai - 30 Sep	3 ABEFLQ	ABCDEFKLNORSV 8
☎ +33 (0)4-95704315	4 NOP**Q**	EKLRT 9
@ reception@rondinara.fr	5 ACDEFGIKL**M**	AGHIJTU10
	Anzeige auf dieser Seite B 6A CEE	❶ €33,50
📍 N 41°28'24'' E 9°15'46''	H80 6 ha 300T 72D	❷ €43,30

🚗 15 km nördlich von Bonifacio (N198) Richtung Suartone (D158) abzweigen, dann noch 6 km. Viele Kurven und Steigungen, enge Straße.

Bonifacio, F-20169 / Korsika 📶 iD

🏕 U Farniente Pertamina****	1 ADE**IL**NORT	ABFGH 6
🏠 N198, km 3	2 PRVY	ABDE**FG**H 7
📅 1 Apr - 30 Okt	3 BEF**LMQ**	ABCDEFKNQRSV 8
☎ +33 (0)4-95730547	4 BDILNORUY	AEIJKL 9
@ pertamina@wanadoo.fr	5 ACDEFGJK**LM**	BGHIJOUZ10
	B 16A CEE	❶ €43,00
📍 N 41°25'5'' E 9°10'47''	15 ha 122T(80-100m²) 196D	❷ €57,00

🚗 5 km nördlich von Bonifacio an der rechten Seite von der N198. Schild 'Portamina Village'.

Bravone, F-20230 / Korsika 📶 CC€16 iD

🏕 Bagheera****	1 ABDE**IL**NOP**R**T	KMNOPQRSTWXY 6
🏠 N198	2 BEFHPQY	BE**FG**H 7
📅 1 Jan - 20 Dez	3 BEL**MNQ**	ABCDEFNRS 8
☎ +33 (0)4-95388030	4 A**DIJ**LNOP**QTXY**	DJKLMOPQRSTUV 9
@ bagheera@bagheera.fr	5 ACDEFGJKL	ABDGIJ**NOV**10
	FKK B 4A	❶ €36,20
📍 N 42°12'53'' E 9°33'19''	100 ha 250T(80-120m²) 144D	❷ €45,90

🚗 CP liegt bei San Nicolao/Bravone, an der N198, ca. 18 km südlich von San Moriani-Plage und ca. 12 km nördlich von Aléria, ca. 3 km von N198 entfernt.

Calvi, F-20260 / Korsika 📶 iD

🏕 Dolce Vita***	1 ADEILNOPQRST	KNOPQSW**XY** 6
🏠 route de Bastia, N197	2 BCEHOQVY	BE**FG**H 7
📅 1 Mai - 30 Sep	3 BCELMQ	ABCDEFKNOQRS 8
☎ +33 (0)4-95650599	4 OT	9
@ dolce-vita.office@orange.fr	5 ABDFGJK**M**	BGHIJPTUVZ10
	B 10A CEE	❶ €34,00
📍 N 42°33'15'' E 8°47'19''	6 ha 200T(80-100m²) 20D	❷ €48,30

🚗 Entlang der N197 gelegen, l'Île Rousse-Calvi, ca. 4 km nördlich von Calvi.

Calvi, F-20260 / Korsika 📶 iD

🏕 La Morsetta Camping***	1 ADE**IL**NOPRT	KNOPQSUWX 6
🏠 route de Calvi-Porto	2 BEFJRUY	ADF 7
📅 1 Mai - 7 Okt	3 MQ	ACEFKNORS 8
☎ +33 (0)4-95652528	4 AO	AEJKL 9
@ info@lamorsetta.net	5 ABEGIKL	ABHIJOT10
	B 4A	❶ €33,20
📍 N 42°27'55'' E 8°40'56''	5,5 ha 180T(80-100m²) 28D	❷ €48,80

🚗 Über die D81 von Calvi nach Galeria fahren. Dann ca. 12 km über die D81b Küstenstraße Richtung Calvi. Direktverbindung die D81b ab Calvi 20 km (schwierig für Wohnwagen).

Calvi, F-20260 / Korsika 📶 CC€16 iD

🏕 La Pinède****	1 ADEILNOPRT	ABFGKNQ 6
🏠 route de la Pinède	2 EHQRXY	ABDE**FG**H 7
📅 28 Mär - 31 Okt	3 BEILMQ	ABCDEFNORS 8
☎ +33 (0)4-95651780	4 BCD**EI**LOTUVX	EJKL 9
@ info@camping-calvi.com	5 ACDEFGJK**M**	ABGHIJ**PT**VZ10
	Anzeige auf Seite 387 B 12A CEE	❶ €36,00
📍 N 42°33'13'' E 8°46'7''	5 ha 262T(80-100m²) 114D	❷ €51,90

🚗 N197 l'Île Rousse-Calvi. Bei Calvi (hinter dem Ortsschild) nach 200m rechts. CP Schildern folgen. CP liegt im Wald von La Pinède.

Calvi/Calenzana, F-20214 / Korsika 📶 iD

🏕 Paradella**	1 AILNOPQRS**T**	A 6
🏠 route de la Forêt de Bonifacio, D81	2 FQRY	ABDEFHJ 7
	3 AELMQ	ABCDEFKNORS 8
📅 31 Mai - 30 Sep	4 IO	EJ 9
☎ +33 (0)4-95650097	5 ABDGK**L**	AHIJL**N**OTV10
@ info@camping-paradella.fr	B 3-6A	❶ €32,40
📍 N 42°30'9'' E 8°47'30''	5 ha 132T(100m²) 38D	❷ €46,30

🚗 CP liegt hinter dem Flughafen, neben der D81, 6 km von Calvi entfernt.

Cargèse, F-20130 / Korsika

🛈

⛰ Torraccia***	1 ADEILNOPRT	AX 6
🏠 Bagghiuccia	2 BOQRUY	ABDF**H** 7
🗓 1 Mai - 30 Sep	3 AELQ	ACEFKNS 8
☎ +33 (0)4-95264239	4 I	JKL 9
@ contact@	5 ABFGK**L**	ABHIJU10
camping-torraccia.com	B 10A	❶ €28,60
🏕 N 42°9'44'' E 8°35'58''	3 ha 90**T**(70-110m²) 25**D**	❷ €42,00

🚗 Gelegen an der D81, 4 km im Norden von Cargèse.

Casamozza di Fium'Orbu, F-20243 / Korsika

🛜 🛈

⛰ Via Romana	1 ABFJMNOPRST	AF 6
🏠 Via Romana	2 OPQVXY	ABE**F** 7
🗓 1 Mai - 30 Okt	3 AELMQS	ACFNRS 8
☎ +33 (0)4-95570702	4 OQ	EJ 9
@ pileandri@gmail.com	5 ADDFGL	BHIJ**N**PV10
	10A CEE	❶ €24,00
🏕 N 41°59'11'' E 9°23'56''	2,5 ha 30**T**(80-120m²) 60**D**	❷ €28,00

🚗 Von der N198 aus in Casamozza di Fium'Orbu ist der CP ausgeschildert.

Ghisonaccia, F-20240 / Korsika

🛜 (CC€18) 🛈

⛰ Arinella Bianca*****	1 ADE**IL**NOPRT ABFKMNPQRSTWX 6	
🏠 route de la Mer	2 CEFHOPQVY	ABDE**FG**H 7
🗓 11 Apr - 30 Sep	3 BEF**GHL**MQ	ABCDEFNQRSV 8
☎ +33 (0)4-95560478	4 **ABCDE**IL**NOP**Q**TUV**XY	EJKLMOQRT 9
@ arinella@arinellabianca.com	5 ACDEFGIJKL	ABGHIJM**N**PTUVZ10
	B 10A CEE	❶ €50,40
🏕 N 41°59'56'' E 9°26'32''	10 ha 140**T**(80-120m²) 231**D**	❷ €72,80

🚗 Von der N198 im Kreisel hinter dem Zentrum Ghisonaccia, die Route de la Mer 5 km, dann beim Kreisverkehr rechts ab. Dem CP-Schild folgen.

Ghisonaccia, F-20240 / Korsika

🛜 (CC€16) 🛈

⛰ Marina d'Erba Rossa****	1 ADE**IL**NOPRST	AKMNOQWX 6
🏠 route de la Mer	2 BEFHPQVWXY	ABDE**FG** 7
🗓 4 Apr - 11 Okt	3 BEFILMQ	ABCDEFKNQRS 8
☎ +33 (0)4-95562514	4 BCDIKLNO**PQUXY**	EJKL 9
@ erbarossa@wanadoo.fr	5 ACDEFGJ	ABDHIJ**NP**STZ10
	10A	❶ €51,70
🏕 N 42°0'2'' E 9°26'49''	8 ha 100**T**(80-120m²) 511**D**	❷ €61,70

🚗 Von der N198 am Kreisel hinter dem Zentrum von Ghisonaccia. Route de la Mer 5 km.

Ghisonaccia, F-20240 / Korsika

🛈

⛰ U Casone	1 ADJMNOPRST	AX 6
🏠 route de la Mer	2 CFHQVXY	ABD**F** 7
🗓 1 Mai - 30 Sep	3 AFL	ABEFNQRV 8
☎ +33 (0)4-95560241	4 EOX	ABEIJRV 9
@ info@ucasone.net	5 ABFGIL	AGHIJTUV10
	4-16A CEE	❶ €28,50
🏕 N 42°0'15'' E 9°26'19''	4 ha 100**T**(100-160m²) 37**D**	❷ €40,50

🚗 Von der N198 am Kreisel hinter dem Zentrum zur Route de la Mer. Nach ca. 4 km rechts ab und den CP-Schildern folgen.

Lecci, F-20137 / Korsika

🛜 (CC€16) 🛈

⛰ Mulinacciu***	1 A**J**MNOPR**T**	ABFGHJNX 6
🗓 20 Mai - 30 Sep	2 BCQRXY	ABE**F**H 7
☎ +33 (0)4-95714748	3 BEFL**M**PQ	ABCDFNRS 8
@ infos@mulinacciu.com	4 BDILNOPQ	EFK 9
	5 ADEFGI	AGHJ**P**V10
	B 4A CEE	❶ €27,50
🏕 N 41°40'19'' E 9°18'6''	H80 14 ha 160**T**(40-100m²) 92**D**	❷ €35,50

🚗 Von Lecci N198 Richtung Porto Vecchio, hinter der Ortschaft mit großen Schildern angezeigt. Rechts von der Straße.

Lozari, F-20226 / Korsika

🛜 🛈

⛰ Le Clos des Chênes***	1 A**J**MNOPR**T**	AFH**X** 6
🏠 route de Belgodère	2 FHMPQRVY	BE**F**H 7
🗓 15 Mai - 30 Sep	3 BL**MQ**	BCDFNRS 8
☎ +33 (0)4-95601513	4 IO**P**	EGJK 9
@ cdc.lozari@wanadoo.fr	5 ABEFGIK**L**	ABGHIJOTV10
	B 4-6-8A	❶ €35,40
🏕 N 42°37'38'' E 9°0'39''	5 ha 195**T**(80m²) 105**D**	❷ €50,80

🚗 An Kreuzung von D81 und N197 gelegen, in Lozari, 1,5 km landeinwärts.

Lumio, F-20260 / Korsika

🛜 (CC€14) 🛈

⛰ Le Panoramic**	1 A**J**MNOPR**T**	A 6
🏠 route de Lavatoggio	2 F**Q**RTUVY	AD**F** 7
🗓 1 Mai - 30 Sep	3 ALQ	ACFNV 8
☎ +33 (0)4-95607313	4 DCDFO**PQ**	EK 9
@ info@le-panoramic.com	5 A**B**DEEGIK**M**	ABHJU10
Anzeige auf dieser Seite	6A CEE	❶ €31,00
🏕 N 42°35'24'' E 8°50'55''	100**T** 8**D**	❷ €43,00

🚗 Die N197 und D71 Richtung Lavatoggio. Der Camping liegt 1,5 km bei Lumio.

Monticello/L'Île-Rousse, F-20220 / Korsika

🛜 🛈

⛰ Les Oliviers**	1 ADE**J**MNOPQRST	PQ**X** 6
🏠 route de Bastia, N197	2 EFHOVX	ABD**FG** 7
🗓 10 Apr - 5 Okt	3 A**KL**Q	ABCEFN**N** 8
☎ +33 (0)4-95601992	4 FO	JL 9
@ contact@	5 ADEFGILM	GHIJ**N**PTU10
camping-oliviers.com	B 6-10A CEE	❶ €25,50
🏕 N 42°37'52'' E 8°57'9''	4,5 ha 209**T**(80-120m²) 15**D**	❷ €35,50

🚗 An der N197 1 km nördlich von L'Île Rousse liegt der CP an der rechten Seite.

Olmeto, F-20113 / Korsika

🛜 🛈

⛰ Ras l'Bol***	1 ADE**IL**NOPRS**T**	KNQSUWX 6
🏠 Olmeto-Plage	2 EHPRVY	AD**F** 7
🗓 1 Apr - 30 Sep	3 AFLQ	ACEFKNSV 8
☎ +33 (0)4-95740425	4 O**P**	JQRT 9
@ infos@raslbol.com	5 ACDEFGIK**LM**	ABGHILOV10
	B 6-10A CEE	❶ €32,80
🏕 N 41°42'11'' E 8°50'9''	5 ha 150**T**(60-120m²) 30**D**	❷ €47,40

🚗 Zwischen Olmeto und Propriano Straße N196 verlassen, via D157. Nach ca. 6 km CP direkt am Strand.

Olmeto, F-20113 / Korsika 📶 (CC€16) iD

- 🏕 Vigna Maggiore
- 🛣 RN196/RD157
- 📅 1 Mai - 30 Sep
- ☎ +33 (0)4-95746202
- @ contact@vignamaggiore.com
- 📍 N 41°41'53'' E 8°53'47''

1	AILNOPQRST	AB 6
2	FGQRTWXY	ABDEFH 7
3	ABLQ	ABCDEFKNV 8
4	F	F 9
5	ABCDEFGIKL	HIJNOST 10
B 6A CEE		❶ €31,80
H50 5,5 ha 140T(70-180m²) 40D		❷ €44,80

🚐 Von Propriano Richtung Olmeto, sofort nach der Ausfahrt D157 CP in der Kurve links.

Pietracorbara, F-20233 / Korsika 📶 (CC€16) iD

- 🏕 La Pietra***
- 🛣 Marine de Pietracorbara
- 📅 20 Mär - 4 Nov
- ☎ +33 (0)4-95352749
- @ lapietra@wanadoo.fr
- 📍 N 42°50'20'' E 9°28'25''

1	ADEJMNOPQRST	AOPQX 6
2	FGHMOQVWXY	ABDEF 7
3	BQ	ABCDEFNOQRS 8
4	BDIO	9
5	ABDGIL	FGHIJOTU 10
B 10A CEE		❶ €33,30
2,5 ha 170T(95-120m²)		❷ €42,20

🚐 An D80 von Bastia nach Cap Corse, nach 20 km links, gut ausgeschildert.

Pinarello/Ste Lucie-de-Porto-V, F-20144 / Korsika 📶 iD

- 🏕 Pinarello***
- 🛣 D168
- 📅 1 Mai - 15 Okt
- ☎ +33 (0)4-95714398
- @ campingpinarello@orange.fr
- 📍 N 41°41'9'' E 9°22'13''

1	AHKNORT	AF 6
2	GPQTXY	ABDEFH 7
3	BLM	ABCDEFNOR 8
4	O	DEJ 9
5	ABDFGIKLM	BFHIJNOV 10
5-10A		❶ €25,00
5 ha 150T(50-100m²) 39D		❷ €35,50

🚐 Bei Ste Lucie-de-Porto-Vecchio Richtung Pinarello (D168) abzweigen. Von der N198 aus noch 4 km.

Porticcio, F-20166 / Korsika 📶 (CC€18) iD

- 🏕 Benista****
- 🛣 Pisciatello / D55
- 📅 1 Apr - 15 Okt
- ☎ +33 (0)4-95251930
- @ camping.benista@orange.fr
- 📍 N 41°54'25'' E 8°49'21''

1	ADEJMNOPRST	AFX 6
2	COPQRVY	ABDEFGH 7
3	ABEJKLMQ	ABDFKNQRS 8
4	BCDIOP	IJKL 9
5	ABCDEFGIKLM	ABDGHIPTUV 10
B 5A CEE		❶ €33,60
5 ha 170T(90-110m²) 38D		❷ €48,60

🚐 Von der N196 auf die D55 fahren. Nach ca. 600m liegt der CP auf der rechten Seite.

Porticcio, F-20166 / Korsika 📶 iD

- 🏕 Europe***
- 🛣 route de Pietrosella
- 📅 1 Mai - 1 Okt
- ☎ +33 (0)4-95254294
- @ contact@campingeurope.fr
- 📍 N 41°51'7'' E 8°47'50''

1	ADEJMNORST	HKQSWX 6
2	EHPRSVXY	ABDEF 7
3	BKLQ	ABCDEFNOR 8
4	FIPQ	FJ 9
5	ACDEFGIKLM	GHIJLOV 10
B 4-6A		❶ €23,40
3 ha 124T(100-150m²) 32D		❷ €33,50

🚐 Von Ajaccio D196, dann die D55 Richtung Porticcio. Hinter Porticcio noch 4 km. Dann ist der CP angezeigt.

Porticcio, F-20166 / Korsika 📶 iD

- 🏕 U Prunelli****
- 🛣 Pont de Prunelli
- 📅 1 Apr - 31 Okt
- ☎ +33 (0)4-95251923
- @ camping-prunelli@orange.fr
- 📍 N 41°54'40'' E 8°49'34''

1	AILNOPRST	ABF 6
2	COPQVY	ABDEFGH 7
3	ABKLM	ABCDEFKNRSTUV 8
4	OP	JK 9
5	ACDEFGIKLM	BFGHIJORVZ 10
B 16A CEE		❶ €39,50
6 ha 200T(40-120m²) 51D		❷ €55,20

🚐 Straße N196, dann D55 folgen, direkt am Beginn der Straße CP auf rechter Seite (direkt nach Kreisverkehr rechts).

Porto, F-20150 / Korsika 📶 iD

- 🏕 Funtana a l'Ora
- 🛣 route d'Evisa
- 📅 1 Apr - 31 Okt
- ☎ +33 (0)4-95261165
- @ funtanaalaora@orange.fr
- 📍 N 42°15'13'' E 8°43'19''

1	AJMNOPRST	AB 6
2	CFQUVY	BEFGH 7
3	BELQ	ABEFNRST 8
4	DFIO	JKL 9
5	ABFGL	ABFHIJNPSTV 10
		❶ €35,60
3 ha 70T(100m²) 22D		❷ €50,95

🚐 Der CP liegt 1 km hinter Porto, an der Strecke Porto-Evisa (D84).

Porto, F-20150 / Korsika 📶 iD

- 🏕 Les Oliviers***
- 📅 26 Mär - 10 Nov
- ☎ +33 (0)4-95261449
- @ lesoliviersporto@wanadoo.fr
- 📍 N 42°15'43'' E 8°42'37''

1	ADEGHKNORT	ABIJNOP 6
2	CJMNOQRUY	ABDEFGH 7
3	ALMQ	ABCDFNQRSV 8
4	DFIORSTV	JKLV 9
5	ADEFGJKL	ABHIJPTVZ 10
Anzeige auf Seite 389 10A CEE		❶ €37,50
5 ha 216T(60-100m²) 52D		❷ €53,50

🚐 Gelegen an der D81 in Porto. Deutlich ausgeschildert an der Flussbrücke.

Porto Vecchio, F-20137 / Korsika 📶 iD

- 🏕 Golfo di Sogno****
- 🛣 BP80
- 📅 1 Mai - 30 Sep
- ☎ +33 (0)4-95700898
- @ reception@golfo-di-sogno.fr
- 📍 N 41°37'44'' E 9°18'51''

1	ABDEILNORT	KPQRSTXYZ 6
2	CEGHPQVXY	BEFG 7
3	BELM	BDFNRV 8
4	OP	EFIJO 9
5	ADEFGIKLM	GHIJO 10
B 10A		❶ €30,00
30 ha 650T(80-120m²) 296D		❷ €43,50

🚐 5 km nördlich von Porto Vecchio (N198) bei Ste Trinité abzweigen Richtung Meer (D468). An Kreuzung weiter auf D468, nach 1,5 km CP rechts.

Porto Vecchio, F-20137 / Korsika 📶 iD

- 🏕 La Chiappa***
- 📅 4 Mai - 6 Okt
- ☎ +33 (0)4-95700031
- @ chiappa@wanadoo.fr
- 📍 N 41°35'37'' E 9°21'26''

1	ADEGILNORT	ABFKMNOPQRSTVXZ 6
2	EFHKMPQRTWY	ABDEFK 7
3	ABEFGHILMNQ	ABCDEFNQRSU 8
4	BDKLMNOQRTX	JLMOQRS 9
5	ACDEFGJKLM	ABFHIJNOZ 10
FKK B 6A		❶ €38,80
65 ha 230T(50-80m²) 240D		❷ €48,80

🚐 Von Porto Vecchio aus auf der N198 Ri. Bonifacio. Nach 500m hinter der Brücke 1. Straße li ab. Nach ± 17 km li ab und den CP-Schildern folgen. Von Süden her bis zum Kreisel durchfahren, wo Figari angezeigt wird. Dann weiter re ab Ri. Palombaggio.

Porto Vecchio, F-20137 / Korsika iD

- 🏕 U Furu***
- 🛣 route de Muratello
- 📅 15 Mai - 15 Okt
- ☎ +33 (0)4-95701083
- @ contact@u-furu.com
- 📍 N 41°37'4'' E 9°12'44''

1	AHKNORST	AF 6
2	BCPRSTUVXY	ADF 7
3	ABL	AFNR 8
4	BDFN	J 9
5	ABDEGIKLM	BHIJV 10
Anzeige auf dieser Seite FKK 4A CEE		❶ €30,20
H100 5 ha 70T(100m²) 14D		❷ €37,90

🚐 Route Porto Vecchio-Muratello. Beschilderung U Furu folgen.

Les Oliviers ★ ★ ★

Der Campingplatz liegt in einem durch die Unesco geschützten archäologischen Gebiet. Wir bieten: herrliche Aussicht, Terrassenstellplätze, moderne Ausstattungen, schattige Plätze und Bungalows mit allem Komfort und Aircondition. Schwimmbad mit Wildwasserbahn, Balneo Sauna, türkisches Bad, Fitnessräume. Viele touristisch interessante Ausflüge möglich: Calance de Piana, Scandol Naturschutzgebiet, Girolata, Forêt d'Aîtone usw. Tauchmöglichkeiten.

20150 Porto
Tel. 0033-4-95261449 · Fax 0033-4-95261249
E-Mail: lesoliviersporto@wanadoo.fr
Internet: www.camping-oliviers-porto.com

Porto Vecchio, F-20137 / Korsika 🛜

▲ U Pirellu	1 BDEGHKNORT	ABF 6
🚏 route de Palombaggia	2 FQRTUVXY	ABDEFH 7
📅 15 Apr - 30 Sep	3 ABELQ	ABDEFJKNORSV 8
☎ +33 (0)4-95702344	4 BDO	J 9
@ u-pirellu@wanadoo.fr	5 ABCDEFGJK**LM**	**JNOP**V10
	B 6A CEE	❶ €36,40
🅿🚗 N 41°35'23'' E 9°19'55''	5 ha 150T 17D	❷ €46,80

🚗 Von Porto Vecchio die N198 Richtung Bonifacio, 500m über die Brücke, am Kreisel links Ri. Palombaggio. Nach ± 16 km liegt der Camping rechts. Von Süden : Kreisel rechts Richtung Palombaggio. Nach + 16 km liegt der Camping rechts.

Sagone, F-20118 / Korsika 🛜 CC€16 iD

▲ Le Sagone Camping	1 ADEILNOPRS**T**	AFNO**X** 6
🚏 route de Vico	2 BCHOPQVY	ABDE**FGH** 7
📅 21 Apr - 30 Sep	3 BE**JLM**QT	ABCDFKNQRSV 8
☎ +33 (0)4-95280415	4 BCDEIOQ**RX**	AEJK 9
@ sagone.camping@wanadoo.fr	5 ACDEFGJKI	BCGHIJM**O**STZ10
	B 10A	❶ €39,95
🅿🚗 N 42°7'51'' E 8°42'18''	9 ha 470T(80-120m²) 263D	❷ €51,45

🚗 An der D70, 2 km auf dem Weg Sagone-Vico. In Sagone ausgeschildert.

Sartène, F-20100 / Korsika 🛜 iD

▲ Campéole L'Avena***	1 ABDE**JM**NOR**T**	KNOP 6
🚏 Tizzano	2 EFHMNPUVWXY	ABDEFH 7
📅 25 Mai - 21 Sep	3 ABELQT	ABEFNRT 8
☎ +33 (0)4-95770218	4 BDN	FL 9
@ avena@campeole.com	5 ACDFGIKL**M**	BIJO**V**Z10
	B 6A	❶ €30,40
🅿🚗 N 41°32'5'' E 8°51'54''	6,5 ha 80T(50-90m²) 121D	❷ €47,60

🚗 Propiano Richtung Sartène. Dann die D48 nach Tizzano. Vor dem Ort links den Hinweisen folgen. Nach 1 km CP.

Solaro, F-20240 / Korsika 🛜 iD

▲ Les Eucalyptus**	1 ABJMNOPRST	KX 6
🚏 N198	2 CEFHIRWX	ABDE**F** 7
📅 1 Mai - 15 Okt	3 FL	ABEFNR 8
☎ +33 (0)4-95396552	4	D 9
@ camping.eucalyptus@orange.fr	5 ADGL**M**	HOR10
	B 16A	❶ €25,80
🅿🚗 N 41°52'38'' E 9°23'47''	3 ha 60T(100m²) 4D	❷ €32,30

🚗 Der CP liegt an der N198, 2 km nördlich von Solenzara.

Solenzara, F-20145 / Korsika 🛜 iD

▲ De la Côte des Nacres**	1 ABDE**IL**NORS**T**	JKNQSWX 6
🚏 N198	2 CEHPQRWX	AD**FGH** 7
📅 15 Apr - 30 Sep	3 AFLQ	AEFNRS 8
☎ +33 (0)4-95574065	4 BDIOP**Q**	J 9
@ info@campingdesnacres.fr	5 ACDEFGIK**M**	BHIJ**N**RZ10
	B 6A	❶ €30,70
🅿🚗 N 41°51'56'' E 9°23'50''	4 ha 130T(100m²) 45D	❷ €39,90

🚗 CP an Straße N198, ca. 1 km nördlich von Solenzara.

St. Florent, F-20217 / Korsika 🛜 iD

▲ D'Olzo***	1 A**JM**NOPRT	AQS 6
🚏 Lieu Dit Strutta	2 FHVY	ABDE**FGH** 7
📅 9 Mai - 25 Sep	3 ALQ	ABEFNORSV 8
☎ +33 (0)4-95370334	4 IO	EFI 9
@ info@campingolzo.com	5 ACDEFGIK**L**	ABGHIJMPTV10
	B 6-10A CEE	❶ €30,00
🅿🚗 N 42°41'36'' E 9°19'31''	2 ha 150T(90m²) 46D	❷ €38,00

🚗 Von Bastia die D81 Richtung St. Florent. 2 km vor St. Florent an der rechten Seite.

St. Florent, F-20217 / Korsika 🛜 iD

▲ Kalliste Camping-Village****	1 ADEILNOPRT	AKNOPQSWX 6
🚏 route de la Plage	2 CEHQVXY	ABDE**FGH** 7
📅 19 Apr - 19 Okt	3 B**GH**LQ	ABCDEFJKNRS 8
☎ +33 (0)4-95370308	4 BCDILNOP**QU**	AEKL 9
@ campingkalliste@orange.fr	5 ACDEFGJL	BHIJLO**P**TZ10
	B 10A	❶ €40,00
🅿🚗 N 42°40'24'' E 9°17'49''	3,5 ha 115T(80-120m²) 104D	❷ €48,00

🚗 Von St. Florent Richtung Calvi/l'Île Rousse. Am ersten rechten Seitenweg von der D81 hinter der Brücke über die Aliso.

Ste Lucie-de-Porto-Vecchio, F-20144 / Korsika 🛜

▲ Fautea***	1 B**GIL**NOR**T**	KNQWX 6
🚏 N198	2 EHJMNRUVXY	ABDE**F** 7
📅 1 Mai - 30 Sep	3 A	ABCDFNRS 8
☎ +33 (0)4-95711151	4 P**Q**	EJ 9
@ contact@camping-fautea.com	5 ACDG**J**K**LM**	FHIJN**O**V10
	B 4A CEE	❶ €30,80
🅿🚗 N 41°42'57'' E 9°24'6''	H80 4 ha 100T(30-100m²)	❷ €45,20

🚗 Direkt an Straße N198, ca. 5 km nördlich von Ste Lucie-de-Porto-Vecchio.

Ste Lucie-de-Porto-Vecchio, F-20144 / Korsika 🛜 iD

▲ Santa Lucia***	1 ABDE**IL**NORT	AF 6
🚏 N198	2 PRUVY	ABDE**FH** 7
📅 15 Apr - 30 Sep	3 BE**IL**Q	ABDEFN**R** 8
☎ +33 (0)4-95/14528	4 ILOQ	ABF 9
@ informations@	5 ADEFGL**M**	BHIK**O**V10
camping-santalucia.com	B 6A CEE	❶ €33,15
🅿🚗 N 41°41'48'' E 9°20'36''	H80 4 ha 137T(20-110m²) 43D	❷ €43,75

🚗 Auf der N198, 200m vom Zentrum von Ste Lucie-de-Porto-Vecchio, Richtung Porto Vecchio.

Trinité-de-Porto-Vecchio, F-20137 / Korsika 🛜 iD

▲ La Vetta****	1 A**DEILNORT**	AF 6
🚏 N198	2 PTUY	ABDE**F** 7
📅 1 Jun - 30 Sep	3 BL	ABCDEFNRV 8
☎ +33 (0)4-95700986	4 O	EJKL 9
@ info@campinglavetta.com	5 ADFGK**M**	HK**O**R10
	10A CEE	❶ €33,00
🅿🚗 N 41°37'57'' E 9°17'37''	8 ha 200T 50D	❷ €42,80

🚗 Nördlich von Porto Vecchio, direkt über Trinité-de-Porto-Vecchio an Straße N198, auf der rechten Seite.

Trinité-de-Porto-Vecchio, F-20137 / Korsika 🛜 iD

▲ Les Ilots d'Or***	1 A**IL**NORS**T**	KMNQSTWX 6
🚏 N198	2 BEFGHIPQRSUVXY	ABDE**FH** 7
📅 1 Mai - 30 Sep	3 ABLQ	ABCDEFLNORS 8
☎ +33 (0)4-95700130	4 O	EHJ 9
@ campinglesilotsdor@sfr.fr	5 ACDEFGIK**LM**	ABGHIJOT10
	B 6A CEE	❶ €26,30
🅿🚗 N 41°37'21'' E 9°17'59''	4 ha 180T(20-110m²) 50D	❷ €36,80

🚗 5 km nördlich von Porto Vecchio (N198) bei Ste Trinité Richtung Meer (D468) abfahren, die D568 nehmen. Zweiter CP auf der linken Seite.

Zonza, F-20124 / Korsika 🛜 iD

▲ La Rivière**	1 ABJMNOPRST	J 6
🚏 Pont de Criviscia	2 BCOPRTUWX	ABDE**FG** 7
📅 8 Apr - 8 Okt	3 Q	AFNORV 8
☎ +33 (0)4-95786831	4	9
@ camping-lariviere@sfr.fr	5 AL**M**	BFGHIJOV10
	B 10-16A	❶ €16,00
🅿🚗 N 41°46'7'' E 9°10'41''	H780 7 ha 50T(80-120m²)	❷ €24,00

🚗 Von Zonza die Route de Quenza. Nach 2 km CP an der rechten Seite. Von Quenza, nach 5 km an der linken Seite.

Andorra

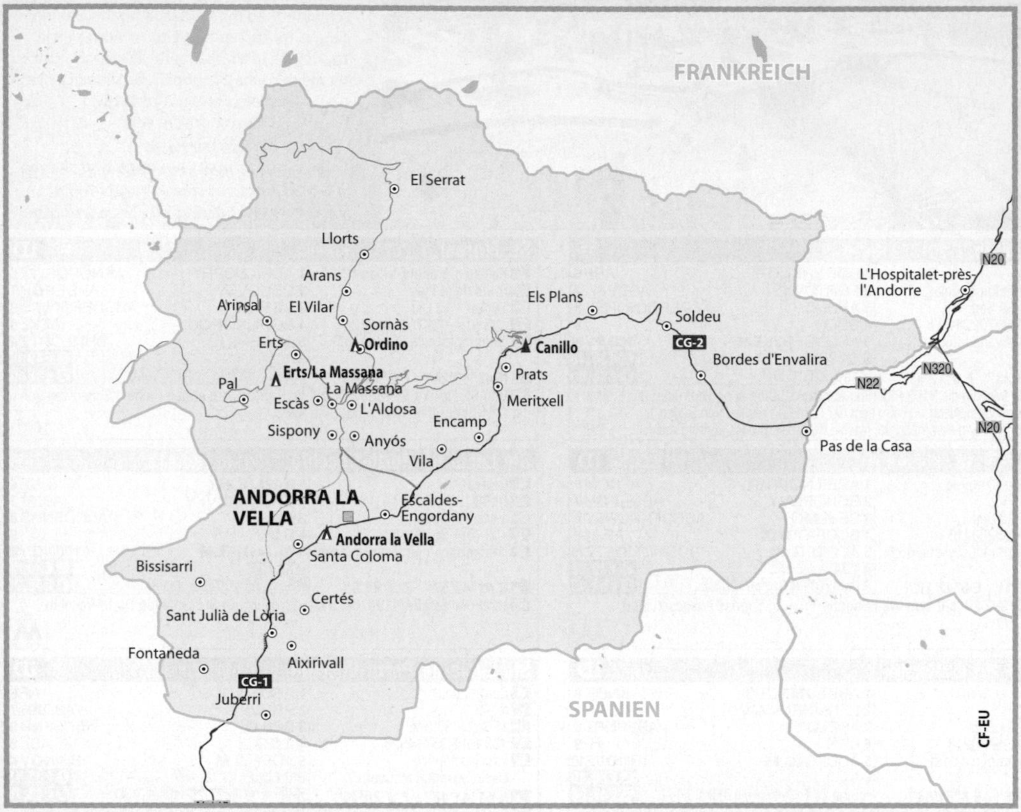

Map showing Andorra with neighbouring FRANKREICH and SPANIEN, including towns:
El Serrat, Llorts, Arans, Arinsal, El Vilar, Sornàs, Erts, Ordino, Erts/La Massana, La Massana, Pal, Escàs, L'Aldosa, Sispony, Anyós, Encamp, Vila, Els Plans, Canillo, Prats, Meritxell, Soldeu, Bordes d'Envalira, L'Hospitalet-près-l'Andorre, Pas de la Casa, ANDORRA LA VELLA, Andorra la Vella, Escaldes-Engordany, Santa Coloma, Bissisarri, Certés, Sant Julià de Lòria, Fontaneda, Aixirivall, Juberri. Roads: CG-2, CG-1, N20, N22, N320, CF-EU.

ⓘ Allgemein

Andorra ist kein Mitglied der EU.

Zeit

In Andorra ist es genauso spät wie in Berlin.

Sprache

Spanisch, Französisch.

♿ Grenzformalitäten

Viele Formalitäten und Vereinbarungen, wie erforderliche Reisedokumente, KFZ-Papiere, Anforderungen an Ihr Fahrzeug und Ihren Aufenthalt, Krankenkosten und das Mitführen von Tieren, sind nicht nur vom Zielort abhängig, sondern auch von Ihrem Ausgangsort und Ihrer Nationalität. Auch die Dauer Ihres Aufenthaltes spielt dabei eine Rolle. Im Rahmen dieses Führers ist es leider nicht möglich, allen Lesern korrekte und aktuelle Informationen in dieser Hinsicht zu garantieren.

Wir raten Ihnen, vor Ihrer Abreise bei den entsprechenden Behörden in Erfahrung zu bringen:

- welche Reisedokumente Sie für sich selbst und Ihre Reisebegleitung brauchen
- welche Dokumente Sie für Ihr Auto brauchen
- welchen Anforderungen Ihr Fahrzeug entsprechen muss
- welche Güter Sie ein- und ausführen dürfen

- wie im Unglücks- oder Krankheitsfall die medizinische Versorgung im Urlaubsland organisiert ist und bezahlt wird
- ob Sie Ihre Haustiere mitnehmen können. Nehmen Sie rechtzeitig Kontakt zu Ihrem Tierarzt auf. Dort erhalten Sie Informationen über relevante Impfungen, entsprechende Bestätigungen und Verpflichtungen bei Ihrer Rückkehr. Es ist auch sinnvoll herauszufinden, ob an Ihrem Urlaubsziel bestimmte Bedingungen für Haustiere in der Öffentlichkeit geknüpft sind. So müssen in manchen Ländern Hunde immer einen Maulkorb tragen oder vergittert transportiert werden.

Viele allgemeine Infos finden Sie auf ▸ *www.europa.eu* ◂ aber sorgen Sie selbst dafür, die richtige Information für Ihre individuelle Situation herauszufinden.

Aktuelle Zollbestimmungen entnehmen Sie den Botschaften des jeweiligen Urlaubslandes an Ihrem Wohnort.

Währung und Geld

Das Fürstentum Andorra hat keine eigene Währung. Die übliche Währung ist der Euro.

Kreditkarten

Vielerorts kann man mit Kreditkarte bezahlen. Es gibt ausreichend Geldautomaten.

Öffnungszeiten und Feiertage

Banken

Banken sind montags bis freitags von 9.00 bis 17.00 Uhr geöffnet.

Geschäfte

Andorra ist wegen der Steuerbegünstigung ein Einkaufsparadies. Im Allgemeinen sind die Geschäfte unter der Woche und samstags von 9.30 bis 13.00 Uhr und von 16.00 bis 20.00 Uhr offen. Sonntags sind sie bis 19.00 Uhr geöffnet.

Apotheken

Apotheken sind geöffnet von montags bis samstags von 10.00 bis 13.00 Uhr und von 15.00 bis 20.00 Uhr.

Feiertage

Neujahr, 6. Januar (Dreikönige), 15. Februar (Karneval), 14. März (Verfassung), Karfreitag, Ostern, 1. Mai (Tag der Arbeit), Himmelfahrt, Pfingsten, 15. August (Mariä Himmelfahrt), 8. September (Nationalfeiertag), Allerheiligen, 8. Dezember (Mariä Empfängnis), Weihnachten.

Kommunikation
(Mobil)Telefon

Das Mobilnetz ist in ganz Andorra gut, nur nicht in den Grenzgebieten.

Post

Briefe ins Ausland werden über Frankreich oder Spanien verschickt. Öffnungszeiten der französischen und spanischen Post: montags bis freitags bis 14.30 Uhr.

Straßen und Verkehr
Straßennetz

Die Hauptstraße (CG1/CG2) ist eine Bergstraße in gutem Zustand. Seitenstraßen sind deutlich schlechter. Wenn man über Frankreich einreist (via Pas de la Casa), sollte man bei Schnee besser durch den 3 km langen Envalira Tunnel fahren, um den Bergpass zu vermeiden.

Verkehrsvorschriften

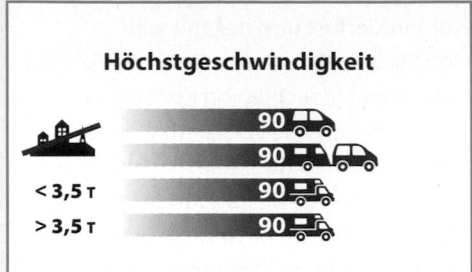

Höchstgeschwindigkeit

90
90
< 3,5 т   90
> 3,5 т   90

Genauso wie in Frankreich, und im großen und ganzen wie in Deutschland.
Vorfahrtsregeln: rechts hat Vorfahrt, außer auf Hauptstraßen. Bei den meisten Kreiseln haben Sie Vorfahrt, sobald Sie in den Kreisverkehr einfahren. Im Gebirge hat der bergauffahrende vor dem bergabfahrenden Verkehr Vorfahrt.
Promillehöchstgrenze: 0,5 ‰.
In Andorra gibt es keine Autobahnen. Die Höchstgeschwindigkeit innerorts beträgt 40 km/h. Bei winterlichen Verkehrsverhältnissen Winterreifenpflicht.

© Ministerium für Tourismus (NL)

Kraftstoff

Bleifreies Benzin und Diesel sind gut erhältlich. An der Grenze Frankreich-Andorra sind viele Tankstellen 24 Stunden geöffnet. Sonst zwischen 6.00 und 22.00 Uhr. LPG nicht erhältlich.

Notruf

- 112: nationaler Notruf für Polizei, Feuerwehr und Krankenwagen
- 110: Polizei
- 118: Feuerwehr und Krankenwagen
- 116: Rettungsdienst

Campen

In der Hochsaison sind die meisten Campings in Andorra ausgebucht. Wild Campen ist verboten. Im Hochgebirge darf man aber rund um die Berghütten campen.

Praktisch

- Der Europäische Krankenversicherungs-schein gilt nicht für Andorra.
- Am besten immer Universalstecker dabei haben.
- Benutzen Sie lieber (Mineral)Wasser aus Flaschen als Leitungswasser.

Klima Andorra la Vella	Jan.	Feb.	März	April	Mai	Juni	Juli	Aug.	Sept.	Okt.	Nov.	Dez.
Tagestemperatur	3	6	8	6	12	17	20	18	15	10	5	3

Andorra la Vella, AND-AD500 / Andorra ⇒

🏕 Valira★★
🏨 avenue de Salou
📅 1 Jan - 31 Dez
☎ +376 722384
@ campvalira@andorra.ad

1 BDE**JM**NOPQRST		E 6
2 FPUVY		ABDE**FGH** 7
3 BLQ		ABEFJKNQRST 8
4 O**PS**U		J 9
5 ACDEIK**LM**		GHIKMORV 10
WB 3-6-10A		❶ € 32,50
H1035 1,7 ha 144**T**(50-80m²) 5**D**		❷ € 42,40

📍 N 42°30'7'' E 1°30'55''
🚗 Der CP liegt am südlichen Stadtrand, an der Hauptstrasse nach Spanien, am Stadion. Von Frankreich her durchfahren bis zur Kirche und wenden.

Canillo, AND-AD100 / Andorra ⇒ iD

🏕 Janramon★
🏨 Xalet Sta. Creu
📅 15 Jun - 15 Sep
☎ +376 751454
@ elsmeners@andorra.ad

1 ADE**J**MNOPQRST		6
2 COPXY		ABDEF 7
3 A		ABEFNQR 8
4 FO		J 9
5 AGIK		GHK**N**PRV 10
B 5A		❶ € 16,80
H1551 0,5 ha 45**T** 10**D**		❷ € 22,20

📍 N 42°34'9'' E 1°36'18''
🚗 Von Frankreich: das erste Gebäude in Canillo ist das Hotel Els Meners, links der Strecke. CP-Einfahrt am Hotel. Nicht dem Navi folgen, sondern dieser Anfahrtbeschreibung. Nicht über den Col.

Canillo, AND-AD100 / Andorra ⇒ iD

🏕 Santa Creu★
🏨 Xalet Sta. Creu
📅 15 Jun - 15 Sep
☎ +376 851462
@ elsmeners@andorra.ad

1 A**J**MNOPQRST		6
2 CFOPX		ABDEF 7
3		ABEFNRV 8
4 O		9
5 GK		JOR 10
B 5A		❶ € 16,80
H1508 0,5 ha 40**T**		❷ € 22,20

📍 N 42°33'57'' E 1°36'0''
🚗 Von Frankreich in Canillo am 2. Kreisel links. Auf die kleinen Schilder 'Camping Santa Creu' achten. Nicht dem Navi folgen (nicht über den Col!). Der Karte oder dieser Anfahrtbeschreibung folgen.

Erts/La Massana, AND-AD400 / Andorra ⇒ iD

🏕 Xixerella
🏨 Carretera de Pal
📅 1/1 - 14/10, 1/12 - 31/12
☎ +376 738613
@ info@xixerellapark.com

1 ADE**J**MNOPQRST		EFG**N** 6
2 CGPVX		ABDE**FGH** 7
3 BEIJLQ		ABCDEFJNQRSV 8
4 F**PQRTUV**		IJ 9
5 ACDEJKM		BHIJORV 10
W 6A CEE		❶ € 32,60
H1404 13 ha 95**T**(70-120m²) 42**D**		❷ € 43,00

📍 N 42°33'11'' E 1°29'21''
🚗 Von Andorra La Vella aus Richtung La Massana. Außerhalb La Massana links weiter Richtung Erts. Dann den Schildern 'Xixerella' folgen.

Ordino, AND-AD300 / Andorra ⇒ iD

🏕 Borda d'Ansalonga SL.U★★
🏨 Ansalonga
📅 15/6 - 15/9, 1/12 - 30/4
☎ +376 850374
@ contact@campingansalonga.net

1 ADE**J**MNOPRST		ABF**J**N 6
2 COPVX		ABDE**FG** 7
3 AE**K**L		ABEFJNRS 8
4 **A**EIOP		I 9
5 BDEGIK		BHJLMORV 10
W 10A CEE		❶ € 30,00
H1319 3 ha 170**T**(90-110m²) 38**D**		❷ € 40,00

📍 N 42°33'57'' E 1°31'28''
🚗 Von Les Escaldes aus Richtung Ordino. Bei Ordino nicht Richtung Zentrum, sondern geradeaus Richtung Sornas Arcalis. Nach der Kreuzung Richtung Arcalis der Straße folgen, nach 200m CP rechts. Vorsicht an der Ausfahrt.

Spanien

Golf von Biscaya

Bordeaux

A Coruña
Santiago de Compostela
ASTURIAS Oviedo **CANTABRIA** Santander
433 **435** Santander **431**
GALICIA AP-66 León A-67
Vigo N-120 N-627

PAÍS VASCO/ NAVARRA/ LA RIOJA
Bilbao
San Sebastián
Pamplona

FRANKREICH
A65 N21 Albi
Toulouse
Pau Carcassonne

LÉRIDA
ANDORRA LA VELLA Perpignan
ANDORRA

Braga N-631 Burgos
Porto **437** N-234 Logroño **429**
Viseu Valladolid A-1 N-111 N-134
CASTILLA Y LEÓN/MADRID Zaragoza N-230 **415**
Salamanca A-6 A-601 Lleida **BARCELONA/ GERONA**
Coimbra A-62 N-211 **ARAGÓN** AP-2 C-14 Barcelona
PORTUGAL N-110 Alcalá de Henares N-234 **400**
A 23 **MADRID** A-2 **426** N-232 **409** Tarragona
Santarém N-403 A-23 **TARRAGONA**
A-5 A-3 N-320 N-420 AP-7
Toledo Castellón de la Plana
EX-100 **EXTREMADURA/ CASTILLA-LA MANCHA** N-401 A-3 Palma de Mallorca
A 6 Badajoz N-430 Valencia
Beja **440** Albacete N-330 **COMUNIDAD VALENCIANA**
N391 A-66 N-432 N-420 A-4 A-31 **417**
N-435 Córdoba N-322 Alicante
Sevilla Murcia
Huelva **ANDALUCÍA** A-44 **450**
Faro Jerez de la Frontera A-45 Cartagena
442 Granada A-92 **MURCIA** Mittelmeer
Málaga Almería
Marbella
GIBRALTAR
Tanger Ceuta

MAROKKO

CF-EU

ⓘ Allgemein

Spanien ist EU-Mitglied.

Zeit

In Spanien is es genauso spät wie in Berlin.

Sprache

Spanisch.

♿ Grenzformalitäten

Viele Formalitäten und Vereinbarungen, wie erforderliche Reisedokumente, KFZ-Papiere, Anforderungen an Ihr Fahrzeug und Ihren Aufenthalt, Krankenkosten und das Mitführen von Tieren, sind nicht nur vom Zielort abhängig, sondern auch von Ihrem Ausgangsort und Ihrer Nationalität. Auch die Dauer Ihres Aufenthaltes spielt dabei eine Rolle. Im Rahmen dieses Führers ist es leider nicht möglich, allen Lesern korrekte und aktuelle Informationen in dieser Hinsicht zu garantieren.

Wir raten Ihnen, vor Ihrer Abreise bei den entsprechenden Behörden in Erfahrung zu bringen:

- welche Reisedokumente Sie für sich selbst und Ihre Reisebegleitung brauchen
- welche Dokumente Sie für Ihr Auto brauchen
- welchen Anforderungen Ihr Fahrzeug entsprechen muss
- welche Güter Sie ein- und ausführen dürfen
- wie im Unglücks- oder Krankheitsfall die medizinische Versorgung im Urlaubsland organisiert ist und bezahlt wird
- ob Sie Ihre Haustiere mitnehmen können. Nehmen Sie rechtzeitig Kontakt zu Ihrem Tierarzt auf. Dort erhalten Sie

Informationen über relevante Impfungen, entsprechende Bestätigungen und Verpflichtungen bei Ihrer Rückkehr. Es ist auch sinnvoll herauszufinden, ob an Ihrem Urlaubsziel bestimmte Bedingungen für Haustiere in der Öffentlichkeit geknüpft sind. So müssen in manchen Ländern Hunde immer einen Maulkorb tragen oder vergittert transportiert werden.

Viele allgemeine Infos finden Sie auf ▸ *www.europa.eu* ◂ aber sorgen Sie selbst dafür, die richtige Information für Ihre individuelle Situation herauszufinden.

Aktuelle Zollbestimmungen entnehmen Sie den Botschaften des jeweiligen Urlaubslandes an Ihrem Wohnort.

💳 Währung und Geld

Die Währungseinheit in Spanien ist der Euro.

Kreditkarten

Mit der Kreditkarte kommen Sie fast überall zurecht, auch auf den Mautstrecken.

🔑 Öffnungszeiten und Feiertage

Banken

Banken sind von Montag bis Freitag bis 14.00 Uhr geöffnet, samstags bis 13.00 Uhr. Im Juni, Juli und August sind die Banken samstags geschlossen. Spanische Banken nehmen die Öffnungszeiten sehr genau. Es kann vorkommen, dass Sie vom Wachdienst 5 Minuten vor Geschäftsschluss nicht mehr eingelassen werden!

Geschäfte

Geöffnet montags bis freitags bis 13.30 Uhr und von 16.30 bis 20.00 Uhr, samstags zwischen 9.30 und 13.30 Uhr.

In Küstengebieten sind die Geschäfte in der Hochsaison oft bis nach 22.00 Uhr geöffnet.

Apotheken

Spanische Apotheken, die Sie an dem grünen Kreuz erkennen, sind von Montag bis Freitag bis 13.30 Uhr und von 16.30 bis 20.00 Uhr offen.

Feiertage

Neujahr, 6. Januar (Dreikönige), Gründonnerstag, Karfreitag, Ostern, 1. Mai (Tag der Arbeit), Pfingstsonntag, 4. Juni (Fronleichnam), 15. August (Mariä Himmelfahrt), 12. Oktober (Nationalfeiertag), Allerheiligen, 6. Dezember (Verfassung) und 8. Dezember (Mariä Empfängnis), 1. Weihnachtsfeiertag.

In der Karwoche (Semana Santa) sind die Geschäfte oft nur halbtags geöffnet.

📶 Kommunikation

(Mobil) Telefon

Das Mobilnetz ist in ganz Spanien gut.
Es gibt ein 3 G-Netz für das mobile Internet.
In Telefonzellen kann man mit Münzen,
Kreditkarten und Telefonkarten bezahlen,
die man in Tabakgeschäften und Kiosks
erhält.

W-Lan, Internet

Die qualitativ besten Internetcafés sind die
größeren Cafés mit mehr als 20 Plätzen.
Besorgen Sie sich eine Mehr-Stunden Karte
oder 'Bono' (gültig für 5 bis 10 Stunden),
wenn Sie länger billig ins Internet möchten.
Campings bieten immer öfter W-l an (oft
gegen Bezahlung).

Post

Im Allgemeinen sind die Postämter an
Werktagen geöffnet bis 14.30 Uhr und von
17.00 bis 20.00 Uhr, samstags bis 13.00 Uhr.

⚠ Straßen und Verkehr

Straßennetz

Bei Dunkelheit sollte man Nebenstrecken
meiden. Bei einer Panne rufen Sie den
spanischen Automobilclub RACE (RACC in
Katalonien) über die Notrufsäulen.

Verkehrsvorschriften

Achten Sie besonders auf Rechtsverkehr.
Auch langsamer Verkehr hat Vorfahrt, außer
auf Vorfahrtstraßen. Der Kreisverkehr hat
Vorfahrt. Straßenbahnen haben immer
Vorfahrt.
Promillehöchstgrenze. 0,5 ‰. Abblendlicht
in Tunneln ist Pflicht. Telefonieren
nur mit Freisprechanlage. Benutzung
eines Headsets ist nicht erlaubt. Für
Brillenträger ist eine Reservebrille Pflicht.
Auch Ersatzlampen müssen an Bord sein.

Auf Bergstraßen ist vor unübersichtlichen Kurven zu hupen. Radio und Mobiltelefon müssen beim Tanken ausgeschaltet sein. Keine Winterreifenpflicht bei winterlichen Straßenverhältnissen, aber empfohlen, besonders in den Bereichen Pyrenäen und Sierra Nevada.

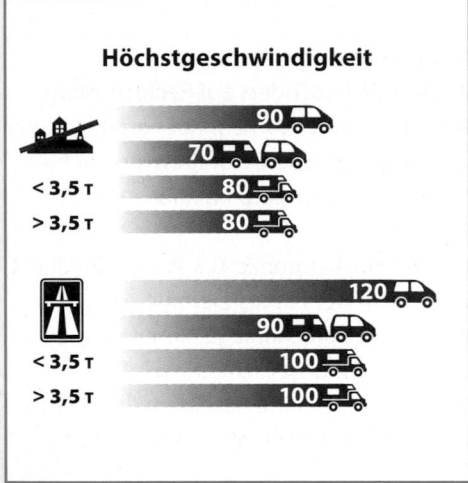

Navigation
Warnung vor festen Blitzern durch Navi oder Mobiltelefon Apps ist erlaubt.

Wohnwagen, Reisemobil
Ist Ihr Fahrzeug mit Wohnwagen länger als 12m, dann ist die ECE 70-Heck-Markierung Pflicht. Sie müssen dann 2 kleine oder eine große, gelb-rot gestreifte, reflektierende Markierung am Heck haben.

PKW mit Wohnwagen, insgesamt länger als 12m, müssen innerhalb geschlossener Ortschaften mindestens 50m Abstand zum Vorausfahrenden halten.

Zulässige Maße
Höhe 4m, Breite 2,55m und Länge mit Gespann 18,75m.

Kraftstoff
Bleifrei und Diesel sind gut erhältlich. Achtung: 'Gasolina' bedeutet Benzin und 'Gasoleo' bedeutet Diesel! LPG ist sehr beschränkt erhältlich.

Tankstellen
Die meisten Tankstellen an den Autobahnen sind zwischen 6.00 und 24.00 Uhr geöffnet. Ansonsten zwischen 7.00 und 22.00 Uhr. An allen Tankstellen an den Autobahnen können Sie mit Kreditkarte bezahlen.

Maut
Auf den meisten spanischen Autobahnen wird Maut erhoben. Sie können bar, mit Kreditkarte oder automatisch mit einer OBU (On Board Unit) bezahlen.
Mautstrecken sind jetzt an den Buchstaben 'AP' erkennbar, während mautfreie am 'A' erkennbar sind. Auf den Teilkarten sind diese Nummern eingetragen.
Nähere Information ▶ *www.aseta.es* ◀

Bergpässe mit dem Wohnwagen
Bonaigua-Pass: ist generell nicht für Gespanne verboten, aber in den Wintermonaten mit Schnee gilt Schneekettenpflicht. Der Pass kann aber auch geschlossen sein.

Portillón-Pass: ist generell nicht für Gespanne verboten, jedoch ist diese Straße nicht sehr breit und wird in Fahrrichtung Frankreich immer schmaler; die Fahrt mit einem größeren Gespann kann dann sehr schwierig werden.

Notruf
112: nationaler Notruf für Polizei, Feuerwehr und Krankenwagen.

△ Campen

Spanien zählt mehr als 1000 Campings, wobei die Plätze an der Mittelmeerküste am meisten frequentiert sind. Reservieren ist hier zu empfehlen! Bäume und Sträucher sorgen für ein schönes Campgelände, aber auch für parzellierte Plätze, die die Privatsphäre vergrößern.

In Spanien werden Campingplätze in Kategorien eingeteilt. Die Kat. 1 bietet den höchsten Luxus. Wild campen ist nicht erlaubt. Wenn man trotzdem außerhalb eines Campings kampieren möchte, muss vorher die Zustimmung des Grundbesitzers eingeholt werden.

Praktisch

- Spanier sind gewohnt spät zu essen, oft wird zuhause und in Restaurants erst zwischen 20.30 und 23.00 Uhr gegessen.
- Beim Campinggas gibt es keine Füllmöglichkeiten für die blaue Flasche. Man sollte am besten in Spanien die Gasflaschen kaufen und beim Verlassen des Landes wieder zurück geben.
- Am besten immer Universalstecker dabei haben.
- Verwenden Sie lieber (Mineral) Wasserflaschen anstatt Leitungswasser.

Klima Madrid	Jan.	Feb.	März	April	Mai	Juni	Juli	Aug.	Sept.	Okt.	Nov.	Dez.
Tagestemperatur	6	8	12	15	18	23	26	25	21	16	10	7
Sonnenstunden am Tag	5	6	6	8	9	11	12	11	9	7	5	4
Regentage	6	4	7	6	6	4	1	1	4	5	6	6

Klima Sevilla	Jan.	Feb.	März	April	Mai	Juni	Juli	Aug.	Sept.	Okt.	Nov.	Dez.
Tagestemperatur	12	13	16	19	22	27	30	31	27	22	16	13
Sonnenstunden am Tag	6	7	6	8	9	11	12	11	8	7	6	5
Regentage	5	4	6	5	3	1	0	0	2	3	4	5

Klima Valencia	Jan.	Feb.	März	April	Mai	Juni	Juli	Aug.	Sept.	Okt.	Nov.	Dez.
Tagestemperatur	12	13	15	17	19	22	25	26	24	20	16	12
Sonnenstunden am Tag	5	6	6	7	8	9	10	9	8	6	5	5
Regentage	3	3	4	5	5	4	1	1	4	5	4	3
Wassertemperatur	13	13	14	15	17	20	24	25	23	21	18	15

Barcelona/Gerona

Albanyà, E-17733 / Cataluña

▲ Bassegoda Park Cat. 1
▤ Camí Camp de l'illa
☖ 13 Mär - 8 Dez
☎ +34 972-542020
@ info@bassegodapark.com

1 ADE**JM**NOPRS**T**	AJN 6
2 BCGRTVXY	ABDE**FG** 7
3 ABCE**GHI**LQT	ABEFJKNQRSTU 8
4 ABCD**EFG**HILNO**PQY**	CGJLUV 9
5 ABDEFGJK**LM**	ABDHIJL**NP**V10
B 16A	

① €38,40
② €49,00

🗺 N 42°18'25'' E 2°42'31''

Von Frankreich aus Salida 3, von Spanien aus Salida 4 Richtung Llers, danach Richtung Terrades und Sant Llorenç de la Muga und weiter bis nach Albanyà, immer geradeaus. Die Straße mündet in einer Sackgasse.

Batet de la Serra/Olot, E-17800 / Cataluña

▲ La Fageda Cat.2
▤ Ctra Olot-Sta Pau, km 3,8
☖ 1 Jan - 31 Dez
☎ +34 972-271239
@ info@campinglafageda.com

1 ADJMNOPRS**T**	A 6
2 BGPUVY	ABDE**FG**K 7
3 ABEL	ABCDEFJKNQRS 8
4 **A**BEFHO	J 9
5 ABDEGIL**M**	BGHIJPSVZ10
B 10A	

① €28,80
② €38,00

🗺 N 42°9'27'' E 2°31'0''

H500 7 ha 109**T**(70-120m²) 93**D**

Von Olot Richtung Santa Pau, CP links der Straße bei km 3,8.

Begur/Girona, E-17255 / Cataluña

▲ Begur
▤ Ctra d'Esclanyà km 2
☖ 27 Mär - 27 Sep
☎ +34 972-623201
@ info@campingbegur.com

1 B**JM**NOPQRST	AF 6
2 GTVY	ABDE**FG**H 7
3 E**KLM**	ABCDEFKNSTUV 8
4 BDFHILN**PQ**R	HIJVWXZ 9
5 DI	ABIKNOSTVY10
10A	

① €49,30
② €56,70

🗺 N 41°56'25'' E 3°12'0''

317**T**(90-130m²) 56**D**

A7 Ausfahrt 6 Girona-N./Palamós, Straße 66 Richtung Bisbal. Von Pals Richtung Begur. Dort Richtung Aiguablava, dann Palafrugell.

Begur/Girona, E-17255 / Cataluña

▲ El Maset Cat.1
▤ Platja de Sa Riera
☖ 1 Mai - 13 Okt
☎ +34 972-623023
@ info@campingelmaset.com

1 ADEGHKNOPRT	AKM 6
2 EHNRUVY	ABDE**FG**H 7
3 AE**KL**	ABEFNRS 8
4 BIO**P**	HJLXZ 9
5 BDEGI	BGHIJL**NP**TU10
10A	

① €43,00
② €54,20

🗺 N 41°58'7'' E 3°12'36''

1,2 ha 104**T**(50-70m²) 23**D**

Bei Begur Richtung 'Sa Riera', den CP-Schildern folgen, recht steile Zufahrt zum CP.

Berga, E-08600 / Cataluña

▲ Berga Resort Cat.1
▤ E-9/C-16 km 96,3, Exit 95
☖ 1 Jan - 31 Dez
☎ +34 938-211250
@ bergaresort@bergaresort.com

1 BCDEGILNOPQRST	AE**FG**H 6
2 AFGPSUVY	ABDE**FG**HJ 7
3 BCELMQT	ABCDEF**JLM**NQRT 8
4 ABCD**EFG**HIJLN O**PQRSTUVWXYZ**	EJKUV 9
5 ACDEFGIJ**M**	ABEFGHIJRZ10
WB 10A CEE	

① €46,00
② €63,00

🗺 N 42°5'29'' E 1°51'22''

H637 5,5 ha 345**T**(70-90m²) 174**D**

CP an der Straße E9/C16 von Puigcerdà nach Barcelona. 1 km südlich von Berga.

Besalú, E-17850 / Cataluña

▲ Camping de Besalú, S.L.
▤ Camí de Besalú a Sant Ferriol, s/n
☖ 1 Jan - 31 Dez
☎ +34 618-872444
@ campingdebesalu@gmail.com

1 ABDE**JM**NOPRS**T**	AN 6
2 BCFGPVXY	ABDE**FG** 7
3 ABLQ	ABEFNQRSUV 8
4 BFHO**XZ**	EJ 9
5 ABDEFGIJ**M**	BHIJPR10
10A	

① €31,00
② €40,00

🗺 N 42°11'45'' E 2°41'14''

H250 68**T** 40**D**

Von Figueres die N260, Aufahrt Besalú. Der Camping ist vor der alten Brücke angezeigt, noch 3 km Richtung Sant Ferriol. Teils unbefestigte Straße.

Blanes, E-17300 / Cataluña 📶 CCE18 iD

Bella Terra
- Av. Villa de Madrid 35-40
- 28 Mär - 27 Sep
- +34 972-348017
- @ info@campingbellaterra.com

1 ADEJMNOPQRST	AFKM 6
2 EGHOQRVXY	ABDE**FGH** 7
3 AEL**MQ**	ABFKNQRSTUV 8
4 ABDILNOP**Q**	JLUVX 9
5 ABDEGIJKL	ABDHIM**NPR**YZ 10
B 6A	

- ❶ €46,30
- ❷ €54,30
- N 41°39'31'' E 2°46'44''
- 12 ha 644T(70-90m²) 189D

Ausfahrt 10, in Blanes den CP-Schildern folgen. Bella Terra liegt am Ende der CP-Straße.

Blanes, E-17300 / Cataluña 📶 iD

Blanes
- Villa de Madrid, 33
- 1 Jan - 31 Dez
- +34 972-331591
- @ info@campingblanes.com

1 ADEJMNOPQRT	AKM 6
2 EGHOQVY	ABDFG 7
3 AK	ABDFQR 8
4 **A**O	JLV 9
5 BDGK	AHI**NPR** 10
B 6A CEE	

- ❶ €38,30
- ❷ €51,50
- N 41°39'33'' E 2°46'48''
- 2 ha 210T(60m²) 14D

Von Blanes aus den CP-Schildern folgen.

Blanes, E-17300 / Cataluña 📶 iD

Camping El Pinar
- Av. Villa de Madrid, 39
- 1 Apr - 27 Sep
- +34 972-331083
- @ camping@elpinarbeach.com

1 ADEJMNOPQR**T**	AFKM 6
2 EGHOPQVWXY	ABDEFGH 7
3 AEL	ABEFNRS 8
4 BCDIKLO	JLV 9
5 ACDEGIK	ABHIJ**NPR** 10

- ❶ €44,00
- ❷ €52,00
- N 41°39'18'' E 2°46'44''
- 6,8 ha 449T(60-80m²) 63D

Vom Ortsrand Blanes den Schildern 'Camping' folgen. Über die Av. Villa de Madrid. El Pinar ist der letzte CP.

Blanes, E-17300 / Cataluña 📶 iD

La Masia
- C. Colón 44
- 15 Jan - 9 Dez
- +34 972-331013
- @ info@campinglamasia.com

1 ADEJMNOPQRS**T**	AEFK 6
2 EGHOVY	ABDE**FGH** 7
3 BELQ	ABEFNRS 8
4 ABCDLOP**RST**	IJL 9
5 ACDEGIK	ABEGHI**NPR**Y 10
B 6A CEE	

- ❶ €52,10
- ❷ €61,30
- N 41°39'48'' E 2°46'48''
- 8 ha 407T(60-75m²) 474D

Vom Ortsrand Blanes den Schildern mit der Aufschrift 'campings' folgen. Av. Villa de Madrid, CP rechts.

Blanes, E-17300 / Cataluña 📶 iD

s'Abanell Cat.2
- Av. Villa de Madrid 7-9
- 1 Feb - 30 Nov
- +34 972-331809
- @ info@campingsabanell.com

1 ADE**JM**NOPQRS**T**	AK 6
2 EHOQVXY	AD**F** 7
3	ABEFNQR 8
4 BL	DCJLVW 9
5 GI	ABHPR 10
3A	

- ❶ €39,30
- ❷ €52,50
- N 41°39'50'' E 2°46'57''
- 3,4 ha 360T(45-60m²) 130D

Vom Ortsrand Blanes Schildern mit der Aufschrift 'Campings' folgen, über die Av. Villa de Madrid, s'Abanell ist der erste CP.

Blanes, E-17300 / Cataluña 📶 CCE16 iD

Solmar
- Colom 48
- 23 Mär - 12 Okt
- +34 972-348034
- @ campingsolmar@ campingsolmar.com

1 ADEJMNOPQR**T**	AFK 6
2 EHOPRVXY	ABDE**FGH** 8
3 BEL**MQ**	ABEFS 8
4 **ABD**LNOP**Q**	DIJL 9
5 ACDEFGIK	BDHIL**NPST**10
6A	

- ❶ €43,60
- ❷ €55,40
- N 41°39'43'' E 2°46'50''
- 6 ha 200T(65-85m²) 245D

Vom Ortsrand Blanes aus den Schildern 'Camping' folgen. Man kommt dann in die Av. Villa de Madrid. Rechts dem Schild 'Solmar' folgen.

Caldes de Montbui, E-08140 / Cataluña 📶 iD

El Pasqualet
- Ctra BV-1243 Sant Sebastià-Montmajo
- 15 Jan - 15 Dez
- +34 938-654695
- @ elpasqualet@ elpasqualet.com

1 ADEJMNORT	AF 6
2 ACFGPQUVWXY	ABDE**FG**HJ 7
3 AE**JK**LRUV	ABEFJMNQRSV 8
4 ABCDEFGHILNOP	JLVW 9
5 ACDEGIJKL**M**	BFGHIJLNOPRVZ10

- ❶ €34,30
- ❷ €44,80
- N 41°38'40'' E 2°9'23''
- H300 5,7 ha 82T(ab 82m²) 104D

CP nördlich von Caldes de Montbui, auf der C59 ausgeschildert.

Calella, E-08370 / Cataluña 📶 ✿ iD

Botanic Bona Vista Cat.2
- Ctra NII km 665
- 1 Jan - 31 Dez
- +34 93-7692488
- @ info@campingbonavista.com

1 ADEJMNOPRST	AFK 6
2 EFHNPQVXY	ABDE**FH**I 7
3 A**K**LQ	ABCDEFNQRSV 8
4 BDIOP**QRT**U	LUVWXZ 9
5 BDEGIKM	ABHIJ**NPST**10
6A	

- ❶ €41,15
- ❷ €56,15
- N 41°36'26'' E 2°38'23''
- 3,4 ha 130T(60-80m²) 30D

Küstenstraße NII Malgrat-Barcelona, zwischen Calella und Sant Pol, 300m nach 'el Faro' (= Leuchtturm), dann rechts. Aufpassen: direkt hinter Kurve rechts. Caravan wird abgestellt.

Calella, E-08370 / Cataluña 📶 CCE18 iD

Roca Grossa Cat.2
- Ctra NII km 665
- 1 Apr - 7 Okt
- +34 93-7691297
- @ rocagrossa@rocagrossa.com

1 ADE**JM**NOPQRST	AFK**NPQ** 6
2 AEFHQTUVY	ABD**FH** 7
3 BE**KLM**Q	ABCDEFNQRSV 8
4 BDINO**PQR**	JKLRUVWXZ 9
5 ACDEGIKLM	ABDHJ**NPR**Y 10
6A	

- ❶ €42,00
- ❷ €56,90
- N 41°36'23'' E 2°38'19''
- 7 ha 280T(60-90m²) 165D

Küstenstraße NII Malgrat-Barcelona. Zwischen Calella und Sant Pol, 300m nach 'el Faro' (=Leuchtturm) rechts abbiegen. Achtung: direkt hinter Kurve rechts. Wohnwagen werden abgestellt.

Calella de Palafrugell, E-17210 / Cataluña 📶

Moby Dick
- Costa Verda 16-28
- 1 Apr - 30 Sep
- +34 972-614307
- @ info@campingmobydick.com

1 B**IL**NOPQRT	6
2 BNOTUVY	AF**H** 7
3 L	ABEFNQR 8
4 O	JLV 9
5 AFGI	ABHIJ**N**OTZ 10
10A	

- ❶ €33,50
- ❷ €40,00
- N 41°53'21'' E 3°10'46''
- 6 ha 200T(ab 45m²) 23D

Am Kreisel bei Palafrugell Richtung Calella Llafranc, auf der vierspurigen Straße Richtung Calella. Danach dem Schild folgen.

Calonge, E-17251 / Cataluña 📶 CCE18 iD

Camping & Bungalowpark Cala Gogo Cat.1
- Av. Andorra 13
- 25 Apr - 20 Sep
- +34 972-651564
- @ calagogo@calagogo.es

1 ADE**J**KNOPQRST	ABF**G**KMN**PQS** 6
2 EFHOPQRTUVXY	ABDE**FGH** 7
3 BE**KLMT**	ABCDEFK**LMN**QRSTUV 8
4 **ABCDFILNOPQ**	EJLUVWXZ 9
5 ACDEGIJK**M**	ABDGHIJL**NOP**RXYZ 10

- ❶ €56,60
- ❷ €65,20
- N 41°49'49'' E 3°5'2''
- 20 ha 670T(60-115m²) 166D

Sortida 6. Palafrugell-Palamós. Richtung San Feliu, weiter Palamós-est. Dann Platja d'Aro. CP liegt rechts der Straße und ist gut ausgeschildert.

Campdevànol, E-17530 / Cataluña CCE16 iD

Moli Serradell Cat.3
- Ctra Campdevanol a Gomb.
- 14 Apr - 15 Okt
- +34 972-730927
- @ info@ campingmoliserradell.com

1 A**J**MNOPRST	AF 6
2 BCFGPRUVY	ABDE**FG** 7
3 ABL	ABCDEFJNQR 8
4 FHO	GJUV 9
5 ADEGIK**LM**	BDHIJR 10
B 7A	

- ❶ €33,70
- ❷ €43,70
- N 42°14'8'' E 2°7'7''
- H750 1,2 ha 40T(60-80m²) 38D

Straße N152 Puigcerdà-Barcelona, in Campdevànol Straße GI-401 Richtung Gombren, nach 4,5 km CP links. Achtung: 2. CP.

Camprodon, E-17867 / Cataluña 📶 CCE16

Vall de Camprodon Cat.2
- Ctra 38, km 7,5
- 1 Jan - 31 Dez
- +34 972-740507
- @ info@valldecamprodon.net

1 BD**JM**NOPQRST	AFJN 6
2 CFGOPSX	ABDE**FGH** 7
3 ARFFGHJLMQU	ADEFJKNQRSV 8
4 BCEFHIKLOP	EFJL 9
5 ABCDEFGIJKLM	BDFGHIJNPR 10
WB 10A	

- ❶ €35,70
- ❷ €44,70
- N 42°17'22'' E 2°21'50''
- H950 4,8 ha 106T(80m²) 115D

Von Ripoll Richtung Camprodon. Der Camping liegt an der C38 an Km 7,5. Von Figueres geht die A26 in die N260 über. Vom Kreisel Camprodon aus liegt der Camping 2 km entfernt und ist angezeigt.

Canet de Mar, E-08360 / Cataluña 📶 CCE16 iD

Globo Rojo Cat. 1
- Ctra Nac. II km 660,9
- 11 Apr - 27 Sep
- +34 93-7941143
- @ camping@globo-rojo.com

1 A**J**MNOPQR**T**	AFKM 6
2 EHPVXY	ABDF 7
3 AE**K**LMQ	ABCDEFNQRSV 8
4 BCDFHLNOPQ	DJKLUVWXZ 9
5 ABEGIJK	ABHILOR 10
B 10A	

- ❶ €47,50
- ❷ €62,50
- N 41°35'27'' E 2°35'30''
- 2 ha 155T(60-90m²) 64D

Küstenstraße 11 Malgrat-Barcelona, hinter Sant Pol direkt rechts.

Capmany, E-17750 / Cataluña 📶 CCE16 iD

Les Pedres
- C/ Ventador s/n
- 1 Jan - 31 Dez
- +34 972-549192
- @ info@campinglespedres.net

1 AD**IL**NOPRT	A 6
2 AGPQSVWX	ABDE**F** 7
3 **K**LQ	ABEFJNRTUV 8
4 IOQ	E 9
5 ABGL	AFGHJ**NPT**U 10
6A CEE	

- ❶ €31,90
- ❷ €41,40
- N 42°22'22'' E 2°54'47''
- H125 7,5 ha 150T(100m²) 51D

Ausfahrt 2 hinter Jonquera, Richtung Figueres, den CP-Schildern folgen. Aus Richtung Barcelona: A7, Ausfahrt 3 zur NII, Richtung Frankreich. Vor der Grenze rechts Richtung Capmany.

Castellar del Riu, E-08619 / Cataluña 📶 iD

Fontfreda Cat.2
- Ctra Rasos Peguera km 4, exit 95
- 23 Jun - 11 Sep
- +34 938-213354
- @ informacio@ campingfontfreda.com

1 ABDEILNORT	AF 6
2 BGPQRUVY	ABDE**FG** 8
3 AELQ	ABEFJNQRT 8
4 ABO	J 9
5 ABDEIKL	BHIJOR 10
10A CEE	

- ❶ €28,50
- ❷ €37,50
- N 42°6'48'' E 1°48'1''
- H1234 4 ha 93T(70m²) 84D

Von Berga Richtung St. Llorenç. Nach 2 km Richtung Queralt, weiter mit 'Camping Fontfreda' gut ausgeschildert.

Castelló d'Empúries, E-17486 / Cataluña 🛜 iD

🏕 Castell Mar Cat.2	1 ABILNORT	AFKNQSWX 6
🏖 Platja de la Rubina	2 EGHPVX	ABDEFG 7
🗓 19 Mai - 23 Sep	3 AEFKLQ	ABCDEFNRS 8
☎ +34 972-450822	4 AILOPQ	EJL 9
@ cmar@campingparks.com	5 CDEFGIJKL	AHIJNORY 10
	B 6A	❶ €51,00
🗺 N 42°15'19'' E 3°8'13''	5,4 ha 100T(72-108m²) 61D	❷ €59,00

🚗 A7, Ausfahrt 3, C260 Figueres-Roses. Kreisverkehr in Empuria Brava geradeaus, bei Rest. (Playa Rubina) La Llar' rechts ab.

Castelló d'Empúries, E-17486 / Cataluña 🛜 ✿ iD

🏕 Laguna Cat.1	1 ABCDILNORT	ABKMNQRSTWXY 6
🏖 Apartado de Correos 55	2 CDEGHPVWX	ABDEFGH 7
🗓 27 Mär - 22 Okt	3 BEFGIJLMQ	ABCDEFKNRSV 8
☎ +34 972-450553	4 AHILMOPQ	ELMOUV 9
@ info@campinglaguna.com	5 CDEFGIJK	ABHIJNPRY 10
	5A	❶ €55,80
🗺 N 42°14'42'' E 3°6'14''	12,5 ha 727T(90-120m²) 91D	❷ €62,80

🚗 Ausfahrt 3 Richtung Castelló d'Empúries, Roses (C260). Dann Kreisverkehr mit Abfahrt Camping 4.

Castelló d'Empúries, E-17486 / Cataluña 🛜 iD

🏕 Mas Nou Cat.1	1 ABDILNORT	AF 6
🏖 Mas Nou 7	2 OPVXY	ABDEFGH 7
🗓 12 Apr - 28 Sep	3 BEGHIKLMPQ	ABCDEFJKLNRS 8
☎ +34 972-454175	4 AHLNOPQ	EJL 9
@ info@campingmasnou.com	5 CDEGIJ	ABGHIJNPR 10
	10A	❶ €44,50
🗺 N 42°15'52'' E 3°6'6''	7,8 ha 450T(70-90m²) 47D	❷ €51,60

🚗 A7, Ausfahrt 3, C260 Figueres-Roses, um Kreisverkehr in Empuria Brava und danach hinterm Supermarkt direkt rechts ab.

Castelló d'Empúries, E-17486 / Cataluña 🛜 iD

🏕 Nautic Almata Cat.1	1 ACDJMNORT	AFKMNOPQRSTUVXYZ 6
🗓 16 Mai - 20 Sep	2 CEGHPQVXY	ABDEFGH 7
☎ +34 972-454477	3 ABEGHIKLMQR	ABCDEFLMNRSUV 8
@ info@almata.com	4 AEHILMNOPQ	ACJKLMOPQRSUV 9
	5 CDEFGHIJK	ABHIMNPRY 10
	B 10A	❶ €62,20
🗺 N 42°12'22'' E 3°6'14''	22 ha 1099T(90-100m²) 46D	❷ €72,95

🚗 C260 Figueres-Roses, nach 9 km rechts Richtung Sant Pere Pescador. Nach 4 km links (ausgeschildert mit Schildern und Flaggen). Dann noch ein paar km zum CP.

Cubelles, E-08880 / Cataluña 🛜 iD

🏕 La Rueda Cat.1	1 ABCDEJMNOPRST	AKMNOQRSTUVWX 6
🏖 Apartado Correos 261	2 AEGHOPVXY	ABDEFG 7
🗓 29 Mär - 14 Sep	3 AGHKQ	ABCDEFNQRS 8
☎ +34 938-950207	4 BCDFINOP	GJL 9
@ larueda@la-rueda.com	5 ACDEFGHIKLM	BGHIJNPR 10
	B 10A CEE	❶ €42,00
🗺 N 41°12'0'' E 1°38'36''	6 ha 370T(25-70m²) 40D	❷ €51,80

🚗 CP liegt an der C31 von Sitges-Calafell. Von Sitges nach Cubellas und nach ein paar hundert Metern hinter dem hohen Schornstein der Elek. Zentrale links am Ortseingang.

Empuriabrava, E-17487 / Cataluña 🛜 iD

🏕 Rubina Resort Cat.1	1 ABILNORT	AFKNQRSW 6
🏖 Playa de la Rubina	2 EHOPVX	ABDEFG 7
🗓 27 Mär - 15 Okt	3 BEGILQ	ABEFNQRSTV 8
☎ +34 972-450507	4 ILOPQ	IJKLMU 9
@ info@rubinaresort.com	5 BCDEFGHIJKL	ABHIJLNORY 10
	10A	❶ €46,00
🗺 N 42°15'9'' E 3°7'53''	12 ha 544T(55-120m²) 114D	❷ €54,00

🚗 A7, Ausfahrt 3, C260 Figueres-Roses, am Kreisverkehr Empuria Brava rechts ab. Weiter den Schildern folgen.

Esponellà (Girona), E-17832 / Cataluña 🛜 CC€18 iD

🏕 Esponellà Cat.2	1 ABDILNORT	ABCDFJNX 6
🏖 Ctra de Banyoles a Figueres, km 8	2 CPQRVXY	ABDEFH 7
🗓 1 Jan - 31 Dez	3 BEIKLMQ	AEFJNR 8
☎ +34 972-597074	4 IMOPQ	DJRU 9
@ informa@	5 CDEGIJKL	ABHIJNOV 10
campingesponella.com	5A	❶ €37,25
🗺 N 42°10'54'' E 2°47'42''	H116 4,5 ha 130T(60m²) 87D	❷ €48,55

🚗 A7, Ausf. 3, Ri. Figueres N260 Figueres-Besalu, hinter Navata hinter der Tankstelle li. Richtung Banyoles, in der Haarnadelkurve hinter der Brücke über die Fluvia re. abbiegen, ausgeschildert.

Fontanals de Cerdanya, E-17538 / Cataluña 🛜 iD

🏕 Camping Queixans, S.L. Cat.1	1 ADHKNOPRST	A 6
🏖 Camí d'Urtx a Queixans s/n	2 FGPRUVX	ABDEF 7
🗓 1/1 - 30/9, 1/11 - 31/12	3 ABEGKLQ	ABEFJNQRS 8
☎ +34 972-141280	4 FHOP	DJU 9
@ info@campingqueixans.com	5 ACDGIJKLM	BHIJOSV 10
	B 8A CEE	❶ €34,00
🗺 N 42°23'33'' E 1°54'58''	H1170 7 ha 40T(70-80m²) 89D	❷ €43,00

🚗 N152 Puigcerdà-Ripoll, der Ausfahrt Queixans hinter der Brücke nicht nehmen, sondern durchfahren bis zum Holzschild links 'Camping-Restaurant Queixans'. CP nach ca. 400m rechts.

Fornells de la Selva, E-17458 / Cataluña 🛜 iD

🏕 Can Toni Manescal Cat.3	1 ADEJMNOPQRST	A 6
🏖 Forn. a Llambil, km 2 (B9)	2 PVWX	ADF 7
🗓 15 Jun - 15 Sep	3 AK	AEFNQR 8
☎ +34 972-476117	4 K	I 9
@ campinggirona@	5 AGI	JOV 10
campinggirona.com	5A	❶ €24,00
🗺 N 41°55'20'' E 2°49'42''	H118 1,1 ha 45T(200m²) 3D	❷ €32,80

🚗 A7 (mautpflichtig) Ausfahrt 7 Girona Sud. Richtung San Feliu. Bis Llambilles (7 km) folgen. Am Ortsende rechts. Mit Navi sind es von dieser Stelle (Ampel) noch 2 km und den CP-Hinweisen folgen.

Garriguella, E-17780 / Cataluña 🛜 CC€16 iD

🏕 Vell Empordà Cat.2	1 ADILNORT	AF 6
🏖 Ctra Roses-La Jonquera s/n	2 GPRTUVY	ABDEFH 7
🗓 3 Apr - 30 Sep	3 ABEL	ACEFKNRT 8
☎ +34 972-530200	4 BDEILMOPQ	JL 9
@ vellemporda@	5 CDEFGIJK	ABGHIJLMNPR 10
vellemporda.com	6A	❶ €37,70
🗺 N 42°20'21'' E 3°4'4''	7 ha 230T(80-100m²) 61D	❷ €58,10

🚗 A7, Ausfahrt 3, N260 Figueres Llançà. Nach 9 km ist der CP ausgeschildert. Rechts ab, C252, links ab durch die Unterführung Richtung La Jonquera. Danach noch 2 km.

Gavà (Barcelona), E-08850 / Cataluña 🛜 CC€18 iD

🏕 3 Estrellas Cat.1	1 ABCDEJMNOPRST	AFKMNQSX 6
🏖 C-31, km 186,2/	2 ABEGHOPQVWXY	ABDEFGH 7
Aptdo de Correos 238	3 AELMQ	ABCDEFNQRS 8
🗓 15 Mär - 15 Okt	4 BMOQ	EGJL 9
☎ +34 936-330637	5 ACDEGHIJKM	ABDGHIKLMNORVY 10
@ info@camping3estrellas.com	B 5A	❶ €45,55
🗺 N 41°16'21'' E 2°2'35''	8 ha 346T(70-100m²) 113D	❷ €57,05

🚗 Umgehung Barcelona 'Ronda de Dalt', (B20) Richtung Flughafen. C-31 Ri. Castelldefels, Ausfahrt Gavà Mar (links am Strand), Brücke über die C-31, dann dreimal rechts und zurück Ri. Barcelona zum CP.

Guardiola de Berguedà, E-08694 / Cataluña 🛜 CC€16 iD

🏕 El Berguedà Cat.2	1 ADEJMNOPRST	AF 6
🏖 Ctra B400 a Saldes, km 3,5	2 BCFGPRTUVWXY	ABDEF 7
🗓 1 Apr - 1 Nov	3 ABELQ	ABCDEFJNQRSV 8
☎ +34 938-227432	4 EFHOPQ	GJ 9
@ info@campingbergueda.com	5 ABCDEFGIKLM	BHIJOV 10
	B 6A CEE	❶ €30,00
🗺 N 42°12'59'' E 1°50'13''	H900 2 ha 40T(70-110m²) 35D	❷ €39,30

🚗 Von Berga die C16 Richtung Caditunnel. Vor Guardiola de Berguedà links ab Richtung Saldes. CP nach 3,5 km rechts der Straße.

Guils de Cerdanya, E-17528 / Cataluña 🛜 iD

🏕 Pirineus Cat.1	1 ADEHKNOPRST	ABF 6
🏖 Ctra de Guils de Cerdanya km 2	2 CFGPRVXY	ABDEFG 7
🗓 19/6 - 13/9, 23/10 - 3/5	3 ABEGJKLQV	ABCDEFJKNQRSV 8
☎ +34 972-881062	4 FHIOPQ	JU 9
@ guils@stel.es	5 ACDEGIJKLM	BHIJOR 10
	WB 7,5A	❶ €44,50
🗺 N 42°26'35'' E 1°54'22''	H1300 5 ha 250T(70m²) 30D	❷ €55,90

🚗 Puigcerdà - Ctra N260, an der Kreuzung Ctra Guils de Cerdanya-Puigcerdà, Km-Pfahl 2. Ausgeschildert.

Isovol, E-17539 / Cataluña 🛜 iD

🏕 Bellver Cat.2	1 ADEJMNOPRST	AFJN 6
🏖 N260, km 193,7	2 CFGOPRUVY	ABDEFG 7
🗓 22 Jun - 13 Sep	3 ABELQ	ABEFJNQRV 8
☎ +34 973-510239	4 BFHIOP	IJL 9
@ campingbellver@	5 ABDFGKLM	BHIJOR 10
campingbellver.com	5A	❶ €26,80
🗺 N 42°22'16'' E 1°48'29''	H1100 3 ha 50T(50-70m²) 112D	❷ €37,00

🚗 An der N260 zwischen Bellver und Puigcerda, km 194.

L'Escala, E-17130 / Cataluña 🛜 iD

🏕 Cala Montgó Cat.1	1 ABILNORT	AFKMNOQRSTWX 6
🏖 Av. de Montgó s/n	2 EGHKOQUVY	ABDEFGH 7
🗓 14 Mär - 30 Sep	3 BEILQ	ABCDEFNRS 8
☎ +34 972-770866	4 AILOPT	EJL 9
@ calamontgo@betsa.es	5 CDEGIJK	ABHIJNPRZ 10
	B 5A	❶ €46,10
🗺 N 42°6'37'' E 3°9'38''	H182 12 ha 655T(80m²) 168D	❷ €54,70

🚗 Zollstraße Ausfahrt 5, Richtung L'Escala, vor L'Escala 'Sector Sud', in L'Escala Richtung Montgó bis zum CP, gut ausgeschildert.

L'Escala, E-17130 / Cataluña 🛜 CC€18 iD

🏕 Illa Mateua Cat.1	1 ABILNORT	ABFGKMNOPQSUVWX 6
🏖 Avda. de Montgó, 260	2 BEGHKOPQUVY	ABDEFGH 7
🗓 28 Mär - 23 Okt	3 BELMQ	ABCDEFJNQRS 8
☎ +34 972-770200	4 AFHILO	JLQRS 9
@ info@campingillamateua.com	5 CDEGIJK	ABHIJNPRY 10
	B 6A	❶ €52,80
🗺 N 42°6'37'' E 3°9'56''	H182 6,4 ha 318T(80-90m²) 99D	❷ €67,00

🚗 Mautstrecke Ausfahrt 5, Richtung L'Escala. Vor L'Escala Richtung Escala Riells. Dann CP-Schildern und Montgó folgen. Gut angezeigt.

L'Escala, E-17130 / Cataluña 🛜 iD
- 🏕 l'Escala Cat.1
- 📧 Cami Ample s/n
- 🕐 1 Mai - 27 Sep
- ☎ +34 972-770084
- @ info@campinglescala.com
- 📍 N 42°6'37'' E 3°8'40''

1 AHKNORT		MNQSW 6
2 HKPQVY		ABDE**FGH** 7
3		ABCDEFNR 8
4 O		JL 9
5 CDGK		AHIJ**PR**10
6A		
15 ha 135T(25-35m²) 12D	① €44,50	② €50,50

🚗 Zollstraße Ausfahrt 5, Richtung L'Escala, vor L'Escala 'Sector Sud', in L'Escala am Dreisprung rechts, am Kreisverkehr scharf links, am nächsten Dreisprung wieder links.

L'Escala, E-17130 / Cataluña iD
- 🏕 Maite Cat.2
- 📧 Platja de Riells
- 🕐 1 Jun - 15 Sep
- ☎ +34 972-770544
- @ maite@campings.net
- 📍 N 42°6'48'' E 3°8'40''

1 ACDILNOPRST		KMNQSWXZ 6
2 DEHOPUVY		AD 7
3 B		AEFNRV 8
4 **ALOP**		L 9
5 CDEGIJ		ABHIJLR10
6A		
6 ha 445T(35-80m²)	① €35,90	② €47,80

🚗 Mautstraße Ausfahrt 5, Richtung L'Escala, vor L'Escala 'Sector Sud', in L'Escala Richtung Montgó, direkt vor Aldi Supermarkt rechts.

L'Escala, E-17130 / Cataluña 🛜 CC€16 iD
- 🏕 Neus
- 📧 Cala Montgo
- 🕐 15 Mai - 20 Sep
- ☎ +34 638-652712
- @ info@campingneus.com
- 📍 N 42°6'18'' E 3°9'30''

1 ADGILNOPRT		AF 6
2 BHMQRUVXY		ABDEFH 7
3 BEFM		ADEFNQRS 8
4 **ALOP**		A 9
5 ABDEFKLM		ABHIJ**NP**R10
6A CEE		
3,8 ha 243T(40-120m²) 29D	① €45,70	② €52,70

🚗 Ausfahrt 5 Richtung L'Escala Zentrum, Richtung Cala Montgo, dann Schildern folgen (Neus).

L'Estartit, E-17258 / Cataluña 🛜 CC€16 iD
- 🏕 Emporda
- 📧 Ctra Torroella-l'Estartit, km 4,8
- 🕐 28 Mär - 12 Okt
- ☎ +34 972-750649
- @ info@campingemporda.com
- 📍 N 42°2'57'' E 3°11'2''

1 A**JM**NOPRST		AF 6
2 QWX		AD**FG** 7
3 AK		ABCDEFNQS 8
4 BDHLNOPQ		JLUVWZ 9
5 ABEGIK		ABIK**NP**R10
6 A		
3,5 ha 230T(70-100m²) 9D	① €35,60	② €47,20

🚗 Ausfahrt Richtung Torroella de Montgri, nach L'Estartit, rechts.

L'Estartit, E-17258 / Cataluña 🛜 iD
- 🏕 Estartit
- 📧 Pujada de la Primavera 12
- 🕐 1 Apr - 1 Okt
- ☎ +34 972-751909
- 📍 N 42°3'25'' E 3°11'51''

1 AJKNOPR**T**		ABF 6
2 ERTUVY		ABEFH 7
3 AK		ACDEFNRSV 8
4 BDOPQ		ADEILUVXZ 9
5 BDG**IL**		ABCHIJ**NP**T10
6A		
2,5 ha 200T(60-80m²) 26D	① €31,80	② €40,05

🚗 L'Estartit, ausgeschildert oder geradeaus bis zur Fußgängerzone, links.

L'Estartit, E-17258 / Cataluña 🛜 🌸 CC€18 iD
- 🏕 Les Medes Cat.1
- 📧 Paratge Camp de l'Arbre
- 🕐 1 Jan - 31 Dez
- ☎ +34 972-751805
- @ info@campinglesmedes.com
- 📍 N 42°2'33'' E 3°11'6''

1 ADE**JK**NOPRT		AEF 6
2 GOPVXY		ABDEFGH 7
3 BEF**KLMQ**		ABCDEFJKNQRSTUV 8
4 A**BCD**FHILNOPQ**STX**		JLUVXZ 9
5 ACDEGJKLM		ABCDGHIJ**NP**RZ10
B 10A CEE		
2,6 ha 170T(70-80m²) 14D	① €45,80	② €58,40

🚗 A7, Ausfahrt 5, auf der Straße von Torroella de Montgri nach Estartit, vor 'Jocs' rechts und Schildern folgen, noch ca. 2 km bis zum CP.

L'Estartit, E-17258 / Cataluña 🛜 iD
- 🏕 Rifort
- 📧 Cami Vell 2
- 🕐 1 Apr - 5 Okt
- ☎ +34 972-750406
- @ campingrifort@campingrifort.com
- 📍 N 42°3'8'' E 3°11'29''

1 ADE**JM**NOPQRT		A 6
2 HORUWXY		ABDFH 7
3 K		ABEFNST 8
4 O		IJLZ 9
5 DI		ABI**NP**R10
10A CEE		
1,7 ha 120T(60m²) 12D	① €31,80	② €40,30

🚗 A7, Ausfahrt 6 Richtung L'Escala. Dann über Torroella de Montgri nach L'Estartit.

L'Estartit, E-17258 / Cataluña 🛜 CC€16 iD
- 🏕 Ter Cat. 2
- 📧 Ctra Torroella-l'Estartit km 4,3
- 🕐 1 Apr - 13 Sep
- ☎ +34 972-751110
- @ ter@campinger.com
- 📍 N 42°2'55'' E 3°10'45''

1 ADE**JM**NOPQRS		AF 6
2 OPVWXY		ABD**FGH** 7
3 AKL		ABEFNR 8
4 BFHLN**PQ**		JKLVWXZ 9
5 BDG		BDHIKL**NP**TU10
6A		
2,2 ha 191T(60-80m²) 24D	① €30,90	② €40,90

🚗 Salida (Ausfahrt) 6 Richtung Torroella de Montgri, nach L'Estartit rechts. Hinter Lidl rechts.

Llafranc/Palafrugell, E-17211 / Cataluña 🛜 iD
- 🏕 Kim's Camping S.L Cat.1
- 📧 Font d'en Xeco 1
- 🕐 3 Apr - 4 Okt
- ☎ +34 972-301156
- @ info@campingkims.com
- 📍 N 41°54'2'' E 3°11'22''

1 ADEILNOPQRT		AF 6
2 GNOPQRUVXY		ABDE**FGH** 7
3 AE**KLQ**		ABEFNQRS 8
4 ABCDILNO**PQ**		HIJKLV 9
5 ABGIK**LM**		ABGHIJ**NO**TZ10
5A		
H50 5 ha 325T(70-110m²) 115D	① €44,70	② €51,80

🚗 Palafrugell Richtung Tamariu, hinter der Polizei rechts die GIV 6542 auf, dann den CP-Schildern folgen.

Llagostera, E-17240 / Cataluña 🛜 CC€16 iD
- 🏕 Ridaura
- 📧 Ctra Girona-Platja d'Aro, C-65 km 6
- 🕐 27 Feb - 12 Okt
- ☎ +34 972-830265
- @ info@campingridaura.com
- 📍 N 41°49'40'' E 2°57'29''

1 ADEHKNOPQRST		AF 6
2 BRTXY		ABDEFH 7
3 BE**JK**		ABEFNRST 8
4 A**F**HLNOQ		AELUV 9
5 ABDGIK**LM**		ABCDHIK**NOP**TU10
B 10A		
4 ha 202T(60-110m²) 189D	① €36,00	② €44,00

🚗 Auf der AP7 Richtung Platja d'Aro, dann Richtung Barcelona 10 km.

Lloret de Mar, E-17310 / Cataluña 🛜 iD
- 🏕 Canyelles Cat.2
- 📧 Cala Canyelles
- 🕐 28 Mär - 30 Sep
- ☎ +34 972-364504
- @ info@ccanyelles.com
- 📍 N 41°42'26'' E 2°52'50''

1 ADE**JM**NOPQRS**T**		AFKM 6
2 EFHNORUVXY		ABDEFH 7
3 A**K**		ABEFNQR 8
4 O**P**		DIL 9
5 BDEGIK		AGHIJ**NO**RY10
6A		
10 ha 301T(60-80m²) 52D	① €37,25	② €47,85

🚗 Zollstraße E15, Ausfahrt 9 Lloret, Richtung Tossa. 2 km außerhalb von Lloret rechts und gleich links (gut ausgeschildert).

Lloret de Mar, E-17310 / Cataluña 🛜 CC€16 iD
- 🏕 Lloret Blau
- 📧 C/ Aiguaviva s/n
- 🕐 30 Apr - 27 Sep
- ☎ +34 972-365483
- @ info@campinglloretblau.com
- 📍 N 41°42'20'' E 2°50'35''

1 ADE**JM**NOPQRS**T**		A 6
2 XY		ABD 7
3 K		AEF 8
4 O**PQ**		AL 9
5 BDGI		BDFIL**NP**H10
5A		
2,4 ha 300T(50-90m²) 3D	① €39,20	② €50,20

🚗 E15, Ausfahrt 9 nach Lloret. An 'Water World' vorbei, Ampel links. Geradeaus, hinter der Ampel links zum CP.

Lloret de Mar, E-17310 / Cataluña 🛜 CC€18 iD
- 🏕 Tucan**
- 📧 Ctra de Blanes a Lloret
- 🕐 28 Mär - 27 Sep
- ☎ +34 972-369965
- @ info@campingtucan.com
- 📍 N 41°41'50'' E 2°49'19''

1 ADEIL NOPQRST		AFH 6
2 GHOQUVXY		ABDEFH 7
3 ADE**IKLQRS**		ABCDEFNRSTUV 8
4 ABCDEIKLNOP**QS**		ACEJKLUVXZ 9
5 ABDEGIJKLM		ABDHIKL**NP**RY10
B 10A		
4,2 ha 324T(65-100m²) 123D	① €49,00	② €61,00

🚗 Von Lloret de Mar nach Blanes der letzte CP rechts.

Maçanet de Cabrenys, E-17720 / Cataluña 🛜 CC€16 iD
- 🏕 Camping Maçanet de Cabrenys
- 🕐 1 Mär - 31 Dez
- ☎ +34 667-776648
- @ campingmassanet@gmail.com
- 📍 N 42°22'23'' E 2°45'15''

1 ADE**JM**NOPRS**T**		A 6
2 BFGPTUVWXY		ABDEF 7
3 AL		ABEFNQRTV 8
4 FHO**X**		AJU 9
5 ABDEGIK**LM**		BDHIJOV10
B 10A		
H400 4,5 ha 50T(80-150m²) 13D	① €36,50	② €47,50

🚗 Von Frankreich an der E15, Ausfahrt 2 (La Jonquera) nach Agullana, dann Darnius, hinter Maçanet de Cabrenys, links noch 2 km (von Figueres Nord, Richtung Darnius).

Malgrat de Mar, E-08380 / Cataluña 🛜 CC€16 iD
- 🏕 Camping Resort Els Pins
- 📧 Avda Pomareda s/n
- 🕐 1 Apr - 30 Nov
- ☎ +34 937-653173
- @ pinsresort@campingelspins.es
- 📍 N 41°38'54'' E 2°46'12''

1 ADEHKNOPQRT		AF 6
2 EHOQWX		ABDEFGH 7
3 AELS		ABCDEFNQRSTUV 8
4 BDLO**T**		EJLX 9
5 ABEGIK		ABIJL**NP**SV10
5A CEE		
3,2 ha 220T(70-110m²) 140D	① €40,00	② €50,40

🚗 Blanes-Süd abfahren, Richtung Zentrum, danach den Hinweisen Malgrat de Mar folgen. Über den Fluss, am Kreisel links, am Strand auch nach links. CP links.

Malgrat de Mar, E-08380 / Cataluña 🛜 CC€16 iD
- 🏕 del Mar
- 📧 Av. Pomareda s/n
- 🕐 27 Mär - 12 Okt
- ☎ +34 937-653767
- @ info@campingdelmar.com
- 📍 N 41°38'51'' E 2°45'50''

1 ADE**JM**NOPQRT		AFKQS 6
2 EKPRVWX		AD**FGH** 7
3 AE**IM**		ABEFKNQRS 8
4 BCDO		BJL 9
5 ABDEI		ABCDHJ**NP**R10
B 64A		
3 ha 124T(20-64m²) 55D	① €41,40	② €51,40

🚗 Ausfahrt Blanes Sud, dann Richtung Malgrat de Mar, über Brücke, im Kreisel links, bis am Meer, dann rechts nach ca. 100m.

Malgrat de Mar, E-08380 / Cataluña ⤢ CC€18 iD

🏕 La Tordera
✉ Camí de la Tordera, sn-Ap. 58
📅 21 Feb - 8 Nov
☎ +34 937-612778
@ camping@latordera.com

1 ADEILNOPQRST	AFKMN 6
2 CEHQVWXY	ADF 7
3 BEFKLQ	AEFGNPRS 8
4 BCDILNOP	JKLV 9
5 ABDEFGIM	ABFJNORVY 10
B 10A CEE	❶ €39,30
2,2 ha 400T(60-80m²) 263D	❷ €51,50

📍N 41°38'57'' E 2°46'39''

🚗 Ausfahrt Blanes-Sud, danach Richtung Malgrat de Mar. Über die Brücke, direkt links. CP am Ende der Straße, ist ausgeschildert.

Mataró, E-08304 / Cataluña ⤢ CC€18 iD

🏕 Barcelona Cat.2
✉ Ctra N-II, km 650
📅 27 Feb - 1 Nov
☎ +34 93-7904720
@ info@campingbarcelona.com

1 ADEJMNOPQRST	AFNOPQRSTUVX 6
2 AEFGHMOPVWXY	ABDEFGH 7
3 AEKLQ	ABEFNQRSTU 8
4 ABDFHIKLOPQX	JLMOQRSUV 9
5 ACDEFGIJKLM	ABDEFGHIKLNORZ 10
B 16A CEE	❶ €51,60
7 ha 304T(60-120m²) 63D	❷ €64,50

📍N 41°33'2'' E 2°29'0''

🚗 C32 Ausfahrt 103 oder 104. AP-7 bei Km 126 nach Mataró über die C60.

Mont-Ras/Girona, E-17253 / Cataluña ⤢ ✿

🏕 Relax - Nat Cat.1
✉ Barri Canyelles 2
📅 28 Mär - 27 Sep
☎ +34 972-300818
@ info@campingrelaxnat.com

1 DEJMNOPQRST	ABF 6
2 GPQRTVXY	ADF 7
3 AEIKLMQ	AEFNQRS 8
4 OQU	JLUV 9
5 BGIM	AHIJMNOS 10
FKK 4A	❶ €42,80
5 ha 310T(80-100m²) 45D	❷ €53,00

📍N 41°53'29'' E 3°9'20''

🚗 Palafrugell-Palamós Ausfahrt 330, hinter Mont-Ras Steigungsstrecke, am ersten Golfabschlag links ab zum 'Camping Naturista' folgen.

Mont-Ras/Girona, E-17253 / Cataluña ⤢ iD

🏕 Relax-Ge
✉ Ctra C31, sortida 329
📅 1 Jun - 1 Sep
☎ +34 972-301549
@ info@campingrelaxge.com

1 ADEJMNOPQRST	AF 6
2 HMOPVX	ABDEFH 7
3 AEKL	AEFNQRSV 8
4 OQ	JLV 9
5 ABDIM	HIMNORV 10
B 6A	❶ €38,75
2,7 ha 140T(90-100m²) 41D	❷ €49,15

📍N 41°53'32'' E 3°8'38''

🚗 Palafrugell-Palamós C31, Ausfahrt 330, siehe Relax-Ge.

Montagut, E-17855 / Cataluña ⤢ CC€16 iD

🏕 Montagut
✉ Ctra Montagut a Sadernes km 2
📅 15 Apr - 12 Okt
☎ +34 972-287202
@ info@campingmontagut.com

1 ADEILNOPRST	AF 6
2 FGPRUVXY	ABDEFGH 7
3 BEFLQ	ABEFJNQRS 8
4 IO	9
5 ABDEFGIJKLM	BGHIJOPRV 10
B 6A	❶ €34,70
H230 2 ha 93T(65-110m²) 10D	❷ €46,60

📍N 42°14'43'' E 2°35'58''

🚗 A7 Ausfahrt Figueres-Norte. C260 Richtung Besalú. Von Besalú die A26 Ausfahrt 75 nach Montagut. Ab hier ausgeschildert.

Oix, E-17856 / Cataluña ⤢ iD

🏕 La Soleia d'Oix
✉ Mas Can Vilà
📅 1 Jan - 31 Dez
☎ +34 972-294561
@ info@lasoleiadoix.cat

1 ADEJMNOPRST	A 6
2 CFGPVXY	ABDEFG 7
3 ABELR	ABEFJKNQRSTV 8
4 BCDFHIOQ	GJU 9
5 ABDEFGIJKLM	BHIJORV 10
10A	❶ €25,85
H480 2,1 ha 60T(40-150m²) 43D	❷ €34,30

📍N 42°16'16'' E 2°31'23''

🚗 Figueras-Olot, Ausfahrt Castellfollit de la Roca. Innerorts der Ausfahrt Oix (klein, niedrig) folgen. 10 km bergauf. Im Ort 1. Straße links. Nach ca. 900m liegt der CP rechts.

Palamós, E-17230 / Cataluña ⤢ CC€18 iD

🏕 Benelux
✉ Apt. de Correos 270
📅 3 Apr - 27 Sep
☎ +34 972-315575
@ cbenelux@cbenelux.com

1 ADEJMNORST	AFOP 6
2 GHQRTVY	ABDEF 7
3 AQ	ABCDEFNRS 8
4 BO	AKLSUVWX 9
5 ABGIK	BDHIJNORY 10
6A	❶ €45,85
4,6 ha 250T(50-80m²) 82D	❷ €62,00

📍N 41°52'21'' E 3°9'4''

🚗 C31 Palafrugell-Palamós, Ausfahrt 328 nehmen. Dann den CP-Schildern folgen.

Palamós, E-17230 / Cataluña ⤢ CC€16

🏕 Internacional Palamós Cat.1
✉ Camí Cap de Planes s/n
📅 28 Mär - 30 Sep
☎ +34 972-314736
@ info@internacionalpalamos.com

1 BJMNOPQRST	AFK 6
2 EPQVXY	ABDEFH 7
3 AK	ABCDEFNQRSTUV 8
4 ABLO	BEJLUV 9
5 BDEGIM	ABGHIJNORY 10
B 6A	❶ €50,60
5,2 ha 398T(60-80m²) 93D	❷ €57,50

📍N 41°51'27'' E 3°8'17''

🚗 Palafrugell-Palamós, Ausfahrt Palamós/La Fosca, Richtung La Fosca. Vor CP King's rechts, vor CP Fosca rechts, weiter den Schildern folgen.

Pals, E-17256 / Cataluña ⤢ CC€16 iD

🏕 Mas Patoxas Cat.1
✉ Ctra de Palafrugell a Pals, km 339
📅 16 Jan - 13 Dez
☎ +34 972-636928
@ info@campingmaspatoxas.com

1 ADEJMNOPQRST	AFH 6
2 GPUVWXY	ABDEFGH 7
3 BEFKLM	ABEFKLMNQRSTUV 8
4 ABCDFHIKLMNOPQR	AEJLUVXZ 9
5 ACDEGJKLM	ABDHIJMNPRYZ 10
Anzeige auf Seite 405 B 6A	❶ €54,00
11 ha 400T(72-100m²) 339D	❷ €63,00

📍N 41°57'19'' E 3°9'26''

🚗 Ausfahrt 6, Richtung Bisbal. Von Pals Richtung Begur/Palamos folgen. Am Kreisel nach Begur. Nach 1 km liegt der CP links der Strecke.

Pineda de Mar, E-08397 / Cataluña ⤢ CC€16 iD

🏕 Bell-Sol Cat.2
✉ Passeig Marítim 46
📅 27 Mär - 12 Okt
☎ +34 937-671778
@ info@campingbellsol.com

1 ADEJMNOPQRT	AFKM 6
2 AEHOQVXY	ABDFH 7
3 AQ	AEFNQR 8
4 LO	EIL 9
5 ADEGKL	BDHILOSTV 10
5A	❶ €34,00
3 ha 200T(60m²) 141D	❷ €45,50

📍N 41°37'6'' E 2°40'44''

🚗 Mautstraße E15, Ausfahrt 9 Malgrat, NII Richtung Barcelona folgen. Am Südrand von Pineda de Mar auf der NII erste Straße links (nach dem Schild Ende des Stadtkerns). Bis zum Boulevard, dort rechts zum CP.

Pineda de Mar, E-08397 / Cataluña ⤢ CC€16 iD

🏕 Caballo de Mar
✉ Passeig Marítim, s/n Apdo Correos 3
📅 28 Mär - 12 Okt
☎ +34 937-671706
@ info@caballodemar.com

1 ADEILNORT	AFKMNQX 6
2 AEHRVXY	ABDEFH 7
3 AELQS	ABCDEFIKLNRSTUV 8
4 ABDLNOPQRU	EJLV 9
5 ABDEGIK	ABCDHIKLNOSY 10
B 6A	❶ €42,55
3 ha 310T(60-70m²) 163D	❷ €54,45

📍N 41°37'2'' E 2°40'39''

🚗 NII Richtung Calella, südlich von Pineda de Mar. Den CP-Schildern folgen.

Pineda de Mar, E-08397 / Cataluña ⤢ iD

🏕 El Camell Cat.2
✉ Avinguda de los Naranjos
📅 10 Apr - 30 Sep
☎ +34 937-671408
@ info@campingelcamell.com

1 ADEJMNOPRT	AFKM 6
2 EHQVY	ADFH 7
3 AELMQ	ABEFN 8
4 LOP	JLV 9
5 DEGK	ABHIJNPR 10
5A	❶ €35,00
2,2 ha 155T(50-70m²) 85D	❷ €46,40

📍N 41°37'16'' E 2°40'54''

🚗 Am Südrand von Pineda de Mar auf der NII die erste Straße nach dem Schild Ende des Stadtkerns links, Schildern folgen.

Pineda de Mar, E-08397 / Cataluña ⤢ CC€16 iD

🏕 Enmar Cat.2
✉ Av. de la Mercè s/n
📅 16 Mär - 31 Okt
☎ +34 937-671730
@ info@campingenmar.com

1 ADEJMNOPQRST	AFHIK 6
2 AEHOQRVXY	ABDEFG 7
3 AEFL	ABEFNRS 8
4 BDILNOP	JLUVXZ 9
5 ABDEGIK	BCDGHIKNOPR 10
B 6A	❶ €47,10
2,4 ha 240T(75-90m²) 132D	❷ €60,70

📍N 41°37'19'' E 2°41'10''

🚗 In Pineda de Mar an der Promenade entlang, den CP-Schildern folgen.

Platja d'Aro, E-17250 / Cataluña ⤢ CC€14 iD

🏕 Pinell
✉ Punta Prima, 14 - Apartat 110
📅 2 Apr - 4 Okt
☎ +34 972-818123
@ info@campingpinell.com

1 ADEGJMNOPQRST	AF 6
2 HQRUVXY	ADF 7
3 AKL	AEFNQR 8
4 NOPQ	IJLV 9
5 AEGI	AHIJLPR 10
6A	❶ €34,80
2 ha 270T(60-70m²) 70D	❷ €42,60

📍N 41°48'14'' E 3°3'21''

🚗 Platja d'Aro Zentrum nach S'Agaró. CP an der Südseite von Platja d'Aro, ausgeschildert.

Platja d'Aro, E-17250 / Cataluña ⤢ CC€18

🏕 Riembau Cat.1
✉ Apartado de Correos 181
📅 28 Mär - 27 Sep
☎ +34 972-817123
@ camping@riembau.com

1 DEJMNOPQRST	AEF 6
2 GPVXY	ABDEFGH 7
3 BEIKLMQ	ABCDEFNQRSV 8
4 BCDILNOPRSTUV	ELUVZ 9
5 ACDEGIK	ABGHINPRYZ 10
B 5A	❶ €50,40
19,7 ha 1114T(100m²) 264D	❷ €58,90

📍N 41°48'35'' E 3°2'48''

🚗 Ausfahrt 6 Richtung Palamós, dann Platja d'Aro-Zentrum, im Kreisverkehr geradeaus, nach 600m CP rechts.

Platja d'Aro, E-17250 / Cataluña ⤢ iD

🏕 Treumal Cat.1
✉ Apartado Correos 348
📅 28 Mär - 30 Sep
☎ +34 972-651095
@ info@campingtreumal.com

1 ADEHKNOPRT	FKMNPQWX 6
2 EFHNPQRTUVXY	ABDEFGH 7
3 BEFKLQ	ABCDEFNQRS 8
4 ABCDFHLNOPQ	EGHLRUVWX 9
5 ACDEGJKLM	ABHIJNPRY 10
10A	❶ €52,30
8 ha 544T(70-90m²) 171D	❷ €62,10

📍N 41°50'11'' E 3°5'14''

🚗 Palafrugell-Palamós, Richtung San Feliu, nach Palamós-est, dann Platja d'Aro, CP links der Straße bei Torre Valentina, gut ausgeschildert.

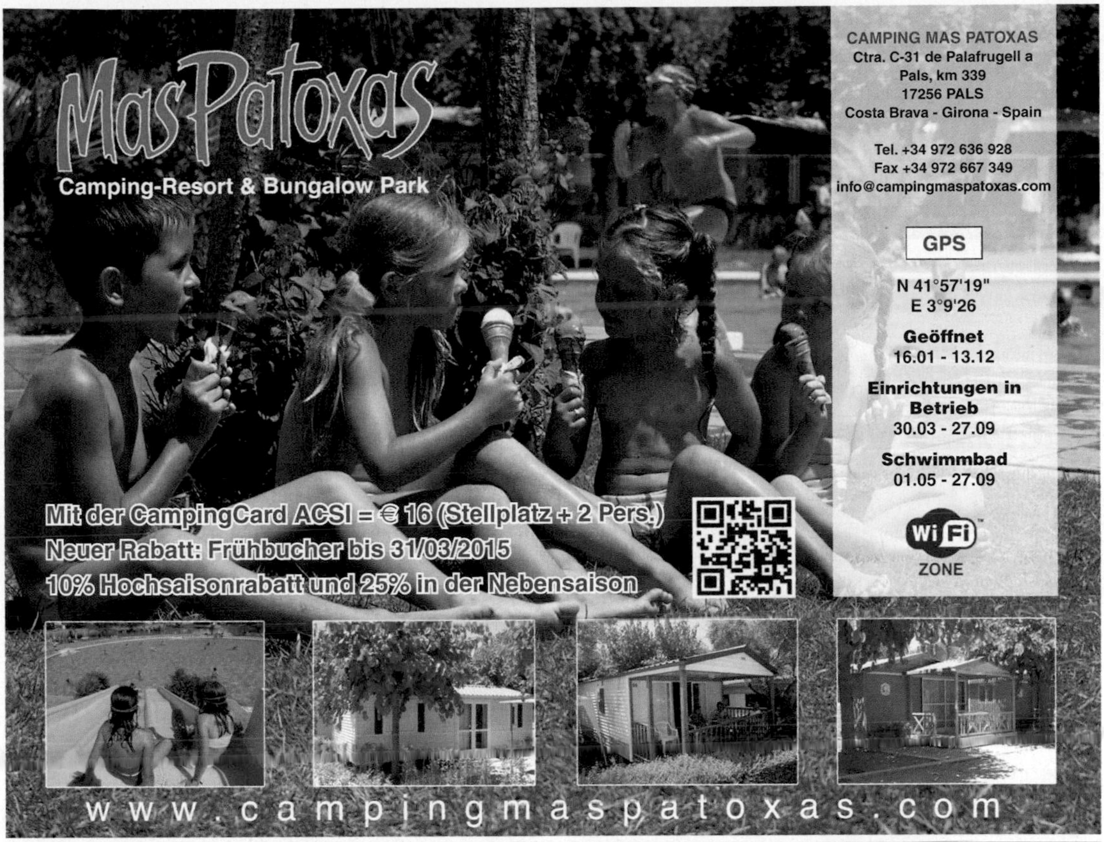

Platja d'Aro, E-17250 / Cataluña CC€16 iD

Valldaro Cat.1
Cami Vell 63
27 Mär - 27 Sep
+34 972-817515
info@valldaro.com

1 ADJLNOPQRST		AF 6
2 GHPVXY		ABDEFGH 7
3 BEIKLMQ		ABEFJKNQRSV 8
4 ABCDFHILNOPQRUZ		FJKLUVXY 9
5 ACDEGIJKM	ABCDGHIJMNOPRYZ10
B 10A		❶ €53,00
18,3 ha 600T(70-90m²) 502D		❷ €63,20

N 41°48'52'' E 3°2'42''

Ausfahrt 7 Palafrugell/Palamós Richtung San Feliu. Auf der C31 Ausfahrt 314 Castell d'Aro, 1. Kreisel 3/4 Richtung Platja d'Aro. Nach 200m liegt rechts der Camping.

Platja d'Aro/Calonge, E-17250 / Cataluña iD

Internacional de Calonge Cat.1
Apt. de Correos 272
1 Jan - 31 Dez
+34 972-651233
info@intercalonge.com

1 ADEJMNOPQRST		AFKMNOPQSW 6
2 EHOPQRTUVXY		ABDEFGH 7
3 BEFKLMNQ	ABCDEFIJKNQRSTUV 8
4 ABCDEFHLNOP		AEJLRSUVWX 9
5 ACDEGIJKLM		ABFHIJMNOPRYZ10
5A		❶ €52,65
15 ha 771T(60-90m²) 145D		❷ €62,35

N 41°50'0'' E 3°5'4''

Sortida 6, Palafrugell-Palamós, Richtung San Feliu, nach Palamós-est, dann Platja d'Aro. CP rechts von der Straße, gut ausgeschildert.

Platja de Pals, E-17256 / Cataluña CC€18 iD

Cypsela Cat. de Luxe
Rodors 7
3 Apr - 13 Sep
+34 972 667090
info@cypsela.com

1 ADHKNOPQRST		AFH 6
2 BGQVY		ABDEFGH 7
3 BEFIKLPQT	ABCDEFIKLNQRSTUV 8
4 ABCDHILNOPQRZ		CEJKLUVXZ 9
5 ACDEFGIJK		ABFGHIKNPRWYZ10
B 6A CEE		❶ €55,60
20 ha 912T(80-140m²) 181D		❷ €64,60

N 41°59'8'' E 3°10'58''

Autobahn, Ausfahrt 6, von Pals Richtung Platja de Pals, weiter Schildern folgen, CP links der Straße.

Platja de Pals, E-17256 / Cataluña iD

Playa Brava Cat.1
Avda del Grau 1
16 Mai - 13 Sep
+34 972-636894
info@playabrava.com

1 ADEHKNOPQRST		AFKMNQS 6
2 CEGHPQRVWY		ABDEFG 7
3 BEFIKLMQ		ABCDEFNRS 8
4 ABCDHILNOPQ		LRUVWXZ 9
5 CDEGIK		ABHIJNPRZ10
Anzeige auf dieser Seite B 10A		❶ €51,50
11 ha 700T(70-120m²) 5D		❷ €56,50

N 42°0'3'' E 3°11'38''

Von Pals Richtung Platja de Pals, nach dem 'Aparthotel Golf Beach' am Kreisverkehr links, am nächsten Kreisverkehr wieder links, den Schildern folgen.

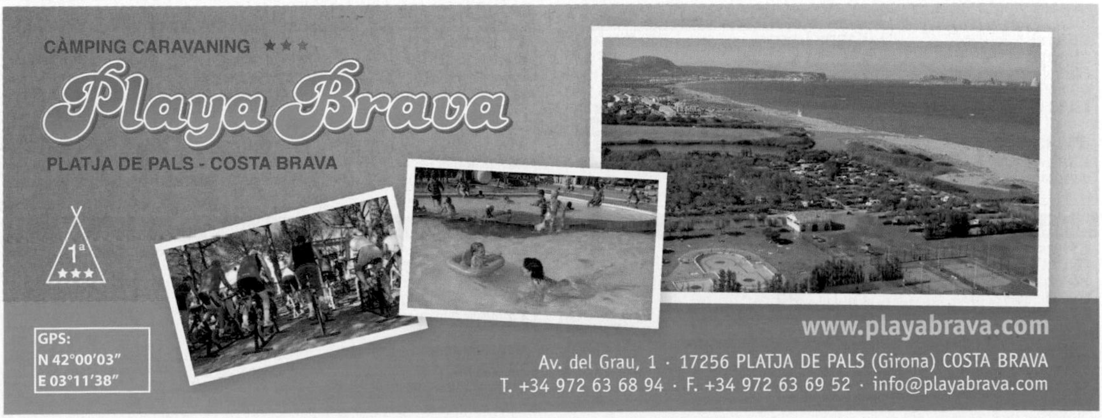

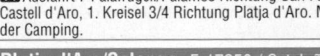

www.CampingPedraforca.com

- Ideal für Familien
- In dem Cadí-Moixeró Naturpark
- Freibad, Hallenbad, Sauna, Jacuzzi
- Canyoning, Wandern, Mountainbike, Natur, Raum und Ruhe

Spanien

Platja de Pals, E-17256 / Cataluña

▲ Inter-Pals Cat.1	1 ADE**JM**NOPRST · AF 6
▣ Av. Mediterrània, km 4,5	2 BGHNQTUVY · ABDE**FG**H 7
⊙ 27 Mär - 27 Sep	3 AE**KLM** · ABDEFNQRS 8
☎ +34 972-636179	4 A**BCD**LOPU · AJLUVXZ 9
@ info@interpals.com	5 ACDEGIK · ABDHIJLM**NP**RYZ 10
	5A · ❶ €55,60
△ N 41°58'52'' E 3°12'4''	7 ha 560T(60-200m²) 131D · ❷ €64,60

🚗 Autobahn Ausfahrt 6 Richtung La Bisbal, von Pals Richtung Platja de Pals, am Kreisverkehr geradeaus hinter 'Aparthotel Golf Beach', nach ein paar Hundert Metern CP rechts.

Platja de Pals, E-17256 / Cataluña

▲ Neptuno	1 AHKNOPQRST · AF 6
▣ C/Rodors, n. 23	2 BGRY · ADFJ 7
⊙ 5 Apr - 15 Sep	3 BE**KLM**QS · ACEFNQRS 8
☎ +34 972-636731	4 A**BD**LNP · JLVWXZ 9
@ info@campingneptuno.com	5 BDGK · HIJ**NP**T 10
	6A
△ N 41°59'7'' E 3°11'26''	6,5 ha 262T(80-120m²) 109D · ❷ €50,00 / ❶ €40,00

🚗 Richtung Platja de Pals, Schilder links, hinter den Schildern 1 km zum CP.

Porqueres/Banyoles, E-17834 / Cataluña

▲ El Llac Cat. 2	1 ACILNOR · AFGL 6
▣ Ctra Circumal.lació de l'Estany	2 BDPRVY · ABD**FG** 7
⊙ 15 Jan - 15 Dez	3 ABLMQ · ABCEFJRS 8
☎ +34 972-570305	4 FHO**PQ** · L 9
@ info@campingllac.com	5 ABDEL · BJPTUV 10
	B 6A · ❶ €30,40
△ N 42°7'14'' E 2°44'51''	H175 6 ha 360T 143D · ❷ €39,40

🚗 Von Figueres Ausfahrt 5 Richtung Banyoles/Porqueres.

Puigcerdà, E-17520 / Cataluña

▲ Stel	1 ADEJMNOPRST · AB 6
▣ Ctra de Llívia s/n	2 FGPRUVX · ABDE**FG** 7
⊙ 29 Mai - 13 Sep	3 ABCE**GHK**LU · ABCDEFJNQRSV 8
☎ +34 972-882361	4 E**I**OPQ · J 9
@ puigcerda@stel.es	5 ACDEFGIJK**LM** · HIJ**N**OR 10
	W 7,5A · ❶ €44,50
△ N 42°26'30'' E 1°56'29''	H1200 9 ha 260T(70-80m²) 103D · ❷ €55,90

🚗 Vom Grenzposten Bourg-Madame am ersten Kreisverkehr rechts ab Ctra de Llívia s/n. Danach noch 1 km oder von Puigcerdà Richtung Llivia.

Roses, E-17480 / Cataluña

▲ Rodas Cat.2	1 ABDILNORT · AFMN 6
▣ Punta Falconera 62	2 EGOPVY · ABD**F**H 7
⊙ 1 Jun - 30 Sep	3 A · ABEFNQR 8
☎ +34 972-257617	4 O · L 9
@ info@campingrodas.com	5 BDEGIKL · ABHIJ**NP**R 10
	B 6A · ❶ €35,00
△ N 42°16'8'' E 3°9'9''	3,2 ha 293T(80m²) · ❷ €45,00

🚗 A7, Ausfahrt 3, C260 Figueres-Roses, am Kreisverkehr Empuriabrava geradeaus. Vom Kreisverkehr vor Roses gut ausgeschildert.

Roses, E-17480 / Cataluña

▲ Salatà	1 ABDILNORT · AKMNOQSW 6
▣ Port Reig	2 EHPQVX · ABDE**FG** 7
⊙ 1/1 - 7/1, 7/2 - 31/12	3 A**I**LM · ABCDEFLNORS 8
☎ +34 972-256086	4 A**E**ILOPUY · AFIJLV 9
@ info@campingsalata.com	5 CDEFGIJK · BHIJLN**V** 10
	B 10A · ❶ €50,25
△ N 42°15'59'' E 3°9'22''	4 ha 164T(50-180m²) 81D · ❷ €63,25

🚗 A7, Ausfahrt 3, C260 Figueres-Roses, am Kreisverkehr B4 Empuriabrava, geradeaus, ab Kreisverkehr vor Roses gut ausgeschildert.

Rupit, E-08569 / Cataluña

▲ Rupit**	1 ABDE**JM**NOPRST · AF 6
▣ Ctra de Vic a Olot, km 31,5	2 BCFGPUVWXY · ABDEFH 7
⊙ 1 Apr - 9 Dez	3 BCEL · AEFJNQRV 8
☎ +34 938-522153	4 BFHILO**PQ** · EJ 9
@ info@rupit.com	5 ABDEGIJ**M** · GHIJ**P**RV 10
	7A CEE · ❶ €34,50
△ N 42°1'52'' E 2°27'53''	H893 3 ha 71T(60-70m²) 22D · ❷ €46,10

🚗 Der Camping liegt 1 km nördlich von Rupit. C153 Olot-Vic, der Camping kommt 27 km hinter Olot. Ausfahrt Rupit vorbei fahren, 0,5 km weiter ist der Camping. Nicht die Ausfahrt Rupit nehmen.

Saldes, E-08697 / Cataluña

▲ Repòs del Pedraforca Cat.1	1 ABD**JM**NOPRS**T** · AEF**N** 6
▣ B400, km 13,5	2 BFGPRSTUVY · ABDE**FG**H 7
⊙ 1 Jan - 31 Dez	3 ABELQ · ABEFJKNQRSV 8
☎ +34 938-258055	4 ABCDEFGHILNO**QRTUY** · AJU 9
@ pedra@ campingpedraforca.com	5 ACDEFGJKL**M** · BFGHIJNPR 10
	Anzeige auf dieser Seite · WB 10A · ❶ €33,80
△ N 42°13'45'' E 1°45'33''	H1300 4 ha 70T(70-100m²) 69D · ❷ €43,70

🚗 Von der C16 südlich des Cadi Tunnels in Guardiola de Berguda die B400 nach Saldes. Der CP liegt nach 13,5 km links der Straße.

Saló, E-08269 / Cataluña

▲ Cal Paradís	1 ABDEHKNOPR · AN 6
▣ Ctra C-55, km 50, BV-3002, km 9	2 CGPVWXY · ABDE**FG** 7
⊙ 13 Apr - 30 Sep	3 AEGHLQ · ABEFHJNQRSTV 8
☎ +34 93-8695652	4 FHIO · HJLU 9
@ calparadis@ campingcalparadis.com	5 ABDEGIJKL**M** · BGHIJORV 10
	3-6A · ❶ €32,00
△ N 41°50'42'' E 1°38'21''	H510 1,1 ha 44T(60-100m²) 9D · ❷ €43,00

🚗 Von Manresa nach Cardona über die C55. Nördlich von Súria. Links ab zur BV-3002 bis zu KM 9. CP ab der BV-3002 ausgeschildert. Letzte 500m über Schotterweg.

Sant Antoni de Calonge, E-17252 / Cataluña

▲ Costa Brava Cat.2	1 ADEJMNOPRT · AF 6
▣ Avenida Union	2 EHOQVXY · ABDFH 7
⊙ 15 Mai - 15 Sep	3 AKL · ABEFNQRS 8
☎ +34 972-650222	4 BNO · 9
@ campingcostabrava@ campingcostabrava.net	5 BDGI · HIJ**NO**T 10
	B 6A · ❶ €36,70
△ N 41°50'44'' E 3°5'42''	2,6 ha 220T(60-80m²) · ❷ €45,80

🚗 Ausfahrt 6 Palafrugell-Palamós, Richtung San Feliu bis zur Ausfahrt Calonge, diese nehmen und Richtung St. Antoni fahren, vor dem Kreisverkehr rechts Einfahrt zum CP.

Sant Antoni de Calonge, E-17252 / Cataluña

▲ Eurocamping	1 ADE**JM**NOPQRST · AFKM 6
▣ Avinguda Catalunya 15	2 EGHOPRVXY · ABDE**F**H 7
⊙ 25 Apr - 20 Sep	3 BDE**IKLM**Q · ABCDEFGINQRSTUV 8
☎ +34 972-650879	4 ABDILNO**PQ**RU · EJLUVWXYZ 9
@ info@euro-camping.com	5 ACDEGI**M** · ABDGHIJ**MN**PRYZ 10
	B 5A · ❶ €52,30
△ N 41°50'49'' E 3°5'55''	13 ha 561T(60-80m²) 342D · ❷ €63,00

🚗 Ausfahrt 6, Palafrugell-Palamós, Richtung San Feliu, dann Palamós-est, danach Platja d'Aro. CP rechts der Straße bei Sant Antoni, gut ausgeschildert.

Sant Feliu de Guixols, E-17220 / Cataluña

▲ Sant Pol	1 ADE**JM**NOPR**T** · ABF 6
▣ Doctor Fleming 1	2 ENOPRUY · ABDE**FG** 7
⊙ 27 Mär - 12 Okt	3 A**I**KL · ABCDEFNQRSTUV 8
☎ +34 682-627900	4 BDFHLO · JLUVWX 9
@ info@campingsantpol.cat	5 ABEGIL**M** · ABDGHIJ**NP**R 10
	10A · ❶ €60,00
△ N 41°47'12'' E 3°2'29''	1,7 ha 77T(50-80m²) 51D · ❷ €68,00

🚗 A7, Ausfahrt 7 Richtung Sant Feliu/s'Agaro. Am Kreisel rechts, an der Tankstelle und dem Roten Kreuz vorbei. Nach 200m CP links in der Ecke. Enge Kurve leicht abfallend.

Sant Llorenç de la Muga, E-17732 / Cataluña

▲ La Fradera	1 ADEJMNOPRST · AK 6
▣ GI-511 km 6,7	2 BCFGPVWXY · ABDE**FG**K 7
⊙ 28 Feb - 13 Dez	3 ABEL · ABEFNQRSTV 8
☎ +34 972-542054	4 FHO · EJL 9
@ lafradera@ campinglafradera.com	5 AG · BIJLNOTU 10
	8A · ❶ €25,35
△ N 42°18'52'' E 2°46'36''	10 ha 50T(70-100m²) 18D · ❷ €35,35

🚗 Ausfahrt 3 Richtung Llers, danach den CP-Schildern folgen. 1 km hinter Sant Llorenç de la Muga.

Sant Pere Pescador, E-17470 / Cataluña

▲ Aquarius Cat.2	1 ABJMNORT · KMNQRSTUV 6
⊙ 15 Mär - 31 Okt	2 EHPVX · ABDE**FG**H 7
☎ +34 972-520101	3 BEFILQR · ABCDEFIJNRS 8
@ reservas@aquarius.es	4 A**H**IJLOP · DEKLMORUVY 9
	5 CDEFGJK · AHIJ**NP**RYZ 10
	Anzeige auf Seite 407 · B 6A CEE · ❶ €57,10
△ N 42°10'38'' E 3°6'29''	8 ha 450T(80-100m²) 21D · ❷ €60,10

🚗 Ausfahrt 3, nach 12 Km Richtung Sant Pere Pescador, oder Ausfahrt 5 Richtung l'Escala bei St. Marti-Empuries der Küstenstraße nach Sant Pere Pescador.

Sant Pere Pescador, E-17470 / Cataluña

▲ l'Àmfora Cat.1	1 ABC**I**LNORT · AFHKMN**O**QRSTWX 6
▣ Av. Josep Tarradellas, 2	2 EGHPRVX · ABDE**FG**H 7
⊙ 14 Apr - 27 Sep	3 BE**I**LMQR · ABCDEFJKLMNRST 8
☎ +34 972-520540	4 A**H**ILMO**PQ** · EIJKLMORV 9
@ info@campingamfora.com	5 CDEFGHIJK · ABGHIJ**NP**RYZ 10
	B 10A · ❶ €60,40
△ N 42°10'55'' E 3°6'15''	12 ha 700T(90-180m²) 145D · ❷ €65,40

🚗 A7 Ausfahrt 3, Richtung Girona/Barcelona. 3. Ausfahrt Figueres/Roses (C260). 9 km vor Roses rechts ab Richtung Sant Pere Pescador.

aquarius camping

Das Strandparadies an der Costa Brava

Geöffnet 15. März bis 31. Oktober 2015

E-17470 SANT PERE PESCADOR COSTA BRAVA Tel. +34 972 520 101 www.aquarius.es

Spanien

Sant Pere Pescador, E-17470 / Cataluña

🔺 La Ballena Alegre
Costa Brava Cat.1
📅 16 Mai - 20 Sep
☎ +34 972-520302
@ info@ballena-alegre.com

1 ABC**IL**NORT	AFKMNOPQRSTWX	6
2 EGHPVX	ABDE**FG**H	7
3 ABE**GLMN**	ABCDEFKNRSTUV	8
4 AHILMO**PQR**	JLMOSUV	9
5 CDEFGHIJKL	ABGHIJMN**P**RXY	10
B 10A		① €60,20
24 ha 855T(100m²) 297D		② €67,20

📍 N 42°9'12'' E 3°6'43''
🚗 Ausfahrt 5 Richtung L'Escala. Dann San Marti de Empuries (Km-Pfahl 18,5).

Santa Cristina d'Aro, E-17246 / Cataluña

🔺 Mas St. Josep
Ctra Sta Cristina-Platja d'Aro, km2
📅 2 Apr - 13 Sep
☎ +34 972-835108
@ info@
campingmassantjosep.com

1 BDE**JM**NOQRST	AF	6
2 GPQRVXY	ABDEFGH	7
3 BDEF**IKLMNOP**QU	ABCDEFGIJKNQRSV	8
4 **A**BDFHILNO**PQRSTU**	EJLUVW	9
5 ACDEGIM	ABFGHIJN**P**RY	10
B 10A CEE		① €57,00
35 ha 1030T(75-108m²) 690D		② €74,00

📍 N 41°48'40'' E 3°1'6''
🚗 Autobahn Richtung Platja d'Aro und San Feliu, dann Santa Christina d'Aro, geradeaus, nach 1,5 km links.

Sant Pere Pescador, E-17470 / Cataluña

🔺 La Gaviota
Ctra Platja s/n
📅 27 Mär - 25 Okt
☎ +34 972-520569
@ info@lagaviota.com

1 ABC**JM**NORT	ABFJKMNPQRSW**X**	6
2 CEFGHPVY	ABDE**FG**H	7
3 ABEFL	ABCDEFIKNQRS	8
4 **A**BDFHLO**PQYZ**	EJLUV	9
5 ABCD**E**FGIJKL**M**	ABFHIJN**P**RY	10
B 6A CEE		① €60,00
2 ha 158T(70m²) 21D		② €62,50

📍 N 42°11'21'' E 3°6'30''
🚗 Ausfahrt 3 nach La Jonquera, Richtung Roses, nach 12 km Richtung Sant Pere Pescador, nach der Brücke Schildern folgen.

Santa Cristina d'Aro, E-17246 / Cataluña

🔺 Santa Cristina
Ctra Sant Feliu de Guíxols km 1,8
📅 15 Jun - 15 Sep
☎ +34 972-837753
@ info@
campingsantacristina.com

1 ADILNOPQRST	A	6
2 AVWXY	ADF	7
3 AE**JK**L	ABEFNQ	8
4 H		9
5 G		NOP10
5A		① €41,00
4 ha 208T(80-100m²)		② €63,00

📍 N 41°48'15'' E 3°0'37''
🚗 Ausfahrt Süd, St. Feliu Richtung St. Feliu, CP rechts.

Sant Pere Pescador, E-17470 / Cataluña

🔺 Las Dunas Cat.1
📅 17 Mai - 19 Sep
☎ +34 972-521717
@ info@campinglasdunas.com

1 AB**IL**NOR**T**	AFKMNOQRSTWX	6
2 EGHPVX	ABDE**FG**H	7
3 ABEF**ILM**QR	ABCDEFKNQRSTUV	8
4 **A**HILMO**PQ**	F.II MQUV	9
5 CDEFGHIJK**L**	ABFGHIJMN**P**RY	10
B 6A		① €64,75
27 ha 1568T(75-100m²) 111D		② €71,75

📍 N 42°11'17'' E 3°6'9''
🚗 Zollstraße Ausfahrt 5, Richtung l'Escala. Kurz vor l'Escala, im Kreisverkehr links abbiegen. Den Schildern 'Las Dunas' folgen.

Santa Pau, E-17811 / Cataluña

🔺 Lava Camping Ecologic Cat.2
Ctra Olot-Sta Pau, km 7
📅 1 Jan - 31 Dez
☎ +34 972-680358
@ vacances@i-santapau.com

1 ABDJMNOPRS**T**	AF	6
2 GPUVXY	ABDE**FGJK**	7
3 ABE**GH**L	ABCDEFJNRSV	8
4 AB**CD**EFHKNO**PQX**	JKV	9
5 ABDEGIJ**L**	BGHIJN**O**RV	10
10A		① €34,50
H500 3 ha 180T(70-90m²) 42D		② €45,80

📍 N 42°9'8'' E 2°32'48''
🚗 Von Olot aus Richtung Santa Pau, CP links der Straße bei Km-Pfahl 7, gut ausgeschildert.

Sant Pere Pescador, E-17470 / Cataluña

🔺 Las Palmeras Cat.2
Carr. de la Playa s/n
📅 28 Mär - 17 Okt
☎ +34 972-520506
@ info@
campinglaspalmeras.com

1 ABC**IL**NORT	ABFKMNOPQRSTWX	6
2 EGHPVY	ABC**DE**F**GH**	7
3 ABEFL**MN**Q	ABCDEFIKNRSTU	8
4 **AE**HILNO**PQ**R	HJKLMOSUV	9
5 CDEGIJKL	BGHIJ**NP**RY	10
10A		① €56,40
5 ha 260T(90-120m²) 37D		② €62,40

📍 N 42°11'17'' E 3°6'9''
🚗 Ausfahrt 3 Richtung Roses. Nach 12 km Richtung Sant Pere Pescador. Hinter der Brücke ausgeschildert.

Santa Susanna, E-08398 / Cataluña

🔺 Bon Repòs Cat.2
Passeig Maritim s/n
📅 1 Jan - 31 Dez
☎ +34 93-7678475
@ info@campingbonrepos.com

1 ADE**JM**NOPQRT	AFKMQRS**X**	6
2 EHOQVXY	ADF**G**	7
3 A**KM**	ABCDEFNRSTUV	8
4 **A**BCDILNO**PQ**	IJKL	9
5 ACDEGIJK**M**	ABIL**N**OPRY	10
Anzeige auf dieser Seite B 10A		① €54,00
7,5 ha 200T(60-80m²) 284D		② €63,00

📍 N 41°37'52'' E 2°43'12''
🚗 N11, am Südrand von Malgrat, Richtung Santa Susanna-Platjes, am Boulevard rechts. Mitten im Tunnel links, am Strand rechts, wieder rechts, links an den Bahngleisen entlang.

Sant Pere Pescador, E-17470 / Cataluña

🔺 Riu**
Ctra de la Platja s/n
📅 1 Apr - 27 Sep
☎ +34 972-520216
@ info@campingriu.com

1 AC**I**LNORT	AFMNQSUWXYZ	6
2 CGHOPVY	ABDE**F**H	7
3 ABELMQR	ABEFNQRSTU	8
4 **A**FHILNO**PQ**RU	CJLRUV	9
5 BDEFGHIK	ABGHIJL**N**O**R**Y	10
5A CEE		① €46,80
4 ha 169T(100m²) 79D		② €55,10

📍 N 42°11'15'' E 3°5'21''
🚗 Ausfahrt 3 Richtung Rosas. Nach 12 km Richtung Sant Pere Pescador. Hinter der Brücke CP ausgeschildert. Oder Ausfahrt 5 Richtung L'Escala und dann weiter Richtung Sant Pere Pescador.

BON REPÒS
Camping & Bungalow Park

Costa de Barcelona

Passeig Maritim s/n
08398 Santa Susanna

Tel.: (34) 93 767 84 75
email: info@campingbonrepos.com

www.campingbonrepos.com

Sant Quirze Safaja, E-08189 / Cataluña

🔺 L'Illa Cat.2
Ctra S. Feliu de Codines km 3,9
📅 15 Jan - 15 Dez
☎ +34 938-662526
@ vedado@campingsonline.com

1 A**JM**NOPRST	AF**N**	6
2 BCGOQUVWXY	ABDE**F**	7
3 BEKLQ	ABEFJNRV	8
4 BFHOP	JL	9
5 ABDEFGIJKL**M**	ABGHIJ**O**R	10
6-10A CEE		① €33,50
H576 5,8 ha 130T(60-90m²) 61D		② €45,50

📍 N 41°43'23'' E 2°10'1''
🚗 C17 Vic-Barcelona, Ausfahrt Centelles C1413 Richtung Sant Feliu de Codines, bei Km-Pfahl 3,9 an der Kreuzung den Weg nach Moià fahren, die Einfahrt zum CP liegt links.

Santa Susanna, E-08398 / Cataluña 🛜 iD

🏔 El Pinar
🚏 Passeig Marítim s/n
📅 1 Jan - 31 Dez
☎ +34 937-678558
@ info@elpinarplaya.com

1 AJMNOPQRT	AQS 6
2 EHOQVWX	ADF 7
3 L	AEFNR 8
4 OQ	J 9
5 G	AOR 10
5A	① €61,00
1 ha 100T(60-100m²) 12D	② €70,00

📍 N 41°37'49'' E 2°43'3''

🚗 Richtung Santa Susanna Platjes, an der Promenade rechts. Mitten im Tunnel links. Am Strand rechts, danach wieder rechts. Links an der Bahnlinie entlang ± 500m.

Sitges, E-08870 / Cataluña 🛜 CC€18 iD

🏔 El Garrofer Cat.1
🚏 Ctra C246a, km 39
📅 27 Feb - 13 Dez
☎ +34 93-8941780
@ info@garroferpark.com

1 ABCDEJMNOPQRST	AFOPQRSTWX 6
2 AHKOQVWXY	ABDEFGH 7
3 AEKLQST	ABEFKNQRSTUV 8
4 ABCDFGHILNOP	JLUV 9
5 ACDEFGIJLM	BDFGHIKLMNOPR 10
B 20A CEE	① €38,95
8 ha 526T(70-90m²) 229D	② €48,75

📍 N 41°14'2'' E 1°46'51''

🚗 Die C32 Ausfahrt 26 Richtung Sitges, die C246a.

Sitges, E-08870 / Cataluña 🛜 iD

🏔 Sitges Cat.2
🚏 Ctra C246a, km 38
📅 13 Mär - 18 Okt
☎ +34 93-8941080
@ info@campingsitges.com

1 ABDEJLNOPQRST	AF 6
2 AGOPVWXY	ABDFH 7
3 AKQ	ABEFJKNQRSV 8
4 OQ	JLUV 9
5 ABDEFGIKM	BGHIJNPR 10
B 6A	① €32,40
2,8 ha 220T(60-70m²) 40D	② €43,40

📍 N 41°13'54'' E 1°47'4''

🚗 Zollstraße A16, Ausfahrt 28 Sitges Centro. Hinter der Bahnbrücke Rechtskurve C246a Richtung Tarragona. CP ist links der Straße bei Km-Pfahl 38.

Taradell/Osona, E-08552 / Cataluña 🛜 CC€18 iD

🏔 La Vall Cat.1
🚏 Camí de la Vallmitjana s/n
📅 7 Jan - 17 Dez
☎ +34 93-8126336
@ lavallpark@campinglavallpark.cat

1 ABDEJMNOPQRST	AF 6
2 CFGPSTUVXY	ABEFGH 7
3 AEKLM	ABDFHJKNQRSTUV 8
4 BFHIOPQ	EFQ 9
5 ABCDEFGIKLM	BGHIJMPRWZ 10
B 10A	① €40,50
H730 9 ha 59T(80-100m²) 200D	② €54,00

📍 N 41°51'54'' E 2°17'42''

🚗 C17 Vic-Barcelona, Ausfahrt Taradell, durchfahren bis zur T-Kreuzung in Taradell, rechts ab und weiter der Beschilderung folgen.

Torroella de Montgri, E-17257 / Cataluña 🛜 iD

🏔 El Delfin Verde Cat.1
🚏 Rossinyol 1
📅 16 Mai - 20 Sep
☎ +34 972-758454
@ info@eldelfinverde.com

1 ADJKNOPQRST	AFKMQS 6
2 EGHPQVWXY	ABCDEFNQRS 7
3 BEIKLMQS	ABCDEFNQRS 8
4 ABCDHILNOPQ	JLRUVWXYZ 9
5 ACDEFGIJK	ABGHIJNOPUYZ 10
B 6A	① €61,00
45 ha 1100T(100m²) 340D	② €71,00

📍 N 42°0'43'' E 3°11'17''

🚗 A7, Ausfahrt 5, l'Escala. Ca. 2 km südlich von Torroella de Montgri Richtung Pals links abbiegen (ist durch Schilder und Flaggen gekennzeichnet). Noch ca. 4 km bis zum CP.

Tossa de Mar, E-17320 / Cataluña 🛜 🌸 CC€18 iD

🏔 Cala Llevadó Cat.1
🚏 Ctra GI-682 Lloret a Tossa km 18,9
📅 1 Apr - 30 Sep
☎ +34 972-340314
@ info@calallevado.com

1 ADEJMNOPRT	AFKMNOPQRSWX 6
2 BEFHKMOQRTUVXY	ABDEFGH 7
3 BEFL	ABCDEFNQRSTUV 8
4 ABDEFHILNO	JKLMQRS 9
5 ACDEFGIJKLM	ABDGHIJMNOPTUVYZ 10
10A CEE	① €52,00
17 ha 612T(40-100m²) 70D	② €63,50

📍 N 41°42'47'' E 2°54'23''

🚗 Mautstraße E15 Ausfahrt 9, in Lloret Richtung Tossa, nach 8 km rechts (gut ausgeschildert) noch 800m auf der Zufahrtsstraße zum CP fahren.

Tossa de Mar, E-17320 / Cataluña 🛜 iD

🏔 Camp. Caravaning Pola Cat.1
🚏 Tossa de Mar-Sant Feliú de Guixols
📅 23 Mai - 13 Sep
☎ +34 972-341050
@ campingpola@giverola.es

1 ADEILNOPRT	AFKMOPQSX 6
2 BEHRVWX	ABDEFH 7
3 BL	ABEFNS 8
4 ABCDLOPQ	JL 9
5 AIK	ABJNOTUY 10
6A	① €45,05
20 ha 300T(50-100m²) 125D	② €53,85

📍 N 41°44'12'' E 2°56'40''

🚗 Mautstrecke, Salida 9, in Lloret Richtung Tossa. In Tossa 1. Kreisel links ab, im nächsten Kreisel geradeaus Richtung San Feliu. Dann noch 4 km Küstenstraße zum CP. Angezeigt.

Tossa de Mar, E-17320 / Cataluña 🛜 iD

🏔 Can Marti Cat.1
🚏 Avinguda Pau Casals 44
📅 15 Jun - 7 Sep
☎ +34 972-340851
@ info@campingcanmarti.net

1 ADEJMNOPQRST	AF 6
2 BCGQTVX	ABDFH 7
3 A	AEFKNR 8
4 NOPQ	L 9
5 BEGIK	AFHIJNOR 10
B 10A	① €39,00
10 ha 1177T(60-120m²)	② €53,00

📍 N 41°43'45'' E 2°55'33''

🚗 Zollstraße, Abfahrt 9, in Lloret Richtung Tossa, dort am ersten Kreisverkehr links, am nächsten Kreisverkehr geradeaus, direkt nach der Brücke links zum CP.

Tossa de Mar, E-17320 / Cataluña 🛜 iD

🏔 Tossa
🚏 Ctra Llagostera, km 13
📅 1 Mär - 30 Nov
☎ +34 972-340547
@ manel@campingtossa.com

1 ADEJMNOPQRT	AF 6
2 BQRUVY	ABDEF 7
3 AEMQ	AEFR 8
4 BOP	9
5 BDEGIK	BHIJLNORZ 10
5A	① €34,00
10 ha 431T(80-150m²) 280D	② €42,00

📍 N 41°43'44'' E 2°53'33''

🚗 In Tossa de Mar 3,5 km ausgeschildert Richtung Llagostera.

Vall-Llòbrega/Palamós, E-17253 / Cataluña 🛜 iD

🏔 Castell Park Cat.1
🚏 C31 km 328
📅 28 Mär - 13 Sep
☎ +34 972-315263
@ info@campingcastellpark.com

1 AJMNOQRST	AF 6
2 OPRVY	ABDF 7
3 AEQ	ABEFNQR 8
4 NOPQ	AEKLUV 9
5 CDEGIKLM	ABGHIKNPR 10
B 3A	① €39,00
4,6 ha 195T(70-90m²) 22D	② €45,00

📍 N 41°52'55'' E 3°8'26''

🚗 CP rechts an der C31 zwischen Palafrugell und Palamós. Gut angezeigt mit Flaggen.

Vallromanes, E-08188 / Cataluña 🛜 iD

🏔 El Vedado Cat.1
🚏 Ctra Masnou a Granollers, km 7
📅 1 Mär - 2 Nov
☎ +34 93-5729026
@ info@campingelvedado.com

1 ADEJMNOPQRST	AF 6
2 ABFGOPQVXY	ABDEFH 7
3 ABEGKLMQ	ABEFJNQRV 8
4 AEFHIOQ	EJKL 9
5 ABDEFGIJKM	ABGHIJLNOR 10
B 6A	① €38,00
H146 4 ha 170T(80-90m²) 7D	② €52,00

📍 N 41°31'24'' E 2°17'37''

🚗 Mautweg A7, Ausfahrt 13 Granollers, Richtung El Masnou. Bei km 7 CP auf der linken Seite der Straße.

Vidrà, E-17515 / Cataluña 🛜 iD

🏔 De Vidrà Cat.2
🚏 Cami de Sta Barbara
📅 1 Jan - 31 Dez
☎ +34 93-8529071
@ campingdevidra@campingdevidra.com

1 ACDJMNOPRST	AF 6
2 BCFGPTUVWXY	ABDEFG 7
3 ABLQ	ABCDEFIJNQRV 8
4 AEFHIOPQ	J 9
5 ABDGIKLM	BHIJNOPV 10
10A	① €26,60
H1000 5,4 ha 25T(60-80m²) 70D	② €38,30

📍 N 42°7'25'' E 2°19'2''

🚗 Die C17 Ripoll-Vic. In Sant Quirze de Besora auf die B5227, bis zum Ende. CP ausgeschildert.

Vilanova de Sau, E-08519 / Cataluña 🛜 iD

🏔 Camping Parc el Pont Cat.2
🚏 Pont de Malafogassa
📅 15 Jan - 15 Dez
☎ +34 93-7430100
@ info@campingelpont.net

1 ABDEJMNOPRT	AJN 6
2 ABCIQUVXY	ABDEFG 7
3 AILQR	ABEFJNR 8
4 ABDFHNOPQ	JL 9
5 ABDEFGIJKM	BGHIJMOR 10
B 6A CEE	① €37,50
H843 10 ha 150T(60-80m²) 84D	② €49,50

📍 N 41°56'3'' E 2°24'31''

🚗 C25 Girona-Vic, Ausfahrt 187 Richtung Vilanova de Sau. Bei Km-Pfahl 12 rechts ab den CP-Schildern folgen.

Vilanova i la Geltrú, E-08800 / Cataluña 🛜 CC€16 iD

🏔 Vilanova Park Cat.1
🚏 Carretera Arboç km 2,5
📅 1 Jan - 31 Dez
☎ +34 93-8933402
@ info@vilanovapark.com

1 ABCDEILNOPRST	AEFOPQRSTUVW 6
2 AGOQRSUVXY	ABDEFGH 7
3 BEIKLMNQT	ABCDEFJNQRSTU 8
4 BDFHILNOPRTUVXY	EJKLMNORSUV 9
5 ACDEFGHIJKLM	ABDFGHIJNOPSTYZ 10
B 10A	① €51,50
H96 40 ha 348T(70-100m²) 796D	② €64,70

📍 N 41°13'54'' E 1°41'28''

🚗 Mautstraße A7, Ausfahrt 29, Richtung Vilanova. Vor Vilanova im Kreisverkehr rechts abbiegen, Richtung Cubelles (C31). Nach Km-Pfahl 153 abfahren, rechts Richtung Arboç. Den Schildern folgen.

CARAVANING

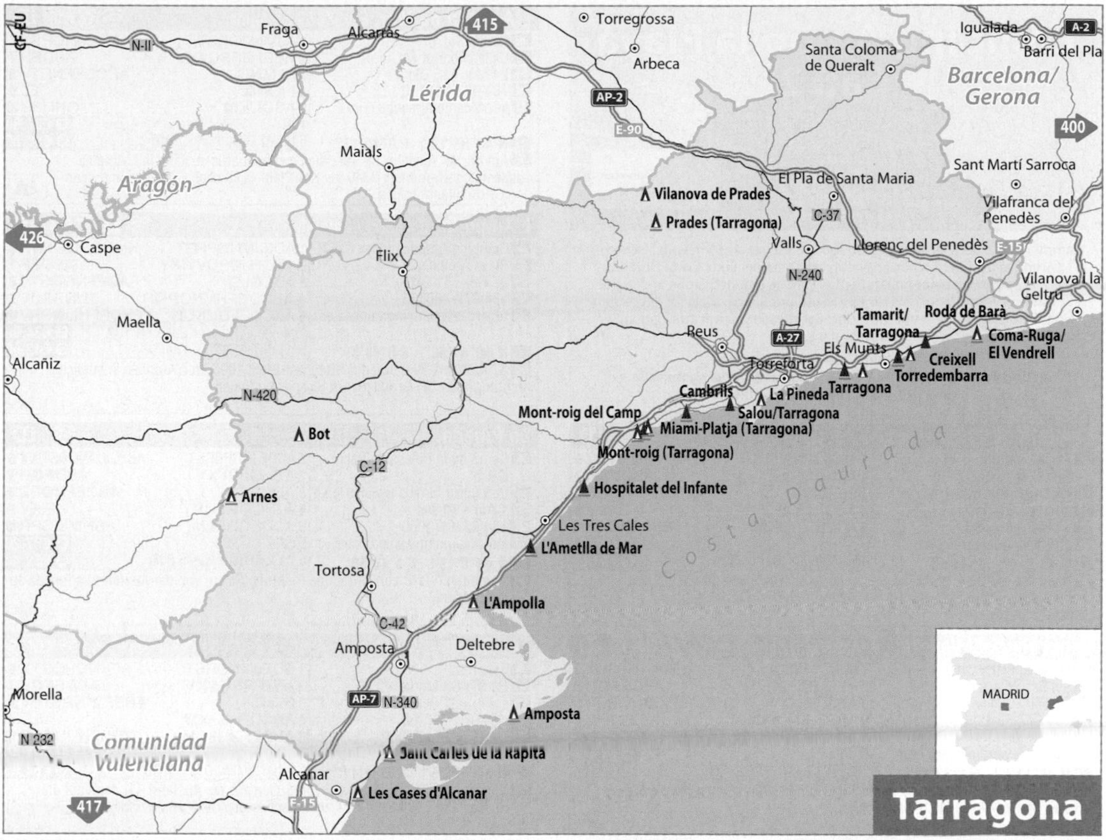

Map labels:

CT-EU · N-II · Fraga · Alcarràs · 415 · Torregrossa · Santa Coloma de Queralt · Igualada · A-2 · Barri del Pla · Arbeca · Lérida · AP-2 · Barcelona/Gerona · E-90 · 400 · Maials · El Pla de Santa Maria · Sant Martí Sarroca · Aragón · ∧ Vilanova de Prades · ∧ Prades (Tarragona) · Vilafranca del Penedès · C-37 · Llorenç del Penedès · E-15 · 426 · Caspe · Flix · Valls · N-240 · Vilanova i la Geltrú · Maella · Reus · Tamarit/Tarragona · Roda de Barà · A-27 · Els Munts · ∧ Coma-ruga/El Vendrell · Alcañiz · Torreforta · Creixell · N-420 · Cambrils · Tarragona · Torredembarra · Mont-roig del Camp · La Pineda · Salou/Tarragona · ∧ Bot · Miami-Platja (Tarragona) · C-12 · Mont-roig (Tarragona) · ∧ Arnes · ∧ Hospitalet del Infante · Les Tres Cales · Costa Daurada · ∧ L'Ametlla de Mar · Tortosa · ∧ L'Ampolla · C-42 · Amposta · Deltebre · MADRID · Morella · AP-7 · N-340 · ∧ Amposta · N 232 · Comunidad Valenciana · Alcanar · ∧ Sant Carles de la Ràpita · 417 · E-15 · ∧ Les Cases d'Alcanar

Tarragona

Amposta, E-43870 / Cataluña 📶 CC€16

▲ Eucaliptus Cat.2	1 BCDEJMNOPRS**T**	AFKNQRSW**X** 6
🏖 Platja Eucaliptus	2 EGHOPVX	ABDE**FG**H 7
📅 20 Mär - 19 Sep	3 BE**HL**	ABEFKNQRST 8
☎ +34 977-479046	4 HO**PQR**	JLV 9
@ eucaliptus@	5 ACDEGIJK	ABDGHIJMO**P**STV10
campingeucaliptus.com	Anzeige auf dieser Seite 6A	❶ €35,05
🅰🅽 N 40°39'24'' E 0°46'47''	4,5 ha 240T(60-90m²) 114D	❷ €45,25

🅰 Auf der A7 Ausfahrt 41 nach Amposta und Deltebre. Auf der N340 Ausfahrt Amposta und bei Amposta rechts ab. TV3405 nehmen zum Platja dels Eucaliptus, dann den CP-Schildern folgen. ⛺

Arnes, E-43597 / Cataluña CC€12 iD

▲ Els Ports Cat. 2	1 ADEJMNOPRST	AF 6
🏖 Carretera T-330, km 12	2 GPRXY	ABDE**F** 7
📅 1 Jan - 31 Dez	3 ABE	ABCDEFJNQRT 8
☎ +34 977-435560	4 FHO**Q**	JU 9
@ info@camping-elsports.com	5 ABDFG**IM**	BDHIJRV10
	B 6A	❶ €27,00
🅰🅽 N 40°55'10'' E 0°16'6''	H400 3,5 ha 81T(50-85m²) 33D	❷ €41,50

🅰 AP7 Barcelona-Valencia, Ausfahrt 40 Richtung Tortosa, hier Lleida halten bis zur Ausfahrt Horra/Sant Joan. Danach links Richtung Arnes T330 (40 km von der AP7). Nach 3 km an der rechten Seite. ⛺

Bot, E-43785 / Cataluña 📶

▲ Terra Alta	1 BCDE**JM**NOPQRST	AF 6
🏖 Crta Bot-Prat, T3301 km 1	2 BFQUVWXY	ABDE**F**H 7
📅 13 Feb - 8 Dez	3 B	ABCDEFJKNQRSV 8
☎ +34 693-965725	4 FHO**Q**	EJU 9
@ info@campingterraalta.com	5 ADIK**M**	GHIJMPR10
	B 10A	❶ €30,00
🅰🅽 N 41°0'26'' E 0°22'44''	H220 2 ha 50T(97-100m²) 13D	❷ €38,00

🅰 A7 oder AP7 Ausfahrt Bot. Durch Bot (C344) und der Beschilderung folgen. In Mora die N420 Gandesa. Dann die TV3581 Richtung Bot. ⛺

Cambrils, E-43850 / Cataluña 📶 CC€16 iD

▲ Joan Cat.2	1 ABCD**JM**NOPQRST	AFKMNOPQSUVWXY 6
🏖 N340, km 1141 /	2 AEHOPQRVY	ABDE**FGH** 7
Passeig Marítim 88	3 ABF**K**LQV	ABEFJNQRST 8
📅 12 Jan - 13 Dez	4 BCDILNO**PQX**	EHIJLORSUVZ 9
☎ +34 977-364604	5 ACDEGIJK**LM**	ABCDFHIJ**NP**RYZ10
@ info@campingjoan.com	B 5A	❶ €54,00
🅰🅽 N 41°3'28'' E 1°1'35''	4,5 ha 218T(bis 90m²) 156D	❷ €62,00

🅰 Autobahn AP7, Sortida 37 Ri. Cambrils. An der Ampel rechts. Die N340 Ri. Hospitalet. Direkt hinter der Shell-Tankstelle rechts abfahren und die Überführung über die N340 nehmen. Den CP-Schildern folgen. ⛺

Cambrils, E-43850 / Cataluña 📶 CC€16 iD

▲ La Llosa Cat.3	1 AD**JM**NOPRST	AFKNOPQRSTW 6
🏖 C/ Camí de les Lloses 1	2 AEHQVY	ABDE**F** 7
📅 1 Jan - 31 Dez	3 ABE**K**LQ	ABEFNQ**R** 8
☎ +34 977-362615	4 BCDILN**PQ**	EIJLMOQRSTVX 9
@ info@camping-lallosa.com	5 ACDEIJK**L**	ADFGHIJL**NP**RYZ10
	B 6A	❶ €50,65
🅰🅽 N 41°3'55'' E 1°2'41''	4,5 ha 400T(50-75m²) 224D	❷ €62,15

🅰 Mautstraße A7, Ausfahrt 37, Richtung Cambrils. An der Ampel rechts (N340) nach Hospitalet. Danach links einordnen und links ab am blauen CP- und Bungalowschild. Weiter den Schildern folgen. ⛺

Eucaliptus Cat.2

Camping Eucaliptus liegt im Herzen des 'Parc Natural del Delta de l'Ebre' und hat direkten Zugang zum Strand vom Campingplatz. Genießen Sie das wunderbare Klima, die gute Küche, die gesellige Menschen, die nette und warme Atmosphäre, Sonne, prächtig unberührte Strände und unsere Anlagen in dieser besonderen Gegend.

Platja Eucaliptus, 43870 Amposta
Tel. und Fax 977-479046
E-Mail: eucaliptus@campingeucaliptus.com
Internet: www.campingeucaliptus.com

Camping Ampolla Playa Cat. 2

Camping auf einem langen Sandstrand in weniger als 1 km vom Fischerort L'Ampolla und dem schönen Naturpark Delta del Ebro, Costa Dorada. Der Platz wird von einer holländischen Familie geführt. Große Stellplätze mit gutem TV-Empfang, WiFi für nur 1 Euro pro 5 Tage. Ideal für Radtouren, Vogelspotting, Angeln und Ausflüge. Bar-Restaurant mit internationaler und lokaler Karte.

Playa Arenal s/n, 43895 L'Ampolla
Tel. und Fax 977-460535 • E-Mail: reservas@campingampolla.es
Internet: www.campingampolla.es

Cambrils, E-43850 / Cataluña   🛜 CC€16 iD

- 🏕 Playa Cambrils Don Camilo Cat. 2
- 🛏 Av. Oleastrum 12
- 🕐 13 Mär - 12 Okt
- ☎ +34 977-361490
- @ info@playacambrils.com
- 📍 N 41°4'1'' E 1°4'59''

1 ABCD**J**MNOPQRS**T**	AFKMNQRSTWX 6	
2 AEHOQRVY	ABD**FGH** 7	
3 BEL**MQ**	ABCDEFNQRS 8	
4 **A**BDILNO**P**	JKLV 9	
5 ACDEGHIJK**M**	BHIMN**O**RZ 10	
B 5A		① €43,35
8 ha 400**T**(60-80m²) 302**D**		② €51,55

🚗 Mautstraße AP7 Ausfahrt 35 Salou. N340 oder A7 nach Cambrils. Im Kreisel nach Vilafortuny am Ende der Straße an der Ampel rechts. Weiter den Schildern folgen.

Coma-Ruga/El Vendrell, E-43880 / Cataluña   🛜 CC€16 iD

- 🏕 Vendrell Platja Cat.1
- 🛏 Av. Sanatori, s/n
- 🕐 27 Mär - 1 Nov
- ☎ +34 977-694009
- @ vendrell@ camping-vendrellplatja.com
- 📍 N 41°11'8'' E 1°33'19''

1 ABDEJMNOQRS**T**	AFHKMNOPQSWX 6	
2 AEGHOPQVX	ABD**EF**GH 7	
3 ABEF**KLQ**	ABCDEFK**M**NQRSV 8	
4 ABCDILNO**PQ**	EJKLV 9	
5 ACDEGHIJK**LM**	BDGHIJMN**O**RY 10	
B 6A		① €48,00
7 ha 421**T**(351-70m²) 312**D**		② €62,00

🚗 Sortida 31. Dann Richtung Coma-Ruga fahren. Durchfahren bis zur Küste, links ab und weiter den Schildern folgen.

Creixell, E-43839 / Cataluña   🛜 iD

- 🏕 Camping Caravaning Gavina Cat.2
- 🛏 Platja Creixell
- 🕐 20 Mär - 31 Okt
- ☎ +34 977-801503
- @ contact@campinggavina.com
- 📍 N 41°9'24'' E 1°26'29''

1 ACDJMNOPQRS**T**	KMNPQSX 6	
2 AEHOPQVX	ABD**EF**H 7	
3 ABEL**MQ**	ABCDEFNQRS 8	
4 BDILNO	BEJL 9	
5 ACDEGJK**LM**	ABGHIJOPRZ 10	
B 6A		① €41,40
7 ha 340**T**(50-70m²) 84**D**		② €52,70

🚗 Mautstrecke Ausfahrt 31. N340 Richtung Tarragona, 2 km zum Römischen Triumphbogen, bei km 1181 rechts einordnen, links durch den Tunnel unter der N340 durch. Weiter den Schildern folgen.

Hospitalet del Infante, E-43890 / Cataluña   🛜 iD

- 🏕 El Templo del Sol Cat.2
- 🛏 Ant. Crta de Valencia
- 🕐 22 Mär - 31 Okt
- ☎ +34 977-823434
- @ info@eltemplodelsol.com
- 📍 N 40°58'37'' E 0°54'3''

1 ACDEHKNOPRT	AFGKMNPQSW**X**Y 6	
2 AEGHPRSVXY	ABD**EF**GH 7	
3 BEF**IKLM**QR	ABCDEFIKNQRSTV 8	
4 **A**BDEFILNO**P**RSU	AJL 9	
5 ACDEFGIJ**LM**	ABGHIJN**P**RY 10	
FKK B 6A		① €45,10
14 ha 300**T**(50-81m²) 102**D**		② €58,50

🚗 N340 von Valencia, 1. Ausfahrt Hospitalet del Infante. CP nach 200m rechts. Von Tarragona durch den Ort, dann 2. CP links. A7: Ausfahrt 38 Hospitalet del Infante, dann ausgeschildert.

Hospitalet del Infante, E-43890 / Cataluña   🛜 CC€16

- 🏕 La Masia Cat.2
- 🛏 Ctra N340, km 1121
- 🕐 1 Feb - 30 Nov
- ☎ +34 977-820588
- @ info@camping-lamasia.com
- 📍 N 40°56'25'' E 0°51'25''

1 BDEJMNOPRS**T**	AFKMNPQS 6	
2 AEFGHOQRVWXY	ABD**EF**G 7	
3 BEF**KLM**Q	ABEFNQRSV 8	
4 BDFHILO**Q**U	JU 9	
5 ABDFGIJK**M**	BDGHIJPR 10	
B 6A		① €39,60
2,6 ha 264**T**(60-90m²) 131**D**		② €48,10

🚗 N340 Tarragona-Valencia, bei km 1120,5 Richtung Platja de L'Almadrava. Eventuell Autobahn Ausfahrt 38. Achtung: neue Straßen im Bau.

L'Ametlla de Mar, E-43860 / Cataluña   🛜 CC€14

- 🏕 Camping Ametlla Cat.1
- 🛏 Paratje de Santes Creus
- 🕐 1 Jan - 31 Dez
- ☎ +34 977-267784
- @ info@campingametlla.com
- 📍 N 40°51'54'' E 0°46'44''

1 BDEJMNORT	AFKNOP 6	
2 AEGJRVWXY	ABD**EF**G 7	
3 BEFLQ	ABCDEFIKNQRS 8	
4 BCFILNOR	AEIJLSU 9	
5 ACDEFGIJK	ABDFGHIJN**P**RV 10	
B 16A		① €38,80
8 ha 301**T**(70-100m²) 194**D**		② €49,80

🚗 A7/E15, Ausfahrt 39; N340 bei Km-Pfahl 1113 nach L'Ametlla de Mar, gemäß Beschilderung vor dem Ort rechts. Dann noch 2,5 km.

L'Ametlla de Mar, E-43860 / Cataluña   🛜 CC€16 iD

- 🏕 Nautic Cat.1
- 🛏 Calle Llibertat s/n
- 🕐 24 Mär - 15 Okt
- ☎ +34 977-456110
- @ info@campingnautic.com
- 📍 N 40°53'12'' E 0°48'17''

1 AJMNOPRST	AFKMNOPSX 6	
2 AEGHJRSUVXY	ABD**FH** 7	
3 BLM**NQ**	ABCDEFNRTV 8	
4 FIO**PQ**	EL 9	
5 ABGIJK**M**	GHIJPR 10	
10A		① €37,30
6 ha 215**T**(60-75m²) 50**D**		② €50,20

🚗 Auf der A7 Ausfahrt 39 über die Eisenbahnbrücke, dann in L'Ametlla ausgeschildert. Auf der N340 bei Km-Pfahl 1113 nach L'Ametlla und dann den CP-Schildern folgen.

L'Ampolla, E-43895 / Cataluña   🛜 ✿ CC€14 iD

- 🏕 Camping Ampolla Playa Cat. 2
- 🛏 Playa Arenal s/n
- 🕐 27 Feb - 31 Okt
- ☎ +34 977-460535
- @ reservas@campingampolla.es
- 📍 N 40°47'58'' E 0°41'59''

1 ADEJMNOPRS**T**	KMNOPQSTWX 6	
2 AEGHJOPQVWXY	ABD**EF** 7	
3 ABE**GLQ**	ABEFNQRSTV 8	
4 **ABCDEF**HMNO**PQ**R	DJNRSUV 9	
5 ABCDEFGIJK**LM**	ABDEFHIJ**N**PRV 10	
Anzeige auf dieser Seite	B 10A	① €34,00
5 ha 65**T**(60-80m²) 134**D**		② €42,00

🚗 A7 Ausfahrt 39a. Von der N340 Km-Pfahl 1096. In L'Ampolla in südlicher Richtung. Den CP-Schildern am Strandweg folgen.

La Pineda, E-43481 / Cataluña   🛜

- 🏕 Camping la Pineda de Salou Cat.2
- 🛏 Ctra Costa Tarragona-Salou km 5
- 🕐 1 Apr - 30 Sep
- ☎ +34 977-373080
- @ info@campinglapineda.com
- 📍 N 41°5'19'' E 1°10'56''

1 ACDEJNOPQRS**T**	ABFGKMNQRSTW**X** 6	
2 AEHOPRVXY	ABD**FG**H 7	
3 ABEJL	ABCEFNQRS 8	
4 **A**BHLO**P**TUV**Y**	EJLY 9	
5 ACDEGIJK**LM**	ABHIKMOPR 10	
B 5A		① €37,20
4 ha 250**T**(50-100m²) 84**D**		② €50,40

🚗 Autobahn C31-B von Tarragona Richtung Salou; von der Ausfahrt La Pineda ab ausgeschildert.

Les Cases d'Alcanar, E-43569 / Cataluña   🛜 CC€16

- 🏕 Estanyet
- 🛏 Paseig del Marjal s/n
- 🕐 1 Jan - 31 Dez
- ☎ +34 977-737268
- @ info@estanyet.com
- 📍 N 40°32'25'' E 0°31'11''

1 BDEJMNORST	AFKNOPQST**X** 6	
2 AEJPRSVWXY	ABD**EF**GH 7	
3 BKRT	ABEFJKNRSTUV 8	
4 ABCDFHILNO**P**	JLU 9	
5 ABDEFGIJK**LM**	ABDFHIJN**P**QR 10	
B 10A		① €41,40
1,5 ha 150**T**(40-70m²) 26**D**		② €54,05

🚗 Von Norden, A7 Ausfahrt 41, von Süden aus die Ausfahrt 43, dann auf die N340, Ausfahrt Les Cases d'Alcanar, danach den CP-Schildern folgen.

Miami-Platja (Tarragona), E-43892 / Catal.   🛜 CC€16 iD

- 🏕 Els Prats Village Cat.1
- 🛏 Ctra N340, km 1137
- 🕐 20 Mär - 1 Nov
- ☎ +34 977-810027
- @ info@campingelsprats.com
- 📍 N 41°2'24'' E 0°58'50''

1 ACD**J**MNOPQRST	AFIKMNOPQRSTUVWXY 6	
2 AEGHOPRVY	ABDE**FG**H 7	
3 BEF**KLM**Q	ABCDEFGIKNQRSTV 8	
4 ABCDFHIJLNO**P**Q**R**X	BEGHIJKLORSTUVXZ 9	
5 ACDEFGHIJK**LM**	ABFHIJMN**O**P**O**RYZ 10	
B 5-10A		① €45,00
7 ha 415**T**(80-115m²) 106**D**		② €56,10

🚗 Mautstrecke AP7 Ausfahrt 37, dann die N340, bei Km 1.137 rechts unter der N340 durch. Den CP-Schildern folgen.

Mont-roig (Tarragona), E-43300 / Cataluña   🛜 CC€16 iD

- 🏕 Playa Montroig Camping Resort Cat.1
- 🛏 Apartado de Correos 3
- 🕐 20 Mär - 25 Okt
- ☎ +34 977-810637
- @ info@playamontroig.com
- 📍 N 41°2'1'' E 0°58'5''

1 BCDEHKNOPQRST	ABFGKMNOPQRSTWX**Y**Z 6	
2 AEGHOPRVY	ABD**EF**GH 7	
3 ABEF**IKLM**Q**T**	ABCDEFJKNQRSTUV 8	
4 ABCDHILMNO**PQ**R**X**Z	EJLMQSTUVWZ 9	
5 ACDEFGIJK**LM**	ABDFGHIJ**N**PRXYZ 10	
B 10A CEE		① €53,00
35 ha 1200**T**(80-110m²) 179**D**		② €61,00

🚗 AP7 Ausfahrt 37 Cambrils. Richtung Cambrils bis zur Ampel, dann rechts ab (N340) Richtung Hospitalet. Hinter Km 1136 rechts einordnen und den Schildern folgen um unter der N340 hindurch.

Mont-roig del Camp, E-43300 / Cataluña   🛜 CC€16 iD

- 🏕 La Torre del Sol Cat.1
- 🛏 Ctra N340 km 1136
- 🕐 15 Mär - 31 Okt
- ☎ +34 977-810486
- @ info@latorredelsol.com
- 📍 N 41°2'15'' E 0°58'29''

1 ABDEHKNOPQRS**T**	ABFGKMNOPQSWX 6	
2 AEGHJOPRVWY	ABD**EF**GH 7	
3 ABEF**IKLM**Q**RT**	ABCDEFGIKNQRSTU 8	
4 ABCDFHIJLMNO**PQ**R**TUVWX**	ABCDEJKLMOQRSTUVZ 9	
5 ACDEFGIJK**LM**	ABHIJMN**O**P**R**YZ 10	
Anzeige auf Seite 412, 413	B 6-10A	① €53,55
24 ha 600**T**(70-100m²) 429**D**		② €65,55

🚗 Mautstraße, AP7 Ausfahrt 37 Cambrils. Richtung Cambrils fahren bis zur Ampel, dann rechts ab (N340). Direkt hinter dem CP Els Prat und Km-Pfahl 1137 rechts einordnen, dem Schildern folgen.

CAMPING & BUNGALOWS
TORRE DE LA MORA

Geöffnet: 23.03 - 25.10

In einem interessanten Naturumfeld mit direktem Zugang auf 2 schöne, feinsandige Strände und einem fantastischen Schwimmbad von 1.400 m². Der Platz liegt 80 km südlich von Barcelona und 8 km von Tarragona.

Ctra. Nacional 340 · Km. 1171 · Apdo. Correos 143 · E-43008 TARRAGONA
info@torredelamora.com · Tel. (34) 977 65 02 77 · Fax (34) 977 65 28 58
www.torredelamora.com

Spanien

Mont-roig del Camp, E-43892 / Cataluña ⏽ CC€12 iD
Miramar Cat.2
Ctra N340, km 1134
1 Jan - 31 Dez
+34 977-811203
recepcio@camping-miramar.com
N 41°1'31'' E 0°57'33''
1 ADJMNOPQRST KMNOPQRSTUVW 6
2 AEHOQRVXY ADF 7
3 ABFQ ABCDEFNQRSV 8
4 ABDFHNOPQ D 9
5 ABDEGHIM ABDFHIJNOPST 10
6A
€25,15 / €35,75
3,7 ha 50T(80-100m²) 255D
Mautstrecke AP 7 Ausfahrt 37, dann die N340 bei km 1.134 links dann der CP.

Mont-roig del Camp, E-43300 / Cataluña ⏽ CC€16 iD
Oasis Mar Cat.2
Ctra N340, km 1139
1 Mär - 31 Okt
+34 977-179595
info@oasismar.com
N 41°2'49'' E 1°0'15''
1 ABCDJMNOPQRST AKMNOPQSWX 6
2 AEHJQRVY ABDEF 7
3 BEKL ABCDEFNQR 8
4 BCNOP JL 9
5 ACDEGIJKM ABHIJQR 10
B 0A
€37,00 / €48,00
2,5 ha 252T(60-100m²) 11D
AP7 Ausfahrt 37, A7 Ausfahrt 1138. Dann die N340 Richtung Hospitalet. An der Kreuzung Montroig/Falset, am Kreisel 3. Straße rechts. Von der A7 die 2. Straße rechts. Beschilderung 'Platja' und 'Camping' folgen.

Prades (Tarragona), E-43364 / Cataluña ⏽ CC€16 iD
Prades Park
Ctra T-701, km 6.850
1 Jan - 31 Dez
+34 977-868270
camping@campingprades.com
N 41°18'44'' E 0°58'47''
1 ABDEJMNOPQRST ABFN 6
2 BCFGOPVWXY 7
3 ABEFGLQRT ABEFJKNQRSV 8
4 ABCDEFGHILMNOPQ EJUVW 9
5 ABDEGIJKLM BDGHIJLPRZ 10
8-10A CEE
€43,00 / €57,00
H1000 3 ha 70T(70-100m²) 45D
Von der AP-2 (Lleida-Barcelona): Ausf. 9 Montblanc, N-240 Ri. Lleida folgen, an eine Espluga de Francolí, Vimbodí, Vallclara, Vilanova de Prades und Prades vorbei. Von der AP-7: Ausf. 34 Reus, N-240 Ri. Falset, dann zu Les Borges del Camp, Alforja, Cornudella und Prades vorbei.

Roda de Barà, E-43883 / Cataluña ⏽ iD
Park Playa Barà Cat.1
Ctra N340 km 1183
4 Apr - 28 Sep
+34 977-802701
info@barapark.es
N 41°10'20'' E 1°28'10''
1 ABCDJMNOPQRST ABFGHIKMNOPQSWX 6
2 AEFGHKOQHUVXY ABDEFGH 7
3 ABEIKLMOPQR ABCDEFIKLNQRSTUV 8
4 ABCDILMNOPRSTUVWXYZ EJLMTVXZ 9
5 ACDEFGHIJKLM AFGHIJMNPRYZ 10
Anzeige auf Seite 414 B 5-10A
€42,30 / €55,90
14,5 ha 650T(60-120m²) 160D
Mautstraße Sortida 31 El Vendrell/Coma-Ruga. N340 Richtung Tarragona. Die Einfahrt zum CP liegt direkt links von einem Römischen Triumphbogen, mitten auf der Straße.

Roda de Barà, E-43883 / Cataluña ⏽ iD
Stel Cat.1
Ctra N340 km 1182
1 Apr - 27 Sep
+34 977-802002
rodadebara@stel.es
N 41°10'12'' E 1°27'52''
1 ADHKNOQRST ABFHKMNPQRSTWX 6
2 AEGHOPQRVWXY ABDEFGH 7
3 ABEKLMQR ABCDEFGIKLMNQRSTUV 8
4 ABCDILNOPRUX EJKLMRTV 9
5 ABCDEFGHIJKLM ABEHIJNPRYZ 10
B 5-10A
€48,80 / €60,70
12 ha 520T(60-95m²) 178D
Mautstraße Sortida 31 El Vendrell/Coma-Ruga. N340 Richtung Tarragona, ein paar hundert Meter hinter dem Römischen Triumphbogen, CP liegt links.

Salou/Tarragona, E-43840 / Cataluña ⏽
Camping Resort Sanguli Cat.1
Paseo Miramar-Plaça Venus
20 Mär - 1 Nov
+34 977-381641
mail@sanguli.es
N 41°4'31'' E 1°7'2''
1 BCDEJMNOPQRST AFHIKMNOPQRSTW 6
2 AEFGHOPQRVXY BEFGH 7
3 ABDEIKLMQS BDFJKNQRSTUV 8
4 ABCDFHILNOPQRSU EJLOTUVWZ 9
5 ACDEFGIJKM ABFGHIJNPRYZ 10
B 8-10A
€70,00 / €78,00
23 ha 1187T(90-120m²) 205D
Mautstrecke A7, Ausfahrt 35 Salou. Richtung Salou am ersten Kreisel rechts Richtung Cambrils, nächster Kreisel links, danach am Straßenende rechts. Dann den Schildern folgen.

Salou/Tarragona, E-43840 / Cataluña ⏽ iD
La Siesta Salou Camping Resort Cat.2
Calle Norte 37
1 Apr - 14 Okt
+34 977-380852
info@lasiestasalou.com
N 41°4'40'' E 1°8'20''
1 ACDFJMNOPQRST AFHIKNOPQSW 6
2 AEGHOPQRVY ABDFGH 7
3 BDEKLQT ABCDEFNQRSTUV 8
4 ABCDILNOPQ EJKLVZ 9
5 ACDEGHKLM ABFHIJNOPRYZ 10
B 10A CEE
€54,00 / €64,00
6,9 ha 312T(45-95m²) 148D
Zollstraße A7, Ausfahrt 35 Salou. Vom Kreisverkehr am Anfang von Salou den CP-Schildern folgen.

Sant Carles de la Ràpita, E-43530 / Cataluña ⏽ CC€16
Alfacs Cat.2
Ctra Alcanar Platja
26 Mär - 18 Okt
+34 977-740561
info@alfacs.com
N 40°35'43'' E 0°34'13''
1 BDJMNOPRT AFKNPQSWX 6
2 ABEKMORVXY ABDF 7
3 AELMQ ABEFNRV 8
4 HO IJU 9
5 ACDEGHKL ABDGHIJNPSTV 10
10A
€34,60 / €44,60
2,5 ha 155T(45-70m²) 119D
Von N. auf der A7 Ausf. 41 Ri. Carles de la Ràpita. Auf der N340 bei km 1072 Ausf. Sant Carles de la Ràpita. 2. Kreisel re. Calle Sant/Sidre. Von S., Ausf. 43, dann N340 zwischen km 1066 und 1065 Ri. Sant Carles de la Ràpita. Nach 2 km CP re.

Tamarit/Tarragona, E-43008 / Cataluña ⏽ iD
Tamarit Park Resort Cat.1
Platja de Tamarit, N340a km 1172
27 Mär - 25 Okt
+34 977-650128
resort@tamarit.com
N 41°7'57'' E 1°21'37''
1 ABCDEJMNOPQRST AFHKMNOPQSTUVWXYZ 6
2 ABCEFGHMOPQRVWXY ABDEFGHJ 7
3 ABEFIKLMNQ ABCDEFGIJKLMNQRSTUV 8
4 BCDFHIKLNUPQRUXZ CEJLORSTUV 9
5 ACDEFGIJKM ABEFGHIJMNOPRVXYZ 10
B 10-16A CEE
€64,00 / €72,00
17 ha 476T(66-200m²) 236D
AP7 Ausfahrt 32 Ri. Altafulla/Torredembara/Tamarit. N340a Ri. Tarragona im Kreisel 1. Ausf., im nächsten Kreisel 4. Ausf. Ri. Tamarit/Altafulla. Nach 250m rechts Ri. den grünen und gelben Tafeln 'Tamarit Park' folgen. CP li. von der Straße.

Tarragona, E-43080 / Cataluña ⏽ CC€16
Las Palmeras Cat.1
Ctra N340, km 1168
28 Mär - 12 Okt
+34 977-208081
laspalmeras@laspalmeras.com
N 41°7'49'' E 1°18'43''
1 BCDILNOPQRST AFKMNOPQRSTUVWXZ 6
2 AEFGHOPQRVWXY ABDEFG 7
3 BEFKLMQ ABCDEFNQRST 8
4 BDILNOP BELMRUV 9
5 ACDEFGHIJKM ABDFHIKMPRVYZ 10
B 5-10A
€47,00 / €63,00
17 ha 700T(70-110m²) 140D
Mautstraße A7, Ausfahrt 32, am Kreisverkehr Richtung Tarragona N340, nach einigen Kilometern beim Restaurant 'El Trull', daran vorbei und bei Km-Pfahl 1168 links, durch den Tunnel unter den Bahngleisen hindurch zum CP.

Tarragona, E-43008 / Cataluña ⏽ CC€16
Torre de la Mora S.A. Cat.1
Ctra N340 km 1171
23 Mär - 25 Okt
+34 977-650277
info@torredelamora.com
N 41°7'44'' E 1°20'39''
1 BDJMNORS AFKMNOPQSWX 6
2 ABEHMOQRTUVY ABDEFGH 7
3 BEFIKLQ ABCDEFKNQRS 8
4 BCILNOPQ AEJL 9
5 ACDEGIJK ABFHIJNOTUYZ 10
Anzeige auf dieser Seite B 6A
€54,50 / €66,50
16 ha 450T(50-70m²) 213D
Zollstraße A7, Ausfahrt 32, Torredembara/Altafulla, im Kreisverkehr N340 Richtung Tarragona, im 2. Kreisverkehr Richtung La Mora und weiter den CP-Schildern folgen.

Torredembarra, E-43830 / Cataluña ⏽ CC€14 iD
Clara Cat.2
Passeig Miramar, 276
27 Mär - 12 Okt
+34 977-643480
info@campingclara.es
N 41°9'3'' E 1°25'16''
1 ACDEJMNOPQRST KMNOQSX 6
2 AEHOQRVWXY ABDEFGHK 7
3 ABEFKLQ ABEFHNOPQRSTU 8
4 BCDFLNOPQ EHJKLUV 9
5 ACDEFGIJKLM ABDFGHIJMNOPRY 10
B 6-10A
€36,80 / €47,40
1,4 ha 130T(60-90m²) 52D
AP7 Ausfahrt 31 oder 32 zur N340 Richtung Torredembarra. Ausfahrt Torredembarra Est. Am Kreisel 2. Ausfahrt. Nach 500m links von der Straße.

Spanien

Strand foto Mai 2012

Spanien

CAMPING
RESORTS

soleil VILLAGE

www.latorredelsol.com
info@latorredelsol.com

Torredembarra, E-43830 / Cataluña 📶 CC€14 iD

- 🏕 La Noria Cat.2
- 🛣 Ctra N340, km 1178
- 📅 28 Mär - 30 Sep
- ☎ +34 977-640453
- @ info@camping-lanoria.com

1 ABDEJMNOPQRST		MNP 6
2 AEHORVXY		ABDEFGH 7
3 ABELQ		ABEFNOQRSV 8
4 BDFHLNOQ		EJLVZ 9
5 ACDEGJKLM		ADHIKNOPRYZ10
B 6A		
5 ha 440T(60m²)		206D

❶ €39,05
❷ €49,45

📍 N 41°9'0'' E 1°25'16''
🚗 AP7 Ausfahrt 31 oder 32 zur N340 Richtung Torredembarra Est. Am Kreisel 2. Ausfahrt und nach 400m liegt der Camping an der linken Straßenseite. M

Torredembarra, E-43830 / Cataluña 📶 CC€14 iD

- 🏕 Relax-Sol Cat.2
- 🛣 Passeig Miramar 246
- 📅 1 Mär - 15 Okt
- ☎ +34 977-646271
- @ info@campingrelaxsol.com

1 ABDJMNOPQRST		KMNOPQRST 6
2 AEHORVXY		ABDEFHIK 7
3 ABL		ABDEFHKNPQRSTV 8
4 BFIOPQ		AEJLW 9
5 ABCDEFGHIJKLM		ABCDFGHIJLNPRZ10
B 10A CEE		
2,5 ha 99T(70-110m²)		71D

❶ €33,00
❷ €42,00

📍 N 41°8'56'' E 1°25'7''
🚗 AP7 Ausf. El Vendrell/Coma-Ruga. Ausf. 32 Torredembarra. Der N340 Ri. Tarragona bei KM 1177,8 am Kreisel Torredembarra-Est (2. rechts) folgen. Hinter dem Brückenkreisel, 3. Abf. Ri. Barcelona, nach 100m CP re. M

Vilanova de Prades, E-43459 / Cataluña 📶

- 🏕 Serra de Prades Cat.1
- 🛣 Sant Antonio s/n
- 📅 1 Jan - 31 Dez
- ☎ +34 977-869050
- @ info@serradeprades.com

1 BDEJMNOPQRST		ABFGNO 6
2 FGPQRUVWXY		ABDFGH 7
3 BCEFGHLMNQRTU		ABCDFJNQRSV 8
4 ABCDEFHIJKLNOPQRTUX		GHJUV 9
5 ACDEFGIJKLM		BGHIJLNOPQRVZ10
6A		
H920 5 ha 215T(92-100m²)		83D

❶ €37,10
❷ €48,10

📍 N 41°20'59'' E 0°57'30''
🚗 Von Barcelona AP-7 Tarragona, AP-2 Lleida, Ausfahrt 9 Montblanc, N240 Lleida, Vimbodi, Vilanova de Prades. Von Lleida N240, Vimbodi, Vilanova de Prades. Von Vimbodi Ri. Vallclara. Dem GPS nicht folgen, sondern der Anfahrtsbeschreibung. M

Spanien

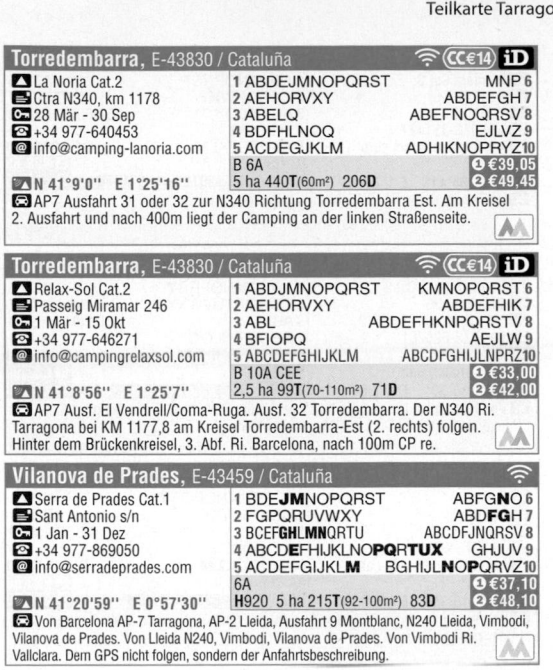

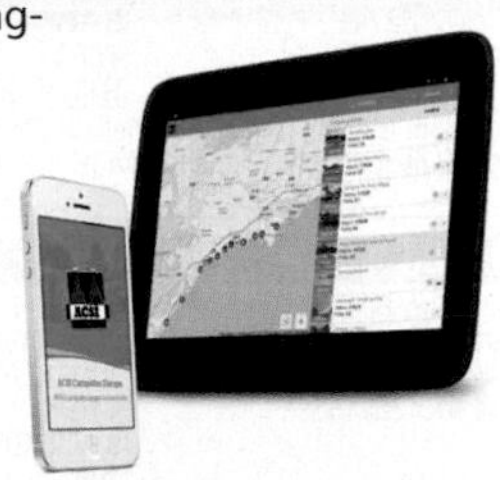

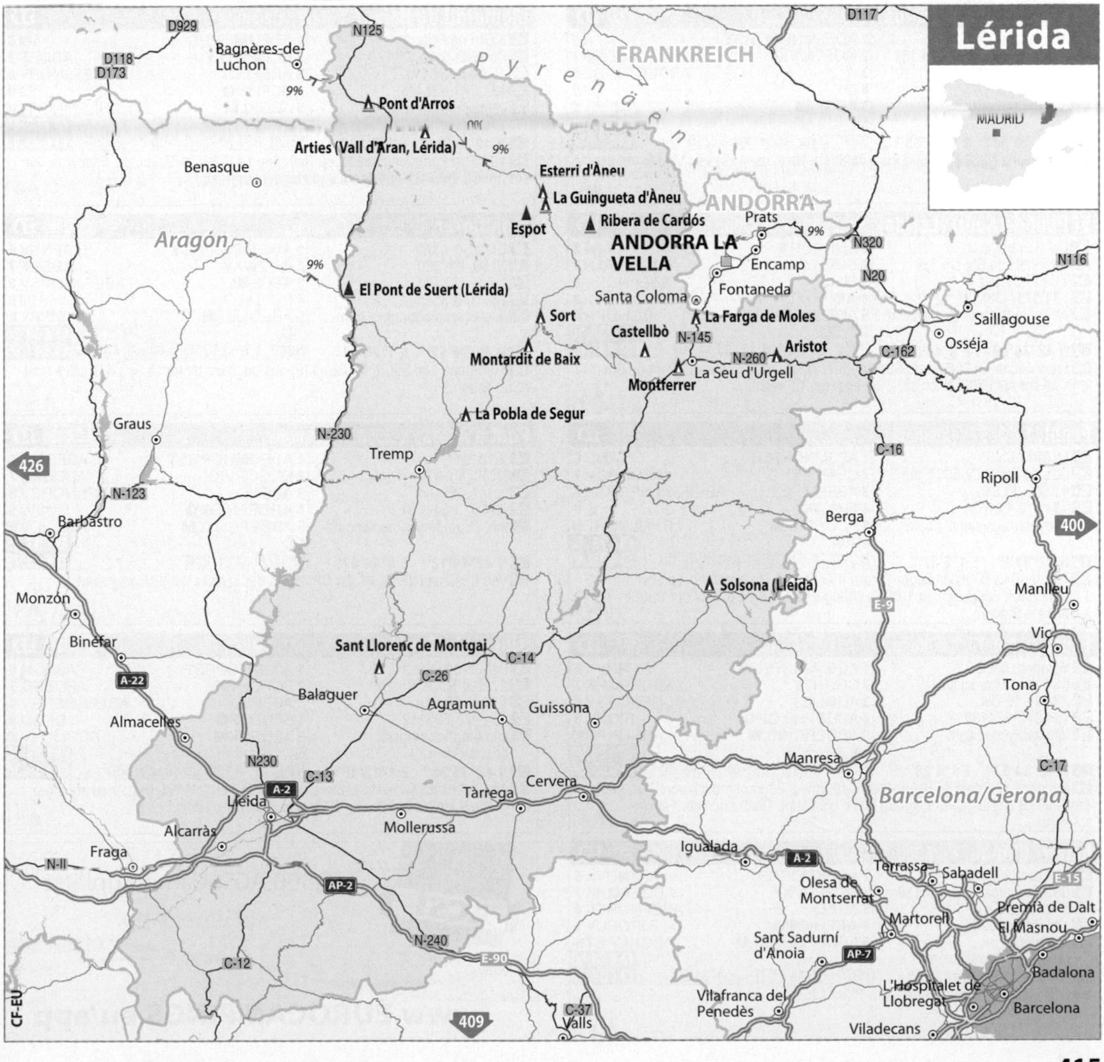

Aristot, E-25722 / Cataluña 📶 iD

- 🏔 Pont d'Ardaix Cat.2
- 🚏 Ctra N260 km 210
- 📅 1 Jan - 31 Dez
- ☎ +34 973-384098
- @ pontdardaix@clior.es
- 📍 N 42°22'27'' E 1°38'13''

1 ADILNORST	AFHN 6
2 CGOPUVXY	ABDEFG 7
3 ABELQ	ABEFJNQRV 8
4 ABCFHIO	DGJ 9
5 ACDEGIJKLM	BHIKNOSUV 10
6A	❶ €27,75
H900 3 ha 100T(42-60m²) 96D	❷ €37,25

🚗 Puigcerda - La Seu de Urgel - Crta N260 Km-Pfahl 210.

La Farga de Moles, E-25799 / Cataluña 📶 iD

- 🏔 Frontera Cat.3
- 🚏 N145, km 8
- 📅 1 Jan - 31 Dez
- ☎ +34 973-351427
- @ info@fronterapark.com
- 📍 N 42°25'41'' E 1°27'47''

1 ADJMNOPRST	AFN 6
2 CFGOPWXY	ABDEFG 7
3 ABEKLQ	ABEFJNQRSV 8
4 FHIOPQ	DJ 9
5 ABDEGJKLM	GHIKNOR 10
W 10A	❶ €28,65
H900 12 ha 130T(60-80m²) 145D	❷ €39,45

🚗 Von Andorra die N145 Richtung La Seo de Urgel, bei km 8.

Arties (Vall d'Aran, Lérida), E-25599 / Cataluña 📶 iD

- 🏔 Era Yerla d'Arties
- 🚏 Ctra de Baquera
- 📅 20/6 - 20/9, 1/12 - 20/4
- ☎ +34 973-641602
- @ info@yerla.net
- 📍 N 42°41'58'' E 0°52'11''

1 ABDEILNOPQRT	ABFGNU 6
2 CGOPVWXY	ABDEF 7
3 B	ABCDFJNQRS 8
4 EFHIO	JV 9
5 ABDEFGIKLM	BHIJOSTV 10
W 6A	❶ €31,90
H1150 10 ha 90T(100m²) 19D	❷ €42,90

🚗 Von Pont d'Arros (N230) vor Viella Richtung Salardu (C142). An der 3. Brücke rechts. CP liegt auf der rechten Seite (Km-Pfahl 38).

La Guingueta d'Àneu, E-25597 / Cataluña 📶 CC€16 iD

- 🏔 Nou Camping Cat.2
- 🚏 C13, km 156
- 📅 1/1 - 2/11, 1/12 - 31/12
- ☎ +34 973-626261
- @ noucamping@ noucamping.com
- 📍 N 42°35'33'' E 1°7'54''

1 ADEJMNOPRST	ABFGNUV 6
2 CDGOPTUVWXY	ABDEFG 7
3 ABEL	ABEFJNQRSV 8
4 ABCEFHILOQ	AJU 9
5 ABDEFGHIKLM	BHIJNPV 10
W 10A	❶ €32,90
H1000 1,5 ha 150T(75m²) 39D	❷ €43,50

🚗 Von Frankreich aus auf die N125 bis Viella. Dort die C13 Richtung Sort. CP liegt als Erster im Dorf auf der rechten Seite.

Castellbò, E-25712 / Cataluña iD

- 🏔 Castellbò-Buchaca Cat.3
- 🚏 Ctra Lerida-Puigcerdà 127
- 📅 1 Mai - 30 Okt
- ☎ +34 973-352155
- 📍 N 42°22'24'' E 1°21'29''

1 AJMNORT	A 6
2 CGPRTWXY	ABDEF 7
3 AEK	ABEFNQV 8
4 FHO	DEGI 9
5 ACDEGIJKL	HIJR 10
10A	❶ €25,00
H800 0,6 ha 50T(80m²) 8D	❷ €30,00

🚗 Ab der N260 ca. 3 km südlich von La Seo de Urgel westwärts nach Castellbò abfahren und ca. 9 km den Schildern folgen. Der Inhaber kann Ihren Caravan nach unten/oben bringen.

La Pobla de Segur, E-25500 / Cataluña 📶 iD

- 🏔 Collegats Cat.2
- 🚏 CN260 PK 306
- 📅 1 Apr - 31 Okt
- ☎ +34 973-680714
- @ camping@collegats.cat
- 📍 N 42°15'35'' E 0°59'10''

1 ACDEJMNOPQRT	AJNUV 6
2 CGKPVWXY	ABDEF 7
3 ALQU	ABEFNQR 8
4 AFHIOQ	9
5 ABDGIJKLM	BHIJNPR 10
6A CEE	❶ €28,50
H550 1,5 ha 62T(60m²) 10D	❷ €39,00

🚗 Von Pobla de Segur Richtung Sort fahren (N260). Nach ca. 2 km liegt der CP auf der rechten Seite.

El Pont de Suert (Lérida), E-25520 / Catal. 📶 CC€12 iD

- 🏔 Alta Ribagorça
- 🚏 Ctra Les Bordes s/n km 131
- 📅 1 Jan - 31 Dez
- ☎ +34 973-690521
- @ ana.uma@hotmail.com
- 📍 N 42°26'54'' E 0°42'38''

1 ADEJMNOPQRST	A 6
2 GOPRUVXY	ABDEF 7
3 A	ABDEFJNQRS 8
4 O	GJ 9
5 ABGILM	HIJPST 10
5A	❶ €22,00
H970 3 ha 100T(100m²) 25D	❷ €29,50

🚗 Von Vielha N230 Richtung Pont de Suert. Nach ca. 4 km von Vilaller auf der linken Seite.

Montardit de Baix, E-25568 / Cataluña 📶 iD

- 🏔 L'Orri de Pallars
- 🚏 Ctra N260, km 284
- 📅 15 Mär - 31 Okt
- ☎ +34 973-621463
- @ camping@orriweb.com
- 📍 N 42°22'24'' E 1°6'36''

1 ADEJMOPRS	AN 6
2 BCGPRVXY	ABDEF 7
3 ABEFLQ	ABEFJNQRV 8
4 BCFHOQ	FJ 9
5 ABGKLM	BHIJLMNORV 10
W 6A CEE	❶ €32,85
H690 65T(50-70m²) 39D	❷ €43,45

🚗 Von Sort kommend, die N260 Richtung La Pobla de Segur, ca. 5 km von Sort am Kreisel links ab, mit Name und Flaggen angezeigt.

El Pont de Suert (Lérida), E-25520 / Cataluña 📶 iD

- 🏔 Del Remei Cat.2
- 🚏 Ctra Valle de Boi km 1,5
- 📅 1 Jan - 31 Dez
- ☎ +34 676-458412
- @ campingdelremei@gmail.com
- 📍 N 42°26'19'' E 0°44'39''

1 AHKNORT	AJN 6
2 CPVXY	ABCDEFGH 7
3 BL	ABEFNQRS 8
4 AEFH	J 9
5 ADEGIJLM	BGHIJPR 10
10A CEE	❶ €32,15
H840 1,1 ha 40T(80-100m²) 3D	❷ €42,65

🚗 Viella Richtung El Pont de Suert auf der N230; ca. 2 km vor El Pont de Suert links ab auf die L500. Nach ca. 2 km liegt der CP rechts.

Montferrer, E-25711 / Cataluña 📶 CC€16 iD

- 🏔 Gran Sol Cat.2
- 🚏 N260, km 230
- 📅 1 Apr - 31 Okt
- ☎ +34 973-351332
- @ info@campinggransol.com
- 📍 N 42°20'52'' E 1°25'51''

1 ADEJMNOPRST	AFNUV 6
2 GPVWXY	ABDF 7
3 ABCEKL	ABEFJNQRSV 8
4 BDFHILO	HIJ 9
5 ABEGIJKLM	HIJNPRV 10
10A	❶ €30,25
H900 1,7 ha 160T(70-140m²) 44D	❷ €41,05

🚗 Kommend von Bourg Madame (F) aus bis 3 km hinter La Seu d'Urgell an der N260 entlang.

Espot, E-25597 / Cataluña 📶 iD

- 🏔 La Mola Cat.2
- 🚏 Ctra de Espot LV-5004, km 5
- 📅 1 Jun - 30 Sep
- ☎ +34 973-624024
- @ info@campinglamola.com
- 📍 N 42°34'9'' E 1°6'37''

1 ADJMNOPRST	ANU 6
2 CGPVXY	ABDEFGH 7
3 ABELM	ABEFGHLNPQRSV 8
4 FHIOPQ	IL 9
5 ACDFGKLM	BHIJLNORV 10
B 10A	❶ €28,45
H1300 2,2 ha 166T(60-120m²) 8D	❷ €38,45

🚗 Auf der C13 Pobla de Segur-Esterri d'Anneu 26 km nördlich von Sort noch 5 km bergauf, Steigung von 10% Richtung Espot. CP wird links der Straße gut ausgeschildert.

Pont d'Arros, E-25537 / Cataluña 📶 CC€16 iD

- 🏔 Verneda
- 🚏 N230, km 171
- 📅 1 Apr - 11 Okt
- ☎ +34 973-641024
- @ info@campingverneda.com
- 📍 N 42°44'12'' E 0°44'47''

1 ADEJMNOPRST	ABFGNU 6
2 BCGOPVXY	ABDEFG 7
3 ABEHL	ABFKNQRSV 8
4 ABDEFHIOPQ	IJUVW 9
5 ABDEFGIJKLM	ABHIJOV 10
5A	❶ €33,15
180T(40-80m²) 28D	❷ €45,75

🚗 Von Bossost (N230) ist der CP rechts der Strecke deutlich angezeigt.

Espot, E-25597 / Cataluña 📶 iD

- 🏔 Voraparc Cat.2
- 🚏 Ctra Sant Maurici s/n
- 📅 1 Mai - 16 Okt
- ☎ +34 973-624108
- @ info@voraparc.com
- 📍 N 42°34'57'' E 1°4'28''

1 ADEJMNOPRST	AFNUVX 6
2 CGPRVY	ABDEFGHK 7
3 ABGLQ	ABCDFNQRSV 8
4 ABDEFHILOPQ	BIQRU 9
5 ABDEFGHKLM	ABHIJNPR 10
6A	❶ €25,90
H1400 3,3 ha 129T(68-150m²) 5D	❷ €35,90

🚗 Auf der C13 Pobla de Segur-Esterri D'Àneu, 26 km nördlich von Sort an der Tankstelle 9 km bergauf, Steigung 10%, bis Espot. Dann noch ca. 1,8 km aufwärts.

Ribera de Cardós, E-25570 / Cataluña 📶 CC€16 iD

- 🏔 Del Cardós Cat.2
- 🚏 Av/Hug Roger III s/n
- 📅 1 Apr - 30 Sep
- ☎ +34 973-623112
- @ campingdelcardos@ hotmail.com
- 📍 N 42°33'35'' E 1°13'46''

1 ACJMNOPRST	ABFGN 6
2 BCFGPVXY	ABDEFG 7
3 ABEFLQ	ABEFKNQRSV 8
4 BFHLOPQ	DFGIJ 9
5 ABDEFGKM	BDHIJORV 10
6A	❶ €28,70
H900 3 ha 190T(60-100m²) 56D	❷ €39,30

🚗 Am Elektrizitätswerk in Llavorsí auf der C13 in Sort-Esterri d'Àneu abfahren und noch 9 km weiterfahren. CP liegt kurz vor dem Dorf.

Esterri d'Àneu, E-25580 / Cataluña 📶 iD

- 🏔 La Presalla Cat.2
- 🚏 Ctra Comercal C13, km 159
- 📅 1 Apr - 15 Sep
- ☎ +34 973-626263
- @ camping@ campinglapresalla.com
- 📍 N 42°36'53'' E 1°7'28''

1 ADHKNOPRST	AFJNUVX 6
2 CFGPRVXY	ABDEFGHK 7
3 ABEQ	ABEFNQRSV 8
4 AEFHIOPQ	FJPQRUV 9
5 ABDEFGHIJKLM	ABGHIJPST 10
6A	❶ €28,50
H970 2,5 ha 150T(70m²) 31D	❷ €39,00

🚗 C13 Llavorsi-Esterri d'Àneu, Km-Pfahl 125.

Ribera de Cardós, E-25570 / Cataluña 🛜 iD

- ⛺ La Borda del Pubill Cat.2
- ✉ Ctra Tavascan, km 9,5
- 🅿 1 Apr - 30 Okt
- ☎ +34 973-623088-28
- @ info@
  campinglabordadelpubill.com
- 📍 N 42°34'8'' E 1°13'51''
- 🚐 Bei dem Elektrizitätskraftwerk in Llavorsi an der route C13 Sort-Esterri-d'Aneu abfahren Richtung Ribera de Cardós. CP liegt 300m hinterm Dorf.

1 ABCDEJMNOPRST	ABFGN**UV** 6	
2 BCFGPVXY	ABDE**FGK** 7	
3 ABE**GILM**	ABEFJNQRSV 8	
4 BCDFHILO**PQ**	EGIJK 9	
5 ABDEFGIJKL**M**	BHIJLNOPRV 10	
10A		❶ €30,25
H950 4 ha 154T(70m²) 79**D**		❷ €40,85

Solsona (Lleida), E-25280 / Cataluña 🛜 ✿ CC€18 iD

- ⛺ El Solsonès Cat.1
- ✉ Ctra St. Llorenç km 2
- ☎ +34 973-482861
- @ info@campingsolsones.com
- 📍 N 42°0'43'' E 1°31'0''
- 🚐 Von La Seo de Urgel die C1313 fahren. Bei Basella links ab. In Solsona Richtung S. Llorenç de Morunys über Coll de Jou, Schildern folgen.

1 ABDEHKNOPQRST	AF 6	
2 FGPSUVXY	ABDE**FG** 7	
3 AE**GIKLMNOQ**	ABCDEFJKNQRSV 8	
4 ABCDEFHILO**X**	JLU 9	
5 ACDEFGIJKL**M**	BDFGHIJPQR 10	
WB 6-10A		❶ €32,80
H702 6,3 ha 268T(70-100m²) 183**D**		❷ €44,40

Sant Llorenc de Montgai, E-25613 / Cataluña 🛜

- ⛺ La Noguera
- ⛺ Partida La Solana s/n
- 🅿 1/1 - 6/1, 16/1 - 31/12
- ☎ +34 973-420334
- @ info@campinglanoguera.com
- 📍 N 41°51'37'' E 0°49'57''
- 🚐 C13 von Lleida über Balaguer nach Sant Llorenc de Montgai.

1 BDE**JM**NOPQRS**T**	A**E**F**NUV** 6	
2 FGPRUVXY	ABDE**FG** 7	
3 B**C**ELQTV	ABEFJKNQRSV 8	
4 BCDFGHILMO**PRSYZ**	AJRU 9	
5 ABDEFGIJKL**M**	ABGHIKMNORV 10	
10A		❶ €34,60
H244 2,5 ha 220T 113**D**		❷ €45,80

Sort, E-25560 / Cataluña 🛜 iD

- ⛺ S.A. Noguera Pallaresa Cat. 3
- ✉ Carretera Sort
- 🅿 1 Mär - 31 Okt
- ☎ +34 973-620820
- @ info@noguera-pallaresa.com
- 📍 N 42°25'7'' E 1°7'58''
- 🚐 Auf der C13 Sort - Esterri d'Àneu bei Km-Pfahl 128,8 nördlich von Sort entlang dem Fluss abbiegen.

1 ADEJMNOPRS**T**	AJ**N**UVXZ 6	
2 CGPXY	AD**FG** 7	
3 ABELQ	ABEFNQRSV 8	
4 FHIO**PQ**	EGJLQR 9	
5 ABDGIL**M**	BHIJNOV 10	
10A		❶ €26,10
H700 3 ha 200T(60m²) 46**D**		❷ €36,10

Comunidad Valenciana

Spanien

Alcossebre (Castellón), E-12579 / Com. Valenc. 📶 CC€18 iD

⛰ Playa Tropicana Cat.1	1 ACDEJMNOPQRT ACDFKMNPQSWX 6
🏠 Camino de l'Atall s/n	2 AEHJORSVXY ABDE**FGHJ** 7
📅 1 Jan - 31 Dez	3 BFLQ ABCDEFJKNQRSV 8
☎ +34 964-412463	4 A**BCDILNOPQUZ** IJLRUV 9
@ info@playatropicana.com	5 ACDEFGIJKM ABDGHIJ**NP**R10
	Anzeige auf dieser Seite B 10A ① €56,50
	3 ha 380T(50-100m²) 68D ② €68,50
📷⛰ N 40°13'13'' E 0°16'6''	

A7 Ausfahrt die 44 nehmen. Auf der N340 bei km 1018 nach Alcossebre. Den Schildern folgen. Im Kreisel 1. Ausfahrt nehmen. Innerorts an der 2. Ampel rechts ab. An der T-Kreuzung links, dann der Küstenstraße bis zum CP folgen.

Alcossebre (Castellón), E-12579 / Com. Valenc. 📶 ❄ CC€16 iD

⛰ Ribamar Cat.1	1 ADE**JMN**OPRS**T** AFKNOPQSX 6
🏠 Partida Ribamar s/n	2 EJKMRSTVX ABDE**FGH** 7
📅 1 Jan - 31 Dez	3 BEL**MQ** ABCDEFJKNQRSTUV 8
☎ +34 964-761163	4 BFHILO JLU 9
@ info@campingribamar.com	5 ABGJKL**M** ABDFHIJ**NP**TU10
	B 10A CEE ① €40,85
	2,2 ha 71T(40-100m²) 41D ② €48,55
📷⛰ N 40°16'13'' E 0°18'24''	

A7 Ausfahrt 44. Über die N340 nach Alcoceber bei Km 1018 an Las Fuentes vorbei. CP-Schildern folgen. Den letzten Km über einen unbefestigten Weg.

Altea/Alicante, E-03590 / Com. Valenciana 📶 CC€16 iD

⛰ Cap-Blanch Cat.2	1 ABDEILNOPQRST KMNQSWX 6
🏠 Playa de Cap-Blanch 25	2 AEFJKOQRSVWXY ABDE**FGH** 7
📅 1 Jan - 31 Dez	3 BEF**KLMQ** ABCDEFHJKNPRSV 8
☎ +34 96-5845946	4 BI**PR** FJLMQV 9
@ info@camping-capblanch.com	5 K**LM** AGHILPRVX10
	B 10A ① €41,50
	4 ha 288T(80-120m²) 82D ② €51,50
📷⛰ N 38°34'40'' W 0°3'54''	

AP7, Ausf. 64 Ri. Altea. Dann auf die N332 Valencia-Alicante, am südlichen Ortsrand von Altea an der Ampel Ausf. Port Platja. Zum Meer runter. Auf die Promenade nach rechts. CP am Ende der Promenade rechts.

Benicarlo, E-12580 / Comunidad Valenciana 📶 CC€16 iD

⛰ Alegria del Mar Cat.2	1 ADEJMNOPQRST AFNQSWX 6
🏠 Ctra Nacional 340 km 1046	2 AEHJRSVWX ABDE**FG** 7
📅 1 Jan - 31 Dez	3 BQT ABEFJKNQRSTV 8
☎ +34 964-470871	4 BCDHNO**PQ** J 9
@ info@campingalegria.com	5 ABEFGIJK**M** BDEHIJPR10
	B 16A CEE ① €28,90
	0,8 ha 121T(60-110m²) 25D ② €39,90
📷⛰ N 40°25'36'' E 0°26'17''	

A7 Ausfahrt 42. Auf der N340 (Tarragona-Valencia) bei km 1046 abbiegen zum Meer. Dann noch 1 km über die Landstraße.

Benicasim, E-12560 / Comunidad Valenciana 📶 CC€16 iD

⛰ Azahar Cat.1	1 ACDE**JM**NORT AFKMNPQS**X** 6
🏠 Partida Vilarroig s/n	2 AEHPRVXY ABDE**FGH** 7
📅 1 Jan - 31 Dez	3 B**KMQ** ABEFJKNQRSV 8
☎ +34 964-303551	4 AIO L 9
@ info@campingazahar.es	5 ACDEGIJKL**M** ABHJL**NP**R10
	B 4A ① €36,25
	4 ha 150T(70-95m²) 60D ② €44,95
📷⛰ N 40°3'32'' E 0°5'7''	

A7, Ausfahrt 45 oder 46. Auf der N340 Ausfahrt Benicasim bei Km-Pfahl 987 oder 989. In Benicasim den Schildern folgen.

Benicasim, E-12560 / Comunidad Valenciana 📶 CC€18 iD

⛰ Bonterra Park Cat.1	1 BDE**J**KNOPRST ACDFK**N**OPQSTW 6
🏠 Avda de Barcelona 47	2 AEHORSVXY ABDE**FGH** 7
📅 1 Jan - 31 Dez	3 BE**KLMQ** ABCDEFJNQRSTUV 8
☎ +34 964-300007	4 EILO**QRX** JLUV 9
@ info@bonterrapark.com	5 ABDEGIJKL ABDFGHIJMN**P**R10
	Anzeige auf Seite 419 B 6A ① €52,05
	5 ha 320T(65-102m²) 54D ② €62,45
📷⛰ N 40°3'25'' E 0°4'28''	

A7 Ausfahrt 46. N340 am Km-Pfahl 987 oder 989 abfahren Richtung Benicasim. Den Schildern folgen.

Benidorm/Alicante, E-03503 / Com. Valenc. 📶 ❄ CC€16 iD

⛰ Arena Blanca Cat.2	1 ABDJMNOQR**T** ACD**X** 6
🏠 Avda Doctor Severa Ochoa 44	2 AGOQRSUVWXY ABDE**FGH** 7
📅 1 Jan - 31 Dez	3 A**K** ABCDEFJNQRSTU 8
☎ +34 96-5861889	4 LO**PQ** EHIJL 9
@ info@camping-arenablanca.es	5 ABDEFGIKL**M** ABDEGHIK**NP**TUX10
	Anzeige auf Seite 419 B 16A ① €33,10
	H150 2,5 ha 95T(60-80m²) 69D ② €44,10
📷⛰ N 38°33'4'' W 0°5'47''	

Auf der N332 Valencia-Alicante zwischen Km-Pfahl 151 und 152 Ausfahrt Benidorm/Playa de Levante. Dann den CP-Schildern folgen.

Benidorm/Alicante, E-03503 / Com. Valenc. 📶 ❄ CC€16 iD

⛰ Armanello Cat.2	1 ABDEJMNOPQRST AF**X** 6
🏠 Avda Com. Valenciana	2 AGOQSVWXY ABDE**FGH** 7
📅 1 Jan - 31 Dez	3 B**K** ABEFJNQRSTUV 8
☎ +34 96-5853190	4 BDILOQ EJLV 9
@ info@campingarmanello.com	5 ABDEFGIKM ABDEGHIMNPRZ10
	Anzeige auf Seite 419 B 25A CEE ① €33,40
	H50 2,2 ha 100T(60-100m²) 97D ② €40,40
📷⛰ N 38°32'52'' W 0°6'39''	

AP7, Ausfahrt 65 zur N332. Im 1. Kreisel geradeaus. Im 2. Kreisel die 3. Ausfahrt nehmen. Dann den CP-Schildern folgen.

Spanien

Benidorm/Alicante, E-03503 / Com. Valenc. 🛜 CC€16 iD

🔺 Benisol	1 ABDEJMNOQR**T**	AEF**X** 6
🏠 Av. Com. Valenciana s/n	2 AOQRSUVWXY	ABDE**FGH** 7
🗓 1 Jan - 31 Dez	3 IJ**KLMQ**	ABCDEFJNORSTU 8
☎ +34 96-5851673	4 IO**PU**	L 9
@ info@campingbenisol.com	5 ABDEFGIJK**LM**	ACHIJN PRV 10
	B 10A CEE	❶ €34,75
	7 ha 100**T**(60-80m²) 200**D**	❷ €44,45
📍 N 38°33'36'' W 0°5'54''		

AP7, Ausfahrt 65. Nach der Mautstelle 2x rechts halten. Danach wieder rechts halten (= Ausfahrt N332). CP liegt nach ein paar hundert Metern auf der linken Seite. Ⓜ

Bétera, E-46117 / Comunidad Valenciana 🛜 iD

🔺 Valencia Camper Park***	1 ADEJMNOPQRST	AF**X** 6
🏠 Calle Universo s/n	2 AGNORSVWX	ABDE**FGH** 7
🗓 1 Jan - 31 Dez	3 B**KQ**	ABCDEFGHJNQR 8
☎ +34 960-718095	4 FHIO	9
@ valcampark@gmail.com	5 ABDEGJ**M**	BGHIJLPRV 10
	6A CEE	❶ €25,00
	64**T**(40-80m²)	❷ €25,00
📍 N 39°34'46'' W 0°26'44''		

Auf der A7 Ausfahrt Bétera, dann den Schildern folgen. Ⓜ

Bigastro/Alicante, E-03380 / Com. Valenciana 🛜 CC€16 iD

🔺 La Pedrera*	1 ABDEJMNOPQRST	AF 6
🏠 Cañada de Andrea 100	2 BFGQSUVW	ABDE**FG** 7
🗓 1 Jan - 31 Dez	3 AB**KLQ**	ABEFJNQRSTU 8
☎ +34 966-183020	4 DHO**PQ**U	EIJ 9
@ info@campinglapedrera.com	5 ABDEFGIJK**LM**	BCDFHIJOPRV 10
	16A	❶ €29,00
	H400 4,4 ha 70**T**(50-185m²) 28**D**	❷ €33,50
📍 N 38°3'4'' W 0°53'54''		

AP7 Ausfahrt 740. 1. Kreisel Richtung Orihuela (CV921). 2. Kreisel Richtung Benejúzar. 3. Kreisel Richtung Jacarilla. In Jacarilla Richtung Bigastro. In Biagastro den Campingschildern folgen. Ⓜ

Càlig/Castellon, E-12589 / Comunidad Valenciana 🛜 CC€16

🔺 L'Orangeraie Cat. 2	1 BDIKNOPRST	AF 6
🏠 Camino Peniscola-Calig	2 AFGPRUVX	ABDE**FH** 7
🗓 15 Jan - 30 Nov	3 B**KLQ**	ABCDEFNRSTV 8
☎ +34 964-765059	4 BL	JV 9
@ info@camping-lorangeraie.es	5 ABDEG**M**	BDHJPTU 10
	B 16A CEE	❶ €33,00
	H100 1,8 ha 62**T**(70-140m²) 10**D**	❷ €44,00
📍 N 40°27'7'' E 0°21'8''		

AP7 Ausfahrt 43 Benicarlo-Peniscola. Am Kreisel die 1. rechts nach Càlig, dort den Schildern folgen. Von der N340 Ausfahrt N232 Richtung Morella, weiter nach ± 1,5 km links ab Càlig CV135; in Càlig den Schildern folgen. Ⓜ

Calpe/Alicante, E-03710 / Com. Valenciana 🛜 CC€18 iD

- ▲ CalpeMar Cat. 1
- 🏠 C/ Eslovenia, 3
- 🔓 1 Jan - 31 Dez
- ☎ +34 965-875576
- @ info@campingcalpemar.com
- 📍 N 38°38'42" E 0°3'22"

1 ABDEJMNOPQRS**T**	AKNQSW**X**	6
2 AEHOSVWXY	ABDE**FGH**	7
3 AEKLQ	ABCDEFJNQRSTU	8
4 BDEILO	J	9
5 ADGIKL**M**	ABDHIJ**N**PR	10
B 10A CEE		❶ €39,00
1 ha 107T(54-125m²) 3D		❷ €49,00

AP7 Ausfahrt 64 zur N332 Richtung Calpe. Ausfahrt Calpe Norte 800m. Geradeaus. Bei Mercadona links abbiegen bis zum großen Kreisel mit den Kunstobjekten. Dort links und den CP-Schildern folgen. 🔼

El Campello/Alicante, E-03560 / Com. Valenc. 🛜 CC€16 iD

- ▲ El Jardin
- 🏠 Doctor Severo Ochoa 39
- 🔓 1 Jan - 31 Dez
- ☎ +34 965-657580
- @ info@campingeljardin.com
- 📍 N 38°23'35" W 0°24'55"

1 ABDEJMNOPQRST	AFX	6
2 AOQSVX	ABDE**FGH**	7
3 A**KQ**	ABEFNQRSTU	8
4 OQ	DIJ	9
5 AGIKM	ABDEFHIJ**NOP**TUV	10
B 10A		❶ €34,50
1 ha 120T(70-80m²) 42D		❷ €42,50

A7, dann A70 Ausfahrt 67 zur N332 Ri. San Joan. Am 1. Kreisel Ri. Playas/Platges bis zum Strand. Dort nach links. Am CP-Schild wieder links, dann geradeaus. CP am Ende einer Sackgasse. 🔼

Crevillente/Alicante, E-03330 / Com. Valenc. 🛜 CC€14 iD

- ▲ Las Palmeras Cat.1
- 🏠 Partida Deula 75
- 🔓 1 Jan - 31 Dez
- ☎ +34 96-6680630
- @ laspalmeras@laspalmeras-sl.com
- 📍 N 38°14'26" W 0°48'42"

1 ABDJMNOQR	AF	6
2 AQSVWX	ABDE**FGH**	7
3	ABCDEFJNQRSTUV	8
4	JL	9
5 ADGIJK**M**	HIJNO	10
H100 1 ha 51T(70-120m²) 10D		❶ €27,80
		❷ €37,40

AP7 Ausfahrt 77 Richtung Crevillente. Dann Richtung N340, CP liegt an dieser Straße bei Km 708. Hinter dem Hotel Las Palmeras. 🔼

Enguera, E-46810 / Comunidad Valenciana 🛜 iD

- ▲ Sierra Natura
- 🏠 Ctra Moixent-Navalón, km 11
- 🔓 1 Jan - 31 Dez
- ☎ +34 96-2253026
- @ info@sierranatura.com
- 📍 N 38°55'11" W 0°51'0"

1 ABDEG**JMN**ORT	AF	6
2 BFQRTXY	ABDE**FG**	7
3 ALQ	ABEFNQRSV	8
4 FHI**T**U	DJ	9
5 ABGI**L**	ABJOV	10
FKK B 12A		❶ €28,40
H800 5 ha 37T(25-100m²) 14D		❷ €37,25

Die A7 (Valencia-Albacete) geht in die A35 über. Ausfahrt 28 nach Moixent, ab Madrid Ausfahrt 23, dann CV589 Richtung Navalón. Bei km 11,5 rechts ab zum CP. 🔼

Crevillente/Alicante, E-03330 / Com. Valenc. 🛜 CC€16 iD

- ▲ Marjal Costa Blanca Eco Camping Resort****
- 🏠 Partida de las Casicas, 5
- 🔓 1 Jan - 31 Dez
- ☎ +34 965-484945
- @ camping@marjalcostablanca.com
- 📍 N 38°10'44" W 0°48'30"

1 ABDE**JM**NOPQRST	AEFGHIX	6
2 AGOQRSVWX	ABDE**FGH**	7
3 BCE**IKLMN**QRT	ABCDEFGHIJKNPQRSTUV	8
4 BCDEFHILNO**PQRSTUVWXYZ**	DEJLVWXYZ	9
5 ACDEFGIJK**M**	ABCDEFHI**M**NOPRVYZ	10
B 16A		❶ €47,50
35 ha 1432T(90-180m²) 54D		❷ €57,50

AP-7 Alicante-Cartagena, Ausfahrt 730. Den CP-Schildern folgen. 🔼

Grau de Gandía, E-46730 / Com. Valenciana 🛜 CC€16 iD

- ▲ L'Alqueria
- 🏠 Avda del Grau, 142, apartado 39
- 🔓 1 Jan - 31 Dez
- ☎ +34 96-2840470
- @ lalqueria@lalqueria.com
- 📍 N 38°59'10" W 0°9'49"

1 ABCDEJMNOPRT	ACF**X**	6
2 AHOQSVXY	ABDE**FGH**	7
3 AL	ABCDEFNQRSTUV	8
4 **LPRTUVY**	DFJL	9
5 ABDFGIKM	ABDHILPRV	10
B 10A		❶ €41,85
4,4 ha 123T(70-80m²) 131D		❷ €51,05

AP7 Ausfahrt 60 zur N332. Nach 3,1 km Ausfahrt zur N337 folgen. Dann bei den 4 Kreiseln jeweils die erste rechts nehmen. Camping nach 300m links. 🔼

Cullera/Valencia, E-46400 / Com. Valenciana 🛜 CC€14 iD

- ▲ Santa Marta Cat.1
- 🏠 Avinguda Raço, 25
- 🔓 16 Jan - 13 Dez
- ☎ +34 96-1721440
- @ info@santamartacamping.com
- 📍 N 39°10'37" W 0°14'31"

1 ADJMNOR	AFKM	6
2 BEGHORSTUVWXY	ABDE**FGH**	7
3 AEL	ABCDEFJNQRSTU	8
4 BDILO	JLV	9
5 ABDFI**M**	ABDHIJL**P**	10
B 10A		❶ €36,00
H100 4 ha 151T(25-80m²) 49D		❷ €48,00

AP7 Ausfahrt 59 über die N332 hinter Km-Pfahl 252 Richtung Cullera. Siehe Cullera Platges Far, dann an die Schilder Far oder Faro (Leuchtturm) halten. CP am kleinen Kreisel rechts der Strecke. 🔼

Guardamar del Segura/Alicante, E-03140 / Com. Valenc. 🛜 🌸 CC€18 iD

- ▲ Marjal Guardamar Camp. & Resort*****
- 🏠 Ctra N332 km 73,4
- 🔓 1 Jan - 31 Dez
- ☎ +34 96-6727070
- @ camping@marjal.com
- 📍 N 38°6'34" W 0°39'18"

1 ABDEJMNOPQRST	ACDHIQRSTV**X**	6
2 ACGQRSVWX	ABDE**FGH**	7
3 BCDE**IKLMQ**RT	ABCDEFHJNPQRSTUV	8
4 BCDEHILNO**PQRSTU**XYZ	AEIJLVZ	9
5 ACDEFGHIJK**M**	ABCEHIM**N**PVYZ	10
B 16A		❶ €65,00
4 ha 162T(90m²) 51D		❷ €77,00

A70, Ausfahrt 72. Von der N332 zwischen La Marina und Guardamar am Kreisel abfahren. CP ist deutlich ausgeschildert. 🔼

Denia, E-03700 / Comunidad Valenciana 🛜 iD

- ▲ Camping Los Pinos Denia
- 🏠 Camino la Racona, 16
- 🔓 1 Jan - 31 Dez
- ☎ +34 965-782698
- @ lospinosdenia@gmail.com
- 📍 N 38°49'47" E 0°8'49"

1 ABDEJMNOPQRST	KNPQSX	6
2 BEFKMOQSTVXY	ABDE**FGH**	7
3 K	ABCDEFNRSV	8
4		9
5 ABKL**M**	BGHIJ**P**V	10
B 5A CEE		❶ €28,15
1,8 ha 104T(60-80m²) 3D		❷ €38,65

N332 bei Km 204, Ausfahrt Denia (CV-730). In Denia den Schildern 'Les Rotes' folgen. Direkt hinter der blauen Brücke über die schmale Schlucht nach links. Nach ± 500m CP rechts. 🔼

Guardamar del Segura/Alicante, E-03140 / Com. Valenc. 🛜 iD

- ▲ Palm-Mar Cat.2
- 🏠 Ctra Cartagena-Alicante km 70
- 🔓 1 Mai - 30 Sep
- ☎ +34 96-5728856
- @ campingpalmmar@hotmail.com
- 📍 N 38°4'19" W 0°39'10"

1 ADEJMNOQRST	KMNQSWX	6
2 AEHOQRVXY	AD**FGH**	7
3 A**KLS**	ABCDEFNQRSV	8
4 OP	L	9
5 ACDEGIKL**M**	BHIJNPR	10
B 3A		❶ €36,50
2 ha 196T(60-100m²)		❷ €49,50

N332 Alicante-Cartagena, am Kreisverkehr am südlichen Ortsrand von Guardamar Richtung Meer und direkt wieder nach rechts. CP kommt nach 400m linkerhand. 🔼

El Campello/Alicante, E-03560 / Com. Valenc. 🛜 CC€16 iD

- ▲ Costa Blanca Cat.2
- 🏠 C/Convento 143, N332 km 120,5
- 🔓 1 Jan - 31 Dez
- ☎ +34 965-630670
- @ info@campingcostablanca.com
- 📍 N 38°26'10" W 0°23'17"

1 ABDEJMNOQRT	AX	6
2 AOSVXY	ABDE**FGH**	7
3 A**KQ**	ABCDEFJNQRSTU	8
4 DILOPR	AJL	9
5 ABDEFGIJK**M**	ABDGHIJL**P**VW	10
B 6A CEE		❶ €35,25
1,1 ha 66T(40-80m²) 36D		❷ €44,95

AP7, Ausfahrt 67. Hinter der Mautstelle 1. Kreisel rechts, 2. rechts, 3. Kreisel geradeaus, 4. Kreisel rechts ab. Dann dem CP-Schild folgen. 🔼

Jávea/Alicante, E-03730 / Com. Valenciana 🛜 CC€16 iD

- ▲ El Naranjal
- 🏠 Cami dels Morers 15
- 🔓 1 Jan - 31 Dez
- ☎ +34 96-5792989
- @ info@campingelnaranjal.com
- 📍 N 38°46'14" E 0°10'55"

1 ACDEJMNOPQRT	AX	6
2 QSVXY	ABDE**FGH**	7
3 A**IKLMNQ**	ABEFJNRSV	8
4 BDILO**PQRZ**	JL	9
5 ADEFGIJKL**M**	ABDGHIJ**N**PR	10
Anzeige auf Seite 421 B 10A		❶ €33,20
H100 2,3 ha 164T(30-60m²) 31D		❷ €44,70

AP7 Ausfahrt 62 zur N332. Ausf. Jávea. Jávea einfahren. Im Kreisel geradeaus. Am Schild 'Arenal-Platges' und 'Cap de la Nao' re. Dann den CP-Schildern folgen. 🔼

Jávea/Alicante, E-03730 / Com. Valenciana

🔺 Jávea Cat.1
🏠 Camino de la Fontana, 10
📅 1 Jan - 31 Dez
☎ +34 96-5791070
@ info@campingjavea.es

1 ABDEJMNOPQRT	AFX 6
2 GQRSVWXY	ABDEFG 7
3 AEKLMQ	ABCDEFJKNQRSTUV 8
4 BILO	JLV 9
5 ABDEFGIKLM	BDHIJPRZ10
Anzeige auf dieser Seite B 8A	❶ €35,35
H50 2,5 ha 193T(40-80m²) 10D	❷ €46,35

📍N 38°47'1'' E 0°10'20''
🚗 AP7, Ausfahrt 62 zur N332. Ausf. Jávea. Jávea einfahren. Im Kreisel geradeaus. Arenal/Platges und Cap de La Nao folgen. Hinter McDonalds und Euromarkt über die Brücke. Scharf rechts auf den Parallelweg. Danach den CP-Schildern folgen.

La Marina/Alicante, E-03194 / Com. Valenciana

🔺 La Marina Camping & Resort Cat.1
🏠 Avenida de la Alegría s/n
📅 1 Jan - 31 Dez
☎ +34 96-5419200
@ info@lamarinaresort.com

1 ABDEJMNOPRST	AEFHIX 6
2 ORSTUVWXY	ABDEFGQH 7
3 BCEKLMQSTU	ABCDEFHJNPQRSTUV 8
4 BDILMOPQRSTUVWXYZ	JLU 9
5 ACDEFGIJKM	ABEGHIJLMNPRYZ10
Anzeige auf dieser Seite B 16A CEE	❶ €61,50
7 ha 390T(70-120m²) 64D	❷ €73,50

📍N 38°7'47'' W 0°38'59''
🚗 A70 Ausfahrt 72 Santa Pola zur N332. CP liegt an der N332 Alicante-Caragena 2 km südlich von La Marina. CP ist danach deutlich angezeigt.

La Vall de Laguar/Alicante, E-03791 / Com. Valenc.

🔺 Vall de Laguar
🏠 Carrer Sant Antoni, 24
📅 1 Jan - 31 Dez
☎ +34 96-5584590
@ info@campinglaguar.com

1 ADEGJMNOPQRST	AF 6
2 FOQRSUVX	BEFGH 7
3	ABEFJNQRSTUV 8
4 FO	JL 9
5 EIKLM	BDHIJNPRV10
5A	❶ €29,10
H350 1,7 ha 39T(50-120m²) 21D	❷ €40,90

📍N 38°46'36'' W 0°6'19''
🚗 A7 Ausfahrt 62 zur N332 Richtung Valencia, dann Richtung Orba und dann Vall de Laguar. Hier den CP-Schildern folgen.

Mareny de Barraquetes/Sueca, E-46410 / Com. Valenc.

🔺 Barraquetes
🏠 Playa de Sueca
📅 15 Jan - 15 Dez
☎ +34 961-760723
@ info@barraquetes.com

1 ABDEJMNOPQRST	AFH 6
2 BOQXY	ABDEFG 7
3 AEM	ABEFNORSTV 8
4 BIO	EJ 9
5 ABFGIKM	FGHIJNPSX10
20A	❶ €33,00
H50 3,7 ha 113T(40-65m²) 98D	❷ €44,00

📍N 39°14'31'' W 0°15'50''
🚗 A7 Ausfahrt Sueca N332. Danach die Ausfahrt nach Perelló/Mareny de Barraquetes. Dann den CP-Schildern folgen.

Spanien

Der EUROCAMPING liegt am Meer, hat einen sauberen Strand mit feinem Sand. Dieser weitläufige Campingplatz hat schattenreiche Parzellen. Neue Sanitäranlagen.

DAS GANZE JAHR ÜBER GEÖFFNET.
BUNGALOWS. MOBILHEIME mit Aircondition.

Partida Rabdells s/n, 46780 Oliva/Valencia
Tel. 96-2854098 • Fax 96-2851753
E-Mail: info@eurocamping-es.com
Internet: www.eurocamping-es.com

Moncofa/Castellón, E-12593 / Com. Valenc. 🛜 CC€16 iD

- 🏕 Camping Mon Mar Cat.2
- 📧 Camino Serratelles s/n
- 🕐 1 Jan - 31 Dez
- ☎ +34 964-588592
- @ campingmonmar@hotmail.es
- 📍 N 39°48'31'' W 0°7'40''

1 ACDEHKNOPRST	AFIKMNPQS 6
2 AEHJOSVXY	ABDEFGH 7
3 BELQ	ABCDEFJNQRSTUV 8
4 ABDHIO	JL 9
5 ABDEGIJKLM	BDFGHIJOPR10
B 6A	❶ €27,00
2 ha 110T(70m²) 66D	❷ €45,00

🚗 A7 Ausf. 49 Ri. Moncofa. In Moncofa immer den Schildern 'Camping Mon Mar' folgen. A7 Ausf. 283 Moncofa. Auf der N340 Ausf. Moncofa zwischen km 950 und km 953. In Moncofa immer den Schildern 'Camping Mon Mar' folgen. 🅼

Moraira/Alicante, E-03724 / Com. Valenc. 🛜 ✿ CC€16 iD

- 🏕 Moraira Cat.1
- 📧 Camino Paellero 50, Teulada
- 🕐 1 Jan - 31 Dez
- ☎ +34 96-5745249
- @ campingmoraira@ campingmoraira.com
- 📍 N 38°41'9'' E 0°7'10''

1 ADEJMNORT	AX 6
2 AQRSUVXY	ABDEFGH 7
3 K	ABCDEFJNQRSTUV 8
4 IP	ADJL 9
5 ADFGIKM	ABDHIJPV10
B 10A	❶ €42,35
H50 1,1 ha 105T(50-90m²) 20D	❷ €53,35

🚗 N332, Abzweig Moraira. In Moraira im Kreisverkehr rechts abbiegen. Der klaren CP-Ausschilderung folgen. Achtung: Nicht vor, sondern direkt hinter dem Restaurant zum CP. 🅼

Navajas (Castellón), E-12470 / Com. Valenciana 🛜 ✿ CC€16

- 🏕 Altomira Cat.1
- 📧 CV-213 Navajas, km 1
- 🕐 1 Jan - 31 Dez
- ☎ +34 964-713211
- @ reservas@ campingaltomira.com
- 📍 N 39°52'29'' W 0°30'38''

1 BCDEJMNOPQRST	AFN 6
2 AFORSUVWX	ABDEFGH 7
3 BELMQ	ABEFJNQRSTUV 8
4 ABDEFHIJOP	JRU 9
5 ABEGIJLM	ABDHIJPRV10
B 6A	❶ €25,40
H450 2,5 ha 50T(70-80m²) 52D	❷ €35,80

🚗 Auf der A23 Sagunto-Teruel bei Ausfahrt 33 Richtung Navajas. Dann CP-Schildern folgen. 🅼

Oliva/Valencia, E-46780 / Com. Valenciana 🛜 CC€16 iD

- 🏕 Azul
- 📧 Playa Rabdells
- 🕐 1 Apr - 31 Okt
- ☎ +34 96-2854106
- @ campingazul@ctv.es
- 📍 N 38°54'27'' W 0°4'4''

1 ADEJMNOPRT	KMNPQSWX 6
2 EFHQVWXY	ABDEFGH 7
3 AKLQ	ABCDEFJNQRSV 8
4 LP	AJLV 9
5 ABDEFGIKLM	AGHIJNPR10
B 15A	❶ €32,60
2,5 ha 109T(60-100m²) 50D	❷ €42,20

🚗 N: auf N332 bei km 213 abfahren. Am 1. Kreisel links unter dem Viadukt hindurch. Am 2. Kreisel rechts, dann 3. Straße links (Playa Rabdells). S: N332 bei km 209 Tankstellenausfahrt (unter dem Viadukt durch). Hinter Tankstelle links. 🅼

Oliva/Valencia, E-46780 / Com. Valenciana 🛜 CC€16 iD

- 🏕 Eurocamping
- 📧 Partida Rabdells s/n
- 🕐 1 Jan - 31 Dez
- ☎ +34 96-2854098
- @ info@eurocamping-es.com
- 📍 N 38°54'22'' W 0°4'2''

1 ABDEJMNOPRST	KMNQSX 6
2 CEFHQRSVWXY	ABDEFGH 7
3 AKQ	ABCDEFJNQRSV 8
4 BDLOP	EIJL 9
5 ABEGIJKM	ABDHIJLNPR10
Anzeige auf dieser Seite B 10A	❶ €38,15
4,5 ha 299T(70-120m²) 30D	❷ €45,10

🚗 Vom Norden: auf der N332 bei km 210 zum Meer (Überführung). Vom Süden: auf der N332 bei km 209 rechts, vor und am Kreisverkehr Richtung angezeigt, weiter Schildern folgen. 🅼

Oliva/Valencia, E-46780 / Com. Valenciana 🛜 CC€18 iD

- 🏕 Kiko Park Cat.1
- 📧 C/. Assagador de Carro, 2
- 🕐 1 Jan - 31 Dez
- ☎ +34 96-2850905
- @ kikopark@kikopark.com
- 📍 N 38°55'58'' W 0°5'51''

1 ADEJMNOPQRST	ABFGKMNPQRSTXYZ 6
2 AEHOQRSVWXY	ABDEFGH 7
3 FK	ABCDEFJNQRSV 8
4 LORSTUVYZ	ILMV 9
5 ACEFGJKM	ABDGHIJNPRXY10
Anzeige auf Seite 423 B 16A CEE	❶ €49,80
2,9 ha 171T(60-110m²) 31D	❷ €60,80

🚗 AP7 Ausfahrt 61. Auf der N332 nach Oliva. An der ersten Ampel im Kreisverkehr links ab, um den Kreisel. Dann 'Platges' und den CP-Schildern folgen. 🅼

Oliva/Valencia, E-46780 / Com. Valenciana 🛜 CC€16 iD

- 🏕 Olé Cat.1
- 📧 Pda. Aigua Morta s/n
- 🕐 1 Jan - 31 Dez
- ☎ +34 96-2857517
- @ campingole@hotmail.com
- 📍 N 38°53'40'' W 0°3'13''

1 ADEJMNOPRST	AKMNQSWX 6
2 EFHQSVWXY	ABDEFGH 7
3 AEKQ	ABCDEFJNQRSTUV 8
4 ILOP	GIJL 9
5 ACEFGIJKLM	ABGHIJPR10
B 6A	❶ €40,40
4,2 ha 314T(50-90m²) 56D	❷ €50,25

🚗 Vom Norden: auf der N332 bei km 210 zum Meer abfahren (Überführung). Vom Süden: auf der N332 bei km 209 rechts ab. Vor und am Kreisverkehr ist die Richtung ausgeschildert. Weiter den CP-Schildern folgen. 🅼

Oliva/Valencia, E-46780 / Com. Valenciana 🛜 CC€14 iD

- 🏕 Rio-Mar Cat.2
- 📧 N332 km 207
- 🕐 1 Jan - 31 Dez
- ☎ +34 96-2854097
- @ riomar@campingriomar.com
- 📍 N 38°53'10'' W 0°2'20''

1 ADEJMNOPRT	KMNQSWX 6
2 ACEFHQRSVWXY	ABDEFGH 7
3 K	ABEFJNQRSV 8
4 O	HIJL 9
5 ACDEGIKM	AHIJPRV10
B 10A	❶ €32,80
0,8 ha 64T(50-80m²) 16D	❷ €41,40

🚗 AP7, Ausfahrt 61 Richtung Oliva oder N332 Valencia-Alicante, bei km 207 Richtung Strand und Meer. CP-Schildern folgen. 🅼

Oropesa del Mar (Castellón), E-12594 / Com. Valenc. 🛜 CC€14

- 🏕 Didota S.L. Cat.1
- 📧 Avda Barcelona / Vereda Didota s/n
- 🕐 1 Jan - 31 Dez
- ☎ +34 964-319551
- @ info@campingdidota.es
- 📍 N 40°7'16'' E 0°9'30''

1 BCDEILNOPRST	AEFGKMNOPQRSTUVWX 6
2 AEHOQRSVXY	ABDEFGH 7
3 BCLQ	ABCDEFGIJKNQRSV 8
4 ABDFHILORUY	JLRV 9
5 ABDEIJKM	ABDFGHIJNPRZ10
Anzeige auf Seite 423 B 10A	❶ €43,20
1,6 ha 144T(90-120m²) 53D	❷ €48,70

🚗 A7, Ausfahrt 45. Oder N340 Tarragona-Valencia km 999,2 abfahren zum Meer. CP-Schildern folgen (etwa 1 km). 🅼

Peñíscola, E-12598 / Comunidad Valenciana 🛜 CC€18 iD

- 🏕 El Edén Cat.1
- 📧 Calle Madrid 6
- 🕐 1 Jan - 31 Dez
- ☎ +34 964-480562
- @ camping@camping-eden.com
- 📍 N 40°22'16'' E 0°24'10''

1 ADEJMNOPRST	AFHKMNOPQSX 6
2 AEGHOQRVXY	ABDEFGH 7
3 BLQST	ABCDEFJKNQRSTUV 8
4 BDFHILOPRU	JKLUV 9
5 ACDEGIJKM	ABDGHIJLNPRY10
B 10A	❶ €53,00
3,3 ha 254T(60-100m²) 31D	❷ €70,00

🚗 A7 Ausf. 43 nach Peñíscola. An der Promenade CP angezeigt. Auf der N340 Ausf. Peñíscola. Zur Promenade Ri. Benicarlo fahren. CP liegt an der Promenade, Boulevard Avenida Papa Luna bei Km 6. Siehe Schild vor dem Restaurant/CP El Edén. 🅼

Peñíscola, E-12598 / Comunidad Valenciana 🛜 CC€12 iD

- 🏕 Los Pinos SL Cat.1
- 📧 Camino Abellers, s/n
- 🕐 1 Jan - 31 Dez
- ☎ +34 964-480379
- @ campinglospinos@hotmail.com
- 📍 N 40°22'45'' E 0°23'18''

1 ACDJMNORT	AF 6
2 AQRVY	ABDEFGH 7
3 ABEKLQ	ABCDEFGIJKNQRSTUV 8
4 ABCDFHNOPU	JLU 9
5 ABDEGIJKL	AFGHIJPRV10
B 10A	❶ €30,15
1,2 ha 120T(80-100m²) 32D	❷ €41,75

🚗 A7 Ausfahrt 43 Peñíscola. 4 km Richtung Peñíscola. Dann ist CP ausgeschildert. 🅼

Peñíscola, E-12598 / Comunidad Valenciana 🛜 CC€10 iD

- 🏕 Vizmar Cat. 2
- 📧 Ctra Vieja Peñíscola-Benicarló s/n
- 🕐 1 Jan - 31 Dez
- ☎ +34 964-473439
- @ campingvizmar@hotmail.com
- 📍 N 40°23'32'' E 0°24'25''

1 ADJMNORST	AFKMNOPQSW 6
2 AEORSVXY	ABDEFGH 7
3 BLQ	ABCDEFNRSV 8
4 OQU	J 9
5 ABDGIKM	BDHIJPR10
B 7A	❶ €33,30
1,6 ha 118T(60-70m²) 4D	❷ €42,30

🚗 Auf der N340 am Schild Peñíscola abbiegen. Am Kreisel Richtung Benicarlo einschlagen. CP liegt nach ± 2 km links. 🅼

Gebrauchsanweisung

Um die Möglichkeiten des Führers optimal nutzen zu können, sollten Sie die Gebrauchsanweisung auf Seite 10 gut durchlesen. Hier finden Sie wertvolle Informationen, beispielsweise die Berechnung der Übernachtungspreise.

❶ € 25,00
❷ € 35,80

Pilar de la Horadada/Alicante. E-03191 / Com. Valenc. 🛜 (CC€16) iD

🏕 Lo Monte Cat.1	1 ABDE**JM**NOPQRST	AEF**X** 6
Avda Comunidad Valenciana, 157	2 AGORSVW	ABDE**FGH** 7
📅 1 Jan - 31 Dez	3 A**KQ**	ABCDEFJNQRSTU 8
☎ +34 966-766782	4 BDFHILORU**XYZ**	AJLV 9
@ info@	5 ABDEFGIJK**M**	ABDGHIJMO**P**V10
campinglomonte-alicante.es	B 16A CEE	➊ €32,50
📍 N 37°52'45'' W 0°45'56''	H50 127T(60-125m²) 26D	➋ €32,50

🛣 AP7 Ausfahrt 770 zur N332 Richtung Pilar de la Horadada. Am 2. Kreisel Richtung Pueblo Latino. Dann an der 1. Ampel links ab.

Playa de Puçol, E-46530 / Comunidad Valenciana 🛜 iD

🏕 Camping Valencia	1 ADHKNOPQRST	AFHKMPQ 6
📧 c/ Rio turia 1	2 AEHORSVXY	ABDE**FG** 7
📅 15 Jun - 15 Sep	3 BLMQT	ABEFNQRS 8
☎ +34 961-465806	4 BDNO**X**	JL 9
@ info@campingvalencia.com	5 ABDGIJK**M**	BGHIJ**NO**SV10
	6A	➊ €34,00
📍 N 39°36'4'' W 0°16'15''	6,6 ha 340T(50-90m²) 155D	➋ €45,00

🛣 Von Norden: A7 Ausfahrt Puçol, in Puçol den Schildern folgen. Von Valencia: V21 Ausfahrt Puçol und dort der Beschilderung folgen.

6 km von Valencia und 200m von einem prächtigen, kilometerlangen Sandstrand im Naturreservat L'Albufera. Gute Rad- und Wandermöglichkeiten.

Ctra del Riu, nr. 486 Pinedo 46012 Pinedo/Valencia
E-Mail:
info@collvertcamping.com
Internet:
www.collvertcamping.com

Familiencamping 150m vom Sandstrand, 15 km von Valencia, 4 km von Puçol und 6 km von den Burgruinen von Sagunto.

Playa de Puçol , 46530 Puçol/Valencia
E-Mail: campingpuzol@gmail.com
Internet: www.campingpuzol.com

Pinedo/Valencia, E-46012 / Com. Valenciana 🛜 (CC€16) iD

🏕 Coll Vert Cat. 2	1 ACDEJMNOPRST	AFKMNOPQRST 6
📧 Ctra del Riu, nr. 486 Pinedo	2 AEHOPRVXY	ABDE**FGH** 7
📅 16 Jan - 13 Dez	3 BE**KLQ**	ABEFJNQRSV 8
☎ +34 96-1830036	4 BDFHLO	EJV 9
@ info@collvertcamping.com	5 ABDEFGI**M**	BDEFGHIL**NOP**RV10
	Anzeige auf dieser Seite B 10A	➊ €33,35
📍 N 39°23'47'' W 0°19'58''	2,4 ha 80T(40-80m²) 102D	➋ €45,20

🛣 N: A7 und V21 Ri. Valencia, in der Stadt Ri. El Saler. Auf CV500 am 1. Kreisel 3/4 durchfahren, abbiegen auf CV5010. CP nach 300m links. S: A7 vor Valencia Ri. Albufera und El Saler über CV500, am Kreisel von El Saler abbiegen, CP nach 200m links.

Puçol/Valencia, E-46530 / Com. Valenciana 🛜 (CC€16) iD

🏕 Puzol Cat.2	1 ADEJMNOPRST	AFMNWX 6
📧 Playa de Puçol	2 AEGHORVWXY	ABDE**FGH** 7
📅 16 Jan - 13 Dez	3 BLOQ	ABEFJNQRSTUV 8
☎ +34 961-421527	4 BDFHIO	EJ 9
@ campingpuzol@gmail.com	5 ABI	BFGHIJL**NP**R10
	Anzeige auf dieser Seite B 10A	➊ €36,30
📍 N 39°36'20'' W 0°16'8''	3 ha 70T(60-70m²) 120D	➋ €47,30

🛣 Auf der A7 Ausfahrt Puçol: auf der N340 Ausfahrt Puçol und dann den Schildern Playa und Camping folgen.

Teilkarte Comunidad Valenciana auf Seite 417

Spanien

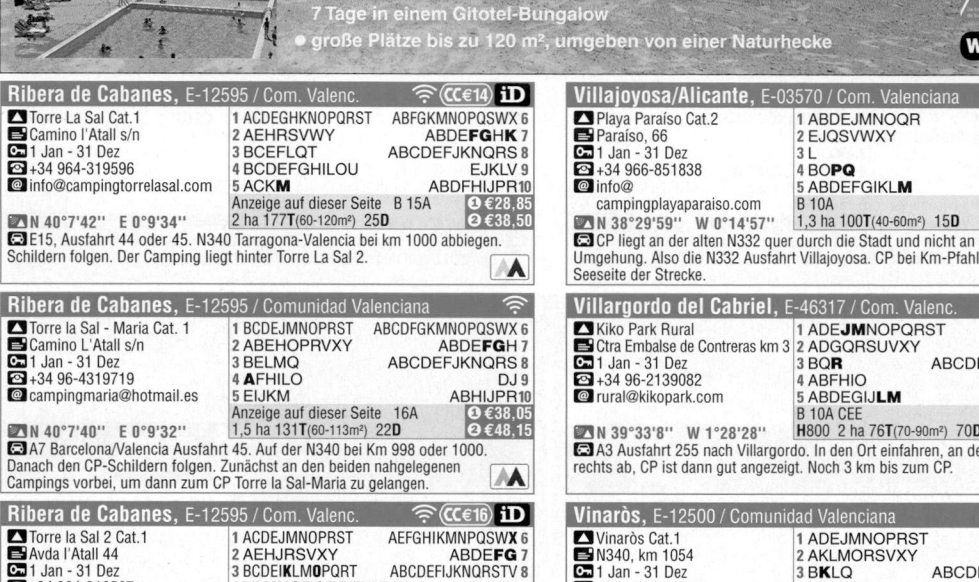

Ribera de Cabanes, E-12595 / Com. Valenc. 🛜 CC€14 iD

⛰ Torre La Sal Cat.1	1 ACDEGHKNOPQRST ABFGKMNOPQSWX 6
🏕 Camino l'Atall s/n	2 AEHRSVWY ABDE**FGH**K 7
🔛 1 Jan - 31 Dez	3 BCEFLQT ABCDEFJKNQRS 8
☎ +34 964-319596	4 BCDEFGHILOU EJKLV 9
@ info@campingtorrelasal.com	5 ACK**M** ABDFHIJPR10
	Anzeige auf dieser Seite B 15A ❶ €28,85
🏔 N 40°7'42'' E 0°9'34''	2 ha 177T(60-120m²) 25D ❷ €38,50

🅿️ E15, Ausfahrt 44 oder 45. N340 Tarragona-Valencia bei km 1000 abbiegen. Schildern folgen. Der Camping liegt hinter Torre La Sal 2. 🅼

Ribera de Cabanes, E-12595 / Comunidad Valenciana 🛜

⛰ Torre la Sal Cat. 1	1 BCDEJMNOPRST ABCDFGKMNOPQSWX 6
🏕 Camino L'Atall s/n	2 ABEHOPRVXY ABDE**FG**H 7
🔛 1 Jan - 31 Dez	3 BELMQ ABCDEFJKNQRS 8
☎ +34 96-4319719	4 A**F**HILO DJ 9
@ campingmaria@hotmail.es	5 EIJKM ABHIJPR10
	Anzeige auf dieser Seite 16A ❶ €38,05
🏔 N 40°7'40'' E 0°9'32''	1,5 ha 131T(60-113m²) 22D ❷ €48,15

🅿️ A7 Barcelona/Valencia Ausfahrt 45. Auf der N340 bei Km 998 oder 1000. Danach den CP-Schildern folgen. Zunächst an den beiden nahegelegenen Campings vorbei, um dann zum CP Torre la Sal-Maria zu gelangen. 🅼

Ribera de Cabanes, E-12595 / Com. Valenc. 🛜 CC€16 iD

⛰ Torre la Sal 2 Cat.1	1 ACDEJMNOPRST AEFGHIKMNPQSWX 6
🏕 Avda l'Atall 44	2 AEHJRSVXY ABDE**FG** 7
🔛 1 Jan - 31 Dez	3 BCDEI**KLMO**PQRT ABCDEFIJKNQRSTV 8
☎ +34 964-319567	4 IJLMNO**PQRSTUXYZ** JUZ 9
@ camping@torrelasal2.com	5 ACEGIJK ABGHIJMPRYZ10
	Anzeige auf Seite 425 B 10A ❶ €47,45
🏔 N 40°7'40'' E 0°9'32''	9 ha 517T(60-140m²) 101D ❷ €62,70

🅿️ A7 Barcelona-Valencia, Ausfahrt 45, auf der N340 Km-Pfahl 998 oder 1000. Der CP ist ausgeschildert. 🅼

Santa Pola/Alicante, E-03130 / Com. Valenc. 🛜 CC€16 iD

⛰ Bahia de Santa Pola Cat.2	1 ABDEJMNOPQRST AF**X** 6
🏕 Ctra Elche-Snta Pola km 11	2 RSTUVXY ABDE**FG** 7
🔛 1 Jan - 31 Dez	3 AQ ABCDEFJNRSTUV 8
☎ +34 96-5411012	4 O**P** L 9
@ campingbahia@gmail.com	5 ABG**KLM** ABDGHI**O**R10
	B 10A ❶ €25,00
🏔 N 38°12'3'' W 0°34'13''	H50 6 ha 362T(65-70m²) 90D ❷ €34,00

🅿️ A70 Ausfahrt 72 Santa Pola. Auf der N332 hinter km 88 Ausfahrt Richtung Elche, am Kreisel rechts ab. CP nach 100m auf der rechten Seite. 🅼

Villajoyosa/Alicante, E-03570 / Com. Valenciana 🛜 iD

⛰ Playa Paraíso Cat.2	1 ABDEJMNOQR A 6
🏕 Paraíso, 66	2 EJQSVWXY ABDE**FG** 7
🔛 1 Jan - 31 Dez	3 L ABEFNQRSV 8
☎ +34 966-851838	4 BO**PQ** EMRV 9
@ info@	5 ABDEFGIKL**M** ABCHIJPR10
campingplayaparaiso.com	B 10A ❶ €35,10
🏔 N 38°29'59'' W 0°14'57''	1,3 ha 100T(40-60m²) 15D ❷ €43,10

🅿️ CP liegt an der alten N332 quer durch die Stadt und nicht an der neuen Umgehung. Also die N332 Ausfahrt Villajoyosa. CP bei Km-Pfahl 136 an der Seeseite der Strecke. 🅼

Villargordo del Cabriel, E-46317 / Com. Valenc. 🛜 CC€16 iD

⛰ Kiko Park Rural	1 ADE**JMN**OPQRST AFNUVXY 6
🏕 Ctra Embalse de Contreras km 3	2 ADGQRSUVXY ABDE**FG** 7
🔛 1 Jan - 31 Dez	3 BQ**R** ABCDEFJNQRSTUV 8
☎ +34 96-2139082	4 ABFHIO FGJQRU 9
@ rural@kikopark.com	5 ABDEGIJL**M** BDHIJL**O**R10
	B 10A CEE ❶ €32,90
🏔 N 39°33'8'' W 1°28'28''	H800 2 ha 76T(70-90m²) 70D ❷ €42,50

🅿️ A3 Ausfahrt 255 nach Villargordo. In den Ort einfahren, an der T-Kreuzung rechts ab, CP ist dann gut angezeigt. Noch 3 km bis zum CP. 🅼

Vinaròs, E-12500 / Comunidad Valenciana 🛜 iD

⛰ Vinaròs Cat.1	1 ADEJMNOPRST AFMO 6
🏕 N340, km 1054	2 AKLMORSVXY ABDE**FG**H 7
🔛 1 Jan - 31 Dez	3 B**KLQ** ABCDEFJKNQRSTV 8
☎ +34 964-402424	4 A**B**DO**U** JL 9
@ info@campingvinaros.com	5 ABDGJKL**M** ABGHIJMN**P**R10
	B 10A ❶ €38,00
🏔 N 40°29'35'' E 0°29'0''	6 ha 299T(60-120m²) 17D ❷ €50,00

🅿️ A7 Ausfahrt 42 Ri. Vinaròs 9 km, dann auf der N340 bei Km-Pfahl 1054 liegt der CP re gegenüber dem Restaurant Km 148. Von N.: N340 bei km 1054 CP li gegenüber dem Restaurant km 148. Vorsicht beim Abbiegen zum CP. Ausgeschildert. 🅼

ACSI ## Campingplatzkontrolle

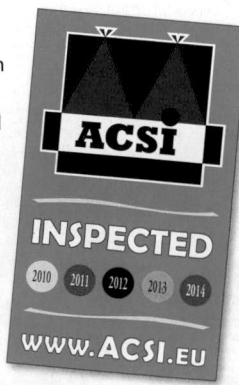

Teilkarte Comunidad Valenciana auf Seite 417

Aragón

Albarracín/Teruel, E-44100 / Aragón � CC€16 iD

▲ Ciudad de Albarracín✶✶	1 ABDEJMNOPQRST 6
▤ Camino de Gea s/n	2 PRVWXY ABDEF 7
☾ 6 Mär - 15 Nov	3 AE ABEFNQRS 8
☎ +34 978-710197	4 FHO GJ 9
@ campingalbarracin5@	5 ABDGIKL**M** DHIJOTUV10
hotmail.com	❶ €20,00
	B 10A ❷ €26,30
⊿ N 40°24'43'' W 1°25'39''	H1200 1,5 ha 100T(70m²) 30**D**

⊞ Von Teruel nach Albarracín. In Albarracín den CP-Schildern folgen.

M

Alquézar, E-22145 / Aragón ô

▲ Alquézar	1 BDE**JM**NOPQRS**T** U 6
▤ Ctra Barbastro s/n	2 FGPUVWXY ABDEF 7
☾ 1 Jan - 31 Dez	3 B ABEFNPQRSV 8
☎ +34 974-318300	4 **AE**FHO EJK 9
@ camping@alquezar.com	5 ABDEGIJKL**M** BFGHIJPV10
	10A ❶ €27,90
⊿ N 42°9'53'' E 0°0'55''	1,5 ha 120T(70-100m²) 18**D** ❷ €37,50

⊞ A22 Huesca-Babastro. Westlich von Babastro die N240 Richtung Babastro. Dann die A1232 und A1233 nach Alquezar. Den CP-Schildern folgen.

M

Alquézar, E-22145 / Aragón ô CC€16 iD

▲ Rio Vero	1 ADE**JM**NOPQRS**T** JN 6
▤ Puente de Colungo s/n	2 CKPUVWXY ABDEF 7
☾ 15 Mär - 31 Okt	3 A ABE**F**NRV 8
☎ +34 974-318350	4 FHO AEU 9
@ info@campingriovero.com	5 ACDEFGIJK**LM** ABGHIJOV10
	5A ❶ €25,50
⊿ N 42°9'7'' E 0°1'45''	H500 3 ha 187T(70-100m²) 34**D** ❷ €34,10

⊞ Von Barbastro A1233 Richtung Alquézar. Rechts die A2205 Richtung Colungo. Den CP-Schildern folgen.

M

Benasque (Huesca), E-22440 / Aragón ô CC€16 iD

▲ Aneto Cat.1	1 ABDE**IL**NOPQRS**T** AB**N**UV 6
▤ Ctra Barbastro Francia, km 100	2 CGPUVWXY ABDE**FG**IJ 7
☾ 1/1 - 31/10, 1/12 - 31/12	3 BK ABCDEFJNQRS 8
☎ +34 974-551141	4 **AB**E**F**HIO FGIJ 9
@ info@campinganeto.com	5 ACDEGIJK**M** BDHIJNOV10
	W 10A ❶ €35,85
⊿ N 42°37'27'' E 0°32'39''	H1237 6 ha 200T(40-100m²) 91**D** ❷ €47,85

⊞ Von Castejón de Sos A139 Richtung Benasque. Der Camping liegt 3 km hinter Benasque auf der linken Seite.

M

Bielsa, E-22350 / Aragón ô iD

▲ Pineta	1 ABDE**JM**NOPQRST AF**N** 6
▤ Ctra Parador km 7	2 CFPRUVWXY ABDE**FG** 7
☾ 1 Apr - 15 Okt	3 A ABEFNQRSV 8
☎ +34 974-501089	4 BFGHO GJ 9
@ info@campingpineta.com	5 ACDEFGIJKL**M** BGHIJLMO10
	6A ❶ €26,65
⊿ N 42°39'6'' E 0°8'25''	H1400 5,6 ha 180T(80m²) 17**D** ❷ €35,05

⊞ Von Bielsa dem gelben Schild 'Parador del monte Perdido' folgen, nach 7 km liegt der CP auf der linken Seite. Von der A-138 nördlich von Bielsa die Avenida Pineta nehmen und der Beschilderung folgen.

M

Boltaña (Huesca), E-22349 / Aragón ô CC€16 iD

▲ Boltaña	1 ABDE**JM**NOPQRST AF**N**U 6
▤ Ctra N260,km 442/	2 GPRUVWXY ABDE**FGH**K 7
Ctra de Margudgued	3 BE**GH**LQT ABCDEFJKNOQRSV 8
☾ 1 Jan - 31 Dez	4 **ABCD**E**F**HILO**Q**X JLU 9
☎ +34 974-502347	5 ABDEGIJKL**M** BDFGHIJMN**OV**10
@ info@campingboltana.com	Anzeige auf Seite 427 10A CEE ❶ €37,20
⊿ N 42°25'49'' E 0°4'44''	H620 6 ha 204T(75-130m²) 53**D** ❷ €49,10

⊞ Der N260 von Ainsa nach Broto folgen. Nach ± 7 km die Ausfahrt Boltaña nehmen. Danach den CP-Schildern folgen.

M

Bonansa (Huesca), E-22486 / Aragón

Camping Baliera Cat.2	1 ADE**JM**NOPQRS**T** AFJ**N**UV 6
N260, km 355,5	2 CGPVWXY ABDE**FG** 7
1/12 - 13/12, 26/12 - 31/10	3 BELQ ABCDFJKNPQRS 8
+34 974-554016	4 BDFHILO**Q**R IJ 9
info@baliera.com	5 ABF**KM** BGHIJMNPTV10
	Anzeige auf dieser Seite 10A
	❶ €38,40
N 42°26'22'' E 0°41'56''	H925 5 ha 173**T**(80-130m²) 46**D** ❷ €52,40

Von Viella N230 Richtung Pont de Suert. Nach ca. 3 km hinter Villaller rechts ab Richtung Castejón de Sos. Nach 2,5 km an der Kreuzung links ab. Der CP liegt gleich links

Graus, E-22430 / Aragón

Fuente de Regrustan	1 ADEGILNOQR**T** AFJ**N** 6
Ctra de Benasque s/n	2 CGPRVWXY ABDEF 7
10 Apr - 15 Okt	3 AEL**M** ABCDEFNQR 8
+34 974-546120	4 J 9
info@campingregrustan.com	5 ADGIJ HIKO10
	6A CEE ❶ €32,50
N 42°12'0'' E 0°20'31''	H500 1,5 ha 70**T**(100m²) 5**D** ❷ €42,20

Von Aínsa die A138 Richtung Barbastro. Etwa 8 km vor Barbastro N123 Richtung Graus. An der Kreuzung die N123a durch Graus nehmen und dort kommt der CP nach etwa 500m rechts.

Bronchales/Teruel, E-44367 / Aragón

Las Corralizas	1 ABDEJMNOPRST 6
Ctra Fuenta del Canto, km 1,5	2 BFGPRTWXY ABDE**F** 7
27 Mär - 1 Nov	3 AQ ABEFJNQRS 8
+34 978-721050	4 FHO GJ 9
reservas@lascorralizas.com	5 ADEGIKL**M** BEHIJLPTUV10
	16A ❶ €20,60
N 40°30'0'' W 1°35'42''	H1750 8,5 ha 112**T**(100m²) 7**D** ❷ €27,10

Von Zaragoza Richtung Teruel (A23) bei Ausfahrt 144 Richtung Santa Eulalia (A1511). Nach 32 km durch Bronchales liegt der CP rechts auf der Höhe.

Hecho, E-22720 / Aragón

Valle de Hecho	1 DE**JM**NOPQR A 6
Ctra Puente la Reina-Hecho, km 22	2 GOPUVWXY ABDE**FG** 7
1 Jan - 31 Dez	3 ABL ABEFJNQRST 8
+34 974-375361	4 BIO**PQ** GJL 9
campinghecho@ campinghecho.com	5 ABDF**G**LI**KM** HIJR10
	B 5-10A ❶ €27,20
N 42°43'55'' W 0°45'11''	H830 5 ha 109**T**(70-100m²) 57**D** ❷ €35,00

Vom Puente la Reina de Jaca die A176 in nördlicher Richtung. Der CP liegt am Ortsrand von Hecho.

Caspe, E-50/700 / Aragón

Lake Caspe Camping***	1 ABDE**JM**NOPQRST ALNQRSTUVWXYZ 6
Ctra N211 km 286,7	2 DGJPRVXY ABDE**F** 7
1 Mär - 8 Nov	3 BLR ABEFNQRS 8
+34 076-631174	4 DDF**I**IO**Q** JMNOPQRTUV 9
lakecaspe@lakecaspe.com	5 ACDEGIJ**KM** BDGHIJMOTUV10
	Anzeige auf dieser Seite 5-10A ❶ €27,20
N 41°17'38'' E 0°3'45''	H130 5 ha 140**T**(70-140m²) 55**D** ❷ €36,80

A2 Lleida-Fraga. Hinter Fraga Ausfahrt 433, der N211 nach Caspe folgen. CP liegt rechts (km 286,7).

La Fresneda, E-44596 / Aragón

La Fresneda**	1 ADEHKNOR**T** 6
Partida Vall del Pi	2 FGPUVXY BDF 7
1 Apr - 1 Okt	3 ABEFNQRST 8
+34 978-854085	4 I·H U 9
info@campinglafresneda.com	5 A BCHIJP10
	6A ❶ €25,00
N 40°54'25' E 0°3'42''	0,6 ha 25**T**(80-120m²) ❷ €36,00

AP7 Barcelona-Valencia, Ausfahrt 40 Tortosa. Danach Richtung Gandesa. Zur N230B Vall-de-Roures (Valderrobres) abbiegen. Valderrobres folgen. Dann Richtung Alcañiz, weiter den CP-Schildern folgen.

Castiello de Jaca, E-22710 / Aragón

Solopuent Camping Resort	1 ABDE**JM**NOQRST AN 6
Carretera Garclpollera s/n	2 CGPUVWX ABD**FG** 7
1/1 - 3/11, 4/12 - 31/12	3 AC ABFJNQRS 8
+34 974-350046	4 FHIO GJ 9
solopuent@hotmail.com	5 ABGIK**M** BFGHIJLOTUV10
	6A ❶ €35,40
N 42°37'31'' W 0°32'38''	H870 1,6 ha 31**T**(70-100m²) 49**D** ❷ €45,20

N330 von Puerto de Somport nach Jaca. In Castiello de Jaca den CP-Schildern folgen.

La Puebla de Castro, E-22435 / Aragón

Lago Barasona Cat. 1	1 ADE**JM**NOPQRST AFL**N**QSWX 6
Ctra Barbastro-Graus/ N123a, km 25	2 DFGIKPUVWXY ABDE**FGH** 7
1 Mär - 12 Dez	3 BEF**I**LM ABCDEFJKNQRST 8
+34 974-545148	4 BCFHLO**RTUV** EIJQRTUV 9
info@lagobarasona.com	5 ABDEFGJKL**M** BDGHIJ**N**OV10
	6A CEE ❶ €30,80
N 42°8'32'' E 0°18'51''	H550 30 ha 162**T**(70-120m²) 99**D** ❷ €42,60

Von Aínsa die A138 Richtung Barbastro. Etwa 8 km vor Barbastro links Richtung N123 Benabara/Graus. An der Gabelung die 123a Richtung Graus. Jetzt liegt der CP nach 2,4 km links. Eine Kehre machen.

Gavín, E-22639 / Aragón

Camping Gavín S.L. Cat.1	1 ABDE**JM**NOPQRS**T** AF 6
Ctra N260 km 503	2 CFGPUVWX ABDE**FGH** 7
1 Jan - 31 Dez	3 ABC**KLM** ABCDEFIJKNQRST 8
+34 974-485090	4 A**BE**FHIO IJVW 9
info@campinggavin.com	5 ACDEGIJKL**M** BDGHIJMOV10
	W 10A ❶ €36,80
N 42°37'10'' W 0°18'12''	H860 7 ha 150**T**(80m²) 44**D** ❷ €48,60

Aus Frankreich bei Col de Portalet A136 Richtung Biescas. Bei Biescas Richtung Broto N260 (an Tankstelle links ab). Nach 3 km CP auf der rechten Seite.

La Puebla de Castro (Huesca), E-22435 / Aragón 🛜 CC€16 iD

- 🏕 Bellavista & Subenuix Cat.1
- 🛣 Ctra Barbastro en Benasque
- 📅 1 Jan - 31 Dez
- ☎ +34 974-545113
- @ info@
  hotelcampingbellavista.com
- 🚗 N 42°7'48'' E 0°18'36''

1 ABDEJMNOPR**T**	AFL**N**UVWX**Z** 6	
2 DFGIPUVXY	ABDEF 7	
3 AEL	ABEFJNQRS 8	
4 BFHILMO**PQ**	EGJRT 9	
5 ABDEFGIJK**LM**	BHIJ**N**O**ST**10	
7,5A		

❶ €22,60
❷ €31,25

🚗 Von Barbastro nach Benasque, 6 km vor Graus liegt der CP linkerhand. Achtung: die Kehre rechts zum CP einfahren. H550 22,5 ha 133T(80-100m²) 84**D**

La Puebla de Roda, E-22482 / Aragón 🛜

- 🏕 Isábena
- 🛣 Ctra Graus a Viella km 27
- 📅 15 Mär - 15 Dez
- ☎ +34 974-544530
- @ info@isabena.eu
- 🚗 N 42°18'27'' E 0°32'43''

1 BDE**JM**NOPRS**T**	AN**U**V 6
2 CGPOVXY	ABDE**FG** 7
3 BE**GH**LS	ABEFJNQRV 8
4 ABC**E**FHIO**PQTUVX**	EFJU 9
5 ADEGIK**LM**	ABGHIJNOT10
6A CEE	

❶ €29,20
❷ €39,00

H718 3 ha 85**T**(100m²) 34**D**

🚗 Von Veilla N230 Richtung Lerida, Ausfahrt Graus (A1605). Nach 28 km liegt der CP rechts. Oder von Graus an der A1605. Nach 28 km liegt der CP dann links.

Labuerda/Ainsa (Huesca), E-22360 / Aragón 🛜 CC€18 iD

- 🏕 Peña Montañesa
- 🛣 Ctra Ainsa-Francia, km 2
- 📅 1 Jan - 31 Dez
- ☎ +34 974-500032
- @ info@penamontanesa.com
- 🚗 N 42°26'6'' E 0°8'7''

1 ABDE**IL**NOPQRS**T**	AEFJ**N**UX 6
2 CGPVWXY	ABD**FG** 7
3 ABE**G**LMQ	ABDEFJLNQRSV 8
4 BCD**E**FHILNO**T**UY	EJKLUV 9
5 ACDEFGIJK**LM**	ABDGHIJNOTUX10
W 6-10A	

❶ €35,90
❷ €52,40

H540 10 ha 340**T**(60-90m²) 130**D**

🚗 Ainsa Richtung Französische Grenze (Escalona), nach 2 km von Ainsa ist der CP rechts der Straße ausgeschildert, durch Flaggen gekennzeichnet.

Laspaúles (Huesca), E-22471 / Aragón 🛜 iD

- 🏕 Laspaúles Cat.2
- 🛣 Ctra N260, km 369
- 📅 1 Jan - 31 Dez
- ☎ +34 974-553320
- @ camping@laspaules.com
- 🚗 N 42°28'17'' E 0°35'57''

1 ADE**IL**NOPQRST	AF 6
2 CFPVWXY	ABDE**FG** 7
3 BL	ABFJNQRSV 8
4 ABFHILO	DIJ 9
5 ACDEFGIJK**LM**	BGHIJOV10

❶ €27,90
❷ €37,70

H1421 1,4 ha 80**T**(70-100m²) 33**D**

🚗 Aus Viella N230 Richtung Pont de Suert. Etwa 3 km hinter Vilaller (Tankstelle) rechts Richtung Castejon de Sos die N260 nehmen. Nach ca. 8 km liegt rechts der CP.

Ligüerre de Cinca (Huesca), E-22393 / Aragón 🛜 iD

- 🏕 Ligüerre de Cinca
- 🛣 Ctra A138, km 28
  de Barbastro a Aín
- 📅 1 Jan - 31 Dez
- ☎ +34 974-500800
- @ info@liguerredecinca.com
- 🚗 N 42°16'52'' E 0°11'47''

1 ADEILNOPQRT	AF**N**QRSTUVWXYZ 6
2 DLPRUVWXY	ABDE**F**H 7
3 ABELMQU	ABEFJNQRSV 8
4 **A**BCD**E**FHIO**PQ**	GIJLMOPQRU 9
5 ACDEGIJ**LM**	BGHIJMO10
10A	

❶ €29,00
❷ €38,60

H460 8 ha 150**T**(70-80m²) 114**D**

🚗 A138 von Ainsa Richtung Barbastro. CP liegt auf der linken Seite beim Km-Pfahl 28.

Morillo de Tou/Ainsa, E-22395 / Aragón 🛜 CC€16 iD

- 🏕 Morillo de Tou
- 🛣 Ctra A138 Barbastro-Ainsa,
  km 41,8
- 📅 1 Mär - 31 Dez
- ☎ +34 974-500793
- @ info@morillodetou.com
- 🚗 N 42°22'31'' E 0°9'11''

1 ABDE**JM**NOPQRST	A**N** 6
2 DOPRUVWXY	ABDEF 7
3 BELQ	ABEFNQRT 8
4 ABD**E**FHIKOPQ	FGIJQRT 9
5 ABDEGIJ**M**	ABFHIJNP10
6A	

❶ €28,00
❷ €36,60

54**T**(60-70m²) 121**D**

🚗 Der Campingplatz liegt an der A138 zwischen Barbastro und Ainsa in Morillo de Tou.

Nuévalos (Zaragoza), E-50210 / Aragón 🛜 CC€16 iD

- 🏕 Lago Resort***
- 🛣 Ctra Alhama de Aragón-
  Nuevalos,s/n
- 📅 7 Mär - 1 Nov
- ☎ +34 976-849038
- @ lagoresort@gmail.com
- 🚗 N 41°13'5'' W 1°47'32''

1 ADEJMNOPQRST	A 6
2 GRUVXY	ABDE**F** 7
3 ABCL	ABEFNQRSV 8
4 **E**FHIO	FJV 9
5 ABDEFGIKL**M**	BDGHIJO10
6A	

❶ €25,00
❷ €34,00

H850 10 ha 120**T**(70m²) 38**D**

🚗 Von Calatayud nach Nuevalos. In Nuevalos den CP-Schildern folgen. Der CP liegt links der Straße nach Alhama gegenüber vom Meer.

Oto (Huesca), E-22370 / Aragón 🛜 iD

- 🏕 Oto
- 🛣 Oto-Valle de Broto-Ctra N260
- 📅 5 Mär - 15 Okt
- ☎ +34 974-486075
- @ info@campingoto.com
- 🚗 N 42°35'50'' W 0°7'52''

1 ADEILNOPQRT	AFJ**N** 6
2 CGPVXY	ABDE**FG**H 7
3 BEQ	ACEFJNQRSV 8
4 **A**BE**F**HIO	GI 9
5 ABDGIJKL**M**	GHIJNOT10

❶ €23,00
❷ €31,60

H890 4 ha 281**T**(70-100m²) 136**D**

🚗 Von Biescas N260 Richtung Broto. In Broto hinter der Tankstelle ca. 50m rechts, dann den CP-Schildern Oto folgen, nach unten fahren. Mit enger Durchfahrt und schmaler Brücke.

Saravillo/Plan, E-22366 / Aragón 🛜 iD

- 🏕 Los Vives
- 🛣 Ctra Salina-Plan, km 4
- 📅 27 Mär - 20 Okt
- ☎ +34 974-506171
- @ campinglosvives@
  staragon.com
- 🚗 N 42°33'40'' E 0°15'7''

1 ABDEJMNOPQRS**T**	AF**N** 6
2 CGPVWXY	ABDE**FG**H 7
3 BL	ABEFNQRSV 8
4 FHIOUY	FI 9
5 ABDEGIJKL**M**	BGHIJOV10
10A	

❶ €24,70
❷ €34,10

H866 22 ha 120**T**(70-100m²) 15**D**

🚗 Von Bielsa nach circa 8 km die A2609 Richtung Saravillo/Plan fahren. Nach 4 km liegt der CP auf der linken Seite.

Sesue (Valle de Benasque), E-22467 / Aragón 🛜 iD

- 🏕 La Borda d'Arnaldet
- 🛣 Ctra de Benasque, s/n
- 📅 1 Jan - 31 Dez
- ☎ +34 974-553004
- @ camping@arnaldet.com
- 🚗 N 42°33'34'' E 0°28'1''

1 ADE**IL**NOPQRS**T**	AFJ**N** 6
2 CGPVWXY	ABDE**FG** 7
3 BE**K**LM	ABEFJNQRS 8
4 **A**BE**F**HIO**PQ**	**N**UV 9
5 ABDEFGIJK**M**	BHIJNPRV10
W 6A	

❶ €29,15
❷ €39,35

H1018 4 ha 135**T**(70m²) 56**D**

🚗 Von Castejón de Sos Richtung Benasque A139. Ausfahrt Sesue Norte. Nach 500m rechts ab. CP liegt 100m weiter auf der rechten Seite.

Torla (Huesca), E-22376 / Aragón 🛜 iD

- 🏕 Camping Río Ara Ordesa S.L.
- 🛣 Ctra Ordesa
- 📅 1 Apr - 30 Sep
- ☎ +34 974-486248
- @ campingrioara@ordesa.com
- 🚗 N 42°37'53'' W 0°6'25''

1 ABJMNOR**T**	J**N** 6
2 CPTWXY	ABDE**FG** 7
3	ABDEFNQRS 8
4 FHO	9
5 ACGKLM	BHIJO10
6A	

❶ €23,85
❷ €32,35

H1100 1,5 ha 135**T**(100m²)

🚗 Von Biescas N260 Richtung Ordesa durch Torla. Nach 500m rechts ab. Die Straße hinunter zum CP. Der Besitzer holt Sie und zieht die Wohnwagen mit 4-Rad-Antrieb.

Torla (Huesca), E-22376 / Aragón 🛜 iD

- 🏕 Ordesa
- 🛣 Ctra Ordesa, s/n
- 📅 1 Apr - 30 Sep
- ☎ +34 974-117721
- @ infocamping@
  campingordesa.es
- 🚗 N 42°38'24'' W 0°6'34''

1 ADEILNOPQRST	AF**N**UV 6
2 CFGOPUVWXY	ABDE**FG** 7
3 A	ABEFNQRS 8
4 **A**E**F**HIO	FJ 9
5 ABDEGIKL**M**	GHIJNPT10
6A	

❶ €24,10
❷ €33,10

H1030 4 ha 150**T**(80-90m²) 48**D**

🚗 Von Biescas Richtung Ordesa auf der N260 durch Torla. CP-Schild mit Ordesa folgen. CP liegt auf der linken Seite.

Vera de Moncayo, E-50580 / Aragón 🛜 CC€14 iD

- 🏕 Veruela Moncayo
- 🛣 Ctra Vera a Veruela s/n.
- 📅 27/3 - 6/4, 29/5 - 2/11
- ☎ +34 976-649034
- @ campingveruelamoncayo@
  gmail.com
- 🚗 N 41°49'9'' W 1°41'32''

1 ABDE**JM**NOPQRST	6
2 PVWX	AD**F** 7
3 AL	ABEFNQR 8
4 FHO	E 9
5 ADEGILM	HIJLMOV10
6A	

Preise auf Anfrage

1,8 ha 80**T**(60-100m²) 13**D**

🚗 Zwischen Zaragoza und Tudela nehmen Sie die AP68 oder N232. Dann die N122 nach Vera de Moncayo (Richtung Tarazona). Dann der Beschilderung folgen.

Zaragoza, E-50012 / Aragón 🛜

- 🏕 Ciudad de Zaragoza****
- 🛣 C/San Juan Bautista
  de la Salle s/n
- 📅 1 Jan - 31 Dez
- ☎ +34 876-241495
- @ info@campingzaragoza.com
- 🚗 N 41°38'17'' W 0°56'35''

1 BDE**JM**NOPRST	AF 6
2 AGOPRVWX	ABDE**FG** 7
3 BE**M**QT	ABCDEFJNQRST 8
4 HIO	FJ 9
5 ADEGIJK**M**	ABHIJNPRV10
B 10A CEE	

❶ €28,50
❷ €38,20

105**T**(90-140m²) 124**D**

🚗 Z40 Ri. Flugplatz. Dann den Schildern via Hispanidad folgen und den CP-Schildern nach. Ausfahrt 'Urbanizacion Rosales del Canal'. Ins Navi eingeben: Calle Maurice Ravel (Paralellstraße vom CP).

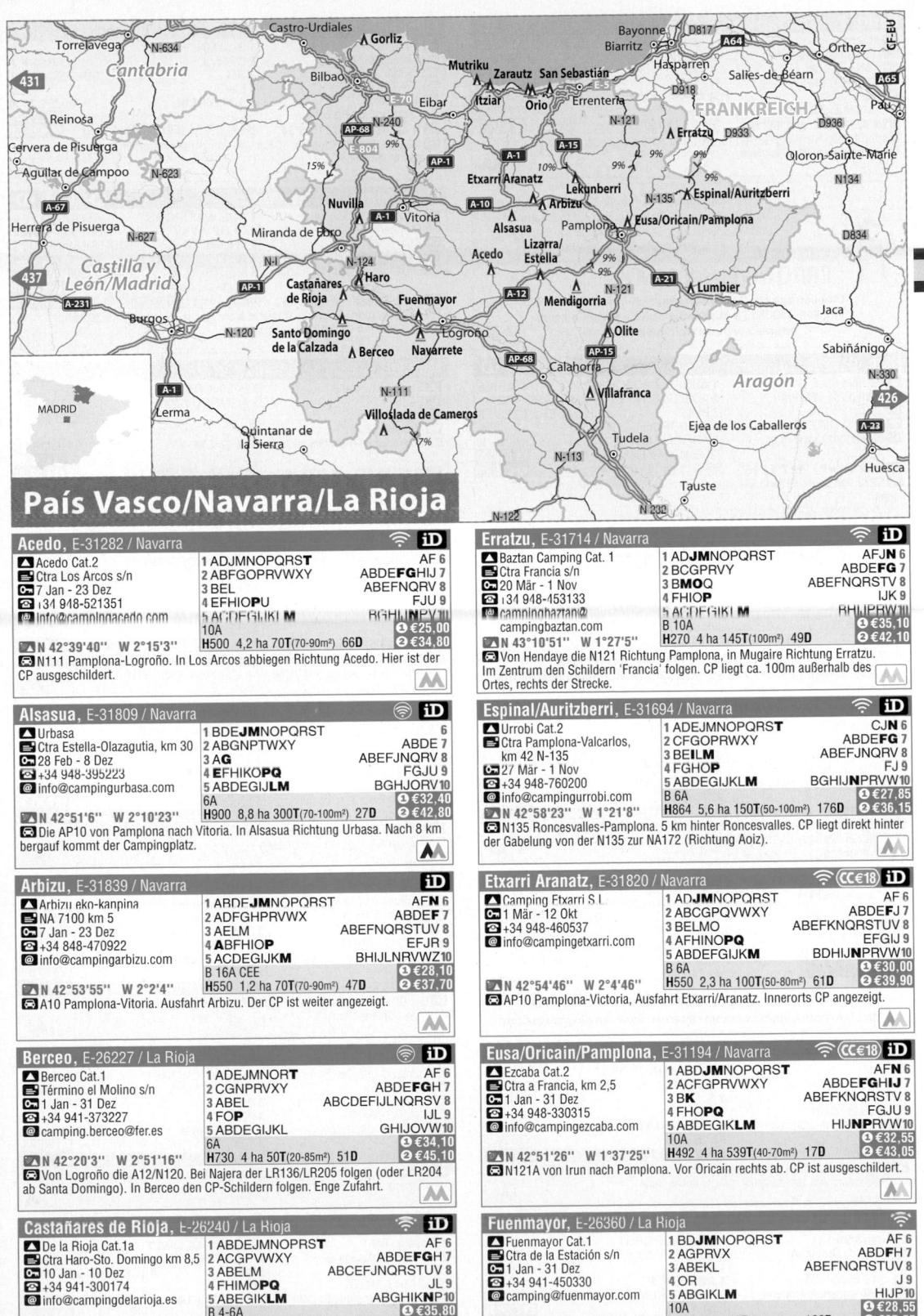

País Vasco/Navarra/La Rioja

Acedo, E-31282 / Navarra

🏠 Acedo Cat.2
🚪 Ctra Los Arcos s/n
🕐 7 Jan - 23 Dez
☎ i34 948-521351
@ info@campingacedo.com

1 ADJMNOPQRS**T**	AF 6
2 ABFGOPRVWX	ABDE**FG**HIJ 7
3 BEL	ABEFNQRV 8
4 EFHIO**PU**	FJU 9
5 ACDEGIKL **M**	BGHIJN**P**RV 10
10A	

❶ €25,00
❷ €34,80

H500 4,2 ha 70**T**(70-90m²) 66**D**

📍 N 42°39'40'' W 2°15'3''

🚗 N111 Pamplona-Logroño. In Los Arcos abbiegen Richtung Acedo. Hier ist der CP ausgeschildert.

Alsasua, E-31809 / Navarra

🏠 Urbasa
🚪 Ctra Estella-Olazagutia, km 30
🕐 28 Feb - 8 Dez
☎ +34 948-395223
@ info@campingurbasa.com

1 BDE**JM**NOPQRST	6
2 ABGNPTWXY	ABDE 7
3 A**G**	ABEFJNQRV 8
4 **EFHIKOPQ**	FGJU 9
5 ABDEGIJ**LM**	BGHIJORV 10
6A	

❶ €32,40
❷ €42,80

H900 8,8 ha 300**T**(70-100m²) 27**D**

📍 N 42°51'6'' W 2°10'23''

🚗 Die AP10 von Pamplona nach Vitoria. In Alsasua Richtung Urbasa. Nach 8 km bergauf kommt der Campingplatz.

Arbizu, E-31839 / Navarra

🏠 Arbizu eko-kanpina
🚪 NA 7100 km 5
🕐 7 Jan - 23 Dez
☎ +34 848-470922
@ info@campingarbizu.com

1 ABDE**JM**NOPQRST	AF**N** 6
2 ADFGHPRVWX	ABDE**F** 7
3 AELM	ABEFNQRSTUV 8
4 **ABF**HIO**P**	FGJU 9
5 ACDEGIJK**M**	BHIJLNRVWZ 10
B 16A CEE	

❶ €28,10
❷ €37,70

H550 1,2 ha 70**T**(70-90m²) 47**D**

📍 N 42°53'55'' W 2°2'4''

🚗 A10 Pamplona-Vitoria. Ausfahrt Arbizu. Der CP ist weiter angezeigt.

Berceo, E-26227 / La Rioja

🏠 Berceo Cat.1
🚪 Término el Molino s/n
🕐 1 Jan - 31 Dez
☎ +34 941-373227
@ camping.berceo@fer.es

1 ADEJMNOR**T**	AF 6
2 CGNPRVXY	ABDE**FG**H 7
3 ABEL	ABCDEFIJLNQRSV 8
4 FO**P**	IJL 9
5 ABDEGIJKL	GHIJOVW 10
6A	

❶ €34,10
❷ €45,10

H730 4 ha 50**T**(20-85m²) 51**D**

📍 N 42°20'3'' W 2°51'16''

🚗 Von Logroño die A12/N120. Bei Najera der LR136/LR205 folgen (oder LR204 ab Santa Domingo). In Berceo den CP-Schildern folgen. Enge Zufahrt.

Castañares de Rioja, E-26240 / La Rioja

🏠 De la Rioja Cat.1a
🚪 Ctra Santo Domingo km 8,5
🕐 10 Jan - 10 Dez
☎ +34 941-300174
@ info@campingdelarioja.es

1 ABDEJMNOPRS**T**	AF 6
2 ACGPVWXY	ABDE**FG**H 7
3 ABELM	ABCEFJNQRSTUV 8
4 FHIMO**PQ**	JL 9
5 ABEGIK**LM**	ABGHIK**NP** 10
B 4-6A	

❶ €35,80
❷ €49,00

H600 4 ha 100**T**(60-90m²) 406**D**

📍 N 42°31'49'' W 2°55'18''

🚗 Von Logroño die N232 oder AP18. Ausfahrt Haro. Richtung San Domingo liegt der CP vor Castañares an der LR111.

Erratzu, E-31714 / Navarra

🏠 Baztan Camping Cat. 1
🚪 Ctra Francia s/n
🕐 20 Mär - 1 Nov
☎ i34 948-453133
@ campingbaztan@ camping
campingbaztan.com

1 AD**JM**NOPQRST	AF**J**N 6
2 BCGPRVY	ABDE**FG** 7
3 B**MOQ**	ABEFNQRSTV 8
4 FHIO**P**	IJK 9
5 ACDEGIKL **M**	BHIJPRW 10
B 10A	

❶ €35,10
❷ €42,10

H270 4 ha 145**T**(100m²) 49**D**

📍 N 43°10'51'' W 1°27'5''

🚗 Von Hendaye die N121 Richtung Pamplona, in Mugaire Richtung Erratzu. Im Zentrum den Schildern 'Francia' folgen. CP liegt ca. 100m außerhalb des Ortes, rechts der Strecke.

Espinal/Auritzberri, E-31694 / Navarra

🏠 Urrobi Cat.2
🚪 Ctra Pamplona-Valcarlos, km 42 N-135
🕐 27 Mär - 1 Nov
☎ +34 948-760200
@ info@campingurrobi.com

1 ADEJMNOPQRS**T**	C**J**N 6
2 CFGOPRWXY	ABDE**FG** 7
3 BE**ILM**	ABEFJNQRV 8
4 FGHO**P**	FJ 9
5 ABDEGIJKL**M**	BGHIJN**P**RVW 10
B 6A	

❶ €27,85
❷ €36,15

H864 5,6 ha 150**T**(50-100m²) 176**D**

📍 N 42°58'23'' W 1°21'8''

🚗 N135 Roncesvalles-Pamplona. 5 km hinter Roncesvalles. CP liegt direkt hinter der Gabelung von der N135 zur NA172 (Richtung Aoiz).

Etxarri Aranatz, E-31820 / Navarra

🏠 Camping Etxarri S L
🚪 1 Mär - 12 Okt
☎ +34 948-460537
@ info@campingetxarri.com

1 AD**JM**NOPQRST	AF 6
2 ABCGPQVWXY	ABDE**FJ** 7
3 BELM**O**	ABEFKNQRSTUV 8
4 AFHINO**PQ**	EFGIJ 9
5 ABDEFGIJK**M**	BDHIJN**P**RVW 10
B 6A	

❶ €30,00
❷ €39,90

H550 2,3 ha 100**T**(50-80m²) 61**D**

📍 N 42°54'46'' W 2°4'46''

🚗 AP10 Pamplona-Victoria, Ausfahrt Etxarri/Aranatz. Innerorts CP angezeigt.

Eusa/Oricain/Pamplona, E-31194 / Navarra

🏠 Ezcaba Cat.2
🚪 Ctra a Francia, km 2,5
🕐 1 Jan - 31 Dez
☎ +34 948-330315
@ info@campingezcaba.com

1 ABD**JM**NOPQRS**T**	AF**N** 6
2 ACFGPRVWXY	ABDE**FG**HIJ 7
3 B**K**	ABEFKNQRSTV 8
4 FHO**PQ**	FGJU 9
5 ABDEGIK**LM**	HIJ**N**PRVW 10
10A	

❶ €32,55
❷ €43,05

H492 4 ha 539**T**(40-70m²) 17**D**

📍 N 42°51'26'' W 1°37'25''

🚗 N121A von Irun nach Pamplona. Vor Oricain rechts ab. CP ist ausgeschildert.

Fuenmayor, E-26360 / La Rioja

🏠 Fuenmayor Cat.1
🚪 Ctra de la Estación s/n
🕐 1 Jan - 31 Dez
☎ +34 941-450330
@ camping@fuenmayor.com

1 BD**JM**NOPQRS**T**	AF 6
2 AGPRVX	ABD**F**H 7
3 ABEKL	ABEFNQRSTUV 8
4 O**R**	J 9
5 ABGIKL**M**	HIJP 10
10A	

❶ €28,55
❷ €37,55

H425 6 ha 40**T**(80-100m²) 166**D**

📍 N 42°28'58'' W 2°34'6''

🚗 Der N124 Haro-Logroño bis Ausfahrt Fuenmayor folgen. Der CP ist im Ort ausgeschildert.

Gorliz, E-48630 / Pais Vasco

⌂ Arrien	1 ADEJMNORT	KM**N**OPQSWXYZ 6
✉ Uresaranse Bidea s/n	2 EGOPRUWXY	ABDE**FG**H 7
1 Mär - 31 Okt	3 A**K**	ABCDEFKNRSTV 8
☎ +34 946-771911	4 FHO	J 9
@ recepcion@	5 ACDEGIKL**M**	AFGHIJLNORVW10
campinggorliz.com	6A	
N 43°25'6'' W 2°56'15''	H50 2 ha 150T(40-160m²) 60**D**	❶ €36,20 / ❷ €46,10

Von Bilbao Richtung Getxo/Plencia/Gorliz. In Gorliz ist der CP ausgeschildert. CP liegt neben dem Fußballplatz.

Haro, E-26200 / La Rioja

⌂ De Haro Cat.2	1 ABDE**JM**NOPQRST	AF**N** 6
✉ Avenida de Miranda 1	2 ACFGPRVWXY	ABDE**FG**H 7
30 Jan - 8 Dez	3 BELU	ABEFJNQRSV 8
☎ +34 941-312737	4 BFHIO**PQ**	JU 9
@ campingdeharo@fer.es	5 ABDGIKL**M**	GHIJ**P**V10
	Anzeige auf dieser Seite B 6A	❶ €30,20
N 42°34'41'' W 2°51'16''	H480 5 ha 125T(72-80m²) 120**D**	❷ €39,60

N232 von Logroño nach Miranda de Ebro, in Haro den Schildern zum CP folgen.

Itziar, E-20829 / Pais Vasco

⌂ Itxaspe Cat.2	1 ABDEJMNORT	A**N** 6
✉ CN634, km 37,5	2 AFGKMPRUVWXY	ABDE**FG** 7
1 Apr - 30 Sep	3 AL	ABEFNQRSTUV 8
☎ +34 943-199377	4 **AB**E**F**HIO	EIJ 9
@ info@campingitxaspe.com	5 ACDEGIKL**M**	BDGHIJORV10
	Anzeige auf dieser Seite B 6A	❶ €32,10
N 43°16'42'' W 2°19'46''	H157 1,9 ha 110T(35-100m²) 28**D**	❷ €42,10

N634 Zumaia Richtung Deba. Bei km 37,5 ist der CP rechts angezeigt. Über die A8 Ausfahrt 13, dann Richtung Zumaia, nach 100m links, hier ist der CP angezeigt.

Lekunberri, E-31870 / Navarra

⌂ Aralar	1 ADEG**JM**NOPQRST	AF 6
✉ Plazaola 9	2 ACGOPRUVWXY	ABD**FG**H 7
1 Mär - 15 Dez	3 **K**	ABEFJNQRSTV 8
☎ +34 948-504011	4 FHO	GIJL 9
@ info@campingaralar.com	5 ABDGIJKL**M**	BGHIJORVW10
	12A CEE	❶ €27,20
N 43°0'2'' W 1°53'18''	H600 1,6 ha 108T(20-60m²) 44**D**	❷ €35,60

A15 San Sebastian-Pamplona, Ausfahrt Lekunberri. Hier ist der CP ausgeschildert. Am Ortsausgang auf der linken Seite.

Lizarra/Estella, E-31200 / Navarra

⌂ Lizarra Cat.1	1 ADJMNOPQRST	AF**N** 6
✉ Paraje de Ordoiz s/n	2 ACFGPRVWXY	ABDEF 7
7 Jan - 19 Dez	3 BCEILU	ABEFKNQRSV 8
☎ +34 948-551733	4 **AE**FHIMOP	FJLQ 9
@ info@campinglizarra.com	5 ACDEGJKL**M**	BFGHIJLN**O**R10
	B 5A	❶ €28,40
N 42°39'25'' W 2°1'2''	H350 5 ha 100T(70-80m²) 130**D**	❷ €37,40

A12 Pamplona-Logrono, Ausfahrt Lizarra. In Lizarra den Schildern zum CP folgen.

Lumbier, E-31440 / Navarra

⌂ Iturbero	1 BD**JM**NOPQRS**T**	J 6
✉ Camino de Iturbero	2 CPRVX	ABDEF 7
15 Mär - 15 Dez	3 BM	ABEFNQRTV 8
☎ +34 948-880405	4 FHO	E 9
@ iturbero@	5 ABEGIKL**M**	HIJPSTV10
campingiturbero.com	5A	❶ €27,40
N 42°38'54'' W 1°18'34''	H440 1,8 ha 100T(90-100m²) 34**D**	❷ €36,50

N240 Pamplona-Huesca. 38 km von Pamplona entfernt. In Lumbier ist der CP ausgeschildert.

Mendigorria, E-31150 / Navarra

⌂ Errota - El Molino Cat.1	1 ADEJMNOPQRST	AFHNUVXYZ 6
✉ Ctra Larraga s/n	2 CFGPVWXY	ABDE**FG**H 7
7 Jan - 22 Dez	3 BEILMNOQU	ABCDEFGILMNQRSRUV 8
☎ +34 948-340604	4 **AB**E**F**HILNO**PQ**U	FJQRUV 9
@ info@campingelmolino.com	5 ABDEFGIJKL**M**	ABDGHIJMN**P**RVWYZ10
	Anzeige auf dieser Seite 6A	❶ €29,10
N 42°37'28'' W 1°50'35''	H510 10 ha 150T(60-80m²) 292**D**	❷ €39,50

A12 Pamplona-Logroño, Ausfahrt Mendigorria. Westlich vom Zentrum (ca. 0,5 km). Ab der A12 ausgeschildert.

Mutriku, E-20830 / Pais Vasco

⌂ Santa Elena Cat.3	1 BJMNOR**T**	6
✉ G13561	2 AGMNPUVWXY	ABDE**F** 7
1 Jan - 31 Dez	3 AO	ABCDEFNRV 8
☎ +34 943-603982	4 FHO	I 9
@ info@camping-santaelena.com	5 ABGKL**M**	HIJOST10
	3A	❶ €23,50
N 43°18'47'' W 2°23'42''	H329 10 ha 50T(70m²) 64**D**	❷ €32,00

A8, Ausfahrt 13 Itziar. Richtung Debas und Mutriku. Direkt hinter Mutriku rechts ab, den Berg hinauf.

Navarrete, E-26370 / La Rioja

⌂ Navarrete Cat.1	1 ADEJMNOPQRST	AF 6
✉ Ctra de Entrena s/n	2 AFGPVX	ABDE**FG**H 7
16 Jan - 14 Dez	3 BE**K**LMT	ABCDEFJNQRSV 8
☎ +34 941-440169	4 **E**INO**PQ**	JL 9
@ campingnavarrete@fer.es	5 ABDEGIKL**M**	BDGHIJOTUV10
	Anzeige auf Seite 431 B 5A	❶ €30,45
N 42°24'58'' W 2°33'6''	H512 3 ha 50T(30-70m²) 144**D**	❷ €41,90

Von Miranda nach Logroño über die N232, Ausfahrt Navarrete. CP ist gut ausgeschildert. Liegt direkt hinter dem Städtchen an der N120.

Nuvilla, E-01428 / Pais Vasco

⌂ El Roble Verde	1 ADE**JM**NOPQRS**T**	CD 6
✉ Nuvilla 99	2 AGOPVWX	ABDE**FG**H 7
15 Jan - 15 Dez	3 ABEL	ABEFNQRSTV 8
☎ +34 945-063350	4 BGHIKNO**P**	DJL 9
@ info@	5 ABDEGJKL**M**	BHIJPRVW10
campingelrobleverde.com	B 6A CEE	❶ €30,30
N 42°47'43'' W 2°52'45''	H608 4 ha 71T(35-90m²) 20**D**	❷ €42,10

Auf der A3322 zwischen Pobes und Puebla de Arganzon. Bei Km 24 Richtung Nuvilla, der CP liegt am Ortseingang.

Olite, E-31390 / Navarra

⌂ Camping de Olite	1 ADE**JM**NOPQRST	AF 6
✉ Ctra N115, km 2,3	2 AGQW	ABDE**FG**H 7
1 Jan - 31 Dez	3 BLM	ABEFNQRSV 8
☎ +34 948-741014	4 BINO**PQ**	JL 9
@ info@campingdeolite.com	5 ABEGIJKL**M**	GHIJPSW10
	B 6-10A	❶ €24,80
N 42°28'49'' W 1°40'41''	H500 10 ha 120T(75-120m²) 110**D**	❷ €32,20

Der CP liegt an der NA115 (Tafalla-Peralta-Ricon de Soto) bei Km 2,3 etwa 4 km von Olite entfernt.

Orio, E-20810 / Pais Vasco

⌂ Camping Orio Cat. 1	1 BDEHKNOPQRST	AFKMN**XYZ** 6
✉ Playa de Orio	2 AEFGHIPVWX	ABDE**FG**H 7
1 Mär - 1 Nov	3 B**K**L	ABEFKNQRV 8
☎ +34 943-834801	4 FO	JL 9
@ info@oriokanpina.com	5 ABDEGIJK**M**	AGHIJPRVW10
	B 10A	❶ €33,35
N 43°17'12'' W 2°7'34''	3,2 ha 120T(60-80m²) 64**D**	❷ €43,75

Auf der A8 San Sebastian-Bilbao, Ausfahrt Orio nehmen. Innerorts der Straße zum Strand folgen; der CP ist angezeigt.

San Sebastián, E-20008 / Pais Vasco

⌂ Igueldo Cat.1	1 ADEJMNOPQRS**T**	6
✉ P. Padre Orkolaga 69	2 AFGOPRUVWXY	ABDE**FG** 7
1 Jan - 31 Dez	3 B**K**L	ABCDEFKNRSTUV 8
☎ +34 943-214502	4 FHOP	JL 9
@ info@campingigueldo.com	5 ABDEGIKL**M**	ABGHIJ**N**PRZ10
	B 6-10A	❶ €34,90
N 43°18'18'' W 2°2'44''	H200 5 ha 236T(20-70m²) 25**D**	❷ €43,10

Ab der Grenze der A8 folgen. Ausfahrt Ondarreta, Richtung Zentrum San Sebastián. An der Küste bis zum CP Richtung Monte Igueldo folgen. Vorsicht: das Navi gibt eine nicht für Wohnwagen und Reisemobile geeignete Route vor.

Bañares ★ ★ ★ ★ © 🏕

Sehr guter Ausgangspunkt zu den Bodegas der Rioja Region.
Liegt am schönen Örtchen Santo Domingo de la Calzada an der
Pilgerstrecke nach Santiago.
Seit 2013 sehr schöne neue Sanitäranlagen.

Ctra N120, km 42,2, 26257 Santo Domingo de la Calzada
Tel. und Fax: 941-340131
E-Mail: info@campingbanares.es • Internet: www.campingbanares.es

Santo Domingo de la Calzada, E-26257 / La Rioja 📶 CC€18 iD

🏕 Bañares****	1 ABDEGJMNOPQRS**T**	
🏠 Ctra N120, km 42,2	2 AFGPRVWXY	ABDE**FGH** 7
📅 1 Jan - 31 Dez	3 BE**KLMN**Q	ABEFJNQRSTUV 8
☎ +34 941-340131	4 **AB**E**HINO**PQ	IJL 9
@ info@campingbanares.es	5 ACDEGIJK**KM**	FGHIJ**N**OTZ10
	Anzeige auf dieser Seite W 5-10A	❶ €32,60
📷 N 42°26'28'' W 2°54'55''	H648 20 ha 250T(70m²) 459D	❷ €44,80

🚗 Der CP liegt an der N120 bei Km 42,2 auf der Höhe von Santo Domingo de la Calzada.

Zarautz ist ein bekannter Wassersportort: 2 km Strand, ideal zum Surfen. Auch Paragliding möglich. Ein Ausflug ins Hinterland lohnt sich unbedingt.
Für Ausflüge nach San Sebastian, Bilbao und Pamplona liegt der Camping nahezu ideal. Seit 2012 sehr schöne neue Sanitäranlagen.

Monte Talai - Mendi, 20800 Zarautz
Tel. 943-831238 • Fax 943-132486
E-Mail: info@grancampingzarautz.com
Internet: www.grancampingzarautz.com © 🏕

Spanien

Villafranca, E-31330 / Navarra 📶 CC€18 iD

🏕 Bardenas	1 ABDE**JM**NOPQRST	A 6
🏠 Ctra NA-660 PK 13.4	2 AFGPVWX	ABDE**FH** 7
📅 1 Jan - 31 Dez	3 AELMQR**U**	ABEFNQRSTUV 8
☎ +34 948-846191	4 **AB**EFHIO**P**R	FIJ 9
@ info@campingbardenas.com	5 ABDEGIJK**LM**	BDGHIJLOSV10
	B 12A	❶ €26,50
📷 N 42°15'48'' W 1°44'19''	H287 3 ha 65T(70 105m²) 20D	❷ €36,50

🚗 Von der AP15 Pamplona-Zaragoza, Ausfahrt 29. Danach Richtung Villafranca, liegt der CP 1,5 km südlich von Villafranca.

Villoslada de Cameros, E-26125 / La Rioja 📶 iD

🏕 Los Cameros***	1 ABDEJMNORT	N 6
🏠 Ctra de la Virgen km 3,4	2 BCGNPRVWXY	ABDE**FG** 7
📅 1 Mär - 21 Dez	3 AE**G**Q	ABEFJNQRV 8
☎ +34 941-747021	4 FH	ADJ 9
@ info@	5 ABEGIK**LM**	HIJLOV10
camping-loscameros.com	B 5-10A	❶ €25,70
📷 N 42°4'51'' W 2°40'38''	H1100 4 ha 127T(60m²) 73D	❷ €34,00

🚗 N111 von Logroño nach Soria. Dann die LR333 nach Villoslada und dort über die LR448 zum CP.

Navarrete Cat.1 © 🏕

Ctra de Entrena s/n
26370 Navarrete
Tel. 941-440169

E-Mail: campingnavarrete@fer.es
Internet: www.campingnavarrete.com

Zarautz, E-20800 / Pais Vasco 📶 CC€16 iD

🏕 Gran Camping Zarautz Cat.2	1 ABDEJMNOPQRS**T**	6
🏠 Monte Talai-Mendi	2 AFGPRUVWXY	ABDE**FG** 7
📅 1 Jan - 31 Dez	3 A**K**	ABEFJNQRSV 8
☎ +04 017-831238	4 FO**P**	L 9
@ info@	5 ACD**E**FGJK**LM**	BDFGHIJL**N**ORV10
grancampingzarautz.com	Anzeige auf dieser Seite D 6A	❶ €29,15
📷 N 43°17'22'' W 2°8'45''	H126 5 ha 440T(60-90m²) 110D	❷ €37,90

🚗 Von Frankreich aus kommend, die A8 San Sebastian-Bilbao, Ausfahrt 38 Zarautz nehmen. Den ersten Kreisel geradeaus überqueren. Der Camping ist dann angezeigt.

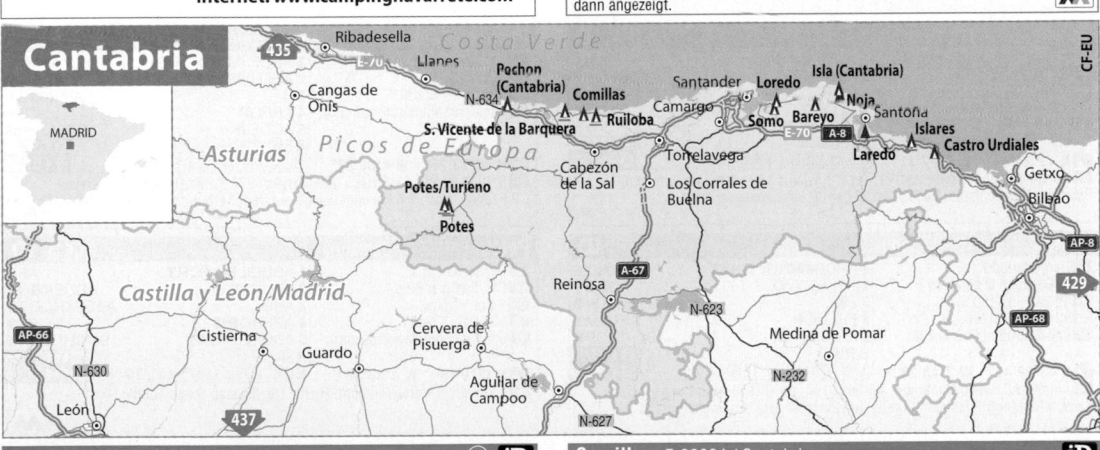

Bareyo, E-39190 / Cantabria 📶 iD

🏕 Los Molinos de Bareyo Cat.1	1 AJMNOPQRST	AF 6
🏠 Camino Real, no. 1750	2 FGPRUVWX	ABDE**FG** 7
📅 1 Jun - 30 Sep	3 ABEL**M**	ABEFNQRV 8
☎ +34 942-670569	4 O**P**	J 9
@ losmolinosdebareyo@	5 ACDEGJK**LM**	HIJORW10
ceoecant.es	B 6A	❶ €26,25
📷 N 43°27'51'' W 3°36'30''	H100 12 ha 200T(50-80m²) 317D	❷ €34,25

🚗 A8, von Bilbao nach Santander. Ausfahrt Beranga Richtung Noja. Ausfahrt Richtung Somo. Nach 6 km ist der CP ausgeschildert.

Comillas, E-39004 / Cantabria iD

🏕 de Comillas Cat.2	1 ABJMNOPQRT	KN 6
🏠 Manuel Norièga s/n	2 AEFHMOPVWX	AD**FG** 7
📅 1 Jun - 30 Sep	3 B**KL**	AEFNQR 8
☎ +34 942-720074	4 FHO	9
@ info@campingcomillas.com	5 ABD**GM**	ABHJR10
	5A	❶ €29,50
📷 N 43°23'15'' W 4°17'1''	3 ha 250T(50-65m²)	❷ €38,50

🚗 E70/A8 Santander-Oviedo, Ausfahrt km 249. CP nach 9 km vom Zentrum Comillas am Strand gelegen.

Castro Urdiales, E-39700 / Cantabria 📶 iD

🏕 de Castro	1 ADEJMNORT	AF 6
🏠 B° Campijo 65	2 AFGNPRUVWX	AD**FG** 7
📅 1 Mär - 30 Sep	3 B	ABEFNQRV 8
☎ +34 942-867423	4 FHO**Q**	J 9
@ info@campingdecastro.com	5 ABDGIJK**LM**	BFGHIJOR10
	5-10A CEE	❶ €29,90
📷 N 43°23'14'' W 3°14'5''	H90 3,8 ha 75T(60-100m²) 95D	❷ €39,60

🚗 A8 Bilbao nach Santander. Abfahrt 151 Richtung Castro Urdiales, nach 1 km ist der CP ausgeschildert.

Isla (Cantabria), E-39195 / Cantabria 📶 iD

🏕 Playa de Isla	1 ADEHKNORT	KM**N**OPQSWXZ 6
🏠 Calle Ampilla 1	2 EFGHMPUVWXY	ABDE**FGH** 7
📅 15 Mai - 13 Sep	3 ABE**KL**	ABEFNRV 8
☎ +34 942-679361	4 FHO**PQ**	9
@ info@playadeisla.com	5 ACDEGIK**LM**	FHIJ**N**PRW10
	6A	❶ €31,50
📷 N 43°30'9'' W 3°32'33''	2 ha 160T(40-80m²) 70D	❷ €42,20

🚗 A8 Bilbao-Santander, Ausfahrt Beranga. Richtung Noja al Arnuero folgen. Zuerst nach Isla, dann der Beschilderung "Isla Playas" folgen, danach den CP-Schildern folgen.

Islares, E-39798 / Cantabria 🛜 CC€16 iD

🏕 Playa Arenillas Cat.2
🚗 Cu 634 km 156
📅 1 Apr - 29 Sep
☎ +34 942-863152
@ luis.cueva62@gmail.com

1 ABDEHKNOPQRST	KNPQSXYZ 6
2 AEFGHOPVWX	ABDEFGH 7
3 BEL	AEFNQRSV 8
4 FHOP	AEUV 9
5 ABDEGIJKLM	BDHIJPRW10
Anzeige auf dieser Seite 6A	① €30,60
1,7 ha 120T(50-70m²) 127D	② €39,80

📍N 43°24'13'' W 3°18'37''
🚗 A8 Bilbao nach Santander, Ausfahrt 156 Richtung Islares. Hier ist der CP ausgeschildert.

Laredo, E-39770 / Cantabria 🛜 CC€14 iD

🏕 Camping Laredo Cat.2
🚗 Camino el Regaton 2
📅 1 Mai - 14 Sep
☎ +34 942-605035
@ info@campinglaredo.com

1 ABDEHKNOPQRST	AFN 6
2 AEGHOPVWX	ABDEFGH 7
3 AB**GHL**	ABEFNQRSV 8
4 BFILO**PQ**	JL 9
5 ACDGIKL**M**	BDGHIJLORVW10
B 6-10A	① €33,40
5,5 ha 315T(60-90m²) 66D	② €44,70

📍N 43°24'51'' W 3°26'53''
🚗 A8, von Bilbao nach Santander. Zweite Ausfahrt nach Laredo Richtung Krankenhaus. Nach 1 km ist der CP ausgeschildert.

Laredo, E-39770 / Cantabria 🛜 iD

Camping Playa del Regaton Cat.2
🚗 El Regaton 8
📅 1 Apr - 28 Sep
☎ +34 942-606995
@ recepcion@campingplayaregaton.com

1 ADEJKNOPRT	KN 6
2 AEFGHPVXY	ABDE**FG**H 7
3 B**GHL**	ABEFKNQRSTUV 8
4 HLO**PQ**	FILUV 9
5 ABEG**KL**M	BGHIJLPRVW10
B 6-10A	① €24,35
1,5 ha 125T(70-80m²) 59D	② €32,35

📍N 43°24'42'' W 3°27'11''
🚗 A8 von Bilbao nach Santander. Der 2. Ausfahrt 172 nach Laredo folgen, Richtung Krankenhaus. Nach 1 km ist der CP links ausgeschildert.

Loredo, E-39140 / Cantabria 🛜 iD

🏕 Derby Loredo
🚗 C/ Bajada a la playa 19
📅 15 Jan - 15 Dez
☎ +34 942-504106
@ info@campingloredo.com

1 ABDE**JM**NOPQRST	KMNQ 6
2 AEFHPVWX	AD**FG**7
3 B**KL**	AEFNQRTUV 8
4 FHLNO**P**	AEGLM 9
5 ABDEGIK**M**	ABGHIJOR10
B 16A	① €33,50
3 ha 70T(6-60m²) 165D	② €45,10

📍N 43°27'47'' W 3°43'25''
🚗 Auf der A8 Bilbao-Santander Ausfahrt 197, der CA146 nach Cubas folgen, danach Richtung Suesa unf Loredo. Innerorts ist der Camping angezeigt.

Noja, E-39180 / Cantabria 🛜 iD

🏕 Camping Playa Joyel Cat.1
🚗 Paseo Maritimo s/n
📅 27 Mär - 26 Sep
☎ +34 942-630081
@ info@playajoyel.com

1 ABDEHKNOPQRS**T**	AFKMN**QRS** 6
2 AEGHPQVWXY	ABDE**FG**H 7
3 ABE**IKLM**Q	ABCDEFNQRSV 8
4 BLOPU**Z**	EJKL 9
5 ACDEFGIK**M**	ABEGHIJ**O**STVWYJ10
B 6A	① €49,20
24 ha 800T(70-100m²) 318D	② €59,40

📍N 43°29'24'' W 3°32'11''
🚗 A8 von Bilbao nach Santander. Ausfahrt Beranga. Richtung Noja folgen. Durch den gesamten Ort Noja durchfahren, dort ist der CP angezeigt.

Noja, E-39180 / Cantabria 🛜 iD

🏕 Los Molinos Cat.2
🚗 Ctra La Ria s/n
📅 1 Jun - 30 Sep
☎ +34 942-630426
@ losmolinos@ceoecant.es

1 ABJMNOPQRS**T**	AF 6
2 EHPVWX	AD**FG** 7
3 ABE**KLM**	AEFNQRV 8
4 MO**P**	9
5 ACDEGIK**M**	HIK**PR**10
B 6A	① €34,00
18 ha 300T(64m²) 572D	② €44,00

📍N 43°29'9'' W 3°32'17''
🚗 A8 von Bilbao nach Santander, Abfahrt Beranga Richtung Noja. Durch den gesamten Ort Noja durchfahren, dort ist der CP angezeigt.

Pechon (Cantabria), E-39594 / Cantabria 🛜 iD

🏕 Las Arenas Cat.2
📅 1 Jun - 30 Sep
☎ +34 942-717188
@ info@campinglasarenas.com

1 ABDE**JM**NOPQRS**T**	AFK**N** 6
2 AEFHMPUWXY	AD**FG** 7
3 B	AEFNQR 8
4 ABFO**P**	9
5 ACDEJK	BGHIJ**PR**10
B 5A	① €37,80
10 ha 350T(60-70m²)	② €51,00

📍N 43°23'26'' W 4°30'35''
🚗 E70/A8 Santander-Oviedo, Ausfahrt km 272 Potes-Unquera, am Kreisel CP Pechon. Nach 1,8 km liegt der CP auf dem Berg auf der linken Seite.

Potes, E-39570 / Cantabria 🛜 CC€16 iD

🏕 La Viorna Cat.1
🚗 Car. Santo Toribio
📅 1 Apr - 1 Nov
☎ +34 942-732021
@ info@campinglaviorna.com

1 ABDEILNOPQR**T**	AF 6
2 FPUVXY	ABDE**FG**H 7
3 ABQ	ABEFKNQRS 8
4 AEFHO**PQ**	FL 9
5 ABDEGIJK**LM**	BDGHIJLOR10
B 6A	① €27,65
H400 1,9 ha 110T(70m²) 1D	② €37,15

📍N 43°9'16'' W 4°38'37''
🚗 1 km hinter Potes Richtung Fuente Dé, links ab Santo Toribio.

Potes/Turieno, E-39570 / Cantabria 🛜 CC€14 iD

🏕 La Isla-Picos de Europa Cat.2
🚗 Ctra Potes-Fuente Dé km 2
📅 1 Apr - 15 Okt
☎ +34 942-730896
@ campinglaislapicosdeeuropa@gmail.com

1 ABDE**JM**NOPQRS**T**	AJ 6
2 COPVWXY	ABDE**FG** 7
3 BE**HL**	AEFNQRV 8
4 EFHO**P**	J 9
5 ABDEGIK**LM**	BDHIJPTUV10
Anzeige auf dieser Seite 6A	① €25,20
H300 1,5 ha 140T(60-70m²) 11D	② €33,00

📍N 43°9'27'' W 4°39'22''
🚗 Hinter Potes Richtung Fuente Dé. Nach 2,5 km rechts.

Ruiloba, E-39527 / Cantabria 🛜 CC€16

🏕 Camping El Helguero
🚗 Barrio de la Iglesia
📅 1 Apr - 30 Sep
☎ +34 942-722124
@ reservas@campinghelguero.com

1 BDE**JM**NOPQRS**T**	AF 6
2 AOPUVWXY	ABDE**FG** 7
3 BL	ABEFJNQRS 8
4 ABDFHO**P**	J 9
5 ACDEGIJKL**M**	ABHIJ**PR**10
6A	① €30,15
6,5 ha 240T(70-120m²) 86D	② €39,55

📍N 43°22'59'' W 4°14'47''
🚗 E70/A8 Ausfahrt 249 Richtung Comillas. Nach 7 km CA 359 Richtung Ruiloba. Durch den Ort La Iglesia rechts ab die CA 358. Der CP liegt nach 300m rechts.

S. Vicente de la Barquera, E-39540 / Cant. 📶 CC€18 iD

🏕 Playa de Oyambre Cat.1	1	ABDEJMNOPQRST	AF 6
🏠 Finca Peña Gerra	2	GHOPUVWX	ABD**FG**H 7
📅 6 Mär - 30 Sep	3	BE**K**	ABEFNQRSV 8
☎ +34 942-711461	4	O**P**	GJ 9
@ camping@oyambre.com	5	ABDEIJKL	BHIJPR10
		10A	➊ €27,50
		4 ha 128T(20-120m²) 102**D**	➋ €37,50

📍 N 43°23'7'' W 4°20'18''
🚗 E70/A8 Santander-Oviedo, Ausfahrt km 264 S. Vicente de la Barquera, dann die N634 nach 3 km die Ausfahrt Comillas an der Ctra La Revilla-Comillas (CA 131) zwischen Kilometerpfahl 27 und 28. Ⓜ

Somo, E-39150 / Cantabria 📶 iD

🏕 Somo Parque Cat.2	1	ADEJMNOPQRST	6
🏠 Car. Somo Suesa	2	AGHOPRVWXY	AD**F** 7
📅 1 Mär - 15 Dez	3	AB**K**	ABEFNQRTUV 8
☎ +34 942-510309	4	FHINO**PQ**	JL 9
@ somoparque@	5	ABGL**M**	BHIJLORV10
somoparque.com	6A		➊ €21,60
📍 N 43°26'46'' W 3°43'38''	2,5 ha 130T(60-90m²)	80**D**	➋ €27,00

🚗 N634 von Laredo nach Santander. In Solares Abfahrt Richtung Somo. Nach Suesa ist der CP ausgeschildert. Ⓜ

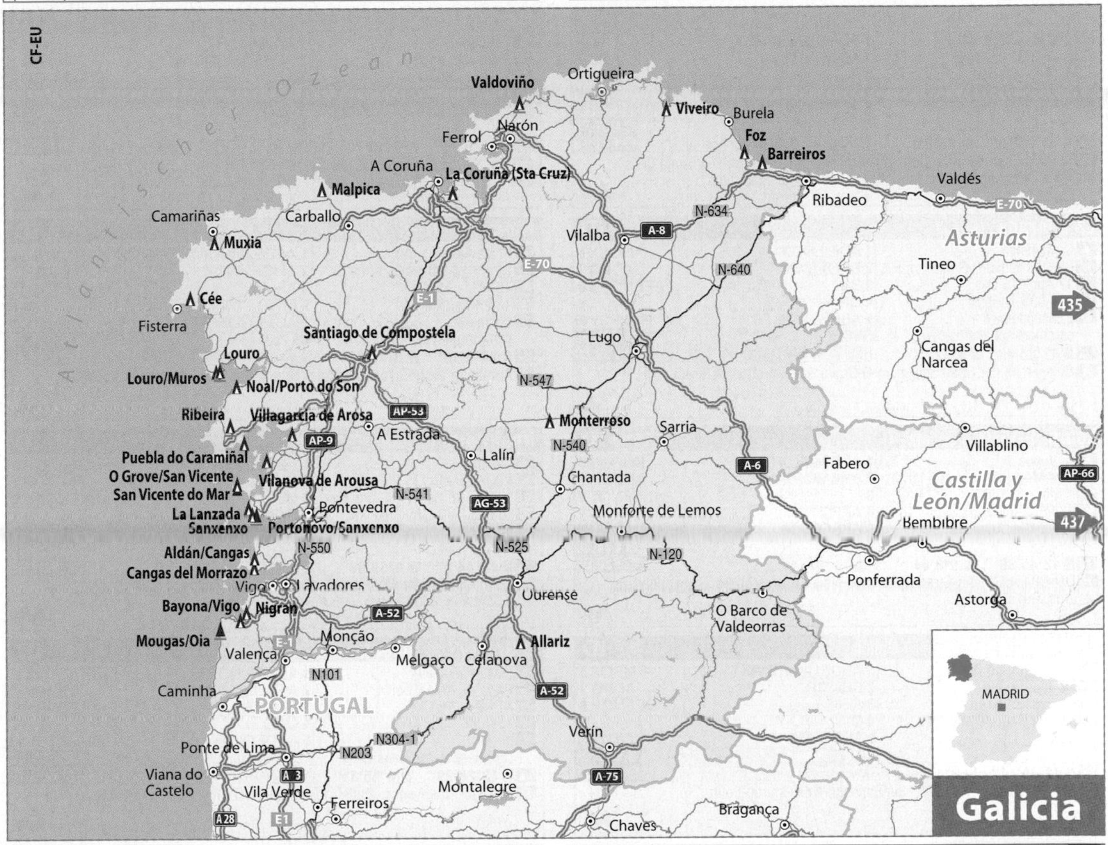

Spanien

Asturias

Castilla y León/Madrid

Galicia

MADRID

Aldán/Cangas, E-36940 / Galicia 📶 iD

🏕 Aldán	1	ABHKNORT	KNQS 6
🏠 Apartado 127	2	EHPUVY	AD**FG**H 7
📅 27/3 - 6/4, 1/6 - 30/9	3	BELM	AEFNQR 8
☎ +34 986-329468	4	O	JKL 9
@ campingaldan@terra.com	5	CDEGIJK**LM**	BGHIJLPTUV10
	6A		➊ €30,60
📍 N 42°17'12'' W 8°48'53''	H65 2,5 ha 150T(60-80m²)	4**D**	➋ €30,60

🚗 Von Santiago-Vigo (Ausfahrt Cangas) und der Schnellstraße bis Aldan. Noch 1 km. Der CP ist angezeigt. Ⓜ

Bayona/Vigo, E-36393 / Galicia 📶 iD

🏕 Bayona Playa	1	ABILNORT	A**H**KMNQRSUWX 6
🏠 Vigo-Bayonna, km 19	2	AEHOQRVY	ABDE**FG**H 7
📅 1 Jan - 31 Dez	3	B	EFNRS 8
☎ +34 986-350035	4	O**P**	EJLM 9
@ campingbayona@	5	ACDEGIK	BEHIJLOR10
campingbayona.com	5A		➊ €33,20
📍 N 42°6'47'' W 8°49'32''	500T(60-80m²)	26**D**	➋ €41,20

🚗 A9 Santiago-Bayona. Schildern folgen. Ctra Vigo-Bayona, km 19. Ⓜ

Allariz, E-32660 / Galicia 📶 iD

🏕 Os Invernadeiros Cat.1	1	ADEILNOR**T**	N 6
🏠 Estrada de Celanova s/n	2	ACOPVXY	ABDE**FG** 7
📅 1 Jan - 31 Dez	3	B**GH**L	ABEFNQR 8
☎ +34 988-442006	4	AEFO	J 9
@ reatur@allariz.com	5	ADEGIL**M**	HIJOR10
	B 4A		➊ €25,50
📍 N 42°11'5'' W 7°49'4''	H300 1,2 ha 80T(60-80m²)	10**D**	➋ €33,70

🚗 Madrid-Benavante. Ourense-Vigo. A52. Der CP liegt 1,5 km hinter Allariz. Allariz liegt an der N525 Orense-Verin. Allariz findet man an der A52 (Autovia ohne Maut), Abfahrt Allariz. Ausfahrt 211. CP ist ausgeschildert. Ⓜ

Cangas del Morrazo, E-36940 / Galicia 📶 iD

🏕 Limens Cat.2	1	ADHKNORT	KMNOPQRSTUVWX 6
🏠 Playa de Limens s/n	2	AEGHOPQRUVXY	AD**F** 7
📅 1 Jun - 30 Sep	3		AEFNQRS 8
☎ +34 986-304645	4	AEO	AJKLMOQR 9
@ administracion@	5	AGK	BHIJLOV10
campinglimens.com	5A		➊ €25,00
📍 N 42°15'39'' W 8°48'35''	0,7 ha 27T(60-80m²)	20**D**	➋ €29,00

🚗 Richtung Vigo/Pontevedra, Ausfahrt Cangas, AP9 Richtung Cangas folgen. CP ist gut ausgeschildert. Ⓜ

Barreiros, E-27792 / Galicia 📶 CC€16 iD

🏕 Gaivota Camping Cat.2	1	AILNORT	KMNPQSX 6
🏠 Playa de Barreiros	2	AEHPVWXY	ABD**FG**J 7
📅 28 Mär - 15 Okt	3	AB	ABEFNQRS 8
☎ +34 982-124451	4	AO	AFJV 9
@ campinggaivota@gmail.com	5	ABGKL**M**	GHIJLNPTUV10
	10A		➊ €30,35
📍 N 43°33'44'' W 7°12'28''	1 ha 70T(50-70m²)	12**D**	➋ €33,90

🚗 In Barreiros an der N634 km 567 zwischen Ribadeo und Foz. Der CP ist ausgeschildert.

Cée, E-15270 / Galicia 📶 iD

🏕 Ruta Finisterre	1	ABDEILNOPRS**T**	KMNPQS 6
🏠 Ctra Coruña-Finisterre, km 6	2	BEHPUVY	ABD**F**H 7
📅 28/3 - 6/4, 1/6 - 15/9	3	B	ABEFNQRTU 8
☎ FAX +34 981-746302	4	O	9
	5	ACDGJK**LM**	FGHIJPR10
	10A		➊ €26,90
📍 N 42°56'40'' W 9°13'12''	2 ha 64T(60-80m²)	15**D**	➋ €35,10

🚗 Am Strand von Estorde gelegen. AC445 km 7 zwischen Corcubion und Finisterre. Vom Zentrum Cée nach Corcubion, danach dem Navi folgen. Ⓜ

Foz, E-27780 / Galicia 📶 iD

🏕 San Rafael	1 ADEILNORT	KMNQSXYZ 6
🍴 Playa de Peizas	2 AEHPVWXY	ABDF 7
📅 31 Mär - 30 Sep	3 B	AEFNQRT 8
☎ +34 982-132218	4 AEFOP	M 9
@ info@campingsanrafael.com	5 ABGILM	BGHIJLORV10
	B 6A	① €21,05
📍 N 43°35'16'' W 7°16'56''	1,2 ha 100T(60-80m²)	② €28,65

🚗 Von Foz N642 Richtung Ferrol, dann rechts nach Playa de Peizas. CP ist gut ausgeschildert. Von Ferroll Richtung Foz Kreisel. CP angezeigt.

La Coruña (Sta Cruz), E-15179 / Galicia 📶

🏕 Los Manzanos Cat.1	1 BDEGILNOPRST	
🍴 Rua As Maceiras 2	2 ABHOPRXY	AFG 7
📅 17 Apr - 30 Sep	3 A	AEFN 8
☎ +34 981-614825	4 IO	9
@ informacion@	5 ABEFGIJKLM	GHIJLOR10
campinglosmanzanos.com	6A CEE	① €31,70
📍 N 43°20'55'' W 8°20'8''	26,5 ha 150T(50-80m²) 11D	② €41,70

🚗 Autobahn Santiago-La Coruña Ausfahrt 3 oder N6 Richtung Santa Cruz. Auch via Sada oder Bergondo Richtung Santa Cruz (angezeigt).

La Lanzada, Galicia 📶 iD

🏕 Cachadelos	1 ADEILNOT	ANQSX 6
🍴 Ctra Sanxenxo-O'Grove, km 5,7	2 EHOPUVY	ADFG 7
📅 17 Apr - 15 Okt	3 BJ	AEFNQRS 8
☎ +34 986-745592	4 OP	JL 9
@ c.cachadelos@	5 ABEGIJKM	HIJLPRV10
campingcachadelos.com	6A CEE	① €30,20
📍 N 42°25'4'' W 8°52'9''	H50 4 ha 340T(60-80m²) 36D	② €39,80

🚗 Gelegen an der C550 Sanxenxo-O'Grove, km 5 (nationale Straße).

Louro, E-15291 / Galicia 📶 CC€16 iD

🏕 A' Vouga	1 ADEJMNORT	KNPQS 6
🍴 Ctra Mouros-Finisterre, km 3	2 EHKMOPVWX	ADFGH 7
📅 1 Mär - 31 Okt	3	ABEFNQT 8
☎ +34 981-826115	4 AEFO	9
@ avouga@hotmail.es	5 ABEGIJLM	ABGHIJNPTU10
	B 10A	① €34,00
📍 N 42°45'39'' W 9°3'44''	1,5 ha 70T 8D	② €38,00

🚗 Der CP liegt an der Strecke Santiago-Noia-Mouros-Louro. 3 km außerhalb Mouros. Gut angezeigt.

Louro/Muros, E-15291 / Galicia 📶 iD

🏕 San Francisco Cat.1	1 ABDEHKNOPRST	KMPQS 6
📅 17 Jun - 9 Sep	2 EHKMP	ADFG 7
☎ +34 981-826148	3 AEM	ABEFNQR 8
@ campinglouro@yahoo.es	4 O	9
	5 ABEGIJM	BHIJOTUV10
	6A CEE	① €27,85
📍 N 42°45'44'' W 9°4'20''	H50 75T(60-80m²)	② €36,35

🚗 Der CP liegt auf dem Weg von Santiago-Noia-Muros-Louro.

Malpica, E-15113 / Galicia 📶 iD

🏕 Sisargas Cat.1	1 ADJMNOPRT	AF 6
🍴 Ctra Carballo-Malpica, km 12,5	2	ABCDEFG 7
📅 15 Jun - 15 Sep	3	ABCEFNQRSV 8
☎ +34 981-721702	4	HIJNOST10
@ info@campingsisargas.com	5 ABDEIM	
	B 10A	① €27,50
📍 N 43°17'48'' W 8°48'37''	1,5 ha 150T(bis 60m²) 10D	② €36,60

🚗 A55 von La Coruña, Bei Carballo Richtung Malpica, km 14. Der CP ist gut ausgeschildert.

Monterroso, E-27560 / Galicia 📶 iD

🏕 Monterroso 'A Peneda' Cat.2	1 ADEGILNOPRST	AFJN 6
🍴 Edil Luis Garcia Rojo 38	2 BCDGIOQSVX	ABDF 7
📅 30 Mär - 24 Sep	3 BM	ABEFNQRTU 8
☎ +34 982-377501	4 FHO	UV 9
@ campingmonterroso@	5 ABDEGIKLM	FGHIJNOR10
aged-sl.com	6A	① €21,00
📍 N 42°47'13'' W 7°50'43''	H516 0,6 ha 40T(50-70m²)	② €28,00

🚗 N540 Lugo-Ourense bis Ausfahrt Monterroso (N640), dort Richtung Lalin fahren. Im Zentrum von Monterroso, am Casa De Concello links, dann den gelben Schildern zum CP folgen. Den letzten 800m nicht dem Navi folgen.

Mougas/Oia, E-36309 / Galicia 📶 iD

🏕 Mougas	1 ABDEILNORST	ANQ 6
🍴 As Mariñas, 20B	2 AEMOPUVWX	ADFGH 7
📅 28/3 - 6/4, 15/5 - 15/9	3 BEM	AEFNQRV 8
☎ +34 986-385011	4 FOPQ	GJ 9
@ campingmougas@	5 ABDEGJK	BGHIJNOV10
campingmougas.es	15A	① €27,60
📍 N 42°5'11'' W 8°53'28''	22 ha 150T(60-80m²) 15D	② €35,80

🚗 A9 Vigo-Baiona C550 Richtung Guardia km 145. CP ist ausgeschildert.

Mougas/Oia, E-36309 / Galicia 📶 CC€18 iD

🏕 0 Muiño Cat.1	1 ADEILNORT	AFKNP 6
🍴 C550 km 158	2 AEGMOPUVW	ABCDEFHIJ 7
📅 28 Mär - 1 Okt	3 ABEMNQ	ABEFKMNQRST 8
☎ +34 986-361600	4 EFHIMOP	DEJL 9
@ info@camping-muino.com	5 ACDEGHIJK	BGHIJPRV10
	5A CEE	① €32,80
📍 N 42°3'50'' W 8°53'29''	2,2 ha 65T(50-80m²) 45D	② €41,80

🚗 C550 Baiona-La Guardia bis km 26. Autobahn Vigo-Baiona, Baiona-La Guardia. CP ist ausgeschildert.

Muxia, E-15726 / Galicia 📶 iD

🏕 Lago Mar	1 ADJMNORT	AKM 6
🍴 Playa de Lago	2 BCEFGHMPUWXY	ADFG 7
📅 15 Jun - 30 Sep	3 A	AEFNQR 8
☎ +34 981-750628	4	J 9
@ campinglagomar@yahoo.es	5 ABG	HJNOR10
	6A	① €23,50
📍 N 43°6'11'' W 9°10'7''	0,9 ha 42T(60-90m²) 12D	② €30,50

🚗 Von Santiago westwärts über die AC-544 Negreira zur A Pereira. Geradeaus über die AC-441 und danach die AC-440 nach Muxia. CP ist angezeigt.

Nigran, E-36350 / Galicia 📶 iD

🏕 Playa America Cat.1	1 ABDEJMNORST	AFKMNQRSTVWXZ 6
🍴 Ctra Vigo a Bayona, km 9,2	2 EHOPVWXY	ADFGH 7
📅 16 Mär - 15 Okt	3 AEMQ	AEFNORSTUV 8
☎ +34 986-365404	4 EIOR	HIJ 9
@ oficina@	5 ACDEGIJKLM	BHIJOV10
campingplayaamerica.com	6A	① €34,45
📍 N 42°8'19'' W 8°48'32''	4 ha 338T(60-80m²) 45D	② €42,65

🚗 Autobahn Vigo-Bayona, Ausfahrt Nigran. Der CP wird gut ausgeschildert.

Noal/Porto do Son, E-15970 / Galicia 📶 iD

🏕 Cabeiro	1 ABDEILNORT	KMNQS 6
🍴 Playa Cabeiro 35	2 EHPX	ADF 7
📅 1 Jun - 15 Sep	3 GL	ABEFNQSV 8
☎ +34 981-767355	4 EOQ	JR 9
@ info@camping-cabeiro.es	5 ABEGIKM	HIJOTUV10
	10A	① €23,75
📍 N 42°44'2'' W 8°59'30''	0,2 ha 80T(60-80m²) 13D	② €32,40

🚗 C550 Santiago-Noia, 1 km von Porto do Son (rechts angezeigt). Noia-Santiago, 1 km hinter Vigo Porto do Son links.

O Grove/San Vicente, E-36988 / Galicia 📶 iD

🏕 Playa Paisaxe II	1 ABDEILNORT	AKMNPQSWX 6
🍴 Playa de Area Grande	2 AEHOPVWXY	ABDFH 7
📅 31 Mär - 12 Okt	3 ABEJM	ABEFNRS 8
☎ +34 986-738331	4 OPQ	J 9
@ info@	5 ABDEGILM	GHIJPTUV10
campingplayapaisaxe.com	10A	① €29,40
📍 N 42°28'29'' W 8°55'31''	4 ha 200T(60-80m²) 20D	② €39,40

🚗 A9 Vigo-Pontevedra. Ausfahrt Pontevedra/O'Grove. CP ist gut ausgeschildert.

Portonovo/Sanxenxo, E-36970 / Galicia 📶

🏕 Baltar Cat.1	1 BDHKNORT	AFHKMNQST 6
🍴 C550	2 AEHVY	ABDEFGIJ 7
📅 1 Apr - 30 Sep	3 ABE	AEFNQRSTV 8
☎ +34 986-691888	4 OQ	J 9
@ info@campingbaltar.com	5 ABCGIJKM	GHIJLPRV10
	B	① €32,00
📍 N 42°24'5'' W 8°49'25''	4 ha 875T(50-70m²) 47D	② €41,00

🚗 C550 über die Schnellstraße Portonovo-Pontevedra. Ausfahrt Sanxenxo 2 km. CP liegt hinter dem Fußballplatz.

Portonovo/Sanxenxo, E-36960 / Galicia 📶 CC€16 iD

🏕 Paxariña Cat.2	1 ADILNORT	KNQX 6
🍴 C550 km 2	2 EHMOPTUVX	ABDEFG 7
📅 17 Mär - 15 Okt	3 AL	ABEFNORS 8
☎ +34 986-723055	4 OQ	IJV 9
@ info@campingpaxarinas.com	5 ACDEGIKLM	BFGHIJLPTUV10
	10A	① €31,75
📍 N 42°23'32'' W 8°50'39''	2 ha 250T(60-80m²) 142D	② €41,65

🚗 Hotel-Campinganlage an der Seeseite. (C550). Zufahrt liegt in der Kurve. Deutlich ausgeschildert.

ACSI Match2Camp

Match2Camp ist ein praktisches Mittel, mit dem Sie schnell einen Camping finden können, der Ihrer Vorstellung entspricht. Schauen Sie auf Seite 26 nach ausführlicheren Informationen.

Puebla do Caramiñal, E-15940 / Galicia 🛜 iD

🏔 Ria de Arosa	1 ABDEGILNORT	KMNOPQS 6
🏖 Playa de Cabio	2 AEHPVWXY	ABDFGH 7
📅 31 Mär - 30 Sep	3 ABE	ABEFNQRST 8
☎ +34 981-832222	4 AEIO	JQRSV 9
@ playa@campingriadearosa.com	5 BEGIJKM	HIJLORV10
	6A	❶ €28,90
📍 N 42°35'15'' W 8°55'37''	2,8 ha 140T(60-80m²) 89D	❷ €38,80

🚗 CP gelegen an der C550. In südlicher Richtung ist Santiago-Padron-St. Eugenia im Dorf Puebla do Caramiñal gut ausgeschildert.

Ribeira, E-15993 / Galicia 🛜 ❀ CC€18 iD

🏔 Ria de Arosa 2 Rural	1 ABDEJMNORST	AFG 6
🏖 Balteiro-Oleiros	2 ABCPUVXY	ABDFG 7
📅 1 Jan - 31 Dez	3 BELMRST	ABEFNQRST 8
☎ +34 981-865911	4 AFHIOQ	GJVY 9
@ rural@campingriadearosa.com	5 ACDEGIJKLM	DFGHIJLPRV10
	B 10A	❶ €28,50
📍 N 42°37'15'' W 8°59'14''	H90 10 ha 245T(60-90m²) 18D	❷ €38,10

🚗 Autobahn Santiago-Padrón. Autobahn Padrón-Ribeira Ausfahrt Ribeira. Gut ausgeschildert.

San Vicente do Mar, E-36988 / Galicia 🛜 iD

🏔 O'Espiño Cat. 3	1 AILNORT	KMNQSXZ 6
🏖 Lanzada San Vicente do Mar	2 AEHPUVWXY	ABDFH 7
📅 1 Jan - 31 Dez	3	AEFNQRSTUV 8
☎ +34 986-738365	4 O	9
@ campingoespino@gmail.com	5 BD	GHIJOR10
	6A	❶ €28,10
📍 N 42°27'42'' W 8°55'5''	2,1 ha 150T(60-80m²)	❷ €37,30

🚗 Von der C550 nach Sanxenxo-O'Grove Richtung San Vicente. Mit dem Auto (gratis) über Couro-Sanxenxo Rua Rapida-O'Grove-Lanzada-San Vicente do Mar. CP ist ausgeschildert.

San Vicente do Mar, E-36988 / Galicia 🛜 iD

🏔 Siglo XXI Cat. 1	1 ABDEILNORT	AFKMNQSWX 6
🏖 Rua do Barrosa	2 EHOPVWX	ABDF 7
📅 27/3 - 6/4, 1/6 - 30/9	3 AEI	ABCEFLMNQRTUV 8
☎ +34 986-738100	4 OP	L 9
@ info@campingsiglo21.com	5 BCEGIJKM	GHIJRTUV10
	5A	❶ €35,00
📍 N 42°27'17'' W 8°55'32''	H60 1,6 ha 124T(60-80m²)	❷ €44,00

🚗 Autobahn Pontevedra-Santiago Ausfahrt O'Grove 25 km.

Santiago de Compostela, E-15704 / Galicia 🛜

🏔 As Cancelas Cat.2	1 BCDEJMNOPQRST	AX 6
🏖 Rua do Vintecinco de Xullo 35	2 AOPRTUVXY	ABDEFGH 7
📅 1 Jan - 31 Dez	3 BK	ABCDEFHMNQR 8
☎ +34 981-580266	4 AFGOS	JL 9
@ info@campingascancelas.com	5 ACDEGIJKLM	BFHIJLNOR10
	B 5A	❶ €33,60
📍 N 42°53'22'' W 8°31'27''	0,7 ha 200T(60-80m²) 12D	❷ €43,80

🚗 An der N550 Nordseite Santiago (Repsol-Tankstelle) Abfahrt 67 und danach ins Zentrum (Casto Historica). CP ist ausgeschildert.

Sanxenxo, E-36960 / Galicia 🛜

🏔 Rias Baixas	1 BDILNORT	AKMNQS 6
🏖 Montalvo 73	2 EHNY	ADFGH 7
📅 1 Jun - 10 Sep	3 BEK	ADEFKNR 8
☎ +34 986-690015	4 OP	9
@ campingriasbaixas@gmail.com	5 ACDEFGIJ	BHIJLPST10
	5A	❸ €36,30
📍 N 42°24'5'' W 8°51'3''	1,5 ha 140T(60-80m²)	❷ €47,40

🚗 Portevedra-Sanxenxo. Ctra Portonovo-A Lanzada km 2. Gut ausgeschildert.

Valdoviño, E-15552 / Galicia 🛜 CC€16 iD

🏔 Valdoviño Cat.1	1 AILNORT	KMNQRS 6
🏖 Ferrol-Cedeira km 13	2 EHOPUVWXY	ABDEFGH 7
📅 4 Apr - 10 Okt	3 AEL	ABCDEFNQRSV 8
☎ +34 981-487076	4 OP	ABIJLMV 9
@ campingvaldovino@yahoo.es	5 ACEFGIJKLM	BHIJPR10
	B 15A	❸ €32,20
📍 N 43°36'46'' W 8°8'57''	1,7 ha 80T(60-80m²) 35D	❷ €42,20

🚗 A9, Ausfahrt 34 (8 km). Valdovino liegt am Küstenweg C646 Ferrol-Ortiguera. Der CP ist gut ausgeschildert.

Vilanova de Arousa, E-36620 / Galicia 🛜 iD

🏔 Playa Paisaxe I	1 ADEILNORT	AKMNO 6
🏖 Playa de O Terròn, 16	2 AEHOP	ABDFH 7
📅 17 Apr - 30 Sep	3 AKL	ABEFNRST 8
☎ +34 986-554656	4 OPQ	J 9
@ info@campingplayapaisaxe.com	5 ABDEGIKLM	FHIJPRV10
	10A	❸ €34,00
📍 N 42°33'6'' W 8°50'2''	1,3 ha 130T(60-80m²) 45D	❷ €44,00

🚗 AP/9 Pontevedra-O'Grove oder Vigo-Pontevedra. Pontevedra-Cambados-Villanova. (Gut ausgeschildert).

Villagarcia de Arosa, E-36600 / Galicia 🛜

🏔 Río Ulla	1 BJMNORT	AFKNQRSVXY 6
🏖 Bamio	2 AEHPVWXY	ABDFGH 7
📅 4 Apr - 30 Sep	3 BEM	AEFNQRST 8
☎ +34 986-505430	4 O	IJM 9
@ campingrioulla@galicia.com	5 ADEGIKLM	HIJLMPRV10
	B 10A	❶ €25,75
📍 N 42°38'4'' W 8°45'35''	1 ha 100T(60-80m²) 22D	❷ €33,75

🚗 Po 548 Santiago-Cesures-Villagarcia nach Damio km 14. In Villagarcia de Arosa gut ausgeschildert.

Viveiro, E-27850 / Galicia 🛜 iD

🏔 Vivero Cat.2	1 ABDEJMNOPRT	KMNQSUWX 6
🏖 Cantarrana s/n	2 CEHPVWXY	ABDFH 7
📅 28/3 - 5/4, 1/6 - 30/9	3	AEFNQRSV 8
☎ +34 982-560004	4 O	9
@ campingdevivero@gmail.com	5 BGKLM	BHIJPR10
	B 8A	❶ €27,00
📍 N 43°40'5'' W 7°35'58''	1,6 ha 66T(50-80m²)	❷ €36,00

🚗 Der gut ausgeschilderte CP liegt am südlichen Ende von Ria de Vivero am Küstenweg N642 Betanzos-Barreiros. Auch Schildern Playa de Covas folgen.

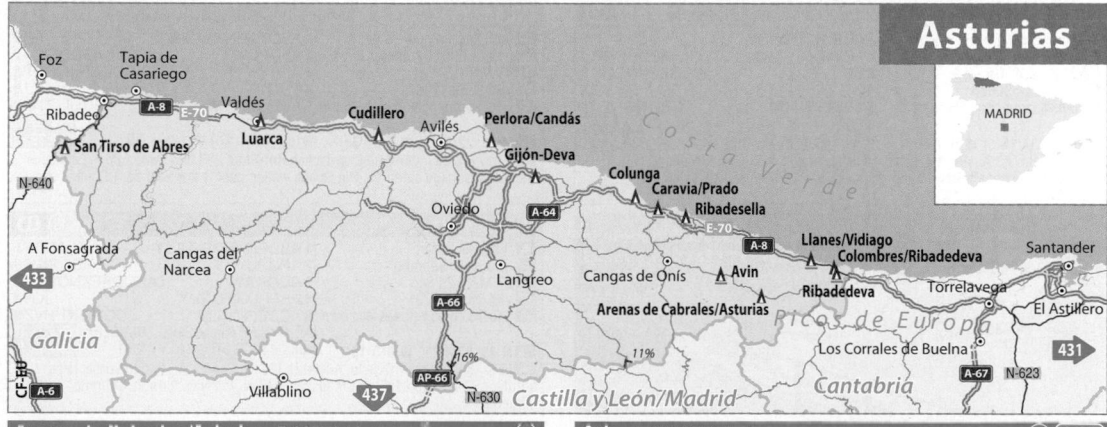

Asturias

MADRID

Foz · Tapia de Casariego · Valdés · Cudillero · Perlora/Candás · Ribadeo · San Tirso de Abres · Luarca · Avilés · Gijón-Deva · Colunga · Caravia/Prado · Ribadesella · Oviedo · Colombres/Ribadedeva · Llanes/Vidiago · Santander · A Fonsagrada · Cangas del Narcea · Langreo · Cangas de Onis · Avin · Ribadedeva · Torrelavega · El Astillero · Arenas de Cabrales/Asturias · Picos de Europa · Los Corrales de Buelna · Galicia · Villablino · Castilla y León/Madrid · Cantabria

Costa Verde

Arenas de Cabrales/Asturias, E-33554 / Asturias 🛜

🏔 Naranjo de Bulnes C.B. Cat.2	1 BDEILNOPRT	6
📅 1 Apr - 11 Okt	2 COPUVWXY	ABDFGH 7
☎ +34 985-846578	3 A	AEFNQRS 8
@ campingnaranjodebulnes.com	4 HO	FJ 9
	5 ABDEI	ABHIJNOR10
	6A	❶ €31,80
📍 N 43°18'1'' W 4°48'11''	H135 3 ha 211T(25-90m²) 24D	❷ €43,00

🚗 Panes-Cangas de Onis, 20 km von Panes, 35 km von Cangas. An der N6312 gelegen.

Avin, E-33556 / Asturias 🛜 CC€16

🏔 Picos de Europa Cat.2	1 BDEILNOPQRST	AF 6
🏖 Carratera Cangas, km 16	2 COPUVWXY	ABDFG 7
📅 1 Jan - 31 Dez	3 A	AEFNQRSV 8
☎ +34 985-844070	4 AEFHOQ	IJLQ 9
@ info@picos-europa.com	5 ACEGIJKLM	BHIJLOR10
	6A	❶ €26,80
📍 N 43°20'5'' W 4°56'47''	H250 4 ha 150T(30-100m²) 18D	❷ €34,80

🚗 A8-E70 Ausfahrt 305 Richtung Posada. A5-115 etwa 15 km bis zum Ende. Dann den CP-Schildern folgen.

Caravia/Prado, E-33344 / Asturias 🛜 CC€16 iD

⛺ Arenal de Moris Cat.1	1 ABDEJMNOPQRST	AKMNQSWX 6
🏖 El Ponton	2 AEHKPRTUVW	ADFGH 7
🗓 30/3-6/4,30/4-4/5,8/5-10/5	3 BLM	AEFNQRTU 8
☎ +34 985-853097	4 OP	I 9
@ camoris@desdeasturias.com	5 ACDEGHIKL	BFHIJOR 10
	5A	❶ €34,15
📍 N 43°28'22'' W 5°10'59''	6 ha 260T(50-150m²) 51D	❷ €44,05

🚗 E70/A8 Santander-Oviedo. Abfahrt 330. Richtung Caravia, dann die N632 zwichen KM-Pfahl 16 und 15 Richtung Playa.

Colombres/Ribadedeva, E-33590 / Asturias 🛜 iD

⛺ Las Hortensias Cat.1	1 ADEJMNOPQRST	KMN 6
🏖 Playa de la Franca	2 EFHMPUVWXY	ABDEFGH 7
🗓 5 Jun - 13 Sep	3 AM	ABEFNOQRS 8
☎ +34 985-412442	4 OP	L 9
@ lashortensias@	5 ABDEGIJKM	BHIJPST 10
campinglashortensias.com	6-10A	❶ €37,80
📍 N 43°23'30'' W 4°34'32''	2,8 ha 156T(25-100m²)	❷ €51,45

🚗 Die N634/E7 an Km-Pfahl 286 von Santander links ab unter der Straße durch. Von Oviedo aus, rechts unter der Straße durch. CP nach ± 500m am Ende der Straße.

Colunga, E-33320 / Asturias 🛜 iD

⛺ Costa Verde Cat.2	1 ADEJMNOPQRST	KMNQSX 6
🏖 Playa La Griega	2 AEHJKOPVWX	ABDFGH 7
🗓 30/3 - 5/4, 1/6 - 30/9	3 BE	ABEFNOQRS 8
☎ 🅿 +34 985-856373	4 FHOPQ	L 9
	5 ACDEGIKLM	BGHIJLRV 10
	6-10A	❶ €24,40
📍 N 43°29'56'' W 5°15'48''	H54 2,1 ha 210T(54-138m²) 45D	❷ €33,40

🚗 E70/A8 Santander-Gijon, Ausfahrt 337 Colunga. Gut angezeigt.

Cudillero, E-33154 / Asturias 🛜 CC€16 iD

⛺ Cudillero Cat.2	1 ABILNOPQRST	AF 6
🏖 Playa de Aguilar	2 APVWXY	ABDEFGH 7
🗓 27/3 - 6/4, 1/5 - 7/9	3 BL	ABCDEFKNQRS 8
☎ +34 985-590663	4 O	FIJL 9
@ info@campingcudillero.com	5 ABDEFGIKM	GHIJNPSTV 10
	6A CEE	❶ €31,90
📍 N 43°33'15'' W 6°7'45''	H90 2 ha 141T(30-80m²) 18D	❷ €41,90

🚗 Autobahn A8 Ausfahrt 425 Muros de Nalon, dann Kreisel 3. Ausfahrt N632. Nach 3 km rechts ab Richtung El Pito Cudillero. CP-Schilder befolgen (AS-317).

Gijón-Deva, E-33394 / Asturias 🛜 iD

⛺ Gijón-Deva Cat.1	1 ABDEJMNOPQRT	AF 6
🏖 Camin de la Pasadiella 85	2 AGOPUVWX	ABDEFGH 7
🗓 1 Jan - 31 Dez	3 ABEK	ABCDEFNQRSV 8
☎ +34 985-133848	4 BCFHO	FIJL 9
@ info@campingdeva-gijon.com	5 ABDEGIKM	ABGHIJNOSTV 10
	10A CEE	❶ €31,30
📍 N 43°30'48'' W 5°35'57''	H58 7,7 ha 305T(60-70m²) 65D	❷ €43,30

🚗 E70/A8 Santander-Oviedo. Ausfahrt 375 Richtung Hospital am Kreisel rechts, die 1. Straße rechts. CP ist ausgeschildert.

Llanes/Vidiago, E-33597 / Asturias 🛜 CC€18 iD

⛺ La Paz Cat.1	1 ABDEJMNOPQRST	KNPQS 6
🏖 Playa de Vidiago	2 AEFHMOPUVWXY	ABDEFGH 7
🗓 27 Mär - 12 Okt	3 AKQ	ABCDEFNQRSV 8
☎ +34 985-411012	4 AFHOPQ	L 9
@ delfin@campinglapaz.com	5 ACDEIJKLM	BDGHIJOR 10
	Anzeige auf dieser Seite 15A	❶ €37,10
📍 N 43°23'59'' W 4°39'11''	1,1 ha 432T(40-90m²)	❷ €49,30

🚗 Autobahn A8 Ausfahrt 285, Ausfahrt Playa de Vidiago Camping, oder N634/E70 Santander-Oviedo. Bei Km-Pfahl 292 Richtung Meer abfahren. CP liegt ca. 100m von der Straße weg am Meer.

Luarca, E-33700 / Asturias 🛜 iD

⛺ Los Cantiles Cat.1	1 ABJMNOPQRST	6
🏖 Los Cantiles	2 AEFMOPUVWXY	ABDEFGH 7
🗓 1 Jan - 31 Dez	3 EL	ABEFKNOQRSV 8
☎ +34 985-640938	4 IO	F 9
@ cantiles@	5 ABDFGKLM	AFGHJNOPSTV 10
campingloscantiles.com	B 3-6A	❶ €22,80
📍 N 43°32'57'' W 6°31'28''	H70 2,3 ha 72T(65-90m²) 7D	❷ €31,00

🚗 A8 Oviedo-A Coruña, Ausfahrt Km 460. Richtung Luarca und an der Tankstelle rechts. Ausgeschildert. Nicht der Navigation folgen.

Perlora/Candás, E-33491 / Asturias 🛜

⛺ Perlora s.l. Cat.2	1 BDILOPRT	KMNOPQ 6
🏖 Perán s/n	2 AEHJKMOPUVW	ABDEFG 7
🗓 15 Jan - 15 Dez	3 M	ABNQR 8
☎ +34 985-870048	4 NO	9
@ recepcion@	5 ABCDGHKLM	BHIKO 10
campingperlora.com	10A CEE	Preise auf
📍 N 43°35'2'' W 5°45'22''	1,4 ha 85T(55-65m²) 30D	Anfrage

🚗 E70/A8 Ausfahrt 383, Luanca-Candás Richtung Perlan-Perlora-Tabaza. Den Campingschildern folgen.

Ribadedeva, E-33590 / Asturias 🛜 CC€16 iD

⛺ Camping Colombres Cat.1	1 ABDEJMNOPQRST	AF 6
🏖 Ctra El Peral a Noriega, km 1	2 AFGPVWX	ABDEFGH 7
🗓 23 Mär - 20 Sep	3 AEL	ABCDEFNQRST 8
☎ +34 985-412244	4 FHO	EJ 9
@ info@campingcolombres.com	5 ABEGIJKLM	BGHIJOTU 10
	B 6A	❶ €29,60
📍 N 43°22'31'' W 4°33'51''	H100 22 ha 76T(70-80m²) 5D	❷ €39,40

🚗 E70/A8 Santander-Oviedo zwischen Km-Pfahl 283 und 284, an der Tankstelle Richtung Noriega abfahren. Die Straße weiter, nach 1 km liegt der CP links.

Ribadesella, E-33560 / Asturias 🛜 CC€18 iD

⛺ Ribadesella Cat.1	1 ABDEJMNOPQRST	ACDF 6
🏖 Ctra de C. Sebreño	2 AFGPUVXY	ABDFGH 7
🗓 27 Mär - 20 Sep	3 BEGILMQ	ABCDEFKNQRSV 8
☎ +34 985-857721	4 ABFHLOPQRUY	JLR 9
@ info@camping-ribadesella.com	5 ACDEGIJKLM	DGHIJNPRVZ 10
	Anzeige auf dieser Seite 10A CEE	❶ €33,00
📍 N 43°27'42'' W 5°5'13''	H90 4 ha 200T(40-120m²) 26D	❷ €44,00

🚗 E70/A8 Santander-Oviedo, Ausfahrt 326 Ri. Pando. An Pando vorbei links auf die AS341. Nach 1,5 km CP ausgeschildert. Ins Navi 'ctra de Sebreño' eingeben.

San Tirso de Abres, E-33774 / Asturias 🛜 iD

⛺ Amaido Cat.2	1 ADILNORT	N 6
🏖 El Llano	2 CPVW	ABDEFH 7
🗓 10 Apr - 30 Sep	3 ABEL	ABEFGKNRS 8
☎ +34 985-476394	4 AO	AJV 9
@ amaido@amaido.com	5	GHIJPR 10
	B 10A CEE	❶ €20,75
📍 N 43°24'41'' W 7°8'39''	1,5 ha 80T(60-80m²) 6D	❷ €27,75

🚗 Aus Lugo Ausfahrt Oviedo. An der N640 km 25 Castropol-Lugo in San Tirso de Abres. Gut ausgeschildert und von der Straße aus zu sehen.

MADRID

Spanien

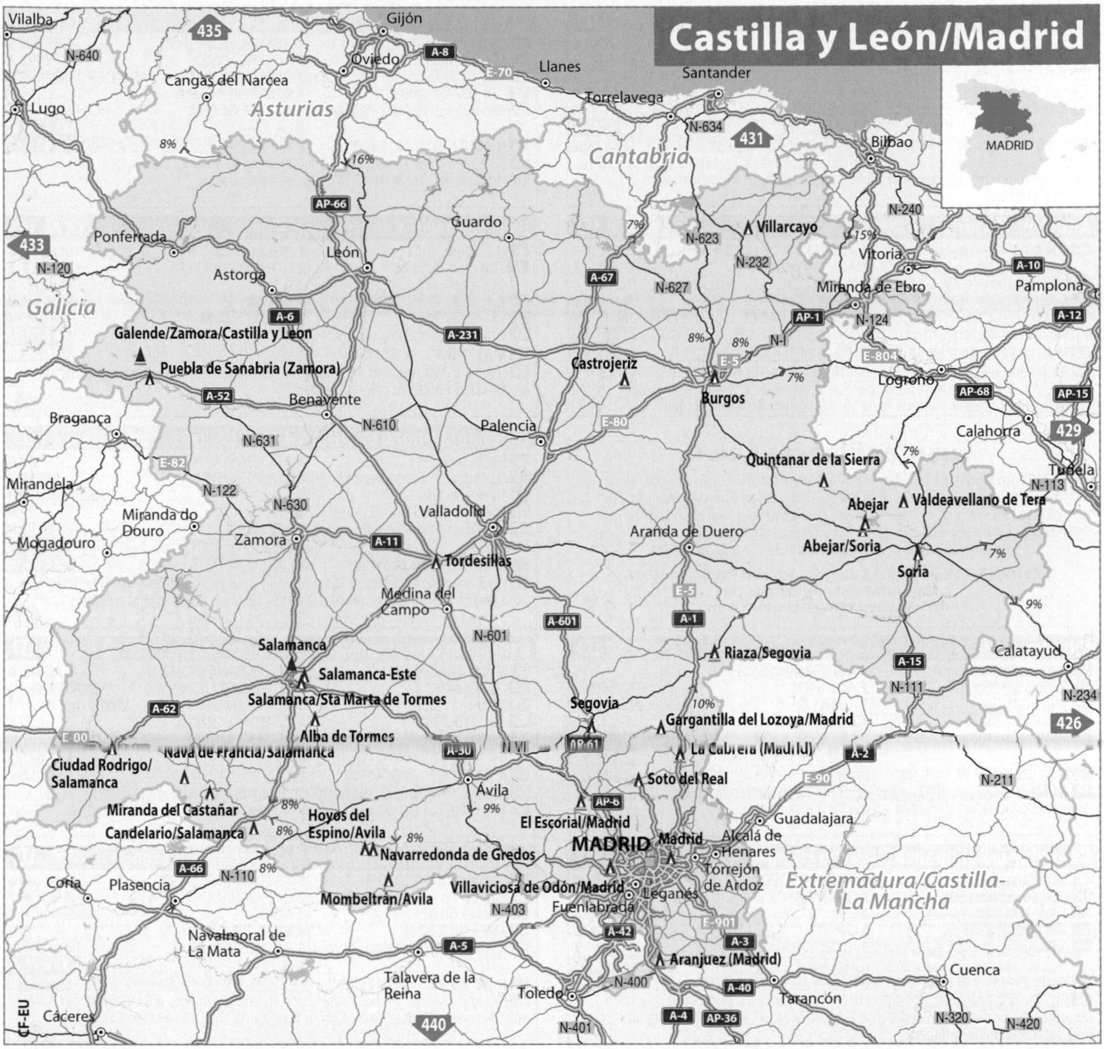

Abejar, E-42146 / Castilla y León 🛜 CC€16 iD

- 🏕 Urbion
- 🗺 Ctra Soria-Burgos, N234
- 📅 27 Mär - 2 Nov
- ☎ +34 646-243349
- @ info@campingurbion.com

1 ADE**JM**NOPQRS**T**	AFNQSXY 6
2 BDFGIPTXY	ABDE**F** 7
3 BELM	ABEFJNQRSV 8
4 ABFHIO**P**	JRTU 9
5 ABDEGIJK**M**	GHIJLOVW10

Anzeige auf dieser Seite   B 10A   ❶ €26,60

🗺 N 41°50'8''   W 2°47'13''   H1200 15 ha 500**T**(120m²) 52**D** ❷ €34,60

🅿 Von Soria die N234 Richtung Burgos, in Abejar Richtung Molinos über die CL117, nach 4 km ist der CP rechts.

Abejar/Soria, E-42146 / Castilla y León 🛜 iD

- 🏕 El Concurso Cat.1a
- 🗺 Ctra Abejar-Molinos de Duero, km 1
- 📅 28 Mär - 2 Nov
- ☎ +34 975-373361
- @ info@campingelconcurso.com

1 ADEJMNOPQRS**T**	AF 6
2 BFGPTVWXY	ABDE**FG** 7
3 ABE**ILM**PQ	ABEFNQRSV 8
4 FHIO**P**	GJLU 9
5 ABDEGJK**M**	GHIJORV10

B 10A   ❶ €21,30

🗺 N 41°48'59''   W 2°47'19''   H1154 7,2 ha 300**T**(80-120m²) 101**D** ❷ €27,90

🅿 Von Soria die N234 Richtung Burgos, 1 km hinter Abejar rechts abfahren, der CL117 ca. 1 km folgen. Der CP liegt links von der Strecke.

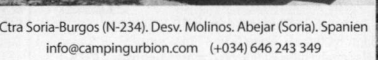

Alba de Tormes, E-37800 / Castilla y León 📶 iD

🏕 Tormes
📧 Camino de la Dehesa 1
🗓 1/1 - 30/10, 15/11 - 31/12
☎ +34 665-885393
@ carlostormes@gmail.com

1 AJMNOPRS	JMNUVX 6
2 CGHIOPVXY	ABDFGJ 7
3 AEQ	ABEFNRUV 8
4 IO	ELPQR 9
5 BDEGIKLM	BFHIJLPTUW10
8A CEE	
H820 2 ha 200T(80-100m²) 1D	❶ € 15,00
	❷ € 22,00

🧭 N 40°49'10'' W 5°31'7''
🚗 Straße von Salamanca-Alba de Tormes, Brücke über den Fluss Tormes, rechts, nach 100m bei CP-Schild wieder rechts, nach 300m CP Municipal, vom Ort 300m entfernt.

Aranjuez (Madrid), E-28300 / Madrid 📶 CC€18 iD

🏕 Camping Internacional Aranjuez Cat.1
📧 Soto del Rebollo s/n
🗓 1 Jan - 31 Dez
☎ +34 91-8911395
@ info@campingaranjuez.com

1 ABDEJMNOPQRST	AFNUX 6
2 ACPQVWXY	ABDEFGH 7
3 BEGKLQS	ABCDEFJNQRSTUV 8
4 BCDELO	FJLUV 9
5 ACDEFGJKLM	BDGHIJNPTU10
Anzeige auf Seite 439 B 16A CEE	❶ € 35,00
H600 3 ha 178T(70-110m²) 68D	❷ € 46,00

🧭 N 40°2'32'' W 3°35'58''
🚗 Ab Madrid A4 Ausfahrt 37 Aranjuez Norte. 8 km vor Aranjuez links, Schildern folgen. Von Süden Ausfahrt 52, in der Stadt immer gerade aus. Am letzten Kreisel links am Restaurant 'La Rana Verde' vorbei. Schildern folgen.

Fuentes Blancas Cat.1

Der Campingplatz befindet sich 3 km vom Zentrum von Burgos, einer Weltkulturerbe Stadt und dem Parque Natural de Fuentes Blancas. Für die 300 Plätze gibt es verschiedene Einrichtungen auf dem Camping: Restaurant Bar, Freizeitraum, WiFi, Schwimmbad und Sportanlagen. In den Sommermonaten Animation für Kinder und Erwachsene.

**Cartuja Miraflores, 09193 Burgos • Tel. und Fax 947-486016
E-Mail: info@campingburgos.com
Internet: www.campingburgos.com**

Burgos, E-09193 / Castilla y León 📶 CC€16 iD

🏕 Fuentes Blancas Cat.1
📧 Cartuja Miraflores
🗓 1 Jan - 31 Dez
☎ +34 947-486016
@ info@campingburgos.com

1 ABDEJMNOPQRST	AF 6
2 AOPVXY	ABDEFG 7
3 AEIKLS	ABEFJNQRSV 8
4 ABHILNO	FJLUV 9
5 ABDEGIJKLM	ABDGHIJNOR10
Anzeige auf dieser Seite B 6A	❶ € 27,70
H860 4,6 ha 300T(50-70m²) 29D	❷ € 35,50

🧭 N 42°20'30'' W 3°39'28''
🚗 A1 Madrid-Burgos. Bei Burgos N623 Richtung Santander folgen. Der CP ist weiter ausgeschildert. (Von hier ab das Navi ignorieren).

Candelario/Salamanca, E-37710 / Castilla y León 📶 iD

🏕 5 Castaños Cat.2
📧 Ctra de la Sierra s/n
🗓 1 Apr - 30 Sep
☎ +34 923-413204
@ profetur@candelariohotel.com

1 ABDHKNORT	AFN 6
2 GPQRUVY	ABDEF 7
3 B	ABFNQRS 8
4 OP	GJL 9
5 ADEGIJKM	HIJQR10
B 10A CEE	❶ € 24,65
H1226 1,6 ha 54T(ab 54m²) 71D	❷ € 33,00

🧭 N 40°21'48'' W 5°44'59''
🚗 Auf der N630 eine der Abfahrten nach Bejar nehmen. Dort die Straße nach Candelario. Vor der Kirche und den 2 Telefonzellen in Candelario rechts ab und den CP-Schildern folgen.

Camping Camino de Santiago

20 Autominuten von Burgos am Fuße eines Hügels mit Panoramablick auf die Ruinen und eine Burg. Der Inhaber dieses Familiencampings nimmt Sie mit auf eine spannende Raubvogel-Exkursion. Historie, Natur, Rad fahren, wandern, Lammkeule aus dem Holzofen, Bodega-Besuch und gratis WiFi.

**Virgen del Manzano s/n, 09110 Castrojeriz • Tel. 947-377255
Fax 947-377236 • E-Mail: info@campingcamino.com
Internet: www.campingcamino.com**

Castrojeriz, E-09110 / Castilla y León 📶 CC€16 iD

🏕 Camino de Santiago
📧 Virgen del Manzano s/n
🗓 15 Mär - 15 Nov
☎ +34 947-377255
@ info@campingcamino.com

1 ADEILNOPQRT	6
2 AFPVXY	ABDEFG 7
3 V	AEFNQR 8
4 AFHO	GLV 9
5 ABEGIKLM	BDHIJNOPSTV10
Anzeige auf dieser Seite 5A CEE	❶ € 24,50
H800 2 ha 40T(30-60m²) 3D	❷ € 32,00

🧭 N 42°17'28'' W 4°7'54''
🚗 A231 Leon-Burgos, Ausfahrt 132, auf der BU 404, 9 km oder A62/E80 Valladolid-Burgos, Ausfahrt 32 auf BU 400, 16 km nach Castrojeriz. CP ist ausgeschildert.

Ciudad Rodrigo/Salamanca, E-37500 / Cast. y León 📶 iD

🏕 La Pesquera Cat.2
📧 Huerta La Toma
🗓 15 Jan - 15 Dez
☎ +34 923-481348
@ campinglapesquera@hotmail.com

1 ADILNOPRST	JN 6
2 ACGPQTVWXY	ABDEFHK 7
3	ABEFNQRTV 8
4 AFO	E 9
5 ABGIKLM	BGHIJNOPTUZ10
B 6A	❶ € 16,30
H623 0,8 ha 61T(70-90m²) 2D	❷ € 22,50

🧭 N 40°35'31'' W 6°32'4''
🚗 N620 Richtung von oder nach Portugal. In Ciudad Rodrigo CP-Schildern folgen. Ausfahrt C326 erst links, dann rechts ab. Nach 500m links zum CP. Aus Salamanca oder Portugal die Nationalstraße Richtung Cáceres nehmen.

El Escorial/Madrid, E-28280 / Madrid 📶 CC€18 iD

🏕 Caravaning El Escorial Cat.1
📧 M-600 km 3,5
🗓 1 Jan - 31 Dez
☎ +34 902-014900
@ info@campingelescorial.com

1 ABDEILNOPQRT	ABFGX 6
2 AGQRSVWXY	ABDEFG 7
3 BEKLMOQRT	ABCDEFJNQRSV 8
4 BCDFHILMOPQ	JLVW 9
5 ACDEFGJKM	AGHILOTUY10
B 5A	❶ € 38,30
H1000 30 ha 693T(90-120m²) 806D	❷ € 51,60

🧭 N 40°37'37'' W 4°6'0''
🚗 Gelegen an der M600, km 3,5 in der Nähe El Valle de Los Caidos. Von Madrid A6, Ausfahrt 47 El Escorial/Guadarrama.

Galende/Zamora/Castilla y Leon, E-49361 / Cast. y León iD

🏕 El Folgoso Cat.2
📧 Ctra Galende-S.M. de Casten. km 2,2
🗓 1 Apr - 31 Okt
☎ +34 980-626774
@ info@campingelfolgoso.com

1 ABDJMNOPQRST	LNQSX 6
2 BDHKOPQRTUY	ABDEF 7
3 A	ABEFHNQRV 8
4 BFOQ	A 9
5 ABDEGIJLM	GHIJO10
B 6A	❶ € 23,75
H1000 13 ha 500T 165D	❷ € 30,60

🧭 N 42°7'32'' W 6°42'7''
🚗 Über die A52 Ausfahrt 79 Benavente/Puebla. Richtung Ribadelago über die ZA104. Den Pfeilen El Folgoso folgen.

Galende/Zamora/Castilla y Leon, E-49360 / Cast. y León iD

🏕 Peña Gullon S.L. Cat.2
📧 Carretera de Ribadelago s/n
🗓 1 Jul - 30 Sep
☎ +34 980-626772
@ info@campingpenagullon.com

1 ABDJMNOPRST	JN 6
2 ACIJOPQRWXY	ABDF 7
3 A	ABEFNQRV 8
4 FO	9
5 ABDEGJ	BHIJ10
B 6A	❶ € 23,75
H1000 6 ha 200T	❷ € 30,60

🧭 N 42°7'5'' W 6°41'29''
🚗 Über die A52 Ausfahrt 79 Benavente/Puebla Richtung Galende/Ribadelago. Über die ZA104 bis zum Kreisel mit dem Pfeil zum Camping Peña Gullon.

Gargantilla del Lozoya/Madrid, E-28739 / Madrid 📶 🌼 CC€16 iD

🏕 Monte Holiday Cat.1
📧 C604-km 9
🗓 1 Jan - 31 Dez
☎ +34 918-695278
@ monteholiday@monteholiday.com

1 ABDEJMNOPQRST	ABFG 6
2 ABFGQRTUVWXY	ABCDEFGH 7
3 BEFLMNQRUV	ABEFJNQRSV 8
4 BDEFHILOPQX	JLU 9
5 ABDEFGJKLM	ABDGHIJLMNPTUVZ10
B 7A CEE	❶ € 29,90
H1200 30 ha 125T(60-200m²) 310D	❷ € 41,70

🧭 N 40°57'0'' W 3°43'46''
🚗 A1, bei Km-Pfahl 69 Ausfahrt Richtung Rascafria/Lozoya (M604). Bei Km-Pfahl 8,8 (direkt beim kleinen Tunnel) Ausfahrt zum CP (800m).

Hoyos del Espino/Avila, E-05634 / Castilla y León 📶 iD

🏕 Camping Gredos Cat.3
📧 Puente del Duque, km 1,5
🗓 1 Mär - 30 Nov
☎ +34 920-207585
@ camping.gredos@gmail.com

1 ABDJMNOPQRST	AFJN 6
2 CFPQRTVXY	ABDEF 7
3 ABG	ABEFNQR 8
4 EFHIOP	U 9
5 ABDEGIJKLM	HIJPRV10
10A	❶ € 17,40
H1400 2,6 ha 200T(40-60m²) 30D	❷ € 22,40

🧭 N 40°20'26'' W 5°10'30''
🚗 Direkt hinter der Wohnsiedlung von Hoyos del Espino (Ostseite) an der AV941 Ausfahrt nach Gredos. Nach 1,5 km liegt der CP auf der rechten Seite.

La Cabrera (Madrid), E-28751 / Madrid 📶 CC€18 iD

🏕 Pico de la Miel Cat.1
📧 Autovia A1, salida 57
🗓 1 Jan - 31 Dez
☎ +34 918-688082
@ info@picodelamiel.com

1 ABDEJMNOQRT	AFX 6
2 AGOQRSVWXY	ABDEFG 7
3 BEKMNOQ	ABEFJNQRTUV 8
4 BFILOPQX	JL 9
5 ACEGIJKM	BDHIJP10
B 8A CEE	❶ € 32,60
H1025 30 ha 52T(50-90m²) 375D	❷ € 44,20

🧭 N 40°51'30'' W 3°36'59''
🚗 Der CP liegt ± 1 km von der A1. Von Burgos Ausfahrt 60 und von Madrid aus Ausfahrt 57. Den CP-Schildern folgen.

Madrid, E-28042 / Madrid 📶 iD

🏕 Osuna Cat.2
📧 Jardines de Aranjuez 1
🗓 1 Jan - 31 Dez
☎ +34 917-410510
@ osunacamping@gmail.com

1 ABDJMNOPQRT	6
2 AOQRTVWXY	ADEFG 7
3	ABEFNQR 8
4	9
5	AGHIOTU10
6A	❶ € 33,00
H600 2,3 ha 120T(20-60m²)	❷ € 46,00

🧭 N 40°27'13'' W 3°36'12''
🚗 Aus N: M40 (Ri. M4), Ausf. 8 Av. de Logroño. Im Kreisel li. durch Unterführung. CP rechts. Aus S: M40 (Ri. A1), Ausf. 7 (Av. 25 Septiembre), Kreisel einmal umfahren und zurück zur M40, Ausf. 8, am Kreisverkehr links durch die Unterführung. CP rechts.

Miranda del Castañar / Castilla y Leon, E-37660 / Castilla y León 📶 iD

🏕 El Burro Blanco
📧 Camino de Las Norias s/n
🗓 1/5 - 6/9, 11/9 - 1/10
☎ +34 923-161100
@ camping.elburroblanco@gmail.com

1 ABILNORT	6
2 BPQRTUVWXY	ABDEF 7
3 Q	ABEFNRS 8
4 FHO	E 9
5 GKLM	AFIJNOR10
10A	❶ € 24,20
H650 2,5 ha 20T(80-120m²)	❷ € 30,80

🧭 N 40°28'30'' W 5°59'55''
🚗 Liegt an der früheren C512 Salamanca-Coria (jetzt SA220). Bei Miranda del Castañar ist der CP aus allen Richtungen ausgeschildert.

Mombeltrán/Avila, E-05410 / Castilla y León

🏔 Prados Abiertos Cat.2	1 AD**JM**NOPRS**T**	AFN 6
🛏 Ctra N502, km 72	2 FGPQRSUVXY	ABDE**FH** 7
📅 9 Jan - 20 Dez	3 ABE**GLM**	ABEFNQRSTV 8
☎ +34 920-386061	4 BFHO**PQ**	GJL 9
@ info@pradosabiertos.com	5 ABDEGIJK**M**	BHIJL**O**TU10
	B 6A	❶ €22,60
🗺 N 40°13'52" W 5°2'1"	H560 2 ha 60**T**(60-140m²) 95**D**	❷ €30,20

🚗 Von Mombeltrán die N502 in Richtung Talavera fahren. Nach 3,8 km bei Km-Pfahl 72 auf der rechten Seite.

Nava de Francia/Salamanca, E-37659 / Cast. y León

🏔 Sierra de Francia Cat.2	1 ABDJMNOPRST	AF 6
🛏 Salamanca km 73	2 BCGOPQTVY	ABDE**F** 7
📅 1 Apr - 15 Sep	3 AB	ABEFNQRST 8
☎ +34 923-454081	4 FHO**Q**	JV 9
@ info@ campingsierradefrancia.com	5 ABDE**F**GIJKL**M**	D**I**JK**R**TUV10
	B 5A	❶ €23,45
🗺 N 40°31'18" W 6°8'19"	H1100 1,2 ha 100**T**(65-80m²) 10**D**	❷ €32,55

🚗 Von Salamanca die N512 nach Vecinos fahren. Über Tamames und El Cabaco Richtung La Alberca. CP liegt 5 km hinter El Cabaco auf der rechten Seite.

Navarredonda de Gredos, E-05635 / Castilla y León

🏔 Camping Navagredos S.L. Cat. 2	1 ABDE**JM**NOPQRS**T**	N 6
🛏 Ctra do Valdeacesa	2 BCFGPTUWXY	ABDE**F** 7
📅 1 Apr - 30 Sep	3 AB**GR**	ABEFKNQR 8
☎ +34 625-893130	4 ABC**E**FHO**PQ**	ADU 9
@ info@navagredos.com	5 ABDEFGIJKL**M**	AHIJPTU10
	B 10A	❶ €21,35
🗺 N 40°20'32" W 5°7'59"	H1525 8 ha 140**T** 37**D**	❷ €27,75

🚗 Bei der Tankstelle von Navarredonda an der AV941 abfahren in südliche Richtung. CP kommt nach ca. 2 km auf der linken Seite.

Puebla de Sanabria (Zamora), E-49300 / Castilla y León

🏔 Isla de Puebla Cat.2	1 BDEJMNOPRS**T**	AN 6
🛏 C/Camino de Valeuevo s/n	2 ACGIOPRVWXY	ABD**F** 7
📅 1 Apr - 30 Sep	3 AEFQ	ABEFNQRTV 8
☎ +34 980-620052	4 OP**Q**	EGIJLU 9
@ c.isladepuebla@hotmail.com	5 ABDEFGIJKL**M**	GHIJP**R**V10
	B 16A	❶ €23,50
🗺 N 42°2'57" W 6°37'48"	H960 1,5 ha 155**T**(80-100m²) 34**D**	❷ €30,70

🚗 Von der A52 Richtung Puebla de Sanabria am Kreisel die dritte Ausfahrt. Danach ist der CP angezeigt.

Quintanar de la Sierra, E-09670 / Castilla y León

🏔 Arlanza	1 ABDE**JM**NOPQRS**T**	AFN 6
🛏 Crta Campamento s/n	2 BCGPVWXY	ABDE**F**K 7
📅 15 Jun - 18 Sep	3 AL	ABEFNQR 8
☎ +34 947-395592	4 FHIO	GJ 9
@ campingarlanza@hotmail.com	5 ACDGIKL**M**	FHIJLPR10
	6A	❶ €18,65
🗺 N 41°59'32" W 3°1'20"	H1120 4,5 ha 187**T**(80-220m²) 41**D**	❷ €24,85

🚗 Liegt zwischen Burgos und Soria. Der CP ist direkt hinter dem Ort und ausgeschildert.

Riaza/Segovia, E-40500 / Castilla y León

🏔 Riaza	1 ABDE**JM**NOPQRS**T**	AFX 6
🛏 Ctra de la Estación s/n	2 ABGPQVWX	ABDE**F**G 7
📅 1 Jan - 31 Dez	3 AEL**MNOQ**	ABEFJNQRSTU 8
☎ +34 921-550580	4 BFIO**Q**	EJ 9
@ info@camping-riaza.com	5 ABCDEFGHIJKL**M**	BDHIJOPR10
	W 10A	❶ €30,70
🗺 N 41°16'10" W 3°29'50"	12 ha 185**T**(96-144m²) 74**D**	❷ €41,70

🚗 Aus Burgos über die A1, Ausfahrt 104. Ab Madrid via A1, Ausfahrt 103 die N110 Richtung Riaza/ Soria. Nach ca. 12 km im Kreisel rechts. Es ist links neben dem Campo de Futbol.

Salamanca, E-37189 / Castilla y León

🏔 La Capea Cat.2	1 ADILNOPQRST	A 6
🛏 Ctra de Zamora	2 AOQRVY	ABDE**F**K 7
📅 1 Apr - 31 Okt	3 ABLQ	ABEFNQR 8
☎ +34 653-109176	4 O**U**	EJL 9
@ info@ campingsalamancalacapea.com	5 ABDEGKL**M**	BHIJNPRV10
	10A	❶ €21,95
🗺 N 41°1'38" W 5°40'22"	H750 0,9 ha 72**T**(40-100m²) 7**D**	❷ €29,85

🚗 Von Salamanca Richtung Zamora die N630 bei Km 333. Von Salamanca 4 km entfernt.

Salamanca, E-37184 / Castilla y León

🏔 Ruta de la Plata Cat.2	1 ABCDILNORS**T**	A 6
🛏 Cam. Alto de Villamayor	2 AOPRTVXY	ABDE**F** 7
📅 1 Jan - 31 Dez	3 **KQ**	ABEFJNQR 8
☎ +34 923-289574	4	9
@ recepcion@ campingrutadelaplata.com	5 ABDGKL**M**	B**H**IJO**H**V10
	5A	❶ €24,90
🗺 N 41°0'2" W 5°40'40"	H780 1,2 ha 60**T**(60-80m²)	❷ €33,30

🚗 Von der N620 kommend bei Km Pfahl 238 Aucfahrt Salamanca/Zamora. Richtung Salamanca und direkt vorm 1. Hotel-Restaurant rechts, durch die Unterführung. Camping rechts. Von Portugal aus, Ausfahrt 240 Richtung Villamayor.

Salamanca-Este, E-37193 / Castilla y León

🏔 Don Quijote Cat.2	1 ABDILNORS**T**	AFJNX 6
🛏 Ctra Aldealengua km 1,930	2 CHPQRVXY	ABDE**F**H 7
📅 1 Mär - 31 Okt	3 AQ	ABEFNQR 8
☎ +34 923-209052	4 OP**Q**	JL 9
@ info@campingdonquijote.com	5 BCDGIK**M**	DGHIJPV10
Anzeige auf dieser Seite	B 10A	❶ €23,35
🗺 N 40°58'30" W 5°36'11"	H800 6 ha 86**T**(70-100m²) 21**D**	❷ €32,15

🚗 Aus allen Richtungen Salamanca anfahren und den Schildern Plaza de España folgen. Dort Richtung Aldealengua. Ab der Plaza de España liegt der CP nach 2 km an der rechten Seite.

Salamanca/Sta Marta de Tormes, E-37900 / Cast. y León

🏔 Regio Cat.1	1 ADGILNORS**T**	AF 6
🛏 Ctra Salamanca-Madrid, km 4	2 OPRVXY	ABDE**FGHJ** 7
📅 1 Jan - 31 Dez	3 B**E**M	ABCDEFNPQRSTV 8
☎ +34 923-138888	4 O	JKL 9
@ recepcion@campingregio.com	5 CDEGIKL	FGHIJNOPRZ10
	10A	❶ €22,70
🗺 N 40°56'53" W 5°36'53"	H829 3 ha 129**T**(50-80m²) 39**D**	❷ €30,90

🚗 CP ca. 4 km hinter Salamanca an N501 Ri. Avila. Erst durch Sta Marta de Tormes, dann auf rechten Seite gleichnamiges Hotel. CP liegt hinter dem Hotel. Von Salamanca aus zum Kreisel Ri. Santa Marta de Tormes. CP rechts. Von Madrid aus links.

Segovia, E-40004 / Castilla y León

🏔 El Acueducto Cat.1	1 ADEJMNORT	AF 6
🛏 Ctra de la Granja, km 112	2 AGOPQRTVWXY	ABDE**F** 7
📅 1 Apr - 30 Sep	3 AEM	ABEFNQR 8
☎ +34 921-425000	4 O	FJLV 9
@ informacion@ campingacueducto.com	5 ABDFGKL**M**	GHIJ**O**TUV10
	B 5A CEE	❶ €29,60
🗺 N 40°55'53" W 4°5'33"	H1085 3 ha 143**T**(35-70m²) 5**D**	❷ €39,60

🚗 AP61, Umgehung SG20, dann CL601 Richtung Madrid, Ausfahrt km 8. Im Kreisel Richtung Segovia/Plaza Oriental. CP kommt nach 200m auf der rechten Seite.

Soria, E-42005 / Castilla y León

Fuente de la Teja	1 ABDEJMNOPQRST	AF 6
Ctra Madrid-Soria km 223	2 GPSVWX	ABDEFH 7
1 Mär - 31 Okt	3 A	ABEFNQRTUV 8
+34 975-222967	4 OP	9
camping@fuentedelateja.com	5 ABEGIJLM	HIJNPR 10
	6A	❶ €23,30
	H1000 2 ha 70T(90-100m²)	❷ €29,90
N 41°44'45'' W 2°29'4''		

CP 2 km südlich von Soria an der SO-20 Richtung Madrid. Ausfahrt 8 Fuente de la Teja nehmen, dann ist der CP angezeigt.

Valdeavellano de Tera, E-42165 / Castilla y León

Entrerrobles Cat.1	1 ADEJMNOPQRST	AFN 6
Carretera de Molinos de Razón s/n	2 BGPRVWXY	ABDEFG 7
	3 ABEFL	ABEFNQRSV 8
1 Jan - 31 Dez	4 AEFHO	DGJ 9
+34 975-180800	5 ACDEGJLM	HIJORVW 10
info@campingentrerrobles.com	B 6A	❶ €26,50
N 41°56'42'' W 2°35'17''	H1100 8 ha 120T(90-100m²) 25D	❷ €33,50

N111 Logroño-Soria. Nach Almarza die S0820 Richtung Tera. Nach 10 km in Valdeavellano de Tera ist der CP ausgeschildert.

Soto del Real, E-28791 / Madrid

La Fresneda	1 ABDEJMNOPQRST	AFN 6
Ctra M608 km 19,500	2 FGOPQSVWXY	BEFG 7
1 Jan - 31 Dez	3 AELM	BEFJNQRSV 8
+34 918-477213	4 BDFHLO	A 9
info@campingfresneda.com	5 ABDFGIKM	ABHIJOTU 10
	10A CEE	❶ €27,50
	5 ha 100T(60-70m²) 65D	❷ €36,50
N 40°44'36'' W 3°48'51''		

A1 Ausfahrt 50 Richtung Guadalix (M608). Danach nach Sotodel Real durchfahren. Dann Richtung Manzanares el Real. Am Km-Pfahl 16 (Kreisel) nach rechts.

Villarcayo, E-09550 / Castilla y León

Camping Villarcayo	1 ADEJMNOPQRST	AFN 7
Ctra Burgos-Santoña, km 76	2 CGOPVWXY	ABDEF 7
1 Jan - 25 Dez	3	ABEFKNQRTV 8
+34 947-130281	4 IOPQ	9
info@campingvillarcayo.com	5 ADEGIJKM	BGHIJOSW 10
	B 10A	❶ €24,05
N 42°56'49'' W 3°34'9''	H595 2 ha 170T(60-90m²) 16D	❷ €31,05

Der CP liegt ördlich der Ortsbebauung von Villarcayo an der Strecke Burgos-Santoña bei Km-Pfosten 76.

Tordesillas, E-47100 / Castilla y León

El Astral Cat.1	1 ABDEJMNOPQRT	AF 6
Camino de Pollos, 8	2 ACGQRVXY	ABDEFG 7
1 Jan - 31 Dez	3 BEIM	ABCDEFKNQRSV 8
+34 983-770953	4 BO	J 9
info@campingelastral.es	5 ABDEFGIJKLM	ABGHIJNOPTU 10
	B 5-10A	❶ €30,60
N 41°29'44'' W 5°0'19''	H700 3 ha 150T(30-90m²) 37D	❷ €42,00

Von der A6 Richtung Tordesillas. Den Schildern 'Parador Nacional' folgen. CP liegt am Fluss.

Villaviciosa de Odón/Madrid, E-28670 / Madrid

Arco Iris	1 ABDEILNOPQRT	AFX 6
M501 km 7,100	2 AGOQRSTUVWXY	ABDEFGH 7
1 Jan - 30 Nov	3 BKLMQ	ABCDEFJLNQRSTUV 8
+34 916-160387	4 BILOPTUX	JL 9
madrid@ bungalowsarcoiris.com	5 ACDEFGIJKM	ABDGHIJNPTU 10
	B 5A	❶ €33,50
N 40°22'52'' W 3°54'26''	H737 5 ha 73T(60-106m²) 115D	❷ €46,10

M40 Ring Madrid Ausfahrt 36. Dann die M501 Ri. Boadilla, dann Ri. Villaviciosa. Dann Ausfahrt 7. CP liegt rechts. Auf der M50, Ausfahrt 69, die M501 Richtung Villaviciosa. Ausfahrt 7.

Extremadura/Castilla-La Mancha

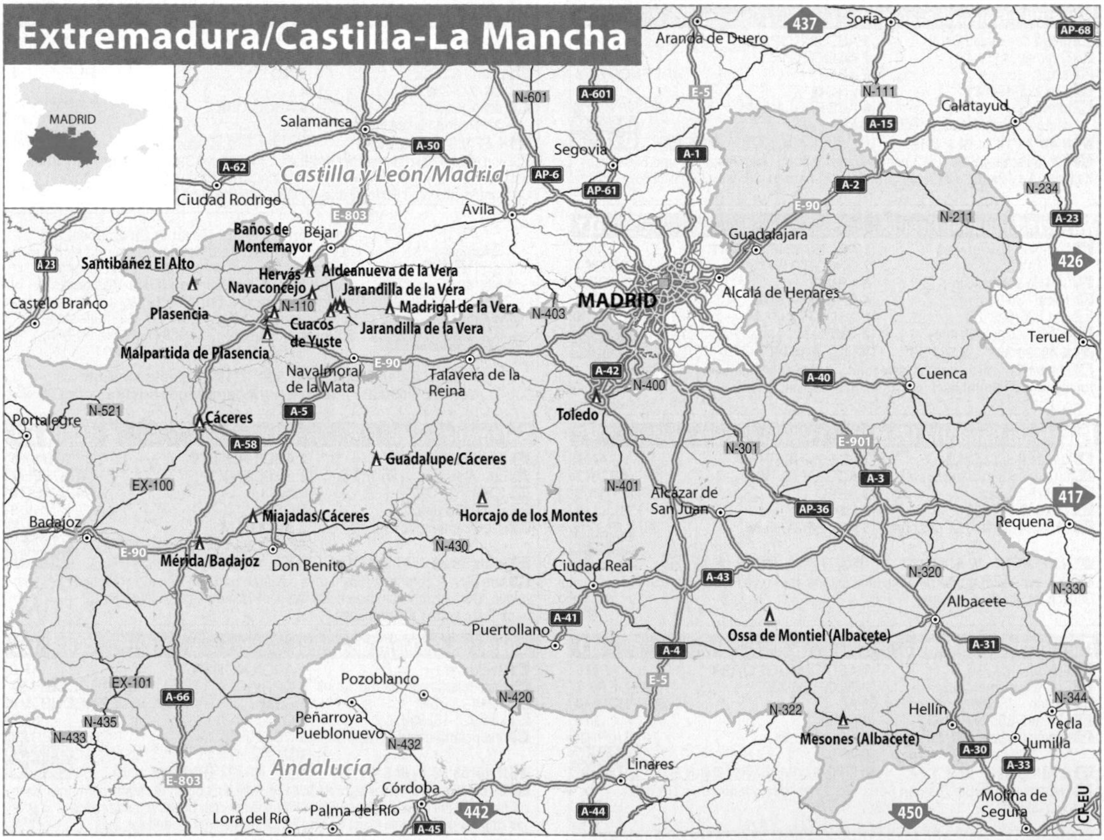

Aldeanueva de la Vera, E-10440 / Extremadura

Yuste Cat.2	1 AJMNORST	AN 6
Ctra EX203 km 47	2 FGPTXY	ABDEF 7
1 Mär - 30 Sep	3 M	ABEFNQRV 8
+34 927-572522	4 AFHOP	9
campingyuste@gmail.com	5 ACDEGIJKM	HIJLORV 10
	B 5A	❶ €24,30
N 40°7'36'' W 5°41'36''	H650 3 ha 166T(60-80m²) 5D	❷ €32,10

CP liegt an der EX203, Arenas-Plasencia, km 47. Von Plasencia durch den Ort Aldeanueva, über die große Brücke, erste Straße rechts.

Spanien

Baños de Montemayor/Cáceres, E-10750 / Extrem. 🛜 iD

🏕 Las Cañadas Cat.1	1 ABDILNORST	AFN 6
🅿 Ctra N630 km 432	2 DGPQRVXY	ABDEFG 7
📅 1 Jan - 31 Dez	3 ABEGIMQRU	ABEFNQRSTV 8
☎ +34 927-481126	4 ABCDEFHILNOPQ	JL 9
@ info@lascanadas.es	5 ABDEGHIJKLM	BGHIJKLM 10
	10A CEE	❶ €24,90
📍 N 40°17'8'' W 5°52'55''	H550 2,3 ha 135T(70m²) 106D	❷ €34,50

🚗 CP an N630 zwischen Bános de Montemayor und Aldeanueva del Camino (zwischen Km-Pfahl 432 und 433), an der Westseite der Straße.

Cáceres, E-10005 / Extremadura 🛜 CC16 iD

🏕 Cáceres Camping Cat.1	1 ABDJLNOPRST	AF 6
🅿 Ctra N630, km 549,5	2 AGOPQRTUVWXY	ABDEFGHK 7
📅 1 Jan - 31 Dez	3 ABKLT	ABCDEFLMNQRSTUV 8
☎ +34 927-233100	4 BFOP	ADGJKL 9
@ reservas@	5 ABDEFGIJKLM	DGHIJPTU 10
campingcaceres.com	Anzeige auf dieser Seite B 10A CEE	❶ €25,00
📍 N 39°29'19'' W 6°24'46''	H435 5,5 ha 129T(90-110m²) 28D	❷ €32,00

🚗 Der CP liegt 4 km nördlich der Stadt an der N630 neben dem Fußballplatz mit den hohen Lichtmasten.

Cuacos de Yuste/Cáceres, E-10430 / Extremadura 🛜 iD

🏕 Carlos I Cat.1	1 AILNORST	AFN 6
🅿 Av. del Ceralejo	2 CGOQRTUVY	ABDF 7
📅 3 Apr - 15 Sep	3 ABELM	ABCDEFNQR 8
☎ +34 649-440781	4 OPQ	J 9
@ js@campingcarlosprimero.es	5 ABDEGIJKLM	BHIJNOTU 10
	5A	❶ €23,90
📍 N 40°5'58'' W 5°43'4''	H520 6 ha 110T(50-60m²) 6D	❷ €32,10

🚗 Von Plasencia (N630) über die EX203 Richtung Jarandilla/Arenas de San Pedro, bei Km-Pfahl 39 Seitenstraße zum CP.

Guadalupe/Cáceres, E-10140 / Extremadura 🛜 iD

🏕 Las Villuercas - Guadalupe	1 ABDILNORST	AFN 6
🅿 Ctra Villanueva s/n	2 GPQRVXY	ABDEFK 7
📅 1 Mär - 11 Dez	3 ABM	ABEFNQ 8
☎ +34 927-367139	4 FHO	HI 9
@ jadsan@wanadoo.es	5 ABDGIJ	HJOTU 10
	10A CEE	❶ C14,00
📍 N 39°26'28'' W 5°18'59''	H600 2 ha 70T(70m²) 9D	❷ €19,50

🚗 Von Guadalupe Richtung Mérida. CP nach etwa 3 km links. Von der C401 aus Miajadas, an der Kreuzung vor der Brücke links nach Guadalupe. CP rechts.

Hervás/Cáceres, E-10700 / Extremadura 🛜 iD

🏕 El Pinajarro Cat.2	1 ABDILNORT	AFN 6
🅿 Ex 205 km 2,7	2 ABGPQRVXY	ABDEFHK 7
📅 20 Mär - 20 Sep	3 ABEM	ABCDEFNQR 8
☎ +34 927-481673	4 ABCEFHIOPQX	AJL 9
@ info@campingelpinajarro.com	5 ABDEGIJKLM	HIJLOTUV 10
	B 5A	❶ €24,85
📍 N 40°16'11'' W 5°52'49''	H650 2,2 ha 120T(60-80m²) 16D	❷ €34.25

🚗 CP ca. 1 km außerhalb der Stadt Hervás. Hervás liegt ca. 4 km von der N630 zwischen Plasencia und Béjar. Von der N630 Richtung Herras folgen. CP ist ausgeschildert.

Horcajo de los Montes, E-13110 / Cast.-La Mancha 🛜 CC18 iD

🏕 Mirador de Cabañeros	1 ABDEJMNOPQRST	CD 6
🅿 Cañada Real Segoviana s/n	2 FGORSTUVWXY	ADDEF 7
📅 1 Jan - 31 Dez	3 BELMQU	ABEFJNQRSTV 8
☎ +34 926-775439	4 BDEFHIOP	J 9
@ info@campingcabaneros.com	5 AEGIKLM	DGHJOV 10
	6A	❶ €27,20
	2 ha 44T(50-70m²) 24D	❷ €36,20

🚗 A4 nach Manzanares. Dort die N430 nach Ciudad Real. Dort die CM412 nach Porzuna. 2 km hinter Porzuna links nach El Robledo und Horcajo. CP kurz vor dem Ort rechts.

Jarandilla de la Vera, E-10450 / Extremadura 🛜 iD

🏕 Jaranda	1 ABDJMNORST	AFJN 6
🅿 Ctra EX203, km 47	2 BCFGPQTUVWXY	ABDFI 7
📅 15 Mär - 15 Sep	3 AB	ABEFNQR 8
☎ +34 927-560454	4 BCFHIO	ADJL 9
@ capper@iies.es	5 ABEGIKM	GHIJLOTU 10
	5A	❶ €25,55
📍 N 40°8'9'' W 5°40'1''	3 ha 264T(60m²) 94D	❷ €33,95

🚗 An der EX203 gelegen, ± 45 km östlich von Plasencia, kurz vor der Ortschaft Jarandilla. Von Madrid die E90 Ausfahrt Navalmoral de la Mata.

Jarandilla de la Vera/Cáceres, E-10450 / Extrem 🛜 iD

🏕 La Vera	1 ABDJMNOPQRST	AF 6
🅿 EX203 km 51.200	2 FGPVXY	ABDEF 7
📅 30 Jan - 10 Dez	3 ABEFGIL	ABEFNQR 8
☎ +34 927-560611	4 ABCDEFHIOP	JLV 9
@ leo@campinglavera.com	5 ABEGIJKM	BHKLNORV 10
		❶ €22,75
📍 N 40°7'27'' W 5°38'17''	H600 2 ha 80T(75m²) 12D	❷ €30,70

🚗 Von Jarandilla wird der CP schon ausgeschildert. CP liegt an der EX203, km 51.200.

Madrigal de la Vera, E-10480 / Extremadura 🛜 iD

🏕 Complejo La Mata	1 ABDJMNOPRST	JN 6
🅿 Ga. de Alardos 39	2 CFPVXY	ABDEFGH 7
📅 1 Jan - 31 Dez	3 ABEJQ	ABEFNQRSTUV 8
☎ +34 927-565238	4 BCFO	AJ 9
@ info@campinglamata.com	5 ABCDEGIJM	BGHIJNPTU 10
	B 10A CEE	❶ €22,90
📍 N 40°9'11'' W 5°21'36''	H400 5 ha 87T(70m²) 37D	❷ €30,70

🚗 Der CP liegt östlich von Madrigal vor dem Fluss links. Am Ende der Straße nach unten (von Plasencia aus).

Ctra N630, km 549,5
10005 Cáceres
Tel. 927-233100
E-Mail: reservas@campingcaceres.com
Internet: www.campingcaceres.com

Camping
CÁCERES

Malpartida de Plasencia, E-10680 / Extrem. 🛜 CC16 iD

🏕 Camping Parque	1 ABILNOPQRST	AF 6
Nacional de Monfragüe	2 AFGPQRTVWXY	ABDEFGK 7
🅿 C. Plasencia-Trujillo K10	3 ABELMQRU	ABCDEFNQRSV 8
📅 1 Jan - 31 Dez	4 ABEFHIOPQ	JKLUV 9
☎ +34 927-459233	5 ABDEGIJKLM	HIJPVZ 10
campingmonfrague@hotmail.com	Anzeige auf dieser Seite B 10A	❶ €20,40
📍 N 39°56'38'' W 6°5'5''	H300 4,8 ha 128T(45-100m²) 48D	❷ €28,00

🚗 6 km südlich von Plasencia Ausfahrt EX108 Navalmoral. Nach 5 km Ausf. EX208 nach Trujillo. Nach 4 km durch die Unterführung. CP gleich links der Strecke. Aus Madrid EX-A1 Ausf. 46, vorletzte Ausf. im Kreisel, Schildern National Park Monfragüe folgen.

Camping Parque Nacional de Monfragüe

- großartiger Camping mit Schatten von Steineichen
- unweit von einem prächtigen Naturschutzgebiet
- ausgezeichnetes Sanitär · prima Restaurant
- Schwimmbad mit Liegewiese
- auch Bungalows verfügbar · ganzjährig geöffnet

C. Plasencia-Trujillo K10
10680 Malpartida de Plasencia · Tel. und Fax 927-459233
E-Mail: campingmonfrague@hotmail.com
Internet: www.campingmonfrague.com

Mérida/Badajoz, E-06800 / Extremadura 🛜 iD

🏕 Mérida Cat.2	1 ABILNOPRT	AF 6
🅿 Apto. 465	2 ACGOPRVWXY	ADEF 7
📅 1 Jan - 31 Dez	3 B	AEFNQR 8
☎ +34 924 303453	4 OP	JL 9
@ campingmerida@hotmail.com	5 ABDEGIJM	HIO 10
	6A	❶ €20,20
📍 N 38°56'9'' W 6°18'17''	H250 4 ha 60T(60-70m²) 13D	❷ €27,40

🚗 Von Madrid: Ausfahrt 333 Mérida Este. Von Badajoz/Sevilla Richtung Madrid: Ausfahrt 334 Mérida Este, CP nach ca. 2,5 km links.

Mesones (Albacete), E-02449 / Cast.-La Mancha 🛜 CC18 iD

🏕 Rio Mundo	1 ACDEJMNOQRT	AJNX 6
🅿 Ctra Com. 412, km 205	2 BCGQSVXY	ABDF 7
📅 16 Mär - 12 Okt	3 AQU	ABEFNQRV 8
☎ +34 967-433230	4 HLO	JL 9
@ riomundo@	5 ACDEFGIKLM	BDHIJPTU 10
campingriomundo.com	B 10A	❶ €32,30
📍 N 38°29'18'' W 2°20'39''	H260 2,5 ha 100T(40-100m²) 9D	❷ €41,10

🚗 N322 Albacete-Bailén in Reolid abfahren Ri. Riópar. CP ca. 7 km hinter Riópar an Seitenstraße links (km 205)(Mesones). Oder: N301 nach Hellin (sur), Ri. Elche de la Sierra/Riópar. CP 7 km vor Riópar.

Miajadas/Cáceres, E-10100 / Extremadura � iD

🏕 EL 301 Cat.2	1 ABDILNORST	AF 6
🅿 Autovía de Extremadura km 301	2 ACGPRVXY	ABDEK 7
📅 1 Jan - 31 Dez	3 AB	ABEFNQRSV 8
☎ +34 927-347914	4 O	L 9
@ camping301@hotmail.com	5 ABDEGIJKLM	HIJ 10
	B 6A CEE	❶ €24,00
📍 N 39°5'45'' W 6°0'48''	H500 1 ha 45T(70m²)	❷ €31,60

🚗 CP an der NV Madrid-Portugal, ca. 10 km südwestlich von Miajadas bei km 301. Autovía de Extremadura, bei km 300 Via de Servicio.

Navaconcejo/Cáceres, E-10613 / Extremadura 🛜 iD

🏕 Cp Bungalows Rio Jerte	1 ABCDILNOPQRT	AJN 6
(Las Veguillas) Cat.2	2 CGPVXY	ABDEFG 7
🅿 Ctra N110 km 375.800	3 ABEFLQ	AEFNQRS 8
📅 1 Jan - 31 Dez	4 ABCDFHIOPQR	JL 9
☎ +34 927-173006	5 ABDEGIJKLM	HIJNOPTU 10
@ info@campingriojerte.com	B 10A	❶ €25,00
📍 N 40°10'8'' W 5°50'41''	H450 1,5 ha 25T(70m²) 60D	❷ €35,00

🚗 Von Plasencia über die N630 und Richtung Avila. Nach 26 km Navaconcejo. Kurz vor dem Ort links über die Brücke zum CP, gut ausgeschildert.

Für Naturliebhaber. Seen, Wasserfälle, Bäche, unterirdische Kanäle mitten in einem Naturpark. Im Sommer viel Schatten, Schwimmbad, Liegewiese. Optimale Sanitäranlagen und vollausgestattete Bungalows.

Ctra Lagunas de Ruidera km 8, 02611 Ossa de Montiel (Albacete)
Tel. 926-699020 • Fax 926-699171
E-Mail: camping@losbatanes.com • Internet: www.losbatanes.com

Spanien

Plasencia/Cáceres, E-10600 / Extremadura CC€16 iD

- ▲ La Chopera Cat.2
- ➤ Ctra Nat.110 km 3,3
- ☐ 1 Jan - 31 Dez
- ☎ +34 927-416660
- @ lachopera@campinglachopera.com
- ▲ N 40°2'43" W 6°3'31"

1 ABDJMNORS		AFJN 6
2 CGPRXY		ABDEF 7
3 ABLQRT		ABCDEFNQRS 8
4 IOPQ		JL 9
5 ABDEGIJKLM		HIJP 10
B 10A CEE		❶ €21,65
H320 6 ha 150T(65-80m²) 4D		❷ €29,95

🚗 Von der N630 in die Stadt Plasencia einfahren, dann über die N110 in Richtung Avila, nach ca. 3 km CP links der Straße im Tal, deutlich ausgeschildert. ▲

Santibáñez El Alto, E-10840 / Extremadura iD

- ▲ Borbollón
- ➤ Ctra Moraleja-Guijo de Coria, km 10
- ☐ 1 Jan - 31 Dez
- ☎ +34 662-115037
- @ info@camping-borbollon.es
- ▲ N 40°7'39" W 6°34'59"

1 ABGJMNOPQRST		LNV 6
2 DFGIPVWXY		ABEFNQRSV 8
3 ABEIJKLQ		ABEFNQRSV 8
4 FHIOPQ		L 9
5 ABDEGIKM		BGHIJLOTU 10
15A		❶ €21,00
44T(50-90m²)		❷ €28,00

🚗 A62/E80 Salamanca-Caceres, Ausfahrt 442 La Granja (EX205). 2 km nach der Ausfahrt Santibáñez El Alto nach Embalse abbiegen. Noch 8 km. ▲

Ossa de Montiel (Albacete), E-02611 / Cast.-La Mancha CC€18 iD

- ▲ Los Batanes Cat.1
- ➤ Ctra Lagunas de Ruidera km 8
- ☐ 27 Feb - 1 Nov
- ☎ +34 926-699020
- @ camping@losbatanes.com
- ▲ N 38°56'13" W 2°50'51"

1 ABDEJMNOPQRST		AFLNP 6
2 BCDGQSVXY		ABDEFGH 7
3 BQU		ABCDEFIJNQRV 8
4 BCDHLO		AJU 9
5 ABDEGIKM		HIJLUV 10
Anzeige auf dieser Seite B 6A		❶ €32,00
H800 8,5 ha 246T(50-100m²) 59D		❷ €42,40

🚗 N IV. Bei Manzanares zur N430 Ri. Albacete bis Ruidera. Dort rechts Richtung Lagunas de Ruidera. Von Albacete zur N430 auch bis Ruidera. Dann links bis Lagunas de Ruidera. Der CP ist nach 8 km rechts. ▲

Toledo, E-45004 / Castilla-La Mancha iD

- ▲ El Greco Cat.1
- ➤ Ctra CM4000 km 0,7
- ☐ 1 Jan - 31 Dez
- ☎ +34 925-220090
- @ info@campingelgreco.es
- ▲ N 39°51'54" W 4°2'50"

1 ABDEJMNOPQRST		AFX 6
2 ACFGOQRSVXY		ABDEFG 7
3 AEK		ABEFJNQRV 8
4 OP		J 9
5 ABGIJKM		BGHINOTU 10
B 10A CEE		❶ €31,10
H500 2,5 ha 115T(60-80m²) 5D		❷ €42,60

🚗 Liegt am Westrand von Toledo. Von Norden auf der Umgehungsstraße und in die Stadt, Richtung Pueblo de Montalban einfahren. Von Süden Richtung Toledo folgen. Danach den CP-Schildern folgen. ▲

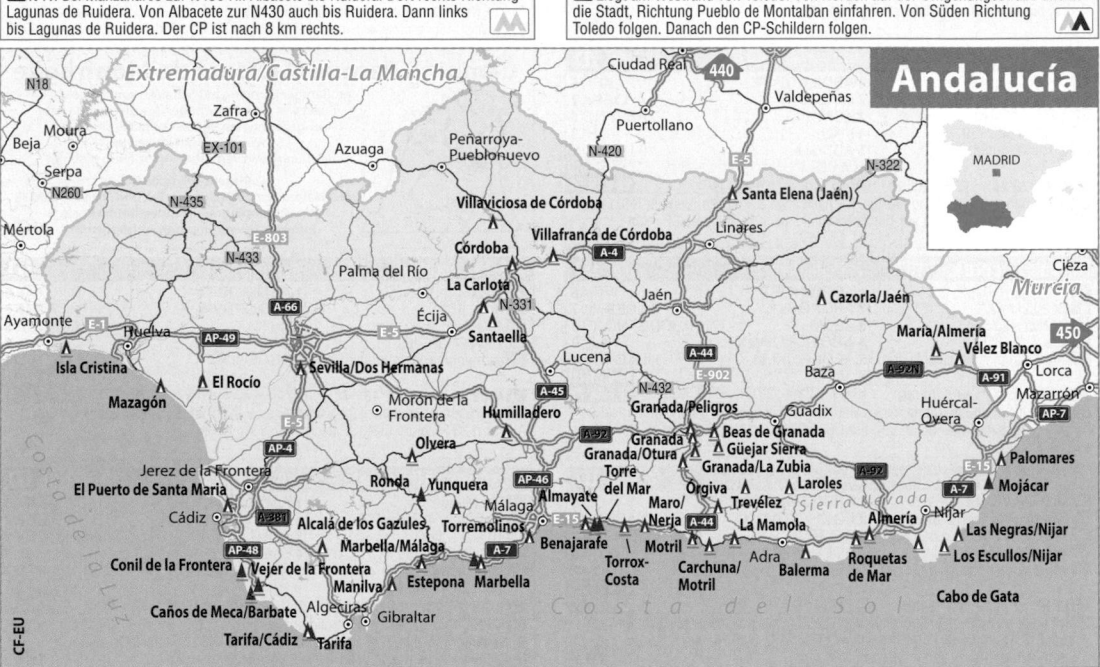

Alcalá de los Gazules, E-11180 / Andalucía CC€16 iD

- ▲ Los Gazules Cat.2
- ➤ Ctra de Patrite, km 4
- ☐ 1 Jan - 31 Dez
- ☎ +34 956-420486
- @ info@campinglosgazules.com
- ▲ N 36°27'49" W 5°39'53"

1 ABDEJMNOPRST		AF 6
2 ACGPQVWX		ABDFG 7
3 AEG		ABEFNQR 8
4 FO		J 9
5 ABDEGIKM		BDHJLOTUV 10
B 10A		❶ €26,65
H93 40 ha 140T(60-80m²) 50D		❷ €34,85

🚗 Zwischen Jerez de la Frontera und Los Barrios über Ctra 381 nach Alcalá de los Gazules. Auf der A381 die Ausf. 45. In die Stadt einfahren. Der Straße folgen (nicht nach Navi), um ins Zentrum zu gelangen. Außerhalb der Stadt am Straßenende ist der CP dann angezeigt. Noch 4 km. ▲

Almayate (Málaga), E-29749 / Andalucía CC€16 iD

- ▲ Camping Naturista Almanat
- ➤ Ctra N340, km 269
- ☐ 1 Jan - 31 Dez
- ☎ +34 952-556462
- @ info@almanat.es
- ▲ N 36°43'58" W 4°6'52"

1 ABJMNOPQRST		AEKMNOPQSWX 6
2 AEGHJORVWXY		ABDFG 7
3 BEGIKLQ		ACEFNQRTV 8
4 ABEILOPTU		JLUV 9
5 ABDGIJKLM		ABDGHIJNPRV 10
Anzeige auf Seite 443 FKK B 20A		❶ €35,90
2 ha 202T(50-115m²) 14D		❷ €44,75

🚗 A7 Málaga-Motril v.v. Ausfahrt 272 Torre del Mar. In Torre del Mar Richtung Málaga halten. CP liegt an der Meerseite ein wenig ausserhalb Torre del Mar, bei km 269. Ausgeschildert. ▲

Almayate (Málaga), E-29749 / Andalucía CC€16 iD

- ▲ Almayate Costa Cat.1
- ➤ Ctra N340a km 267
- ☐ 27 Feb - 1 Nov
- ☎ +34 952-556289
- @ info@campingalmayatecosta.com
- ▲ N 36°43'28" W 4°8'5"

1 ABDEHKNOPQRST		AKMNOPQSWX 6
2 AEGHORVY		ABDFG 7
3 BEKLM		ABCDEFNQRSV 8
4 ABDO		J 9
5 ACDGIKLM		BEHIJNPTUV 10
B 10A		❶ €32,00
3 ha 234T(40-90m²) 8D		❷ €43,50

🚗 Liegt am (altem) Küstenweg N340a, Meeresseite, km 267. Auf der A7 Málaga-Almeria, aus Almeria Salida 272, Richtung Torre del Mar. Dort Richtung Málaga. Von Málaga Salida 258 Benejarafe/Chilches; Richtung Almeria halten. ▲

Almería, E-04002 / Andalucía CC€16 iD

- ▲ La Garrofa
- ➤ Ctra N340a, km 435,4
- ☐ 1 Jan - 31 Dez
- ☎ +34 950-235770
- @ info@lagarrofa.com
- ▲ N 36°49'35" W 2°30'59"

1 ABDJMNOPQRST		KNOP 6
2 AEFJORUVXY		ABDEF 7
3 AEFK		ABEFNQRV 8
4 FOQ		J 9
5 ABEGIKLM		HIJPTUV 10
B 10A		❶ €30,50
2 ha 100T(10-65m²) 4D		❷ €39,50

🚗 N340, Almeria-Málaga. Bei Almeria Richtung 'Puerto'. Im Kreisel wieder zurück. Links halten, linker Tunnel Richtung Aguadulce. Nach ca. 3 km links. CP ist angezeigt. ▲

Balerma/Almería, E-04712 / Andalucía 🛜 iD

🏕 Mar Azul Balerma Cat.2	1 ABDEJMNOPQRS	AFKMNOPQST 6
📧 Ctra de Guardias Viejas, s/n	2 AEHJOSVW	ABDEFGH 7
📅 1 Jan - 31 Dez	3 AFKLQ	ABEFNQRSTU 8
☎ +34 950-937637	4 ABCDEFHKO	JL 9
@ info@campingbalerma.com	5 ABDEGKLM	ABCHIJMPR10
	16A	❶ €28,55
🏔 N 36°43'20'' W 2°52'40''	220T(70-100m²) 29D	❷ €38,95

🚗 A7 Almería/Motril, Ausfahrt 400. Der Beschilderung folgen.

Beas de Granada, E-18184 / Andalucía 🛜 CC€16 iD

🏕 Alto de Viñuelas Cat. 2	1 ABDEJMNOPQRST	AF 6
📧 Ctra Beas de Granada s/n	2 AFGOPRUVWXY	ABDEFGH 7
📅 1 Jan - 31 Dez	3 LQ	ABEFNQRSV 8
☎ +34 958-546023	4 FHIO	JL 9
@ info@	5 ADEGIJLM	BDGHIJPRVW10
campingaltodevinuelas.com	Anzeige auf dieser Seite B 10A	❶ €26,00
🏔 N 37°13'29'' W 3°29'19''	H1100 1 ha 48T(30-60m²) 5D	❷ €34,00

🚗 A92 Granada-Almería-Murcia, Ausfahrt 256 Richtung Beas de Granada.

Benajarafe/Málaga, E-29792 / Andalucía 🛜 CC€16 iD

🏕 Camping Valle Niza Playa Cat.2	1 ABDEJMNOPQRST	AKMNQRWXYZ 6
📧 Ctra N340, km 264	2 AEGHJOPRVWXY	ABDEFK 7
📅 1 Jan - 31 Dez	3 BKLQ	ABCDEFHNQRSV 8
☎ +34 952-513181	4 BDFHOQRXZ	EJV 9
@ info@campingvalleniza.es	5 ABDEGIKM	ABDFGHIJNPRV10
	B 6-10A	❶ €37,40
🏔 N 36°43'10'' W 4°9'53''	2,5 ha 150T(40-120m²) 55D	❷ €45,10

🚗 A7 Motril-Málaga beide Richtungen, Ausfahrt 265 Cajiz Costa. Der CP liegt zwischen Benajarafe und Motril an der N340. Der Beschilderung folgen.

Cabo de Gata (Almería), E-04150 / Andal. 🛜 CC€16 iD

🏕 Cabo de Gata Cat. 2	1 ABDEJMNOPQRST	AOPV 6
📧 Ctra Cabo de Gata s/n	2 AHRVWX	ABDFG 7
📅 1 Jan - 31 Dez	3 BKLMQRT	ABEFKNQRSTV 8
☎ +34 950-160443	4 FHIOQ	JLUY 9
@ info@campingcabodegata.com	5 ABDEGIJKLM	ABHIJNPR10
	B 16A	❶ €30,60
🏔 N 36°48'29'' W 2°13'55''	3,6 ha 236T(30-130m²) 37D	❷ €41,10

🚗 E15 (N340) Almería-Murcia Ausfahrt 460; Murcia-Almería, Ausfahrt 467. Den Schildern San José folgen, weiter zum Cabo de Gata, nach 1 km rechts.

Caños de Meca/Barbate, E-11159 / Andalucía 🛜 iD

🏕 Caños de Meca Cat.1	1 ABDEGJKNOPRST	AFNOPQR 6
📧 Ctra Vejer-Los Caños, km 10	2 ABGHOQVXY	ABDEFGH 7
📅 27 Mär - 13 Okt	3 ABGL	ABEFNQRSTUV 8
☎ +34 956-437120	4 ABILOPQX	JLVX 9
@ info@campingcm.com	5 ACDEGIJKM	BFIJNPTUV10
	B 10A	❶ €41,00
🏔 N 36°12'7'' W 6°2'9''	2 ha 150T(50-120m²) 90D	❷ €45,60

🚗 N340/E5 Cadiz-Algeciras, bei Barbate der Weiser Vejer/Los Caños de Meca. An der T-Kreuzung links ab. 10 km hinter der Ausfahrt liegt der CP auf der rechten Seite, 800m vom Meer.

Caños de Meca/Barbate, E-11159 / Andal. 🛜 CC€16 iD

🏕 Pinar San José	1 ABDEJKNOPRST	AF 6
📧 Zahora 17	2 ABGOPQUVWXY	ABDFGH 7
📅 1 Jan - 31 Dez	3 BEMO	ABEFNQRTUV 8
☎ +34 956-437030	4 ABDLO	JV 9
@ info@	5 ACDEGIJM	ABDEGHIJNP10
campingpinarsanjose.com	B 15A	❶ €39,50
🏔 N 36°12'3'' W 6°2'5''	3,7 ha 136T(25-150m²) 32D	❷ €49,50

🚗 Auf der N340/E5 Cadiz-Algeciras die Ausf. Vejer/Caños de Meca nehmen. Am Kreisel li. und nach 10 km liegt der CP li., hinter einer Kurve. 1 km vom Meer. Über die A48, Ausf. 36, nach Los Caños de Meca und weiter wie oben.

Carchuna/Motril (Granada), E-18730 / Andal. 🛜 CC€18 iD

🏕 Don Cactus Cat.1	1 ABDEJMNOPQRST	AFHIKMNOPQSX 6
📧 CN340, km 343	2 EGHJORVXY	ABDEFGH 7
📅 1 Jan - 31 Dez	3 BELMQRU	ABEFKNQRSTUV 8
☎ +34 958 623109	4 ABCDEILNOPR	JRVXY 9
@ info@doncactus.com	5 ACEGIJKLM	AEGHIJNPTUVY10
	Anzeige auf dieser Seite B 5-12A	❶ €37,10
🏔 N 36°41'45'' W 3°26'36''	4 ha 260T(60-70m²) 81D	❷ €51,40

🚗 N340 Motril-Almería beide Richtungen; zwischen Calahonda und Torrenueva angezeigt mit CP-Schildern. Wegen der Straßenführung kann es Probleme mit dem Navi geben.

Cazorla/Jaén, E-23470 / Andalucía 🛜

🏕 Puente de las Herrerías	1 BDEJMNOQRT	AJ 6
📧 Ctra Nacimiento	2 BCGPRVY	ADFG 7
Guadalquivir, km 2	3 BGRU	ABEFNQR 8
📅 1 Apr - 15 Okt	4 BDFHI	CJ 9
☎ +34 953-727090	5 ABDEGJKLM	GHIKOTUV10
@ puenteh@infonegocio.com	6A	❶ €23,90
🏔 N 37°54'25'' W 2°56'8''	H1000 10 ha 420T(50-100m²) 68D	❷ €32,10

🚗 Autobahn Madrid-Córdoba v.v., Ausfahrt 292. N322 Richtung Albacete. Etwa 10 km hinter Ubeda rechts nach Cazorla. Durch Cazorla bis zum kleinen Kreisel. Etwa 20m zurück und rechts rauf. CP nach ca. 25 km.

Conil de la Frontera, E-11149 / Andalucía 🛜 CC€16 iD

🏕 Camping Los Eucaliptos Cat.2	1 ABJMNORT	A 6
📧 Crta del Pradillo km 0200 c.p.	2 ABHQVXY	ADFG 7
📅 27 Mär - 30 Sep	3	AEFNOQR 8
☎ +34 956-441272	4 IOQ	JL 9
@ eucaliptos@hotmail.es	5 ABDEGI	HIJNO10
	B 10A	❶ €32,50
🏔 N 36°17'14'' W 6°5'26''	2 ha 133T(50-100m²) 22D	❷ €43,50

🚗 Auf der N340/E5 zwischen Cadiz und Tarifa weiter nach Conil. In der Stadt sind die CP's und Playas gut angegeben, auf der Ringstraße kurz vor der Stadt den Hinweisen folgen.

Conil de la Frontera, E-11140 / Andalucía 🛜 CC€14 iD

🏕 Camping Roche Cat.2	1 ABDE**JM**NOPQRS**T**	AFMNOPQS**X** 6	
🏠 Carril de Pilahito s/n	2 ABGHOPQVWX	ABDE**FGJ** 7	
🕐 1 Jan - 31 Dez	3 A**KLM**O	ABCDEFNQRT 8	
☎ +34 956-442216	4 AFHO**QR**	JL 9	
@ info@campingroche.com	5 ACDEGJK**LM**	ABDHIJPTUV10	
	Anzeige auf Seite 445 B 10A CEE		① €29,70
	6 ha 300**T**(60-90m²) 124**D**		② €36,60

🗺 N 36°18'38'' W 6°6'46''

🚗 N340/E5 zwischen Cadiz und Tarifa nach Conil (2 km). Den Schildern 'Playas' und/oder 'Campings' und weiter dem eigenen CP-Schild folgen. Weitere Zufahrt an der N340 in 2 km vor der Ausf. Conil Ri. Cadiz. Von der A48/E5, Ausf. 15 Ri. N340 bei km 19 rechts ab. 🅰

El Rocío, E-21750 / Andalucía 🛜 ✿ CC€16 iD

🏕 La Aldea Cat.1	1 ABDE**JM**NOPRT	A 6	
🏠 Ctra del Rocío, km 25	2 GOPVWX	ABDE**FG** 7	
🕐 1 Jan - 31 Dez	3 BE**G**Q	ABEFNQRTV 8	
☎ +34 959-442677	4 A**H**IO	JL 9	
@ info@campinglaaldea.com	5 ACDEGJK**LM**	HIJOR10	
	B 10A		① €30,10
	6 ha 200**T**(27-90m²) 85**D**		② €38,50

🗺 N 37°8'29'' W 6°29'27''

🚗 E1/A49 Sevilla-Portugal. Ausfahrt 60 Almonte A483, diese Straße geht über in die A484 (neue Straße). Der Beschilderung El Rocio folgen. 🅰

Conil de la Frontera, E-11149 / Andalucía 🛜 iD

🏕 El Faro Cat.2	1 AB**JM**NOPR**T**	AF**X** 6	
🏠 Ctra del puerto Pesquero, km 2	2 GPQVWXY	AD**FH** 7	
🕐 1 Apr - 30 Sep	3 A**M**O	ACEFNQR 8	
☎ +34 956-444096	4 BLO**P**Q	J 9	
@ info@campingelfaro.com	5 ACDEFGIK**M**	HIJNPU10	
	B 6A		① €30,00
	2 ha 330**T**(35-80m²) 120**D**		② €41,00

🗺 N 36°18'12'' W 6°7'34''

🚗 Der N340/E5 zwischen Cadiz und Tarifa nach Conil (2 km) folgen. Nach rechts hin sind 'playas' und/oder CP gut ausgeschildert. Noch 4 km. 🅰

Estepona (Malaga), E-29680 / Andalucía 🛜 CC€14 iD

🏕 Parque Tropical Cat.2	1 ABD**JM**NOPRS**T**	CF**K** 6	
🏠 Ctra N340, km 162	2 EOQORUVWXY	ABDE**FGH** 7	
🕐 1 Jan - 31 Dez	3 **K**	AEFNR 8	
☎ +34 95-2793618	4 AB**R**S**X**	JL 9	
@ parquetropicalcamping@	5 ABDEGJK**LM**	HIJPR10	
hotmail.com	10A CEE		① €27,00
	1,2 ha 82**T**(60-80m²) 23**D**		② €34,60

🗺 N 36°27'14'' W 5°4'51''

🚗 A7 (niet über die Autobahn) zwischen Marbella und Estepona (6 km) zwischen Km-Pfahl 163 und 162. Gut ausgeschildert. 🅰

Conil de la Frontera, E-11149 / Andalucía 🛜

🏕 Fuente del Gallo Cat.2	1 BDE**JM**NOR**T**	AFK**N**PQ 6	
🏠 Urb. Fuente del Gallo/Apt. 48	2 EGQUVWXY	ABDE**FH** 7	
🕐 1 Apr - 30 Sep	3 L	ABEFNRS 8	
☎ +34 956-440137	4 AO	JL 9	
@ camping@	5 ABDEGIJ	AGHIJ**NP**10	
campingfuentedelgallo.com	B 6A CEE		① €32,50
	25 ha 197**T**(30-60m²) 62**D**		② €41,50

🗺 N 36°17'47'' W 6°6'35''

🚗 N340/E5 zwischen Cádiz und Tarifa nach Conil abbiegen. Im Städtchen sind die CPs gut beschildert. Kurz vor der Stadt ist eine Umgehung angelegt, die zum CP führt. 🅰

Granada, E-18014 / Andalucía 🛜 iD

🏕 Camping-Motel	1 ABDEJMNOPQRS**T**	A 6	
Sierra Nevada Cat.1	2 AGOPRVWXY	ABDE**FG**H 7	
🏠 Avda Juan Pablo II, 23	3 BL**M**Q	ABCDEFJNQRSV 8	
🕐 1 Jan - 31 Dez	4 IO	GILVXZ 9	
☎ +34 958-150062	5 ADEGIJK**LM**	ABGHIJOR10	
@ campingmotel@terra.com	B 10A		① €30,00
	H600 2,7 ha 150**T**(30-80m²) 33**D**		② €40,20

🗺 N 37°11'54'' W 3°36'43''

🚗 Liegt im nördlichen Stadtteil von Granada. Auf der Circunvalacion/Autovia de Granada (A44), Ausfahrt 123, Richtung Granada, Est. Autobus. CP-Schildern folgen. CP kurz hinter der Bushaltestelle. 🅰

Conil de la Frontera, E-11140 / Andalucía 🛜 CC€16 iD

🏕 La Rosaleda Cat. 1	1 AB**J**KNOPQR**T**	A 6	
🏠 Ctra del Pradillo km 1,3	2 GHOPRUVWXY	ABD**FGH** 7	
🕐 1 Jan - 31 Dez	3 BF**K**QR	ABEFNQRT 8	
☎ +34 956-443327	4 ALO**PQRTX**	JLVWZ 9	
@ info@campinglarosaleda.com	5 ACDEGIJ**M**	ABHIJNPTU10	
	B 10A		① €39,50
	6 ha 335**T**(72-150m²) 55**D**		② €50,70

🗺 N 36°17'36'' W 6°5'44''

🚗 N340/E5 zwischen Cadiz und Tarifa nach Conil (2 km). Rechts sind 'Playas' und/oder 'Campings' gut angezeigt. Den Schildern folgen. Nach 1 km CP rechts der Strecke. 🅰

Granada/La Zubia, E-18140 / Andalucía 🛜 CC€18 iD

🏕 Reina Isabel Cat.2	1 ABDE**J**MNOPQRS**T**	A 6	
🏠 Laurel de la Reina 15	2 AORVXY	ABD**FGH** 7	
🕐 1 Jan - 31 Dez	3 **K**	ABEFJNQRSV 8	
☎ +34 958-590041	4 A**E**FH	JL 9	
@ info@campingreinaisabel.com	5 ABDEFGJ**LM**	ABCDGHIJ**NP**QR10	
	B 6A		① €29,00
	H650 0,6 ha 57**T**(30-70m²) 11**D**		② €37,70

🗺 N 37°7'28'' W 3°35'12''

🚗 Gelegen am Ortsrand von La Zubia, südlich von Granada. Von allen Richtungen aus über Circunvalación/Autovia Granada zu erreichen. Ausfahrt Ronda Sur, anschließend Ausfahrt 2 La Zubia. Ausgeschildert. 🅰

Córdoba, E-14012 / Andalucía 🛜

🏕 Camping M. 'El Brillante' Cat. 2	1 B**J**MNOPRS**T**	A 6	
🏠 Av. del Brillante 50	2 AGOQRUVXY	ABD**FG**H 7	
🕐 1 Jan - 31 Dez	3 **K**	ABEFNQRSV 8	
☎ +34 957-403836	4	L 9	
@ elbrillante@campings.net	5 AB**LM**	FGHIKPTU10	
	10A		① €31,50
	H300 2,6 ha 108**T**(20-80m²)		② €39,50

🗺 N 37°54'0'' W 4°47'14''

🚗 Einfahren in Córdoba Ri. 'Centro Ciudad'. Schildern 'Parador Nacional' folgen. Danach Schildern Avenida El Brillante (grün). CP liegt auf der rechten Seite hinter der weißen Mauer. 🅰

Granada/Otura, E-18630 / Andalucía 🛜 CC€16 iD

🏕 Suspiro del Moro Cat.2	1 ABDE**J**MNOPQRS**T**	AF 6	
🏠 Autovia A44, exit 139	2 AFOPRVXY	ABD**FH** 7	
🕐 1 Jan - 31 Dez	3 B**K**L	ABDEFJNQRSV 8	
☎ +34 958-555411	4 A**O**P	J 9	
@ campingsuspirodelmoro@	5 ABDEGIJK**LM**	BDGHIJN**P**R10	
yahoo.es	5A		① €25,90
	H900 1 ha 59**T**(45-60m²) 15**D**		② €33,90

🗺 N 37°4'6'' W 3°39'9''

🚗 A44 Granada-Motril, Ausfahrt 139 Otura. Den Schildern Padul, Suspiro del Moro und CP-Schildern folgen. Vorsicht: nach Verlassen des Kreisels an der Westseite A44, nach ca 20m links nach Padul. 🅰

El Puerto de Santa Maria, E-11500 / Andal. 🛜 CC€16 iD

🏕 Playa Las Dunas Cat.1	1 ABDE**JM**NOPRS**T**	AFKNQSW**X** 6	
🏠 P.M. Playa La Puntilla s/n	2 EGHOQUVWXY	ABDE**FGH** 7	
🕐 1 Jan - 31 Dez	3 BE**KM**Q	ABEFNORS 8	
☎ +34 956-872210	4 AO	JL 9	
@ info@lasdunascamping.com	5 ADEGJK**M**	ABHIJ**NP**10	
	B 10A		① €26,30
	13 ha 300**T**(50-80m²) 212**D**		② €35,10

🗺 N 36°35'15'' W 6°14'26''

🚗 Von El Puerto de Santa Maria den Wegweisern folgen. Durch die ganze Stadt gut ausgeschildert. Nicht ins Zentrum fahren. 🅰

Granada/Peligros, E-18210 / Andalucía 🛜 iD

🏕 Camping Granada Cat.1	1 AB**J**MNOPRS**T**	A 6	
🏠 Avenida Reina Sofia	2 AFGRUVWXY	ABDE**FH** 7	
🕐 20 Mär - 30 Sep	3 B	ABEFNQRV 8	
☎ +34 958-340548	4 FO	J 9	
@ camping.granada@gmail.com	5 ABDEGKL**M**	HIJOR10	
	B 10A		① €28,15
	H700 64**T**		② €37,20

🗺 N 37°14'15'' W 3°38'1''

🚗 Circunvalación = Umgehung (A44) Ausfahrt 121, Richtung Peligros. Am Kreisel in Peligros links. CP ist ausgeschildert. GPS versagt hier manchmal. 🅰

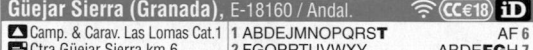

Spanien

Güejar Sierra (Granada), E-18160 / Andal.

Camp. & Carav. Las Lomas Cat.1	1 ABDEJMNOPQRST AF 6
Ctra Güejar Sierra km 6	2 FGOPRTUVWXY ABDEFGH 7
1 Jan - 31 Dez	3 BILQST ABEFIJLMNQRSTUV 8
+34 958-484742	4 ABEFIOPQTY JL 9
info@campinglaslomas.com	5 ACDEGJLM ABGHIJNPR10
	Anzeige auf dieser Seite WB 10A ❶ €31,00
	H1100 1,6 ha 100T(40-110m²) 23D ❷ €40,00

N 37°9'36'' W 3°27'14''
Umgehung (Motril-Jaén ff), Ausfahrt 132 zur Ronda Sur. Sierra Nevada folgen. 3 km hinter dem Tunnel rechts ausfädeln und dann links. Den Schildern 'Güejar Sierra' und 'Las Lomas' folgen. Die kleinen CP-Schilder nicht beachten.

Humilladero, E-29531 / Andalucía

La Sierrecilla	1 ABDEJMNOPQRST AF 6
Avda de Blas Infante	2 AFGQRSTUVWXY ABDEF 7
1 Jan - 31 Dez	3 AEGHQRTU ABEFJNQRSV 8
+34 951-199090	4 BCFHIOT FJ 9
info@lasierrecilla.com	5 ADEGIJM FGHJOTU10
	Anzeige auf dieser Seite B 16A ❶ €24,00
	4 ha 120T(60-90m²) 27D ❷ €32,00

N 37°6'28'' W 4°41'47''
A92 (Antequera-Sevilla beide Richtungen), Ausfahrt 138, Richtung Humilladero. Nach ca. 2 km im Kreisel links ab. Den Schildern folgen. Ab Vorort besser nicht dem Navi trauen.

Isla Cristina, E-21410 / Andalucía

Giralda Cat.1	1 ABDEJMNOPRST AFKNQX 6
Ctra la Antilla, km 1,5	2 BCEHQUWXY ABDEFG 7
1 Jan - 31 Dez	3 AEKLQR ABEFNQRS 8
+34 959-343318	4 BDHILO FJL 9
recepcion@	5 ACDEGHKM AHIJNOTU10
campinggiralda.com	B 10A ❶ €33,15
	15 ha 450T(40-80m²) 430D ❷ €43,15

N 37°12'0'' W 7°18'3''
Aus Huelva Richtung Portugal, Ausfahrt nach Isla Cristina nehmen. Danach Richtung La Antilla. Nach 1,5 km liegt der CP links der Straße.

La Carlota/Córdoba, E-14100 / Andalucía

Carlos III	1 ABCDEJMNOPQRST AF 6
Ctra Madrid-Cadiz, km 430	2 AGORVXY ABDEFG 7
1 Jan - 31 Dez	3 BEILMQ ABEFJNOQRV 8
+34 957-300338	4 FHNOPQZ JL 9
camping@	5 ABDEGIJKLM AGHIJLPR10
campingcarlosiii.com	B 10A ❶ €26,50
	H400 6 ha 230T(65m²) 172D ❷ €34,70

N 37°40'58'' W 4°55'11''
Gelegen zwischen Córdoba und Sevilla in der Nähe des Dorfes La Carlota. Auf Autovia N IV/E5 Ausfahrt 432. Ausgeschildert.

La Mamola, E-18750 / Andalucía

Castillo de Baños Cat.2	1 ABDEJMNOPQRST AKNOPQWX 6
CN340, km 360	2 AEJOPRVWXY ABDEFGH 7
1 Jan - 31 Dez	3 AQ ABEFNQRTUV 8
+34 958-829528	4 BDOPQX JLR 9
info@campingcastillo.com	5 ACDEGJKLM ADHIJNPRV10
	Anzeige auf dieser Seite B 12A ❶ €30,95
	3 ha 240T(30-70m²) 10D ❷ €42,85

N 36°44'27'' W 3°18'4''
N340, zwischen Motril und Almeria Ausfahrt 360. Siehe Schilder. Kein GPS verwenden.

Laroles (Granada), E-18494 / Andalucía

Alpujarras Camping	1 BDJMNOPQRST ABFG 6
Ctra A-337 (Chérin-La Calahora)	2 GPRUVXY ABDEK 7
1 Jan - 31 Dez	3 AG ABEFNQRV 8
+34 958-760231	4 EFHIOPRUX AFJKLU 9
antonio@laragua.net	5 ADGILM AHJLNORV10
	16A CEE ❶ €22,00
	H1150 1,4 ha 52T(40-70m²) 86D ❷ €29,30

N 37°0'43'' W 3°0'44''
A7 Almería-Málaga, beide Richtungen, Ausfahrt 406 resp. 391 Ri. Berja. In Berja Richtung Alcolea bis Ausfahrt Chérin, dort Richtung Laroles. Über die A92 Granada-Almeria, Ausfahrt 312, Puerto de la Ragua (enge Straße, 200m hoch).

Las Negras/Nijar (Almería), E-04116 / Andalucía

Nautico la Caleta Cat.2	1 ABJMNOPQRT AKMNOPQSWX 6
Parque Natural Cabo de Gata	2 EFHJMRVWX ABDF 7
1 Jan - 31 Dez	3 BQ ABEFNR 8
+34 950-525237	4 FHR JORS 9
info@campinglacaleta.com	5 ACDEGIJKLM ABHIJPTU10
	B 16A ❶ €31,60
	6,5 ha 206T(50-85m²) 28D ❷ €43,20

N 36°52'21'' W 2°0'25''
Liegt im Parque Natural Cabo de Gata. Autovia A7 (N340/E15) Lorca- Almería, Ausfahrt 487 Campohermoso/Las Negras. Den Schildern Las Negras und CP folgen. Diese Anfahrt befolgen und nicht der Navigation.

Los Escullos/Nijar (Almería), E-04118 / Andal.

Los Escullos Cat.1	1 ABDEJMNOPQRST ANOPQSTUVX 6
Parque Natural Cabo de Gata	2 HJKMRUVWXY ABDEFGH 7
1 Jan - 31 Dez	3 BEFGMQRUV ABEFNQRSV 8
+34 950-389811	4 ABCDEFGHILOPQRTUX BEJRSUV 9
info@losescullossanjose.com	5 ACDEGIJKLM ABCDGHIJNPTU10
	Anzeige auf Seite 447 6-16A ❶ €36,00
	4,5 ha 216T(40-80m²) 102D ❷ €47,80

N 36°48'24'' W 2°4'53''
Gelegen am Parque Natural Cabo de Gata. A7 Ausfahrt 479 Richtung San José (AL 3108). CP-Schildern folgen.

Los Escullos
San José
COMPLEJO TURÍSTICO

Parque Natural Cabo de Gata
04118 Los Escullos/Nijar (Almería)
Tel. 950-389811
Fax 950-106400
E-Mail:
info@losescullossanjose.com
Internet:
www.campinglosescullos.com

CAMPING LOS ESCULLOS Cat.1

Unsere Küste besteht aus Felsen, ruhige Buchten mit breiten, einsamen Stränden, und es gibt Dünen und Vulkanberge. Wegen seines Artenreichtums bei Flora und Fauna und seiner geografischen Lage wurde dieses Gebiet zu Recht als Nationalpark ausgewiesen. Auch Reste alter Kulturen sind noch zu sehen, und in den teilweise mehr als tausend Jahre alten Dörfern geht man noch immer den alten Handwerken nach. Der Campingplatz mit seiner luxuriösen Ausstattung und den ganzjährig angenehmen Temperaturen eignet sich hervorragend für Überwinterer, die bei Langzeitaufenthalt in der Nebensaison mit attraktiven Ermäßigungen rechnen können.

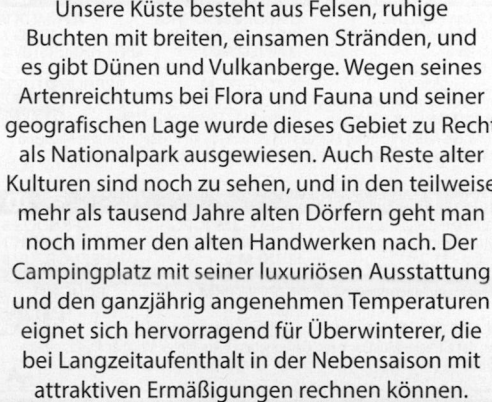

Manilva, E-29691 / Andalucía 🛜 iD

- 🏕 La Bella Vista
- 🛣 Crtra N340, km 142,8
- 📅 1 Jan - 31 Dez
- ☎ +34 952-890020
- @ camping@
  campinglabellavista.com
- 📍 N 36°20'46'' W 5°14'11''

1	ABDE**JMN**OPRST	AFKMNOPQRSTW 6
2	AEFHORSVWX	ABD**EFG** 7
3	**AGHK**	ABCDEFGIJKLMNQRSTUV 8
4	**A**DEHO	LMORS 9
5	ABCDEGJKLM	ABEFGHIJNPTU10
B	16-32A CEE	① €36,00
	2,5 ha 150**T**(38-76m²)	② €48,00

🚗 Von Malaga-Marbella geht die 340 über in die A7 (nicht die Schnellstraße). In Manilva hinter der Tinda Tankstelle (rechts) im Kreisel wenden. CP ist rechts (an Tankstelle vorbei).

María/Almería, E-04838 / Andalucía CC€16 iD

- 🏕 Sierra de María
- 🛣 Ctra María a Orce (AL-832), km 7
- 📅 1 Jan - 31 Dez
- ☎ +34 950-167045
- @ info@
  campingsierrademaria.com
- 📍 N 37°42'33'' W 2°14'10''

1	ABDE**JM**NOPQRST	AF 6
2	BFQRSVWXY	AD**FGH** 7
3	A	ABEFJNQRV 8
4	BCEFHIL	AJV 9
5	ABDFGK	BDGHIJ10
B	16A CEE	① €25,00
	7 ha 100**T**(65-200m²) 24**D**	② €29,00

🚗 A91 Richtung Granada wird zur A92N. Dann Ausfahrt 112 nehmen. Danach die A317 nehmen bis 5 km hinter María, danach links zur AL9101, dort den CP-Schildern folgen.

Marbella, E-29604 / Andalucía 🛜 CC€16

- 🏕 Cabopino
- 🛣 Ctra N340, km 194,7
- 📅 1 Jan - 31 Dez
- ☎ +34 952-850106
- @ info@campingcabopino.com
- 📍 N 36°29'21'' W 4°44'35''

1	B**D**E**JMN**OPQRST	ACD**K**MNQRSUVW**X** 6
2	AEGHOQRTUVXY	ABD**FGH** 7
3	BEF**K**LQRTU	ABEFK**L**NQRSV 8
4	ABCDEILNO**PQR**T	JLM**P**RTV**W**XZ 9
5	ABDEFGIJK**M**	ABDHIKLM**N**P**T**UY10
B	16A	① €36,00
	5 ha 280**T**(50-80m²) 80**D**	② €48,00

🚗 CP ist in der Nähe von den N340. Von Fuengirola bei km 194,7 Ausfahrt Cabopino. CP liegt rechts. Von Marbella bei km 194,7 Ausfahrt Cabopino. Am Kreisel über die Autobahn. CP liegt rechts vor Ihnen.

Maro/Nerja (Málaga), E-29787 / Andalucía 🛜 iD

- 🏕 Nerja Camping Cat.2
- 🛣 Ctra N340, km 297
- 📅 1/1 - 30/9, 1/11 - 31/12
- ☎ +34 952-529714
- @ info@nerjacamping.com
- 📍 N 36°45'38'' W 3°50'4''

1	AB**J**MNOPQR**T**	A**N**O**P**O**X** 6
2	A**H**JMRTUVXY	AD**F** 7
3		ABEFNQRV 8
4	**E**FO	JL 9
5	ABDEFGIK**LM**	ABHIJ**P**TU10
	16A	① €32,45
	H150 0,7 ha 45**T**(45-100m²) 4**D**	② €41,25

🚗 An der N340a (Costa) zwischen Almúnecar und Nerja gelegen, auf der Landseite. Auf der A7 Ausfahrt 295 nehen, zur N340a, weiter Richtung Motril. Der CP ist gut angezeigt, ca. 1 km hinter Maro links.

Marbella/Málaga, E-29600 / Andalucía 🛜 CC€14 iD

- 🏕 La Buganvilla Cat.2
- 🛣 Ctra N340, km 188.8
- 📅 1 Jan - 31 Dez
- ☎ +34 95-2831973
- @ info@campingbuganvilla.com
- 📍 N 36°30'11'' W 4°48'12''

1	ABDE**JMN**OPQRST	AFMNOPQSW**X** 6
2	AFGHORTUVWXY	ABD**EFG**H 7
3	B**K**LMQ	ABEFNQRTUV 8
4	**A**BFIO**PQ**	BJL 9
5	ABDEFGIJK**LM**	ABGHIJ**LP**R10
B	16A	① €33,25
	4,3 ha 304**T**(60-80m²) 64**D**	② €45,45

🚗 CP liegt an der N340 zwischen Fuengirola (25 km) und Marbella (6 km), an der Landseite nahe zu Km-Pfahl 189. Kurze Ausfahrt und Scharfe Kurve nach rechts.

Marbella/Málaga, E-29600 / Andalucía

- 🏕 Marbella Playa Cat.1
- 🛣 N340, km 192,8
- 📅 1 Jan - 31 Dez
- ☎ +34 95-2833998
- @ recepcion@
  campingmarbella.com
- 📍 N 36°29'29'' W 4°45'49''

1	BCDE**JMN**OPQRST	AFKM**N**OPQSW**X** 6
2	AEGHQQRVY	ABDE**FGH** 7
3	BEF**K**LMQ	ABCDEFNQRSTUV 8
4	**A**BDNO**PR**	DJLUVW**X** 9
5	ACDEFGIJK**LM**	ABGHIJ**L**P**T**U10
B	10-20A	① €33,05
	6,9 ha 400**T**(60-70m²) 119**D**	② €43,55

🚗 CP meerseitig an A7 (N340) Marbella-Fuengirola v.v. Von Marbella sehr kurze Ausf. bei km 192.8 direkt hinter Tankstelle, sofort rechts. Von Fuengirola Ausf. km 192.8 Elviria. Straße queren und wieder Ri. Malaga wie beschildert.

CAMPING CABOPINO

Großer, gut ausgestatteter Campingplatz mit großzügigen Stellplätzen, ca. 200m vom Strand. Marbella mit seinem schönen maurischen Viertel und den vielen schmalen, winkeligen Gässchen liegt in 12 km Entfernung und ist über die Autobahn schnell zu erreichen. Alternativ gibt es eine regelmäßige Busverbindung ab Cabopino. Nach Fuengirola sind es 14 km. Auf dem Campingplatz steht eine große Zahl von Miet-Bungalows zur Verfügung.

Ctra N340 (A7) km 194,7, 29604 Marbella • Tel. und Fax 952-850106
2. Telnr. 952-834373 • E-Mail: info@campingcabopino.com
Internet: www.campingcabopino.com

Mazagón, E-21130 / Andalucía 📶 iD

▲ Doñana Playa Cat. 1
🏕 Ctra Huelva-Matalascañas, km 35,5
🔓 1 Feb - 16 Dez
☎ +34 95-9536281
@ info@campingdonana.com
N 37°5'59'' W 6°43'34''

1	ABDEJMNOPRST	AFKMNX 6
2	EGHOQRVWXY	ADFG 7
3	ABDEGLMOQ	ABEFGHIKNQRSTUV 8
4	ABCDFHIMOPQ	GJLTV 9
5	ACDEFGIM	BEFHIJMOTUZ10

B 6A
24 ha 1117T(90-120m²) 415D
① €35,20 ② €48,20

Über die A483 Richtung Matalascañas, danach im Kreisel Richtung Mazagón (A494). Vor dem Ort gut angezeigt mit CP-Schildern. Links der Straße.

Palomares, E-04617 / Andalucía 📶 iD

▲ Cuevas Mar Cat.2
🏕 Ctra Villaricos-Garrucha s/n
🔓 1 Jan - 31 Dez
☎ +34 950-467382
@ cuevasmar@arrakis.es
N 37°14'16'' W 1°47'57''

1	ABDJMNOPRST	AMNOPQSW 6
2	AEGHJRVWXY	ABDEFGH 7
3	KQ	ABEFKNQRS 8
4	IOU	JK 9
5	AGKLM	BHIJNPR10

FKK B 6-10A
3 ha 180T(40-100m²) 2D
① €30,15 ② €39,25

An der Costa de Almería. Autovia A7 (E15) Alicante-Almería Ausfahrt 537 Cuevas de Almanzora. Nach einigen Kilometern an der T-Kreuzung ein Stück nach Vera, danach Richtung Palomares; liegt an der Strecke nach Villaricos.

Mojácar, E-04638 / Andalucía 📶 iD

▲ Camping Cueva Negra Cat. 2
🏕 Ctra Mojácar-Carboneras
🔓 1 Jan - 31 Dez
☎ +34 950-475855
@ info@campingcuevanegra.es
N 37°5'21'' W 1°51'24''

1	ABDEJMNOPQRST	AFKNOQS 6
2	EFHJMORSUVXY	ADFGH 7
3	BKLMQ	ABEFNQRTUV 8
4	AEFKTUV	BGJ 9
5	ABDEGIKM	BCHIJNPTU10

16A
15 ha 70T(60-100m²) 50D
① €37,10 ② €46,65

An der Strecke Mojácar nach Carboneras, 1 km hinter Mojácar Playa, rechts der Strecke. CP-Schild ca. 20m von der Straße. Ausfahrt schwer zu sehen.

Ronda, E-29400 / Andalucía iD

▲ El Abogao Cat.2
🏕 Ctra Ronda-Campillos, km 5
🔓 1 Jan - 31 Dez
☎ +34 95-2875844
@ complejoelabogao@hotmail.com
N 36°47'11'' W 5°6'45''

1	ABDEJMNOPRT	AF 6
2	GQRVWXY	ADF 7
3	RU	ABDEFN 8
4	O	JV 9
5	ABDEGIJ	HJTU10

H751 2,5 ha 70T(40-60m²) 22D
① €20,70 ② €24,70

Auf der Umfahrung Ronda C341 Richtung Campillos. Nach 6 km auf der rechten Seite.

Mojácar, E-04638 / Andalucía 📶 iD

▲ El Quinto
🏕 Ctra Mojácar-Turre 15 s/n
🔓 1 Jan - 31 Dez
☎ +34 950-478704
@ campingelquinto@hotmail.com
N 37°8'27'' W 1°51'33''

1	ADEJMNOPQRST	A 6
2	AFHJOSVWXY	ABDFGHK 7
3	AKQ	ABEFNQRV 8
4	I	9
5	AGKLM	ABCJNPRV10

B 6-10A
H77 1,2 ha 44T(75-120m²) 4D
① €29,15 ② €39,05

Autovia A7 (E15) Almeria-Lorca, Ausfahrt Km 520, Turre Mojácar. Ca. 2 km hinter Turre liegt der CP rechts.

Ronda, E-29400 / Andalucía 📶 iD

▲ El Cortijo
🏕 Crta Ronda-Campillos, km 36.400
🔓 1 Jan - 31 Dez
☎ +34 95-2874238
@ elcortijo@hermanosmacias.com
N 36°46'58'' W 5°7'2''

1	ABDEJMNOPRST	AF 6
2	GQRVWX	ADF 7
3	IMQ	ABEFNRTUV 8
4		GJLVY 9
5	ADGJ	HPV10

15A
H771 4 ha 70T(60-100m²) 59D
① €27,85 ② €36,45

Auf der Umgehung um Ronda die C341 Richtung Campillos. Nach 5 km links der Strecke kurz vor der Tankstelle.

Motril/Granada, E-18600 / Andalucía 📶 CC€16 iD

▲ Playa de Poniente Cat.2
🏕 Playa de Poniente s/n
🔓 1 Jan - 31 Dez
☎ +34 958-820303
@ info@campingplayadeponiente.com
N 36°43'6'' W 3°32'46''

1	ABCEJMNOPQRST	AKMNOPQRSTUVWXYZ 6
2	AEGHJOPQRVWXY	ABDEFGH 7
3	BEGJKLMNQ	ABEFJKNQRSV 8
4	BCDEFHMOPQR	JLMQSTUVY 9
5	ABDEGIJKLM	ABDGHIJNPTUVY10

B 6-10A
3 ha 202T(60-100m²) 99D
① €30,80 ② €42,70

Auf der N340 zwischen Motril und Salobreña, Ausfahrt Granada nehmen. Unter der Ausfahrt Richtung Hafen (de Motril). Ausgeschildert. Nach dem Schild rechts abbiegen, dann an der T-Kreuzung wieder rechts. CP nach ca. 500m.

Ronda, E-29400 / Andalucía 📶 iD

▲ El Sur Cat.1
🏕 Ctra Algeciras, km 2,8 (A369)
🔓 1 Jan - 31 Dez
☎ +34 95-2875919
@ info@campingelsur.com
N 36°43'17'' W 5°10'19''

1	ABJMNOPQRST	A 6
2	QRUVWX	ABDFGHK 7
3	ABEGILQ	ABEFNQR 8
4		JL 9
5	ABDEFGJKLM	AGHIJPR10

H766 3,5 ha 113T(70-80m²) 13D
① €28,40 ② €37,00

Umgehung Ronda am Kreisel Ausfahrt Ri. Algeciras dann nach der Ausfahrt 'Ronda Oeste' die nächste Ausfahrt. CP liegt hier gegenüber. Von Ronda im Kreisel Ri. San Pedro und dann Ri. Algeciras. Nach 1,5 km rechts der Straße.

Olvera, E-11690 / Andalucía 📶 CC€16 iD

▲ Pueblo Blanco Cat. 1
🏕 Ctra N384, km 69
🔓 1 Jan - 31 Dez
☎ +34 619-453534
@ info@campingpuebloblanco.com
N 36°56'14'' W 5°13'18''

1	ABDEJMNOPQRST	A 6
2	FGQRUVWX	ABDEF 7
3	ABEU	ABEFNQRTUV 8
4	FIO	FJL 9
5	ABEGIKM	DGHIJNP10

Anzeige auf Seite 449 B 16A
H610 14 ha 220T(100m²) 18D
① €23,50 ② €27,50

Zwischen Antequera und Jerez de la Frontera, an der N384, bei Km 69. Ca 3 km vor Olvera, rechts der Straße. Breite Einfädelspur von 600m zur Spitze.

Roquetas de Mar (Almería), E-04740 / Andal. 📶 CC€16 iD

▲ Roquetas Cat.2
🏕 Ctra Los Parrales 90
🔓 1 Jan - 31 Dez
☎ +34 950-343809
@ info@campingroquetas.com
N 36°47'51'' W 2°35'28''

1	ABDEJMNOPQRST	AFKMNOPQSWX 6
2	AEGHJKRUVX	ADEFGH 7
3	BEKMQ	ABEFKNQRSTU 8
4	DIOPR	JLUV 9
5	ACDEGIJKLM	AGHIJMPRZ10

B 10-16A
8 ha 602T(60-80m²) 64D
① €21,90 ② €31,90

An der Costa Almería. Auf der Autovia A7 die Abfahrt 429 nehmen. In El Parador am Kreisel links, den CP-Schildern folgen.

Órgiva/Granada, E-18400 / Andalucía 📶 iD

▲ Órgiva Cat.2
🏕 Ctra A348 km 18.900
🔓 1 Jan - 31 Dez
☎ +34 958-784307
@ info@campingorgiva.com
N 36°53'14'' W 3°25'4''

1	ABDEJMNOPQRST	AFU 6
2	GPUVXY	ABDEFGHK 7
3	B	AEFJNRV 8
4	AEFHOP	GJ 9
5	ABDEGIJLM	HIJNPRV10

16A
H420 1 ha 31T(30-60m²) 11D
① €25,30 ② €33,90

A40 Motril-Granada, Ausfahrt Órgiva. Kurz vor Órgiva sofort hinter dem Tunnel links: CP nach 300m rechts. Von Granada, Ausfahrt Lanjaron, dann durch Órgiva weiter. CP liegt bei Km 18,900.

Santa Elena (Jaén), E-23213 / Andalucía 📶 CC€16 iD

▲ Despeñaperros Cat.1
🏕 Infanta Elena s/n
🔓 1 Jan - 31 Dez
☎ +34 953-664192
@ info@campingdespenaperros.com
N 38°20'36'' W 3°32'8''

1	ABDEJMNOPQRST	AF 6
2	ABGORVXY	ABDFH 7
3	AEG	ABEFNQRSTUV 8
4	AEFHIOP	JL 9
5	ABDEGIJKLM	EGHIJLNPTUV10

B 10A
H750 4 ha 112T(70-100m²) 36D
① €23,95 ② €32,05

A4 Sevilla-Madrid, Ausfahrt 259; Madrid-Sevilla, Ausfahrt 257 oder 258. Dann CP-Schildern folgen.

Durchreisecampingplätze

In diesem Führer finden Sie eine handliche Karte mit Campingplätzen an den wichtigen Durchgangsstrecken zu Ihrem Ferienziel. Durch die Farbe des jeweiligen Zeltchens können Sie erkennen, ob dieser Platz ganzjährig geöffnet ist oder nicht. Darüber hinaus gibt es für jeden Platz auch noch eine kurze redaktionelle Beschreibung, inklusive Routenbeschreibung und Öffnungszeiten.

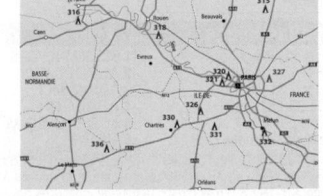

Camping Playa de Poniente

Camping Playa Poniente liegt an den Stränden der Costa Tropical, bei Motril-Puerto. In dreiviertel Stunde ist man in der historischen Stadt Granada. Das ganze Jahr herrscht an der Costa Tropical ein angenehmes Klima, das sich für allerlei Aktivitäten eignet, wie Sport, Exkursionen, Autotouren usw. Die Sierra Nevada (Wintersport), La Alpujarra (Wandern, Natur, rustikale Dörfer) und die Alhambra sind ganz in der Nähe. Darum eignet sich dieser Campingplatz wegen der hohen Ermäßigung außerhalb der Hochsaison besonders zum Überwintern.

18600 Motril/Granada • Tel. 958-820303 • Fax 958-604191
E-Mail: info@campingplayadeponiente.com
Internet: www.campingplayadeponiente.com

Santaella (Córdoba), E-14547 / Andalucía

- ▲ La Campiña Cat.2
- ▣ Ctra A379, km 46,2
- ☾ 1 Jan - 31 Dez
- ☎ +34 957-315303
- @ info@campinglacampina.es

1 ABDE**JM**NOPQRS**T**	A 6
2 GORUVXY	ABD**FG** 7
3 AL	ABEFJLNQRV 8
4 AFHO	JLUV 9
5 ABDEGIK**LM**	ABGHIJNP**R**V10
B 10A	➊ €29,05
H300 0,6 ha 31**T**(60-75m²) 5D	➋ €38,75

⬛ N 37°37'23'' W 4°51'31''

🚗 CP 6 km nördlich von Santaella, Ri. Guijarrosa (A379). N4/E5 Córd/Sev Ausfahrt 424; Sev/Cord Ausfahrt 441. A45 (Málaga-Cordoba) Ausfahrt La Rambla. Bei Santaella rechts Ri. Guijarrosa.

Sevilla/Dos Hermanas, E-41700 / Andalucía

- ▲ Villsom Cat.2
- ▣ Ctra NIV, km 554,8
- ☾ 10 Jan - 23 Dez
- ☎ +34 95-4720828
- @ campingvillsom@hotmail.com

1 ABD**JM**NOPRT	A 6
2 AGOQRVWXY	ABDE**FG** 7
3 **I**L	AEFNQRS 8
4 O	9
5 ABGK**M**	ABGHIJNOTUV10
B 7,5A	➊ €26,45
2,3 ha 180**T**(62-70m²)	➋ €36,45

⬛ N 37°16'00'' W 5°56'12''

🚗 Von Sevilla auf der A4 Richtung Cadiz, Ausfahrt 553. Auf der NIV Richtung Cadiz; Ausfahrt 555 Dos Hermanas oder Isla Menor. Nach dem Kreisel liegt der CP direkt rechts. Kurz vor dem Supermarkt Carrefour in Dos Hermanas.

Tarifa, E-11380 / Andalucía

- ▲ Paloma Cat.2
- ▣ Ctra N340 Cadiz-Malaga, km 74
- ☾ 1 Mär - 15 Nov
- ☎ +34 956-684203
- @ campingpaloma@yahoo.es

1 ABDEJKNOPRST	AKQUV 6
2 EGHPQVWXY	ADFG 7
3 BEG**LRU**	ABCDEFNRS 8
4 **A**FO	JL 9
5 ACDGIJKM	HIJOR 10
B 15A	➊ €32,40
4,9 ha 297**T**(40-120m²) 82D	➋ €43,20

⬛ N 36°4'35'' W 5°41'37''

🚗 An der N340 Tarifa-Cadiz. 10 km vor Tarifa ist der CP neben der Straße ausgeschildert (das Meer mit großem Strand liegt 500m weiter).

Tarifa, E-11380 / Andalucía

- ▲ Rio Jara Cat.2
- ▣ Ctra N340, km 81
- ☾ 1 Jan - 31 Dez
- ☎ +34 956-680570
- @ campingriojara@terra.com

1 BD**JM**NOPRS**T**	KMNPQRST**X** 6
2 EFHPQVWX	ABD**FG** 7
3 **G**	AEFNRS 8
4 **A**IOQ	L 9
5 ACDEFGIK**M**	AHIJPRY10
B 10A	➊ €35,50
3 ha 264**T**(50-100m²)	➋ €45,00

⬛ N 36°2'33'' W 5°37'49''

🚗 Gelegen entlang der N340 Tarifa-Cadiz. 3 km hinter Tarifa liegt der CP auf der linken Seite.

Tarifa, E-11380 / Andalucía

- ▲ Tarifa
- ▣ Ctra N340 km 78,87
- ☾ 1/1 - 31/10, 1/12 - 31/12
- ☎ +34 956-684778
- @ info@campingtarifa.es

1 ABD**JM**NOPR**T**	AKNOPQRW**X** 6
2 BEHQVWXY	ADF**K** 7
3 A	AEFNRS 8
4 FHO	IJ 9
5 ABDEFGIJK**LM**	BGHIJOTU10
B 10A	➊ €32,00
11 ha 265**T**(25-60m²) 17D	➋ €37,50

⬛ N 36°3'17'' W 5°39'0''

🚗 Liegt an der Strecke N340 Tarifa-Cadiz. 7 km von Tarifa finden Sie den CP links an der Straße entlang.

Tarifa, E-11380 / Andalucía

- ▲ Torre de la Peña Cat.2
- ▣ Ctra N340, km 78
- ☾ 1 Jan - 31 Dez
- ☎ +34 956-684903
- @ info@campingtp.com

1 ABCDEJKNOPRS**T**	AKMN**O**PQRS**T** 6
2 BEFGKMOQRTUVWXY	A**FG**H 7
3 **H**	ABCDEFJNQRS 8
4 A**D**EIO	GJL 9
5 ACDEGIJK**M**	AHIJNOTU**X**10
5A CEE	➊ €36,60
2 ha 200**T**(30-80m²) 17D	➋ €53,20

⬛ N 36°3'25'' W 5°39'34''

🚗 CP entlang beiden Seiten der N340, 8 km hinter Tarifa Richtung Cadiz km 78.

Tarifa/Cádiz, E-11380 / Andalucía

- ▲ Valdevaqueros Cat.2
- ▣ Ctra N340, km 75,5
- ☾ 1 Jan - 31 Dez
- ☎ +34 956-684174
- @ info@campingvaldevaqueros.com

1 ABDE**JM**NOPRS**T**	AFK**N**QRSTW**X** 6
2 EGHPVWXY	AD**FG** 7
3 **B**M	ABCDEFLMNQRTUV 8
4 **A**EFHO	AIJLV 9
5 ACDEFGIJK**M**	AFGHIJNOR10
B 6A CEE	➊ €32,00
5a ha 324**T**(50-100m²) 53D	➋ €43,00

⬛ N 36°4'9'' W 5°40'49''

🚗 An der N340 gelegen Tarifa-Cadiz. Auf 9 km von Tarifa Richtung Cadiz rechts der Straße ausgeschildert.

Torre del Mar (Málaga), E-29740 / Andalucía

- ▲ Camping Caravaning Laguna-Playa Cat.1
- ▣ Prol. Paseo Marítimo s/n
- ☾ 1 Jan - 31 Dez
- ☎ +34 95-2540631
- @ info@lagunaplaya.com

1 A**BJM**NOPQRS**T**	AFKMNOPQSW**X** 6
2 AEGHJORVWY	ABDE**FG**H 7
3 **B**G**K**LT	ABEFJKNQRSTV 8
4 BE**I**OP	JL 9
5 ACDEGI**K**L**M**	ABDHIJK**O**DX10
B 10A	➊ €33,30
2 ha 144**T**(70-75m²) 16D	➋ €42,30

⬛ N 36°43'46'' W 4°6'9''

🚗 A17 (E15, N340) Ausfahrt 272 Torre del Mar zur alten Küstenstraße 340a. Dann nach Torre del Mar-West (Ouest), 100m hinter der Busstation links, Richtung Playas. Den Schildern folgen. Liegt ca. 500m hinter CP Torre del Mar.

Torre del Mar (Málaga), E-29740 / Andalucía

- ▲ Torre del Mar Cat.2
- ▣ Paseo Marítimo s/n
- ☾ 1 Jan - 31 Dez
- ☎ +34 95-2540224
- @ campingtorredelmar@hotmail.com

1 AB**JM**NOPQRST	AFHKMNOPQSW**X** 6
2 AEGHJORVXY	ABDE**FG**H 7
3 **KM**Q	ABEFNQRSV 8
4 OP	9
5 ABDEGIJK**LM**	AEHIJLPR10
B 10-15A	➊ €39,10
2,4 ha 199**T**(30-110m²)	➋ €43,60

⬛ N 36°44'1'' W 4°5'56''

🚗 A7 (E15, N340), Ausfahrt 272 Torre del Mar. Zur alten Küstenstraße 340a. Dann Torre del Mar-West (ouest). Nach 100m Busstation links, Richtung Playas. Den CP-Schildern folgen.

Torremolinos, E-29620 / Andalucía

- ▲ Torremolinos
- ▣ Calle Loma del Paraiso 2
- ☾ 1 Jan - 31 Dez
- ☎ +34 952-382602
- @ reservas@campingtorremolinos.com

1 A**BJ**KNOPQRST	6
2 AHORUVWX	AD**FG**H 7
3 **K**Q	ABEFNQRV 8
4 O	EJ 9
5 ABDEGIK**M**	BHIK**P**R10
6A	➊ €34,00
1 ha 103**T**(30-60m²) 20D	➋ €42,00

⬛ N 36°38'47'' W 4°29'19''

🚗 A7 bei Torremolinos, Ausfahrt 'Parador de Golf'. Am Kreisel unter der A7 Richtung Los Alamos. Der Beschilderung folgen. Am Vorsicht mit GPS.

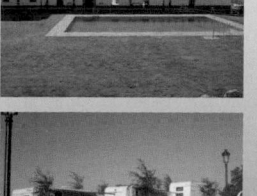

Ein ruhiger Camping in einem Wald voller Avocadobäumen, unter deren Schatten es sich gut aushalten lässt. Für die Wintergäste gibt es offene, sonnige Plätze. El Pino liegt nah am Meer, der Costa del Sol mit 'dem schönsten Klima von Europa'.

Urb. Torrox-Park s/n, 29793 Torrox-Costa (Málaga)
Tel. 952-530006 • Fax 952-532578
E-Mail: info@campingelpino.com
Internet: www.campingelpino.com

Torrox-Costa (Málaga), E-29793 / Andalucía

▲ El Pino	1 **BJM**NOPQRS**T** AFMNOQSW**XZ** 6
🚏 Urb. Torrox-Park s/n	2 AGHJOQRUVWXY AD**FGH** 7
⬤ 1 Jan - 31 Dez	3 B**KLQ** AEF**ILM**NQRV 8
☎ +34 952-530006	4 BO**PQR** DHIJL 9
@ info@campingelpino.com	5 ABDEFGIJK**LM** AFHIJ**N**PTUVY10
	Anzeige auf dieser Seite B 10A ❶ €22,50
▲ N 36°44'22'' W 3°56'59''	H50 5 ha 290**T**(20-100m²) 183**D** ❷ €28,50

🚗 A7, Motril-Malaga v.v., Ausfahrt 285 Richtung Torrox-Costa, den Schildern folgen.

Trevélez, E-18417 / Andalucía

▲ Trevélez	1 ABDEGJMNOPQRS**T** A 6
🚏 Ctra Órgiva-Trevélez, km 32,5	2 BFOPRUWXY ABDE**F** 7
⬤ 1 Jan - 31 Dez	3 ABEFNQRV 8
☎ +34 958-858735	4 **A**EFHO AJLU 9
@ info@campingtrevelez.net	5 ABEGIJK**LM** BHJNORV10
	B 4A ❶ €22,45
▲ N 36°59'30'' W 3°16'15''	H1560 1,3 ha 100**T**(5-50m²) 11**D** ❷ €28,75

🚗 Von Órgiva Ri Trevélez. Kurz vor Trevélez (Km 32,5) liegt der CP links. Ist angezeigt. Straße zum CP ist kurvig, konstant ansteigend. Für Reisemobile locker zu bewältigen, für Wohnwagen Erfahrung und ausreichend Zugkraft erforderlich.

Vejer de la Frontera, E-11150 / Andalucía

▲ El Palmar	1 ABDEHKNOPRS**T** AMNQRS 6
🚏 Ctra Conil-Caños de Meca 5	2 AGHPVY AD**FG** 7
⬤ 1 Jan - 31 Dez	3 M AEFNRSV 8
☎ +34 956-232161	4 O**Q** JV 9
@ campalmar@hotmail.com	5 ACDGIJK**M** BHIJNPR10
	B 10A ❶ €28,60
▲ N 36°14'3'' W 6°3'36''	1,7 ha 135**T**(30-60m²) 12**D** ❷ €42,35

🚗 Von Meca nach Conil A2233. Unbefestigter Weg. Siehe Hinweise Camping El Palmar 0,5. Der CP liegt 5,2 km von Conil.

Vejer de la Frontera, E-11150 / Andalucía

▲ Vejer	1 ABDEHKNOR**T** A 6
🚏 Ctra N340, km 39,5	2 ABFHQVXY AD**FHK** 7
⬤ 1 Jan - 31 Dez	3 AB**GJ** ABCDEFNQRU 8
☎ +34 956-450098	4 J 9
@ info@campingvejer.es	5 ABGHI BFHIJO10
	6-10A ❶ €25,00
▲ N 36°15'7'' W 5°56'17''	12,5 ha 89**T**(30-150m²) 32**D** ❷ €35,00

🚗 Auf der N340, ca 4 km hinter Vejer, Richtung Algeciras. CP ist gut angezeigt, nach 500m Sandweg kommt der CP.

Vélez Blanco, E-04830 / Andalucía

▲ Pinar del Rey	1 ABDEJMNOPQRT AF 6
🚏 Paraje Pinar del Rey s/n	2 BFGQSTVXY ABDE**FG** 7
⬤ 1 Jan - 31 Dez	3 BIM ABEFJNQRTUV 8
☎ +34 649-901680	4 FHIO BCDHIJO10
@ info@campingpinardelrey.com	5 ABDGIM ❶ €25,00
	6 A CEE ❷ €29,00
▲ N 37°40'51'' W 2°5'43''	50**T**(40-60m²) 48**D**

🚗 Die A91 Richtung Granada wird zur A92N. Ausfahrt 112. Danach A317. Camping liegt vor Vélez Blanco rechts von der Straße ggü der Tankstelle.

Villafranca de Córdoba, E-14420 / Andalucía

▲ La Albolafia Cat.2	1 ABDE**JM**NOPQR**T** A 6
🚏 Camino de la Vega s/n	2 AGORVXY AD**FG** 7
⬤ 1 Mär - 30 Nov	3 BQ ABEFNQRV 8
☎ +34 957-190835	4 AO JL 9
@ informacion@ campingalbolafia.com	5 ABEGK**LM** AGHIJOR10
	B 10A CEE ❶ €26,50
▲ N 37°57'13'' W 4°33'15''	H500 3 ha 88**T**(60-85m²) 15**D** ❷ €34,30

🚗 Dorf liegt an der N IV/E5 Madrid-Córdoba. Ausfahrt 377, Schildern folgen.

Villaviciosa de Córdoba, E-14300 / Andalucía

▲ Puente Nuevo	1 BDJMNOPQR AFLNSU**X** 6
🚏 Carretera A-3075 km. 8,5	2 BCDORVWXY AD**F** 7
⬤ 1 Jan - 31 Dez	3 AELRU AEFNQRV 8
☎ +34 957-360727	4 BC**E**FHI AJQU 9
@ info@ campingpuentenuevo.com	5 ADGI**M** JN**O**UV10
	6A CEE ❶ €25,50
▲ N 38°4'54'' W 4°55'45''	H600 5 ha 85**T**(40-60m²) 46**D** ❷ €34,30

🚗 Auf der A4 aan der Ostseite von Córdoba, Ausfahrt Badajoz (N-432). Nach ca 30 km Ausfahrt Villaviciosa (A3075). Bei Km 8,5 der A3075 Ausfahrt zum CP. Ist angezeigt.

Yunquera, E-29410 / Andalucía

▲ Sierra de las Nieves Cat.2	1 ABD**JM**NOPRS**T** AF**P** 6
🚏 Cam.For.Sierra d/l Nieves	2 GQUVWX AD**FGH**IJK 7
⬤ 1 Jan - 31 Dez	3 E**GLM**R**U** ABCDEFNQTU 8
☎ +34 95-2482754	4 **E**FHINO FJKV 9
@ info@ campingsierradelasnieves.com	5 ADGIJK**LM** BFHKLPRV10
	10A CEE ❶ €23,00
▲ N 36°44'9'' W 4°55'37''	H800 50 ha 30**T**(60-100m²) 32**D** ❷ €31,00

🚗 Auf der N344 kurz hinter Yunquera Richtung El Burgo und Ronda. Am Kreisel und der Busstation dem Hinweis 'Sportcomplex' folgen. Links ab zur Sierra de las Nieves.

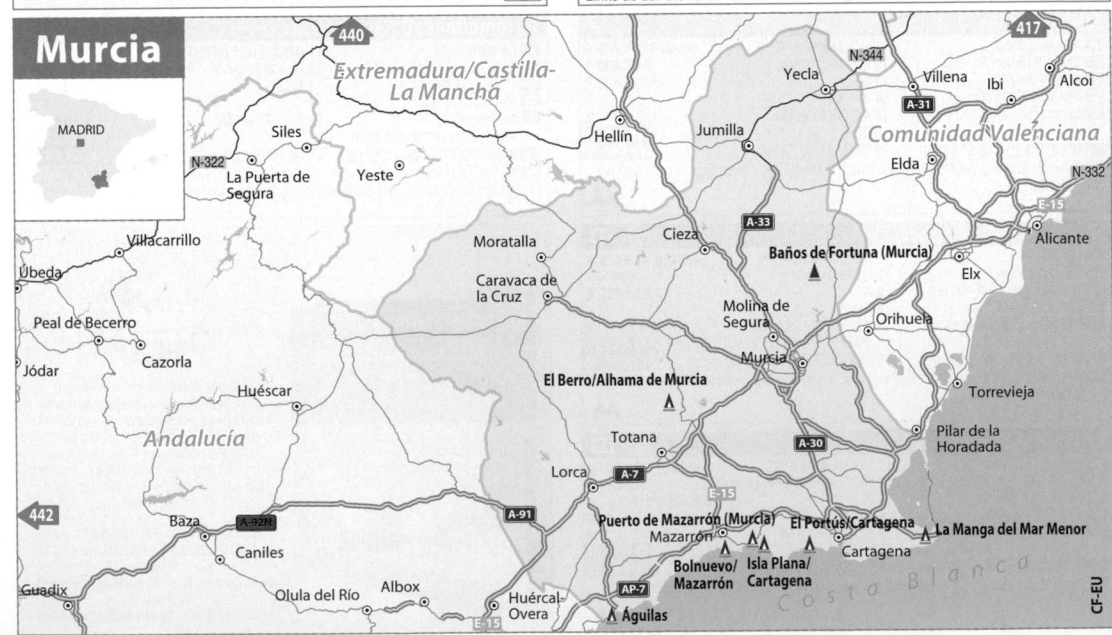

Bellavista

Águilas, E-30880 / Murcia 📶 CC€16

🏕 Bellavista*
📍 Ctra de Vera, km 3
🗓 1 Jan - 31 Dez
☎ +34 968-449151
@ info@campingbellavista.com

1	BDE**JM**NOPQRS**T**	AK 6
2	AEHORVWXY	ABDE**FG**H 7
3	ALQ	ABEFNQRSTUV 8
4	BCDIOQU	JK 9
5	ABDFGKM	ABCDFHIJM**NO**V 10
Anzeige auf dieser Seite		B 10A CEE

📍 N 37°23'31'' W 1°36'34''
❶ €28,70
1 ha 65T(50-80m²) 12D ❷ €38,30
🚗 Gelegen an der N332 von Águilas nach Vera, Km-Pfahl 3.

Baños de Fortuna (Murcia), E-30626 / Murcia 📶 CC€14 iD

🏕 La Fuente
📍 Camino de la Bocamina s/n
🗓 1 Jan - 31 Dez
☎ +34 968-685017
@ info@campingfuente.com

1	ABDE**JM**NOPQRS	ABC**D** 6
2	FOPRSVWXY	ABDE**FG** 7
3		ABCDEF**IL**NQRTUV 8
4	FHIOUW	GJ 9
5	ABE**G**LIKM	ABCDGHIJ**NP**V 10
D 10A OCC		

📍 N 38°12'24'' W 1°6'26''
❶ €19,25
2 ha 90T(60-70m²) 23D ❷ €22,00
🚗 A7 Ausfahrt 559AB. Dann 559A Richtung Fortuna. Am 1. Kreisel RM423 Richtung Yecla, danach A21 Richtung Baños de Fortuna. CP liegt kurz vor der Ortschaft links.

Baños de Fortuna (Murcia), E-30626 / Murcia 📶 iD

🏕 Las Palmeras
📍 Calle Camping s/n
🗓 1 Jan - 31 Dez
☎ +34 968-686095
@ info@campinglaspalmeras.eu

1	ABDE**JM**NOPRST	6
2	ORSVWX	ABDEF 7
3		ABEFNQRTUV 8
4	O	9
5	ADEFGIJK	BHIJ**PR** 10
B 10A		

📍 N 38°12'20'' W 1°6'38''
❶ €15,00
2 ha 73T(60-80m²) 8D ❷ €18,50
🚗 A-7 Ausfahrt Fortuna 559A. Dann 559 A Richtung. Dann Richtung Yeala (C-3223). Dann RM-A21 nach Baños de Fortuna. Hier den CP-Schildern folgen.

ACSI

Der Campingspezialist von Europa

www.ACSI.eu

Bolnuevo/Mazarrón, E-30877 / Murcia 📶 CC€16 iD

🏕 Playa de Mazarrón
📍 Avda Pedro Lopéz Meca s/n
🗓 1 Jan - 31 Dez
☎ +34 968-150660
@ camping@playamazarron.com

1	ABDEJMNOPQRT	AFKNPQSWX 6
2	AEHOQRVXY	ABDE**FG** 7
3	BE**MO**Q	ABEFNQRSTU 8
4	BCDIO**PT**	⌐JL 9
5	ACE**GIJKLM**	ABDGHIJ**NP**RY 10
B 12A		

📍 N 37°33'47'' W 1°18'14''
❶ €33,00
8 ha 475T(60-80m²) 50D ❷ €43,50
🚗 A7, Ausfahrt 627B, via MU603 Richtung Mazarrón. Am Autobahnende links Richtung Cartagena. Im 1. Kreisel rechts Richtung Bolnuevo (D6). Im folgenden Kreisel rechts. CP nach 300m links.

El Berro/Alhama de Murcia, E-30848 / Murcia 📶 CC€16 iD

🏕 Sierra España Cat.2
📍 C/Juan Bautista s/n
🗓 1 Jan - 31 Dez
☎ +34 968-668038
@ camping@campingsierraespuna.com

1	ABDE**JM**NOQRT	A 6
2	FGQRSTUVWXY	AD**FG** 7
3	AEIL**MU**	ABEFJNQRSV 8
4	FHO**P**	AJ 9
5	DEGIJKL**M**	BCDGHIJLN**P**V 10
6A		

📍 N 37°53'17'' W 1°29'35''
❶ €25,00
H640 2 ha 50T(45-80m²) 31D ❷ €33,60
🚗 A7 Murcia-Granada, Ausf. 627 nach Alhama de Murcia. Ri. Mula die C3315. 2. Ausf. El Berro, C25 (1. Ausf. nicht geeignet). Am Ortseingang CP-Schildern folgen. Nicht durch Ort. Falls erforderlich wird Hilfe angeboten. Vorher bitte anrufen!

El Portús/Cartagena, E-30393 / Murcia 📶 CC€16 iD

🏕 Naturista 'El Portús'*
📍 Ctra Canteras-El Portús s/n
🗓 1 Jan - 31 Dez
☎ +34 968-553052
@ elportus@elportus.es

1	ABDE**JM**NOPQRS**T**	AEKNQSW**X** 6
2	AEFGHJMOQRSTUVWX	ABDE**FG** 7
3	ALMQ	ABEFJNQRSTU 8
4	FO**PQRTUY**	E 9
5	ACDFGIJK**M**	ABDGHIJ**NP**RZ 10
FKK 6A		

📍 N 37°35'11'' W 1°4'4''
❶ €41,80
10 ha 350T(60-120m²) 140D ❷ €53,90
🚗 In der Bucht von Els Portús gelegen, südwestl. von Cartagena. In Cartagena den Schildern Mazarrón N332 folgen bis Ausfahrt Canteras/El Portús. Nach Canteras links ab El Portús. Den CP-Schildern folgen.

Isla Plana/Cartagena, E-30868 / Murcia 📶 CC€18 iD

🏕 Los Madriles
📍 Ctra a la Azohía km 4,5
🗓 1 Jan - 31 Dez
☎ +34 968-152151
@ camplosmadriles@forodigital.es

1	ABDEHKNOPQRT	ABCDFGX 6
2	FGOQRSUVWXY	ABDEFH 7
3	BEL**M**Q	ABCDEF**IJLM**NRSTUV 8
4	BDFILO**P**	EL 9
5	ACDFGK**M**	ABDGHIJL**N**PRVXZ 10
B 10A CEE		

📍 N 37°34'47'' W 1°11'42''
❶ €36,65
6,5 ha 311T(80-100m²) 37D ❷ €49,35
🚗 A7, salida 845, via MU603 Richtung Mazarrón. Am Ende der MU603 nach links auf die N332 und immer auf dieser bleiben Richtung Cartagena bis Isla Plana angezeigt wird E22. Dann den CP-Schildern folgen.

La Manga del Mar Menor, E-30385 / Murcia 📶 CC€16 iD

🏕 Caravaning La Manga
📍 Autovía de La Manga, salida 11
🗓 1 Jan - 31 Dez
☎ +34 968-563019
@ lamanga@caravaning.es

1	ABDE**JM**NOPQRST	AEFKMNQRSTWX 6
2	AEHOQSTVWX	ABDE**FG** 7
3	BE**IK**LMOQ	ABEFJNQRSTU 8
4	BDILO**PQRT**	EJKLMOQT 9
5	ACDEFGIJK**M**	ABCDGHIL**NP**RWY 10
10A CEE		

📍 N 37°37'30'' W 0°44'37''
❶ €31,50
32 ha 950T(84-110m²) 553D ❷ €39,80
🚗 AP7, Ausfahrt 800 La Manga MU-312, Ausfahrt 11. Über die Überführung und die Parallelstraße 500m zurückfahren. CP deutlich ausgeschildert.

Puerto de Mazarrón (Murcia), E-30860 / Murcia 📶 CC€14 iD

🏕 Las Torres Cat.2
📍 Ctra N332 km 26
🗓 1 Jan - 31 Dez
☎ +34 968-595225
@ info@campinglastorres.com

1	ABDE**JM**NOQR	ACDX 6
2	GOQRSVWXY	ABDE**F** 7
3	ALM	ABEFNRV 8
4	IO**PQ**	J 9
5	ABDEGIK**M**	ABCDHIJO**P**RV 10
B		

📍 N 37°35'23'' W 1°13'45''
❶ €21,00
5 ha 210T(70m²) 43D ❷ €32,00
🚗 A7 Ausfahrt 845 über die MU603 Richtung Mazarrón. Am Ende der MU603 nach links auf die N332 und immer auf dieser bis zum Km-Pfahl 26 bleiben.

Valença
Melgaço
N101
Ponte de Lima
Viana do Castelo
N203
A 3
A 28
Braga
Montalegre
A-75
Bragança
A-52
N-631
Guimarães
Chaves
NORD-PORTUGAL
A 7
A 24
A 4
N-122
Porto
Gondomar
Vila Real
Miranda do Douro
Mogadouro
Porto und der Norden
Torre de Moncorvo
Santa Maria da Feira
A 29
Vila Nova de Foz Côa
SPANIEN
Aveiro
A 25
Viseu
459
Cantanhede
Guarda
A-62
Montemor-o-Velho
Oliveira do Hospital
Centro
Béjar
Coimbra
A 17
Fundão
Cória
Plasencia
N-110
Leiria
A 1
Sertã
Castelo Branco
Caldas da Rainha
A 8
A 23
A 15
Santarém
N-521
Cáceres
Torres Vedras
N1
Ponte de Sor
Portalegre
A-58
Marinhais
A 10
A 13
SÜD-PORTUGAL
Sintra
EX-100
A 12
463
Campo Maior
Mérida
A-5
N-430
LISBOA
N4
A 6
Villanueva de la Serena
Setúbal
N10
Évora
Alentejo
Badajoz
Reguengos de Monsaraz
N18
Santiago do Cacém
N259
EX-101
N-432
Azuaga
N262
Beja
N120-1
A 2
N261-4
Serpa
N260
N-435
N391
N393
Odemira
N-433
N264
Mértola
Almodôvar
Palma del Río
N120
A-66
Lora del Río
Portimão
Algarve
Sevilla
Alcalá de Guadaíra
A-4
Lagos
Loulé
Ayamonte
Huelva
Almonte
Albufeira
Faro
Olhão
Utrera
A-92

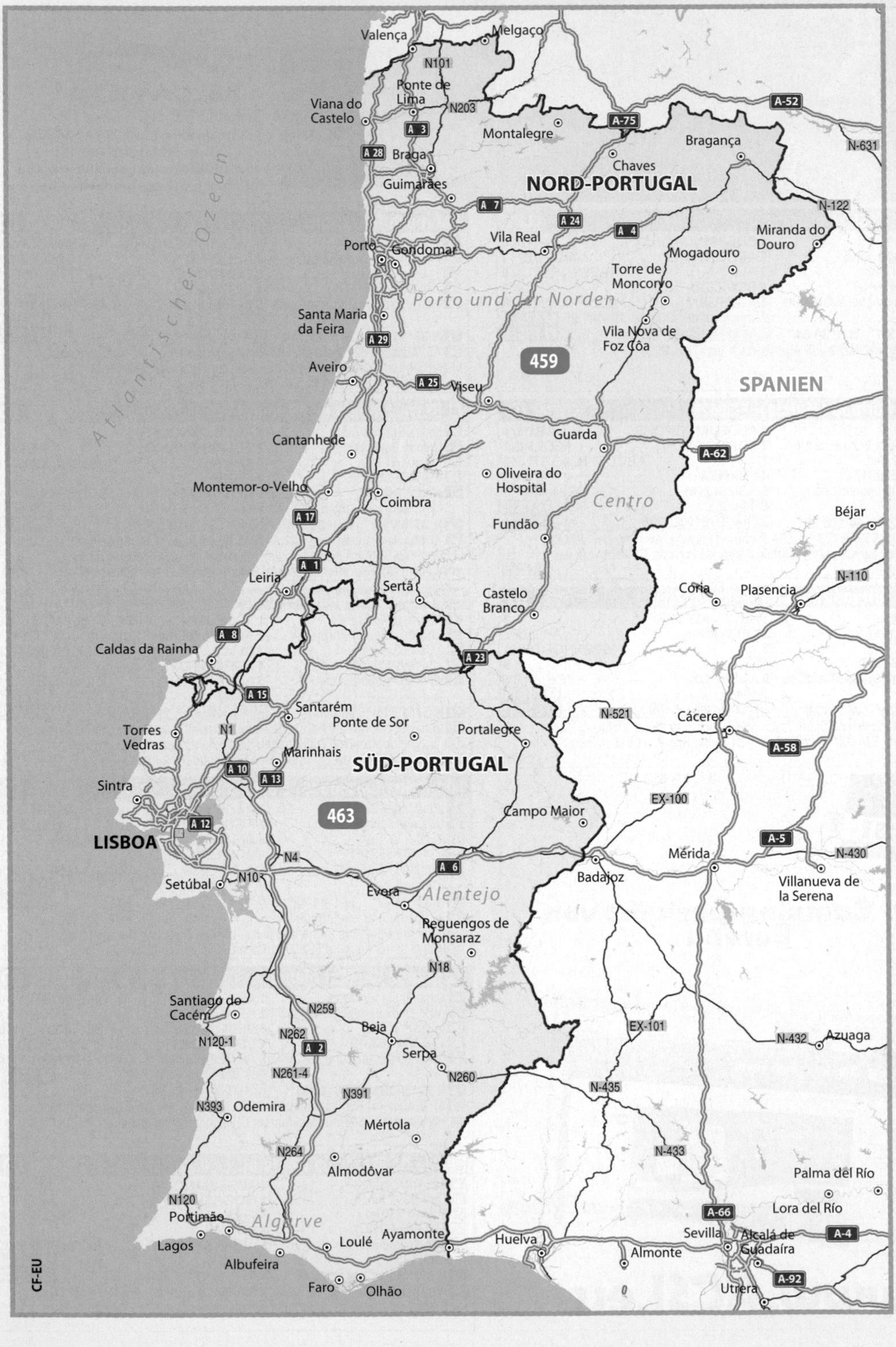

Atlantischer Ozean

CF-EU

ⓘ Allgemein

Portugal ist EU-Mitglied.

Zeit

In Portugal ist es eine Stunde früher als in Berlin.

Sprache

Portugiesisch, aber auch mit Englisch und Französisch kommt man weiter.

🐾 Grenzformalitäten

Viele Formalitäten und Vereinbarungen, wie erforderliche Reisedokumente, KFZ-Papiere, Anforderungen an Ihr Fahrzeug und Ihren Aufenthalt, Krankenkosten und das Mitführen von Tieren, sind nicht nur vom Zielort abhängig, sondern auch von Ihrem Ausgangsort und Ihrer Nationalität. Auch die Dauer Ihres Aufenthaltes spielt dabei eine Rolle. Im Rahmen dieses Führers ist es leider nicht möglich, allen Lesern korrekte und aktuelle Informationen in dieser Hinsicht zu garantieren.

Wir raten Ihnen, vor Ihrer Abreise bei den entsprechenden Behörden in Erfahrung zu bringen:

- welche Reisedokumente Sie für sich selbst und Ihre Reisebegleitung brauchen
- welche Dokumente Sie für Ihr Auto brauchen
- welchen Anforderungen Ihr Fahrzeug entsprechen muss
- welche Güter Sie ein- und ausführen dürfen
- wie im Unglücks- oder Krankheitsfall die medizinische Versorgung im Urlaubsland organisiert ist und bezahlt wird
- ob Sie Ihre Haustiere mitnehmen können. Nehmen Sie rechtzeitig Kontakt zu Ihrem Tierarzt auf. Dort erhalten Sie Informationen über relevante Impfungen, entsprechende Bestätigungen und Verpflichtungen bei Ihrer Rückkehr. Es ist auch sinnvoll herauszufinden, ob an Ihrem Urlaubsziel bestimmte Bedingungen für Haustiere in der Öffentlichkeit geknüpft sind. So müssen in manchen Ländern Hunde immer einen Maulkorb tragen oder vergittert transportiert werden.

Viele allgemeine Infos finden Sie auf
▶ *www.europa.eu* ◀ aber sorgen Sie selbst
dafür, die richtige Information für Ihre
individuelle Situation herauszufinden.

Aktuelle Zollbestimmungen entnehmen
Sie den Botschaften des jeweiligen
Urlaubslandes an Ihrem Wohnort.

Währung und Geld

Die Währungseinheit in Portugal ist der
Euro. Geldautomaten erkennen Sie am 'MB'
Zeichen.

Kreditkarten
Kreditkarten werden vielerorts akzeptiert.

Öffnungszeiten und Feiertage

Banken
Banken sind montags bis freitags bis
15.00 Uhr geöffnet.

Geschäfte
Im Allgemeinen an Werktagen bis 19.00 Uhr
geöffnet. Samstags geöffnet bis 13.00 Uhr.

Apotheken, Ärzte
Ärztliche Hilfe bekommen Sie im örtlichen
Gesundheitscenter ('centro de saudé').
Apotheken sind an Werktagen geöffnet
bis 19.00 Uhr, oft mit einer Mittagspause
von 13.00 bis 15.00 Uhr. Samstags sind die
Apotheken bis 13.00 Uhr geöffnet.

Feiertage
Neujahr, 11. Februar (Fastenabend),
Karfreitag, Ostersonntag, 25. April
(Revolutionsgedenken), 1. Mai (Tag
der Arbeit), 4. Juni (Fronleichnam),
10. Juni (Portugaltag), 15. August
(Mariä Himmelfahrt), 5. Oktober
(Staatsgründung), Allerheiligen,
1. Dezember (Unabhängigkeit),

8. Dezember (Unbefleckte Empfängnis) und
1. Weihnachtsfeiertag.

🔊 Kommunikation

(Mobil)Telefon

Das Mobilnetz in ganz Portugal ist gut, außer
in abgelegenen Gebieten. Es gibt ein 3 G-Netz
für das mobile Internet. In Telefonzellen
können Sie mit Telefonkarten anrufen, die
man auf der Post, in Tabakgeschäften, oder
bei der Telecom Portugal erhält.

W-Lan, Internet

In einigen Städten finden Sie Internetcafés.
In Postämtern mit dem Zeichen 'Netpost'
kommen Sie auch ins Internet. W-Lan ist mit
'Wireless Zone' in Geschäftszentren, Hotels
und Restaurants angegeben.

Post

'Correios', normalerweise an Werktagen
geöffnet bis 18.00 Uhr.

⚠ Straßen und Verkehr

Straßennetz

Bei Dunkelheit sollte man Nebenstrecken
meiden. Der ACP bietet auf allen Straßen
einen Pannendienst. Hilfe der Straßenwacht
erhalten Sie mit einem Auslandsschutzbrief.
An den Autobahnen sind alle 4 Kilometer
Notrufsäulen. An den übrigen Straßen
können Sie die folgende Telefonnummer
wählen: 707509510.

Verkehrsvorschriften

Verkehr von rechts hat Vorfahrt. Im Kreisel
hat man gegenüber dem herannahenden

Verkehr Vorfahrt. Auf schmalen Straßen muss der Auto der am einfachsten ausweichen kann, Platz machen.

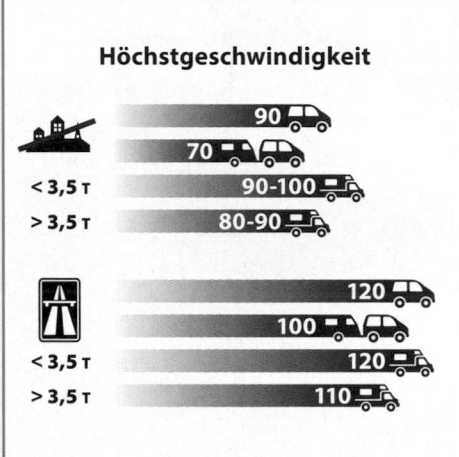

Promillehöchstgrenze: 0,5‰. Telefonieren nur mit Freisprechanlage. In Ortschaften ist Halten und Parken nur an ausgewiesenen Stellen erlaubt oder auf dem Fahrbahn parallel zu der Verkehrsrichtung. Man darf auf Brücken und in Tunneln nicht anhalten. Bei winterlichen Verhältnissen sind zwar Winterreifen keine Pflicht, aber dennoch sehr zu empfehlen.

Achtung: es ist verboten Fahrräder auf einem Fahrradträger hinten am Auto zu befördern. Man darf Räder aber auf dem Dachgepäckträger transportieren, oder auf einem Fahrradträger hinten am Wohnwagen. Die Räder dürfen nicht über die Seite hinausragen und dürfen auf der Rückseite nicht über 45 cm hinausragen.

Navigation

Warnung vor festen Blitzern durch Navi oder Mobiltelefon Apps ist erlaubt.

Zulässige Maße Wohnwagen, Reisemobil

Höhe 4m, Breite 2,55m und Länge Auto und Anhänger/Caravan 18,75m.

Kraftstoff

Bleifrei und Diesel sind überall, LPG begrenzt erhältlich. In der Regel kann man mit Kreditkarte bezahlen.

Tankstellen

Tankstellen sind durchgehend zwischen 7.00 und 22.00 Uhr geöffnet.

Maut

Auf verschiedenen Strecken in Portugal wird Maut erhoben. Das geht in bar, aber auf einigen Strecken nur elektronisch. An diesen Strecken gibt es keine Mautstellen, Ihr Fahrzeug wird bei der Auffahrt registriert. Die Straße erkennt man an der Meldung 'Electronic toll only'. Sie können eine Toll Service Karte in einem Welcome Point von Easy Toll kaufen. Sie ist 3 oder 5 Tage gültig. Ansonsten mit Easytoll. Das ist ein automatisches Zahlsystem einer Kreditkarte (Mastercard oder Visa), die zusammen mit dem KFZ-Kennzeichen registriert wird. Dafür müssen Sie sich (kostenlos) an der Grenze registrieren lassen. Sie bekommen dann ein Ticket, das 30 Tagen gültig ist. Sie können auch eine Prepaid-Karte kaufen (Toll Card). Dieser bekommt man auf der Post, Touristenbüros und an Easy Toll Verkaufsstellen. Mehr Infos auf ▸ *www.visitportugal.com* ◂, Suchbegriff 'elektronische Maut'.

Notruf

112: nationaler Notruf für Polizei, Feuerwehr und Krankenwagen.

△ Campen

Portugal hat ein eigenes Klassifizierungssystem für Campings. Je nach Infrastruktur und verfügbarer Dienstleistung bewertet man Campings mit 1 bis 4 Sterne oder nur mit der Bezeichnung 'rural'. Im letzten Fall ist der Camping Teil eines Bauernhofes. Reservierung in der Hochsaison unbedingt empfohlen.

Praktisch

- Am besten immer Universalstecker dabei haben.
- Leitungswasser hat gute Qualität. Im Zweifel aber lieber Mineralwasserflaschen verwenden.

Klima Faro	Jan.	Feb.	März	April	Mai	Juni	Juli	Aug.	Sept.	Okt.	Nov.	Dez.
Tagestemperatur	13	14	15	17	19	22	24	24	22	20	17	14
Sonnenstunden am Tag	6	6	7	8	10	12	12	11	9	7	6	5
Regentage	7	6	8	5	3	1	0	0	1	3	5	7
Wassertemperatur	14	15	15	17	18	20	22	21	21	20	18	17

Klima Lisboa	Jan.	Feb.	März	April	Mai	Juni	Juli	Aug.	Sept.	Okt.	Nov.	Dez.
Tagestemperatur	12	13	15	17	18	22	24	24	23	19	15	13
Sonnenstunden am Tag	5	7	7	9	10	11	12	12	9	8	6	5
Regentage	10	8	9	6	6	3	1	1	4	6	8	10
Wassertemperatur	14	14	14	15	17	18	19	20	19	18	17	16

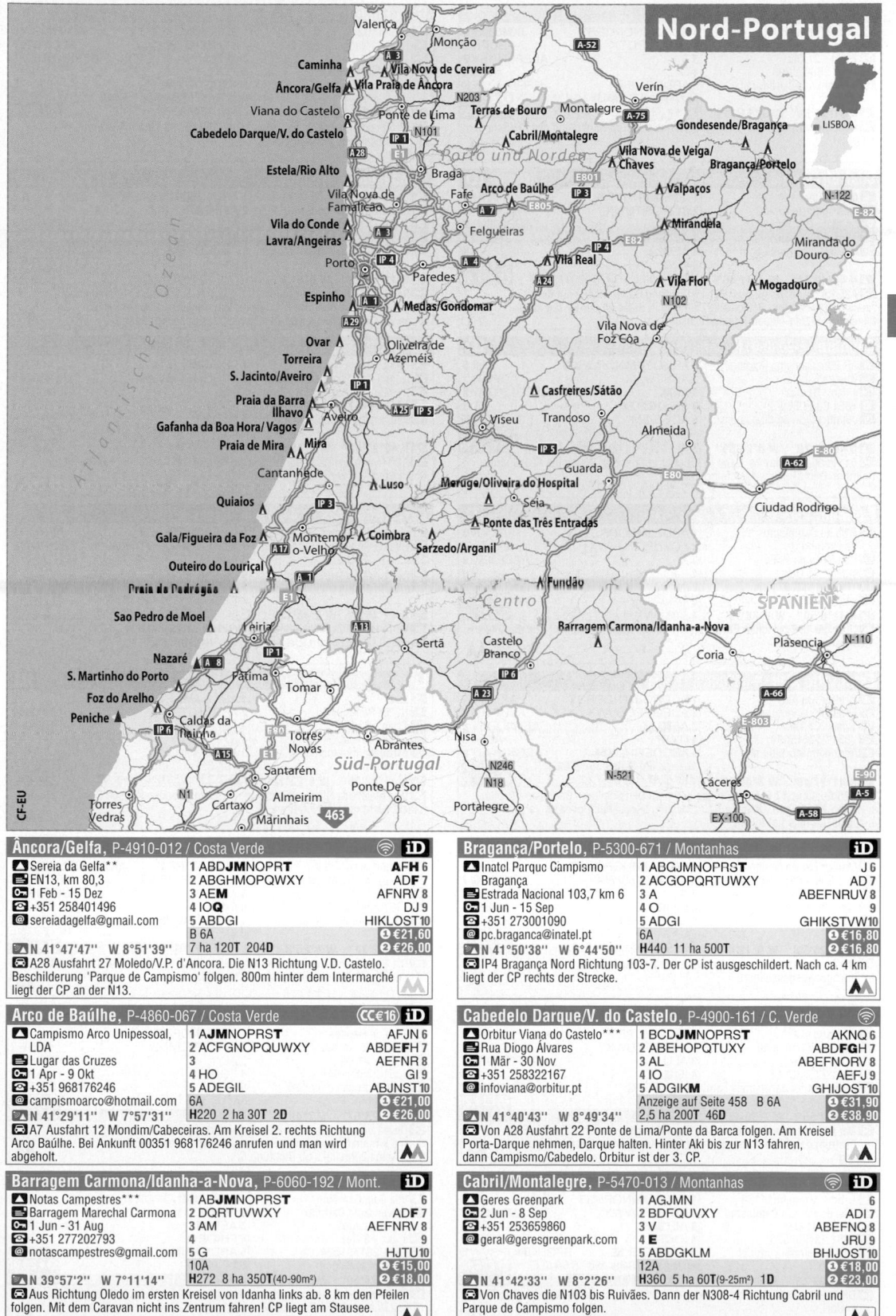

Nord-Portugal

LISBOA

Teilkarte Nord-Portugal auf Seite 459

Âncora/Gelfa, P-4910-012 / Costa Verde 📶 iD

🏕 Sereia da Gelfa**
📧 EN13, km 80,3
📅 1 Feb - 15 Dez
☎ +351 258401496
@ sereiadagelfa@gmail.com

1 ABD**JM**NOPR**T**	**AFH** 6
2 ABGHMOPQWXY	AD**F** 7
3 AE**M**	AFNRV 8
4 IO**Q**	DJ 9
5 ABDGI	HIKLOST 10
B 6A	➊ €21,60
7 ha 120**T** 204**D**	➋ €26,00

🗺 N 41°47'47'' W 8°51'39''

🚗 A28 Ausfahrt 27 Moledo/V.P. d'Âncora. Die N13 Richtung V.D. Castelo. Beschilderung 'Parque de Campismo' folgen. 800m hinter dem Intermarché liegt der CP an der N13.

Arco de Baúlhe, P-4860-067 / Costa Verde CC16 iD

🏕 Campismo Arco Unipessoal, LDA
📧 Lugar das Cruzes
📅 1 Apr - 9 Okt
☎ +351 968176246
@ campismoarco@hotmail.com

1 A**JM**NOPRS**T**	AFJN 6
2 ACFGNOPQUWXY	ABDEFH 7
3	AEFNR 8
4 HO	GI 9
5 ADEGIL	ABJNST 10
6A	➊ €21,00
H220 2 ha 30**T** 2**D**	➋ €26,00

🗺 41°29'11'' W 7°57'31''

🚗 A7 Ausfahrt 12 Mondim/Cabeceiras. Am Kreisel 2. rechts Richtung Arco Baúlhe. Bei Ankunft 00351 968176246 anrufen und man wird abgeholt.

Barragem Carmona/Idanha-a-Nova, P-6060-192 / Mont. iD

🏕 Notas Campestres***
📧 Barragem Marechal Carmona
📅 1 Jun - 31 Aug
☎ +351 277202793
@ notascampestres@gmail.com

1 AB**JM**NOPRS**T**	6
2 DQRTUVWXY	AD**F** 7
3 AM	AEFNRV 8
4	9
5 G	HJTU 10
10A	➊ €15,00
H272 8 ha 350**T**(40-90m²)	➋ €18,00

🗺 N 39°57'2'' W 7°11'14''

🚗 Aus Richtung Oledo im ersten Kreisel von Idanha links ab. 8 km den Pfeilen folgen. Mit dem Caravan nicht ins Zentrum fahren! CP liegt am Stausee.

Bragança/Portelo, P-5300-671 / Montanhas iD

🏕 Inatel Parque Campismo Bragança
📧 Estrada Nacional 103,7 km 6
📅 1 Jun - 15 Sep
☎ +351 273001090
@ pc.braganca@inatel.pt

1 ABGJMNOPRS**T**	J 6
2 ACGOPQRTUWXY	AD 7
3 A	ABEFNRUV 8
4 O	9
5 ADGI	GHIKSTVW 10
6A	➊ €16,80
H440 11 ha 500**T**	➋ €16,80

🗺 N 41°50'38'' W 6°44'50''

🚗 IP4 Bragança Nord Richtung 103-7. Der CP ist ausgeschildert. Nach ca. 4 km liegt der CP rechts der Strecke.

Cabedelo Darque/V. do Castelo, P-4900-161 / C. Verde 📶

🏕 Orbitur Viana do Castelo***
📧 Rua Diogo Álvares
📅 1 Mär - 30 Nov
☎ +351 258322167
@ infoviana@orbitur.pt

1 BCD**JM**NOPRS**T**	AKNQ 6
2 ABEHOPQTUXY	ABD**FGH** 7
3 AL	ABEFNORV 8
4 IO	AEFJ 9
5 ADGIK**M**	GHIJOST 10
Anzeige auf Seite 458 B 6A	➊ €31,90
2,5 ha 200**T** 46**D**	➋ €38,90

🗺 N 41°40'43'' W 8°49'34''

🚗 Von A28 Ausfahrt 22 Ponte de Lima/Ponte da Barca folgen. Am Kreisel Porta-Darque nehmen, Darque halten. Hinter Aki bis zur N13 fahren, dann Campismo/Cabedelo. Orbitur ist der 3. CP.

Cabril/Montalegre, P-5470-013 / Montanhas 📶 iD

🏕 Geres Greenpark
📅 2 Jun - 8 Sep
☎ +351 253659860
@ geral@geresgreenpark.com

1 AGJMN	6
2 BDFQUVXY	ADI 7
3 V	ABEFNQ 8
4 E	JRU 9
5 ABDGKLM	BHIJOST 10
12A	➊ €18,00
H360 5 ha 60**T**(9-25m²) 1**D**	➋ €23,00

🗺 N 41°42'33'' W 8°2'26''

🚗 Von Chaves die N103 bis Ruivães. Dann der N308-4 Richtung Cabril und Parque de Campismo folgen.

Portugal

Caminha, P-4910-180 / Costa Verde 📶

🔺 Orbitur Caminha**	1 BDEJMNOPQRST	JKNQSW 6
🏢 Mata do Camarido	2 ABCEHPQTX	ABDFH 7
🕐 1 Jan - 31 Dez	3 A	ABEFKNRSV 8
☎ +351 258921295	4 O	AEFJ 9
@ infocaminha@orbitur.pt	5 ABDEGIJKM	BFGHIJLOR10
	Anzeige auf Seite 458 B 12A	❶ €29,90
🅿️🅰 41°51'59'' W 8°51'31''	2,8 ha 332T 56D	❷ €36,90

🚗 Über die N13 Valença-Porto. In Caminha dem Rio Minho und den CP-Schildern folgen. Ⓜ

Casfreires/Sátão, P-3560-043 / Montanhas 📶 CC€16 iD

🔺 Quinta Chave Grande	1 ABDEJMNOPQRT	AFN 6
🏢 Rua do Barreiro 462	2 COPQRTUWXY	ABDFGH 7
🕐 15 Mär - 31 Okt	3 ALMQ	ABEFHNR 8
☎ +351 232665552	4 ABEFHIO	ADEJ 9
@ info@chavegrande.com	5 AEGKL	JMOSTV10
	6A CEE	❶ €24,00
🅿️🅰 40°49'22'' W 7°41'46''	H700 9,5 ha 180T(100-150m²) 5D	❷ €31,00

🚗 A25 Richtung Viseu, Ausfahrt 19 Richtung Sátão. Weiter auf der IP5 Ausfahrt 17 Richtung Sátão N229. Vor und in Sátão ist der CP gut mit blauen/rotweißen-blauen Tafeln beschildert (ca. 10 km). Ⓜ

Coimbra, P-3030-011 / Costa de Prata iD

🔺 AR Puro Camping Coimbra****	1 ABCDEJMNOPQRST	AF 6
🏢 Rua da Escola	2 AOPTUWX	ADFGH 7
🕐 1 Jan - 31 Dez	3 AFIK	ABEFHNPQRV 8
☎ +351 239-086902	4 AEIOQRTZ	JL 9
@ coimbra@cacampings.com	5 ADEGILM	FGHKNRV10
	12A	❶ €24,45
🅿️🅰 40°11'20'' W 8°23'59''	7 ha 750T(40-100m²) 6D	❷ €29,15

🚗 A1 Richtung Coimbra. Dann IP3 Richtung Coimbra. Weiter die A25 Guarda-Coimbra. Den CP-Hinweisen folgen. Ⓜ

Espinho, P-4500-083 / Costa de Prata iD

🔺 P.M. de Campismo de Espinho***	1 ABDEJMNOPRST	AFKMN 6
	2 ACEHPQTUVWXY	ABDFH 7
🏢 Rua Nova da Praia	3 A	ABEFNRV 8
🕐 1 Jan - 31 Dez	4	V 9
☎ +351 227335871	5 ADGJ	BHIJNRV10
@ campismo@cm-espinho.pt	B 10A CEE	❶ €18,00
🅿️🅰 41°0'50'' W 8°38'15''	3,7 ha 300T(40-60m²) 4D	❷ €22,40

🚗 Über die 109 zwischen Porto und Aveiro die Ausfahrt Espinho und den Pfeilen 'Campismo' folgen. Ⓜ

Estela/Rio Alto, P-4570-275 / Costa Verde 📶

🔺 Orbitur Rio Alto****	1 BCDEGJMNOPRST	AKMNQ 6
🏢 Estela P. de Varzim	2 ACEGHPQSVWX	ABDFGH 7
🕐 1 Jan - 31 Dez	3 AEKLM	ABFNQRSV 8
☎ +351 252615699	4 DIOP	ADEJ 9
@ inforioalto@orbitur.pt	5 ABCDEGHIJKM	ABGHIJOST10
	Anzeige auf Seite 458 B 6A	❶ €30,80
🅿️🅰 41°27'46'' W 8°46'22''	9 ha 620T 152D	❷ €37,70

🚗 A28 Ausfahrt 17 Estela/Laundos nehmen. Den Schildern Campismo/Orbitur nach Rio Alto folgen. Über die N13 zwischen Esposende/Povoa de Varzim. In Estela 'Campismo' folgen. Ⓜ

Foz do Arelho, P-2500-516 / Costa de Prata 📶

🔺 Orbitur Foz do Arelho**	1 BCDEJMNOPQRST	AF 6
🏢 Rua Maldonado Freitas	2 ABOPQTUVWXY	ABDFG 7
🕐 1 Jan - 31 Dez	3 A	ABEFKNORSV 8
☎ +351 262978683	4 BIOQ	ADEFJ 9
@ infofozarelho@orbitur.pt	5 ABDEGIKM	HIJOSU10
	6A	❶ €28,90
🅿️🅰 39°25'50'' W 9°12'4''	7 ha 500T(80-125m²) 91D	❷ €35,90

🚗 Die A8 Ausfahrt 19 Richtung Küste, vor der Bucht links. Im Dorf gut ausgeschildert. Ⓜ

Fundão, P-6230 / Montanhas 📶 iD

🔺 Fundatur S.A.*	1 ABJMNOPRT	AF 6
🏢 Quinta do Convento	2 ABPQRTUWXY	ADFG 7
🕐 1 Jan - 31 Dez	3 ALU	AEFKNQRV 8
☎ +351 275753118	4 IOQ	9
@ campismofundao@gmail.com	5 ABDEGIKL	HIJORV10
	9A	❶ €14,20
🅿️🅰 40°7'55'' W 7°30'43''	H571 2,5 ha 150T(50-100m²)	❷ €17,40

🚗 Der IP2 Richtung von Castel Branco folgen, Ausfahrt 'Fundão Sul'. Im Zentrum den Pfeilen Camping und Campismo folgen. Vorsicht: steile Zufahrt. Ⓜ

Gafanha da Boa Hora/ Vagos, P-3840-254 / C. de Prata 📶 CC€18

🔺 Orbitur Vagueira***	1 BCDEJMNOPQRST	6
🏢 Rua do Parque Campismo	2 ABHOPQVWXY	ABDFGH 7
🕐 1 Jan - 31 Dez	3 AELMP	ABEFKNRS 8
☎ +351 234797526	4 IOQR	EFJ 9
@ infovagueira@orbitur.pt	5 ABDEGIJKM	BFGHIJNOPRVW10
	Anzeige auf Seite 458 B 6A CEE	❶ €25,80
🅿️🅰 40°33'28'' W 8°44'41''	12 ha 250T(80-125m²) 77D	❷ €30,80

🚗 Die N109 von Aveiro nach Figueo da Foz. In Vagos nach Vagueira. Der CP liegt vorm Dorf. Ⓜ

Gala/Figueira da Foz, P-3080-358 / Costa de Prata 📶 CC€18

🔺 Orbitur Gala (Fig. da Foz)***	1 BDEJMNOPQRST	AFKNQSW 6
🏢 Estrada Nacional 109, km 4	2 BEHOPQTWXY	ABDFGH 7
🕐 1 Jan - 31 Dez	3 AEM	ABEFKNQRSV 8
☎ +351 233431492	4 IOP	ADEJ 9
@ infogala@orbitur.pt	5 ABDEGIJKM	HIJOR10
	Anzeige auf Seite 458 B 10A	❶ €38,00
🅿️🅰 40°7'6'' W 8°51'24''	6,4 ha 304T(40-80m²) 234D	❷ €45,00

🚗 N109 von Figueira da Foz nach Leiria. Der CP ist 4 km hinter Figueira in Gala an der Brücke gut ausgeschildert. Ⓜ

Gondesende/Bragança, P-5300-561 / Mont. 📶 ✿ CC€10 iD

🔺 Cepo Verde***	1 ABDEJMNOPQRST	A 6
🏢 Lugar da Vinha do Santo	2 ABFGOPQTUVY	ADHI 7
🕐 1 Jan - 31 Dez	3 AL	AEFNRV 8
☎ +351 273-999371	4 BEFO	GJ 9
@ cepoverde@montesinho.com	5 ABDEIJKLM	FHIJLMOSTV10
	H788 3 ha 50T(15-60m²) 17D	❶ €16,35
🅿️🅰 41°50'56'' W 6°51'41''		❷ €20,15

🚗 A4 Ausfahrt Vinhais/Braganca (N103). Am 1. Kreisel, 2. Ausfahrt nach Bragança/Vinhais über die IP4. Nach 7 km Ausfahrt rechts zur N103 Bragança Oeste/Vinhais und Campismo. Den Schildern folgen. Ⓜ

Ilhavo, P-3830-453 / Costa de Prata

🔺 Camp. Costa Nova	1 BDEJMNOPRST	JKMN 6
🏢 Quinta dos Patos-Costa Nova	2 ACEGHOPQVWXY	ADFGH 7
🕐 21 Mär - 1 Okt	3 AEL	AFNRSV 8
☎ +351 234393220	4 IOPQ	GJL 9
@ info@campingcostanova.com	5 ACDGK	GHIJLNRVX10
	Anzeige auf Seite 461 10A	❶ €24,40
🅿️🅰 40°35'59'' W 8°45'5''	8 ha 450T(6-50m²) 10D	❷ €26,60

🚗 A25 Aveiro Ost nach Barra über die Brücke. Im Kreisel 3/4 Runde Richtung Costa Nova. CP wird ausgeschildert. Ⓜ

Lavra/Angeiras, P-4455-039 / Costa Verde 📶

🔺 Orbitur Angeiras***	1 BDEJMNOPRST	AFKMN 6
🏢 Rua de Angeiras	2 ACEFGHMOPQTUVWXY	ABDFGH 7
🕐 1 Jan - 31 Dez	3 AEILM	ABEFNRV 8
☎ +351 229270571	4 FILOQ	AEFJ 9
@ infoangeiras@orbitur.pt	5 ACDEGJKM	BGHIJLNOSTW10
	Anzeige auf Seite 458 B 6A	❶ €28,90
🅿️🅰 41°16'2'' W 8°43'12''	9 ha 700T(50-140m²) 228D	❷ €35,90

🚗 Von Viana d.C. über die A28, Ausfahrt 12 Lavra/Aveleda. Dann den CP-Schildern 'Orbitur Angeiras' folgen. Ⓜ

Luso, P-3050-246 / Costa de Prata 📶 iD

🔺 Luso	1 ABDEJMNOPRST	6
🏢 N336, Pampilhosa	2 ABPQRTUWXY	ADFGH 7
🕐 1 Jan - 31 Dez	3 AEM	ABEFNV 8
☎ +351 231107551	4 IO	J 9
@ parquecampismoluso@gmail.com	5 ABDEGJKLM	HIJORV10
	B 16A CEE	❶ €19,55
🅿️🅰 40°22'55'' W 8°23'10''	H350 2,5 ha 50T(25-50m²) 9D	❷ €23,75

🚗 Von Mealhada Richtung Luso, im Zentrum über den Kreisel. Den CP-Schildern folgen. Nicht nach Navi fahren. Ⓜ

Medas/Gondomar, P-4515-397 / Costa de Prata iD

🔺 Campidouro	1 AEJMNOPRT	AFJMNQSUWXYZ 6
🏢 Parque de Camp. de Medas	2 ACFGOPTUVWXY	ABDEFH 7
🕐 1 Jan - 31 Dez	3 AEM	ABEFNRV 8
☎ +351 224760162	4 INO	DEJL 9
@ geral@campidouro.com	5 ACDEGJKLM	BGHIJNRX10
	B 6A	❶ €23,15
🅿️🅰 41°2'21'' W 8°25'37''	6 ha 75T(40-60m²) 403D	❷ €27,35

🚗 Die Strecke am Rio Douro entlang, südöstlich von Porto, Ausfahrt N108 Medas. Den Schildern 'Campismo' circa 16 km folgen. Ⓜ

Meruge/Oliveira do Hospital, P-3405-351 / C. de Prata 📶 CC€14 iD

🔺 Toca da Raposa	1 ABJMNOPRT	A 6
🏢 Quinta do Ameal	2 BFPQRTUWXY	ABDF 7
🕐 1 Apr - 31 Okt	3 AL	AEFNRV 8
☎ +351 238601547	4 FGHI	ADF 9
@ campingtocadaraposa@gmail.com	5 AGIL	AGHJOPTV10
	6A	❶ €20,50
🅿️🅰 40°23'57'' W 7°49'34''	H410 1 ha 30T(75-150m²) 9D	❷ €25,50

🚗 Oliveira do Hospital Richtung Lagares da Beira/Viseu über die N230. Nach 6 km am Kreisel rechts Richtung Meruge über die EM504. Noch keine 2 km links ab Richtung CP. Ⓜ

Mira, P-3070-176 / Costa de Prata 📶 iD

🔺 Vila Caia Camping**	1 ABDEJMNOPQRT	AF 6
🏢 Travessa da Carreira do Tiro-Lagoa	2 ABHOQXY	ADF 7
	3 AEILM	AEFNRV 8
🕐 1 Jan - 8 Dez	4 FHIOPQ	JV 9
☎ +351 231451524	5 ABDEIKLM	GHIJNOSTV10
@ info@vilacaia.com		❶ €20,80
🅿️🅰 40°26'50'' W 8°45'26''	6,5 ha 200T 12D	❷ €26,20

🚗 A17 Aveiro-Lissabon, Ausfahrt Mira. Über die N109 nach Mira am Wasserturm vorbei. Danach N334 Praia de Mira (Strand). Im nächsten Kreisel 4. Ausfahrt rechts. Ⓜ

Parque de Campismo Costa Nova | Praia da Costa Nova | Ílhavo
www.campingcostanova.com   email:info@campingcostanova.com
tel: +351 234 393 220   fax: +351 234 394 721

Mirandela, P-5370-555 / Montanhas   iD

🔺 Três Rios-Maravilha***	1 AJMNOPRST	AFJNX 6
🍴 Maravilha	2 ACGPQVWXY	ADH 7
🕐 2 Jan - 30 Nov	3 AM	AEFNORV 8
☎ +351 278263177	4 O	JQT 9
	5 ABDGKLM	BHIKRW10
	10A	❶ €16,00
🏔 N 41°30'24'' W 7°11'48''	H220 4 ha 200T(50-80m²) 87D	❷ €16,00

🚗 IP4 Braganza-Vila Real, Ausfahrt Mirandela-Nord. Schildern folgen.

Mogadouro, P-5200-244 / Montanhas   📶 iD

🔺 Parque de Campismo de Mogadouro	1 AJMNOPRT	AEF 6
🍴 Rua do Caminho	2 FGPQRTUVWX	ABD 7
da Fonte da Vila	3 AEM	AFJKNQRV 8
🕐 1 Apr - 30 Sep	4 O	9
☎ +351 279340230	5 L	GHJPRV10
@ emidiocalvo@hotmail.com	B 12A CEE	❶ €12,20
🏔 N 41°20'7'' W 6°43'7''	H727 2 ha 84T(80-90m²)	❷ €14,25

🚗 Die IC5 von Vila Flor aus. Richtung Miranda de Douro bis Ausfahrt 18. Beschilderung befolgen. CP ist gut angezeigt. Die IC5 ist der neue Autobahnabschnitt.

Nazaré, P-2450-148 / Costa de Prata   📶

🔺 Orbitur Valado***	1 BCDILNOPQRST	A 6
🍴 Nat 8-5	2 ABOQTUWXY	ABDEFGH 7
🕐 1 Mär - 30 Nov	3 ALM	ABEFNRS 8
☎ +351 262561111	4 OPQ	EJ 9
@ infovalado@orbitur.pt	5 ABDGK	HJOR10
	Anzeige auf Seite 458 B 6A	❶ €28,90
🏔 N 39°35'53'' W 9°3'22''	H66 8 ha 503T 34D	❷ €35,90

🚗 Zwischen Nazaré und Valado N8-4. Den Schildern und Pfeilen 'Orbitur CP' folgen.

Nazaré, P-2450-138 / Costa de Prata   📶 CC€16 iD

🔺 Vale Paraíso Natur Park***	1 ABEJMNOPQRST	AF 6
🍴 Estrada Nac. 242	2 ABOQRTUVWXY	ABDEFGH 7
🕐 1/1 - 17/12, 27/12 - 31/12	3 AEFL	ABEFNRV 8
☎ +351 262561800	4 EFIOPQRX	BFIJL 9
@ info@valeparaiso.com	5 ABDEGIKLM	BGHIOPR10
	Anzeige auf dieser Seite 10A CEE	❶ €24,40
🏔 N 39°37'14'' W 9°3'23''	H145 8 ha 500T(50-120m²) 154D	❷ €29,40

🚗 N242 von Leieria nach Nazaré. Der CP liegt 2 km vor Nazaré, westlich der Straße. Auch über die neue A8 erreichbar.

Outeiro do Louriçal, P-3105-158 / C. de Prata   📶 CC€16 iD

🔺 O Tamanco (Lda.)***	1 ABJMNOPQRST	AF 6
🍴 Casas Brancas 11	2 ABPQVWXY	ABDEFGH 7
🕐 1 Mär - 31 Okt	3 ALQ	ABCDEFHNPQRV 8
☎ +351 236952551	4 FHIO	ADIJ 9
@ tamanco@me.com	5 ADGIJLM	ABHJNPR10
	16A CEE	❶ €25,00
🏔 N 39°59'29'' W 8°47'20''	H90 1,5 ha 40T(80-120m²) 5D	❷ €32,00

🚗 Pombal IC8 Ausfahrt Outeiro do Louriçal. Die N109 Ausfahrt Kreisel IC8-A1. Dann den CP-Schildern folgen.

Ovar, P-3880-366 / Costa de Prata   📶 iD

🔺 Parque de Camp. Furadouro**	1 ABJMNOPQRST	KMNO 6
🍴 Rua das Camarinhas	2 ABEHOPQTUXY	ADFGH 7
🕐 1 Jan - 31 Dez	3 AEM	ADEFNORS 8
☎ +351 256596010	4 IOQ	J 9
@ pcfuradouro@mail.telepac.pt	5 ACDEFGJKLM	HIJOSTVY10
	B 4A	❶ €16,65
🏔 N 40°52'37'' W 8°40'10''	33 ha 500T 904D	❷ €19,85

🚗 A29 Porto-Aveiro-Lissabon. Ovar Norte. N327 Furadouro. CP ist ausgeschildert.

NATUR - MEER - KULTUR
Reservierungen online
www.valeparaiso.com
info@valeparaiso.com

vale paraíso natur park

**Wohnungen . Chalets
Bungalows . Tipis**

Estrada Nacional 242, 2450-138 Nazaré, PORTUGAL (tel. 351 262 561 800)

Teilkarte Nord-Portugal auf Seite 459

Peniche, P-2520-206 / Costa de Prata — iD

- ⛺ Parque de Camp. Mun. de Peniche**
- Av. Mons Manuel Bastos
- 📅 1 Jan - 31 Dez
- ☎ +351 262789696
- @ campismo-peniche@sapo.pt
- 📍 N 39°21'14'' W 9°21'39''

1 ADJMNOPQRST	KMNOQRS 6
2 EHOQRTUW	AD 7
3 A**M**	AEFKNR 8
4 IO	D 9
5 ABDEGIJKL**M**	GHIJR10
4A	❶ €11,85
12,6 ha 1000**T** 470**D**	❷ €14,85

🚗 A8 Ausfahrt Óbidos. Von Óbidos nach Peniche folgen über die IP6. Vor Peniche erster Kreisel rechts. Den CP-Schildern folgen.

Peniche, P-2520 / Costa de Prata — 📶 iD

- ⛺ Peniche Praia**
- Estrada Marginal Norte
- 📅 1 Jan - 31 Dez
- ☎ +351 262783460
- @ geral@penichepraia.pt
- 📍 N 39°22'11'' W 9°23'32''

1 ABDE**JM**NOPRST	C 6
2 EPRVWX	AD**FG** 7
3 A	AEFNRV 8
4 O**QUV**	GIJ 9
5 ADEGIL**M**	FGHKPRV10
6A	❶ €18,30
1,5 ha 200**T** (40-60m²) 50**D**	❷ €22,10

🚗 A8, Ausfahrt 13 Óbidos. Von Óbidos nach Peniche über die IP6. Durch Peniche fahren. Der CP liegt circa 1,5 km hinter Peniche. Gut ausgeschildert.

Ponte das Três Entradas, P-3400-591 / C. de Prata — 📶 CC€14 iD

- ⛺ Ponte das Três Entradas**
- Rua Principal nr. 1
- 📅 1/1 - 3/1, 1/2 - 31/12
- ☎ +351 238670050
- @ ponte3entradas@sapo.pt
- 📍 N 40°18'25'' W 7°52'18''

1 ABDEILNOPR**T**	AJUV 6
2 COPQRTWXY	ABDE**F**IJ 7
3 AELV	ABEFNOQV 8
4 EFHIO**PQ**	AIJQRUV 9
5 G**K**LM	AFHJ**NO**TUV10
6A	❶ €18,50
H200 2 ha 75**T** (60-90m²) 10**D**	❷ €22,50

🚗 Am Ende der IC6, Ausfahrt zur N17 Richtung Oliveira do Hospital/Covilhã. In Vendas Galizes Richtung Avô, 6,5 km auf N230 bis Ponte das Três Entradas bleiben. Nach 300m sieht man den CP auf der rechten Seite.

Praia da Barra, P-3830-772 / Costa de Prata — 📶 iD

- ⛺ Praia da Barra Campismo***
- Rua Diogo Cão 125
- 📅 1 Jan - 31 Dez
- ☎ +351 234369256
- @ info@campingbarra.com
- 📍 N 40°38'18'' W 8°44'41''

1 ACDEG**JM**NOPR**T**	KMNQSWXYZ 6
2 ACEHOPQRVW	ABD**FGH** 7
3 AEI	AEFKNRSV 8
4 O	IL 9
5 ABDEFGIKL**M**	BFGHIJLN**O**RV10
B 10A	❶ €20,05
5 ha 75**T** 207**D**	❷ €24,25

🚗 Von der A25 Aveiro Ost in Richtung Barra fahren. Über die Brücke hinweg, im Kreisverkehr die erste Straße rechts abbiegen. Den CP-Schildern folgen.

Praia de Mira, P-3070-792 / Costa de Prata — 📶

- ⛺ Orbitur Mira**
- Estrada Florestal 1-km 2
- 📅 1 Apr - 30 Sep
- ☎ +351 231471234
- @ infomira@orbitur.pt
- 📍 N 40°26'42'' W 8°48'6''

1 BDEG**JM**NOPRS**T**	KMNQSTWX 6
2 ABCDEHOPQVWX	ABD**FGH** 7
3 A	ABEFKNRSV 8
4 BFHIO	AEFJPQRT 9
5 ABDEGIK**M**	BFGHIJLOPSTX10
Anzeige auf Seite 458 B 6A	❶ €28,90
3 ha 280**T** (80-125m²) 44**D**	❷ €35,90

🚗 A17 Aveiro-Lissabon Ausfahrt Mira. N109 Richtung Mira am Wasserturm vorbei. N334 nach Praia de Mira. Hinter Dunas de Mira am Kreisel 1. rechts Richtung Praia de Mira. Dann den Pfeilen folgen.

Praia do Pedrógão, P-2425-458 / Costa de Prata — 📶 iD

- ⛺ Parque Municipal de Campismo de Pedrogao***
- E109-9AO km 11
- 📅 1 Apr - 30 Sep
- ☎ +351 244695403
- @ parquepedrogao@cm-leiria.pt
- 📍 N 39°54'55'' W 8°57'0''

1 ABCEG**JM**NOPR**T**	KMN**Q** 6
2 EFOQTUVWXY	AD**F** 7
3 BE	AEFNORV 8
4 BIO**Q**	AFJ 9
5 ABDEGIK	AFHIJOV10
6A	❶ €28,35
9,3 ha 500**T** (20-60m²) 20**D**	❷ €29,65

🚗 N109, Ausfahrt Pedrógão nach 11 km. CP gut ausgeschildert.

Quiaios, P-3080-515 / Costa de Prata — 📶 iD

- ⛺ Parque de Campismo de Quiaios**
- Praia de Quiaios
- 📅 1 Jan - 31 Dez
- ☎ +351 233910049
- @ campismo@jf-quiaios.pt
- 📍 N 40°13'15'' W 8°53'5''

1 ABC**JM**NOPRS**T**	KMN 6
2 BEHOPQVWXY	AD**F** 7
3 A**M**	AEFNORV 8
4 IO**Q**	GIJ 9
5 ABDEGHJ**M**	HIJOTU10
6A	❶ €15,00
7 ha 500**T** (50-120m²) 13**D**	❷ €19,00

🚗 Die EN109 Figuera da Foz-Aveiro, Ausfahrt Praia de Quiaios. Hinterm Dorf noch 5 km zum CP. Der CP wir gut ausgeschildert.

S. Jacinto/Aveiro, P-3800-901 / Costa de Prata — 📶 iD

- ⛺ Orbitur S. Jacinto**
- Estra Nat. 327
- 📅 1 Jun - 30 Sep
- ☎ +351 234838284
- @ infosjacinto@orbitur.pt
- 📍 N 40°42'10'' W 8°43'1''

1 BDE**JM**NOPRS**T**	NQSWXZ 6
2 BDHPQXY	AD**FH** 7
3 A	ABEFNRV 8
4 O	EJ 9
5 ABDEGK**M**	BGHIJST10
Anzeige auf Seite 458 B 6A	❶ €24,80
2,5 ha 250**T** (50-80m²) 11**D**	❷ €30,80

🚗 A29 Porto-Aveiro-Lissabon. Ovar Norte N327 Furadouro folgen. Auf der N327 Richtung S. Jacinto halten. Links Ria. CP ist angezeigt.

S. Martinho do Porto, P-2460-697 / Costa de Prata — 📶 iD

- ⛺ Colina do Sol***
- Serra dos Mangues
- 📅 1/1 - 24/12, 26/12 - 31/12
- ☎ +351 262989764
- @ geral@colinadosol.net
- 📍 N 39°31'21'' W 9°7'23''

1 ABDE**JM**NOPQRS**T**	AF 6
2 AQRTUVWXY	AD**FGH** 7
3 A	AEFNRV 8
4 O**Q**	J 9
5 ADEGIL	HJOR10
6A	❶ €24,00
9,5 ha 400**T** 179**D**	❷ €29,00

🚗 CP liegt an der N242, Ausfahrt Nord vom Dorf, an der Westseite der Straße, 200m. Auch zu erreichen über die A8, Ausfahrt S. Martinho do Porto, Ausfahrt 21.

Sao Pedro de Moel, P-2430 / Costa de Prata — 📶

- ⛺ Orbitur S. Pedro de Moel***
- Rua Volta do Sete
- 📅 1 Jan - 31 Dez
- ☎ +351 244599168
- @ infospedro@orbitur.pt
- 📍 N 39°45'29'' W 9°1'34''

1 BDI**L**NOPR**T**	AFHN 6
2 ABEHOQTVWXY	AD**FGH** 7
3 BLM	ABEFNOR 8
4 IO**PQ**	J 9
5 ABDEGIK	FGHIJOR10
Anzeige auf Seite 458 B 6A	❶ €31,90
7 ha 400**T** (30-100m²) 144**D**	❷ €38,90

🚗 Von Leira über Marina Grande nach Sao Pedro de Moel. Den Schildern 'Orbitur-Campingplatz' folgen.

Sarzedo/Arganil, P-3300-432 / Costa de Prata — 📶 CC€14 iD

- ⛺ Camping Municipal Arganil**
- 📅 1 Mär - 31 Okt
- ☎ +351 235205706
- @ camping@cm-arganil.pt
- 📍 N 40°14'30'' W 8°4'3''

1 A**JM**NOPRS**T**	JN 6
2 CFOPQRTUVWXY	AD**FH** 7
3 **M**	AEFKNORTUV 8
4 O	J 9
5 AL	GHJPV10
6A	❶ €12,20
H200 2 ha 260**T** (40-100m²) 5**D**	❷ €15,15

🚗 An der N342-4 gut ausgeschildert mit Pfeilen.

Terras de Bouro, P-4840-030 / Costa Verde — 📶 iD

- ⛺ Parque de Cerdeira***
- Rua de Cerdeira 400
- 📅 1 Jan - 31 Dez
- ☎ +351 253351005
- @ info@parquecerdeira.com
- 📍 N 41°45'47'' W 8°11'27''

1 ABDE**JM**NOPRS**T**	A**F** 6
2 BGOPQRTUV	ABD**FGH** 7
3 AEIM**RU**	ABEFJKNRSV 8
4 AEHIO**Q**	GJU 9
5 ABDEGJKL**M**	BGHIJN**O**RV10
B 5-10A	❶ €29,30
H697 6 ha 200**T** 16**D**	❷ €36,10

🚗 Die 205-3 Terras de Bouro nach Campo do Gerês. Den CP-Schildern folgen.

Torreira, P-3870-340 / Costa de Prata — 📶 ❁ iD

- ⛺ Torreira
- Rua da Saudade
- 📅 1 Jan - 31 Dez
- ☎ +351 234838397
- @ info@torreiracamping.com
- 📍 N 40°45'44'' W 8°42'10''

1 ACDG**JM**NOPQRS**T**	KM**X** 6
2 EHPQVWX	ADFGH 7
3 A	ABEFRSTV 8
4 FHIO**Q**	V 9
5 ABDKLM	FGHIJOSTV10
B 12A	❶ €19,55
200**T** (64m²) 50**D**	❷ €23,75

🚗 Von der A29 Ausfahrt Torreira; danach Richtung Furadouro; dann die Straße am Fluss entlang nach Torreira; bei der Einfahrt von Torreira am Kreisel rechts, ist der Camping angezeigt. Der Camping liegt am Wasserturm.

Valpaços, P-5430-191 / Montanhas — iD

- ⛺ Parque de Campismo do Rabaçal
- Possacos
- 📅 1 Jan - 31 Dez
- ☎ +351 278759354
- @ clube.campismo@hotmail.com
- 📍 N 41°37'56'' W 7°14'52''

1 AG**JM**NOPR**T**	JNX 6
2 CFHKOQWXY	ABDE**FGH** 7
3 AL	ABEFNRV 8
4 OP	J 9
5 ABDEGIL	BHIJL**N**STVX10
B 6A	❶ €15,10
H268 4 ha 300**T** (80-200m²) 8**D**	❷ €18,70

🚗 Über die N213 von Mirandela oder Chaves nach Valpaços bis zum Kreisel. Den Pfeilen Richtung Campismo folgen. Via der N206 Possacos/Braganca liegt der CP vor der Brücke über den Rio Rabaçal.

Vila do Conde, P-4485-722 / Costa Verde — 📶 CC€14 iD

- ⛺ Parque de Campismo Sol de Vila Chã***
- Rua do Sol, 150 Vila Chã
- 📅 1 Jan - 31 Dez
- ☎ +351 229283163
- @ info@campingvilacha.pt
- 📍 N 41°17'53'' W 8°43'58''

1 ADE**JM**NOPRS**T**	KNO 6
2 AEHOPWX	ABD**FGH** 7
3 AELM	ABEFKNORV 8
4 IO**Q**	DJL 9
5 ACDGKL**M**	ABDHIJN**O**TV10
B 6A	❶ €16,75
3 ha 50**T** 121**D**	❷ €20,55

🚗 A28 Ausfahrt Mindelo, weiter nach Vila Chã halten, am Outlet Brico vorbei. An der T-Kreuzung Vila Chã rechts nehmen. (Dem GPS nicht nach links folgen; sehr enge Gässchen). Den CP-Schildern folgen.

Vila Flor, P-5360-303 / Montanhas — iD

- ⛺ Parque Mun. de Campismo Vila Flor**
- Bragança
- 📅 1 Jan - 31 Dez
- ☎ +351 278512350
- @ cm.vila.flor@mail.telepac.pt
- 📍 N 41°17'38'' W 7°10'16''

1 AE**JM**NOPR**T**	AFN 6
2 BDGPQRTUVWXY	AD 7
3 AE**M**	AEFNV 8
4 O	9
5 ADG**M**	BHIKRV10
16A	❶ € 9,80
H622 5 ha 480**T** 77**D**	❷ €12,00

🚗 Von Vila Real nach Bragança. In Mirandela Richtung Vila Flor. Gut ausgeschildert mit gelben Pfeilen 'Campismo-Piscina'.

Vila Nova de Cerveira, P-4920-042 / Costa Verde 〜 iD

- ⛺ Camping de Covas
- 🏠 Covas
- 📅 1 Jan - 31 Dez
- ☎ +351 251941555
- @ p.campismo.covas@sapo.pt
- 📍 N 41°53'18'' W 8°41'42''

1 ACG**JM**NOPRS**T**	AF 6
2 AOPQVXY	ABDEF**H** 7
3 AE**GL**	ABEFNRSV 8
4 **AE**FIO	DEFV 9
5 ABDGIK**M**	ABGHIJL**N**PSTV10
B 4A	❶ €18,10
H200 2,5 ha 80T(45-70m²)	32**D** ❷ €22,50

🚗 Kein Navi benutzen! A28 Ausf. 29 Ri. Vilar de Mouros (N301). Der Straße Ri. Coura folgen.
In Cavos den CP-Pfeilen folgen. Über die N13 Vila Nova de Cerveira Ri. Valencia. Ausf. Coura
dann Coura/Candemil, bis zum Kreisel Ri. Covas/Candemil. Den Pfeilen auf der Strecke folgen. ⛰

Vila Praia de Âncora, P-4910-024 / C. Verde 〜 CC€10 iD

- ⛺ Parque de Campismo do Paço***
- 🏠 Rua do Paço
- 📅 15 Apr - 30 Sep
- ☎ +351 258912697
- @ geral@campingpaco.com
- 📍 N 41°48'10'' W 8°50'53''

1 ADILNOPRS**T**	J 6
2 ABCHMOPWXY	ABDEF**H** 7
3 AL	ABEFNRV 8
4 IO	I 9
5 ABDGKL**M**	BGHIJLPST10
6A CEE	❶ €18,05
4 ha 250T 2**D**	❷ €22,45

🚗 A28 Ausfahrt 27 Moledo/V.P.D. Âncora. Die N13 Richtung V.D. Castelo
nehmen. Hinter dem Kreisel mit dem Fischerboot der N13 folgen. Erste
Ausfahrt links Centro Âncora/Campismo. Geradeaus den Pfeilen folgen. ⛰

Vila Nova de Veiga/Chaves, P-5400-764 / Mont. 〜 iD

- ⛺ Parque Campismo Quinta do Rebentão
- 🏠 Quinta do Rebentão
- 📅 1 Jan - 30 Nov
- ☎ +351 276322733
- @ parquedecampismo@chaves.pt
- 📍 N 41°42'4'' W 7°30'0''

1 A**JM**NOPR**T**	AF 6
2 ACPQUVWXY	ABD**FGH** 7
3 AL	AEFNORV 8
4 FIO	DJ 9
5 ADEGJK**LM**	AGHIJNORV10
B 6A	❶ €14,90
H350 3,5 ha 100T(60-80m²)	7**D** ❷ €16,90

🚗 A24 Ausf. 19 Vidago. Weiter die N2 Ri. Chaves. Nach 10 km Schild Vila Nova. Nach 500m re
dem Schild Campismo folgen. Oder in Chaves die N2 Ri. Vidago/Vila Real nehmen. Nach
800m hinter dem Schild Vila Nova, der Beschilderung Campismo nach links folgen. ⛰

Vila Real, P-5000-558 / Montanhas iD

- ⛺ Parque de Camp. de V.Real**
- 🏠 Dr. Manuel Cardona
- 📅 1 Feb - 31 Dez
- ☎ +351 259324724
- 📍 N 41°18'13'' W 7°44'13''

1 ADJMNOPR**T**	A**JN** 6
2 ACOPQRTUWXY	AD**F** 7
3	ABEFNRSV 8
4	J 9
5 AK	BHIJSTVW10
B 6A	❶ €18,50
H450 1,2 ha 150T 2**D**	❷ €21,90

🚗 IP4, von Bragança Ausfahrt Vila Real Nord fahren. Von Porto Ausfahrt Nord
fahren. Den Schildern folgen. ⛰

Süd-Portugal

Portugal

463

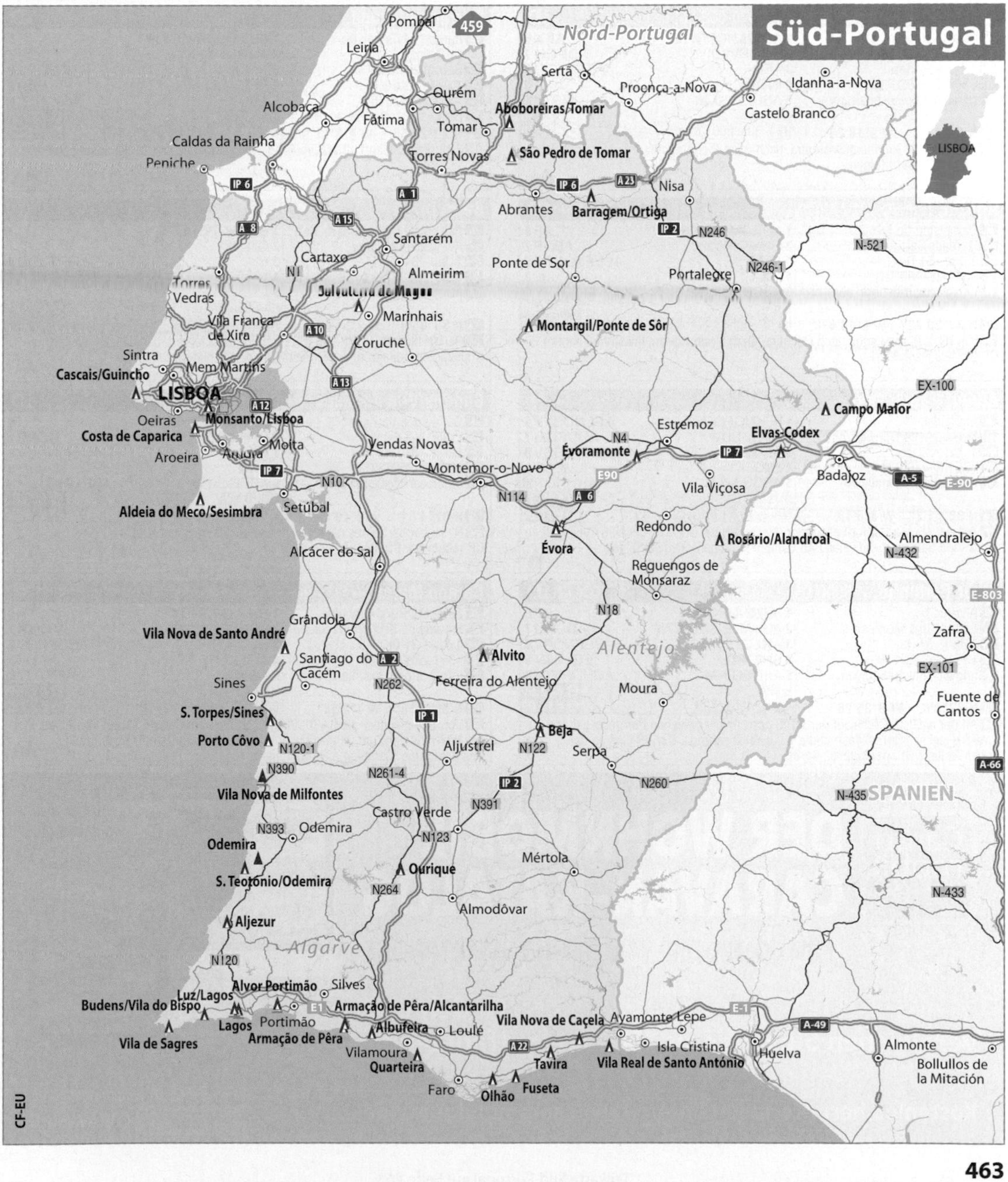

Aboboreiras/Tomar, P-2300-093 / Planicies ⊕ (CC€16) iD

🏕 Pelinos -Tomar	1 ABJMNOPRT	A 6
📧 Pelinos 77	2 ABOPQRTUWXY	ABDFGH 7
🗓 15 Feb - 15 Okt	3 L	ACEFGHNPQRSV 8
☎ +351 249301814	4 FO	9
@ info@campingpelinos.com	5 ADGIL	ABDHJOTU10
	10A	❶ €19,50
	H186 1 ha 45T(75-120m²)	❷ €24,50

🚗 N 39°38'18'' W 8°20'12''
IC9/IC3/A13, Ausfahrt Tomar Norte. Nach 200m links Richtung Aboboreiras. Das ist noch vor der Tankstelle (Sopor). Von hier aus den Campingschildern folgen.

Albufeira, P-8200-555 / Algarve ⊕ iD

🏕 Albufeira****	1 ADEJMNOPRST	AF 6
📧 Estr. de Ferreiras	2 AGOPRTUWXY	ABDEFG 7
🗓 1 Jan - 31 Dez	3 BKM	ABCDEFNQRS 8
☎ +351 289587629	4 ABCDIMNOPQ	EJLUVW 9
@ geral@campingalbufeira.net	5 ACDEFGHJKLM	AGHIJNPRY10
	B 10A	❶ €27,60
	19 ha 1400T 28D	❷ €33,00

🚗 N 37°6'23'' W 8°15'12''
N125 Portimão nach Faro. In Ferreiras N395 Richtung Albufeira fahren. Nach ca. 3 km liegt der CP auf der linken Seite. Oder auf der IP1 Ausfahrt Albufeira.

Aldeia do Meco/Sesimbra, P-2970-063 / C. de Lisboa iD

🏕 Fetais Camping*	1 ADEILNOPQRT	AFX 6
📧 Fetais/Rua da Fonte 4	2 HOQRVWXY	ADFGH 7
🗓 1 Mai - 30 Sep	3 AEL	AEFNOQV 8
☎ +351 212682978	4 INOQ	9
@ geral@camping-fetais.com	5 ABDEGIKLM	HIJNSTV10
	4A	❶ €23,50
	H74 3 ha 200T(60-90m²) 160D	❷ €28,50

🚗 N 38°28'6'' W 9°10'29''
A2, Ausfahrt Richtung Sesimbra, nach 8 km Richtung Alfarim, dann in Aldeia do Meco Schildern folgen.

Aljezur, P-8670-121 / Algarve ⊕ iD

🏕 Campismo do Serrão***	1 ADEJMNOPQRST	AF 6
📧 Herdade Serrão	2 GHMQRWXY	ABDF 7
🗓 1 Jan - 31 Dez	3 AEM	ABEFNOPRS 8
☎ +351 282990220	4 OXZ	IL 9
@ info@campingserrao.com	5 ABCDEGHJM	AGHIJNOSTVY10
	B 6A	❶ €26,00
	H112 10 ha 800T 117D	❷ €31,50

🚗 N 37°20'22'' W 8°48'47''
IC4 (N120) von Lagos nach Odemira, 4 km hinter Aljezur, links hineinfahren, CP gut ausgeschildert.

Alvito, P-7920-999 / Planicies ⊕

🏕 Markádia***	1 BJKNOPQRST	AFLNQSXY 6
📧 Barragem de Odivelas/Ap. 17	2 DFGHPUWXY	ABDFGH 7
🗓 1 Jan - 31 Dez	3 AEGIM	ABEFKNQRSV 8
☎ +351 284-763141	4 FKO	ILMPQT 9
@ markadia@hotmail.com	5 ABDGJKLM	AHIJNOR10
	B 16A	❶ €26,10
	H112 10 ha 150T 31D	❷ €31,90

🚗 N 38°11'2'' W 8°6'13''
Auf der N2 Montemor-Ferreira do Alentejo Nähe Odivelas der N257 in Richtung Alvito und Barragem/Odivelas und Campismo folgen. Siehe Schilder.

Alvor Portimão, P-8500-053 / Algarve ⊕ (CC€12) iD

🏕 Alvor***	1 AJMNOPQRST	A 6
📧 Estrada dos Montes	2 AGHMOQRTUWXY	ABDFH 7
🗓 1 Jan - 31 Dez	3 AKLQ	ABEFNORV 8
☎ +351 282459178	4 BHIOPQ	EGHIJLV 9
@ info@campingalvor.com	5 ABDEGILM	AGHIJPSTV10
	B 16A	❶ €25,00
	4,5 ha 400T 70D	❷ €31,00

🚗 N 37°8'6'' W 8°35'26''
An der weißen Kirche auf der N125 nach Alvor (zwischen Portimão-Lagos) zwei Kreisel nehmen, jedesmal die 1. Ausfahrt nehmen. Der CP liegt an der linken Seite, weit am Flugplatz vorbei.

Armação de Pêra, P-8365-184 / Algarve ⊕ iD

🏕 Armação de Pêra***	1 AJMNOPRST	AKMQS 6
📧 EN. 269-1	2 AEGHOQRWXY	ADFG 7
🗓 1 Jan - 31 Dez	3 A	AEFNOR 8
☎ +351 282312260	4 INOPQ	JL 9
@ geral@	5 ACDEGJKLM	AGHIJOR10
camping-armacao-pera.com	B 10A	❶ €24,00
	12 ha 650T 175D	❷ €30,40

🚗 N 37°6'33'' W 8°21'11''
N125 Portimão-Albufeira-Faro in Alcantarilha im Kreisel links die N269-1 Richtung Armação de Pêra nehmen. CP liegt links, kurz hinter einem Kreisel.

Armação de Pêra/Alcantarilha, P-8365-908 / Alg. ⊕ iD

🏕 Canelas***	1 AJMNOPQRST	AF 6
📧 Apartado 7	2 AGHOQRTUVWXY	ABDFGH 7
🗓 1 Jan - 31 Dez	3 BM	ABEFKNQRV 8
☎ +351 282312612/3	4 DIOQ	IL 9
@ turismovel@mail.telepac.pt	5 ACDEGHJKLM	AGHIJNORV10
	B 10A	❶ €22,00
	6,9 ha 430T(57-70m²) 98D	❷ €27,00

🚗 N 37°7'9'' W 8°21'4''
An der N125 von Portimão nach Faro in Alcantarilha am Kreisel links die N268-1 nehmen, Richtung Armação de Pêra. CP ist rechts der Strecke.

Barragem/Ortiga, P-6120-525 / Planicies ⊕ iD

🏕 Parque de Campismo	1 ABDEGJMNOPQRT	6
de Ortiga	2 AQRSTVWXY	ADF 7
📧 Barragem de Belver	3	AEFNOR 9
🗓 1 Jan - 31 Dez	4 FHIO	FQR 9
☎ +351 241573464	5 ABL	HIJOSTV10
@ campismo@cm-macao.pt	10A CEE	❶ €20,90
	H180 5 ha 200T(25-50m²) 24D	❷ €23,30

🚗 N 39°28'58'' W 8°0'11''
A23/IP6, Ausfahrt 12 Mação/Ortiga. Ortiga folgen. Der CP ist ausgeschildert.

Beja, P-7800-397 / Planicies ⊕

🏕 Parque de Campismo de Beja*	1 BJMNOPQRST	6
📧 Av. Vasco da Gama	2 ORWXY	AD 7
🗓 1 Jan - 31 Dez	3 E	AEFNOQR 8
☎ +351 284311911	4	
@ campismo@cm-beja.pt	5	AHJOU10
	6A CEE	❶ €13,25
	H269 1,7 ha 160T	❷ €15,35

🚗 N 38°0'28'' W 7°51'44''
Bei der Kreuzung IP2 und IP8 Richtung Beja fahren, danach am zweiten Kreisverkehr abfahren. Am Ortseingang den Schildern folgen.

Budens/Vila do Bispo, P-8650-196 / Algarve ⊕ iD

🏕 Quinta dos Carriços**	1 ADEJMNOPQRT	6
📧 Praia da Salema	2 BFHMOQRTUWXY	ADEF 7
🗓 1 Jan - 31 Dez	3 K	ACEFINRUV 8
☎ +351 282695201	4 FHQ	DHILV 9
@ quintacarrico@gmail.com	5 ABEGJKLM	ABHIJNOTUV10
	FKK B 12A	❶ €32,20
	20 ha 360T(60-150m²) 16D	❷ €38,00

🚗 N 37°4'31'' W 8°49'53''
N125 Lagos-Sagres nach 17 km nach Praia da Salema links, CP rechts der Straße.

Campo Maior, P-7371-909 / Planicies ⊕

🏕 Camping Rural Os Anjos	1 BILNOPQRST	A 6
📧 Estrada da Senhora da Saude	2 FGPRTUVWX	ABDEF 7
🗓 1 Jan - 31 Dez	3 Q	ACDFNRS 8
☎ +351 268688108	4 AFG	DV 9
@ info@campingosanjos.com	5 AGM	AHJPTUV10
	B 6A CEE	❶ €17,20
	0,5 ha 30T(80-120m²) 1D	❷ €21,60

🚗 N 39°0'30'' W 7°2'54''
Von Badajoz über die BA-020/N371 ins Zentrum Campo Maior. Von Elvas über die N373 ins Zentrum Campo Maior. Im Zentrum von Campo Maior der Beschilderung 'Campismo Rural' folgen.

Cascais/Guincho, P-2750-053 / Costa de Lisboa 🛜 iD

🏕 Orbitur Guincho**	1 ABDEJMNOPQRST	AFQRSX 6
🚌 Lugar de Areia/EN 247-6	2 ABGHMOQTWXY	ABDFGH 7
📅 1 Jan - 31 Dez	3 AGKLM	AEFNORSV 8
☎ +351 214870450	4 BCIOQ	AFJLV 9
@ infoguincho@orbitur.pt	5 ABDEGHIJKM	ABGHIJOTU10
	Anzeige auf Seite 458 B 6A	❶ €25,40
🗺 N 38°43'18'' W 9°27'59''	H70 7,7 ha 600T(35-100m²) 387D	❷ €32,40

🚗 Über A5 Richtung Estoril nach Cascais, am Ende weiter Richtung Cascais, nach 500m Kreisverkehr, dann den CP-Schildern folgen.

Costa de Caparica, P-2825-450 / C. de Lisboa 🛜 CC€18 iD

🏕 Orbitur Costa de Caparica	1 ACDEJMNOPQRT	KMNOPQSWX 6
🚌 Av. Afonso de Albuquerque	2 AEHOQRVWXY	ABDFGH 7
📅 1 Jan - 31 Dez	3 AEKLM	ABEFNORV 8
☎ +351 212901366	4 BDINOPQ	ADEIJL 9
@ infocaparica@orbitur.pt	5 ABCDEGIKM	BFGHIKORV10
	Anzeige auf Seite 458 B 6A CEE	❶ €31,90
🗺 N 38°39'13'' W 9°14'19''	5,7 ha 250T(42-80m²) 192D	❷ €38,90

🚗 A2/E4, Ausfahrt Caparica. Nach 6 km kurz vor Costa da Caparica rechts Richtung Trafaria, CP an dieser Bucht N377-1, hinter zweitem Kreisverkehr.

Elvas-Codex, P-7350-901 / Planicies

🏕 Parque de Campismo	1 BJMNOPQRST	6
da Piedade	2 AOQRUVWXY	AD 7
🚌 Parque da Piedade/Ap.78	3	AEFNR 8
📅 1 Apr - 15 Sep	4 O	9
☎ FAX +351 268622877	5 DEGJ	JV10
	16A	❶ €16,50
🗺 N 38°52'23'' W 7°10'49''	H600 0,9 ha 100T(50-100m²)	❷ €16,50

🚗 An der IP7 und N5 zwischen Badajoz und Estremoz Ausfahrt 12 nach Elvas, den CP-Schildern folgen, CP 1 km von Elvas entfernt Richtung Estremoz.

Évora, P-7005-206 / Planicies 🛜 CC€18

🏕 Orbitur Évora***	1 BDEJMNOPQRST	AF 6
🚌 Estr.de Alcáçovas/	2 AGOQRVWXY	ABDFG 7
Herd. Esparragosa	3 BM	ABEFNOR 8
📅 1 Jan - 31 Dez	4 O	E 9
☎ +351 266705190	5 ABDGM	GHIJNOR10
@ evora@orbitur.pt	Anzeige auf Seite 458 6A	❶ €28,00
🗺 N 38°33'26'' W 7°55'34''	H265 3,3 ha 220T(60-100m²) 17D	❷ €35,90

🚗 N380 von Évora nach Alcáçovas, 2 km hinter Évora. CP ist ausgeschildert, wenn man zur Stadt fährt.

Évoramonte, P-7100-300 / Planicies 🛜

🏕 Camping Alentejo	1 BJMNOPQRST	A 6
🚌 N18, km 236, Novo Horizonte	2 FOQVWXY	ABD 7
📅 1 Jan - 31 Dez	3 LS	AEFNQRV 8
☎ +351 268959283	4	J 9
@ info@campingalentejo.com	5 A	AGHNPR10
	B 16A CEE	❶ €11,00
🗺 N 38°47'37'' W 7°41'10''	1 ha 30T(60-150m²) 1D	❷ €16,50

🚗 Von Badajoz-Lisboa auf der IP7/E90, Ausfahrt 7 Richtung Estremoz. Dann auf die N4 Richtung Montemor Ausfahrt Évora. Auf der N18 vor Évoramonte Km-Pfahl 236 liegt der CP links von der Straße.

Fuseta, P-8700-908 / Algarve 🛜

🏕 P.C. da Fuseta**	1 BDEJMNOPQRST	KNOQWXYZ 6
🚌 Rua da Liberdade 2/Ap.50	2 EHOQRSVWXY	ABDFG 7
📅 1 Jan - 31 Dez	3 A	AEFNRS 8
☎ +351 289793459	4 HIO	VX 9
@ camping@jf-fuseta.pt	5 ABDFGM	AGHINORY10
	B 10A	❶ €16,85
🗺 N 37°3'10'' W 7°44'42''	3,3 ha 152T(40-110m²) 50D	❷ €20,15

🚗 Auf N125 zwischen Tavira und Olhão links ab nach Fuzeta. Danach den CP-Schildern folgen. Weiterhin links oder rechts darum herum.

Lagos, P-8600-148 / Algarve 🛜 CC€18 iD

🏕 Orbitur Valverde***	1 ACDJMNOPQRST	AF 6
🚌 Estr. da Praia da Luz	2 AGOQRUVWXY	ABDFGH 7
📅 1 Jan - 31 Dez	3 BEKM	ABEFKNRS 8
☎ +351 282789211-2	4 BCDIOQ	EIJL 9
@ infovalverde@orbitur.pt	5 ABDEGHIKM	ABDGHIJNOR10
	Anzeige auf Seite 458 B 10A	❶ €31,90
🗺 N 37°5'59'' W 8°43'4''	10 ha 1000T(50-100m²) 202D	❷ €38,90

🚗 Von Lagos N125 Richtung Sagres oder Vila do Bispo, danach links ab Richtung Luz und CP-Schildern folgen.

Luz/Lagos, P-8600 / Algarve 🛜 CC€16 iD

🏕 Turiscampo****	1 ADEJLNOPQRST	AFH 6
🚌 E-N 125 - Espiche	2 AGORTUVWXY	ABDFGH 7
📅 1 Jan - 31 Dez	3 AEKLQ	ABCDEFJKNQRSV 8
☎ +351 282789265	4 ABCDLNOQUZ	EJLUV 9
@ info@turiscampo.com	5 ABDEGJKLM	ABGHIJNPQRZ10
		❶ €40,00
🗺 N 37°6'5'' W 8°43'56''	H80 7 ha 380T(100-120m²) 99D	❷ €51,00

🚗 Via IP1/E1 oder N125 nach Lagos weiter Richtung Sagres. Nach der Ausfahrt Luz, weiter die N125 bis kurz hinter dem Ampel, dann kommt rechts der CP.

Monsanto/Lisboa, P-1400-061 / Costa de Lisboa 🛜 iD

🏕 Lisboa Camping****	1 ABDEJMNOPQRST	AF 6
🚌 Estr. da Circunvalação	2 ABGOPQSTUVWXY	ABEFG 7
📅 1 Jan - 31 Dez	3 AEILM	ABCDEFNQRTUVX 8
☎ +351 217628200	4 AIOPQ	JL 9
@ info@lisboacamping.com	5 ABDEGHIKLM	ABFGHIKNOVY10
	B 10A CEE	❶ €32,00
🗺 N 38°43'28'' W 9°12'26''	H86 38 ha 570T(80-300m²) 70D	❷ €39,80

🚗 Von Lisboa Richtung Monsanto. Dann der CP-Beschilderung folgen, an der A5.

Montargil/Ponte de Sôr, P-7425-017 / Planicies 🛜

🏕 Orbitur Montargil***	1 BDEJMNOPQRST	AFLNPQSWXYZ 6
🚌 Baragem de Montargil/EN 2	2 DGHKQRWXY	ABDFGHK 8
📅 1 Jan - 31 Dez	3 BELMQU	ABEFNORS 8
☎ +351 242901207	4 DIOPQ	JQ 9
@ montargil@orbitur.pt	5 ABDEGIKM	GHIKNOR10
	Anzeige auf Seite 458 B 10A	❶ €29,50
🗺 N 39°5'58'' W 8°8'41''	H186 6,5 ha 150T(60-150m²) 111D	❷ €36,50

🚗 An der N2, zwischen Montemor-o-Novo und Ponte de Sôr, hinter Motargil, rechts der Straße nach 7 km. Zwischen Straße und Stausee.

Odemira, P-7630-592 / Algarve 🛜 iD

🏕 Campismo S. Miguel****	1 ADEHKNOPRST	AF 6
🚌 EN 120	2 BGHMQTWX	ABDEFG 7
📅 1 Jan - 31 Dez	3 AM	ABEFNRV 8
☎ +351 282947145	4 IOP	DJ 9
@ camping.sao.miguel@	5 ABDEFGHILM	ABHIJNPRY10
mail.telepac.pt	6A	❶ €32,60
🗺 N 37°26'18'' W 8°45'20''	7,5 ha 200T 35D	❷ €40,40

🚗 EN120 (IC4) von Odemira nach Lagos, CP 1,5 km vor Odeceixe links von dieser Straße, CP gut ausgeschildert.

Odemira, P-7630 / Planicies 🛜 iD

🏕 Zmar Eco Campo****	1 ADEJMNOPQRT	AEF 6
🚌 Herdade-A-de-Mateus,	2 BFGRVW	ABDEIK 7
S. Salvador	3 BCEMORS	AEFGIJKLMNQRSUV 8
📅 1 Feb - 31 Dez	4 ABCDHILNORTUVWXYZ	AJUV 9
☎ +351 707200626	5 ACDEFGHKL	ABGHIJMNOHY10
@ reservas@zmar.eu	B 16A	❶ €30,00
🗺 N 37°36'21'' W 8°44'15''	81 ha 288T(90-150m²) 197D	❷ €38,00

🚗 Auf der N120 in São Teotónio Richtung Zambujeira do Mar. Dann Richtung Falaca. Weiter auf der 393/1. Weiter den Pfeilen folgen. Von Norden die N390 von Milfontes nach Odemira, Ausfahrt São Teotónio.

Olhão, P-8700-914 / Algarve 🛜

🏕 Camping Olhão***	1 BDEGJMNOPQRST	AFQRSX 6
🚌 Pinheiros de Marim/Ap 300	2 GHORSVWXY	ABDEFGH 7
📅 1 Jan - 31 Dez	3 BEMN	ABEFNRSV 8
☎ +351 289700300	4 ABCDFINO	JL 9
@ parque.campismo@sbsi.pt	5 ACDEGHIJKM	AFGHIJMNORY10
	6A	❶ €21,60
🗺 N 37°2'7'' W 7°49'20''	10 ha 400T(50-110m²) 136D	❷ €26,40

🚗 IP1/E1/A22, Ausfahrt 6 Olhão. N125 von Olhão nach Tavira den Zeichen des CP aus der Stadt folgen. Vorm Bahnübergang liegt der CP links.

Ourique, P-7670-202 / Planicies

🏕 Campismo Serro da Bica	1 AJMNOPQRST	JN 6
🚌 Serro da Bica	2 CFGRSTUWX	ABDEFG 7
📅 1/1 - 16/8, 16/9 - 31/12	3	ABCDEFJNRV 8
☎ +351 286516750	4 FGIO	9
@ info@serrodabica.com	5 AGL	AGHJPTU10
	10A	❶ €18,00
🗺 N 37°34'5'' W 8°15'15''	H181 1,5 ha 30T(80-120m²)	❷ €23,00

🚗 Auf der IC1 von Norden Richtung Albufeira. Erste unbefestigte Straße, hinter Castro da Cola ist der CP-Name auf dem Felsen angegeben.

Porto Côvo, P-7520-437 / Costa de Lisboa 🛜 iD

🏕 Parque de Campismo	1 AGJMNORT	AF 6
de Porto Côvo***	2 GHMOPQVXY	ADFGH 7
🚌 Estrada Municipal 554	3 AEM	ABEFNOR 8
📅 1 Jan - 31 Dez	4 IOPQ	IJLV 9
☎ +351 269905136	5 ABDEGIJKL	BHIJNPRV10
@ camping.portocovo@gmail.com	B 6A	❶ €24,10
🗺 N 37°51'10'' W 8°47'14''	3 ha 50T(30-65m²) 239D	❷ €28,00

🚗 N120-1, von Sines nach Cercal, Ausfahrt Porto Côvo, beim Einfahren in Porto Côvo CP links der Straße.

Quarteira, P 8125-618 / Algarve 🛜 iD

🏕 Orbitur Quarteira***	1 ADEJMNOPQRST	AFH 6
🚌 Estrada da Fonte Santa	2 AGHOPQRTUVWXY	ADFGH 7
📅 1 Jan - 30 Sep	3 AEKLM	ABEFNPR 8
☎ +351 289302826	4 BCDINOPQ	AJL 9
@ infoquarteira@orbitur.pt	5 ACDEGHIKLM	BGHIJOR10
		❶ €31,90
🗺 N 37°4'2'' W 8°5'14''	12 ha 1300T(60-130m²) 253D	❷ €38,90

🚗 Auf der N125 oder Autobahn Richtung Faro. In Almancil Richtung Quarteira. Dann CP-Schildern folgen.

Portugal (vertical side text)

Rosário/Alandroal, P-7250-999 / Planicies

▲ Camping Rosário	1 AJKNOPRS**T**	AL**N** 6
▣ Monte das Mimosas/Aptd. 27	2 DFGPRSUWXY	ABDE**FG** 7
1 Mär - 1 Okt	3 LQ	ACDEFNRV 4
+351 268459566	4 FHI	9
@ info@campingrosario.com	5 ABGL	ABGHJNOTUV 10
	6A	❶ €19,75
N 38°36'43'' W 7°20'51''	H165 1 ha 30**T**	❷ €24,45

Von Spanien über Badajoz bis zur Ausf. Elvas-Este. Nach dem 7. Kreisel wieder zurück Ri. Spanien, N373 Juromenha/Redondo. Aus Lissabon N4 oder A6 bis Borba, dann über die N255 nach Alandroal. N373 Ri. Elvas. Ausf. Rosário folgen. CP-Schildern folgen.

S. Teotónio/Odemira, P-7630-569 / Planicies

▲ Monte Carvalhal da Rocha	1 ABDEJKNOPQRS**T**	**AFN** 6
▣ Praia do Carvalhal	2 FQUXY	AD**FH** 7
1 Jan - 31 Dez	3 A	ABEFNR 8
+351 282947293	4 E**FOQTVXY**	GIU 9
@ geral@	5 ABDFHJ**M**	GHIJ**NOV** 10
montecarvalhaldarocha.com	B 16A CEE	❶ €30,50
N 37°29'43'' W 8°44'52''	4 ha 250**T**(50m²) 25**D**	❷ €38,50

Auf der N220 zwischen S.Teotónio und Odeceixe die Ausfahrt Brejão nehmen. Hinter dem Zentrum rechts Richtung Praia do Carvalhal halten. Nach ca 2 km liegt der CP an der rechten Straßenseite.

S. Torpes/Sines, P-7520-075 / Costa de Lisboa

▲ S. Torpes Camping*	1 AJMNOPR**T**	K**N**OQ 6
▣ Herdade do Morgavel	2 EHKQXY	AD 7
1 Jan - 31 Dez	3 AE	ABEFNR 8
+351 269632105	4 O**Q**	AE 9
@ saotorpes@campigir.com	5 ABDEGI	AIJPR 10
	6A	❶ €18,15
N 37°54'30'' W 8°47'36''	7,5 ha 45**T** 312**D**	❷ €21,75

IC4, nach ± 10 km in Sines-Cercal dem Schild 'Campismo' folgen. Achtung: nicht über die Küstenstraße Sines-Torpes erreichbar.

Salvaterra de Magos, P-2120-018 / Planicies

▲ Parque de Camp.	1 AB**J**MNOPQR**T**	AF 6
de Escaroupim	2 BQUVWXY	AD**F**H 7
▣ Mata Florestal	3 AEM	ABEFNO 8
1 Jan - 31 Dez	4 IO**P**	9
+351 263595484	5 ADGIL	HIJORV 10
@ escaroupim@femportugal.com	B 2A	❶ €17,20
N 39°4'21'' W 8°44'52''	3 ha 210**T**(70-120m²) 28**D**	❷ €17,20

Von Nord nach Süd: N118, Almeirim, Richtung Benfica de Rubatejo/Salvaterra de Magos. Im Zentrum Salvaterra de Magos am Kreisel rechts Richtung Escaroupim. Dann der Beschilderung Camping de Escaroupim folgen.

São Pedro de Tomar, P-2300-152 / Plan.

▲ River Alverangel	1 ABDJMNOPQRST	JLNQWXYZ 6
▣ Rua do rio 5, Alverangel	2 ABCDFHJOPQTUWXY	ABDE**FHJK** 7
1 Feb - 31 Dez	3 A	AEFHNPQRV 8
+351 249371750	4 O	9
@ alverangelcampismo@	5 ABDEGJLM	HJOSVWX 10
gmail.com	6A	❶ €22,50
N 39°32'55'' W 8°18'32''	H165 1,4 ha 55**T**(60-90m²)	❷ €25,00

Von Norden: (198 km unterhalb von Porto). A1, dann A13 (Cernache/Tomar/ Barragem Castelo de Bode).

Tavira, P-8800-223 / Algarve

▲ Parque de Campismo da PSP	1 BJKNOPQRS**T**	AF 6
▣ Estrada da Fonte Salgada	2 AGORSTUWXY	ABD**FGH** 7
1/1 - 15/6, 15/9 - 31/12	3 BE**K**	AEFNR 8
+351 281320690	4 Q	V 9
@ parquepsp@gmail.com	5	GHIJNORV 10
	B 16A	❶ € 9,90
N 37°8'11'' W 7°38'24''	7 ha 200**T**	❷ € 9,90

Von Vila Nova de Caçela an der N125 entlang, 2 km vor Tavira, Ausfahrt Fonte Salgada, liegt der CP nach 300m an der rechten Straßenseite.

Vila de Sagres, P-8650-998 / Algarve

▲ Orbitur Sagres**	1 ADE**JM**NOPQRS**T**	**X** 6
▣ Cerro das Moitas	2 BQSTUVWXY	AD**FGH** 7
1 Jan - 31 Dez	3	AEFNRV 8
+351 282624371	4 BDHI**P**	AEFLV 9
@ infosagres@orbitur.pt	5 ABCDEGIKL**M**	AFGHIJORV 10
Anzeige auf Seite 458 6A	7 ha 550**T**(40-100m²) 24**D**	❶ €28,90
N 37°1'22'' W 8°56'44''		❷ €35,00

An der N268 von Vila do Bispo (9 km), nach Sagres, dort Richtung Cabo S. Vicente und Schildern folgen, nach ca. 1 km rechts der Straße. Schildern folgen.

Vila Nova de Caçela, P-8901-907 / Algarve

▲ Parque de Campismo	1 BDE**JM**NOPQRS**T**	A**X** 6
Caliço***	2 AFGRUWXY	AD**FGH** 7
▣ Setio Caliço/Apartado 51	3 A**K**Q	ABCEFNR 8
1 Jan - 31 Dez	4 DIO**Q**	C**V** 9
+351 281951195	5 ABDEGI**M**	HIJNORV 10
@ transcampo@mail.telepac.pt	16A	❶ €21,80
N 37°11'11'' W 7°32'59''	H200 10 ha 100**T** 107**D**	❷ €27,30

Auf der N125 zwischen Tavira und Vila Real beim Annähern von Vila Nova den CP-Zeichen folgen. Auch an der Ausfahrt Vila Nova de Caçela CP-Zeichen. Der CP ist etwa 4 km gut ausgeschildert.

Vila Nova de Milfontes, P-7645-300 / Planicies

▲ Camping Milfontes***	1 ADJMNOPQRS**T**	AF 6
▣ Apartado 81	2 BHPQVWXY	ADE**FGH** 7
1 Jan - 31 Dez	3 A	ABEFNOR 8
+351 283996140	4 IO**PQ**	EJL 9
@ reservas@	5 ACDEGI**M**	AFGHIKPR 10
campingmilfontes.com	B 6A	❶ €22,30
N 37°43'55'' W 8°46'58''	6,8 ha 900**T**(30-100m²) 204**D**	❷ €22,30

Aus N über die IP8, aus S über die IC4. Über Cercal (N390) oder Odemira (N393) bis Vila Nova de Milfontes, dort CP-Schildern folgen, gut beschildert.

Vila Nova de Milfontes, P-7645-017 / Plan.

▲ Orbitur Sitava Milfontes****	1 ABDEIKNOPQRS**T**	AF 6
▣ Brejo da Zimbreira	2 BHOQTXY	ABD**FH** 7
1 Jan - 31 Dez	3 B**LM**	ABEFNOR 8
+351 283890100	4 BIO**Q**	FJL 9
@ infositavamilfontes@orbitur.pt	5 ABCDEGHIL**M**	GHIJ**N**ORV 10
Anzeige auf Seite 458 B 6A	H71 27 ha 300**T**(40-80m²) 260**D**	❶ €24,20
N 37°46'48'' W 8°47'1''		❷ €30,20

N120 Odemira-Sines bis Cercal, dort die N390 Richtung Vila Nova de Milfontes, vor dem Ort rechts Richtung Port Covo. Ausgeschildert. Dann noch 4 km.

Vila Nova de Milfontes, P-7645-301 / Planicies

▲ P.C. Campiférias	1 ABGHKNOPR**T**	6
▣ Rua Da Praça	2 HMOQXY	AD 7
1 - 3/12, 26/12 - 31/12	3 A	AEFNORS 8
+351 283996409	4 IO**Q**	DE 9
@ novaferias@sapo.pt	5 DGH	HIR 10
	B 6A	❶ €21,10
N 37°43'47'' W 8°46'59''	H64 3 ha 200**T**(50-80m²) 71**D**	❷ €25,30

Über Ceral (N390) oder Odemira (N393) bis Vila Nova de Milfontes. In Milfontes hinter dem Kreisel den CP-Schildern folgen. Gut angezeigt. CP liegt links der Strecke.

Vila Nova de Santo André, P-7500-024 / C. de Lisboa

▲ Parque de Campismo	1 ADG**JM**NOPQRS**T**	N**Q**X 6
Lagoa de Santo André**	2 BDOQSTVWXY	ABDE**FH** 7
▣ Lagoa de Santo André	3 AEFM	AEFNORV 8
1 - 23/12, 26/12 - 31/12	4 FO	J 9
+351 269708550	5 ABGIKL**M**	ABFGHIJ**O**RV 10
@ s.andre@fcmportugal.com	B 6A	❶ €17,70
N 38°6'35'' W 8°47'14''	18 ha 600**T**(100m²) 107**D**	❷ €17,70

Von Santiago do Cacém über die N261 Richtung Santo André. Danach den Schildern Lagoa de Santo André folgen und am CP-Zeichen links ab.

Vila Real de Santo António, P-8900 / Algarve

▲ Parque Municipal de Camp.	1 B**J**MNOPQRS**T**	K**N**QSW**X** 6
de Monte Gordo*	2 AEHOQRTUWXY	AD**FG** 7
▣ E.M. 511	3 E**M**	AEFNOR 8
1 Jan - 31 Dez	4	V 9
+351 281-510970	5 ACDEGHK**M**	AHIJNORV 10
FAX +351 281-510977	B 10A	❶ €18,25
N 37°10'46'' W 7°26'36''	13,5 ha 500**T** 200**D**	❷ €21,75

Zwischen Caçela (8 km) und Vila Real (3 km) an der N125 den Schildern 'Monto Gordo' und 'Camping' folgen. In Vila Real den CP-Schildern folgen.

ACSI Detailkarte

Die Orte in denen die Plätze liegen, sind auf der Teilkarte **fett** gedruckt und zeigen ein offenes oder geschlossenes Zelt. Ein geschlossenes Zelt heißt, dass mehrere Campings um diesen betreffenden Ort liegen. Ein offenes Zelt heißt, dass ein Campingplatz in oder um diesen Ort liegt.

Saarbrücken
Stuttgart
Strasbourg
DEUTSCHLAND

GARDA-SEE
Riva del Garda
Brescia
497
Verona

WIEN BRATISLAVA
D2
BUDAPEST
UNGARN
E75

Basel
Sankt Gallen
Innsbruck
ÖSTERREICH

BERN
Luzern
VADUZ

SCHWEIZ

VALLE D'AOSTA
TRENTINO/SÜDTIROL
491
SS51
FRIULI-VENEZIA GIULIA
LJUBLJANA
Varazdin
ZAGREB

487
VENETO
517
SLOWENIEN
Krsko
E73

474
Milano
A4
508
A4
Venezia
Koper
D203
Karlovac
Slavonski Brod

A7
LOMBARDIA
SIEHE DETAIL
KROATIEN

A21
518
Bologna
520
Zadar
BOSNIEN-HERZEGOWINA

PIEMONTE
WEST-EMILIA ROMAGNA
Ravenna
FERRARA/RAVENNA
SARAJEVO

475
Genova
FORLÌ-CESENA/RIMINI/SAN MARINO
Split

482
Firenze
523
SAN MARINO
Sibenik

LIGURIA
A1
MARCHE
Adriatisches Meer
PODGORICA

MONACO
TOSCANA
Perugia
540

ELBA
A12
526
UMBRIA
538
L'Aquila

FRANKREICH
Ajaccio
N198
LAZIO
ABRUZZO/MOLISE
Foggia
Barletta
Bari

N196
ROMA
543
547
Lecce

Latina
A1
CAMPANIA
552
Taranto

PUGLIA
Napoli
Salerno
Potenza
551

549
BASILICATA
SARDINIEN
Tyrrhenisches Meer

560
SS18
A3
SS106

Cagliari
CALABRIA
Catanzaro

Sant' Antioco
556

Reggio di Calabria
SS106

Palermo
A20
SS117
Marsala
SIZILIEN
Catania

Mittelmeer
565
Siracusa

Pantelleria

VALLETTA

CF-EU

ⓘ Allgemein

Italien ist EU-Mitglied.

Zeit

In Italien ist es genauso spät wie in Berlin.

Sprache

Italienisch, aber auch mit Englisch, Deutsch und Französisch kommt man weiter.

♿ Grenzformalitäten

Viele Formalitäten und Vereinbarungen, wie erforderliche Reisedokumente, KFZ-Papiere, Anforderungen an Ihr Fahrzeug und Ihren Aufenthalt, Krankenkosten und das Mitführen von Tieren, sind nicht nur vom Zielort abhängig, sondern auch von Ihrem Ausgangsort und Ihrer Nationalität. Auch die Dauer Ihres Aufenthaltes spielt dabei eine Rolle. Im Rahmen dieses Führers ist es leider nicht möglich, allen Lesern korrekte und aktuelle Informationen in dieser Hinsicht zu garantieren.

Wir raten Ihnen, vor Ihrer Abreise bei den entsprechenden Behörden in Erfahrung zu bringen:

- welche Reisedokumente Sie für sich selbst und Ihre Reisebegleitung brauchen
- welche Dokumente Sie für Ihr Auto brauchen
- welchen Anforderungen Ihr Fahrzeug entsprechen muss
- welche Güter Sie ein- und ausführen dürfen
- wie im Unglücks- oder Krankheitsfall die medizinische Versorgung im Urlaubsland organisiert ist und bezahlt wird
- ob Sie Ihre Haustiere mitnehmen können. Nehmen Sie rechtzeitig Kontakt zu Ihrem Tierarzt auf. Dort erhalten Sie Informationen über relevante Impfungen, entsprechende Bestätigungen und Verpflichtungen bei Ihrer Rückkehr. Es ist auch sinnvoll herauszufinden, ob an Ihrem Urlaubsziel bestimmte Bedingungen für Haustiere in der Öffentlichkeit geknüpft sind. So müssen in manchen Ländern Hunde immer einen Maulkorb tragen oder vergittert transportiert werden.

Viele allgemeine Infos finden Sie auf ▶ www.europa.eu ◀ aber sorgen Sie selbst dafür, die richtige Information für Ihre individuelle Situation herauszufinden.

Aktuelle Zollbestimmungen entnehmen Sie den Botschaften des jeweiligen Urlaubslandes an Ihrem Wohnort.

💱 Währung und Geld

Die Währungseinheit in Italien ist der Euro. Wenn man am Wochenende in Sizilien ankommt, ist es ratsam genug Bargeld dabeizuhaben, denn die Bankautomaten sind dann oft leer.

Kreditkarten

Man kann oft mit Kreditkarte bezahlen.

🔑 Öffnungszeiten und Feiertage

Banken

Banken sind im Allgemeinen montags bis freitags von 8.30 bis 13.30 Uhr und von 15.00 bis 16.00 Uhr geöffnet. In touristischen Gebieten sind die Banken ohne Pause bis 16.00 Uhr geöffnet.

Geschäfte

Die Geschäfte sind von 9.00 bis 13.00 Uhr und 16.00 bis 20.00 Uhr geöffnet. In Tourismusgebieten oftmals den ganzen Tag und sonntags.

In Norditalien (Mailand, Venedig) öffnen die Geschäfte mittags viel früher und schließen auch früher als im Süden.

Apotheken
Apotheken ('Farmacia') sind im Allgemeinen offen von Montag bis Freitag zwischen 8.30 und 12.30 Uhr und zwischen 15.00 und 19.30 Uhr. In Großstädten sind viele Apotheken ohne Pause bis 19.30 Uhr geöffnet.

Feiertage
Neujahr, 6. Januar (Dreikönige), Ostern, 25. April (Befreiung), 1. Mai (Tag der Arbeit), 2. Juni (Nationalfeiertag), 15. August (Mariä Himmelfahrt), Allerheiligen, 8. Dezember (Mariä Empfängnis), Weihnachten.

Kommunikation
(Mobil)Telefon
Das Mobilfunknetz ist in ganz Italien gut. Es gibt ein 3 G-Netz für Mobil Internet.

In Telefonzellen kann man mit Telefonkarten telefonieren, die man in Kiosks, auf der Post und in Tabakgeschäften erhält.

W-Lan, Internet
Internetcafés gibt es genug in Italien, vor allem in den Städten. Die meisten Bars und Restaurants verfügen über W-Lan.

Post
Geöffnet von Montag bis Freitag bis 14.00 Uhr und samstags bis 12.00 Uhr.

Straßen und Verkehr
Straßennetz
Allgemein kann man sagen, je weiter man in den Süden kommt, umso mehr nimmt die Qualität der Straßen ab. In Italien muss man beachten, dass auch rechts überholt wird. Achten Sie auch auf Roller und Mopeds. Bei Dunkelheit sollte man Nebenstrecken meiden.

Die italienische Straßenwacht ACI versorgt einen Großteil des Straßennetzes mit einem Pannendienst. Ausländer können, wenn sie einen Auslandsschutzbrief haben, die Hilfe des ACI kostenlos in Anspruch nehmen. Erreichbar über die Notrufsäulen, alle 2 Kilometer an den Autobahnen: Tel. 803116.

Verkehrsvorschriften

Verkehr von rechts hat Vorfahrt. Straßenbahnen haben immer Vorfahrt. In den Kreisel einfahrender Verkehr hat Vorfahrt vor dem im Kreisel fahrenden, aber Vorsicht, nicht jeder hält sich daran! Auf engen Straßen hat das schwerere Fahrzeug vor dem leichteren Vorfahrt. Auf Bergstraßen hat der bergauffahrende Verkehr Vorfahrt. Die Benutzung von Winterreifen und /oder Schneeketten ist Pflicht zwischen 1. November und 15. April im ganzen Land soweit mit Schildern angezeigt.

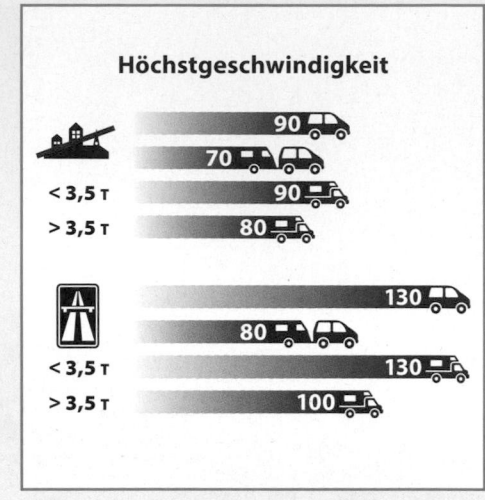

Promillehöchstgrenze: 0,5 ‰. Außerorts tagsüber immer mit Licht fahren, dies gilt insbesondere für Tunnel. Telefonieren nur mit Freisprechanlage. Zuladung auf dem Wagen oder Anhänger darf nicht über das Fahrzeug hinausragen. Fahrräder in einer Halterung dürfen daher auch nicht über die Seitenkanten hinausragen!

Navigation
Warnung vor festen Blitzern durch Navi oder Mobiltelefon Apps ist erlaubt.

Wohnwagen, Reisemobil
Die SS163 südlich von Neapel ist wegen zunehmender Verkehrsdichte für Wohnwagen und Reisemobile zwischen Vietri sul Mare und Positano (Enfernung 40 km) vorläufig gesperrt.

Zulässige Maße
Höhe 4m, Breite 2,55m und Gespann 18,75m.

Zona traffico limitato (ZTL)
In bestimmten Städten wie Rom und Florenz wurde die 'Zona traffico limitato' (ZTL) eingeführt. In dieser Zone gilt ein Einfahrtverbot in die Innenstadt wegen Luftverschmutzung. Die ZTL-Schilder unterscheiden sich pro Stadt und sind nicht immer gut lesbar. Vorsicht, denn die Polizei kontrolliert streng und Blitzanlagen registrieren die in die ZTL einfahrenden Autos.

Kraftstoff
Bleifrei und Diesel sind gut erhältlich. LPG ist gut erhältlich in Nord- und Mittelitalien, weniger gut in Süditalien.

Tankstellen
Tankstellen sind zwischen 7.00 und 19.30 Uhr geöffnet, mit einer Pause zwischen 12.30 und 15.30 Uhr. Oft kann man mit Kreditkarte bezahlen. Außerhalb der Geschäftszeiten kann man bei

unbemannten Tankstellen am Automaten bezahlen. Tankstellen an den Autobahnen sind Tag und nacht geöffnet.

Bergpässe

Für Caravans verboten: der Pass zwischen Domodossola und Locarno, Col de St. Bernard zwischen Martigny und Aosta, Timmelsjoch (Passo del Rombo) zwischen Sölden und Moso, Staller Sattel zwischen Anterselve und Erlsbach, Passo di Selva zwischen Selva und Canazei, Passo di Garden zwischen Selva und Corvera, Passo di Costalonga zwischen Meran und Vipiteno, Passo di Penzes zwischen Vipiteno und Bolzano.

Maut

Fast alle Autobahnen sind mautpflichtig. Außerdem müssen Sie in folgenden

Tunneln Maut bezahlen: Montblanc, Fréjus und Großer Sankt Bernard.
Sie können bar und mit Kreditkarte bezahlen oder mit einer Prepaid-Karte (Viacard) mit einem Guthaben für Mautstrecken. Weitere Infos:
▸ *www.autostrade.it* ◂

Notruf

112: nationaler Notruf für Polizei, Feuerwehr und Krankenwagen.

⚠ Campen

In Norditalien (Südtirol, Trentino, Gardasee und Toskana) befinden sich Campings, die zu den besten von Europa gehören. Reservieren Sie rechtzeitig. Campings in Süditalien haben, abgesehen von Ausnahmen, ein niedrigeres Qualitätsniveau als im Norden. Die Inseln Sizilien und

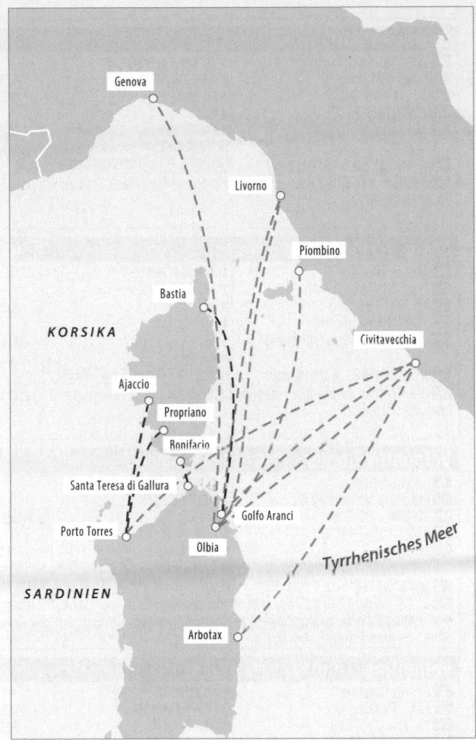

Auf italienischen Campgeländen sind Sie verpflichtet sich mit Ausweis zu legitimieren. Der Ausweis wird beim Aufenthalt in der Campingrezeption aufbewahrt. Mit der Erlaubnis des Grundstückseigentümers darf auch wild gecampt werden.

Praktisch

- In Italien wird eine Touristenabgabe erhoben. Achten Sie auf Zuschlagen für Einrichtungen und Animation.
- Viele Freibäder sind schon ab Ende Mai geöffnet und eine Badekappe ist Pflicht. Badeshorts sind oft verboten und man muss die übliche Badebekleidung tragen.
- Am besten immer Universalstecker dabei haben.
- In der Regel ist das Leitungswasser bedenkenlos. Im Zweifel aber lieber auf Mineralwasserflaschen zurückgreifen.

Überfahrt Sardinien

Sardinien erreicht man über verschiedene Verbindungen, entweder über Frankreich/Korsika, oder Italien. Mehr Information siehe ▶ *www.aferry.de* ◀ oder ▶ *www.directferries.de* ◀

Sardinien werden immer beliebter und die Campings sind hier in der Hochsaison voll. Der Norden Sardiniens ist vorallem bei Tauchern und Surfern hoch im Kurs.

Klima Palermo	Jan.	Feb.	März	April	Mai	Juni	Juli	Aug.	Sept.	Okt.	Nov.	Dez.
Tagestemperatur	13	14	15	17	20	24	27	27	25	22	18	15
Sonnenstunden am Tag	5	5	6	8	9	10	11	10	8	7	5	4
Regentage	12	8	8	6	3	2	0	2	4	8	8	10
Wassertemperatur	14	14	14	15	17	21	24	26	24	22	19	16

Klima Roma	Jan.	Feb.	März	April	Mai	Juni	Juli	Aug.	Sept.	Okt.	Nov.	Dez.
Tagestemperatur	9	10	12	16	20	24	27	27	23	18	14	10
Sonnenstunden am Tag	4	5	7	7	9	9	11	10	8	6	4	3
Regentage	9	9	7	6	6	3	1	2	5	8	10	10
Wassertemperatur	14	14	15	16	18	22	25	26	24	21	18	16

Klima Verona	Jan.	Feb.	März	April	Mai	Juni	Juli	Aug.	Sept.	Okt.	Nov.	Dez.
Tagestemperatur	4	6	10	15	19	23	25	24	21	15	10	6
Sonnenstunden am Tag	3	4	5	6	8	9	10	9	7	5	2	3
Regentage	4	4	4	6	6	6	5	4	5	5	5	5

SCHWEIZ · Piemonte · ROMA

Valle d'Aosta

Rhêmes St. Georges, I-11010 / Valle d'Aosta 📶 iD

🏔 Val di Rhêmes**	1 ABDE**JM**NOPQRS**T**		**N** 6
🏠 Hameau Voix, 1	2 CFOPUWXY		ABDE**FG**H 7
🕐 20 Mai - 10 Sep	3 BGHL		ABFNOQR 8
☎ +39 0165-907648	4 FO**P**		DIW 9
@ info@	5 ABGKL		BGHJPR10
campingvaldirhemes.com	B 2-6A CEE		➊ €25,60
📍N 45°38'59'' E 7°9'5''	H1194 2,2 ha 120**T**(80-100m²) 10**D**		➋ €35,60

🚐 SS26 Aosta-Courmayeur fahren. Bei Villeneuve Richtung Introd/Val di Rhêmes. Der CP ist ausgeschildert.

Sarre, I-11010 / Valle d'Aosta 📶 iD

🏔 International Touring***	1 AJMNOPQRS**T**		AN**U** 6
🏠 Strada Statale 26	2 APQRWXY		ABDE**FG**H 7
🕐 1 Jun - 15 Sep	3 BLMQ		ABEFNOQR 8
☎ +39 0165-257061	4 O		DEIJL 9
@ campingtouring@libero.it	5 DEFGIJK**L**		ABGHIOR10
	B 3-6A CEE		➊ €30,00
📍N 45°43'18'' E 7°16'12''	H628 5,6 ha 190**T**(80-100m²) 43**D**		➋ €39,00

🚐 SS26 Aosta-Courmayeur folgen. In Sarre liegt der CP links von der Straße, ausgeschildert.

Sarre, I-11010 / Valle d'Aosta 📶 (CC€16) iD

🏔 Monte Bianco**	1 AJMNOPRS**T**		**N** 6
🏠 Fraz. St. Maurice 15	2 ACPUVWXY		ABD**F** 7
🕐 15 Mai - 30 Sep	3 AL		ABEFNOR 8
☎ +39 0165-258514	4		9
@ info@campingmontebianco.it	5 KL		BDGHJPRV10
	B 6A CEE		➊ €23,50
📍N 45°43'0'' E 7°15'42''	H620 0,7 ha 60**T**(80-100m²)		➋ €32,10

🚐 Die Strecke Aosta-Courmayeur SS26 nehmen. In Sarre der 2. geöffnete CP links der Strecke.

Valnontey/Cogne, I-11012 / Valle d'Aosta 📶 iD

🏔 Lo Stambecco**	1 AJMNOPQRS**T**		6
🏠 Frazione Valnontey 6	2 FOPRUWXY		ABDE**F** 7
🕐 20 Mai - 20 Sep	3		ABEFNOQR 8
☎ +39 0165-74152	4 F		D 9
@ info@	5 AGK**L**M		BGHJOR10
campeggiolostambecco.it	B 3A CEE		➊ €22,00
📍N 45°35'18'' E 7°20'35''	H1600 2 ha 150**T**(10-100m²) 13**D**		➋ €30,00

🚐 SS26 Aosta-Courmayeur (Mont Blanc) fahren. Hinter Sarre Richtung Aymavilles/Cogne. In Cogne rechts nach Valnontey. CP liegt auf der linken Seite. Zweiter Eingang nehmen.

Valpelline, I-11010 / Valle d'Aosta 📶 iD

🏔 Grand Combin***	1 ADJMNOPQRS**T**		AB**N** 6
🏠 Fraz. Prailles 12	2 FOPUWXY		ABDE**FG**H 7
🕐 15 Jun - 15 Sep	3 AL		ABEFNOR 8
☎ +39 0165-73250	4 FGIO		L 9
@ info@grandcombin.com	5 ABDGKLM		BGHJLNPRV10
	B 3-16A CEE		➊ €26,30
📍N 45°49'29'' E 7°19'49''	H976 3 ha 130**T**(60-80m²) 50**D**		➋ €33,30

🚐 Die Strecke Aosta - Großer St. Bernard. Zwischen Aosta und Gignod Valpelline folgen. In Valpelline ist der CP angezeigt.

Valsavarenche, I-11010 / Valle d'Aosta 📶 iD

🏔 Gran Paradiso	1 AJMNOPQRS**T**		**N** 6
🏠 Plan de la Pesse 1	2 CFOPRWXY		ABD**FG** 7
🕐 15 Mai - 30 Sep	3 AELQ		ABEFNOR 8
☎ +39 0165-905801	4 **E**F		DFIJK 9
@ campinggranparadiso@	5 ABGKLM		ABGHJORV10
libero.it	2-6A CEE		➊ €21,00
📍N 45°32'55'' E 7°12'47''	H1820 3 ha 100**T**(45-80m²) 20**D**		➋ €29,00

🚐 SS26 Aosta-Courmayeur folgen. Bei Villeneuve Richtung Introd und Valsavarenche. Nach ungefähr 18 km ist der CP angezeigt.

Arvier, I-11011 / Valle d'Aosta 📶 iD

🏔 Arvier*	1 A**JM**NOPQRS**T**		A 6
🏠 Via Chaussa 17	2 AOPWXY		ABDE**FG**H 7
🕐 1 Jun - 31 Aug	3 L		ABEFNOPR 8
☎ +39 0165-069006	4 I**P**		L 9
@ campingarvier@yahoo.it	5 LM		BGHJOST10
	B 6A		➊ €29,90
📍N 45°42'8'' E 7°9'53''	H769 1 ha 80**T**(80-100m²)		➋ €40,70

🚐 SS26 Aosta-Courmayeur folgen. Am Kreisel am Ende von Arvier fast ganz durchfahren und scharf nach rechts abbiegen. CP ist ausgeschildert.

Courmayeur, I-11013 / Valle d'Aosta 📶 iD

🏔 Camping Monte Bianco 'La Sorgente'	1 ADEG**JM**NOPQRS**T**		AB 6
	2 AFPWX		ABDE**FG** 7
🏠 Loc. Val Veny Peuterey 1	3 AFLSU		ACE**F**NOR 8
🕐 1 Jun - 16 Sep	4 FGHIO		FJU 9
☎ +39 0165-869089	5 ACDEGKLM		AGHJPRV10
@ info@campinglasorgente.net	B 2A CEE		➊ €22,50
📍N 45°48'20'' E 6°55'26''	H1510 3 ha 150**T**(60-100m²) 18**D**		➋ €32,50

🚐 Der SS26 Aosta-Courmayeur-Mont Blanc Tunnel folgen. Hinter Courmayeur den braunen Schildern Val Veny folgen. Steile Anfahrt zum CP.

Courmayeur, I-11013 / Valle d'Aosta 📶 iD

🏔 Grandes Jorasses	1 ADEG**JM**NOPQRS**T**		**N** 6
🏠 Via per la Val Ferret 53	2 AFOPUWXY		ABD**FG**H 7
🕐 20 Jun - 15 Sep	3 AF**K**LS		ABEFNOR 8
☎ +39 0165-869708	4 FGH		DJ 9
@ info@grandesjorasses.com	5 ABFGKL		BGHJORV10
	B 2A CEE		➊ €22,00
📍N 45°49'58'' E 6°59'29''	H1600 1,5 ha 140**T**(20-100m²) 16**D**		➋ €31,00

🚐 Zwischen Courmayeur und dem Mont Blanc Tunnel den braunen Schildern 'Val Ferret' folgen, nach einigen Kilometern liegt der CP links der Strecke.

Etroubles, I-11014 / Valle d'Aosta 📶 (CC€16) iD

🏔 Tunnel**	1 ADE**JM**NOPQRS**T**		6
🏠 Str. Chevrieres 4	2 FGOPUVWX		ABDE**FG**H 7
🕐 1/1-10/1,30/1-2/5,22/5-17/10	3 A**K**LQ		ABCDFJNORTU 8
☎ +39 0165-78292	4 FGIO		9
@ info@campingtunnel.it	5 DEGIL		ABDFGHJ**NP**RV10
	WB 6A CEE		➊ €27,00
📍N 45°49'8'' E 7°13'45''	H1280 1,6 ha 45**T**(60-80m²) 55**D**		➋ €37,00

🚐 Vom großen St. Bernhardtunnel unmittelbar hinter der Brücke in Etroubles rechts ab. CP ist ausgeschildert.

Morgex, I-11017 / Valle d'Aosta 📶 (CC€16) iD

🏔 Arc en Ciel*	1 ADEG**JM**NOPQRS**T**		A 6
🏠 Strada Feysoulles 9	2 AFPUWXY		ABDE**FH** 7
🕐 1/1 - 3/11, 5/12 - 31/12	3 AL		ABEFNOQRV 8
☎ +39 0165-809257	4 IO		D 9
@ info@campingarcenciel.it	5 AFGIK**LM**		ABFGHJOR10
	W 2-6A		➊ €25,40
📍N 45°45'47'' E 7°0'37''	H1020 1,3 ha 85**T**(70m²) 20**D**		➋ €36,90

🚐 Auf der SS26 Courmayeur-Aosta ist der CP kurz hinter Morgex mit braunen Schildern angezeigt.

Italien

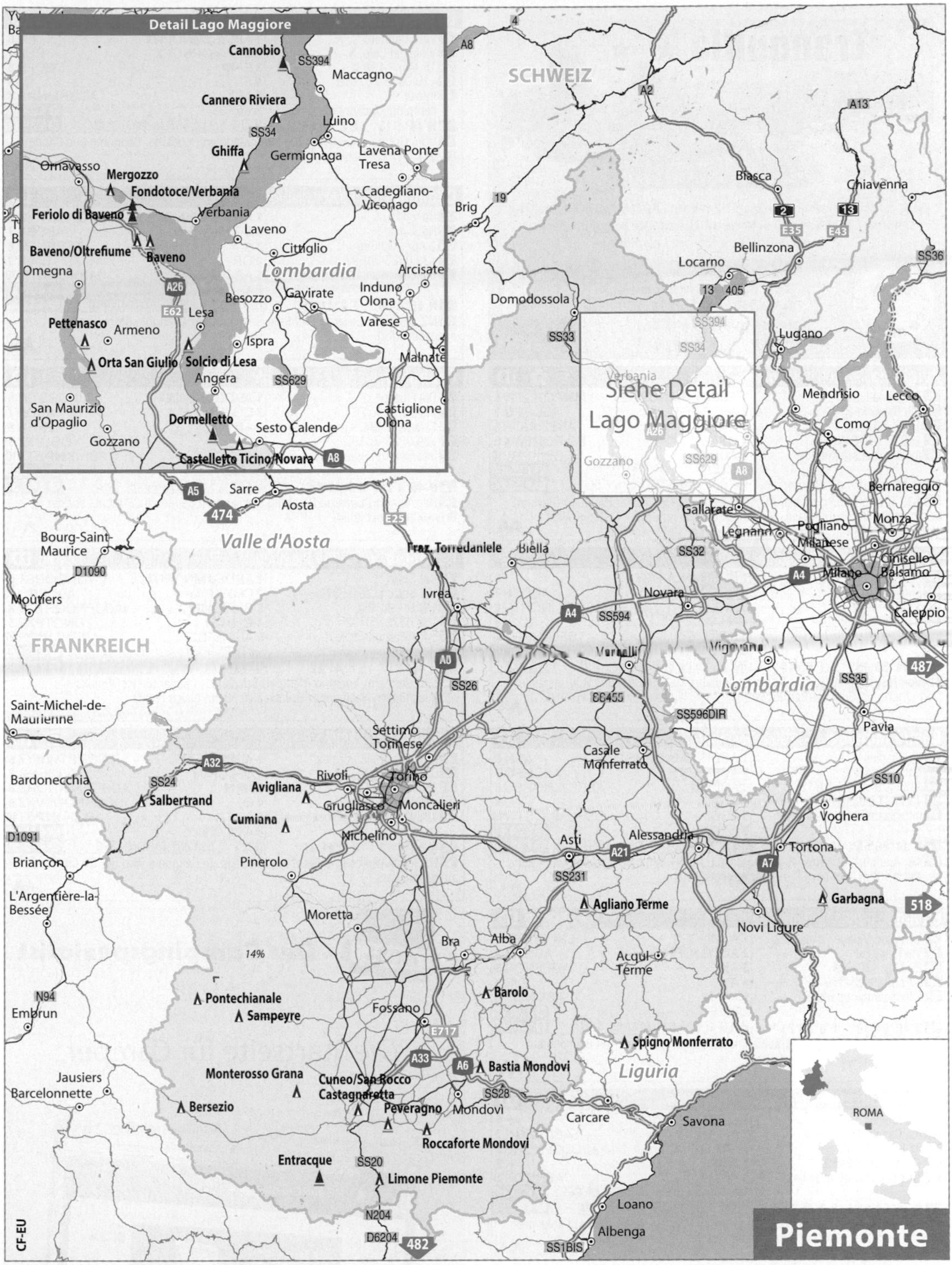

Map labels

Detail Lago Maggiore

SCHWEIZ · Lombardia · Valle d'Aosta · FRANKREICH · Lombardia · Liguria

Cannobio, Maccagno, Cannero Riviera, Luino, SS34, Ghiffa, Germignaga, Lavena Ponte Tresa, Ornavasso, Mergozzo, Fondotoce/Verbania, Cadegliano-Viconago, Verbania, Feriolo di Baveno, Laveno, Brig, Baveno/Oltrefiume, Baveno, Cittiglio, Arcisate, Omegna, Lesa, Besozzo, Gavirate, Induno Olona, Pettenasco, Armeno, Ispra, Varese, Orta San Giulio, Solcio di Lesa, Angéra, Malnate, San Maurizio d'Opaglio, Castiglione Olona, Gozzano, Dormelletto, Sesto Calende, Castelletto Ticino/Novara

Biasca, Chiavenna, Locarno, Bellinzona, SS36, Domodossola, Lugano, Verbania, Mendrisio, Lecco, Siehe Detail Lago Maggiore, Como, Gozzano, Gallarate, Bernareggo, Legnano, Pogliano Milanese, Monza, Sarre, Aosta, Cinisello Balsamo, Bourg-Saint-Maurice, Milano, Caleppio, Moûtiers, Fraz. Torredaniele, Biella, Novara, Vercelli, Vigevano, Saint-Michel-de-Maurienne, Pavia, Settimo Torinese, Casale Monferrato, Bardonecchia, Rivoli, Torino, Voghera, Salbertrand, Avigliana, Grugliasco, Moncalieri, Tortona, Cumiana, Nichelino, Asti, Alessandria, Novi Ligure, Briançon, Pinerolo, Garbagna, L'Argentière-la-Bessée, Moretta, Bra, Alba, Agliano Terme, Acqui Terme, Spigno Monferrato, N94, Embrun, Pontechianale, Sampeyre, Fossano, Barolo, Jausiers, Barcelonnette, Monterosso Grana, Cuneo/San Rocco Castagnaretta, Bastia Mondovi, Liguria, Bersezio, Peveragno, Mondovì, Carcare, Savona, Roccaforte Mondovi, Entracque, Limone Piemonte, Loano, Albenga, ROMA

Piemonte

CF-EU

Avigliana, I-10051 / Piemonte 🛜 ⚙ iD

🏕 Avigliana Lacs***	1 ABCDE**JM**NOPRST	LMN PQRSTW 6
🛖 Via Giaveno 23	2 ABDFGOPUVY	ABDE**FG** 7
🕐 1 Jan - 31 Dez	3 A**K**LQ	ABEFJNOR 8
☎ +39 011-9761051	4 **AE**FO	EJLPQRTWX 9
@ aviglianalacs@libero.it	5 ADEGIKL	FGHIKPRV10
	B 6A CEE	❶ €25,00
📍 N 45°3'33'' E 7°23'11''	H600 1,2 ha 30T(28-80m²) 6D	❷ €35,00

🚗 A32 Torino-Bardonecchia, Ausfahrt Avigliana-Est. Weiter Richtung Giaveno und dem Schild Laghi folgen. Hinter den beiden Tunnel am ersten Kreisel rechts und am zweiten Kreisel links. CP liegt an der linken Seite.

Barolo, I-12060 / Piemonte 🛜

🏕 Sole Langhe	1 BDEJMNOPRST	6
🛖 Frazione Vergne	2 FGOPRUWXY	ABDE**F** 7
🕐 1 Mär - 30 Nov	3 A**K**LQ	ABCDEFJNQRTV 8
☎ +39 0173-560510	4 FH	GU**X** 9
@ info@solelanghe.com	5 BGIL	BFGHJ**P**RV10
	6A CEE	❶ €26,00
📍 N 44°36'45'' E 7°55'16''	H400 0,5 ha 35T(25-60m²) 12D	❷ €32,00

🚗 Von Norden aus (Torino-Savona), Ausfahrt Marene Richtung Bra/Cherasco. Denn Richtung Dogliani/Barolo/Vergne.

Bastia Mondovi, I-12060 / Piemonte 🛜 iD

🏕 La Cascina**	1 ABDEFJMNOPRST	AF**N** 6
🛖 Loc. Pieve 3	2 ACPVWXY	ABDE**FG** 7
🕐 1/1 - 2/9, 25/9 - 31/12	3 ABEL**M**	ABEFJKNORSU 8
☎ +39 0174-60181	4 HI**Q**	D 9
@ info@campinglacascina.it	5 ABGL	BGHIJMNOSTW10
	B 6A CEE	❶ €24,50
📍 N 44°26'55'' E 7°53'39''	H500 4 ha 36T(60-70m²) 165D	❷ €35,50

🚗 A6, Ausfahrt Mondovi, Richtung Bastia. Nach 4 km beim Kreisverkehr rechts ab. Nach 100m liegt der CP auf der rechten Seite.

Baveno, I-28831 / Piemonte 🛜 (CC€16) iD

🏕 Camping Village Parisi**	1 A**J**M**NOR**T	LNUW**X**Y**Z** 6
🛖 Via Piave 50	2 ADFGJOPRXY	ABD**FG** 7
🕐 25 Mär - 30 Sep	3 A**K**	ABEFNOR 8
☎ +39 0323-924160	4 A	EJR 9
@ info@campingparisi.it	5 ABLM	ABIJ**N**OS10
	6A CEE	❶ €34,00
📍 N 45°54'39'' E 8°30'21''	H220 0,6 ha 51T(60-80m²) 13D	❷ €46,00

🚗 Baveno liegt zwischen Verbania und Stresa. Im Zentrum von Baveno den CP-Schildern folgen.

Baveno/Oltrefiume, I-28831 / Piemonte 🛜 (CC€16) iD

🏕 Tranquilla**	1 A**J**M**NOPQRT	AF 6
🛖 Via Cave Oltrefiume, 2	2 AFPUVXY	ABDE**FG** 7
🕐 21 Mär - 11 Okt	3 A**K**LQ	ABCDEFNORS 8
☎ +39 0323-923452	4 **AO**P	K 9
@ info@campingtranquilla.it	5 ABKLM	ABHIJOR10
Anzeige auf dieser Seite	B 6A CEE	❶ €33,50
📍 N 45°54'44'' E 8°29'21''	H230 1,8 ha 60T(70-80m²) 60D	❷ €45,50

🚗 Im Zentrum von Baveno Richtung Verbania fahren. Nach ca. 1 km links nach Oltrefiume fahren. Entlang dieser Straße ist der CP ausgeschildert.

Bersezio, I-12010 / Piemonte 🛜

🏕 Argentera**	1 BFGHKNORT	N 6
🛖 Via Nazionale 15	2 CFOPQRX	ABD**F** 7
🕐 1 Jul - 31 Aug	3 EMQ	ABE**F**NOR 8
☎ +39 0171-96735	4 A	9
	5 DEGL	HIJOZ10
	W 3A CEE	❶ €16,00
📍 N 44°22'56'' E 6°57'57''	H1650 0,9 ha 30T(48m²) 86D	❷ €26,00

🚗 Auf der SS21 von Borgo S. Dalmazzo zur Französichen Grenze liegt der CP kurz hinterm Dorf Bersezio (links).

Cannero Riviera, I-28821 / Piemonte 🛜 iD

🏕 Lido Cannero**	1 ABDE**JM**NOP**R**T	LM 6
🛖 Viale del Lido, 5	2 DFIJMOPSUVX	BE**F** 7
🕐 15 Mär - 4 Nov	3 EF**M**	BDF**R** 8
☎ +39 0323-787148	4 F	DJ 9
@ info@	5 ABL	ABGHIJ**NPR**10
campinglidocannero.com	B 6A CEE	❶ €28,00
📍 N 46°1'13'' E 8°40'46''	H210 0,9 ha 66T(40-90m²) 14D	❷ €39,00

🚗 Vom Gotthard aus Richtung Lago Maggiore. Locarno, Cannobio und Cannero Riviera. Den CP-Schildern folgen.

Cannobio, I-28822 / Piemonte 🛜 iD

🏕 Bosco**	1 ABDEF**JM**NOP**R**T	LNQSUW**X**Y**Z** 6
🛖 Nazionale	2 BDFIKOPRUY	ABD**EF** 7
🕐 1 Apr - 30 Sep	3 A	ACEF**N**RU 8
☎ +39 0323-71597	4 OP	ACEFNRU 8
@ bosco@boschettoholiday.it	5 ABCGK	ABHIJ**NO**RV10
	B 4A CEE	❶ €33,80
📍 N 46°4'40'' E 8°41'36''	H220 0,8 ha 26T(50-120m²) 48D	❷ €42,60

🚗 N2, Ausfahrt Locarno Richtung Brissago. Vor Cannobio CP rechts ausgeschildert.

Cannobio, I-28822 / Piemonte 🛜 iD

🏕 Del Fiume*	1 ABDG**JM**NOPRT	JNQRSTW 6
🛖 Via Darbedo 26	2 CGJOPQVXY	ABD**F** 7
🕐 1 Jan - 31 Dez	3 AI**LMN**	AEFN**R** 8
☎ +39 0323-70192	4 O	DGLV**X**Z 9
@ info@campingdelfiume.it	5 ACEGIK	ABHI**K**NP**R**10
	6A CEE	❶ €33,50
📍 N 46°4'7'' E 8°41'40''	H220 0,5 ha 50T(45-85m²) 31D	❷ €42,50

🚗 N2, Ausfahrt Locarno Richtung Brissago. In Cannobio CP rechts vor der Brücke ausgeschildert.

Cannobio, I-28822 / Piemonte 🛜 (CC€16) iD

🏕 Del Sole*	1 ABDE**JM**NOPRT	AJNOQRST 6
🛖 Via Sotto i Chiosi 81/a	2 CGKPRVY	ABDE**FG** 7
🕐 1 Mär - 31 Okt	3 BEF**ILMN**	ABCFNOQRTUV 8
☎ +39 0323-70732	4 **EF**HO**P**	DNQTV**X**Z 9
@ info@campingsole.it	5 ABDEFGJL	ABGHIJ**NP**R10
	6A CEE	❶ €33,00
📍 N 46°4'0'' E 8°41'42''	H250 1 ha 100T(32-64m²) 20D	❷ €43,00

🚗 E35, Ausfahrt Locarno Richtung Brissago. In Cannobio ist CP links ausgeschildert. Nach erster Brücke links, dann gleich rechts.

Cannobio, I-28822 / Piemonte 🛜 iD

🏕 Internazionale Paradis**	1 AB**I**KNOPRT	LNQRSTW**X**Y**Z** 6
🛖 Casali Darbedo 12	2 DFJOPVY	ABDE**FG** 7
🕐 15 Mär - 15 Okt	3 **IMN**	ABCDEFJKNQRS 8
☎ +39 0323-71227	4 O	DEGKNOQTV**X**Z 9
@ info@campinglagomaggiore.it	5 ACGK	ABGHIJ**N**P**ST**10
	B 4-6A CEE	❶ €38,50
📍 N 46°4'13'' E 8°41'37''	H220 1,2 ha 80T(80-90m²) 37D	❷ €49,50

🚗 N2 Ausfahrt Locarno Richtung Brissago. In Cannobio wird der CP links ausgeschildert.

476

Camping Village Lago Maggiore

REGIONE PIEMONTE

Via Salvador Dalí, 28040 Dormelletto
Tel. 0322-497193 • Fax 0322-498600
E-Mail: info@lagomag.com • Internet: www.lagomag.com

Die gepflegten Stellplätze mit Schatten, die Bungalows, das neue Maxi-Caravandorf, die geschmackvolle Residenz mit 2- und 3-Zimmer Appartements, das Schwimmbad, der Strand, das Pizzeria-Restaurant, der Frisör, die Animation in den Monaten Juli und August und die typisch italienische Umgebung sowie die Herzlichkeit, lassen den Urlaub mit Ihrer Familie unvergesslich werden.

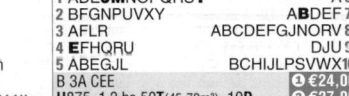

Italien

Cannobio, I-28822 / Piemonte

🏕 Residence Campagna**	1 ABDE**JL**NOPR**T**	LNQSW**XY** 6
🏨 Casali Darbedo 20-22	2 D**F**JOPRVXY	ABDE**FG** 7
🕐 20 Mär - 19 Okt	3 BF**IMN**	ABCDEFJKNOQRSUV 8
☎ +39 0323-70100	4 FO	DEIKLNQTVXZ 9
@ Info@campingcampagna.it	5 ABEFIKL	ARGH**IJ**MN**PR**10
	B 6-10A CEE	① €38,50
		② €49,50
📍 N 46°4'17'' E 8°41'35''	H220 1 ha 100T(60-70m²)	22**D**

🚐 N2, Ausfahrt Locarno Richtung Brissago. In Cannobio CP links ausgeschildert.

Cannobio, I-28822 / Piemonte

🏕 Rivièra**	1 AB**JMN**OR**T**	LNQRSW**XY** 6
🏨 Casali Darbedo 2	2 DOPVY	ABDE**FGH** 7
🕐 26 Mär - 20 Okt	3 AF**IMN**	ABCDEFJLNRS 8
☎ +39 0323-71360	4 H	DEIJKNOQTVXZ 9
@ riviera@	5 CDEFGIJKL	ABGH**IJ**N**OR**10
riviera-valleromantica.com	B 6-10A CEE	① €38,50
		② €49,50
📍 N 46°4'7'' E 8°41'41''	H220 3,8 ha 275T(60-70m²)	62**D**

🚐 N2, Ausfahrt Locarno Richtung Brissago. In Cannobio wird der CP links ausgeschildert.

Cannobio, I-28822 / Piemonte

🏕 Valle Romantica**	1 AB**JMN**OP**T**	A**JN**U 6
🏨 Via Valle Cannobina	2 C**F**JKPVY	ABDE**F** 7
🕐 26 Mär - 16 Sep	3 BEL	ABCDEFNRS 8
☎ +39 0323-71249	4 H**U**	EIK 9
@ valleromantica@	5 ACDEFGJ	ABGH**IJO**R10
riviera-valleromantica.com	B 4-6A CEE	① €38,50
		② €49,50
📍 N 46°3'26'' E 8°40'43''	H400 5 ha 145T(50-80m²)	62**D**

🚐 N2, Ausfahrt Locarno Richtung Brissago. In Cannobio rechts Richtung Malesco. Nach 1,5 km liegt der CP rechts.

Castelletto Ticino/Novara, I-28053 / Piemonte

🏕 Italia Lido**	1 RG**JMN**OQR**T**	LNQSW**XYZ** 6
🏨 Via Cicognola 104	2 ADFGHPRUVWX	ABDE**FGH** 7
🕐 7 Mär - 27 Okt	3 AELQ	ABDE**F**NOR 8
☎ +39 0331-923032	4 O**P**	EKQTV 9
@ info@campingitalialido.it	5 ABDFGHIK	AGH**IJ**R10
	3A CEE	① €31,10
	H230 2 ha 50T(50-70m²) 119**D**	② €43,10
📍 N 45°43'29'' E 8°36'36''		

🚐 CP liegt direkt am Lago Maggiore, links an der Straße zwischen Dormelletto und Sesto Calende.

Cumiana, I-10040 / Piemonte

🏕 Verna**	1 ADE**JMN**OPQRS**T**	A 6
🏨 Strada Verna, 37	2 B**F**GNPUVXY	A**B**DE**F** 7
🕐 17 Apr - 30 Sep	3 AFLR	ABCDEFGJNORV 8
☎ +39 011-19823198	4 **E**FHQRU	DJU 9
@ campeggio@gmail.com	5 ABEG**J**L	BCH**IJ**LPSVWX10
	B 3A CEE	① €24,00
		② €27,00
📍 N 44°59'43'' E 7°19'11''	H875 1,2 ha 50T(45-70m²) 10**D**

🚐 Von Turin der E70 Richtung Fréjus folgen, die Ausfahrt Avigliana Est/Giaveno nehmen, danach Richtung Cumiana (via Giaveno) und Richtung Verna abfahren. Der CP kommt nach 4,5 km an der linken Seite.

Cuneo/San Rocco Castagnaretta, I-12010 / Piem.

🏕 Bisalta Cuneo Camp**	1 AF**JMN**OPRS**T**	ABFG 6
🏨 Via S. Maurizio 33	2 OPVXY	ABDE**FGH**J 7
🕐 1 Jan - 31 Dez	3 BE**F**KL**M**Q	ABEFKNORV 8
☎ +39 0171-491334	4 BDH**I**N	JKV 9
@ campingbisalta@libero.it	5 ABEG**I**KL	BGH**IJO**STV10
	B 3A CEE	① €22,50
		② €29,50
📍 N 44°21'52'' E 7°30'53''	H600 3,7 ha 70T(70-80m²) 163**D**

🚐 Von Cuneo-Zentrum Richtung Borgo San Dalmazzo. Nach ca. 4 km auf der Straße 20 steht ein CP-Schild, kurz hinter dem Ort S. Rocco Castagnarette (oder bei der Ampel im Ort rechts ab).

Dormelletto, I-28040 / Piemonte

🏕 Eden	1 BDE**F**G**I**LNOPQRS**T**	ALMNQSUW**XYZ** 6
🏨 Corso Cavour 59	2 ADFGH**I**OPXY	ABD**FGH**K 7
🕐 15 Mär - 31 Okt	3 BE**F**LQ	ABFGNORTV 8
☎ +39 0322-497524	4 BLNO**P**Q	ERV 9
@ info@campingeden.it	5 ABDE**F**G**J**KL	AB**IJ**NO10
	3A CEE	① €38,00
	3 ha 50T 106**D**	② €50,00
📍 N 45°43'53'' E 8°34'35''		

🚐 Von Arona Richtung Sesto Calende. Der CP liegt links an der Straße und ist deutlich ausgeschildert.

Dormelletto, I-28040 / Piemonte

🏕 Lago Maggiore***	1 BD**JMN**OPRS**T**	AFLNQSW**XY** 6
🏨 Via Salvador Dalí	2 ADHPVY	ABDE**FH** 7
🕐 1 Apr - 30 Sep	3 BEL**MQ**	ABCDE**F**LNOR 8
☎ +39 0322-497193	4 B**F**IO**P**	AEIJLU 9
@ info@lagomag.com	5 ABDE**F**G**H**IJK	ADGH**IJO**RV10
	Anzeige auf dieser Seite 6A CEE	① €46,00
	H230 5 ha 110T(60-90m²) 268**D**	② €61,00
📍 N 45°44'7'' E 8°34'31''		

🚐 Von Arona Richtung Sesto Calende, CP links von der Straße deutlich ausgeschildert.

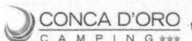   
Entracque, I-12010 / Piemonte 〰 CC €16

▲ Campeggio Valle Gesso**	1 BDEFGJMNOPQR	ANUV 6
🏠 Strada Provinciale per Valdieri 3	2 BCFGOPXY	ABDEFGH 7
�'1/1 - 7/3, 14/4 - 31/12	3 ABDELQ	ABCDEFIJKNOQRSTUV 8
☎ +39 0171-978247	4 AEHIOPQY	EV 9
@ info@campingvallegesso.com	5 ABEFGKL	ABCFGHIJLPTV10
	Anzeige auf Seite 481 WB 6A CEE	❶ €27,50
📷 N 44°15'3'' E 7°23'25''	H900 4,9 ha 145T(60-115m²) 92D	❷ €40,50
🏕 Es steht schon ein CP-Schild auf dem Weg 20 an der Gabelung im Süden von Borgo San Dalmazzo über Valdieri-Entracque. Der CP liegt 1 km vor Entracque und ist gut ausgeschildert.		M

Entracque, I-12010 / Piemonte

▲ Sotto il Faggio	1 BGJMNOPRT	6
🏠 Località San Giacomo d'Entracque, 1	2 BCFGNPRSTUWXY	ABDEF 7
	3 ABCDEFOQV	8
⛑ 1 Jun - 30 Sep	4 EF	A 9
☎ +39 0171-069405	5 ABGIL	GIJNRV10
@ gianlucascapin@yahoo.it	B 6A CEE	❶ €18,00
📷 N 44°10'38'' E 7°23'13''	H1213 0,9 ha 44T 4D	❷ €23,00
🏕 Von Cuneo über Borgo San Dalmazzo nach Entracque, 3 km vor Entracque rechts hinauf und den Schildern folgen.		M

Feriolo di Baveno, I-28835 / Piemonte 〰 CC €18

▲ Conca d'Oro***	1 BIKNOPRST	LNOPQSWX 6
🏠 Via 42 Martiri 26	2 ADFGHPVXY	ABDFH 7
⛑ 1 Apr - 27 Sep	3 AEGKL	ABCDEFKNOQRS 8
☎ +39 0323-28116	4 ABFHIOP	EQVXZ 9
@ info@concadoro.it	5 ACDEFHIJKL	ABEGHIJPR10
	Anzeige auf dieser Seite B 6A CEE	❶ €43,50
📷 N 45°56'11'' E 8°29'11''	H200 3,6 ha 200T(70-100m²) 33D	❷ €50,25
🏕 Der CP liegt zwischen dem Kreisverkehr in Fondotoce di Verbania und Feriolo, unmittelbar am Lago Maggiore.		M

Feriolo di Baveno, I-28835 / Piemonte 〰 CC €16

▲ Holiday	1 BJMNOPRST	LNQSWX 6
🏠 Via 42 Martiri	2 ADFGHPVXY	ABDEF 7
⛑ 24 Apr - 21 Sep	3 BK	ABEFNR 8
☎ +39 0323-28164	4 FHOP	EUV 9
@ welcome@ camping-holiday.info	5 ABDGKL	ABEHIJPR10
	Anzeige auf dieser Seite B 6A CEE	❶ €33,00
📷 N 45°56'8'' E 8°29'7''	H200 0,7 ha 46T(70-90m²) 17D	❷ €47,00
🏕 CP zwischen dem Kreisel in Fondotoce di Verbania und Feriolo direkt am Lago Maggiore.		M

Feriolo di Baveno, I-28835 / Piemonte 〰 CC €16 iD

▲ Miralago	1 AJMNOPRST	LNQSWXYZ 6
🏠 Via 42 Martiri	2 ADFGHPVXY	ABDF 7
⛑ 1 Apr - 30 Sep	3 AKLQ	AEFNOR 8
☎ +39 0323-28226	4 FHIO	K 9
@ welcome@ camping-miralago.info	5 ABG	BGHIJR10
	Anzeige auf dieser Seite 6A CEE	❶ €32,00
📷 N 45°56'2'' E 8°29'5''	H230 0,9 ha 72T(50-90m²) 18D	❷ €45,00
🏕 Der CP liegt zwischen dem Kreisverkehr in Fondotoce und Feriolo, direkt am Lago Maggiore.		M

Feriolo di Baveno, I-28831 / Piemonte 〰 CC €16 iD

▲ Orchidea**	1 AJMNOPRST	LNQSWX 6
🏠 Via 42 Martiri, 20	2 ADFGHOPUVXY	ABDFH 7
⛑ 27 Mär - 11 Okt	3 BEKQ	ABCDEFNORS 8
☎ +39 0323-28257	4 ABFHOP	IJLRTU 9
@ info@campingorchidea.it	5 ACDEFGIKL	ABGHIKNOPR10
	6A CEE	❶ €34,00
📷 N 45°56'1'' E 8°28'52''	H230 3 ha 219T(60-73m²) 45D	❷ €46,20
🏕 Der CP liegt am Weg zwischen Verbania-Fondotoce und Feriolo, kurz vorm Zentrum von Feriolo am See. Der CP ist links vom Weg ausgeschildert.		M

Fondotoce/Verbania, I-28924 / Piemonte 〰

▲ Continental Camping Village**	1 BJMNOPRST	AFGILMNQSX 6
🏠 Via 42 Martiri 156	2 ADGHPVY	ABDFGH 7
⛑ 27 Mär - 21 Sep	3 BEKLMQ	ABCDEFKNORS 8
☎ +39 0323-496300	4 ABFHILOPQ	AEIKLQTV 9
@ info@campingcontinental.com	5 ACDEFGIJK	ABGHIKNPRW10
	Anzeige auf Seite 479 B 6A CEE	❶ €49,90
📷 N 45°56'56'' E 8°28'50''	H210 9 ha 343T(60-85m²) 292D	❷ €58,00
🏕 Von Locarno Richtung Verbania/Fondotoce bis zum Kreisverkehr. Richtung Gravellona, rechts halten, SS34. Nach 100m liegt der CP rechts an der Straße.		M

Fondotoce/Verbania, I-28924 / Piemonte 〰

▲ Isolino***	1 BDJMNOPRST	AFILNQSWXYZ 6
🏠 Via Per Feriolo, 25	2 ADFGHIPVWXY	ABDEFGH 7
⛑ 27 Mär - 21 Sep	3 BEKLM	ABDEFKNORSTUV 8
☎ +39 0323-496080	4 ABFHILOPQR	EIJLMQTUVXZ 9
@ info@isolino.com	5 ACDEFGIJK	ABEGHIKNPR10
	Anzeige auf Seite 479 6A CEE	❶ €48,20
📷 N 45°56'19'' E 8°29'40''	H230 12 ha 442T(70-90m²) 284D	❷ €54,75
🏕 CP an der Straße zwischen Verbania und Baveno, am Lago Maggiore.		M

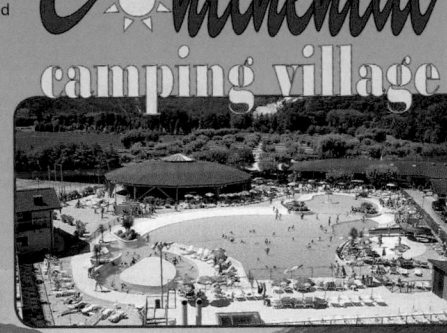

Camping Il Melo ★ ★

Der Camping liegt 800m vom Ort mitten in einer typischen, grünen Bergnatur. Am Fuß eines 2400m hohen Berges Bisalta, auf einer sonnigen Panoramahöhe. Eine Oase der Ruhe für jemand der die Natur liebt, Wanderungen und ein schönes Schwimmbad.

Via don G. Peirone 57, 12016 Peveragno • Tel. und Fax 0171-383599
E-Mail: info@campingilmelo.it • Internet: www.campingilmelo.it

---

Fondotoce/Verbania, I-28924 / Piemonte CC€16

🔺 La Quiete**
🏠 Via Turati 72
⏰ 1 Apr - 27 Sep
☎ +39 0323-496013
@ info@campinglaquiete.it

1 BJMNOPRT	LNQSX 6
2 ACDFGHPVXY	ABDFH 7
3 BEKQ	ACEFNOR 8
4 FHOP	E 9
5 ABDFGIJL	ABHIJOR 10
6A CEE	① €37,00
H200 2,8 ha 180T(60-70m²) 14D	② €50,00

📍 N 45°57'13'' E 8°28'37''
🚐 Der CP liegt zwischen Mergozzo und Fondotoce, in unmittelbarer Nähe des Sees (SS34). Der Abstand zum Zentrum von Mergozzo beträgt ca. 2 km.

Fondotoce/Verbania, I-28924 / Piemonte

🔺 Lido Toce
🏠 Via per Feriolo 41
⏰ 29 Mär - 22 Okt
☎ +39 0323-496220
@ info@campinglidotoce.eu

1 BDEILNOPRST	XZ 6
2 ACDHIPWXY	ABDEF 7
3 ABL	ABEFPQRS 8
4 HO	9
5 ABDEG	ABIJNOST 10
B 6A CEE	① €28,00
H198 2 ha 80T(90-120m²) 20D	② €38,00

📍 N 45°56'14'' E 8°29'17''
🚐 Der CP liegt an der Strecke Fondotoce/Verbania nach Feriolo. Der CP ist links an der Straße ausgeschildert.

Fraz. Torredaniele, I-10010 / Piemonte iD

🔺 Mombarone
🏠 SS26 nr 54
⏰ 1 Jan - 31 Dez
☎ +39 0125-757907
@ info@campingmombarone.it

1 ADEJMNOPQRST	N 6
2 ACFGOPWX	ABDFH 7
3 L	ABEFJNOQR 8
4 FI	DJKV 9
5 AGLM	BJNOST 10
B 4-6A	① €20,50
H300 25 ha 80T 73D	② €29,50

📍 N 45°33'54'' E 7°48'58''
🚐 Zwischen Aosta und Turin die Ausfahrt Quincinetto nehmen (50 km von beiden Städten). Hinter der Mautstation rechts halten. Über die Brücke Richtung Ivrea. CP nach 100m links.

Garbagna, I-15050 / Piemonte CC€16 iD

🔺 Piccolo Camping E Maieu**
🏠 Strada per Ramero 10
⏰ 1 Apr - 30 Sep
☎ +39 339-1466287
@ emaieu@camping.it

1 ABJMNOPRT	A 6
2 FOPRSUVXY	ABDEFHIJK 7
3 EL	ABCDEFGNOR 8
4 FHI	DI 9
5 L	BDHJOST 10
Anzeige auf dieser Seite B 3-10A CEE	① €29,50
H300 6 ha 45T(30-70m²) 8D	② €36,50

📍 N 44°46'56'' E 8°59'19''
🚐 A7 Mailand-Genova, Ausfahrt Vignole B, nach Zoll rechts Richtung Garbagna, nach 7 km links Richtung Garbagna, Straße durch den Tunnel, nach Tunnel noch 3 km, im Ort Schildern 'E Maieu' und 'camping' folgen.

PICCOLO CAMPING E MAIEU ★ ★

Sehr ruhiger Familienterrassencamping inmitten grüner Hügel.
Hervorragender Ausgangspunkt für Wander- und Radtouren.
In 10 km Badegelegenheit im Fluss. Schwimmbad auf dem Camping.
Er liegt zwischen Mailand (80 km) und Genua (50 km), rund 20 km von der A7. Ideal als Etappenplatz! Eine Stunde zum Mittelmeer.
Siehe unsere Internetseite.
Strada per Ramero 10, 15050 Garbagna
Handy: 0039-339-1466287 • E-Mail: emaieu@camping.it
Internet: www.camping.it/piemonte/emaieu

Ghiffa, I-28823 / Piemonte CC€14 iD

🔺 La Sierra**
🏠 Belvedere 337
⏰ 1 Mär - 31 Okt
☎ +39 333-7815534
@ info@campinglasierra.it

1 ABDEJMNOPQRT	LNPSWXZ 6
2 DFJKSUVX	ADF 7
3 AL	AEFNQRTV 8
4 FP	HV 9
5 ABDEFGIKL	BDHIJLPR 10
6A CEE	① €24,00
H200 8 ha 42T(55-70m²) 5D	② €29,00

📍 N 45°58'36'' E 8°38'2''
🚐 Der CP liegt zwischen der Strecke Verbania und Cannobio am Lago Maggiore. Bei Ghiffa ist der CP deutlich angezeigt.

Limone Piemonte, I-12015 / Piemonte iD

🔺 Luis Matlas**
🏠 Corso Torino 39
⏰ 18/5 - 1/10, 28/10 - 6/5
☎ +39 0171-927565
@ luisasegalla@yahoo.it

1 ABDEFJMNOPRST	6
2 CFPX	ABEF 7
3 AKLQ	ABFJNOR 8
4 FI	9
5 ABGKL	BHIJNOTU 10
WB 6A CEE	① €25,00
H1010 1,5 ha 21T(30-50m²) 87D	② €34,00

📍 N 44°12'31'' E 7°34'25''
🚐 Von Frankreich über Colle di Tenda, Straße SS20, am Ende des Dorfes Limone ist CP links an der SS20.

Mergozzo, I-28040 / Piemonte

🔺 Lago Delle Fate**
🏠 Via Pallanza 22
⏰ 15 Mai - 5 Okt
☎ +39 0323-80326
@ info@lagodellefate.com

1 BJMNOPRT	LNQSX 6
2 ADFGIPUVXY	ADF 7
3 AKLQ	AEFNOR 8
4 FHIO	EPT 9
5 ABDGKL	ABHIKPR 10
6A CEE	① €43,00
H200 0,5 ha 48T(60-80m²) 16D	② €57,00

📍 N 45°57'40'' E 8°27'25''
🚐 CP zwischen Mergozzo und Fondotoce am Mergozzosee, SS34, CP von Mergozzo-Zentrum 1 km entfernt.

Monterosso Grana, I-12020 / Piemonte iD

🔺 Roccastella**
🏠 Via Mistral 1/A
⏰ 1 Apr - 30 Sep
☎ +39 0171-989113
@ camping.roccastella@gmail.com

1 ABGJMNOPRST	JN 6
2 CFOPRTUVX	AD 7
3 AEIMQ	ABCDEFNORTUV 8
4 EFHI	EFU 9
5 DGKL	BGHIJRV 10
B 6A CEE	① €27,00
H800 1,2 ha 20T(55-100m²) 23D	② €27,00

📍 N 44°24'32'' E 7°19'37''
🚐 Von Cuneo Richtung Valle Grana, hinter Caraglio der SP23 folgen Richtung Monterosso Grana; am Ortseingang direkt links.

Orta San Giulio, I-28016 / Piemonte CC€16

🔺 Orta**
🏠 Via Domodossola 28
⏰ 1 Mär - 31 Dez
☎ +39 0322-90267
@ info@campingorta.it

1 BJMNOPQRT	LNQSWXYZ 6
2 ADFGIKPRUVXY	ABDEFGH 7
3 AL	ABCDEFNORS 8
4 FIP	EJVZ 9
5 ABDIK	BDHIKNOR 10
6A CEE	① €35,10
H300 3,6 ha 80T(70-80m²) 93D	② €46,60

📍 N 45°48'4'' E 8°25'16''
🚐 CP zwischen Gozzano und Omegna 229, ca. 2 km hinter der Kreuzung mit Orta San Giulio. Am See gelegen.

Pettenasco, I-28028 / Piemonte CC€14 iD

🔺 Camping Royal
🏠 Via Pratolungo 32
⏰ 1 Mär - 30 Nov
☎ +39 0323-888945
@ info@campingroyal.com

1 ADEFILNOPQRT	A 6
2 FPRUVXY	BDFJ 7
3 ABELQ	ABCFJNOQR 8
4 FNO	DJLUVX 9
5 ACGKLM	BFGHIJLNORVW 10
B 5A CEE	① €31,00
H500 1,8 ha 30T 37D	② €41,00

📍 N 45°49'25'' E 8°24'51''
🚐 Pettenasco liegt auf halber Strecke zwischen 'Gravellona Toce' und Borgomanero. Im Zentrum von Pettenasco den CP-Schildern folgen.

Peveragno, I-12016 / Piemonte CC€16 iD

🔺 Il Melo**
🏠 Via don G. Peirone 57
⏰ 28/3 - 1/11, 19/12 - 15/2
☎ +39 0171-383599
@ info@campingilmelo.it

1 ABFJMNOPQR	A 6
2 CFGPTUWXY	ABDEFGH K 7
3 AEFKLMQ	ABEFJKNORV 8
4 EFH	ADJU 9
5 ADEFGIL	BDGHIJNORV 10
Anzeige auf dieser Seite WB 6A CEE	① €19,50
H640 1,3 ha 40T(60-70m²) 44D	② €28,50

📍 N 44°19'39'' E 7°36'19''
🚐 Ab Cuneo und ab Mondovi im Dorf Peveragno gegenüber der Tankstelle die Straße hoch, Richtung San Giovenale, dann den CP-Schildern folgen.

Italien

Camping in den Bergen, ruhig gelegen mit schöner Aussicht auf 900 Höhenmetern. Ganz in der Nähe vom Fluss und dem Parco Naturale delle Alpi Marittime und den Thermen Reali di Valdieri. Neue Schwimmbäder: ein großes mit Whirlpool und ein Planschbecken mit Wasserspielen. Dazu noch eine große Sonnenterrasse.

Chalet Mobilhome

Italien

Pontechianale, I-12020 / Piemonte 📶

▲ Libac**		
🏠 Fraz. Maddalena 41	1 BJMNOPRST	NQS 6
📅 1 Jun - 15 Sep	2 DFOPRTWX	ABDEF 7
☎ +39 0175-950133	3 ABEGHMQ	ABEFNOR 8
@ info@campinglibac.it	4 FHIO	9
	5 GL	HIJOT 10
	4A CEE	❶ €20,00
🗺 N 44°37'15'' E 7°1'39''	H1615 1,5 ha 45T(60-80m²) 35D	❷ €26,00

🏕 Der CP liegt in Pontechianale selbst, hinterm See. Beim Parkplatz links, zweiter CP (kurz hinter der Brücke). **M**

Roccaforte Mondovi, I-12088 / Piemonte 📶 iD

▲ Bellavita**		
🏠 Casali Bonada 8	1 ABCJLNOPRST	AN 6
📅 1 Mai - 31 Okt	2 FGPQXY	ABDEFK 7
☎ +39 0174-65271	3 AFLQ	ABEFJKNORTUV 8
@ info@campingbellavita.it	4 FHP	9
	5 ABGKLM	AGHIJNPRV 10
	B 10A CEE	❶ €24,50
🗺 N 44°18'56'' E 7°43'19''	H650 4 ha 35T(45-55m²) 80D	❷ €39,50

🏕 Auf der A6 (Torino-Savona) die Ausfahrt Mondovi Richtung Mondovi nehmen, danach Villanova und Roccaforte. Hinter Roccaforte in die Straße am Schild Santuario Sacro Cuore abbiegen und durchfahren bis zum CP. **M**

Salbertrand, I-10050 / Piemonte 📶 iD

▲ Gran Bosco***		
🏠 S.S. 24 del Monginevro km 75	1 ADEGJMNOPRST	6
📅 1 Jan - 31 Dez	2 AFGPWXY	ABDEFG 7
☎ +39 0122-854653	3 ABEFLQ	ABEFJNORSV 8
@ info@campinggranbosco.it	4 BDFGHIOPQ	9
	5 ADEFGJK	BGHIJLNORV 10
	Anzeige auf dieser Seite WB 6A CEE	❶ €29,00
🗺 N 45°3'43'' E 6°52'6''	H1032 4,5 ha 110T(50-80m²) 220D	❷ €45,00

🏕 An der SS24 von Bardonecchia vor Salbertrand (km 75) gelegen. Von Turin aus Richtung Bardonecchia, Ausfahrt Oulx-Est Richtung Salbertrand (2,2 km). CP ist angezeigt. **M**

Sampeyre, I-12020 / Piemonte 📶 iD

▲ Narciso**		
🏠 Via Provinciale 7	1 ABFGJMNOPRT	N 6
📅 25 Apr - 30 Sep	2 CFGOPVWXY	ADF 7
☎ +39 0175-977285	3 ALQ	AFNOR 8
@ camping.narciso@libero.it	4 BCDFHOP	D 9
	5 DEGL	HIJORV 10
	B 3A CEE	❶ €24,00
🗺 N 44°34'47'' E 7°9'19''	H1050 1,5 ha 15T(60-80m²) 87D	❷ €38,00

🏕 Der CP liegt ca. 2 km hinter Sampeyre in Richtung Pontechianale, an der linken Seite. **M**

Solcio di Lesa, I-28040 / Piemonte 📶 CC€18 iD

▲ Solcio**		
🏠 Via al Campeggio	1 ABJMNOPQRST	LNQSWXYZ 6
📅 7 Mär - 25 Okt	2 ADFHIOPVXY	ADEFG 7
☎ +39 0322-7497	3 AL	ABCDEFNOQRS 8
@ info@campingsolcio.com	4 BIOP	EQHIV 9
	5 ABDFGIJKL	BDHIJPR 10
	6A CEE	❶ €44,90
🗺 N 45°48'57'' E 8°33'0''	H230 1,5 ha 100T(60-80m²) 56D	❷ €52,10

🏕 Zwischen Stresa und Arona liegt Solcio di Lesa. Gegenüber der Kirche die Straße Richtung 'Lago' fahren. Nach 50m kommt die Einfahrt zum CP. **M**

Spigno Monferrato, I-15018 / Piemonte 📶

▲ Tenuta Squaneto		
🏠 Frazione Squaneto	1 BDEGJMNOPRT	AFJN 6
📅 25 Apr - 26 Sep	2 CDGPWXY	ABDEFG 7
☎ +39 0144-91862	3 BEFLQ	ABCDEFJLMNQRSTUV 8
@ info@tenutasquaneto.it	4 IOU	ACU 9
	5 ABDFGIJL	ABEHJOR 10
	B 10-16A CEE	❶ €42,00
🗺 N 44°29'23'' E 8°20'58''	H400 10 ha 65T(100-130m²) 5D	❷ €56,00

🏕 Von Spigno Monferrato an der S30 Acqui Terme-Savona den CP-Schildern folgen (± 12 km). Auf der SP215 hinter Km-Anzeige 7 rechts Richtung Squaneto. Nach 2 km links. An der 2. Brücke links, danach Richtung Giusvalla. **M**

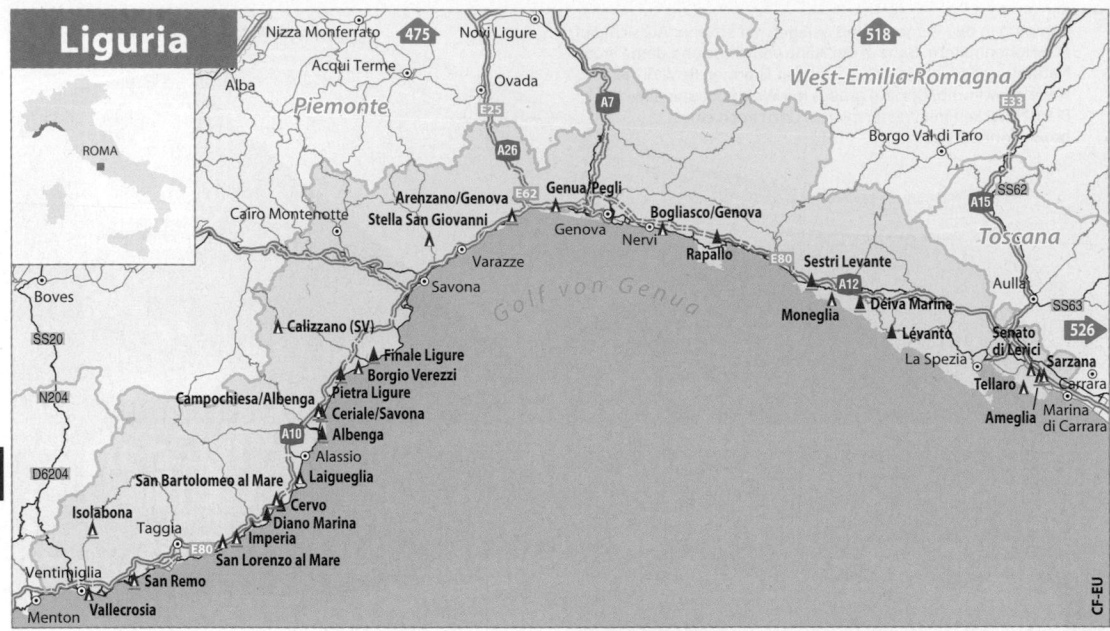

Liguria

Nizza Monferrato 475 · Novi Ligure · 518 · West-Emilia-Romagna · E33

Acqui Terme · Ovada · Borgo Val di Taro

Alba · Piemonte · A7 · A26 · E25 · SS62 · A15 · SS62

ROMA

Cairo Montenotte · Stella San Giovanni · Arenzano/Genova · E62 · Genua/Pegli · Genova · Nervi · Bogliasco/Genova · Toscana

Boves · Varazze · Rapallo · E80 · Sestri Levante · Aulla

Savona · Golf von Genua · A12 · Dèiva Marina · SS63

SS20 · Calizzano (SV) · Moneglia · Lèvanto · Senato di Lerici · 526

N204 · Finale Ligure · Borgio Verezzi · La Spezia · Sarzana · Carrara

Campochiesa/Albenga · Pietra Ligure · Ceriale/Savona · Tellaro · Marina di Carrara

D6204 · A10 · Albenga · Ameglia

Alassio · San Bartolomeo al Mare · Laigueglia

Isolabona · Cervo · Diano Marina

Taggia · Imperia

Ventimiglia · San Lorenzo al Mare · E80 · San Remo

Menton · Vallecrosia

CF-EU

PICCOLO PARADISO
PARCO VACANZE

★ Direkt am Meer
★ Privatstrand
★ Appartements zu mieten
★ Altstadt Albenga im Gehbereich
★ Promenade im Gehbereich
★ Startpunkt für Radfahrer und Wanderer
★ Größtenteils ganzjährig geöffnet

Che Guevara 17, 17031 Albenga • Tel. 0182-51734
E-Mail: info@piccoloparadiso.com
Internet: www.piccoloparadiso.com

Albenga, I-17031 / Liguria 🛜 iD

🏕 Piccolo Paradiso***
📧 Che Guevara 17
📅 1/4 - 30/9, 27/12 - 10/1
☎ +39 0182-51734
@ info@piccoloparadiso.com

1 ADE**JM**NOPRST	KMNOPQSTVW**XY** 6
2 AEHJORVXY	ABDEFK 7
3 BFLQ	ABE**FK**NORV 8
4 FNO	IJLQRVW 9
5 ABDEFGHIL	ABHIJ**NPR**10
Anzeige auf dieser Seite 5A CEE	① €42,00
1,2 ha 40T(22-60m²) 46D	② €60,00

N 44°3'13'' E 8°13'28''
🚗 A10, Ausfahrt Albenga Richtung Ceriale/Savona folgen. Hinter der Brücke am Kreisel Richtung Savona. An der Ampel rechts, der Straße folgen, rechts halten. Im Kreisel 3/4. Bis zur T-Kreuzung, links ab. Nach 200m CP links. 〽

Ameglia, I-19031 / Liguria 🛜 CC16 iD

🏕 River***
📧 Località Armezzone
📅 12 Apr - 4 Okt
☎ +39 0187-65920
@ info@campingriver.com

1 ABDEFG**IL**NOPQRS**T**	AFN**O**X**Z** 6
2 ACGOPRVY	ABDE**FGH** 7
3 BEGH**KLM**	ABCDEFNORSV 8
4 **A**BDEILMO**P**	AEJKLNPQRSUV 9
5 ACDEFGHIL	ABFGHIJNOSTV10
B 3-6-10A CEE	① €43,00
4 ha 190T(60-80m²) 118D	② €59,00

N 44°4'33'' E 9°58'12''
🚗 A12 Genova-Livorno, Ausfahrt Sarzana, Richtung Lerici. Nach ca. 3 km Richtung Bocca di Magra (S432). CP ist deutlich ausgeschildert, hinter dem Schild Ameglia. Schmale Einfahrt zum CP! 〽

Albenga, I-17031 / Liguria 🛜 CC16 iD

🏕 Delfino
📧 Strada Comunale Villaggio Iris 23
📅 2 Apr - 30 Sep
☎ +39 0182-591066
@ info@campingdelfino.it

1 ADFIKNOPQRST	A**F**KMNOQX 6
2 AEHJOPVWXY	AD**FH** 7
3 AB**KLQ**	ACE**F**HNOR 8
4 **A**BCDFILO**PUY**	EJUV 9
5 ABDEFGJKL	ABDFGHIK**O**TUV10
Anzeige auf dieser Seite 6 A CEE	① €53,00
1,7 ha 165T(52m²) 23D	② €68,00

N 44°2'9'' E 8°12'28''
🚗 A10, Ausfahrt Albenga Richtung Alassio/Imperia (Strada Panoramica). Hinter Tunnel nach 150m links. Der CP ist gut ausgeschildert. 〽

Delfino

• Blick auf das Naturreservat 'Isola Gallinera'
• Privatstrand • Schattenplätze von 52 m²
• Grasfeld • Touristinfo mit Ausflügen ins Hinterland, Walfisch- und Delfinbeobachtung zum Sonderrabatt • Ausflugsstartpunkt an die Côte d'Azur, Monte Carlo, 'Acquario Genua' und zu den Fähren nach Sardinien & Korsika
• Busverbindungen Alassio - Riviera dei Fiori - Albenga (das historisch schöne Ligurien kann man auch zu Fuß oder mit dem Fahrrad gut entdecken!)

Strada Comunale Villaggio Iris 23, 17031 Albenga
Tel. 0182-591066 • Fax 0182-51998
E-Mail: info@campingdelfino.it • Internet: www.campingdelfino.it

---

Arenzano/Genova, I-16158 / Liguria 🛜 CC16 iD

🏕 Caravan Park La Vesima
📧 Via Rubens 50R
📅 1 Jan - 31 Dez
☎ +39 010-6199672
@ info@caravanparklavesima.it

1 ADEGHKNOPQRST	KMNPQ 6
2 AEJKMORSVWXY	AD**FGH** 7
3 ABL	ABCDE**FJ**NORV 8
4 FHP	DLV 9
5 ABDEFGIL	AHI**P**SV10
Anzeige auf Seite 483 3A CEE	① €42,50
2 ha 70T(37-60m²) 95D	② €47,50

N 44°24'51'' E 8°42'17''
🚗 Von der A10 Ausfahrt Arenzano Richtung Genova. 500m hinter dem Tunnel liegt der Camping an der rechten Straßenseite. 〽

Bogliasco/Genova, I-16031 / Liguria 🛜 iD

🏕 Genova Est*
📧 Via Marconi
📅 30 Mär - 18 Okt
☎ +39 010-3472053
@ info@camping-genova-est.it

1 AB**JM**NOPQRST	K 6
2 AEFORUY	ABD**F** 7
3	ABDEFKNOR 8
4 F	DEX 9
5 ABDEFGIKL	BFGHIJOR10
5A CEE	① €29,50
H125 1,2 ha 60T(35-50m²) 15D	② €38,70

N 44°22'51'' E 9°4'20''
🚗 A12, Ausfahrt Genova/Nervi. Unten an der Ausfahrt links ab, CP-Schildern folgen (8 km), Richtung La Spezia. In Bogliasco gut ausgeschildert. 〽

Borgio Verezzi, I-17022 / Liguria 🛜 iD

🏕 Camping Park Mara**
📧 Via Trento Trieste, 83
📅 1/1 - 15/1, 15/3 - 31/12
☎ +39 019-610479
@ info@campingparkmara.it

1 ABDEG**JM**NORT	AFKN 6
2 AEFJMNORSUXY	ABDE**FGH** 7
3 BLT	ABCDE**F**NORV 8
4 BCDFHILNO	EJL 9
5 AGLM	ABHIJ**O**T10
Anzeige auf Seite 483 4-6A CEE	① €41,00
H60 1,5 ha 31T(40-70m²) 115D	② €47,00

N 44°9'42'' E 8°18'46''
🚗 Von der A10 Ausfahrt Pietra Ligure. In Pietra Ligure Richtung Borgio Verezzi. In Borgio Verezzi dem CP-Schildern auf der Küstenstraße S1 folgen. Achtung: nicht nach Navi fahren, sondern den Schildern folgen. 〽

Italien

Italien

Calizzano (SV), I-17057 / Liguria 〈iD〉

▲ Laghetti**	1 AEFGJMNOPRT	J 6
▣ Via Carisciano 12	2 BCOPVWXY	ADF 7
☷ 1 Mai - 30 Sep	3 ALQ	ACFNORV 8
☎ +39 019-79659	4 FHO	9
@ campinglaghetti@libero.it	5 EGILM	AHJSTVW10
	3A CEE	❶ €19,00
⚑ N 44°14'18'' E 8°7'12''	H652 2,5 ha 40T(36 60m²) 60D	❷ €24,20

🚗 A10 Ausfahrt Borghetto Santo Spirito. Richtung Toirano SS60. In Calizzano den CP-Schildern folgen. CP liegt in Carisciano Carijan. Große Wohnwagen und Reisemobile anrufen: 019-79659.

Campochiesa/Albenga, I-17031 / Liguria 〈CC€16〉

▲ Bella Vista***	1 BDEJMNOPRST	AF 6
▣ Via Campore 23	2 APRUVWXY	ABDEFGH 7
☷ 20/3 - 15/11, 15/12 - 20/1	3 BKL	AEFJNOQRSTUV 8
☎ +39 329-5923683	4 BDEH	J 9
@ campingbellavista@	5 ABEGIL	ABDGHIOST10
hotmail.com	B 6A CEE	❶ €38,00
⚑ N 44°5'3'' E 8°13'25''	1,2 ha 63T(60 00m²) 27D	❷ €52,00

🚗 A10 Ausf. Borghetto SS Ri. Ceriale. Nach 150m links Ri. Ceriale/Loano. Hinter der Unterführung sofort rechts Ri. Ceriale. An der T-Kreuzung rechts. In Ceriale am ovalen Kreisel und Fontäne re. Den CP-Schildern folgen. Nicht dem Navi folgen!

Ceriale/Savona, I-17023 / Liguria 〈CC€18〉 〈iD〉

▲ Bungalow Camping Baciccia***	1 ADEGJMNOPQRST	AFOQSX 6
	2 AEGHJKOPRWXY	ABDEFGH 7
▣ Via Torino 19	3 ABEKLMQT	ABCDEFJNOQRTUV 8
☷ 27 Mär - 20 Okt	4 ABCDFHILNOP	DEJLV 9
☎ +39 019-990743	5 ABDEFGIKI M	ABDFGHIJPR10
@ info@campingbaciccia.it	6A CEE	❶ €40,00
⚑ N 44°4'54'' E 8°13'4''	1,5 ha 110T(45-70m²) 35D	❷ €50,00

🚗 A10 Ausfahrt Albenga, dann die SS1 'Via Aurelia' Richtung Ceriale. Bei Ceriale den Schildern folgen. Am ersten Kreisel in Ceriale links. CP nach 200m.

Cervo, I-18010 / Liguria 〈iD〉

▲ Del Mare**	1 ADEFJMNOPRST	KNQSW 6
▣ Via alla Foce 29	2 AEJKMORVY	ABDEFGH 7
☷ 28 Mär - 15 Okt	3 A	ABEFNQRSTUV 8
☎ +39 0183-400130	4 FH	EIJLV 9
@ info@	5 ACDEFGIL	ABEHIJNPR10
campingdelmare-cervo.com	B 6A CEE	❶ €45,00
⚑ N 43°55'18'' E 8°6'30''	1 ha 67T(50-85m²) 30D	❷ €53,00

🚗 Von der A10 Ausfahrt San Bertolomeo al Mare, Richtung Cervo. In Cervo ist der CP gut ausgeschildert, liegt an der SS1, an der Meerseite.

Cervo, I-18010 / Liguria 〈iD〉

▲ Lino	1 ADEFILNOPRST	ABKMNPQSX 6
▣ Via N. Sauro 4	2 AEFHJORSVXY	BEFG 7
☷ 20 Mär - 20 Okt	3 AL	BDFGIJKLMNOQRSTUV 8
☎ +39 0183-400087	4 AFHOPY	EILUV 9
@ info@campinglino.it	5 ABDEFGIKL	ABEGHIJNPR10
	B 6-10A CEE	❶ €43,00
⚑ N 43°55'24'' E 8°6'33''	1,1 ha 85T(50-70m²) 34D	❷ €53,00

🚗 Von der A10 Ausfahrt San Bartolomeo al Mare Richtung Cervo. In Cervo ist der CP gut angezeigt.

Déiva Marina, I-19013 / Liguria 〈CC€16〉 〈iD〉

▲ La Sfinge	1 ADEJMNOPQRST	6
▣ Località Gea	2 AOPRUVXY	ABDEFGH 7
☷ 15 Mär - 2 Nov	3 BU	ABCDFNOQR 8
☎ +39 0187-825464	4 F	AEF 9
@ lasfinge@camping.it	5 ACKL	ABDGHIJNOST10
	Anzeige auf dieser Seite B 3A CEE	❶ €34,50
⚑ N 44°13'35'' E 9°33'0''	1,8 ha 100T(20-90m²) 67D	❷ €41,50

🚗 A12 Genova-La Spezia. Ausfahrt Déiva Marina. Circa 4 km Richtung Déiva Marina. CP ausgeschildert, rechts der Straße.

Déiva Marina, I-19013 / Liguria 〈iD〉

▲ Valdeiva**	1 ADEGJMNOPQRST	A 6
▣ Località Ronco	2 AOPRUVWXY	ABDEFGH 7
☷ 10/2 - 4/11, 4/12 - 10/1	3 AL	ABEFNOR 8
☎ +39 0187-824174	4 FP	DEFHJKL 9
@ camping@valdeiva.it	5 ABDEFGIKL	ABGHIJNOST10
	B 3A CEE	❶ €36,00
⚑ N 44°13'29'' E 9°33'6''	4 ha 65T(15-56m²) 105D	❷ €49,00

🚗 A12 Genova-La Spezia, Ausfahrt Déiva-Marina, ca. 4 km Richtung Déiva Marina, ausgeschildert, CP links der Straße.

Déiva Marina, I-19013 / Liguria 〈CC€16〉 〈iD〉

▲ Villaggio Turistico Arenella	1 ADEGJMNOPQRST	6
▣ Loc. Arenella	2 APRUVWXY	ABDEFG 7
☷ 1/1 - 31/10, 5/12 - 31/12	3 AB	ABEFNORV 8
☎ +39 0187-825259	4 O	IJL 9
@ info@campingarenella.it	5 ABFGIL	BGHIJOST10
	B 3A CEE	❶ €35,00
⚑ N 44°13'44'' E 9°32'6''	1,8 ha 75T(20-60m²) 66D	❷ €42,80

🚗 A12 Genova-Livorno, Ausfahrt Déiva Marina, ca. 5 km. Ausgeschildert, hinter der Tankstelle rechts ab.

Diano Marina, I-18013 / Liguria 📶 iD

🏕 Edy	1 ABDEJMNOPRST	ANPQS 6
📧 Via Diano Calderina	2 AFHJNORUVWXY	ABDE**FG**H 7
📅 1 Jan - 31 Dez	3 BEL**MQ**	ABCDEFJNORTUV 8
☎ +39 0183-497040	4 ABDLNORY	EGLUV 9
@ info@campingedy.it	5 ADGL	ABCIJMPRV10
	Anzeige auf dieser Seite	6A CEE ① €41,00
	2,3 ha 75**T**(15-100m²) 84**D**	② €53,00
🏕🅰 N 43°54'32" E 8°4'12"		

🚗 Von der A10, Ausfahrt San Bartolomeo al Mare Richtung Diano Marina. Auf der SS1 (Via Aurelia) in Diano Marina den CP-Schildern folgen. Ⓜ

12 km von den Stränden der Blumenriviera. Entdecken Sie bspw. die mittelalterlichen Orte Apricale und Dolceacqua, den Bachlauf von Barbaira in Rocchetta Nervina, gehen Sie Wandern oder Mountainbiken auf dem 'Creste di Confine' zwischen den Ligurischen Alpen und Alpes Maritimes, Bordighera und Seborga, Monte Carlo.
18035 Isolabona • Tel. 0184-208130
Internet: www.campingdellerose.eu

Diano Marina, I-18013 / Liguria 📶

🏕 Marino	1 BDEFILNOPRST	AKMNPQSW 6
📧 Via Angiolo Silvio Novaro 15	2 EHORVWXY	ABDE**FG**H 7
📅 1 Jan - 31 Dez	3 B	ABCDEFJNORTUV 8
☎ +39 0183-498288	4 LOY	ELUV 9
@ info@campingmarino.it	5 AGL	ABIJNPTU10
	B 6A CEE	① €47,00
	1,6 ha 124**T**(45-60m²) 61**D**	② €59,00
🏕🅰 N 43°54'23" E 8°4'35"		

🚗 Von der A10, Ausfahrt San Bartolomeo al Mare Richtung Diano Marina. Auf der SS1 (Via Aurelia) ist der CP in Diano Marina gut angezeigt. Ⓜ

Finale Ligure, I-17024 / Liguria 📶 (CC€18) iD

🏕 Il Villaggio di Giuele***	1 ADE**JM**NOPRST	AF 6
📧 Via Calvisio 37	2 AHOPRVWXY	ABD**FG**H 7
📅 28 Mär - 1 Nov	3 BE**GH**L	ACEFKNOQR 8
☎ +39 019-601240	4 BCHLOUY	HILV 9
@ info@ilvillaggiodigiuele.it	5 ACDEFGJL	ABHIJ**PR**V10
	B 6A CEE	① €62,50
	2 ha 120**T**(40-75m²) 76**D**	② €62,50
🏕🅰 N 44°11'3" E 8°21'12"		

🚗 A10 Ausfahrt Finale Ligure. Auf der SS1 links ab durch den Ort. Kurz vor dem kleinen Tunnel links Richtung Calvisio. Der Beschilderung zum CP folgen (ca. 1,5 km). Achtung: nicht nach Navi, sonder nach der Beschilderung fahren. Ⓜ

Finale Ligure, I-17024 / Liguria 📶 iD

🏕 Tahiti**	1 ABDE**IL**NOPR**T**	6
📧 Via Varese	2 ABFHJKOPRUVWXY	ABDE**F** 7
📅 20 Mär - 4 Nov	3 AL**M**	ACEFNORTV 8
☎ +39 019-600600	4 O	EJLV 9
@ info@campingtahitifinaleligure.it	5 ABDEGIL	AHIJOV10
	6A CEE	① €41,00
	H50 2,1 ha 90**T**(40-60m²) 10**D**	② €53,00
🏕🅰 N 44°10'33" E 8°21'1"		

🚗 A10 Ausfahrt Finale Ligure. An der SS1 links, durch das Städtchen. Kurz vor dem kleinen Tunnel links. Richtung Calvisio. Nach 600m über die Brücke und sofort rechts den Schildern folgen. Ⓜ

Genua/Pegli, I-16156 / Liguria 📶 iD

🏕 Villa Doria	1 ADEGJMNOPRST	6
📧 Via al Campeggio Villa Doria 15n	2 ABPRSVWXY	ABDE**FG** 7
	3 ABEFJNOQRTUV	8
📅 1/1 - 7/1, 7/2 - 31/12	4 FO	JL 9
☎ +39 010-6969600	5 ABGLM	ABFGHIJL**P**10
@ villadoria@camping.it	B 3-10A CEE	① €31,00
	H83 0,4 ha 50**T**(40m²) 4**D**	② €40,00
🏕🅰 N 44°25'54" E 8°48'48"		

🚗 A10 Ausfahrt Pegli. Hinter der Mautstelle rechts. Durch das Örtchen mit engen Gässchen, den Berg hinauf, den CP-Schildern folgen. Weg zum CP: Tunnelhöhe (3m) beachten. Ⓜ

Imperia, I-18100 / Liguria 📶 (CC€18) iD

🏕 De Wijnstok	1 ABDEJMNOPRT	PQW 6
📧 Via Poggi 2	2 AEJKMOQRVXY	ABDE**F** 7
📅 1 Jan - 31 Dez	3	ABCDE**F**NOR 8
☎ +39 0183-64986	4 **Q**	EJL 9
@ info@campingdewijnstok.com	5 DEFGIKL	ABDGHIK**P**RV10
	Anzeige auf dieser Seite	B 6A CEE ① €31,00
	0,8 ha 40**T**(30-40m²) 47**D**	② €43,00
🏕🅰 N 43°52'10" E 7°59'52"		

🚗 Ca. 1,5 km westlich von Imperia (Seite San Remo) ausgeschildert an der SS1 'Via Aurelia', CP an der Nordseite der Straße. Oder A10 Ausfahrt Imperia Ovest. Ⓜ

Isolabona, I-18035 / Liguria 📶 (CC€16) iD

🏕 Delle Rose	1 AG**JM**NOPQRS**T**	AFN 6
📧 Regione Prati Gonter 4	2 BCFOPRUVWXY	ABDE**F** 7
📅 28 Mär - 3 Nov	3 ABLQ	ABCDEFKNORS 8
☎ +39 0184-208130	4 BE**H**LS	EILUV 9
@ info@campingdellerose.eu	5 ABI	ABDFHJ**O**STV10
	Anzeige auf dieser Seite	3A CEE ① €30,50
	H146 1 ha 90**T**(30-80m²) 23**D**	② €44,50
🏕🅰 N 43°53'40" E 7°38'51"		

🚗 A10 Ausf. Ventimiglia und Ri.Hauptstraße Aurelia. Durch Ventimiglia und am Nervia Kreisel links der Strada Provinciale 64 vom Val Nervia folgen. Der CP liegt rechts, 2 Km ortsaußerhalb von Isolabona. Der Beschilderung und nicht dem GPS folgen! Ⓜ

Laigueglia, I-17053 / Liguria 📶 iD

🏕 Camping San Sebastiano	1 ADEGJMNORT	KMNOPQRST6
📧 Via San Sebastiano 23	2 AEFHNORUXY	ADFG 7
📅 1 Apr - 28 Sep	3	ACEFKNOQR 8
☎ +39 0182-690420		J 9
@ info@campingsansebastiano.it	5 ADEGIL	BHIJL**P**10
	B 6A CEE	① €44,00
	1 ha 70**T**(30-50m²) 33**D**	② €54,00
🏕🅰 N 43°58'23" E 8°9'29"		

🚗 A10 Ausfahrt Alassio/Laigueglia. CP liegt in Laigueglia an der SS1 (Via Aurelia). Ⓜ

Lévanto, I-19015 / Liguria 📶 iD

🏕 Acqua Dolce Aquajus	1 ADEGJMNOPQRST	KMNQRST6
📧 Via G. Semenza 5	2 EHKPRUVXY	ABDE**FG** 7
📅 1 Jan - 31 Dez	3 A	ABEFNQR 8
☎ +39 0187-808465	4 O	9
@ Acquadolce@tin.it	5 ADEFGI	ABFGHIJPSV10
	B 6A CEE	① €38,50
	1,2 ha 100**T**(16-40m²)	② €49,50
🏕🅰 N 44°10'0" E 9°36'48"		

🚗 A12, Ausfahrt Carrodano Richtung Lévanto, dort den CP-Schildern folgen. CP nahe des Stadtzentrums. Ⓜ

Lévanto, I-19015 / Liguria 📶 iD

🏕 Pian di Picche*	1 AFJMNOPQRST	6
📧 Loc. Pian di Picche	2 OPRUVY	ABD**FG**H 7
📅 1 Apr - 30 Sep	3	ABEFNOQR 8
☎ +39 0187-800597	4 O	DG 9
@ piandipicche@libero.it	5 ABGKLM	ABGHIJPRV10
	B 10-16A CEE	① €36,50
	1 ha 37**T**(40-60m²) 3**D**	② €47,50
🏕🅰 N 44°10'30" E 9°37'22"		

🚗 A12, Ausfahrt Carrodano/Lévanto, Richtung Lévanto. In Lévanto den CP-Schildern folgen, liegt nah am Bahnhof. Enge Zufahrtsstraße. Ⓜ

Moneglia, I-16030 / Liguria 📶 iD

🏕 Smeraldo**	1 ADGJKNOR	KMN 6
📧 Località Preata	2 AEJMNRUVX	ABDE**F**H 7
📅 1/1 - 3/11, 5/12 - 31/12	3 L	ABEFKNOR 8
☎ +39 0185-49375	4	JKLR 9
@ info@villaggiosmeraldo.it	5 ABDEFGIL	ABHIJPST10
	B 3A CEE	① €52,00
	1 ha 50**T**(20-30m²) 45**D**	② €52,00
🏕🅰 N 44°14'19" E 9°28'40"		

🚗 A12, Ausfahrt Sestri Levante Richtung Moneglia, ca. 7 km. Im Tunnel abzweigen, durch eine Ampel gesichert (kurz vor Moneglia). Ⓜ

Italien

Pietra Ligure, I-17027 / Liguria

Dei Fiori**	1 ADEFG**JM**NOPRS**T** AFKOP**X**Y 6
Viale Riviera 17	2 AEFPRSUVWXY ABD**FGH** 7
1/1 - 19/10, 27/12 - 31/12	3 BL ABEFNOR 8
+39 019-625606	4 FILN EKL 9
info@campingdeifiori.it	5 ABDEFGIKL ABGHIJLOST 10
	B 6A CEE ① €43,00
N 44°8'52'' E 8°16'4''	2,5 ha 60T(35-70m²) 106D ② €52,00

A10 Ausfahrt Pietra Ligure. Direkt nach der Mautstelle rechts. Der Camping liegt nach 1,5 km rechts.

Pietra Ligure, I-17027 / Liguria

Pian dei Boschi***	1 BDEFG**JM**NOPRST AF 6
Via Ponti 1	2 AGQRUVY ABDE**F** 7
1 Apr - 1 Nov	3 BL**M** ABE**F**NO 8
+39 019-625425	4 BDO EHIL 9
info@piandeiboschi.it	5 ACDEFGIJK**L** ABGHIJ**PR** 10
	5-6A CEE ① €45,00
N 44°8'57'' E 8°16'7''	4 ha 215T(30-80m²) 48D ② €54,50

A10 Ausfahrt Pietra Ligure. Direkt nach der Mautstelle rechts ab. Nach ca. 1,5 km liegt der Camping links.

Rapallo, I-16035 / Liguria

Miraflores	1 AJMNOPQRST A 6
Via Savagna 10	2 AOPRUVWXY ABD**F** 7
1/1 - 5/11, 5/12 - 31/12	3 AB**KL** ABCDEFNOR 8
+39 0185-263000	4 I**Q** DEL 9
camping.miraflores@libero.it	5 ABDEFGIL ABFGHIOPR 10
	B 4A CEE ① €32,00
N 44°21'28'' E 9°12'35''	0,9 ha 95T(30-40m²) 8D ② €40,00

Der CP liegt direkt bei der Ausfahrt Rapallo von der A12 Genua-Livorno.

Rapallo, I-16035 / Liguria

Rapallo**	1 BDEJMNOPQRST A 6
Via San Lazzaro 4d	2 AOPVWXY AD**F** 7
15 Mär - 15 Nov	3 **K** AEFNOR 8
+39 0185-262018	4 O**PQ** DJK 9
campingrapallo@libero.it	5 AGKL**M** BFGHIJNOR 10
	B 6A CEE ① €26,50
N 44°21'25'' E 9°11'57''	1,2 ha 120T(25-45m²) 45D ② €32,50

A12 Genova-Livorno, Ausfahrt Rapallo. Am Kreisel rechts ab den CP-Schildern folgen. Schmale Zufahrtstraße, Einbahnverkehr.

San Bartolomeo al Mare, I-18016 / Liguria

Il Frantoio Camping**	1 ADEFGJMNOPRT AMNQS 6
Via Pairola, 65	2 AFHJORUVWXY ABDE**F** 7
2/3 - 11/10, 4/12 - 11/1	3 BQ ABCDEFGJKNOR 8
+39 0183-401008	4 LNO JL 9
info@ilfrantoiocamping.it	5 ADEGIKL ABDHIPR 10
	B 6A CEE ① €33,00
N 43°55'58'' E 8°5'52''	H50 200 ha 125T 130D ② €48,00

Von der A10, Ausfahrt San Bartolomeo al Mare. Direkt nach der Mautstelle den CP-Schildern folgen (± 800m).

San Lorenzo al Mare, I-18017 / Liguria

Il Persiano***	1 AG**JM**NOP**R**T A 6
V. P. Civezza 135	2 AFGHJKOPRUVXY ABDE**F**H 7
1 Jan - 31 Dez	3 AL ABEFNORV 8
+39 0183-91994	4 O EHIL 9
campeggioilpersianomw@ virgilio.it	5 ADEFGIL BHJSTV 10
	3A CEE ① €36,00
N 43°51'58'' E 7°57'50''	H90 1,1 ha 40T(40-80m²) 36D ② €36,00

An SS1 'Via Aurelia', von Imperia, beim einfahren in San Lorenzo, rechts Richtung Civezza, an CP Bananeto vorbei. 1300m, bergauf!

San Remo, I-18038 / Liguria

Villaggio dei Fiori***	1 BDEHKNOPQRST **AF**KMNOPQS 6
Via Tiro a Volo 3	2 AEFJKORVWXY ABDE**FGH** 7
1 Jan - 31 Dez	3 BE**KLM**NQST ABCDEFGJLNOQRSTUV 8
+39 0184-660635	4 ABD**E**FGHLOUY ABCDEGIJLUV 9
info@villaggiodeifiori.it	5 ABDEFGJKL ABCDGHIJNPSTV 10
	B 6A CEE ① €60,00
N 43°48'9'' E 7°44'43''	3,3 ha 116T(50-110m²) 161D ② €60,00

A10 Ausfahrt San Remo der Beschilderung San Remo folgen. Unten in der Stadt an die Ampeln rechts die SS1('Via Aurelia'). Nach 1,5 km links CP-Einfahrt.

Sarzana (SP), I-19038 / Liguria

Iron Gate Marina 3B	1 ADEFGJMNOPQRST AFN**XYZ** 6
Viale XXV Aprile 54	2 ACGIPSVY ABDE**FGH** 7
15 Mär - 30 Sep	3 BFL ABCDEFKNORSTV 8
+39 0187-676370	4 BLMN**P** EJN 9
info@marina3b.it	5 ABDFGJK ABDFGHIJOSTY 10
	Anzeige auf dieser Seite B 3-6A CEE ① €38,00
N 44°4'36'' E 9°58'52''	12 ha 540T(40m²) 200D ② €50,00

A12 Genova-Livorno, Ausfahrt Sarzana Richtung Sarzana. Am 4. Kreisel rechts Richtung Carrare/Marinella. Nach ca 3 km vor der Brücke über die Autobahn rechts durch den Tunnel.

Campeggio Gianna ★★★

Nur 10 Minuten vom Sandstrand.
Warme Duschen und Strom kostenlos.
Großes Schwimmbad, Bar, Restaurant, Pizzeria.
WiFi/Internet und Kinderspielplatz.

Fiascherino 7
19030 Tellaro
Tel. 0187-966411
www.campeggiogianna.com
info@campeggiogianna.com

Senato di Lerici, I-19032 / Liguria 🛜 iD

🏔 Senato Park**	1 AF**JM**NOPQRST	A 6
🏕 Via Fiume 1	2 ACOPSY	AD**F** 7
⌚ 24 Mai - 30 Sep	3 ALM	AEFNOR 8
☎ +39 0187-988784	4 NP	DEJL 9
@ info@senatopark.com	5 ABDEFGIK	ABFHIJOST10
	B 3A CEE	❶ €30,00
	4 ha 90**T** 66**D**	❷ €43,00

📷🏔 N 44°5'33'' E 9°57'3''
🚗 A12 Genua-Livorno, Ausfahrt Sarzana Richtung Lerici. Richtung Bocca di Magra (S432) folgen. CP ist in Senato angezeigt.

Sestri Levante, I-16039 / Liguria 🛜 CC€16 iD

🏔 Fossa Lupara**	1 AJMNOPQRST	
🏕 Via Villa Costa 31	2 AOPQVWXY	ABDE**F** 7
⌚ 1 Feb - 31 Okt	3 BL**MQ**	ABCDFNOQRTV 8
☎ +39 0185-1873287	4 **APQ**	ADGJLU 9
@ info@campingfossalupara.it	5 ABDEFGIKL	BEFGHIJORV10
	B 6A CEE	❶ €28,00
	1,5 ha 30**T**(30-50m²) 81**D**	❷ €40,00

📷🏔 N 44°16'26'' E 9°25'22''
🚗 A12 Genova-Livorno, Ausfahrt Sestri Levante, CP gut ausgeschildert (ca. 500m), Nähe Autobahn. Vorsicht: kein Navi benutzen wegen niedrigem Tunnel (Schadensverhütung)!

Sestri Levante, I-16039 / Liguria 🛜 iD

🏔 La Pineta	1 ABGJMNOPRST	6
🏕 Via Alessandria 23	2 AEJKRSUVY	AD**F** 7
⌚ 1 Apr - 30 Sep	3 L	AEFNORV 8
☎ +39 0185-42364	4	EJ 9
@ camping@lapinetaonline.it	5 AEFGIL	HIKOST10
	3A CEE	❶ €34,00
	35**T**(12-30m²) 48**D**	❷ €46,00

📷🏔 N 44°15'28'' E 9°25'58''
🚗 A12 Ausfahrt Sestri Levante, Richtung Moneglia, vor dem Tunnel links der Strecke bei der Schiffswerft.

Sestri Levante, I-16039 / Liguria 🛜 CC€16 iD

🏔 Mare Monti	1 ADEFJMNOPQRST	AF 6
🏕 Via Aurelia km 469	2 AFPRUVX	ABDE**FGH** 7
⌚ 15 Mär - 18 Okt	3 BFL	ABCEFKNORTV 8
☎ +39 0185-44348	4 F	EL 9
@ info@campingmaremonti.com	5 ABGL	BGHIKOPSTV10
	B 6A CEE	❶ €33,00
	H150 2 ha 50**T**(20-70m²) 95**D**	❷ €39,00

📷🏔 N 44°15'49'' E 9°26'31''
🚗 SS1 Aurelia Ausfahrt Sestri Levante A12, Richtung La Spezia. Hinter Trigoso 3. CP links. Steile Zufahrt.

Sestri Levante, I-16039 / Liguria 🛜 iD

🏔 Santa Vittoria	1 ADEF**JM**NOPQRST	6
🏕 Via Villa Rocca 12	2 AOPVY	AD**FG**H 7
⌚ 18 Apr - 30 Sep	3 A**G**L	AEFNORTUV 8
☎ +39 0185-409204	4 O**P**	DEJ 9
@ info@	5 ABEFGJKL	BGHIJPST10
campingsantavittoria.com	B 3A CEE	❶ €37,00
📷🏔 N 44°17'21'' E 9°25'39''	1,5 ha 50**T**(20-40m²) 53**D**	❷ €45,00

🚗 A12 Genua-Livorno, Ausfahrt Sestri-Levante, an der Autobahnausfahrt dem CP-Schild dort folgen.

Sestri Levante, I-16039 / Liguria 🛜 iD

🏔 Tigullio	1 ADEF**JM**NOPQRST	A 6
🏕 Via Sara 111	2 AOPUVY	ADE**FG**H 7
⌚ 1/3 - 4/11, 6/12 - 31/1	3 AL	AEFNORTUV 8
☎ +39 0185-485495	4 BCMO**P**	GJL 9
@ prenotazioni@tigullio.com	5 ABEFGJKL	BGHIJPR10
	B 12A CEE	❶ €37,00
📷🏔 N 44°16'18'' E 9°25'40''	50 ha 80**T**(40-60m²) 239**D**	❷ €45,00

🚗 A12 Genua-Livorno, Abfahrt Sestri Levante, bei Ausfahrt autostrada hinter der Ampel links ab, ca. 500m. Bei der Shell Tankstelle wieder links.

Sestri Levante, I-16039 / Liguria 🛜 iD

🏔 Trigoso**	1 ABFGJMNOPQRST	6
🏕 Via Aurelia 251/A	2 AOPRUVY	AD**F** 7
⌚ 1 Mär - 1 Nov	3 ABE	AEFNOR 8
☎ +39 0185-41047	4 FINO**PQ**	L 9
@ campeggiotrigoso@yahoo.it	5 ABDEFGIJ	FGHIJOT10
	B 6A CEE	❶ €27,00
📷🏔 N 44°15'58'' E 9°26'0''	H60 7 ha 40**T**(40-50m²) 40**D**	❷ €27,00

🚗 CP an der SS1 'Aurelia' zwischen Sestri Levante und La Spezia, ca. 2 km nach Riva Trigoso, an der Landseite.

Stella San Giovanni, I-17044 / Liguria 🛜

🏔 Dolce Vita	1 BDEF**JM**NOPQRST	A 6
🏕 Loc. Rio Basco 62	2 ABCOPRSVXY	ABDE**FG** 7
⌚ 1 Mär - 31 Okt	3 B**K**LQ	ACE**F**NRTV 8
☎ +39 019-703269	4 FNO	ADE 9
@ info@campingdolcevita.it	5 ABDEFGILM	BFHIJORV10
	6A CEE	❶ €37,00
📷🏔 N 44°22'52'' E 8°30'5''	H150 1 ha 30**T**(25-65m²) 53**D**	❷ €47,00

🚗 A10 Ausfahrt Albisola (221). Nach der Mautstelle links dem SS334 folgen. Nach 5 km CP-Einfahrt an der linken Seiten.

Tellaro, I-19030 / Liguria 🛜 iD

🏔 Gianna***	1 ADEGHKNOPQRT	A 6
🏕 Fiascherino 7	2 EFGHMNORUVXY	ABDE**F** 7
⌚ 1 Apr - 30 Sep	3 AL	ABEFNOQR 8
☎ +39 0187-966411	4 BFO**P**	LW 9
@ info@campeggiogianna.com	5 ADEFGIKL	ABGHIJ**O**ST10
	Anzeige auf dieser Seite B 6A CEE	❶ €42,50
📷🏔 N 44°3'40'' E 9°55'47''	H50 2 ha 50**T**(20-50m²) 90**D**	❷ €63,50

🚗 A12, Ausfahrt Sarzana Richtung Bocca di Magra/Lerici. Ab Lerici den CP-Schildern folgen, Richtung Tellaro.

Vallecrosia, I-18019 / Liguria 🛜 iD

🏔 Vallecrosia	1 AD**JM**NOPRST	KMNOPQS 6
🏕 Lungomare Marconi, 149	2 AEFJOPQVXY	ABDE**F** 7
⌚ 20 Apr - 30 Sep	3 A	ABEFNORV 8
☎ +39 0184-295591	4 IO	DEJLUV 9
@ info@campingvallecrosia.it	5 L	AGHIJPTU10
	B 6A CEE	❶ €38,00
📷🏔 N 43°47'3'' E 7°38'1''	0,4 ha 50**T**(35-65m²) 11**D**	❷ €54,00

🚗 A10 Ausfahrt Ventimiglia Richtung San Remo/Bordighera. In Vallecrosia den CP-Schildern folgen. Kein Navi verwenden. Wegen des engen Tores, eine Straße weiter.

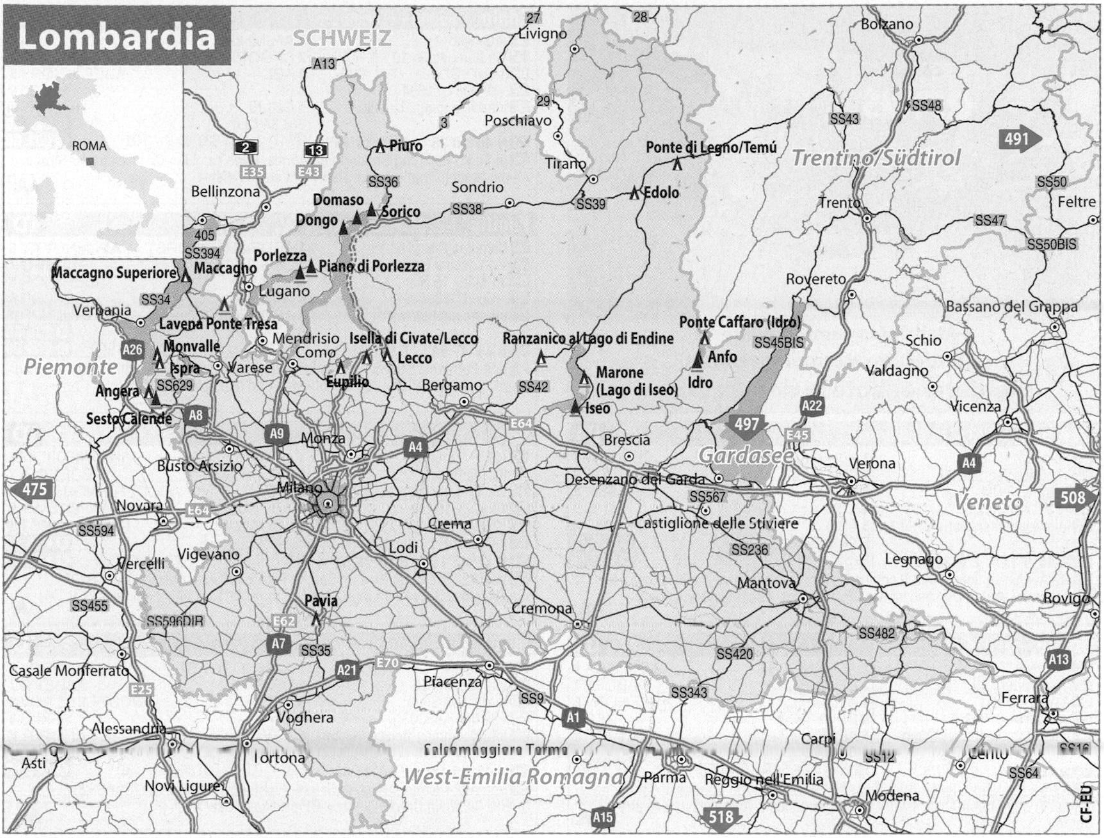

Lombardia

SCHWEIZ

Trentino/Südtirol

Piemonte

Veneto

Gardasee

West-Emilia Romagna

Map labels: Livigno, Poschiavo, Bolzano, Piuro, Tirano, Ponte di Legno/Temú, Bellinzona, Sondrio, Edolo, Trento, Feltre, Domaso, Sorico, Dongo, Maccagno Superiore, Maccagno, Porlezza, Piano di Porlezza, Rovereto, Bassano del Grappa, Verbania, Lugano, Schio, Lavena Ponte Tresa, Mendrisio, Isella di Civate/Lecco, Ranzanico al lago di Endine, Ponte Caffaro (Idro), Monvalle, Como, Lecco, Anfo, Valdagno, Ispra, Varese, Eupilio, Marone (Lago di Iseo), Idro, Vicenza, Angera, Bergamo, Iseo, Sesto Calende, Monza, Brescia, Verona, Busto Arsizio, Milano, Castiglione delle Stiviere, Desenzano del Garda, Legnago, Novara, Crema, Lodi, Vigevano, Vercelli, Mantova, Rovigo, Casale Monferrato, Pavia, Cremona, Alessandria, Piacenza, Asti, Voghera, Piacenza, Ferrara, Novi Ligure, Tortona, Parma, Reggio nell'Emilia, Modena, Carpi, Cento, Salsomaggiore Terme

---

Anfo, I-25070 / Lombardia 📶 iD

Pilù***		
Via Venturi 4	1 ADJMNOPQRST	ABFLNPQRSTX 6
1 Apr - 27 Sep	2 DFGJOPVXY	ABDEFGH 7
+39 0365-809037	3 BEILM	ABCDFJNOQR 8
info@pilu.it	4 ADEFIOPR	IJKMNOPQTU 9
	5 ACGIK	AGHIJNPST 10
	Anzeige auf dieser Seite B 3-4A CEE	€ 32,00
N 45°45'57'' E 10°29'43''	H400 2 ha 192T(60-120m²) 51D	€ 45,00

A22 Ausfahrt Trento über SS45 Richtung Riva In Sarche über die SS237 Richtung Tione Bescia. Vom Kreisel in Anfo den CP-Schildern folgen.

Angera, I-21021 / Lombardia 📶 iD

Città di Angera***		
Via Bruschera 99	1 ABDJMNOPQRST	AFLNQSWXYZ 6
15 Mär - 15 Nov	2 ABDFGPRVXY	ADF 7
+39 0331-930736	3 AELMQ	AEFNO 8
info@campingcittadiangera.it	4 BFO	9
	5 ACDEFJKL	ABFGHIJQR 10
	2-4A CEE	€ 32,00
N 45°45'43'' E 8°35'3''	H200 10 ha 110T(70-90m²) 350D	€ 44,00

Von Sesto Calende Richtung Angera bis zum CP-Schild, dann Waldweg bis zum CP folgen.

Domaso, I-22013 / Lombardia 📶 iD

Le Vele***		
Via Case Sparse, 244	1 ABDJMNOPRT	ABLMNQRXY 6
30 Mär - 30 Okt	2 DFGIJOPVWXY	BEFG 7
+39 0344-965049	3	ABDFJNQR 8
levele@domaso.it	4 ORTUVY	G 9
	5 DEGIL	BGHIJNPR 10
	B 3-6A CEE	€ 40,75
N 46°9'16'' E 9°20'13''	H200 0,6 ha 50T(60-100m²) 24D	€ 53,00

N2 Ausfahrt Lugano-Süd Richtung St. Moritz. Von Gandria aus ist der neue Tunnel in Betrieb. In Domaso ist der CP angezeigt. Alternativstrecke über Como oder Lecco.

Domaso, I-22013 / Lombardia iD

Del Deserto**		
Via Case Sparse 132	1 ABHKNOPRT	LNQSWX 6
1 Apr - 15 Okt	2 DFKOPRXY	ABDF 7
+39 0344-96288	3 AI	ABCEFNOR 8
	4	L 9
	5	ABHIJST 10
	5A CEE	€ 24,00
N 46°9'14'' E 9°20'9''	H250 1,7 ha 90T(45-60m²)	€ 34,50

A9/N2 Ausfahrt Lugano-Süd Richtung St. Moritz. Von Gandria aus ist der neue Tunnel in Betrieb. In Domaso ist der CP angezeigt. Alternativstrecke über Como und Lecco.

Domaso, I-22013 / Lombardia iD

North Wind		
Via Case Sparse 170	1 ABDEJMNOPQRST	MQS 6
1 Apr - 26 Okt	2 DFGIJOPY	ABDEFG 7
+39 034497418	3 A	ABEFRS 8
info@nwdomaso.com	4 O	HI 9
	5 AGL	ABJNPR 10
	B 4-6A CEE	€ 25,60
N 46°9'10'' E 9°20'4''	H210 0,9 ha 90T(60m²) 14D	€ 36,60

A9/N2 Ausfahrt Lugano-Süd Richtung St. Moritz. Ab Gandria ist der Tunnel in Betrieb. In Domaso ist der CP angezeigt.

Domaso, I-22013 / Lombardia 📶 iD

Gardenia		
Via Case Sparse 164	1 ABJKNOPQRT	LMNQW 6
1 Apr - 26 Okt	2 DFHIJOPXY	ABDEFG 7
+39 0344-96262	3 A	ABCDEFKNRS 8
info@domaso.biz	4 FHO	HIM 9
	5 ABDGKL	ABGHIJPST 10
	B 6A CEE	€ 25,60
N 46°9'10'' E 9°20'6''	H202 1,3 ha 90T(40-60m²) 16D	€ 36,60

A9/N2 Ausfahrt Lugano-Süd Richtung Menaggio-St. Moritz/Sondrio. In Domaso ist der Camping angezeigt. Der Tunnel Gaudria-Porlezza ist in Betrieb.

Domaso, I-22013 / Lombardia 📶 iD

Piccolo**		
Via Case Sparse 176	1 ABJLNOPR	LMNQSWX 6
1 Apr - 12 Okt	2 DFIJOPY	ABDEF 7
+39 0344-96247	3 A	ABEFNRS 8
info@piccolocamping.com	4 O	9
	5 ABDG	ABGIJOST 10
	B 3A CEE	€ 27,50
N 46°9'7'' E 9°20'18''	H250 0,5 ha 60T(bis 80m²) 10D	€ 39,10

A9/N2, Ausfahrt Lugano Sud Richtung St. Moritz. Von Gandria aus ist der neue Tunnel in Betrieb. In Domaso ist der CP angezeigt. Alternativstrecke über Como oder Lecco.

E-Mail: info@campingvenus.it
Internet: www.campingvenus.it
Sonderangebote in der Vorsaison

Edolo, I-25048 / Lombardia 🛜 iD

🏕 Adamello***
📧 Via Campeggio 10
🕐 1 Jan - 31 Dez
☎ +39 0364-71694
@ info@campingadamello.it

1 AFJMNOPQRT		A 6
2 CFGOPRUVXY		ABDE**FG** 7
3 ABL		ABEFJKNORV 8
4 FI		EL 9
5 GKLM		HIJLORV 10
WB 3A CEE		

🌐 N 46°10'35'' E 10°18'49'' | H747 1,2 ha 62T(60m²) 34D

① €22,00
② €31,00

🚗 In Edolo Richtung Sondrio und Aprica. Nach ca. 2 km CP links an der Straße. Ab der breiten Straße, kurze aber recht steile Zufahrt.

Eupilio, I-22030 / Lombardia 🛜 iD

🏕 Camping Class***
📧 Via Cascina Gera 5
🕐 15 Mär - 15 Sep
☎ +39 031-3338599
@ info@campingclass.it

1 ABDF**JM**NOPQRST		**AF**LMNUVX**Y** 6
2 DFGJPRVWX		ABDE**FG** 7
3 BEFLQR		ABEFJNOR 8
4 IMNO**S**U		DEKLQR 9
5 ABDEFGJK**L**		ABEFGHIJLNPR 10
B 3-6A CEE		

🌐 N 45°47'54'' E 9°15'5'' | H300 70 ha 220T(40-110m²) 196D

① €35,00
② €50,00

🚗 Von Como die SS639 richting Erba nehmen. Vor der Ortschaft Eupilio und den Ziegeleiaufzügen (50m) rechts abbiegen und den Schildern folgen.

Domaso, I-22013 / Lombardia 🛜 iD

🏕 Solarium**
📧 Via Case Sparse 236
🕐 1 Apr - 12 Okt
☎ +39 0344-96395
@ info@campingsolarium.com

1 ABHKNOPR**T**		LNQSW 6
2 DFHIOPY		ABD**F** 7
3 B		ABE**F**NR 8
4		HIJ 9
5 ABG		AHIJO**S**T 10
B 5A CEE		

🌐 N 46°9'13'' E 9°20'18'' | H250 1,2 ha 60T(45-65m²) 12D

① €25,90
② €37,60

🚗 N2 Ausfahrt Lugano-Süd Richtung St. Moritz. Von Gandria aus ist der neue Tunnel in Betrieb. In Domaso ist der CP angezeigt. Alternativstrecke über Como oder Lecco.

Dongo, I-22014 / Lombardia 🛜 iD

🏕 La Breva**
📧 Via Cimitero 19
🕐 2 Apr - 16 Okt
☎ +39 0344-80017
@ info@campinglabreva.com

1 AGHKNOPR**T**		LMNQSWX 6
2 DFKOPRVXY		ABDE**F** 7
3 A		ABEFNORV 8
4 OP		DKR 9
5 AEGKL		ABHIJO**R** 10
B 6A CEE		

🌐 N 46°7'32'' E 9°17'5'' | H200 11 ha 50T(60m²) 27D

① €29,50
② €35,70

🚗 A9/N2 Ausfahrt Lugano-Süd, Richtung St. Moritz. Von Gandria ab ist der neue Tunnel in Betrieb. In Dongo ist der CP ausgeschildert. Alternativstrecke über Como.

Dongo, I-22014 / Lombardia 🛜 iD

🏕 Magic Lake**
📧 Via Vigna del Lago 60
🕐 1 Apr - 10 Okt
☎ +39 0344-80282
@ camping@magiclake.it

1 ABD**JM**NOPRT		LMNQSUWXY 6
2 DFGJOPRVWXY		ABDE**FG** 7
3 AL		ABCDEFJNQRUV 8
4 HO		DGHQRU 9
5 GL		ABGHIJN**O**TUW 10
B 6A CEE		

🌐 N 46°7'54'' E 9°17'14'' | H200 0,7 ha 30T(45-60m²) 27D

① €28,00
② €42,00

🚗 A9/N2 Ausfahrt Lugano-Süd, Richtung St. Moritz. Von Gandria ab ist der neue Tunnel in Betrieb. In Dongo ist der CP angezeigt. Alternativstrecke über Como.

Dongo, I-22014 / Lombardia 🛜 iD

🏕 Panorama**
📧 Via Statale 200
🕐 28 Mär - 15 Okt
☎ +39 329-8950912
@ info@campingpanorama.info

1 ABJMNOPR**T**		LMNQRSVWXY 6
2 DFHOPXY		AD**EFGH** 7
3 AB		ABEFNOR 8
4 HO		9
5 G		ABGHIJ**P**STV 10
B 6A CEE		

🌐 N 46°8'0'' E 9°17'24'' | H250 1,8 ha 80T(bis 50m²) 35D

① €33,00
② €45,00

🚗 A9/N2 Ausfahrt Lugano-Süd Richtung St. Moritz. Von Gandria aus ist der neue Tunnel in Betrieb. In Dongo ist der CP ausgeschildert. Alternativstrecke über Como.

Idro, I-25074 / Lombardia 🛜 CC€18 iD

🏕 AZUR Camping Rio Vantone****
📧 Via Vantone 45
🕐 15 Apr - 15 Okt
☎ +39 0365-83290
@ idro@azur-camping.de

1 ABF**JM**NOPR**S**T		ABFGLMNPQRSXY 6
2 DFGJPTVX		ABDE**FGH**I 7
3 BFL		ABCDEFJKNQRSTUV 8
4 **A**BEFIJLO**PQ**		CEGILMOPQTUWY 9
5 ACDEGJKL		ABFGHIJ**N**P**S**T 10
B 6A CEE		

🌐 N 45°45'16'' E 10°29'52'' | H400 4,5 ha 203T(60-100m²) 20D

① €36,00
② €52,00

🚗 Von A22 Richtung Riva. In Sarghe Richtung Tione Brescia über SS237. Am Ende des Sees Richtung Crone-Vantone. CP liegt direkt am See.

Idro, I-25074 / Lombardia 🛜 iD

🏕 Belvedere**
📧 Via Vantone 33
🕐 1 Apr - 30 Sep
☎ +39 0365-83303
@ info@camping-belvedere.com

1 A**JM**NOPQRST		ALMN**N**PQRSX 6
2 DFJPVY		ABDE**FG** 7
3 AFL		ABCDEFNOQRSV 8
4 O		KLU 9
5 ABEGI		AHI**JP**ST 10
B 3-6A CEE		

🌐 N 45°45'12'' E 10°29'42'' | H374 0,9 ha 68T(60-80m²) 3D

① €35,50
② €49,50

🚗 Von A22 Richtung Riva. In Sarche Richtung Tione Brescia über SS237. In Idro Richtung Crone-Vantone. CP direkt am See.

Idro, I-25074 / Lombardia 🛜 iD

🏕 Vantone Pineta**
📧 Via Vantone 39
🕐 1 Apr - 30 Sep
☎ +39 0365-823385
@ info@vantonepineta.it

1 AB**JM**NOPRST		FLMN**N**PQRSXYZ 6
2 DFJPTVWXY		ABDE**FG** 7
3 AFL		ABEFNOR 8
4 EIO**P**		JL 9
5 ACEFGJK		ABGHIJ**O**R 10
B 3A CEE		

🌐 N 45°45'12'' E 10°29'47'' | H378 2 ha 134T(60-80m²) 9D

① €33,00
② €46,00

🚗 Von A22 Richtung Riva, in Sarche Richtung Tione Brescia über die SS237. In Idro Richtung Crone-Vantone, der CP liegt direkt am See.

Idro, I-25074 / Lombardia 🛜 CC€16 iD

🏕 Venus**
📧 Via Trento 94
🕐 22 Apr - 15 Sep
☎ +39 0365-83190
@ info@campingvenus.it

Anzeige auf dieser Seite B 3-6A CEE

1 ABD**JM**NOPRST		AL**N**PQSX 6
2 DFGJPRVXY		ABDE**FG** 7
3 BEL		ABEFNORS 8
4 O		RTUY 9
5 ACEGJ		ABGHJOR 10

🌐 N 45°44'24'' E 10°28'2'' | H370 1,8 ha 96T(30-100m²) 24D

① €31,00
② €43,00

🚗 A22 Ausfahrt Trento, dort Ausfahrt Riva. In Sarche Richtung Tione Brescia, hinter Anfo-Camping links entlang der Straße, am See.

Isella di Civate/Lecco, I-23862 / Lombardia 🛜 iD

🏕 2 Laghi**
📧 Via Isella 34
🕐 1 Apr - 30 Sep
☎ +39 0341-550101
@ erealin@tin.it

1 A**JM**NOPRT		AFLMN**X** 6
2 ADFIJOPY		ABDE**F** 7
3 BEFQ		ABCDEFNOR 8
4 FHINO**PQ**		J 9
5 ABEFGI		GHJO**R**V 10
B 3A CEE		

🌐 N 45°49'5'' E 9°20'34'' | H250 3,5 ha 60T 103D

① €29,00
② €39,00

🚗 N2, Ausfahrt Como Sud. Richtung Lecco/Erba. An Straße 639 Como-Lecco, Ausfahrt Isella di Civate.

ACSI Durchreisecampingplätze

In diesem Führer finden Sie eine handliche Karte mit Campingplätzen an den wichtigen Durchgangsstrecken zu Ihrem Ferienziel.

Italien

Iseo, I-25049 / Lombardia (CC €18) iD

▲ Covelo***	1 ABDEFGJLNOPQRST	LMNOPQRSWXYZ 6
🏠 Via Covelo 18	2 DFGOPRVWXY	ABDEFG 7
🕐 28 Mär - 2 Nov	3 AFLQ	ABEFNOQRV 8
☎ +39 030-9821305	4 BDLNO	LNOV 9
@ info@campingcovelo.it	5 ABDFGIL	ABDGHIJPST10
	Anzeige auf Seite 488 B 6A CEE	❶ €30,00
📍 N 45°40'1'' E 10°4'4''	H227 1 ha 96T(50m²)	❷ €40,00

🚌 Von der A4 Ausfahrt Rovato den Schildern zum Lago d'Iseo folgen. In Iseo hinter dem Supermarkt 1 km weiterfahren, am Kreisel Richtung Pisogne. Direkt hinter der Ausfahrt CP links der Straße.

Iseo, I-25049 / Lombardia iD

▲ Iseo***	1 ABDEJMNOPQRST	LMNOPQRSWXYZ 6
🏠 Via Ippolito Antonioli 57	2 ADFGOPTVWXY	ABDEFGH 7
🕐 20 Mär - 1 Nov	3 L	ABCDEFILMNORSTUV 8
☎ +39 030-980213	4 OP	INVX 9
@ info@campingiseo.it	5 ABDGKL	ABGHIJPST10
	B 3A CEE	❶ €00,00
📍 N 45°39'50'' E 10°3'26''	H130 0,6 ha 56T(45-60m²) 11D	❷ €49,00

🚌 A4 Mailand-Brescia, Ausfahrt Rovato Richtung Iseo. In Iseo Schildern folgen.

Iseo, I-25049 / Lombardia

▲ Punta d'Oro	1 BDEJMNOPQRST	LMNOPQRSWXYZ 6
🏠 Via Ippolito Antonioli 51	2 ADFGOPTVWXY	ABDEFG 7
🕐 27 Mär - 18 Okt	3 AK	ABEFNORV 8
☎ +39 030-980084	4 OP	DNUVWX79
@ info@camping-puntadoro.com	5 ABDEGLM	ABGHIJNPR10
	B 3-6A CEE	❶ €47,50
📍 N 45°39'51'' E 10°3'23''	H200 0,6 ha 62T(50-60m²) 2D	❷ €47,50

🚌 A4 Milano-Brescia, Ausfahrt Rovato Richtung Iseo. CP in Iseo ausgeschildert.

Iseo, I-25049 / Lombardia iD

▲ Quai***	1 ABCDEJLNOPQRST	LNOPQSWXYZ 6
🏠 Via Ipp. Antonioli 73	2 ADFGLPVWXY	ABDEF 7
🕐 20 Apr - 27 Sep	3 AFLQ	ABEFNORV 8
☎ +39 030-9821610	4 ANO	HJLNV 9
@ info@campingquai.it	5 ADEGI	ABGHIJOST10
	Anzeige auf dieser Seite B 6A CEE	❶ €34,00
📍 N 45°39'58'' E 10°3'47''	H182 1,3 ha 83T(40-80m²) 35D	❷ €46,00

🚌 A4 Mailand-Brescia, Ausfahrt Rovato Richtung Iseo. In Iseo Schildern folgen.

Iseo, I-25049 / Lombardia iD

▲ Sassabanek****	1 ABDEFGHKNOPQRT	ABFGLMNPQRSWXYZ 6
🏠 Via Colombera 2	2 ADGIOPVWXY	ABDEF 7
🕐 1 Apr - 27 Sep	3 BEFLMNQ	ABEFNOQRSV 8
☎ +39 030-980300	4 BDILNORS	ALMOQT 9
@ sassabanek@sassabanek.it	5 ACDEFGJKL	ABGHIJNPRVZ10
	B 3A CEE	❶ €38,60
📍 N 45°39'26'' E 10°2'3''	H200 12 ha 90T(40-70m²) 165D	❷ €53,00

🚌 A4, Ausfahrt Rovato Richtung Iseo. In Iseo Schildern folgen.

Ispra, I-21027 / Lombardia (CC €16)

▲ International Camping Ispra***	1 BDJMNOPQRST	AMNQSWX 6
🏠 Via Carducci, 943	2 DFGIPRVY	ADF 7
🕐 14 Mär - 1 Nov	3 BFLMQ	ABCDFORV 8
☎ +39 0332-780458	4 AFILNOP	EJNUV 9
@ info@internationalcampingispra.it	5 ABDEFIL	BHIJPRV10
	Anzeige auf dieser Seite 6A CEE	❶ €32,00
📍 N 45°49'38'' E 8°37'38''	H205 2,5 ha 106T 179D	❷ €42,00

🚌 Von Sesto Calende Richtung Laveno. In Ispra ist der CP links der Strecke deutlich angezeigt.

Lavena Ponte Tresa, I-21037 / Lombardia (CC €18)

▲ International Camping	1 DEHKNOPQRT	LMNQSWX 6
🏠 Via Marconi 18	2 DGHLPVY	ABDEFH 7
🕐 1 Jan - 31 Dez	3 AL	ABCDEFNORS 8
☎ +39 0332-550117	4 FIP	JLQR 9
@ info@internationalcamping.com	5 ACEFGIL	DDGHJNRV10
	2-6A CEE	❶ €31,00
📍 N 45°57'35'' E 8°51'48''	H275 2 ha 80T(60-90m²) 106D	❷ €42,00

🚌 A2/E35, bei Lugano Ausfahrt Ponte Tresa/Varese. Richtung Ponte Tresa/Varese bis zum Zoll. Direkt hinter der Grenze Richtung Porto Ceresio. Der CP liegt nach ca. 800m links an der Straße.

Lecco, I-23900 / Lombardia iD

▲ Rivabella*	1 ABDJMNOPRST	LMNQSWXYZ 6
🏠 Via alla Spiaggia 35	2 ADFHJOPVY	ABDEFH 7
🕐 25 Apr - 30 Sep	3 A	AEFNOR 8
☎ +39 0341-421143	4 AEP	T 9
@ rivabellalecco@libero.it	5 ABDGKL	BGHJORV10
	B OA OEE	❶ €27,00
📍 N 45°49'19'' E 9°24'53''	H200 2,3 ha 60T(60m²) 60D	❷ €36,00

🚌 N2, Ausfahrt Como Sud, Richtung Lecco/Erba. Die 639 bis Lecco. Dann SS36 Lecco-Milano, Ausfahrt Lecco Bione. CP-Schildern folgen.

Maccagno, I-21010 / Lombardia iD

▲ LAGOCAMP - Parkcamping Maccagno***	1 ADEJMNOPRT	LPQSWX 6
🏠 Via Corsini 3	2 CDFKOPRVX	ABDFG 7
🕐 16 Mär - 3 Nov	3 ALMQ	ABCDEFNQRSV 8
☎ +39 0332-560203	4 BQ	EI 9
@ maccagno@lagocamp.com	5 ABEGKL	ABGHIJNPRZ10
	B 6A CEE	❶ €31,50
📍 N 46°2'20'' E 8°44'5''	H250 1,5 ha 90T(30-90m²) 36D	❷ €42,50

🚌 Bei Bellinzona Sud Richtung Locarno bis zu dem Örtchen Quartino. Dann Richtung Luino weiter nach Maccagno. In Maccagno hinter der Brücke zweite Straße rechts.

Maccagno Superiore, I-21010 / Lombardia iD

▲ Lido	1 ABDFJMNOPRT	LNQSWX 6
🏠 Via Pietraperzia 13	2 DFGIJOPRVWXY	ABDF 7
🕐 1 Apr - 15 Sep	3 AU	ACEFNRSV 8
☎ +39 0332-560250	4 O	ER 9
@ lido@boschettoholiday.it	5 ABEGL	ABGHJST10
	B 3-4A CEE	❶ €36,00
📍 N 46°2'27'' E 8°43'58''	H200 0,8 ha 50T(36-60m²) 4D	❷ €49,00

🚌 Von Bellinzona der Ostseite vom Lago Maggiore entlang Richtung Luino fahren, kurz vor Maccagno rechts, Schildern folgen.

Italien (side tab)

Marone (Lago di Iseo), I-25054 / Lombardia 🛜 CC€18 iD

▲ Riva di San Pietro***	1 ABDEG**JL**NOPQRT	AFLMNOPQS**WXYZ** 6
🏠 Via Cristini 5	2 DFGOPVWXY	ABDE**FGH** 7
🔓 1 Mai - 30 Sep	3 A**K**L	ABEF**K**NQRSV 8
☎ +39 030-9827129	4 EFHO**QX**	IJMOPQSTVW 9
@ info@rivasanpietro.it	5 ABDEFGIKL	BGHIJ**O**RV10
	Anzeige auf dieser Seite B 3-6A CEE	➊ €37,00
🏕 N 45°43'56'' E 10°5'35''	H180 2 ha 101T(45-55m²) 34D	➋ €51,00

🛣 A4, Ausfahrt Rovato Richtung Iseo, Straße entlang des Sees Richtung Pisogne, CP kurz vor Marone am See. 🅰

Monvalle, I-21020 / Lombardia 🛜 CC€16

▲ Lido di Monvalle***	1 **B**JMNOPQR**T**	LMNQS**X**YZ 6
🏠 Via Montenero 63	2 DFGHIPVXY	ABDF**H** 7
🔓 28 Mär - 4 Okt	3 AL	ABDEFNOR 8
☎ +39 0332-799359	4 I**O**P	EJL 9
@ campinglidomonvalle@	5 ABDEFGJKL	BGHIJ**O**RV10
libero.it	5A CEE	➊ €37,00
🏕 N 45°50'51'' E 8°37'13''	H250 1,5 ha 80T(60-80m²) 66D	➋ €47,00

🛣 Von Laveno Richtung Ispra. CP rechts der Straße, nach ca. 10 km. 🅰

Pavia, I-27100 / Lombardia 🛜 iD

▲ Ticino	1 ABDEFJMNOPQRST	AF 6
🏠 Via Mascherpa 10/16	2 BCOPRVXY	ABDEF 7
🔓 1 Apr - 30 Sep	3 A**K**L	ABEFNOQRV 8
☎ +39 03-82527094	4	J 9
@ camping.ticino@libero.it	5 **LM**	GHIJPSTV10
	B 4-10A CEE	➊ €26,00
🏕 N 45°11'43'' E 9°7'13''	H77 8,5 ha 50T(20-50m²) 3D	➋ €35,00

🛣 Ausf. A7/E62 Ri. Genova. Dann Ausf. Bereguardo/Pavia Nord Ri. Bereguardo/Pavia Nord. Auf der A53 in die Ausf. Pavia Centro einfädeln. Einfädeln auf die Via Adda. Rechts zur Via San Lanfranco Beccari. Dann der Straße zur Via Mascherpa folgen.

Piano di Porlezza, I-22010 / Lombardia iD

▲ Costa Azzurra*	1 AB**IL**NOPRT	LNQSX 6
🏠 Via al Lago 2	2 DFKOPTY	ABD**F** 7
🔓 1 Apr - 30 Sep	3 A	ABCDEFNOR 8
☎ FAX +39 0344-70024	4 P	9
	5 ABDG	AIJST10
	B 2A CEE	➊ €23,00
🏕 N 46°2'29'' E 9°10'4''	H300 1,4 ha 116T(50m²) 5D	➋ €29,00

🛣 N2 Ausfahrt Lugano-Sud Richtung St. Moritz/Gandria. Von Porlezza Richtung Menaggio. Von Gandria aus ist der neue Tunnel in Betrieb. In Piano rechts. Der CP ist angezeigt. Alternativstrecke über Como. 🅰

Piano di Porlezza, I-22010 / Lombardia 🛜 CC€16 iD

▲ Ranocchio**	1 ACD**JL**NOPRT	**AF**LMNQSX 6
🏠 Via Al Lago 7	2 DFGJOPRUVXY	ABD**FG** 7
🔓 1 Apr - 30 Sep	3 AL	ABCEFNRS 8
☎ +39 0344-70385	4 O	EL 9
@ campinggranocchio@ngi.it	5 DEFGIL	AGHIK**O**ST10
	B 3A CEE	➊ €25,00
🏕 N 46°2'26'' E 9°10'6''	H280 3,5 ha 200T(50-90m²) 36D	➋ €35,00

🛣 N2 Ausf. Lugano-Nord Ri. St. Moritz/Gandria. Von Porlezza Ri. Menaggio. In Piano Porlezza re. Alternativstrecke über Como. Seit 2013 ist der neue Tunnel zwischen Gandria und Porlezza fertig. Empfehlung: Koordinaten aus dem 'neuen Tom-Tom' verwenden. 🅰

Piuro, I-23020 / Lombardia 🛜 iD

▲ Acquafraggia	1 ABD**IL**NOPRT	JN 6
🏠 Via per S. Abbondio	2 BCFGOPRUVXY	ABD**F** 7
🔓 2 Feb - 15 Nov	3 L	ABCDEFJNQRSV 8
☎ +39 0343-36755	4 EFHO	K 9
@ info@	5	ABGHJ**N**OSTV10
campingacquafraggia.com	B 6A CEE	➊ €26,00
🏕 N 46°19'50'' E 9°25'59''	H450 1 ha 60T(60-80m²) 16D	➋ €34,00

🛣 In Chiavenna Richtung St. Moritz. Ca. 1 km hinter Piuro liegt CP auf der linken Seite (kurz vor Borgonuovo). 🅰

Ponte Caffaro (Idro), I-25070 / Lombardia 🛜 iD

▲ Pian d'Oneda	1 ABDF**JM**NOPQRST	AFLMN**P**QSXYZ 6
Camping & Bungalow***	2 DFGIJKPVWXY	ABD**F** 7
🏠 Via Pian d'Oneda 4	3 BELQ	ABEFNOR 8
🔓 1 Apr - 30 Sep	4 FHIO**P**	J 9
☎ +39 0365-990421	5 ABDEFGIJK	GHIJ**O**ST10
@ camping@piandoneda.it	B 3A CEE	➊ €31,50
🏕 N 45°48'43'' E 10°31'19''	H380 4 ha 165T(70m²) 108D	➋ €44,50

🛣 A22, Ausfahrt Trento, über die SS45 Richtung Riva. In Sarche über die SS237 Richtung Tione Brescia, durch Ponte Caffaro bis zu den CP-Schildern fahren. CP liegt am See. 🅰

Ponte di Legno/Temú, I-25050 / Lombardia 🛜 iD

▲ Presanella***	1 ABDEGHKNOPQRS**T**	F 6
🏠 Via Cavaione di Dentro 9	2 BCFGPRVWXY	ABDE**FG**IK 7
🔓 1 Jan - 31 Dez	3 ABL**MQS**	ABCDEFJKNOQRSTV 8
☎ +39 0364-94219	4 FHIO**Q**	DHILUW 9
@ info@campingpresanella.it	5 BGKL	BHIJ**N**OSVY10
	WB 3A CEE	➊ €32,00
🏕 N 46°14'27'' E 10°28'12''	H1250 1 ha 80T(60-80m²) 19D	➋ €44,00

🛣 SS42 Ponte di Legno Richtung Edolo. Im Zentrum von Temù links nach unten, mit Pfeilen ausgeschildert. 🅰

Porlezza, I-22018 / Lombardia 🛜 CC€16 iD

▲ Darna***	1 ABCDE**JM**NOPRS**T**	**AF**LMNQSWXYZ 6
🏠 Via Osteno 50	2 DFJPVY	ABDE**FGH** 7
🔓 23 Mär - 31 Okt	3 AB**EL**M**QT**	ABEFJNOPRS 8
☎ +39 0344-61597	4 ABDEFHIL	EIJV 9
@ campingdarna@hotmail.it	5 ACDEFGJKL	ABGHIJ**P**STVXZ10
	B 3A CEE	➊ €38,00
🏕 N 46°1'31'' E 9°7'33''	H300 6 ha 300T(50-80m²) 72D	➋ €54,00

🛣 N2 Ausfahrt Lugano-Nord Richtung St. Moritz. Der neue Tunnel zwischen Gandria und Porlezza ist in Betrieb. In Porlezza Richtung Osteno. Der CP ist rechts angezeigt (letzter Camping). 🅰

Porlezza, I-22018 / Lombardia iD

▲ La Sbianca**	1 AILNOR	LMNQ 6
🏠 Via Osteno	2 DFJPVY	ABD**F** 7
🔓 1 Apr - 30 Sep	3 A	ABEFNOR 8
☎ FAX +39 0344-62271	4	D 9
	5 ABDK	AHIJR10
	3A CEE	➊ €38,00
🏕 N 46°1'44'' E 9°7'53''	H300 1,2 ha 50T(64m²) 62D	➋ €54,00

🛣 N2, Ausfahrt Lugano-Nord Richtung St. Moritz. Der neue Tunnel zwischen Gandria und Porlezza ist in Betrieb. In Porlezza Richtung Ostena. Der CP ist rechts angezeigt. 🅰

Ranzanico al Lago di Endine, I-24060 / Lomb. 🛜 CC€16 iD

▲ La Tartufaia***	1 ABDEF**JM**NOPQRT	AFGL**N**PQS**XZ** 6
🏠 Via Nazionale 2519	2 DFGIJOPRUVWXY	ABDE**FGH** 7
🔓 1 Mai - 20 Sep	3 AELM	ABEFNORV 8
☎ +39 035-819259	4 FHIO**PY**	DEQTUVW 9
@ info@latartufaia.com	5 ACDEFGIKL	BFGHIK**P**TW10
	B 4A CEE	➊ €38,00
🏕 N 45°47'19'' E 9°56'49''	H400 1,7 ha 75T(40-90m²) 17D	➋ €48,00

🛣 A4 Mailand-Venedig, Ausfahrt Seriate. Die SS42 Richtung Lovere, hinter Ausfahrt Ranzanico liegt der CP links. 🅰

Sesto Calende, I-21018 / Lombardia 🛜 iD

▲ La Sfinge**	1 AB**JM**NOPQRT	ALMNQS**X**YZ 6
🏠 Via Angera 1	2 ABDFIPQRVXY	ABDF**H** 7
🔓 1 Feb - 30 Okt	3 BEL**MQ**	ABCDEFNOQR 8
☎ +39 0331-924531	4 FIO**P**	EKL 9
@ info@campeggiolasfinge.it	5 ABDFGI	ABGHIJPR10
	3-6A CEE	➊ €28,00
🏕 N 45°43'46'' E 8°37'8''	H200 6 ha 40T(60-70m²) 136D	➋ €39,00

🛣 Von Baveno-Stresa-Dormelletto Richtung Sesto Calende. Über die Metallbrücke Richtung Laveno. CP kurz vor der Tankstelle (nach 1 km) links. 🅰

Sesto Calende, I-21018 / Lombardia 🛜 CC€16

▲ Lido Okay****	1 **B**JMNOQRT	AFLMQSW**X**Y 6
🏠 Via per Angera 115	2 ADGIKOPRUVWX	ADH 7
🔓 21 Mär - 11 Okt	3 ABLQS	ABEFNRSV 8
☎ +39 0331-974235	4 A**I**OP	EKLVW 9
@ campingokay@	5 ADFGKL	BDHIJPR10
camping-okay.com	6A CEE	➊ €36,00
🏕 N 45°44'56'' E 8°35'48''	H260 1,5 ha 80T(60-100m²) 54D	➋ €46,00

🛣 Von Sesto Calende Richtung Angera. In Lisanza befindet sich der CP links der Straße. 🅰

Sorico, I-22010 / Lombardia 🛜 iD

▲ Au Lac de Como**	1 BDEF**JM**NOPRT	ABLMNQRSTW**XYZ** 6
🏠 Via C. Battisti 18	2 DFGHIOPWXY	**ABDEFGK** 7
🔓 1 Jan - 31 Dez	3 E**MNQ**	ABCDEFJKNQRSTUV 8
☎ +39 0344-84035	4 FHIN**PQST**	DEFGIJMOQRTUV 9
@ info@aulacdecomo.nl	5 ACDEFGHIKL	AGHJ**N**10
	B 3A CEE	➊ €35,00
🏕 N 46°10'15'' E 9°22'47''	H220 2 ha 50T 133D	➋ €45,00

🛣 Die SS36 Richtung Sondrio/St. Moritz. Im Norden des Comer Sees Abzweig Menaggio. In Sorico ist der CP ausgeschildert. An der Kapelle rechts (Auto + Caravan). Über den Splügenpass (ohne Caravan) den Schildern folgen. 🅰

Sorico, I-22010 / Lombardia 🛜 iD

🏕 La Riva***	1 AJMNOPRT	ALNQSWXY 6
📧 Via Poncione 3	2 ADFGHIOPRVWXY	ABDEFK 7
📅 1 Apr - 5 Nov	3 AB	ABEFJNORTUV 8
☎ +39 0344-94571	4 HOPS	DLQTUV 9
@ info@campinglariva.com	5 ABDEGL	ABGHIJPR10
	B 6A CEE	❶ €40,00
🚗 N 46°10'15'' E 9°23'33''	H207 1,4 ha 70T(80m²) 36D	❷ €59,00

🚗 N2 Ausfahrt Lugano Richtung Menaggio-St. Moritz. Der neue Tunnel bei Gandria ist in Betrieb. 🅼

Sorico, I-22010 / Lombardia 🛜 iD

🏕 Poncione**	1 AFJMNOPRT	ALNSU 6
📧 Via Poncione 2	2 DFGOPVWXY	ABDEFK 7
📅 1 Jan - 31 Dez	3 AL	ABCDEFJNRTUV 8
☎ +39 0344-94034	4 EHI	KUVZ 9
@ olgapaggi@yahoo.it	5 A	ABHIJNOR10
	B 6A CEE	❶ €28,00
🚗 N 46°10'17'' E 9°23'34''	H200 0,9 ha 30T(25-60m²) 40D	❷ €38,00

🚗 Die SS36 von Lecio Richtung Sondro/St. Moritz nehmen. Im Norden vom Comersee nimmt man die Ausfahrt Menaggio. In Sorico ist der CP angezeigt. 🅼

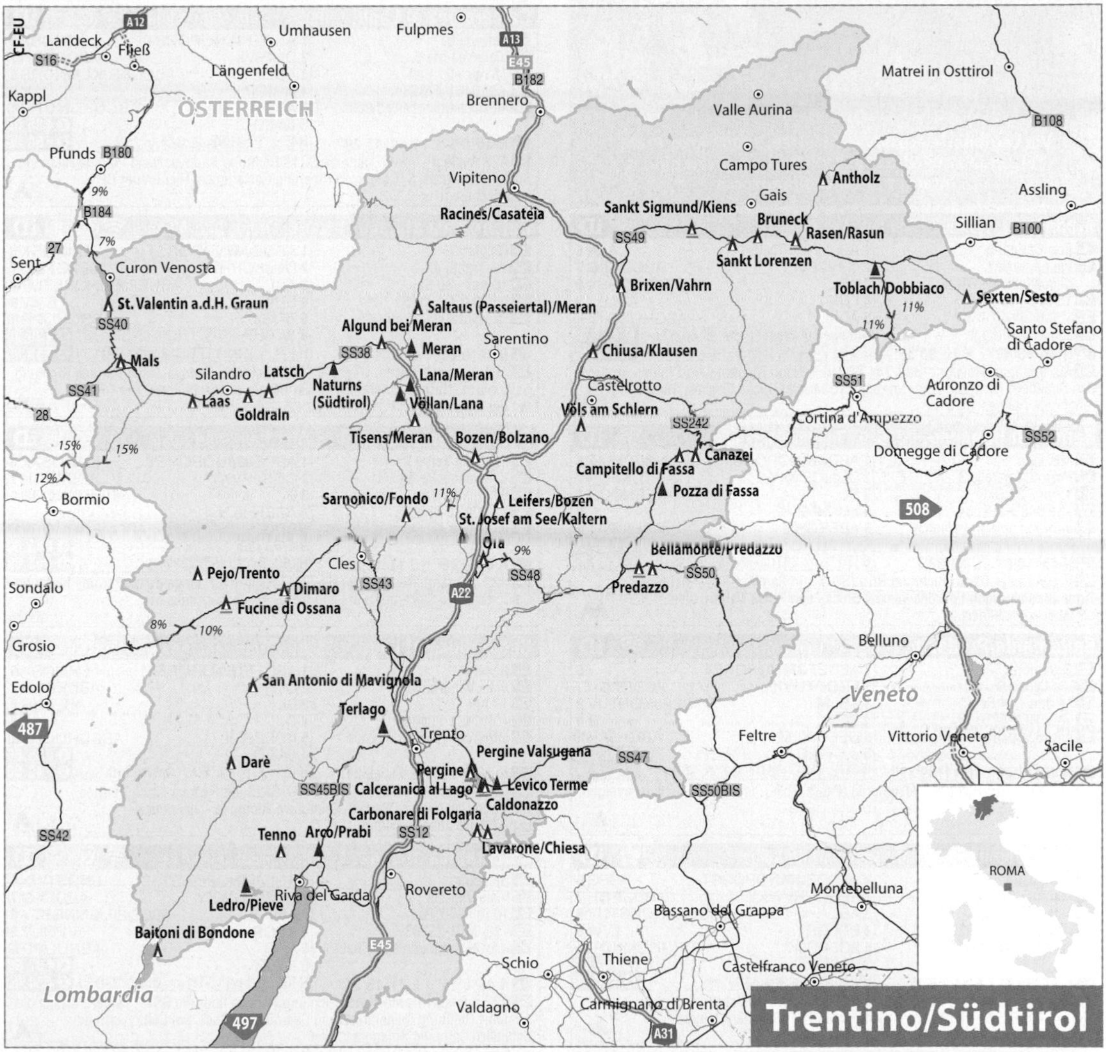

(Map of Trentino/Südtirol region showing Österreich, Italien, Lombardia, Veneto with numerous campsite locations)

Italien

Trentino/Südtirol

Algund bei Meran, I-39022 / Trentino-Alto Adige 🛜

🏕 Via Claudia Augusta	1 FGJMNOPRST	AF 6
📧 Marktgasse 14	2 ACFOPRSUVWX	ABDFGH 7
📅 10 Mär - 10 Nov	3 ABLM	ABEFNQRSTUV 8
☎ +39 0473-223060	4	9
@ office@campalgund.com	5 ABL	ABOR10
	6A	❶ €33,40
🚗 N 46°40'53'' E 11°7'3''	H380 0,5 ha 48T(70-110m²)	❷ €41,40

🚗 Vom Brenner Richtung Bolzano/Bozen. Danach Meran-Nord, dann Algund/Meran. 🅼

Antholz, I-39030 / Trentino-Alto Adige 🛜 ⚙ iD

🏕 Antholz***	1 ADEFJMNOPRST	NUX 6
📧 Obertal 34	2 CFGOPRTUVWX	ABDEFGH 7
📅 1 Jan - 31 Dez	3 ABELMS	ABCDEFJLNQRSTUV 8
☎ +39 0474-492204	4 AEFHIOPT	DKV 9
@ info@camping-antholz.com	5 ABDEGIJKL	ABEGHIJNPST10
	WB 16A	❶ €33,40
🚗 N 46°51'53'' E 12°6'34''	H1250 3 ha 168T(80-120m²) 23D	❷ €45,40

🚗 Über Pustertal (Bruneck) Richtung Toblach, nach Olang Ausfahrt links nach Antholz, weiter den Schildern zum CP folgen. 🅼

Arco/Prabi, I-38062 / Trentino-Alto Adige 🛜 ⚙ iD

🏕 Arco***	1 ABDEJMNOPQRST	AFHJN 6
📧 Via Legionari Cecoslovacchi 12	2 CGJOPVWXY	ABDEFGH 7
📅 15 Mär - 10 Nov	3 BDEFLMNU	ABCDEFKNORSV 8
☎ +39 0464-517491	4 ABFHO	IJKLUV 9
@ arco@arcoturistica.com	5 ACDEFGJKL	ABEGHIJNPSTVVW10
	B 6A CEE	❶ €32,80
🚗 N 45°55'36'' E 10°53'31''	H92 4 ha 232T(70m²) 22D	❷ €46,80

🚗 A22 Ausfahrt Rovereto-Süd. Der SS240 in Nago folgen Richtung Arco. In Arco den Schildern Zentrum folgen. Nach der Brücke über die Sarca rechts ab. Ausgeschildert. 🅼

Italien

Arco/Prabi, I-38062 / Trentino-Alto Adige

- Zoo-Camping** — 1 ABJMNOPQRST — AJN 6
- Via Legionari Cecoslovacchi 24/26 — 2 CPVWXY — ABCDEFG 7
- — 3 BFL — ABEFJNOQRSV 8
- 15 Feb - 15 Nov — 4 FHK — AELUV 9
- +39 0464-516232 — 5 ABK — ABGHIJOSTV 10
- zoo@camping.it — Anzeige auf dieser Seite — B 3A CEE — ① €27,00
- 3,5 ha 243T(64-150m²) 14D — ② €40,00
- N 45°55'58'' E 10°53'35''
- A22 Ausfahrt Rovereto-Sud. Der SS240 in Nago Richtung Arco folgen. In Arco den Schildern Richtung Zentrum folgen. Über die Brücke über die Sarca rechts ab. Ausgeschildert.

Baitoni di Bondone, I-38080 / Trentino-Alto Adige

- Miralago** — 1 ABDJMNOPQRST — LMNPQSXZ 6
- Porto Camarelle 3 — 2 DGIJOPVXY — ABCDEFGH 7
- 1 Apr - 31 Okt — 3 BL — ABEFNOQR 8
- +39 0465-299284 — 4 FHIOPQ — 9
- info@campingmiralago.it — 5 ABEFGHIJ — ABHIJPST 10
- B 3A CEE — ① €34,00
- H370 1 ha 66T(20-60m²) — ② €49,00
- N 45°48'8'' E 10°32'7''
- Von A22 bei Trento Richtung Riva (SS45). In Sarche SS237 Richtung Tione Brescia. Nach Lodrone vor der Brücke von Ponte Caffaro links, CP ist ausgeschildert.

Bellamonte/Predazzo, I-38037 / Trentino-Alto Adige

- Bellamonte*** — 1 ABDEFJMNOPQRST — 6
- Via Cece 16 — 2 FGOPTUVXY — ABDEFGH 7
- 14 Jun - 14 Sep — 3 ABLM — ABCDEFJNORTUV 8
- +39 0462-576119 — 4 BFO — B 9
- info@campingbellamonte.it — 5 DEFGIKLM — ABGHJPR 10
- B 3-6A CEE — ① €29,00
- H1372 6 ha 308T(60-80m²) 26D — ② €43,00
- N 46°18'36'' E 11°39'39''
- Von Predazzo Richtung Bellamonte (Passe Rolle). Im Ort den Schildern folgen.

Bozen/Bolzano, I-39100 / Trentino-Alto Adige

- Moosbauer**** — 1 ABCDEJMNOPQRST — ABFG 6
- Meraner Str. 101 — 2 AFGOPRVWXY — ABDEFGH 7
- 1 Jan - 31 Dez — 3 ABLV — ABCDEFJNQRSTUV 8
- +39 0471-918492 — 4 BDFGHI — LVW 9
- info@moosbauer.com — 5 DEFGJKL — ABCEGHIJMNOR 10
- B 6A CEE — ① €42,20
- H259 1,2 ha 90T(60-100m²) — ② €56,40
- N 46°30'3'' E 11°18'1''
- Von Bozen über die SS38 Richtung Meran, erste Ausfahrt Appiano-Ospedale(Krankenhaus)nehmen und CP-Schildern folgen.

Brixen/Vahrn, I-39042 / Trentino-Alto Adige

- Löwenhof**** — 1 ABDEFJMNOPRST — ABEFNUX 6
- Brennerstrasse 60 — 2 ACGOPRVWX — ABDEFGH 7
- 1/4 - 25/10, 30/11 - 8/1 — 3 ABIL — ABCDEFLNQR 8
- +39 0472-836216 — 4 AOPSTUV — GILUV 9
- info@loewenhof.it — 5 ABDEFGHIJKL — AHIKNOR 10
- 4A CEE — ① €45,00
- H560 0,5 ha 50T(35-64m²) 40D — ② €55,00
- N 46°44'4'' E 11°38'50''
- SS12 Richtung Brixen. Nach 2,5 km am Ortsrand Brixen den CP-Schildern folgen. Km 481.1. CP befindet sich auf der linken Seite der Brennerstrasse.

Bruneck, I-39031 / Trentino-Alto Adige

- Schiessstand** — 1 ABJMNOPRST — NUX 6
- Toblacherstraße 4 — 2 BGPRWXY — ABEH 7
- 1 Mai - 30 Sep — 3 BE — ABEFNQR 8
- +39 0474-401326 — 4 I — 9
- margit_ellecosta@hotmail.com — 5 BGKL — AGHIJRV 10
- 4A — ① €24,90
- H900 0,8 ha 50T(80-120m²) — ② €32,90
- N 46°47'20'' E 11°57'19''
- SS49 von Bruneck nach Toblach. Anweisungen nach der großen Unterführung, hintern Tunnel.

Calceranica al Lago, I-38050 / Trent.-Alto Adige

- Al Pescatore** — 1 ABDEJMNOPQRST — AFLMNQSX 6
- Via dei Pescatori 1 — 2 DGJPRVY — ABDFGH 7
- 9 Mai - 13 Sep — 3 BL — ABFKNORSTV 8
- +39 0461-723062 — 4 BFHLNSY — 9
- trentino@campingpescatore.it — 5 ABDEFGIJKL — ABHIJNOR 10
- B 6A CEE — ① €37,50
- H450 3 ha 248T(70-100m²) 30D — ② €54,50
- N 46°0'6'' E 11°15'19''
- A22, Ausfahrt Trento. Über die SS47 Richtung Padova. Nach Pergine Richtung Caldonazzo. Nach S. Cristoforo durchfahren Richtung Calceranica. Dort wird der CP gut ausgeschildert.

Calceranica al Lago, I-38050 / Trent.-Alto Adige

- Belvedere** — 1 ABDEFILNOPQRST — LMNQSX 6
- Viale Venezia 6 — 2 DIJPWX — ABDEFGH 7
- 18 Apr - 27 Sep — 3 ABL — ABCDEFJKLMNORS 8
- +39 0461-723239 — 4 AHIOP — K 9
- info@campingbelvedere.it — 5 ABDG — ABCGHIJNOPR 10
- B 6A CEE — ① €36,00
- H458 1 ha 89T(65-100m²) 20D — ② €50,00
- N 46°0'12'' E 11°15'29''
- A22 Ausfahrt Trento. Über die SS47 Richtung Padova. Nach Pergine Richtung Caldonazzo. Nach S. Cristoforo Richtung Calceranica. Hier ist der CP ausgeschildert.

Calceranica al Lago, I-38050 / Trent.-Alto Adige

- Fleiola** — 1 ABDEJMNOPQRST — LMNQSX 6
- Via Trento 42 — 2 DGJKOPRVX — ABDEFGH 7
- 16 Apr - 30 Sep — 3 ABL — ABCDEFJKLNQRSTUV 8
- +39 0461-723153 — 4 BHIO — EJLV 9
- info@campingfleiola.it — 5 BDGK — ABDGHIJPR 10
- B 3A CEE — ① €39,00
- H454 1,2 ha 117T(60-80m²) 38D — ② €55,00
- N 46°0'23'' E 11°14'44''
- A22, Ausfahrt Trento. Über die SS47 Richtung Padova. Nach Pergine Richtung Caldonazzo. Nach S. Cristoforo ist der CP gut ausgeschildert. Der CP liegt auf der linken Seite.

Calceranica al Lago, I-38050 / Trent.-Alto Adige

- Penisola Verde** — 1 ABDEJMNOPQRST — LMNQSXZ 6
- V. Penisola Verde 5 — 2 CDGJPVXY — ABDEFGH 7
- 9 Mai - 13 Sep — 3 BL — ABEFJKNQRS 8
- +39 0461-723272 — 4 ABEFHILN — 9
- info@penisolaverde.it — 5 BDG — ABCDEGHIJORV 10
- B 4-6A CEE — ① €36,00
- H460 3 ha 129T(60-80m²) — ② €53,00
- N 46°0'20'' E 11°14'50''
- A22, Ausfahrt Trento. Über die SS47 Richtung Padova. Nach Pergine Richtung Caldonazzo. In Calceranica al Lago hinter der Brücke links ab.

Calceranica al Lago, I-38050 / Trent.-Alto Adige

- Riviera** — 1 ABDEFILNOPQRST — LMNQSX 6
- Viale Venezia 10 — 2 DIJPVY — ABDEFGH 7
- 11 Apr - 20 Sep — 3 BL — ABEFNR 8
- +39 0461-724464 — 4 O — L 9
- info@camping-riviera.net — 5 ADEFGIJL — ABCDHIJORV 10
- 4-6A CEE — ① €35,00
- H455 2 ha 137T(75-100m²) 20D — ② €49,00
- N 46°0'13'' E 11°15'31''
- A22 Ausfahrt Trento. Über die SS47 Richtung Padova. Nach Pergine Richtung Caldonazzo. Nach S. Cristoforo Richtung Calceranica. Der CP wird ausgeschildert.

Calceranica al Lago, I-38050 / Trent.-Alto Adige

- Spiaggia — 1 ADEJMNOPQRST — LNQSTWX 6
- Viale Venezia 14 — 2 DGJPRVWXY — ABDEFG 7
- 10 Apr - 27 Sep — 3 AFL — ABCDEFJLMNRSTUV 8
- +39 0461-723037 — 4 AEOP — EPQUV 9
- info@campingspiaggia.net — 5 ABG — ABHIJOPR 10
- B 6A CEE — ① €37,00
- H460 1,3 ha 104T(80-120m²) 23D — ② €54,00
- N 46°0'15'' E 11°15'34''
- A22 Ausfahrt Trento-Nord, Richtung Padova über die SS47. Hinter Pergine die Ausfahrt Richtung Calceranica und Caldonazzo (See). Bei Caldonazzo den Schildern Camping Spiaggia folgen.

Caldonazzo, I-38052 / Trentino-Alto Adige

- Camping Mario Village**** — 1 ABDEILNOPQRST — ALNQSTWX 6
- Via Lungolago 4 — 2 DFGIJPRVWXY — ABDEFGH 7
- 23 Apr - 20 Sep — 3 ABEFL — ABCDEFJKLMNOQRSTUV 8
- +39 0461-723341 — 4 BEILOS — EUVW 9
- info@campingmario.com — 5 ABDEFGIL — ABCGHIJNPRV 10
- Anzeige auf Seite 493 — B 10A CEE — ① €68,00
- H450 3,5 ha 160T(80-150m²) 52D — ② €68,00
- N 46°0'16'' E 11°15'37''
- A22, Ausfahrt Trento. Über die SS47 Richtung Padova. Nach Pergine Richtung Caldonazzo Richtung Calceranica. Dann CP-Schildern 'Mario' folgen.

Campitello di Fassa, I-38031 / Trentino-Alto Adige

- Miravalle S.R.L. — 1 ABDEFJMNOPQRST — N 6
- Strèda de Grèva 39 — 2 CFGOPRUX — ABDEFGHK 7
- 1/6 - 30/9, 1/12 - 30/3 — 3 ABEGHILMQRU — ABCDEFJLMNOQRSTUV 8
- +39 0462-750502 — 4 ABFHOP — HIL 9
- info@campingmiravalle.it — 5 DEFGIKL — ABEGHIJOQR 10
- WB 3-9A CEE — ① €37,00
- H1420 2 ha 190T(70-90m²) 48D — ② €50,00
- N 46°28'29'' E 11°44'26''
- In Campitello kommend von Pozza di Fossa den CP-Schildern folgen.

NEU 2015 : BEHEIZTES SCHWIMMBAD

zoover 8.5 highly recommended

FREE WiFi

Camping Mario Village ★★★★

NUR WENIGE METER VOM CALDONAZZOSEE
BEHEIZTES SCHWIMMBAD
KOSTENLOSES WIFI AUF DEM GANZEN CAMPINGPLATZ
STELLPLÄTZE BIS 150 m² MIT 6 / 10 AMPERE
MODERNE SANITÄRANLAGEN MIT BABYRAUM
IDEALES GEBIET FÜR RADFAHREN UND WANDERUNGEN

Camping Mario Village ★★★★

KONTAKT: via Lungolago 4, Caldonazzo - Italien - Tel +39 0461 723341 - info@campingmario.com - www.campingmario.com

---

Canazei, I-38032 / Trentino-Alto Adige

- ▲ Marmolada
- ▤ Strèda de Pareda 46
- ⊖ 25/5 - 20/10, 1/12 - 1/5
- ☎ +39 0462-601660
- @ campingmarmolada@virgilio.it

1 ABDE**JM**NOPQRST		**N** 6
2 CFOPRVX	ABDE**FGH** 7
3 **K**	ABFNORT 8
4 AH	KL 9
5 GKL	AGHIKPR10
WB 6A CEE	❶ €36,00
H1450 3 ha 150T(70-90m²) 100**D**	❷ €53,00

N 46°28'23'' E 11°46'33''
Im Zentrum von Canazei den Schildern folgen. Der CP liegt im Zentrum.

Dimaro, I-38025 / Trentino-Alto Adige

- ▲ Dolomiti Camping Village★★★★
- ▤ Via Gole 105
- ⊖ 23/5 - 28/9, 5/12 - 13/4
- ☎ +39 0463-974332
- @ info@campingdolomiti.com

1 ADEFG**J**KNOPQRT	AB**E**N**UV** 6
2 BCFGOPUVXY	ABDE**FGH** 7
3 ABE**FLT** ABCDEFIJK**LM**NOQRSTUV 8
4 ABEFHILO**STUVXYZ** GHIJLQRUV 9
5 ACEFGJKL ABEFGHIJL**N**P**R**V10
WB 10A CEE	❶ €38,80
H800 4 ha 200T(80-108m²) 88**D**	❷ €54,60

N 46°19'31'' E 10°51'48''
Brennerpass San Michele Alt'Adige abfahren und dann Richtung Passo Tonale. In Dimaro Schildern folgen (kurz hinter der Stadt).

Carbonare di Folgaria, I-38044 / Trent.-Alto Adige

- ▲ Sole Neve
- ▤ Via Carducci 120
- ⊖ 1/1 - 15/10, 5/12 - 31/12
- ☎ +39 0464-765257
- @ camping.soleneve@libero.it

1 ABILNOPQRST	6
2 BFGPRUVWX	ABDE**FGH** 7
3 A**GKL**	ABFJKNOQRSTV 8
4 KO	9
5 JK	BFHIJOSTVW10
W 4A CEE	❶ €23,00
H1100 42 ha 60T(50-85m²) 70**D**	❷ €35,00

N 45°56'31'' E 11°14'11''
A22 Bolzano-Verona, Ausfahrt Trento-Sud Richtung SS349. Der Straße Richtung Passo del Sommo folgen. Nach ca. 23 km liegt der CP rechts der Straße.

Fucine di Ossana, I-38026 / Trent.-Alto Adige

- ▲ Cevedale★★★
- ▤ Via di Sotto Pila 4
- ⊖ 1 Jan - 31 Dez
- ☎ +39 0463-751630
- @ info@campingcevedale.it

1 ADEFHKNOPQRT	6
2 COPVY	ABDE**FGH** 7
3 AL	ABEFJNOR 8
4 BFIO**P**	IJL 9
5 ABGKL	ABGHIJNPSTV10
WB 3A CEE	❶ €35,00
H987 3 ha 211T(60-70m²) 132**D**	❷ €52,00

N 46°18'32'' E 10°44'9''
SS42 Dimaro-Passo Tonale. In Fucine die Ausfahrt Ossana nach links nehmen. Nach ca. 600m liegt der CP vor Ihnen.

Chiusa/Klausen, I-39043 / Trentino-Alto Adige

- ▲ Gamp★★★
- ▤ Via Gries 10
- ⊖ 1 Jan - 31 Dez
- ☎ +39 0472-847425
- @ info@camping-gamp.com

1 ABCD**JM**NOP**RT**	A 6
2 ABGOPRWXY	ABDE**FGH** 7
3 ABL	ABCDEFNQRS 8
4 **E**HIO	G 9
5 ABDEFGIJK**L**	ABEFGHN**R**10
WB 10A CEE	❶ €38,40
H520 0,6 ha 70T(70-80m²) 6**D**	❷ €51,80

N 46°38'29'' E 11°34'24''
A22 Brenner-Bolzano, Ausfahrt Klausen (Chiusa). Oder von Brixen SS12 bis Klausen fahren. CP-Schildern folgen.

Goldrain, I-39021 / Trentino-Alto Adige

- ▲ Cevedale★★
- ▤ Via Val Venosta 59
- ⊖ 15 Mär - 7 Nov
- ☎ +39 0473-742132
- @ camping.cevedale@rolmail.net

1 BDEF**JM**NOPQRST	AB 6
2 PWXY	ABDE**FGH** 7
3	ABCDEFJNQR 8
4 FHIOU	9
5 BGKL	ABHJPR10
B 6A CEE	❶ €35,40
H600 0,4 ha 50T(80m²)	❷ €47,40

N 46°37'5'' E 10°49'5''
Vom Reschenpass Richtung Merano, die SS38 rechts nach Schlauders Richtung Martell-Tal verlassen. Der CP liegt rechts hinter dem Bahngleis.

Darè, I-38080 / Trentino-Alto Adige

- ▲ Val Rendena
- ▤ Civico 117
- ⊖ 13/5 - 26/9, 1/12 - 30/3
- ☎ +39 0465-801669
- @ info@campingvalrendena.com

1 ADEF**JM**NOQRT	AB**N** 6
2 CGOPVWXY	ABDE**FGH** 7
3 ABE**KLQ** ABCDEFHJKNOPQRSV 8
4 AEFHO**XZ**	DEHU 9
5 ABDEFGJKLM	ABGHIJLORV10
W 6A CEE	❶ €32,00
H600 2 ha 98T(64-100m²) 43**D**	❷ €50,00

N 46°4'21'' E 10°43'17''
Von Tione Richtung Madonna di Campiglio, in Darè rechts der Straße. Beschildert.

Laas, I-39023 / Trentino-Alto Adige

- ▲ Badlerhof
- ▤ Kugelgasse 4b
- ⊖ 30 Mär - 6 Nov
- ☎ +39 0473-628011
- @ info@camping-badlerhof.it

1 ADE**JM**NOPRST	6
2 FOPVWX	ABDE**FGH** 7
3 ABLS	ABEFJKNQRSTUV 8
4 FHIO**TUV**	UV 9
5 BGKL	ABHJ**NP**TUV10
B 6A CEE	❶ €30,90
H870 0,6 ha 40T(70-110m²)	❷ €40,30

N 46°36'57'' E 10°41'55''
Reschenpass-Merano. Auf der SS38 Ausfahrt Laas. Innerorts den CP-Schildern folgen.

Italien

Lana/Meran, I-39011 / Trentino-Alto Adige 🛜 iD

- Arquin****
- Feldgatterweg 25
- 1 Mär - 15 Nov
- +39 0473-561187
- info@camping-arquin.it
- N 46°36'40'' E 11°10'28''

1 ABDEJMNOPRST		AB 6
2 AGOPRVWXY		ABDEFGH 7
3 AL		ABEFKNQRSTU 8
4 FHO		9
5 ABGIKL		ABEHIJPTU10

B 6A CEE
H300 0,9 ha 160T(60-100m²)   1 €38,40   2 €46,45

Von Reschenpass-Merano aus kommend, hinter Merano Ri. Bolzano halten. In Burgstall rechts Ri. Lana. Weiter ausgeschildert. Aus Bolzano Ri. Reschenpass, Ausfahrt Burgstall-Lana, den Schildern folgen.

Lana/Meran, I-39011 / Trentino-Alto Adige 🛜

- Komfortcamping-Resort Schlosshof****
- Jaufenstraße 10
- 1 Mär - 15 Nov
- +39 0473-561469
- info@schlosshof.it
- N 46°36'43'' E 11°10'6''

1 BDEJMNOPRST		ABEFGI 6
2 AFGOPRVWXY		ABCDEFGH 7
3 BCJKLP	ABDEFGIJKLNQRSTU 8	
4 AEFHIOSTUXZ		QRV 9
5 ABDEGJKL		ABGHIJOR10

B 16A CEE
H300 1,8 ha 135T(80-130m²) 20D   1 €39,90   2 €53,90

Über die SS38 Ausfahrt Lana, dann den CP-Schildern folgen.

Latsch, I-39021 / Trentino-Alto Adige 🛜 iD

- Latsch****
- Reichstraße 4
- 1/1 - 10/11, 15/12 - 31/12
- +39 0473-623217
- info@camping-latsch.com
- N 46°37'20'' E 10°51'50''

1 ADEFJMNOPQRST		ABEHJN 6
2 CFGOPQRUVWX		ABDEFGH 7
3 ABDLP	ABCDEFIJLMNQRSTUV 8	
4 FHIOQRSTVXY		EGIKL 9
5 ACDEFGHIJKL		ABFGHIKNPT10

W 6A CEE
H638 1,5 ha 120T(70-90m²) 58D   1 €40,20   2 €56,20

Der CP liegt rechts an der Hauptstraße SS38 Reschenpass-Merano, in der Nähe von Latsch.

Lavarone/Chiesa, I-38046 / Trentino-Alto Adige 🛜 iD

- Lago di Lavarone*
- Via Trieste 36
- 30/5 - 3/11, 1/12 - 5/5
- +39 0464-783300
- info@ camping lagodilavarone.it
- N 45°56'17'' E 11°15'31''

1 ABDEFHKNOPQRST		6
2 BPRUVWXY		ABDEFGH 7
3 AQ		ABEFJNORTUV 8
4 FH		9
5 AKLM		AHIJORVW10

W 5A CEE
H1140 3,2 ha 80T(56-116m²)   1 €22,00   2 €30,00

A22 Bolzano-Verona, Ausfahrt Trento-Sud Richtung SS349. Der Straße Richtung Vigolo Vattaro/Vicenza/Lavarone/Chiesa folgen. CP liegt an der SS349.

Ledro/Pieve, I-38067 / Trentino-Alto Adige 🛜 CC€16 iD

- Al Lago
- Via Alzer 7
- 2 Apr - 4 Okt
- +39 0464-591250
- info@camping-al-lago.it
- N 45°53'1'' E 10°43'54''

1 ABDEJMNOPQRST		LNPQRSTXYZ 6
2 DFJOPRVWXY		ABDEFGH 7
3 BLMQ		ABEFNOR 8
4 EFHOP		EIJLMOQTUV 9
5 DEFGIJL		ABDGHIJOPSTV10

Anzeige auf Seite 495 B 3-4A CEE   1 €35,00   2 €47,00
H650 1 ha 90T(56-80m²) 25D

In Riva del Garda Richtung Val di Ledro. Durch den neuen Tunnel N240 kommen Sie nach oben. Nach Molina, am See entlang über die SS240 in Pieve di Ledro links ab.

Ledro/Pieve, I-38067 / Trentino-Alto Adige 🛜 CC€16 iD

- Azzurro***
- Via Alzer 5
- 24 Apr - 3 Okt
- +39 0464-591276
- campingazzurro@virgilio.it
- N 45°53'6'' E 10°43'53''

1 ABFJLNOPQRST		ALNPQRSTUXY 6
2 DFGJJOPVXY		ABDEFGH 7
3 BEFILMQ		ABCEFJNOPQRTUV 8
4 ABDEFHOY		KMOT 9
5 AFGI		ABDFGHIJNOPSTV10

B 3-10A CEE   1 €36,00   2 €52,00
H670 2 ha 120T(60-125m²) 70D

In Riva del Garda Richtung Val di Ledro. Durch den Tunnel (N240) kommen Sie nach oben. Nach Molina entlang dem See, in Pieve di Ledro links ab.

Leifers/Bozen, I-39055 / Trentino-Alto Adige 🛜 ❄ iD

- Camping-Park Steiner Südtirol***
- J.F. Kennedystraße 32
- 22 Mär - 31 Okt
- +39 0471-950105
- info@campingsteiner.com
- N 46°25'48'' E 11°20'37''

1 ABDEFJKNOPQRST		AE 6
2 AFGOPRVWXY		ABDEFGH 7
3 BFL		ABDEFJNQRSV 8
4 AHO		FGJLV 9
5 ABCEFGJLM		ABCGHIKLMPTV10

B 6A CEE
H262 2,5 ha 90T(65-85m²) 112D   1 €37,00   2 €52,00

Von Bolzano A22 oder SS12 Ri. Trento (Autobahn Ausfahrt Bolzano Süd). Danach Ausf. Leifers-Nord (kurz vor der Tunneleinfahrt). Von Süden Ausfahrt Ora/Auer Ri. Bolzano. Danach Ausf. Leifers(kurz vor der Tunneleinfahrt).

Levico Terme, I-38056 / Trentino-Alto Adige 🛜 CC€16 iD

- 2 Laghi****
- Località Costa 3
- 25 Apr - 6 Sep
- +39 0461-706290
- info@campingclub.it
- N 46°0'16'' E 11°17'21''

1 ABDEJMNOPQRST		ABFNX 6
2 GIPVXY		ABCDEFGH 7
3 BEFLMQ	ABCDEFLMNORSTUV 8	
4 ABCEHILO		ELTUVW 9
5 BDEFHJKL		ABFGHIJMPRVX10

B 6-10A CEE
H450 11 ha 426T(80-120m²) 90D   1 €40,00   2 €54,00

A22 Ausfahrt Trento. Über die SS47 Richtung Padova. 1. Ausfahrt Levico. Richtung Levico. Nach 300m gegenüber der Tankstelle links abbiegen. CP links an der Ausfahrt.

Levico Terme, I-38056 / Trentino-Alto Adige 🛜 CC€16 iD

- Lago di Levico***
- Loc. Pleina 1
- 20 Mär - 15 Okt
- +39 0461-706491
- info@campinglevico.it
- N 46°0'29'' E 11°17'5''

1 ABCDEJLNOPQRST		ABFLMNOPQSUXZ 6
2 CDFGIJPQVVWXY		ABDEFGH 7
3 ABEFIKLMPQRST	ABCDEFJKLMNOPQRSTUV 8	
4 ABCDEFHIKLNOPQSX		ACEKLPQTUVW 9
5 BDEFGIJKL	ABCDFGHIJLMNPQRVX10	

B 10A CEE
H450 4,5 ha 430T(70-120m²) 174D   1 €43,00   2 €56,00

A22, Ausfahrt Trento. Über die SS47 Richtung Padova fahren. 1. Ausfahrt Levico Richtung Levico; links ab zum CP. CP ist gut ausgeschildert.

Mals, I-39024 / Trentino-Alto Adige 🛜 iD

- Mals**
- Bahnhofstraße 51
- 1/1 - 10/11, 20/12 - 31/12
- +39 0473-835179
- info@campingmals.it
- N 46°41'3'' E 10°33'2''

1 ADEFJMNOPQRT		6
2 FOPRUVWXY		ABDEFG 7
3 ABLV		ABCDEFGJKNQRTU 8
4 FHI		9
5 AGKL		ABGHJNPR10

W 16A CEE
H1000 1 ha 74T(60-100m²)   1 €43,40   2 €57,40

Vom Reschenpass aus Richtung Sponding/Merano. In Mals an der Ampel nach Glurns, ab hier den CP-Schildern folgen.

Meran, I-39012 / Trentino-Alto Adige 🛜 CC€18

- Camping Hermitage****
- Via Val di Nova 29
- 28 Mär - 1 Nov
- +39 0473-232191
- info@einsiedler.com
- N 46°40'18'' E 11°12'11''

1 BDEJM		AE 6
2 OPQR		ABEFH 7
3 ABDM		ABEFLMN 8
4 ST		9
5 AGHIJ		APR10

B 10-15A
H810 0,5 ha 59T(60-90m²)   1 €34,40   2 €44,40

Vom Brennerpass A22 Richtung Bolzano-Süd. SS38 Bolzano/Merano-Süd, 4 km Richtung Meran 2000.

Meran, I-39012 / Trentino-Alto Adige

- Meran***
- Via Piave 44
- 23/3 - 4/11, 28/11 - 7/1
- +39 0473-231249
- info@meran.eu
- N 46°39'50'' E 11°9'31''

1 BILNOPRST		A 6
2 GOPRVWX		ABDE 7
3 MN		ABEFNQR 8
4		
5 K		AGHIJR10

3A CEE
H350 1,5 ha 180T(80-100m²)   1 €36,30   2 €45,70

SS38, Ausfahrt Merano-Nord, beim Ortseingang von Merano erste Ampel rechts. CP-Schildern folgen.

Dieser Campingplatz liegt direkt am Ufer des bezaubernden Ledrosee, mitten in einer waldreichen Berglandschaft und ist unter der Leitung einer jungen und modernen Familie. Hier finden Sie noch genauso wie früher Ruhe und Erholung. Windsurfen, Mountainbiken, zahlreiche Wandermöglichkeiten in den Bergen. Vermietung von Chalets, Wohnwagen und Appartments mit Seeblick. Der Campingplatz liegt etwa 300m vom Zentrum und 15 km vom Gardasee. Innerhalb einer Stunde sind Sie in den Dolomiten der Brenta.

camping al lago

Via Alzer 7, 38067 Ledro/Pieve • Tel. 0464-591250
Fax 0464-905467 • E-Mail: info@camping-al-lago.it
Internet: www.camping-al-lago.it

CampingCard ACSI

Naturns (Südtirol), I-39025 / Trentino-Alto Adige

▲ Bungalow Adler****	1 ABDEF**JM**NOPQRT E 6
▣ Lidostraße 14	2 OPRVWX ABDE**FG** 7
⊡ 15 Mär - 15 Nov	3 ABCDEFIJKL**N**QRTU 8
☎ +39 0473-667242	4 IOR**STUXYZ** EJVXYZ 9
@ info@campingadler.com	5 BL ABEGHIJNPRZ10
	6A CEE ① €33,30
	② €44,50
N 46°38'51'' E 11°0'26''	H550 1,5 ha 72T(80-140m²) 15D

⌂ Aus Meran auf der SS38 in Naturns-Ost, den Schildern Zentrum folgen. An der Ampel li. Re der Strecke ist das Schild und die Einfahrt zum Camping Adler. Da diese Zufahrt für Caravans zu eng ist, gibt es auf der Rückseite eine Einfahrt (siehe Navigation).

Naturns (Südtirol), I-39025 / Trent.-Alto Adige

▲ Waldcamping	1 ADEF**JM**NOPQRT EFG 6
▣ Dornsbergweg 8	2 BFGOPRUVXY AB**C**DE**FG**H 7
⊡ 15 Mär - 5 Nov	3 BEIL ABCDEFHIJK**LM**NQRSTUV 8
☎ +39 0473-667298	4 FHIKO JL 9
@ info@waldcamping.com	5 ABKL ABEGHIJMNOR10
	D 0A CEE ① €41,40
	② €57,40
N 46°38'35'' E 11°0'30''	2,5 ha 160T(80-100m²) 7D

⌂ Von Merano die SS38, Ausfahrt Naturns-Ost. Den Schildern Zentrum folgen. An der Ampel links, der Straße bis zur Brücke folgen. Hinter der Brücke nach 200m links liegt der CP.

Ora, I-39040 / Trentino-Alto Adige

▲ Camping Markushof***	1 BDHKNOPQRST AB 6
▣ Via Truidn-Strasse 1	2 GOPVX ABDE**FG**H 7
⊡ 6 Apr - 18 Okt	3 ALQ ABCDEFIJK**LM**NPQRSTUV 8
☎ +39 0471-810025	4 HQ LVW 9
@ info@hotelmarkushof.it	5 GJ ABCEGHIJNOR10
	B 6A CEE ① €36,40
	② €53,40
N 46°20'52'' E 11°17'58''	H250 0,6 ha 37T(80-100m²)

⌂ Von Bolzano die Provinzstraße Richtung Laives-Ora fahren. Mitten im Ort Ora finden Sie das Hotel Markushof. Direkt hinter dem Hotel liegt der CP.

Pejo/Trento, I-38024 / Trentino-Alto Adige

▲ Val di Sole**	1 ADEF**JM**NOPQRT 6
▣ Via Dossi di Cavia	2 COPRUVY ABDE**FG**H 7
⊡ 1/6 - 5/11, 1/12 - 5/5	3 BL ABCDEFGHIJNOQRSV 8
☎ +39 0463-753177	4 AB**E**FIO**UY** JL 9
@ valdisole@camping.it	5 ACDGIJKL ABGHJ**NOP**RV10
	WB 10A CEE ① €25,00
	② €36,00
N 46°21'32'' E 10°40'52''	H1250 4,5 ha 160T(40-80m²) 95D

⌂ SS42 Dimaro-Passo Tonale, kurz vor Fucine, Weg 87 rechts ab nach Pejo. Der CP liegt hinter Pejo.

Pergine, I-38057 / Trentino-Alto Adige CC€16

▲ Punta Indiani	1 ABDE**JM**NOPQRST LMNQST**X** 6
▣ Valcanover	2 DGHIJOPUVWXY ABDE**FG** 7
⊡ 1 Mai - 30 Sep	3 ABL ABDFNOQRV 8
☎ +39 0461-548062	4 H LT 9
@ info@campingpuntaindiani.it	5 CDEFGJKL ABHIJOR10
	B 4A CEE ① €37,00
	② €50,00
N 46°1'39'' E 11°13'54''	H451 1,5 ha 115T(60-100m²)

⌂ Von Trento Richtung Padova. Hinter Pergine Ausfahrt Caldonazzo. Der Camping liegt am See nahe der Ortschaft S. Cristoforo.

Pergine Valsugana, I-38057 / Trentino-Alto Adige

▲ S. Cristoforo**	1 ABDEF**JM**NOPQRST AFNQRSTUXYZ 6
▣ Loc. Cristoforo	2 DGIPVWX ABDE**FG**H 7
⊡ 30 Mai - 7 Sep	3 BI**KLM** ABCDEFHNQRTV 8
☎ +39 0461-512707	4 ABEHILO**P** ELMOPTUVW 9
@ info@campingclub.it	5 DEFJL ABHIJ**NP**STX10
	B 6A CEE ① €40,00
	② €55,00
N 46°2'19'' E 11°14'12''	H450 2,5 ha 157T(80-120m²) 10D

⌂ A22 Ausfahrt Trento. Über die SS47 Richtung Padova. Ausfahrt S. Cristoforo (Lago di Caldonazo). Im Dorf den CP-Schildern folgen.

Pozza di Fassa, I-38036 / Trentino-Alto Adige

▲ Catinaccio Rosengarten	1 ABDEF**JM**NOPQRST N 6
▣ Strada de Pucia 4	2 CFPQRVWXY ABE**FG**HIJK 7
⊡ 1/6 - 15/10, 1/12 - 30/4	3 **LM**N**QRT** BDFGIJKLNOQRSTV 8
☎ +39 0462-763305	4 ABDEHINO**TV** DILUV 9
@ info@ catinacciorosengarten.com	5 AGKL ABGHIJLMPRX10
	WB 3-10A CEE ① €32,20
	② €47,20
N 46°25'34'' E 11°41'11''	H1320 3 ha 158T(70-85m²) 83D

⌂ Kommend aus Richtung Auer über die SS48, vor Pozza di Fassa rechts, CP-Schild folgen.

Pozza di Fassa, I-38036 / Trentino-Alto Adige

▲ Vidor***	1 BDE**JM**NOPQRST **EFGN** 6
▣ Str. de Ruf de Ruacia 15	2 BFPRSTUVW ABDE**FG**H 7
⊡ 1/1 - 1/11, 4/12 - 31/12	3 BELU ABCDEFGIJK**LM**NQRSTUV 8
☎ +39 0462-760022	4 ABEFHILO**PQRSTUVXYZ** GIJKLU 9
@ info@campingvidor.it	5 ACEFGJKLM ABCEFGHJMN**NP**RVY10
	WB 10A CEE ① €26,00
	② €37,00
N 46°25'16'' E 11°42'28''	H1450 2,5 ha 179T(50-130m²) 44D

⌂ Auf der Strecke von Ora nach Canazei (SS48) in Pozza di Fassa am Kreisel rechts. Die Brücke überqueren und den CP-Schildern folgen.

Predazzo, I-38037 / Trentino-Alto Adige CC€18

▲ Valle Verde**	1 ABCDEF**JM**NOPQRST JN 6
▣ Loc. Ischia 2, Sotto Sassa	2 CPVWX BEFGH 7
⊡ 1 Mai - 1 Okt	3 ABEFL BDFJNOQRSTV 8
☎ +39 0462-502394	4 FO LUVW 9
@ camping.valleverde@tin.it	5 ABDEFGIJKL ABDEGHJNOR10
	B 6A CEE ① €32,00
	② €46,00
N 46°18'38'' E 11°37'54''	H1050 1,4 ha 117T(60-110m²)

⌂ A22, Ausfahrt Ora, SS48 Richtung Cavalese/Predazzo. In Predazzo Ausfahrt S. Martino di Castrozza. CP-Schildern folgen.

Racines/Casateia, I-39040 / Trentino-Alto Adige

▲ Gilfenklamm*	1 ABDG**JM**NOPQRS**T** NUVX 6
▣ Jaufenstraße 2	2 ABOPRSWXY ABDE**FG**H 7
⊡ 1/1-11/1,28/4-25/10,4/12-10/1	3 ACLQ ABE**F**JNOQRS 8
☎ +39 0472-779132	4 **IP** GV 9
@ info@ camping-gilfenklamm.com	5 ABDEFGHIJKL ACEGHIJMNOR10
	WB 8A ① €27,40
	② €35,40
N 46°52'58'' E 11°24'29''	H950 4 ha 135T(50-90m²) 4D

⌂ Vom Brenner die Ausfahrt Vipiteno-Sterzing. Noch 2 km Richtung Racines/Casateia.

Rasen/Rasun, I-39030 / Trentino-Alto Adige CC€18

▲ Corones****	1 ADEF**IL**NOPRST AFMNU 6
▣ Rasun di Sotto 124	2 CGPRSVWX ABDE**FG**H 7
⊡ 10/5 - 25/10, 4/12 - 12/4	3 BE**GHIKL** ABCDEFIJK**LM**NQRSV 8
☎ +39 0474-496490	4 **A**EFHIJLO**PRST** IJL 9
@ info@corones.com	5 ABDEGIJKL ABEFGHIJN**NP**TUX10
	WB 10A CEE ① €38,70
	② €52,50
N 46°46'33'' E 12°2'13''	H1050 2,5 ha 135T(70-110m²) 22D

⌂ Von Bruneck (Brunico) Richtung Toblach fahren. Hinter Olang 600m, links Rasen. Weiter CP-Schildern folgen.

Saltaus (Passeiertal)/Meran, I-39010 / Trent.-Alto Ad.

▲ Passeier-Meran***	1 ABF**JM**NOPRST ABNU 6
▣ Pseirerstraße 10	2 ABCGOPRVWX ABDE**FG**H 7
⊡ 28 Mär - 8 Nov	3 A**GKLMN** ABCDEFIJK**LM**NQRSTUV 8
☎ +39 0473-645454	4 FH**TVZ** V 9
@ info@ campingpasseiermeran.com	5 ABEFK ABFGHIJ**P**RY10
	6-10A CEE ① €33,30
	② €41,30
N 46°43'41'' E 11°12'8''	H490 1,3 ha 50T(100m²) 7D

⌂ Vom Rechenpass oder ab Bolzano. Bei Merano den Schildern 'Passeiertal Jaufenpass' über die SS44 folgen. Auf dieser Strecke kommen Sie zum CP. Von Meran sind es noch 9 km.

Italien

San Antonio di Mavignola, I-38086 / Trent.-Alto Adige

⌂ Faè	1 ADEF**JM**NOPQR	6
≋ SS239	2 BFPUVX	ABDE**FG**H 7
☷ 1/1-25/4,1/6-30/9,1/12-30/12	3 BL	BEFHJNOQRS 8
☎ +39 0465-507178	4 A**F**KO	DJ 9
@ info@campingfae.it	5 ABK**L**	ABHIJOSTV10
	WB 3A CEE	❶ €33,00
⬛ N 46°11'8'' E 10°46'49''	2,1 ha 86T(64-72m²) 10D	❷ €47,00

In Dimaro die 239 nehmen. Der CP liegt links, 1 km hinter San Antonio di Mavignola. Ist ausgeschildert.

Sankt Lorenzen, I-39030 / Trentino-Alto Adige

⌂ Wildberg****	1 ABDEFG**JM**NOPQRS	ABF**NU** 6
≋ Dorfstraße 9	2 CGOPRSVWX	ABDE**FG**H 7
☷ 1/5 - 2/11, 4/12 - 12/4	3 BE**KL**	ABCDE**F**JNQRTUV 8
☎ +39 0474-474080	4 E**F**H**T**	IV 9
@ info@camping-wildberg.com	5 KL	ABGHIJM**P**R10
	W 6A CEE	❶ €35,40
⬛ N 46°46'53'' E 11°53'57''	H800 1,4 ha 84T(80-120m²) 12D	❷ €43,40

Von Brixen Richtung Bruneck fahren, durchs Pustertal über die SS49. In Sankt Lorenzen hinter der Brücke rechts ab. Dann den CP-Schildern folgen.

Sankt Sigmund/Kiens, I-39030 / Trent.-Alto Adige

⌂ Gisser***	1 ADEG**IL**NOPRS**T**	ACU 6
≋ Pustertalerstraße 26	2 BCGOPWXY	ABDE**F**H 7
☷ 1 Mai - 31 Okt	3 AEL	ABE**F**NQR 8
☎ +39 0474-569605	4 LO	G 9
@ reception@hotelgisser.it	5 AL	AC**H**JRW10
	7A	❶ €29,40
⬛ N 46°48'29'' E 11°48'42''	H800 2 ha 130T(40-70m²) 25D	❷ €38,40

Von der Anschlussstelle Brixen (Bressanone) Richtung Bruneck (Brunico) durch das Pustertal fahren bis St. Sigmund. Dann den CP-Schildern folgen.

Sarnonico/Fondo, I-38010 / Trentino-Alto Adige

⌂ Camping Park Baita Dolomiti***	1 ABCDEFG**JM**NOPQRST	ABFG 6
	2 FGOPRVXY	ABDE**FG**H 7
≋ Via Cesare Battisti 18	3 ABEF**KL**	ABCDEFNOQRSV 8
☷ 1 Jun - 30 Sep	4 BCDFHO	IJKLY 9
☎ +39 0463-830109	5 AL	ABCGHIJOR10
@ info@baita-dolomiti.it	B 3-6A CEE	❶ €34,80
⬛ N 46°25'17'' E 11°8'23''	H1000 4 ha 150T(70-100m²) 14D	❷ €48,60

A22 Ausf. S. Michelle Mezzocorona. Ri. Val di Non-Fondo-Sarnonico. An der Kreuzung in Dermulo links halten, Ri. Fondo-Sarnonico. NICHT zu empfehlen: von Bozen über den Mendelpass (Passo della Mendola) nach Fondo.

Sexten/Sesto, I-39030 / Trentino-Alto Adige

⌂ Caravan Park Sexten****	1 ABDE**IL**NORST	ABE**FG**N 6
≋ St. Josef-Straße 54	2 BCGOPRSTUVXY	BE**FG**H 7
☷ 1 Jan - 31 Dez	3 AB**CL**MU	ABCDEFIJKL**M**N**P**RVXY 8
☎ +39 0474-710444	4 A**E**FHIJLO**RSTUVYZ**	EGIKU 9
@ info@patzenfeld.com	5 ACDEFGHIJKL	ABEFGHIJM**NP**RVXY10
	WB 16A CEE	❶ €46,40
⬛ N 46°40'6'' E 12°23'59''	H1520 6 ha 268T(80-250m²) 16D	❷ €60,40

Über Toblach Richtung Innichen fahren, dann rechts ab (siehe Schild) nach Sexten. Weiter den Schildern folgen bis zum CP, ca. 4 km hinter Sexten.

St. Josef am See/Kaltern, I-39052 / Trentino-Alto Adige

⌂ Gretl am See	1 BC**JM**NOPQRS**T**	ABLNQRSTXZ 6
≋ Weinstraße 18	2 DFGIKQRTWX	ABDE**FG**H 7
☷ 15 Mär - 15 Nov	3 B	ABCDEFNQRSTUV 8
☎ +39 0471-960244	4	LMPT 9
@ info@camping-gretl.it	5 BDEFHJ	AHIKPSUX10
	B 6A CEE	❶ €33,00
⬛ N 46°22'58'' E 11°15'27''	H224 1 ha 80T(60-100m²)	❷ €42,20

A22/E45 Ausfahrt Neumarkt/Egna fahren. Dann über die SS12 nach Auer (Ora). Von hier die 'Strada del Vino' nach Kaltern. 2. CP rechts.

St. Valentin a.d.H. Graun, I-39020 / Trent.-Alto Ad.

⌂ Thöni**	1 ADE**JM**NOPRST	6
≋ Landstraße 83	2 FOPRW	ABDE**F** 7
☷ 1 Jan - 31 Dez	3 AL**S**	ABCDE**F**JNQR 8
☎ +39 0473-634020	4 FHIO	9
@ thoeni.h@rolmail.net	5 AL	ABF**H**K**P**RV10
	WB 6A CEE	❶ €22,50
⬛ N 46°46'12'' E 10°31'57''	H1470 0,5 ha 30T(80-100m²)	❷ €30,50

Von Österreich über den Reschenpass. Hinter dem Reschensee auf der rechten Seite.

Tenno, I-38060 / Trentino-Alto Adige

⌂ Lago di Tenno**	1 ABDE**JM**NOPRT	6
≋ Loc. Lago di Tenno 7	2 ORTUVXY	ABDE**F** 7
☷ 11 Apr - 30 Sep	3 AL	ABEFJNOQRV 8
☎ +39 0464-502127	4 FHI	D 9
@ info@campinglagoditenno.it	5 ABL	AGHKPSTV10
	B 3-6A CEE	❶ €30,00
⬛ N 45°56'9'' E 10°48'43''	61T(60-90m²) 9D	❷ €44,00

Trento, Ausfahrt S45 bis Verrano. In Sarche S237 nach Ponte Arche. Dort die S421 zum Lago di Tenno. Dort rechts die P37/S240, nach ± 150m CP an der linken Seite.

Terlago, I-38070 / Trentino-Alto Adige

⌂ Laghi di Lamar***	1 ABDEG**JM**NOPQRST	AB 6
≋ Via alla Selva Faeda 15	2 BFGINOPUVX	ABDE**FG**H 7
☷ 1 Apr - 30 Okt	3 ABC**IL**	ABCDEFJKLNRSTUV 8
☎ +39 0461-860423	4 A**E**FGHIOP**Q**S	DEIJLU 9
@ campeggio@laghidilamar.com	5 ABFGKL	ABDGHIJN**P**RV10
	B 3-10A CEE	❶ €33,00
⬛ N 46°6'38'' E 11°2'52''	H750 2 ha 113T(80-100m²) 52D	❷ €46,00

Ausfahrt Trento Nord oder Trento Süd. Dann den SS45B folgen und Ausfahrt 6 Richtung Riva del Garda nehmen. Danach Richtung Valle dei Laghi halten und den CP-Schildern folgen.

Terlago, I-38070 / Trentino-Alto Adige

⌂ Lido Lillà**	1 AB**JM**NOPQRST	LMN**Q**X 6
≋ Via al Lago 5	2 ADJPVXY	ABDE**F** 7
☷ 1 Mai - 30 Sep	3 L	ABEFJNQRTUV 8
☎ +39 0461-865377	4 A**E**FHIP	KLPV 9
@ informazioni@campeggiolidolilla.it	5 ADFGIJKLM	ABHIJL**N**PT10
	B 6A CEE	❶ €40,00
⬛ N 46°5'54'' E 11°3'29''	H450 0,5 ha 30T(80-100m²)	❷ €52,00

In Trento Centro Richtung Riva del Garda fahren. Nach ca. 5 km (hinter Cadine) Schildern folgen.

Tisens/Meran, I-39010 / Trentino-Alto Adige

⌂ Natur Caravanpark Tisens***	1 ABDEG**JM**NOPRST	ABF 6
☷ 1 Jan - 31 Dez	2 FGVWXY	ABDE**FG** 7
☎ +39 0473-927131	3 ALQS	ABCDFJNS 8
@ info@naturcaravanpark-tisens.com	4 EF	9
	5 ABDEFGHIKL	ABFGHIJN**P**STW10
	B 6A CEE	❶ €33,40
⬛ N 46°33'44'' E 11°10'34''	H810 1,7 ha 80T(60-120m²)	❷ €41,40

Ausfahrt Meran-Süd Richtung Lana. Dann Richtung Gampenpass. Nach 4 km der Strecke nach Tisens folgen. In Tisens den CP-Schildern folgen.

Toblach/Dobbiaco, I-39034 / Trent.-Alto Adige

⌂ Olympia****	1 ADEF**JM**NOPRS**T**	AFG**NU** 6
≋ Campingstr. 1	2 CGOPTVWX	BE**FG**H 7
☷ 1 Jan - 31 Dez	3 AE**GLM**	BCDFIJLNQRSTUV 8
☎ +39 0474-972147	4 A**E**FHILO**PSTUVZ**	DIKV 9
@ info@camping-olympia.com	5 ACDEFGIJKL	AEFHIK**N**OR10
	WB 6A CEE	❶ €38,90
⬛ N 46°44'3'' E 12°11'38''	H1250 5 ha 220T(80-90m²) 83D	❷ €48,60

Von Bruneck (Pustertal) Richtung Toblach fahren. An der Ausfahrt Niederdorf, Zentrum Niederdorf folgen. Am Ortsausgang den CP-Schildern folgen.

Toblach/Dobbiaco, I-39034 / Trent.-Alto Ad.

⌂ Toblacher See***	1 ABDE**JM**NOPRST	**N** 6
≋ Toblacher See 3	2 BDGIOPRTUVWX	ABDE**FG**H 7
☷ 1/1 - 31/10, 20/12 - 31/12	3 AEL	ABCDEFIJKLMNQRSTUV 8
☎ +39 0474-973138	4 AFH	PUV 9
@ camping@toblachersee.com	5 ADEFGJKL	ABEGHIJM**N**OR10
	WB 6A CEE	❶ €40,40
⬛ N 46°42'23'' E 12°13'5''	H1259 2,5 ha 132T(80-130m²)	❷ €57,40

Vom Pustertal aus Ausfahrt Richtung Cortina über die SS51. Nach 2 km liegt der CP an der rechten Seite.

Völlan/Lana, I-39011 / Trentino-Alto Adige

⌂ Alpinfitness Waldcamping Völlan***	1 ABDEF**JM**NOPRS**T**	A 6
	2 BFGOPTUWXY	ABDE**FG**H 7
≋ Feldweg 12	3 ABFLS	ABEFJNQR 8
☷ 1 Apr - 1 Nov	4 IO	9
☎ +39 0473-568138	5 ABGL	ABFGHJ**N**ORV10
info@alpinfitness-waldcamping.it	6A	❶ €34,40
⬛ N 46°35'53'' E 11°8'58''	H620 2,5 ha 45T(80-100m²)	❷ €42,40

Von Meran-Süd, Richtung Lana. In Lana Richtung Gampen-Pass. Nach ca. 3 km nach rechts Richtung Völlan. In Völlan gibt es zwei Campings; hier ist es der zweite davon.

Völlan/Lana, I-39011 / Trentino-Alto Adige

⌂ Völlan***	1 ABDEF**JM**NOPRS	A 6
≋ Zehentweg 6	2 FPRUVWXY	ABE**FG**H 7
☷ 24 Mär - 3 Nov	3 AL	ABDEFNQRSTV 8
☎ +39 0473-568056	4 EFHIO	9
@ info@camping-voellan.com	5 ACK	ABHIJOR10
	6A CEE	❶ €35,40
⬛ N 46°35'56'' E 11°8'44''	H680 1 ha 50T(60-90m²) 5D	❷ €43,40

Von Bolzano oder Merano SS38, Ausfahrt Lana. In Lana Ausfahrt Gampen-Pass folgen, dann den Schildern Völlan. In Völlan den CP-Schildern folgen.

Völs am Schlern, I-39050 / Trentino-Alto Adige

⌂ Seiser Alm GmbH****	1 ABCDEF**JM**NOPRS	AB**N** 6
≋ Sankt Konstantin 16	2 FOPRSTUVWX	ABDE**FG**H 7
☷ 1/1 - 2/11, 20/12 - 31/12	3 B**GJK**L	ABCDEFIJKL**M**NQRSTUV 8
☎ +39 0471-706459	4 A**B**EFGHIKLO**PT**	DIKLU 9
@ info@camping-seiseralm.com	5 ACDEGIJKL	ABCEGHJLMOTUVX10
	WB 16A CEE	❶ €42,80
⬛ N 46°32'0'' E 11°32'1''	H900 2,5 ha 150T(90-140m²) 10D	❷ €55,40

Ausfahrt Bolzano-Nord, links ab Richtung Blumau, im Tunnel links, Richtung Völs (7 km), nach 3,5 km links CP Seiser Alm.

496 Teilkarte Trentino/Südtirol auf Seite 491

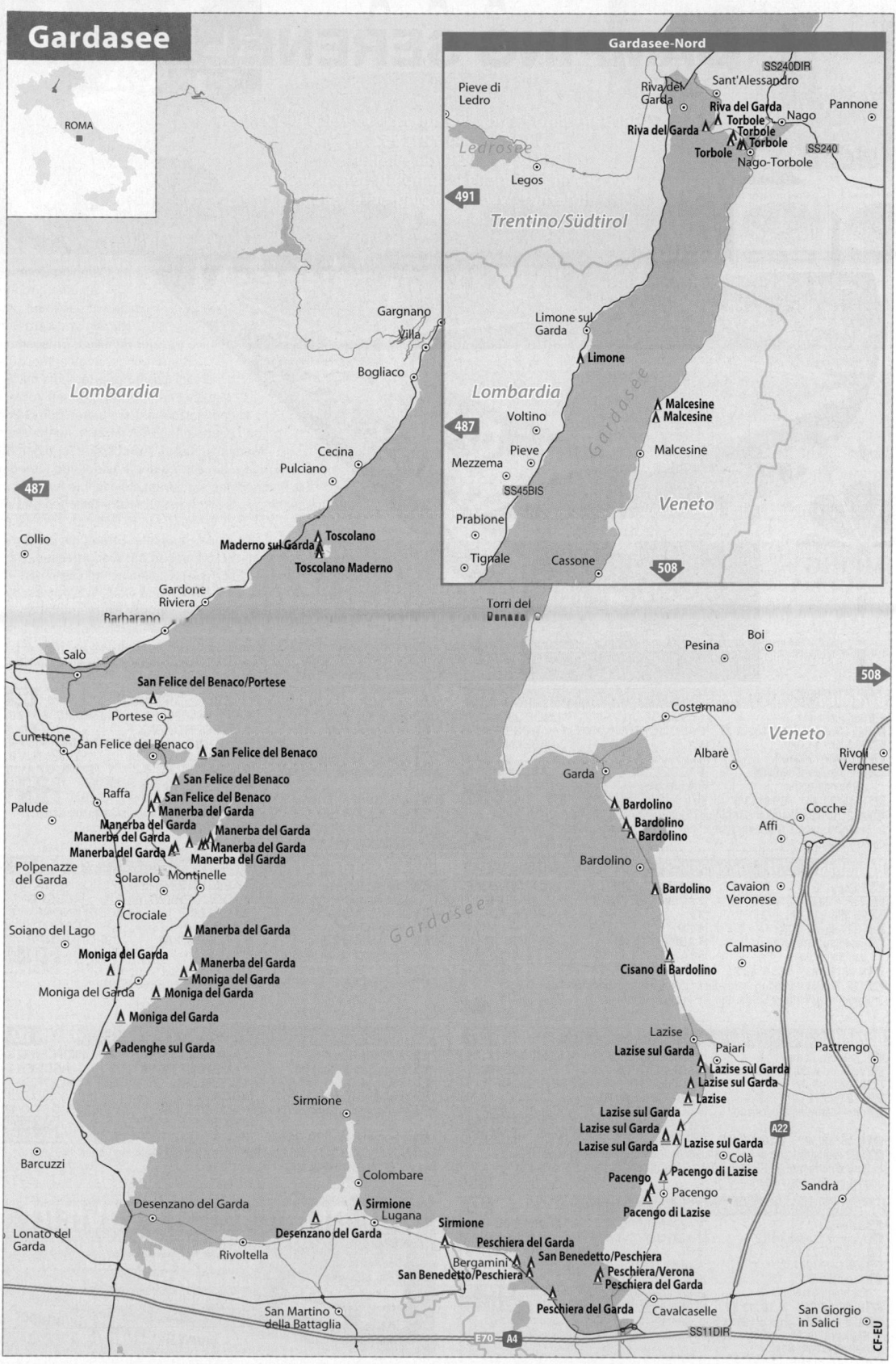

Gardasee

ROMA

Gardasee-Nord

Pieve di Ledro

Riva del Garda
Sant'Alessandro
SS240DIR
Riva del Garda
Torbole
Pannone
Riva del Garda
Torbole
Nago
Torbole
Torbole
SS240
Torbole
Nago-Torbole

Legos

491

Trentino/Südtirol

Limone sul Garda

Limone

Lombardia

Malcesine
Malcesine
Voltino

487

Pieve
Malcesine
Mezzema
SS45BIS

Prablone
Veneto

Tignale
Cassone

508

Ledrosee

Lombardia

Gargnano
Villa

Bogliaco

Cecina
Pulciano

487

Collio

Maderno sul Garda
Toscolano
Toscolano Maderno

Gardone Riviera
Barbarano

Torri del Benaco

Pesina
Boi

Salò

San Felice del Benaco/Portese

Portese

Costermano

Cunettone
San Felice del Benaco
San Felice del Benaco

Albarè

Veneto

Rivoli Veronese

Raffa
San Felice del Benaco
San Felice del Benaco
Manerba del Garda

Garda

Cocche

Palude
Manerba del Garda
Manerba del Garda
Manerba del Garda
Manerba del Garda
Manerba del Garda

Bardolino
Bardolino
Bardolino

Affi

Polpenazze del Garda
Solarolo
Montinelle

Bardolino

Cavaion Veronese

Crociale
Manerba del Garda

Bardolino

Calmasino

Soiano del Lago
Manerba del Garda
Moniga del Garda
Moniga del Garda

Cisano di Bardolino

Moniga del Garda
Moniga del Garda
Moniga del Garda
Moniga del Garda

Padenghe sul Garda

Gardasee

Barcuzzi

Sirmione

Lazise
Lazise sul Garda
Paiari
Pastrengo

Lazise sul Garda
Lazise sul Garda
Lazise

Colombare

Lazise sul Garda
Lazise sul Garda
Lazise sul Garda
Lazise sul Garda

A22

Colà

Desenzano del Garda

Sirmione
Lugana
Sirmione

Pacengo
Pacengo di Lazise
Pacengo

Sandrà

Rivoltella

Desenzano del Garda

Pacengo di Lazise

Lonato del Garda

Peschiera del Garda
Bergamini
San Benedetto/Peschiera
San Benedetto/Peschiera
Peschiera/Verona
Peschiera del Garda

San Martino della Battaglia

Peschiera del Garda
Cavalcaselle
San Giorgio in Salici

E70 A4
SS11DIR

CF-EU

Italien

508

★ ★ ★

CAMPING SERENELLA

37011 Bardolino • Loc. Mezzariva, 19 • Tel. 045-7211333
Fax 045-7211552
Lago di Garda - Italien
E-Mail: serenella@camping-serenella.it
Internet: www.camping-serenella.it

UNI EN ISO 9001:2000 — CERTIQUALITY — SISTEMA DI GESTIONE QUALITÀ CERTIFICATO

UNI EN ISO 14001 — CERTIQUALITY — SISTEMA DI GESTIONE QUALITÀ CERTIFICATO

CAMPING SERENELLA

Camping Serenella
an einem ruhigen
mitten in der Natur, zwisc
Hügeln und dem See. I
für Familien, Entspannung
Sport. Mit gut angelegten, schatt
Stellplätzen, Appartements mit Seeb
Mobilheime, Wohnwagen mit Vorzelten
kleine Holzbungalows bieten den Gästen
prima Unterkunft. Ein Animationsteam veransta
Windsurf-, Kanu-, Aerobicskurse, einen Minic
Turniere am Strand und Festabende für jederm
Am Platz gibt es eine Wasserskischule für Anfänger
Fortgeschrittene. Sie können Gleitschirmfliegen und Ausf
mit dem Boot zu den verschiedenen Örtchen am See mac
Außerdem gibt es einen Parkplatz, Strand mit Liegewiese
Bootssteg zum Sonnen, Schwimmbad mit Kinderbecken, Restau
mit gemütlicher Terrasse und typisch italienischen Gerichten, Pizz
Bar, Supermarkt und Kiosk mit Gemüse und Obst, Waschmaschinen
Kinderspielplatz. Direkt am See, nicht weit von der Brennerautobahn, Abf
AFFI. Es bieten sich Ausflüge mit dem Auto, Fahrrad oder Bus an: zum Me
Baldo, entlang der Weinstraße und auch zu den Kunststädten Verona, Venedig
Mantua. Ab Ende November kann man reservie

Bardolino, I-37011 / Gardasee 📶 iD

△ Continental**	1 AJMNOPQRT	LNOPQSWXZ 6
🏠 Via Gardesana Dell'Acqua 15	2 ADGIJOPRTVWXY	ABDEFGH 7
⚡ 28 Mär - 11 Okt	3 A	ABEFNOQR 8
☎ +39 045-7210192	4 O	JLUV 9
@ camping.continental@	5 ACDEFGJL	ABGHIJPST 10
campingarda.it	B 4-6A CEE	① €37,50
🏕 N 45°33'25'' E 10°43'5''	H76 3 ha 153T(60-100m²) 129D	② €55,90

🚌 A22, Ausfahrt Lago di Garda Sud, dann Richtung Bardolino/Lago di Garda.
In Bardolino rechts Richtung Garda über die N249. Nach dem Städtchen CP
direkt am See.

Bardolino, I-37011 / Gardasee 📶 iD

△ Europa**	1 ABJKNOPQRST	LNOPQSWXZ 6
🏠 Via Santa Cristina 12	2 ADGIJOPRVWXY	ABDEFGH 7
⚡ 25 Mär - 10 Okt	3 I	ABEFNQRV 8
☎ +39 045-7211089	4 OP	EJ 9
@ camping.europa@	5 ABDEFGJLM	AGHIJPR 10
campingarda.it	B 6A CEE	① €37,50
🏕 N 45°32'33'' E 10°43'31''	H65 1,2 ha 90T(65-85m²) 54D	② €55,90

🚌 A22, Ausfahrt Lago di Garda Sud, dann Richtung Bardolino/Lago di Garda.
In Bardolino Richtung Gardesana. CP liegt am Ortsrand.

Bardolino, I-37011 / Gardasee 📶 CC16 iD

△ La Rocca Camp***	1 ABCDEJMNOPQRST	AFHLNOPQRSWXYZ 6
🏠 Via Gardesana dell' Acqua 37	2 ADFGIJOPUVWXY	ABDEFGH 7
⚡ 27 Mär - 3 Okt	3 BCDEFLRT	ABCDEFIKNOQRSV 8
☎ +39 045-7211111	4 ABCDEILOPRU	EIKLQUV 9
@ info@campinglarocca.com	5 ACDEFGJLM	ABEFGHIJMNPR 10
	Anzeige auf Seite 500 B 6-16A CEE	① €41,70
🏕 N 45°33'52'' E 10°42'46''	H68 8 ha 282T(20-120m²) 155D	② €61,10

🚌 A22 Ausfahrt Lago di Garda Süd, dann Richtung Bardolino/Lago di Garda.
In Bardolino rechts ab Richtung Garda über die N249. Der CP liegt am See
und ist gut ausgeschildert.

Bardolino, I-37011 / Gardasee 📶 ✿ CC16 iD

△ Serenella***	1 ABDEHKNOPQRT	AFLNOPQRSWXZ 6
🏠 Località Mezzariva 19	2 ADGIJOPTVWXY	ABDEFGH 7
⚡ 21 Mär - 25 Okt	3 BL	ABCDEFIKLMNORV 8
☎ +39 045-7211333	4 ABDILOPR	EGIJLTUV 9
@ serenella@	5 ACDEFGJKL	ABGHIJPST 10
camping-serenella.it	Anzeige auf dieser Seite B 6A CEE	① €41,00
🏕 N 45°33'33'' E 10°42'59''	H70 5 ha 276T(65-100m²) 209D	② €62,00

🚌 A22 Ausfahrt Lago di Garda-Sud, dann Richtung Bardolino/Lago di Garda.
In Bardolino rechts Richtung Garda über die N249. Hinter Bardolino liegt
der CP direkt am See.

Cisano di Bardolino, I-37010 / Gardasee 📶 ✿ CC16 iD

△ Cisano/San Vito****	1 ABDEHKNOPQRST	AFHLMNOPQSWXYZ 6
🏠 Via Peschiera 48	2 DGHOPRTUVWXY	ABDEFG 7
⚡ 21 Mär - 11 Okt	3 BEILRST	ABCDEFGIKLMNORSV 8
☎ +39 045-6229098	4 ABCDILPRY	EGIJKLTUV 9
@ cisano@camping-cisano.it	5 ACDEFGJLM	ABGHIJORXY 10
	Anzeige auf Seite 499 B 6A CEE	① €44,00
🏕 N 45°31'32'' E 10°43'43''	H76 15 ha 460T(50-110m²) 303D	② €66,00

🚌 A22, Ausfahrt Lago di Garda Sud, dann Richtung Bardolino/Lago di Garda.
In Bardolino links Richtung Lazise über die N249. Kurz nach Cisano
Campingplatz direkt am See.

Desenzano del Garda, I-25015 / Gardasee 📶 CC16 iD

△ Camping Village San Francesco****	1 ABDJMNOPQRST	AFLNQSUVWXYZ 6
🏠 Str.Vic.S.Francesco	2 ADGIJOPRVWXY	ABDEFGH 7
⚡ 1 Apr - 30 Sep	3 AEKLMN	ABCDEFKNQRSTU 8
☎ +39 030-9110245	4 ABDILOP	CEOQTUV 9
booking@campingsanfrancesco.com	5 ACDEFGJKM	ABFGHIJMNPRX 10
	B 6A CEE	① €51,00
🏕 N 45°27'56'' E 10°35'41''	H66 10,4 ha 295T(60-96m²) 151D	② €70,40

🚌 A4 Milano-Venezia, Ausfahrt Sirmione. CP ist ausgeschildert.

Lazise, I-37017 / Gardasee 📶 CC16 iD

△ Park Delle Rose***	1 ABDEHKNOPQRST	AFHLMNOPQSWXZ 6
🏠 Strada San Gaetano 20	2 ADGHJOPTVWXY	ABDEFH 7
⚡ 18 Apr - 4 Okt	3 BEFIKLMN	ABCDEFKLMNORSV 8
☎ +39 045-6471181	4 BCDLNORY	EILUV 9
@ info@campingparkdellerose.it	5 ACDEFGJKM	ABGHIJOSTXY 10
	B 6A CEE	① €46,00
🏕 N 45°29'21'' E 10°43'54''	H65 9,2 ha 414T(70-95m²) 108D	② €58,00

🚌 A22, Ausfahrt Lago di Garda Sud, über die N249 Richtung Lazise. Bei Lazise
ist der CP ausgeschildert.

Camping
CISANO
★ ★ ★ ★
San Vito

Dieser Familiencamping verfügt über schöne Stellplätze von
90-100 m². Gute Sanitäreinrichtungen. Schwimmbad (auch für
kleine Kinder geeignet), Fußballfeld, Kinderspielplatz und ein
Freizeitprogramm tragen dazu bei, einen schönen und ruhigen
Urlaub zu verleben. Reservieren möglich.
Direkt am Gardasee. Eigener Sandstrand, ideal für Ihre Kinder.
Außerdem Wassersport geeignet. Ruhig gelegenes Gelände mit
erstklassigen Einrichtungen und Service. Zu unserem Service
gehören: Bogenschießen, Fitness, Kanu fahren, Aerobic,
Kinderkino, Spiele, Feste und gesellige Abende für jedermann.
Und noch viel mehr. Spazierweg nach Bardolino und Lazise.
Vermietung von Zimmern, Appartements, Bungalows, Caravans
und Mobilheimen mit eigener Dusche und Toilette.

Via Peschiera 48, I-37010 Cisano di Bardolino (VR) Italien
Montag bis Freitag 9.00 bis 12.00 und 14.00 bis 17.00 Uhr:
Tel. 045-6229098 • Fax 045-6229059
E-Mail: cisano@camping-cisano.it
Internet: www.camping-cisano.it

Lazise sul Garda, I-37017 / Gardasee

Amici di Lazise***		
Strada del Roccolo 8	1 ACDEG**JM**NOPQRST	AF 6
1/1 - 7/1, 1/2 - 31/12	2 AGOPRVWXY	ABDE**FG** 7
+39 045-6490146	3 A**KL**	ABEFJNORT 8
info@campingamicidilazise.it	4 NO	E 9
	5 ABDEFGIKM	ABFGHIJOTUVW 10
	Anzeige auf dieser Seite B 6A CEE	❶ €34,00
N 45°28'45'' E 10°43'35''	H109 1,6 ha 60T(50-60m²) 37D	❷ €43,00

A22, Ausfahrt Lago di Garda Sud Richtung Lazise/Peschiera. CP ausgeschildert.

Lazise sul Garda, I-37017 / Gardasee

Belvedere***		
Strada del Roccolo 11	1 ABDE**JM**NOPQRT	AFHIL**N**OPQSWXYZ 6
27 Mär - 4 Okt	2 ADFGHJOPTUVWXY	ABDE**FGH** 7
+39 045-7590228	3 BEF**KLM**	ABEFNORSV 8
info@campingbelvedere.com	4 BLOU	EKNPQTV 9
	5 ACDEFGJL**M**	ABDGHIJ**O**RY 10
	Anzeige auf dieser Seite B 4-6A CEE	❶ €41,00
N 45°28'47'' E 10°43'22''	H75 6 ha 260T(70-90m²) 119D	❷ €57,00

A22 Ausfahrt Lago di Garda-Sud, dann Richtung Lazise/Lago di Garda über die N249. Hinter Lazise den Schildern folgen. Vor Caneva Sport CP direkt am See.

Lazise sul Garda, I-37017 / Gardasee

Fossalta***		
Loc. Fossalta str.	1 BDE**JM**NOPQRST	AFLNOPQSWXYZ 6
del Roccolino 22	2 ADFGHJOPTUVWXY	ABDE**FH** 7
27 Mär - 30 Sep	3 BE**KLM**	ABEFJKNORSV 8
+39 045-7590231	4 BLO	EJLNQRTV 9
info@fossalta.com	5 ACDG**KLM**	ABGHIJPSTYZ 10
	Anzeige auf dieser Seite B 4A CEE	❶ €40,50
N 45°28'49'' E 10°43'21''	H70 6 ha 272T(60-135m²) 30D	❷ €52,10

A22, Ausfahrt Lago di Garda Sud, dann Richtung Bardolino/Lago di Garda. In Bardolino links Richtung Peschiera. Nach Lazise ist der Camping gut ausgeschildert.

Lazise sul Garda, I-37017 / Gardasee

Piani di Clodia****		
Via Fossalta 42	1 ABCDE**JM**NOPQRST	AFHIL**N**OPQSWX**Z** 6
5 Apr - 12 Okt	2 ADGJOPTUVWXY	ABC**DEFGH** 7
+39 045-7590456	3 BCDEF**KLMN**Q ABCDEF**GIJKLMN**OQRSTUV 8	
info@pianidiclodia.it	4 BCDILNO**PRY**	EJLNPTUV 9
	5 ACDEFGHJKLM	ABEFGHIJMN**O**RY 10
	Anzeige auf Seite 501 B 16A CEE	❶ €60,80
N 45°28'58'' E 10°43'42''	H70 29 ha 968T(50-110m²) 497D	❷ €77,80

A22, Ausfahrt Lago di Garda Sud, dann Richtung Bardolino/Lago di Garda. Bei Bardolino links auf die N249, Richtung Lazise. CP außerhalb des Ortes hinter dem CP Ideal.

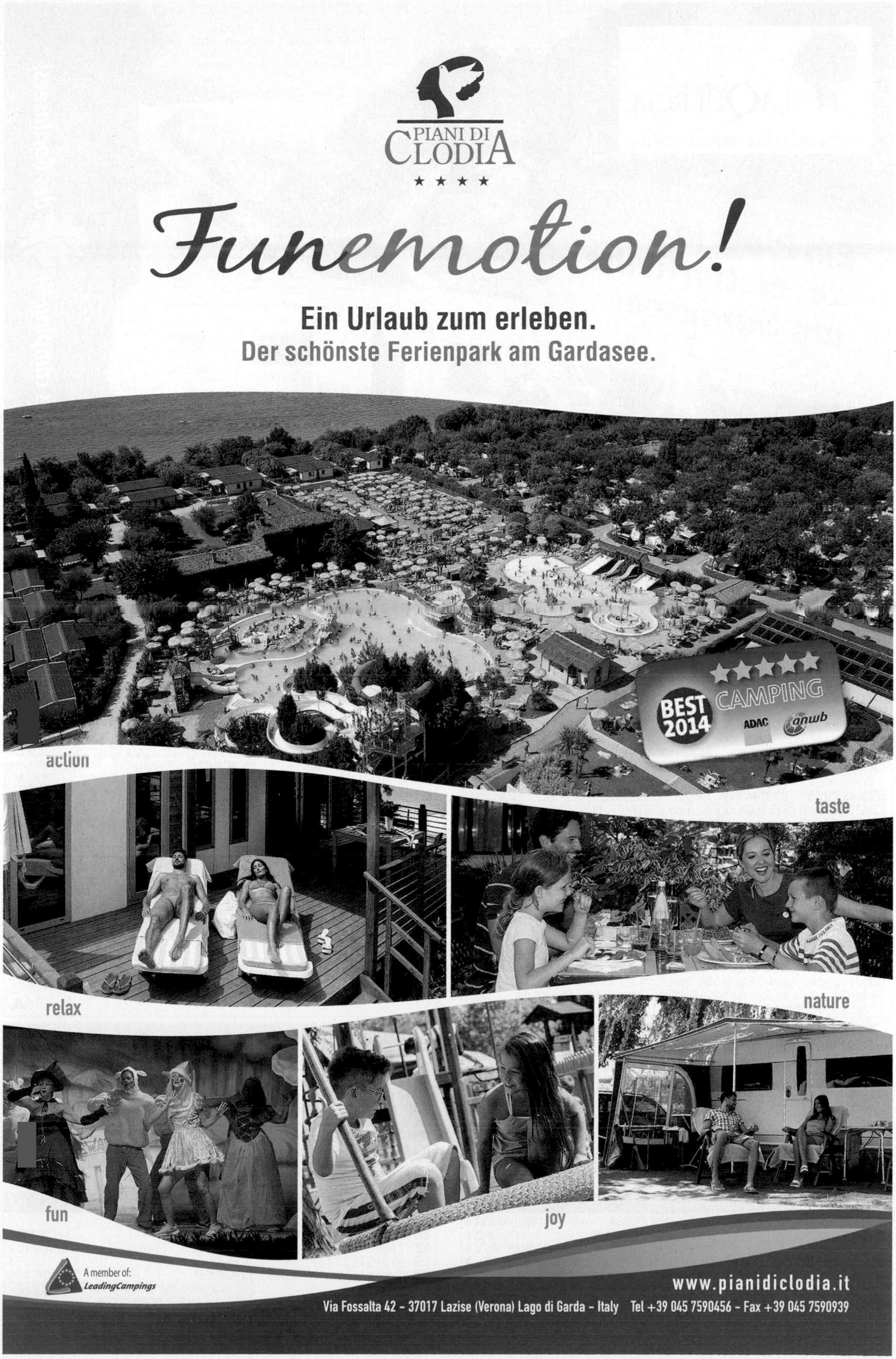

Teilkarte Gardasee auf Seite 497

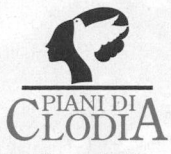

Lazise sul Garda, I-37017 / Gardasee

🏕 du Parc***	1 BDEILNOPQRST ABFGHLMNOPQSWXYZ 6
🏠 Via Gardesana 110	2 ADGJOPTUVWXY ABDEFG 7
📅 15 Mär - 31 Okt	3 BEFKL ABEFKNQRSTUV 8
☎ +39 045-7580127	4 ABCDLNOPR EJLQTU 9
@ duparc@camping.it	5 ACDEFGHJL ABGHIJNPSTX 10
	B 5A CEE ① €48,10
📍 N 45°29'55'' E 10°44'14''	H50 6 ha 300T(70-100m²) 184D ② €65,40

A22, Ausfahrt Lago di Garda Sud, dann Richtung Bardolino/Lago di Garda. Bei Bardolino links ab auf die N249 Richtung Lazise. CP liegt hinterm Dorf, rechts der Straße.

Lazise sul Garda, I-37017 / Gardasee

🏕 La Quercia****	1 BDEIJMNOPQRST ABFGHILMNOPQRSWXYZ 6
🏠 Località Bottona	2 ADGHOPRTVWXY ABDEFG H 7
📅 23 Mär - 4 Okt	3 BEFIKLMNQR ABCDEFKNQRSV 8
☎ +39 045-6470577	4 ABCDIJLNORTXY EJLMT 9
@ laquercia@laquercia.it	5 ACDEFGJKLM ABGHIJMNORYZ 10
	Anzeige auf dieser Seite B 6-20A CEE ① €54,95
📍 N 45°29'36'' E 10°43'59''	H70 20 ha 900T(70-140m²) 230D ② €77,00

A22, Ausfahrt Lago di Garda Süd, dann Richtung Bardolino/Lago di Garda. Bei Bardolino links ab über die N249 Richtung Lazise. Nach Lazise ist der CP gut ausgeschildert.

Lazise sul Garda, I-37017 / Gardasee

🏕 Spiaggia d'Oro***	1 ADEJMNOPQRST ABFGHILMNOPQSWXZ 6
🏠 Via Gardesana 122	2 ADGHOPTUVWXY ABDEFG 7
📅 20 Mär - 18 Okt	3 BDEFKLMNQ ABEFJKNORSV 8
☎ +39 045-7580007	4 BCDILNOPRY EJLMQTV 9
@ info@	5 ACDEFGJLM AGHIJMPRXY 10
campingspiaggiadoro.com	Anzeige auf Seite 503 B 6-10A CEE ① €53,00
📍 N 45°29'49'' E 10°44'16''	H70 15 ha 890T(80-100m²) 259D ② €70,50

A22, Ausfahrt Lago di Garda Sud, dann Richtung Bardolino/Lago di Garda. In Bardolino links Richtung Lazise über die N249. Kurz nach Lazise CP gut ausgeschildert.

Limone, I-25010 / Gardasee

🏕 Campingpark Garda***	1 BJLNOPQRST AFLMNPQRSTX 6
🏠 Via IV Novembre 10	2 DGJPRUVXY ABDEF 7
📅 1 Apr - 31 Okt	3 M ACDEFNORV 8
☎ +39 0365-954550	4 O EJKL 9
@ info@hg-hotels.com	5 ACEFJK ABGHIKST 10
	3A CEE ① €38,00
📍 N 45°48'20'' E 10°47'16''	H80 2,3 ha 200T(40-60m²) 62D ② €53,00

Von Riva del Garda die SS45bis Richtung Salò fahren. Durch mehrere Tunnel kommt man in Limone. Hinter Limone bei der Tamoil Tankstelle, CP auf der linken Seite.

Maderno sul Garda, I-25080 / Gardasee

🏕 Riviera***	1 ABJMNOPQRST ALNOPQSWXY 6
🏠 Via Promontorio 59	2 DFJOPRVWXY ABDEF H 7
📅 1 Apr - 30 Sep	3 BKL ABEFKNORT 8
☎ +39 0365-643039	4 ABP EJKL 9
@ info@camping-riviera.com	5 ABEFGK AGHIJOR 10
	3A CEE ① €37,00
📍 N 45°38'4'' E 10°36'47''	3,8 ha 160T(64-100m²) 150D ② €49,00

Von Riva del Garda Richtung Salò über die SS45bis. Hinter Gargnano Richtung Toscolano fahren. Der CP wird gut ausgeschildert. CP liegt am See.

Malcesine, I-37018 / Gardasee

🏕 Claudia**	1 ABJMNOPQRST LNOPQRSTXZ 6
🏠 Via Gardesana 394	2 DJOPTVWXY ABDEFG H 7
📅 26 Mär - 18 Okt	3 ALMN ABEFJKNRST 8
☎ +39 045-7400786	4 FHO KLV 9
@ info@campingclaudia.it	5 ABDEFGJKL ABGHIJPST 10
	Anzeige auf dieser Seite B 6A CEE ① €32,00
📍 N 45°47'18'' E 10°49'23''	H60 1 ha 66T(45-80m²) 19D ② €42,00

A22 Ausfahrt Rovereto-Sud. Der SS240 folgen. In Torbole Richtung Malcesine, SS249 Gardesana. Hinter Navene ist der CP ausgeschildert.

Malcesine, I-37018 / Gardasee

🏕 Lombardi**	1 BJMNOPQRST 6
🏠 Via Navene Vecchia 141	2 PVWXY ABDEFG 7
📅 27 Mär - 31 Okt	3 ALMN ABEFNRSV 8
☎ +39 045-7400849	4 FHO 9
@ info@campinglombardi.it	5 ABDGL ABFGHIJOSTV 10
	Anzeige auf Seite 503 B 6A CEE ① €32,00
📍 N 45°47'3'' E 10°49'18''	H80 1,1 ha 63T(55-90m²) 20D ② €42,00

A22, Ausfahrt Rovereto Sud/Lago di Garda Nord, SS249 Richtung Malcesine. Bei Localita Campagnola Schild nach links folgen. Anschließend Schildern Lombardi nachfahren.

Packen Sie Ihre Koffer!

Es ist Zeit für einen Campingurlaub an einem goldenen Sandstrand, an den Ufern eines tiefblauen Sees und inmitten der Natur, ...in einer Umgebung, die viele Aktivitäten und Attraktionen für die ganze Familie bietet.

Italien

Manerba del Garda, I-25080 / Gardasee 🛜 CC€18 iD

 Baia Verde★★★★
🏠 Via dell'Edera, 19
📅 28 Mär - 3 Okt
☎ +39 0365-651753
@ info@campingbaiaverde.com

1 ABD**JM**NOPQRST — AFNOSWX 6
2 CGOPVX — ΛBDE**FGH** 7
3 BEFL   ABCDEFIJKLMNOPQRSTUV 8
4 ABDELNOUY — EKL 9
5 ACDEFGIL — ABFHIJ**P**R10
B 16A CEE — ① €58,50
H75 3 ha 89T(80-90m²) 46**D** — ② €77,50

🗺 N 45°33'41'' E 10°33'13''
🚗 A4 Ausfahrt Desenzano, dann Richtung Salò über die SS572.
Bei Manerba del Garda den CP-Schildern folgen. 〽

Manerba del Garda, I-25080 / Gardasee 🛜 iD

 Rio Ferienglück★★
🏠 Via Rio
📅 1 Apr - 30 Sep
☎ +39 0365-551450
@ rioferienglueck@gardalake.it

1 AB**J**MNOPQRS**T** — AFLNPQSX**Y** 6
2 DJKOPRWXY — ABDE**FG** 7
3 BE — ABCDEFNOR 8
4 R — FIKL 9
5 ACDGK — AGHIJ**OR**10
B 6A CEE — ① €30,00
3 ha 250T(60m²) 26**D** — ② €41,00

🗺 N 45°33'46'' E 10°33'32''
🚗 A4 Ausfahrt Desenzano Richtung Salò über die SS572. Bei Manerba Straße verlassen, durch CP- bzw. gelbe und braune Schilder gekennzeichnet. CP am See. 〽

Manerba del Garda, I-25080 / Gardasee 🛜

 Belvedere★★★
🏠 Via Cavalle 5
📅 27 Mär - 4 Okt
☎ +39 0365-551175
@ info@camping-belvedere.it

1 BCD**JM**NOPQRST — AFLMNPQSWXY 6
2 ADFJKOPRUVXY — ABDE**FGH** 7
3 B**KL** — ABCDEFNORU 8
4 **A**O — ELQV 9
5 ACDEFGHJK — ABFGHIJ**P**ST10
B 6A CEE — ① €33,00
H67 2 ha 90T(62-100m²) 47**D** — ② €44,90

🗺 N 45°33'43'' E 10°33'47''
🚗 A4 Ausfahrt Desenzano, dann Richtung Salò über die SS572, bei Manerba del Garda die Straße verlassen, CP ist durch braune Schilder gekennzeichnet, direkt am See. 〽

Manerba del Garda, I-25080 / Gardasee 🛜

 Rolli★★
🏠 Via dell'Edera 18
📅 1 Apr - 30 Sep
☎ +39 0365-551353
@ campingrolli@virgilio.it

1 B**JM**NOPQRST — AFLM**N**PQSWXY 6
2 DGJOPVY — ABDE**F** 7
3 BEL**MQ** — ABDE**F**NOR 8
4 EM — EHI 9
5 DG — ABGHJPR10
B 4A CEE — ① €33,40
H67 3 ha 137T(60-90m²) 96**D** — ② €45,40

🗺 N 45°33'39'' E 10°33'8''
🚗 A4, Ausfahrt Desenzano Ri. Salò über SS572 bei Manerba del Garda. Den CP-Schildern folgen. 〽

Manerba del Garda, I-25080 / Gardasee 🛜

 La Rocca★★★★
🏠 Via Cavalle 22
📅 28 Mär - 30 Sep
☎ +39 0365-551738
@ info@laroccacamp.it

1 BCD**JM**NOPQRT — AFLNQSW**X** 6
2 DGJOPRUVY — ABDE**FGH** 7
3 BF**KLM** — ABCDEFNORV 8
4 **A** — EHILV 9
5 ABDG — ABGHIJOST10
B 4-10A CEE — ① €38,00
H70 5 ha 210T(75-80m²) 68**D** — ② €52,00

🗺 N 45°33'43'' E 10°33'52''
🚗 A4, Ausfahrt Desenzano. Dann Ri. Salò über die SS572. In Manerba del Garda die Straße verlassen. Gelben CP-Schildern folgen. Der CP liegt am See. 〽

Manerba del Garda, I-25080 / Gardasee 🛜 iD

 San Biagio★★★
🏠 Via Cavalle 19
📅 10 Apr - 30 Sep
☎ +39 0365-551549
@ info@campingsanbiagio.net

1 ABDEF**JM**NOPRST — LMNQSWXY**Z** 6
2 DFGJQRUWXY — ABDE**FGH** 7
3 AL — ABCDEFNQRV 8
4 I**O**P — J 9
5 ABEFGJL — ABEHIJ**P**R10
16A CEE — ① €52,50
28 ha 160T(35-85m²) 19**D** — ② €68,50

🗺 N 45°33'49'' E 10°33'59''
🚗 A4 Ausfahrt Desenzano, dann Richtung Salò über die SS572. Weiter den CP-Schildern folgen. CP liegt am See und der Insel. 〽

Manerba del Garda, I-25080 / Gardasee 🛜 iD

 Sanghen★★★★
🏠 Viale Catullo 56
📅 15 Mai - 28 Sep
☎ +39 0365-5531
@ info@villenparksanghen.com

1 ABDGHKNORT — ALMNPQS**X**Y**Z** 6
2 DFGJOPRVX — BDE**FG** 7
3 BE**KLMN** — ABCDEFLNR 8
4 **A**BILORY — IJL 9
5 ABEFGJ — ABEHIJ**P**R10
B 4-6A CEE — ① €46,50
H67 6 ha 80T(60m²) 135**D** — ② €69,50

🗺 N 45°34'21'' E 10°32'46''
🚗 A4, Ausfahrt Desenzano Ri. Riva über die SS572 oder A22, Ausfahrt Trento Ri. Riva über die SS45Bis. Dann Richtung Salò entlang dem See. In Salò gut ausgeschildert. 〽

Manerba del Garda, I-25080 / Gardasee 🛜

🏕 Sivino's Resort	1 BDEILNOPRST	LMNOQSWXYZ 6
🏠 Via Gramsci, 78	2 DFGJKMPTWXY	ABDF 7
📅 1 Apr - 22 Sep	3 EK	AEFNOR 8
☎ +39 0365-552767	4	HI 9
@ info@sivinos.it	5	ABHJOT 10
	6A CEE	① €48,50
📍 N 45°31'55'' E 10°33'25''	H60 3 ha 75T(60-105m²) 15D	② €64,50

🚗 A4 Ausfahrt Desenzano, Richtung Salò. Bei Moniga del Garda der Via San Sivino folgen. Den braunen CP-Schildern folgen und weiter bis zum Straßenende fahren (± 300m, inkl. 3 bis 4 Kurven). 🏕

Manerba del Garda, I-25080 / Gardasee 🛜 CC€16 iD

🏕 Zocco***	1 ABDFILNOPQRST	AFLMNPQSWXYZ 6
🏠 Via del Zocco 43	2 DFJOPRUVWXY	ABDEFGH 7
📅 24 Apr - 27 Sep	3 BEKLMQ	ABCDEFKNORS 8
☎ +39 0365-551605	4 ABCDIOPY	IJKLNOUVW 9
@ info@campingzocco.it	5 ACEFGI	ABGHIJPR 10
	Anzeige auf Seite 506 B 6A CEE	① €35,00
📍 N 45°32'24'' E 10°33'22''	H67 5 ha 244T(60-70m²) 35D	② €51,00

🚗 A4, Ausfahrt Desenzano, dann Ri. Salò über die SS572. Bei Manerba del Garda Straße verlassen. CP durch braunen Schilder ausgeschildert. CP direkt am See. 🏕

Moniga del Garda, I-25080 / Gardasee 🛜 CC€16 iD

🏕 Fontanelle****	1 ABCDILNOPRST	AFLNXYZ 6
🏠 Via del Magone 13	2 ADFJOPRUVWXY	ABDEFGH 7
📅 18 Apr - 4 Okt	3 BEKLM	ABCDEFNQRTU 8
☎ +39 0365-502079	4 ABIOP	EJL 9
@ info@campingfontanelle.it	5 ACDEFGJKL	ABGHIJNPR 10
	B 6A CEE	① €40,60
📍 N 45°31'32'' E 10°32'35''	H67 4,5 ha 166T(65m²) 102D	② €60,00

🚗 A4, Ausfahrt Desenzano, dann Richtung Salò über die SS572. Bei Moniga del Garda die Straße verlassen. Weiter den braunen CP-Schildern folgen. Der CP liegt am See. 🏕

Moniga del Garda, I-25080 / Gardasee 🛜 CC€18 iD

🏕 Piantelle	1 ABCDJMNOPQRST	AFLMNQSWXYZ 6
🏠 Via San Cassiano 1a	2 ADFGJPUWXY	BEFG 7
📅 3 Apr - 5 Okt	3 BEFLQ	BDFNOQRTUV 8
☎ +39 0365-502013	4 BDLT	EIJLUV 9
@ info@piantelle.com	5 ABEFGJ	ABFGHIJOR 10
	B 6A CEE	① €47,00
📍 N 45°31'12'' E 10°31'48''	H85 8,5 ha 150T(60-100m²) 64D	② €64,00

🚗 A4, Ausfahrt Desenzano. Dann Richtung Salò über die SS572. Bei Moniga del Garda die Strecke verlassen. Den braunen CP-Schildern folgen. 🏕

Moniga del Garda, I-25080 / Gardasee 🛜 CC€16 iD

🏕 Sereno Camping Holiday***	1 ABCDFJKNOPRT	AFLMNPQSWXY 6
🏠 Via San Sivino 72	2 DFGJPRVWXY	ABDEF 7
📅 28 Mär - 3 Okt	3 BEFIJKLMNQ	ABCEFNORT 8
☎ +39 0365-502080	4 AILOP	EJU 9
@ info@sereno.info	5 ACEFGJ	ABGHIJPR 10
	Anzeige auf dieser Seite B 6A CEE	① €42,00
📍 N 45°31'48'' E 10°33'12''	H67 4 ha 32T(50-90m²) 265D	② €54,00

🚗 A4 Ausfahrt Desenzano. Dann Richtung Salò über die SS572. Bei Moniga del Garda den braunen Campingschildern folgen. Camping liegt am See. 🏕

Moniga del Garda, I-25080 / Gardasee 🛜 iD

🏕 Trevisago**	1 ABCJMNOPQRST	AFX 6
🏠 Prato Negro 7	2 APRVWXY	ABDEFG 7
📅 1 Apr - 10 Okt	3 BEKL	ABCDEFLMNORSV 8
☎ +39 0365-502252	4 AOP	J 9
@ info@trevisago.com	5 ADEFGIL	ABGHIJQR 10
	B 10A CEE	① €34,00
📍 N 45°31'55'' E 10°31'40''	H67 2,3 ha 35T(60-100m²) 72D	② €45,00

🚗 A4, Ausfahrt Desenzano, dann Richtung Salò über die SS572. In Moniga del Garda den braunen CP-Schildern folgen. Der CP liegt nicht am See. 🏕

Pacengo, I-37017 / Gardasee 🛜 iD

🏕 Eurocamping Pacengo***	1 ABDEJMNOPR	AFLNQSWXYZ 6
🏠 Via Porto 13	2 ADGIJOPRTUVY	ABDEFGH 7
📅 2 Apr - 21 Sep	3 BEFKLMQ	ABEFNORV 8
☎ +39 045-7590012	4 BHLQ	EJT 9
@ info@eurocampingpacengo.it	5 ACDEFGILM	ABGHIJNO 10
	B 4A CEE	① €31,50
📍 N 45°28'2'' E 10°42'58''	H70 10 ha 450T(70-90m²) 192D	② €42,60

🚗 A22, Ausfahrt Lago di Garda Sud, dann SR450 Ri. Lago di Garda Sud/Peschiera. Nach 7 km Ri. Lazise. Auf der S249 Ri. Pacengo. In Pacengo ist CP ausgeschildert. 🏕

Pacengo di Lazise, I-37017 / Gardasee 🛜 CC€16 iD

🏕 Camping Le Palme***	1 ABDEILNOPQRST	ABFGHLMNQSWXYZ 6
🏠 Via del Tronchetto 2	2 ADGHJOPUVXY	ABCDEFGH 7
📅 27 Mär - 26 Okt	3 ABEFKLQ	ABCDEFJLMNQRSTUV 8
☎ +39 045-7590019	4 BCDLOPRU	EILTUV 9
@ info@lepalmecamping.it	5 ABDEFGILM	ABEGHIJNPRVWXY 10
	B 6A CEE	① €36,90
📍 N 45°27'54'' E 10°42'52''	H76 2,5 ha 132T(50-100m²) 53D	② €52,60

🚗 A22, Ausfahrt Lago di Garda Sud. SR450 Richtung Lago di Garda Sud/Peschiera. Nach 7 km Ri. Lazise. Auf der S249 Ri. Pacengo. In Pacengo ist der CP ausgeschildert. 🏕

Pacengo di Lazise, I-37017 / Gardasee 🛜 CC€16 iD

🏕 Lido***	1 ABCDEJMNOPRST	ABFHLNQSWXZ 6
🏠 Via Peschiera 2	2 ADGJOPTUVWXY	ABDEFGH 7
📅 27 Mär - 11 Okt	3 BEFKLMQ	ABCDEFJKLNORSTUV 8
☎ +39 045-7590030	4 ABCDLNOPRTUVY	ELVW 9
@ info@campinglido.it	5 ACEFGJLM	ABGHIJOST 10
	B 6-10A CEE	① €43,50
📍 N 45°28'12'' E 10°43'15''	H76 12 ha 561T(60-100m²) 243D	② €60,70

🚗 A22 Ausfahrt Lago di Garda Sud, dann die SR450 Richtung Peschiera. Nach 7 km Ausfahrt Lazise. In Lazise Richtung Pacengo. CP liegt hinter Movieland. 🏕

Padenghe sul Garda, I-25080 / Gardasee 🛜 CC€14 iD

🏕 La Ca'****	1 ABJMNOPQRT	AFLMNPQSWXYZ 6
🏠 Via della Colombia 6	2 ADFJNOPRUVX	ABDEFH 7
📅 1 Mär - 31 Okt	3 BEFKL	ABCDEFILMNQR 8
☎ +39 030-9907006	4 ADPY	EJK 9
@ info@campingaca.it	5 AEFGHJ	ABHIJP 10
	B 5-6A CEE	① €37,50
📍 N 45°30'45'' E 10°31'27''	2 ha 135T(60m²) 25D	② €49,50

🚗 A4 Ausfahrt Desenzano, dann Richtung Salò über die SS572. Bei Padenghe sul Garda den braunen CP-Schildern folgen. Am Kreisel "Via San Cassiano" einfahren. Camping liegt am See. 🏕

Peschiera del Garda, I-37019 / Gardasee 🛜 CC€18 iD

🏕 Bella Italia****	1 ABCDEHKNOPR	ABFGHILMNPQRSUVWXYZ 6
🏠 Via Bella Italia 2	2 ADFGJOPRVY	ABDEFG 7
📅 21 Mär - 8 Nov	3 BDEFKLMNQRST	ABCDEFKNQRSTUV 8
☎ +39 045-6400688	4 ABDILOPUY	EIJLMQTUV 9
@ info@camping-bellaitalia.it	5 ACDEFGIJLM	ABGHIJNORYZ 10
	Anzeige auf Seite 505 B 16A CEE	① €56,50
📍 N 45°26'31'' E 10°40'39''	H70 32 ha 400T(90m²) 634D	② €86,50

🚗 A22, Ausfahrt Lago di Garda Sud, SR450 nach Peschiera. Im Kreisverkehr S11 nach Peschiera/Brescia nehmen, auf der S11 bleiben Richtung Brescia. Den CP-Schildern folgen. 🏕

Teilkarte Gardasee auf Seite 497

Gleich am Gardasee
Camping - Apartments - Bungalows
Im Grüngürtel - erfrischendes Schwimmbad

Via del Zocco 43, 25080 Manerba del Garda
Tel. 0365-551605
E-Mail: info@campingzocco.it
Internet: www.campingzocco.it

Italien

Peschiera del Garda, I-37019 / Gardasee

🔺 Butterfly****
🏠 Lungo Lago Garibaldi 11
📅 14 Mär - 8 Nov
☎ +39 045-6401466
@ info@campingbutterfly.it
📍 N 45°26'42'' E 10°41'40''

1 ABJMNOPQRST	AFLNQSWXY	6
2 ADHJOPRVWXY	ABDEFGH	7
3 BEFKL	ABEFNOQRSTUV	8
4 ABLNOP	EJLNQTV	9
5 ACDEFGJL	ABGHIJOST	10
Anzeige auf Seite 507 B 6A CEE		① €50,00
H68 3,8 ha 48T(70-100m²) 96D		② €76,00

🚗 A22 Ausfahrt Lago di Garda-Sud. Auf der SR450 Ri. Lago di Garda-Sud/Peschiera (SR11). In Peschiera Centro folgen. Dann der Beschilderung.

Peschiera del Garda, I-37019 / Gardasee

🔺 Wien
🏠 Loc. Fornaci
📅 1 Apr - 30 Sep
☎ +39 045-7550379
@ info@campingwien.it
📍 N 45°27'4'' E 10°39'56''

1 ABILNOPRT	AFLMNQSWXY	6
2 ADJOPRY	ABDEFG	7
3 AL	ABEFNOR	8
4 O	EIJL	9
5 ACDFGIL	AGHIJNOR	10
B 3A CEE		① €38,00
H66 4 ha 97T(75m²) 112D		② €52,00

🚗 A22, Ausfahrt Lago di Garda Sud, die SR450 nach Peschiera. Am Kreisel die S11 nach Peschiera/Brescia, weiter auf der S11 bleiben Richtung Brescia. Den CP-Schildern folgen.

Peschiera/Verona, I-37019 / Gardasee

🔺 Del Garda****
🏠 Lungo Lago Garibaldi 15
📅 1 Apr - 31 Okt
☎ +39 045-7551682
@ prenotazioni@campeggiodelgarda.it
📍 N 45°26'48'' E 10°41'44''

1 BDHKNOPRST	ANQSW	6
2 ADGHJPRV	ABDEFGH	7
3 AKL	ABCDEFKNORS	8
4 ABILO	EJLV	9
5 ABDEFGJ	ABHIJNOST	10
B 4A CEE		① €57,00
H66 10 ha 400T(70-120m²) 283D		② €75,00

🚗 A22 Ausfahrt Lago di Garda Sud. Auf der SR450 Richtung Lago di Garda Sud/Peschiera (SR11). In Peschiera 'Centro' folgen. Dann den CP-Schildern folgen.

Riva del Garda, I-38066 / Gardasee

🔺 Al Lago*
🏠 Viale Rovereto 112
📅 21 Apr - 31 Okt
☎ +39 0464-553186
@ info@campingallago.com
📍 N 45°52'46'' E 10°51'21''

1 ABJMNOPQRST	LMNPQSXY	6
2 DGJOPRVWXY	ABDF	7
3	AEFNOR	8
4 HI	DGL	9
5 GIL	ABGHIJPST	10
B 6A CEE		① €33,00
H64 0,5 ha 65T(55-70m²) 10D		② €49,00

🚗 A22 Richtung Verona. Nach Rovereto Richtung Riva del Garda über N240. Nach Torbole Richtung Riva. Gleich in Riva CP links der Straße am See.

Riva del Garda, I-38066 / Gardasee

🔺 Brione****
🏠 Via Brione 32
📅 1 Apr - 15 Okt
☎ +39 0464-520885
@ info@campingbrione.com
📍 N 45°52'52'' E 10°51'43''

1 ABDFJLNOPQRST	AQR	6
2 GOPUVWX	ABDEFG	7
3 BIL	ABDEFKLNOQRSTUV	8
4 AFHO	EKLUV	9
5 ACDGL	ABHIJNOPRV	10
B 6-16A CEE		① €31,50
H70 3,3 ha 120T(35-70m²) 15D		② €44,50

🚗 A22 Ri. Verona, bei Ausfahrt Rovereto Sud/Lago di Garda Nord Ri. Riva del Garda. Über N240, nach Torbole gleich in Riva, CP rechts an der Straße. Nicht am See.

San Benedetto/Peschiera, I-37010 / Gardasee

🔺 Bergamini***
🏠 Strada Bergamini 51
📅 18 Apr - 28 Sep
☎ +39 045-7550283
@ info@campingbergamini.it
📍 N 45°27'2'' E 10°40'14''

1 BDEJMNOPRT	AFLMNQSXY	6
2 ADFJOPVY	ABCDEFGHK	7
3 BKLQ	ABDEFKMNQRSV	8
4 LO	EJLTV	9
5 ABDG	ABGHIJOSTV	10
B 6A CEE		① €47,00
H66 1,5 ha 70T(60-80m²) 55D		② €62,00

🚗 A22, Ausfahrt Lago di Garda Sud, die SR450 nach Peschiera. Am Kreisel die SR11 Richtung Peschiera/Brescia, weiter auf der SR11 bleiben Richtung Brescia. CP ist ausgeschildert.

San Benedetto/Peschiera, I-37019 / Gardasee

🔺 Villaggio Turistico
   Camping S. Benedetto***
🏠 Strada Bergamini 14
📅 27 Mär - 10 Okt
☎ +39 045-7550544
@ info@campingsanbenedetto.it
📍 N 45°26'53'' E 10°40'11''

1 ABCDEFJMNOPRT	AFLNOPQSWXYZ	6
2 ADGIJOPRTVY	ABDEFH	7
3 BEFKLQ	ABCDEFNORTUV	8
4 ABDHLO	ELQSTV	9
5 ADEFGJ	ABGHIJNPST	10
B 3A CEE		① €38,10
H70 9,2 ha 55T(40-90m²) 305D		② €52,10

🚗 A22, Ausfahrt Lago di Garda Sud nach Peschiera, am Kreisverkehr die SR11 Ri. Peschiera/Brescia. Auf der SR11 Richtung Brescia bleiben. In San Benedetto rechts zum See. CP ist ausgeschildert.

San Felice del Benaco, I-25010 / Gardasee

🔺 Europa Silvella****
🏠 Via Silvella 10
📅 23 Apr - 21 Sep
☎ +39 0365-651095
@ info@europasilvella.it
📍 N 45°34'28'' E 10°32'54''

1 ABCJMNOPQRST	AFLMNQSWXYZ	6
2 DFGJOPRTUVXY	ABDEFG	7
3 BEKLMNQ	ABCDEFKNRTUV	8
4 ABCDHILNORUY	EJKLUV	9
5 ACDEFGJL	ABFGHIKOQST	10
B 10A CEE		① €52,00
H67 7,7 ha 349T(60-120m²) 63D		② €69,00

🚗 A4, Ausfahrt Desenzano, Richtung Salò über die SS572 oder die A22 Ausfahrt Trento. Dann Richtung Riva über die SS45bis. Dann Richtung Salò entlang dem See. Von Salò gut ausgeschildert.

San Felice del Benaco, I-25010 / Gardasee

🔺 Fornella****
🏠 Via Fornella 1
📅 24 Apr - 27 Sep
☎ +39 0365-62294
@ fornella@fornella.it
📍 N 45°35'6'' E 10°33'57''

1 BCDJMNOPQRST	AFLNPQSWXYZ	6
2 DFGJPRTUVXY	ABDEFGH	7
3 BCEKLM	ABCDEFKNOQRSTU	8
4 ABHLO	ELUV	9
5 ACEFGIJKL	ABGHIJNPR	10
B 10-16A CEE		① €49,50
H65 9,2 ha 249T(60-140m²) 106D		② €71,00

🚗 A4 Ausfahrt Desenzano Richtung Salò über die SS572 oder A22 Ausfahrt Trento Richtung Riva über die SS45bis. Dann Richtung Salò am See entlang. In Salò gut ausgeschildert.

San Felice del Benaco, I-25010 / Gardasee

🔺 Ideal Molino****
🏠 Gardiola 1
📅 28 Mär - 4 Okt
☎ +39 0365-62023
@ info@campingmolino.it
📍 N 45°34'44'' E 10°33'20''

1 BCDEJMNOPRT	LMNPQSWXY	6
2 DFGJOPUVY	ABDEFGH	7
3 AEKLQ	ABCDEFJKNQRV	8
4 O	EJMQV	9
5 ABDEFGIJL	ABGHIJNPR	10
B 10A CEE		① €50,70
H67 1,7 ha 85T(65-77m²) 32D		② €68,50

🚗 A4, Ausfahrt Desenzano. SS572 Richtung Salò über die SS572 oder die A22 Ausfahrt Trento. SS45Bis Richtung Riva. Dann Richtung Salò entlang dem See. In Salò gut ausgeschildert.

BUTTERFLY
CAMPING VILLAGE
★★★★

Ein komfortabler und harmonischer Familiencamping. Ideal für Leute die Ruhe suchen.

Der Platz liegt direkt am Lago di Garda, in einer grünen Umgebung und dennoch nah am historischen Zentrum von Peschiera del Garda. Dieser ruhige Campingplatz liegt nah am Bahnhof und der Autobahn A4 nach Verona, Mailand und Venedig. Er hat komfortable Bungalows und Wohnwagen mit Airconditioning, ein großes Schwimmbad (25m x 12,5m), ein Kinderbad, einen Waschsalon, Spielplatz, Restaurant/Pizzeria/Bar, Spielhalle, Supermarkt sowie Animation in der Hochsaison. Hunde sind herzlich willkommen.

Lungo Lago Garibaldi 11, 37019 Peschiera del Garda
Tel. 045-6401466 • Fax 045-7552184
E-Mail: info@campingbutterfly.it
Internet: www.campingbutterfly.it

San Felice del Benaco/Portese, I-25010 / Gardasee 📶

⛰ Eden****	1 B**IL**NOR**T**	AFHL**N**QSW 6
🏠 Via Preone 45	2 DFG**I**JOPUVY	ABDE**FGH** 7
📅 20 Apr - 23 Sep	3 BEF**KLM**	ABCDEFKNORUV 8
☎ +39 0365-62093	4 A**B**FH**I**L**O**PST**X**	F,IKLUV 9
@ mail@camping-eden.it	5 ACEFGJ	ABGHIJ**P**ST10
	B 6-10A CEE	① €48,00
	5 ha 34T(60m²) 85**D**	② €68,00

📍 N 45°35'59'' E 10°32'58''
🚗 A4, Ausfahrt Desenzano, Ri. Salò über die SS572 oder A22, Ausfahrt Trento über die SS45bis Ri. Riva. Dann entlang dem See nach Salò. In Salò CP gut ausgeschildert.

Sirmione, I-25010 / Gardasee 📶 iD

⛰ Sirmione***	1 ABDEILNOPR**T**	AFLMNQRSUW**X**YZ 6
🏠 Via Sirmioncino 9	2 ADFGJOPRTVY	ABDE**F**H 7
📅 25 Mär - 5 Okt	3 AF**K**L	ABEFNORS 8
☎ +39 030-9904665	4 Y	IJLPQRT 9
@ info@camping-sirmione.it	5 ABCDEFGJKL	ABGHIJOR10
	3-6A CEE	① €40,00
	H66 3 ha 110T(60-100m²) 82**D**	② €54,00

📍 N 45°28'7'' E 10°36'37''
🚗 A4 Milano-Venezia, Ausfahrt Sirmione. CP wird ausgeschildert.

Sirmione, I-25019 / Gardasee 📶 CC€16 iD

⛰ Tiglio	1 ABD**IL**NOPR**T**	AFL**N**QSW**XY** 6
🏠 Loc. Punta Grò	2 ADIJOPRVWXY	ABDE**F** 7
📅 28 Mär - 30 Sep	3 BKL	ABEFNRV 8
☎ +39 030-9904009	4 A**H**O**P**	IL 9
@ info@campingtiglio.it	5 ACEFGJLM	ABEHIJOR10
	B 4A CEE	① €31,00
	H60 3 ha 168T(60-80m²) 68**D**	② €39,00

📍 N 45°27'27'' E 10°38'25''
🚗 A4 Milano-Venezia, Ausfahrt Sirmione. Im Kreisel SPBS11 nach Peschiera-Verona. CP ist nach 4 km am Kreisel ausgeschildert.

Torbole, I-38062 / Gardasee 📶 iD

⛰ Arco Lido	1 ABDE**JM**NOPQRT	LNOPQRST**XY**Z 6
🏠 Via Linfano 80	2 DGJOPVWXY	ABDE**FGK** 7
📅 28 Mär - 4 Okt	3 BL	ABEFNOR 8
☎ +39 0464-505077	4 HO**P**	KLOQSUV 9
@ lido@arcoturistica.com	5 ABKL	AGHIJ**NP**ST10
	B 4A CEE	① €31,30
	H90 1,7 ha 133T(ab 60m²)	② €45,30

📍 N 45°52'26'' E 10°52'2''
🚗 A22 Richtung Verona, Ausfahrt Rovereto Süd/Lago di Garda Nord. Über SS240 Richtung Riva del Garda. In Torbole, nach der Brücke links.

Torbole, I-38069 / Gardasee 📶 iD

⛰ Camping al Porto*	1 ABDEF**JM**NOPQRST	LMNOPQRS**XY** 6
🏠 Via al Cor 3	2 DGJOPVWXY	ABDE**FGH** 7
📅 26 Mär - 18 Okt	3 BL	ABCDEFNOQRTU 8
☎ +39 0464-505891	4 FH**O**	IV 9
@ info@campingalporto.it	5 ADGKL	ABGHIJ**P**STV10
	B 16A CEE	① €32,00
	H70 1,1 ha 93T(30-90m²) 8**D**	② €44,60

📍 N 45°52'20'' E 10°52'23''
🚗 A22 Richtung Verona, Ausfahrt Rovereto Sud/Lago di Garda Nord, über die SS240 Richtung Riva del Garda. In Torbole Richtung Riva. CP liegt am See, neben Fahrradgeschäft einfahren.

Torbole, I-38069 / Gardasee 📶 iD

⛰ Europa**	1 ABDE**JM**NOPQRT	LMNOPQRSTXY 6
🏠 Via al Cor 4	2 DGJOPVWXY	ABDE**F** 7
📅 27 Mär - 1 Nov	3 BL	ABCDEFNRV 8
☎ +39 0464-505888	4 FH	JK 9
@ info@campingeuropatorbole.it	5 L	AGHIJPSTV**X**10
	B 2A CEE	① €30,60
	H70 1,6 ha 78T(40-65m²) 1**D**	② €30,60

📍 N 45°52'21'' E 10°52'18''
🚗 A22 Richtung Verona, Ausfahrt Rovereto Sud, Lago di Garda Nord; über die SS240 Richtung Riva del Garda. In Torbole Richtung Riva. CP liegt am See neben Fahrradgeschäft.

Torbole, I-38069 / Gardasee 📶 ❀ iD

⛰ Maroadi***	1 ABDE**JM**NOPQRST	LNOPQRSTUV**X**Y 6
🏠 Via Gardesana 13	2 DGJOPVWXY	ABCDE**FGH** 7
📅 20 Mär - 8 Nov	3 BE**LM**	ABEFJ**KL**MNQRSTUV 8
☎ +39 0464-505175	4 AEFGHO**PU**	EIKLMOQRSUV 9
@ info@campingmaroadi.it	5 ACDEFGIK**LM**	ABGHIJM**NP**QR10
	Anzeige auf Seite 506 B 6-16A CEE	① €32,60
	H70 3 ha 207T(40-90m²) 18**D**	② €46,20

📍 N 45°52'32'' E 10°52'8''
🚗 A22 Richtung Verona Ausfahrt Rovereto Süd/Lago di Garda-Nord, über die SS240 Richtung Riva del Garda. In Torbole Richtung Riva. CP liegt am See.

Toscolano, I-25088 / Gardasee iD

⛰ Toscolano***	1 AB**JM**NOPRST	AFLM**N**PS**X**Y 6
🏠 Via Religione 88	2 DHJOPRVWXY	ABDE**FGH** 7
📅 1 Apr - 15 Okt	3 BE**KM**	ABEFNORV 8
☎ +39 0365-641584	4 **A**LMOU	EGI 9
@ campeggiotoscolano@ virgilio.it	5 ACEFGIJ	ABGHIKR10
	B 3A CEE	① €40,00
	H65 5 ha 350T(80m²) 298**D**	② €56,00

📍 N 45°38'15'' E 10°36'46''
🚗 Von Riva del Garda Richtung Salò über die SS45bis. Nach Gargnano Richtung Toscolano fahren. CP dort gut ausgeschildert. CP liegt am See.

Toscolano Maderno, I-25088 / Gardasee 🛜 iD

- 🏔 Promontorio
- 🏠 Via Promontorio, 73
- 🕐 1 Apr - 30 Sep
- ☎ +39 0365-541540
- @ info@campingpromontorio.it

1	ABDEJMNOPQRS	LQSW 6
2	DJOPRWXY	ABDE**F** 7
3	AL	ABEFNOQRTUV 8
4		J 9
5	ABEFGJ	ABEFGHIJOR10
10A CEE		① €40,00
98T 6**D**		② €56,00

🅿 N 45°38'0'' E 10°36'46''
🚗 Von Riva del Garda Richtung Salo (SS45 bis). Nach Gargnano Richtung Toscolano. Dort ist der CP angezeigt.

Veneto

Italien

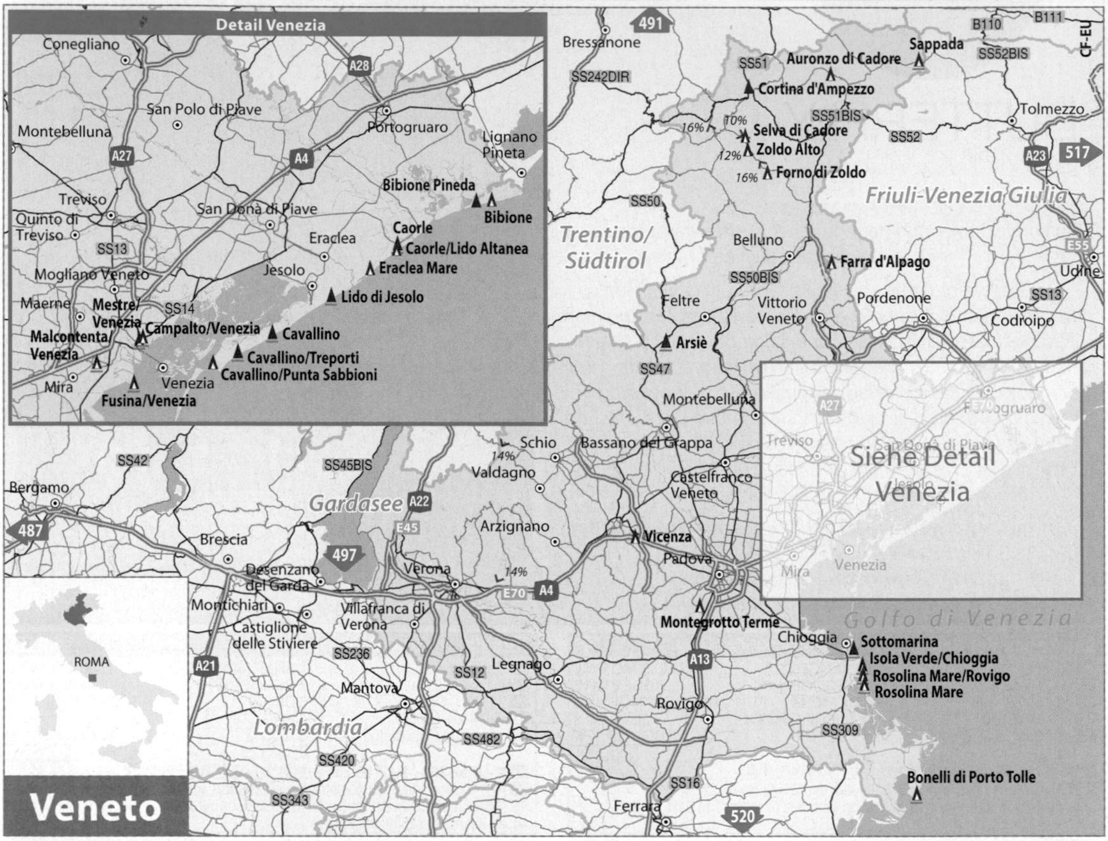

Arsiè, I-32030 / Veneto 🛜 CC€16 iD

- 🏔 Al Lago**
- 🏠 Via Campagna 14
- 🕐 1 Apr - 30 Sep
- ☎ +39 0439-58540
- @ info@campinglago.info

1	ABDE**JM**NOPQRS**T**	JLNOUX 6
2	BCDFGIOPRSVWXY	ABDE**FG** 7
3	ABEL	ABCDEFNOQRTUV 8
4	BDFHILNO	CEQRTU 9
5	ABDEFGJKLM	ABCDFGHIJLPQSTWX10
B 4A CEE		① €26,00
H270 2 ha 168**T**(60-100m²) 31**D**		② €36,00

🅿 N 45°57'52'' E 11°45'33''
🚗 Ab Trento der SS47 Richtung Padova folgen, bis zur Ausfahrt Feltre auf der SS50bis. Nach dem Tunnel der Ausfahrt Rocca nehmen. Dort ist der CP ausgeschildert.

Arsiè, I-32030 / Veneto 🛜 CC€16 iD

- 🏔 Gajole
- 🏠 Loc. Gajole
- 🕐 15 Apr - 30 Sep
- ☎ +39 0439-58505
- @ info@campinggajole.it

1	ABFG**JM**NOPQRS**T**	LN**Q**SUX 6
2	DFGIPRSTUVX	ABDE**FG**K 7
3	ALM	ABCDEFNORSTUV 8
4	FHO	UV 9
5	BDEGIL	ABFGHIJ**O**ST**X**10
B 6A CEE		① €27,00
H314 1,7 ha 70**T**(ab 50m²) 50**D**		② €37,00

🅿 N 45°58'4'' E 11°45'58''
🚗 Von Trento die SS47 Richtung Padova Ausfahrt Feltre auf die SS50B. Hinter dem Tunnel Ausfahrt Rocca. CP ist ausgeschildert.

Auronzo di Cadore, I-32041 / Veneto

- 🏔 Europa**
- 🏠 Via Pause 21
- 🕐 1/6 - 30/9, 20/12 - 28/2
- ☎ +39 0435-400688
- @ info@campingeuropa.org

1	BDEFGJMNOPQRS	6
2	CFJOPQRVWXY	ABDEFG 7
3	AB	BDFQRSTV 8
4	O	9
5	A	BCTU10
B 6-20A		① €26,50
H900 1,5 ha 85**T**(25-60m²)		② €35,50

🅿 N 46°33'48'' E 12°24'47''
🚗 Vom Brenner, die SS12 Richtung Brixon- Bruneck-, dann die E66 Richtung Toblach, weiter Richtung Auronzo.

Bibione, I-30020 / Veneto 🛜 iD

- 🏔 Villaggio Turistico Intern. SRL****
- 🏠 Via delle Colonie 2
- 🕐 20 Apr - 25 Sep
- ☎ +39 0431-442611
- @ info@vti.it

1	ABCDEF**JM**NOPRST	ABFGHIKMQRSTUVWXY 6
2	EGHOPQVWXY	ABDE**FG**H 7
3	ABCEF**KLMN**QRTV	ABCDEFGJKL**MN**OQRSTUV 8
4	A**BCDH**IJ**LMN**OP**QR**UY	EGHIJKLMOPQRTUV 9
5	ACDEFGIJKL	ABEFGHIJL**NP**RYZ10
B 16A CEE		① €60,00
15 ha 387**T**(80-100m²) 364**D**		② €82,00

🅿 N 45°38'4'' E 13°2'13''
🚗 Ortseingang Bibione am Kreisverkehr rechts Richtung Bibione Pineda. Nach einigen km links (Via del Toro). Am Ende der Straße rechts. Dann CP-Schildern folgen.

Bibione Pineda, I-30028 / Veneto 🛜

- 🏔 Camping Capalonga****
- 🏠 Viale della Laguna 16
- 🕐 24 Apr - 29 Sep
- ☎ +39 0431-438351
- @ capalonga@bibionemare.com

1	CDEFHKNOPRST	AFHKMNQRSTUVWXY**Z** 6
2	EFGHOPQRVWXY	ABC**DEFG**HK 7
3	ABEF**GIKLMN**QR	ABDEFKNOQRSTU 8
4	A**BEF**HILNOP**RS**UV**XYZ**	DEKLMNOQRTV 9
5	ACDEFGHIJ**M**	ABGHIJ**NO**R**V**YZ10
B 10A CEE		① €50,40
26 ha 864**T**(80-100m²) 620**D**		② €67,10

🅿 N 45°37'51'' E 12°59'39''
🚗 Am Ortseingang Bibione Kreisverkehr Richtung Bibione Pineda, dann immer geradeaus. Der CP ist ausgeschildert.

Bibione Pineda, I-30028 / Veneto 🛜

- 🏔 Camping Lido****
- 🏠 Viale dei Ginepri 115
- 🕐 8 Mai - 15 Sep
- ☎ +39 0431-438480
- @ lido@bibionemare.com

1	CDEFHKNOPRST	AFHKMOQRSUVWXY**Z** 6
2	BEHOPQRVWXY	ABC**DEFG**HK 7
3	BE**GIKLMN**QR	ABCDEFKNOQRS 8
4	**A**BCFHILNO**S**	DEJLMOQRT 9
5	ACEFGI	ABGHIJ**NO**RVW10
B 6A CEE		① €39,40
12,1 ha 415**T**(80-110m²) 257**D**		② €50,20

🅿 N 45°37'57'' E 13°0'4''
🚗 Ortseingang von Bibione am Kreisverkehr Richtung Bibione Pineda. 500m nach dem Schild Bibione Pineda links ab (Viale degli Oleandri). Am Ende der Straße liegt der CP.

Italien

Bibione Pineda, I-30028 / Veneto

Camping-Residence Il Tridente****
Via Baseleghe 12
8 Mai - 15 Sep
+39 0431-439600
@ tridente@bibionemare.com
N 45°38'3'' E 13°1'2''

1 CDEFHKNOPRST	AFHKMNQSTUVWXYZ 6	
2 EGHOPQRVWXY	ABCDEFGHK 7	
3 BCEFGJKLMNQR	ABDEFJKNOQRS 8	
4 AFHIJLOPRSTUY	EGLMOQRTV 9	
5 ACDEFGJ	ABGHIJNORVWX10	
B 6A CEE	❶ €44,60	
8,5 ha 199T(80-110m²) 274D	❷ €58,10	

Ortseingang Bibione, am Kreisverkehr Richtung Bibione Pineda, immer geradeaus. Der CP ist ausgeschildert.

Bonelli di Porto Tolle, I-45018 / Veneto

Villaggio Turistico Barricata****
Via Strada del Mare 74
15 Mai - 20 Sep
+39 0426-389270
@ info@villaggiobarricata.com
N 44°50'47'' E 12°27'48''

1 ADEFILNOPQR	AFHKMNOP 6	
2 CEGHOPQSVWXY	ABDEFGH 7	
3 ABEFGHLMNQRT	ABCDEFIKNQRSTUV 8	
4 ABCDHILNORUXYZ	CEJLQTUV 9	
5 ABCDEFGIJK	ABDEGHIJLNOPRY10	
B 16A CEE	❶ €42,00	
12 ha 154T(80m²) 482D	❷ €62,00	

Von der SS19 Richtung Porto Tolle immer geradeaus (15 km) bis zum CP

Campalto/Venezia, I-30173 / Veneto

Rialto
Via Orlanda 16
1 Apr 20 Okt
+39 041-5420295
@ rialto@camping.it
N 45°29'4'' E 12°17'0''

1 ABDJMNOPRST	6	
2 AOPWXY	ABDEF 7	
3	AEFNOR 8	
4	AJ 9	
5 ABFGL	ABGHIJQR10	
Anzeige auf dieser Seite 6A CEE	❶ €30,65	
2 ha 150T(20-80m²) 76D	❷ €39,65	

A4 Richtung Venedig halten. Hinter der Bushaltestelle und Parkplatz rechts halten, SS14 Richtung Trieste. Über das Viadukt die Strecke Trieste-Aeroporto. CP liegt etwa 1 km weiter rechts.

Caorle, I-30021 / Veneto

Altanea**
Via Selva Rosata
18 Apr - 14 Sep
+39 0421-299135
@ info@campingaltanea.it
N 45°34'23'' E 12°48'15''

1 ABDJMNOPQRS	AKN 6	
2 EOPVY	ADF 7	
3 AEKLQT	AEFNOTV 8	
4 OQ	ELV 9	
5 DIL	AHIJNR10	
B 3A CEE	❶ €37,50	
2,5 ha 125T(70-90m²) 16D	❷ €49,50	

In Caorle Richtung Porto S. Margherita. Hinter Porto S. Margherita Richtung Duna Verde. Der CP ist rechts hinter dem Golfplatz.

Caorle, I-30021 / Veneto

Laguna Village***
Via dei Cacciatori 5
24 Apr - 20 Sep
+39 0421-210165
@ info@campinglagunavillage.com
N 45°36'59'' E 12°54'25''

1 ABCDEFHKNOPRST	AHKQSX 6	
2 EHOPVY	ABDEFGH 7	
3 ABEFKL	ABDEFNOQRSTUV 8	
4 BHLPSU	EJKLV 9	
5 ACEFGJL	ABHIJNRY10	
B 6A CEE	❶ €39,10	
10 ha 500T(60-90m²) 195D	❷ €55,30	

Bei Ortseinfahrt Caorle links den Schildern 'Spiaggia di Levante' (Straße Chiggiato-Viale Falconera), dann Camping-Schildern folgen.

Caorle, I-30021 / Veneto

Pra'delle Torri****
Viale Altanea 201
23 Apr - 27 Sep
+39 0421-299063
@ info@pradelletorri.it
N 45°34'23'' E 12°48'45''

1 ABCDFHKNOPQRST	ABEFHIKMNOPQRSTUVWX 6	
2 EGHOPQRSVXY	ABDEFGH 7	
3 BEFIJLMNQRST	ABCDEFGH 8	
4 ABCDHILMNOPQRY	EGIJLMNOPQRSTUV 9	
5 ACDEFGHIJKLM	ABEFGHIJNORVYZ10	
B 10A CEE	❶ €48,10	
120 ha 1400T(90-150m²) 1128D	❷ €65,90	

Richtung P.S. Margherita. Am Kreisverkehr Richtung Westen. Ausgeschildert.

Caorle, I-30020 / Veneto

San Francesco****
Via Selva Rosata
3 Apr - 30 Sep
+39 0421-2982
@ info@villaggiosfrancesco.com
N 45°33'59'' E 12°47'40''

1 ABCDEFILNOPQRST	AFGHKMQRSTWX 6	
2 EGHOPQVXY	ABCDEFGH 7	
3 BDEFIKLMNQRT	ABCDEFIKLMNQRSTUV 8	
4 AHILMNOPRU	EGHIJLMOPQTV 9	
5 ACDEFGHIJKLM	ABGHIJNOPRY10	
Anzeige auf dieser Seite B 10A CEE	❶ €47,00	
32 ha 898T(70-100m²) 886D	❷ €60,00	

In Caorle, Richtung Porto S. Margherita und dann nach Duna Verde. Der CP ist ausgeschildert und liegt auf der linken Seite der Straße.

Caorle/Lido Altanea, I-30020 / Veneto

Marelago***
Viale dei Cigni 18
15 Apr - 20 Sep
+39 0421-299025
@ info@marelago.it
N 45°34'41'' E 12°49'40''

1 ABCDEFHKNOPQRST	AFM 6	
2 EHOPVX	ABDEFG 7	
3 ABE	ABCDEFKLNQRSTUV 8	
4 BDL	EL 9	
5 ABD	ABEHIJTUV10	
B 10A CEE	❶ €30,50	
262T(45-108m²) 92D	❷ €52,50	

Richtung Porto S. Margherita. Am großen Kreisel den braunen CP-Schildern folgen.

Cavallino, I-30013 / Veneto

Garden Paradiso****
Via Francesco Baracca 55
23 Apr - 27 Sep
+39 041-968075
@ info@gardenparadiso.it
N 45°28'43'' E 12°33'49''

1 ABCDFHKNOPQRST	AFGHKNORST 6	
2 EGHOPQVXY	ABDEFG 7	
3 BEFIKLMNOST	ABCDEFKNOQRSTUV 8	
4 AIKLOPRY	DEJKLMQTV 9	
5 ACDEFGHJKL	ABEGHIJNPRXYZ10	
Anzeige auf dieser Seite B 6A CEE	❶ €54,10	
15 ha 829T(60-96m²) 213D	❷ €72,30	

Fahrend Richtung Cavallino, direkt über die Brücke kurz vorm Schild Cavallino links die Via Francesco Baracca. Der CP ist ausgeschildert.

Cavallino, I-30013 / Veneto

Italy****
Via Fausta 272
23 Apr - 27 Sep
+39 041-968090
@ info@campingitaly.it
N 45°28'6'' E 12°31'59''

1 BCDEFHKNORST	ABFGKMOQRS 6	
2 EHOPQVY	ABDEFGH 7	
3 ABFGHIKLMRT	ABCDEFKNQRSUV 8	
4 HILO	DEJLMTV 9	
5 ACDEFJKL	ABGHIJNPTUV10	
B 6A CEE	❶ €41,30	
3,9 ha 260T(50-80m²) 94D	❷ €60,60	

CP in Cavallino, direkt an der Hauptstraße (Via Fausta). Der Campingplatz wird ausgeschildert.

Italien

Cavallino, I-30013 / Veneto

🔺Europa Camping Village****
Via Fausta 332
30 Mär - 30 Sep
+39 041-968261
info@campingeuropa.com
N 45°28'26'' E 12°32'55''
Der CP liegt an der Straße zwischen Jesolo und Punta Sabbioni. Gut ausgeschildert.

1 ABDEF**JM**NOPQRS**T**	**ABFH**KMQSX	6
2 EHOPQVXY	AB**CDEFG**	7
3 BEF**LMQ**	ABCDEFKNOQRSTUV	8
4 BDLOPQ**RTUVXYZ**	EIJLMQTV	9
5 ACDEFHJKL	ABEGHIJL**NP**RXYZ	10

Anzeige auf dieser Seite B 8A CEE ①€50,20
10,7 ha 564T(60-90m²) 176D ②€73,50

Cavallino, I-30013 / Veneto

🔺Silva**
Via F. Baracca, 53
16 Mai - 21 Sep
+39 041-968087
info@campingsilva.it
N 45°28'45'' E 12°34'8''
Kommend von Jesolo, direkt über die Brücke vorm Schild Cavallino links ab Via F. Baracca. CP liegt an der linken Seite.

1 BFJKNOPQRS	KQS	6
2 EHOPQVXY	ABDE**F**	7
3 A	ABEFNOR	8
4 O**P**	DE	9
5 CFGJKL	AGHJLPR	10

B 6A CEE ①€38,30
3,3 ha 275T(30-56m²) 18D ②€56,70

Cavallino, I-30013 / Veneto

🔺Residence****
Via F. Baracca 47
10 Mai - 13 Sep
+39 041-968027
info@residencevillage.com
N 45°28'47'' E 12°34'27''
Richtung Cavallino direkt über die Brücke, kurz vorm Schild Cavallino links ab auf die Via Francesco Baracca. Der CP ist ausgeschildert.

1 ABCDFHKNOPRS	ABFGKMN**QRS**	6
2 EHOPQVY	ABDE**FGH**	7
3 BEF**IMQT**	ABCDEFNQRV	8
4 A**LOPQ**U	EGIJLMPTV	9
5 ACDEFJKL	ABEHIJ**NO**TUY	10

①€44,10
7 ha 400T(30-70m²) 285D ②€60,70

Cavallino, I-30013 / Veneto

🔺Union Lido****
Via Fausta 258
23 Apr - 4 Okt
+39 041-2575111
info@unionlido.com
N 45°28'2'' E 12°31'48''
CP liegt an der Hauptstraße (Via Fausta), ausgeschildert.

1 BDEF**JM**NOPQRST	AB**E**FIKMN**O**QRS	6
2 EHOPQVWXY	ABCDE**FGH**	7
3 ABDEF**GHIKLMNR**T	ABCDEFGKNQRSTUV	8
4 **AIJ**LMN**OPRTUVXYZ**	AEJLMSTUVZ	9
5 ACDEFGHIJK**L**	AEFGHIJ**NP**QTUVXYZ	10

B 6A CEE ①€50,90
60 ha 2898T(60-120m²) 448D ②€70,30

Cavallino, I-30013 / Veneto

🔺San Marco***
Via del Faro 10
7 Mai - 26 Sep
+39 041-968163
info@campingsanmarco.it
N 45°28'48'' E 12°34'48''
Vom Kreisverkehr in Jesolo Richtung Cavallino fahren. Kurz hinter der Brücke links. Der CP liegt in der Nähe der Leuchttürme (Faro) und wird ausgeschildert.

1 ABCDF**JM**NOPRST	KMNQS	6
2 EHOPQVY	ABDEFH	7
3 AFL	ABEFNOQRTUV	8
4 HO	EIKLTV	9
5 ACFG**IL**	ABEGHJPRV	10

B 6A CEE ①€40,90
2 ha 157T(60-96m²) 60D ②€59,30

Cavallino, I-30013 / Veneto

🔺Vela Blu***
Via Radaelli 10
12 Apr - 20 Sep
+39 041-968068
info@velablu.it
N 45°27'29'' E 12°30'24''
Von Cavallino Richtung Punta Sabbioni über die Via Fausta, kurz hinter Ca' Ballerin links ab. Dann CP-Schildern folgen.

1 ABCDFJMNORS**T**	ABHKMQ	6
2 EHOPQRSVWXY	ABDE**FGH**	7
3 ABDFLQ	ABCDEFKNQRSTUV	8
4 ABDHLNO**P**UY	EJLQTV	9
5 ACDEFGJ	ABEGHJMN**P**R	10

B 16A CEE ①€45,40
3,2 ha 150T(26-124m²) 116D ②€66,80

Cavallino, I-30013 / Veneto

🔺Sant'Angelo Village****
Via F. Baracca 63
11 Mai - 20 Sep
+39 041-968882
info@santangelo.it
N 45°28'37'' E 12°33'18''
Richtung Cavallino, direkt hinter der Brücke, kurz vor dem Schild Cavallino links ab, auf die Via Francesco Baracca. Weiter CP-Schildern folgen.

1 ABCDEFHKNOPRST	AFGHKM**N**QST	6
2 EGHOPQVXY	AB**CDEFG**	7
3 BEF**KLM**QT	ABCDEFKNQRSTUV	8
4 BDHILO**PRU**Y	DEIJKLMOQTV	9
5 ACDEFGJ	ABEGHIJ**NP**RV	10

①€45,60
20 ha 650T(60-80m²) 637D ②€63,20

Cavallino, I-30013 / Veneto

🔺Villa Al Mare***
Via del Faro 12
16 Apr - 31 Okt
+39 041-968066
info@villaalmare.com
N 45°28'45'' E 12°34'52''
Vom Kreisverkehr bei Jesolo Richtung Cavallino, CP bei Leuchtturm (Faro), ausgeschildert.

1 ABCDFHKNOPQRST	FGMNQSX	6
2 EGHOPQVY	ABDE**FH**	7
3 BF**K**LQ	ABCDEFNOQRSTUV	8
4 A**B**HLNO**PRU**Y	EIJKLTV	9
5 ACDEFGJKL	ABEFGHIJPRV	10

Anzeige auf Seite 511 B 6A CEE ①€39,10
2 ha 100T(60-100m²) 80D ②€56,10

Cavallino, I-30013 / Veneto 🛜 CC€18 iD

- 🏕 Village Cavallino****
- 🏠 Via delle Batterie 164
- 📅 26 Mär - 2 Nov
- ☎ +39 041-966133
- @ info@campingcavallino.com

1	ABCDF**IL**NOPQRS**T**		AFKMQS 6
2	BEHOPQVWXY		7
3	ABFIL	ABCDEF**GIJL**NRSTU	8
4	BCLO**PU**	BCDEJLTUV	9
5	ACDEFJL	ABGHIJ**NP**RYZ	10
	B 6A CEE		❶ €51,60
	11 ha 560T(bis 64m²) 359**D**		❷ €76,80

🗺 N 45°27'24'' E 12°30'3''

🚗 Von Cavallino Richtung Punta Sabbioni über die Via Fausta, kurz hinter Ca'Ballerin links ab. Dann CP-Schildern folgen.

Cavallino/Punta Sabbioni, I-30013 / Veneto 🛜 iD

- 🏕 Miramare***
- 🏠 Lungom. D. Alighieri 29
- 📅 29 Mär - 1 Nov
- ☎ +39 041-966150
- @ info@camping-miramare.it

1	ABD**IL**NOPQRST		6
2	PVXY	ABDE**FGH**	7
3	AEL	ABEFNQR	8
4	HIO**P**	EJLV	9
5	ACFGJKL	AGHJL**NO**STV	10
	B 6A CEE		❶ €30,80
	1,8 ha 120T(12-56m²) 30**D**		❷ €48,80

🗺 N 45°26'25'' E 12°25'16''

🚗 Bei der Bootsanlegestelle in Punta Sabbioni, 500m geradeaus.

Cavallino/Treporti, I-30013 / Veneto 🛜 iD

- 🏕 Al Boschetto***
- 🏠 Via delle Batterie 18
- 📅 1 Mai - 15 Sep
- ☎ +39 041-966145
- @ info@alboschetto.it

1	ACFHKNOPRST		KMQS 6
2	EHOPQVXY	ABDE**FGH**	7
3	BEFL**MQ**	ABEFNQRSTUV	8
4	HLO**PQR**	F,IKIV	9
5	ACEFGJL	ABEGHJ**NOP**STV	10
	B 6A CEE		❶ €38,60
	7 ha 370T(64-100m²) 54**D**		❷ €57,20

🗺 N 45°27'7'' E 12°28'35''

🚗 Fahrend auf der Via Fausta von Cavallino aus Richtung Punta Sabbione, gleich nach Ca'Ballarin bei der Ampel links auf die Via Poerio. Den CP-Schildern folgen.

Cavallino/Treporti, I-30013 / Veneto 🛜 ✿ iD

- 🏕 Ca'Pasquali Village****
- 🏠 Via Poerio 33
- 📅 26 Apr - 27 Sep
- ☎ +39 041-966110
- @ info@capasquali.it

1	CDFHKNOPQRST		ABFGHKOQRST 6
2	BEFHOPQRSVY	ABDE**FGH**	7
3	ABDEFLRT	ABCDEF**GHIJKL**NQRSTUV	8
4	ABDHLOPRUY	DELRSTV	9
5	ABCDEFGHJ**L**	ABEFHIJ**NP**RYZ	10
	B 10A CEE		❶ €48,50
	10 ha 412T(70-100m²) 238**D**		❷ €72,70

🗺 N 45°27'10'' E 12°29'25''

🚗 Fahrend auf der Via Fausta von Cavallino, kurz hinter Ca'Ballarin links ab, auf der Via Allessandro Poerio. Dann CP-Schildern folgen.

Cavallino/Treporti, I-30013 / Veneto 🛜 iD

- 🏕 Ca'Savio***
- 🏠 Via di Ca'Savio 77
- 📅 25 Apr - 30 Sep
- ☎ +39 041-966017
- @ info@casavio.it

1	ABDEFHKNOPRS		AFKQS 6
2	EGHPQVXY	ABDE**FGH**	7
3	BF**IL**	ABCDEFNRS	8
4	**AB**HLO	EJLTUV	9
5	ACDEFHJK	AGHIJ**NO**Y	10
	6A CEE		❶ €39,30
	27 ha 800T(80-100m²) 211**D**		❷ €57,20

🗺 N 45°26'44'' E 12°27'41''

🚗 In Cavallino auf die Hauptstraße nach Punta Sabbioni (Via Fausta) fahren. In Ca'Savio beim Kreuzpunkt links ab, auf die Via Di Ca'Savio. Dann Schildern folgen.

Cavallino/Treporti, I-30013 / Veneto 🛜

- 🏕 Dei Fiori****
- 🏠 Via V. Pisani 52
- 📅 1 Mai - 28 Sep
- ☎ +39 041-966448
- @ fiori@vacanze-natura.it

1	CDFHKNOPQRST		ABFGKMQSWX 6
2	EHOPQVXY	ABDE**FG**	7
3	BEFIL**MNT**	ABCDEFINQRSTUV	8
4	**A**HILNORU**Y**	DEJKLUV	9
5	ACDEFGHJL	ABGHIJ**NO**RY	10
	B 10A CEE		❶ €50,10
	10,8 ha 470T(45-90m²) 136**D**		❷ €68,70

🗺 N 45°26'55'' E 12°28'16''

🚗 Auf der Via Fausta von Cavallino kurz hinter Ca'Ballerin, links ab die Via Vettor Pisani. Weiter den CP-Schildern folgen.

Cavallino/Treporti, I-30013 / Veneto 🛜 iD

- 🏕 Del Sole***
- 🏠 Via Meduna 12
- 📅 24 Apr - 20 Sep
- ☎ +39 041-658333
- @ info@campeggiodelsole.it

1	ABCDFHKNOPQRST		KQS 6
2	EHOPVY	ABD**FG**	7
3	BFL	ABEFNOQRV	8
4		EIJV	9
5	L	ABEGHIJ**NOP**TU	10
	B 6A CEE		❶ €35,00
	3,9 ha 70T(bis 85m²) 128**D**		❷ €50,50

🗺 N 45°26'46'' E 12°27'26''

🚗 In Cavallino auf der Hauptstraße (Via Fausta) nach Punta Sabbioni. In Ca'Savio an der Kreuzung links ab, zur Via di Ca'Savio. Dann die 2. Straße rechts. Den Schildern folgen.

Cavallino/Treporti, I-30013 / Veneto 🛜 iD

- 🏕 Enzo Stella Maris****
- 🏠 Via delle Batterie, 100
- 📅 16 Apr - 1 Okt
- ☎ +39 041-966030
- @ info@enzostellamaris.com

1	ABCDFHKNOPQRST		ABFHKMQS 6
2	EGHOPQVXY	ABDE**FG**	7
3	BEFL	ABCDEFHKNQRSTUV	8
4	IO**P**Y	EGJLT	9
5	CDEFGHJKL	AEGHJ**P**TU	10
	B 6A CEE		❶ €52,80
	7,5 ha 315T(70-95m²) 112**D**		❷ €76,10

🗺 N 45°27'23'' E 12°29'45''

🚗 Auf der Via Fausta, von Cavallino, kurz hinter Ca'Ballarin links ab. Dann CP-Schildern folgen.

Cavallino/Treporti, I-30013 / Veneto 🛜

- 🏕 Mediterraneo****
- 🏠 Via delle Batterie 38
- 📅 26 Apr - 30 Sep
- ☎ +39 041-966721
- @ mediterraneo@vacanze-natura.it

1	BCDFHKNOPQRST		ABFHKMOPQRSTXY 6
2	EHOPQVWXY	ABDE**FGH**	7
3	ABDEFL**MNT**	ABCDEFKNOQRSTUV	8
4	**AB**DHILMOP**Y**	DEKLMOQTV	9
5	ABDEFHJKL	ABGHIJ**NP**RY	10
	B 6A CEE		❶ €48,00
	16,3 ha 800T(bis 90m²) 192**D**		❷ €66,80

🗺 N 45°27'15'' E 12°28'54''

🚗 Auf der Via Fausta von Cavallino Richtung Punta Sabbioni fahren. Dann kurz nach Ca'Ballerin, links ab auf die Via A. Poerio. Dann CP-Schildern folgen.

Cavallino/Treporti, I-30013 / Veneto 🛜 ✿ CC€16 iD

- 🏕 Scarpiland***
- 🏠 Via Poerio 14
- 📅 23 Apr - 26 Sep
- ☎ +39 041-966488
- @ info@scarpiland.com

1	ABCDEF**IL**NOPRST		KMQS 6
2	EHOPQVY	ABDE**FGH**	7
3	AFL	ABEFNOQRSTUV	8
4	LO	EIJKLTUV	9
5	CDEFGHJKL	ABDEGHIJ**P**STY	10
Anzeige auf dieser Seite	B 6A CEE		❶ €36,70
	3 ha 240T(bis 80m²) 117**D**		❷ €54,90

🗺 N 45°27'19'' E 12°29'20''

🚗 Von Cavallino über Fausta, Richtung Punta Sabbioni. Hinter Ca'Ballarin, erste Ampel links ab, danach erste Kreuzung rechts und dann den CP-Schildern folgen.

Cavallino/Treporti, I-30013 / Veneto

- ▲ Marina di Venezia★★★★
- 🏠 Via Montello 6
- 🗓 1 Apr - 11 Okt
- ☎ +39 041-5302511
- @ camping@marinadivenezia.it
- 🗺 N 45°26'15'' E 12°26'16''

1 ABCDF**JMN**OPQRST	ABFHIKMNOQRSTUVW	6
2 EGHOPQVXY	ABDE**FGH**	7
3 ABEF**ILMRT**	ABCDEFKNOQRSTUV	8
4 A**B**CDHLNOP**U**Y	EGJLMQSTUV	9
5 ACDEFGHJKL	AEGHIJ**NO**RY	10
Anzeige auf Seite 513 B 10A CEE		❶ €49,30
824 ha 2915T(80-100m²) 508D		❷ €66,70

🚗 In Cavallino auf die Via Fausta nach Ca'Savio links ab, auf die Via Hermada. Der CP wird weiter ausgeschildert.

Farra d'Alpago, I-32010 / Veneto

- ▲ Sarathei★★
- 🏠 Via Al Lago 13
- 🗓 1 Apr - 30 Sep
- ☎ +39 0437-454937
- @ info@sarathei.it
- 🗺 N 46°7'8'' E 12°21'12''

1 DEF**J**MNOPRST	LMN**Q**RX	6
2 ABCDGJOPQRVWXY	ABDE**F**	7
3 BELM	ABEFJOR	8
4 FHO	MU	9
5 ABEFGIL	AGHIJ**N**S**V**	10
4A CEE		❶ €30,50
H400 3,3 ha 236T(60-70m²) 50D		❷ €42,50

🚗 Aus Cortina d'Ampezzo auf der SS51 Richtung Venedig bleiben, solange bis man das Schild (secca) 'Camping' sieht. Dort nach links dem Schild folgen. Nach 3,5 km liegt der CP rechts. Aus Venedig Ausfahrt Faldato SS51.

Cortina d'Ampezzo, I-32043 / Veneto

- ▲ Olympia★★★
- 🏠 Fiames-Dolomiti
- 🗓 1/5 - 30/10, 1/12 - 30/4
- ☎ +39 0436-5057
- @ info@campingolympiacortina.it
- 🗺 N 46°34'9'' E 12°6'57''

1 AF**JM**NOPRS**T**	N**U**	6
2 BCGJOPQRSVWXY	ABDE**FGH**	7
3 AL	ABCDEFJNQRS	8
4 FH**PT**	L	9
5 ABDEFGIJKL	ABGHJR	10
WB 6A CEE		❶ €29,40
H1500 4 ha 60T(60-100m²) 260D		❷ €37,40

🚗 Von Toblach 3 km vor Cortina liegt der CP, rechts über die Brücke, zwischen Km-Pfahl 106 und 107. Der CP ist ausgeschildert.

Forno di Zoldo, I-32012 / Veneto

- ▲ Al Pez★★
- 🏠 F. di Pralongo
- 🗓 1/6 - 21/9, 6/12 - 26/4
- ☎ +39 0437-787576
- @ alpez@sunrise.it
- 🗺 N 46°20'37'' E 12°9'47''

1 ABF**J**MNOPRST		6
2 BFPUY	BEFGH	7
3 L	BFJNOR	8
4 O		9
5	ABHIJNOR	10
WB 3A		❶ €24,00
40T(ab 80m²) 10D		❷ €35,60

🚗 Vom Brenner Richtung Brixen - Brunico - Dobbiaco - Cortina d'Ampezzo - Longarone - Forno di Zoldo. In Forno di Zoldo den CP-Schildern folgen.

Cortina d'Ampezzo, I-32043 / Veneto

- ▲ Rocchetta★★★
- 🏠 Campo di Sopra, 1
- 🗓 1/6 - 20/9, 20/12 - 31/3
- ☎ +39 0436-5063
- @ camping@sunrise.it
- 🗺 N 46°31'21'' E 12°8'3''

1 ADEJMNOPQRT		6
2 CFGOPVWXY	BEFGH	7
3 B**I**L	BCFJKNOQRSV	8
4 FGHU	GL	9
5 ABDGHIKLM	AGHIJM**N**S	10
WB 3A		❶ €28,00
H1200 2,5 ha 196T(80-90m²) 102D		❷ €37,00

🚗 In Cortina Richtung Venedig fahren bis zur Ausschilderung von 3 CP in Cortina. Rochetta liegt rechts von der Brücke.

Fusina/Venezia, I-30030 / Veneto

- ▲ Fusina★★★
- 🏠 Via Moranzani 93
- 🗓 1 Jan - 31 Dez
- ☎ +39 041-5470055
- @ info@campingfusina.com
- 🗺 N 45°25'10'' E 12°15'22''

1 ABDEGJMNOPQRS	N**STXYZ**	6
2 ACFGOPXY	ABDE**FG**	7
3 AB	ABCDEFJKNQRS	8
4 A**H**N**O**R	ADEFLV	9
5 ABDEFGIKLM	AGHIL**NO**TUY	10
Anzeige auf dieser Seite B 6A CEE		❶ €35,40
5,5 ha 275T 150D		❷ €47,40

🚗 Ausgeschildert an der SS309 Ravenna-Venezia, Richtung Malcontenta/Fusina. Campingplatz am Ende der Straße am Bootssteeg Fusina-Venezia.

Eraclea Mare, I-30020 / Veneto

- ▲ Portofelice Camping Village★★★★
- 🏠 Viale dei Fiori 15
- 🗓 16 Mai - 20 Sep
- ☎ +39 0421-66411
- @ info@portofelice.it
- 🗺 N 45°33'13'' E 12°46'3''

1 ABCDEFGHKNOPRST	AFHKMNOQSX	6
2 EGHOPVXY	ABDE**FG**H	7
3 BEF**KLMNQT**	ABCDEFKNOQRSTUV	8
4 BCDILOP**Y**	EJLTUVY	9
5 ACDEFGJK**L**	ABEFGHIJL**NO**TUY	10
Anzeige auf dieser Seite B 10A CEE		❶ €46,50
16,9 ha 550T(65-95m²) 303D		❷ €66,30

🚗 Nach Ereclea Mare fahren. Deutlich ausgeschildert.

Isola Verde/Chioggia, I-30015 / Veneto

- ▲ Holiday Village Isamar★★★★
- 🏠 Via Isamar 9
- 🗓 15 Mai - 20 Sep
- ☎ +39 041-5535811
- @ info@villaggioisamar.com
- 🗺 N 45°9'44'' E 12°19'31''

1 ABDEFHKNOPQRST	AFHKMNOQRSTUV	6
2 EFGHOPQVXY	ABDE**FGH**	7
3 ABDEF**GHLMNRT**	ABCDEFKNOQRSTUV	8
4 ABCDILMNOP**RU**XYZ	EIJKLMOQRSTUV	9
5 ABCDEFGHIJK	ABGHIJ**N**ORXYZ	10
B 10A CEE		❶ €49,80
30 ha 342T(54-130m²) 804D		❷ €68,20

🚗 Gut ausgeschildert an der SS309, Ravenna-Venedig. Von Ravenna aus vor der Brücke Brenta rechts, von Venedig gleich nach der Brücke Brenta links.

Teilkarte Veneto auf Seite 508

Lido di Jesolo, I-30017 / Veneto 🛜 ⚙ iD

⛺ Jesolo International Club Camping****	1 ABDEFGHKOPQRST	AFHKMNOPQRSTUVXYZ 6	
🏠 Via A. da Giussano 1	2 CEHOPVXY	BCEFGH 7	
📅 1 Mai - 27 Sep	3 BEFHIJLMNQTU	BDFGHIKLMNPQRSTUV 8	
☎ +39 0421-971826	4 ABCDHIJLORTUVXYZ	EKLMOPQRSTY 9	
@ info@jesolointernational.it	5 ACEFGJKL	ABEFGHIKNOPRYZ10	
	B 20A CEE	① €61,50	
🗺 N 45°29'2'' E 12°35'15''	11 ha 386T(90-200m²) 137D	② €90,50	

🚗 In Jesolo Richtung Cavallino fahren. Den braunen Schildern, die auf den CP verweisen, folgen. M

Lido di Jesolo, I-30016 / Veneto 🛜 CC€16 iD

⛺ Malibu Beach****	1 ABCFHKNOPQRST	AFKMQSX 6	
🏠 Viale Oriente 78	2 EHOPQVXY	ABDEFG 7	
📅 13 Mai - 27 Sep	3 BFKLT	ABEFNOQRTUV 8	
☎ +39 0421-362212	4 BDLOPRUY	CEJKLTV 9	
@ info@ campingmalibubeach.com	5 ACDEFJKLM	ABGHIJLNORYZ10	
	Anzeige auf dieser Seite B 6A CEE	① €46,00	
🗺 N 45°31'27'' E 12°42'2''	9,5 ha 240T(20-90m²) 249D	② €62,00	

🚗 In Jesolo an der Viale Oriente ist der CP mit braunen Schildern gut angezeigt. M

Lido di Jesolo, I-30016 / Veneto 🛜 CC€14 iD

⛺ Parco Capraro***	1 ABDEFJMNOPQRST	AFKMNX 6	
🏠 Via Corer 2° ramo, 4	2 EHOPSVXY	ABDEFGH 7	
📅 1 Apr - 27 Sep	3 BEFKLQ	ABCDEFINOQRTUV 8	
☎ +39 0421-961073	4 BDLNOPR	DEL 9	
@ info@parcocapraro.it	5 ACEFGJKLM	ABDFGHIJORVX10	
	B 16A CEE	① €37,80	
🗺 N 45°31'37'' E 12°41'49''	5,7 ha 400T(60-90m²) 150D	② €48,40	

🚗 Von Jesolo Paese an der Viale Oriente abfahren. Den braunen CP-Schildern folgen. Der CP ist gut angezeigt. M

Lido di Jesolo, I-30016 / Veneto 🛜 CC€12 iD

⛺ Camping Park dei Dogi	1 ABDEFJMNOPQRST	KM 6	
🏠 Viale Oriente 13	2 EHOPRVX	BDFG 7	
📅 1 Jan - 31 Dez	3 B	BFIKMNQRSTV 8	
☎ +39 0421-1885626	4 H	9	
@ info@ campingparkdeidogi.com	5	AFIJMNPRV10	
	B 6A CEE	① €25,00	
🗺 N 45°31'18'' E 12°41'17''	2,8 ha 250T	② €25,00	

🚗 Der Campingplatz liegt an der Viale Oriente. Gut angezeigt, empfohlene Koordinaten benutzen. M

Lido di Jesolo, I-30016 / Veneto 🛜 CC€14 iD

⛺ Waikiki***	1 ABCFHKNOPQRT	AFKNQS 6	
🏠 Viale Oriente 144	2 EHOPQVXY	ABDEFGH 7	
📅 13 Mai - 27 Sep	3 BFKLT	ABEFNOQRTUV 8	
☎ +39 0421-980186	4 BCDLOPRUY	CEKLTV 9	
@ info@camping-waikiki.com	5 CDEFGJKL	AGHIJORYZ10	
	Anzeige auf dieser Seite B 6A CEE	① €37,00	
🗺 N 45°31'52'' E 12°43'19''	5,2 ha 305T(20-90m²) 151D	② €49,00	

🚗 In Jesolo an der Viale Oriente ist der Campingplatz gut durch braune Schilder angezeigt. M

Malcontenta/Venezia, I-30176 / Veneto CC€18 iD

⛺ Serenissima***	1 ABDJMNOPQRST	N 6	
🏠 Via Padana 334a	2 ACPY	ABDEFGHJ 7	
📅 30 Mär - 6 Nov	3 AL	ABCDEFNOQRS 8	
☎ +39 041-921850	4 O	DEJLV 9	
@ info@campingserenissima.it	5 ACDFIKL	AGHJNRV10	
	10A CEE	① €33,40	
🗺 N 45°27'14'' E 12°11'0''	2 ha 120T 50D	② €44,40	

🚗 A4 Ausfahrt Oriago/Mira. Am ersten Kreisel den Schildern Richtung Ravenna und Venezia folgen und am zweiten Kreisel Richtung Padova/Riviera del Brenta (SR11). M

Mestre/Venezia, I-30170 / Veneto 🛜 CC€18 iD

⛺ Venezia**	1 ABCDEFJMNOPQRST	E 6	
🏠 Via Orlanda 8/C	2 AGOPQVXY	ABDEFG 7	
📅 13 Feb - 2 Nov	3 AB	ABEFJKNQRSTV 8	
☎ +39 041-5312828	4 TUXY	J 9	
@ info@veneziavillage.it	5 ABEFGIJKL	ABFGHJPRVW10	
	6A CEE	① €33,30	
🗺 N 45°28'51'' E 12°16'31''	2 ha 140T(50-80m²) 34D	② €44,70	

🚗 A4, zunächst Ri. Venezia halten. Hinter der Bushaltestelle und Parkplatz gleich rechts die SS14 Ri. Trieste. Über die Brücke der Strecke Trieste-Aeroporto folgen. CP dann nach ein paar hundert Metern rechts. M

Montegrotto Terme, I-35036 / Veneto 🛜 iD

⛺ Sporting Center	1 ABDEFJMNOPQRST	ABFGH 6	
🏠 Via Roma 123-125	2 AGPVXY	ABDEFGHK 7	
📅 8 Mär - 13 Nov	3 AEFKLMQS	ABCDEFLNORV 8	
☎ +39 049-793400	4 MOVWXYZ	GJL 9	
@ sporting@sportingcenter.it	5 ADEFGJL	AHIJNOR10	
	B 6A CEE	① €37,00	
🗺 N 45°20'32'' E 11°47'49''	6,5 ha 185T(90m²) 35D	② €51,60	

🚗 A4, Ausfahrt Padova Ovest (west) Richtung Abano Terme SR47. Nach 10 km Ausfahrt Abano Terme/Montegrotto SP2. Den Schildern 'camping termale' folgen. M

Rosolina Mare, I-45010 / Veneto 🛜 CC€16 iD

⛺ Vittoria***	1 ABDEFILNOPQRST	AFKMNQX 6	
🏠 Strada Sud 340	2 BEFHOQTY	ABDEFG 7	
📅 7 Mai - 13 Sep	3 ABCFQ	ABDFNORV 8	
☎ +39 0426-68128	4 BCDHLMNP	J 9	
@ info@campingvittoria.it	5 ACEFGIJKL	ABHIJOTU10	
	Anzeige auf Seite 515 B 6A CEE	① €33,60	
🗺 N 45°7'0'' E 12°19'31''	17 ha 350T(60-120m²) 303D	② €46,90	

🚗 Auf der SS309 die Ausfahrt zur SP65. Über Rosolina Mare. Rechts halten am See entlang. Kurz vor dem nächsten See schräg nach links, Strada Sud. M

Rosolina Mare/Rovigo, I-45010 / Veneto 🛜 CC€16 iD

⛺ Villaggio Turistico Camping Rosapineta***	1 ABDEILNOPRST	AFHM 6	
🏠 Strada Nord 24	2 BEFHOPQRTWXY	ABDEF 7	
📅 14 Mai - 15 Sep	3 ABFILMP	ABCDEFNORTUV 8	
☎ +39 0426-68033	4 BCDFHJLMNPQRUXYZ	DEJLV 9	
@ info@rosapineta.it	5 ACDEFGJLM	ABHIJNO10	
	Anzeige auf dieser Seite 10A CEE	① €29,70	
🗺 N 45°8'20'' E 12°19'25''	46 ha 1151T(60-70m²) 565D	② €40,20	

🚗 A4 Milano-Venezia, Ausfahrt Padava Interporto. SS Romea Richtung Chioggia/Ravenna. 14 km hinter Chioggia und 200m hinter der Brücke über die Adige rechts der Beschilderung nach Rosolina Mare folgen. M

Italien

Sappada, I-32047 / Veneto — CC€16 iD

▲ Alpin Park Sappada	1 ADEJMNOPRST	6
▤ Borgata Cima, Località Eirl	2 BCFGOPRUVX	7
☛ 29/5 - 30/9, 5/12 - 6/4	3 ABEGH**IJKM**	STUV 8
☎ +39 340-6353354	4 EFH	KU 9
@ info@alpinpark.it	5 A	ABGRVZ10
	W 4A	❶ €31,00
▨ N 46°34'16'' E 12°43'6''	H1350 2 ha 44T(ab 80m²)	❷ €45,00

🚗 Von Brenner Richtung Brixen-Bruneck-Dobbiaco (Toblach)-Sexten-San Stefano di Cadore-Sappada. 🅜

Selva di Cadore, I-32020 / Veneto

▲ Cadore***	1 BDEF**JM**NOPRST	**N** 6
▤ Via Peronaz 3/4	2 OPSTUVWX	ABDE**FGH** 7
☛ 8/6 - 30/9, 1/12 - 25/4	3 BL	ABEFJNOR 8
☎ +39 0437-720267	4 O	GL 9
@ cadore@sunrise.it	5 ABGKL	ABHJ**N**RV10
	W 3A CEE	❶ €24,00
▨ N 46°26'7'' E 12°5'52''	H1580 3,5 ha 275T(70-90m²) 152D	❷ €36,00

🚗 A22 Brenner Richtung Brixen (St. Lorenzen) - Corvara - Arabba - Cernadoi - Selva di Cadore. In Selva di Cadore den CP-Schildern folgen. 🅜

Sottomarina, I-30015 / Veneto — 📶 CC€16 iD

▲ Adriatico**	1 ABDEFILNOPQRT	AFKMQ 6
▤ Lungomare Adriatico 82	2 EGHOPQVY	ABDE**FH** 7
☛ 1 Apr - 27 Sep	3 BFLQ	ABEFNORSTUV 8
☎ +39 041-492907	4 BCDLOPR	EJLTV 9
@ info@campingadriatico.com	5 ABCDEIKL	ABGHJ**P**ST10
Anzeige auf dieser Seite 5A CEE		❶ €35,00
▨ N 45°12'17'' E 12°17'55''	1,7 ha 121T(45-80m²) 55D	❷ €48,30

🚗 Auf der SS309 deutlich ausgeschildert. In Sottomarina dem Boulevard folgen. CP liegt an der Landseite, in der mitte des Boulevards. 🅜

Sottomarina, I-30019 / Veneto — 📶

▲ Al Porto*	1 BFGJMNORST	KM**N**Q 6
▤ S. Felice Diga Nord	2 EHOPQVWXY	AD**F** 7
☛ 28 Mär - 11 Okt	3 AQ	ABEFNORTV 8
☎ +39 041-405715	4 OP	JV 9
@ campeggioalporto@tiscali.it	5 DGHIL	BHKOSTV10
	B 6A CEE	❶ €32,50
▨ N 45°13'30'' E 12°17'47''	0,8 ha 82T(56-72m²) 26D	❷ €45,00

🚗 Gut ausgeschildert an der SS309 Ravenna-Venezia. In Sottomarina-Lido am Boulevard Richtung Norden. Erste links, dann rechts der Straße folgen. 🅜

Sottomarina, I-30019 / Veneto — CC€16 iD

▲ Atlanta***	1 ABDFHKNOQRST	AFKMQ 6
▤ Via A. Barbarigo 73	2 EGHPQVWXY	ABDE**F** 7
☛ 18 Apr - 15 Sep	3 AFLQ	ABEFNORTUV 8
☎ +39 041-491311	4 BCDLO	9
@ info@campeggioatlanta.com	5 ABCDEFGIJKL	ABGHJRV10
Anzeige auf dieser Seite 6A CEE		❶ €39,60
▨ N 45°11'34'' E 12°18'7''	4 ha 220T(50-70m²) 170D	❷ €53,20

🚗 Deutlich ausgeschildert an der SS309 Ravenna-Venezia. In Sottomarina vor dem Strand rechts, Landstraße folgen. CP ausgeschildert. 🅜

Sottomarina, I-30015 / Veneto — 📶 iD

▲ Camping Mediterraneo	1 ABDEFHKNOPQRST	A 6
▤ Viale Barbarigo 77	2 EHPQVY	7
☛ 19 Apr - 28 Sep	3 ABL	8
☎ +39 041-490990	4 BCD	IJ 9
@ info@	5 ACDEFIJK	O10
campingvillaggiomediterraneo.it	B	❶ €35,60
▨ N 45°11'22'' E 12°18'13''	2,6 ha 150T(50-75m²) 97D	❷ €53,20

🚗 Gut angezeigt ab der SS309 Ravenna-Venezia. In Sottomarina-Lido vor dem Strand rechts in den Feldweg hinein. 🅜

Sottomarina, I-30019 / Veneto — 📶

▲ Grande Italia**	1 BDF**GJM**NOPQRST	AKMQRST 6
▤ Zona Demaniale 10/I	2 EGHOPQVWXY	ABDE**FH** 7
☛ 28 Mär - 30 Sep	3 AFLQ	ABCDEFNORSTUV 8
☎ +39 041-405664	4 LO**P**Y	DEILV 9
@ info@	5 CDEFGJKL	ABGHJORV10
campinggrandeitalia.com	B 4A CEE	❶ €42,60
▨ N 45°13'26'' E 12°17'41''	4 ha 192T(56-92m²) 144D	❷ €61,20

🚗 Gut ausgeschildert an der SS309 Ravenna-Venezia. In Sottomarina-Lido Boulevard folgen. Am Ende links, dann gleich rechts. CP rechts. 🅜

Sottomarina, I-30015 / Veneto — 📶 CC€16 iD

▲ Internazionale*****	1 ABDFGHKNOPQRS	AFKMQ 6
▤ Via A. Barbarigo 117	2 EHPQVWX	ABDE**F** 7
☛ 18 Apr - 15 Sep	3 AQ	ABEFNORTUV 8
☎ +39 041-491444	4 BCDLOP	EIJV 9
@ info@	5 ACDEFGIJKL	AHJNO**P**T10
campinginternazionale.net	Anzeige auf dieser Seite 6A CEE	❶ €35,60
▨ N 45°11'19'' E 12°18'16''	2 ha 100T(60-90m²) 169D	❷ €46,90

🚗 Gut ausgeschildert von der SS309, Ravenna-Venedig. In Sottomarina-Lido vor dem Strand rechts entlang der Landstraße. CP liegt links am Meer. 🅜

Italien

Sottomarina, I-30015 / Veneto

- ⛺ Miramare**
- Via A. Barbarigo 103
- 2 Apr - 21 Sep
- ☎ +39 041-490610
- @ campmir@tin.it
- N 45°11'25'' E 12°18'12''

1 ABDF**JM**NOPQRST		AFKMQX 6
2 EHPQVWXY		ABDEF 7
3 BEFLQ		ABEFNORSTUV 8
4 **A**BCLO**P**		DELV 9
5 ACDEFGJKL		ABGHJL**PR**10
Anzeige auf dieser Seite	B 6A CEE	➊ €36,10
5,5 ha 296T(60-90m²)	123D	➋ €53,70

Deutlich ausgeschildert auf der SS309 Ravenna-Venedig. In Sottomarina vorm Strand rechts ab, dann dem Landweg folgen.

Sottomarina, I-30015 / Veneto

- ⛺ Tropical**
- Via San Felice-Zona Diga 10/c
- 1 Apr - 21 Sep
- ☎ +39 041-403055
- @ info@campingtropical.com
- N 45°13'37'' E 12°17'51''

1 ABDFGJKNOPQRST		KMNQS 6
2 EHOPQVY		ABDEF 7
3 ABEFQ		ABEFNORTUV 8
4 O**P**		EIJMOQTV 9
5 ABCDEFGIJL		BHJR10
Anzeige auf dieser Seite	4A CEE	➊ €33,80
1,2 ha 90T(40-65m²)	24D	➋ €46,40

An SS309 ausgeschildert, Ravenna-Venedig. In Sottomarina-Lido am Boulevard Richtung Norden. Am Ende links, dann rechts. CP am Ende der Straße.

Vicenza, I-36100 / Veneto

- ⛺ Vicenza
- Via U. Scarpelli 35
- 1 Apr - 30 Sep
- ☎ +39 0444-582311
- @ info@campingvicenza.it
- N 45°31'3'' E 11°36'7''

1 ABDEF**JM**NOPRST		A 6
2 AOPVXY		ABDE**F**H 7
3 FL		ABCDEFKNOQRS 8
4 **ATVXYZ**		E 9
5 AEFGJ		ABGHIKPR10
Anzeige auf dieser Seite	B 3A CEE	➊ €34,50
2,5 ha 54T(60-90m²)	5D	➋ €44,50

A4 Verona-Venezia, Ausfahrt Vicenza Est. Direkt hinter der Mautstelle rechts ab Richtung Torre di Q.Lo. Nach 250m CP hinter dem Hotel Viest.

Sottomarina, I-30015 / Veneto

- ⛺ Oasi***
- Via A. Barbarigo 147
- 27 Mär - 27 Sep
- ☎ +39 041-5541145
- @ info@campingoasi.com
- N 45°10'54'' E 12°18'28''

1 ADFG**JM**NOPQRS**T**		AFKM**N**OQSW**XYZ** 6
2 CEGHPQVXY		ABDE**FGHK** 7
3 AEF**GHLMNQ**		ABEF**M**NORSTUV 8
4 **A**BILO**PUY**		EKLSV 9
5 ABCDEFGHIL		ABGHJ**P**TUVX10
Anzeige auf dieser Seite	6A CEE	➊ €37,60
2,5 ha 150T(56-100m²)	148D	➋ €51,30

Gut ausgeschildert auf der SS309, Ravenna-Venedig. In Sottomarina den Schildern folgen. Vorm Strand rechts ab, dann den Landweg bis zum Ende durchfahren.

Zoldo Alto, I-32010 / Veneto

- ⛺ Palafavera***
- Val di Zoldo 251
- 1/6 - 27/9, 1/12 - 25/4
- ☎ +39 0437-788506
- @ palafavera@sunrise.it
- N 46°24'8'' E 12°6'7''

1 ADEFG**JM**NOPRT		N 6
2 BCOPRSTUVX		ABDE**FG**H 7
3 AELQ		ABDEFJNRSV 8
4 **AEF**HI**P**		9
5 ACDEGIKL		ABGHIJLS10
W 3A CEE		➊ €25,10
H1540 5 ha 100T(70-100m²)	120D	➋ €37,10

München, Bressanone, Bruneck, Valbadia, Corvara, Arabba, Colle di Sta. Lucia, Palafavera.

Friuli-Venezia Giulia

Aquileia, I-33051 / Friuli-Venezia Giulia 🛜 CC€18 iD

⛺ Aquileia**	1 ADEF**JM**NOPQRST ABF 6
🏠 Via Gemina 10	2 CGOPVWXY ABDE**FH** 7
🗓 1 Apr - 30 Sep	3 ALM ABCDEFNOR 8
☎ +39 0431-91042	4 HO EGJKUV 9
@ info@campingaquileia.it	5 ACEGJKL ABDFGHIJ**NOR**10
	Anzeige auf dieser Seite B 6A CEE ❶ €24,50
🗺 N 45°46'34'' E 13°22'15'' 3,2 ha 115T(70-140m²) 17D ❷ €30,50

🚗 Aus dem Norden in Aquileia bei der ersten Ampel links, CP nach 450m.

Belvedere/Grado, I-33051 / Friuli-Venezia Giulia 🛜 iD

⛺ Belvedere Pineta	1 ACDE**JM**NOPQRST AFKMNQSX 6
Camping Village****	2 BEFGHPQRTVWXY BDE**FGH** 7
🏠 Via Martin Luther King	3 ABEF**IKLM**Q ABDFKNR 8
🗓 30 Apr - 30 Sep	4 **ABCD**LOP EIJRTV 9
☎ +39 0431-91007	5 ACDEFGIJL ABFIJ**NOR**10
@ info@belvederepineta.it	6A CEE ❶ €41,10
🗺 N 45°43'35'' E 13°23'59'' 50 ha 2670T(100-120m²) 233D ❷ €55,10

🚗 A23 Ausfahrt Palmanova fahren, dann Richtung Grado bis hinter Aquileia. Vorm Deich nach Grado links. Dann den CP-Schildern folgen.

Gemona, I-33013 / Friuli-Venezia Giulia 🛜 iD

⛺ Ai Pioppi**	1 AE**JM**NOPQR**T** 6
🏠 Via Bersaglio 118	2 AOPRSTWXY ABDE**FG** 7
🗓 16 Mär - 16 Nov	3 ALV ABCDEFNOQR 8
☎ +39 0432-980358	4 O DEGIJ 9
@ bar-camping-taxi@aipioppi.it	5 GK**L** AGHJOR 10
	4A CEE ❶ €24,00
🗺 N 46°17'26'' E 13°7'46'' H250 1 ha 65T(60-80m²) 16D ❷ €34,00

🚗 Von Villach über die A23 Richtung Udine fahren. An der Ausfahrt Gemona den gelben CP-Schildern folgen.

Alesso/Trasaghis, I-33010 / Friuli-Ven. Giulia 🛜 CC€16 iD

⛺ Lago 3 Comuni**	1 ADEF**JM**NOPQRT LNQRSTUVXYZ 6
🏠 Via Tolmezzo 52	2 CDFGIJPVWXY AD 7
🗓 1 Apr - 30 Sep	3 AV ABCDEFHJNRV 8
☎ +39 0432-979464	4 FH MRV 9
@ camping@lago3comuni.com	5 GKL DHIJ**NOR**10
	❶ CEE €??
🗺 N 46°19'31'' E 13°3'53'' H330 1,2 ha 66T(64-80m²) ❷ €31,50

🚗 Von Villach über die A23 Richtung Udine. An der Ausfahrt Gemona die Autobahn verlassen. Die SS13 Richtung Trasaghis und dann die SR512 bis Alesso nehmen. CP ist ausgeschildert.

Grado, I-34073 / Friuli-Venezia Giulia 🛜 iD

⛺ Residence Punta Spin****	1 ADEILNORST ABCDEFGHKM**N**QSWXYZ 6
🏠 Via Monfalcone, 10	2 EHOPQTVXY ABDE**FGH** 7
🗓 15 Apr - 25 Sep	3 BEF**ILM** ABCDEFNOR 8
☎ +39 0431-81780	4 ABDFILMN**PRSTVYZ** EJLPT 9
@ info@puntaspin.it	5 ACDEFGIJK ABGHIJ**OR**10
	❶ €47,00
🗺 N 45°41'41'' E 13°27'8'' 15 ha 530T(65-100m²) 519D ❷ €62,00

🚗 A23 Ausfahrt Palmanova fahren, dann Richtung Grado. Hier den CP-Schildern folgen, Richtung Monfalcone. Außerhalb Grado ist es der 2. CP rechts.

Grado, I-34073 / Friuli-Venezia Giulia 🛜 CC€18 iD

⛺ Tenuta Primero****	1 ABDEHKNOPRST AFGKMNQRSTW**XYZ** 6
🏠 Via Monfalcone 14	2 EGHOPQRVXY ABDE**FG** 7
🗓 25 Apr - 27 Sep	3 ABEF**JLMN**QV ABCDEFIKNOQRSTUV 8
☎ +39 0431-896900	4 **AE**HIJLMNORSU**Z** EIJKLMNOQRTUV 9
@ info@tenuta-primero.com	5 ACDEFGIJKL ABFGHIJLNORV10
	B 6A CEE ❶ €46,00
🗺 N 45°42'19'' E 13°27'51'' 22 ha 760T(60-110m²) 317D ❷ €62,00

🚗 A23 Ausfahrt Palmanove, dann Richtung Monfalcone fahren. In Grado den CP-Schildern folgen. Vierter CP auf der rechten Seite.

Grado, I-34073 / Friuli-Venezia Giulia 🛜 iD

⛺ Villaggio Turistico Europa****	1 ADEG**IL**NOPRST ABFGHKMNQRSTWXYZ 6
🏠 Via Monfalcone 12	2 EGHIOPQVWXY ABDE**FGH** 7
🗓 22 Apr - 22 Sep	3 BCEF**KLMN**RT ABCDEFKNORSTUV 8
☎ +39 0431-80877	4 **A**BHIJLNOP**Y** AEGJKLMOPQRTUV 9
@ info@villaggioeuropa.com	5 ACDEFGHIJL ABGHIJ**NOR**10
	B 10A CEE ❶ €37,90
🗺 N 45°41'47'' E 13°27'22'' 22 ha 415T(80-100m²) 514D ❷ €52,30

🚗 Von Monfalcone aus nach Grado ist es der zweite CP links. Von Grado Richtung Monfalcone der dritte CP rechts.

Italien

Italien

Idealer Campingplatz für Familien. 13 Hektar Pinienwald und schattiger Park. Stellplätze mit TV Sat, Strom und Wasser Privatstrand für Kinder besonders geeignet. Wellness- und Fitnessbereich. Geheiztes Sprudelbecken mit Unterwassermassage. Überdachtes und geheiztes Kinderbecken mit Rutschen und Wasserspielen. Neues Erlebnis-Kinderspielplatz. Animationsprogramm. Internet Punkt. WiFi.

MOBILHEIME: bequem wie zu Hause in der Freiheit des Campingplatzes. Komplett eingerichtet. Gut ausgestattet für 2, 4, 5 und 6 Personen.

Via Sabbiadoro, 8 • I-33054 LIGNANO SABBIADORO (UDINE)
Tel. +39 0431 71455 / 71710 • Fax +39 0431 721355
E-Mail: campsab@lignano.it
www.campingsabbiadoro.it

Lignano Sabbiadoro
EMOTION DES WOHLGEFÜHLS

Grado/La Rotta, I-34073 / Friuli-Venezia Giulia   iD

🏕 Al Bosco**	1 ADEHKNORT FKMNQSXY 6
🏠 Strada della Rotta 4	2 ABEHOPQTUVXY ABDFGH 7
🕐 1 Mai - 15 Sep	3 AEKL ABCDEFNOR 8
☎ +39 0431-80485	4 AH EJKLTV 9
@ info@campingalbosco.it	5 ACDEGIJK ABGHIJNR10
	3A
🗺 N 45°40'44'' E 13°25'14''	3 ha 242T(80m²) 48D

① €28,00
② €28,00

🚗 An der A23 Ausfahrt Palmanove, Richtung Grado, dort den CP-Schildern folgen, außerhalb Grado erster CP rechts.

Monfalcone/Marina Julia, I-34074 / Friuli-Ven. Giulia   iD

🏕 Vill. Turistico Albatros****	1 ABDEFJMNOQRT AFHKMNQS 6
🏠 Via Giarette 65	2 EGKOPQVXY ABDEFGH 7
🕐 1 Mai - 12 Sep	3 BEILMQ ABCDEFNOR 8
☎ +39 0481-40561	4 ILP IJ 9
@ info@villaggioalbatros.com	5 ABDEFGHIK ABHIRV10
	B 6A CEE
🗺 N 45°46'38'' E 13°31'37''	147 ha 300T(80-100m²) 241D

① €37,50
② €50,00

🚗 An der A23 zur A4, Richtung Trieste, Ausfahrt Monfalcone Richtung Grado, dann Schildern folgen. Nach der Bailybrücke rechts.

Lignano, I-33054 / Friuli-Venezia Giulia   🛜 ❄ iD

🏕 Sabbiadoro***	1 ADEGJMNOPQRST ABCDEFGHKMNQRSTWX 6
🏠 Via Sabbiadoro 8	2 BEGHOPQVXY ABDEFGH 7
🕐 28 Mär - 4 Okt	3 ABDEFGIKLMOS ABCDEFGIKNOQRSTUV 8
☎ +39 0431-71455	4 ABCDILRUY AEKLMPQTV 9
@ campsab@lignano.it	5 ACDEFGHIJKL AEFGHIJLNPRVXZ10
	Anzeige auf dieser Seite B 6-10A CEE
🗺 N 45°40'55'' E 13°7'34''	13 ha 974T(70-120m²) 295D

① €40,00
② €43,00

🚗 Ortseingang Lignano, Richtung Lignano Sabbiadoro. CP gut ausgeschildert.

Sistiana, I-34019 / Friuli-Venezia Giulia   🛜 CC€16 iD

🏕 Mare Pineta Baia Sistiana****	1 ACDEFGILNOPRST AFNOPQRSTUXY 6
🏠 Via Sistiana 60/D	2 ABEFGIJMOPRUVWXY ABDEFGH 7
🕐 1 Apr - 12 Okt	3 ABEGILMNSU ABCDEFKLNORSTV 8
☎ +39 040-299264	4 ABCEFHILNOPR EGILSUV 9
@ info@marepineta.com	5 ACDEFGIJK ABEGHIJLNORW10
	B 4A CEE
🗺 N 45°46'19'' E 13°37'27''	H82 107 ha 500T(80-100m²) 254D

① €45,40
② €64,20

🚗 A4 Richtung Trieste Ausfahrt Duino. Richtung Trieste über die Küstenstraße. Nach Duino liegt der CP rechts.

West-Emilia Romagna

CF-EU

Italien

Bologna, I-40127 / Emilia Romagna 🛜 iD

🏕 Città di Bologna***	1 ADE**IL**NOPQRST	A 6
🚌 Via Romita 12/4a	2 AGOPRVWXY	ABDE**FG** 7
🔒 7 Jan - 20 Dez	3 A	ABEFIJNQR 8
☎ +39 051-325016	4 O**RS**	EJL 9
@ info@hotelcamping.com	5 ABFGJL	AGHIJ**NO**10
	B 6A CEE	❶ €33,00
	6,3 ha 120T(20-80m²) 92D	❷ €44,00

📍 N 44°31'24'' E 11°22'26''
🚐 Auf der Umgehungsstraße den Schildern (Fiera) folgen, bei Ausfahrt 8 (Fiera) ist der CP mit braunen Schildern gut ausgeschildert. (CP liegt in der Nähe von Fiera).

Cervarezza Terme, I-42032 / Emilia Rom. 🛜 CC€18 iD

🏕 Le Fonti****	1 ABDEF**IL**NOPQRT	E 6
🚌 Via Santa Lucia 1	2 BFGOPRSTUVWXY	ABDE**FG**J 7
🔒 1 Jan - 31 Dez	3 BELQR	ABDEFJNOQRS 8
☎ +39 0522-890126	4 **A**BEFHILN**PRUVY**	JU 9
@ info@campinglefonti.com	5 ACDEFGIKL	DGHIJ**O**RV10
	Anzeige auf dieser Seite 4A CEE	❶ €31,80
	H1000 10 ha 70T(25-80m²) 186D	❷ €47,70

📍 N 44°23'24'' E 10°19'33''
🚐 A1, Ausfahrt Reggio Nell 'Emilia. Die S63, Cervarezza Terme. Hinter Castelnovo ne' Monfi ist der CP angezeigt.

Rioveggio, I-40040 / Emilia Romagna 🛜 CC€16 iD

🏕 Riva del Setta****	1 ADF**JM**NOPQRST	AN 6
🚌 Ginepri 65	2 ACPVXY	ABDE**F** 7
🔒 1 Apr - 30 Sep	3 AL**M**	ABEFNOR 8
☎ +39 051-6777749	4 N	DEJ 9
@ info@rivadelsetta.com	5 ABDFGJL	BGHKOST10
	B 3A CEE	❶ €23,50
	H210 3,5 ha 86T(70-80m²) 115D	❷ €32,50

📍 N 44°17'29'' E 11°13'5''
🚐 A1, Ausfahrt Rioveggio rechts ab und den CP-Schildern folgen.

Modena, I-41100 / Emilia Romagna 🛜 iD

🏕 International	1 A**IL**NOPQRST	A 6
🚌 Strada Cave di Ramo 111	2 APSWY	ABDE**FG** 7
🔒 1 Jan - 31 Dez	3 L	ABEFJNOQRSV 8
☎ +39 059-332252	4	9
@ internationalcamping.int@tin.it	5 BGKL	AGHIPR10
	B 6-10A CEE	❶ €34,40
	H120 2,6 ha 40T(60m²)	❷ €48,40

📍 N 44°39'16'' E 10°52'2''
🚐 A1 Mailand-Bologna, Ausfahrt Modena-Nord. Direkt nach der Mautstation (ca. 300m) ist der CP links.

Tabiano Terme/Salsomaggiore, I-43039 / Em. Rom. 🛜 iD

🏕 Arizona****	1 ABG**JM**NOPQRS**T**	AF**H** 6
🚌 Via Tabiano 42A	2 AFGOPRTUVWXY	ABDE**FGH** 7
🔒 1 Apr - 15 Okt	3 BEF**KLMQ**	ABCDEFKNORSV 8
☎ +39 0524-565648	4 INO**P**QRUY	AEJ 9
@ info@camping-arizona.it	5 ACDEFGJK**LM**	AGHIJ**NP**ST10
	B 10A CEE	❶ €34,00
	H300 13 ha 270T(50-90m²) 92D	❷ €47,00

📍 N 44°48'22'' E 10°0'35''
🚐 A1, Ausfahrt 9 Fidenza. Dann Richtung Tabiano. Weiter den CP-Schildern folgen.

Monzuno, I-40036 / Emilia Romagna 🛜 iD

🏕 Le Querce****	1 ABCDG**JM**NOPQRST	A 6
🚌 Vallicella di Monzuno 1	2 ABCFGOPUVY	ABDE**FJ** 7
🔒 1 Mär - 30 Sep	3 A**J**L	ABCDEFHJNORUV 8
☎ +39 051-6770394	4 O	DKL 9
@ contatti@	5 ADFGK	DFGI IIJ**O**STV10
campinglequerce.com	B 6A CEE	❶ €20,00
	H500 12 ha 165T(20-100m²) 65D	❷ €30,00

📍 N 44°14'57'' E 11°13'35''
🚐 A1 Bologna - Firenze bei der Haltestelle Ausfahrt Rioveggio links ab, CP-Schildern folgen (ca. 4 km, San Benedetto Val di Sambro). Steile Zufahrt.

Ventassolaghi/Ramiseto, I-42030 / Emilia Romagna iD

🏕 Il Faggio***	1 BFG**JM**NORT	6
🚌 Viale Provinciale 7	2 GNPTWX	ABDE**FGH** 7
🔒 1/1 - 15/9, 15/10 - 31/12	3 EHILM**R**	ABEFJNOQRV 8
☎ +39 0522-817228	4 F**T**	U 8
@ camping.ilfaggio@libero.it	5 ABCDGIL	GHJSTV10
	2A CEE	❶ €26,00
		❷ €39,00

📍 N 44°23'6'' E 10°16'33''
🚐 A1 bis Reggio Nell' Emilia. Dann die SS63 Richtung Passo Cerreto, Ausfahrt Ramiseto. Den Schildern Ventassolaghi folgen.

Pian del Voglio, I-40040 / Emilia Romagna 🛜 iD

🏕 Relax****	1 ADEF**J**MNOPQRS**T**	6
🚌 Via del Lavoro 10	2 AGOPTXY	ABDE**FH** 7
🔒 1 Jan - 31 Dez	3 BELQ	ABEFNOQR 8
☎ +39 0534-98228	4 O**Q**	DJ 9
@ campingrelax@alice.it	5 DFGI	GHIJPSTV10
	B 6A CEE	❶ €24,00
	H600 2 ha 50T(30-50m²) 103D	❷ €35,00

📍 N 44°10'0'' E 11°12'45''
🚐 A1, Ausfahrt Piano del Voglio. CP-Schildern ca. 2 km folgen.

Zocca, I-41059 / Emilia Romagna iD

🏕 Montequestiolo	1 AFG**JM**NOPQRST	6
🚌 Via Montequestiolo 184	2 BPSTUY	ABDE**FHJ** 7
🔒 1 Mär - 31 Okt	3 ALR	ABCDEFNORV 8
☎ +39 0599-86800	4 IO	DEJKLU 9
@ biocampus@	5 ABDEGIKLM	BFGHIJM**N**RV10
campeggiomontequestiolo.com	B 6A CEE	❶ €28,00
	H777 1,8 ha 50T(30-50m²) 18D	❷ €38,00

📍 N 44°19'56'' E 10°58'51''
🚐 A1 Ausfahrt Modena-Süd. Die N523 Richtung Vignola und hinter Vignola die N623 Richtung Zocca. Dann den CP-Schildern folgen.

Teilkarte West-Emilia Romagna auf Seite 518

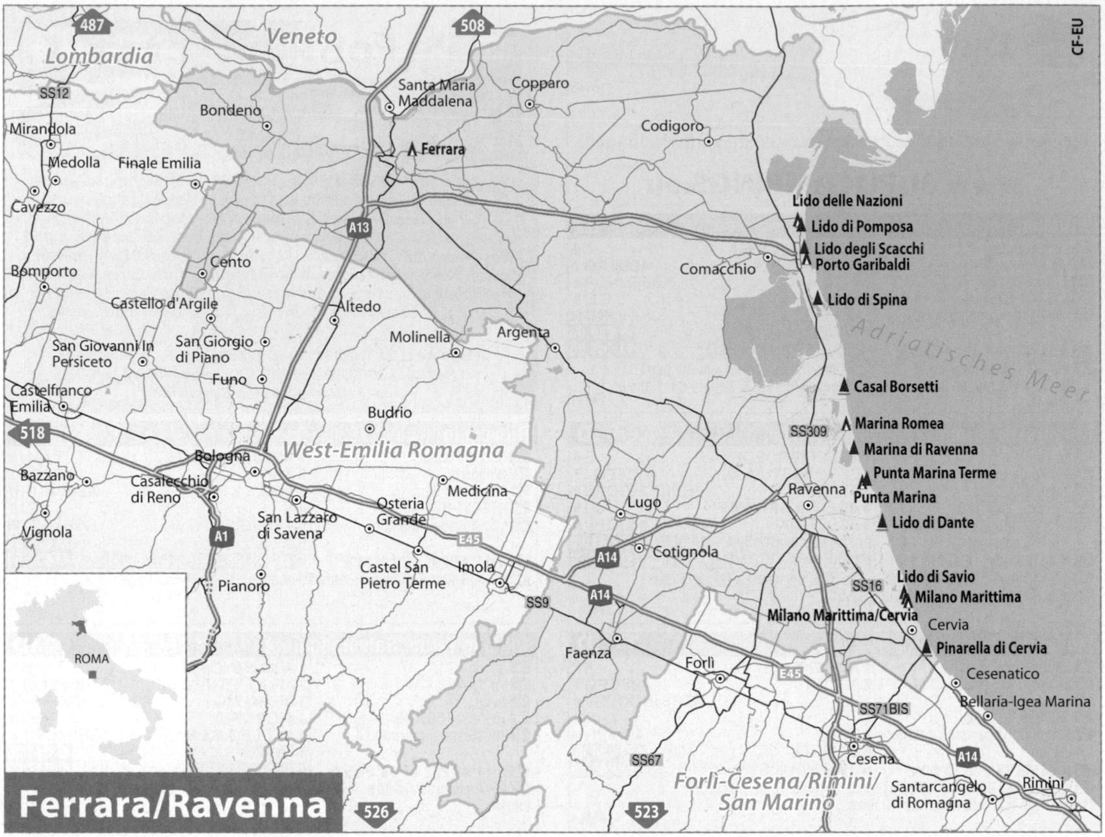

Ferrara/Ravenna

Casal Borsetti, I-48010 / Emilia Romagna

Adria***
Spallazzi 30
25 Apr - 15 Sep
+39 0544-445217
info@villaggiocampingadria.it

1	ABDFILNOPRST	AFKNQSWX 6
2	EGHOPQVWXY	ABDEFGH 7
3	BEFLMNQR	ABDEFIKNOQRSTUV 8
4	ABCDFHILNOPQ	ADEGHILUV 9
5	ABDEFGIJK	ABEFGHINOPR 10
	B 10A CEE	❶ €31,00
	3,4 ha 528T(60-120m²) 98D	❷ €43,00

N 44°33'32'' E 12°16'47''

A14 bis Ravenna fahren. Dann über die SS309 Richtung Venedig. Dann kommen die Schilder Casal Borsetti' und CP 'Adria'.

Casal Borsetti, I-48010 / Emilia Romagna

Pineta**
Via Spalazzi 5
8 Mär - 30 Sep
+39 0544-445152
info@campingpineta.ra.it

1	ABFJLNOPRST	KQSX 6
2	EHPQVY	ABDEFHI 7
3	BL	AEFINORS 8
4	IOP	DEJ 9
5	ADFIK	IR 10
	B 6A CEE	❶ €30,10
	2 ha 200T(60-80m²) 13D	❷ €42,20

N 44°32'28'' E 12°16'44''

A14 über Bologna nach Ravenna, dann über die SS309 Richtung Venedig, bald kommen die Schilder 'Casal Borsetti' und Camping 'Pineta'.

Casal Borsetti, I-48123 / Emilia Romagna

Reno
Via Spallazzi 11
1 Apr - 18 Okt
+39 0544-445020
info@campingreno.it

1	ABDFILNORST	KNQSWX 6
2	EHPQVXY	ABDFH 7
3	BEILQ	ABEFNOR 8
4	BCDILOP	JV 9
5	ABDFIK	AHIJR 10
	B 4A CEE	❶ €32,10
	3,5 ha 250T(60-80m²) 32D	❷ €45,50

N 44°32'5'' E 12°16'39''

A14 über Bologna nach Ravenna, dann SS309 Richtung Venedig. Bald kommen die Schilder 'Casal Borsetti' und Camping 'Reno'.

Casal Borsetti, I-48123 / Emilia Romagna

Romea
Via Spallazzi 1
20 Apr - 15 Sep
+39 0544-446311
info@campingromea.com

1	ABDFJMNOPRST	KNQSWX 6
2	EHPQV	ADFH 7
3	BLQ	AEFNORS 8
4	BCDFHILOP	EJL 9
5	ABDFIK	AGHIJOR 10
	B 4-6A CEE	❶ €31,00
	3,2 ha 378T(60-80m²) 21D	❷ €41,00

N 44°31'45'' E 12°16'38''

A14 über Bologna nach Ravenna, dann SS309 Richtung Venedig. Bald kommen die Schilder 'Casal Borsetti' und Camping 'Romea'.

Ferrara, I-44100 / Emilia Romagna

Estense***
Via Gramicia 76
1/1 - 7/1, 1/3 - 31/12
+39 0532-752396
campeggio.estense@libero.it

1	ADEJMNOPQRST	6
2	APXY	ABDEF 7
3	EJK	ABEFJNOQR 8
4		UV 9
5	L	GHIJPR 10
	B 6A CEE	❶ €24,50
	3,3 ha 50T(60-90m²)	❷ €31,50

N 44°51'12'' E 11°38'1''

A13 Bologna-Padova, Ausfahrt Ferrara-Nord Richtung Zentrum und CP-Schildern folgen. CP liegt außerhalb der Stadtmauer, in der Nähe vom Schwimmbad und vom Sportplatz.

Lido degli Scacchi, I-44020 / Emilia Romagna

Camping Ancora**
Viale Repubbl. Marinare 14
3 Apr - 13 Sep
+39 0533-381276
info@campingancora.it

1	ABDFILNOPRT	KMNQSW 6
2	EHOPQTVY	ABDEFGH 7
3	BFQ	ABEFNOR 8
4	ABCDLMP	DEJL 9
5	BDFHIK	ABHIJR 10
	B 3A CEE	❶ €30,00
	4,3 ha 230T(60-80m²) 77D	❷ €43,00

N 44°41'59'' E 12°14'10''

A14 bis Bologna, A13 Richtung Padova fahren. Bei Ferrara Sud abfahren dann noch 49 km bis Lidi di Commacchio. Überall ausgeschildert.

Lido degli Scacchi, I-44020 / Emilia Romagna

Florenz****
Viale Alpi Centrali 199
28 Mär - 8 Nov
+39 0533-380193
info@holidayvillageflorenz.com

1	ABDFILNORT	AFKMNQRSTX 6
2	EHOPQVX	ABDFGH 7
3	ABEFLMNQ	AEFKNORS 8
4	ABCDFILNOPVXYZ	EJKLQTVY 9
5	ACDEFGIJK	ABHIJLMNPTUYZ 10
	B 6A CEE	❶ €43,00
	8 ha 300T(50-70m²) 215D	❷ €56,60

N 44°42'4'' E 12°14'18''

A14 bis Bologna, dann die A13 Richtung Padova bis Ferrara Sud und noch 49 km weiter nach Lidi di Comacchio. Überall CP-Schilder.

Lido delle Nazioni, I-44020 / Emilia Romagna

Tahiti****
Viale Libia 133
30 Apr - 20 Sep
+39 0533-379500
info@campingtahiti.com

1	ABDFJKNOPRST	AFMNQSTX 6
2	HOPQVY	ABDEFGH 7
3	BEFILMNQRST	ABCDEFKLMNOQRSTUV 8
4	ABCDHILNOPQRSUVWYZ	EGJKLQTV 9
5	ACEFGIJKL	ABEGHIJLNPRVYZ 10
	Anzeige auf Seite 521 B 10-16A CEE	❶ €44,90
	13 ha 470T(70-100m²) 146D	❷ €63,00

N 44°44'4'' E 12°13'54''

A14 bis Bologna, dann nach Padova bis Ferrara-Süd. Weiter nach Lidi di Comacchio. Der CP ist gut ausgeschildert.

Teilkarte Ferrara/Ravenna auf Seite 520

Lido di Dante, I-48100 / Emilia Romagna 🛜 CC€18 iD

- 🏕 Classe***
- 🚌 Via Catone 1
- 📅 4 Apr - 12 Okt
- ☎ +39 0544-492005
- ✉ info@campingclasse.it

	1 ABDF**IL**NOPRST	AFKMNSW**X** 6
	2 EGHOPQVXY	ABDEF**HJ** 7
	3 BELQ	ABCDEFKLNORSTUV 8
	4 BCDFILMNO**P**R	EJLMUV 9
	5 ACDEFGIJKL	ABGHIJL**O**RV 10

Anzeige auf dieser Seite FKK B 4A CEE | ➊ €29,50
70 ha 400T(60-80m²) 152D | ➋ €43,00

📍 N 44°23'5'' E 12°18'57''
🚗 Von der Umgebung von Ravenna Schildern Lido Sud, dann Lido di Dante folgen. Danach Porto Fuori. Innerorts der Beschilderung ist aber kürzer.

Lido di Dante, I-48122 / Emilia Romagna 🛜 CC€16 iD

- 🏕 Ramazzotti***
- 🚌 Via Paolo e Francesca
- 📅 25 Apr - 20 Sep
- ☎ +39 0544-492250
- ✉ Info@campingramazzotti.it

	1 ABDF**JM**NOPRST	KNQSWXY 6
	2 EHOPQV	ABDE**FG**H 7
	3 BEL**M**Q	ABCDEFKNORS 8
	4 BDHLNO**PS**	DEKLMU 9
	5 ADEFGHIJK	AGHIJLNORV 10

D 0A 0EE | ➊ €28,50
2,8 ha 300T(60-80m²) 45D | ➋ €41,00

📍 N 44°23'6'' E 12°19'8''
🚗 Von der Umgebung von Ravenna Schildern Lido Sud folgen, dann Schildern nach Lido di Dante.

Lido di Pomposa, I-44020 / Emilia Romagna 🛜 iD

- 🏕 I Tre Moschettieri****
- 🚌 Via Capanno di Garibaldi 22
- 📅 20 Apr - 14 Sep
- ☎ +39 0533-380376
- ✉ info@tremoschettieri.com

	1 ABF**IL**NOPRT	**A**FKMNQRSWX 6
	2 EHPVY	ABDE**FG**H 7
	3 BL**M**Q	ABEFNOR 8
	4 BCDHILMNO**PRXZ**	EJLQTV 9
	5 ACDEFGIK**L**	ABGHIJMN**O**P**R**Y 10

Anzeige auf dieser Seite B 4-8A CEE | ➊ €32,00
11 ha 600T(70m²) 140D | ➋ €45,00

📍 N 44°43'35'' E 12°14'10''
🚗 A14 bis Bologna, A13 bis Ferrara Sud. Dann noch 49 km nach Lido di Comacchio. Deutlich ausgeschildert.

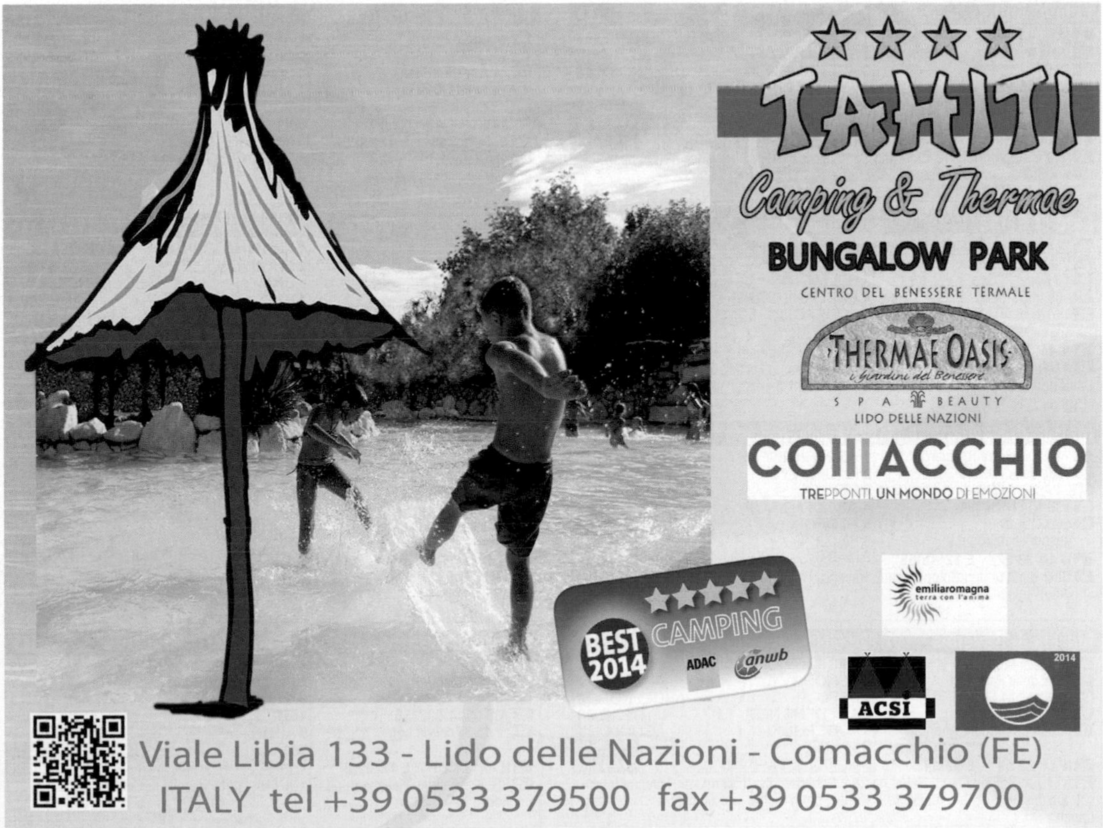

Mobilheime • Via Capanno Garibaldi, 20 • 44020 Lido di Pomposa (FE)
Tel. 0533-380216 • Fax 0533-380082
www.vignasulmarcampingvillage.com • info@vignasulmarcampingvillage.com

VIGNA SUL MAR Camping Village

ANWB CLUB del SOLE

Lido di Pomposa, I-44020 / Emilia Romagna 🛜 iD

🏕 Vigna sul Mar****	1 ABD**IL**NORT	AF**KMNQXY 6**
🚐 Via Capanno Garibaldi 20	2 EHOPQVY	ABDE**FGH 7**
📅 16 Apr - 21 Sep	3 BFLQ	ABDEFKNOQRS 8
☎ +39 0533-380216	4 **A**BDILNO**P**	EKV 9
@ info@	5 ACDEFGHIK	GHIK**NO**RY 10
vignasulmarcampingvillage.com	Anzeige auf dieser Seite B 6A CEE	① €37,00
📍 N 44°43'31'' E 12°14'8''	13 ha 600T(70-80m²) 125D	② €49,00

🚗 A14 bis Bologna fahren, dann A13 Richtung Padova. Bei Ferrara Sud abfahren. Dann noch 49 km nach Lidi di Commacchio. Ausgeschildert. ⛺

Lido di Savio, I-48020 / Emilia Romagna 🛜 iD

🏕 Nuovo International	1 ABDFHKNOPRT	ANQ 6
🚐 Via Lord Byron 98	2 EHKPVXY	ABDFH 7
📅 24 Apr - 13 Sep	3 BF**K**	ABCDEFNOR 8
☎ +39 0544-949014	4 O	J 9
@ info@camping-international.it	5 ABEFIJK	AHIJO**R** 10
	B 3A CEE	① €27,00
📍 N 44°18'17'' E 12°20'33''	5,9 ha 470T(60-70m²) 20D	② €39,00

🚗 SS16 nach Ravenna und Rimini, bei Lido di Savio die Straße verlassen und den Schildern folgen. ⛺

Lido di Spina, I-44029 / Emilia Romagna 🛜 iD

🏕 Mare e Pineta****	1 ABD**FIL**NOPRST	AF**HKMNQRSTUVXZ 6**
🚐 Viale Acacie 67	2 EHOPQTVY	ABDE**FGH 7**
📅 23 Apr - 21 Sep	3 ABEF**GLMNQR**	ABCDEFKNOQRS 8
☎ +39 0533-330110	4 **A**BCDFHILNO**PRSTUXYZ**	EIJKLMPQRTUV 9
@ info@campingmarepineta.com	5 ACDEFGHIJKL	ABEGHIJ**P**TYZ 10
	B 6-10A CEE	① €37,25
📍 N 44°39'19'' E 12°14'43''	16 ha 1400T(50-70m²) 143D	② €52,20

🚗 A14 bis Bologna, A13 Richtung Padova bis Ferrara Sud. Noch 49 km nach Lido di Spina. Schildern folgen. ⛺

Lido di Spina, I-44024 / Emilia Romagna 🛜 iD

🏕 Spina Camping Village****	1 ABDF**JM**NOPRST	AFKMNQX 6
🚐 Via del Campeggio 99	2 BEGHJPQVY	ABDE**FGH 7**
📅 16 Apr - 13 Sep	3 BEL**MQRT**	ACEFK**L**NORSV 8
☎ +39 0533-330179	4 ABCDFHILNO**PT**	EJLTUV 9
@ info@	5 ACDEFGIJK	ABFGHIJLM**O**VVY 10
spinacampingvillage.com	B 6A CEE	① €34,50
📍 N 44°37'40'' E 12°15'19''	24 ha 1450T(50-80m²) 448D	② €51,50

🚗 A14 bis Bologna, dann A13 Richtung Padova. In Ferrara Sud runter. Dann noch 49 km nach Lidi di Camocchio. Deutlich ausgeschildert. ⛺

Marina di Ravenna, I-48122 / Emilia Romagna 🛜 iD

🏕 Parco Vacanze Rivaverde***	1 ABDFHKNOPRST	AKMNQSX 6
🚐 Viale delle Nazioni 301	2 EHOPQVY	AD**FGH 7**
📅 24 Apr - 14 Sep	3 BEFLQ	AEFNOQRS 8
☎ +39 0544-530491	4 **A**BCDFHILNO**P**	EKLV 9
@ rivaverde@	5 ACDFGIK	AHIORVYZ 10
gestionecampeggi.it	B 3A CEE	① €30,40
📍 N 44°28'22'' E 12°16'58''	6 ha 100T(70m²) 252D	② €43,70

🚗 Über die A14 von Bologna nach Ravenna, nach Marina di Ravenna, Schildern folgen. ⛺

Marina di Ravenna, I-48122 / Emilia Romagna 🛜 iD

🏕 Piomboni Camping Village***	1 ABDF**JM**NOPRST	KMNQSTX 6
🚐 Viale della Pace 421	2 BEHOPQVY	ABDE**FGH 7**
📅 24 Apr - 14 Sep	3 BEFLQR	ABDEFNORS 8
☎ +39 0544-530230	4 ABCDFHILNO**P**	DEJKLV 9
@ info@campingpiomboni.it	5 ACDEFGIJKL	AGHIJLOR 10
	B 10A CEE	① €28,30
📍 N 44°27'59'' E 12°17'7''	5 ha 400T(60-90m²) 43D	② €41,30

🚗 A14 von Bologna nach Ravenna, den Schildern nach Marina di Ravenna folgen (CP ausgeschildert) bis zur SS309 Romea, dann rechts und Schildern folgen. ⛺

Marina Romea, I-48123 / Emilia Romagna iD

🏕 Villaggio del Sole***	1 ABDFHKNORT	AKNQSW**X** 6
🚐 Viale Italia 59	2 BEHOPQVY	ABDE**FH 7**
📅 24 Apr - 14 Sep	3 BE**ILMQ**	ABEFNOQRS 8
☎ +39 0544-446037	4 **A**BCDHILMO**P**	AJLV 9
@ info@	5 ACDEFHIK	AGHIJLSTV 10
campingvillaggiodelsole.it	B 4A CEE	① €29,20
📍 N 44°29'58'' E 12°16'33''	7 ha 122T(50-70m²) 112D	② €41,90

🚗 Über die A14 von Bologna nach Ravenna, dann über die SS309 Richtung Venedig, den CP-Schildern folgen. ⛺

Milano Marittima, I-48015 / Emilia Romagna 🛜 iD

🏕 Villaggio Turistico Romagna	1 ABDFHKNOPRT	**AFN**QS**X** 6
🚐 Viale Matteotti 190	2 EHOPQVX	ABDE**FGH 7**
📅 3 Apr - 14 Sep	3 B**J**L	ABEFNOQRS 8
☎ +39 0544-949326	4 O**P**	L 9
@ info@campingromagna.it	5 ACDEFGIJK	AEGHIJLOR 10
	B 6A CEE	① €34,00
📍 N 44°17'58'' E 12°20'36''	40 ha 300T(60-80m²)	② €49,00

🚗 SS16 zwischen Ravenna und Rimini bis Ausfahrt Milano Marittima, Schildern folgen. ⛺

Milano Marittima/Cervia, I-48015 / Emilia Romagna iD

🏕 Villaggio Pineta***	1 ABDFHKNOPRT	AFKNQ**X** 6
🚐 Viale Matteotti 186	2 BEHOPQVY	ABDE**FGH 7**
📅 24 Apr - 14 Sep	3 B**GJK**L	ABEFNOQRS 8
☎ +39 0544-949341	4 ABDILNO**P**	DEJKLUV 9
@ villaggiopineta@	5 ACDEFGIJK	AGHIJLR 10
gestionecampeggi.it	B 4A CEE	① €31,00
📍 N 44°17'46'' E 12°20'38''	3 ha 142T(60-70m²) 68D	② €45,10

🚗 SS16 zwischen Ravenna und Rimini. Bei Milano Marittima Straße verlassen und CP-Schildern folgen. ⛺

Pinarella di Cervia, I-48015 / Emilia Rom. 🛜 CC€16 iD

🏕 Adriatico***	1 ABDF**JM**NOPRST	**AFN**QSW**XZ 8**
🚐 Via Pinarella 90	2 EHOPRVY	ABCDEFNOQRSV 8
📅 3 Apr - 21 Sep	3 B**K**L	ABCDEFNOQRSV 8
☎ +39 0544-71537	4 BDFGHILO**P**	ADEHLV 9
@ info@campingadriatico.net	5 ABDEFGIK	AFGHIJLM**O**R 10
	B 6A CEE	① €33,10
📍 N 44°14'51'' E 12°21'32''	3,4 ha 280T(60m²) 23D	② €48,00

🚗 SS16 zwischen Rimini und Ravenna, bei Cervia Straße verlassen und Schildern folgen. ⛺

Pinarella di Cervia, I-48015 / Emilia Romagna 🛜 iD

🏕 Pinarella***	1 ABFHKNOPRT	M 6
🚐 Viale Abuzzi 52	2 EHPRVY	ABDE**FH 7**
📅 16 Apr - 13 Sep	3 B	ABCDEFNOQRS 8
☎ +39 0544-987408	4 IO**P**	L 9
@ campingpinarella@libero.it	5 ADGIK	AGHIJOR 10
	3A CEE	① €31,80
📍 N 44°14'1'' E 12°22'24''	1,8 ha 175T(60-70m²)	② €46,00

🚗 SS16 zwischen Ravenna und Rimini, Ausfahrt Pinarella di Cervia, Schildern folgen. ⛺

Pinarella di Cervia, I-48015 / Emilia Romagna iD

🏕 Safari***	1 ABDFHKNOPRT	M 6
🚐 Viale Titano 130	2 EHOPRVY	ABD**FH 7**
📅 23 Apr - 13 Sep	3 B	ACEFKNOQRS 8
☎ +39 0544-987356	4 O**P**	L 9
@ csafari@cervia.com	5 ABGK	AHIJR 10
	4A CEE	① €35,50
📍 N 44°14'23'' E 12°22'5''	2,4 ha 295T(50-60m²)	② €52,00

🚗 SS16 zwischen Ravenna und Rimini, Ausfahrt Pinarella di Cervia, Schildern folgen. ⛺

Italien

Porto Garibaldi, I-44029 / Emilia Romagna 🛜

⛺ Spiaggia e Mare***	1 BDF**JM**NOPRT	**A**FKMNWX 6
🏠 Via dei Mille 62	2 EHOPQVXY	ABDE**FH** 7
📅 30 Apr - 27 Sep	3 BELR	ABEFNOQRS 8
☎ +39 0533-327431	4 **A**BCDILO**P**	EJKLV 9
@ info@campingspiaggiamare.it	5 ABDEFGHIJK	ABGHIJN**P**RYZ10
	B 6A CEE	❶ €43,80
⛟ N 44°41'25'' E 12°14'22''	14 ha 600**T**(60-80m²) 146**D**	❷ €58,00

🚗 A14 bis Bologna, dann A13 Richtung Padova bis Ferrara Sud. 49 km weiter nach Lidi di Commacchio. Ausgeschildert.

Punta Marina, I-48122 / Emilia Romagna 🛜 iD

⛺ Marina Camping Village***	1 ADF**JM**NOPRST	**A**FKNQSWX 6
🏠 Via dei Campeggi 8	2 EHOPQVX	ABDE**FG** 7
📅 25 Apr - 14 Sep	3 BEFLQ	ABEFNOR 8
☎ +39 0544-437353	4 **A**BCDFHILNO**P**	ELUVW 9
@ info@	5 ACDFGIK	AGHIJPRY10
marinacampingvillage.com	B 5-16A CEE	❶ €38,00
⛟ N 44°26'0'' E 12°17'50''	70 ha 416**T**(50-70m²) 110**D**	❷ €52,00

🚗 A14 von Bologna nach Ravenna, nach Punta Marina, CP deutlich ausgeschildert.

Punta Marina Terme, I-48122 / Emilia Romagna 🛜 iD

⛺ Adriano****	1 ACD**JM**NOPRS**T**	AFKMNQSW**X** 6
🏠 Via dei Campeggi 7	2 EGHOPQVY	ABDE**FGH**I 7
📅 20 Apr - 18 Sep	3 ABEFLQ**R**	ABEFNORS 8
☎ +39 0544-437230	4 **A**BCDFHILO**PQY**	EJLOUVW 9
@ info@	5 ACDEFGIJKL	AEGHIJ**NO**RY10
adrianocampingvillage.com	B 16A CEE	❶ €43,00
⛟ N 44°26'1'' E 12°17'47''	140 ha 821**T**(50-100m²) 227**D**	❷ €62,00

🚗 Über die A14 von Bologna nach Ravenna, Straßenschildern nach Punta Marina folgen, CP überall deutlich ausgeschildert.

Punta Marina Terme, I-48122 / Emilia Romagna 🛜 iD

⛺ Villaggio dei Pini***	1 ABDFHKNOPRST	KQSW**X** 6
🏠 Via della Fontana 58	2 EHOQVX	ABD**FGH** 7
📅 24 Apr - 14 Sep	3 BLQ	ABEFNOQR 8
☎ +39 0544-437115	4 **A**BCDFHILOS	DELV 9
@ villaggiodeipini@	5 ACDFGHIK	AHIJORV10
gestionecampeggi.it	B 4A CEE	❶ €28,90
⛟ N 44°25'53'' E 12°18'2''	14 ha 120**T**(50-70m²) 48**D**	❷ €41,50

🚗 Über die A14 von Bologna nach Ravenna, bei Ravenna Straße nach Punta Marina, CP deutlich ausgeschildert.

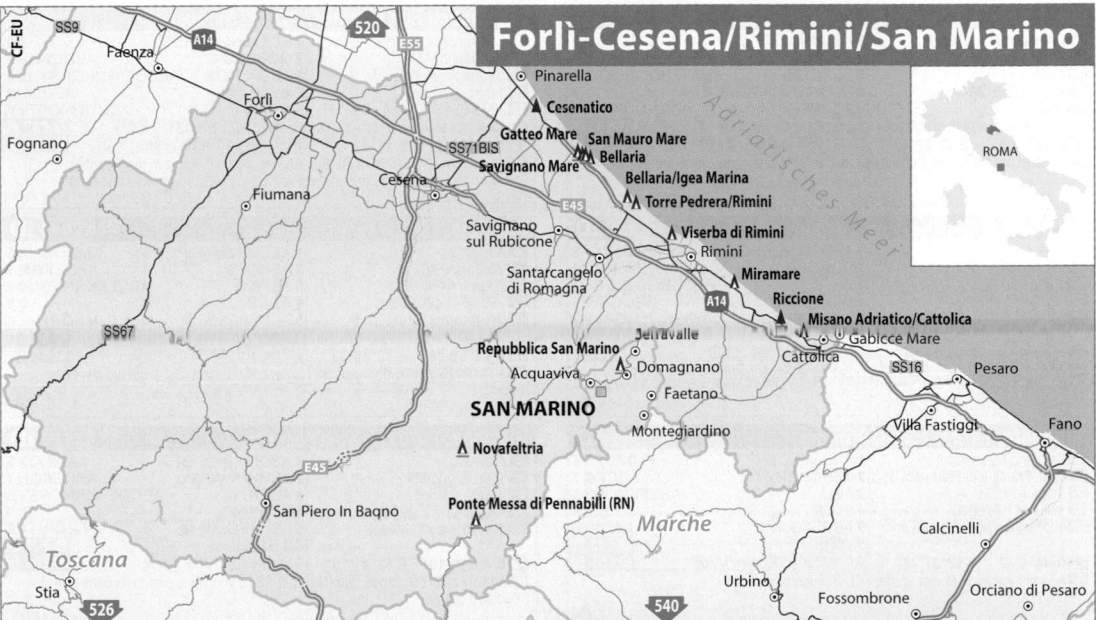

Forlì-Cesena/Rimini/San Marino

Italien

Bellaria, I-47814 / Emilia Romagna 🛜 iD

⛺ Happy Camping Village****	1 ABDF**JM**NORST	AFKMNQSWX 6
🏠 Via A.Panzini 228	2 EHOPQVXY	ABD**FGH** 7
📅 1 Jan - 31 Dez	3 BFLM**NQ**	ABEFJNOQRS 8
☎ +39 0541-346102	4 BCDHILNOPY	DEGIJL 9
@ info@happycamping.it	5 ABDFGIJK	ABGHIJ**NP**R10
	B 16A CEE	❶ €43,00
⛟ N 44°9'38'' E 12°26'55''	4 ha 130**T**(50-70m²) 81**D**	❷ €62,50

🚗 SS16 Rimini-Cesenatico bis Ausfahrt San Mauro Mare, diese Ausfahrt nehmen und dann Schildern Richtung CP folgen.

Bellaria/Igea Marina, I-47814 / Emilia Romagna 🛜 iD

⛺ New Camping Riccardo***	1 ABDF**IL**NOPRST	KNQSWX 6
🏠 Via Pinzon 310	2 EHOPQVXY	AD**FH** 7
📅 2 Apr - 21 Sep	3 BELQ	AEFKNOS 8
☎ +39 0541-331503	4 INO**P**	DEHJ 9
@ info@campingriccardo.it	5 AGK	ABGHIJNP**R**V10
	3-10A CEE	❶ €28,00
⛟ N 44°7'13'' E 12°29'37''	1,4 ha 107**T**(60-70m²) 22**D**	❷ €39,00

🚗 Von der SS16 Rimini-Cesenatico Ausfahrt Igea Marina nehmen, den Schildern folgen.

Cesenatico, I-47042 / Emilia Romagna iD

⛺ Camping Motel**	1 ABDFG**IL**NOPRT	NQSWX 6
🏠 Viale Cavour 1	2 EHOPQVY	ABDE**FH** 7
📅 1 Apr - 20 Sep	3 AL	ABCDEFKNOR 8
☎ +39 0547-672344	4 H	LV 9
@ ravaldini@campingmotel.it	5 EGIJK	ABGHIJ10
	10A CEE	❶ €36,70
⛟ N 44°12'26'' E 12°23'26''	2,8 ha 100**T**(20-80m²) 60**D**	❷ €48,70

🚗 CP am Rand von Cesenatico an der SS16, zwischen Rimini und Ravenna.

Cesenatico, I-47042 / Emilia Romagna iD

⛺ Camping Zadina S.r.l.	1 ABDF**IL**NOPRT	KNQX 6
🏠 Viale Mazzini 184	2 EOQUVY	AD**FGH** 7
📅 19 Apr - 20 Sep	3 B	ABEFNOR 8
☎ +39 0547-82310	4 O**P**	J 9
@ info@campingzadina.it	5 BDFK	AFGHILRY10
	6A CEE	❶ €42,00
⛟ N 44°12'57'' E 12°22'42''	4 ha 240**T**(50-70m²) 132**D**	❷ €60,00

🚗 SS16 zwischen Rimini und Ravenna, Ausfahrt Cesenatico, Schildern folgen.

Cesenatico Camping Village liegt im Zentrum der Provinz Emilia Romagna an der Adria bei Rimini. Hier kann man herrlich relaxen, sich aber auch unterhalten und zahlreiche Angebote zum ausgehen wahrnehmen. Innerhalb einiger Dutzend Kilometer liegen die Städte Rimini, Riccione sowie bekannte Themen- und Freizeitparks (Mirabilandia, Aquafun, Italia in Miniatura, Fiabilandia, Oltremare und Le Navi).
Cesenatico Camping Village bietet den Gästen viele extra Annehmlichkeiten: Supermarkt, Restaurant - Pizzeria, Bar, Frisör, Telefonzellen, Geldautomat, Safe, Wäscherei, Reisemobilservice, Autowaschplatz, erste Hilfe, Spielplatz, Tennisplatz, Volleyballfeld, Schwimmbad mit Sprudelbecken und Animation. Geöffnet vom 1/3 -31/12! Das ideale Ferienziel für den Sommerurlaub, aber auch für ein verlängertes Wochenende außerhalb der Saison.

Via Mazzini 182, 47042 Cesenatico
Tel. 0547-81344 • Fax 0547-672452
E-Mail: info@cesenaticocampingvillage.com
Internet: www.cesenaticocampingvillage.com

Italien

Cesenatico, I-47042 / Emilia Romagna 🛜 iD

⛺ Cesenatico CP Village***	1 ABD**JM**NOPRS	AFNQSWX 6
🏠 Via Mazzini 182	2 EHOPVXY	ABDE**FGH** 7
🔓 1 Mär - 31 Dez	3 BEF**KLM**QR	ABEFKNOQRSTUV 8
☎ +39 0547-81344	4 BCDHILNOP**TUVYZ**	EJLTV 9
@ info@	5 ACDEFGHJK	ABGHIJNPRYZ10
cesenaticocampingvillage.com	Anzeige auf dieser Seite	B 16A CEE ❶ €40,00
📍 N 44°12'55'' E 12°22'46''	16 ha 250T(60-80m²) 757D	❷ €49,00

🚗 CP liegt am Rand von Cesenatico an der SS16, zwischen Rimini und Ravenna.

Gatteo Mare, I-47043 / Emilia Romagna 🛜 CC€14 iD

⛺ Delle Rose***	1 ABD**FIL**NOPRST	AFMNQSWX 6
🏠 Via Adriatica 29	2 EGHOPRVY	ABDE**FGH** 7
🔓 1 Mai - 20 Sep	3 BEFLQ	ABCDEFKNOQRS 8
☎ +39 0547-86213	4 BCDILMO**P**	DEGIJKLV 9
@ baiocchi@villaggiorose.com	5 ACDEFGJK	ABGHIJLM**O**RVY10
	B 6A CEE	❶ €31,60
📍 N 44°9'58'' E 12°25'56''	4 ha 400T(50-70m²) 114D	❷ €41,60

🚗 A14, Ausfahrt Rimini-Nord. Dann Richtung Ravenna und die Ausfahrt Gatteo Mare nehmen.

Miramare, I-47037 / Emilia Romagna 🛜 iD

⛺ Camping Maximum***	1 ABDJMNOPRT	KMNQSW 6
🏠 Viale Principe di Piemonte 57	2 AEHOPQRXY	ABD**FG** 7
🔓 1 Apr - 13 Sep	3 AEL	ABEF**K**NORS 8
☎ +39 0541-372602	4 BLO**P**	EJL 9
@ info@campingmaximum.com	5 ABDEFGJK	AHIJL**NO**R10
	6A CEE	❶ €40,00
📍 N 44°1'42'' E 12°37'30''	4,6 ha 300T(130-145m²) 76D	❷ €51,00

🚗 A14 bis Rimini Sud, den gelben CP-Schildern folgen.

Misano Adriatico/Cattolica, I-47843 / Emilia Rom. 🛜 iD

⛺ Misano Adriatico***	1 ABD**IL**NOPRST	ABKM**N**QRSTUX 6
🏠 Via Litoranea Sud 60	2 EHOPVXY	ABD**FGH** 7
🔓 17 Apr - 30 Sep	3 BFLM	ABCDEFGIKLMNOR 8
☎ +39 0541-614330	4 BHIOUY	ADEKLTV 9
@ info@campingmisano.it	5 ABCDEFGIKL	ABGHIJL**P**STY10
	6A CEE	❶ €40,95
📍 N 43°58'29'' E 12°42'39''	7 ha 640T(43-80m²) 92D	❷ €56,95

🚗 A14 AusfahrtRiccione. SS16 folgen, CP-Schildern folgen. Richtung Cattolica.

Novafeltria, I-47863 / Emilia Romagna 🛜 CC€16 iD

⛺ Perticara***	1 ADJKNOPRT	AB 6
🏠 Via Serra Masini 10/d	2 FGOPUVWX	ABDE**F** 7
🔓 13 Mai - 20 Sep	3 BELT	ABCDEFINQRSTUV 8
☎ +39 0335-7062260	4 BFGHIO	EIJ 9
@ info@campingperticara.com	5 ABDEFGJL	ABHIJ**P**R10
	10A CEE	❶ €37,00
📍 N 43°53'43'' E 12°14'32''	H630 8 ha 77T(100-120m²) 7D	❷ €53,00

🚗 Ausfahrt Rimini-Nord. Richtung San Leo-Montefeltro. An der SP258 rechts ab Richtung Novafeltria, GPS abschalten. An der Bar Pascucci rechts ab Perticara. Den CP-Schildern folgen.

Ponte Messa di Pennabilli (RN), I-61016 / Em. Rom. 🛜 ❄ CC€18 iD

⛺ Marecchia 'Da Quinto'****	1 ABDEGILNOPQRT	AF 6
🏠 Via Mulino Schieti 22	2 CGOPVWXY	ABD**F** 7
🔓 1 Mai - 10 Sep	3 AEFS	ABEF**N**QRV 8
☎ +39 338-7226690	4 FO**PU**	9
@ info@campingmarecchia.it	5 DEGIL	BHJPV10
	6A CEE	❶ €37,00
📍 N 43°49'32'' E 12°15'1''	0,8 ha 30T(20-80m²)	❷ €50,00

🚗 A14 Ausfahrt Rimini Nord, Richtung Sanleo-Montefeltro (SP258). Novafeltria-Pennabilli am Kreisel Richtung Ponte Messa (CP-Schildern folgen). CP liegt vor dem Ort rechts.

Repubblica San Marino, I-47893 / San Marino 🛜 CC€16

⛺ Centro Vacanze	1 BDE**IL**NOPQRST	A 6
San Marino****	2 GOPSUVXY	ABDE**FGH** 7
🏠 Strada S. Michele 50	3 ABEFLMQS	ABCDEFHJKQRSTUV 8
🔓 1 Jan - 31 Dez	4 A**B**IKLO**PU**	AEGIJU 9
☎ +378 0549-903964	5 ABDEFGJKL	ABGHIJNOSTV10
info@centrovacanzesanmarino.com	Anzeige auf Seite 525	5A CEE ❶ €37,00
📍 N 43°57'33'' E 12°27'41''	H250 10 ha 200T(50-80m²) 61D	❷ €55,00

🚗 Ausf. Rimini Süd, SS72 Ri. San Marino. Nach Einfahrt in die Republik San Marino Hauptstraße folgen, und nach 3 km sieht man rechts oben das CP-Schild. An der Brico ID Shop rechts abbiegen. Siehe CP-Schilder.

Riccione, I-47838 / Emilia Romagna 🛜 CC€18 iD

⛺ Adria***	1 ABCDE**JM**NOPQRST	KMNQSWX 6
🏠 Via Torino 40	2 AEHOPVY	ABDE**FGH** 7
🔓 2 Apr - 4 Okt	3 AEF**K**Q	ABCEFKNORSUV 8
☎ +39 0541-601003	4 A**B**CDILO	L 9
@ info@campingadria.com	5 ACDEFGIJKLM	AFGHIJMN**OP**RYZ10
	Anzeige auf Seite 525	B 6A CEE ❶ €38,70
📍 N 43°59'28'' E 12°40'43''	6,2 ha 516T(60-70m²) 216D	❷ €53,50

🚗 A14 bis Riccione, dann zur SS16, ca. 500m, dann den großen Schildern folgen.

Riccione, I-47036 / Emilia Romagna 🛜 CC€16 iD

⛺ Alberello***	1 ABDFHKNOPQRT	KMNQX 6
🏠 Viale Torino 80	2 AEHOPRVWXY	ABDE**FGH** 7
🔓 2 Apr - 21 Sep	3 ABE**K**LO	ABCDEFGKNORSV 8
☎ +39 0541-615402	4 BDHILNO	EL 9
@ direzione@alberello.it	5 ABDEFGIJKL**M**	AGHIJ**NP**STY10
	B 4-6A CEE	❶ €37,90
📍 N 43°59'10'' E 12°41'15''	4 ha 170T(60-70m²) 146D	❷ €54,60

🚗 A14 Ausfahrt Riccione, dann auf der SS16 von Rimini nach Ancona den Schildern folgen.

Riccione, I-47838 / Emilia Romagna 🛜 iD

⛺ Fontanelle***	1 ABFHKNOPRT	KMNQSWX 6
🏠 Via Torino 56	2 AEHOPVY	ABDE**FGH** 7
🔓 1 Apr - 27 Sep	3 BF**K**LQ	ABEFKNORSTUV 8
☎ +39 0541-615449	4 BDILNO**PS**	9
@ info@campingfontanelle.net	5 ACEFGIJKL**M**	AFGHIJLMNOVY10
	Anzeige auf Seite 525	B 6A CEE ❶ €38,70
📍 N 43°59'21'' E 12°40'54''	5,8 ha 584T(ab 60m²) 30D	❷ €53,50

🚗 A14 bis Ausfahrt Riccione, zur SS16, den CP-Schildern folgen.

Riccione, I-47838 / Emilia Romagna 🛜 CC€18 iD

🏕 Riccione****	1 ABDIKNOPRST	AFHKX 6
📧 Via Marsala 10	2 AEGHOPQRVY	ABDE**FGH** 7
📅 3 Apr - 21 Sep	3 BE**IKLMN**Q	ABCDEFKNOQRST 8
☎ +39 0541-690160	4 **A**BCDILNO**P**	ELUV 9
@ info@campingriccione.it	5 ACDEFGHIJKL	ABGHIKL**NO**RVY 10
	B 5A CEE	❶ €42,80
🅿 N 43°59'7'' E 12°40'45''	6,5 ha 450T(65-100m²) 104D	❷ €57,80

🚗 Autobahnausfahrt Riccione, deutlich ausgeschildert.

San Mauro Mare, I-47030 / Emilia Romagna 🛜 CC€16 iD

🏕 Camping Green**	1 ABDF**JM**NOPRST	KMN 6
📧 Via Amerigo Vespucci 6	2 EHOPY	ABD**F** 7
📅 4 Apr - 27 Sep	3 B**KL**Q	ABCDEFNORS 8
☎ +39 0541-1743047	4 AB	DEIV 9
@ info@campinggreen.it	5 ABDEGKL	ABJ**P**RV 10
	0A CEE	❶ €28,00
🅿 N 44°9'45'' E 12°26'32''	100T(36-80m²) 62D	❷ €40,00

🚗 A14 Ausfahrt Rimini Nord. Der SS16 Richtung Ravenna bis zur Ausfahrt San Mauro Mare. In den Ort einfahren und am Schild 'Green' links abbiegen.

Savignano Mare, I-47039 / Emilia Romagna 🛜 iD

🏕 Camping Villaggio Rubicone****	1 ABHKNOPRST	AFKMNSTWXY 6
	2 EGHOPVWXY	ABDE**FGH**J 7
📧 Via Matrice Destra 1	3 BEL**MQ**R	ABCDEFJLNOQRS 8
📅 21 Mai - 20 Sep	4 **A**BCDILMO**P**R	AEGIJKLMTV 9
☎ +39 0541-346377	5 ACDEFGHIJK	ABFGHIJ**NP**RVYZ 10
@ info@campingrubicone.com	B 10A CEE	❶ €43,80
🅿 N 44°9'53'' E 12°26'28''	12 ha 480T(70-100m²) 161D	❷ €63,70

🚗 A14, Ausfahrt Rimini Nord. SS16 Richtung Cesenatico, dann Ausfahrt San Mauro Mare/Savignano Mare, Schildern folgen.

Torre Pedrera/Rimini, I-47040 / Emilia Romagna iD

🏕 Torre Pedrera**	1 ABHKNORT	KNQSW**X** 6
📧 Via San Salvador 200	2 EHOPVY	ABDE 7
📅 2 Apr - 30 Sep	3	ABCDEFNOR 8
☎ 📠 +39 0541-720437	4 O	9
	5 ADGIJK	ABHIR 10
	5A CEE	❶ €32,00
🅿 N 44°6'48'' E 12°30'15''	0,5 ha 20T(60m²)	❷ €46,50

🚗 SS16 Rimini-Cesenatico, Ausfahrt Torre Pedrera, den Schildern folgen.

Viserba di Rimini, I-47900 / Emilia Romagna 🛜 iD

🏕 Italia International*	1 ABDHKNORT	KMNSTWX 6
📧 V. Toscanelli 112	2 EHOPVY	ADFH 7
📅 28 Mai - 21 Sep	3 BEF	AEFNOR 8
☎ +39 0541-732882	4 BDHILNO**P**	EHJV 9
@ info@campingitaliarimini.it	5 ACDEFGHK	AGHIJLNORY 10
	B 4A CEE	❶ €35,00
🅿 N 44°4'51'' E 12°32'54''	10 ha 325T(60-70m²) 61D	❷ €45,00

🚗 SS16 von Rimini nach Ravenna, bei Viserba Straße verlassen, Schildern folgen.

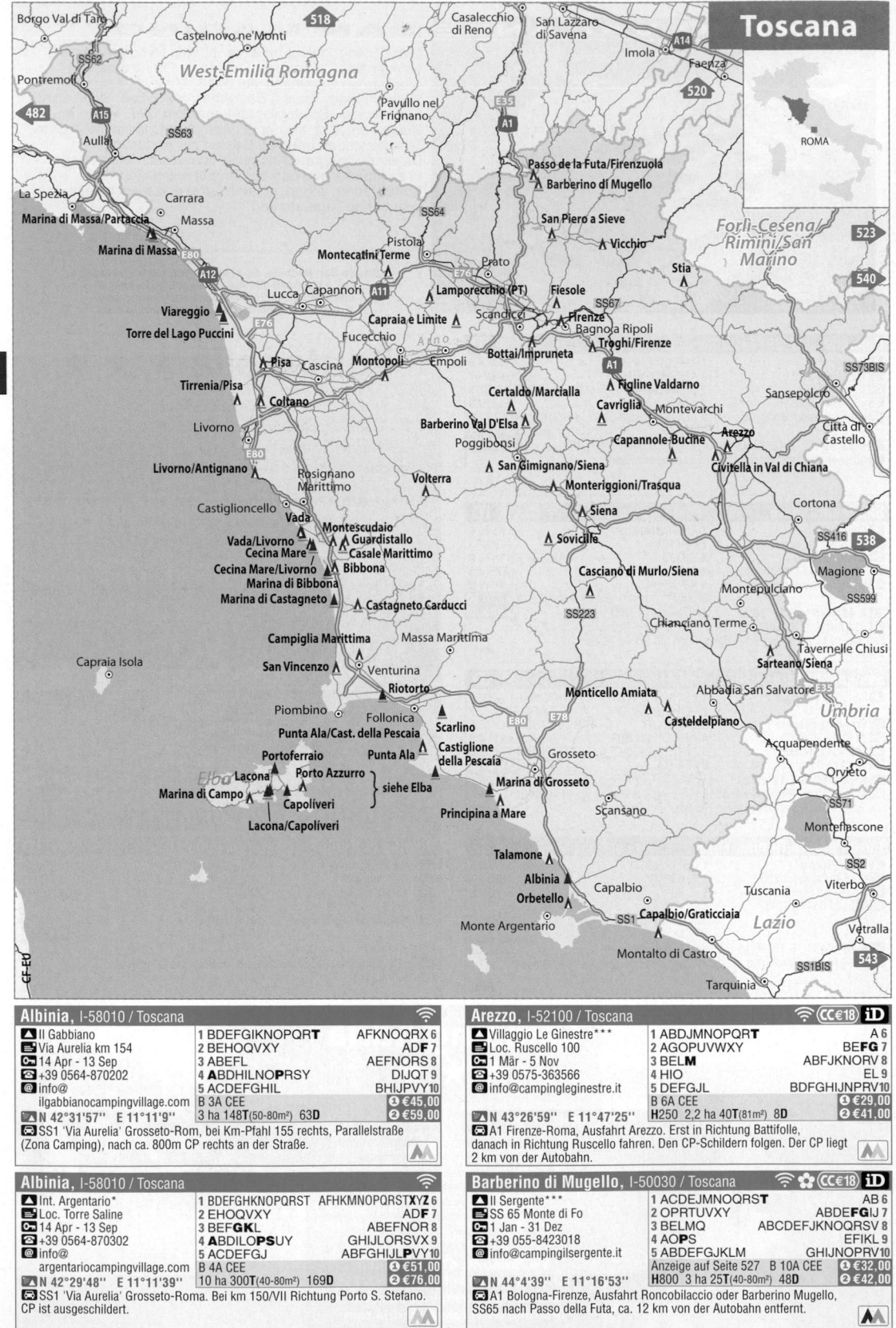

Toscana

ROMA

Albinia, I-58010 / Toscana

🏕 Il Gabbiano
📧 Via Aurelia km 154
📅 14 Apr - 13 Sep
☎ +39 0564-870202
@ info@
ilgabbianocampingvillage.com
📍 N 42°31'57'' E 11°11'9''

1 BDEFGIKNOPQR**T**	AFKNOQRX 6
2 BEHOQVXY	AD**F** 7
3 ABEFL	AEFNORS 8
4 A**B**DHILNO**P**RSY	DIJQT 9
5 ACDEFGHIL	BHIJPVY**10**
B 3A CEE	❶ €45,00
3 ha 148T(50-80m²) 63**D**	❷ €59,00

🛣 SS1 'Via Aurelia' Grosseto-Rom, bei Km-Pfahl 155 rechts, Parallelstraße (Zona Camping), nach ca. 800m CP rechts an der Straße.

Albinia, I-58010 / Toscana

🏕 Int. Argentario*
📧 Loc. Torre Saline
📅 14 Apr - 13 Sep
☎ +39 0564-870302
@ info@
argentariocampingvillage.com
📍 N 42°29'48'' E 11°11'39''

1 BDEFGHKNOPQRST	AFHKMNOPQRST**XYZ** 6
2 EHOQVXY	AD**F** 7
3 BEFG**K**L	ABEFNOR 8
4 **A**BDILO**PS**UY	GHIJLORSVX 9
5 ACDEFGJ	ABFGHIJL**P**VY**10**
B 4A CEE	❶ €51,00
10 ha 300T(40-80m²) 169**D**	❷ €76,00

🛣 SS1 'Via Aurelia' Grosseto-Roma. Bei km 150/VII Richtung Porto S. Stefano. CP ist ausgeschildert.

Arezzo, I-52100 / Toscana

🏕 Villaggio Le Ginestre***
📧 Loc. Ruscello 100
📅 1 Mär - 5 Nov
☎ +39 0575-363566
@ info@campinglebinestre.it
📍 N 43°26'59'' E 11°47'25''

1 ABDJMNOPQR**T**	A 6
2 AGOPUVWXY	BE**FG** 7
3 BEL**M**	ABFJKNORV 8
4 HIO	EL 9
5 DEFGJL	BDFGHIJNPRV**10**
B 6A CEE	❶ €29,00
H250 2,2 ha 40T(81m²) 8**D**	❷ €41,00

🛣 A1 Firenze-Roma, Ausfahrt Arezzo. Erst in Richtung Battifolle, danach in Richtung Ruscello fahren. Den CP-Schildern folgen. Der CP liegt 2 km von der Autobahn.

Barberino di Mugello, I-50030 / Toscana

🏕 Il Sergente***
📧 SS 65 Monte di Fo
📅 1 Jan - 31 Dez
☎ +39 055-8423018
@ info@campingilsergente.it
📍 N 44°4'39'' E 11°16'53''

1 ACDEJMNOQRS**T**	AB 6
2 OPRTUVXY	ABDE**FG**IJ 7
3 BELMQ	ABCDEFJKNOQRSV 8
4 AO**PS**	EFIKL 9
5 ABDEFGJKLM	GHIJNOPRV**10**
Anzeige auf Seite 527 B 10A CEE	❶ €32,00
H800 3 ha 25T(40-80m²) 48**D**	❷ €42,00

🛣 A1 Bologna-Firenze, Ausfahrt Roncobilaccio oder Barberino Mugello, SS65 nach Passo della Futa, ca. 12 km von der Autobahn entfernt.

LA CHIOCCIOLA ★ ★ ★

Im Herzen der Toskana, rund 30 Kilometer von Siena und Arezzo liegt der Campingplatz La Chiocciola beim Dörfchen Capannole-Bucine. Der Campingplatz ist wirklich die beste Basis, um die Toskana in optimaler Form kennen zu lernen und zu entdecken. Der Campingplatz hat drei gigantische Schwimmbäder, ein zwischen Bäumen angelegtes Spiel- und Freizeitgelände, verschiedene Animation/Videogames und 2 Tennisplätze. Es gibt auch einen Supermarkt, eine separate (Strand)bar und ein Restaurant. Waschmaschinen, unbegrenzt (gratis) warmes Wasser an Duschen und Abwaschbecken. Jeder Stellplatz mit (Kalt)Wasseranschluss.

Via Giulio Cesare, 52020 Capannole-Bucine
Tel. 333-6494983 • Fax 055-995776
Internet: www.campinglachiocciola.com

Barberino Val D'Elsa, I-50021 / Toscana ⏢ CC€16

🔺 Semifonte**	1 BCDFJMNOPRT	A 6
🏠 Via Ugo Foscolo 4	2 AGOPRUVXY	BE**FG** 7
📅 1 Apr - 15 Okt	3 EL	BDEFNR 8
☎ +39 055-8075454	4 O	9
@ semifonte@semifonte.it	5 ABL	ABGHIJPRV10
	B 4-6A CEE	➊ €30,00
🗺 N 43°32'47'' E 11°10'42''	H350 1,6 ha 90T(45-70m²)	➋ €42,00

🚗 Autobahn Firenze-Siena. Von Süden Ausfahrt Poggibonsi. Von Norden Ausfahrt Tavernelle. Dann den CP-Schildern folgen.

Bibbona, I-57020 / Toscana ⏢ CC€16 iD

🔺 Le Capanne***	1 ABDEG**JM**NOPQRST	AFHI 6
🏠 Via Aurelia km 273	2 BGOPVXY	ABDE**FG** 7
📅 24 Apr - 20 Sep	3 BEF**IKLMT**	ABCDEFKMNQRSTUV 8
☎ +39 0586-600064	4 **A**BCHIJLOPUX**Y**	CEGIJLUV 9
@ info@campinglecapanne.it	5 ACDEFGHJ	ABEFGHIJMN**P**TUVWXY10
	B 10A CEE	➊ €47,50
🗺 N 43°15'13'' E 10°33'10''	9 ha 324T(60-130m²) 144D	➋ €67,10

🚗 A12, Ausfahrt Rosignano Marittimo. Auf die SS1 Livorno-Grosseto Richtung Grosseto. Dann Ausfahrt La California. SP39 in südlicher Richtung. Nach ca. 3 km Einfahrt zum CP.

Bottai/Impruneta, I-50029 / Toscana ⏢

🔺 Internazionale Firenze***	1 BDJMNOPQRST	A 6
🏠 Via S. Cristofano 2	2 ABOPQRTUWXY	ABDE**FG**HJ 7
📅 1 Apr - 31 Okt	3 AL	ABEFNOQR 8
☎ +39 055-2374704	4 O**P**	EJL 9
@ internazionale@florencevillage.com	5 ABDEFGIKL	AGHI**NOR**Y10
	B 6A CEE	➊ €37,00
🗺 N 43°43'25'' E 11°13'9''	H80 6 ha 360T(40-80m²) 54D	➋ €49,00

🚗 A1 Bologna-Firenze, Ausfahrt Firenze/Certosa, am Kreisverkehr Richtung Firenze. In Bottai links, den CP-Schildern folgen. 1,5 km von der Autobahn entfernt.

Campiglia Marittima, I-57021 / Toscana ⏢

🔺 Blucamp***	1 BDEG**IL**NOQRST	AX 6
🏠 Via Tuttiventi 18	2 ABFGOPRSUVXY	ABDE**F** 7
📅 23 Mai - 13 Sep	3 BL	ABEFLNOQRTV 8
☎ +39 0565-838553	4 HO	J 9
@ info@blucamp.it	5 ADEFGIL	ABFGHIJNOST10
	B 4A CEE	➊ €32,55
🗺 N 43°3'23'' E 10°36'26''	H200 3,4 ha 119T(40-80m²) 17D	➋ €45,85

🚗 SS1 Aurelia, Ausfahrt S. Vincenzo Sud. Der SP39 bis Km-Pfahl 248 folgen, dann links nach Campiglia Marittima. CP ist gut ausgeschildert. Innerorts führt ein schmaler Weg zum CP.

Capalbio/Graticciaia, I-58010 / Toscana ⏢

🔺 Il Campeggio di Capalbio**	1 BDFGJMNOR**T**	MNQS 6
🏠 Strada Litoranea del Chiarone	2 EHQVWXY	AD**FG** 7
📅 1 Apr - 3 Okt	3 AFM	AE**F**NO 8
☎ +39 0564-890101	4 A**I**L	CDEV 9
@ info@ilcampeggiodicapalbio.it	5 ABDEFGJK	ABGHIJ**O**RV10
	B 3A CEE	➊ €50,00
🗺 N 42°22'51'' E 11°26'50''	5,5 ha 185T(40-80m²) 90D	➋ €65,00

🚗 SS1 'Via Aurelia' Grosseto-Rom, bei km 124,3 Ausfahrt Chiarone. Schildern Chiarone folgen, CP vor dem Parkplatz links.

Capannole-Bucine, I-52020 / Toscana ⏢ CC€18

🔺 La Chiocciola***	1 BD**JM**NOPQR**T**	AFM 6
🏠 Via Giulio Cesare	2 CGOPVWXY	ABDE**FGH** 7
📅 1 Apr - 30 Sep	3 AEFLM	ABEFNQRTV 8
☎ +39 333-6494983	4 BFLOP	AEVZ 9
@ campinglachiocciola@hotmail.it	5 ACDEFGIJK	ABDGHJ**O**RV10
	Anzeige auf dieser Seite	B 6A CEE ➊ €42,00
🗺 N 43°26'42'' E 11°37'6''	H250 3 ha 136T(90m²) 119D	➋ €56,00

🚗 A1 Firenze-Roma. Ausfahrt Val d'Arno Richtung Montevarchi. Dann Richtung Lévane. In Lévane Richtung Siena. Dann Camping-Schildern folgen.

Capraia e Limite, I-50050 / Toscana ⏢ CC€16 iD

🔺 Campeggio Villaggio San Giusto S.r.l.***	1 ABDFGJMNORT	A 6
🏠 Via Castra 71	2 BFPQTUWXY	ABDE**FG** 7
📅 1 Apr - 5 Nov	3 AB**K**L	ABEFNOR 8
☎ +39 055-8712304	4 **A**FHO	AEJ 9
@ info@campingsangiusto.it	5 ABDEGIKL	BHJP**S**TVX10
	6A CEE	➊ €31,00
🗺 N 43°46'59'' E 10°59'18''	H410 34 ha 100T(50-100m²) 43D	➋ €41,00

🚗 Von Pisa Richtung Superstrada Firenze-Pisa-Livorno, Ausfahrt Empoli Est. Von Firenze 1. Ausfahrt Richtung Empoli Est nach Carmignano. CP ist angezeigt. Schilder und Hinweise beachten!

Casale Marittimo, I-56040 / Toscana ⏢ CC€14 iD

🔺 Valle Gaia****	1 ABF**JM**NOPQRST	AF 6
🏠 S.P. Cecina Casale	2 APRUVXY	ABDE**F**H 7
📅 28 Mär - 3 Okt	3 BEL**MQ**	ABCDEFJKNORS 8
☎ +39 0586-681236	4 **A**BFHILOP	ILUV 9
@ info@vallegaia.it	5 ACDEFGJL	ABFGHIJ**NP**TUVVY10
	B 6A CEE	➊ €33,30
🗺 N 43°18'2'' E 10°34'54''	H90 4,3 ha 240T(80-120m²) 58D	➋ €46,70

🚗 A12, Ausfahrt Rosignano Marittimo SS1 Richtung Rom, Ausfahrt Cecina-Centro (NICHT Cecina-Nord). Am Kreisverkehr Richtung Casale Marittimo; an der Kreuzung links Richtung Casale Marittimo. CP nach 3 km.

Casciano di Murlo/Siena, I-53016 / Toscana ⏢ CC€18 iD

🔺 Le Soline***	1 ABD**JM**NOPQRT	AF 6
🏠 Via delle Soline 51	2 FPRUWXY	ABD**FG**J 7
📅 1 Jan - 31 Dez	3 AEF**GHK**LR	ABDE**FJ**LNOQRSV 8
☎ +39 0577-817410	4 ABCD**E**FNOUY	EJL 9
@ camping@lesoline.it	5 ABFGJKL	BDGHIJPRV10
	B 6A CEE	➊ €29,50
🗺 N 43°9'18'' E 11°19'55''	H550 6,5 ha 170T(24-90m²) 14D	➋ €39,50

🚗 SS223 Siena-Grosseto. Ausfahrt Fontazzi/Cassiano. Den CP-Schildern folgen.

Castagneto Carducci, I-57022 / Toscana ⏢ CC€12 iD

🔺 Le Pianacce***	1 ABD**J**KNOPRST	AF 6
🏠 Località Le Pianacce	2 BFPSUVXY	ABDE**FG** 7
📅 24 Apr - 20 Sep	3 BEIL**MT**	ABCDEFKNQRSTUV 8
☎ +39 0565-763667	4 **A**BFHIL	BCEJLUV 9
@ info@campinglepianacce.it	5 ACDEFGHJL	ABDGHIJMPTUVXY10
	B 6-10A CEE	➊ €41,30
🗺 N 43°9'57'' E 10°36'49''	H90 9 ha 156T(60-80m²) 65D	➋ €58,30

🚗 SS1 Aurelia, Ausfahrt Donoratico, Richtung Castagneto Carducci. Vor Castagneto Carducci links Richtung Bolgheri, CP rechts.

Casteldelpiano, I-58033 / Toscana

▲ Amiata***	1 BDEFGJMNOPQRST	6
▣ Via Roma 15	2 BFGOPVXY	ABDEFGH 7
⌖ 1 Jan - 31 Dez	3 BELQ	ABCDEFJKNRV 8
☎ +39 0564-956260	4 FHOY	IJ 9
@ info@amiata.org	5 ABDEFGJL	FGHIJOV 10
	WB 6A CEE	❶ €23,50
⚑ N 42°53'4'' E 11°32'9''	H650 4,2 ha 124T(50m²) 29D	❷ €36,00

SS223 Siena-Grosseto. In Paganico links ab Richtung Arcidosso/Casteldelpiano. An der Gabelung vor Casteldelpiano wieder links ab. CP liegt in Richtung Arcidosso.

Castiglione della Pescaia, I-58043 / Toscana

▲ Camping Village Rocchette***	1 ADEFGILNOPQRT	AFOP 6
▣ SP. 62 delle Rocchette	2 EHPVWXY	ADFG 7
⌖ 28 Mär - 17 Okt	3 BELMN	ABCEFGIKLMR 8
☎ +39 0564-941123	4 BDHLSUVXY	DEJUV 9
@ booking@rocchette.com	5 ABDEFGHJKL	ABJOTY 10
	B 6A CEE	❶ €52,70
⚑ N 42°46'46'' E 10°48'5''	12 ha 195T(30-70m²) 122D	❷ €82,70

Ab Follonica die SS322 nehmen. Ein paar Kilometer vor Castiglione della Pescaia rechts ab nach Le Rocchette. Der CP liegt nach 2,5 km rechts.

Castiglione della Pescaia, I-58043 / Toscana

▲ Maremma Sans Souci***	1 ABDFGILNOPQRT	KMNOPQRSTWX 6
⌖ 28 Mär - 2 Nov	2 BEHOQVY	ABDFGH 7
☎ +39 0564-933765	3 BK	ABCEFGNRSV 8
@ info@maremmasanssouci.it	4 ABDHILNOP	DJLMOUV 9
	5 ACDEFGHJ	ABGHIJNPTUVXY 10
	A CEE	❶ €46,70
⚑ N 42°46'25'' E 10°50'39''	30 ha 372T(50-100m²) 49D	❷ €74,60

In Grosseto oder in Follonica Straße SS322 Richtung Castiglione della Pescaia, CP 2 km nördlich von Castiglione della Pescaia, Meeresseite.

Castiglione della Pescaia, I-58043 / Toscana

▲ Santapomata	1 BDFGJKNOPR	KMNQS 6
▣ Strada delle Rocchette	2 BEHOPQVXY	ABDF 7
⌖ 28 Mär - 19 Okt	3	ABEFNOR 8
☎ +39 0564-941037	4 ABOP	DJL 9
@ info@campingsantapomata.it	5 ACDEFGJKL	AGHIJNST 10
	3A CEE	❶ €43,00
⚑ N 42°46'36'' E 10°48'34''	6 ha 342T(50-80m²) 94D	❷ €71,00

Ab Follonica SS322, einige km vor Castiglione della Pescaia rechts Richtung Le Rocchette, ausgeschildert.

Castiglione della Pescaia, I-58043 / Tosc.

▲ Stella del Mare****	1 ABDFGJMNOPQRS	AFKNOPQ 6
▣ Strada Provinciale delle Rocchette	2 EHMPRUVXY	ABDEF 7
⌖ 18 Apr - 18 Okt	3 BELMNQ	ABCDEFNQR 8
☎ +39 0564-947100	4 ALO	JL 9
@ info@stelladelmarecamping.it	5 ACDEFGJKL	ABDGHIJNO 10
	B 3A CEE	❶ €47,70
⚑ N 42°46'38'' E 10°47'34''	7 ha 150T(30-90m²) 22D	❷ €59,70

SS322 von Follonica nach Süden Richtung Castiglione della Pescaia, dann Ausfahrt Le Rocchette, CP am Ende der Straße.

Cavriglia, I-52022 / Toscana

▲ Camping Orlando in Chianti	1 ABDEGJMNOPQRT	ABFGH 6
▣ Località Cafaggiolo	2 BFQRTUVXY	ABDEFGH 7
⌖ 2 Apr - 18 Okt	3 ABL	ABFNOR 8
☎ +39 055-967422	4 ABEFLOU	ACEGJUX 9
@ info@ campingorlandoinchianti.it	5 ACDEFGJKL	ABDGHIJPTUV 10
	B 6-10A CEE	❶ €33,50
⚑ N 43°32'18'' E 11°24'50''	H700 6 ha 80T(70-120m²) 80D	❷ €48,50

Die A1 bei Incisa Richtung Figline Valdarno verlassen, danach Richtung Greve in Chianti. Der Campingbeschilderung Richtung Lucolena und Park Cavriglia folgen. Nicht dem Navi folgen.

ACSI Elba

Zwei Fährlinien bedienen die ungefähr eine Stunde dauernde Überfahrt von Piombino nach Portoferraio auf der Insel Elba. Die vielfach gegliederte Insel ist rund 27 Kilometer lang und 18 Kilometer breit. Gute Straßen mit oft überraschend schönen Ausblicken auf die zahllosen Buchten und das kristallklare azurblaue Tyrrhenische Meer verbinden die Orte untereinander. Elba ist ein beliebter Ferienplatz für Wassersportler, aber auch für Naturfreunde und Sonnenanbeter. Reservierung wird empfohlen, für die Fähren ganz sicher zwischen dem 1. Juli und dem 1. September (Hochbetrieb).

Cecina Mare, I-57023 / Toscana

▲ Delle Gorette	1 ABDEILNOPQRT	AFHKQS 6
▣ Via dei Campilunghi	2 EHJOPVXY	ABDEFGIJ 7
⌖ 8 Apr - 30 Sep	3 BEFLMQ	ABCDEFNOQRV 8
☎ +39 0586-622460	4 ABDIOUY	DIKV 9
@ info@gorette.it	5 ACDEFGHJKL	ABGHIJOTUVY 10
	B 6A CEE	❶ €42,50
⚑ N 43°18'45'' E 10°29'2''	8 ha 150T(50-80m²) 403D	❷ €59,50

A12, Ausfahrt Rosignano-Marittimo, dann SS1 (Aurelia) Richtung Roma, Ausfahrt Vada. In Vada Richtung Mazzanta, geradeaus Richtung Cecina Mare. CP an der Meeresseite vor dem Kreisverkehr.

Cecina Mare/Livorno, I-57023 / Toscana

▲ Mareblu S.R.L.***	1 ABDFGJKNOPQRT	AFKNOPQRST 6
▣ Via dei Campilunghi	2 ABEHJOPQRVWXY	ABDEFG 7
⌖ 28 Mär - 17 Okt	3 BELMQ	ABCDEFNORV 8
☎ +39 0586-629191	4 AILOP	ELMUV 9
@ info@campingmareblu.com	5 ACDEFGHJLM	ABGHIJLNPTVY 10
Anzeige auf Seite 529	B 6A CEE	❶ €40,00
⚑ N 43°19'6'' E 10°28'28''	10 ha 280T(50-105m²) 145D	❷ €57,00

A12, Ausfahrt Rosignano-Marittimo, SS1 'Aurelia' Richtung Roma, Ausfahrt Vada, dort Richtung Mazzanta (Vada-Cecina-Mare), den Schildern folgen. CP befindet sich an Meeresseite.

Cecina Mare/Livorno, I-57023 / Toscana

▲ New Camping Le Tamerici***	1 ABDEFGILNOPQRST	AFKNQS 6
▣ Via della Cecinella 5	2 AEHJOPQRSVXY	BDFG 7
⌖ 1 Mai - 30 Sep	3 BEFLMQ	ABCEFNOR 8
☎ +39 0586-620629	4 ABDILNP	EJLV 9
@ info@letamerici.it	5 ACDEFGJK	ABFHIKOTVY 10
	B 6A CEE	❶ €44,00
⚑ N 43°17'31'' E 10°30'38''	8 ha 130T(50-80m²) 194D	❷ €62,00

A12, Ausfahrt Rosignano Marittimo, SS1 'Aurelia' Richtung Rom, Ausfahrt Cecina-Nord Richtung Cecina Mare. Bei Ampeln geradeaus, den CP-Schildern folgen.

Certaldo/Marcialla, I-50020 / Toscana

▲ Camping Panorama Del Chianti**	1 ABDJMNOPQRT	A 6
	2 FGPQRUVWXY	ADFGH 7
▣ Via Marcialla 349	3 L	ABEFNORV 8
⌖ 21 Mär - 31 Okt	4 F	9
☎ +39 0571-669334	5 AGL	ABGHIJOR 10
@ info@campingchianti.it	4A CEE	❶ €36,00
⚑ N 43°34'55'' E 11°8'19''	H400 2,1 ha 65T(60-80m²)	❷ €49,00

Autobahn Firenze-Siena, Ausfahrt Tavernelle, dort Richtung Marcialla/Certaldo. In Marcialla Richtung Fiano, den CP-Schildern folgen.

Civitella in Val di Chiana, I-52040 / Toscana

▲ Dodo Village Camping	1 ACDEJMNOPQRT	A 6
▣ Via Di Malfiano 35	2 BFGRSUVWY	ABDEF 7
⌖ 1 Apr - 31 Dez	3 A	ABEFNQRTV 8
☎ +39 0575-1786866	4 BEFHLNO	CJ 9
@ info@dodovillage.it	5 ABDEFGIKM	IJMPVX 10
	12A CEE	❶ €34,50
⚑ N 43°26'10'' E 11°45'3''	H530 5 ha 60T(60-80m²) 26D	❷ €45,50

Ausfahrt Arezzo A1, dann Vicomaggio folgen, danach Richtung Tuori. Weiter Badia al Pino/Civitella im Val di Chiana folgen. Dann nach rechts den Campingpfeilen folgen. Der Navigation folgen.

Coltano, I-56121 / Toscana

▲ Camping Lago Le Tamerici	1 ABCDEJMNOPRST	ANX 6
▣ Via della Sofina 6	2 ADGPRSVWXY	ABDEFG 7
⌖ 23 Mär - 18 Okt	3 AEGHQ	ABEFNQRTV 8
☎ +39 050-989007	4	R 9
@ info@lagoletamerici.it	5 ABEGIL	BDGHIKOSTVX 10
	B 6A CEE	❶ €28,00
⚑ N 43°38'14'' E 10°22'3''	18 ha 44T(100-120m²)	❷ €36,00

Firenze-Pisa-Livorno, Ausfahrt Darsena Pisana zur SS1 Richtung Coltano, nach ± 3 km rechts ab. Coltano, danach den Campingschildern folgen (nicht dem Navi fahren).

Elba/Capolíveri, I-57031 / Toscana

▲ Le Calanchiole***	1 ABDEFGILNOPQRSWXYZ	AKMNOPQRSWXYZ 6
▣ Loc. Calanchiole	2 EHMORSUVY	ABDEFGH 7
⌖ 1 Apr - 30 Okt	3 BEKL	ABEFNORS 8
☎ +39 0565-933488	4 AEFLO	DEGIJLNQT 9
@ info@lecalanchiole.it	5 ACDEFGJKL	ABGHIJPSTY 10
	B 3A CEE	❶ €44,00
⚑ N 42°45'29'' E 10°21'38''	4 ha 274T(30-80m²) 67D	❷ €63,50

In Portoferraio "Tutti Direzioni" folgen. Im dritten Kreisverkehr in Richtung Porto Azzurro fahren. CP ist gut ausgeschildert.

Elba/Capolíveri, I-57031 / Toscana

▲ Lido	1 ABDEFJMNOPRT	KNOPQRSTUVWXYZ 6
▣ Loc. Lido di Capolíveri	2 EFHMNORSUVXY	ADF 7
⌖ 1 Apr - 31 Okt	3 ABKL	ACEFKNORSV 8
☎ +39 0565-933414	4 H	DEGHIJKMOQRT 9
@ info@elbacampinglido.it	5 ABEFGJK	ABHIJSTV 10
	B 3A CEE	❶ €37,00
⚑ N 42°45'36'' E 10°21'23''	1,5 ha 100T(20-65m²) 39D	❷ €54,00

In Portoferraio 'tutti direzioni' folgen. Am 3. Kreisel Richtung Porto Azzurro. Rechts Richtung Lido Capolíveri fahren. Den CP-Schildern folgen.

CAMPING VILLAGE mAREBLU

*Camping Mareblu liegt in Cecina Mare an der toskanischen Küste, ganz in der Nähe der Kunststädte Florenz, Pisa und Siena. Das Gelände erstreckt sich über etwa 100.000 m², ist flach und gut beschattet durch Pinien. Der 300m lange Weg zum Meer führt durch einen großen Jahrhunderte alten Pinienwald. Große Stellplätze mit Stromanschluss, eigener Parkplatz, 5 Gruppen sanitärer Einrichtungen, ein Ladencenter mit Bazar, Supermarkt, Gemüse und Früchte, Metzgerei, Bar, Restaurant, SB-Laden, Pizzeria und Kiosk. Spielplatz für Kinder, Volleyball, Fußballfelder, Tischtennis, Boccia, Radverleih, Animation, Schwimmbad für Erwachsene und Kinder. In direkter Umgebung Möglichkeiten zum Tennis spielen, tauchen, reiten und Windsurfunterricht. 28/06 - 23/08 KEINE HUNDE. **Wir vermieten Mobilheime.***

Via del Campilunghi, 57023 Cecina Mare/Livorno.
Tel. 0586-629191 • Fax 0586-629192
E-Mail: info@campingmareblu.com • Internet: www.campingmareblu.com

★ ★ ★

ACSI

Elba/Lacona, I-57031 / Toscana

▲ Casa dei Prati***	
✉ Via Capo ai Pini 27	
⏱ 25 Apr - 10 Okt	
☎ +39 0565-964060	
@ casadeiprati@elbalink.it	

1	ABDEG**JM**NOPQR**T**	AF 6
2	EHORVY	AD**F** 7
3	BEFLMQ	ACEFNQR 8
4	A**BLQPQUY**	EHI 9
5	ABDEGL	BGHIJNOSV10
	B 3A CEE	❶ €42,00
	80**T**(60m²) 21**D**	❷ €60,00

📍 N 42°45'56'' E 10°18'50''
🚗 Von der Fähre in Portoferraio Richting Lancona. Camping ist dort angezeigt.

Elba/Lacona, I-57031 / Toscana

▲ Tallinucci	
✉ Via del Mare 213	
⏱ 25 Mär - 31 Okt	
☎ +39 0565-964069	
@ info@campingtallinucci.it	

1	AEFG**JM**NOPQRST	KNOPQUX 6
2	EFGHKMOSVWXY	ABD**EFGH** 7
3	ABEL**M**	ABCDEFGIJKNQRS 8
4	AEFOR**X**	HILNQT 9
5	ACFGJK	ABGHIJM**NP**STXZ10
	B 4A CEE	❶ €57,50
	10 ha 100**T**(30-70m²) 10**D**	❷ €80,00

📍 N 42°45'40'' E 10°18'1''
🚗 Von Portoferraio aus 'tutti direzioni' folgen. Am 3. Kreisel Richtung Porto Azzuro. An der Ampel geradeaus. Nächste Ausfahrt Richtung Lacona. In Lacona geradeaus an der Meeresseite. Der Beschilderung folgen.

Elba/Lacona/Capolíveri, I-57031 / Toscana

▲ Laconella**	
✉ Laconella 431	
⏱ 15 Mär - 31 Okt	
☎ +39 0565-964228	
@ info@campinglaconella.it	

1	ABDEFILNOPRT	KNOPQSWX 6
2	EFHKMORSUVXY	ABD**FGH** 7
3	BELQ	AEFNQR 8
4	BFHLO	ILMOQRTV 9
5	ABDEFGIKL	ABGHIJ**P**STVZ10
	Anzeige auf dieser Seite 3A CEE	❶ €49,50
	2 ha 107**T**(30-75m²) 3**D**	❷ €66,50

📍 N 42°45'32'' E 10°17'49''
🚗 In Portoferraio 'Tutti Direzioni' folgen, am 3. Kreisel Richtung Porto Azzurro. An der Ampel geradeaus. Nächste Ausfahrt Richtung Lacona. Am Meer entlang, vor dem Berg rechts hoch.

Elba/Marina di Campo, I-57034 / Toscana

▲ Ville degli Ulivi***	
✉ Via della Foce 89	
⏱ 18 Apr - 17 Okt	
☎ +39 0565-976098	
@ info@villedegliulivi.it	

1	ADEFGILNOPQRST	AFI**K**NOPQRSUX 6
2	BEHMQRVXY	AB**C**D**EFGH** 7
3	BEFILMQ	ABCDEFK**LM**NOQRSTU 8
4	A**B**C**FHLOR****TUVXYZ**	EILMOPQRSTUVXZ 9
5	ACDEFGJK	ABFGHIJM**NP**TUVY10
	Anzeige auf dieser Seite B 6A CEE	❶ €49,50
	7 ha 285**T**(40-95m²) 52**D**	❷ €61,50

📍 N 42°45'7'' E 10°14'42''
🚗 In Portoferraio 'tutti direzioni'. Im dritten Kreisel Richtung Procchio. In Procchio Richtung Marina di Campo. Vor dem Ort Richtung Lacona. Die Brücke überqueren (Meerseite).

Camping Laconella ★ ★

Dieser freundliche, im mediterranen Garten gelegene, saubere Terrassencamping mit hilfsbereiten Eignern, bietet Ihnen viele schöne Aussichten über die Bucht von Lacona. Felsenküste mit glasklarem Wasser und eigenem Sandstrand. Großer Spielplatz für die Kinder, Minigolf in 500 Meter. Schöne Privatapartements ganzjährig zu mieten. Ausserhalb der Hochsaison niedrigere Preise und dann darf auch noch der Hund mit. Räder werden gratis verliehen. Camping weitläufig mit grüner Ruhezone.

Laconella 431, 57031 Elba/Lacona/Capolíveri
Tel. 0565-964228 • Fax 0565-964080
E-Mail: info@campinglaconella.it
Internet: www.campinglaconella.it

Ville degli Ulivi
★★★
Camping Village

Insel Elba

Campingplatz
Wohnungen
Mobilheime

Wellness-Center
Animation
Sportzentrum

Via della Foce 89, 57034 Marina di Campo (LI)
Tel. +39 0565 976098 - Fax +39 0565 976048
info@villedegliulivi.it - www.villedegliulivi.it

Elba/Lacona/Capolíveri, I-57037 / Toscana

Lacona***
C.P. 65
16 Apr - 16 Okt
+39 0565-964161
info@camping-lacona.it
N 42°45'37'' E 10°18'56''

1 ABDEFG**J**MNOPQRST	AKNOPQRSW**X**YZ 6
2 BEGHJMORUVXY	ABDE**FG** 7
3 BF**KL**RT	ABCDEFNQRS 8
4 **ABCD**FHILO**Q**R	DEKLRSVX 9
5 ACDEFGHIKL	ABDGHIJNOPTV10
B 6A CEE	① €38,50
2,6 ha 158T(40-80m²) 27D	② €55,50

In Portoferraio 'tutti direzioni' folgen. Am 3. Kreisel Richtung Porto Azzurro. An der Ampel geradeaus. Nächste Abfahrt Richtung Lacona. CP hinter der Kurve an der linken Seite.

Elba/Lacona/Capolíveri, I-57031 / Toscana

Valle S. Maria***
Via del Mare 91/D
16 Mär - 31 Okt
+39 0565-964188
info@vsmaria.it
N 42°45'39'' E 10°18'17''

1 ABFGHJMNOPQRS**T**	KNOPQSW**X** 6
2 EHOPQRSVY	ABDE**FGH** 7
3 ABFL**MN**	ABCDEFJK**LM**NOQRS 8
4 AFHO**X**	DILUV 9
5 ABDFGHJKL	ABCGHIJNPSVXY10
B 4A CEE	① €44,50
2 ha 120T(40-80m²) 16D	② €60,50

In Portoferraio 'Tutti Direzioni' folgen, am 3. Kreisel Ri. Porto Azzurro. An der Ampel geradeaus. Nächste Ausfahrt Ri. Lacona. Am Meer entlang. CP auf der linken Seite. Vorsicht bei der Einfahrt!

Elba/Porto Azzurro, I-57036 / Toscana

Arrighi***
Loc. Barbarossa
1 Apr - 3 Nov
+39 0565-95568
info@campingarrighi.it
N 42°46'14'' E 10°24'27''

1 ABDFGJMNOPRST	KMNOPQSW**X**YZ 6
2 EFJKMOPRSUVY	ABD**FGH** 7
3 BG**KL**Q	ABEFNQRSV 8
4 O	DHIJLQSTV 9
5 ABCDEFGHIKL	ABGHIJNOPSTV10
B 5A CEE	① €50,00
1,2 ha 70T(40-70m²) 35D	② €69,00

In Portoferraio 'Tutti Direzioni' folgen, Richtung Porto Azzurro halten, dann Richtung Rio Marina. Rechts Seitenstraße; Spiaggia di Barbarossa. CP am Ende links.

Elba/Portoferraio, I-57037 / Toscana

Acquaviva Village Camping
Loc. Acquaviva
25 Apr - 6 Okt
+39 0565-919103
campingacquaviva@elbalink.it
N 42°49'14'' E 10°17'16''

1 BDEFG**J**MNOPRT	AK**N**OPQS**X** 6
2 EFJKMOPQRSUVXY	ABDE**FGH** 7
3 BL	ABEFNOQR 8
4 **A**BCDHILO	DEGIKL 9
5 ABEFGIJK**L**	ABGHIJPVWX10
3A CEE	① €45,00
1,8 ha 71T(28-70m²) 41D	② €61,50

In Portoferraio 'Tutti Direzioni' folgen. Im 2. Kreisel rechts ab Richtung Enfola. CP ist gut angezeigt.

Elba/Portoferraio, I-57037 / Toscana

Rosselba le palme***
Loc. Ottone 3
20 Apr - 30 Sep
+39 0565-933101
info@rosselbalepalme.it
N 42°48'3'' E 10°21'52''

1 ABDF**J**MNOPQRST	AFHIKMNOPQRST 6
2 BEFGHMOPRSUVXY	ABDE**FGH** 7
3 ABCDE**KL**MNRT	ABCDEF**LM**NOQRSTUV 8
4 **A**BCEFHILNO**PQR**Y	EGHIJKLMOPQRSTUV 9
5 ACDEFGJK**LM**	ABFGHIJ**N**PTVXY10
B 6A CEE	① €49,10
30 ha 140T(50-90m²) 270D	② €72,10

In Portoferraio 'tutti direzioni', am dritten Kreisverkehr Ri. Porto Azzurro, den Hügel hinunter, links Ri. Ottone und Bagnaia, CP ausgeschildert.

Fiesole, I-50014 / Toscana

Panoramico Fiesole***
Via Peramonda 1
1 Jan - 31 Dez
+39 055-599069
panoramico@florencevillage.com
N 43°48'24'' E 11°18'23''

1 BDJMNOPQRT	
2 BFOQRUWXY	ABDE**FG**HI 7
3 AL	ABEFNOQRS 8
4 FO**P**	DEJL 9
5 ACDGIKL	AGHIJNORY10
3A CEE	① €38,00
H400 5,5 ha 102T(50-80m²) 36D	② €50,00

A1 Bologna-Firenze, Ausfahrt Firenze-Sud. Zunächst Schildern Fiesole folgen, dann den braunen CP-Schildern. Steile Steigung. Mit dem Auto und Caravan nicht nach Navigationsgerät fahren!

Figline Valdarno, I-50063 / Toscana

Norcenni Girasole Club****
Via Norcenni 7
12 Apr - 25 Okt
+39 055-915141
girasole@ecvacanze.it
N 43°36'48'' E 11°26'58''

1 ABCDEJMNOPQRST	ABCDFH 6
2 AFGOQRUVWXY	ABDE**FGH** 7
3 BCEFG**IL**M	ABCDFIJK**LM**NQRSV 8
4 **A**BCDEFHILMO**PQRTUVXYZ**	EFGIJLUVX 9
5 ACDEFGJKL	ABGHIKM**NOP**RVXYZ10
B 16A CEE	① €47,00
H198 11 ha 154T(40-100m²) 413D	② €63,00

A1 Firenze-Roma, Ausfahrt Incisa, SS69 Richtung Figline Valdarno, CP-Schildern 'Girasole Club' folgen, ca. 8 km von Autobahnausfahrt entfernt.

Firenze, I-50136 / Toscana

Firenze
Viale Generale Dalla Chiesa 1-3
1 Jan - 31 Dez
+39 055-4698300
campingfirenze@ecvacanze.it
N 43°45'56'' E 11°18'57''

1 BCDEJMNOPQRS	AF 6
2 AOPRVW	ABDE**FG** 7
3	ABEFNRST 8
4	V 9
5 ACDEFGJK	AGHIJPR10
16A	① €28,00
150T	② €36,00

A1 Ausfahrt Firenze-Sud. Richtung Firenze, 1. Ampel rechts der Beschilderung folgen. Nach 300m.

Guardistallo, I-56040 / Toscana

Il Borgo
Via del Poggetto 45
20 Apr - 30 Sep
+39 0586-655088
info@ilborgocv.it
N 43°18'54'' E 10°35'31''

1 ABD**IL**NORT	AF 6
2 BPRTWY	ABDE**F** 7
3 ALQ	ABEFNQR 8
4 **A**	I 9
5 ABDEFGJL	ABHIJOV10
B 4A CEE	① €36,00
H150 13 ha 35T(50-110m²) 72D	② €50,00

A12, Ausfahrt Rosignano Marittimo. SS1 Richtung Rom, Ausfahrt Cecina Centro (NICHT Cecina Nord!). Am Kreisverkehr Richtung Guardistallo (NICHT Montescudaio). CP nach ca. 5 km rechts.

Lamporecchio (PT), I-51035 / Toscana

Barco Reale****
Via Nardini 11
1 Apr - 30 Sep
+39 0573-88332
info@barcoreale.com
N 43°50'30'' E 10°54'38''

1 ABDEILNOPRST	ABF 6
2 BFGNPRTUVWXY	ABDE**FGH** 7
3 AEF**KL**Q	ABCDEFKNQRSTUV 8
4 **A**BEFHILO**P**	AEJV 9
5 ACDEFGJKL	ABDGHIJ**NO**PRV10
B 10A CEE	① €43,50
H380 10 ha 253T(60-110m²) 33D	② €60,10

A11 Firenze-Pisa, Ausfahrt Pistoia, Richtung San Baronto/Lamporecchio/Vinci. Schildern folgen.

Livorno/Antignano, I-57128 / Toscana

Miramare***
Via del Littorale 220
1 Jan - 31 Dez
+39 0586-580402
info@miramarevillaggio.com
N 43°28'52'' E 10°20'0''

1 ABDGJMNOPQRST	AFKNOPQS 6
2 AEFJKMORSVXY	ABD**FG** 7
3 BF	ABEFNR 8
4 BCD**LPS**	DEJTV 9
5 ACDEFGJK**L**	ABEGHIKO**R**V10
B 9A CEE	① €41,00
3,5 ha 98T(50-80m²) 68D	② €49,00

A12 Ausfahrt Livorno Richtung Grosseto. Ausfahrt Antignano, links halten Richtung Grosseto; in der scharfen Kurve wieder Richtung Grosseto/Roma. CP nach einigen Metern rechts.

Marina di Bibbona, I-57020 / Toscana

Casa di Caccia
Via del Mare 40
22 Mär - 30 Okt
+39 0586-600000
info@campingcasadicaccia.com
N 43°14'48'' E 10°31'32''

1 BDEF**J**KNOPRST	KMNQS 6
2 BEHQVY	ABDE**FG** 7
3 BLT	ABEFJKNQRV 8
4 **A**BLO	ELTUVZ 9
5 ACEFGIKL	ABGHIJ**NO**TU10
B 6A	① €49,40
2,5 ha 115T(30-120m²) 60D	② €70,30

A12, Ausfahrt Rosignano Marittimi, dann SS1 (Aurelia) Richtung Roma. Ausfahrt La California/Cecina Sud, Richtung Marina di Bibbona. Den CP-Schildern folgen.

Marina di Bibbona, I-57020 / Toscana

Del Forte***
Via dei Platani 58
4 Apr - 20 Sep
+39 0586-600155
campeggiodelforte@campeggiodelforte.it
N 43°14'5'' E 10°32'5''

1 BDEFGHKNOPRT	AFK**N**QS 6
2 EHPQVWY	AD**FG** 7
3 BELQ	ABCDEFNOQR 8
4 **A**BILO**PQ**	EI 9
5 ACDEFGHIKL	AGHIJOSV10
3A CEE	① €37,80
7,2 ha 150T(40-80m²) 255D	② €52,80

Von Cecina (SS1 Via Aurelia) Ausfahrt Bibbona Mare. Am Kreisel geradeaus, am Minikreisel ebenfalls geradeaus. Nach 50m links ab, der Straße folgen. Der CP liegt rechts. Gut ausgeschildert.

Marina di Bibbona, I-57020 / Toscana

Free Beach***
Via Cavalleggeri Nord 88
18 Apr - 20 Sep
+39 0586-699066
info@campingfreebeach.com
N 43°15'6'' E 10°31'41''

1 BDEFG**J**MNOPQRST	AK**N**QS 6
2 EHOPQVXY	ABD**FG** 7
3 BELQ	ABCDEFKNQR 8
4 **A**BC**IJ**LO**P**	JUV 9
5 ACDEFGI	BDHIJ**OT**10
3A CEE	① €43,00
9 ha 150T(75-80m²) 460D	② €61,00

A12 Ausf. Rosignano Marittimo, die SS1 Aurelia Ri. Rom. Ausf. La California/Cecina Sud Ri. Marina di Bibbona. Am Kreisel geradeaus. Am Minikreisel wieder geradeaus. Hinter der sanften Kurve re. Ausgeschildert. CP am Straßenende um die Ecke re.

Marina di Bibbona, I-57020 / Toscana

Free Time***
Via dei Cipressi
18 Apr - 18 Okt
+39 0586-600934
info@freetimecamping.it
N 43°15'9'' E 10°31'51''

1 BDEFG**J**MNOPRS**T**	AFH**N**Q 6
2 HOPVWXY	ABDE**FG**I 7
3 BEL	ABCDEFK**LM**NQRSTUV 8
4 **A**BCDLORT	EJV 9
5 ACEFGJ	ABDFGHIJ**NO**STV10
B 6A CEE	① €44,00
4 ha 100T(80-105m²) 56D	② €61,00

A12, Ausfahrt Rosignano Marittimo, dann SS1 Aurelia Richtung Roma, Ausfahrt La California/Cecina-Süd, Richtung Marina di Bibbona. Rechts ab in die Via dei Cipressi, CP liegt vor der Kurve rechts.

Marina di Bibbona, I-57020 / Toscana 🛜

🏕 Il Capannino	1 BDEFG**JM**NOPR	KQS 6	
🏠 Via dei Cavalleggeri Sud 26	2 BEHOPQUVXY	AD**FG** 7	
🗓 18 Apr - 20 Sep	3 A	AEFNOQRV 8	
☎ +39 0586-600252	4 A**LO**P	J 9	
@ capannino@capannino.it	5 ABDFGI	ABHIJOTU10	
	B 3A CEE	❶ €49,00	
📍 N 43°14'14'' E 10°31'55''	3 ha 120T(60-120m²) 133**D**	❷ €67,00	

🚗 A12 Ausfahrt Rosignano Marittimo. Dort SS1 Aurelia Ri. Rom, Ausf. California-Süd, Ri. Marina di Bibbona. Am Kreisel geradeaus, am Minikreisel wieder geradeaus, nach 50m links. Die erste normale Straße re. Am Ende li. CP re.

Marina di Bibbona, I-57020 / Toscana 🛜❄iD

🏕 Le Esperidi***	1 ADFG**J**KNOPQRS	KMNQS 6	
🏠 Via dei Cavalleggeri Nord 25	2 ABEHOQVXY	ABD**FG** 7	
🗓 27 Mär - 18 Okt	3 BEFLQT	ABCDEFKNQRSTV 8	
☎ +39 0586-600196	4 A**B**CHILNO**RTXZ**	DELUV 9	
@ info@esperidi.it	5 ACDEFGJK	ABGHIJ**NP**TUZ10	
	5 GA CEE	❶ €12,00	
📍 N 43°15'0'' E 10°31'38''	15 ha 540T(40-100m²) 202**D**	❷ €63,50	

🚗 A12 Genova-Rosignano, SS1 'Aurelia' Richtung Rom, Ausfahrt La California/Cecina-Süd, Richtung Marina di Bibbona, den CP-Schildern folgen.

Marina di Castagneto, I-57022 / Toscana 🛜(CC€16)iD

🏕 Belmare Camping S.R.L.**	1 ABDFGIKNOPQRS	KNQST 6	
🏠 Via del Forte 1	2 BEHOQVXY	AD**F** 7	
🗓 1 Apr - 30 Sep	3	AEFNOQRV 8	
☎ +39 0565-744264	4 A**B**CDIO	J 9	
@ info@campingbelmare.it	5 ACDEFGHJK	AGHIJOTU10	
	Anzeige auf dieser Seite B 4A CEE	❶ €36,00	
📍 N 43°10'38'' E 10°32'34''	7 ha 225**T**(50-90m²) 316**D**	❷ €49,00	

🚗 A12, Ausfahrt Rosignano Marittimo, weiter SS1 'Aurelia' Richtung Rom, Ausfahrt Donoratico Richtung Marina di Castagneto, geradeaus, Schildern folgen.

Marina di Castagneto, I-57022 / Toscana 🛜(CC€14)iD

🏕 Continental	1 ABDEFG**J**KNOPQRST	KMQS**X**Y 6	
🏠 Via 1° Maggio C.P. 5	2 BEHOQTVXY	AD**F** 7	
🗓 1 Apr - 20 Sep	3 BEQ	ACE**F**NOQRV 8	
☎ +39 0565-744014	4 A**B**DHL**P**	DLQTV 9	
@ info@campingcontinental.it	5 ACEFGHKL	ABGHIJOTU**X**10	
	B 3A CEE	❶ €36,50	
📍 N 43°10'24'' E 10°32'38''	13 ha 265**T**(40-85m²) 320**D**	❷ €51,50	

🚗 A12, Ausfahrt Rosignano-Marittimo, weiter SS1 'Aurelia' Richtung Roma, Ausfahrt Donoratico; Richtung Marina di Castagneto, geradeaus Schildern folgen.

Marina di Castagneto, I-57022 / Toscana 🛜iD

🏕 Int. Camping Etruria**	1 ABD**JM**NOPQRST	KMNQSW 6	
🏠 Via della Pineta	2 BEHOQVXY	AD**FG**H 7	
🗓 24 Apr - 11 Okt	3 BF	AEFNOR 8	
☎ +39 0565-744254	4 A**B**CDL	BL 9	
@ info@campingetruria.it	5 ACDEFGHK**L**	ABGHIJPTV10	
	B 2A CEE	❶ €39,00	
📍 N 43°11'16'' E 10°32'30''	24 ha 600**T**(60-100m²) 218**D**	❷ €53,00	

🚗 A12 Genova-Rosignano, SS1 'Aurelia' Richtung Rom, Ausfahrt Donoratico, Richtung Marina di Castagneto. CP-Ausschilderung folgen.

Marina di Grosseto, I-58100 / Toscana 🛜❄iD

🏕 Cieloverde****	1 ABCDEFG**J**MNOPQRT	KMNQRSTUV 6	
🏠 Via della Trappola 181	2 BEHOPQVXY	ABDE**FG**H 7	
🗓 16 Mai - 20 Sep	3 BEFLQ**RT**	ABCDEFH**M**NORS 8	
☎ +39 0564-321611	4 A**B**CDEFHILMNO**PQ**	DEJLMQRTV 9	
@ info@cieloverde.it	5 ACDEFGHJK**L**	ABHIJMO**T**VYZ10	
	B 3A CEE	❶ €36,60	
📍 N 42°42'47'' E 11°0'27''	60 ha 1260**T**(80-100m²) 465**D**	❷ €51,60	

🚗 In Grosseto Richtung Marina di Grosseto (mare). In Marina di Grosseto Richtung Principina a Mare. Auf der rechten Seite der Straße vor der Ausfahrt Principina a Mare.

Marina di Grosseto, I-58046 / Toscana 🛜(CC€16)iD

🏕 Le Marze**	1 ABDEFGJMNOPRS**T**	AKMNQS 6	
🏠 S.P. 158 km 30.200	2 BEHOPQSVWXY	ABDE**FG**H 7	
🗓 27 Mär - 4 Okt	3 BEFKLST**U**	ABCDEFK**LM**NORS 8	
☎ +39 0564-35501	4 A**B**DHLN**P**	AEFTUV 9	
@ info@lemarze.it	5 ACDEFGHJKL	ABFGHIJLOSUVXY10	
	Anzeige auf dieser Seite B 10A CEE	❶ €35,10	
📍 N 42°44'42'' E 10°56'44''	20 ha 452**T**(50-110m²) 173**D**	❷ €48,90	

🚗 SS322 von Follonica nach Süden Richtung Castiglione della Pescaia. Dort über die Brücke Richtung Marina di Grosseto, nach ca. 5 km liegt der CP links.

Marina di Grosseto, I-58046 / Toscana 🛜iD

🏕 Rosmarina*	1 ABDEFGJMNOP**T**	KMNQRST 6	
🏠 Via delle Colonie 37	2 BEHOQRXY	AD**FG** 7	
🗓 18 Apr - 13 Sep	3 L	ABE**F**NR 8	
☎ +39 0564-36319	4 O**P**	L 9	
@ info@campingrosmarina.it	5 ACDEFGIK**L**	ABIOV10	
	3A CEE	❶ €43,00	
📍 N 42°43'35'' E 10°58'22''	1,4 ha 66**T**(50-60m²) 30**D**	❷ €66,00	

🚗 In Grosseto SS322 Richtung Marina di Grosseto (mare), durch den Ort, Richtung Castiglione della Pescaia. CP direkt am Ortsrand von Marina di Grosseto. Schildern folgen.

Marina di Massa, I-54100 / Toscana 🛜(CC€16)iD

🏕 Camping Giardino	1 ABDEFIKNOPRST	AKNQ**X** 6	
🏠 Via delle Pinete 382	2 AEGHVY	AD**FG**H 7	
🗓 2 Apr - 27 Sep	3 B**KL**	AEFNORV 8	
☎ +39 0585-869291	4 BDO	EJLV 9	
@ info@campinggiardino.com	5 AC**E**FIKLM	BDGHIJ**O**RZ10	
	B 3A CEE	❶ €41,00	
📍 N 44°1'30'' E 10°4'27''	14 ha 140**T**(40-60m²) 186**D**	❷ €56,00	

🚗 A12 Ausfahrt Massa, 1. Kreisel rechts Richtung Massa, 2. Kreisel rechts ab, 3. Kreisel rechts, ± 2 km geradeaus. Camping an der rechten Seite.

Marina di Massa, I-54037 / Toscana 🛜(CC€18)iD

🏕 Luna***	1 ABDEFILNOPRST	KN 6	
🏠 Via delle Pinete 392	2 AEHOPQRVWXY	ABD**F** 7	
🗓 23 Apr - 19 Sep	3 **K**L	AEFNORT 8	
☎ +39 0585-780460	4 O	J 9	
@ info@campingluna.it	5 G	ABHIJ**NP**T10	
	B 6A CEE	❶ €40,00	
📍 N 44°1'38'' E 10°4'14''	6,5 ha 36**T**(50-60m²) 25**D**	❷ €54,00	

🚗 A12 Ausfahrt Massa. Am Kreisel sofort rechts über die Brücke der A12. Nach dem nächsten Kreisel direkt nach 2 km Campingplatz auf der rechten Seite. (Route weicht von den meisten Navis ab)

Italien

Marina di Massa, I-54037 / Toscana 📶 CC€16 iD

🏕 Partaccia 1***
🏠 Via delle Pinete 394
📅 25 Apr - 27 Sep
☎ +39 0585-780133
@ info@partaccia.it

1 ABDHKNORT		K 6
2 ABEHOQVWXY		ADF 7
3 A		AEFNO 8
4 LOP		EIJL 9
5 ACEFGJK		ABGHIJPT 10
Anzeige auf dieser Seite 5A CEE		➊ €40,80
4,3 ha 80T(20-50m²) 282D		➋ €50,80

📍 N 44°1'37'' E 10°4'11''

🚗 A12 La Spezia-Livorno, Ausfahrt Massa; hinter der Mautstelle links. Bis zur Kreuzung an der Bar/Café 'La Dolce Vita'. Links ab den CP-Schildern folgen.

Marina di Massa/Partaccia, I-54037 / Tosc. 📶 CC€16 iD

🏕 Dal Pino Srl
🏠 Via Flavio Baracchini 119
📅 1/4 - 7/4, 23/4 - 20/9
☎ +39 0585-630164
@ info@campingdalpino.com

1 ABDFG**IL**NOPQRST		KMPQS 6
2 ABEHOQXY		ABDFG 7
3 BELQ		AEFNOR 8
4 BCDO**P**		DJ 9
5 ABEGJL		ABDGHIJPSTZ 10
Anzeige auf Seite 533 B 6A CEE		➊ €38,80
3 ha 60T(35-55m²) 227D		➋ €50,80

📍 N 44°1'48'' E 10°4'15''

🚗 Genova-Livorno, Ausfahrt Massa. Hinter der Mautstelle link ab im Kreisel ± 1 km. Links ab an der Bar La Dolce Vita. Camping an der linken Seite.

Montecatini Terme, I-51016 / Toscana 📶 CC€18 iD

🏕 Belsito***
🏠 Via delle Vigne 1/a
📅 1 Apr - 30 Sep
☎ +39 0572-67373
@ info@campingbelsito.it

1 ABDEF**JM**NOPQRST		AF 6
2 AFGOPRTUVWXY		ABDE**FG** 7
3 AEL		ABCDEFGIK**L**NORSTUV 8
4 FIO**QU**Y		J 9
5 ACDEFGIKL		ABDGHIJN**PT**UV 10
Anzeige auf dieser Seite B 15A CEE		➊ €37,70
H260 3,7 ha 200T(50-100m²) 6D		➋ €50,00

📍 N 43°54'19'' E 10°47'17''

🚗 A11 Firenze-Pisa, Ausfahrt Montecatini Terme. Hinter der Mautstelle geradeaus Richtung Montecatini Terme. CP-Schildern und Montecatini Alto folgen. Kein Navi benutzen.

Monteriggioni/Trasqua, I-53011 / Toscana 📶

🏕 Luxor
🏠 Loc. Trasqua
📅 23 Mai - 6 Okt
☎ +39 0577-743047
@ info@luxorcamping.com

1 BDJMNOPR**T**		AF 6
2 ABQRTVXY		ADF 7
3 AL		AEFNOQ 8
4 O**P**		9
5 ABDEFGJK		ABHJOR 10
6A CEE		➊ €28,50
H300 4 ha 100T(40-80m²)		➋ €38,10

📍 N 43°23'59'' E 11°14'54''

🚗 SS2 Firenze-Siena, Ausfahrt Monteriggioni, rechts Richtung Siena, bei der Ausfahrt Lornano/Badesse den CP-Schildern folgen, die letzten 2,5 km Kieselstraße mit einigen sehr engen Kurven.

Montescudaio, I-56040 / Toscana 📶

🏕 Camping & Village Montescudaio****
🏠 Via del Poggetto km 2
📅 15 Mai - 15 Sep
☎ +39 0586-683477
@ info@camping-montescudaio.it

1 BDEHKNOPRT		AF 6
2 ABPRTVXY		ABDE**FG** 7
3 BEL**MQ**		ABCDEFNQR 8
4 **A**BDILNOY		EJV 9
5 ABCEFGJKL		ABGHIJORV 10
Anzeige auf Seite 533 B 5A CEE		➊ €34,50
H50 25 ha 370T(60-200m²) 209D		➋ €51,50

📍 N 43°18'57'' E 10°33'15''

🚗 A12, Ausfahrt Rosignano Marittimo, SS1 Richtung Rom, Ausfahrt Cecina-Centro (NICHT Cecina-Nord!). Am Kreisverkehr Richtung Guardistallo (NICHT Montescudaio). CP nach 2 km links.

Monticello Amiata, I-58044 / Toscana 📶

🏕 Lucherino**
🏠 Loc. Lucherino
📅 1 Mai - 30 Sep
☎ +39 0564-992975
@ info@campinglucherino.net

1 BDEGJMNORT		A 6
2 BFGOPRUVWXY		ABDEF 7
3 ABEL**M**		ABEFNQRT 8
4 F		DELU 9
5 ADEFGJKL		ABFHIJ**O**RV 10
10A CEE		➊ €35,50
H735 3 ha 75T(40-100m²) 12D		➋ €47,50

📍 N 42°52'57'' E 11°28'38''

🚗 Die SS223 Siena-Grosseto. Bei Paganico links Richtung Castel di Piano. Hinter Montenero rechts nach Monticello. Der CP ist unmittelbar hinter der Ortseinfahrt von Monicello links. Achtung: das CP-Schild ist sehr klein!

Montopoli, I-56020 / Toscana 📶 iD

🏕 Toscana Village***
🏠 Via Fornoli 9
📅 2 Mär - 31 Okt
☎ +39 0571-449032
@ info@toscanavillage.com

1 ABDEFJMNOPQRST		A 6
2 AFGRTUVWXY		ABDE**FG** 7
3 AE**KLQ**		ABCDEFKNORTV 8
4 ABCDINO**P**		E 9
5 ABEFGHKL		ABGHI**NP**ST 10
6A CEE		➊ €33,50
H50 3,8 ha 139T(60-100m²) 43D		➋ €44,50

📍 N 43°40'32'' E 10°45'11''

🚗 Autobahn Firenze-Pisa-Livorno, Livorno-Firenze, Ausf. Montopoli val d'Arno, der SS67 nach Montopoli folgen, ab dem Ort Capanne den CP-Schildern folgen. Bei Gebrauch des Navis auf die Verkehrsschilder und Verbote achten.

Orbetello, I-58015 / Toscana 📶

🏕 Orbetello Camping Village***
🏠 Strada Gianella 166
📅 4 Apr - 17 Okt
☎ +39 0564-820201
@ info@orbetellocampingvillage.com

1 BCDEFG**JM**NOPQRST		AFKMOQRST 6
2 BEGHOQRVY		ABDE**FG** 7
3 BEFGHK**LQ**		ABCDEFKNOQRSTUV 8
4 **A**BDLNOPUY		AEJMQSV 9
5 ACEFGJK		ABFHIJLPV 10
Anzeige auf Seite 533 B 6A CEE		➊ €51,00
8 ha 326T(60-120m²) 143D		➋ €59,00

📍 N 42°27'48'' E 11°11'9''

🚗 SS1 Aurelia Ausfahrt Albinia. Dann Richtung Porto Santo Stefano. Nach 5 km liegt der CP an der linken Straßenseite.

Passo de la Futa/Firenzuola, I-50033 / Tosc. 📶 CC€16 iD

🏕 La Futa**
🏠 Via Bruscoli, 889/H
📅 15 Apr - 16 Sep
☎ +39 055-815297
@ info@campinglafuta.it

1 ABDEF**JM**NOPQRST		A 6
2 ABFPRUWXY		ABDE**FG** H 7
3 AL		ABEFNQRSV 8
4 FHO		EI 9
5 ABFGKL		GHIJNORV 10
B 10A CEE		➊ €28,00
H890 10 ha 80T(60-80m²) 32D		➋ €38,00

📍 N 44°5'52'' E 11°16'7''

🚗 A1 Bologna-Florenz, Ausfahrt Roncobilaccio (oder Barberino-Mugello). SS65 zum Passo della Futa. Der CP liegt am Futa-Pass (Soldatenfriedhof).

Pisa, I-56122 / Toscana 📶 iD

🏕 Torre Pendente*
🏠 Viale delle Cascine 86
📅 1 Apr - 2 Nov
☎ +39 050-561704
@ info@campingtorrependente.it

1 ABDE**JM**NOPQRST		A 6
2 APRVWXY		ABDE**FG** H 7
3 AFLQ		ABCDEFKL**N**QRST 8
4 **A**BCDELO**PQ**		EHLV 9
5 ACDEFGJKL		ABGHI**NP**STV 10
B 6A CEE		➊ €37,00
2,5 ha 220T(30-50m²) 51D		➋ €51,00

📍 N 43°43'28'' E 10°22'59''

🚗 SS1, Ausfahrt Pisa Zentrum, über 'Aurelia' Richtung Zentrum, den Schildern 'Torre Pendente' folgen, beim schiefen Turm wird CP ausgeschildert.

Principina a Mare, I-58100 / Toscana

Camping La Principina**	1 BCDEFG**JM**NOPRST	**AF**K 6
Via del Dentice 10	2 BEHOVY	ABDE**FG** 7
5 Apr - 28 Sep	3 E**FILMN**Q	ABEFKNORV 8
+39 0564-31530	4 BDHLN**X**	ADEV 9
info@campingprincipina.it	5 ACEFGHJKL	ABFHIJNOVW10
	B 3A CEE	① €43,00
N 42°42'16'' E 11°0'20''	10 ha 400**T**(50-140m²) 212**D**	② €53,00

SS1 Aurelia, Ausfahrt Grosseto Sud. Dann Richtung 'Mare'/Principina a Mare folgen. Nach ca. 10 km in Principana a Mare den CP-Schildern folgen.

Punta Ala/Cast. della Pescaia, I-58043 / Toscana

PuntAla Camping Resort****	1 BDFGHKNOPQRST	KMNOPQRSTW**X**Y 6
Loc. Punta Ala	2 BEHPQVXY	ABDE**FG** 7
28 Apr - 30 Sep	3 BF**KLMN**	ABCDEF**LMN**ORTUV 8
+39 0564-922294	4 BCDFHILO**P**	EJLMNOQSTUV 9
info@campingpuntala.it	5 ACDEFGIJKL	BGHIJ**N**O**P**VYZ10
	B 3A CEE	Preise auf
N 42°50'29'' E 10°46'47''	27 ha 520**T**(60-120m²) 187**D**	Anfrage

Von Follonica der SS322 folgen Richtung Castiglione della Pescaia. Bei Pian d'Alma Richtung Punta Ala. CP rechts.

Punta Ala, I-58040 / Toscana

Baia Verde***	1 ABDFG**J**KNOPQRST	KMNQRSTW**X**Y 6
Loc. Casetta Civinini	2 BEHOPQVY	AD**FG** 7
23 Apr - 16 Okt	3 BEF**GHK**LPQ	AEFNORS 8
+39 0564-922298	4 **A**BCHILMNO**PQ**	DELMNOQTV 9
info@baiaverde.com	5 ACDEFGHIJK	ABGHIJ**NO**STYZ10
	B 3A CEE	① €49,50
N 42°50'2'' E 10°46'46''	20 ha 1138**T**(60-100m²) 48**D**	② €67,50

Von Follonica die SS322 Richtung Castiglione della Pescaia nehmen, bei Pian D'Alma Richtung Punta Ala. CP liegt rechts.

Riotorto, I-57020 / Toscana

Campo Al Fico	1 BDFG**IL**NOPRS	AF 6
Loc. Campo al Fico 15	2 GOPVY	AD**F** 7
23 Apr - 29 Sep	3 BLM	AEFNORV 8
+39 0565-21008	4 **A**NOP	DEJV 9
info@campingcampoalfico.com	5 BDEFGJK	ABGHIJOPSV10
	3A CEE	① €38,00
N 42°58'0'' E 10°39'0''	4,5 ha 80**T**(42-60m²) 69**D**	② €56,00

SS1 'Aurelia', Ausfahrt Vignale/Riotorto. Im Kreisverkehr Richtung Piombino. Camping liegt links an der Straße.

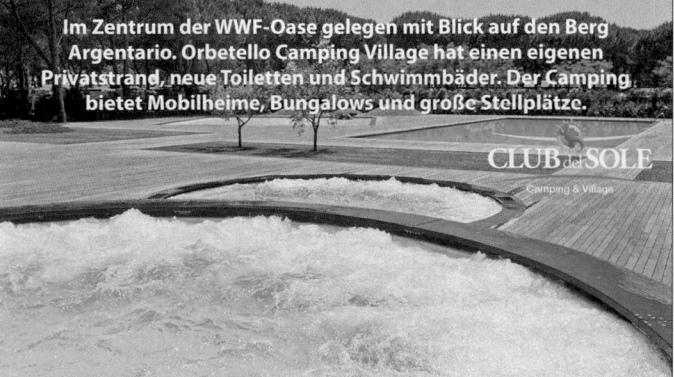
Italien

Riotorto, I-57025 / Toscana

▲ Pappasole****		1 ABDEFG**JM**NOPQRST	AFIKMNQSX 6
▤ Loc. Carbonifera 14		2 AEGHOPRSVXY	ABDE**FG**HI 7
☷ 23 Apr - 17 Okt		3 BE**FILMN**QT	ABCDEF**KLMN**QRSTUV 8
☎ +39 0565-20414		4 A**B**CDILNO**PQ**UY	DEJKLMQTUV 9
@ info@pappasole.it		5 ACDEFGJK	ABDGHIJM**N**PRVY10
		B 10A CEE	➊ €56,00
⛰ N 42°57'3'' E 10°41'14''		18 ha 476**T**(90-100m²) 189**D**	➋ €74,00

🚗 SS1 Aurelia Ausf. Riotorto Ri. Follonica/Grosseto. Ca. 5 km vor Follonica re. Autobahnüberführung, dann re., Schildern folgen.

Sarteano/Siena, I-53047 / Toscana

▲ Parco delle Piscine*****		1 BDEFHKNOPQRST	AF 6
▤ Via del Bagno Santo 29		2 AFGOPSVXY	ABDE**FG**H 7
☷ 1 Apr - 30 Sep		3 BEL**MN**	ABCDEFKNOQRSTU 8
☎ +39 0578-26971		4 AEFHILNOY	ELV 9
@ info@parcodellepiscine.it		5 DEFGHJL	ABGHIJM**N**PR10
		B 10A CEE	➊ €65,00
⛰ N 42°59'15'' E 11°51'53''		H573 15 ha 360**T**(40-120m²) 60**D**	➋ €93,00

🚗 A1/E8 (del Sole), Ausfahrt Chiusi/Chianciano Terme. Hinter der Mautstelle in Richtung Sarteano fahren. Dann den CP-Schildern folgen. CP kommt nach 6 km.

San Gimignano/Siena, I-53037 / Toscana

▲ Il Boschetto di Piemma***		1 ABDJMNOPQRS**T**	ABFG 6
▤ Loc. Santa Lucia 38C		2 BORVWXY	ABDE**FG** 7
☷ 1 Apr - 31 Okt		3 AEL**MN**	ABCDFNRV 8
☎ +39 0577-907134		4 BFIO**P**Y	EL 9
@ info@boschettodipiemma.it		5 ADEFGIKL	ABFGHIK**NOR**10
		Anzeige auf Seite 535 6A CEE	➊ €38,00
⛰ N 43°27'14'' E 11°3'19''		H400 6,5 ha 95**T**(80m²) 36**D**	➋ €50,00

🚗 Autobahn Firenze-Siena, Ausfahrt Poggibonsi-Nord Richtung San Gimignano. CP-Schildern folgen. Richtung Santa Lucia.

Scarlino, I-58020 / Toscana

▲ Il Fontino***		1 ABDFG**IL**NOPQRT	AF**N** 6
▤ S.P.N. 60 Loc. il Fontino		2 AGOPUVWXY	ABDE**FG**H 7
☷ 24 Apr - 27 Sep		3 BE**KL**R	ABEFNORSTUV 8
☎ +39 0566-37029		4 ABCD**ELOP**	JLOUV 9
@ info@fontino.it		5 ABDEFGJKL	ABHIJL**NP**ST10
		B 6A CEE	➊ €38,00
⛰ N 42°54'39'' E 10°50'36''		5 ha 50**T**(80-85m²) 118**D**	➋ €53,00

🚗 SS1 'Aurelia', Ausfahrt Scarlino/Scalo Richtung Scarlino/Punta Ala, bei der Kreuzung geradeaus, bei der nächsten großen Kreuzung rechts Richtung Punta Ala. CP links.

San Piero a Sieve, I-50037 / Toscana

▲ CP Village Mugello Verde***		1 ABDJMNOPQRS**T**	A 6
▤ Via Massorondinaio 39		2 BOPQRTUWXY	ABDE**FG** 7
☷ 20 Mär - 18 Okt		3 A**KL**M	ABEFNOQR 8
☎ +39 055-848511		4 FIO	EJL 9
@ mugelloverde@		5 ABDEFGIKL	AGHIJNORZ10
florencevillage.com		6A CEE	➊ €33,00
⛰ N 43°57'40'' E 11°18'37''		H330 12 ha 250**T** 154**D**	➋ €45,00

🚗 A1 Bologna-Firenze, Ausfahrt Barberino. Richtung Borgo San Lorenzo. CP ist ausgeschildert, nach der Tankstelle rechts.

Scarlino, I-58020 / Toscana

▲ Vallicella		1 ABDFG**JM**NOPRS**T**	AF 6
▤ Loc. Vallicella		2 AFOPRTUVWXY	ABDE**FG** 7
☷ 1 Apr - 4 Okt		3 BEH**KLM**QR	ABEF**MN**O 8
☎ +39 0566-37229		4 ABCFILO**PY**	JL 9
@ info@vallicellavillage.com		5 ABDEFGJK**L**	ABDGHIJLNOTUV10
		Anzeige auf dieser Seite B 4A CEE	➊ €31,00
⛰ N 42°54'46'' E 10°51'10''		H200 10 ha 242**T**(60-100m²) 54**D**	➋ €44,00

🚗 SS1 'Aurelia', Ausfahrt Scarlino/Scalo, Richtung Scarlino/Punta Ala (Sp.84), an den nächsten zwei Kreuzungen geradeaus, CP in Straßenknick.

San Vincenzo, I-57027 / Toscana

▲ Park Albatros****		1 BDE**JM**NOPQRST	ABCDEFGHI 6
▤ Pineta di Torre Nuova 2		2 BEHPQVWXY	ABDE**FG**H 7
☷ 24 Apr - 13 Sep		3 BE**FGHI**L	ABEFKNQRSTUV 8
☎ +39 0565-701018		4 ABDLMNO**PQ**Y	AELUVY 9
@ parkalbatros@ecvacanze.it		5 ACDEFGHJKM	ABGHIK**NO**TY10
		Anzeige auf dieser Seite B 10A CEE	➊ €61,00
⛰ N 43°1'40'' E 10°32'1''		23 ha 500**T**(80-100m²) 130**D**	➋ €86,00

🚗 SS1 'Aurelia', Ausfahrt San Vincenzo-Nord. Durch die Stadt der SP23 Richtung Piombino folgen. Bei km 7,0 kommt rechts die Einfahrt zum CP.

Siena, I-53100 / Toscana

▲ Colleverde Siena***		1 ABDJMNOPQRS**T**	A 6
▤ Sd Scacciapensieri 47		2 BFGOPQRSUVWXY	ABDE**FG** 7
☷ 1 Mär - 31 Dez		3 A	ABEFJNQRV 8
☎ +39 0577-334080		4 O	E 9
@ info@sienacamping.com		5 ABEFGI	ABHIKM**P**R10
		Anzeige auf Seite 535 B 10A	➊ €37,00
⛰ N 43°20'15'' E 11°19'50''		H322 5,5 ha 250**T**(40-80m²) 25**D**	➋ €49,00

🚗 SS2 Firenze-Siena, Abfahrt Siena Nord, dann den CP-Schildern folgen.

Italien

Sovicille, I-53018 / Toscana 🛜 (CC€18) iD

🏔 La Montagnola	1 ABDJMNOPQRST	6
📧 S.P. 52 della Montagnola	2 BOPQRSUVY	BDFG 7
📅 1 Apr - 30 Sep	3 AL	ABEFNOQR 8
☎ +39 0577-314473	4 O	EILV 9
@ montagnolacamping@libero.it	5 ABGK	BGHIJPRV10
	5A CEE	❶ €29,00
🗺 N 43°16'51" E 11°13'8"	H264 2,5 ha 66T(80m²) 20D	❷ €37,00

🚗 Autobahn Firenze-Siena bei Ausfahrt Ovest links, Richtung Sovicille und den CP-Schildern folgen. M

Stia, I-52017 / Toscana 🛜

🏔 Falterona	1 BDEJMNOPQRST	6
📧 Str. Com. di Papiano,	2 BFGPRUWXY	ABD 7
Loc. Montalto	3 ALR	ABEFNORV 8
📅 22 Apr - 15 Sep	4 FH	ADU 9
☎ +39 0575-582360	5 ABI	BHIJLNORV10
🖥 info@campingfalterona.it	JA ULL	❶ €25,50
🗺 N 43°49'52" E 11°42'9"	H840 8 ha 50T(80m²) 6D	❷ €35,50

🚗 A1 Florenz-Rom, Ausfahrt Firenze-Sud, weiter Pontassieve/Pelago/Passo Della Calla/Stia und dann der Campingbeschilderung folgen. M

Talamone, I-58010 / Toscana 🛜

🏔 Talamone Camping Village**	1 BDEFGJKNOPQRST	AFKMNOPQRSTUV 6
📧 Via Talamonese 2	2 EFHOPRUVXY	ADFG 7
📅 15 Apr - 20 Sep	3 BEFGLMR	AEFNOQ 8
☎ +39 0564-887026	4 AELOP	CJMNOQRTUVX 9
@ info@	5 ACEFGHIL	ABHIKOSTV10
talamonecampingvillage.com	3A CEE	❶ €39,00
🗺 N 42°33'54" E 11°8'22"	8 ha 300T(25-60m²) 94D	❷ €58,00

🚗 SS1 'Via Aurelia' Grosseto-Roma. Ausfahrt Talamone, den Schildern Talamone (Porto) folgen. Kurz vor dem Hafen ist das CP-Schild auf der rechten Seite. M

Tirrenia/Pisa, I-56018 / Toscana 🛜 iD

🏔 St. Michael	1 ABDHKNOPQRT	6
📧 Via delle Bigattiera,	2 ABHOQVXY	ABDEFG 7
Lato Mare, 24	3 BEFL	AEFNOQR 8
📅 15 Mai - 15 Sep	4 BDOP	EL 9
☎ +39 050-33041	5 ABDFGI	ABGHIJLNOR10
@ info@campingstmichael.it	4A CEE	❶ €32,00
🗺 N 43°38'50" E 10°17'42"	3 ha 180T(30-80m²) 80D	❷ €47,00

🚗 A12 Ausfahrt Pisa Centro; Firenze-Pisa-Livorno, 1. Ausfahrt Marina di Pisa, Tirrenia, Camp Darbu; geradeaus. Beschilderung Marina di Pisa/Tirrenia noch etwa 6 km. M

Torre del Lago Puccini, I-55049 / Toscana 🛜 (CC€16) iD

🏔 Europa*	1 ABDEJKNOPQRST	A 6
📧 Viale dei Tigli, 51	2 AHOPQVXY	ABDFG 7
📅 1 Apr - 10 Okt	3 BELMQ	AEFNOQRV 8
☎ +39 0584-350707	4 ABCDEFHILNOP	EIJLUV 9
@ info@europacamp.it	5 ACDEFGJKL	ABDGHIKNOPSTV10
	Anzeige auf dieser Seite B 6A CEE	❶ €35,00
🗺 N 43°49'52" E 10°16'14"	5,3 ha 200T(54-70m²) 247D	❷ €44,00

🚗 A12 La Spezia-Livorno, Ausfahrt Viareggio, über die Via Aurelia mit getrennten Fahrbahnen zum Torre del Lago, Abfahrt Marina di Lago, den Hinwiesen 'Mare' folgen. Den CP-Schildern folgen. M

Torre del Lago Puccini, I-55048 / Toscana 🛜 (CC€16) iD

🏔 Italia	1 ABDEJKNOPQRST	AM 6
📧 Viale dei Tigli 52	2 ABHOPQWXY	ABDFGH 7
📅 15 Apr - 24 Sep	3 BELMQ	ABCEFKNOQRSV 8
☎ +39 0584-359828	4 BCDFHILNOQ	EJLUV 9
@ info@campingitalia.net	5 ACDEFGJKL	AGHIJPR10
	B 6A CEE	❶ €32,50
🗺 N 43°49'45" E 10°16'14"	10 ha 150T(50-80m²) 490D	❷ €42,50

🚗 A12 La Spezia-Livorno Ausfahrt Viareggio, weiter die SS1 Richtung Pisa. Die Ausfahrt Marina di Torre del Lago nehmen, ab dort den CP-Schildern folgen. M

Campo dei Fiori
★★

Via Cavalleggeri
57018 Vada/Livorno
Tel. 0586-770096
Fax 0586-770323
E-Mail: info@campingcampodeifiori.it
Internet: www.campingcampodeifiori.it

Der Camping liegt an der Küste der Toskana in einem ruhigen, schattigen Wald, 800m vom Sandstrand. WiFi, Schwimmbad, Tennisplatz, Fußballfeld, Volleyball, Spielhalle, Radverleih. Hund gestattet. Auf dem Gelände finden Sie u.a.: Restaurant/Pizzeria, Bar, Bazar, Supermarkt. Sondertarife für Jugend- und Sportvereine. Außerdem vollausgestattete Mietbungalows.

Troghi/Firenze, I-50067 / Toscana 🛜 iD

🏔 Il Poggetto
📧 Strada Provinciale 1
　Aretina km 14
📅 1 Apr - 15 Okt
☎ +39 055-8307323
@ info@campingilpoggetto.com
📍 N 43°42'6'' E 11°24'19''
🚗 A1 Firenze-Roma, Ausfahrt Incisa; rechts ab, nach 4 km links. Hinter der Arno Brücke links und den CP-Schildern folgen.

1 ABDEG**JM**NOPQRS**T**		AF 6
2 AFGOPRUVWXY		ABDE**FG**H 7
3 BE**GHK**LQ	ABCDEFKLNOQRS	8
4 BEFHILO**PR**		EFGIJLUV 9
5 ACDEFGJKLM		ABGHIJ**PR**VZ 10
B 7A CEE		➊ €35,00
H270　4,5 ha 110**T**(60-85m²)　61**D**		➋ €48,00

Vada, I-57016 / Toscana 🛜 iD

🏔 Tripesce★★
📧 Via Cavalleggeri 88
📅 1 Apr - 18 Okt
☎ +39 0586-788017
@ info@campingtripesce.it
📍 N 43°20'35'' E 10°27'29''
🚗 A12, Ausfahrt Rosignano Marittimo. Dann SS1 'Aurelia' Richtung Roma, Ausfahrt Vada. In Vada Richtung Mazzanta (Vada-Cecina Mare). CP liegt meerseitig direkt hinter Vada.

1 ABFGHKNOPQR		KNOPQ 6
2 EHOPRSVWXY		ABDE**FG** 7
3 BLQ	ABCDEFKNOQRSTUV	8
4 ABDLO**P**		EV 9
5 ACDEFG**H**L		ABGHIJLNPTVX 10
4A CEE		➊ €39,00
3 ha 269**T**(30-60m²)　59**D**		➋ €49,00

Vada/Livorno, I-57016 / Toscana 🛜 ✿ (CC€16) iD

🏔 Baia del Marinaio★★★
📧 Via Cavalleggeri 177
📅 25 Apr - 27 Sep
☎ +39 0586-770164
@ info@baiadelmarinaio.it
📍 N 43°20'5'' E 10°27'41''
🚗 A12 Ausfahrt Rosignana Marittimo, dann SS1 Aurelia Richtung Roma, Ausfahrt Vada, dort Richtung Mazzanta, CP liegt im Landesinneren.

1 ABDEG**JM**NOPQRS		AFHIK**N**QS**X** 6
2 AEHOPRSVWXY		ABDE**F** 7
3 BE**FLM**		ABCDEFNOQR 8
4 **A**HKLNO**P**QY		ELV 9
5 ACDEFGIJ		ABHIJ**NOR**10
Anzeige auf Seite 537　B 6A CEE		➊ €41,00
6 ha 286**T**(40-85m²)　184**D**		➋ €59,00

Vada/Livorno, I-57018 / Toscana 🛜 (CC€14) iD

🏔 Campo dei Fiori★★
📧 Via Cavalleggeri
📅 4 Apr - 27 Sep
☎ +39 0586-770096
@ info@campingcampodeifiori.it
📍 N 43°20'8'' E 10°27'56''
🚗 A12, Ausfahrt Rosignano, dann SS1 Aurelia Richtung Roma, Ausfahrt Vada. In Vada Richtung Mazzanta (Vada-Celina-Mare). Nach ca. 1 km links den Schildern folgen.

1 ADE**JM**NOPQRS**T**		A 6
2 ABOPRVWXY		ABDE**F** 7
3 AEL**MNQ**		ABEFNORTUV 8
4 ABCDILNO**PQ**UY		JLV 9
5 ACDEFGHJKL		ABDIJOPST 10
Anzeige auf dieser Seite　B 3A CEE		➊ €32,00
15 ha 500**T**(60-105m²)　370**D**		➋ €43,00

Vada/Livorno, I-57018 / Toscana 🛜 ✿ (CC€16) iD

🏔 Molino a Fuoco★★★
📧 Via Cavalleggeri 32
📅 24 Apr - 17 Okt
☎ +39 0586-770150
@ info@
　campingmolinoafuoco.com
📍 N 43°19'55'' E 10°27'37''
🚗 A12, Ausfahrt Rosignana-Marittimo. Dann SS1 Aurelia Richtung Rom, Ausfahrt Vada, dort Richtung Mazzanta. Nach 2 km liegt der CP an der Meeresseite.

1 ABDEFG**J**KNOPRST	A**F**KNPQRS**X** 6	
2 AEHJOPVXY		ABDE**FG**H 7
3 BEL**MP**		ABCDEFKNRSV 8
4 ABFILO**P**		DJLQV 9
5 ACDEFGJKL	ABDFGHIJM**NO**TVXY 10	
B 4A CEE		➊ €43,00
5 ha 120**T**(40-75m²)　74**D**		➋ €57,00

Vada/Livorno, I-57018 / Toscana 🛜 iD

🏔 Rada Etrusca
📧 Via Cavalleggeri 28
📅 1 Apr - 5 Okt
☎ +39 0586-788344
@ info@radaetrusca.it
📍 N 43°20'20'' E 10°27'35''
🚗 A12, Ausfahrt Rosignana-Marittimo, SS1 'Aurelia' Richtung Rom, Ausfahrt Vada, dort Richtung Mazzanta (Vada-Cecina-Mare), CP liegt an der Meeresseite, gut ausgeschildert.

1 ABDEFG**J**KNOPQRT		KMNQSW**XZ** 6
2 AEHOPWXY		ABD**FG**H 7
3 BEL		ABCDEFNQR 8
4 IO**P**		EL 9
5 ACEFGJKLM		ABGHIJOT 10
Anzeige auf dieser Seite　B 3A CEE		➊ €38,00
6,5 ha 180**T**(40-70m²)　177**D**		➋ €48,00

Vada/Livorno, I-57016 / Toscana 🛜 (CC€14) iD

🏔 Rifugio del Mare
📧 Loc. I. Mozzi
📅 25 Apr - 20 Sep
☎ +39 0586-770091
@ info@rifugiodelmare.it
📍 N 43°19'50'' E 10°27'50''
🚗 A12 Ausfahrt Rosignano Marittimo; dann SS1 Aurelia Richtung Roma, Ausfahrt Vada. Dort Richtung Mazzanta. CP nach ca. 2 km im Landesinneren.

1 ABDEFG**JL**NOPQRST		AF 6
2 AGHOPVXY		ABD**FG** 7
3 BELQ		ABEFNORV 8
4 ABILNO**PQ**		JV 9
5 ACDEFGIK**L**		ABGHIJORX 10
B 6A CEE		➊ €35,50
6 ha 120**T**(40-80m²)　128**D**		➋ €49,50

Rada Etrusca

Via Cavalleggeri 28
57018 Vada/Livorno
Tel. 0586-788344 • Fax 0586-788052
E-Mail: info@radaetrusca.it
Internet: www.radaetrusca.it

Camping Rada Etrusca liegt direkt am Meer, nur von einem breiten Sandstrand getrennt. Der ideale Ort für allerlei Wassersportarten, wie Segeln, Schwimmen, Surfen, Tauchen und Sportangeln. Auf der Anlage gibt es eine Bar, Restaurant, Pizzeria, Supermarkt, Gemüseladen, Spielplatz, Sportplatz und ein Beachvolleyballplatz. Neue Sanitäranlagen und neue Mobilheime (5 Betten).

Italien

Baia del Marinaio
Camping Village

Der Camping Village Baia del Marinaio liegt nicht weit vom schönen Strand Tesorino entfernt, und bietet seinen Gästen all die Leistungen an, die den Urlaub angenehm, amüsant aber gleichzeitig entspannend machen. Auf den Geländen befinden sich ein Schwimmbad mit einer 30m langen Rutschbahn und whirlpool, Tennis, Minifußball, Beachvolley, Spielplatz, mehrsprachiges Unterhaltungsprogramm, Miniklub, Supermarkt, Café, Restaurant, Kiosk, Tabakladen und Erste-Hilfe-Station mit ärztlicher Betreuung zu bestimmten Zeiten. Dank dem Meer, das flach und leicht abfallend ist, und mildem und klarem Wasser ist der Campingplatz ein Paradies für Kinder. All dies, zusammen mit einer zwanzigjährigen Erfahrung, macht Camping Village Baia del Marinaio zu einer idealen Oase für groß und klein

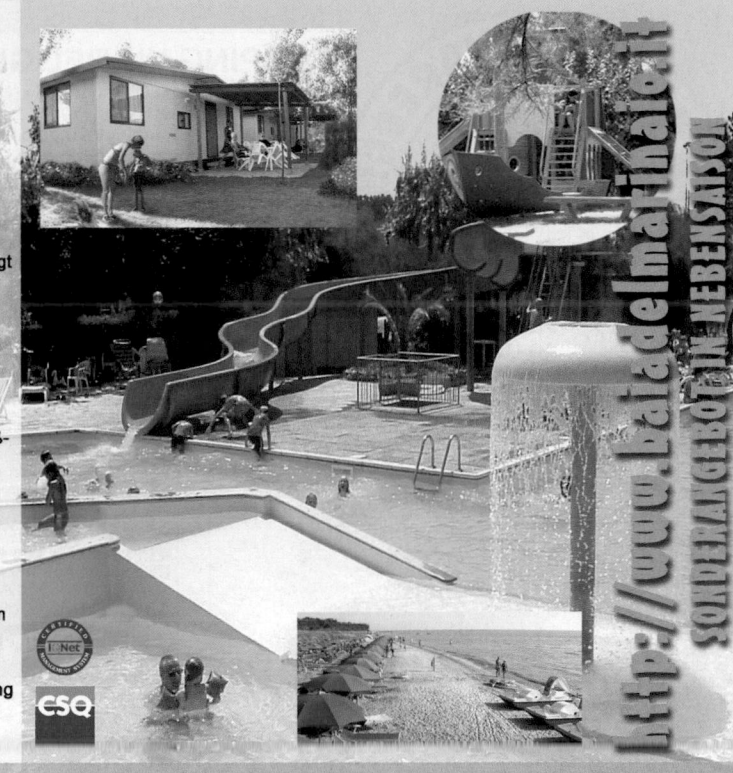

http://www.baiadelmarinaio.it SONDERANGEBOT IN NEBENSAISON

Italien

VADA (Li) Via dei Cavalleggeri, 177 I-57016 Tel&Fax +39-0586-770164

Viareggio, I-55049 / Toscana

▲ Viareggio	1 ABDE**JM**NOPQRST	A 6
✉ Via Comparini 1	2 ABOPQVY	AB**DFG** 7
⛺ 1 Apr - 30 Sep	3 BEL	AE**FK**NQRSV 8
☎ +39 0584-391012	4 FHIOP	JLUV 9
@ info@campingviareggio.it	5 ACDEFGJKL	ABHIJ**NPR**10
	Anzeige auf Seite 538 B 4A CEE	① €32,00
	3 ha 250**T**(36-80m²) 42**D**	② €48,00
▲N 43°51'5'' E 10°15'35''		

🚗 Vom Zentrum von Viareggio Richtung Torre del Lago, dann Schildern zum CP folgen.

Vicchio, I-50039 / Toscana

▲ Vecchio Ponte***	1 ABDJMNOPQRST	AF 6
✉ Via P. Costoli 16	2 BGOPXY	AD**F** 7
⛺ 1 Jun - 15 Sep	3 AE**MN**	ACDEFNO 8
☎ +39 055-8448306	4 O**P**	LUV 9
@ info@campingvecchioponte.it	5 ADGH	A**G**HIKL**O**R10
	3A CEE	① €24,00
▲N 43°55'51'' E 11°27'51''	H200 10 ha 100**T**(100m²)	② €32,00

🚗 A1 Bologna-Firenze, Ausfahrt Barberino, Richtung Borgo San Lorenzo, in Vicchio CP an der SS551 auf der anderen Seite der Gleise, Schildern folgen.

Viareggio, I-55049 / Toscana

▲ La Pineta**	1 ABDEF**J**KNOPQRST	AF**X** 6
✉ Via dei Lecci 105	2 AHOPQVXY	AD**F** 7
⛺ 2 Apr - 24 Sep	3 A**GH**L	AEFNOQR**V** 8
☎ +39 0584-383397	4 IO**PQT**	JV 9
@ campinglapineta@interfree.it	5 ABDEGIKL	ABHIJ**PR**10
	Anzeige auf dieser Seite B 5A CEE	① €37,50
	3,2 ha 85**T**(35-70m²) 110**D**	② €50,50
▲N 43°51'2'' E 10°15'37''		

🚗 A12 Ausfahrt Viareggio und der Beschilderung 'Campings' Richtung Torre del Lago Puccini folgen.

Volterra, I-56048 / Toscana

▲ Le Balze	1 ABDEG**J**MNOPQR	AF 6
✉ Via di Mandringa 15	2 OPTUX	ABDE 7
⛺ 1 Apr - 15 Okt	3 V	ABEFNOR 8
☎ +39 0588-87880	4	9
@ campinglebalze@hotmail.it	5 ABGLM	AHI**JO**RY10
	B 6A CEE	① €31,00
▲N 43°24'44'' E 10°51'3''	H458 1 ha 90**T**(40-80m²)	② €41,00

🚗 In der Ortsmitte Volterra den CP Schildern folgen.

100% Deckung

Der sehr ruhig gelegene Camping mit großen, schattigen Plätzen liegt in einer besonderen Umgebung, 1300m vom Meer mit weiten, gratis Sandstränden. 2 km vom Zentrum Viareggio. 3 km von Torre del Lago Puccini, 20 km von Lucca und Pisa und 90 km von Florenz. Gratis Pool, warme Dusche und Stromanschluss. Im April, Mai, Juni und September CCA €16.00 + 1 Stunde WiFi gratis. Im Juli und August 10% Rabatt.

Camping La Pineta • Via dei Lecci 105, 55049 Viareggio • Tel. und Fax 0584-383397
E-Mail: campinglapineta@interfree.it • Internet: www.campinglapineta.com

CAMPING VIAREGGIO

Via Comparini 1, 55049 Viareggio (LU)
Tel. und Fax 0584-391012
E-Mail: info@campingviareggio.it
Internet: www.campingviareggio.it

Der Camping liegt im Tannenwald, ca. 1,5 km von der Stadt. Der Strand ist vom Camping aus durch den Wald erreichbar (800m). Dazu Möglichkeiten für Unterwassersport und Windsurfen. Gastfreundliche und gesellige Atmosphäre. Vortreffliche Sanitäranlagen. Auf dem Gelände u.a.: Bar, Restaurant, Pizzeria, Grill, Supermarkt mit Obst und Gemüse, Laden, Spielhalle, TV, Krankenstation. Zahlreiche Ausflugsmöglichkeiten. Hunde ganzjährig gestattet. Seit 2007 26 Bungalows, 14 Appartments, neues Toilettengebäude und Schwimmbad.
Neu: 80% WiFi auf dem Campingplatz und schöner Spielplatz.
Auf Vorlage des ACSI-Führers folgende Ermäßigung:
• 20% im April, Mai, Juni und September • 10% Ermäßigung im Juli und August

Cascia, I-06043 / Umbria 🛜 (CC€14)

▲ Campeggio il Drago	1 BDEJMNRST	AB 6
▥ Loc. San Giorgio di Cascia 1	2 FGOPRSUVWXY	ABDEF 7
⊙ 14 Mär - 8 Nov	3 ABEGMQ	ABEFNQRTV 8
☎ +39 0743-751070	4 ABEFHNO	AJU 9
@ info@campeggioildrago.it	5 ABEFGJKL	BFGHIJPRVX10
	B 6A CEE	❶ €33,00
▲N 42°45'7'' E 13°0'56''	1 ha 35T(25-40m²) 4D	❷ €44,00

🚗 Von Cascia die SP474 Richtung Agriano. Nach 7 km Ausfahrt links nach San Giorgio. Den CP-Schildern folgen. Wenn Sie an San Anatolia vorbei kommen, kein Navi verwenden, sondern bis Cascia weiterfahren.

Castiglione del Lago, I-06061 / Umbria 🛜 (CC€18) iD

▲ Badiaccia	1 ABDEFGJMNOPQRST	AFLMNQRSWXYZ 6
Camping Village****	2 DFGHPQRVXY	BDEFGH 7
▥ Via Pratovecchio 1	3 ABEFILMQR	ABCDEFKLMNOQRSTUV 8
⊙ 1 Apr - 30 Sep	4 ABEFHILNOPRUY	EGIKLUV 9
☎ +39 075-9659097	5 ABCDEFGIJKL	ABDFGHIJNORVWX10
@ info@badiaccia.com	B 10A CEE	❶ €25,00
▲N 43°10'52'' E 12°0'19''	H263 5,5 ha 260T(55-110m²) 71D	❷ €36,00

🚗 A1/E6 Ausfahrt Val di Chiana, SS75, Ausfahrt Castiglione del Lago. Dann über Straße 71 Richtung Süden, Richtung Borghetto abbiegen.

Castiglione del Lago, I-06061 / Umbria 🛜 (CC€14)

▲ Listro**	1 BDEFJMNOPQRST	ELMNQRSTWX 6
▥ Via Lungolago	2 DFGHPRXY	ADF 7
⊙ 1 Apr - 30 Sep	3 AFKLM	BCEFNOR 8
☎ +39 075-951193	4 AFHOP	MQRTV 9
@ listro@listro.it	5 ABGKL	ABGHIJLNOR10
	B 3A CEE	❶ €20,10
▲N 43°8'4'' E 12°2'39''	H222 1 ha 100T(40-85m²)	❷ €29,90

🚗 A1/E6 Ausfahrt Val di Chiana. Richtung Perugia SS75. Ausfahrt Castiglione del Lago SS71 Richtung Süden. In Castiglione zweite Straße links, dann Schildern folgen.

Assisi, I-06081 / Umbria 🛜 iD

▲ Fontemaggio	1 ABDEJMNOPQRST	6
▥ Via Eremo delle Carceri 8	2 BFPUXY	ABDFGJ 7
⊙ 1 Jan - 31 Dez	3 ABL	ABEFNORV 8
☎ +39 075-813636	4 FKO	GHJL 9
@ info@fontemaggio.it	5 ABGHJL	AGJOR10
	B 6A CEE	❶ €25,50
▲N 43°3'56'' E 12°37'50''	H550 5 ha 65T(60-100m²) 44D	❷ €32,50

🚗 Bei Assisi den Berg rauf Richtung Ereno Dello Carceri. Der Campingbeschilderung folgen: auf halbem Weg ist das Kloster auf der rechten Seite.

Assisi/Perugia, I-06081 / Umbria 🛜 (CC€18) iD

▲ Camping Village Assisi***	1 ABDEGJMNOPQRST	AF 6
▥ Via S.G. in Campiglione 110	2 BGPVY	ABDEFGHJ 7
⊙ 1 Apr - 30 Okt	3 ABELMQ	ABCDEFNOQRV 8
☎ +39 075-816816	4 AFHILOPR	AEGJKUV 9
@ info@campingassisi.it	5 ABDEFGJKL	ABFGHIJMNPRVW10
	Anzeige auf Seite 539 B 6A CEE	❶ €34,00
▲N 43°4'33'' E 12°34'24''	H219 3 ha 95T(50-120m²) 49D	❷ €34,00

🚗 A1/E6 Ausfahrt Perugia, die SS75 nehmen. Hinter Perugia die Ausfahrt Ospedalicchio-Sud nehmen, unter der Autobahn durch. Den Schildern Assisi (SS147) folgen.

Bevagna, I-06031 / Umbria 🛜 (CC€16)

▲ Pian di Boccio***	1 BDEFJMNOPQRST	AF 6
▥ Via Pian di Boccio 10	2 ABPRUWXY	ABDEF 7
⊙ 1 Apr - 30 Sep	3 BEILMQ	ABCDEFKNOR 8
☎ +39 0742-360164	4 BCDFHILOY	DHIJL 9
@ info@piandiboccio.com	5 ABEFGJKL	AGHJNPRV10
	B 6A CEE	❶ €26,50
▲N 42°54'44'' E 12°35'10''	H350 8 ha 70T 24D	❷ €34,50

🚗 In Foligno Ausfahrt Foligno-Nord Richtung Bevagna - ohne Wohnwagen - 1. Straße rechts nach der Brücke. Mit Wohnwagen geradeaus und der S316 folgen Nach 3 km rechts. Den Schildern folgen.

Città di Castello, I-06012 / Umbria 🛜 iD

▲ La Montesca	1 ABDEFGJMNOPRT	A 6
▥ Località Montesca	2 BFGOPRUVWXY	ABDEF 7
⊙ 1 Apr - 15 Sep	3 BEKMQ	ABEFNOQR 8
☎ +39 075-8558566	4 FHOP	D 9
@ info@lamontesca.it	5 ABDEFGIJKLM	BFGHIJNOST10
	6-10A CEE	❶ €27,00
▲N 43°27'6'' E 12°13'20''	H427 6 ha 43T(25-40m²) 53D	❷ €39,00

🚗 E45 Ausfahrt Citta di Castello Sud. Innerorts den Schildern 'Villa Montesca' folgen.

Civitella del Lago, I-05023 / Umbria 🛜

▲ Il Falcone**	1 BDEILNORT	A 6
▥ Loc. Vallonganino, 2/a	2 BFPRUVWXY	ABDEF 7
⊙ 1 Apr - 30 Sep	3 L	ABEFNOQRV 8
☎ +39 0744-950249	4 FHOP	J 9
@ info@campingilfalcone.com	5 ABDEGKLM	BGHIJPRV10
	6A CEE	❶ €26,40
▲N 42°42'27'' E 12°17'31''	H520 2,5 ha 36T(30-70m²) 2D	❷ €38,20

🚗 A1/E35, Ausfahrt Orvieto. SS448 Richtung Todi. Bei Civitella del Lago den Schildern folgen.

Costacciaro, I-06021 / Umbria 🛜

▲ Rio Verde***	1 BDEJMNOPQRST	A 6
▥ Loc. Fornace 1	2 BPWXY	ABDF 7
⊙ 1 Jun - 30 Sep	3 ABEGHLQR	AEFNOR 8
☎ +39 075-9170181	4 AE	J 9
@ info@campingrioverde.it	5 ABDEGIL	BHIJOSTV10
	B 6A CEE	❶ €32,00
▲N 43°21'2'' E 12°41'5''	H556 3 ha 50T(50-100m²) 14D	❷ €44,00

🚗 SS3 Flaminia, von Fano oder Rom. 2 km von der SS3 in Costacciaro. Bei Km-Pfahl 206,5 entlang der Via Flaminia SS3 (Fano-Folligno) den Schildern folgen. Der CP liegt an einer steilen, kurvigen Straße.

Camping Village

ASSISI ★★★

www.campingassisi.it • info@campingassisi.it
tel. +39 075 816 816 • fax +39 075 812 335

ASSISI 3 KM
AUSFLÜGE – Rad fahren/Wandern
SHUTTLEBUS
SCHWIMMBAD
CHALET

MOBILHEIM
ZELTE
HOTEL
TYPISCHES RESTAURANT
BAR - MINIMARKT

Perugia	km 24
Bevagna	km 24
Montefalco	km 31
L. Trasimeno	km 44
Spoleto	km 46
Gubbio	km 48
Città di Castello	km 65
Norcia – Cascia	km 80
Terni	km 83
Orvieto	km 90
Castelluccio	km 110

Italien

Gubbio, I-06024 / Umbria 🛜 iD

△ Città di Gubbio***
🏠 Fraz. Cipolleto 49
📅 16 Apr - 6 Sep
☎ +39 075-9272037
@ info@gubbiocamping.com

1 ABCFJMNOPQRST	ABFG 6
2 FGOPVWX	ABDEFH 7
3 ABELMNQ	ABEFNOQRTUV 8
4 ORUY	DGI 9
5 DEIL	GHIJLNOST 10
B 3A CEE	❶ €25,50
H420 3,5 ha 100T(95m²) 4D	❷ €33,50

📍 N 43°19'18'' E 12°34'7''
🚗 Aus Gubbio südlich SS298 Richtung Perugia. Bei Km-Pfahl 13,5 rechts ab. Nach ca. 1,5 km ist der CP rechts.

Passignano sul Trasimeno, I-06065 / Umbria 🛜 CC€18 iD

△ Kursaal***
🏠 Via Europa 24
📅 1 Apr - 31 Okt
☎ +39 075-828085
@ info@campingkursaal.it

1 ABDEGJMNOPQRST	AHLMNQSX 6
2 DFGHIJOPQVY	ABDEFGH 7
3 AELQ	ABCDEFNQRS 8
4 ABFHOU	GILV 9
5 ABEGJL	ABDGHIJNOST 10
B 6A CEE	❶ €32,00
H275 2,5 ha 70T(40-70m²) 19D	❷ €44,00

📍 N 43°11'2'' E 12°9'2''
🚗 A1/E6 Ausfahrt Val di Chiana, Richtung Perugia SS75, dann Ausfahrt Passignano Est, rechts Richtung Passignano. CP hinter den Gleisen links.

Magione, I-06060 / Umbria 🛜 iD

△ Cerquestra***
🏠 Strada Prov. Le Torricella 28
📅 18 Apr - 21 Sep
☎ +39 075-8400100
@ info@campingcerquestra.it

1 ABDEFGJMNOPQRT	ALNQRSUX 6
2 ABDFGIPRTUVXY	BDEFG 7
3 ABGHL	ABEFKNQRSV 8
4 ABCDEFHLNO	EJUV 9
5 ABDEFGIKL	BFHIJPRV 10
B 6A	❶ €25,90
H309 5 ha 70T(20-100m²) 64D	❷ €35,70

📍 N 43°8'52'' E 12°10'9''
🚗 A1/E6 über Ausfahrt Perugia SS75 zur Ausfahrt Torricella. Rechts durch Torricella nach Monte del Lago, 2 km, links und rechts der Strecke am Lago di Trasimeno entlang. Die CP-Zufahrt ist ziemlich steil.

camping la spiaggia ★★

RUHE, NATUR UND FREUNDLICHKEIT

Narni/Borgheria, I-05035 / Umbria 🛜 CC€16

△ Monti del Sole**
🏠 Strada di Borgaria 22
📅 1 Apr - 5 Sep
☎ +39 0744-796336
@ info@campingmontidelsole.it

1 DFII NOPQRST	AF 6
2 BGOPRUVWXY	ABDEFH 7
3 ABELMQ	ABEFNORV 8
4 F	AIL 9
5 AEFGIL	BDGHJOST 10
B 6A CEE	❶ €33,00
H400 8 ha 80T(45-80m²) 22D	❷ €45,00

📍 N 42°29'5'' E 12°30'55''
🚗 A1 zwischen Siena und Rom. Ausfahrt Magliano Sabina Richtung Narni. SS3 bei Km-Pfahl 80,800. Von der SS3/E45 Perugia-Cesena, Ausfahrt Narni/Scalo. Richtung Narni, dann Schildern zum CP folgen.

Otricoli, I-05030 / Umbria 🛜 iD

△ Capitello Camping
🏠 Via Flaminia km 68
📅 15 Mär - 30 Sep
☎ +39 340-9790652
@ infocapitello@gmail.com

1 ACDEJMNOPQRST	ACDHIJU 6
2 ABCFGIPRSTXY	ABDEFH 7
3 AFL	ABDEFNRST 8
4 AFHIQU	BEQRZ 9
5 ABDEFGI	BFHIJNORW 10
Anzeige auf dieser Seite B 5A	❶ €32,50
H200 10 ha 50T(80-120m²) 11D	❷ €46,50

📍 N 42°24'33'' E 12°27'48''
🚗 A1 Mailand-Neapel, Ausfahrt Magliano/Sabina weiter links auf die Via Flaminia bis Otricoli. Nach 2,5 km weißes Schild mit dem CP-Name, nach 50m kommt dann der CP.

Passignano sul Trasimeno, I-06065 / Umbria 🛜 CC€18 iD

△ La Spiaggia**
🏠 Via Europa 22
📅 1 Apr - 18 Okt
☎ +39 075-827246
@ info@campinglaspiaggia.it

1 ABDEFGJMNOPQRST	ALMNQSTX 6
2 DFGHIOPWXY	ABDEFGH 7
3 ABLQ	ABCDEFKNORS 8
4 AEFHO	QUV 9
5 ABDEFGIKLM	ABDFHIJPSTVW 10
Anzeige auf dieser Seite B 6-10A CEE	❶ €29,00
H275 1,8 ha 50T(50-100m²)	❷ €43,00

📍 N 43°11'2'' E 12°9'3''
🚗 A1/E6, Ausfahrt Val di Chiana, dann die SS75 Richtung Perugia nehmen. Ausfahrt Passignano Est. Rechts halten Richtung Passignano. Nach der Überquerung der Bahnlinie der zweite CP links.

capitello camping

Tel. +39 340 9790652
www.capitellocamping.com
infocapitello@gmail.com

Via Flaminia Km 68
05030 Otricoli - Umbria - Italy

Piediluco, I-05100 / Umbria —
CC €14 · iD

- ▲ Cuore Verde**
- 🏠 Via dell'Ara Marina 2
- 📅 1 Apr - 30 Sep
- ☎ +39 328-1099396
- @ info@campingcuoreverde.it

1 BDGJMNOPQRST	ABLNQSXZ 6
2 DFGIOPVXY	ABDE 7
3 BELMQ	AEFNORV 8
4 FNO	DNQT 9
5 ABFGKL	BGHIJORV 10
B 6A CEE	

🧭 N 42°32'6'' E 12°46'20'' · 3,3 ha 150T(60-80m²) · 51D
① €26,00
② €36,00

🚗 A1 Ausfahrt Orte Richtung Terni. In Terni Richtung Rieti/Marmore. Dann Piediluco folgen. In Piediluco den CP-Schildern ('Piscina') folgen.

Preci, I-06047 / Umbria
CC €16 · iD

- ▲ Il Collaccio****
- 🏠 Fraz. Castelvecchio
- 📅 1 Apr - 30 Sep
- ☎ +39 0743-939084
- @ info@ilcollaccio.com

1 ADEILNOPRT	AF 6
2 FGPRUVXY	ABDFH 7
3 BELMQ	ABCDEFNOR 8
4 ABEILO	GIJV 9
5 ACEFGJKL	BDGHIJNPR 10
B 6A CEE	

🧭 N 42°53'18'' E 13°0'53'' · H600 10 ha 120T(25-80m²) · 33D
① €35,00
② €47,00

🚗 SS3 von Foligno nach Spoleto, links Richtung Norcia. Dann die S209 Richtung Visso. Vor Preci Ausfahrt links Richtung Castelvecchio. Dann den CP-Schildern folgen. (Nicht nach Navi fahren!)

Sant 'Arcangelo, I-06063 / Umbria
iD

- ▲ Polvese***
- 🏠 Montivalle
- 📅 2 Apr - 30 Sep
- ☎ +39 075-848078
- @ polvese@polvese.com

1 ABDEFGJMNOPQRST	AFHLMNQSWXYZ 6
2 DGIOPQRVWXY	ABDEF 7
3 ABEFIKLMQ	ABCDEFKLNORTUV 8
4 ABDFHILNOP	AEGKLUV 9
5 ABDEFGIL	ABGHIJLNPRV 10
B 6A CEE	

🧭 N 43°4'55'' E 12°8'32'' · H262 5 ha 172T(60-90m²) · 96D
① €24,00
② €33,00

🚗 A1 (del Sole) Ausfahrt Val di Chiana, Autobahn nach Perugia, Ausfahrt Castiglione del Lago, über Castiglione um den See nach Sant 'Arcangelo. Am Ortsschild links abbiegen.

Sant 'Arcangelo/Magione, I-06060 / Umbria
iD

- ▲ Villaggio Italgest****
- 🏠 Martiri di Cefalonia
- 📅 1 Apr - 30 Sep
- ☎ +39 075-848238
- @ camping@italgest.com

1 ABDEGJMNOPQRT	AHMNQSWXZ 6
2 ADGHIOPQVXY	ABDEFGHIJ 7
3 BEKLMQ	BDEFKNQRS 8
4 ABCDEFHILMOPSY	AELUV 9
5 ACDEFGHJL	ABGHIJNPRVW 10
B 6A CEE	

🧭 N 43°5'18'' E 12°9'22'' · H241 5,5 ha 201T(30-120m²) · 88D
① €28,50
② €41,50

🚗 A1/E6 (del Sole) Ausfahrt Val di Chiana/Perugia (Autobahn), Ausfahrt Magione dann Richtung Chiusi (SS599) bis nach Sant 'Arcangelo.

Torricella/Magione, I-06063 / Umbria
iD

- ▲ Rivalago*
- 🏠 Via del Lavoro 2
- 📅 1 Apr - 30 Sep
- ☎ +39 075-843975
- @ campingrivalago@live.it

1 ABEGILNOPRT	AMNQSXZ 6
2 ABDGIOPWXY	ABDFJK 7
3 ABL	ABEFKNOR 8
4 FHIO	D 9
5 ABGLM	ABHIJNOSTV 10
B 5A CEE	

🧭 N 43°9'39'' E 12°11'19'' · H365 0,8 ha 40T(40-60m²) · 29D
① €20,60
② €29,60

🚗 A1 von Florenz aus, Ausfahrt Vadichiane. Richtung Perugia (Nr.75). Dann Ausfahrt Torricella. Am Ende der Straße rechts ab, kurz vor dem Bahnübergang.

Tuoro sul Trasimeno, I-06069 / Umbria
CC €16 · iD

- ▲ Punta Navaccia***
- 🏠 Via Navaccia 4
- 📅 1 Apr - 30 Sep
- ☎ +39 075-826357
- @ navaccia@camping.it

1 ABDEJMNOPQRST	AFLMNQRSTWXYZ 6
2 ADFHPSVY	ABDEFGHJ 7
3 ABEFKLMS	ABCDEFKNQRSTV 8
4 ABCDEFHILMNOPRUY	AELMNOPQRTUVX 9
5 ABDEFGJK	ABDFGHIJLNPRV 10
B 6A CEE	

🧭 N 43°11'30'' E 12°4'35'' · H230 6,5 ha 190T(60-90m²) · 249D
① €30,00
② €43,00

🚗 A1/E6, Ausfahrt Val di Chiana, Richtung Perugia SS75. Dann Ausfahrt Tuoro, danach links unter der Brücke hindurch. CP am Ende der Straße am See.

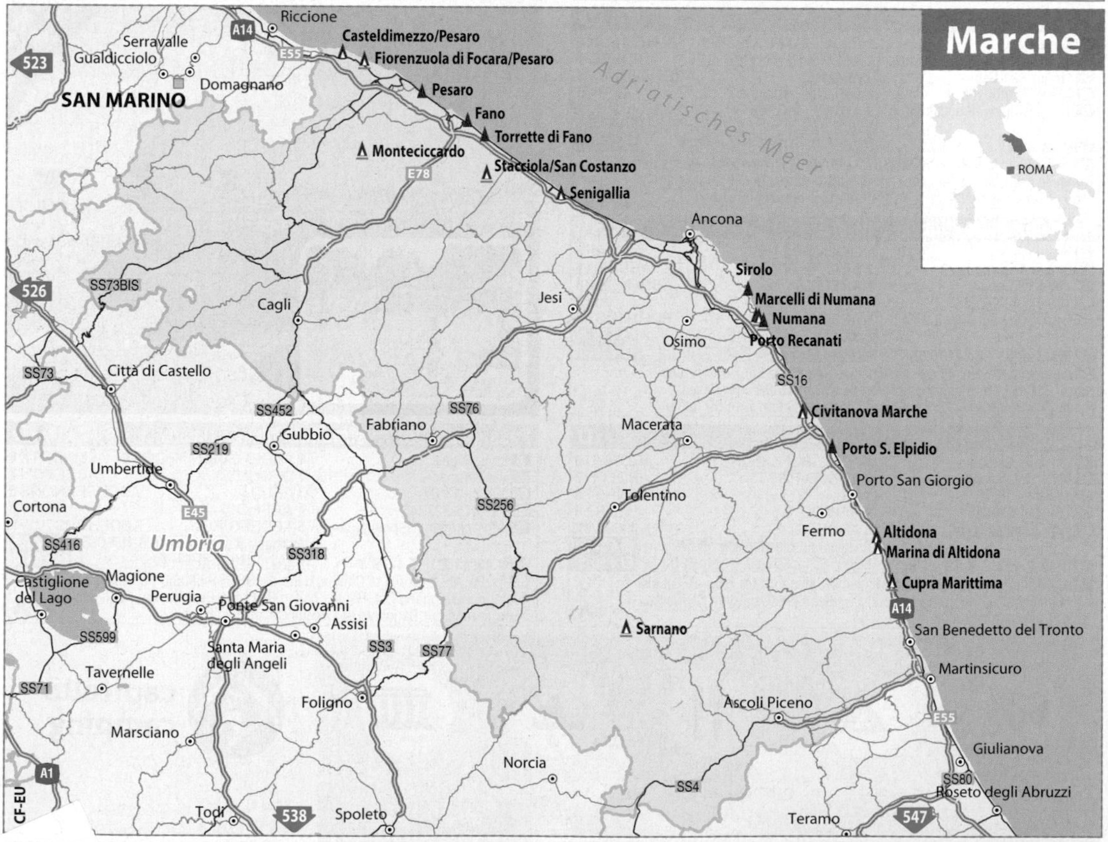

Marche

ROMA

[...]63017 / Marche
iD

- 🏠 Riva Verde***
- S.S. 16 Adriatica
- 24 Mai - 13 Sep
- ☎ +39 0734-9[...]2
- @ info@riva[...]

1 ADEHKNOPQRST	AFHKMNQSWX 6
2 ABEFGHOPQTUVWY	ABDEFGH 7
3 ABDEFILMQST	ABCDEFGKLMNORSTUV 8
4 ABCDILOPRUY	EJKLTV 9
5 ACDEFGHJK	ABFGHILNOPR 10
B 10A CEE	

🧭 N [...]'52'' · 17 ha 230T(45-80m²) · 321D
① €40,00
② €56,00

🚗 [...]A14 Ausfahrt, Porto S.Giorgio, über die SS16 Richtung Süden [...] (2 km vor Pedaso). Kurz vor Marina di Altidona rechts an der Straße unter der Unterführung hindurch.

Casteldimezzo/Pesaro, I-61121 / Marche

- ▲ Paradiso***
- 🏠 Strada Panoramica
- 📅 5 Apr - 30 Sep
- ☎ +39 0721-208579
- @ info@campingparadiso.it

1 BDFILNOPQRST	AFNPQSW 6
2 AOPUVY	ABDFH 7
3 ABEL	ABEFNORV 8
4 IOY	CEJKL 9
5 ABDEFGJ	ABGHIJOV 10
6A CEE	

🧭 N 43°57'36'' E 12°48'5'' · H150 1 ha 109T(50-100m²) · 33D
① €35,50
② €48,00

🚗 Von Cattolica nach Gabicce Monte über (SP44) die Strada Panoramica, den Schildern folgen.

Italien

Civitanova Marche, I-62010 / Marche

▲ Belvedere***	1 BDEJMNOPRT	AF 6
▤ C. da Montecucco 19	2 ABFGRTUVXY	ADFH 7
⊙ 1 Jan - 31 Dez	3 ABLMQ	ABEFNOR 8
☎ +39 0733-70833	4 BDO	DJL 9
@ info@campingbelvedere.net	5 ABDEFGJKL	ABGHIJOSTVW10
	B 6A CEE	➊ €37,00
▨ N 43°19'26'' E 13°42'17''	H81 2,2 ha 90T(50-100m²) 35D	➋ €50,00

🚗 A14 Ausfahrt Civitanova Marche fahren bis zur SS16; Schildern folgen Richtung Ancona (ca. 2,5 km). Letzter Teil ist ein Hang. Beim CP scharfe Rechtskurve. Mit dem Caravan ca. 2 km durchfahren und dann umdrehen.

Cupra Marittima, I-63012 / Marche 🛜 CC€16 iD

▲ Calypso***	1 ADEILNOPR	AHKMNQSW 6
▤ Via Boccabianca 7	2 AEHOPVXY	ABDEFG 7
⊙ 1 Apr - 10 Okt	3 ABELM	ABCDEFNOR 8
☎ +39 0735-778686	4 **A**BDILMOPR	EGHIJLQTV 9
@ info@campingcalypso.it	5 ACDEFGHJKL	ABEHINPR10
	B 6A CEE	➊ €47,50
▨ N 43°2'39'' E 13°51'12''	2,6 ha 220T(50-80m²) 222D	➋ €70,50

🚗 Von Norden über die A14, Ausfahrt Pedaso. Dann 6 km Richtung Süden. Den CP-Schildern folgen. Von Süden über die A14 Ausfahrt Grottamare; Richtung Ancona; den Schildern 5 km nach Norden folgen.

Fano, I-61032 / Marche 🛜 iD

▲ Fano***	1 ABDEFGHKNOPRST	A HKNPQSX Y 6
▤ Strada Nazion. Adriatica Sud, km 254	2 ACEHJOPQRVWX	ABDFGH 7
	3 BEFKLMU	ABEFLNOR 8
⊙ 15 Apr - 20 Sep	4 ILMOPR	JKLV 9
☎ +39 0721-802652	5 ACDEFGHKL	ABGHIPSTV10
@ info@campingfano.it	3A CEE	➊ €33,00
▨ N 43°49'39'' E 13°3'23''	3 ha 98T(40-80m²) 234D	➋ €46,60

🚗 Küstenstraße SS16 Fano-Ancona, kurz nach der Brücke links, alles ausgeschildert.

Fano, I-61032 / Marche 🛜 iD

▲ Madonna Ponte***	1 AEFGILNOPQRT	KMNOPQR 6
▤ V. delle Brecce 25	2 AEJRVXY	ABDEF 7
⊙ 19 Apr - 14 Sep	3 BFLMQ	ABEFNOQRT 8
☎ +39 0721-804520	4 IOPR	EGJL 9
@ info@	5 ACFGJ	ABGHIPST10
campingmadonnaponte.it	3A CEE	➊ €35,00
▨ N 43°49'30'' E 13°2'57''	2 ha 110T(50-90m²) 88D	➋ €47,50

🚗 Der Küstenstraße SS16 Fano-Ancona folgen. Kurz vor der Brücke links. Ausgeschildert. Hinter der 90° Linkskurve, nach rechts abbiegen, dann durch den Tunnel auch, CP links.

Fiorenzuola di Focara/Pesaro, I-61121 / Marche 🛜 CC€18 iD

▲ Panorama***	1 ABDEFGILNOPQRST	AFKNOP 6
▤ Strada Panoramica	2 AEGKPSUVXY	ABDEFH 7
⊙ 15 Apr - 30 Sep	3 ABEKL	ABEFNORV 8
☎ +39 0721-208145	4 FHIOPQ	DJKL 9
@ info@campingpanorama.it	5 ACDEFGIKL	ABFGHIJPSTV10
	6A CEE	➊ €37,00
▨ N 43°56'30'' E 12°50'45''	H100 2,5 ha 140T(45-100m²) 20D	➋ €50,00

🚗 A14 Ausfahrt Pesaro. SS16 Richtung Gabicce Mare. In Cattabrighe den CP-Schildern folgen.

Marcelli di Numana, I-60026 / Marche 🛜

▲ Camping Club Village Conero Azzurro****	1 BDEFHKNOPQRST	AFKMNO 6
	2 AEJKOPRVY	ABDEF 7
▤ Via Castelfidardo 80	3 BEFKLM	AEFNOQR 8
⊙ 1 Jun - 15 Sep	4 BIP	JLV 9
☎ +39 071-7390507	5 ACEFGIL	GHIJLOR10
@ info@coneroazzurro.it	5A CEE	➊ €54,00
▨ N 43°28'52'' E 13°38'5''	5 ha 100T(30-60m²) 280D	➋ €82,00

🚗 A14, Ausfahrt Loreto, dann Richtung Porto Recanati. Sobald die Küstenstraße zu sehen ist, Richtung Sirolo/Numana. CP liegt an der linken Straßenseite.

Marina di Altidona, I-63824 / Marche 🛜

▲ Centro Vacanze Garden River	1 BCDEGJMNOPQRST	AFMN 6
▤ Via Ottorino Respighi	2 ABDFGJOPVWXY	ABDEF 7
⊙ 30 Apr - 30 Sep	3 BCEFL	ABEFNOR 8
☎ +39 0734-931942	4 BDHILMNOP	EJLU 9
@ info@gardenriver.it	5 BDEFGJ	BFHIJNOS10
	B 6A CEE	➊ €28,00
▨ N 43°6'6'' E 13°49'53''	6 ha 131T(60-80m²) 60D	➋ €32,00

🚗 Von der A14, Ausfahrt Pedaso Richtung SS Adriatica, Richtung Nord. Nach etwa 300m links liegt der CP.

Monteciccardo, I-61020 / Marche CC€18 iD

▲ Podere Sei Poorte	1 ADEGJMNOPQRT	A 6
▤ Via Petricci 14	2 CFGPQRTUVWX	ABDEFGH 7
⊙ 24 Apr - 26 Sep	3 AELQS	ABCDEFHINOQRTV 8
☎ +39 0721-910286	4 ABCFHIJLO	ACEK 9
@ info@podereseipoorte.it	5 ABGJKL	ABDGHJRZ10
	Anzeige auf dieser Seite 6A CEE	➊ €39,00
▨ N 43°48'4'' E 12°49'18''	H200 6 ha 110T(100-200m²) 22D	➋ €54,00

🚗 A14 Ausf. Pesaro/Urbino Ri. Urbino. Dann S. Angelo in Lizzola; weiter den braunen Schildern 'Camping P6P' folgen (nicht GPS). Dann Mombaroccio (SP26), in Villa Ugolini in dieselbe Ri. die Via Petricci (kleine Straße) hinein, nach 1,4 km re.

Numana, I-60026 / Marche 🛜 CC€18

▲ Camping Village Numana Blu****	1 BDEFJMNOPQRT	AFKMNQRXY 6
	2 AEGHOPRVXY	ABDEFGH 7
▤ Via Costaverde 37	3 BEFGHKLMN	ABEFHIKNOPQRS 8
⊙ 16 Apr - 27 Sep	4 **A**BDEHILMOPQUY	JKLUV 9
☎ +39 071-7390993	5 ACDEFGHJKL	ABDFGHIJLMNNPR10
@ info@numanablu.it	B 5A CEE	➊ €56,10
▨ N 43°28'35'' E 13°38'4''	8,6 ha 330T(60-80m²) 328D	➋ €77,20

🚗 A14, Ausfahrt Loreto, dann Richtung Porto Recanati. Sobald die Küstenstraße zu sehen ist, Richtung Sirolo/Numana. Am Schild 'Numana Blu' nach links.

Pesaro, I-61100 / Marche 🛜

▲ Marinella***	1 DGILNOPQRST	KMNPQSWX 6
▤ Via SS 16 km 244	2 AEHOPVWX	ABDEFGH 7
⊙ 4 Apr - 30 Sep	3 AFLQ	ABEFNORS 8
☎ +39 0721-55795	4 IOP	EJL 9
@ info@campingmarinella.it	5 ACDEFGJK	ABFGHIILOSTV10
	4A CEE	➊ €42,00
▨ N 43°52'54'' E 12°57'43''	1,5 ha 107T(70m²) 109D	➋ €52,00

🚗 Der Strecke Cattolica-Pesaro SS161 Richtung Ancona folgen. Hinter Pesaro liegt nach ca. 3 km der CP links. Gut ausgeschildert.

Pesaro, I-61122 / Marche 🛜

▲ Norina***	1 BDEFGJMNOPRST	KMNOPXY 6
▤ Via Marina Ardizia, 181	2 AEHOPRVWX	ADFH 7
⊙ 1 Apr - 30 Okt	3 ABFLMQ	AEFNORTUV 8
☎ +39 0721-55792	4 LNOQR	JV 9
@ info@campingnorina.it	5 ABDEFGJ	AHIPSV10
	6A	➊ €40,00
▨ N 43°53'0'' E 12°57'31''	1,8 ha 120T(20-60m²) 106D	➋ €50,00

🚗 Die Strecke Cattolica-Besaro (SS161) Richtung Ancona. Der CP liegt an der linken Seite und ist gut angezeigt.

Porto Recanati, I-62017 / Marche 🛜 CC€16 iD

▲ Bellamare***	1 ADEFHKNOPQRST	AFKNOQS 6
▤ Lungomare Scarfiotti 13	2 AEHJOPVWX	ABDFG 7
⊙ 1 Apr - 30 Sep	3 ABEFGKLMN	AEFNORS 8
☎ +39 071-976628	4 ABCDILOP	IJUVWXY 9
@ info@bellamare.it	5 ABDEFGJKL	ABDFGHIJNPR10
	Anzeige auf dieser Seite B 6A CEE	➊ €48,60
▨ N 43°28'17'' E 13°38'29''	5 ha 360T(30-60m²) 90D	➋ €77,20

🚗 A14, Ausfahrt Porto Recanati. Nach Mautstelle gleich rechts beim Schild 'P.Rec.'. Links (Zentrum). Richtung Numana. Straße über den Hügel folgen am Strand entlang (insgesamt 6 km).

Italien

Porto Recanati, I-62017 / Marche

- ▲ La Medusa***
- ▣ Lungomare Scarfiotti
- ⏱ 1 Mai - 27 Sep
- ☎ +39 071-7500725
- @ info@campinglamedusa.it

1 ACDEFG**JM**NOPRST	AKMNOPQRSTUWX 6
2 AEHJOPQRVWXY	ABDE**F** 7
3 BEF**KLQT**	ABEFNORV 8
4 **ABCDE**FILN**P**	DEJKLMNUVWXYZ 9
5 ABDEFHIJKLM	ABHIMOR10

Anzeige auf dieser Seite   B 6A CEE
5,5 ha 100**T**(25-36m²) 420**D**

- ❶ €47,00
- ❷ €57,00

📍 N 43°27'59'' E 13°38'44''
🚗 A14, Ausfahrt Porto Recanati. Nach Mautstelle gleich rechts beim Schild 'P.Rec.'. Links (Zentrum). Numana folgen. Straße über den Hügel am Strand entlang (insgesamt 5 km).

Porto S. Elpidio, I-63018 / Marche

- ▲ La Risacca****
- ▣ Via Europa 100
- ⏱ 24/4 - 1/5, 18/5 - 10/9
- ☎ +39 0734-991423
- @ info@larisacca.it

1 ADEFG**JM**NOPRT	**AF**HKMNQRSUVX 6
2 ABEJPVWXY	ABDE**FGH** 7
3 BDE**KLMNQRS**	ABCDFKLMNORS 8
4 **AB**DHLNPU	ADEJLQTUV 9
5 ABCEFGHJK	ABGHIJ**NOR**VY10

B 6A CEE
8 ha 326**T**(40-62m²) 304**D**

- ❶ €40,00
- ❷ €55,00

📍 N 43°17'8'' E 13°44'35''
🚗 E2/A14 Ausfahrt Civitanova Marche, dann über SS16 Richtung Süden. Siehe Schilder an der SS16. Am Kreisel 100m zurück fahren, dann rechts ab. Gleich nach dem Tunnel Linkskurve.

Porto S. Elpidio, I-63018 / Marche

- ▲ Le Mimose****
- ▣ Via Faleria 15
- ⏱ 1 Jan - 31 Dez
- ☎ +39 0734-900604
- @ info@villaggiolemimose.it

1 ADEF**JL**NOPRST	**AF**KMNQSW 6
2 AEGJOPSVWXY	ABDE**FGH** 7
3 BL	ABCDEFKNORS 8
4 **AB**DHILO	EIJKL 9
5 ABCDEFGIJ	ABHIJ**O**RVY10

5A CEE
3,3 ha 65**T**(80m²) 118**D**

- ❶ €42,50
- ❷ €56,50

📍 N 43°14'16'' E 13°46'24''
🚗 E2/A14 Ausfahrt Porto S. Elpidio, links ab die SS16 am 1. Kreisel links.

Sarnano, I-62028 / Marche

- ▲ Quattro Stagioni***
- ▣ Contrada Brilli
- ⏱ 1 Jan - 31 Dez
- ☎ +39 0733-651147
- @ quattrostagioni@camping.it

1 ADEFG**IL**NOPQRT	AF 6
2 CFGOPTUVY	ABDE**F**H 7
3 BE**GLMQ**	ABEFNOR 8
4 **AB**DHILNOP	JU 9
5 ABDEFGJKL	BDGHIJN**O**R10

B 6A CEE
H600 4,5 ha 50**T**(80-100m²) 140**D**

- ❶ €29,00
- ❷ €43,00

📍 N 43°1'4'' E 13°16'55''
🚗 A14 Ausfahrt Civitanova Marche, Autobahn nach Macerata bis Ausfahrt Sarnano. In Sarnano am Marktplatz rechts (Hauptstraße folgen). Der CP liegt einige Km außerhalb von Sarnano.

Senigallia, I-60019 / Marche

- ▲ Centro Vacanze Summerland****
- ▣ Via Podesti 236
- ⏱ 30 Mai - 15 Sep
- ☎ +39 071-7926816
- @ info@campingsummerland.it

1 ADEFHKNOPQRT	AFKNQS 6
2 AEHOPXY	ABD**FGH** 7
3 BELMQS	ABEFNORSV 8
4 **AI**LOP**Y**	JLV 9
5 ABDEFGHIL	ABFGHIJOV10

6A CEE
4,5 ha 161**T**(40-80m²) 102**D**

- ❶ €43,00
- ❷ €66,00

📍 N 43°42'16'' E 13°14'18''
🚗 An der Küstenstraße 'Strada Adriatica' SS16 zwischen Fano und Ancona, hinter Senigallia 'Summerland' an der Straße bei Km-Pfahl 274,4.

Sirolo, I-60020 / Marche

- ▲ Green Garden Camping Village***
- ▣ Via Peschiera 3
- ⏱ 25 Mai - 21 Sep
- ☎ +39 071-9331317
- @ info@greengardencamping.it

1 BDEFG**I**KNOPQRS**T**	AFMO 6
2 BGJKMOPRTVWY	AD**F**H 7
3 BEF**KLMN**R	AEFNORSU 8
4 **AI**LMNOP**RY**	EIKLU 9
5 ABDEFGIL	ABGHIJ**P**S**V**10

3A CEE
H80 2,2 ha 148**T**(80m²) 95**D**

- ❶ €45,00
- ❷ €67,00

📍 N 43°31'7'' E 13°37'4''
🚗 A14, Ausfahrt Ancona-Sud. Dann nach Sirolo. Den CP-Schildern folgen.

Sirolo, I-60020 / Marche

- ▲ Internazionale****
- ▣ Via San Michele 10
- ⏱ 14 Mai - 20 Sep
- ☎ +39 071-9330884
- @ info@campinginternazionale.com

1 ADEFGHKNOPQRT	AKNQS 6
2 EFJNORUVXY	ABDE**FGH** 7
3 AEL	ABEFNORV 8
4 ALO**P**	EJKLU 9
5 ACDEFGI	AGHIJN**O**V10

10A CEE

- ❶ €55,00
- ❷ €79,00

📍 N 43°31'25'' E 13°37'15''
H100 3 ha 200**T**(40-52m²) 65**D**
🚗 A14 Ausfahrt Ancona-S40 Richtung Riviera del Conero nach Sirolo, dort Schildern folgen.

Sirolo, I-60020 / Marche

- ▲ Reno**
- ▣ Via Moriconi 7
- ⏱ 1/3 - 10/11, 1/12 - 31/12
- ☎ +39 071-7360315
- @ info@campingreno.eu

1 BDEFILNORT	6
2 OPRUXY	AD**F**GH 7
3 AE	AEFNOR 8
4 OR**Y**	GIJL 9
5 EFGIK	AGHIJ10

3A CEE

- ❶ €46,50
- ❷ €59,50

📍 N 43°31'9'' E 13°37'9''
H80 0,4 ha 15**T**(45m²) 33**D**
🚗 A14 Ausfahrt Ancona-Sud, Richtung Riviera del Conero nach Sirolo, dort Schildern folgen.

Sirolo, I-60020 / Marche

- ▲ Tobacco Road Club
- ▣ Via Peschiera 9
- ⏱ 1 Jun - 6 Sep
- ☎ +39 071-9332011
- @ c.tobaccoroad@yahoo.it

1 AGHKNOPQRST	A 6
2 OPVXY	AD 7
3 A	AEFNOQV 8
4 O	E 9
5 DEFGL	AHIJV10

16A CEE
4,8 ha 50**T**(35-50m²) 2**D**

- ❶ €41,00
- ❷ €61,00

📍 N 43°31'10'' E 13°37'1''
🚗 A14 Ausfahrt Ancona-Sud. Nach Sirolo fahren, dann den CP-Schildern Green Garden folgen, der Tobacco Road Club liegt gleich daneben.

Stacciola/San Costanzo, I-61039 / Marche

- ▲ Camping Village Mar y Sierra***
- ▣ Strada San Gervasio, 3
- ⏱ 18 Apr - 26 Sep
- ☎ +39 0721-930044
- @ info@marysierra.it

1 BDEILNOPRT	AF 6
2 AFGPRSUWXY	ABDE**FH** 7
3 ABELMS	ABEFNORTUV 8
4 IOQY	GJLUV 9
5 ADEFGJL	ABHIJ**N**OSTVX10

6A CEE

- ❶ €34,00
- ❷ €46,00

📍 N 43°44'44'' E 13°4'56''
H150 4 ha 130**T**(45-60m²) 29**D**
🚗 A14 Rimini-Ancona bei Marotta Mondolfo verlassen. An Ausfahrt rechts, Straße (SP424) ca. 4 km folgen. In Ponte Rio nach re. Ri. Stacciola (SP154), CP rechts oben auf dem Hügel. Schildern Mar y Sierra folgen.

Torrette di Fano, I-61032 / Marche

- ▲ ELEN s.r.l. Camping La Mimosa***
- ▣ Strada Naz. Adriatica Sud 259
- ⏱ 15 Apr - 20 Sep
- ☎ +39 0721-834015
- @ info@campinglamimosa.it

1 ACDEFG**IL**NOPRT	AFKNQSTWX 6
2 AEHOPVXY	ABDE**F** 7
3 AFL	ABCDEFLMNORSTV 8
4 BDILNO**PY**	DEHJV 9
5 ACDEFGJK	ABHIK**P**R10

3A CEE
1,9 ha 24**T**(50-80m²) 150**D**

- ❶ €38,50
- ❷ €59,50

📍 N 43°48'16'' E 13°5'7''
🚗 Küstenstraße SS16 von Fano nach Ancona. Nach circa 4 km CP links.

Torrette di Fano, I-61032 / Marche

- ▲ Mare Blu***
- ▣ SS Adriatica / Sud 203
- ⏱ 4 Apr - 20 Sep
- ☎ +39 0721-884201
- @ info@campingmareblu.net

1 BDEFGIKNOPRS	**A**KNQX 6
2 AEHPVWXY	ABD**FGH** 7
3 BEF**KLQ**	ABEFKNOQRSV 8
4 ILO**PR**Y	JL 9
5 ABDEFGJKL	BGHIK**P**ST10

3A CEE
2,5 ha 280**T**(45-60m²) 207**D**

- ❶ €36,50
- ❷ €56,50

📍 N 43°48'39'' E 13°4'37''
🚗 Küstenstraße SS16 von Fano nach Ancona folgen, Schildern 'Camping Mare Blu' folgen.

Torrette di Fano, I-61032 / Marche

- ▲ Stella Maris****
- ▣ Via A. Capellini 5
- ⏱ 21 Apr - 30 Sep
- ☎ +39 0721-884231
- @ stellamaris@camping.it

1 ADEFHKNOPQRST	AFKMNQSX 6
2 AEHPQRWX	ABDE**FGH** 7
3 AEFL	ABEFKNOQRSTUV 8
4 ILOP	EJL 9
5 ACDEFGJK	ABGHI**P**ST10

3A CEE
3 ha 150**T**(60-90m²) 126**D**

- ❶ €41,60
- ❷ €64,20

📍 N 43°47'56'' E 13°5'43''
🚗 Küstenstraße SS16 von Fano-Ancona. Nach einem auf der rechten Straßenseite befindlichen Wasserturm auf Pfeilern die 1. Straße links ab, durch die Bahnunterführung, dann CP-Schildern folgen.

Torrette di Fano, I-61032 / Marche

- ▲ Torrette S.R.L.***
- ▣ Via Buonincontri 50
- ⏱ 25 Apr - 30 Sep
- ☎ +39 0721-884787
- @ taniatarenzi@yahoo.it

1 B**I**LNOPRT	KMNPQS 6
2 AEHOPVXY	AD**F**H 7
3 AFL	ABEFNOQR 8
4 O**P**	EJL 9
5 ABEFGHI	ABGHI**P**ST10

1 ha 80**T**(50m²) 56**D**

- ❶ €46,00
- ❷ €68,00

📍 N 43°48'16'' E 13°5'18''
🚗 Küstenstraße SS16 von Fano nach Ancona. Hinter Ancona befindet sich auf der rechten Straßenseite ein auf Pfeilern stehender hoher Wasserturm, erste Straße links, durch die Bahnunterführung und dann CP-Schildern folgen.

Lazio

Anguillara Sabazia, I-00061 / Lazio 📶 iD

🏕 Parco del Lago	1 ABDEFHKNOPQRST	LNQSXYZ 6
🏠 Lungo Lago di Polline 75	2 DFGHIJOPRVY	ABDFH 7
🗓 1 Apr - 30 Sep	3 ABE**G**LQ	ADEFNORSV 8
☎ +39 06-99802003	4 A**E**FH	DEJKQRVW 9
@ info@parcodellago.com	5 ACEFGIKL	ABHJNP**S**T10
	B 3A CEE	① € 39,00
		② € 57,00

📍 N 42°7'18'' E 12°17'3''   H180 3 ha 156T(60-100m²) 59D

🚗 SS2 Viterbo-Roma, Ausfahrt Lago Bracciano/Anguillara. Am See Richtung Anguillara. CP auf halben Weg zwischen Trevignano und Anguillara am See. Ⓜ

Anguillara Sabazia, I-00061 / Lazio iD

🏕 Vigna di Valle	1 ABDEF**JL**NOPQRT	L**N**PQRSTXY 6
🏠 Lungolago Muse 12	2 DFGHOPQVY	AB**D**F 7
🗓 1 Apr - 30 Sep	3 B**C**L**M**	ABEFNOR 8
☎ +39 06-9968645	4 **P**	EMOPT 9
@ pulcini@legalmail.it	5 A**B**DEFGJKL	A**G**HIJ**S**T10
	B 4A CEE	① € 27,00
		② € 40,00

📍 N 42°4'54'' E 12°14'5''   H165 1,4 ha 50T(40-75m²) 30D

🚗 SS493 Oriolo Romano-Roma, Ausfahrt Lago Bracciano/Anguillara, an der Kreuzung Bracciano/Anguillara Richtung Anguillara, nach 2 km Vigna di Valle. Aufpassen: Beachten Sie den neuen Tunnel! Ⓜ

Bolsena, I-01023 / Lazio 📶

🏕 BLU International Camping***	1 BDEFG**JM**NOPQRST	ALMNQRSWX 6
🏠 Via Cassia km 111,650	2 DFGHPRVXY	ABD**FG** 7
🗓 16 Apr - 10 Okt	3 AL	AEFNRV 8
☎ +39 0761-798855	4 **O**PQ	E 9
@ info@blucamping.it	5 ACEFGJKL	ABGHIJ**P**RV10
	B 8A CEE	① € 25,00
		② € 35,50

📍 N 42°37'53'' E 11°59'41''   H347 3 ha 230T(50-70m²) 21D

🚗 A1/E6 über die SS71 nach Bolsena. Im Zentrum bei der Ampel Richtung Montefiascone/Viterbo, 1,4 km hinter Bolsena liegt der CP am See. Ⓜ

Bolsena, I-01023 / Lazio 📶

🏕 Internazionale II Lago**	1 BDILNOPQRST	LNQSWXZ 6
🏠 Viale Cadorna 6	2 DFGHOPQY	AD**F** 7
🗓 1 Apr - 30 Sep	3 AL**M**	AEFNOR 8
☎ +39 0761-799191	4 **A**E**O**P	L 9
@ anna.bruti@libero.it	5 G	BGHI**JO**RV10
	Anzeige auf dieser Seite B 4A CEE	① € 25,00
	H305 0,8 ha 36T(30-60m²)	② € 36,50

📍 N 42°38'19'' E 11°59'5''

🚗 A1/E6 Ausfahrt Orvieto, SS71 Orvieto-Bolsena. Im Zentrum von Bolsena links Richtung Viterbo. An nächster Ampel rechts, den CP-Schildern folgen. Ⓜ

Bolsena, I-01023 / Lazio 📶 CC€16

🏕 Lido Camping Village****	1 DEFG**I**LNOPQRST	A**F**LNQRSW**X**YZ 6
🏠 Via Cassia km 111	2 DFGHOPQVXY	AB**D**F**G**H 7
🗓 23 Apr - 30 Sep	3 AEFL**MNQ**	ABCDE**FKL**NRS 8
☎ +39 0761-799258	4 **A**BDFHLMNO**P**	EIJLV 9
@ info@lidocampingvillage.it	5 ACDEFGHK	ABGHIK**P**R10
	B 3A CEE	① € 34,50
		② € 44,50

📍 N 42°37'39'' E 11°59'39''   H305 10 ha 600T(49-70m²) 57D

🚗 A1/E6 über die SS71 (an Orvieto vorbei) nach Bolsena. Im Zentrum bei der Ampel Richtung Montefiascone/Viterbo. 1,5 km hinter Bolsena liegt der CP am See. Ⓜ

Bolsena, I-01023 / Lazio 📶

🏕 Massimo	1 BILNOPQRST	LNQSWXYZ 6
🏠 Via Cassia Nord 116+700	2 DFGHOPY	ABDE**FG** 7
🗓 1 Mai - 30 Sep	3 **J**KL	ABCDEFNQRV 8
☎ +39 335-7686945	4	EGHIJL 9
@ massimo.bolsena@libero.it	5 ADEFGJL	ABGHIJ**PS**10
	B 3A CEE	① € 00,00
		② € 50,00

📍 N 42°39'11'' E 11°56'40''   H300 1 ha 48T(50-70m²) 10D

🚗 A1/E6, Ausfahrt Orvieto. Dann über die SS71 nach Bolsena. In Bolsena rechts ab Richtung S. Lorenzo (Via Cassia). Nach 3 km CP links der Strecke. Ⓜ

Bolsena, I-01023 / Lazio 📶

🏕 Val di Sole****	1 DEFILNOPQRST	LNQS**X** 6
🏠 Via Cassia km 117,8	2 DFHOPVXY	AD**F** 7
🗓 1 Mai - 30 Sep	3 BEL	ABEFNOQR 8
☎ +39 334-9952575	4 **A**F**I**O**P**	J 9
@ valdisolecamping@virgilio.it	5 ACDFGIJL	ABHIJMP**R**10
	B 6A CEE	① € 33,00
		② € 41,00

📍 N 42°39'13'' E 11°55'52''   H300 10 ha 350T(50-85m²) 6D

🚗 A1/E6 Ausfahrt Orvieto, dann über die SS71 nach Bolsena. In Bolsena rechts Richtung S. Lorenzo (=Via Cassia). Nach 5 km liegt der CP links der Strecke. Ⓜ

Bracciano, I-00062 / Lazio 📶 iD

🏕 Azzurro	1 ABDEFG**JL**NOPQRST	LMNQSXZ 6
🏠 Via Settevene Palo, km 21	2 BDFGHOPTVXY	ADE**F**H 7
🗓 1 Apr - 30 Sep	3 AEFLQ	AEFKNORV 8
☎ +39 06-99805846	4 O	EGJLQTZ 9
@ info@campingazzurro.it	5 ABDEFGIKLM	ABGHIJ**P**SV10
	B 6A	① € 30,50
		② € 42,50

📍 N 42°7'48'' E 12°10'26''   H170 2,3 ha 120T(60-90m²) 45D

🚗 SS2 Viterbo-Roma. Kurz hinter Sutri rechts ab Richtung Trevignano. Am See, rechts ab Richtung Bracciano. CP liegt links am See. Ⓜ

CAMPING INTERNAZIONALE IL LAGO ★ ★

Viale Cadorna 6, 01023 Bolsena
Tel. und Fax Sommer 0761-799191
Tel. und Fax Winter 0761-798498
E-Mail: anna.bruti@libero.it • Internet: www.campingillago.it

Bracciano, I-00062 / Lazio 🛜 CC€16 iD

🅰 Porticciolo	1 ABDEGILNOPQRST	LMNQRSTXY 6
🔲 Via Porticciolo	2 BDFGHIKOPVY	ABDEFH 7
📅 1 Apr - 30 Sep	3 AEFL	ABEFKNORSV 8
☎ +39 06-99803060	4 O	DELMOPQTUVZ 9
@ info@porticciolo.it	5 ABDEFGIKL	BDGHIJLNPSTVW10
	B 3-6A CEE	❶ €31,50
🚗 N 42°6'21" E 12°11'11"	H100 3,3 ha 170T(40-80m²) 29D	❷ €43,50

🚗 SS2 Viterbo-Roma, kurz hinter Sutri rechts Richtung Bracciano rechts halten und der Straße am See entlang folgen. Siehe CP-Schilder.

Bracciano, I-00062 / Lazio 🛜 CC€16 iD

🅰 Roma Flash***	1 ABDEFGJMNOPQRST	AFLMNPQSXY 6
🔲 Via Settevene Palo km 19,800	2 BDFGHIOPVWXY	ABDEFGH 7
📅 1 Apr - 30 Sep	3 BEFLMNQ	BDFKNORST 8
☎ +39 06-99805458	4 ABLOP	AJLQUVZ 9
@ info@romaflash.it	5 ABDEFGILM	BDGHIJNPRWXZ10
	B 6A CEE	❶ €37,00
🚗 N 42°7'48" E 12°10'25"	H160 7 ha 250T(50-120m²) 90D	❷ €50,00

🚗 SS2 Viterbo-Roma. In Höhe von Sutri rechts in Richtung Trevignano. Am Seeufer in Richtung Bracciano fahren. CP ist links gut ausgeschildert.

Fiano Romano/Roma, I-00065 / Lazio 🛜 CC€16 iD

🅰 I Pini Family Park****	1 ABDEILNOPQRST	AF 6
🔲 Viale delle Sassete 28	2 ABGPTVWXY	ABDEFG 7
📅 24 Apr - 20 Sep	3 BDEFLMQS	ABCDEFKNQRSTV 8
☎ +39 0765-453349	4 ABCDHILNOP	EJLUVXZ 9
@ ipini@ecvacanze.it	5 ACEFGJKLM	ABGHIJNORWXY10
	Anzeige auf dieser Seite B 6A CEE	❶ €36,90
🚗 N 42°9'20" E 12°34'23"	H128 5 ha 100T(60-90m²) 142D	❷ €55,70

🚗 A1 Roma Nord. Direkt hinter der Mautstelle Ausf. Roma Nord-Fiano Romano. Hinter dem Holiday Inn am Kreisel re, nach 2 km 2. Kreisel geradeaus bis zur Kreuzung, dort li. Der CP ist nach etwa 2 km ausgeschildert.

Gaeta, I-04024 / Lazio

🅰 Riviera di Gaeta	1 BIKNORT	KNQS 6
🔲 Via Flacca km 21,5	2 EHOQY	AD 7
📅 25 Mai - 25 Sep	3	AEFN 8
☎ +39 0771-462363	4 IO	JL 9
@ antonio.buonomo@hotmail.it	5 ADIK	HIKT 10
	3A CEE	❶ €38,00
🚗 N 41°13'51" E 13°29'53"	0,4 ha 50T(50m²) 11D	❷ €52,00

🚗 SS213, zwischen Terracina und Gaeta km 21,5.

Marina di Minturno, I-04026 / Lazio

🅰 Arizona*	1 BGILNORT	KQSW 6
🔲 Via M. d'Argento 14	2 BEFHOQRWXY	ADF 7
📅 15 Jun - 15 Sep	3 A	AEFNO 8
☎ +39 0771-680191	4	L 9
@ camping.arizona@libero.it	5 AB	HIJT 10
	4A CEE	❶ €25,00
🚗 N 41°14'26" E 13°44'25"	2,3 ha 300T(50-65m²) 80D	❷ €41,00

🚗 An der SS7 ist der CP ausgeschildert.

Marina di Minturno, I-04020 / Lazio 🛜

🅰 Golden Garden	1 BDEGIKNOPQRST	KMNQSWX 6
🔲 Via Pantano Arenile 74-76	2 EGHOPQRVXY	ADF 7
📅 20 Apr - 30 Sep	3 ALQ	ABEFNORV 8
☎ +39 0771-614985	4 BCDO	DJ 9
@ servizio.clienti@	5 ABGK	BHIJOST 10
goldengarden.it	6A CEE	❶ €40,00
🚗 N 41°13'44" E 13°45'17"	2,3 ha 90T(50-70m²) 66D	❷ €60,00

🚗 An der SS7 ist CP manchmal ausgeschildert.

Marina di Montalto, I-01014 / Lazio 🛜

🅰 California Camping Village****	1 BDEFGHKNORST	AFHIKMNPQSXY 6
🔲 Loc. Le Casalette snc	2 EGHPQRVXY	ADFGH 7
📅 1 Mai - 15 Sep	3 BEFLMQR	ACEFNOR 8
☎ +39 0766-802848	4 AEILMOPUY	EHJPQT 9
@ info@	5 ACEFGJK	ABGHIJOTV 10
californiacampingvillage.com	B 4A CEE	❶ €41,00
🚗 N 42°18'19" E 11°37'22"	14 ha 450T(40-70m²) 140D	❷ €53,00

🚗 Die SS1 'Via Aurelia' Grosseto-Roma. Bei km 105,500 Ausfahrt Murelle rechts ab. Dann den Schildern folgen.

Marina di Montalto di Castro, I-01014 / Lazio 🛜 CC€16

🅰 Pionier Etrusco***	1 BDEFGHKNOPQRST	AKNQRSTWX 6
🔲 Via Vulsinia 2	2 BEHOQRY	ABDFH 7
📅 1 Apr - 30 Sep	3 BFLMNQ	ABEFINOR 8
☎ +39 0766-802807	4 AELNO	EJQU 9
@ info@campingpe.it	5 ABDEFGHIL	BHIJLNPVW10
	B 3A CEE	❶ €42,00
🚗 N 42°19'38" E 11°34'54"	6,5 ha 250T(50-100m²) 13D	❷ €61,50

🚗 A1, Ausfahrt Firenze. Dann die SS1 Richtung Grosseto/Roma. Bei km 108 rechts abbiegen, den CP-Schildern folgen.

camping tiber roma

Wenn Sie in Rom sind, müssen Sie am besten auf Camping Tiber *** übernachten, denn von hier aus können Sie die gesamte Stadt schell erreichen. Wir verfügen über Plätze für Zelte und Wohnwagen. Außerdem finden Sie bei uns ein kostenlos zugängliches Schwimmbad, Bar, Restaurant, Biergarten, SB-Markt und einen Internetpunkt. Neues Sanitärhaus. Der Camping liegt am lieblichen Tiberufer. Und das wichtigste: der Shuttlebus des Campings bringt Sie für € 1 zum Bahnhof, zur Metro-Haltestelle Di Prima Porta, von wo aus Sie in 15 Minuten in Rom's Stadtmitte sind. Von der Ausfahrt Nord der A1 fährt man weiter Richtung Roma Nord. Dann weiter über den großen Ring (G.R.A.) und nimmt die Ausfahrt Nr. 6 (Prima Porta, dann weiter die Straße verlassen und in die Via Tiberina einbiegen). Parkplatz für Busse auf dem Camping. Es gibt einen Transfer von den beiden Flughäfen. WiFi auf der gesamten Anlage. **Neu: 'Tiber Hundepark und Hundeservice'.**

I-00188 Roma (Prima Porta) - Via Tiberina Km 1,4
Tel. 0039/0633610733 - Fax 0039/0633612314
info@campingtiber.com

für Online-Reservierungen
www.campingtiber.com

METRO 15 MINUTEN

Der beste Ausgangspunkt, schnell in die Stadtmitte zu kommen.

Empfohlen sind auch Colleverde in Siena und Boschetto di Piemma in San Gimignano.

Bei Ihrem Besuch in Venedig empfehlen wir Ihnen:

CAMPING FUSINA
VILLAGE-VENEZIA

Via Moranzani, 93 • I-30030 Fusina (VE)
Tel. 0039/041547/0055 • Fax 0039/041547/0050
Http: www.campingfusina.com
E-Mail: info@campingfusina.com

Montefiascone, I-01027 / Lazio

Agriturismo Monterotondo	1 BJMNOPQRST	LNQSX 6
Lungolago di Montefiascone	2 DFHJPRXY	ADF 7
1 Apr - 15 Okt	3 A	ABFNRV 8
+39 349-7318336	4 FH	I 9
webmaster@	5 AKL	GHIJS I V10
bolsenacampeggio.it	3A CEE	€ 22,50
	H311 0,5 ha 30T(64-80m²) 3D	€ 28,50

N 42°33'40'' E 11°59'43''

A1 Ausfahrt Orvieto, dann Richtung Viterbo/Montefiascone. In Montefiascone Centro folgen und dann zum See runter. Am See den Schildern folgen.

Pescia Romana, I-01010 / Lazio

Club degli Amici**	1 BDEFGJLNOQRS	KNQST 6
Loc. Cavallaro	2 EGHPQVWXY	ADF 7
24 Apr - 13 Sep	3 ABE**GLM**	ACFLNORV 8
+39 0766-830250	4 **ABCDELP**	HJLOQT 9
info@	5 ACDEFGJK	ABFHIJV10
clubdegliamicicampingvillage.com	B 6A CEE	€ 33,00
	4 ha 175T(20-120m²) 65D	€ 45,00

N 42°22'3'' E 11°29'18''

SS1 'Via Aurelia' Grosseto-Roma. Bei km 120 Ausfahrt Pescia Romana. Im Ortszentrum den CP-Schildern folgen.

Riva dei Tarquini, I-01016 / Lazio

Camping Village	1 BDEFGHKNOPRST	**AF**KMNQSU**X** 6
Riviera degli Etruschi	2 BEFGHOQRY	ABDF 7
SS1 Aurelia, km 102	3 ABEFLMR	ABEFKNRV 8
18 Mai - 15 Sep	4 BDILMNOP	EJ 9
+39 0766-814080	5 ACDEFGHJKL	ABFGHIJNOSTW10
maretour2@libero.it	B 3A CEE	€ 36,00
	20 ha 400T(80-100m²) 290D	€ 51,00

N 42°17'36'' E 11°38'30''

SS1 Aurelia km 102, Ausfahrt Riva dei Tarquini. Direkt hinter der Eisenbahnbrücke rechts und sofort links dem Schild folgen.

Roma, I-00125 / Lazio

Camping Village Fabulous	1 ABDE**JM**NOPQRS**T**	AF 6
Via di Malafede 205	2 ABFGOQRSVY	ABDE**FGH** 7
28 Mär - 31 Okt	3 BDEFIL**MN**QST	ABCDEFKNRS 8
+39 06-5259354	4 ABDILNO**PQRU**	EGY 9
fabulous@ecvacanze.it	5 ACEFGJK**L**	ABFGHIJL**N**ORVWYZ10
	Anzeige auf Seite 544 B 6A CEE	€ 36,40
	30 ha 70T(bis 100m²) 950D	€ 53,60

N 41°46'38'' E 12°23'46''

Von der A1 in Ri. Aeroporto Fiumicino auf der Ringstraße G.R.A. fahren. Dann die Ausfahrt 27 über Colombo in Ri. Ostia nehmen. Bei km 18 an der Ampel re. abbiegen. CP liegt re.

Roma, I-00165 / Lazio

Camping Village Roma	1 ADE**JM**NOPQRST	A 6
Via Aurelia 831	2 AGORSTUVWXY	ABDE**FG**HK 7
1 Jan - 31 Dez	3 BEF**KL**	ABCDEFJKNPQRST 8
+39 06-6623018	4 **A**DEHIMNO**PQ**UY	AEGJLUV 9
campingroma@ecvacanze.it	5 ACDEFGJKLM	ABFGHIN**P**RVWXY10
	B 10A CEE	€ 39,90
	H200 7 ha 230T(70-100m²) 536D	€ 57,70

N 41°53'15'' E 12°24'16''

G.R.A. (Umgehung Rom) Ausfahrt 'Aurelia' Roma Centro (weißes Schild). Sofort vor Fußgängerüberführung in Nebenstraße einfahren, CP nach ca. 50m rechts. Gut ausgeschildert.

Roma, I-00189 / Lazio

Flaminio Village Camping &	1 ABDE**JM**NOPQRS**T**	A 6
Bungalow Park****	2 AGOPRTUY	ABDE**FGH** 7
Via Flaminia Nuova, 821	3 A**K**	ABCDEFJKNQRS 8
1 Jan - 31 Dez	4 A**FH**O	JLUVZ 9
+39 06-3332604	5 ABDFGJK**L**	AGHIJ**N**ORW10
info@villageflaminio.com	B 6A CEE	€ 46,50
	H180 8,6 ha 260T 130D	€ 64,10

N 41°57'23'' E 12°28'56''

An der G.R.A. (Umgehung um Rom) Ausfahrt 6 Via Flaminia, Richtung Flaminio/Centro. Am Zweisprung links Richtung Flaminio. Achtung: CP-Eingang bald rechts.

Roma, I-00188 / Lazio

Tiber***	1 ABDE**JM**NOPQRS	AN 6
Via Tiberina km 1,4	2 ACPRXY	ABDE**FG** 7
1 Apr - 31 Okt	3 A	ABCDEFKNQRSV 8
+39 06-33610733	4 O**P**	EGJL 9
info@campingtiber.com	5 ABDEFGJK	AGHIJ**N**PR10
	Anzeige auf dieser Seite B 6A CEE	€ 37,10
	H50 6 ha 300T 131D	€ 51,90

N 42°0'36'' E 12°30'13''

An der GRA (Umgehung Rom) Ausfahrt 6, Richtung Flaminia-Prima Porta, nach 2 km rechts, Via Tiberina, CP ist gut ausgeschildert.

Roma/Lido di Ostia, I-00122 / Lazio

Internazionale di Castelfusano	1 ABDE**JM**NOPQRST	AFKNOPQRSTX 6
Via Litoranea 132	2 BEHOPQRWXY	AD**FG**HJ 7
1 Jan - 31 Dez	3 AEL	ABFNQR 8
+39 06-5623304	4 BDFHIO**P**	EGJLZ 9
info@	5 ABCEFGJKL	AGHINO10
romacampingcastelfusano.it	B 3A CEE	€ 39,50
	4,5 ha 240T 65D	€ 54,50

N 41°42'21'' E 12°20'24''

G.R.A. (Umgehung Rome) Ausfahrt 27. Via C. Colombo, Via Litoranea (dir. sud).

HAPPY VILLAGE & CAMPING ROMA

Via del Prato della Corte 1915
00123 Roma
Tel. 0039-06-33626401/3320270
Fax 0039-06-33613800
info@happycamping.net
info@happyvillageroma.com
www.happycamping.net
www.happyvillageroma.com

Ausfahrt 5 Cassia Veientana Autobahnring G.R.A. Rom
Mit dem gratis Shuttle zur Metrostation Prima Porta, von dort in 20 Minuten ins Zentrum von Rom. Im Grünen, mit schattigen Plätzen. • NEUES SANITÄR • Minimarkt • Bar • Restaurant • Pizzeria • Waschmaschine • Trockner • Bügelmöglichkeit • Reisemobilservice • Strom und Warmwasser kostenlos • 2 Schwimmbäder und Solarium • Bungalows, gut ausgestattet für 2 bis 5 Personen, mit Toilette, Küche, Heizung/Airco • Große Parkplätze, auch für große Busse. Spezielle Bedingungen für Gruppen und Touristenorganisationen.

Roma, I-00123 / Lazio

▲ Happy Village & Camping***	1 ABDE**JM**NOPQRS**T**	AF 6
⬛ Via del Prato della Corte 1915	2 AFGOPRTUVY	ABDE**FGH** 7
1/3 - 18/12, 27/12 - 31/12	3 A	ABEFJKNRS 8
+39 06-33626401	4 O	EJL 9
info@happycamping.net	5 ACDEFGJL	AGHIJ**NOR**V10
	Anzeige auf dieser Seite	6A CEE
		❶ €52,00
	H200 4 ha 220T(30-75m²) 72D	❷ €71,00
N 42°0'2'' E 12°27'12''		

G.R.A. (Umfahrung Rom), Ausfahrt Cassia Veientana/Viterbo. Dann die 1. Ausfahrt, 10m rechts und dann links hoch. Gut auf die Schilder achten; er ist gut ausgeschildert.

Sabaudia, I-04016 / Lazio

▲ Sabaudia	1 BDEFGHKNORT	KMNQSWX 6
⬛ Via Sant'Andrea 17	2 BEHOQWXY	ABD**FH** 7
1 Mai - 30 Sep	3 AQ	ACFNO 8
+39 0773-593020	4 **A**I**JL**P	EJLT 9
info@campingsabaudia.it	5 ACDEFGHIK	BFHIJOST10
	3A CEE	❶ €35,00
	5 ha 100T(60m²) 72D	❷ €51,00
N 41°18'56'' E 13°0'0''		

SS148 Latina-Terracina, Ausfahrt nach Sabaudia bis zum Meer durchfahren. Dann circa 3 km Richtung Norden (rechts).

Salto di Fondi, I-04020 / Lazio

▲ Settebello	1 BDEFGHKNOR**T**	AFKN 6
⬛ Via Flacca, km 3,6	2 EGHOPQWXY	AD**FG** 7
1 Apr - 30 Sep	3 ABE**ILMN**Q	ACEFNORTUV 8
+39 0771-599132	4 **A**ILMN	EJV 9
info@settebellocamping.com	5 CDEFGHIK	ABGHIJLOST10
	3A CEE	❶ €60,00
	14 ha 430T(40-70m²) 184D	❷ €80,00
N 41°17'43'' E 13°19'11''		

CP an der SS213 Terracina-Gaeta, gut ausgeschildert.

Tarquinia, I-01016 / Lazio

▲ Europing 2000 srl****	1 BDEFGHKNOPQRST	**AF**KMNO**Q**R**X**Y 6
⬛ Via Aurelia km 102	2 EGHPQVXY	AD**F** 7
30 Apr - 20 Sep	3 BEF**GLMN**R	AEFNOQRTU 8
+39 0766-814010	4 BCDIJLMO**PRZ**	AEHJLQTUV 9
europing@europing.it	5 ACDEFGHIJKL	ABGHIJL**P**RV10
	B 3A CEE	❶ €40,00
	25 ha 700T(60-90m²) 216D	❷ €64,00
N 42°17'53'' E 11°38'12''		

SS1 'Via Aurelia' Grosseto-Roma. Bei km 102 rechts, Ausfahrt Riva dei Tarquini. Direkt nach Bahnübergang rechts, den Schildern zum CP folgen.

Tarquinia Lido, I-01010 / Lazio

▲ Tuscia Tirrenica****	1 BDEFGHKNOPQRST	AFKNOQRSTWX 6
⬛ Via delle Nereidi	2 EHOPQVXY	AD**FH** 7
1 Apr - 30 Sep	3 BEF**KLMN**R**T**	ACE**F**NOR 8
+39 0766-864294	4 **A**BCDILNO**PS**	EGJLQ 9
info@campingtuscia.it	5 ACDEFGJK	ABGHIJ**N**OR**V**10
	3A CEE	❶ €41,00
	10 ha 480T(50-80m²) 59D	❷ €60,00
N 42°13'50'' E 11°42'0''		

SS1 'Via Aurelia' Grosseto-Roma, Ausfahrt Tarquinia Lido. Dort CP-Schildern folgen. Am Boulevard rechts. CP liegt am Ende der Straße.

Terracina, I-04019 / Lazio

▲ International Camping Circeo	1 BDEFG**IL**NOPRT	KMNPQSWX 6
⬛ SP Terracino-S. Felice, km 9,200	2 ABEFHOPQVWXY	AD**FH** 7
	3 ABFLQ	AEFNRTUV 8
1 Mai - 30 Sep	4 BCDEFHIMNR	DHLQV 9
+39 0773-780492	5 DEFGHIJKL	AHIJMST10
ptgraz@hotmail.com	B 3A CEE	❶ €44,00
	4 ha 200T(60-80m²) 26D	❷ €70,00
N 41°16'16'' E 13°8'54''		

An der Strecke von Terracina nach San Felice Circeo liegt der CP gut angezeigt auf der linken Seite.

Terracina, I-04019 / Lazio

▲ Romantico	1 BDEFG**I**KNOPQRST	KMNQW 6
⬛ Via Flacca km 0,450	2 EHORVWXY	AD**FG** 7
1 Apr - 27 Sep	3 AL	AE**F**NRS 8
+39 0773-727620	4 **A**L**O**P	EIJLPT 9
info@campingromantico.com	5 ACDEFGJK	ABHIJPTZ10
	4A CEE	❶ €48,00
	1 ha 75T(60-70m²) 39D	❷ €74,00
N 41°17'53'' E 13°16'53''		

CP liegt an der SS213 Terracina-Gaeta. Ausfahrt Terracina Sud, sofort rechts Richtung Terracina. Gut ausgeschildert.

Trevignano, I-00069 / Lazio

▲ Smeraldo di Trevignano***	1 ABDEFG**JM**NOPQRS**T**	ALMNQSX 6
⬛ Via dell' Acquarella 13	2 BDGHIOPRVWY	ABD**FH** 7
1 Jan - 31 Dez	3 ABEL	AEFNORSV 8
+39 06-9985180	4 INO**PQ**	EFZ 9
campeggiosmeraldo@tiscali.it	5 ABDEGILM	ABFGHIJNPSTVW10
	6 A CEE	❶ €27,00
	H197 2 ha 30T(60-85m²) 58D	❷ €40,00
N 42°8'19'' E 12°17'3''		

A1 Firenze-Roma, Ausfahrt Magliano Sabina, SS3 Richtung Civita Castellana, dann SS311 Richtung Nepi, SS2 Richtung Monterosi. Bei Settevene Richtung Trevignano, links Richtung Anguillara.

Trevignano Romano, I-00069 / Lazio

▲ Camping Internazionale Lago di Bracciano***	1 ABDEF**JM**NOPQRS**T**	AFLNQSX 6
	2 DFGHOPVXY	ABDE**FGH** 7
⬛ Via Settevene Palo km 7.400	3 ABEFL	ABEFKNOPR 8
1 Apr - 30 Sep	4 ABFHIO**P**	ACEVYZ 9
+39 06-9985032	5 ABFGIL	BFGHIJ**N**OSTVW10
camping.village@gmail.com	B 4A CEE	❶ €30,00
N 42°8'48'' E 12°16'9''	H160 2 ha 100T(60-80m²) 45D	❷ €41,00

SS2 'Via Cassia', nach Sutri Ausfahrt Richtung Lago di Bracciano, beim See Richtung Trevignano, hinter Trevignano Richtung Anquillara. Plötzlich rechts: der Landweg zum CP.

Geografisch suchen

Schlagen Sie Seite 467 mit der Übersichtskarte dieses Landes auf. Suchen Sie das Gebiet Ihrer Wahl und gehen Sie zur entsprechenden Teilkarte. Hier sehen Sie alle Campingplätze auf einen Blick.

546

Teilkarte Lazio auf Seite 543

Italien

Abruzzo/Molise

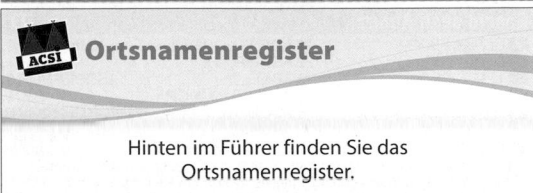

Ortsnamenregister

Hinten im Führer finden Sie das
Ortsnamenregister.

Alba Adriatica, I-64011 / Abruzzo 〰 CC€14

- 🏕 Eucaliptus
- 🏠 Via Abruzzo 69
- 📅 13 Mai - 15 Sep
- ☎ +39 0861-713356
- @ info@campingeucaliptus.it

1	BDFJKNORT	AFKM	6
2	AEGHPVY	ADDEFII	7
3	BLQ	ABEFKNOV	8
4	LNOQY	EJLUV	9
5	GL	ABHIJNOR	10
B	7A CEE		

① €43,90
② €62,90
2 ha 160T(ab 60m²) 93D

📍 N 42°49'21'' E 13°55'48''

A14 Ausfahrt Val Vibrata, dann auf der SS259 Richtung Alba Adriatica fahren. Den CP-Schildern folgen. Der Campingplatz liegt an der Eisenbahnlinie.

Alba Adriatica, I-64011 / Abruzzo 〰

- 🏕 Roma
- 🏠 Via Rodi 11
- 📅 12 Mai - 15 Sep
- ☎ +39 0861 751071
- @ info@
  campingromaalbaadriatica.com

1	BCDEFGJMNOPRT		6
2	AEHOPQY	ADFH	7
3	ABL	ACEFORTUV	8
4	BCDHLMNOPR	EJKL	9
5	AGKLM	BFHIJOR	10
B	1-6A CEE		

① €40,50
② €57,50
1,6 ha 304T(36-64m²) 74D

📍 N 42°49'29'' E 13°55'56''

Ausfahrt A14 Viale Vibrata, dann der SS259 Richtung Alba Adriatica folgen. Am Kreisel der Ausfahrt Pescara folgen (SS16). Dem Hinweis Camping Eucaliptus folgen. Camping Roma liegt gleich nebenan.

Barrea, I-67030 / Abruzzo 〰

- 🏕 La Genziana
- 🏠 Contr.da Tre Croci/P.N.D'Abruzzi
- 📅 5 Apr - 20 Okt
- ☎ +39 0864-88101
- @ pasettanet@tiscali.it

1	BFILNOPQRST		6
2	FGOPRTUWX	ABDEF	7
3	AL	ABEFJNOR	8
4	AEFH	AD	9
5	G	HIJOSTV	10
B	3A CEE		

H1200 2 ha 110T(40-60m²) 7D
① €33,50
② €41,50

📍 N 41°45'0'' E 13°59'31''

CP liegt an der SS83 von Opi Richtung Alfadena. In Barrea gut ausgeschildert.

Cologna/Spiaggia, I-64020 / Abruzzo 〰 iD

- 🏕 Stork Camping Village***
- 🏠 Via del Mare 11
- 📅 15 Mai - 15 Sep
- ☎ +39 085-8937076
- @ info@
  storkcampingvillage.com

1	ABDFGILNOPRST	AFKMNQSWXY	6
2	AEGHJKOPVY	ABDEFGIJ	7
3	ABFLMQT	ABCDEFNOQRSV	8
4	ABDHLOPQSUY	IJKLTV	9
5	ACDEFGJKL	ABFGHIJNPRY	10
B	6A CEE		

① €42,00
② €56,00
7 ha 450T(50-120m²) 191D

📍 N 42°44'6'' E 13°58'51''

Vom Norden und Süden E2/A14 Ausfahrt Mosciano S.Angelo, SS80 Richtung Giulianova bis zur Kreuzung SS80-SS16, diese Richtung Pescara folgen, an erster Kreuzung links, Schildern folgen.

Giulianova Lido, I-64022 / Abruzzo 〰 ⚙ CC€16 iD

- 🏕 Camping & Residence Don Antonio
- 🏠 Via Padova
- 📅 15 Mai - 17 Sep
- ☎ +39 085-8008928
- @ info@campingdonantonio.it

1	ABDFGIKNOPQRST	AFHIKMNQSX	6
2	AEGHOPQRVWXY	ABDEFG	7
3	ABFMQ	ABCDEFLNORSTUV	8
4	ABCDFHLMOPUY	EHIJLQTUV	9
5	ABFGM	ABDFGHIJNPRYZ	10
B	6A CEE		

① €47,00
② €68,00
5 ha 320T(50-100m²) 153D

📍 N 42°46'39'' E 13°57'10''

E2/A14 Ausfahrt Val Vibrata Über die SS259 Ri. Alba Adriatica an der Kreuzung SS259 und SS16 nach Giulianova. Den Zeichen folgen. Von Süden: Ausf. Teramo auf der E2/A14 und dann die SS80 bis zur Kreuzung SS16 und dort Via Padova.

Giulianova Lido, I-64022 / Abruzzo ⚙

- 🏕 Carouan
- 🏠 Via Padova
- 📅 31 Mai - 15 Sep
- ☎ +39 347-3649328
- @ info@campingcarouan.it

1	BCDEFIKNOPRT	KMNQSX	6
2	AEGHOPRSTUVWXY	ADFH	7
3	ABCFLQ	AEFKNOR	8
4	FHNOP	JLV	9
5	ABGL	ABHIJRV	10
B	6A CEE		

① €30,00
② €42,50
1 ha 78T(70m²) 59D

📍 N 42°46'45'' E 13°57'1''

Aus Norden A14, Ausfahrt Vall Vibrata, dann SS259 bis Kreuzung Alba Adriatica, SS16 Richtung Pescara. Nach Brücke über den Salinellafluss links unter den Gleisen hindurch. Folge Via Padova.

Giulianova Lido, I-64022 / Abruzzo 〰 ⚙

- 🏕 Holiday
- 🏠 Via Padova
- 📅 9 Mai - 13 Sep
- ☎ +39 085-8000053
- @ info@villaggioholiday.it

1	BCDFGIKNOPRT	AFKMNQSWX	6
2	AEHOPQVXY	ABDEF	7
3	ABEFLQ	ABEFNOR	8
4	DHILMNOP	IJMQT	9
5	ACDEFGHJK	ABGHIKLNPRY	10
B	6A CEE		

① €47,00
② €67,90
2 ha 70T(ab 50m²) 119D

📍 N 42°46'39'' E 13°57'13''

Von Nord nach Süd, A14 Ausf. Val Vibrata und SS259, bis zur Kreuzung mit SS16 Ri. Pescara. Über die SS16 nach Giulianova. Kurz nach der Brücke über den Salinello li. Durch die Bahnunterführung und dann sofort li Via Padova.

Marina di San Vito Chietino, I-66035 / Abruzzo 〰 iD

- 🏕 Villaggio Costa d'Argento***
- 🏠 Via Murata 135
- 📅 8 Jun - 8 Sep
- ☎ +39 0872-618731
- @ info@costadargento.net

1	ABDEFGILNOQR	ABFKMN	6
2	AEHJOP	ADFH	7
3	BEFLMQT	ACEFGNOR	8
4	ABCDLNOPQR	EJL	9
5	ABCDEFGHIKM	ABHJPRWXY	10

① €11,50
② €57,50
3 ha 60T(36-50m²) 110D

📍 N 42°18'29'' E 14°26'32''

Von Ortona die SS16 Richtung Vasto. Vor San Vito Chientino (bei Km-Pfahl 478) VII-VIII steht ein Schild an der Straße. An diesem Schild ist die Einfahrt zum Campingplatz.

Martinsicuro, I-64014 / Abruzzo 〰 ⚙ iD

- 🏕 Duca Amedeo
- 🏠 Lungomare Eur. 158
- 📅 16 Apr - 21 Sep
- ☎ +39 0861-797376
- @ info@ducaamedeo.it

1	ABDFGILNORT	ABFHKNQSUWXY	6
2	EGHRVWXY	ADFHJ	7
3	ABEFQ	ACEFNOR	8
4	AFIOPRS	DEIJKLQVW	9
5	AFG	EGHIJLPRV	10
B	6A CEE		

① €44,00
② €62,00
1,6 ha 100T(ab 50m²) 111D

📍 N 42°52'47'' E 13°55'15''

Aus Süden: A14 Ausfahrt S. Benedetto de Tronto. Dann SS16 Richtung Pescara bis Martinsicuro, Bahngleise überqueren. Den CP-Schildern folgen.

Martinsicuro, I-64014 / Abruzzo 〰 ⚙ iD

- 🏕 Riva Nuova***
- 🏠 Via dei Pioppi 6
- 📅 10 Mai - 14 Sep
- ☎ +39 0861-797515
- @ info@rivanuova.it

1	ABCDFHKNOPRT	AFIKMQSXY	6
2	AEHOPVY	BDEFGH	7
3	ABEFLMQ	ABEFKMNORSTUV	8
4	ABCDHILNOPRS	EPQTVZ	9
5	ABDEFGHK	ABEFGHIJNPRY	10
B	10A CEE		

① €42,90
② €62,00
7 ha 350T(60-110m²) 197D

📍 N 42°52'47'' E 13°55'12''

Aus dem Norden A14, Ausfahrt S. Benedetto del Tronto. Dann der SS16 folgen Richtung Pescara bis Martinsicuro, über die Schienen oder unter den Schienen durchfahren. Den CP-Schildern folgen.

Montenero di Bisaccia, I-86036 / Molise 〰 iD

- 🏕 Costa Verde
- 🏠 SS16 km 525 + 800 E2
- 📅 1 Mai - 15 Sep
- ☎ +39 0873-803144
- @ info@costaverde.it

1	ADEFHKNOPQRT	AKMN	6
2	AEHOPVXY	ADFG	7
3	BFLMQ	AEFGNORV	8
4	ABCDHLMNOPUXY	JKLV	9
5	ABCDEFGIJKLM	AFHIJLNOPR	10
4-5A CEE			

① €35,10
② €45,90
1 ha 80T(80m²) 21D

📍 N 42°3'56'' E 14°47'29''

E2/A14 Ausfahrt San Salvo Marina, dann bei km 525 VIII von der SS16.

Montenero di Bisaccia, I-86036 / Molise iD

- 🏕 Molise****
- 🏠 SS 16 km 525
- 📅 1 Jun - 8 Sep
- ☎ +39 0873-803570
- @ info@campingmolise.it

1	ADEFJLNOPRST	KMN	6
2	AEHKOPRVXY	ADFH	7
3	BELMQ	AEFNORV	8
4	ABCDHILOP	JL	9
5	ADEFGIJK	ABHIJLRV	10
B	3A CEE		

① €33,00
② €51,00
4 ha 150T(100m²) 70D

📍 N 42°3'53'' E 14°46'49''

E2/A14 Ausfahrt Vasto Sud Richtung Termoli. Auf der SS16 bei Km-Pfahl 525 rechts ab Richtung Süden.

Italien

Italien

Opi, I-67030 / Abruzzo (CC€18) iD

- 🏕 Il Vecchio Mulino
- 🏠 SS83 Marsicana km 52
- 📅 1 Jan - 31 Dez
- ☎ +39 0863-912232
- @ ilvecchiomulino@tiscali.it
- 📍 N 41°46'45'' E 13°51'46''

1 ADEILNOPQRST		6
2 BCFGOPRWXY		ABDEF 7
3 ABL		ABEFJNORV 8
4 EOP		E 9
5 ABEGJKL		GIJLNRV10
Anzeige auf dieser Seite	B 5A CEE	① €30,00
H1060 6 ha 300T(100-120m²) 2D		② €44,00

🚗 Der Campingplatz liegt an der SS83 von Opi Richtung Barrea/Alfedena und ist gut ausgeschildert.

Ortona, I-66026 / Abruzzo 🛜 iD

- 🏕 Ripari di Giobbe***
- 🏠 Via Ripari di Giobbe
- 📅 20 Mai - 20 Sep
- ☎ +39 085-9067098
- @ info@campingriparidigiobbe.it
- 📍 N 42°22'14'' E 14°23'26''

1 ABDEGJMNOPQRT	KMNOPQSWXY 6	
2 AEFGJKMPSUWX	ADF 7	
3 BK	ABEFN 8	
4 ABCD	EHIJL 9	
5 ABDEGHIJL	HIJOR10	
6A CEE		① €29,00
H51 5,4 ha 50T(30-60m²) 29D		② €43,00

🚗 Der SS16 von Pescara aus folgen. Zwischen km-Pfahl 467 und 467 III links ab Richtung Ortona/Lido Riccio. Straßenende rechts. Nach ca. 200m links. In die kleine Straße, die zum CP führt.

Pineto, I-64025 / Abruzzo 🛜 iD

- 🏕 International Torre Cerrano***
- 🏠 C. da Torre Cerrano
- 📅 1 Mai - 23 Sep
- ☎ +39 085-930639
- @ info@internationalcamping.it
- 📍 N 42°34'53'' E 14°5'35''

1 ABDEFGHKNOPQRST	KNPQSX 6	
2 AEHOPQRSVXY	ABDEFH 7	
3 ABEFLQ	ABCDEFKLMNORSV 8	
4 ABCDHILMO	EJL 9	
5 ACDEFGJL	AHIJOT10	
B 6A CEE		① €47,50
1,5 ha 130T(55m²) 60D		② €73,50

🚗 A14, Ausfahrt Atri/Pineto, SS16 Richtung (Süden) Pescara. Bei Km-Pfahl 431,2 nach links zum Meer abbiegen. Unter der Bahnunterführung rechts.

Pineto, I-64025 / Abruzzo (CC€16) iD

- 🏕 Pineto Beach***
- 🏠 SS16 Adriat. km 425
- 📅 24 Apr - 19 Sep
- ☎ +39 085-9492724
- @ info@pinetobeach.it
- 📍 N 42°37'26'' E 14°3'21''

1 ADFGILNOPRS	AFKMNOQSWX 6	
2 AEHJPSVY	ABEFGH 7	
3 ABEFLQ	ABCDEFLMNORTUV 8	
4 ABCDHILMOPY	CEJLV 9	
5 ABCDEFGHIJK	ABFGHIJLMNOR10	
B 6A CEE		① €52,00
2,5 ha 300T(21-105m²) 121D		② €76,00

🚗 E2/A14 Richtung Bari, Ausfahrt Pineto (Navi abschalten). Den Schildern 'Pineto Beach' an der SS16 folgen. Tunnel (4,20m Höhe).

Rocca San Giovanni (Ch), I-66020 / Abruzzo

- 🏕 La Foce
- 📅 15 Jun - 30 Sep
- ☎ +39 0872-609110
- @ info@campinglafoce.it
- 📍 N 42°16'37'' E 14°29'34''

1 BDFJMNOPQR		6
2 EJPXY		ADF 7
3		ACEFNORU 8
4 N		HI 9
5 AFGHI		HIJR10
4-5A CEE		① €27,00
2 ha 100T(50m²) 16D		② €41,00

🚗 An der SS16 Adriatica entlang, bei Km-Pfahl 484 landeinwärts abbiegen. Gleich links der Hintereingang. Haupteinfahrt nach 600m links ab 'Lido de Foce', nach weiteren 600m links die Haupteinfahrt.

Roseto degli Abruzzi, I-64026 / Abruzzo 🛜 iD

- 🏕 Camping Villaggio Gilda***
- 🏠 Viale Makarska
- 📅 30 Mai - 12 Sep
- ☎ +39 085-8941023
- @ info@gildacamping.it
- 📍 N 42°41'59'' E 13°59'57''

1 ADEFGJMNOPRT	KMNPQSX 6	
2 AEHOPVXY	ABDEFH 7	
3 ABFLQ	ABEFKNRSV 8	
4 ABCDHLNOP	EIJV 9	
5 DEFGIJ	ABHIJMOR10	
Anzeige auf Seite 549	B 6A CEE	① €43,50
1,5 ha 110T(40-80m²) 22D		② €63,50

🚗 E2/A14, Ausfahrt Teramo Richtung Roseto. Navi abschalten! Am Kreisel 1. rechts, dann 1. links. Tunnelhöhe 5m. An der Promenade links ab. Der Beschilderung Richtung Sud folgen.

Roseto degli Abruzzi, I-64026 / Abruzzo 🛜 (CC€16) iD

- 🏕 Eurcamping***
- 🏠 Lungomare Trieste 90
- 📅 1 Mai - 24 Okt
- ☎ +39 085-8993179
- @ info@eurcamping.it
- 📍 N 42°39'28'' E 14°2'7''

1 AFGJLNOPRST	AFKMNOPQSWXZ 6	
2 AEHMPVWXY	ABDEFGH 7	
3 ABELMQ	BFNORSV 8	
4 ABCDILOP	EJV 9	
5 ABDEFGIK	ABHIJNPR10	
B 6A CEE		① €43,50
5 ha 265T(50-100m²) 114D		② €62,00

🚗 E2/A14 Ausfahrt Roseto. In Roseto degli Abruzzi. In Roseto Richtung Pineto SS16. Vor Tankstelle links und den Schildern folgen. Tunnelhöhe 5m.

Roseto degli Abruzzi, I-64026 / Abruzzo

- 🏕 La Playa SNC***
- 🏠 Lungomare Nord
- 📅 15 Mai - 15 Sep
- ☎ +39 085-8944349
- @ info@campinglaplaya.it
- 📍 N 42°41'57'' E 13°59'58''

1 ADFHKNOPRST	KMNQSWX 6	
2 AEHOPQVX	ADFH 7	
3 ABEFLQ	ABCDEFNOR 8	
4 ABCDHIJLMNOP	EJL 9	
5 ACDEFGL	ABFGHIJLNORV10	
B 3-10A CEE		① €38,50
2,3 ha 200T(60-80m²) 2D		② €55,00

🚗 E2/A14, Ausfahrt Teramo Richtung Roseto. Navi abschalten! Am 1. Kreisel rechts, dann 1. links (nach 100m). Tunnelhöhe 5m. Am Ende der Straße links, auf die Promenade. Der Beschilderung Richtung Nord folgen.

S. Eufémia a Maiella, I-65020 / Abruzzo 🛜 iD

- 🏕 Agricampeggio Colle dei Lupi
- 🏠 C. da San Giacomo
- 📅 1 Mai - 15 Sep
- ☎ +39 085-920366
- @ mf.timperio@tiscalinet.it
- 📍 N 42°7'4'' E 14°1'22''

1 ABJLNOPRT	AF 6	
2 BFGPRUVXY	ABEF 7	
3 AL	ABFNRTUV 8	
4 FH	IK 9	
5 L	GHIJPRV10	
8A CEE		① €30,00
H900 3,6 ha 40T(70-110m²) 2D		② €46,00

🚗 A24/A25 Ausfahrt Scafa. Danach der S487 nach S. Eufémia a Maiella (Parco Nazionale della Maiella) folgen. Innerorts den Schildern folgen, ca. 800m.

Silvi Marina, I-64028 / Abruzzo 🛜 iD

- 🏕 Europe Garden****
- 🏠 Via Belvedere, 11
- 📅 23 Mai - 19 Sep
- ☎ +39 085-930137
- @ info@europegarden.it
- 📍 N 42°34'4'' E 14°5'33''

1 ABDFGHKNOPR	AFM 6	
2 AFGHOPRTUVXY	ABDEFH 7	
3 ABEFLMNQR	ABEFNOQR 8	
4 ABDHILNOQRY	AEHIJTU 9	
5 ABDEFGIJL	ABFGHIJLNOU10	
6A CEE		① €49,50
H100 5 ha 40T(40-70m²) 190D		② €72,50

🚗 E2/A14 Ausfahrt Pineto, SS16 Richtung Süden. In Silvi nach 2 km Serpentinenstraße hinauffahren (Schildern folgen).

Torino di Sangro (CH), I-66020 / Abruzzo 🛜 iD

- 🏕 Camping Sun Beach***
- 🏠 Viale Costa Verde 224
- 📅 20 Apr - 15 Sep
- ☎ +39 0873-915109
- @ sunbeach@camping.it
- 📍 N 42°14'2'' E 14°32'41''

1 ABDEFGJMNOPRT	AF 6	
2 AEJOPSVWX	ABEF 7	
3 AELM	ABCDEFNORV 8	
4 BCDLNO	EHIJ 9	
5 ABEFGJKL	ABHJOR10	
3-5A		① €33,50
1,2 ha 45T(50-80m²) 93D		② €49,50

🚗 Auf der Autobahn Ausfahrt 'Val Di Sangro'. Nehmen Sie die SS16 Adriatica Richtung Vasto. Nach 2 km links ab (unter der Bahnlinie durch) Richtung Marina Di Torino Di Sangro. Den Schildern 'Sun Beach' folgen.

Tortoreto Lido, I-64018 / Abruzzo 🛜 iD

▲ Del Salinello****	1 ABDFHKNORS	AFKMQ 6
🏠 Via Lungomare Sud	2 ACEGHOPRVY	ABDEFG 7
📅 15 Mai - 15 Sep	3 ABFILMNQR	ABCDEFKLORS 8
☎ +39 0861-77231	4 ABCDHLMOPSY	DIJKQTV 9
@ booking@salinello.it	5 CDEFGHJ	AGHIKNORVY 10
	B 4A CEE	❶ €43,00
⛺ N 42°47'3'' E 13°57'9''	15 ha 500T(60m²) 538D	❷ €67,00

🚗 E2/A14, Ausfahrt Valle Vibrata. Dann SS259 bis Kreuzung mit SS16 Alba Adriatica. SS16 Richtung Pescara folgen, ausgeschildert. Ⓜ

Vasto Marina, I-66055 / Abruzzo 🛜 iD

▲ Il Pioppeto***	1 ADGJMNOPQRST	KNPQRSTW 6
🏠 SS16 Sud, km 521	2 AEHOPRSVXY	ADFH 7
📅 15 Mai - 15 Sep	3 ABFGL	ACEFNORSU 8
☎ +39 0873-801466	4 ABDEILNPQ	DILV 9
@ infocampeggio@ilpioppeto.it	5 ACDEFGHKL	AEFGHIJLOR 10
	6A CEE	❶ €36,90
⛺ N 42°5'3'' E 14°44'22''	1,5 ha 110T(50m²) 31D	❷ €53,70

🚗 E2/A14 Ausfahrt Vasto-Süd zur SS16. Ausfahrt Richtung Norden, dann noch 3 km. CP liegt rechts an der Straße. Ⓜ

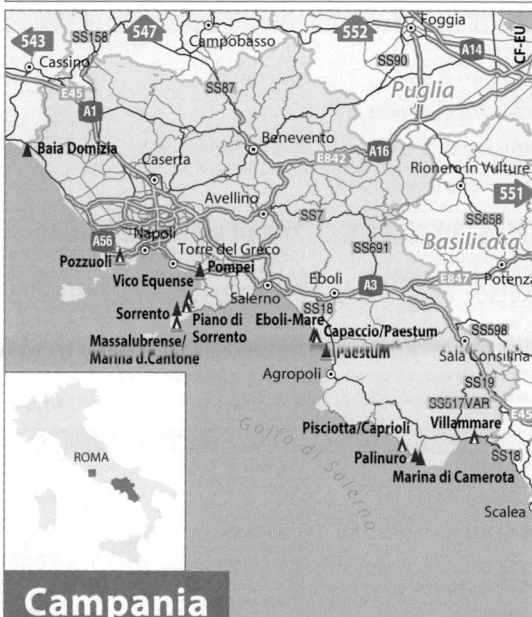

Baia Domizia, I-81030 / Campania 🛜 iD

▲ Baia Domizia CP Village****	1 ABDEFHKNORT	AFKMQS 6
🏠 SP 272 Garigliano	2 BEGHOPQVWXY	ABDEFGH 7
Monte Massico	3 BEFLM	ABCDEFNORV 8
📅 18 Apr - 16 Sep	4 AILMNOPRU	DEGIJLMTV 9
☎ +39 0823-930126	5 ACDEFGHIJK	AGHIJNOST 10
@ info@baiadomizia.it	B 3A CEE	❶ €48,50
⛺ N 41°12'26'' E 13°47'30''	30 ha 900T(60-100m²) 330D	❷ €70,00

🚗 A1, Ausfahrt Cassino, Richtung Formia. Dann die SS Domitiana IV Richtung Neapel. Bei km 3 abbiegen und dann noch 2 km fahren. Gut ausgeschildert. Ⓜ

Baia Domizia, I-81037 / Campania

▲ Pineta la Foce	1 BFJMNORT	KMS 6
🏠 Via Punta Fiume	2 BEFHQWXY	ADF 7
📅 1 Jun - 10 Sep	3 AQ	AEFN 8
☎ +39 0823-749340	4 AO	D 9
@ info@campingpinetalafoce.it	5 ABGKL	HIJNST 10
	10A CEE	❶ €28,00
⛺ N 41°13'25'' E 13°45'59''	2 ha 162T 25D	❷ €44,00

🚗 Vonm der SS7 Richtung Baia Domizia. Noch etwa 5 km vom Meer. Ist ausgeschildert. Ⓜ

Capaccio/Paestum, I-84047 / Campania 🛜 ✿ CC€16 iD

▲ La Foce dei Tramonti***	1 ADEFGJMNOPQRST	KMNPQUXYZ 6
🏠 Via Foce Sele 2	2 CEFGHOPRSVWY	ADF 7
📅 1 Apr - 31 Okt	3 BELQ	AEFNORTUV 8
☎ +39 0828-861220	4 ALM	JPQTV 9
@ info@lafocedeitramonti.it	5 ACDEFGIK	BFGHIJORV 10
	3A CEE	❶ €43,00
⛺ N 40°28'41'' E 14°56'43''	1,2 ha 30T(75m²) 30D	❷ €49,00

🚗 CP an Küstenstraße ca. 7 km nördlich von Paestum Richtung Salerno an der Mündung der Sele.

Eboli-Mare, I-84025 / Campania 🛜 iD

▲ Camping Village Paestum****	1 ADEFGJMNOPRST	AFHKN 6
🏠 Via Litoranea	2 EHOPVWXY	ABDEFH 7
📅 1 Mai - 15 Sep	3 ABLMQ	ABDEFKNORS 8
☎ +39 0828-691003	4 AIJLOP	EJL 9
@ info@campingpaestum.it	5 ACDEGJK	ABGHIJLORV 10
	6A CEE	❶ €37,00
⛺ N 40°29'33'' E 14°56'32''	8 ha 280T(80m²) 274D	❷ €51,00

🚗 A3 Ausfahrt Battipaglia. Der S18 Richtung Agropoli folgen. Rechts ab bei S. Cecilia Richtung Küstenstraße. Auf der Küstenstraße links ab Richtung Paestum liegt der CP. Ⓜ

Marina di Camerota, I-84059 / Campania

▲ Mingardo	1 BFGILNOPQRST	KMNPQSUW 6
🏠 SS18 - Zona Mingardo	2 CEFGHJMOPQVWY	ADF 7
📅 1 Jun - 31 Aug	3 AEFLQ	AEFNOR 8
☎ +39 0974-931391	4 ANOP	IJL 9
@ info@campeggiomingardo.it	5 ABGK	BHIJSTW 10
	0A CEE	❶ €50,00
⛺ N 40°2'0'' E 15°18'49''	3 ha 140T(70-90m²) 13D	❷ €65,00

🚗 Der CP liegt ca. 3 km südlich von Palinuro. Küstenstraße Richtung Marina di Camerota. Hinter der 1. Brücke gleich rechts Richtung Meer. CP wird dort ausgeschildert. Ⓜ

Marina di Camerota, I-84040 / Campania 🛜

▲ Pineta***	1 BDFGJMNOPQRST	KQS 6
🏠 Localita Mingardo	2 EHOQRVXY	ADF 7
📅 1 Jun - 15 Sep	3 ABFL	ACEFNOR 8
☎ +39 0974-931771	4 ILMOP	DEHJL 9
@ info@campingpinetaclub.it	5 ACFGHI	BFGHIKOR 10
	3A CEE	❶ €85,00
⛺ N 40°1'50'' E 15°19'15''	3 ha 70T(10-50m²) 237D	❷ €85,00

🚗 CP 3 km südlich von Palinuro Richtung Marina di Camerota an der Küste direkt am Meer. Ⓜ

Marina di Camerota, I-84059 / Campania 🛜 iD

▲ Porticello Village	1 ADEFGILNOPQRST	KMO 6
🏠 Località Porticello SNC	2 EFHOPSTUWXY	ADF 7
📅 1 Apr - 31 Okt	3 ABFGHLM	ACEFNORTV 8
☎ +39 0974-932945	4 ABEOP	DI 9
@ info@porticellovillage.com	5 ABDEFGI	ABHIJOQR 10
	6A CEE	❶ €25,00
⛺ N 40°0'29'' E 15°21'8''	7 ha 70T(60-100m²) 18D	❷ €26,00

🚗 Auf der Küstenstraße zwischen Palinuro und Marina di Camerda. Etwa 5 km von Palinuro. Danach der CP-Beschilderung folgen. Ⓜ

Massalubrense/Marina d.Cantone, I-80061 / Camp. 🛜 ✿ CC€18 iD

▲ Nettuno	1 ABEGILNORT	KNOPQRSTUVW 6
🏠 Via A. Vespucci 39	2 EFJMOQRTUWXY	ABDEF 7
📅 28 Mär - 2 Nov	3 LM	ABEFNR 8
☎ +39 081-8081051	4 AEFIJLNOP	EIJLMOPQST 9
@ info@villaggionettuno.it	5 BDEFGJKL	ABFHIJOST 10
	Anzeige auf dieser Seite 4A CEE	❶ €41,50
⛺ N 40°35'0'' E 14°21'15''	0,5 ha 6UT(40-60m²) 64D	❷ €55,50

🚗 Küstenstraße nach Sorrento, in Meta di Sor. Richtung Positano, dann Richtung San Agata und Marina del Cantone (bei CP vorbei, dann umdrehen, Zufahrt so einfacher!). Ⓜ

Italien

Campania

Camping Athena liegt am Meer von Paestum im prächtigen mediterranen Pinienwald hinter einem großen Sandstrand. Vom Camping aus direkter Zugang zum Strand. Dieser Dreisternecamping verfügt über Plätze von 80-100 m², modernes Sanitär mit warmen Duschen, Bungalows, Privatstrand mit Dusche und Toilette, Restaurant, Pizzeria, Markt, Bazar und täglichem medizinischem Service. Camping Athena liegt 2 km von den berühmten griechischen Tempeln. Die Direktion organisiert Ausflüge zu den bekannten Sehenswürdigkeiten: der Insel Capri, der Costa Amalfitana, Pompeji, den Höhlen von Castelcivita und Pertosa, Velia und Palinuro.

Via Ponte di Ferro, 84063 Paestum
Tel. und Fax 0828-851105 • E-Mail: info@campingathena.com
Internet: www.campingathena.com

Camping Zeus liegt direkt neben den berühmten archäologischen Ausgrabungen von Pompeji und in einem prächtigen Park mit mediterraner Bepflanzung am Fusse des Vesuvs.
Umfangreiche Ausstattungen: Bar/Restaurant, Souvenirshop, Internetpoint und Strom bis 10 Amp.
Ein Pluspunkt ist die hervorragende Lage für Exkursionen mit dem öffentlichen Nahverkehr u.a. nach Neapel, Sorrent, Amalfi, Positano, Capri usw. Seit 2005: Abendbesuche der Ausgrabungen in Pompeji.

80045 Pompeii
Tel.081-8615320 • Fax 081-8617536
E-Mail: info@campingzeus.it
Internet: www.campingzeus.it

Paestum, I-84063 / Campania

△ Athena***
◎ Via Ponte di Ferro
◎ 1 Apr - 31 Okt
☎ +39 0828-851105
@ info@campingathena.com
N 40°25'44'' E 14°58'56''

1 ADEFGIKNOPQRST	KNQSWX 6
2 EFHOPQWXY	ADF 7
3 BFQ	ACEFNOR 8
4 **AILOP**	JL 9
5 ACDFGI	AFGHIJORV10

Anzeige auf dieser Seite 5A CEE
① €33,00
2,5 ha 130T(80-100m²) 141D
② €51,00

Im Zentrum von Paestum Schildern zum CP folgen, CP direkt am Meer.

Paestum, I-84063 / Campania

△ Camping Villaggio Ulisse***
◎ Collimaco
◎ 1 Apr - 30 Sep
☎ +39 0828-851095
@ info@campingulisse.com
N 40°25'40'' E 14°58'57''

1 ADFGJMNOPQRST	KMNQ 6
2 EFHOPQVXY	ADF 7
3 BFQ	AEFNOR 8
4 BCILN	JL 9
5 ACDEFGJ	ABFGHIJPRV10

3A CEE
① €36,00
6 ha 200T(50-80m²) 65D
② €56,00

Im Zentrum von Paestum, den Schildern folgen, CP liegt direkt am Meer.

Paestum, I-84063 / Campania

△ La Giara
◎ Via Torre di Mare
◎ 5 Apr - 30 Sep
☎ +39 0828-811077
@ info@campinglagiara.it
N 40°24'42'' E 14°59'38''

1 AFJMNOPRS**T**	KMX 6
2 EFHOPQRVXY	AD**FH** 7
3 BEFL**M**QR	AEFNORV 8
4 **AEILNP**	JL 9
5 ABCDEFHIJK	ABFGHIKR10

6A CEE
① €33,00
3,5 ha 150T(60m²) 43D
② €40,00

Im Zentrum von Paestum Schildern zum CP folgen, CP direkt am Meer.

Paestum, I-84047 / Campania

△ Nettuno
◎ Via Laura - Mare 53
◎ 1 Apr - 30 Sep
☎ +39 0828-851042
@ info@villaggionettuno.com
N 40°26'50'' E 14°58'8''

1 ADEFGILNOPQRST	AKMNQ 6
2 BEFHPQVXY	AD**F** 7
3 AEFL**M**	AEFNOQR 8
4 **A**BHL	FJLPTV 9
5 AJ	ABFGHIJO10

4A CEE
① €35,00
4 ha 80T(50-80m²) 160D
② €45,00

CP an der Küstenstraße, in Paestum deutlich beschildert.

Paestum, I-84063 / Campania

△ Villaggio dei Pini***
◎ Via Torre di Mare
◎ 1 Jan - 31 Dez
☎ +39 0828-811030
@ info@campingvillaggiodeipini.com
N 40°24'39'' E 14°59'43''

1 ADEF**JM**NOQRST	KMNR 6
2 BEGHOPRSVXY	ABDE**FGH** 7
3 ABDEF**I**LMQ	ABCDEFHKNOR 8
4 **A**BCEHLMNO	EJLV 9
5 ABEFGJKL	ACFGHIKLMNOR10

6A CEE
① €45,00
3 ha 158T(40-100m²) 65D
② €60,00

Im Zentrum von Paestum der Beschilderung Richtung Camping folgen. Camping liegt direkt am Meer.

Palinuro, I-84064 / Campania

△ Arco Naturale Club
◎ Loc. Mingardo
◎ 15 Jun - 15 Sep
☎ +39 0974-931157
@ info@arconaturaleclub.it
N 40°2'9'' E 15°18'24''

1 BDFGILNOPRST	A**F**KMNOPQ**XYZ** 6
2 CEJKOPRVXY	AD**FH** 7
3 ABF**L**M**RU**	ABDEFNOR 8
4 **A**BCEHILM	JLPQTU 9
5 ACGJ	ABGHIKORZ10

5A CEE
① €57,00
10 ha 250T(50-60m²) 180D
② €90,00

CP 2 km südlich von Palinuro Richtung Marina di Camerota, CP liegt an der Küstenstraße, gut ausgeschildert.

Palinuro, I-84064 / Campania

△ Marbella Club***
◎ Loc. Piana Mingardo
◎ 13 Jun - 13 Sep
☎ +39 0974-931003
@ camping@marbellaclub.it
N 40°2'15'' E 15°18'35''

1 BDFGILNOPRST	A**F**KNOPQRSW**XZ** 6
2 CEFGHJMORVY	AD**FH** 7
3 BEF**G**HLMQ	ABEFNORV 8
4 **A**BCD**E**ILMN**P**	ADIJKLMOPQSTV 9
5 ACDEFGIK	BFGHIJLNPRV10

6A CEE
① €55,00
5 ha 430T(25-50m²) 68D
② €81,00

CP 2 km südlich von Palinuro Richtung Marina di Cameroto, an Küstenstraße ausgeschildert.

Piano di Sorrento, I-80063 / Campania

△ Bluegreen
◎ Via Madonna di Rosella 52
◎ 15 Mai - 15 Sep
☎ +39 081-5321323
@ info@bluegreenvillage.com
N 40°38'29'' E 14°24'21''

1 BDEGHKNOPQRST	6
2 FGOPVWXY	ABDE 7
3 AL	ABEFLMNRV 8
4 AIO	J 9
5 AEFGIJL	ABGHIJOR10

6A CEE
① €43,00
H60 1 ha 50T(36-42m²) 18D
② €49,00

In der Ortseinfahrt von Piano di Sorrento über die SS145 der Strecke Richtung Sorrento folgen und die Ausfahrt Via Bagnulo nehmen. Der CP ist angezeigt.

Pisciotta/Caprioli, I-84066 / Campania

△ Costa del Mito
◎ Torraca snc
◎ 16 Apr - 15 Okt
☎ +39 0974-976070
@ info@costadelmito.it
N 40°5'12'' E 15°15'32''

1 ACDEG**I**LNOPQRST	KMNQSUWX**Z** 6
2 BEFHJKMORSTUVXY	A**F** 7
3 ABEFLQR	AEFNORV 8
4 **A**BCELNO**PQ**	DGJQ 9
5 ABDEFGJKL	ABFHIJOR10

3A CEE
① €47,50
8 ha 60T(16-50m²) 100D
② €71,50

Von Palinuro der Küstenstraße Richtung Piscotta folgen (SS447). Hinter dem Zentrum von Caprioli den CP-Schildern folgen.

Pompei, I-80045 / Campania

△ Fortuna Village Pompei
◎ Via Plinio 115
◎ 1 Jan - 31 Dez
☎ +39 081-8508439
@ info@fortunavillagepompei.it
N 40°44'48'' E 14°29'3''

1 ADEJMNOPQRS**T**	6
2 AFOPVX	BEH 7
3	BFNQ 8
4	GL 9
5 ADEFGJM	ABGHIOU10

6A CEE
① €27,00
0,5 ha 30T(30-60m²) 19D
② €33,00

Von der A3 Neapel-Salerno, Ausfahrt Pompei Quest links. Camping nach 300m rechts.

Pompei, I-80045 / Campania

△ Zeus
◎ Villa dei Misteri
◎ 1 Jan - 31 Dez
☎ +39 081-8615320
@ info@campingzeus.it
N 40°44'57'' E 14°28'51''

1 BDEFILNOR**T**	6
2 AOPQRVWXY	AD**FG** 7
3	AEFNR 8
4	GJL 9
5 BDEFGIJKL	GHIJ**N**PR10

Anzeige auf dieser Seite 10A CEE
① €32,00
2 ha 80T(40-100m²) 43D
② €38,00

Autobahn ab Neapel-Salerno: Ausfahrt Pompei-Ovest links. Nach 200m wieder links, dann nach links aufwärts.

Italien

Pompei, I-80045 / Campania ⏀ CC€16

⛺ Spartacus***	1 BDEILNORT	6
🚌 Via Plinio 127	2 OPWXY	AD**FG** 7
🔓 1 Jan - 31 Dez	3	ABEFNORT 8
☎ +39 081-8624078	4 I	DJL 9
@ staff@campingspartacus.it	5	AGHIK**NOR**10
	8A CEE	❶ €34,00
	1 ha 80T(25-32m²) 30D	❷ €42,00

📷 N 40°44'44'' E 14°29'2''
🚗 A3 Neapel-Salerno, Ausfahrt Pompei-Ovest. Dann gleich links. CP liegt nach 250m rechts.

CAMPING SANT'ANTONIO

Der Camping liegt in Strandnähe, mitten in einem Park mit kühlenden, schattigen Zitronen-, Apfelsinen- und Nussbäumen: eine wahre Oase der Ruhe und Erholung. Der bestens ausgestattete und moderne Ferienpark und die effiziente Organisation garantieren einen angenehmen Aufenthalt. Bootsausflüge nach Capri. Direktverbindung mit dem Bus, Zug oder Boot zu den archäologisch interessanten Plätzen, den Thermalbädern und den kunsthistorischen Städten. **Bungalows zu vermieten.** Der Campingplatz verfügt über W-Lan.

Preis pro Nacht, inklusive 2 Personen, Auto und Zelt/Caravan oder Reisemobil für CCA-Gäste € 18,00.

**Via Marina d' Equa 21, 80069 Vico Equense
Tel. und Fax 0039-081-8028570
Tel. und Fax Winter 0039-081-8028576
E-Mail: info@campingsantantonio.it
Internet: www.campingsantantonio.it**

Pozzuoli, I-80078 / Campania ⏀ CC€18

⛺ Int. Vulcano Solfatara***	1 BDEILNOPRT	A 6
🚌 Via Solfatara 161	2 ABFGOPQWXY	AD**FG** 7
🔓 1 Jan - 31 Dez	3 BLQ	ABEFNOQR 8
☎ +39 081-5267413	4 T	DJL 9
@ info@solfatara.it	5 ACDEGK**M**	ABGHIJ**OST**10
	4A CEE	❶ €35,50
	H100 3 ha 160T(40-70m²) 17D	❷ €47,50

📷 N 40°49'43'' E 14°8'12''
🚗 Liegt kurz vor Pozzuoli Richtung Napoli ('Tangenziale', Ausfahrt 11, Agnano). Der Campingplatz ist gut ausgeschildert. Einfahrtstor 2,70 Meter breit und 3,40 hoch.

Sorrento, I-80067 / Campania ⏀

⛺ Int. Nube d' Argento SRL	1 BDEILNOR**T**	AFKQS 6
🚌 Via Capo 21	2 EFHOPQRTUWXY	ABDE**F**H 7
🔓 1/1 - 10/1, 10/3 - 31/12	3 BL	AEFNORV 8
☎ +39 081-8781344	4 A**O**	ADIJL 9
@ info@nubedargento.com	5 ABDEFGIKLM	AGHIJ**OR**10
	4A CEE	❶ €41,00
	H60 2 ha 100T(50-100m²) 34D	❷ €51,00

📷 N 40°37'31'' E 14°21'56''
🚗 A3/E45 Neapel-Salerno, Ausfahrt Castellammare di Stabia, Richtung Sorrento. 300m hinter Sorrento-Zentrum liegt rechts der CP.

Vico Equense, I-80069 / Campania ⏀ CC€18 iD

⛺ Sant'Antonio****	1 ADEFILNOPRT	K**N**OQSWXZ 6
🚌 Via Marina d' Equa 21	2 EHJOPTWXY	ADF 7
🔓 15 Mär - 31 Okt	3	AE**F**NR 8
☎ +39 081-8028570	4 **A**	EJL 9
@ info@campingsantantonio.it	5 ABCGKL	ABGHIJ**OR**10
Anzeige auf dieser Seite	5A CEE	❶ €35,00
	1 ha 60T 33D	❷ €51,00

📷 N 40°39'34'' E 14°25'8''
🚗 A3 Ausfahrt Castellammare Richtung Sorrento. Beim Schild Vico Equense nicht Richtung Zentrum, sondern links in den Tunnel fahren. Nach dem Tunnel hinter der Brücke rechts ab. Langsam fahren.

Sorrento, I-80067 / Campania iD

⛺ Santa Fortunata/	1 AILNOPQRT	**AF**KMOP 6
Campogaio****	2 EFGKMOPQRTUVWXY	ABDE**FG**HJ 7
🚌 Via Capo 39	3 ABLQ	ABCDEFNOQR 8
🔓 1 Apr - 15 Okt	4 **A**EILMO**P**	AEHJLS 9
☎ +39 081-8073579	5 ACEFGJKL	ABGHIJ**N**ORV10
@ info@santafortunata.eu	6A CEE	❶ €45,00
	30 ha 350T(80-120m²) 185D	❷ €55,00

📷 N 40°37'39'' E 14°21'27''
🚗 2 km nach Sorrento Richtung Massalubrense. (Nach Sorrento den Schildern folgen.)

Villammare, I-84079 / Campania ⏀

⛺ Europa Unita/	1 BDFJKNORS	KMNQX 6
Solemare Project**	2 EFHKOPQVXY	ADF 7
🚌 SS18, km 211	3 BEFLQ	AE**F**NOR 8
🔓 15 Mai - 15 Sep	4 **A**ILMN	DEJLQ 9
☎ +39 0973-365131	5 ABDEFGJKL	BFGHIJLOR10
🌐 solemareproject@tin.it	3A CEE	❶ €54,20
	5 ha 40T(60-100m²) 174D	❷ €84,80

📷 N 40°4'44'' E 15°34'34''
🚗 CP liegt an der SS18, ca. 1 km von Villammare entfernt, zwischen Km-Pfahl 210 und 211.

Melden Sie sich an für den Eurocampings Newsletter und bleiben Sie über die neusten Entwicklungen auf dem Laufenden!

Matera, I-75100 / Basilicata iD

⛺ Azienda Agritur.	1 ABDJMNOPRS	6
Masseria del Pantaleone	2 FOPRSVXY	7
🏠 C. da Chiancalata 27	3 **G**HL	ABCDE**F**NQRTUV 8
🔓 1 Jan - 31 Dez	4 A**O**	GU 9
☎ +39 0835-335239	5 EFGJ	BFHJ**N**ST10
@ loperfidoangeloraffaele@tin.it		
Anzeige auf dieser Seite	6A CEE	❶ €21,00
	H620 1,5 ha 30T(30-75m²) 14D	❷ €25,00

📷 N 40°39'8'' E 16°36'27''
🚗 Ausfahrt Matera-Sud den Schildern folgen.

**C. da Chiancalata 27
75100 Matera
Tel. 0835-335239
Fax 0835-240021
E-Mail:
loperfidoangeloraffaele@tin.it
Internet:
www.agriturismopantaleonematera.it**

San Marco/Metaponto, I-75038 / Basilicata iD

⛺ Azienda Agrituristica	1 ABDFILNOPRST	A 6
San Marco*	2 BPTXY	ABDE 7
🚌 Ex S.S. 175 km. 34	3 AB**KM**	ABEFN 8
🔓 1 Jan - 31 Dez	4	IL 9
☎ +39 0835-747050	5 I	HIJRV10
@ info@sanmarcoagriturismo.it	12A CEE	❶ €31,50
	H135 4 ha 40T 8D	❷ €43,50

📷 N 40°27'29'' E 16°45'35''
🚗 Küstenstraße SS106 Taranto-Crotone Richtung Reggio d.C. Km 450 III, Ausfahrt Matera, den CP-Schildern folgen.

Italien

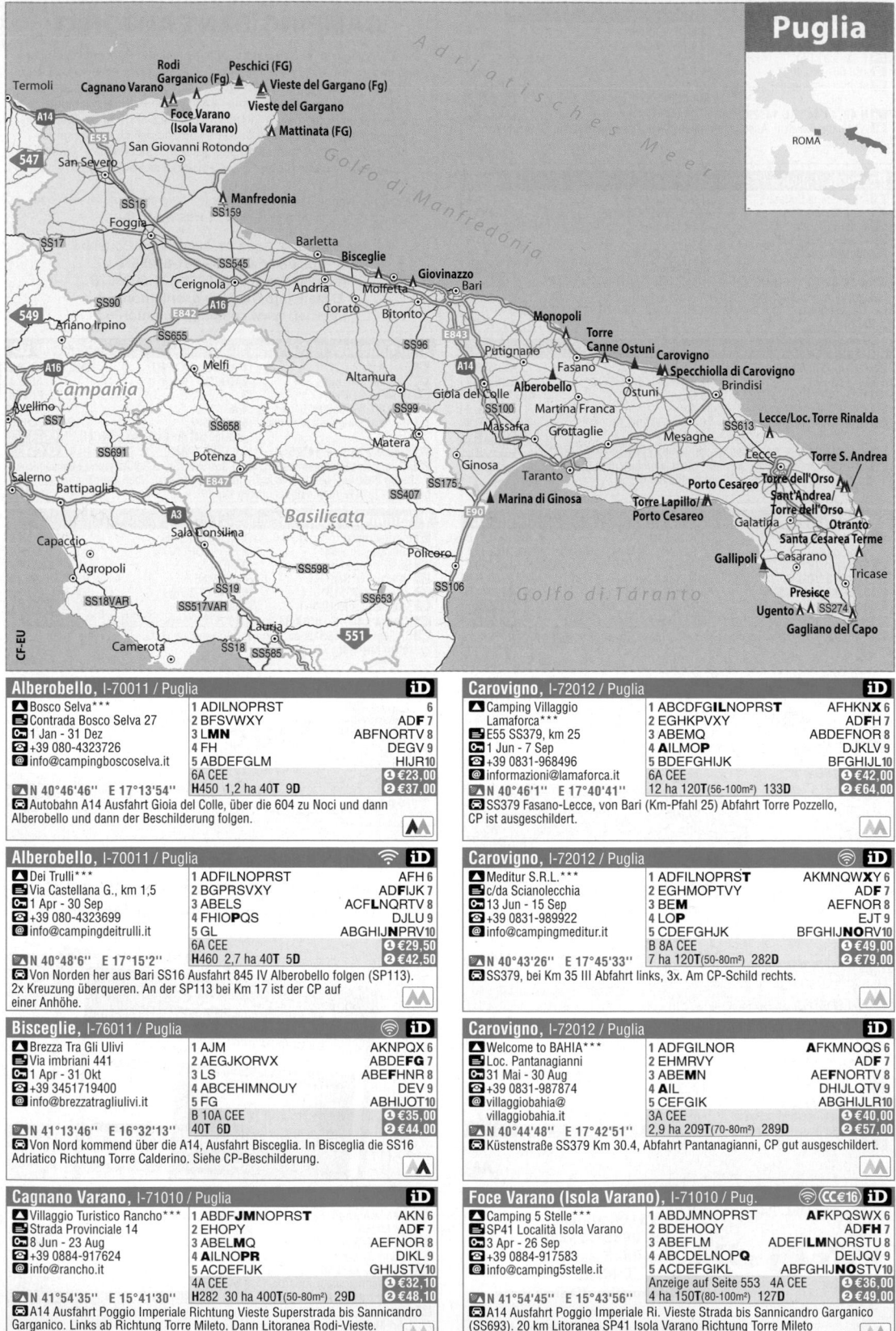

Puglia

Alberobello, I-70011 / Puglia 🆔

🏕 Bosco Selva***
🏠 Contrada Bosco Selva 27
📅 1 Jan - 31 Dez
☎ +39 080-4323726
@ info@campingboscoselva.it

1 ADILNOPRST		6
2 BFSVWXY	ADF	7
3 L**MN**	ABFNORTV	8
4 FH	DEGV	9
5 ABDEFGLM	HIJR	10
6A CEE	❶ €23,00	
H450 1,2 ha 40T 9D	❷ €37,00	

📍 N 40°46'46'' E 17°13'54''

🚗 Autobahn A14 Ausfahrt Gioia del Colle, über die 604 zu Noci und dann Alberobello und dann der Beschilderung folgen.

Alberobello, I-70011 / Puglia 📶 🆔

🏕 Dei Trulli***
🏠 Via Castellana G., km 1,5
📅 1 Apr - 30 Sep
☎ +39 080-4323699
@ info@campingdeitrulli.it

1 ADFILNOPRST	AFH	6
2 BGPRSVXY	ADF**IJK**	7
3 ABELS	ACF**L**NQRTV	8
4 FHIO**PQS**	DJLU	9
5 GL	ABGHIJ**N**PRV	10
6A CEE	❶ €29,50	
H460 2,7 ha 40T 5D	❷ €42,50	

📍 N 40°48'6'' E 17°15'2''

🚗 Von Norden her aus Bari SS16 Ausfahrt 845 IV Alberobello folgen (SP113). 2x Kreuzung überqueren. An der SP113 bei Km 17 ist der CP auf einer Anhöhe.

Bisceglie, I-76011 / Puglia 📶 🆔

🏕 Brezza Tra Gli Ulivi
🏠 Via imbriani 441
📅 1 Apr - 31 Okt
☎ +39 3451719400
@ info@brezzatragliulivi.it

1 AJM	AKNPQX	6
2 AEGJKORVX	ABDE**FG**	7
3 LS	ABEFHNR	8
4 ABCEHIMNOUY	DEV	9
5 FG	ABHIJOT	10
B 10A CEE	❶ €35,00	
40T 6D	❷ €44,00	

📍 N 41°13'46'' E 16°32'13''

🚗 Von Nord kommend über die A14, Ausfahrt Bisceglia. In Bisceglie die SS16 Adriatico Richtung Torre Calderino. Siehe CP-Beschilderung.

Cagnano Varano, I-71010 / Puglia 🆔

🏕 Villaggio Turistico Rancho***
🏠 Strada Provinciale 14
📅 8 Jun - 23 Aug
☎ +39 0884-917624
@ info@rancho.it

1 ABDF**JM**NOPRST	AKN	6
2 EHOPY	ADF	7
3 ABEL**MQ**	AEFNOR	8
4 **A**ILNO**PR**	DIKL	9
5 ACDEFIJK	GHIJSTV	10
4A CEE	❶ €32,10	
H282 30 ha 400T(50-80m²) 29D	❷ €48,10	

📍 N 41°54'35'' E 15°41'30''

🚗 A14 Ausfahrt Poggio Imperiale Richtung Vieste Superstrada bis Sannicandro Garganico. Links ab Richtung Torre Mileto. Dann Litoranea Rodi-Vieste. Der CP liegt rechts.

Carovigno, I-72012 / Puglia 🆔

🏕 Camping Villaggio Lamaforca***
🏠 E55 SS379, km 25
📅 1 Jun - 7 Sep
☎ +39 0831-968496
@ informazioni@lamaforca.it

1 ABCDFG**IL**NOPRS**T**	AFHKN**X**	6
2 EGHKPVXY	ADF**H**	7
3 ABEMQ	ABDEFNOR	8
4 **A**ILMO**P**	DJKLV	9
5 BDEFGHIJK	BFGHIJL	10
6A CEE	❶ €42,00	
12 ha 120T(56-100m²) 133D	❷ €64,00	

📍 N 40°46'1'' E 17°40'41''

🚗 SS379 Fasano-Lecce, von Bari (Km-Pfahl 25) Abfahrt Torre Pozzello, CP ist ausgeschildert.

Carovigno, I-72012 / Puglia 📶 🆔

🏕 Meditur S.R.L.***
🏠 c/da Scianolecchia
📅 13 Jun - 15 Sep
☎ +39 0831-989922
@ info@campingmeditur.it

1 ADFILNOPRS**T**	AKMNQWX**Y**	6
2 EGHMOPTVY	ADF	7
3 BE**M**	AEFNOR	8
4 LO**P**	EJT	9
5 CDEFGHJK	BFGHIJ**NO**RV	10
	❶ €49,00	
7 ha 120T(50-80m²) 282D	❷ €79,00	

📍 N 40°43'26'' E 17°45'33''

🚗 SS379, bei Km 35 III Abfahrt links, 3x. Am CP-Schild rechts.

Carovigno, I-72012 / Puglia 🆔

🏕 Welcome to BAHIA***
🏠 Loc. Pantanagianni
📅 31 Mai - 30 Aug
☎ +39 0831-987874
@ villaggiobahia@
    villaggiobahia.it

1 ADFGILNOR	**A**FKMNOQS	6
2 EHMRVY	ADF	7
3 ABE**M**N	AEFNORTV	8
4 **A**IL	DHIJLQTV	9
5 CEFGIK	ABGHIJLR	10
3A CEE	❶ €40,00	
2,9 ha 209T(70-80m²) 289D	❷ €57,00	

📍 N 40°44'48'' E 17°42'51''

🚗 Küstenstraße SS379 Km 30.4, Abfahrt Pantanagianni, CP gut ausgeschildert.

Foce Varano (Isola Varano), I-71010 / Pug. 📶 CC€16 🆔

🏕 Camping 5 Stelle***
🏠 SP41 Località Isola Varano
📅 3 Apr - 26 Sep
☎ +39 0884-917583
@ info@camping5stelle.it

1 ABDJMNOPRST	**AF**KPQSWX	6
2 BDEHOQY	ADF**H**	7
3 ABEFLM	ADEF**ILMN**ORSTU	8
4 ABCDELNOP**Q**	DEIJQV	9
5 ACDEFGIKL	ABFGHIJ**NO**STV	10
Anzeige auf Seite 553 4A CEE	❶ €36,00	
4 ha 150T(80-100m²) 127D	❷ €49,00	

📍 N 41°54'45'' E 15°43'56''

🚗 A14 Ausfahrt Poggio Imperiale Ri. Vieste Strada bis Sannicandro Garganico (SS693). 20 km Litoranea SP41 Isola Varano Richtung Torre Mileto (Provinzstraße 14). Camping auf der rechten Seite.

Gagliano del Capo (LE), I-73034 / Puglia 🛜 (CC€16) iD

- ▲ S. Maria di Leuca***
- SS 275, km 35.700
- 1 Jan - 31 Dez
- ☎ +39 0833-548157
- @ info@campingsmleuca.com

1 ABDFG**JM**NOPQRS**T**	ANOPX 6
2 BORSXY	ABDE**F** 7
3 ABELMU	ABCDE**FMN**R 8
4 ABCD**E**FLMNO**PXYZ**	EHIKLUV 9
5 ABDEFGHKL	ABHIJLN**P**STY10
3 ha 200**T** 55**D**	❶ €48,00 / ❷ €60,00

N 39°49'28'' E 18°22'7''
Von Süden Maria di Leuca die Ungehung an Gagliano del Capo vorbei. Der CP ist gut ausgeschildert.

Anzeige auf dieser Seite B 3A CEE

Gallipoli, I-73014 / Puglia 🛜 (CC€16) iD

- ▲ Baia di Gallipoli Camping Resort****
- S.P. 215 km 0,100
- 1 Apr - 15 Sep
- ☎ +39 0833-273210
- @ info@baiadigallipoli.com

1 ABDEFG**JM**NOPRS**T**	AMNOQST 6
2 FHKOPQY	ABDE**FGH** 7
3 ABE**GLMQ**	ABCDEFNORS 8
4 AEFHILMOP	EKTUV 9
5 ABCDEFGHJ	ABHIJL**P**TV10
Anzeige auf dieser Seite 6A CEE	❶ €32,00
H50 11 ha 600**T**(40-120m²) 50**D**	❷ €44,00

N 39°59'54'' E 18°1'34''
Vom Süden SS101 Lecce-Gallipoli. Vor Gallipoli SS274 links nach S. Maria di Leuca fahren. Nach ca. 2 km Ausfahrt Lido Pizzo. Nach ca. 5 km am Ende der Straße links. CP auf der linken Seite.

Gallipoli, I-73014 / Puglia iD

- ▲ La Vecchia Torre***
- Lit. Gallipoli-S.Maria al Bagno
- 19 Mai - 30 Sep
- ☎ +39 0833-209083
- @ info@lavecchiatorre.it

1 ABDG**JM**NOPRS**T**	KNOQW**XY** 6
2 BEHKOQY	ADF**H** 7
3 ABE**ILMNQ**	AEFKLNRV 8
4 A**CILP**	EJKV 9
5 CDEFGHJK	AGHIJV10
D 0A CEE	❶ €60,00
8 ha 350**T** 85**D**	❷ €70,00

N 40°4'57'' E 18°0'40''
SS101 Lecce-Gallipoli, Ausfahrt Lido L. Conchiglie/Rivabella, rechts ab SP108, Gabelung links, Schildern zum CP folgen. Ca. 2 km links und rechts gelegen.

Giovinazzo, I-70054 / Puglia 🛜 iD

- ▲ Campofreddo***
- Loc. Ponte
- 20 Mai - 20 Sep
- ☎ +39 080-3942112
- @ torraco@libero.it

1 AFGILNOPRST	KNPQSW**XYZ** 6
2 AEKMO**R**WX	ADF 7
3 ABEQ	AEF**N**OR 8
4 HI.M**P**	.JI 9
5 CGK	BHIJOR10
B 3-5A CEE	❶ €23,00
4 ha 50**T**(25-75m²) 132**D**	❷ €35,00

N 41°10'57'' E 16°41'0''
Von Süden: A14 Ausfahrt Molfetta; links Richtung Molfetta. Nächste Ausfahrt Richtung Bari. SS16 Giovinazzo folgen. Durch Giovinazoo fahren. Direkt hinterm Dorf is CP ausgeschildert.

Lecce/Loc. Torre Rinalda, I-73100 / Puglia 🛜 iD

- ▲ Camping Village Torre Rinalda
- Via Simeone D'Antona 1
- 31 Mai - 15 Sep
- ☎ +39 0832-382161
- @ info@torrerinalda.it

1 ADEFG**JM**NOPQRST	AKMPQRSWX 6
2 AEHOPRVXY	ADF 7
3 BEFLM**NQ**	AEFNORSV 8
4 BCDLMN	DEL 9
5 ABCDEFGHJK	ABFHIJNOV10
B 6A CEE	❶ €57,90
15,5 ha 730**T**(81m²) 200**D**	❷ €68,30

N 40°28'51'' E 18°8'48''
SS16 Ausfahrt Trepuzzi Richtung Squinzano/Trapuzzi. Nach 200m links auf die SS100. Über die SP133 San Cataldo/Casalabate. Den Schildern folgen.

Manfredonia, I-71043 / Puglia 🛜 (CC€12) iD

- ▲ Lido Salpi
- SS159, km 6,2
- 1 Jan - 31 Dez
- ☎ +39 0884-571160
- @ lidosalpi@alice.it

1 ABDFJ**L**NOPRST	KMNQS 6
2 EFHORVY	ABD**F** 7
3 ABFLQ	ABE**F**HNORUV 8
4 **ABCD**ILO**PS**	DEJLT 9
5 ABDFGIKL	BFGHIJNPSTWX10
Anzeige auf dieser Seite B 6A CEE	❶ €24,00
1 ha 52**T**(50-70m²) 7**D**	❷ €35,00

N 41°33'18'' E 15°53'45''
A14, Ausfahrt Foggia, Richtung Manfredonia. SS89 Ausfahrt Manfredonia Süd. Südwärts die SS159 bis zum CP auf der linken Seite.

Marina di Ginosa, I-74025 / Puglia iD

- ▲ Amici della Natura
- Della Marinalla loc. Torre Mattoni
- 1 Apr - 31 Okt
- ☎ +39 333-8992741
- @ kiogio@yahoo.it

1 ABJMNOPQRS**T**	KQ 6
2 EHOPRWX	AB**DE** 7
3 BL	AEFNRV 8
4 AFHI	X 9
5 ABG	IJSTV10
6A	❶ €16,00
20 ha 100**T**(100m²)	❷ €20,00

N 40°24'19'' E 16°52'1''
SS106 Ausfahrt Pantano Richtung Marina di Ginosa. Bei Villaggio Torre Serena links entlang Villaggio. An der Pforte hupen.

Marina di Ginosa, I-74025 / Puglia iD

- ▲ Campeggio Internazionale***
- Viale Mare delle Antille
- 1 Mai - 30 Sep
- ☎ +39 099-8277153
- @ info@ campingmarinadiginosa.it

1 ADFHKNOPRS**T**	KNQSWX 6
2 BEHJQTY	ABD**FH** 7
3 B**MN**	ABCDEFNRUV 8
4	JL 9
5 ABG	BHIJLST10
B 6A CEE	❶ €35,50
3,5 ha 230**T**(30-50m²) 661**D**	❷ €50,00

N 40°25'25'' E 16°53'3''
SS106 Taranto-Metaponte, Ausfahrt Ginosa Km-Pfahl 458 II, in Richtung Marina di Ginosa fahren, 5. Straße (3 km) vorm Dorf rechts, 1. links Viale Pola, über den Bahnübergang, 1. schräg rechts, geradeaus (noch 900m).

Mattinata (FG), I-71030 / Puglia 🛜 iD

- ▲ Vignanotica
- Lit Matt-Vieste, km 18,5
- 1 Jun - 30 Sep
- ☎ +39 0884-550640
- @ info@vignanotica.it

1 ABCDFGILNORT	KNPQSU**X** 6
2 EFJMRUVX	ADF 7
3 B	AEFNRV 8
4 OR	ILQRT 9
5 ACL	HIJOSTV10
ΣA CEE	❶ €37,00
H68 2 ha 100**T**(50m²) 29**D**	❷ €56,00

N 41°45'37'' E 16°9'32''
A14, Ausfahrt Foggia, dann SS89 hinter Mattinata, bei km 18,5 sehr kleine Straße (rechts) nach unten.

Monopoli, I-70043 / Puglia iD

- ▲ Camping S. Stefano
- Contrada S. Stefano
- 16 Mai - 15 Sep
- ☎ +39 080-777065
- @ info@campingsstefano.it

1 ADEFIKNOPRST	KN 6
2 AEFHMORSWXY	AD 7
3 LQ	ACEFNOR 8
4	V 9
5 B	BHIJNST10
6A CEE	❶ €34,40
6 ha 155**T**(15-120m²) 60**D**	❷ €50,10

N 40°55'36'' E 17°19'56''
Von Norden: SS16, Ausfahrt Monopoli-Süd. Der Beschilderung folgen.

Ostuni, I-72017 / Puglia 🛜 iD

- ▲ Cala dei Ginepri***
- Contrada Montanaro, SS379, km 23,5
- 4 Mai - 13 Sep
- ☎ +39 0831-330402
- @ info@caladeiginepri.it

1 ADFGILNOPRST	A 6
2 EHMRSVXY	A**F** 7
3 ACF**GHLM**	ACDFTV 8
4 BDLMN**PQ**	EJ 9
5 ACDEFGJ	BIJNO10
5A CEE	❶ €45,00
10 ha 400**T**(bis 80m²) 140**D**	❷ €64,00

N 40°45'52'' E 17°39'1''
Auf der SS379 hinter Km-Pfahl 23.5. Durch Beschilderung gut angezeigt.

Ostuni, I-72017 / Puglia 🛜 iD

- ▲ Costa Merlata**
- Marina di Ostuni
- 1 Jun - 30 Sep
- ☎ +39 0831-304004
- @ info@costamerlata.com

1 ADFGHKNOR**T**	KNQS**XY** 6
2 EHPVY	ADF 7
3 ABEFQ	AEFNOR 8
4 AI**LP**	DEIJ 9
5 ACFGIK	BFHIJL**NOR**10
6A CEE	❶ €41,00
6 ha 300**T**(36-72m²) 97**D**	❷ €67,00

N 40°46'36'' E 17°38'22''
CP liegt an der Küstenstraße SS379/E55 südlich von Ostuni, am Meer Ausfahrt Marina di Ostuni, Km 21 VI.

Ostuni, I-72017 / Puglia ⊙ iD

🏕 Il Pilone***
🏠 SS379 km 14
📅 19 Apr - 14 Sep
☎ +39 0831-350135
@ info.villaggio@villaggiostuni.it

1 ADFGILNORT	AFKNQSX 6
2 EGHOPRVY	ADF 7
3 ABEM	ADEFLNOR 8
4 BCDFLPQ	ET 9
5 CDEFGHIKL	AFGHIJOR10
B 4A CEE	

🧭 N 40°48'14'' E 17°32'24''
10 ha 350T(10-50m²) 263D
❶ €34,00
❷ €58,00

🛣 SS16, nicht Abfahrt Ostuni, sondern SS379 (Ostuni für Lastwagen), Abfahrt Pilone, Km 14.

Otranto (LE), I-73028 / Puglia ⊙ iD

🏕 Centro Vacanze Camping Mulino d'Acqua
🏠 Via San Stefano
📅 29 Apr - 14 Sep
☎ +39 0836-802191
@ info@mulinodacqua.it

1 ABDGILNOPRST	AKMNOPQSW 6
2 BEFGHMPRSXY	ADF 7
3 ALMNQ	AEFNOR 8
4 LMNP	EGHIJSUV 9
5 ABDEFGHJ	BHIJOS10
6A CEE	

🧭 N 40°10'2'' E 18°28'34''
10 ha 1600T(35-100m²) 66D
❶ €55,00
❷ €81,00

🛣 SS16 Richtung Otranto zur SS275. Auf die SP366. Den CP-Schildern folgen.

Peschici (FG), I-71010 / Puglia ⊙ iD

🏕 Baia San Nicola***
🏠 Loc. S. Nicola
📅 16 Mai - 17 Okt
☎ +39 0884-964231
@ info@baiasannicola.it

1 ABCFGJMNOPRST	KNQSTUWXY 6
2 EFHMPQUY	ABDEF 7
3 AL	ABEFNOR 8
4 ANOP	AIJKLT 9
5 ACDEGIJK	AGHIJOSTV10
5A CEE	

🧭 N 41°56'41'' E 16°1'52''
1 ha 100T(40m²) 15D
❶ €47,00
❷ €62,00

🛣 A14, Ausfahrt Poggio Imperiale, Richtung Vieste SS89. Nach Peschici den Küstenweg (Litoranea) fahren, dann den CP-Schildern folgen.

Peschici (FG), I-71010 / Puglia ⊙ iD

🏕 Centro Tur. San Nicola****
🏠 Lit. per Vieste
📅 1 Mai - 30 Sep
☎ +39 0884-964024
@ sannicola@sannicola.it

1 ABDFGJMNOPRST	KMNPQSWX 6
2 EFGHPUVWXY	ABDEF 7
3 BLMNQ	ABDEFNORSV 8
4 AELMNO	GJLMQT 9
5 CDEFHJKL	AGHIJOSTYZ10
B 6-16A CEE	

🧭 N 41°56'33'' E 16°1'50''
12 ha 650T(40-100m²) 30D
❶ €53,00
❷ €75,60

🛣 A14 Ausfahrt Poggio Imperiale, SS89 Richtung Vieste bis Peschici. Dann Küstenstraße Richtung Vieste (Litoranea), den CP-Schildern folgen.

Peschici (FG), I-71010 / Puglia CC€12 iD

🏕 Parco Degli Ulivi***
🏠 Baia di Peschici-Gargano
📅 22 Mai - 30 Sep
☎ +39 0884-962299
@ contatti@parcodegliulivi.it

1 ABFGIKNOPRST	AFHKMNQSX 6
2 EFHMOPY	ADF 7
3 AEFLMNQ	ADEFNORV 8
4 ABCDELNP	EIJKLTV 9
5 ACDEFGJK	AGHIJLSTW10
Anzeige auf dieser Seite 5A	

🧭 N 41°56'35'' E 16°0'23''
16 ha 300T(50-90m²) 69D
❶ €36,00
❷ €46,00

🛣 A14 Ausfahrt Poggio Imperiale, SS89 Richtung Vieste bis Peschici. Dort den CP-Schildern folgen.

Camping und Bungalows in sehr
altem Olivenbaumgarten mit großen
schattigen Plätzen.

**Baia di Peschici-Gargano
71010 Peschici (FG)
Tel. 0884-962299**

🏕***degli**
Parco Ulivi

E-Mail: contatti@parcodegliulivi.it
Internet: www.parcodegliulivi.it

Peschici (FG), I-71010 / Puglia CC€16 iD

🏕 Vill. Grotta dell'Acqua & Sfinal Residen***
🏠 Sfinale
📅 17 Mai - 18 Sep
☎ +39 0884-911150
@ info@grottadellacqua.com

1 ABDFJMNOPRST	KMNQRSUX 6
2 EFHOPVY	ADF 7
3 BEGMQ	ABCDEFINORV 8
4 ALOP	EJLMT 9
5 ACDEFGHIL	ABGHIJSTV10
B 5A CEE	

🧭 N 41°55'54'' E 16°5'17''
10 ha 200T(40-45m²) 100D
❶ €47,00
❷ €68,00

🛣 A14, Ausfahrt Poggio Imperiale, SS89 Richtung Vieste bis Peschici. Danach den Küstenweg (Litoranea) Richtung Vieste. CP nach ca. 10 km.

Peschici (FG), I-71010 / Puglia ⊙ iD

🏕 Vill. Tur. Baia di Manaccora***
🏠 Lit. Pes.-Vieste
📅 18 Mai - 21 Sep
☎ +39 0884-911050
@ info@manaccora.it

1 ABDFGJKNOPRST	AKMNQSWXY 6
2 EFHPQVXY	ADF 7
3 BEILMNQR	ABFILNORV 8
4 ABCDLOP	JLQT 9
5 ACDEFGJK	ABHIJNOST10
5A CEE	

🧭 N 41°56'42'' E 16°2'56''
14 ha 160T(36-50m²) 250D
❶ €54,00
❷ €73,60

🛣 A14, Ausfahrt Poggio Imperiale, SS89 Richtung Vieste bis Peschici. Dann Küstenstraße Richtung Vieste (Litoranea).

Peschici (FG), I-71010 / Puglia ⊙ CC€18 iD

🏕 Villaggio Cp. Internazionale Manacore****
🏠 Lit. Pes.-Vieste
📅 16 Mai - 26 Sep
☎ +39 0884-911020
@ manacore@grupposaccia.it

1 ABDFGJMNOPRST	AKMNQSWX 6
2 EFHOPQUVY	ABDEFJ 7
3 BEFLMQ	ABDEFNORV 8
4 ABCDLNP	JKQTUV 9
5 ACDEFGHIJK	AGHIKNSTVY10
B 3A CEE	

🧭 N 41°56'14'' E 16°4'12''
22 ha 700T(40-60m²) 121D
❶ €63,00
❷ €70,50

🛣 A14, Ausfahrt Poggio Imperiale, SS89 Richtung Vieste bis Peschici. Dann Küstenstraße Richtung Vieste (Litoranea) bis zur Tankstelle, dort CP-Zufahrtsstraße.

Porto Cesareo, I-73010 / Puglia ⊙ iD

🏕 Porto Cesareo
🏠 Via Torre Lapillo-Torre Col., km 0,7
📅 30 Mai - 15 Sep
☎ +39 0833-565312
@ info@portocesareocamping.it

1 ABDEFGILNOPRST	AKNOQRST 6
2 EGHMOPVY	ABDEFJK 7
3 ABEQ	ABCDEFNQRV 8
4 HLOPQY	EU 9
5 ACDEFGHM	BHIJON10
B 4A	

🧭 N 40°17'27'' E 17°49'38''
200T(45-90m²) 30D
❶ €53,00
❷ €69,50

🛣 Von der SS379 Ausfahrt S.Vito N.nni, weiter Richtung Mesagne-S. Pancrazio Sal-Torre Lapillo- und hinter dem Kreisel nach 600 Metern nach rechts abbiegen, nach 1 km kommt man zum CP.

Presicce, I-73054 / Puglia iD

🏕 Agricampeggio Terra di Moro
🏠 Via Prov. 332
📅 1 Jan - 31 Dez
☎ +39 340-5351270
@ info@agricampeggiosalento.it

1 ABJMNORST	6
2 FRSWX	ABDE 7
3	ABEFNR 8
4	9
5	JN10
16A CEE	

🧭 N 39°52'24'' E 18°11'28''
2 ha 24T(60-100m²)
❶ €20,00
❷ €28,00

🛣 SP 91 von Leuca nach Torre Pali. Der Strecke (ca. 4 km) folgen und auf die SP332 abbiegen un der Beschilderung zum Camping folgen.

Rodi Garganico (Fg), I-71012 / Puglia ⊙✿ iD

🏕 Siesta Vill. Turistico****
🏠 Lido del Sole
📅 24 Mai - 15 Sep
☎ +39 0884-917009
@ info@siestacamping.it

1 ABDFGJMNOPRST	AKMNPQUVX 6
2 EFGHOPVY	ADF 7
3 ABEFLMNR	ACEFNORV 8
4 ABCDILNOPRSTUVWYZ	GJLV 9
5 ACDEFGHIK	AGHIJLNOSTY10
B 3A CEE	

🧭 N 41°55'24'' E 15°50'37''
H62 5 ha 300T(50m²) 153D
❶ €38,00
❷ €52,00

🛣 A14 Ausfahrt Poggio Imperiale bis Abfahrt Rodi Garganico, dort CP-Schildern Siesta folgen (Lido del Sole).

Sant'Andrea/Torre dell'Orso, I-73026 / Puglia iD

🏕 Area Camper Sant'Andrea Salento
🏠 Litoranea S. Cataldo-Otranto
📅 5 Jun - 15 Sep
☎ +39 328-2584042
@ annagrazia.mazzeo@libero.it

1 ABGILNOPQRST	6
2 EGHKMOPVWY	ADF 7
3 BG	ABCEFHRTUV 8
4 DN	UV 9
5 ABC	BHIKSV10
6A CEE	

🧭 N 40°15'19'' E 18°26'15''
50T(60-80m²)
❶ €29,00
❷ €30,00

🛣 San Cataldo-Otranto SP366 nach ± 2 km direkt vor dem Kreisel rechts. Hinter dem Obst- und Gemüseladen.

Santa Cesarea Terme, I-73020 / Puglia iD

🏕 Porto Miggiano
🏠 Via Umberto I, no. 39
📅 1 Jun - 30 Sep
☎ +39 0836-944303
@ campingportomiggiano@libero.it

1 ABILNOPRST	6
2 FKMOSVXY	ADF 7
3	ABEFNOR 8
4 HI	ILUV 9
5 ABDGIKL	AHIJNSTV10
6A CEE	

🧭 N 40°1'59'' E 18°26'49''
1,5 ha 33T(50-75m²) 7D
❶ €30,00
❷ €49,00

🛣 Autobahn Brindisi-Lecce, zuerst Maglie. Dann Richtung Santa Cesarea Terme. Den CP-Schildern folgen.

Specchiolla di Carovigno, I-72012 / Puglia ⊙ CC€18 iD

🏕 Pineta al Mare***
🏠 Via di Tamerici
📅 1 Mai - 20 Sep
☎ +39 0831-987803
@ info@campingpinetamare.com

1 ABDEGILNOPRST	AFHKMNQSXY 6
2 BEGHKOPVY	ADFH 7
3 ABELRT	AEFKNOR 8
4 ABCDHILMOPSUY	EIJLPQV 9
5 ACDEFGJK	AGHIJNOSTV10
Anzeige auf Seite 555 B 3A CEE	

🧭 N 40°44'27'' E 17°44'10''
5,5 ha 135T(49-80m²) 235D
❶ €45,00
❷ €63,00

🛣 An der Küstenstraße SS379 km 32,5 Ausfahrt Specchiolla, den CP-Schildern folgen.

Torre Canne, I-72010 / Puglia ⊙ iD

🏕 Villaggio Turistico Le Dune****
🏠 Via Appia, 56
📅 22 Mai - 2 Okt
☎ +39 080-4829821
@ info@villaggioledune.com

1 ADFGIKNOPRST	AFKMNQSX 6
2 EGHORVX	ADFH 7
3 BEFILMNQRT	ACEFNOR 8
4 AILMNOPQ	GIKPQTV 9
5 CEFGIJK	ABFHIJOPR10
B 10A CEE	

🧭 N 40°49'29'' E 17°29'2''
8 ha 200T(24-100m²) 220D
❶ €52,00
❷ €86,00

🛣 SS379 Fasano-Lecce, zweite Abfahrt nach Torre Canne, Km-Pfahl 8 V, CP und Park 'Le Dune' beschildert.

Torre dell'Orso, I-73026 / Puglia 🛜 ((€16 iD

🔺 Sentinella***	1 ABCDEGI**L**OPQRS**T**	ANOQS**X** 6
🏠 Via degli Eucaliptus	2 BHORY	AD**FGHI** 7
📅 1 Apr - 30 Sep	3 AELM	ABCDE**FL**NORU 8
☎ +39 0832-842030	4 **A**BCDHLN	HJVXZ 9
@ info@campeggiosentinella.it	5 ABEFGJKLM	BDHIJLNOSV 10
	Anzeige auf dieser Seite B 6A	**①** €48,00
	5 ha 160**T**(60-80m²) 27**D**	**②** €71,00
📍 N 40°16'22'' E 18°25'6''		

� Von Norden: SS16 Richtung Otranto/Maglie. Tangenziale Est di Lecce, Ausfahrt 7b. Auf der SP364 nach 7,2 km rechts zur SP366. Beschilderung befolgen.

Torre Lapillo/Porto Cesareo, I-73010 / Puglia iD

🔺 Torre Castiglione Camping****	1 ABFGHKNOPRST	KMNQS**X** 6
🏠 Lit. per Taranto	2 EHKOPRVXY	ADF 7
📅 1 Jun - 7 Sep	3 ABEF**IL**M	ACE**F**NR 8
☎ +39 0833-565462	4 LMO**P**	DEL 9
@ info@torrecastiglione.it	5 CDEFGHIJ	AHIR 10
	6A CEE	**①** €46,30
📍 N 40°17'30'' E 17°49'5''	3,5 ha 320**T**(42-47m²) 63**D**	**②** €72,10

🚗 SP21 Lecce-Leverano, Richtung Porto Cesareo. Am Kreisverkehr mit Beleuchtung rechts und den Schildern zum CP folgen (8 km). CP liegt links.

Torre S. Andrea (LE), I-73026 / Puglia 🛜 iD

🔺 I Faraglioni	1 AILOPRST	PQSWXY 6
🏠 Via Matteotti 12	2 EGHMOPRSVW	AD 7
📅 1 Jan - 31 Dez	3 AG	ABEF**N**RTV 8
☎ +39 0832-841572	4 **A**H**U**	U 9
@ info@ areacamperifaraglioni.com	5 AFGJK	BFHIJ**P**STV 10
	B 6A CEE	**①** €30,00
📍 N 40°15'18'' E 18°26'34''	0,9 ha 30**T**(50m²)	

🚗 SP366 S. Cataldo-Otranto. Von Torre dell'Orso nach ca. 2 km am Kreisel 3. rechts. Nach ca. 300m CP links.

Ugento, I-73059 / Puglia 🛜 iD

🔺 Riva di Ugento****	1 ABDEFHKNOPRST	A**F**KMNOQRSUW**X**Y 6
🏠 Litoranea Gallipoli S.M. di Leuca	2 BEGHIOPQSVXY	ARDE**FGH** 7
📅 15 Mai - 13 Okt	3 ABEFLMQ	ABCDE**F**NORSUV 8
☎ +39 0833-933600	4 **AE**HIJLMO**P**	DEMQRT**V** 9
@ info@rivadiugento.it	5 ACDEFGHJK	A**B**GHIJLN**P**TUVWY 10
	B 6A CEE	**①** €47,00
📍 N 39°52'23'' E 18°8'32''	33 ha 1000**T**(70-100m²) 170**D**	**②** €60,00

🚗 SS274 Gallipoli-S.Maria di Leuca, Ausfahrt Casarano/Ugento, Richtung Ugento und den CP-Schildern folgen.

Vieste del Gargano, I-71019 / Puglia iD

🔺 Baia dei Lombardi***	1 ABDFGJMNOPRST	KNQS**X** 6
🏠 Lit. Vieste-Peschici km 7	2 EHOPQVXY	ABDE**FH** 7
📅 10 Mai - 30 Sep	3 B**M**	ABCDEFKNOR 8
☎ +39 0884-706480	4 **A**BCDLN**P**	EIJLUV 9
@ info@baialombardi.it	5 ACDEFGIK	AHIJLN**R**10
	Anzeige auf dieser Seite 5A CEE	**①** €42,50
📍 N 41°55'15'' E 16°6'33''	3 ha 200**T**(40-60m²) 73**D**	**②** €58,80

🚗 A14, Ausfahrt Poggio Imperiale, SS89 Richtung Vieste. Nach Peschici Straße durchs Landesinnere. Nach Schild Foresta Umbra links (CP-Schilder), am Ende links.

Vieste del Gargano, I-71019 / Puglia 🛜 ((€16 iD

🔺 Baia e Cala Campi***	1 ABDF**IL**NOPRST	NQRUXY 6
🏠 Litoranea Vieste-Mattinata, km 11	2 EFJORY	ABD**FG** 7
	3 BLM	AFNORV 8
📅 1 Apr - 30 Sep	4 ABCDLNO	EHJLQ 9
☎ +39 0884-700000	5 ACFGJL	AHIJL**OR** 10
@ info@baiadicampi.it	B 16A CEE	**①** €40,50
📍 N 41°48'53'' E 16°11'24''	11 ha 416**T** 75**D**	**②** €58,00

🚗 Ausfahrt Poggio Imperiale A14, dann der Durchgangsstraße folgen bis Vico del Gargano. Danach Richtung Rodi Garganico, Peschici, Vieste. Von Vieste der Küstenstraße nach Süden etwa 10 km folgen.

Vieste del Gargano, I-71019 / Puglia 🛜 iD

🔺 Centro Vacanze Oriente	1 ABFGHKNOPRST	A**F**KMNQSW 6
🏠 Lit. Vieste-Peschici km 6	2 EFHOPQVY	ABD**F** 7
📅 19 Apr - 27 Sep	3 BEF**L**M	ABEFNOQRV 8
☎ +39 0884-707709	4 **A**BCDILNO	JL 9
@ info@centrovacanzeoriente.it	5 ACDEFGHJ	AHIJOPST 10
	3A CEE	**①** €42,00
📍 N 41°54'42'' E 16°7'10''	7 ha 155**T**(75m²) 95**D**	**②** €58,00

🚗 A14, Ausfahrt Poggio Imperiala, SS89 Richtung Vieste. Nach Peschici im Landesinneren (nicht Küstenstraße). Nach Ausfahrt Foresta Umbra erste Straße links (CP-Schilder). Bei T-Kreuzung rechts (220m).

Vieste del Gargano, I-71019 / Puglia 🛜 iD

🔺 Holiday Village	1 ABF**J**MNOPRST	KMNQRWXY 6
🏠 Baia di Sfinale	2 EFHOQUVXY	ABDE**F** 7
📅 23 Mär - 19 Okt	3 BEF**L**M	ABEFNORV 8
☎ +39 0884-706138	4 **A**BCDE**NOP**	JKLM 9
@ info@holidayvillagevieste.it	5 BDEFGJKL	AHIJNOPR 10
	Anzeige auf dieser Seite 3A CEE	**①** €43,20
📍 N 41°55'52'' E 16°5'42''	4,7 ha 200**T**(30-90m²) 46**D**	**②** €62,20

🚗 A14, Ausfahrt Poggio Imperiale, SS89 Richtung Vieste bis Peschici, dann Küstenstraße Richtung Vieste (Litoranea).

Vieste del Gargano, I-71019 / Puglia 🛜 ((€16 iD

🔺 Vill. Baia degli Aranci***	1 ABFGHKNOPRST	A**F**KMNPQRS**X** 6
🏠 Lungomare Europa 48	2 EFHOPRUVXY	ABD**F**H 7
📅 20 Apr - 18 Okt	3 BEF**L**QR	AEFNORV 8
☎ +39 0884-706591	4 ABCDILO**PR**Y	JL 9
@ info@baiadegliaranci.it	5 ACDEFGJK	AGHIKLN**O**ST 10
	Anzeige auf dieser Seite 6A CEE	**①** €45,00
📍 N 41°53'13'' E 16°9'59''	H50 11 ha 400**T**(30-40mm²) 240**D**	**②** €61,00

🚗 A14, Ausfahrt Poggio Imperiale, SS89 Richtung Vieste, Straße im Landesinneren. Bis nach Vieste, dort links zur Küstenstraße. CP an der Straße vor dem Ort.

Vieste del Gargano, I-71019 / Puglia 🛜 iD

🔺 Villaggio Camping Scialmarino	1 ABDFGHKNORS**T**	AKNPQRST**X**Y 6
🏠 Lit. Vieste-Peschici km 4	2 EFHMOQVY	ADF 7
📅 24 Mai - 13 Sep	3 AELMQ	AEFNOR 8
☎ +39 0884-706033	4 LO**P**	JL 9
@ info@scialmarino.it	5 ABFGIK	AGHIJOST 10
	3A CEE	**①** €44,20
📍 N 41°54'43'' E 16°8'1''	2 ha 200**T**(40-50m²) 44**D**	**②** €63,40

🚗 A14, Ausfahrt Poggio Imperiale, SS89 Richtung Vieste fahren. Nach Peschici die Straße durchs Innenland. 200m hinterm Schild 'Foresta Umbra' links. Am Ende rechts, dann nach ca. 2 km kommt der CP auf der linken Seite.

Camping Village Molinella Vacanze ★★★

Ideal für den ruhigen und erholsamen Urlaub.
Moderne Sanitäranlagen mit Warmwasser.
Shuttlebus nach Vieste von Mitte Mai bis Mitte September.

Località Molinella nr. 72 - Vieste del Gargano (FG) - Tel. +39 0884707530 - Fax 0884-704399
E-Mail: info@molinellavacanze.com - Internet: www.molinellavacanze.com

Direkt am Meer...

Strandservice inbegriffen (1 Sonnenschirm + 2 Liegen)
mit CCA vom 16/05- 20/06 und vom 29/08 - 27/09.

Vieste del Gargano, I-71019 / Puglia 📶 iD

🏕 Villaggio La Giara***
📧 Loc. Molinella
📅 18 Mai - 28 Sep
☎ +39 0884-706069
@ info@villaggiolagiara.it

1 ACDFGJMNORST	AFKNQS 6
2 EFHKOUVY	ABDEF 7
3 ABELMQR	AEFNOR 8
4 ALO**PRSTYZ**	DEJLV 9
5 ACFGJ	ABGHIJL**N**PRV10
6A CEE	

❶ €43,90 ❷ €55,90

📍 N 41°54'15'' E 16°9'3''
10 ha 140T(16-45m²) 213D

🚗 A14, Ausfahrt Poggio Imperiale, Richtung Vieste SS89. Nach Peschici Richtung Vieste fahren. Nach der Ausfahrt Foresta Umbra 1. Straße links Manacore. Gabelung rechts und den Schildern folgen. Ⓜ

Vieste del Gargano (Fg), I-71019 / Puglia 📶 CC€16 iD

🏕 Camping Village Molinella Vacanze***
📧 Località Molinella nr. 72
📅 11 Apr - 11 Okt
☎ +39 0884-707530
@ info@molinellavacanze.com

1 ABDGJMNOPRST	KMNOPQSX 6
2 EFHMQUVX	ABDEFH 7
3 AFLQ	ABEFNORV 8
4 BCDINOPQ	DEJKLQTV 9
5 ABCDFIKL	ABDEFGHIJ**NOPR**10
Anzeige auf dieser Seite B 6A CEE	

❶ €45,20 ❷ €66,20

📍 N 41°54'28'' E 16°9'2''

🚗 A14 Ausf. Poggio Imperiale, SS89 Ri. Vieste. Hinter Peschici Landstraße, (nicht Littoranea) hinter der Ausfahrt Foresta Umbra, die erste Straße li., T-Kreuzung re. bis zur Ampel, dann li. Siehe CP-Schilder. Ⓜ

Cariati Marina, I-87062 / Calabria 📶 iD

🏕 Villaggio Camping Vascellero***
📧 C.da Vascellero
📅 1 Jan - 31 Dez
☎ +39 0983-91127
@ villaggio@vascellero.it

1 ABDFG**IL**NOPRS**T**	A**F**KMNQS**X** 6
2 EHJRVX	ABDEFH 7
3 ABEF**GLMN**Q**R**	ABCDEFLMNORSV 8
4 **AE**ILMO**PQ**	EIJLMQT 9
5 CDEFGJK	ABGHIJ**OV**10
15A CEE	

❶ €46,00 ❷ €72,00

📍 N 39°29'9'' E 16°59'52''
4 ha 50T(20-25m²) 178D

🚗 An der SS106 bei Km-Pfahl 299 links ab (siehe Schild). Ca. 2 km den Schildern folgen. Ⓜ

Casignana Mare, I-89030 / Calabria 📶 iD

🏕 Eurocamping***
📧 SS106 km 83
📅 1 Jun - 30 Sep
☎ +39 0964-911347
@ villaggioeurocamping20@gmail.com

1 ABDFG**IL**NOPRS**T**	KMNPQSWX 6
2 EHPQXY	ABDE**FI** 7
3 ABEL**MQ**	ADEFNORTUV 8
4 AL**OP**	DIJL 9
5 CDEFGJ	BHIJ**NOST**V10
B 6A CEE	

❶ €32,50 ❷ €45,50

📍 N 38°7'16'' E 16°9'29''
3,2 ha 130T 65D

🚗 SS106, bei Km-Pfahl 83, von Bianco aus rechts und bei Km-Pfahl 83 von Bovalina aus links. Ⓜ

Caulonia Marina, I-89040 / Calabria 📶 iD

🏕 Afrodite
📧 Via Lungo Mare 16
📅 1 Jan - 31 Dez
☎ +39 0964-82451
@ info@campingafrodite.it

1 ABDEFGJMNOPQRST	MNO 6
2 EHJRSY	ADFH 7
3 BF**H**	AEFOQRTUV 8
4 BKO	AELZ 9
5 AFGJK	BCHIJNPST10
Anzeige auf Seite 557 6A CEE	

❶ €36,00 ❷ €50,00

📍 N 38°20'20'' E 16°27'42''
70T(35-60m²) 23D

🚗 SS106 Richtung Reggio Calabria. 120 km Ausfahrt am Kreisel 1. Ausfahrt rechts, der CP-Beschilderung folgen. Höhere Fahrzeuge sollten diese Strcke nehmen. Ⓜ

Caulonia Marina, I-89040 / Calabria 📶 CC€16 iD

🏕 Calypso***
📧 Contrada Precariti
📅 1 Mai - 20 Sep
☎ +39 0964-82028
@ info@calypso.st

1 ABCDFGILNOPRS**T**	KMNQSX 6
2 BEHJQRSWXY	A**BD**FH 7
3 ABEF**LM**	ABE**F**KNORS 8
4 ALMO	DEHJK 9
5 AEFGJK	ABGHIJLPRV10
10A CEE	

❶ €39,00 ❷ €53,00

📍 N 38°21'17'' E 16°29'3''
1,8 ha 130T 39D

🚗 A3 Ausfahrt Rosarno. Über die SS281 Ri. Marina di Gioiosa (10 km), dann nach Caulonia Marina über die E90/SS106, Km-Pfahl 123. Von Reggio-Calabria her bei Caulonia Marina. Navi abschalten. Den Schildern folgen. Ⓜ

Calabria

ROMA

Italien

Cirò Marina, I-88811 / Calabria ((CC€12)) iD

⛺ Punta Alice***
🏠 Via Punta Alice
📅 1 Jan - 31 Dez
☎ +39 0962-31160
@ info@puntalice.it

1 ABDF**IL**NOPRS**T**	A FKMNOPQSWX 6
2 EHJQRVY	ABDE**FGH** 7
3 BEFL**MR**	ABEFNORTUV 8
4 ILMNO**PY**	EILMPTUV 9
5 ABDEFGHJK	ABFGHIJ**NP**STV10
Anzeige auf dieser Seite	B 6A CEE ❶ €45,00
5,5 ha 280**T** 229**D**	❷ €72,00

🧭 N 39°23'6'' E 17°8'34''
🚗 SS106, bei Ciro Marina Ausfahrt Km 279 links in die Stadt hinein. Von Norden Km 280 IX rechts. Dann den CP-Schildern folgen.

Corigliano/Calabro, I-87060 / Calabria iD

⛺ Centro Vacanze Il Salice****
🏠 Via Fiume Ticino 13
📅 1 Mai - 15 Okt
☎ +39 0983-851169
@ info@salicevacanze.it

1 ADILNOPRST	AFKNWX 6
2 BEGHJQVY	ABDE**FGH** 7
3 ABE**KLMNQ**	ABCDEFJKNORSTUV 8
4 **AE**ILMOPS	ADEIJKLX 9
5 CDEFGJKL	ABEFGHIJMN**R**V10
6 6A CEE	❶ €54,00
6 ha 45**T**(80-100m²) 85**D**	❷ €79,00

🧭 N 39°40'53'' E 16°31'18''
🚗 Auf dem Küstenweg SS106/E90 Richtung Nord-Süd nach Crotone. Hinter der Ausfahrt Cosenza bei Km-Pfahl 18 IX die erste Straße links ab. Den CP-Schildern folgen.

Corigliano/Calabro, I-87060 / Calabria iD

⛺ Onda Azzurra***
🏠 C.da Foggia - SS106 bis km 21
📅 1 Jan - 31 Dez
☎ +39 0983-851157
@ info@onda-azzurra.it

1 ADILNOPRS**T**	KMNQWXY 6
2 BEHPRSVWXY	ABDE**FGH** 7
3 ABEFLMQ	ABCEFJNORV 8
4 **A**HILMOP	ELV 9
5 BCDEFGHJK	ABHIJR10
B 16A CEE	❶ €30,00
3 ha 173**T**(49-80m²) 96**D**	❷ €45,00

🧭 N 39°42'11'' E 16°31'33''
🚗 A3 Salerno-Reggio Calabria, Ausfahrt Sibari Richtung Sibari. Kurz vor Sibari rechts Ri. Reggio Calabria/Taranto. Auf der SS106R (E90) wieder rechts Ri. Reggio Calabria. Durchfahren bis Km 21 links der Strecke ausgeschildert.

Corigliano/Calabro, I-87060 / Calabria ((CC€14)) iD

⛺ Thurium****
🏠 Contrada Ricota Grande
📅 1 Jan - 31 Dez
☎ +39 0983-851101
@ info@campingthurium.com

1 ABDF**IL**NOPRS**T**	A FKMNQSWX 6
2 EHPQY	ABDE**FGH** 7
3 ABEF**KLMQ**	ABCDEFJKNORS 8
4 **AE**HILMNO**P**	EIJLTV 9
5 CDEFGHJKL	ABGHIJ**NO**V10
Anzeige auf dieser Seite	B 6A CEE ❶ €49,00
10 ha 500**T**(60-80m²) 57**D**	❷ €65,30

🧭 N 39°41'29'' E 16°31'20''
🚗 Küstenstraße SS106-Bis bei Km 21 Richtung Meer abfahren. Der CP ist dann ausgeschildert.

Corigliano/Calabro, I-87060 / Calabria iD

⛺ Village Camping Due Elle***
🏠 S.S. 106 Bis - C.da Concio Vecchio
📅 1 Jan - 31 Dez
☎ +39 0983-851160
@ info@dueelle.it

1 ABDFGIKLNOPRS**T**	AKMNPQSWX 6
2 EHOPRSWXY	ADF 7
3 ABEFLM	ABCEFNORUV 8
4 ILMNO**PQ**Y	EIJL 9
5 ABDEFGJKL	AHIJPTVWX10
6A CEE	❶ €31,00
100**T** 41**D**	❷ €45,00

🧭 N 39°40'32'' E 16°31'22''
🚗 Küstenstraße SS106 Richtung N2 nach Crotone. Hinter der Ausfahrt Cosenza bei Km-Pfahl 18 IX die 1. Straße links und den Schildern folgen. CP ist rechts.

Cropani Marina, I-88050 / Calabria ((CC€16)) iD

⛺ Camping Case Vacanza Lungomare***
🏠 Viale Venezia 40
📅 1 Apr - 31 Okt
☎ +39 0961-961167
@ info@campinglungomare.com

1 ABDFG**IL**NOPRS**T**	K 6
2 EHSVXY	ADF**H** 7
3 BEM	AEFNO 8
4 NO**P**	DEI 9
5 DEFGHJ	ABHIJST10
Anzeige auf dieser Seite	6A CEE ❶ €44,10
2,1 ha 100**T**(20-42m²) 47**D**	❷ €60,70

🧭 N 38°54'32'' E 16°48'34''
🚗 Aus Catanzaro die Küstenstraße SS106 nach Norden Richtung Crotone. Im Ort Cropani Marina den Schildern folgen.

Guardavalle, I-88060 / Calabria iD

⛺ Internazionale Calalandrusa***
🏠 Naz. SS106 km 143
📅 1 Jul - 31 Aug
☎ +39 0967-86002
@ calalandrusa@yahoo.it

1 ABDG**IL**NOPRS**T**	FKMNPQSX 6
2 EGHJOPVY	ADF**H** 7
3 ABEL**MNQR**	AEFNOR 8
4 **AE**ILMOP	DLQRT 9
5 K	ABGHIJMN**R**10
6A	❶ €50,00
5 ha 160**T** 2**D**	❷ €76,00

🧭 N 38°30'7'' E 16°34'39''
🚗 SS106 Km-Pfahl 143. Direkt rechts hinter der Tankstelle unter der Straße durch zum CP.

Isca Marina, I-88060 / Calabria iD

⛺ Mimosa Camping***
🏠 Via del Mare 1
📅 15 Jun - 15 Sep
☎ +39 0967-45190
@ mimosacamping@libero.it

1 ACDF**IL**NOPRS**T**	KNPQSWX 6
2 EHJOQRWXY	ADF 7
3 **M**	AEFORT 8
4 **A**NQ	ADEIJKL 9
5 BEK	BHIJST10
6A CEE	❶ €40,50
3,5 ha 200**T**(25-50m²) 119**D**	❷ €54,10

🧭 N 38°36'18'' E 16°33'54''
🚗 Die SS106 bei Km-Pfahl 154 verlassen. Danach der Beschilderung folgen.

Isola di Capo Rizzuto, I-88841 / Calabria 📶 iD

⛺ Costa Splendente Villaggio Camping***
🏠 Loc. Le Castella
📅 1 Jun - 30 Sep
☎ +39 0962-795131
@ info@rodiomail.it

1 ADF**IL**NOPRS**T**	OPQX 6
2 BEGHMORSVY	ADF 7
3 BLQ	ACEFORTV 8
4 HNO**P**	HIJKLU 9
5 BDEGIKL	GHIJL**NP**RV10
6A CEE	❶ €30,00
4 ha 250**T** 13**D**	❷ €30,00

🧭 N 38°54'59'' E 17°1'44''
🚗 SS106 von Catanzaro aus Ausfahrt Le Castella. Den CP-Schildern folgen.

Isola di Capo Rizzuto, I-88841 / Calabria 📶 iD

⛺ Pizzo Greco***
🏠 Loc. Fratte Vecchiae, snc
📅 12 Apr - 11 Okt
☎ +39 0962-791771
@ info@pizzogreco.it

1 ABDFG**IL**NOPRS**T**	KPQRX 6
2 EHMPQRVY	ABDEF 7
3 AELQ	ABEFNOR 8
4 **A**LMO	DEHJKLV 9
5 BDFGIK	ABGIJORXY10
FKK B 6A CEE	❶ €33,30
4 ha 177**T** 67**D**	❷ €43,50

🧭 N 38°55'26'' E 17°7'22''
🚗 Bei Capo Rizuto nach dem Km-Pfahl 233 rechts ab. Den CP-Schildern ca. 5 km folgen.

Lorica, I-87050 / Calabria 📶 iD

⛺ Lago Arvo
🏠 Via Nazionale
📅 1 Jan - 31 Dez
☎ +39 0984-537060
@ campinglagoarvo@hotmail.it

1 ADEFGILNOPQRST	LQSX 6
2 BDFGHIORSUVWXY	ABDE**FG** 7
3 BQ	ABEFNOR 8
4 A**CDE**FHIO	J 9
5 AB	HIJPV10
B 16A CEE	❶ €20,00
H1350 12 ha 750**T**(40-100m²) 1006**D**	❷ €36,00

🧭 N 39°14'46'' E 16°31'51''
🚗 Von Cosenza die SS107 Richtung San Giovanni in Fiore (Crotone). Nach ± 60 km Richtung Lorica. Der Beschilderung folgen.

Lorica, I-87050 / Calabria iD

⛺ Lorica
🏠 Via Lago Lorica
📅 1 Apr - 31 Okt
☎ +39 0984-537018
@ info@hoteldeipini.net

1 ADEF**IL**NOPQRS**T**	ALX 6
2 BDFGIJOPRVXY	ABDE 7
3 BEL	ABCDFMR 8
4 O	FGJT 9
5 ACFJ	BHIKS10
3A CEE	❶ €16,00
H1250 3 ha 105**T**(60-80m²) 69**D**	❷ €26,00

🧭 N 39°15'10'' E 16°30'36''
🚗 Von Cosenza SS107 Richtung San Giovanni in Fiore (Crotone). Nach ± 60 km Richtung Lorica auf der SS107. Der Beschilderung folgen.

Mandatoriccio, I-87060 / Calabria

🏕 Da Mario	1 ABDEILNOPRT	KMNPQSWXYZ 6
🏠 C.da Castello Dell'Arso	2 EFHOPSVX	ABDEFGH 7
🕐 1 Jan - 31 Dez	3 BEFLQ	ABCDEFKNORSTUV 8
☎ +39 0983-90050	4 AHINOR	GJUV 9
@ info@villaggiodamario.com	5 ACDEFGJK	ABFGHIJP**R**10
	B 16A CEE	❶ €26,00
📍 N 39°31'29'' E 16°54'0''	4,5 ha 66**T**(110m²) 27**D**	❷ €39,00

🚗 Auf der SS106 am KM-Pfahl 307 VIII am Meer.

Maris Villaggio Camping ★ ★ ★

Direkt am Meer
Für einen entspannten Urlaub
Bar-Pizzeria
Neues modernes Sanitär

Località Mortelletto • 89844 Marina di Nicotera • Tel. 0963-887834
E-Mail: info@mariscalabria.it • Internet: www.mariscalabria.it

---

Marina di Nicotera, I-89844 / Calabria

🏕 Maris Villaggio Camping***	1 ABDEGJMNOPQRST	AFKMNPQSX 6
🏠 Località Mortelletto	2 AEFHRSXY	AD**F** 7
🕐 1 Jun - 30 Sep	3 ABF**G**HLMQ	AE**FLMN**OR 8
☎ +39 0963-887834	4 BCDMNOY	HIQV 9
@ info@mariscalabria.it	5 ABDGIK	BHIJOST10
	Anzeige auf dieser Seite CEE	❶ €38,00
📍 N 38°30'37'' E 15°55'22''	45**T**(60-120m²) 21**D**	❷ €48,00

🚗 A3 Salerno-Reggio Calabria. Ausfahrt Rosarno Richtung San Ferdinando Porto. Auf der SP50 den CP-Schildern folgen. Noch ca. 7 km.

Marina di Nicotera, I-89844 / Calabria

🏕 Villaggio Camping La Ginestra***	1 ABCDEGJMNOPQRST	AFKMNPQSX 6
	2 EHRSVXY	AD**F** 7
🏠 Contrada Mortelletto	3 BEFGHLMQ	AEFNOR 8
🕐 3 Mai - 13 Sep	4 ABCDLMNO**Q**	GHIT 9
☎ +39 0963-81947	5 ADEFGJ	BFHIJST10
@ info@laginestraclub.com	6A CEE	❶ €35,00
📍 N 38°30'34'' E 15°55'22''	3 ha 150**T**(80-120m²) 62**D**	❷ €65,00

🚗 A3 Salerno-Reggio Calabria. Ausfahrt Rosarno Richtung San Ferdinando Porto. Auf der SP50 der CP-Beschilderung folgen. Noch ca. 7 km.

VILLAGGIO CAMPING MIMOSA ★ ★ ★

Ganzjährig geöffnet!!! Direkt am Meer. Privattoiletten in der Nebensaison gratis. Restaurant und Schwimmbad offen 15-4 / 20-10.

Loc. Mortelletto, 89844 Marina di Nicotera • Tel. 0963-81397
Fax 0963-81933 • E-Mail: info@villaggiomimosa.com
Internet: www.villaggiomimosa.com

Marina di Nicotera, I-89844 / Calabria

🏕 Villaggio Camping Mimosa***	1 ABCDFGJMNOPQRS**T**	AFKMNPQSXY 6
🏠 Loc. Mortelletto	2 AEGHPRSXY	AD**F** 7
🕐 1 Jan - 31 Dez	3 BEF**GK**LQR	ADEFHI**LM**ORTV 8
☎ +39 0963-81397	4 ABDHLM**X**	DHILMOPQTUVXZ 9
@ info@villaggiomimosa.com	5 ABEFGJKL	ABGHIJ**N**PST10
	Anzeige auf dieser Seite 12A CEE	❶ €42,00
📍 N 38°30'27'' E 15°55'36''	3 ha 50**T** 44**D**	❷ €54,00

🚗 A3 Salerno-Reggio Calabria, Ausfahrt Rosarno Richtung San Ferdinando Porto. Auf SP50 CP-Schildern folgen. Noch ca. 7 km.

Marina di Nocera Terinese, I-88040 / Calabria

🏕 Torre Casale**	1 ABDFGILNOPR**T**	KMNPQSX 6
🏠 SS18	2 AEHJOQSVY	ADH 7
🕐 1 Jun - 30 Sep	3 A	AEFN 8
☎ +39 0968-93065	4 **A**	L 9
📠 +39 0968-939809	5 BGKL	BHIJLSTV10
	16A CEE	❶ €26,50
📍 N 39°0'49'' E 16°7'4''	1,5 ha 40**T** 140**D**	❷ €36,50

🚗 SS18, Km 357, in Marina di Nocera Terinese (ausgeschildert) am Küstenweg! Oder die A3, Ausfahrt Falerna fahren, dann die SS18 Richtung Norden fahren.

Marina di Zambrone, I-89868 / Calabria

🏕 Villaggio Camping Sambalon****	1 ACDEF**IL**NOPRS**T**	KMN OPQUWX 6
	2 EFHORSVY	ABCDEFGILMNORTUV 8
🏠 SS 522 per Tropea	3 ABLQ	
🕐 20 Mai - 23 Sep	4 BDLMN	DGHJLQS 9
☎ +39 0963-392828	5 ABDEFHIJK	BFHIJNOST10
@ info@sambalon.com	Anzeige auf Seite 559 B 6A	❶ €46,50
📍 N 38°42'23'' E 15°58'12''	1,5 ha 110**T**(35-80m²) 223**D**	❷ €65,50

🚗 Von Norden die A3 Salerno-Reggio Calabria, Ausfahrt Pizzo Calabro, dann zur SS522 Richtung Tropea. Ausfahrt Zambrone Marina (± 20 km). Der Beschilderung folgen.

Praia a Mare, I-87028 / Calabria

🏕 International CP Village***	1 ADFGJMNOPRS	FKMNOP 6
🏠 Lungomare F. Sirimarco	2 EFJMPRVY	AD**F**H 7
🕐 1 Mai - 21 Sep	3 ABELM**NQ**	AEFNORV 8
☎ +39 0985-72211	4 **A**LN	EIJ 9
@ reception@campinginternational.it	5 ACEFGJK	BFGHIJOR10
	4A CEE	❶ €40,50
📍 N 39°52'55'' E 15°47'8''	5,7 ha 360**T**(30-45m²) 70**D**	❷ €67,50

🚗 In Praia a Mare Beschilderung 'Lungomare' folgen. Der CP liegt an der Isola di Dino.

Praia a Mare, I-87028 / Calabria

🏕 La Mantinera****	1 ADFIKNOPRST	**A**FKMNOPQRSTUW**X** 6
🏠 C. da Mantinera	2 EGJOPRVY	AD**F**G 7
🕐 25 Apr - 30 Sep	3 ABE**MN**Q	ABCDEFNORTV 8
☎ +39 0985-779023	4 **A**BC**E**ILMO**P**	EGIJLMOQSV 9
@ lamantinera@tiscali.it	5 ACDEFGHJK	AGHIJOR10
	B 3A CEE	❶ €42,00
📍 N 39°52'36'' E 15°47'19''	12 ha 350**T**(30-50m²) 322**D**	❷ €70,00

🚗 SS18 Ausfahrt nach Praia a Mare, den CP-Schildern folgen. Der CP liegt etwas südlich von Praia a Mare.

Roccelletta di Borgia, I-88063 / Calabria

🏕 Calabrisella***	1 AFG**IL**NORT	KNPQSWX 6
🏠 SS106 km 180.6	2 EHPQVXY	AD**F**H 7
🕐 22 Jun - 1 Sep	3 BEFLQ	AE**F**NOS 8
☎ +39 0961-391207	4 BDLMO**P**	DEIL 9
@ info@campingcalabrisella.it	5 ABDEGIK	BHIST10
	3A CEE	❶ €39,00
📍 N 38°47'40'' E 16°35'18''	1,5 ha 140**T**(25-40m²) 56**D**	❷ €54,00

🚗 Von der SS106 nach Catanzaro Lido Richtung Calabrisella. Bei Km-Pfahl 182 über die Bahnlinie den CP-Schildern folgen.

Roccelletta di Borgia, I-88021 / Calabria

🏕 Cammello Grigio Camping***	1 ABDEFG**IL**NOPRS**T**	KMNPQSWX 6
🏠 Via Laganusa	2 BEHOQSVXY	AD**F** 7
🕐 15 Jun - 30 Sep	3 ABEF**G**LMN	ABDEF**M**NORV 8
☎ +39 0961-391491	4 **A**BCD**E**JLMNOP	ADEJV 9
@ info@campingcammellogrigio.it	5 ABEFGHJKM	BGHIJ**N**ST10
	5A CEE	❶ €47,00
📍 N 38°48'27'' E 16°36'3''	50 ha 300**T** 61**D**	❷ €64,00

🚗 Die SS106 nach Catanzaro Lido Ausfahrt Richtung Soverato. Über die Bahnlinie bei Km-Pfahl 182. CP-Einfahrt geradeaus.

Rossano Scalo, I-87068 / Calabria iD

▲ Village Camping	1 ADFG**IL**NOPRS**T**	A**K**NPQRX 6
Marina di Rossano Club****	2 BEHOPVY	BE**F**H 7
C.da Leuca CP 363	3 ABEFL**MQ**	ABCDEFNOR 8
15 Mai - 30 Sep	4 **A**EIL**M**P	EHIJLMQT 9
+39 0983-516054	5 BDEFGJ	BFGHIJSTV10
@ info@marinadirossano.it	4A CEE	① €39,00
N 39°36'56'' E 16°39'6''	5 ha 265T(60-100m²) 103D	② €53,00

Küstenweg SS106 Abfahrt Rossano fahren. Der CP wird ausgeschildert. Am Kreisel geradeaus.

Im schönsten Stückchen Kalabriens, wo einst die Götter Urlaub machten, am Meer mit magischen Sandstränden, kristallklarem und tiefem Wasser, mythischen Felsen, Sandstränden und grünen Tälern. Parzellierte Stellplätze mit Strom, Unterkünfte (Wochenvermietung). Zahlreiche Einrichtungen und WiFi gratis.

SS 522 per Tropea • 89868 Marina di Zambrone
Tel. 0963-392828 • Fax 0963-392836
E-Mail: info@sambalon.com • Internet: www.sambalon.com

San Ferdinando, I-89026 / Calabria iD

▲ La Porta del Sole***	1 ABCDEGILNOPRST	AKMNQRSTX 6
Corso Garibaldi, trav. privata, 1	2 AEHRXY	ADF 7
1 Jan - 31 Dez	3 ABEFLMQ	AEFNRTV 8
+39 0966-765233	4 **A**LN	HIMOQTV 9
@ info@laportadelsole.it	5 ABFGJKM	BFHIJSTV10
	B 6A CEE	① €33,50
N 38°29'36'' E 15°55'8''	70T(40-80m²) 40D	② €44,50

Autostrada Salerno-Reggio di Calabria, Ausfahrt Rosarno. ± 6 km danach den CP-Schildern folgen.

Costa Verde ★ ★ ★

Zwischen Tropea und Capo Vaticano finden Sie diesen direkt am Meer gelegenen Camping mit einem schönen sauberen Strand. Genießen Sie den herrlichen Sonnenuntergang über den äolischen Inseln. Zwischen Mai und Oktober sind Bar, Supermarkt, Restaurant und Pizzeria geöffnet.

Loc. Tonicello, 89866 San Nicoló di Ricadi
Tel. 0963-663090 • Fax 0963-663792
E-Mail: info@costaverde.org • Internet: www.costaverde.org

San Nicoló di Ricadi, I-89866 / Calabria iD

▲ Costa Verde***	1 ABDFG**I**KNOPR**T**	KMNOPQSXY 6
Loc. Tonicello	2 EFHRVXY	ABDE**F** 7
1 Jan - 31 Dez	3 BL	ABCDEFJNOR 8
+39 0963-663090	4 **A**LN**O**P	FGHIJLT 9
@ info@costaverde.org	5 ACDEFGIKL	AFGHIJ**N**PR10
	Anzeige auf dieser Seite 3A CEE	① €45,00
N 38°38'19'' E 15°50'3''	1,6 ha 82T 67D	② €69,00

Von Tropea N522 Richtung Nicotera entlang der Küste fahren. Nach 4 km braunen Schildern mit Pfeilen und CP-Name. Zufahrt/Ausfahrt hat 8% Steigung. Reisemobile max. 7m.

San Nicoló di Ricadi, I-89865 / Calabria iD

▲ La Scogliera**	1 ABFGHKNOPR**T**	KMNPQSXY 6
Capo Vaticano	2 EHMOQRVXY	AD**F** 7
1 Jan - 31 Dez	3 BEM	AEFNOR 8
+39 0963-663002	4 ILMOP	I 9
	5 CDEFGIK	HIJ**N**ST10
	3A CEE	① €44,00
N 38°37'35'' E 15°49'46''	3 ha 200T 40D	② €68,00

A3, Ausfahrt Pizzo. Straße 522 Richtung Tropea Capo Vaticano fahren. Nach Tropea den CP-Schildern folgen. Achtung: 10% Steigung.

Scalea, I-87029 / Calabria iD

▲ Lao**	1 ACDEFG**I**LNOPQRT	KMNO**XZ** 6
Via SS18	2 CEHJOPVWXY	AD 7
20 Mai - 20 Sep	3 ABFLQ	AE**F**NOR 8
+39 0985-21533	4 ABC**E**LNO**Q**	EJV 9
@ info@campeggiolao.it	5 ADGI	BGHIJOR10
	4,5A CEE	① €31,50
N 39°46'41'' E 15°47'45''	0,8 ha 65T(36-45m²) 14D	② €42,50

Ca. 3 km südlich von Scalea an der SS18 in Höhe von km 263. Ca. 200m hinter ERG-Tankstelle.

Scina di Palmi, I-89015 / Calabria iD

▲ Villaggio La Quiete***	1 ABDGILNOPRST	AKNPQSWX 6
1 Mai - 31 Okt	2 EHJORVXY	ADF 7
+39 0966-479400	3 AL	AEFNR 8
@ info@villaggiolaquiete.it	4 LMOP	IL 9
	5 EFGJK	BIJ**P**STV10
		① €30,00
N 38°24'24'' E 15°52'9''	2 ha 45T 24D	② €40,00

Richtung Gioia an der Ampel links. Hinter der Brücke nach ca. 500m rechts ab. Schildern folgen (blau mit Sonne). Autostrada - CP ca. 5 km.

Sellia Marina, I-88050 / Calabria iD

▲ Il Grecale***	1 ABCDEFGILNOPR**T**	KMNPQRSTWX 6
SS106	2 BEHQVY	ADF**H** 7
1 Jun - 15 Sep	3 AEFLMNOQ	AEFNORTUV 8
+39 0961-968073	4 HILNO**PR**	DEJKMOQTU 9
@ pinofontana1964@libero.it	5 DEFGIK	BFGHIJORVW10
	16A CEE	① €26,00
N 38°53'12'' E 16°45'1''	2 ha 100T 20D	② €42,00

Von Catanzaro 4 km zum Küstenweg SS106; dann noch 8 km Richtung Crotone beim Km-Pfahl 199. Rechts dann noch 2 km Richtung Meer.

Sibari/Cosenza, I-87011 / Calabria CC€16 iD

▲ Camping-Village	1 ADFG**I**LNOPRST	KMN**P**QS 6
Pineta di Sibari***	2 BEFHJPQSWXY	AD**F** 7
Contrada Fuscolara	3 ABEFLMQ	AEFNORV 8
1 Apr - 27 Sep	4 AHLMO**P**	EJLTV 9
+39 0981-74135	5 ACEFGJL	ABHIJ**O**STV10
@ info@pinetadisibari.it	Anzeige auf dieser Seite B 5A CEE	① €42,00
N 39°46'46'' E 16°28'44''	17 ha 500T(100-120m²) 92D	② €56,50

Küstenstraße SS106 Richtung Reggio di C. Ausf. Villapiana Scalo. Im Ort re nach Sibari. Hinter dem Ort über die Bahnübergang. Schild li. Sandweg re halten. CP-Schildern folgen. Achtung Tunnelhöhe: 2,70m! Andere Zufahrt über die Bahnlinie ± 300m Ri. Ortschaft.

PINETA SIBARI ★★★ camping village

Direkt am Meer gelegen, in einer herrlichen Bucht mit kristallklarem Wasser und großem Pinien- und Eukalyptuswald mit Palmen. Guter Ausgangspunkt für interessante Ausflüge. Große, schattige Stellplätze. Komfortable Bungalows zu mieten. Einkaufszentrum mit Pizzeria und Bar. Tennis, Bocce, Beachvolley, Fußball, Spielplatz.

Contrada Fuscolara, 87011 Sibari/Cosenza
Tel. und Fax 0981-74135 • E-Mail: info@pinetadisibari.it
Internet: www.pinetadisibari.it

Stignano Mare, I-89040 / Calabria CC€16 iD

▲ Koku's Village Club***	1 ADEFJMNOPQRST	KMN**P**QS 6
Contrada Favaco 190	2 EHJRSWXY	AB**C**DEF 7
1 Jan - 31 Dez	3 BFMQ	ABCDEFLMNR 8
+39 0964-773115	4 ABDOPQ	ADEGIJ**N**PQRT 9
@ kokusvillage@gmail.com	5 ADGK	BHIJPSV10
	Anzeige auf dieser Seite B 16A CEE	① €40,00
N 38°21'44'' E 16°29'54''	2 ha 65T(66m²) 46D	② €43,00

Von A3 Ausfahrt Rosarna SS682 Richtung Gioiosa. Hinter Gioiosa zur SS106 und Richtung Roccella Ionica. Auf der SS106 km 125 der CP-Beschilderung folgen.

Koku's Village Club ★ ★ ★

Gratis: Warmwasser, Waschmaschinen, 16 Amp Strom, WiFi
Der hervorragend ausgestattete Camping liegt an einem prächtigen Sandstrand. Die Stellplätze sind groß und schattig. Der Camping hat eine Bar, Restaurant, Pizzeria und sogar eine gemütliche Piano-Bar. Auf dem Camping kann man schöne Apartments und Bungalows mieten. Es gibt einen Abholservice vom Flughafen Lamezia Terme.

Contrada Favaco 190, 89040 Stignano Mare • Tel. 0964-773115
E-Mail: kokusvillage@gmail.com • Internet: www.kokusvillage.com

Trainiti/Portosalvo (VV), Calabria iD

▲ Villaggio Campeggio	1 ACFILNOPRS**T**	AKMNPQSWXY**Z** 6
Eden Park***	2 AEHORSVXY	A**F** 7
Via Trainiti	3 ABEFLQST	ACEFLMNOQRV 8
1 Jan - 31 Dez	4 **A**EHIJLMNO**P**	ADHI 9
+39 333-5880560	5 ABDEFGJK	BFHIJOST10
@ orazio861@alice.it	6A CEE	① €32,00
N 38°42'50'' E 16°4'35''	1,8 ha 600T(15-52m²) 82D	② €47,50

SS522 Km-Pfahl 16. Den Schildern folgen.

Tropea, I-89861 / Calabria CC€12 iD

▲ Marina del Convento**	1 AGILNOPRS**T**	**MN** 6
Via Marina del Convento	2 EFJMOPVXY	AD**F** 7
13 Mai - 31 Okt	3 A	AEFNORV 8
+39 0963-62501	4 FO	H 9
@ info@marinadelconvento.it	5 ABDEGM	HIJLPR10
	Anzeige auf dieser Seite B 6A CEE	① €39,00
N 38°40'30'' E 15°53'23''	1,3 ha 130T(36m²) 13D	② €49,00

A3 Ausfahrt Pizzo Capo Calabro. SS522 Richtung Tropea. Strand/Porto (Hafen) Beschilderung folgen. Von Süden das Zentrum meiden. Hinter Tropea der Beschilderung Porto folgen. Dann den CP-Schildern folgen.

Camping Marina del Convento liegt am Fuße der Altstadt von Tropea. Der Campingplatz hat einen wunderbaren Sandstrand und große, beschattete Stellplätze. Eine Bar, Restaurant und Supermarkt sind am Strand. In nur ein paar Minuten schlendert man durch die Altstadt von Tropea.

Via Marina del Convento - 89861 Tropea (VV)
Tel. 0963-62501 (Sommer) - Tel. 0963-61320 (Winter)
info@marinadelconvento.it - www.marinadelconvento.it

Sardinien

Bonifacio

Santa Teresa Gallura — Palau — La Maddalena
Aglientu — Cannigione di Arzachena
Arzachena
Valledoria/Sassari — Olbia
Castelsardo — Tempio Pausania — SS199 — Porto San Paolo
Porto Torres — Sorso — San Teodoro
Sassari — Budoni
Porticciolo/Alghero — Posada
SS131 — Siniscola
Alghero — Ozieri — Santa Lucia/Siniscola
Nuoro — Dorgali
Macomer — SS129 — Cala Gonone/Dorgali
Sant'Ignazio/Norbello — Orgosolo
Cuglieri — Baunei
Narbolia — Ghilarza — Lotzorai
Is Aruttas/Cabras — Tortoli/Arbatax
Oristano — Bari Sardo
Torre Grande — Gairo
Arborea
Guspini
Villacidro — Muravera
Iglesias — Capo Ferrato/Muravera
Selargius — Piscina Rei/Costa Rei
Carbonia — Cagliari — Costa Rei/Muravera
Carloforte — Capitana/Quartu Sant'Elena — Villasimius
Sant'Antioco — Capoterra
Teulada

ROMA

CF-EU

Italien

Alghero, I-07041 / Sardegna ⓪ CC€16 iD

▲ Camping Village Laguna Blu (Calik)★★★★
🚌 SS 127 bis km 41 Fertilia
☰ 1 Apr - 19 Okt
☎ +39 079-930111
@ info@campinglagunablu.com
◩ N 40°35'41'' E 8°17'29''

1 ABDEJMNOPQRST	KMNOPQRSUVWX**Y**Z	6
2 BDEFHOPQSVWXY	ABDE**FG**	7
3 BE**J**L	ABCDEFKNPRSTUV	8
4 **A**BDHILO**P**	DEGHJLMNOPQRSV	9
5 AEFGHJKL	ABDEFGHIJLM**NO**RV	10
B 10A CEE		① €44,00
11 ha 450**T** 139**D**		② €52,00

Von Alghero Richtung Fertilia auf der SS127 bis bei Km 41.

Alghero, I-07041 / Sardegna ⓪ CC€18 iD

▲ La Mariposa★★★
🚌 Via Lido 22
☰ 18 Apr - 12 Okt
☎ +39 079-950480
@ info@lamariposa.it
◩ N 40°34'46'' E 8°18'45''

1 ABDEGIKNOPQRST	KMNOPQRSTUVX	6
2 EHOPQRTVXY	ADFH	7
3 U	ACDE**F**NQR	8
4 AEILO**P**	EGJKLMOQUV	9
5 ACDFGHK	AGHIJL**NO**V	10
Anzeige auf Seite 561 6A CEE		① €48,00
4 ha 256**T**(80-90m²) 43**D**		② €66,00

Der CP befindet sich an der Meeresseite des Weges Alghero Zentrum-Fertilia und ist ausgeschildert.

Aglientu, I-07020 / Sardegna ⓪ CC€18 iD

▲ Camping Village Baia Blu La Tortuga★★★★
🚌 Pineta di Vignola Mare
☰ 1 Apr - 12 Okt
☎ +39 079-602060
@ info@campinglatortuga.com
◩ N 41°7'28'' E 9°4'3''

1 ACDEF**I**LNOPQR**T**	KMNOPQRSTW**X**	6
2 BEHOPQRUVWXY	ABDE**FGH**	7
3 BEL**MNQR**	ABCDEFK**LM**NORSTV	8
4 **A**ILMO**P**R	DEHJLMORSUVXZ	9
5 ACDEFGHJKL	ABFGHIJL**NO**TUVY	10
B 3A CEE		① €56,00
17 ha 700**T**(40-120m²) 299**D**		② €78,00

SP90 Ausfahrt Aglientu und Vignola Mare, Eingang des CP Richtung Vignola Mare.

Arborea, I-09092 / Sardegna ⓪ CC€16 iD

▲ S'Ena Arrubia★★★
🚌 Strada 29 Ovest
☰ 15 Mai - 4 Okt
☎ +39 0783-809011
@ info@senarrubia.it
◩ N 39°49'2'' E 8°33'22''

1 ABCDFG**JM**NOPQRS**T**	AKMOQS	6
2 BDEFGHPQTXY	AD**F**	7
3 ABEFL**MQ**	ABCDEFKNORTUV	8
4 HLN	ADJOU	9
5 ABEFGJ	ABDFHIJNORV	10
6A CEE		① €43,00
12 ha 450**T**(16-80m²) 96**D**		② €61,00

SS131 Ausfahrt Arborea. In Arborea-Nord Richtung Marina di Arborea. Hier liegt der CP. Der CP ist angegeben an der SP49.

Budoni, I-08020 / Sardegna 🛜 iD

Pedra e Cupa***
Via Nazionale
1 Mai - 30 Sep
☎ +39 0784-844004
@ info@
pedraecupa-camping.com
N 40°42'2'' E 9°42'51''

1 ABDEFGILNOPRST	AM 6
2 AEFGHRSWXY	ADF 7
3 BEFLMQ	AEFNRV 8
4 BLO	E 9
5 ABEFGIJL	ABHIJORV 10
Anzeige auf dieser Seite B 6A CEE	❶ €52,00
5 ha 160T(20-48m²) 29D	❷ €70,00

Schnellstraße 131, Ausfahrt Budoni danach ± 500m südlich von Budoni liegt der CP.

Cala Gonone/Dorgali, I-08020 / Sardegna iD

Cala Gonone****
Via Collodi 1
1 Apr - 3 Nov
☎ +39 0784-93476
@ info@
calagononecamping.com
N 40°17'4'' E 9°38'0''

1 ABDEILNORT	AKX 6
2 BEOQRTUY	ADF 7
3 BELM	ABEFNOR 8
4 O	DJL 9
5 ACEFGHIKL	BFGHIV 10
B 10A CEE	❶ €43,00
H100 5 ha 300T(40-80m²) 70D	❷ €63,00

SS125, bei Km-Pfahl 201 in den Tunnel fahren. Nach dem Schild Cala Gonone 1,5 km dem Weg folgen. Bei CP-Schildern links. Wieder direkt links ist der Eingang zum CP.

Cannigione di Arzachena, I-07021 / Sard. 🛜 CC€18 iD

Centro Vacanze Isuledda****
Loc. Isuledda
26 Mär - 2 Nov
☎ +39 0789-86003
@ info@isuledda.it
N 41°7'54'' E 9°26'26''

1 ABDEFGHKNOPQRST	KMNOPQRSTXYZ 6
2 EFGHIJKMOQRSTUVXY	ABDEFG 7
3 ABEFLR	ABEFNOR 8
4 ABCDILMNOPRXZ	DEFGJKLMOQSTUV 9
5 ACDEFGHJKL	ABHIJNORY 10
B 4A CEE	❶ €56,00
15 ha 650T(25-90m²) 248D	❷ €70,00

Der 125 von Olbia nach Paula-Arzachena 20 km Richtung Cannigione folgen. CP liegt ca. 3 km hinter Cannigione.

Capitana/Quartu Sant'Elena, I-09045 / Sardegna 🛜 iD

Pini e Mare***
Via Leonardo da Vinci 287
1 Apr - 30 Okt
☎ +39 070-803103
@ info@piniemare.com
N 39°12'21'' E 9°19'8''

1 ABDEJMNOPQRST	KMNPQRS 6
2 BEKHKMOSUVY	ADF 7
3 BEKL	AEFNORTV 8
4 AFHORSY	JKLMUV 9
5 ACGJL	BHIJLORV 10
B 3A CEE	❶ €39,00
3 ha 60T(50-80m²) 30D	❷ €49,00

Provinzstraße Cagliari-Villasimius (SP17), CP bei Km-Pfahl 9 III.

Capo Ferrato/Muravera, I-09043 / Sardegna 🛜 CC€18 iD

Tiliguerta
Camping Village****
SP 97, km 6
1 Mai - 25 Okt
☎ +39 070-991437/8
@ info@tiliguerta.com
N 39°17'31'' E 9°35'58''

1 ABDEFGJMNOPQRS	KMNOPQRSTWX 6
2 ABEHMOPQRSVWXY	ABDFG 7
3 ABEFGHLMNQ	ABDEFGHIKLMNORTV 8
4 ABCDEFHILNOPXYZ	EHJLMOPQRSTUVWXZ 9
5 ACDEFGHJKLM	ABFGHIJMPV 10
Anzeige auf dieser Seite B 3-6A CEE	❶ €55,50
10 ha 286T(90-135m²) 91D	❷ €70,50

Neue Straße SS125var. Ausfahrt Costa Rei/Olia Speciosa Richtung Costa Rei. Danach Richtung Capo Ferrato. CP ist angezeigt.

Costa Rei/Muravera, I-09043 / Sardegna 🛜 iD

Capo Ferrato***
Via delle Ginestre
1 Apr - 2 Nov
☎ +39 070-991012
@ info@campingcapoferrato.it
N 39°14'34'' E 9°34'9''

1 ABDEFIKNOPQRST	KMOQSW 6
2 EFHORSVXY	ABDEFG 7
3 ABEM	ABEFNORS 8
4 ABCDEFHILNOP	EJLUVXZ 9
5 ACDEFGIKL	ABGHIJLNOR 10
6A CEE	❶ €48,00
2 ha 83T(35-90m²) 32D	❷ €68,40

Küstenstraße Costa Rei (Südosten) von Villasimius nach Muravera. Kurzes Stück schlechte Straße bis zum CP. Ausgeschildert. CP befindet sich an der Costa Rei (bei Monte Nai) und nicht auf der Landzunge Capo Ferrato!

Cuglieri, I-09073 / Sardegna 🛜 CC€16 iD

Camping Village
Bella Sardinia***
Torre del Pozzo
23 Apr - 5 Okt
☎ +39 0785-38383
@ info@camping-bellasardinia.it
N 40°4'15'' E 8°29'40''

1 ABDEILNOPQRST	AFKMNOPQRSUVWX 6
2 BEHOPQY	ABDEFG 7
3 ABEFIKLMQT	ABCDEFKNRSV 8
4 ABDEILNOPQ	ADEJU 9
5 ACFGHJK	ABDGHIJN OV 10
6A CEE	❶ €45,00
33 ha 275T(40-100m²) 129D	❷ €55,00

Straße 292, zwischen Cuglieri und Riola Sardo, bei Ausfahrt 109 ist der CP ausgeschildert, Richtung Bella Sardinia.

Gairo, I-08040 / Sardegna iD

Coccorrocci***
Marina di Gairo
1 Apr - 31 Okt
☎ +39 0782-24147
@ info@campingcoccorrocci.org
N 39°43'44'' E 9°40'24''

1 ABDEFJMNOPQRST	AFKNOX 6
2 EFJKQRXY	ABDEF 7
3 ABF	ABCDEFNRV 8
4 HO	DEIJKL 9
5 ABFGJKLM	ABGHIJSV 10
Anzeige auf Seite 560 B 5A CEE	❶ €41,50
8 ha 166T 24D	❷ €58,50

Von Olbia die S125 Richtung Cagliari Nuoro. 1. Ausfahrt Richtung Gairo. Durch die Berge den CP-Schildern folgen.

Is Aruttas/Cabras, I-09072 / Sardegna 🛜 CC€16 iD

Is Aruttas***
5 Apr - 30 Sep
☎ +39 0783-1925461
@ info@campingisaruttas.it
N 39°56'57'' E 8°24'30''

1 ABDEGJMNOPQRST	AFK 6
2 EHJORSUVXY	ADF 7
3 BEF	ABEFNOR 8
4 BCDHNQ	AV 9
5 ABDFGJKL	ABGHJORV 10
Anzeige auf dieser Seite 6A CEE	❶ €40,00
12 ha 200T(60-100m²) 55D	❷ €60,00

Die Straße Oristano-Cabras nehmen. Hinter Cabras in westliche Richtung fahren. CP ist ausgeschildert.

Italien

Italien

Lotzorai, I-08040 / Sardegna 📶 iD

🏕 Le Cernie
📧 Loc. Case Sparse 17
📅 1 Jan - 31 Dez
☎ +39 0782-669472
@ info@campinglecernie.it

1 ABDEF**JL**NOPQRST	KMOPQSWXYZ	6
2 BEFHQVY	AB**CDEFGHIJ**	7
3 BKL	BCDEFIJKLMNOQRSTUV	8
4 O	DEKLNOPQSTUVXZ	9
5 ADCEGJKLM	ABEFGHIJNOPR	10
10A CEE		
	❶ €40,00	
15 ha 80**T**(60-100m²)	48**D**	❷ €65,40

📍 N 39°58'16'' E 9°41'5''
🚗 Der CP ist 5 km vorher an der SS125 5 km angezeigt. Den Schildern in Lotzorai folgen.

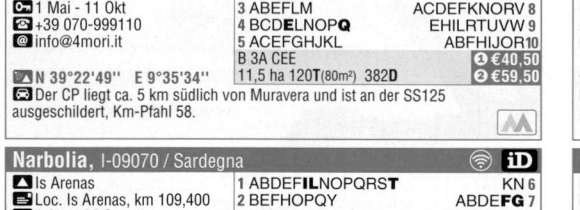

CAMPING TORRE SALINAS ★ ★ ★

Campingplatz in malerischer Lage, deutsche Leitung. Hohe Bäume, reichhaltige Bepflanzung. Ein 80m breiter und 5 km langer sauberer Strand. Rundflüge. Vermietung vollausgestatteter Wohnwagen, Zelte und Bungalows. Deutsche Buchungsadresse: Sardinienreisen GbR, Schuttertalweg 20, 85128 Nassenfels • Tel. 0842488147 • Telefax 0842488148
Torre Salinas, 09043 Muravera • Tel. 070-999032 • Fax 070-999001
Internet: www.camping-torre-salinas.de

Muravera, I-09043 / Sardegna 📶 iD

🏕 Torre Salinas***
📧 Loc. Torre Salinas
📅 1 Apr - 31 Okt
☎ +39 070-999032
@ info@ camping-torre-salinas.de

1 ADE**JM**NOPQRST	KQSU**X**Y	6
2 BEHMPQSVY	ABDE**F**	7
3 ABL**MQ**	ABDEFKNOQRV	8
4	ADEJLQTUVW	9
5 ABDEFGJL	ABHJMNORV	10
Anzeige auf dieser Seite	B 4A CEE	
	❶ €44,00	
1,5 ha 100**T**(90-100m²)	69**D**	❷ €64,00

📍 N 39°22'1'' E 9°35'47''
🚗 SS125var Ausfahrt San Priamo. Dann der Beschilderung folgen.

Muravera, I-09043 / Sardegna 📶 iD

🏕 Village Camping 4 Mori****
📧 ex SS125 km 58
📅 1 Mai - 11 Okt
☎ +39 070-999110
@ info@4mori.it

1 ABCDEF**JM**NOPQRT	AFKMOQUW	6
2 BEHQRSVY	ADF	7
3 ABEFLM	ACDEFKNORV	8
4 BCD**EL**NOP**Q**	EHILRTUVW	9
5 ACEFGHJKL	ABFHIJOR	10
B 3A CEE		
	❶ €40,50	
11,5 ha 120**T**(80m²)	382**D**	❷ €59,50

📍 N 39°22'49'' E 9°35'34''
🚗 Der CP liegt ca. 5 km südlich von Muravera und ist an der SS125 ausgeschildert, Km-Pfahl 58.

Narbolia, I-09070 / Sardegna 📶 iD

🏕 Is Arenas
📧 Loc. Is Arenas, km 109,400
📅 1 Apr - 30 Sep
☎ +39 0783-52103
@ info@villaggioisarenas.com

1 ABDEF**IL**NOPQRST	KN	6
2 BEFHOPQY	ABDE**F**G	7
3 ABE**KLM**	ABEFNRV	8
4 BOQ	AJUV	9
5 ACEFGJ**L**	ABCHIJ**NO**SUV	10
B 6A CEE		
	❶ €39,00	
3,5 ha 160**T**(40-80m²)	28**D**	❷ €49,00

📍 N 40°4'15'' E 8°29'2''
🚗 Die 292 zwischen Cuglieri und Riola Sardo an der Ausfahrt vor Km-Pfahl 109 ist der CP angezeigt. Den Schildern 'Is Arenas' folgen.

Olbia, I-07026 / Sardegna 📶 iD

🏕 Villaggio Camping Cugnana***
📧 Cugnana
📅 1 Mai - 30 Sep
☎ +39 0789-33184
@ info@campingcugnana.it

1 ABDEGILNOPQRST	AFI	6
2 GOPQRWXY	ADF	7
3 AEF**K**	AEFNOR	8
4 **A**FGHILOP**S**	JL	9
5 ACDEFGIKL	AGHIJNORV	10
Anzeige auf dieser Seite	10A CEE	❶ €45,60
5,5 ha 180**T**(40-100m²)	48**D**	❷ €63,60

📍 N 41°0'18'' E 9°30'18''
🚗 Vom Hafen Olbia oder Golfo Aranci, Richtung Costa Smeralda fahren.

Palau, I-07020 / Sardegna 📶 iD

🏕 Acapulco***
📧 Loc. Punta Palau
📅 1 Mär - 15 Okt
☎ +39 0789-709497
@ info@campingacapulco.com

1 ABDGILNOPQRST	KNOPQSU	6
2 EHJKMQSUX	ADF	7
3 B	AEFNOR	8
4	DEJ	9
5 AEFGJ	AGHIJ**NO**R	10
4A CEE		
	❶ €42,00	
1,7 ha 90**T**(30-80m²)	46**D**	❷ €66,00

📍 N 41°11'9'' E 9°22'37''
🚗 CP liegt in Palau-West und ist ausgeschildert.

Palau, I-07020 / Sardegna 📶 iD

🏕 Baia Saraceno
📅 1 Mär - 31 Okt
☎ +39 0789-709403
@ info@baiasaraceno.com

1 ABDGILNOPQRST	KNOQSUV**X**Y	6
2 EHKQUY	ABDE**FG**	7
3 AB	ABCDEFIKNOR	8
4 IOP	DEFJN	9
5 ACDEFGJK	AGHIJNORV	10
B 4A CEE		
	❶ €43,50	
3 ha 280**T**(40-100m²)	68**D**	❷ €67,50

📍 N 41°10'46'' E 9°23'34''
🚗 In Palau Richtung Capo d'Orso/ Cannigione. CP liegt etwas östlich von Palau und ist links ausgeschildert. Östlich von Palau ist der CP deutlich angezeigt.

Palau, I-07020 / Sardegna 📶 iD

🏕 Capo d'Orso***
📧 Loc. Le Saline
📅 15 Mai - 30 Sep
☎ +39 0789-702155
@ info@capodorso.it

1 ABDEFGILNOPQRST	KNOPQRSTUVW**X**Y**Z**	6
2 EFHKOQRUVXY	ADF	7
3 ABEM	AEFNOR	8
4 AEILQ	DEIJLMNQRS	9
5 ACDEFGHIJKL	ABGHIJORJ	10
B 3A CEE		
	❶ €50,00	
13 ha 450**T**(40-80m²)	101**D**	❷ €63,00

📍 N 41°9'41'' E 9°24'10''
🚗 Von Sta Teresa dem Panormaweg um Palau (ist angezeigt!) folgen. Von Cannigione nach Palau folgen; am Kreisel ist der CP angezeigt.

Palau, I-07020 / Sardegna 📶 iD

🏕 Isola dei Gabbiani***
📧 Porto Pollo
📅 24 Apr - 31 Okt
☎ +39 0789-704024
@ info@isoladeigabbiani.it

1 ABDEJMNOPQRST	KNOQRSTUVW**X**Y**Z**	6
2 EFHKMOQTUWXY	ADF	7
3 B	ABEFNOR	8
4 **A**CIO**P**	JKLMOQWXY	9
5 ACDEFGJKL	BGHIJMNOQS	10
4A CEE		
	❶ €50,00	
18 ha 135**T**(10-50m²)	62**D**	❷ €64,00

📍 N 41°11'44'' E 9°19'8''
🚗 S133 zwischen Capannaccia und Palau Schild 'Isola dei Gabbiani' fahren, CP liegt am Ende des Weges.

Piscina Rei/Costa Rei, I-09043 / Sardegna CC16 iD

🏕 Le Dune***
📅 24 Apr - 30 Sep
☎ +39 070-9919057
@ info@campingledune.it

1 ABDEFGILNOPQRST	AFK**NO**QSUW	6
2 EHOPQSVWXY	ADF	7
3 BEF**GM**	ABEFNRV	8
4 **ABC**EFILNO**P**	ELRTVZ	9
5 ACDEFGHJ	BFGHIJORVZ	10
B 3A CEE		
	❶ €45,00	
6 ha 180**T**(80m²)	94**D**	❷ €65,00

📍 N 39°16'36'' E 9°34'56''
🚗 Die neue SS125var Richtung Muravera/Villasimus/Costa Rei Ri. Costa Rei (s.a. braunes Schild). Der Beschilderung Le Dune folgen.

VILLAGGIO CAMPING CUGNANA ★ ★ ★

Willkommen auf Villaggio Camping Cugnana, Ihr Camping an der COSTA SMERALDA! Unser Platz liegt nur 9 km von Porto Rotondo und 13 km von Porto Cervo! So eine Lage macht die Touren zu den prächtigen Stränden und den Verbleib immer einfach! Unsere Hauptattraktion ist das große, luxuriöse Schwimmbad. Wir bieten Ihnen auch Luxusbungalows, die 4-Personen Unterkünfte mit Aircondition. 500m weiter kann man reiten. Ein Bus sorgt für die Fahrt zu Ihrem geliebten Strand. ALSO … AUF ZUM CAMPING CUGNANA!
Cugnana, 07026 Olbia • Tel. 0789-33184 • Fax 0789-33398
E-Mail: info@campingcugnana.it • Internet: www.campingcugnana.it

---

Durchreisecampingplätze

In diesem Führer finden Sie eine handliche Karte mit Campingplätzen an den wichtigen Durchgangsstrecken zu Ihrem Ferienziel. Durch die Farbe des jeweiligen Zeltchens können Sie erkennen, ob dieser Platz ganzjährig geöffnet ist oder nicht. Darüber hinaus gibt es für jeden Platz auch noch eine kurze redaktionelle Beschreibung, inklusive Routenbeschreibung und Öffnungszeiten.

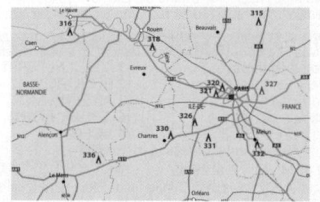

Porticciolo/Alghero, I-07041 / Sardegna 🛜 iD

🔺 Villaggio Torre del Porticciolo***	1 ABCDEG**JM**NOPQRST	AFK**M**NOPQRSTUVWX**Y**Z 6
🏠 Porto Conte/S. Maria la Palma	2 BEFHKMPY	AD**F** 7
🕐 15 Mai - 1 Okt	3 ABE**GHLMN**TU	ABCDEF**LMN**ORV 8
☎ +39 079-919007	4 ABCFHILMN**O**P**STUX**Z	CEIJLNQRSTUV 9
@ info@torredelporticciolo.it	5 ACDEFGJK**LM**	ABFHIJL**NO**STVYZ10
	7A CEE	❶ €45,00
📍 N 40°38'28'' E 8°11'22''	30 ha 200**T** 172**D**	❷ €69,00

🔺 Von Alghero Richtung Capo Caccia (via Fertilia) (SS127bis). Den Schildern Porticciolo folgen. CP ist angezeigt.

Porto San Paolo, I-07020 / Sardegna 🛜 CC€18 iD

🔺 Tavolara***	1 ABDEFG**JM**NOPQRST	NOPQS**X** 6
🏠 Soc. Ariel S.r.l. SS125 km 300	2 EFGHKPQRSTVWXY	ABD**F** 7
🕐 1 Mai - 15 Okt	3 ABEF**LM**	AEFNOQR 8
☎ +39 0784-40166	4 ABCD**E**N**O**	DELSX**Z** 9
@ info@camping-tavolara.it	5 ACDEFGJKL	ABDFGHIJOT10
	Anzeige auf dieser Seite B 10A CEE	❶ €48,00
📍 N 40°51'33'' E 9°38'34''	5 ha 260**T**(9-60m²) 680**D**	❷ €61,00

🔺 An der SS125 bei Km-Pfahl 300 gelegen.

Posada, I-08020 / Sardegna 🛜 iD

🔺 Ermosa	1 ABDE**J**MNOPQRST	KNPQ 6
🏠 Loc. Su Tiriarzu 1	2 ACEFHVWX	AD**F** 7
🕐 15 Mai - 30 Sep	3 A**M**	AEFNORV 8
☎ +39 0784-853010	4 O	IJV 0
@ info@campingermosa.com	5 ABDEFGJKL**M**	ABGHIJNOS10
	3A CEE	❶ €36,00
📍 N 40°37'51'' E 9°44'21''	2,2 ha 138**T**(40-80m²) 12**D**	❷ €48,00

🔺 SS125 Richtung Posada. Ab dort der Beschilderung 'Ermosa' folgen.

San Teodoro, I-08020 / Sardegna 🛜

🔺 S. Teodoro La Cinta***	1 BDEFHKNOPQRST	KPQRST**X** 6
🏠 Via del Tirreno SNC	2 AEFHPQRVWXY	AD**F** 7
🕐 1 Mai - 15 Okt	3 BFLQ	AEFNORV 8
☎ +39 0784-865777	4 IOP	JL 9
@ info@campingsanteodoro.it	5 ABDGKL**M**	ABGHIJLOSTV10
	B 6A CEE	❶ €49,30
📍 N 40°46'53'' E 9°40'18''	3,3 ha 150**T**(40-120m²) 6**D**	❷ €72,50

🔺 Von Olbia (wo die Fähre ankommt) fährt man über die 131b Ri. Budoni/Nuoro. An der Ausf. nach S. Teodoro folgen Sie den CP-Schildern. Man kann auch von Olbia aus über die Küstenstraße 125 fahren, wo man automatisch zum CP kommt.

Sant'Ignazio/Norbello, I-09070 / Sardegna 🛜 iD

🔺 Nuragheruiu***	1 ABDE**JM**NOPQRST	AF 6
🕐 15 Apr - 30 Okt	2 AFGPRTWXY	ABDE**F** 7
☎ +39 0785-896143	3 BL	ABCDEFNRTV 8
@ info@nuragheruiu.it	4 DO	IU 9
	5 ABGJM	BHIJ**N**OSVY10
	B 5A	❶ €35,00
📍 N 40°10'29'' E 8°46'25''	H220 2,5 ha 80**T** 14**D**	❷ €51,00

🔺 Von der SS131 Ausfahrt Norbello-S.Ignazio. Dieser Straße 4 km folgen und danach den CP-Schildern.

Santa Lucia/Siniscola, I-08020 / Sardegna 🛜 CC€16 iD

🔺 Selema Camping***	1 ABDEFG**J**MNOPQRST	AFK**N**PQRSTUVX 6
🏠 Thiria Soliana	2 BCEFHKOQSUY	ABD**F** 7
🕐 1 Apr - 15 Okt	3 ABEL**M**	ABEFNOQRSV 8
☎ +39 0784-819068	4 O**PUY**	DEJUVX**Z** 9
@ info@selemacamping.com	5 ABDEFGIKL	ABDFHIJLNORV**X**10
	Anzeige auf dieser Seite B 6A CEE	❶ €52,00
📍 N 40°34'43'' E 9°46'23''	7,5 ha 350**T**(30-120m²) 38**D**	❷ €67,00

🔺 SS125, bei Km-Pfahl 252 VIII Ausfahrt S. Lucia nehmen. Der CP ist gut ausgeschildert.

Santa Teresa Gallura, I-07028 / Sardegna 🛜 iD

🔺 La Liccia***	1 ABDE**JM**NOPQRS**T**	AKNPQUW 6
🏠 S.P. 90 per Castelsardo, km 59	2 EFHKOPQRTUVWXY	AD**F** 7
🕐 15 Mai - 30 Sep	3 AF	AEFNOR 8
☎ +39 0789-755190	4 AFGHILMNO	DJKLQU 9
@ info@campinglaliccia.com	5 ABEFGJKLM	BFGHIJNOSTVY10
	B 6A CEE	❶ €42,00
📍 N 41°10'50'' E 9°10'44''	5 ha 145**T**(40-80m²) 35**D**	❷ €60,00

🔺 Von Santa Teresa in den Süden über die SP90, Richtung Castelsardo bei Km 59.

Sorso, I-07037 / Sardegna 🛜 iD

🔺 Golfo Dell' Asinara****	1 ABDEGHKNOPQRST	AKMNQS 6
🏠 Loc. Platamona, 35	2 ABDEFHOPQTUY	AD**F**HI 7
🕐 20 Mai - 30 Sep	3 ABEFL**MN**R	ACEFKNOR 8
☎ +39 079-310230	4 A**B**DLMNO	DJL 9
@ info@campingasinara.it	5 ACEFGJKL	ABFHIJLORV10
	B 4A CEE	❶ €34,00
📍 N 40°48'59'' E 8°29'7''	10 ha 350**T**(40-100m²) 163**D**	❷ €50,00

🔺 Küstenweg SP81 zwischen Maritza und Porto Torres, am Km-Pfahl 11 liegt der CP.

Sorso, I-07037 / Sardegna 🛜 iD

🔺 Sorso Camping Village****	1 ABDEF**IL**NOPQR**T**	**AF**KMNQ 6
🏠 Loc. Marina di Sorso	2 BEHOQTY	AD**FG** 7
🕐 1 Mär - 14 Sep	3 ABELM	ACDEFKNORV 8
☎ +30 070 310303	4 A**L**	EJLT 0
@ info@ sorsocampingvillage.com	5 ACEFGJL	ABCGHIJNORV10
	4A CEE	❶ €31,00
📍 N 40°49'32'' E 8°32'36''	12 ha 250**T**(40-70m²) 85**D**	❷ €55,00

🔺 Küstenstraße SP81 zwischen Marina di Sorso und Porto Torres bei Km-Pfahl 6.

Teulada, I-09019 / Sardegna iD

🔺 Portu Tramatzu	1 ABDEFG**IL**NOPQRS**T**	KMNOX**Y** 6
🏠 Local. Portu Tramatzu s/n	2 EHKOQRUVY	AD**F** 7
🕐 12 Apr - 27 Okt	3 BEL	AE**F**KNOR 8
☎ +39 070-9283027	4 BDILMO**P**	DELT 9
@ coop.proturismo@libero.it	5 ACDEFGJL	ABGHIJRV10
	5A CEE	❶ €35,00
📍 N 38°55'35'' E 8°42'41''	3,5 ha 200**T**(40-70m²) 93**D**	❷ €54,00

🔺 S195 fahren. Beim Km-Pfahl 64 (VII) abfahren Richtung Porto di Teulada. Der CP wird ausgeschildert. CP liegt am Meer.

Torre Grande, I-09170 / Sardegna ⚑ CC€18 iD

	1	ABDEFG**JM**NOQR**T**	AFKNOPQSW 6
▲ Spinnaker****	2	BEHOQRTVY	AD**F** 7
☰ Strada per il Pontile	3	ABEFILQ	ABEFKNRV 8
⌂ 15 Mai - 30 Sep	4	LO**S**	CFJU 9
☎ +39 0783-22074	5	ACEFGJK	ABCDFGHIJ**NO**V 10
@ info@spinnakervacanze.com		Anzeige auf dieser Seite B 6A CEE	❶ €45,00
⏚N 39°54'14'' E 8°31'51''		3,5 ha 120T(40-90m²) 68D	❷ €63,00

🚗 SS131, Ausfahrt Oristano N. Tharros folgen (braunes auf großem blauen Schild). Dann Schildern Torre Grande folgen. Vor Torre Grande CP ausgeschildert. 🅼

Tortolì/Arbatax, I-08048 / Sardegna ⚑ iD

	1	ABDEF**IL**NOPQRS**T**	AFKNOP**X** 6
▲ Camping Telis****	2	EFGHKMORSUY	ABDE**FGH**IJ 7
☰ Loc. Baia di Porto Frailis	3	ABLM	ABCDEFGIKNORSV 8
⌂ 1 Jan - 31 Dez	4	ABDEHILNO**PRSTUVY**	EJKLQSUVXZ 9
☎ +39 0782-667140	5	ACDEFGHJK**LM**	ABFGHIJLMPRV 10
@ info@campingtelis.com		B 6A CEE	❶ €49,00
⏚N 39°55'31'' E 9°42'24''		3 ha 189T(14-28m²) 69D	❷ €65,00

🚗 Von Olbia Richtung Nuoro, dann Richtung Tortolì. Etwa 3 km durch nach Arbatax und weiter nach rechts Richtung Baia di Porto Failis, der Beschilderung folgen. 🅼

Tortolì/Arbatax, I-08048 / Sardegna ⚑ CC€16 iD

	1	ABDEGIKNOPQRST	AFKMNQSW**X** 6
▲ Camping Village Orrì***	2	EHOPQRSXY	ABD**F** 7
☰ Loc. Orrì	3	ABEFL	AEFNOR 8
⌂ 1 Mai - 30 Sep	4	**A**BDLO	EHJV 9
☎ +39 0782-624695	5	ACEFGIL	ABGHIJPV 10
@ orricamping@tiscali.it		Anzeige auf dieser Seite B 4A CEE	❶ €42,00
⏚N 39°54'24'' E 9°40'52''		3 ha 100T(80m²) 57D	❷ €60,00

🚗 SS125 Ausfahrt Tortolì/Lido di Orri; Lido di Orri fahren (nach 500m rechts ab); CP-Schildern folgen. 🅼

Tortolì/Arbatax, I-08048 / Sardegna ⚑ CC€14 iD

	1	ABDEIKNOPQRST	KMNPQS 6
▲ Cigno Bianco***	2	EHOQRSVWXY	AD**F** 7
☰ Loc. Orri	3	ABF**LM**	AEFNORV 8
⌂ 18 Apr - 18 Okt	4	**A**BCDILNO	DEJKLUV 9
☎ +39 0782-624927	5	ACDEFGJKM	ABGHIJOV 10
@ info@cignobianco.it		B 6A CEE	❶ €37,50
⏚N 39°54'28'' E 9°40'45''		4 ha 100T(60-80m²) 69D	❷ €55,50

🚗 SS125, Ausfahrt Tortolì/Lido di Orri, Lido di Orri folgen (nach 500m rechts); Schildern folgen. 🅼

Tortolì/Arbatax, I-08048 / Sardegna ⚑ CC€16 iD

	1	ABDEG**IL**NOPQRS**T**	KMNPQSUW**XY** 6
▲ Villaggio Camping Sos Flores s.r.l.***	2	EHOPQRVXY	AD**F** 7
☰ San Gemiliano	3	ABEF**GLMN**	ACEFNOR 8
⌂ 1 Mai - 30 Okt	4	FHILNO**PR**	EIJKUV 9
☎ +39 0782-667485	5	ABDEFGIJL	BFGHIJN**O**SVZ 10
@ sosflores@tiscali.it		Anzeige auf dieser Seite B 5A CEE	❶ €31,50
⏚N 39°55'15'' E 9°41'33''		5 ha 170T(40-100m²) 152D	❷ €47,50

🚗 Bei Tortolì Flugplatz folgen. Auf dieser Straße ist der CP ausgeschildert. 🅼

Valledoria/Sassari, I-07039 / Sardegna ⚑ CC€16 iD

	1	ABCDEG**JM**NOPQRS**T**	AF**J**KNPQRSTUVW**X**Y 6
▲ La Foce****	2	BCEFHOPQTVY	ABDE**FGH** 7
☰ Via Ampurias 110	3	BE**MR**	ABEFNOR 8
⌂ 25 Apr - 30 Sep	4	A**BCHL**P	EJLMOQRTUV 9
☎ +39 079-582109	5	ACDEFGJL	ABFGHIJ**NO**TV 10
@ info@foce.it		Anzeige auf dieser Seite B 4A CEE	❶ €36,00
⏚N 40°56'1'' E 8°49'1''		20 ha 400T(100m²) 90D	❷ €52,00

🚗 Der CP liegt am Küstenweg von Castelsardo nach S. Teresa. In Valledoria ist der CP ausgeschildert. 🅼

Villasimius, I-09049 / Sardegna ⚑ CC€18 iD

	1	ABDEF**IL**NOPQRS**T**	KMNOPQS**T** 6
▲ Spiaggia del Riso***	2	EHKPQRSVY	AD**FGH** 7
☰ Via degli Aranci 2, Campulongu	3	BEF**KLM**Q	AEFNOR 8
⌂ 24 Apr - 31 Okt	4	**A**BCDFLNO**P**	GJLV 9
☎ +39 070-791052	5	ACDEFGHJL	ABGHIJ**O**V 10
@ info@ villaggiospiaggiadelriso.it		Anzeige auf dieser Seite B 3A CEE	❶ €46,00
⏚N 39°7'23'' E 9°30'45''		6 ha 217T(30-120m²) 51D	❷ €64,00

🚗 Weg 125 Olbia-Cagliari. Ausfahrt Villasimius (südöstlichster Punkt). Ausgeschildert. 🅼

Sizilien

Lipari · Torre Faro/Messina · Milazzo · Golfo di Milazzo · Messina · Barcellona Pozzo di Gotto · Reggio di Calabria · Capo d'Orlando · San Giórgio · Terme Vigliatore · Oliveri/Marinello · Sant'Agata di Militello · Sant'Alessio Sículo/Taormina · Letojanni · Isola delle Femmine · Palermo/Sferracavallo · San Vito Lo Capo · Carini · Bagheria · Cefalù · Finale di Pollina · Calatabiano · Lido Valderice · Castellammare del Golfo · Partinico · Monreale · Castel di Tusa · Fondachello/Mascali · Trapani · Alcamo · SS113 · Termini Imerese · Nicosia · Adrano · Nicolosi · Acireale · Marsala · SS624 · SS121 · SS117 · Enna · Misterbianco · Catania/Ognina · Marsala · Castelvetrano · Caltanissetta · Catania · Petrosino (Biscione) · Selinunte · Marinella di Selinunte · Sciacca · San Cataldo · SS189 · SS122 · Augusta · Mazara del Vallo · Triscina di Selinunte/Castelv. · Ribera/Seccagrande · Canicattì · SS626 · SS117BIS · Caltagirone · SS417 · SS194 · Siracusa · Favara · SS123 · Eraclea Minoa/Cattolic.Eraclea · SS115 · Agrigento (San Leone) · SS626DIR · Niscemi · Palma di Montechiaro · Falconara/Sicula · Avola · Licata · Gela · Vittoria · Ragusa · Noto · Noto-Marina Noto · Punta Bracetto/S. Croce Cam. · Scicli · Pachino · Marina di Ragusa · Portopalo/Siracusa · Punta Secca/Santa Croce Camer. · Golfo di Gela · ROMA

Acireale, I-95020 / Sicilia   (wifi) (CC€16) iD

▲ La Timpa International Camping Acireale***
📧 Via Santa Maria La Scala 25
📅 1/1 - 8/11, 20/12 - 31/12
☎ +39 095-7648155
@ info@campinglatimpa.com
📍 N 37°37'12'' E 15°10'23''

1 ABD**J**KNOR		KMNP 6
2 AEFKMPRUWXY		AD**FH** 7
3 AL		ABEFNRTUV 8
4 AP		DEHIQ 9
5 AFJL		BGHIL**O**STV10
3A CEE		
1,8 ha 150T(41-80m²)	45**D**	
❶ €30,50		
❷ €40,50		

A18, Ausfahrt Acireale. SS114 km 80,3 im Dorf Santa Maria la Scala. CP ist gut ausgeschildert.

Agrigento (San Leone), I-92100 / Sicilia   (wifi) iD

▲ Valle dei Templi internaz. S.L.
📧 Viale Emporium 192
📅 1 Jan - 31 Dez
☎ +39 0922-411115
@ info@campingvalledeitempli.com
📍 N 37°16'10'' E 13°34'59''

1 ABCDJMNOPRS		AX 6
2 HOPRUVWXY		AD**FH** 7
3		AEFNRV 8
4 **A**		ADEGJUV 9
5 FGI		BGHIK**N**OST10
B 6A CEE		
2 ha 180T	33**D**	
❶ €29,50		
❷ €40,50		

Umfahrung Agrigento Richtung San Leone folgen, CP ist hier gut beschildert. (Tipp: Alternativ Wegweisern 'Valle dei Templi' folgen.)

Agrigento (San Leone), I-92100 / Sicilia   (wifi) iD

▲ Internazionale Nettuno***
📧 Via Lacco Ameno 3
📅 1 Jan - 31 Dez
☎ +39 0922-416268
@ campingnettuno@virgilio.it
📍 N 37°14'39'' E 13°36'50''

1 ABJMNOPR		KNQSX 6
2 EHOQUVXY		AD**F** 7
3 A		AEFNOR 8
4 AO**P**		IL 9
5 ABDEFGJKL		AGHIJOST10
6A CEE		
2,6 ha 200T	12**D**	
❶ €26,00		
❷ €40,00		

Umfahrung Agrigento Richtung San Leone folgen. CP ist hier gut beschildert.

Avola, I-96012 / Sicilia   (wifi) (CC€16) iD

▲ Sabbiadoro
📧 Via Chiusa di Carlo 45
📅 1 Jan - 31 Dez
☎ +39 0931-822415
@ info@campeggiosabbiadoro.it
📍 N 36°56'11'' E 15°10'29''

1 ABDFGJMNOPR		KNP**X** 6
2 AEHSTUY		AD**F** 7
3		ABEFNORV 8
4		IJ 9
5 ABDFGIL		AGHIK**NO**ST10
B 10A CEE		
2,2 ha 150T	8**D**	
❶ €39,00		
❷ €59,00		

Neue Autostrada E45/A18 Catania-Gela Ausfahrt Avola. An der SS115 noch ungefähr 700m links. 500m lange schmale Zufahrtstraße.

Calatabiano, I-95011 / Sicilia — iD

- ⛺ Almoetia***
- Via San Marco 19
- 1 Jan - 31 Dez
- ☎ +39 095-641936
- @ campingalmoetia@virgilio.it
- N 37°48'18'' E 15°14'37''

1 ABDGJMNOPQRS	KMNX	6
2 AEHJOPQWXY	ADEFH	7
3 A	ABEFNOR	8
4 AO	GKL	9
5 ACFGJKL	AGHIJNST	10
B 10A CEE	① €29,50	
2 ha 300T 6D	② €45,50	

A18, Ausfahrt Giardini Naxos, dann die SS114 Richtung Fiumifreddo und abfahren Richtung San Marco Marina (km 55,6 auf der SS114).

Castel di Tusa, I-98079 / Sicilia — (wifi)(CC€16) iD

- ⛺ Lo Scoglio**
- SS113 km 164,4
- 1 Apr - 30 Sep
- ☎ +39 0921-334345
- @ loscoglio@loscoglio.net
- N 38°0'35'' E 14°13'58''

1 ABDFJMNOPRT	AKMNPQX	6
2 AEJKOVXY	ADF	7
3 A	AEFNORV	8
4 AF	GIKL	9
5 ABLM	HIJORV	10
4A	① €36,00	
1,5 ha 48T(50-80m²) 8D	② €53,00	

A20 Messina-Palermo, Ausfahrt Tusa. An der Küstenstraße SS113 rechts abbiegen bis Km-Pfahl 164,4.

Castellammare del Golfo, I-91014 / Sicilia — iD

- ⛺ Nausicaa**
- Spiaggia SS187 nr 38
- 1 Apr - 15 Okt
- ☎ +39 0924-33030
- @ info@nausicaa-camping.it
- N 38°1'26'' E 12°53'37''

1 ABCDFGJMNOPR	KNQX	6
2 AEHORVWXY	ABDFH	7
3 AL	ABEFNR	8
4	IL	9
5 ABG	BGHIJSTV	10
B 6A CEE	① €41,00	
1,1 ha 80T(40-75m²) 7D	② €54,00	

A29 Palermo Richtung Trapani/Mazara, Ausfahrt Castellammare del Golfo Richtung Alcamo-Marina. SS187 Richtung Castellammare del Golfo zwischen km 42,8 und 42,7.

Catania, I-95100 / Sicilia — (wifi)

- ⛺ Villaggio Turistico Europeo
- Viale Kennedy 91
- 1 Jun - 30 Sep
- ☎ +39 095-591026
- @ info@villaggioeuropeo.it
- N 37°26'43'' E 15°5'10''

1 BDEJMNOPQR	AKNX	6
2 AEHOQY	ADFJ	7
3 AFGL	AEFNRV	8
4 BCDLNO	GQT	9
5 ABDEFGHILM	AHIPST	10
6A CEE	① €30,50	
6 ha 100T 161D	② €44,50	

Der CP befindet sich an der Parallelstraße zum Meer (dahinter). Gut angezeigt. Kommt man von Cantania aus, dann zunächst vorbei fahren und am ersten Kreisel wenden.

Catania/Ognina, I-95126 / Sicilia — (wifi)(CC€16) iD

- ⛺ Jonio***
- Via Villini a Mare 2
- 1 Jan - 31 Dez
- ☎ +39 095-491139
- @ info@campingjonio.com
- N 37°31'58'' E 15°7'12''

1 ABDGJMNOPR	KNQ	6
2 AEFGKORUWXY	ABDFGH	7
3 BL	ABEFNR	8
4 AILMO	DEIJL	9
5 ABDEFGIKL	DFGHIJNPST	10
B 6A CEE	① €39,00	
1,2 ha 80T 76D	② €59,00	

SS114 nördlich Catania, Ausfahrt Ognina. Von der Umgehung Catania, der Ausfahrt Cantania centro (San Gregorio) folgen und weiter Catania-Est. CP ist deutlich ausgeschildert.

Cefalù, I-90015 / Sicilia — (wifi) iD

- ⛺ Costa Ponente***
- Ogliastrillo 113
- 1 Apr - 31 Okt
- ☎ +39 0921-420085
- @ campingcostaponente@alice.it
- N 38°1'37'' E 13°58'58''

1 ABDFGJKNOPQRST	AFKN	6
2 AEKOQRSTUVWX	ADFG	7
3 BM	ABEFNORTU	8
4 A	EL	9
5 ABDEGHL	AHIOR	10
B 6A CEE	① €33,50	
3,5 ha 120T(70m²) 96D	② €49,50	

A20 Messina-Palermo, Ausfahrt Cefalù. Ca. 1 km auf der SS113 Richtung Cefalù/Messina, Schild mit CP-Plätze.

Cefalù, I-90015 / Sicilia — (wifi) iD

- ⛺ Sanfilippo**
- Ogliastrillo SS113
- 1 Apr - 31 Okt
- ☎ +39 0921-420184
- @ info@campingsanfilippo.com
- N 38°1'37'' E 13°58'57''

1 ABJMNOQRT	KN	6
2 AEHKORTUVXY	AD	7
3 AL	AEFNORV	8
4	DJ	9
5 ABEGKL	BHIJPR	10
B 4A CEE	① €28,50	
1 ha 109T(50-80m²) 16D	② €42,50	

A20 Messina-Palermo, Ausfahrt Cefalù. Ca. 1 km auf der SS113 Richtung Cefalù, bei Km 190,3 steht das CP-Schild.

Eraclea Minoa/Cattolic.Eraclea, I-92100 / Sicilia — (wifi) iD

- ⛺ Eraclea Minoa Village S.R.L.
- Eraclea Minoa
- 1 Apr - 30 Sep
- ☎ +39 0922-846023
- @ info@eracleaminoavillage.it
- N 37°23'36'' E 13°17'7''

1 ABFGJMNOPQRS	KNX	6
2 BEFHOPQY	ADF	7
3 BFLQ	AEFNOR	8
4 MNPQ	JKL	9
5 ACEFGJL	AGIJOST	10
B 5A CEE	① €30,50	
4 ha 500T 20D	② €47,50	

Auf der SS115 zwischen Km 148-149 abbiegen. Den Schildern Eraclea Minoa folgen, ca. 35 km von Agrigent entfernt.

Falconara/Sicula, I-92027 / Sicilia — (wifi)(CC€16) iD

- ⛺ Eurocamping Due Rocche***
- SS115 km 241,800
- 1 Jan - 31 Dez
- ☎ +39 0934-349006
- @ duerocche@duerocche.it
- N 37°6'35'' E 14°2'19''

1 ABDFGJMNOPRS	KNQSWX	6
2 EHKWXY	ABDFH	7
3 ABEFLQ	ABEFNOR	8
4 ILMO	P	9
5 ABDEFJKL	ADHIJPSTV	10
3A CEE	① €26,50	
2,8 ha 50T(40-75m²) 150D	② €38,50	

SS115 Gela Richtung Agrigento. CP is an der SS115 bei km 241,8 mit großem, gelbem Schild ausgeschildert.

Finale di Pollina, I-90010 / Sicilia — (wifi)(CC€18) iD

- ⛺ Camping & Village Rais Gerbi***
- SS113 km 172,9
- 1 Jan - 31 Dez
- ☎ +39 0921-426570
- @ camping@raisgerbi.it
- N 38°1'22'' E 14°9'14''

1 ABCDFJMNOPQRST	AKNOPQUX	6
2 AEFGJKMORSUVY	ADF	7
3 ABEGLM	ABEFNRV	8
4 ABCDILMOP	EJKLQRS	9
5 ACEFGJKL	ABDFGHIKNPR	10
B 6A CEE	① €34,00	
4,2 ha 216T(60-80m²) 45D	② €48,00	

A20 Ri. Messina, Ausfahrt Tusa, SS113. Links Ri. Palermo. Aus Ri. Palermo Ausfahrt Castelbuono/Pollina Ri. SS113 (am Meer) und dort rechts ab. Der CP ist an der SS113 bei Km-Pfahl 172,9.

Fondachello/Mascali, I-95016 / Sicilia — (wifi)(CC€16) iD

- ⛺ Mokambo**
- Via Spiaggia 211
- 1 Apr - 30 Sep
- ☎ +39 095-938731
- @ mokambo@camping.it
- N 37°44'58'' E 15°12'27''

1 ABDFGJKNOPQRS	KMNQWX	6
2 AEFJOPQVWXY	ADFH	7
3 BEL	AEFNOR	8
4 IMO	JLQT	9
5 ABDEFGJKL	BDGHIJPST	10
B 3A CEE	① €30,70	
2,8 ha 180T(40-75m²) 8D	② €43,20	

A18. CP am Meer zwischen den Ausfahrten Giarre und Fiumefreddo. Über die SS114 bis Mascali und dort Richtung Meer weiter.

Isola delle Femmine, I-90040 / Sicilia — (wifi)(CC€16) iD

- ⛺ La Playa**
- Viale Marino 55
- 21 Mär - 15 Okt
- ☎ +39 091-8677001
- @ campinglaplaya@virgilio.it
- N 38°11'49'' E 13°14'39''

1 BFJMNOPQRST	KMNO	6
2 AEFHKOQRVWXY	ABDEFGH	7
3 B	ABCEFNORV	8
4	EKL	9
5 ABL	ABDGHIPRV	10
6A CEE	① €31,00	
2,2 ha 80T(40-70m²) 3D	② €47,00	

A29 Ausfahrt Isola delle Femmine. Besser nicht dem GPS folgen (viel Einbahnverkehr). Der Beschilderung zum CP folgen.

Letojanni, I-98037 / Sicilia — (wifi) iD

- ⛺ Paradise
- Via Nazionale 2, SS114 km 41
- 1 Apr - 20 Okt
- ☎ +39 0942-36306
- @ campingparadise@campingparadise.it
- N 37°53'51'' E 15°19'31''

1 ABDFGJLNOPR	AKNX	6
2 AEHOQSUVWXY	ABDEF	7
3 AEFLMQ	ABEFNORTU	8
4 AOPQR	IJ	9
5 ACDEFGHILM	AGHIJOST	10
B 6A CEE	① €35,00	
1,5 ha 350T 16D	② €51,00	

A18, Ausfahrt Taormina (stark befahren). Auf der SS114 ca. 3 km Richtung Messina. CP liegt an der SS114, km 41.

Lido Valderice, I-91019 / Sicilia 📶 iD

- Lido Valderice
- Via Cortigliolo 24
- 1 Mär – 30 Okt
- +39 0923-573477
- @ campinglidovalderice@libero.it
- N 38°4'13'' E 12°37'52''

1 ABDFGJMNOPQR	KN 6
2 EKMQWXY	ADF 7
3 AQ	AEFNR 8
4	DEIL 9
5 ACEGL	GHIJLST 10
6A CEE	
1,2 ha 90T(50m²) 43D	❶ €30,80 ❷ €44,60

🚗 Von Trapani (ca. 12 km) Küstenweg fahren. Liegt zwischen Bonagia und Custonaci. Gut ausgeschildert.

Noto-Marina, I-96017 / Sicilia 📶 iD

- Oasi Park Falconara
- SP59 Strada Provinciale
- 1 Jan – 31 Dez
- +39 339-6121174
- @ info@oasiparkfalconara.it
- N 36°52'12'' E 15°7'43''

1 ABJMNOPQRST	KNXY 6
2 AEHKOSVWX	ABDF 7
3 AL	ABDEFNRTV 8
4	9
5 AFGIL	FGHIJPRV 10
6A CEE	
0,5 ha 45T(42-100m²)	❶ €21,00 ❷ €21,00

🚗 A18 Ausfahrt Noto, Richtung Noto-Marina. Achtung: Falsche Höhenangabe von Noto Zentrum aus: man kann bis 3,5m passieren.

Marina di Ragusa, I-97010 / Sicilia 📶 iD

- Camping Marina Caravan
- Via Portovenere 57
- 1 Jan – 31 Dez
- +39 348-2544589
- @ info@marinacaravan.it
- N 36°47'5'' E 14°33'53''

1 ABDEGJMNOPQRST	KMNQS 6
2 EHOPVXY	BEFJ 7
3	BFNRTV 8
4 O	UV 9
5 A	BHIJPSTV 10
16A CEE	
0,5 ha 25T(56m²) 25D	❶ €21,00 ❷ €31,00

🚗 Der CP ist sehr gut in Marina di Ragusa auf der SP63 angezeigt.

Oliveri/Marinello, I-98060 / Sicilia 📶 CC€16 iD

- Villaggio Marinello****
- Località Marinello
- 1 Jan – 31 Dez
- +39 0941-313000
- @ villaggiomarinello@gmail.com
- N 38°7'56'' E 15°3'16''

1 ABDFGJKNOPQRS	KNOQRSW 6
2 AEFHQVY	ABDF 7
3 ABFLMQ	ABDEFNQR 8
4 ALOP	EIJKLMQV 9
5 ACDEFGJKM	ABDGHIJNPSTV 10
B 6A CEE	
3,2 ha 250T(40-75m²) 65D	❶ €40,00 ❷ €57,00

🚗 A20, Ausfahrt Falcone dann SS113 Richtung Palermo. Den CP-Schildern folgen und/oder 'Laghetti Marinello'.

Marinella di Selinunte, I-91020 / Sicilia iD

- Il Maggiolino*
- C.da Garraffo SS115 nr. 106
- 1 Jan – 31 Dez
- +39 0924-46044
- @ info@campingmaggiolino.it
- N 37°35'50'' E 12°50'34''

1 ABDJMNOR	6
2 AOPRVX	ADF 7
3 M	AEFNR 8
4	DHIL 9
5 GIKL	BGHIJNR 10
6A CEE	
0,5 ha 28T(40-60m²) 5D	❶ €24,50 ❷ €30,50

🚗 SS115 Castelvetrano-Sciacca, Ausfahrt Selinunte (SS115d) Km 6,1.

Pachino, I-96018 / Sicilia 📶 iD

- Sunseabeach
- Contrada Bove Marino
- 1 Apr – 30 Sep
- +39 0931-836770
- @ sunseabeach-camping@gmail.com
- N 36°44'50'' E 15°5'58''

1 ABDEFGJMNOPQRS	AKN 6
2 EGHJPUY	ADF 7
3 AFILQS	ACDEFLMNRTV 8
4 LNO	DU 9
5 ABDFGIKM	BFGHIJLNOSV 10
6A CEE	
3 ha 120T 22D	❶ €19,00 ❷ €27,00

🚗 E45 Ausfahrt Noto Richtung Noto folgen. Auf der SP19 15 km Richtung Pachino fahren, zwischen 16 und 17 dem CP-Schild folgen.

Marsala, I-91025 / Sicilia 📶 iD

- Camping Lilybeo Village
- Contrada Bambina 131 Bbis
- 1 Jan – 31 Dez
- +39 0923-998357
- @ info@campinglilybeovillage.it
- N 37°44'52'' E 12°29'46''

1 ABDEILNOPQRS	F 6
2 ORVWX	ABDEFHIJ 7
3 AEQ	ABEFNOQR 8
4	IV 9
5 L	IJNPSTV 10
B 3A CEE	
1 ha 40T(50m²) 10D	❶ €20,00 ❷ €25,00

🚗 Auf der SS115 (Mazara-Trapani) bei Km 38,5 biegen Sie an der Ampel von Mazara aus rechts ab. Von Trapani aus links. Am Kreisel nach 200m links ab.

Palermo/Sferracavallo, I-90148 / Sicilia 📶 iD

- Degli Ulivi*
- Via Pegaso 25
- 1 Jan – 31 Dez
- +39 091-533021
- @ mporion@libero.it
- N 38°11'53'' E 13°16'50''

1 ABFILNORT	6
2 AEOPXY	ABDEF 7
3	AEFNR 8
4 O	J 9
5 L	AHIJOST 10
6A CEE	
0,3 ha 50T 5D	❶ €20,50 ❷ €36,50

🚗 CP ist an einigen Stellen in der Stadt ausgeschildert.

Mazara del Vallo, I-91026 / Sicilia 📶 CC€16 iD

- Sporting Club Village & Camping***
- C. da Bocca Arena
- 1 Apr – 15 Okt
- +39 0923-947230
- @ info@sportingclubvillage.com
- N 37°38'11'' E 12°37'2''

1 ABDFJMNOPQRS	AKNOPX 6
2 AEHOPWX	ADF 7
3 BEILMT	ABEFNORTV 8
4 ADDILNO	CLV 9
5 ABDFGJK	BDGHIJPST 10
B 6A CEE	
60 ha 300T(80-110m²) 120D	❶ €31,50 ❷ €39,50

🚗 Aus Palermo: Am Ende der A29, Ausfahrt Mazara del Vallo. Aus Marsala: Die SS115 geht über in die A29. Am Übergang Ausfahrt Mazara folgen. Nach 1 km ist der CP ausgeschildert.

Petrosino (Biscione), I-91020 / Sicilia 📶 iD

- Biscione
- Via Biscione
- 1 Jan – 31 Dez
- +39 0923 731444
- @ info@campingbiscione.it
- N 37°42'4'' E 12°28'39''

1 ABDJMNOPQRS	KNOPQ 6
2 EHKMORX	ABDEF 7
3 EMQ	ABEFNR 8
4 O	9
5 AFGJL	BHIJPST 10
4A CEE	
3,6 ha 200T	❶ €28,00 ❷ €36,00

🚗 SS115, Ausfahrt zwischen Marsala und Mazara. An der Ampel (Hausnr. 130) in Strasatti di Marsala. 9 km von Mazara in Petrosino Richtung Biscione. Von dieser Ausfahrt noch 7 km bis zum CP. Gut beschildert.

Milazzo, I-98057 / Sicilia 📶 iD

- Riva Smeralda
- Strada Panoramica 64
- 1 Jan – 31 Dez
- +39 090-9282980
- @ info@rivasmeralda.it
- N 38°15'44'' E 15°14'38''

1 ABDFILNOPRT	FKMNOPQWX 6
2 AEFJKMORSUXY	ADF 7
3	AEFNRTUV 8
4 N	AHJ 9
5 AFGHJLM	BHIJOVW 10
B 6A CEE	
2 ha 264T(15-80m²) 28D	❶ €33,50 ❷ €43,50

🚗 E90/A20 Ausfahrt Milazzo. Richtung Hafen, dann an der Wasserseite auf der linken Seite halten. So gelangt man nach Capo di Milazzo. Der CP liegt am äußersten Ende.

Portopalo/Siracusa, I-96010 / Sicilia 📶 iD

- Capo Passero***
- C.da Vigne Vecchie
- 1 Mai – 20 Sep
- +39 0931-842333
- @ capopassero@alice.it
- N 36°40'40'' E 15°7'16''

1 ABFGJMNOPQRS	AHKNXZ 6
2 EHRVWXY	ADF 7
3 BEQ	AEFN 8
4 O	IJKL 9
5 ABDFGL	HJOST 10
B 6A CEE	
3,5 ha 200T(45-75m²) 76D	❶ €30,00 ❷ €39,00

🚗 SS115, Ausfahrt Pachino (in Noto) fahren. 18 km SP19 fahren. Ab hier CP-Schildern folgen (ca. 9 km).

Nicolosi, I-95030 / Sicilia iD

- Etna**
- Via Goethe s.n.
- 1 Jan – 31 Dez
- +39 095-914309
- @ campingetna@hotmail.com
- N 37°37'24'' E 15°0'32''

1 ABFJMNOPQRST	A 6
2 BQTUWXY	ABDEF 7
3 AQ	ABFNQRTV 8
4 BDILOP	DJ 9
5 AGLM	ABHIKSTV 10
6A CEE	
H980 3 ha 150T(45-75m²) 54D	❶ €22,80 ❷ €28,60

🚗 A18 von Messina nach Catania, bei Ausfahrt Acireale oder Gravina (Catania) Richtung Etna/Nicolosi. Von Nicolosi ist der CP gut ausgeschildert.

Punta Braccetto/S. Croce Cam., I-97017 / Sic. 📶 CC€16 iD

- Camping Luminoso***
- Viale dei Canalotti
- 1 Jan – 31 Dez
- +39 0932-918401
- @ info@campingluminoso.com
- N 36°49'2'' E 14°27'57''

1 ABDEGJMNOPQRS	KMNQSW 6
2 EHSVY	ABDEFG 7
3 ABL	ABEFNRTV 8
4 ABDFIOR	EV 9
5 ACGLM	ABDHIJMPS 10
B 6A CEE	
1,5 ha 50T(bis 65m²) 4D	❶ €45,00 ❷ €61,00

🚗 Von Catania aus die SS115 nach Ragusa nehmen. Dann die SS514 von Ragusa. Von Ragusa die Ausfahrt nach S.Croce Camerina SP60. Von S. Croce Camerina weiter über die SP85 und dann SR25 nach Punta Bracetto.

Noto, I-96017 / Sicilia 📶 iD

- Agriturismo Terra dei Limoni
- C/DA Falconara
- 1 Jan – 31 Dez
- +39 345-2109007
- @ info@agriturismonoto.it
- N 36°52'5'' E 15°7'30''

1 ABDEJMNOPQRST	A 6
2 AGRSVX	ABDEF 7
3 BE	ABEFNQTUV 8
4	AGJKU 9
5 AGKM	BFGHIJPRV 10
	❶ €40,00 ❷ €50,00
3 ha 40T(15-30m²) 11D	

🚗 A18 Ausfahrt Noto.

Punta Braccetto/S. Croce Cam., I-97017 / Sic. 📶 CC€16 iD

- Scarabeo Camping**
- Via dei Canalotti
- 1 Jan – 31 Dez
- +39 0932-918096
- @ info@scarabeocamping.it
- N 36°49'2'' E 14°28'2''

1 ABFGJMNOPQRS	KNOQS 6
2 EHQSVY	ABDEFGH 7
3 AL	ABCDEFLMRTUV 8
4 AIJO	ADEK 9
5 ABL	BDGHIJMPST 10
B 6A CEE	
12 ha 50T(50-70m²) 26D	❶ €41,50 ❷ €57,50

🚗 Von Comiso nach Santa Croce und von dort Punta Bracetto fahren (4 km).

Agricampeggio Capo Scalambri

Eine Oase der Ruhe und doch am Meer!
Die Pinien sorgen für natürlichen Schatten.
In Gewächshäusern wird Gemüse gezogen
und die Camper dürfen probieren.
Schnorcheln und Vogelbeobachtung sind
möglich. Kulturellbesuche ins barocke Sizilien
kann man auch machen: Ragusa, Scicli,
Modica, Vittoria, Noto.... renovierte Mini-
Appartements zu vermieten. Speziellangebote.

**97010 Punta Secca/Santa Croce Camerina
Tel. 0932-915600 • Fax 0932-616359
Internet: www.caposcalambri.com**

Italien

Punta Secca/Santa Croce Camer., I-97010 / Sic. CC €12 iD

- ▲ Capo Scalambri
- ▤ Via Torre di Mezzo
- ☾ 1 Jan - 31 Dez
- ☎ +39 0932-915600
- @ info@caposcalambri.com

1 ABJMNOPQRST KNOPQX 6
2 EHQRSVY ADF 7
3 BQ AEFNRV 8
4 IV 9
5 A ABFGHIJSTV10
Anzeige auf dieser Seite 6A CEE
❶ €18,00
5 ha 150T(50-100m²) 11D ❷ €22,00

🅿 N 36°47'37'' E 14°29'24''
Von Comiso nach Santa Croce Camerina, dann Richtung Punta Secca folgen.
Der CP ist gut ausgeschildert.

Ribera/Seccagrande, I-92016 / Sicilia 🛜 CC €16 iD

- ▲ Kamemi Camping Village★★★★
- ▤ Contrada Cam. Sup.
- ☾ 1 Jan - 31 Dez
- ☎ +39 0925-69212
- @ info@kamemivillage.com

1 ABCDFGJMNOPQRS AF 6
2 PRVXY ADF 7
3 ABEMQ ACDEFLMNR 8
4 AILMOP EK 9
5 ABDEFGHJL ABGHIJOSTV10
B 6A CEE
❶ €37,00
4,8 ha 50T(40-75m²) 188D ❷ €57,00

🅿 N 37°26'21'' E 13°14'29''
Von der SS115 (Südküste) Km 142 abbiegen (der Beschilderung)

San Giórgio, I-98063 / Sicilia 🛜 iD

- ▲ Il Cicero
- ▤ Via Pola, 98
- ☾ 1 Jun - 30 Sep
- ☎ +39 0941-39551
- @ villaggiocicero@tin.it

1 ABDFGJMNOPRST AKMNOPQXY 6
2 AEFGHQSXY ADF 7
3 BFL AEFNR 8
4 AL EJ 9
5 AGJL ABGHIJOSTV10
B 8A CEE
❶ €36,00
2,5 ha 144T(20-50m²) 73D ❷ €54,00

🅿 N 38°10'9'' E 14°56'56''
A20 Messina-Palermo, Ausfahrt Patti, 5 km Richtung Palermo auf der SS113.

San Vito Lo Capo, I-91010 / Sicilia 🛜 CC €16 iD

- ▲ El-Bahira★★★★
- ▤ Contrada Salinella
- ☾ 1 Jan - 31 Dez
- ☎ +39 0923-972577
- @ info@elbahira.it

1 ABDFGJMNOPQRST AFKMOWXY 6
2 EGJKMOQRSVXY ADF 7
3 ABEMQT ABEFNORTUV 8
4 ABCDFILMOP DEIKLSV 9
5 ACDEFGHJKL ADHIJLNOR10
B 6A CEE
❶ €37,60
2,6 ha 50T(25-65m²) 96D ❷ €55,40

🅿 N 38°9'2'' E 12°43'55''
Von Palermo A29 Richtung Trapani. Ausfahrt Castellammare del Golfo.
SS187 folgen. Zwischen km 18 und 17 San Vito Lo Capo folgen.
Nach 18 km CP-Schild folgen.

San Vito Lo Capo, I-91010 / Sicilia 🛜 CC €16 iD

- ▲ La Pineta★★★★
- ▤ Via del Secco 90
- ☾ 1/1 - 31/10, 1/12 - 31/12
- ☎ +39 0923-974070
- @ lapineta@camping.it

1 ABCDJMNOPQRST AFKMNOPQS 6
2 EHRSVY ABDEF 7
3 BELMNQ ABEFNRTUV 8
4 ABCDFMO GJV 9
5 ACFGJL BEHIJOST10
10A CEE
❶ €45,30
3,2 ha 200T(56m²) 105D ❷ €64,30

🅿 N 38°10'26'' E 12°44'53''
A29 Palermo Richtung Trapani. Ausfahrt Castellammare del Golfo folgen,
dann SS187 folgen, zwischen km 18 und km 17 San Vito Lo Capo folgen.

Sant'Alessio Siculo/Taormina, I-98030 / Sic. 🛜 CC €16 iD

- ▲ La Focetta Sicula★★
- ▤ Contrada Siena 40
- ☾ 1 Jan - 31 Dez
- ☎ +39 0942-751657
- @ info@lafocetta.it

1 ABDFGJKNOQRS KNQSWX 6
2 AEFHJOPQXY ADFH 7
3 AEF AEFNOR 8
4 AEIP DEJLT 9
5 DGKLM ABGHIJLPSTV10
B 6A CEE
❶ €26,00
1,2 ha 120T 24D ❷ €36,50

🅿 N 37°55'54'' E 15°21'20''
SS114, bei Km-Pfahl 34, Ausfahrt Sant'Alessio Siculo. Erster CP südlich von
Messina. A18, Ausfahrt Roccalumera.

Selinunte, I-91022 / Sicilia 🛜 iD

- ▲ Athena
- ▤ SS115 nr. 88
- ☾ 1 Jan - 31 Dez
- ☎ +39 0924-46132
- @ athenaselinunte@gmail.com

1 ABDJMNOQRST 6
2 HRVXY ADF 7
3 ABEFN 8
4 EGI 9
5 AFGJL AGHIJOV10
B 5A CEE
❶ €18,00
H50 1 ha 50T(30-40m²) 12D ❷ €24,00

🅿 N 37°35'44'' E 12°50'31''
SS115 Castelvetrano-Sciacca, Ausfahrt Selinunte (SS115d) ca. 6 km.

Terme Vigliatore, I-98050 / Sicilia 🛜 iD

- ▲ Camping Villaggio Salica
- ▤ Via Marchesana
- ☾ 15 Mai - 30 Sep
- ☎ +39 090-9740427
- @ info@campingsalica.it

1 ABDFGJMNOPQRS AFKMNX 6
2 ABEHOQVY ADF 7
3 AFLQ ABEFNRTV 8
4 ABCDL AJV 9
5 ABFGJ FHIJO10
B 6A CEE
❶ €25,00
3,3 ha 150T(12-16m²) 28D ❷ €25,00

🅿 N 38°8'20'' E 15°8'27''
Von der A20 Messina/Palermo Ausfahrt Falcone (10 km) oder Abfahrt
Barcellona (7 km). Danach der SS113 folgen bis nach Terme Vigliatore.
Über Francesco Petrarca den CP-Schildern folgen.

Torre Faro/Messina, I-98164 / Sicilia 🛜 iD

- ▲ Nuovo Camping dello Stretto
- ▤ Via Circuito
- ☾ 1 Jun - 30 Sep
- ☎ +39 090-3223051
- @ info@campingdellostretto.it

1 ABDFILNOPRST K 6
2 EJKOPSWXY AD 7
3 AL ABEFNRTV 8
4 DHIV 9
5 ABFGJLM BFGHIJOS10
6A CEE
❶ €29,50
1,8 ha 70T 13D ❷ €38,50

🅿 N 38°15'42'' E 15°38'2''
Ab dem Fährhafen rechts ab, aus der Stadt. SS113 folgen Richtung Torre Faro.
Kurz vor dem Dorf liegt der CP links.

Triscina di Selinunte/Castelv., I-91022 / Sicilia 🛜 iD

- ▲ Helios Camping
- ▤ Strada 1 n.271
- ☾ 1 Apr - 30 Nov
- ☎ +39 0924-84301
- @ info@campinghelios.it

1 ABJMNOPRT AKMNQXY 6
2 AEGHQSVXY ABDEF 7
3 BFLQ ABEFNO 8
4 IO AEJV 9
5 FGI FGHIJPST10
B 5A
❶ €25,00
1,2 ha 50T(35-50m²) 17D ❷ €34,00

🅿 N 37°34'57'' E 12°46'10''
A29, Ausfahrt Castelvetrano Richtung Selinunte (etwa 3 km) bis
Campobello di Mazara. Den Schildern nach Triscina folgen. Der CP ist dort
ausgeschildert.

Deutschlands größter exklusiver ONLINE MARKTPLATZ für Wohnwagen und Wohnmobile

www.caraworld.de

In Zusammenarbeit mit promobil CARAVANING

Dieser ACSI-Campingführer ist voll mit brandaktuellen Informationen.
Alle in diesem Führer vorgestellten Campingplätze werden jedes Jahr durch einen ACSI-Inspektor besucht.
Es handelt sich um Spezialisten, die vom ACSI speziell ausgebildet wurden.
Untenstehend die Namen und Fotos der Inspektoren, die die hier vorgestellte Plätze kontrolliert haben.

G. Abbink

J. Aerts

J. Albers

R. Aneca

M. Bakker

F. van Beek

A. de Beer

B. Beerlage

D. van Beest

M. van den Berg

P. Bertens

J. Biesheuvel

W. Blok

G. de Boer

N. Bogaard

F. van der Bom

D. Boone

G. Bootsma

J. Bosgra

F. van den Brand

H. Breeuwsma-Disse

A. Brink

R. Brinkman

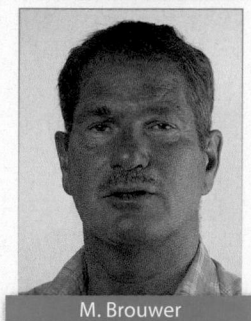
M. Brouwer

R. De Bruyckere

A. Buijnsters

A. van Bussel

A. Butter

D. Buysse

A. Caers

J. Casaert

R. Coenen

L. Coolen-Spaans

R. De Coster

E. Cousin

J. Cousin

M. Cousin

J. Creemers

R. Van Daele

M. Dekeyser

F. Dewulf

W. van Dijk

A. van Dijken

A. Dombrecht

M. van Dorp-Kalhorn

J. Dorresteijn

D. Dua

E. Dua

G. Duivenvoorde

J. Eggink-Middelkamp

T. Franken-Vos

K. Geerts

P. Gemser

W. Ghesquière

H. Giesen

C. Gouders-Wierts

C. Goudesone

A. Goudsmits

C. Griffioen Lavrijsen

W. van Haaren

R. Haaxman

H. Hazes-Reesink

H. Hemelaer

J. Hendrix

A. Hertsens

H. Hilbrandie

E. Hillebrand

E. Hoen

P. Hoexum

F. van Hooydonk

H. Van Hoyweghen

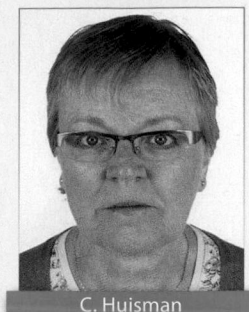

C. Huisman

H. Jansen

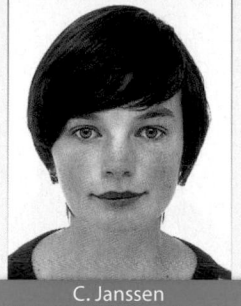

C. Janssen

W. Janssen

A. de Jong

J. Joosten

C. Keizer-Zwirs

A. Kelderman-van Straten

M. Kemps

J. Van den Kerkhof

J. van Klinken

E. Kooman

D. Koppert-Flantua

D. Kuipers

M. de Langen

H. De Leeuw

A. Ligtvoet

573

J. te Lintum

J. Lutjenhuis

R. Luttmer

R. Maquoi

M. Meertens

G. Meijnen

M. Merlevede

W. Missiaen

A. Mooi

E. Oehlers

A. Oosterhoff-Spoelman

A. te Paske

E. Peelman

J. Peij

G. Pelgrim

A. Peters

E. van de Pol

P. Raaphorst

K. Renooy

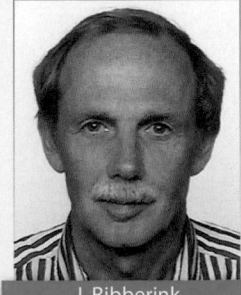
J. Ribberink

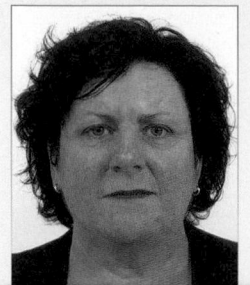

H. van Riemsdijk

M. Rijfkogel-de Vrijer

R. Rondelez

K. de Rooij

R. Roose

R. Rosendaal

P. Scheers

P. Schlijper

A. Scholten

J. De Schrijver

R. Schweinsbergen

E. Smet

J. De Smet

B. van Soest

L. Sondervorst

M. Staas

K. Stadius

J. Stassen

K. Stormink

J. Sutmuller

G. Suurling

L. Swaans

C. Swinkels

J. Thiels

N. Tillie

O. Timmermans-Gijsbers

M. De Troyer

S. Vanbesien

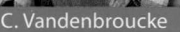
C. Vandenbroucke

L. Vanderlinden

K. Vandewalle

S. Vandewalle

M. Vangheluwe

A. Vantomme

E. Vantomme

C. van Veldhoven

J. Verheijen

E. Verhoeven

M. Vermeer-Lingers

V. Vermeulen

L. Verpalen

B. van der Vliet

M. van der Vorst

W. Voskamp-Modderkolk

J. Vuegen

A. van de Walle

J. Van de Walle

W. Weemaes

M. Weidner-Cuppers

M. Weijers

L. De Weirt

J. Welter

W. van Werven

J. Westen

J. Winkelhuijzen

G. Witpaard

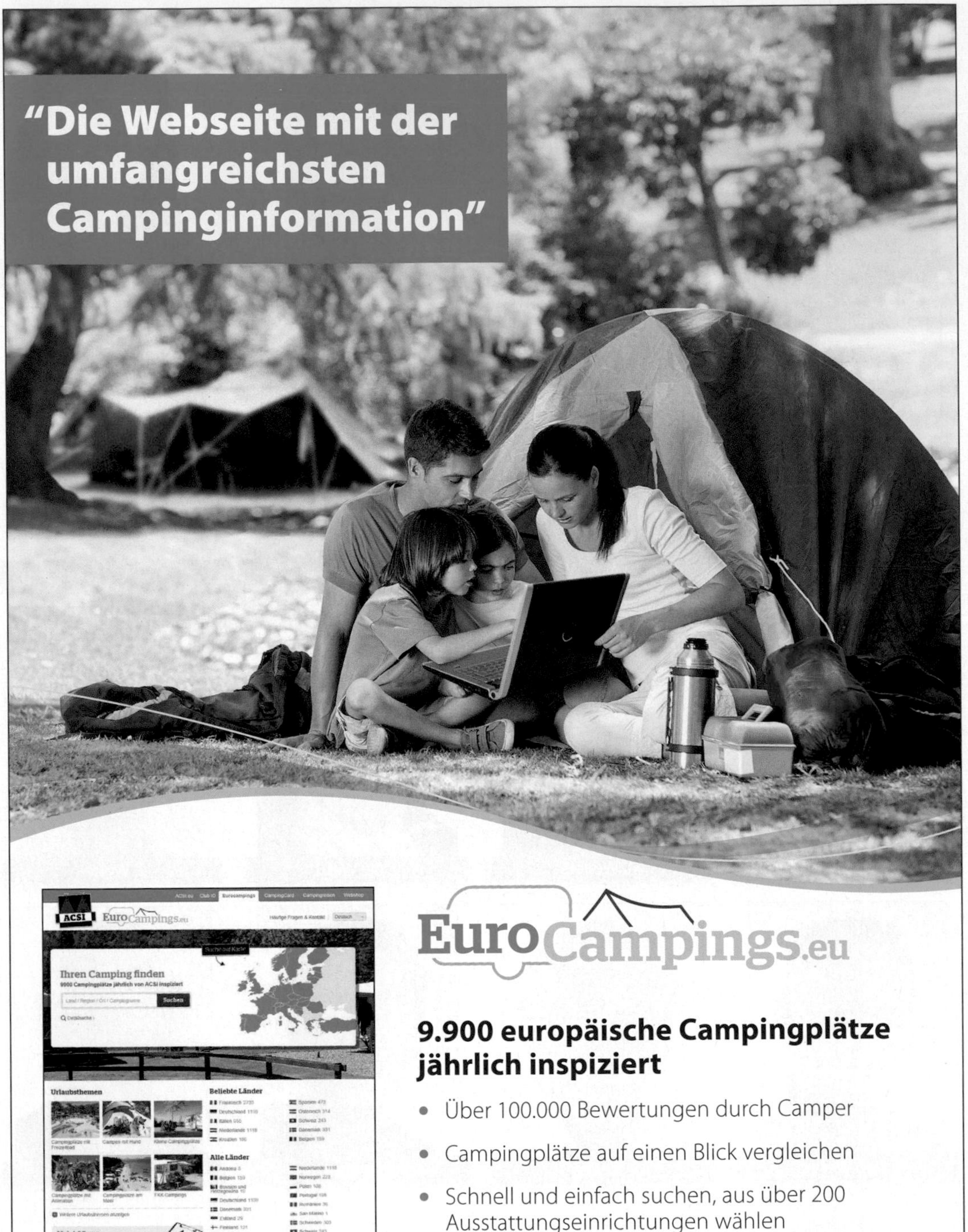
"Die Webseite mit der umfangreichsten Campinginformation"
ACSI EuroCampings.eu
Ihren Camping finden
Suchen
Urlaubsthemen
Beliebte Länder
Alle Länder
Match2Camp
EuroCampings.eu
9.900 europäische Campingplätze jährlich inspiziert
• Über 100.000 Bewertungen durch Camper
• Campingplätze auf einen Blick vergleichen
• Schnell und einfach suchen, aus über 200 Ausstattungseinrichtungen wählen
• Zuverlässige und aktuelle Campinginformationen
Gehen Sie auf: www.EUROCAMPINGS.eu
ACSI
SEIT 50 JAHREN DER BESTE

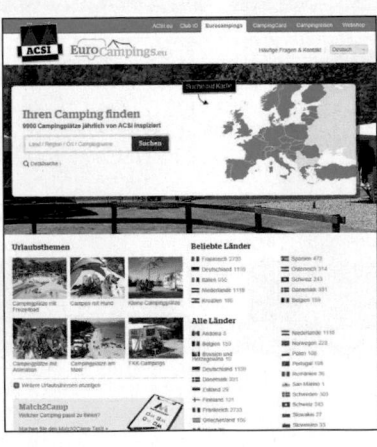

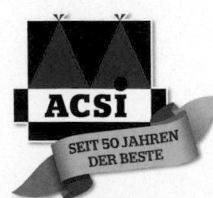

Ortsnamenregister

A

Abejar	437
Abejar/Soria	437
Aberaeron	88
Aberfeldy	93
Aberfoyle/Stirling	93
Abergavenny	88
Aberlour-on-Spey	93
Abersoch/Gwynedd	88
Aberystwyth	88
Aboboreiras/Tomar	464
Abondance	292
Abrest/Vichy	261
Acedo	429
Acireale	565
Acomb/Hexham	83
Adderbury	72
Agay	366
Agde	322,323
Agen/St. Hilaire-de-Lusignan	220
Agliano Terme	475
Aglientu	560
Agos-Vidalos	281
Agrigento (San Leone)	565
Aguessac	273
Águilas	451
Aignan	279
Aigues-Vives	285
Aiguines	366
Aire-sur-l'Adour	221
Airvault	196
Aix-en-Provence	362
Aix-les-Bains	297
Aixe-sur-Vienne	200
Alba Adriatica	547
Alba de Tormes	438
Albanyà	400

Albaron/Arles	362
Albarracín/Teruel	426
Albenga	482
Albens	297
Alberobello	552
Albert	121
Albertville	297
Albi	278
Albine	278
Albinia	526
Albufeira	464
Alcalá de los Gazules	442
Alcossebre (Castellón)	418
Aldán/Cangas	433
Aldeanueva de la Vera	440
Aldeia do Meco/Sesimbra	464
Alénya	340
Aléria	385,386
Alesso/Trasaghis	517
Alet-les-Bains	337
Alex	292
Alford (Aberdeensh.)	93
Alghero	560,561
Algund bei Meran	491
Aljezur	464
Allariz	433
Allègre-les-Fumades	317
Allemont	299
Allerston	83
Allevard-les-Bains	299
Alliat/Niaux	285
Allonnes	174
Allostock/Knutsford	83
Almayate (Málaga)	442,443
Almería	442
Alne	83
Alquézar	426
Alsasua	429

Alsop-en-le-Dale	78
Altea/Alicante	418
Altidona	540
Alvito	464
Alvor Portimão	464
Ambazac	200
Ambert	263
Ambialet	278
Ambleside	84
Amboise	149
Ambrières-les-Vallées	172
Ameglia	482
Amélie-les-Bains	340
Amiens	121
Amphion-les-Bains	293
Amposta	409
Ancelle	350
Âncora/Gelfa	459
Andelot-Blancheville	233
Andernos-les-Bains	213
Andorra la Vella	393
Andryes	255
Anduze	317
Anfo	487
Angera	487
Angers	174
Anglars/Juillac	269
Angles	178
Angoulins-sur-Mer	186,187
Anguillara Sabazia	543
Aniane	323
Annecy	293
Annet-sur-Marne	143
Anneyron	302
Annot	353
Anould	237
Anse	288
Antholz	491

Antibes _____ 383
Antonne _____ 204
Antonne-et-Trigonant _____204,205
Appleby _____ 84
Apt _____ 358
Aquileia _____ 517
Aramits _____ 227
Aranjuez (Madrid) _____438,439
Arbizu _____ 429
Arbois _____ 251
Arborea _____ 560
Arcachon _____ 213
Arcis-sur-Aube _____ 232
Arcizans-Avant _____ 281
Arco de Baúlhe _____ 459
Arco/Prabi _____491,492
Arcy-sur-Cure _____ 255
Arenas de Cabrales/Asturias _____ 435
Arenzano/Genova _____ 482,483
Arès _____213,214
Arezzo _____ 526
Arfeuilles _____ 261
Argelès-Gazost _____ 281
Argelès-Gazost/Ayzac-Ost _____ 281
Argelès-Gazost/Lau-Balagnas ___ 281
Argelès-Plage _____ 340
Argelès-sur-Mer _____340 - 343
Argentat _____ 202
Argenton-les-Vallées _____ 196
Argenton-sur-Creuse _____ 152
Arisaig _____ 93
Aristot _____ 416
Arles-sur-Tech _____ 342
Arles/Pont-de-Crau _____ 362
Armação de Pêra _____ 464
Armação de Pêra/Alcantarilha __ 464
Arnay-le-Duc _____ 253
Arncliffe _____ 84
Arnes _____ 409
Arradon _____ 154
Arras-en-Lavedan _____ 281
Arrigny _____ 231

Arrou _____ 145
Arsiè _____ 508
Artemare _____ 289
Arties (Vall d'Aran, Lérida) _____ 416
Artignosc-sur-Verdon _____ 366
Arvier _____ 474
Arzano _____ 157
Ascou _____ 285
Ashburton (Devon) _____ 60
Ashurst _____ 72
Assérac _____ 176
Assisi _____ 538
Assisi/Perugia _____538,539
Aston _____ 285
Aston Cantlow _____ 76
Athlone _____ 105
Attichy _____ 126
Attigny _____ 230
Attuech/Anduze _____ 317
Atur/Périgueux _____ 205
Aubagne _____ 362
Aubazine _____ 202
Auberives-sur-Varèze _____ 299
Aubigny _____ 178
Aubigny-sur-Nère _____ 153
Audenge _____ 214
Aulus-les-Bains _____ 285
Aups _____366,367
Aureilhan _____221,222
Auriac _____ 202
Auribeau-sur-Siagne _____ 383
Aurillac _____ 267
Auronzo di Cadore _____ 508
Autingues _____ 119
Autrans _____ 299
Autun _____ 258
Auxerre _____ 255
Auxonne _____ 253
Availles-Limouzine _____ 197
Avallon _____ 255
Avanton _____ 197
Avigliana _____ 476

Avignon _____ 358
Avin _____ 435
Avola _____ 565
Avrillé _____ 178
Ax-les-Thermes _____ 285
Axat _____ 337
Ayguade-Ceinturon _____ 367
Aytré/La Rochelle _____186,187
Azay-le-Rideau _____ 149
Azur _____ 222

B

Baden _____ 154
Baden/Bourgerel _____ 154
Baerenthal _____235,237
Bagneaux-sur-Loing _____ 143
Bagnères-de-Bigorre _____281,282
Bagnères-de-Luchon _____ 284
Bagnoles-de-l'Orne _____ 134
Bagnols-les-Bains _____ 314
Bagnols-sur-Cèze _____ 317
Baia Domizia _____ 549
Baitoni di Bondone _____ 492
Baix _____ 306
Bakewell (Derbyshire) _____ 78
Bala _____88,89
Balaruc-les-Bains _____ 323
Balbigny _____ 287
Balerma/Almería _____ 443
Ballan-Miré _____ 149
Ballater _____ 93
Ballina _____ 105
Balloch (Loch Lomond) _____ 93
Ballylickey/Bantry _____ 105
Ballyshannon _____ 105
Ballyvary/Castlebar _____ 105
Balmacara/Kyle _____ 93
Bamburgh _____ 84
Banchory _____ 93
Banff _____ 93
Bangor _____ 155

Bannalec _____ 157
Bannes _____ 233
Banon _____ 353
Baños de Fortuna (Murcia) _____ 451
Baños de Montemayor/Cáceres _ 441
Baratier _____ 350,351
Baratier/Embrun _____ 350
Barbâtre _____ 178,179
Barberino di Mugello _____ 526,527
Barberino Val D'Elsa _____ 527
Barbières _____ 302
Barcelonnette _____ 354
Barden/Skipton _____ 84
Bardolino _____ 498,500
Bareyo _____ 431
Barjac _____ 314,318
Barmouth _____ 89
Barmouth/Gwynedd _____ 89
Barneville-Carteret _____ 135
Barneville-Carteret/St.J-d-l-R _____ 135
Barolo _____ 476
Barragem Carmona/
Idanha-a-Nova _____ 459
Barragem/Ortiga _____ 464
Barrea _____ 547
Barreiros _____ 433
Barret-sur-Méouge _____ 350
Baslow/Bakewell _____ 78
Bassemberg _____ 243
Bastia Mondovi _____ 476
Batcombe Vale/Shapton Mallet __ 60
Batet de la Serra/Olot _____ 400
Bath _____ 60
Batz-sur-Mer _____ 176
Baubigny _____ 135
Baveno _____ 476
Baveno/Oltrefiume _____ 476
Bayas/St.Émilion _____ 214
Bayeux _____ 131
Bayona/Vigo _____ 433
Beas de Granada _____ 443
Beaucens _____ 282

Beaugency _____ 144
Beaulieu-sur-Dordogne _____ 202,203
Beaumont-de-Lomagne _____ 277
Beaumont-sur-Sarthe _____ 172
Beaune _____ 254
Beaurecueil _____ 362
Beauville _____ 220
Beauvoir _____ 135
Beddgelert _____ 89
Bédoin _____ 358,359
Bédouès/Florac _____ 315
Beg-Léguer/Lannion _____ 165
Begur/Girona _____ 400
Beja _____ 464
Bélaye _____ 269
Belcoo _____ 100
Belflou _____ 337
Belfort _____ 248
Bellamonte/Predazzo _____ 492
Bellaria _____ 523
Bellaria/Igea Marina _____ 523
Bellerive-sur-Allier _____ 261
Bellerive-sur-Allier/Vichy _____ 262
Bellingham _____ 84
Belmont-sur-Rance _____ 273
Belmont-Tramonet _____ 297
Belton/Great Yarmouth _____ 80
Belvedere/Grado _____ 517
Belvès _____ 205
Benajarafe/Málaga _____ 443
Benasque (Huesca) _____ 426
Benicarlo _____ 418
Benicasim _____ 418,419
Benidorm/Alicante _____ 418,419
Bénivay-Ollon/Buis-les-Baronn. _ 302
Bennetsbridge _____ 106
Bénodet _____ 157,158
Bénouville _____ 131
Berceo _____ 429
Bere Regis _____ 60
Berga _____ 400
Bergerac _____ 205

Bernières-sur-Mer _____ 131
Bernières-sur-Seine _____ 129
Berny-Rivière _____ 125
Berrow/Malvern _____ 60
Bersezio _____ 476
Bertangles _____ 121
Berwick-upon-Tweed _____ 84
Besalú _____ 400
Bessé-sur-Braye _____ 172
Bétera _____ 419
Betws Garmon/Caernarfon _____ 89
Betws-y-Coed _____ 89
Beuzec-Cap-Sizun _____ 158
Bevagna _____ 538
Bexhill on Sea _____ 72
Beynac-et-Cazenac _____ 205
Beynat _____ 202
Beynes _____ 354
Biarritz _____ 227,229
Bias _____ 222
Bibbona _____ 527
Bibione _____ 508
Bibione Pineda _____ 508,509
Bidart _____ 227,228
Biddenden _____ 72
Bielsa _____ 426
Biganos _____ 214
Bigastro/Alicante _____ 419
Bignac _____ 198
Biguglia/Bastia _____ 386
Bilieu _____ 299
Binic _____ 165
Birchington _____ 72
Biscarrosse _____ 222
Biscarrosse-Plage _____ 222
Bisceglie _____ 552
Blair Atholl _____ 93
Blairlogie/Stirling _____ 93
Blajoux _____ 315
Blandford Forum _____ 60
Blanes _____ 401
Blangy-sur-Bresle _____ 127

Blarney _____ 106
Bletchingdon/Oxford _____ 72
Bligny-sur-Ouche _____ 254
Blois/Vineuil _____ 147
Blot-L'Église _____ 263
Blye _____ 251
Bodedern/Anglesey _____ 89
Bogliasco/Genova _____ 482
Boiry-Notre-Dame _____ 119
Bois Vert/Com. du Tallud _____ 196
Bois-de-Céné _____ 179
Boisse-Penchot _____ 273
Boisseron _____ 323
Boisset-Gaujac/Anduze _____ 318
Bollène _____ 358
Bolnuevo/Mazarrón _____ 451
Bologna _____ 519
Bolsena _____ 543
Boltaña (Huesca) _____ 426,427
Bonansa (Huesca) _____ 427
Bonelli di Porto Tolle _____ 509
Bonifacio _____ 386
Bonlieu _____ 251
Bonnac-la-Côte _____ 200
Bonnal/Rougemont _____ 250
Bonnes _____ 197
Bonneval _____ 145
Boô-Silhen _____ 282
Bordeaux/Bruges _____ 214
Borgio Verezzi _____ 482,483
Borgue/Kirkcudbright _____ 93
Bormes-les-Mimosas _____ 367,371
Bort-les-Orgues _____ 202
Borth/Ynyslas _____ 89
Boswinger Gorran/St. Austell _____ 61
Bot _____ 409
Bottai/Impruneta _____ 527
Bouillac _____ 206
Boulancourt _____ 143
Boulogne-sur-Gesse _____ 284
Boult _____ 248
Bourbon/Lancy _____ 258

Bourbonne-les-Bains _____ 233
Bourdeaux _____ 302
Bourg-Achard _____ 129
Bourg-Argental _____ 287
Bourg-en-Bresse _____ 289
Bourg-St-Andéol _____ 306
Bourg-St-Maurice _____ 297
Bourg-St-Maurice/Séez _____ 297
Bourg-Ste-Marie _____ 233
Bourges _____ 153
Boussac _____ 199
Boussac/Bourg _____ 199
Bouzic _____ 206
Bouzigues _____ 323
Boyardville _____ 186,187
Boyle _____ 106
Boyne/Rivière-sur-Tarn _____ 273
Bozen/Bolzano _____ 492
Bracciano _____ 543,544
Bracieux _____ 147
Bradfield (Essex) _____ 72
Braemar _____ 94
Bragança/Portelo _____ 459
Brain-sur-l'Authion _____ 174
Braize _____ 262
Bramans-en-Vanoise _____ 297
Bransgore/Christchurch _____ 72
Brantôme _____ 206
Bratton Fleming/Barnstaple _____ 61
Braucourt/Eclaron _____ 233
Bravone _____ 386
Bray-sur-Seine _____ 143
Brean Sands _____ 61
Brecon _____ 89
Bréhal _____ 135
Bréhémont _____ 149
Brem-sur-Mer _____ 179
Bresles _____ 126
Brest _____ 158
Bretenoux _____ 269
Breteuil-sur-Iton _____ 130
Brétignolles-sur-Mer _____ 179

Breville-sur-Mer _____ 135
Briare-le-Canal _____ 144
Briare/Châtillon-sur-Loire _____ 144
Brides-les-Bains _____ 297
Bridgetown _____ 61
Bridgnorth Shrops _____ 76
Bridgwater/Bawdrip _____ 61,63
Bridport _____ 62
Brighton _____ 72
Brighton-les-Pins _____ 122
Brignogan-Plages _____ 158,159
Brioude _____ 266
Brissac _____ 323
Brissac-Quincé _____ 174
Bristol/Cowslip Green _____ 62
Brives-Charensac _____ 266
Brixen/Vahrn _____ 492
Brockenhurst/Hants _____ 72
Brompton-on-Swale/Richmond _____ 84
Bronchales/Teruel _____ 427
Brora _____ 94
Brou _____ 145
Brousses-et-Villaret _____ 337
Brugheas/Vichy _____ 262
Brûlon _____ 172
Bruneck _____ 492
Brynsiencyn/Anglesey _____ 89
Bude _____ 62,63
Budens/Vila do Bispo _____ 464
Budoni _____ 561
Builth Wells _____ 89
Buis-les-Baronnies _____ 302
Bujaleuf _____ 201
Bulgnéville _____ 237
Bungay _____ 81
Burford _____ 72
Burgos _____ 438
Burtoncourt _____ 235
Burwell/Cambridge _____ 81
Bushmills _____ 100
Bussang _____ 238
Buxières-sous-Montaigut _____ 263

Buxton _____ 78
Buzançais _____ 152
Buzancy _____ 230

C

Cabedelo Darque/
V. do Castelo _____ 458,459
Cabo de Gata (Almería) _____ 443
Cabril/Montalegre _____ 459
Cáceres _____ 441
Cagnano Varano _____ 552
Cagnes-sur-Mer _____ 383
Cahagnolles _____ 131
Caherdaniel _____ 106,107
Cahir _____ 106
Cahirciveen _____ 106
Cahors _____ 269
Cala Gonone/Dorgali _____ 561
Calatabiano _____ 566
Calceranica al Lago _____ 492
Caldes de Montbui _____ 401
Caldonazzo _____ 492,493
Calella _____ 401
Calella de Palafrugell _____ 401
Càlig/Castellon _____ 419
Calizzano (SV) _____ 483
Callas _____ 367
Calonge _____ 401
Calpe/Alicante _____ 420
Calvi _____ 386,387
Calvi/Calenzana _____ 386
Calviac/Sousceyrac _____ 270
Camaret-sur-Mer _____ 158
Camaret-sur-Mer/Crozon _____ 158
Cambridge _____ 81
Cambrils _____ 409,410
Caminha _____ 458,460
Camon _____ 285
Campagne _____ 206
Campalto/Venezia _____ 509
Campan/La Séoube _____ 282

Campdevànol _____ 401
Campiglia Marittima _____ 527
Campitello di Fassa _____ 492
Campo Maior _____ 464
Campochiesa/Albenga _____ 483
Camprodon _____ 401
Camurac _____ 337
Canazei _____ 493
Cancale _____ 169
Candé-sur-Beuvron _____ 147
Candelario/Salamanca _____ 438
Candes-St-Martin _____ 149
Canet de Mar _____ 401
Canet-de-Salars _____ 273
Canet-en-Roussillon _____ 342
Canet-Plage _____ 342
Cangas del Morrazo _____ 433
Canillo _____ 393
Cannero Riviera _____ 476
Cannich by Beauly _____ 94
Cannigione di Arzachena _____ 561
Cannobio _____ 476,477
Caños de Meca/Barbate _____ 443
Canterbury _____ 72
Caorle _____ 509
Caorle/Lido Altanea _____ 509
Cap-d'Agde _____ 324,325
Cap-Ferret-Océan _____ 214
Capaccio/Paestum _____ 549
Capalbio/Graticciaia _____ 527
Capannole-Bucine _____ 527
Capel-le-Ferne _____ 72
Capitana/Quartu Sant'Elena ____ 561
Capmany _____ 401
Capo Ferrato/Muravera _____ 561
Capraia e Limite _____ 527
Capvern _____ 282
Carantec _____ 158
Caravia/Prado _____ 436
Carbonare di Folgaria _____ 493
Carcans _____ 214
Carcans/Maubuisson _____ 214

Carchuna/Motril (Granada) _____ 443
Cardet _____ 318
Cardiff _____ 89
Carennac _____ 270
Carentan _____ 136
Cargèse _____ 387
Cariati Marina _____ 556
Carlucet _____ 270
Carlux _____ 206
Carnac _____ 155
Carnac-Plage Cedex _____ 155
Carnac/Plouharnel _____ 155
Carnoustie _____ 94
Caro _____ 155
Caromb (Vaucluse) _____ 359
Carovigno _____ 552
Carpentras _____ 359
Carqueiranne _____ 367
Carrville _____ 81
Carteret _____ 136
Casal Borsetti _____ 520
Casale Marittimo _____ 527
Casamozza di Fium'Orbu _____ 387
Cascais/Guincho _____ 458,465
Cascia _____ 538
Casciano di Murlo/Siena _____ 527
Casfreires/Sátão _____ 460
Casignana Mare _____ 556
Caspe _____ 427
Cassagnabère _____ 284
Cassy-Lanton _____ 214
Castagneto Carducci _____ 527
Castañares de Rioja _____ 429
Casteil _____ 342
Castel di Tusa _____ 566
Casteldelplano _____ 528
Casteldimezzo/Pesaro _____ 540
Castellammare del Golfo _____ 566
Castellane _____ 354,355
Castellar del Riu _____ 401
Castellbò _____ 416
Castelletto Ticino/Novara _____ 477

Castelló d'Empúries _____ 402
Castelnau-de-Montmiral _____ 278
Castelnau-Magnoac _____ 282
Castelnaud-la-Chapelle _____ 206
Castelnaud/Veyrines-de-Domme 206
Castéra-Verduzan _____ 279
Castets _____ 222
Castiello de Jaca _____ 427
Castiglione del Lago _____ 538
Castiglione della Pescaia _____ 528
Castle Douglas _____ 94
Castlebar _____ 106
Castres _____ 278
Castries _____ 324
Castro Urdiales _____ 431
Castrojeriz _____ 438
Catania _____ 566
Catania/Ognina _____ 566
Caulonia Marina _____556,557
Cauterets _____ 282
Cavaillon _____ 359
Cavalaire-sur-Mer _____368,369
Cavallino _____509 - 511
Cavallino/Punta Sabbioni _____ 511
Cavallino/Treporti _____511 - 513
Cavriglia _____ 528
Caylus _____ 277
Cayriech _____ 277
Cayton Bay/Scarborough _____ 84
Cazaux _____ 214
Cazorla/Jaén _____ 443
Cecina Mare _____ 528
Cecina Mare/Livorno _____528,529
Cée _____ 433
Cefalù _____ 566
Ceillac _____ 350
Celles-sur-Plaine _____ 238
Cénac-et-Saint-Julien _____ 206
Cenarth/Newcastle Emlyn _____ 89
Cendras _____ 318
Cepoy _____ 144
Ceriale/Savona _____ 483

Cernay _____ 245
Certaldo/Marcialla _____ 528
Cervarezza Terme _____ 519
Cervo _____ 483
Cesenatico _____523,524
Ceyrat _____ 263
Ceyreste _____ 362
Cézan _____ 280
Chabeuil _____ 302
Chagny _____ 258
Chaillé-les-Marais _____ 179
Chalandray _____ 197
Chalezeule/Besançon _____ 250
Challans _____ 179
Challes-les-Eaux _____ 297
Chalon-sur-Saône/St.Marcel ____ 258
Châlons-en-Champagne _____ 231
Chamalières-sur-Loire _____266,267
Chambon-sur-Lac _____ 263
Chambretaud _____ 179
Chamonix _____ 293
Chamonix/Les Bossons _____ 293
Champagnac-le-Vieux _____ 266
Champagney _____ 248
Champagnole _____ 251
Champigny-sur-Marne _____ 142
Champs-Romain _____ 206
Champs-sur-Tarentaine _____ 267
Chantemerle-les-Blés _____ 303
Charlbury/Oxford _____ 72
Charleval _____ 362
Charleville-Mézières _____ 230
Charlieu _____ 287
Charly-sur-Marne _____ 126
Charmes _____ 238
Charmouth _____ 62
Charny _____ 255
Charolles _____ 258
Chartres _____ 145
Chastanier _____ 315
Chasteuil/Castellane _____ 354
Château-Renault _____ 149

Châteaudun _____ 146
Châteaulin _____158,159
Châteauneuf-de-Gadagne _____ 359
Châteauneuf-de-Galaure _____ 303
Châteauneuf-du-Pape _____ 359
Châteauneuf-la-Forêt _____ 201
Châteauneuf-sur-Isère _____ 303
Châteauneuf-sur-Loire _____ 144
Châteauponsac _____ 201
Châteaurenard _____ 362
Châteauroux _____ 152
Châteauroux-les-Alpes _____ 350
Châtel-de-Neuvre _____ 262
Châtel-Guyon _____ 263
Châtelaillon-Plage _____187,188
Châtillon _____ 251
Châtillon-en-Diois _____ 303
Châtillon-sur-Chalaronne _____ 289
Châtillon-sur-Cher _____ 147
Châtillon-sur-Seine _____ 254
Chauffailles _____258,259
Chaumot _____ 256
Chauvigny _____ 197
Chauzon _____ 306
Chef-Boutonne _____ 196
Cheissoux _____ 201
Chelmorton _____ 78
Cheltenham _____ 62
Chémery _____ 147
Chemillé _____ 174
Chemillé-sur-Indrois _____ 149
Chéniers _____ 199
Cherrueix _____ 169
Chertsey/London _____ 72
Cheverny _____ 147
Chézery-Forens _____ 289
Chichester _____ 73
Chickerell/Weymouth _____ 62
Chingford/London _____ 73
Chinon _____ 149
Chiusa/Klausen _____ 493
Cholet _____ 174

Chorges	351	
Christchurch	73	
Chudleigh (South Devon)	62	
Cirencester	62	
Cirò Marina	557	
Cisano di Bardolino	498,499	
Città di Castello	538	
Ciudad Rodrigo/Salamanca	438	
Civitanova Marche	541	
Civitella del Lago	538	
Civitella in Val di Chiana	528	
Clairvaux-les-Lacs	251	
Clamecy	256	
Clapiers	324	
Clarach/Aberystwyth	89	
Clémensat	263	
Clermont-l'Hérault	324	
Clifden	106	
Clippesby	81	
Clogheen	106	
Clohars-Carnoët	159	
Clohars-Carnoët/Le Pouldu	159	
Cloyes-sur-le-Loir	146	
Cluny	258	
Cluses	293	
Coëx	179	
Cognac	198	
Cognac-la-Forêt	201	
Coimbra	460	
Colchester	73	
Coleraine	100	
Colleville-sur-Mer	131	
Collias	318	
Collioure	343	
Collonges-la-Rouge	202	
Colmar/Horbourg-Wihr	245	
Cologna/Spiaggia	547	
Colombiers	324	
Colombres/Ribadedeva	436	
Coltano	528	
Colunga	436	
Coma-Ruga/El Vendrell	410	

Combe Martin	62	
Comberton/Cambridge	81	
Combrit/Sainte-Marine	159	
Comillas	431	
Commequiers	179	
Comps/Dieulefit	303	
Concarneau	159	
Concourson-sur-Layon	174	
Condac	199	
Condat	268	
Condé-sur-Vesgre	139	
Condette	119	
Condom	280	
Cong	106	
Conil de la Frontera	443 - 445	
Coniston	84	
Conques	273	
Conques/Sénergues	273	
Contis-Plage/St.Julien-en-Born	222	
Contrexéville	238	
Corbès/Anduze	318,319	
Corcieux	238	
Cordelle	287	
Cordes-sur-Ciel	270	
Córdoba	444	
Corfe Mullen/Wimborne	62	
Corigliano/Calabro	557	
Cormatin	259	
Cormoranche-sur-Saône	289	
Corny-sur-Moselle	235	
Corpach/Fort William	94,95	
Corsavy	343	
Cortina d'Ampezzo	512	
Cosne-sur-Loire	153	
Costa de Caparica	458,465	
Costa Rei/Muravera	561	
Costacciaro	538	
Cotignac	368	
Cotton/Alton Towers (Staf.sh.)	77	
Couhé	197	
Coulon	196	
Courçon	187	

Courmayeur	474	
Cournon-d'Auvergne	264	
Courpalay	143	
Courseulles-sur-Mer	131	
Courtils	136	
Courville-sur-Eure	146	
Coutures	174	
Coux-et-Bigaroque	206	
Craignure (Mull)	94	
Crantock/Newquay	62,63	
Crayssac	270	
Crêches-sur-Saône	259	
Crécy-la-Chapelle	143	
Creetown (Wightownsh.)	94	
Creixell	410	
Créon	214	
Crespian	318	
Crest	303	
Crèvecoeur en Brie	143	
Crevillente/Alicante	420	
Creysse	270,271	
Crianlarich/Perthshire	94	
Cromac	201	
Cromary	248	
Cromer (Norfolk)	81	
Cromwell/Newark	78	
Cropani Marina	557	
Crouy-sur-Cosson	147	
Crowborough	73	
Crowcombe	63	
Crowhurst/Battle	73	
Crows-an-Wra/Land's End	63	
Crozant	200	
Crozon	159	
Crux-la-Ville	256	
Cuacos de Yuste/Cáceres	441	
Cubelles	402	
Cubert/Newquay	63	
Cublize/Amplepuis	288	
Cucuron	359	
Cudillero	436	
Cuglieri	561	

Cullera/Valencia _____ 420
Cullompton _____ 63
Culoz _____ 289
Cumiana _____ 477
Cuneo/San Rocco Castagnaretta 477
Cunlhat _____ 264
Cupra Marittima _____ 541
Cury Cross Lanes/Helston _____ 63

D

Daglan _____ 207
Dalbeattie/Sandyhills _____ 94
Dallet _____ 264
Dalwood/Axminster _____ 63
Dambach-la-Ville _____ 243
Damgan _____ 155
Damiatte _____ 278
Damvix _____ 179
Darbres _____ 306
Darè _____ 493
Dauphin/Forcalquier _____ 354
Daviot East _____ 94
Dawlish (Devon) _____ 63
Dax _____ 222
Deauville/St. Arnoult _____ 132
Deauville/Tourgéville _____ 132
Decize _____ 256
Déiva Marina _____ 483
Denia _____ 420
Denneville-Plage _____ 136
Densole _____ 73
Derbyshire _____ 78
Descartes _____ 150
Desenzano del Garda _____ 498
Devesset _____ 306
Devil's Bridge/Aberystwyth _____ 90
Dévillac/Villeréal _____ 220
Dhoon Bay/Kirkcudb. _____ 94
Dial Post/Horsham _____ 73
Diano Marina _____ 484
Die _____ 303

Dienville _____ 232
Dieulefit _____ 303
Digne-les-Bains _____ 354
Digoin _____ 259
Dijon _____ 254
Dimaro _____ 493
Dinard _____ 169
Dinard/St.Lunaire _____ 170
Dingwall (Ross-shire) _____ 94
Divonne-les-Bains _____ 289
Dol-de-Bretagne _____ 170,171
Dole _____ 251
Dolus-d'Oléron _____ 188,189
Domaso _____ 487,488
Domme _____ 207
Dompierre-les-Ormes _____ 259
Dompierre-sur-Besbre _____ 262
Donard _____ 106
Dongo _____ 488
Donville-les-Bains _____ 136
Donzenac _____ 202
Doolin _____ 106
Dormans _____ 231
Dormelletto _____ 477
Dornoch/Sutherland _____ 94
Douarnenez _____ 159,160
Douarnenez/Tréboul _____ 160
Doucier _____ 251,252
Dourdan _____ 142
Doussard _____ 293
Douville _____ 207
Douzy _____ 230
Dublin 22 _____ 106
Duingt _____ 293
Dulverton (Somerset) _____ 64
Dunbar _____ 94
Dungarvan _____ 107
Dunmore East _____ 107
Dunvegan (Skye) _____ 95
Duras _____ 220
Durness _____ 95
Durtal _____ 174,175

Dymchurch _____ 73

E

East Anstey/Tiverton _____ 64
East Calder/Edinburgh _____ 95
East Harling _____ 81
East Stoke/Wareham _____ 64
East Worlington/Crediton _____ 64
Eastington/Stonehouse _____ 64
Eboli-Mare _____ 549
Ebreuil _____ 262
Ecclefechan/Lockerbie _____ 95
Eclaron _____ 233
Eclassan _____ 306
Ecrille _____ 252
Edinbane (Isle of Skye) _____ 95
Edinburgh _____ 95
Edmonton/London _____ 73
Edolo _____ 488
Edzell _____ 95
Eguisheim _____ 245
Éguzon _____ 152
El Berro/Alhama de Murcia _____ 451
El Campello/Alicante _____ 420
El Escorial/Madrid _____ 438
El Pont de Suert (Lérida) _____ 416
El Portús/Cartagena _____ 451
El Puerto de Santa Maria _____ 444
El Rocío _____ 444
Elba/Capolíveri _____ 528
Elba/Lacona _____ 529
Elba/Lacona/Capolíveri _____ 529,530
Elba/Marina di Campo _____ 529
Elba/Porto Azzurro _____ 530
Elba/Portoferraio _____ 530
Elne/St. Cyprien _____ 343,345
Elvas-Codex _____ 465
Embo/Dornoch _____ 95
Embrun _____ 351
Empuriabrava _____ 402
Enguera _____ 420

Entracque _____ 478,481

Entraygues-sur-Truyère _____ 273

Entre-deux-Guiers _____ 299

Entrevaux _____ 354

Éperlecques _____ 119

Epernay _____ 231

Epinac _____ 259

Épinal _____ 238,239

Epiniac/Dol-de-Bretagne _____ 170

Equihen-Plage _____ 119

Eraclea Mare _____ 512

Eraclea Minoa/Cattolic.Eraclea __ 566

Erdeven _____ 155

Erquy _____ 165 - 167

Err _____ 344

Erratzu _____ 429

Erstein _____ 243

Erts/La Massana _____ 393

Escalles _____ 119

Espalion _____ 273

Esparron-de-Verdon _____ 354

Espelette _____ 228

Espinal/Auritzberri _____ 429

Espinho _____ 460

Espira-de-Conflent _____ 344

Esponellà (Girona) _____ 402

Espot _____ 416

Estaing _____ 282

Estang _____ 280

Estavar/Cerdagne _____ 344

Estela/Rio Alto _____ 458,460

Estepona (Malaga) _____ 444

Esterre _____ 282

Esterri d'Àneu _____ 416

Étables-sur-Mer _____ 166

Étampes/Ormoy-la-Rivière _____ 142

Étang-sur-Arroux _____ 259

Etreham/Bayeux _____ 132

Étretat _____ 127

Etroubles _____ 474

Etxarri Aranatz _____ 429

Eupilio _____ 488

Eusa/Oricain/Pamplona _____ 429

Évora _____ 458,465

Évoramonte _____ 465

Évron _____ 172

Excenevex-Plage _____ 293

Exeter _____ 64

Exideuil-sur-Vienne _____ 199

Eymouthiers/Montbron _____ 199

Eynesbury/St. Neots _____ 81

Eype/Bridport _____ 64

Ezy-sur-Eure _____ 130

F

Fabrègues _____ 324

Fakenham _____ 81

Falaise _____ 132

Falconara/Sicula _____ 566

Fano _____ 541

Farra d'Alpago _____ 512

Faverolles-sur-Cher _____ 147

Fearby/Masham _____ 84

Fécamp _____ 127

Félines _____ 307

Felixstowe _____ 81

Feriolo di Baveno _____ 478

Ferrara _____ 520

Feuillères _____ 122

Feurs _____ 287

Fiano Romano/Roma _____ 544

Fiesole _____ 530

Figeac _____ 270

Figline Valdarno _____ 530

Finale di Pollina _____ 566

Finale Ligure _____ 484

Fiorenzuola di Focara/Pesaro ___ 541

Firenze _____ 530

Fishguard _____ 90

Fitou _____ 337

Flagey _____ 233

Flagnac _____ 274

Fleurie _____ 288

Fleury-d'Aude _____ 337,339

Florac _____ 315,316

Foce Varano (Isola Varano) __ 552,553

Foix _____ 285

Follifoot/Harrogate _____ 85

Fondachello/Mascali _____ 566

Fondotoce/Verbania _____ 478 - 480

Font Romeu _____ 344

Fontanals de Cerdanya _____ 402

Fontenoy-le-Château _____ 239

Fontès _____ 324

Fontvieille _____ 362

Forcalquier _____ 354,355

Fordingbridge/Hants _____ 73

Forest-Montiers _____ 122

Forfar _____ 95

Formigny/Surrain _____ 132

Fornells de la Selva _____ 402

Forno di Zoldo _____ 512

Fort Augustus _____ 95

Fort-Mahon-Plage _____ 122,123

Fort William _____ 96,97

Fouesnant _____ 160

Fouesnant/Beg-Meil _____ 160

Fouesnant/Cap Coz _____ 160

Four Gotes/Wisbech _____ 81

Four Lanes/Redruth _____ 64

Fourchambault _____ 256

Fourmies _____ 118

Fourneaux _____ 200

Foz _____ 434

Foz do Arelho _____ 460

Francueil/Chenonceaux _____ 150

Fraserburgh _____ 96

Fraz. Torredaniele _____ 480

Freissinières _____ 351

Fréjus _____ 368,370,372,373

Fréland _____ 245

Fresnay-sur-Sarthe _____ 173

Fresse _____ 248

Fresse-sur-Moselle _____ 239

Frodsham _____ 85

Frontignan-Plage   324
Fucine di Ossana   493
Fuenmayor   429
Fuilla   344
Fumay   231
Fumel   220
Fundão   460
Fuseta   465
Fusina/Venezia   512
Fylingdales (Whitby)   85

G

Gacé   134
Gaeta   544
Gafanha da Boa Hora/Vagos 458,460
Gagliano del Capo (LE)   553
Gairloch/Ross-shire   96
Gairo   560,561
Gala/Figueira da Foz   458,460
Galende/Zamora/Castilla y Leon 438
Gallargues-le-Montueux   318
Gallipoli   553
Galmpton/Brixham   64
Gamaches   122
Gannat   262
Gap   351
Garbagna   480
Gargantilla del Lozoya/Madrid 438
Garganvillar   277
Gargrave   85
Garrettstown/Kinsale   107
Garriguella   402
Gartmore   96
Gassin/St.Tropez   372
Gatehouse-of-Fleet   96
Gatteo Mare   524
Gatteville-Phare   136
Gaudonville   280
Gaugeac/Monpazier   207
Gavà (Barcelona)   402
Gavarnie   282

Gavín   427
Gemona   517
Gennes   175
Genua/Pegli   484
Gérardmer   239
Gérardmer/Le Beillard   239
Géraudot-Plage   232
Gerstheim   243
Ghiffa   480
Ghisonaccia   387
Giens/Hyères   372,374
Giffaumont/Champaubert   232
Gignac   324
Gigny-sur-Saône   259
Gijón-Deva   436
Giovinazzo   553
Giulianova Lido   547
Givrand/St.Gilles-Croix-de-Vie 179
Glastonbury   64
Glen of Aherlow   107
Glen of Aherlow/Tipperary   107
Glenbeigh   107
Glencoe/Argyll   96
Glendaruel/Argyll   96
Glenmore   96
Goldrain   493
Golinhac   274
Gondesende/Bragança   460
Gondrin   280
Gonneville-en-Auge   132
Gordes   359
Gorliz   430
Goudargues   318
Goudet   266
Gourdon   270
Gradignan   214,215
Grado   517
Grado/La Rotta   518
Grafham   81
Granada   444
Granada/La Zubia   444
Granada/Otura   444

Granada/Peligros   444
Grandcamp-Maisy   132
Grandpré   231
Grâne   303
Granges-sur-Vologne   238,239
Grantown-on-Spey   96
Grau de Gandía   420
Grau-d'Agde   324
Graus   427
Graveson   362
Gray   249
Grayan-et-l'Hôpital   215
Great Yarmouth   81
Greenbottom/Truro   64
Greetham/Oakham   79
Gréoux-les-Bains   355,356
Gresse-en-Vercors   300
Gretna   96
Grez-sur-Loing/Fontainebleau 143
Grignan   303
Grillon   359
Grimaud   374,375
Groisy   293
Groléjac   207
Guadalupe/Cáceres   441
Guardamar del Segura/Alicante 420
Guardavalle   557
Guardiola de Berguedà   402
Guardistallo   530
Gubbio   539
Gudas   285
Güejar Sierra (Granada)   446
Guémené-Penfao   176
Guérande   176
Guéret   200
Guidel   155
Guillestre   351
Guils de Cerdanya   402
Guines   120
Guise   126
Gunsbach   245

H

Hadnall/Shrewsbury (Shropsh.) __ 77

Hale/Milnthorpe _____ 85

Hamble (Hampsh.) _____ 73

Hanworth/Norwich _____ 82

Harlech _____ 90

Harmans Cross/Swanage _____ 64

Haro _____ 430

Harrogate _____ 85

Harwich/Essex _____ 73

Hastings _____ 73

Hautecourt-Romanèche _____ 289

Hautefort _____ 207

Hauterives _____ 304

Hauteville-Lompnes _____ 289

Hautot-sur-Mer _____ 127

Haverfordwest _____ 90

Hawes _____ 85

Hawick _____ 96

Hayle _____ 64

Hèches _____ 282

Hecho _____ 427

Hemsby/Great Yarmouth _____ 82

Hendaye _____ 228

Hendaye-Plage _____ 228

Henley-on-Thames _____ 74

Henlow Bedfordshire _____ 74

Héric _____ 176

Herpelmont _____ 239

Hervás/Cáceres _____ 441

Hervelinghen _____ 120

Hoddesdon _____ 74

Hollingbourne/Maidstone _____ 74

Holton Heath/Poole (Dorset) ___ 64

Holywell Bay/Newquay _____ 65

Honfleur/Équemauville _____ 133

Honfleur/Fiquefleur _____ 130

Hope (Derbyshire) _____ 79

Horcajo de los Montes _____ 441

Horsey _____ 82

Horton (Gower) _____ 90

Hospitalet del Infante _____ 410

Houlgate _____ 133,134

Hourtin-Plage _____ 215

Hourtin-Port _____ 215

Hoyos del Espino/Avila _____ 438

Huanne-Montmartin _____ 250

Hubberts Bridge/Boston _____ 79

Huelgoat _____ 160

Hughley/Shrewsbury _____ 77

Humilladero _____ 446

Hunstanton _____ 82

Huntly _____ 96

Hurley/Maidenhead _____ 74

I

Idro _____ 488

Ilfracombe _____ 65

Ilhavo _____ 460,461

Illiers-Combray _____ 146

Imperia _____ 484

Ingoldmells _____ 79

Ingrandes _____ 197,198

Innerwlck/Dunbar _____ 97

Inveraray/Argyll _____ 97

Inverness _____ 97

Is Aruttas/Cabras _____ 561

Isca Marina _____ 557

Isella di Civate/Lecco _____ 488

Iseo _____ 488,489

Isigny-sur-Mer _____ 133

Isla (Cantabria) _____ 431

Isla Cristina _____ 446

Isla Plana/Cartagena _____ 451

Islares _____ 432

Isola delle Femmine _____ 566

Isola di Capo Rizzuto _____ 557

Isola Verde/Chioggia _____ 512

Isolabona _____ 484

Isovol _____ 402

Ispagnac _____ 315

Ispra _____ 489

Isques _____ 120

Issenheim _____ 245

Issoire _____ 264

Issy-l'Évêque _____ 259

Istres _____ 363

Itxassou _____ 228

Itziar _____ 430

J

Jablines _____ 143

Jarandilla de la Vera _____ 441

Jarandilla de la Vera/Cáceres ___ 441

Jard-sur-Mer _____ 179

Jargeau _____ 144

Jars _____ 153

Jaulny _____ 235

Jávea/Alicante _____ 420,421

Jedburgh (Roxb.) _____ 97

Jenzat _____ 262

John O'Groats _____ 97

Jonquières _____ 359

Joyeuse _____ 307

Jugon-les-Lacs _____ 166

Jumieges _____ 127

Jumilhac-le-Grand _____ 207

Junas _____ 318

K

Kaysersberg _____ 246

Keel (Achill Island) _____ 107

Kessingland _____ 82

Keswick _____ 85

Kilberry _____ 97

Kilkenny _____ 107

Killarney _____ 107

Killin _____ 97

Kilmuckridge _____ 108

Kings Clipstone _____ 79

Kingsnorth _____ 74

Kinlochleven/Argyll _____ 97

Kinninvie/Barnard Castle _____ 85
Kippford _____ 97
Kirkby Stephen _____ 85
Kirkbymoorside _____ 85
Kirkcudbright _____ 97
Knaresborough _____ 85
Kruth _____ 246,247

L

L'Aiguillon-sur-Mer _____ 179
L'Ametlla de Mar _____ 410
L'Ampolla _____ 410
L'Épine _____ 180
L'Escala _____ 402,403
L'Estartit _____ 403
L'Hospitalet-près-l'Andorre _____ 285
L'Houmeau _____ 188
L'île-Bouchard _____ 150
L'Isle-sur-la-Sorgue _____ 359
L'Isle-sur-le-Doubs _____ 250
La Balme-de-Sillingy _____ 293
La Barre-de-Monts _____ 180
La Bastide-de-Sérou _____ 285
La Bastide-Puylaurent _____ 315
La Baule _____ 176
La Bernerie-en-Retz _____ 176
La Boissière-de-Montaigu _____ 180
La Bourboule/Murat-le-Quaire __ 264
La Bresse _____ 240
La Cabrera (Madrid) _____ 438
La Carlota/Córdoba _____ 446
La Celle-en-Morvan _____ 259
La Chaise-Dieu _____ 266
La Chapelle-d'Angillon _____ 153
La Chapelle-Hermier _____ 180,181
La Charité-sur-Loire _____ 256
La Chartre-sur-le-Loir _____ 173
La Ciotat _____ 363
La Clayette _____ 259
La Colle-sur-Loup _____ 383,384
La Coruña (Sta Cruz) _____ 434

La Couarde-sur-Mer _____ 188
La Couronne _____ 363
La Cresse _____ 274
La Croix-Valmer _____ 376
La Douze _____ 207
La Farga de Moles _____ 416
La Ferté-St-Aubin _____ 144
La Ferté-Vidame _____ 146
La Flèche _____ 173
La Flotte-en-Ré _____ 188,189
La Fond-d'Ussel/Proissans _____ 207
La Forêt-Fouesnant _____ 160
La Fresneda _____ 427
La Garde/Castellane _____ 355
La Genevraye _____ 143
La Grande-Motte _____ 325
La Grave _____ 351
La Guerche-sur-l'Aubois _____ 153
La Guérinière _____ 180
La Guingueta d'Àneu _____ 416
La Guyonnière _____ 180
La Lanzada _____ 434
La Mamola _____ 446
La Manga del Mar Menor _____ 451
La Marina/Alicante _____ 421
La Mollière-d'Aval _____ 122
La Motte-Chalancon _____ 304
La Neuveville-sous-Châtenois __ 240
La Pacaudière _____ 287
La Palme _____ 337
La Pineda _____ 410
La Plaine-sur-Mer _____ 176
La Pobla de Segur _____ 416
La Puebla de Castro _____ 427
La Puebla de Castro (Huesca) __ 428
La Puebla de Roda _____ 428
La Roche-Chalais _____ 207
La Roche-de-Rame _____ 351
La Roche-des-Arnauds _____ 352
La Roche-Posay _____ 198
La Romieu _____ 280
La Roque-Gageac _____ 207

La Roque-sur-Cèze _____ 318,319
La Salvetat-sur-Agout _____ 325
La Saulce/Curbans _____ 356
La Seyne-sur-Mer _____ 376
La Tagnière _____ 259
La Tour-d'Auvergne _____ 264
La Tour-du-Meix _____ 252
La Tranche-sur-Mer _____ 180,181
La Trinité-sur-Mer _____ 155
La Turballe _____ 177
La Vachette/Briançon _____ 352
La Vall de Laguar/Alicante _____ 421
La Ville-aux-Dames _____ 150
Laas _____ 493
Labaroche _____ 246
Labenne-Océan _____ 222,223
Labuerda/Ainsa (Huesca) _____ 428
Lacanau (Médoc) _____ 215
Lacanau-Lac _____ 216
Lacanau-Océan _____ 216
Lacanau/Talaris _____ 216
Lacanau-Ville _____ 216
Lacaune-les-Bains _____ 278
Lacock (Wiltshire) _____ 65
Ladignac-le-Long _____ 201
Lagnes _____ 359
Lagos _____ 458,465
Laigueglia _____ 484
Laives _____ 259
Lalley _____ 300
Lamalou-les-Bains _____ 325
Lamastre _____ 307
Lambesc _____ 363
Lamontélarié _____ 278
Lamontjoie _____ 220
Lamporecchio (PT) _____ 530
Lana/Meran _____ 494
Lancieux _____ 166
Landéda _____ 160,161
Landrake/Saltash _____ 65
Landrellec/Pleumeur-Bodou _ 166,167
Landry _____ 298

Landudec _____ 160
Langogne _____ 315
Langogne/Naussac _____ 315
Langres _____ 233
Lanloup/Paimpol _____ 166
Lanne _____ 282
Lanobre _____ 268
Lanouaille _____ 207
Lans-en-Vercors _____ 300
Lansargues/Mauguio _____ 325
Lanslevillard _____ 298
Lantic _____ 166
Lanton _____ 216
Lanvéoc/Crozon _____ 161
Lapalisse _____ 262
Lapeyrouse _____ 264
Laredo _____ 432
Largentière _____ 307
Larmor-Baden _____ 155
Larnagol _____ 270
Laroles (Granada) _____ 446
Laruns _____ 228
Las Negras/Nijar (Almería) _____ 446
Lasalle/Anduze _____ 319
Laspaúles (Huesca) _____ 428
Lathuile _____ 293 - 295
Latour-de-France _____ 344
Latsch _____ 494
Lattes _____ 326
Launceston _____ 65
Laurac-en-Vivarais _____ 307
Laurens _____ 326
Laurière _____ 201
Lavarone/Chiesa _____ 494
Laveissière _____ 268
Lavelanet _____ 285
Lavena Ponte Tresa _____ 489
Lavoûte-sur-Loire _____ 266
Lavra/Angeiras _____ 458,460
Lays-sur-le-Doubs _____ 259
Lazise _____ 498
Lazise sul Garda _____ 500 - 503

Le Bar-sur-Loup _____ 384
Le Barcarès _____ 344,345
Le Bec-Hellouin _____ 130
Le Bez _____ 279
Le Bois-Plage-en-Ré _____ 189
Le Boulou _____ 345
Le Bourg-d'Oisans _____ 300
Le Bourg-Dun _____ 127
Le Bourget-du-Lac _____ 298
Le Brévedent/Pont-l'Évêque _____ 133
Le Bugue _____ 208
Le Buisson-de-Cadouin _____ 208
Le Cannet/Cannes _____ 384
Le Chambon-sur-Lignon _____ 266
Le Château-d'Oléron _____ 189
Le Château-d'Oleron/La Gaconn. _____ 190
Le Château-d'Olonne _____ 180,181
Le Crestet _____ 307
Le Croisic _____ 177
Le Crotoy _____ 123
Le Fouilloux _____ 190
Le Gâvre _____ 177
Le Givre _____ 181
Le Grand-Bornand _____ 294
Le Grand-Serre _____ 304
Le Grand-Village-Plage _____ 190,191
Le Grau-du-Roi _____ 319
Le Hamel/Bouzencourt _____ 123
Le Hohwald _____ 243,244
Le Lavandou _____ 376
Le Lude _____ 173
Le Mas-d'Azil _____ 286
Le Mêle-sur-Sarthe _____ 134
Le Mesnil-Réaume/Eu _____ 127
Le Miroir _____ 259
Le Monastier-sur-Gazeille _____ 266
Le Muy _____ 376,377
Le Perrier _____ 181
Le Petit-Bornand-les-Glières _____ 294
Le Poët-Célard _____ 304
Le Porge-Océan _____ 216
Le Pradet _____ 377

Le Puy-en-Velay _____ 267
Le Roc-St-André _____ 155
Le Rozel _____ 136
Le Rozier _____ 315
Le Rozier/Peyreleau _____ 316
Le Teich _____ 216
Le Tholy _____ 240,241
Le Tilleul _____ 128
Le Trein-d'Ustou _____ 286
Le Vernet _____ 356
Le Vigan _____ 270,319
Lebberston/Scarborough _____ 85
Lecce/Loc. Torre Rinalda _____ 553
Lecci _____ 387
Lecco _____ 489
Lectoure _____ 280
Ledro/Pieve _____ 494,495
Leedstown/Hayle _____ 65
Lège-Cap Ferret _____ 216,217
Leifers/Bozen _____ 494
Lekunberri _____ 430
Lempdes-sur-Allagnon _____ 267
Léon _____ 224
Lépin-le-Lac _____ 298
Léran _____ 286
Les Abrets _____ 300
Les Adrets-de-l'Estérel _____ 376,377
Les Andelys _____ 130
Les Cabannes _____ 286
Les Cammazes _____ 279
Les Cases d'Alcanar _____ 410
Les Contamines-Montjoie _____ 294
Les Epesses _____ 181
Les Eyzies-de-Tayac _____ 208,209
Les Grandes-Ventes _____ 128
Les Issambres _____ 377
Les Loges _____ 128
Les Marches/Montmélian _____ 298
Les Mathes _____ 190,191
Les Mathes/La Palmyre _____ 191
Les Mazures _____ 231
Les Moutiers-en-Retz _____ 177

Les Ollières-sur-Eyrieux _____ 307
Les Pieux _____ 136,137
Les Ponts-de-Cé _____ 175
Les Pradeaux _____ 264
Les Rosiers-sur-Loire _____ 175
Les Sables Vigniers/St. G.d-Ol ___ 192
Les Sables-d'Olonne _____ 181
Les Salles-sur-Verdon _____ 378
Les Thuiles _____ 356
Les Vans _____ 307
Les Vigneaux _____ 352
Les Vignes _____ 316
Lescheraines _____ 298
Lesconil _____ 161
Lesconil/Plobannalec _____ 161
Letojanni _____ 566
Leubringhen _____ 120
Leval _____ 249
Lévanto _____ 484
Levico Terme _____ 494
Levier _____ 250
Leyburn _____ 85
Lézan _____ 319
Lézignan-Corbières _____ 338
Licques _____ 120
Lido degli Scacchi _____ 520
Lido delle Nazioni _____ 520,521
Lido di Dante _____ 521
Lido di Jesolo _____ 514
Lido di Pomposa _____ 521,522
Lido di Savio _____ 522
Lido di Spina _____ 522
Lido Valderice _____ 567
Liginiac _____ 202,203
Lignano _____ 518
Ligny-le-Châtel _____ 255
Ligüerre de Cinca (Huesca) _____ 428
Limeray _____ 150
Limeuil _____ 208
Limeuil/Alles-sur-Dordogne ___ 208
Limone _____ 502
Limone Piemonte _____ 480

Lincoln _____ 79
Lingfield _____ 74
Lion-sur-Mer _____ 133
Lisboa _____ 458
Lisle _____ 208
Lisnarick _____ 100
Lissac-sur-Couze _____ 203
Lit-et-Mixe _____ 224
Little Cornard/Sudbury _____ 82
Little Hereford/Ludlow _____ 77
Liverdun _____ 235
Livorno/Antignano _____ 530
Lizarra/Estella _____ 430
Llafranc/Palafrugell _____ 403
Llagostera _____ 403
Llandovery _____ 90
Llanes/Vidiago _____ 436
Llanfwrog (Anglesey) _____ 90
Llangorse/Brecon _____ 90
Llantwit Major/Vale of Glam. _____ 90
Llauro _____ 345
Lloret de Mar _____ 403
Loches _____ 150,151
Lochranza (Isle of Arran) _____ 97
Locmariaquer _____ 155
Locquirec _____ 161
Locronan _____ 161
Loctudy _____ 161
Lodève _____ 326
Loix (Île de Ré) _____ 192
Lomener/Ploemeur _____ 155
London _____ 74
London/Abbey Wood _____ 74
Longchaumois _____ 252
Longeville-sur-Mer _____ 181
Lons-le-Saunier _____ 252
Looe _____ 65
Loredo _____ 432
Lorica _____ 557
Lormes _____ 257
Los Escullos/Nijar (Almería) __ 446,447
Lostwithiel _____ 65

Lotzorai _____ 562
Loubressac _____ 270
Loudéac _____ 166
Loudenvielle _____ 283
Louhans _____ 260
Loupian _____ 326
Lourdes _____ 283
Lourmarin _____ 360
Louro _____ 434
Louro/Muros _____ 434
Louvarel/Champagnat _____260,261
Louvie-Juzon _____ 228
Louviers _____ 130
Loyat/Ploërmel _____ 155
Lozari _____ 387
Luarca _____ 436
Luc-en-Diois _____ 304
Luc-sur-Mer _____ 133
Luché-Pringé _____ 173
Luchon/Moustajon _____ 284
Ludlow _____ 77
Lugrin _____ 294
Lulworth Cove/Wareham (Dorset) 65
Lumbier _____ 430
Lumio _____ 387
Lunel _____ 326
Lus-la-Croix-Haute _____ 304
Lusignan _____ 198
Luso _____ 460
Lussas _____ 308
Luttenbach/Munster _____ 246
Lutzelbourg _____ 235,236
Luxeuil-les-Bains _____ 249
Luynes _____ 150
Luz-St-Sauveur _____ 283
Luz-St-Sauveur/Esquièze-Sère ___ 283
Luz-St-Sauveur/Sassis _____ 283
Luz/Lagos _____ 465
Luzeret _____ 153
Luzy _____ 257
Luzy/Tazilly _____ 257
Lyme Regis _____ 65

Lynton (N-Devon) _____ 65
Lyon/Dardilly _____ 288
Lyons-la-Forêt _____ 130

M

Mablethorpe _____ 79
Maçanet de Cabrenys _____ 403
Maccagno _____ 489
Maccagno Superiore _____ 489
Maché _____ 181
Maderno sul Garda _____ 502
Madrid _____ 438
Madrigal de la Vera _____ 441
Magione _____ 539
Magné _____ 196
Maisod _____ 252
Maisons-Laffitte _____ 139
Malbuisson _____ 250
Malcesine _____ 502,503
Malcontenta/Venezia _____ 514
Malemort-du-Comtat _____ 360
Malgrat de Mar _____ 403,404
Mallemort _____ 363
Malpartida de Plasencia _____ 441
Malpica _____ 434
Mals _____ 494
Mamers _____ 173
Mandatoriccio _____ 558
Mandelieu-la-Napoule _____ 384
Manerba del Garda _____ 503,504,506
Manfredonia _____ 553
Manilva _____ 447
Manosque _____ 356
Mansigné _____ 173
Mansle _____ 199
Manston/Ramsgate _____ 74
Marans _____ 192
Marbella _____ 447
Marbella/Málaga _____ 447
Marcelli di Numana _____ 541
Marcenay _____ 254

Marciac _____ 280
Marcillac-la-Croisille _____ 203
Marcilly-sur-Eure _____ 130
Marçon _____ 173
Marden _____ 74
Marennes _____ 192
Mareny de Barraquetes/Sueca _____ 421
Mareuil-sur-Cher _____ 148
María/Almería _____ 447
Marian-glas/Anglesey _____ 90
Marigny _____ 252
Marina di Altidona _____ 541
Marina di Bibbona _____ 530,531
Marina di Camerota _____ 549
Marina di Castagneto _____ 531
Marina di Ginosa _____ 553
Marina di Grosseto _____ 531
Marina di Massa _____ 531,532
Marina di Massa/Partaccia _____ 532,533
Marina di Minturno _____ 544
Marina di Montalto _____ 544
Marina di Montalto di Castro _____ 544
Marina di Nicotera _____ 558
Marina di Nocera Terinese _____ 550
Marina di Ragusa _____ 567
Marina di Ravenna _____ 522
Marina di San Vito Chietino _____ 547
Marina di Zambrone _____ 558,559
Marina Romea _____ 522
Marinella di Selinunte _____ 567
Market Rasen _____ 79
Markington _____ 85
Marlens _____ 294
Marnay _____ 249
Maro/Nerja (Málaga) _____ 447
Marone (Lago di Iseo) _____ 490
Marsala _____ 567
Marsan _____ 280
Marsanne _____ 304
Marseillan-Plage _____ 326 - 329
Martignac/Puy-l'Évêque _____ 270,271
Martigny _____ 128

Martigues _____ 363
Martin Mill/Dover _____ 74
Martinsicuro _____ 547
Martragny _____ 133
Martres-Tolosane _____ 284
Marvejols _____ 316
Masevaux _____ 246
Masham _____ 85
Massalubrense/Marina d.Cantone _____ 549
Massignieu-de-Rives _____ 289
Matafelon-Granges _____ 290
Mataró _____ 404
Matera _____ 551
Matignon _____ 166
Matour _____ 260
Mattinata (FG) _____ 553
Matton-et-Clemency _____ 231
Maubeuge _____ 118
Mauléon-Soule _____ 220
Maupertus-sur-Mer _____ 137
Maureillas _____ 345
Maureillas-Las-Illas _____ 346
Maurlac _____ 268
Mauroux _____ 280
Maussane-les-Alpilles _____ 363
Mayenne _____ 172
Mayrac _____ 270
Mayres-Savel _____ 300
Mazagón _____ 448
Mazamet _____ 279
Mazan _____ 360
Mazara del Vallo _____ 567
Mazères _____ 286
Méaudre _____ 300
Medas/Gondomar _____ 460
Médis _____ 192
Méjannes-le-Clap _____ 319
Melton Mowbray _____ 79
Melun-la-Rochette _____ 143
Mendigorria _____ 430
Menglon _____ 304
Mens _____ 300

Menthon-St-Bernard _____ 294

Méolans-Revel _____ 356

Meran _____ 494

Mercus-Garrabet _____ 286

Merdrignac _____ 166

Mérens-les-Vals _____ 286

Mergozzo _____ 480

Mérida/Badajoz _____ 441

Merley/Wimb. Minster (Dorset) ___ 65

Mers-les-Bains _____ 123

Meruge/Oliveira do Hospital ____ 460

Merville-Franceville-Plage _____ 133

Meschers _____ 192

Mesland _____ 148

Mesnil-St-Père _____ 232

Mesnois/Clairvaux-les-Lacs ___252,253

Mesones (Albacete) _____ 441

Mesquer _____ 177

Messanges _____ 224

Messery _____ 294

Mestre/Venezia _____ 514

Metz _____ 236

Meursault _____ 254

Meyras _____ 308

Meyronne _____ 271

Meyrueis _____ 316

Mézos _____ 224

Miajadas/Cáceres _____ 441

Mialet _____ 320

Miami-Platja (Tarragona) _____ 410

Miannay _____ 124

Miélan _____ 280

Miers _____ 271

Migennes _____ 255

Milano Marittima _____ 522

Milano Marittima/Cervia _____ 522

Milazzo _____ 567

Milizac _____ 161

Millau _____274,275

Millbrook/Torpoint _____ 65

Milly-la-Forêt _____ 142

Milton Keynes _____ 74

Mimizan _____224,225

Mimizan-Plage _____ 225

Mimizan-Plage-Sud _____ 225

Minehead _____ 66

Mintlaw _____ 97

Mios _____ 216

Mira _____ 460

Mirabel-et-Blacons _____304,305

Miramare _____ 524

Miranda del Castañar _____ 438

Mirande _____ 280

Mirandela _____ 461

Mirmande _____ 304

Misano Adriatico/Cattolica _____ 524

Mittlach _____246,247

Modbury _____ 66

Modena _____ 519

Mogadouro _____ 461

Moirans-en-Montagne _____ 252

Moissac _____ 277

Mojácar _____ 448

Molières (Dordogne) _____ 208

Molières (Tarn-et-Gar.) _____ 277

Moliets-Plage _____ 225

Molland/South Molton _____ 66

Mollington/Banbury/Oxon _____ 74

Molsheim _____243,244

Mombeltrán/Avila _____ 439

Monceaux-sur-Dordogne _____ 203

Moncofa/Castellón _____ 422

Moncontour _____ 198

Moncontour/Plémy _____ 167

Moncrabeau _____ 220

Mondragon _____ 360

Moneglia _____ 484

Monestier-de-Clermont _____ 300

Monfalcone/Marina Julia _____ 518

Monfaucon _____ 208

Monflanquin _____ 220

Moniga del Garda _____ 504

Monkton Wyld/Charmouth _____ 66

Monnerville _____ 142

Monnet-la-Ville _____ 252

Monoblet _____ 320

Monopoli _____ 553

Monpazier _____ 208

Monplaisant _____ 208

Monsanto/Lisboa _____ 465

Mont-Ras/Girona _____ 404

Mont-roig (Tarragona) _____ 410

Mont-roig del Camp _____410 - 413

Mont-St-Michel _____ 137

Montagut _____ 404

Montaigut-le-Blanc _____ 264

Montalieu-Vercieu _____ 300

Montalivet _____ 217

Montalivet-les-Bains _____ 217

Montalivet/Vensac _____ 217

Montardit de Baix _____ 416

Montargil/Ponte de Sôr _____458,465

Montargis _____ 144

Montauban-de-Luchon _____ 284

Montbard _____ 254

Montbarrey _____ 252

Montbazon _____ 151

Montblanc _____ 328

Montbrison/Moingt _____ 287

Montcabrier _____ 271

Montchavin-les-C/Bellentre ____ 298

Montclar _____338,356

Montecatini Terme _____ 532

Montech _____ 277

Monteciccardo _____ 541

Montefiascone _____ 545

Montegrotto Terme _____ 514

Montélimar-Nord/

La Coucourde _____304,305

Montenero di Bisaccia _____ 547

Monteriggioni/Trasqua _____ 532

Monterosso Grana _____ 480

Monterroso _____ 434

Montescudaio _____532,533

Montesquiou _____ 280

Montferrand _____ 338

Montferrat _____ 300
Montferrer _____ 416
Montgailhard _____ 286
Montgeard/Nailloux _____ 284
Montgivray _____ 153
Monthermé _____ 231
Monticello Amiata _____ 532
Monticello/L'île-Rousse _____ 387
Montignac _____ 208
Montignac/Lascaux _____ 209
Montigny-le-Roi _____ 233
Montjean-sur-Loire _____ 175
Montlouis-sur-Loire _____ 151
Montmeyan _____ 378
Montmorillon _____ 198
Montoire-sur-le-Loir _____ 148
Montolieu _____ 338
Montopoli _____ 532
Montoulieu _____ 328
Montpezat-de-Quercy _____ 277
Montpon-Ménestérol _____ 209
Montréjeau _____ 284
Montreuil-Bellay _____ 175
Montreuil-sur-Mer _____ 120
Montrevel-en-Bresse _____ 290,291
Montricoux _____ 277
Montrigaud _____ 304
Montrose _____ 98
Montsauche-les-Settons _____ 257
Montsoreau _____ 175
Monvalle _____ 490
Monzuno _____ 519
Moorshop/Tavistock _____ 66
Moraira/Alicante _____ 422
Mordiford/Hereford _____ 77
Moreton _____ 66
Moreton-in-Marsh _____ 66
Moreton/Saundersfoot _____ 90
Morgat _____ 162
Morgex _____ 474
Morillo de Tou/Ainsa _____ 428
Morteau _____ 250

Mortehoe _____ 66
Morzine _____ 294
Mostuéjouls _____ 275
Motril/Granada _____ 448,449
Mougas/Oia _____ 434
Mountshannon _____ 108
Moustiers-Ste-Marie _____ 356,357
Moyenneville _____ 124
Muides-sur-Loire _____ 148
Mulhouse _____ 247
Mullingar _____ 108
Mullion/Helston _____ 66
Muravera _____ 562
Murol _____ 264
Mûrs-Érigné _____ 175
Murs-et-Gélignieux _____ 290
Musselburgh/Edinburgh _____ 98
Mutriku _____ 430
Muxla _____ 434
Mynytho/Gwynned _____ 90

N

Nabirat _____ 209
Nages _____ 279
Najac _____ 275
Nampont-St-Martin _____ 124
Nancy/Villers-lès-Nancy _____ 235
Nant _____ 275
Nant-d'Aveyron _____ 275
Nantes _____ 177
Nantua _____ 290
Narbolia _____ 562
Narbonne _____ 338
Narbonne-Plage _____ 338
Narni/Borgheria _____ 539
Naturns (Südtirol) _____ 495
Naucelle _____ 275
Naussannes _____ 209
Nava de Francia/Salamanca _____ 439
Navaconcejo/Cáceres _____ 441
Navajas (Castellón) _____ 422

Navarredonda de Gredos _____ 439
Navarrenx _____ 228
Navarrete _____ 430,431
Nazaré _____ 458,461
Nébias _____ 338
Nêbouzat _____ 264
Neffes/Gap _____ 352
Néfiach _____ 346
Néret _____ 153
Netley Abbey/Southampton _____ 74
Neuf-Brisach _____ 247
Neufchâteau _____ 240
Neufchâtel-en-Bray _____ 128
Neuvéglise _____ 268
Neuvic _____ 203
Neuvic-sur-L'Isle _____ 209
Neuvy-St-Sépulchre _____ 153
Nevers _____ 257
New Hedges/Tenby _____ 91
New Milton (Hampsh.) _____ 75
New Romney _____ 75
Newhaven/Buxton (Derbyshire) _____ 79
Newport _____ 91
Newquay _____ 66
Newton Abbot _____ 67
Newtonmore _____ 98
Neydens _____ 294
Nicolosi _____ 567
Nigran _____ 434
Niozelles _____ 356
Noal/Porto do Son _____ 434
Noirmoutier-en-l'Île _____ 182
Noja _____ 432
Nolay _____ 254
Nonette _____ 265
Nontron _____ 209
Nort-sur-Erdre _____ 177
North Berwick _____ 98
North Runcton/Kings Lynn _____ 82
North Wootton _____ 67
Northampton _____ 79
Northiam/Rye _____ 75

Noth _____ 200
Noto _____ 567
Noto-Marina _____ 567
Notre-Dame-de-Riez _____ 182
Nouan-le-Fuzelier _____ 148
Novafeltria _____ 524
Novézan/Venterol/Nyons _____ 304
Noyal-Muzillac _____ 156
Nuévalos (Zaragoza) _____ 428
Numana _____ 541
Nuvilla _____ 430
Nyons _____ 304

O

O Grove/San Vicente _____ 434
Oban/Gallanach _____ 98,99
Oberbronn _____ 244,245
Obernai _____ 244
Odemira _____ 465
Oix _____ 404
Okehampton _____ 67
Olbia _____ 562
Olhão _____ 465
Olite _____ 430
Oliva/Valencia _____ 422,423
Oliveri/Marinello _____ 567
Olliergues _____ 265
Olmeto _____ 387,388
Olonne-sur-Mer _____ 182
Oloron-Ste-Marie _____ 228
Olvera _____ 448,449
Ondres _____ 225
Opi _____ 548
Ora _____ 495
Oraison _____ 356
Orange _____ 360
Orbetello _____ 532,533
Orbey _____ 247
Orcet _____ 265
Orcheston/Salisbury _____ 67
Ordino _____ 393

Órgiva/Granada _____ 448
Orgon _____ 363
Orio _____ 430
Orléat/Pont-Astier _____ 265
Ornans _____ 250
Ornolac-Ussat-les-Bains _____ 286
Oropesa del Mar (Castellón) _422,423
Orpierre _____ 352
Orta San Giulio _____ 480
Orthez _____ 228
Ortona _____ 548
Orvillers/Sorel _____ 126
Osmotherley/Northallerton _____ 86
Ossa de Montiel (Albacete) _____ 442
Ostuni _____ 553,554
Oswaldkirk/Helmsley _____ 86
Oto (Huesca) _____ 428
Otranto (LE) _____ 554
Otricoli _____ 539
Otterton _____ 67
Ounans _____ 252
Ourique _____ 465
Ouroux-en-Morvan _____ 257
Oust _____ 286
Outeiro do Louriçal _____ 461
Ovar _____ 461
Owermoigne/Dorchester _____ 67
Oxford _____ 75

P

Pacengo _____ 504
Pacengo di Lazise _____ 504
Pachino _____ 567
Padenghe sul Garda _____ 504
Padstow _____ 67
Paestum _____ 550
Paignton _____ 67
Palamós _____ 404
Palau _____ 562
Palau-del-Vidre _____ 346
Palavas-les-Flots _____ 328

Palermo/Sferracavallo _____ 567
Palinges _____ 260
Palinuro _____ 550
Palomares _____ 448
Pals _____ 404,405
Pamiers _____ 286
Pandy/Abergavenny _____ 91
Paray-le-Monial _____ 260
Parcey _____ 252
Parentis-en-Born _____ 225
Paris _____ 142
Parisot _____ 277
Parton _____ 98
Passignano sul Trasimeno _____ 539
Passo de la Futa/Firenzuola _____ 532
Passy _____ 294
Pateley Bridge _____ 86
Patornay _____ 252
Pauillac _____ 217
Paulhaguet _____ 267
Pavia _____ 490
Payrac _____ 271
Pechon (Cantabria) _____ 432
Peebles _____ 98
Peigney _____ 234
Peisey/Nancroix _____ 298
Pejo/Trento _____ 495
Pelussin _____ 287
Pembridge _____ 77
Pencelli/Brecon _____ 91
Pénestin _____ 156
Pénestin-sur-Mer _____ 156
Peniche _____ 462
Peñíscola _____ 422
Penmarc'h _____ 162
Penrith _____ 86
Pentewan/St. Austell _____ 67
Pentney/Kings Lynn _____ 82
Penvénan _____ 166,167
Pergine _____ 495
Pergine Valsugana _____ 495
Perlora/Candás _____ 436

Pernes-les-Fontaines 360
Péronne 124
Perranporth 67
Perranporth/Truro 67
Pers 268
Perth 98
Pesaro 541
Peschici (FG) 554
Peschiera del Garda 504 - 507
Peschiera/Verona 506
Pescia Romana 545
Peterborough 82
Peterchurch 77
Petichet/St. Théoffrey 301
Petit Noir 253
Petrosino (Biscione) 567
Pettenasco 480
Peveragno 480
Peynier 303
Peyrat-le-Château 201
Peyremale-sur-Cèze 320,321
Peyrillac-et-Millac 209
Peyrouse/Lourdes 283
Pézenas 328
Pian del Voglio 519
Piano di Porlezza 490
Piano di Sorrento 550
Pickering 86
Piediluco 540
Pierrefitte-sur-Sauldre 148
Pietra Ligure 485
Pietracorbara 388
Pilar de la Horadada/Alicante 423
Pinarella di Cervia 522
Pinarello/Ste Lucie-de-Porto-V 388
Pineda de Mar 404
Pinedo/Valencia 423
Pinet 328
Pineto 548
Pineuilh/Ste Foy-la-Grande 217
Piriac-sur-Mer 177
Pirou-Plage 137

Pisa 532
Piscina Rei/Costa Rei 562
Pisciotta/Caprioli 550
Piuro 490
Plasencia/Cáceres 442
Platja d'Aro 404,405
Platja d'Aro/Calonge 405
Platja de Pals 405,406
Playa de Puçol 423
Plazac 209
Pléboulle 167
Pléneuf-Val-André 167
Pleubian 168
Ploëmel 156
Ploërmel/Taupont 156
Pl10éven 162
Plombières-les-Bains 240
Plombières-les-Bains/Ruaux 240
Plomeur 162,163
Plomodiern 162
Plonévez-Porzay 162
Plouézec/Paimpol 168
Plouézoc'h 162
Plougasnou 163
Plougastel-Daoulas 163
Plouguerneau 163
Plouhinec 163
Plouigneau 163
Plozévet 162,163
Plurien 168
Plymouth 67
Pocklington 86
Poilly-lez-Gien/Gien 145
Poix-de-Picardie 124
Pommeuse 143
Pompei 550,551
Poncin 290
Pons 192
Pont d'Arros 416
Pont-Audemer 130
Pont-d'Ain 290
Pont-d'Hérault 320

Pont-de-l'Arche 130
Pont-de-Poitte 253
Pont-de-Salars 276
Pont-de-Vaux 290
Pont-et-Massène 254
Pont-les-Moulins 250
Pont-Ste-Marie/Troyes 232
Pontailler-sur-Saône 254
Pontarlier 251
Pontaubault 136,137
Pontchâteau 177
Ponte Caffaro (Idro) 490
Ponte das Três Entradas 462
Ponte di Legno/Temú 490
Ponte Messa di Pennabilli (RN) 524
Pontechianale 481
Pontorson 137
Poolewe 98
Pordic 168
Porlezza 490
Pornic 177
Pornichet 177
Porqueres/Banyoles 406
Port-des-Barques 192
Port-en-Bessin 133
Port-Grimaud 378,379
Port-le-Grand/Abbeville 124
Port-Leucate 338,339
Port-Manech/Névez 163
Porthmadog 91
Porthtowan/Truro 67
Porticcio 388
Porticciolo/Alghero 563
Portiragnes-Plage 330,331
Porto 388,389
Porto Cesareo 554
Porto Côvo 465
Porto Garibaldi 523
Porto Recanati 541,542
Porto S. Elpidio 542
Porto San Paolo 563
Porto Vecchio 388,389

Portonovo/Sanxenxo — 434
Portopalo/Siracusa — 567
Portreath — 67
Portree (Skye) — 98
Portsoy — 98
Posada — 563
Poses — 130
Potes — 432
Potes/Turieno — 432
Pouilly-en-Auxois — 254
Pouilly-sous-Charlieu — 288
Pouilly-sur-Loire — 257
Pourville-sur-Mer — 128
Pouylebon — 280
Powfoot/Annan — 99
Pozza di Fassa — 495
Pozzuoli — 551
Prades (Tarragona) — 411
Pradons/Ruoms — 308,309
Praia a Mare — 558
Praia da Barra — 462
Praia de Mira — 458,462
Praia do Pedrógão — 462
Prailles — 196
Pralognan-la-Vanoise — 298
Preci — 540
Predazzo — 495
Preixan — 338
Prémeaux/Prissey — 254
Prémery — 257
Presicce — 554
Pressignac — 199
Presteigne — 91
Priay — 290
Priddy/Wells — 68
Principina a Mare — 533
Privas — 308
Prunières — 352
Puçol/Valencia — 423
Puebla de Sanabria (Zamora) — 439
Puebla do Caramiñal — 435
Puerto de Mazarrón (Murcia) — 451

Puget-sur-Argens — 378
Puget-Théniers — 384
Puigcerdà — 406
Puilboreau/La Rochelle — 192
Puivert — 338
Pujols — 220
Punta Ala — 533
Punta Ala/Cast. della Pescaia — 533
Punta Braccetto/S. Croce Cam. — 567
Punta Marina — 523
Punta Marina Terme — 523
Punta Secca/Santa Croce Camer. — 568
Puy-l'Évèque — 271
Puy-St-Vincent — 352
Puygaillard-de-Quercy — 277
Puysségur — 284
Pyla-sur-Mer — 217,218

Q

Quarteira — 465
Quend — 124
Quend-Plage-les-Pins — 124
Quiaios — 462
Quiberon — 156
Quiberville-sur-Mer — 128
Quigley's Point (Co. Donegal) — 108
Quimper — 163
Quintanar de la Sierra — 439
Quoit — 68

R

Racines/Casateia — 495
Raguénès/Névez — 164
Ramatuelle — 378
Rambouillet — 139
Ramsgate — 75
Rang-du-Fliers — 120
Ranspach — 246,247
Ranville — 133
Ranzanico al Lago di Endine — 490

Rapallo — 485
Rasen/Rasun — 495
Rathdrum (Wicklow) — 108
Rauzan — 218
Ravenoville-Plage — 137
Recoubeau-Jansac — 305
Redcross — 108
Rejerrah/Newquay — 68
Remoulins — 320
Rennes-les-Bains — 338
Renvyle — 108
Réotier/Guillestre — 352
Repubblica San Marino — 524,525
Ressons-le-Long — 126
Revin — 231
Rhêmes St. Georges — 474
Rhinau — 244
Rhuallt — 91
Riaza/Segovia — 439
Ribadedeva — 436
Ribadesella — 436
Ribeauvillé — 247
Ribeira — 435
Ribera de Cabanes — 424,425
Ribera de Cardós — 416,417
Ribera/Seccagrande — 568
Ribérac — 209
Riccione — 524,525
Richmond — 86
Rieux-de-Pelleport/Varilhes — 286
Rillé — 151
Ringwood — 75
Riom-ès-Montagnes — 268
Riotorto — 533,534
Rioveggio — 519
Rioz — 249
Ripley — 86
Ripon — 86
Riquewihr — 247
Riva dei Tarquini — 545
Riva del Garda — 506
Rivedoux-Plage — 192

Riverstown _____ 108
Rives/Villeréal _____ 221
Rivière-sur-Tarn _____ 276
Rivières _____ 279
Rixton _____ 86
Rocamadour _____ 271
Rocca San Giovanni (Ch) _____ 548
Roccaforte Mondovì _____ 481
Roccelletta di Borgia _____ 558
Rochechouart _____ 201
Rochefort-en-Terre _____ 156
Rochefort-sur-Loire _____ 175
Rochegude _____ 320
Rocles _____ 316
Roda de Barà _____ 411,414
Rodi Garganico (Fg) _____ 554
Rodney Stoke/Cheddar _____ 68
Roma _____ 544 - 546
Roma/Lido di Ostia _____ 545
Ronce-les-Bains _____ 192
Ronda _____ 448
Ronnet _____ 262
Roquebrune-sur-Argens _____ 380,381
Roquelaure/Auch _____ 280
Roquetas de Mar (Almería) _____ 448
Rosans _____ 352
Rosário/Alandroal _____ 466
Rosbeg (Co. Donegal) _____ 108
Roscrea _____ 108
Rosedale Abbey/Pickering _____ 86
Roses _____ 406
Roseto degli Abruzzi _____ 548,549
Rosières _____ 308,309
Rosolina Mare _____ 514,515
Rosolina Mare/Rovigo _____ 514
Rosoy-en-Multien _____ 126
Ross-on-Wye _____ 77
Rossano Scalo _____ 559
Rosses Point _____ 108
Rosslare Harbour _____ 108
Rossnowlagh _____ 109
Rostrevor _____ 100

Rouffignac-St-Cernin _____ 209
Roundstone/Connamara _____ 109
Roundwood _____ 109
Rousset/Serre-Ponçon _____ 352
Royan _____ 192
Royat _____ 265
Roybon _____ 301
Royère-de-Vassivière _____ 200
Roz-sur-Couesnon _____ 170
Rue _____ 124
Ruffieux _____ 298
Ruiloba _____ 432
Rumilly _____ 295
Ruoms _____ 308,309
Rupit _____ 406
Rush _____ 109
Rustrel _____ 360
Ruynes-en-Margeride _____ 268

S

S. Eufémia a Maiella _____ 548
S. Jacinto/Aveiro _____ 458,462
S. Martinho do Porto _____ 462
S. Teotónio/Odemira _____ 466
S. Torpes/Sines _____ 466
S. Vicente de la Barquera _____ 433
Sabaudia _____ 546
Sablé-sur-Sarthe _____ 173
Sagone _____ 389
Sahune _____ 305
Saillagouse _____ 346
Saillans _____ 305
Saint Crépin _____ 352
Saint Just _____ 68
Saintes _____ 193
Saints-Geosmes/Langres _____ 234
Saissac _____ 338
Salamanca _____ 439
Salamanca-Este _____ 439
Salamanca/Sta Marta de Tormes _____ 439
Salbertrand _____ 481

Salbris _____ 148
Saldes _____ 406
Salers _____ 268
Salies-de-Béarn _____ 228,229
Salignac/Sisteron _____ 357
Salisbury/Netherhampton _____ 68
Sallanches _____ 295
Salles _____ 218,221
Salles-Curan _____ 276
Saló _____ 406
Salon-de-Provence _____ 364
Salornay-sur-Guye _____ 260
Salou/Tarragona _____ 411
Salses _____ 346
Saltaus (Passeiertal)/Meran _____ 495
Salthill _____ 109
Salto di Fondi _____ 546
Salvaterra de Magos _____ 466
Samöens _____ 295
Sampeyre _____ 481
Sampzon _____ 309
Sampzon/Ruoms _____ 309
San Antonio di Mavignola _____ 496
San Bartolomeo al Mare _____ 485
San Benedetto/Peschiera _____ 506
San Felice del Benaco _____ 506
San Felice del Benaco/Portese _____ 507
San Ferdinando _____ 559
San Gimignano/Siena _____ 534,535
San Giórgio _____ 568
San Lorenzo al Mare _____ 485
San Marco/Metaponto _____ 551
San Mauro Mare _____ 525
San Nicoló di Ricadi _____ 559
San Piero a Sieve _____ 534
San Remo _____ 485
San Sebastián _____ 430
San Teodoro _____ 563
San Tirso de Abres _____ 436
San Vicente do Mar _____ 435
San Vincenzo _____ 534
San Vito Lo Capo _____ 568

Sanary-sur-Mer 382
Sancé/Mâcon 260
Sanchey 240,241
Sandhead 99
Sandwich 75
Sanguinet 225,226
Sankt Lorenzen 496
Sankt Sigmund/Kiens 496
Sant 'Arcangelo 540
Sant 'Arcangelo/Magione 540
Sant Antoni de Calonge 406
Sant Carles de la Ràpita 411
Sant Feliu de Guixols 406
Sant Llorenç de la Muga 406
Sant Llorenc de Montgai 417
Sant Pere Pescador 406,407
Sant Quirze Safaja 407
Sant'Alessio Siculo/Taormina 568
Sant'Andrea/Torre dell'Orso 554
Sant'Ignazio/Norbello 563
Santa Cesarea Terme 554
Santa Cristina d'Aro 407
Santa Elena (Jaén) 448
Santa Lucia/Siniscola 563
Santa Pau 407
Santa Pola/Alicante 424
Santa Susanna 407,408
Santa Teresa Gallura 563
Santaella (Córdoba) 449
Santenay 254
Santiago de Compostela 435
Santibáñez El Alto 442
Santo Domingo de la Calzada 431
Sanxenxo 435
Sao Pedro de Moel 458,462
São Pedro de Tomar 466
Sappada 515
Saravillo/Plan 428
Sarlat 209,210
Sarlat-la-Canéda 210
Sarlat/Carsac 210
Sarlat/Marcillac 210

Sarnano 542
Sarnau/Cardigan 91
Sarnonico/Fondo 496
Sarre 474
Sarteano/Siena 534
Sartène 389
Sarzana (SP) 485
Sarzeau 156
Sarzedo/Arganil 462
Saugues 267
Saujon 193
Saulieu 254
Saulxures-sur-Moselotte 241
Saumur 175
Sauveterre-de-Béarn 229
Sauveterre-la-Lémance 221
Sauxillanges 265
Saverne 244
Savignano Mare 525
Savigny-en-Véron 151
Savigny-lès-Beaune 254
Savigny-sur-Grosne 260
Savonnières 151
Sazeret/Montmarault 262
Scalea 559
Scarborough 87
Scarlino 534
Sciez 295
Scina di Palmi 559
Scourie 99
Seasalter/Whitstable 75
Seatown 68
Secondigny 196
Sées 134
Segovia 439
Seignosse 226
Seillac 148
Seissan 281
Seix 286
Selinunte 568
Sellia Marina 559
Selsey 75

Selva di Cadore 515
Senato di Lerici 486
Séniergues 272
Senigallia 542
Senonches 146
Septfonds 278
Seraucourt-le-Grand 126
Sérignan 330
Sérignan-Plage 330 - 332
Serrières-de-Briord 290
Serrières-en-Chautagne 298
Servon 137
Sesto Calende 490
Sestri Levante 486
Sesue (Valle de Benasque) 428
Settle 87
Seurre 254
Sevenoaks/London 75
Sévérac-l'Église 276
Sévérac-le-Château 276
Sevilla/Dos Hermanas 449
Sévrier 295
Sexten/Sesto 496
Seyne-les-Alpes 357
Seyssel 290
Sézanne 232
Sheerness/Minster-on-Sea 75
Sheriff Hutton 87
Shobdon/Leominster (Heref.) 77
Shrewsbury (Shropshire) 77
Sibari/Cosenza 559
Sidmouth 68
Siena 534,535
Sigean/Aude 338
Signy-le-Petit 231
Sillé-le-Guillaume 173
Sillé-ie-Philippe 173
Silloth 87
Silvi Marina 548
Singles 265
Sirmione 507
Sirolo 542

Sisteron 357
Sistiana 518
Sitges 408
Six-Fours-les-Plages 382
Sixt-Fer-à-Cheval 295
Sixt-sur-Aff/La Gacilly 170
Skegness 79
Skibbereen 109
Slimbridge (Glos) 68
Socoa/Urrugne 229
Soissons 126
Solaro 389
Solcio di Lesa 481
Solenzara 389
Solsona (Lleida) 417
Sommières 320,321
Somo 433
Sonzay 151
Sorède 346
Sorèze 279
Sorgeat 286
Sorgues 360
Soria 440
Sorico 490,491
Sorrento 551
Sorso 563
Sort 417
Sospel 385
Soto del Real 440
Sottomarina 515,516
Soubès/Lodève 331
Souillac 272
Souillac/Pinsac 272
Soulac-sur-Mer 218,219
Soulaines-Dhuys 232
Soursac 203
Soustons 226
South Cerney/Cirencester 68
South Molton (North Devon) 68
Southbourne 75
Southminster 75
Southsea/Portsmouth 75

Souvignargues 320
Sovicille 535
Sparkford 68
Spay 173
Specchiolla di Carovigno 554,555
Spigno Monferrato 481
St. Agnan 257
St. Agnes 68
St. Aignan-sur-Cher 148
St. Alban-Auriolles/Ruoms 309
St. Alban-de-Montbel 298
St. Alban-sur-Limagnole 316
St. Amand-les-Eaux 118
St. Amand-Montrond 154
St. André-d'Allas/Sarlat 210
St. André-de-Roquepertuis 320
St. André-de-Sangonis 332
St. André-et-Appelles 219
St. Andrews 99
St. Andrews (Fife) 99
St. Antoine-d'Auberoche 210
St. Antoine-de-Breuilh 210
St. Antonin-Noble-Val 278
St. Apollinaire 352
St. Astier 210
St. Aubin-sur-Mer 128,134
St. Aubin-sur-Scie 128
St. Augustin-sur-Mer 193
St. Aulaye 210
St. Austell 68,69
St. Avertin 151
St. Avit 305
St. Avit-de-Vialard 210
St. Avold 236
St. Aygulf 382
St. Benoît-des-Ondes 170
St. Bertrand-de-Comminges 284
St. Blaise/Briançon 353
St. Boil 260
St. Bonnet-près-Orcival 265
St. Bonnet-Tronçais 262
St. Brévin-les-Pins 177

St. Brieuc 168
St. Buryan/Penzance 69
St. Calais 173
St. Cast-le-Guildo 168
St. Chéron 142
St. Chinian 332
St. Christoly-de-Blaye 219
St. Christophe 199
St. Christophe-du-Ligneron 182
St. Cirq-Lapopie 272
St. Cirq/Le Bugue 210
St. Clair-du-Rhône 301
St. Claude 253
St. Clément-des-Baleines 193
St. Constant 268
St. Coulomb/La Guimorais 170,171
St. Crépin-Carlucet/Sarlat 211
St. Cybranet 211
St. Cyprien 346
St. Cyprien-Plage 346,347
St. Cyr 198
St. Cyr-sur-Mer 383
St. Davids 91
St. Denis-d'Oléron 193
St. Didier-en-Velay 267
St. Donat-sur-Herbasse 305
St. Émilion 219
St. Étienne-de-Villeréal 221
St. Fargeau 255
St. Florence/Tenby 91
St. Florent 389
St. Flour 268
St. Galmier 288
St. Geniès 211
St. Geniez-d'Olt 276
St. Genix-sur-Guiers 298
St. Georges-d'Oléron 193,194
St. Georges-de-Didonne 194
St. Georges-lès-Baillargeaux 198
St. Germain-du-Bois 260
St. Germain-les-Belles 201
St. Germain-sur-Ay-Plage 137

St. Gervais-les-Bains _____ 295
St. Gilles-Croix-de-Vie _____ 182
St. Girons-Plage _____ 226
St. Hilaire-de-Riez _____182,183
St. Hilaire-la-Forêt _____ 183
St. Hilaire-la-Palud _____ 196
St. Hilaire-les-Places _____ 201
St. Hilaire-sous-Romilly _____ 232
St. Hilaire-St-Florent _____ 175
St. Honoré-les-Bains _____ 257
St. Ives _____ 69
St. Jean-d'Angely _____ 194
St. Jean-de-Chevelu _____ 298
St. Jean-de-la-Rivière _____ 138
St. Jean-de-Losne _____ 255
St. Jean-de-Luz _____ 229
St. Jean-de-Maurienne _____ 298
St. Jean-de-Monts _____183,184
St. Jean-de-Muzols/Tournon-s-R _ 309
St. Jean-du-Bruel _____ 276
St. Jean-du-Gard _____320,321
St. Jean-Froidmentel _____ 148
St. Jean-le-Centenier _____ 309
St. Jean-Pied-de-Port _____ 229
St. Jean-Pla-de-Corts _____ 346
St. Jean-St-Nicolas _____ 353
St. Jorioz _____295,296
St. Jory-de-Chalais _____ 211
St. Josef am See/Kaltern _____ 496
St. Jouan-des-Guérêts _____ 170
St. Jouin-Bruneval _____ 128
St. Julien-de-Concelles _____ 177
St. Julien-de-Lampon _____ 211
St. Julien-de-Peyrolas _____ 320
St. Julien-des-Landes _____184,185
St. Julien-en-Born _____ 226
St. Julien-en-St-Alban _____ 310
St. Just-en-Chevalet _____ 288
St. Just-in-Roseland _____ 69
St. Just-Luzac _____194,195
St. Justin _____ 226
St. Lary-Soulan _____ 283

St. Laurent-du-Pape _____ 310
St. Laurent-en-Beaumont _____ 301
St. Laurent-en-Grandvaux _____ 253
St. Laurent-Médoc _____ 219
St. Laurent-sur-Sèvre _____ 184
St. Léger-de-Fougeret _____ 257
St. Léger-sous-Beuvray _____ 260
St. Léon-sur-Vézère _____ 211
St. Léonard _____ 128
St. Léonard-de-Noblat _____ 201
St. Leonards/Ringwood _____ 69
St. Lunaire/Dinard _____ 171
St. Maime _____ 357
St. Malo _____ 171
St. Malo-du-Bois _____ 184
St. Marcan _____ 171
St. Marcellin/
Vaison-la-Romaine _____360,361
St. Martin by Looe _____ 69
St. Martin-Cantalès _____ 268
St. Martin-d'Ardèche _____ 310
St. Martin-de-Crau _____ 364
St. Martin-de-la-Place _____ 175
St. Martin-de-Seignanx _____ 226
St. Martin-en-Campagne _____ 128
St. Martin-Lars-en-Ste-Hermine _ 184
St. Martin-Sepert _____ 203
St. Martin-Valmeroux _____ 268
St. Mathieu _____ 201
St. Maurice-de-Gourdans _____ 291
St. Maurice-en-Valgodemard ____ 353
St. Maurice-l'Exil _____ 301
St. Maurice-sur-Moselle _____ 241
St. Michel-Chef-Chef/Tharon Pl __ 177
St. Michel-en-l'Herm _____184,185
St. Mitre-les-Remparts _____ 364
St. Nectaire _____ 265
St. Nic _____ 164
St. Nizier-le-Bouchoux _____ 291
St. Nizier-le-Désert _____ 291
St. Ours _____ 265
St. Pair-sur-Mer _____ 138

St. Palais _____ 219
St. Palais-sur-Mer _____ 194
St. Pantaléon _____ 272
St. Pardoux _____ 201
St. Parthem _____ 276
St. Paul-de-Varax _____ 291
St. Paul-de-Vézelin _____ 288
St. Paul-en-Born _____ 226
St. Paul-en-Chablais _____ 296
St. Paulien _____ 267
St. Pée-sur-Nivelle _____ 229
St. Péreuse-en-Morvan _____ 257
St. Philbert-de-Grand-Lieu _____ 177
St. Pierre _____ 244
St. Pierre-Colamine _____ 265
St. Pierre-d'Albigny _____ 299
St. Pierre-d'Oléron _____194,195
St. Pierre-de-Chartreuse _____ 301
St. Pierre-de-Maillé _____ 198
St. Pierre-en-Port _____ 129
St. Pierre-Lafeuille _____ 272
St. Pierre-Quiberon _____ 156
St. Plantaire _____ 153
St. Point _____ 260
St. Point-Lac _____ 251
St. Pol-de-Léon _____ 164
St. Pons-de-Thomières _____ 332
St. Pourcain-sur-Sioule _____ 262
St. Priest-la-Prugne _____ 288
St. Privat _____310,311
St. Quay-Portrieux _____ 168
St. Quentin-en-Tourmont _____ 125
St. Rémy-de-Provence _____ 364
St. Rémy-sur-Avre _____ 146
St. Rémy-sur-Durolle _____ 265
St. Révérend _____ 185
St. Romans (Isère) _____ 301
St. Rome-de-Tarn _____ 276
St. Satur _____ 154
St. Saturnin _____ 265
St. Saturnin-les-Apt _____360,361
St. Saud-Lacoussière _____ 211

St. Sauves-d'Auvergne _____ 265
St. Sauveur-de-Cruzières _____ 310
St. Sauveur-de-Montagut _____ 310
St. Sauveur-en-Puisaye _____ 256
St. Savin _____ 198
St. Savinien/Le Mung _____ 195
St. Sever _____ 226
St. Sorlin-en-Val-d'Or _____ 305
St. Sornin _____ 195
St. Sozy _____ 272
St. Sulpice-de-Mareuil _____ 211
St. Symphorien _____ 220
St. Symphorien-le-Valois _____ 138
St. Theoffrey/Petichet _____ 301
St. Thomé _____310,311
St. Trojan-les-Bains _____194,195
St. Vaast-la-Hougue _____ 138
St. Valentin a.d.H. Graun _____ 496
St. Valery-en-Caux _____ 129
St. Valery-sur-Somme _____ 125
St. Victor-de-Malcap _____ 320
St. Vincent-les-Forts _____ 357
St. Vincent-sur-Jard _____ 185
St. Yrieix-la-Perche _____ 201
Stacciola/San Costanzo _____ 542
Staffin (Skye) _____ 99
Standlake/Oxford _____ 76
Staveley/Kendal _____ 87
Ste Catherine-de-Fierbois _____ 152
Ste Croix-en-Plaine _____ 247
Ste Enimie _____ 316
Ste Enimie/La Chadenède _____ 316
Ste Eulalie-en-Born _____ 226
Ste Hélène-du-Lac _____ 299
Ste Lucie-de-Porto-Vecchio _____ 389
Ste Marie-aux-Mines _____ 247
Ste Marie-de-Ré _____ 195
Ste Marie-du-Mont _____ 138
Ste Marie-la-Mer _____346,347
Ste Marie-Plage _____347,349
Ste Maxime _____ 383
Ste Menehould _____ 232

Ste Nathalène _____ 211
Ste Nathalène/Sarlat _____ 211
Ste Sigolène _____ 267
Stella San Giovanni _____ 486
Stes Maries-de-la-Mer _____364,365
Stia _____ 535
Stignano Mare _____ 559
Stockton-on-Tees _____ 87
Stonehaven _____ 99
Strandhill _____ 109
Stranraer (Wigtownsh.) _____ 99
Stratford-upon-Avon _____ 77
Strathyre _____ 99
Sturzelbronn _____ 236
Suèvres _____ 148
Sully/St. Père-sur-Loire _____ 145
Surba _____ 286
Surgères _____ 196
Surtainville _____ 130
Surzur _____ 156
Sutton-on-Sea _____ 80
Sutton-on-the-Forest/York _____ 87
Suzy _____ 126
Swalecliffe/Whitstable _____ 76
Swanage _____ 69

T

Tabiano Terme/Salsomaggiore __ 519
Taden _____ 168
Tain-l'Hermitage _____ 305
Talamone _____ 535
Talloires _____ 296
Talmont-St-Hilaire _____ 185
Tamarit/Tarragona _____ 411
Tamnies-en-Périgord _____ 211
Taninges _____ 296
Taradell/Osona _____ 408
Tarascon-sur-Ariège _____ 287
Tarascon-sur-Rhône _____ 364
Tardets/Abense-de-Haut _____ 230
Tarifa _____ 449

Tarifa/Cádiz _____ 449
Tarland _____ 99
Tarquinia _____ 546
Tarquinia Lido _____ 546
Tarragona _____ 411
Tattershall/Lincoln _____ 80
Taunton _____ 69
Tauves _____ 266
Tavira _____ 466
Tavistock _____ 69
Tedburn St. Mary (Exeter) _____ 69
Teigngrace _____ 70
Teillet _____ 279
Telgruc-sur-Mer _____ 164
Tellaro _____ 486
Tenno _____ 496
Terlago _____ 496
Terme Vigliatore _____ 568
Terracina _____ 546
Terras de Bouro _____ 462
Teulada _____ 563
Teversal _____ 80
Tewkesbury _____ 70
Theberton _____ 82
Thégra _____ 272
Thérondels _____ 276
Thiézac _____ 268
Thiviers _____ 211
Thoiras/Anduze _____ 320
Thoissey _____ 292
Thonac/Montignac _____ 212
Thônes _____ 296
Thonnance-les-Moulins _____ 234
Thonon-les-Bains _____ 296
Thoux _____ 281
Threshfield _____ 87
Thurso _____ 99
Thurston/Bury St. Edmunds _____ 82
Timoleague (Westcork) _____ 109
Tintagel _____ 70
Tinténiac _____ 171
Tirrenia/Pisa _____ 535

Tisens/Meran 496
Toblach/Dobbiaco 496
Toledo 442
Tonnerre 256
Torbole 506,507
Tordesillas 440
Torigni-sur-Vire 138
Torino di Sangro (CH) 548
Torla (Huesca) 428
Torre Canne 554
Torre del Lago Puccini 535
Torre del Mar (Málaga) 449
Torre dell'Orso 555
Torre Faro/Messina 568
Torre Grande 564
Torre Lapillo/Porto Cesareo 555
Torre Pedrera/Rimini 525
Torre S. Andrea (LE) 555
Torredembarra 411,415
Torreilles 347
Torreilles-Plage 348
Torreira 462
Torremolinos 449
Torrette di Fano 542
Torricella/Magione 540
Torrington 70
Torroella de Montgri 408
Torrox-Costa (Málaga) 450
Tortolì/Arbatax 564
Tortoreto Lido 549
Toscolano 507
Toscolano Maderno 508
Tossa de Mar 408
Totnes 70
Toucy 256
Toulouse 284
Touquin 143
Tourlaville 138
Tournon-sur-Rhône 310,311
Tournus 260
Tourtoirac/Hautefort 212
Toussaint 129

Touzac 272
Trainiti/Portosalvo (VV) 559
Tralee 109
Tramore 109
Trearddur Bay/Anglesey 91
Trébas 279
Trèbes 338
Trédrez 168
Treffort 301
Trégastel 169
Tréguennec 164
Trégunc 164
Tregurrian/Newquay 70
Treignac-sur-Vézère 203
Trekenning 70
Trélévern 169
Trémolat 212
Trept 301
Treteau 262
Trevélez 450
Trevignano 546
Trevignano Romano 546
Trévoux 292
Trinité-de-Porto-Vecchio 389
Triscina di Selinunte/Castelv. 568
Troghi/Firenze 536
Trogues 152
Tropea 559
Truro 70
Tuchan 339
Tuffé 173
Tulette 305
Tuoro sul Trasimeno 540
Tuosist/Post Killarney 109
Turckheim 248
Turriff 99
Tursac 212
Tuxford 80
Tyndrum 99

U

Ucel/Aubenas 311
Uchizy 261
Ugento 555
Uig 100
Ullapool/Ross-shire 100
Umberleigh 70
Upper Stoke 82
Ur 348
Urdos 230
Urrugne 230
Uzès 321
Uzès/Arpaillargues 321

V

Vabre 279
Vada 536
Vada/Livorno 536,537
Vagney 241
Vaison-la-Romaine 360
Vaison-la-Romaine/Faucon 361
Val-de-Vesle 232
Valdeavellano de Tera 440
Valdoviño 435
Valensole 358
Valeuil/Brantôme 212
Vall-Llòbrega/Palamós 408
Vallabrègues/Beaucaire/Tarasc. 321
Vallecrosia 486
Valledoria/Sassari 564
Vallières 296
Vallon-Pont-d'Arc 310 - 314
Vallon-Pont-d'Arc/Lagorce 314
Vallouise 353
Vallromanes 408
Valnontey/Cogne 474
Valpaços 462
Valpelline 474
Valras-Plage 332,333
Valras-Plage/Vendres-Plage 334

Valréas 361
Valsavarenche 474
Vandenesse-en-Auxois 255
Vannes 156
Vannes-Meucon/Monterblanc 156
Varennes-en-Argonne 234
Varennes-sur-Loire 175
Varreddes 144
Vasto Marina 549
Vauvert 321
Vaux-sur-Mer 196
Vayrac 272
Vazerac 278
Vedène 361
Veigné 152
Vejer de la Frontera 450
Vélez Blanco 450
Velles 153
Venarey-les-Laumes 255
Vence 385
Vendays-Montalivet 220
Vendoire 212
Vendôme 148
Vendrennes 185
Vendres-Plage/Valras-Plage 334
Veneux-les-Sablons 144
Venosc 301
Vensac 220
Ventassolaghi/Ramiseto 519
Vera de Moncayo 428
Verchaix 296
Vercheny 305
Verdun 234
Verdun-en-Lauragais 339
Verdun-sur-le-Doubs 261
Vermenton 256
Vernet-les-Bains 348
Vernioz 302
Versailles 139
Vert-en-Drouais 146
Vesoul 249
Veules-les-Roses 128,129

Veynes 353
Vézac 212
Viareggio 537,538
Vias 334
Vias-Plage 334 - 336
Vic-la-Gardiole 337
Vic-sur-Cère 268
Vicchio 537
Vicdessos 287
Vicenza 516
Vico Equense 551
Vidrà 408
Vieilles-Maisons 145
Vielle-Aure 283
Vielle-St-Girons 227
Vieste del Gargano 555,556
Vieste del Gargano (Fg) 556
Vieux-Boucau 227
Vieux-Mareuil 212
Vignoles 255
Vila de Sagres 458,466
Vila do Conde 462
Vila Flor 462
Vila Nova de Caçela 466
Vila Nova de Cerveira 463
Vila Nova de Milfontes 458,466
Vila Nova de Santo André 466
Vila Nova de Veiga/Chaves 463
Vila Praia de Âncora 463
Vila Real 463
Vila Real de Santo António 466
Vilanova de Arousa 435
Vilanova de Prades 415
Vilanova de Sau 408
Vilanova i la Geltrú 408
Villafranca 431
Villafranca de Córdoba 450
Villagarcia de Arosa 435
Villajoyosa/Alicante 424
Villammare 551
Villarcayo 440
Villargordo del Cabriel 424

Villars-les-Dombes 292
Villasimius 564
Villaviciosa de Córdoba 450
Villaviciosa de Odón/Madrid 440
Villedieu-les-Poêles 138
Villefort 316
Villefranche-de-Panat 277
Villefranche-de-Rouergue 277
Villefranche-du-Périgord 212
Villefranche-du-Queyran 221
Villefranche-sur-Saône 288
Villegly-en-Minervois 339
Villegusien-le-Lac 234
Villemoustaussou 339
Villeneuve-de-Berg 314
Villeneuve-de-la-Raho 348
Villeneuve-lès-Béziers 336,337
Villeneuve-les-Genêts 256
Villeneuve-lez-Avignon/Avignon 321
Villeneuve-Loubet 385
Villeneuve-Loubet-Plage 385
Villequier 129
Villerest 288
Villers-sur-Authie 125
Villers-sur-Mer 134
Villersexel 249
Villes-sur-Auzon 361
Villey-le-Sec 235
Villiers-le-Morhier 146
Villiers-sur-Orge 142
Villoslada de Cameros 431
Vilsberg 236
Vimoutiers 134
Vinaròs 424
Vincelles 256
Vion 314
Virieu-le-Grand 292
Visan 361
Viserba di Rimini 525
Vitrac 212
Vittel 241
Viveiro 435

Vizille _____ 302
Völlan/Lana _____ 496
Vollore-Ville _____ 266
Volonne _____ 358
Völs am Schlern _____ 496
Volstroff _____ 236
Volterra _____ 537
Volvic _____ 266
Vonnas _____ 292
Vorey-sur-Arzon _____ 267
Voué _____ 232
Vouvray _____ 152

W

Wacquinghen _____ 120
Wadebridge _____ 70
Waldringfield _____ 82
Wallingford _____ 76
Wareham _____ 70
Warwick _____ 77
Washington _____ 76
Watchet _____ 71
Watermillock/Penrith _____ 87
Wattwiller/Cernay _____ 248
Wem (Shropshire) _____ 77
West Ashby _____ 80
West Horsley _____ 76

West Wittering _____ 76
Westport _____ 109
Wexford _____ 109
Weybourne _____ 82
Wick _____ 100
Wick/Littlehampton _____ 76
Wicklow _____ 109
Wigginton/York _____ 87
Wihr-au-Val _____ 248
Willies _____ 118
Wimborne Minster _____ 71
Wimereux _____ 121
Winchester _____ 76
Windermere _____ 87
Winksley _____ 87
Winsford _____ 87
Winsford/Exmoor _____ 71
Winston _____ 87
Wolvey/Hinckley _____ 77
Woodbridge _____ 82
Woodbury/Exeter _____ 71
Woodhall Spa _____ 80
Wool _____ 71
Woolacombe _____ 71
Worksop _____ 80
Wrexham _____ 91
Wykeham/Scarborough _____ 87

X

Xonrupt-Longemer _____ 241,242

Y

York/Naburn _____ 87
Yport _____ 129
Yunquera _____ 450
Yvré-l'Evêque _____ 173
Yzeures-sur-Creuse _____ 152

Z

Zaragoza _____ 428
Zarautz _____ 431
Zocca _____ 519
Zoldo Alto _____ 516
Zonza _____ 389

"Schön viel Platz zum spielen mit unseren neuen Freunden!"
Jetzt erhältlich: die CC-App
CC 2015
12. Ausgabe
CampingCard ACSI
Die Ermäßigungskarte für die Vor- und Nachsaison
2940 Campingplätze
12 14 16 18
CampingCard ACSI
Die Ermäßigungskarte für die Vor- und Nachsaison
2015
Mit Rabatt in der Nebensaison campen
• Auf 613 CampingCard ACSI Plätzen maximal 3 (Klein)Kinder bis 6 Jahre gratis
• Bis zu 50% Rabatt auf 2.940 Campingplätzen in Europa
• Campen für 12 €, 14 €, 16 € oder 18 €
• Jährlich von ACSI inspizierte Campingplätze
• Die CampingCard ACSI-App: extra für die Benutzer dieses Führers, auch offline anwendbar
* ACSI Club ID-Mitglieder: 13,95 € Abonnement: 9,95 €
Nichtmitglieder: 14,95 € Abonnement: 10,95 €
ACSI
SEIT 50 JAHREN DER BESTE
Bestellen Sie bequem über: WEBSHOP.ACSI.eu

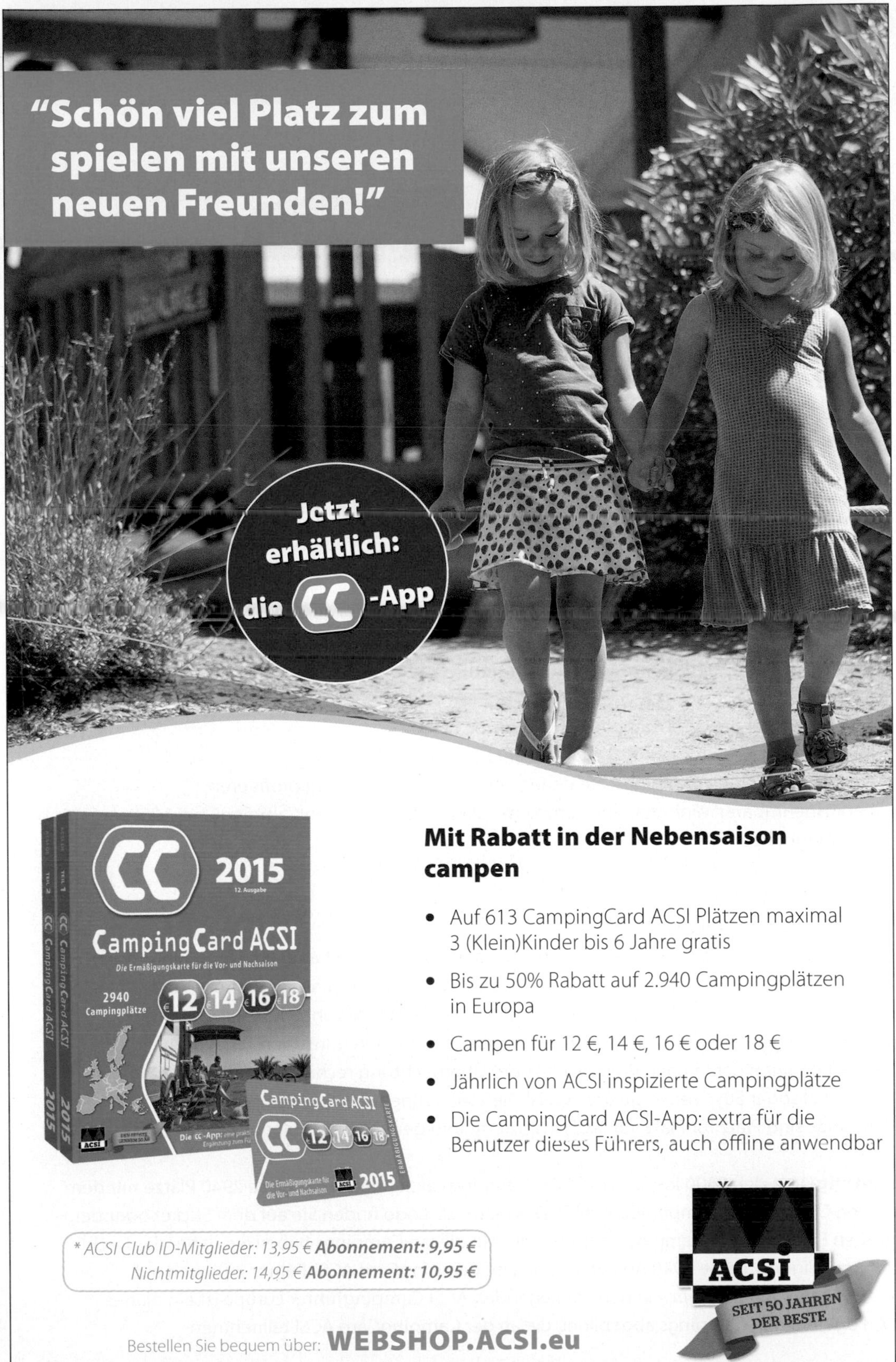

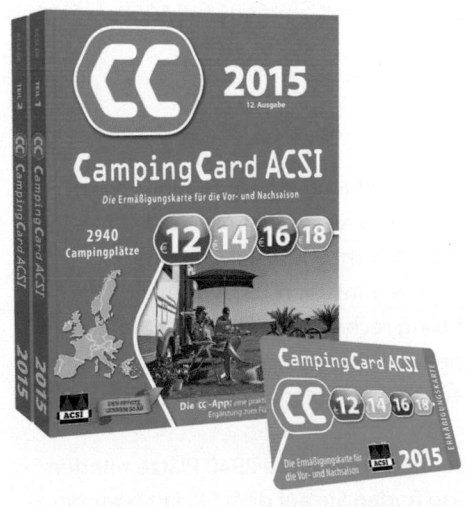

CampingCard ACSI: *die* Ermäßigungskarte für die Vor- und Nachsaison
2015 sind Sie auf 2940 Campings willkommen!

Für Sie als Käufer des ACSI Campingführer Europa gratis:
* Ihre persönliche CampingCard ACSI-Ermäßigungskarte
* eine Übersicht aller Campings, auf denen Sie von der Ermäßigung profitieren
* herausnehmbarer Mini-Atlas von Europa mit allen teilnehmenden CampingCard ACSI-Campingplätzen

Benutzerhinweise
Was ist die CampingCard ACSI?
CampingCard ACSI sieht aus wie eine Scheck- oder Kreditkarte, ist aber eine Ermäßigungskarte. Mit der CampingCard ACSI können Sie günstig auf Qualitätscampings in Europa in der Nebensaison Urlaub machen, und zwar zu einem der Festtarife von: € 12, € 14, € 16 oder € 18. Auf einigen Campings in diesem Führer gibt es sogar den günstigen Tarif von 10 Euro. Sie können mit einem hohen Preisnachlass pro Übernachtung rechnen! Mindestens 10%, manchmal sogar 50% vom regulären Preis! Die 2940 teilnehmenden CampingCard ACSI-Campings sind Platz für Platz von ACSI inspizierte und genehmigte Anlagen.

Achtung! Von den 8500 inspizierten ACSI-Campings akzeptieren *nur* diese 2940 Plätze mit dem blauen CC-Logo die CampingCard ACSI. Das blaue CC-Logo finden Sie auf dem Sticker oder der großen Flagge an der Campingrezeption. *Nur* auf diesen Campings haben Sie daher das Recht auf Ermäßigung. Diese 2940 Anlagen stehen im CampingCard ACSI-Führer 2015 und auf
▸ *www.campingcard.com* ◂ In dem vorliegenden ACSI Campingführer Europa ist ein blaues CC-Logo bei den Campings abgebildet, die an der CampingCard ACSI teilnehmen.

Wie funktioniert die CampingCard ACSI?
- Füllen Sie die Rückseite der CampingCard ACSI vollständig aus (nur eine komplett ausgefüllte Karte wird akzeptiert).
- Zeigen Sie Ihre Ermäßigungskarte bei der Ankunft am Camping vor.
- Genießen Sie innerhalb der Akzeptanzperiode Ihren Urlaub auf dem Camping solange Sie wollen.
- Zeigen Sie vor der Endabrechnung auf dem Camping nochmals Ihre Ermäßigungskarte an der Rezeption.*
- Sie rechnen ab zum günstigen CampingCard ACSI Tarif für nur € 12, € 14, € 16 oder € 18 pro Übernachtung.**

* Im Prinzip können Sie mit der CampingCard ACSI hinterher bezahlen. In bestimmten Fällen kann aber der Abrechnungsmodus durch die Regelung auf dem Camping selbst bestimmt werden, also auch der Zeitpunkt der Abrechnung, oder ob Sie eine Anzahlung leisten müssen. Geben Sie bspw. an, nur eine Nacht bleiben zu wollen, oder wollen Sie reservieren, dann kann der Camping eine sofortige Bezahlung verlangen. An der Rezeption wird man Sie über diesen Punkt informieren.

** Eventuell zusätzliche Kosten lesen Sie unter 'Exklusiv'.

Akzeptanzperioden CampingCard ACSI
Jeder teilnehmende Camping hat die Zeiträume, in denen die CampingCard ACSI akzeptiert wird, selbst festgelegt. Das sind mindestens 9 Wochen in den Monaten Mai, Juni und September, meist sind aber diese Akzeptanzperioden länger: durch das gesamte Kalenderjahr durchlaufend, mit höchstens 15 Tagen in den Monaten Juli und August. Für die meisten Campings bilden die Sommermonate Juli und August nämlich die Hochsaison.
Die teilnehmenden Campings haben sich verpflichtet dafür zu sorgen, dass die wichtigsten Einrichtungen auch in der Akzeptanzperiode der Ermäßigungskarte vorhanden sind und funktionieren.

Was bieten die teilnehmenden Campings zum festen CampingCard ACSI-Tarif?
- Einen Stellplatz.*
- Aufenthalt von zwei Erwachsenen.
- Auto + Caravan + Vorzelt
  oder Auto + Zeltwagen
  oder Auto + Zelt
  oder Reisemobil mit Markise.
- Strom. Im CampingCard ACSI-Tarif ist ein Anschluss von maximal 6A inbegriffen. Wenn der Camping nur Plätze hat mit einer niedrigen Ampèrezahl, dann gilt die niedrige Ampèrezahl. Stromverbrauch bis maximal 4 kWh pro Tag ist im Übernachtungspreis inbegriffen. Wollen Sie einen Anschluss mit höherer Amperezahl oder verbrauchen Sie mehr als 4 kWh, dann hat der Camping das Recht auf Zuzahlung zum normal gültigen Tarif auf diesem Camping.

- Warme Duschen. Wenn der Camping Duschmünzen verwendet, haben Sie als CampingCard ACSI-Inhaber das Recht auf eine Duschmünze pro Erwachsener, pro Tag.**
- Der Aufenthalt von 1 Hund, soweit Hunde auf diesem Camping erlaubt sind.
- Mehrwertsteuer.

* Manche Campings unterscheiden zwischen Standard- , Luxus- oder Komfortplätzen. Die Luxus- oder Komfortplätze sind überwiegend etwas größer und haben eigenen Wasseranschluss und Kanal, manche liegen am Wasser. In den meisten Fällen wird man Ihnen Standardplätze zuweisen, aber es kann auch sein, dass Sie zum CampingCard ACSI-Tarif auch so einen teureren Stellplatz benutzen dürfen. Der Camping hat das Recht dies selbst zu regeln: Sie haben in keinem Fall einen Anspruch auf einen Luxus- oder Komfortplatz. Beachten Sie bitte auch, dass manche Campings andere Bestimmungen haben für Caravans mit Doppelachse und Mobilheime die zu groß sind für einen Standardplatz.

** Der Camping muss dem CampingCard ACSI-Inhaber die Gelegenheit geben, einmal am Tag zu duschen. Dabei hat jeder CampingCard ACSI-Inhaber das Recht auf eine Duschmünze pro Erwachsener, pro Tag. Wird vom Camping ein anderes 'Duschsystem' gehandhabt, bspw. Münzen, Schlüssel oder Schlüsselkarte, dann gilt oben genanntes, allerdings muss das der Camper mit dem Camping selbst absprechen und regeln. Warmwasser bei den Abwaschbecken ist nicht im Preis inbegriffen. Übrig gebliebene Duschmünzen können nicht in Geld getauscht werden.

Exklusiv

- Abgaben an örtliche Behörden, wie Touristensteuer, Umweltabgabe, Ecotax oder Abfallbeitrag sind nicht im CampingCard ACSI-Tarif inbegriffen, da sie pro Land und Region unterschiedlich sind und weil der Camping diese Abgaben direkt an die örtliche Behörde abführen muss.
- Ein Camping darf Reservierungskosten berechnen.
- Ein Stromanschluss von 6A oder ein Verbrauch von 4 kWh ist im Preis inbegriffen. Es kann sein, dass ein Camping auch Plätze hat, auf denen bspw. 10A verfügbar sind. Falls Sie 10A wünschen, dann geben Sie dies deutlich dem Campingplatzinhaber an, aber rechnen Sie dann auch damit, dass der Mehrpreis in Rechnung gestellt werden kann.
- Für einen Luxus- oder Komfortplatz darf der Camping einen Zuschlag in Rechnung stellen (es sei denn, dass nur Komfortplätze auf dem Camping sind).
- Zusatzleistungen, wie Einrichtungen, die der Camping gegen Bezahlung anbietet oder vermietet (Tennisplatz oder dergleichen), können zum normal gültigen Nebensaisontarif durchberechnet werden. Für den Aufenthalt eines dritten Erwachsenen oder für Kinder gilt dies nur, wenn es unter die Vorschriften des Campings fällt.

Reservieren

Auf einigen Campings können Sie vorab mit der CampingCard reservieren. Ein Camping hat dann Einrichtungspunkt 10D bei seinen Angaben gemeldet.

Eine Reservierung mit der CampingCard ACSI wird im Prinzip wie eine normale Reservierung behandelt, nur der Übernachtungstarif ist billiger. Bitte geben Sie bei einer Reservierung an, dass Sie CampingCard ACSI-Inhaber sind! Falls Sie das nicht tun, besteht die Möglichkeit, dass Sie dennoch den normalen Tarif bezahlen müssen.

Für eine Reservierung muss in manchen Fällen bezahlt werden und es kann nach einer Anzahlung gefragt werden. Eine vom CampingCard ACSI-Inhaber lange vorher gemachte Reservierung kann vom Camping als aufwendig angesehen werden. Ein Camping kann die Regelung haben, dass er in diesem Fall keine Reservierung akzeptiert. Es gibt übrigens auch Campings bei denen keine Reservierung möglich ist.

Extra Ermäßigung

Viele Campings geben Zusatzermäßigungen wenn Sie länger bleiben. Beispiel: ist bei einem Camping in unserem Führer 7=6 eingetragen, dann zahlen Sie für einen Aufenthalt von 7 Nächten nur 6 mal zum CampingCard ACSI-Tarif! Geben Sie daher beim Registrieren oder der Reservierung an, wieviele Nächte Sie bleiben wollen. Der Camping macht dann vorab eine Buchung und gibt darauf Rabatt. Dieser Rabatt muss nicht gelten, wenn Sie während Ihres Aufenthaltes sich entschließen länger zu bleiben, und so an die erforderliche Anzahl Tagen kommen.

Vorsicht! Wenn ein Camping eine Anzahl dieser Art Ermäßigungen anbietet, haben Sie nur das Recht auf eins dieser Angebote.
Beispiel: Angebot 4=3, 7=6 und 14=12. Sie bleiben 13 Nächte: dann haben Sie ein einmaliges

Recht auf die Ermäßigung 7=6 und nicht auf die Anzahl 4=3 oder einer Kombination von beiden Angeboten 4=3 und 7=6.

Wo erfahre ich mehr über den CampingCard ACSI-Platz, den ich suche?
Wenn Sie die Tipps in dieser Übersicht lesen, ist das Auffinden eines Campings nur noch ein Kinderspiel.

Es gibt CampingCard ACSI-Campings in folgenden 20 europäischen Ländern:

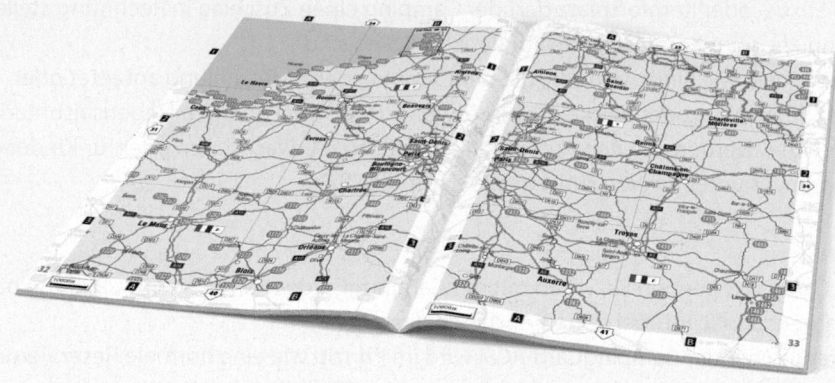

54	in Belgien	386	in den Niederlanden
55	in Dänemark	9	in Norwegen
292	in Deutschland	90	in Österreich
1246	in Frankreich	19	in Portugal
30	in Griechenland	18	in Schweden
47	in Großbritannien	49	in der Schweiz
11	in Irland	14	in Slowenien
274	in Italien	225	in Spanien
65	in Kroatien	16	in Tschechien
26	in Luxemburg	14	in Ungarn

Dieser ACSI Campingführer Europa besteht aus zwei Teilen. In Teil 1 finden Sie die CampingCard ACSI-Plätze folgender Länder: Norwegen, Schweden, Dänemark, Niederlande, Belgien, Luxemburg, Deutschland, Schweiz, Österreich, Tschechien, Ungarn, Slowenien, Kroatien und Griechenland.

In Teil 2 sind die CampingCard ACSI-Plätze der übrigen Länder: Großbritannien, Irland, Frankreich, Spanien, Portugal und Italien.

Angaben pro Camping in diesem Führer

Ab Seite 616 sind alle CampingCard ACSI-Plätze aufgezählt. Sie finden zu jedem CampingCard ACSI-Platz eine kurze Beschreibung, Tarife, Akzeptanzzeiten und Einrichtungen. Diese Beschreibung sieht wie folgt aus:

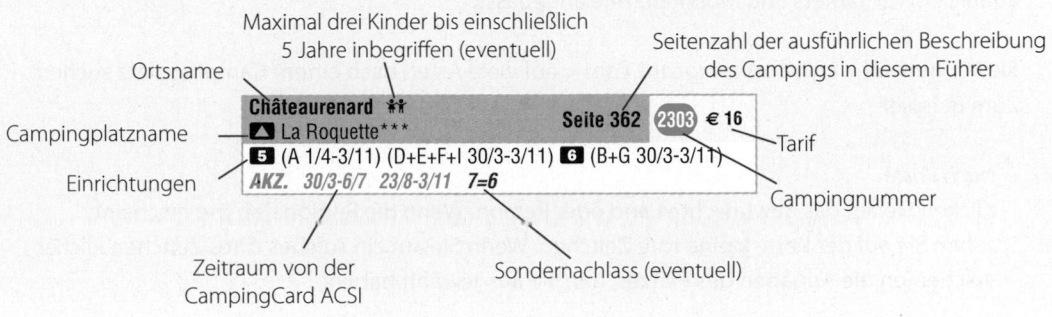

Die Campings sind nach Reihenfolge der Ortsnamen gelistet. In den 'Balken' mit den Campingdaten können Sie bequem sehen, ob ein Camping die für Sie wichtigen Einrichtungen hat. Bei den CampingCard ACSI-Plätzen können Sie zwei Einrichtungsrubriken antreffen: Rubrik 5 (Einkauf und Restaurant) und Rubrik 6 (Erholung am Wasser). In der Ausklappseite vorne im Führer, können Sie genau sehen, um welche Ausstattung es geht. Zum Beispiel 5D sagt aus, dass es einen Imbiss auf dem Camping gibt, dahinter sehen Sie dann die für diese Einrichtung geltenden Öffnungszeiten, z. B: 30/3 - 3/11.

Zu den vollständigen Informationen über einen teilnehmenden Camping verweisen wir Sie mit der Seitenangabe zu den ausführlichen Redaktionseinträgen des Platzes vorne im Führer. Die Seitenzahl des Campings steht im orangen Block. Unter dem ausführlichen Redaktionseintrag können Sie an dem blauen CampingCard ACSI-Logo erkennen, dass der Camping die CampingCard ACSI akzeptiert und welcher Tarif (€ 12, € 14, € 16 oder € 18) gilt.

Vorsicht!
Die Seitenzahl verweist auf die Seiten in diesem Führer: ACSI Campingführer Europa.

Mini-Atlas Europa

In diesem Führer finden Sie einen Mini-Atlas von Europa. Das Register im Mini-Atlas ist wie folgt aufgebaut: Folgenummer des Campings, Name des Campings, Ortsnamen in alphabetischer Reihenfolge (in den Niederlanden, Deutschland, Frankreich, Spanien und Italien nach alphabetischer Reihenfolge pro Region), Seitenzahl, Teilgebiet auf der Seite.
Sie können auf diese Weise nach einem CampingCard ACSI-Platz in der Gegend suchen, in der Sie campen möchten.

Internet

Auf ▸ *www.campingcard.com* ◂ finden Sie alle teilnehmenden CampingCard ACSI-Plätze. Diese Webseite wurde vollständig erneuert und ist Ihnen beim schnellen und einfachen Suchen und Finden der Teilnehmerplätze behilflich. Die Suchergebnisse werden blitzschnell präsentiert. Sie sehen dann zum jeweiligen Platz bequem alle Angaben. Die Webseite wurde außerdem für Tablets und Mobiltelefone angepasst.

Sie können auf ▸ *www.campingcard.com* ◂ auf viele Arten nach einem Campingplatz suchen. Zum Beispiel:

- *Nach Karte*
  Klicken Sie auf das gewünschte Land oder Region. Wenn die Regionalebene erscheint, sehen Sie auf der Karte kleine rote Zeltchen. Wenn Sie auf ein solches rotes Zeltchen klicken, erscheinen die Angaben des Platzes, den Sie ausgewählt haben.

- *Nach Ortsnamen*
  Hierbei müssen Sie nur den Ortsnamen (oder einen Teil davon) eintippen.

- *Nach Campingnummer*
  Wenn Sie die Campingnummer des Campings wissen, z. B. von dem Mini-Atlas oder aus dem CampingCard ACSI-Führer, können Sie diese benutzen, um den Camping schnell zu finden. Die Campingnummer steht im blauen Logo in der Beschreibung der CampingCard ACSI-Plätze die hiernach folgt.

- *Nach Campingname*
  Hierbei müssen Sie nur den Campingnamen (oder einen Teil davon) eintippen.

- *Nach Ferienzeiten*
  Geben Sie an, in welchem Zeitraum Sie verreisen wollen und/oder ob Sie wollen, dass die CampingCard ACSI in Ihrem gesamten Urlaub akzeptiert wird.

- *Nach Einrichtungen*
  Klicken Sie die Einrichtungen an, die Sie bei dem Camping zu dem Sie wollen für wichtig halten, wie bspw. Schwimmbad oder dass der Platz Hunde erlaubt.

- *nach Thema*
  Sie finden hier Campings mit diversen Themen wie bspw für Behinderte, Wintersportcampings und FKK-Campings.

Nachdem Sie auf 'Suchen' geklickt haben, erhalten Sie die Ergebnisliste. Diese Liste beginnt mit den Campings, die die meisten Suchkriterien erfüllen.

Sie werden auf unserer Webseite auch viel Freude am integrierten Routenplaner haben. Sie wählen selbst den Maßstab: von der Übersichtskarte bis zur äußerst detaillierten Teilkarte der Regionen, in die Sie hinwollen.

Nur für 2015!

Die CampingCard ACSI-Ermäßigungskarte, die Sie in Teil 2 von diesem ACSI Campingführer Europa finden, gilt ausschließlich für das Jahr 2015, genauso wie die Informationen zu den CampingCard ACSI-Plätzen. Jedes Kalenderjahr können sich neue Campings anmelden, ein Platz kann die Akzeptanzperiode ändern, oder einen anderen Übernachtungstarif verlangen. Die Angaben im Führer werden daher auch jedes Jahr aktualisiert. Sorgen Sie dafür, dass Sie immer den aktuellsten Führer haben, wenn Sie in Urlaub fahren. Schauen Sie vor der Abreise auf ▸ *www.campingcard.com/anderungen* ◂ nach den aktuellsten Informationen.

CampingCard ACSI-Führer 2015

Für das Gesamtangebot der CampingCard ACSI-Plätze können Sie auch den speziellen CampingCard ACSI-Führer 2015 benutzen. Mit weiteren, noch ausführlicheren Informationen pro Camping, die detaillierte Karte mit der Lage der Campings, einem informativen Text und zwei Fotos von jedem Camping, um schon mal einen Eindruck von der Aussicht und der Atmosphäre zu bekommen.

Diesen Führer kann man für € 14,95 (exkl. Versandkosten) bestellen. Oder abonnieren Sie die CampingCard ACSI für € 10,95 pro Jahr (exkl. Versandkosten). Jedes Jahr werden dann die Ermäßigungskarte und der CampingCard ACSI-Führer automatisch zugeschickt.

Schauen Sie dazu ▸ *webshop.acsi.eu* ◂

 **CampingCard ACSI**

🏴 Großbritannien

South West

Brean Sands
 Holiday Resort Unity***   **Seite 61**   **1121** € 16
5 (A+C 13/2-15/11) (D 1/4-1/10) (E+J 13/2-15/11)
6 (**B** 1/6-1/9) (**E+G** 13/2-15/11)
AKZ. *13/2-31/3 4/5-22/5 8/6-30/6 1/9-25/9 5/10-15/11*

Bridgwater/Bawdrip ⚹⛺
 The Fairways Intern. Touring C.C. Park***   **Seite 61**   **1122** € 16
5 (A+B 1/1-31/12)
AKZ. *1/1-2/4 7/4-30/4 5/5-21/5 26/5-15/7 3/9-31/12*
7=6, 14=12, 21=18

Bude
 Wooda Farm Holiday Park*****   **Seite 62**   **1123** € 16
5 (A 15/7-31/8) (C 29/3-2/11) (D 15/7-31/8) (E 1/4-31/10)
(H 24/5-20/9)
AKZ. *29/3-22/5 31/5-1/7 31/8-31/10*

Charmouth ⚹⛺
 Wood Farm Caravan Park*****   **Seite 62**   **1125** € 16
5 (A+B+D+E 19/3-1/11) **6** (**E** 19/3-1/11)
AKZ. *19/3-1/4 13/4-21/5 31/5-15/7 1/9-1/11*

Cheltenham
 Briarfields Motel & Touring Park   **Seite 62**   **1126** € 16
AKZ. *2/1-8/3 14/3-2/4 7/4-30/4 5/5-21/5 26/5-15/7 1/9-30/12*

Crows-an-Wra/Land's End
 Cardinney Car. & Camp. Park   **Seite 63**   **1129** € 16
5 (A 1/7-31/8) (B 1/1-31/12) (E+J 1/7-31/8)
AKZ. *1/1-30/6 1/9-31/12*

Cullompton ⚹⛺
 Forest Glade Holiday Park****   **Seite 63**   **1130** € 16
5 (A+C+E 20/3-2/11) **6** (**E+G** 20/3-2/11)
AKZ. *20/3-2/4 7/4-30/4 5/5-21/5 26/5-15/7 1/9-2/11*
7=6, 14=12

Cury Cross Lanes/Helston
 Franchis   **Seite 63**   **1131** € 16
5 (A+B 15/7-5/9)
AKZ. *1/4-30/6 1/9-14/9*

Dalwood/Axminster ⚹⛺
 Andrewshayes Holiday Park****   **Seite 63**   **1132** € 16
5 (A+B 18/7-31/8) (E 15/7-31/8) **6** (B+D+G 1/4-1/11)
AKZ. *20/3-2/4 7/4-21/5 1/6-10/7 31/8-1/11 7=6, 14=11*

Dawlish (Devon)
 Cofton Country Holiday Park****   **Seite 63**   **1133** € 14
5 (A+C 12/4-30/10) (D+E 15/4-30/10) (J 15/3-30/10)
6 (B+G 24/5-12/9)
AKZ. *1/5-21/5 31/5-15/7 1/9-31/10*

Dawlish (Devon)
 Lady's Mile*****   **Seite 63**   **1134** € 14
5 (A 12/4-1/10) (C 12/4-1/11) (D 18/5-10/9)
(E+H+J 12/4-1/11)
6 (B 18/5-10/9) (E 12/4-31/10) (G 12/4-1/11)
AKZ. *12/5-26/5 4/6-12/7 29/8-3/11*

East Stoke/Wareham
🏕 ManorFarm Caravan and CP Park   **Seite 64**   **1136** € 18
AKZ. *1/1-21/5 2/6-10/7 9/9-31/12*

Four Lanes/Redruth
🏕 Lanyon Holiday Park****   **Seite 64**   **1137** € 16
5 (E+I 15/7-31/8) **6** (E 29/3-31/10)
AKZ. *1/4-15/7 1/9-30/10*

Lostwithiel
🏕 Eden Valley Holiday Park*****   **Seite 65**   **1144** € 14
AKZ. *1/4-27/6 1/9-31/10*

Otterton
🏕 Ladram Bay Holiday Park   **Seite 67**   **1148** € 16
5 (A+C+D+E+J 13/3-1/11) **6** (**E+G** 13/3-1/11)
AKZ. *13/3-26/3 20/4-21/5 1/6-10/7 7/9-22/10 7=6, 14=12*

Porthtowan/Truro
🏕 Porthtowan Tourist Park   **Seite 67**   **1149** € 14
5 (A 15/7-1/9) (B 1/4-30/9)
AKZ. *1/4-12/7 1/9-30/9*

Portreath
🏕 Tehidy Holiday Park   **Seite 67**   **1150** € 16
5 (A+B 28/3-2/11)
AKZ. *6/4-27/6 1/9-30/9*

Sidmouth ⚹⛺
🏕 Salcombe Regis C. & C. Park*****   **Seite 68**   **1153** € 18
5 (A+B 15/3-1/11)
AKZ. *21/3-29/3 12/4-30/4 10/5-17/5 30/5-30/6 6/9-31/10*

St. Agnes
🏕 Beacon Cottage Farm*****   **Seite 68**   **1154** € 16
5 (B 23/3-30/9)
AKZ. *27/3-3/7 4/9-30/9*

St. Buryan/Penzance ⚹⛺
🏕 Tower Park   **Seite 69**   **1155** € 16
5 (B 7/3-31/10) (E 1/7-31/8)
AKZ. *1/5-14/7 1/9-30/9*

Ausführliche Redaktionseinträge: Seite 61 bis 69

St. Buryan/Penzance **Seite 69** 1156 € 16
▲ Treverven Touring C. & C. Park★★★
5 (A 1/7-31/8) (B 1/4-31/10) (D+E 15/7-31/8)
AKZ. 1/4-30/6 1/9-31/10

St. Ives **Seite 69** 1157 € 18
▲ Polmanter Touring Park★★★★★
5 (A+B+E+F+J 15/5-15/9) 6 (B+G 20/5-15/9)
AKZ. 1/4-21/5 31/5-21/6 30/8-31/10

St. Ives **Seite 69** 1158 € 16
▲ Trevalgan Touring Park★★★★★
5 (A+B 1/5-30/9)
AKZ. 1/5-21/5 1/6-15/7 1/9-30/9

St. Leonards/Ringwood **Seite 69** 1159 € 16
▲ Shamba Holidays★★★★
5 (A 23/7-31/8) (C 1/3-28/10) (E 23/7-31/8) (J 15/7-31/8)
6 (E+G 1/3-28/10)
AKZ. 1/3-2/4 7/4-30/4 5/5-21/5 26/5-15/7 7/9-31/10 7=6

Tavistock ✱✝ **Seite 69** 1160 € 18
▲ Woodovis Park★★★★★
5 (A+B 21/3-1/11) 6 (E 21/3-1/11)
AKZ. 21/3-21/5 1/6-15/7 6/9-31/10

Torrington **Seite 70** 1161 € 16
▲ Smytham Manor
5 (A+B 19/3-1/11) 6 (B 31/5-30/9)
AKZ. 19/3-2/4 7/4-2/5 7/5-21/5 1/6-30/6 4/9-1/11

Totnes **Seite 70** 1162 € 14
▲ Woodlands Grove Car. & CP★★★★★
6 (A+B+D 27/3-1/11) (E 20/7-31/8) (I 27/3-1/11)
6 (F 27/5-31/8)
AKZ. 27/3-2/4 7/4-30/4 4/5-21/5 1/6-15/7 1/9-1/11

Wool **Seite 71** 1165 € 16
▲ Whitemead Car. Park★★★★
5 (C 15/3-31/10)
AKZ. 15/3-1/4 7/4-30/4 5/5-21/5 31/5-15/7 1/9-30/10

South East

Bletchingdon/Oxford **Seite 72** 1119 € 16
▲ Greenhill Farm C&C Leisure Park★★★
5 (B+E 1/1-31/12)
AKZ. 1/1-2/4 6/4-30/4 4/5-21/5 25/5-30/6 1/9-31/12

Charlbury/Oxford **Seite 72** 1124 € 14
▲ Cotswold View C&C Site
5 (A+B 1/4-31/10)
AKZ. 7/4-30/4 4/5-21/5 8/6-30/6 8/9-31/10

Chichester ✱✝ **Seite 73** 1127 € 16
▲ Chichester Lakeside Holiday Park
5 (A+B+E+F+J 6/3-1/11) 6 (B+G 1/6-15/9)
AKZ. 6/3-26/3 13/4-30/4 5/5-21/5 2/6-15/7 8/9-22/10 7=6, 14=11

Hamble (Hampsh.) **Seite 73** 1138 € 16
▲ Riverside Tour.& Hol. Park
5 (B 1/3-1/10)
AKZ. 1/3-2/4 7/4-30/4 5/5-21/5 26/5-15/7 7/9-31/10 7=6

Henley-on-Thames **Seite 74** 1139 € 18
▲ Swiss Farm Touring & CP★★★★★
5 (B+D+E+I 1/3-1/11) 6 (B+G 1/6-12/9)
AKZ. 1/3-9/4 20/4-30/4 4/5-21/5 1/6-11/6 15/6-25/6 31/8-1/11

Henlow Bedfordshire **Seite 74** 1140 € 18
▲ Henlow Bridge Lakes & Riverside
5 (A+B 1/1-31/12)
AKZ. 1/1-2/4 6/4-30/4 4/5-21/5 25/5-15/7 1/9-31/12 7=6, 14=11

Hoddesdon **Seite 74** 1141 € 18
▲ Lee Valley Car. Park★★★★
5 (A+B 1/1-31/1,1/3-31/12)
AKZ. 1/5-15/7 15/9-31/12

New Romney ✱✝ **Seite 75** 1146 € 16
▲ Marlie Holiday Park★★★
5 (A+C+D+E+F+I 6/3-1/11) 6 (E+G 6/3-1/11)
AKZ. 6/3-26/3 13/4-30/4 5/5-21/5 2/6-15/7 8/9-22/10 7=6, 14=11

Sevenoaks/London **Seite 75** 1152 € 18
▲ Thriftwood Holiday Park
5 (B+D 1/1-31/12) 6 (B 1/5-31/8)
AKZ. 1/1-9/4 20/4-30/4 4/5-21/5 1/6-11/6 15/6-25/6 31/8-31/12

Wallingford **Seite 76** 1163 € 18
▲ Bridge Villa CP and Caravan Park
5 (B 1/2-31/12)
AKZ. 5/5-21/5 26/5-28/5 31/5-4/6 7/6-11/6 14/6-16/6 1/9-30/9

West Wittering ✱✝ **Seite 76** 1164 € 18
▲ Scott's Farm
5 (B 1/3-31/10)
AKZ. 1/3-9/4 20/4-30/4 4/5-21/5 1/6-25/6 31/8-31/10

Wales

Devil's Bridge/Aberystwyth **Seite 90** 1135 € 16
▲ Woodlands Caravan Park
5 (B+D+I 15/4-31/10)
AKZ. 6/3-2/4 13/4-30/4 5/5-21/5 1/6-10/7 3/9-31/10

Horton (Gower) **Seite 90** 1142 € 16
▲ Bank Farm Leisure, CP & Car. Park
5 (A 1/3-13/11) (C 1/3-31/10) (D+E+I 1/3-13/11)
6 (B+D+G 1/3-13/11)
AKZ. 1/3-31/3 7/4-30/4 5/5-21/5 1/6-30/6 1/9-31/12

Llandovery **Seite 90** 1143 € 16
▲ Erwlon Caravan & CP Park★★★★★
AKZ. 1/1-31/3 13/4-30/4 11/5-22/5 1/6-30/6 7/9-20/12

Ausführliche Redaktionseinträge: Seite 69 bis 90

Rhuallt ♦♦
🔺 Rhuallt Country Park — Seite 91 — 1151 € 18
5 (A+B+J 1/3-31/12)
AKZ. 1/3-31/3 7/4-30/4 5/5-21/5 26/5-30/6 1/9-31/10

Schottland

Borgue/Kirkcudbright
🔺 Brighouse Bay Hol. Park AA✶✶✶✶✶ — Seite 93 — 1120 € 18
5 (A+C+E 1/1-31/12) (J 29/3-31/10) 🄶 (E+G 1/1-31/12)
AKZ. 5/5-21/5 1/6-13/7 7/9-30/9

Corpach/Fort William
🔺 Linnhe Lochside Holidays — Seite 94 — 1128 € 16
5 (A+C 1/6-15/9)
AKZ. 1/1-30/6 1/9-31/10

Musselburgh/Edinburgh
🔺 Drummohr Holiday Park✶✶✶✶ — Seite 98 — 1145 € 18
5 (A+B 1/3-31/10)
AKZ. 1/1-3/5 1/6-30/6 1/9-20/12

Oban/Gallanach
🔺 Oban Car. & Camp. Park✶✶✶✶ — Seite 98 — 1147 € 18
5 (A 28/3-30/9) (B 1/4-30/9)
AKZ. 20/4-30/4 5/5-21/5 1/6-16/6 1/9-30/9

🇮🇪 Irland

Ballyshannon
🔺 Lakeside Caravan & Camping✶✶✶ — Seite 105 — 1166 € 18
5 (B+D+E 12/3-31/10)
AKZ. 13/3-2/4 7/4-1/5 5/5-29/5 2/6-30/6 1/9-31/10

Caherdaniel
🔺 Wave Crest C. & C. Park✶✶✶✶ — Seite 106 — 1167 € 18
5 (A 1/6-31/8) (C 15/3-31/8) (E+F+I 1/6-31/8)
AKZ. 5/3-28/5 2/6-23/6 1/9-31/10

Cahir
🔺 The Apple Farm Kl.A✶✶✶ — Seite 106 — 1168 € 14
AKZ. 1/5-29/5 2/6-30/6 1/9-30/9

Cahirciveen
🔺 Mannix Point Park✶✶✶ — Seite 106 — 1169 € 18
AKZ. 18/3-2/4 6/4-30/4 4/5-28/5 2/6-25/6 2/9-1/10

Clogheen
🔺 Parsons Green✶✶✶✶ — Seite 106 — 1170 € 16
5 (B+D+E 17/3-30/10)
AKZ. 1/1-13/3 18/3-3/4 7/4-29/5 2/6-30/6 1/9-30/10 3/11-31/12

Doolin
🔺 O'Connors Riverside C. and C. Park — Seite 106 — 1171 € 16
5 (B 1/6-31/8)
AKZ. 1/5-11/6 1/9-26/10

Glen of Aherlow
🔺 Ballinacourty House✶✶✶✶ — Seite 107 — 1172 € 16
5 (B 4/4-30/9) (J 1/1-31/12)
AKZ. 1/5-28/5 2/6-6/6 1/9-30/9

Glen of Aherlow/Tipperary
🔺 Glen of Aherlow Car. & Camp. Park✶✶✶✶ — Seite 107 — 1173 € 18
5 (B 1/1-31/12)
AKZ. 2/1-31/3 7/4-30/4 5/5-28/5 2/6-30/6 1/9-22/10 27/10-20/12

Roscrea
🔺 Streamstown Car. & Camp. Park — Seite 108 — 1174 € 18
AKZ. 1/5-8/7 25/8-30/9

Tralee ♦♦
🔺 Woodlands Park — Seite 109 — 1175 € 18
5 (A+B 1/7-31/8)
AKZ. 1/2-30/6 1/9-30/11

Wicklow
🔺 Wolohan Silver Strand Caravan Park — Seite 109 — 1176 € 18
5 (A+B 1/6-31/8)
AKZ. 3/4-28/5 1/6-3/7 24/8-30/9 **7=6**

🇫🇷 Frankreich

Pas-de-Calais

Autingues ♦♦
🔺 St. Louis✶✶✶ — Seite 119 — 1177 € 16
5 (A 1/7-31/8) (D+E+I 1/5-30/9)
AKZ. 1/4-30/6 1/9-18/10 **15=13**

Boiry-Notre-Dame
🔺 La Paille Haute✶✶ — Seite 119 — 1178 € 16
5 (D+E+H+I 15/6-31/8) 🄶 (B+G 1/6-15/9)
AKZ. 1/4-25/6 1/9-31/10

Equihen-Plage
🔺 Mun. La Falaise✶✶✶ — Seite 119 — 1179 € 16
AKZ. 28/3-7/7 24/8-12/11

Guines
🔺 La Bien Assise✶✶✶✶✶ — Seite 120 — 1180 € 18
5 (A+C+D+E+I+J 4/4-15/9) 🄶 (B+D+E+G 4/4-15/9)
AKZ. 4/4-19/6 7/9-26/9 **7=6**

Isques
🔺 Les Cytises✶✶✶ — Seite 120 — 1181 € 14
5 (A 1/6-31/8) (D+E+F 1/5-31/8)
AKZ. 1/4-30/6 17/8-31/10 **7=6**

Licques
🔺 Pommiers des Trois Pays✶✶✶✶ — Seite 120 — 1182 € 16
5 (A+D+E+F+H+I 15/4-15/10) 🄶 (D+E+G 6/4-20/9)
AKZ. 15/3-5/7 28/8-31/10 **7=6**

Ausführliche Redaktionseinträge: Seite 91 bis 120

Rang-du-Fliers
🔺 l'Orée du Bois**** — Seite 120 (1183) € 16
5 (A+C+D+E+F+I+J 1/4-31/10)
6 (B 1/6-15/9) (D 5/4-19/10) (G 1/6-15/9)
AKZ. 7/4-3/7 30/8-31/10 **7=6**

Wacquinghen
🔺 Camping l'Escale*** — Seite 120 (1184) € 16
5 (A 1/5-31/8) (B+E+J 1/6-31/8)
AKZ. 1/4-30/6 1/9-15/10

Wimereux
🔺 L'Été Indien**** — Seite 121 (1185) € 18
5 (A+B+D 1/1-31/12) (E+F+I 1/6-31/8) **6** (B+F 1/5-30/9)
AKZ. 1/1-30/6 1/9-31/12 **7=6**

Wimereux
🔺 Mun. L'Olympic*** — Seite 121 (1186) € 14
5 (A 17/3-19/10)
AKZ. 16/3-13/7 1/9-18/10

Somme

Albert
🔺 Camping Le Vélodrome**** — Seite 121 (1187) € 14
5 (A 1/4-11/10)
AKZ. 1/4-5/7 23/8-11/10 **7=6**

Brighton-les-Pins
🔺 Le Bois de Pins*** — Seite 122 (1190) € 16
9 (A+B 1/4-1/11)
AKZ. 3/4-5/7 22/8-31/10

Forest-Montiers
🔺 Camping de la Mottelette** — Seite 122 (1192) € 14
5 (A+B 1/4-31/10)
AKZ. 1/4-10/7 27/8-31/10

Fort-Mahon-Plage
🔺 Le Royon**** — Seite 122 (1193) € 16
5 (A 20/3-1/11) (B+D+E+I 1/7-31/8)
6 (B 25/4-20/9) (E 25/4-1/11) (F 1/7-31/8)
AKZ. 20/3-10/7 29/8-31/10

La Mollière-d'Aval
🔺 Les Galets de la Mollière*** — Seite 122 (1194) € 16
5 (A 1/4-1/11) (B+D 1/7-31/8) **6** (B+G 1/5-15/9)
AKZ. 3/4-5/7 22/8-31/10

Le Crotoy
🔺 Camping le Tarteron*** — Seite 123 (1195) € 16
5 (A+B 1/7-31/8) **6** (E+G 15/4-30/9)
AKZ. 1/4-5/7 24/8-31/10

Le Crotoy
🔺 Les Aubépines**** — Seite 123 (1196) € 16
5 (A 1/4-30/9) (B 1/4-1/11) **6** (B+G 1/5-15/9)
AKZ. 1/4-8/7 25/8-1/11 **7=6, 14=12, 21=18**

Le Crotoy
🔺 Les Trois Sablières**** — Seite 123 (1197) € 16
5 (A 1/4-8/11) (B 1/4-1/11) (D+E 1/7-30/8)
6 (B+G 1/5-15/9)
AKZ. 1/4-4/7 24/8-8/11

Mers-les-Bains
🔺 Le Rompval*** — Seite 123 (1198) € 16
5 (A 1/4-1/11) (D+E 1/7-31/8) **6** (D+G 1/4-1/11)
AKZ. 1/4-9/7 26/8-1/11 **7=6, 14=11**

Miannay
🔺 Sites & Paysages Le Clos Cacheleux*** — Seite 124 (1199) € 16
5 (A+B 15/3-15/10) (D+E+I 26/4-31/8)
6 (D 15/4-30/9) (G 1/6-7/9)
AKZ. 15/3-13/7 31/8-15/10 **7=6, 14=11**

Péronne
🔺 Port de Plaisance*** — Seite 124 (1200) € 16
5 (A 1/6-30/9) (B 10/5-15/9) (E 29/6-30/8)
6 (B+G 1/6-31/8)
AKZ. 1/3-6/7 1/9-31/10 **7=6**

Poix-de-Picardie
🔺 Le Bois des Pêcheurs*** — Seite 124 (1201) € 16
AKZ. 1/4-30/6 1/9-30/9 **3=2**

Port-le-Grand/Abbeville
🔺 Château des Tilleuls*** — Seite 124 (1202) € 16
5 (A+C 1/3-30/12) (D+E 1/4-1/11) **6** (B+G 1/6-15/9)
AKZ. 1/3-4/7 31/8-30/12

Quend
🔺 Des Deux Plages*** — Seite 124 (1203) € 16
5 (A+B 1/4-31/10) **6** (D 15/4-15/9) (F 1/7-31/8)
AKZ. 1/4-15/7 1/9-31/10 **7=6**

Quend-Plage-les-Pins
🔺 Les Vertes Feuilles**** — Seite 124 (1204) € 16
5 (A+B+D+E+I 3/4-1/11) **6** (D 3/4-1/11) (G 1/6-15/9)
AKZ. 3/4-3/7 30/8-31/10 **7=6**

Rue
🔺 Camping de la Maye** — Seite 124 (1206) € 14
5 (A 1/4-1/9) (B 1/4-1/10)
AKZ. 1/4-4/7 24/8-31/10

St. Quentin-en-Tourmont
🔺 Le Champ Neuf**** — Seite 125 (1208) € 16
5 (A+B 1/4-30/10) (D+E 4/4-19/9) **6** (E+G 4/4-30/10)
AKZ. 1/4-3/7 23/8-30/10

St. Valery-sur-Somme
🔺 Domaine de Drancourt***** — Seite 125 (1209) € 16
5 (A+C+D+E+F+I 24/4-13/9)
6 (B 1/6-13/9) (D 24/4-13/9) (G 1/6-13/9)
AKZ. 24/4-30/4 4/5-13/5 18/5-21/5 26/5-3/7 1/9-13/9
7=6, 14=10

Ausführliche Redaktionseinträge: Seite 120 bis 125

Frankreich

St. Valery-sur-Somme
⬆ Le Walric**** **Seite 125** `1210` € 16
5 (A+B+D+E 1/4-1/11) 6 (D+G 25/4-1/11)
AKZ. 3/4-10/7 29/8-31/10

Villers-sur-Authie
⬆ Le Val d'Authie***** **Seite 125** `1211` € 16
5 (A+C+D+E+F+I 1/4-30/9) 6 (D 1/4-30/9) (G 1/5-15/9)
*AKZ. 1/4-9/7 27/8-30/9 **7=6, 14=11***

Aisne

Berny-Rivière
⬆ La Croix du Vieux Pont***** **Seite 125** `1188` € 18
5 (A 1/1-31/12) (C+D+E+F+H+I+J 1/4-31/10)
6 (B+D+G 1/4-31/10)
AKZ. 1/1-1/5 11/5-30/6 1/9-31/12

Charly-sur-Marne
⬆ Les Illettes*** **Seite 126** `1191` € 12
AKZ. 1/4-5/7 24/8-30/9

Ressons-le-Long
⬆ La Halte de Mainville*** **Seite 126** `1205` € 16
5 (A 1/6-1/10) 6 (B+G 15/6-15/9)
AKZ. 8/1-30/6 1/9-30/11

Seraucourt-le-Grand
⬆ Du Vivier aux Carpes*** **Seite 126** `1207` € 16
5 (A+B 1/3-31/10) (D+E+F 15/6-15/9)
AKZ. 1/3-2/6 1/9-31/10

Oise

Bresles
⬆ Camping de la Trye **Seite 126** `1189` € 14
5 (A+D 1/7-31/8) 6 (A 1/5-15/10)
*AKZ. 1/1-14/7 1/9-31/12 **7=6***

Seine-Maritime

Blangy-sur-Bresle
⬆ Aux Cygnes d'Opale*** **Seite 127** `1212` € 14
5 (A+B+D+E+I 1/4-31/10) 6 (D+G 15/4-15/10)
*AKZ. 1/4-30/6 1/9-31/10 **7=6***

Hautot-sur-Mer
⬆ La Source*** **Seite 127** `1214` € 16
5 (A+B 15/3-15/10) 6 (B 1/6-15/9)
AKZ. 15/3-5/7 22/8-15/10

Jumieges
⬆ de la Forêt**** **Seite 127** `1216` € 16
5 (A+B 1/4-31/10) (D+E 1/6-31/8)
6 (D 15/4-15/10) (G 15/6-15/9)
AKZ. 1/4-5/7 24/8-31/10

Les Loges
⬆ L'Aiguille Creuse**** **Seite 128** `1219` € 16
5 (A 4/4-27/9) (D 1/7-31/8) 6 (D 4/4-27/9)
AKZ. 4/4-5/7 24/8-27/9

Martigny
⬆ Municipal Des Deux Rivières*** **Seite 128** `1223` € 16
5 (A 1/7-31/8) (B 27/3-4/10)
AKZ. 27/3-30/6 1/9-4/10

Neufchâtel-en-Bray
⬆ Sainte Claire*** **Seite 128** `1224` € 14
5 (A+B+D+E+I 1/5-30/9)
AKZ. 1/4-30/6 1/9-15/10

Pourville-sur-Mer
⬆ Le Marqueval*** **Seite 128** `1226` € 16
5 (A 15/4-15/9) (B 16/3-15/10) (D+E+F+I 1/7-31/8)
6 (B+G 15/6-15/9)
AKZ. 16/3-10/7 28/8-15/10

St. Aubin-sur-Scie
⬆ Dieppe Vitamín**** **Seite 128** `1227` € 16
5 (A 1/7-31/8) (D 15/6-15/9)
6 (B 15/6-15/9) (E+G 1/4-15/10)
AKZ. 1/4-7/7 24/8-15/10

St. Martin-en-Campagne
⬆ Les Goélands**** **Seite 128** `1228` € 16
5 (A 1/6-30/9) (B 15/3-15/10) (D+E 1/6-15/9) (J 15/3-15/10)
AKZ. 15/3-5/7 23/8-15/10

St. Pierre-en-Port
⬆ Les Falaises** **Seite 129** `1229` € 14
5 (E+F 1/7-31/8)
AKZ. 1/4-7/7 24/8-4/10

St. Valery-en-Caux 🏕
⬆ Seasonova Etennemare*** **Seite 129** `1230` € 16
5 (A 1/7-31/8)
*AKZ. 3/4-5/7 22/8-1/11 **7=6***

Veules-les-Roses 🏕
⬆ Seasonova Les Mouettes*** **Seite 129** `1231` € 16
5 (A 1/7-31/8) (B 15/4-30/9) (D 1/7-31/8)
6 (D+G 15/4-15/10)
AKZ. 3/4-5/7 22/8-1/11

Yport
⬆ La Chênaie*** **Seite 129** `1232` € 16
5 (A+B+E+F 4/4-27/9) 6 (D+G 4/4-27/9)
*AKZ. 4/4-8/7 29/8-27/9 **7=6***

Eure

Breteuil-sur-Iton
⬆ Les Berges de l'Iton*** **Seite 130** `1213` € 16
5 (A 15/6-15/9) (D+E+F 1/4-30/9) 6 (A 1/4-30/9)
AKZ. 1/4-30/6 26/8-30/9

Ausführliche Redaktionseinträge: Seite 125 bis 130

Honfleur/Fiquefleur   Seite 130   (1215)   € 16
🔺 Sites & Paysages Domaine Catinière***
5️⃣ (A+B+D+E+I 1/4-15/10) 6️⃣ (B+G 1/6-10/9)
AKZ. 1/4-6/7 24/8-15/10

Le Bec-Hellouin   Seite 130   (1217)   € 14
🔺 Le Clos Saint Nicolas***
5️⃣ (A+B+E 15/3-15/10) 6️⃣ (D 1/4-30/9)
AKZ. 15/3-5/7 24/8-15/10

Les Andelys   Seite 130   (1218)   € 16
🔺 Sites & Paysages l'Ile des Trois Rois***
5️⃣ (A 1/7-31/8) (D+E+F+I 15/4-15/9) 6️⃣ (B+G 15/4-30/9)
AKZ. 15/3-19/6 17/8-15/11 7=6

Louviers   Seite 130   (1220)   € 16
🔺 Le Bel Air***
5️⃣ (A 15/4-30/9) 6️⃣ (B 1/6-31/8)
AKZ. 15/3-30/6 1/9-15/10

Lyons-la-Forêt   Seite 130   (1221)   € 14
🔺 Municipal Saint-Paul***
5️⃣ (A+B 1/4-31/10) 6️⃣ (D 1/7-31/8)
AKZ. 1/4-30/6 1/9-30/10

Marcilly-sur-Eure   Seite 130   (1222)   € 18
🔺 Domaine de Marcilly****
5️⃣ (A+B 1/4-30/12) 6️⃣ (B 1/6-30/9)
AKZ. 1/4-30/6 1/9-30/12

Pont-Audemer   Seite 130   (1225)   € 14
🔺 Risle Seine Les Etangs***
5️⃣ (A+B 1/4-30/10) 6️⃣ (B 1/5-30/9)
AKZ. 1/4-5/7 24/8-30/10 7=6, 14=11

Calvados

Bénouville   Seite 131   (1235)   € 16
🔺 Les Hautes Coutures****
5️⃣ (A 1/5-30/9) (B+D+E+F 1/4-31/10) (I 1/7-31/8)
6️⃣ (B 15/6-15/9) (C 1/4-31/10) (G 15/6-15/9)
AKZ. 1/4-5/7 24/8-31/10 7=6, 14=10, 21=14

Bernières-sur-Mer   Seite 131   (1236)   € 16
🔺 Le Havre de Bernières****
5️⃣ (A 1/4-31/10) (B 1/7-31/8) (D+E+F+J 1/4-31/10)
6️⃣ (B+G 1/5-15/9)
AKZ. 1/4-5/7 24/8-31/10

Cahagnolles   Seite 131   (1237)   € 16
🔺 L'Escapade****
5️⃣ (A 1/7-31/8) (B+D+E 1/4-15/10) (F 1/7-31/8)
6️⃣ (D 12/4-30/9) (G 15/6-15/9)
AKZ. 1/4-4/7 24/8-15/10

Colleville-sur-Mer   Seite 131   (1239)   € 16
🔺 Le Robinson****
5️⃣ (A+B 1/4-30/9) (D+E+F 1/6-15/9) 6️⃣ (D+G 1/4-30/9)
AKZ. 1/4-5/7 24/8-30/9

Deauville/St. Arnoult   Seite 132   (1241)   € 16
🔺 La Vallée de Deauville*****
5️⃣ (A+B+D+E+F+I 1/4-30/9) 6️⃣ (B+G 1/6-15/9)
AKZ. 1/4-11/7 30/8-1/10

Etreham/Bayeux   Seite 132   (1242)   € 16
🔺 Reine Mathilde***
5️⃣ (A 1/5-30/9) (B+D+E+I 1/4-30/9) 6️⃣ (B+G 15/6-15/9)
AKZ. 1/4-4/7 22/8-30/9 7=6

Formigny/Surrain   Seite 132   (1243)   € 14
🔺 La Roseraie d'Omaha****
5️⃣ (A+C 1/4-30/9) (D 1/6-30/9) (E 1/4-30/9)
6️⃣ (E 1/4-30/9) (G 15/6-31/8)
AKZ. 1/4-7/7 24/8-30/9

Grandcamp-Maisy   Seite 132   (1244)   € 16
🔺 Camping du Joncal***
5️⃣ (A 1/4-30/9)
AKZ. 1/4-30/6 1/9-30/9

Honfleur/Équemauville   Seite 133   (1245)   € 16
🔺 La Briquerie*****
5️⃣ (A+B+D+E+I+J 1/4-30/9)
6️⃣ (B 25/6-10/9) (E 15/4-30/9) (G 15/5-15/9)
AKZ. 1/4-4/7 24/8-30/9 7=6, 14=12

Houlgate   Seite 133   (1246)   € 16
🔺 Yelloh! Village La Vallée*****
5️⃣ (A+C+D 1/5-30/9) (E 15/5-30/9) (F+I 1/5-30/9)
6️⃣ (B 1/5-30/9) (E 1/4-30/10) (G 1/5-30/9)
AKZ. 1/4-4/7 31/8-1/11

Isigny-sur-Mer   Seite 133   (1247)   € 14
🔺 Le Fanal****
5️⃣ (A+D+E+F+J 15/6-15/9)
6️⃣ (B 15/6-31/8) (D 1/4-30/9) (G 15/6-31/8)
AKZ. 1/4-5/7 24/8-30/9

Le Brévedent/Pont-l'Évêque   Seite 133   (1248)   € 16
🔺 Castel Camping le Brévedent****
5️⃣ (A+C 4/5-15/9) (D 1/7-31/8) (E 15/5-25/9) (F 4/5-15/9)
(I+J 15/5-15/9)
6️⃣ (B+G 4/5-15/9)
AKZ. 1/5-4/7 29/8-15/9

Merville-Franceville-Plage 🅿️   Seite 133   (1251)   € 16
🔺 Les Peupliers****
5️⃣ (A 1/4-31/10) (B 1/7-31/8) (D+E 1/7-30/8)
6️⃣ (B+G 1/6-30/9)
AKZ. 1/4-5/7 24/8-31/10 7=6

Merville-Franceville-Plage 🅿️   Seite 133   (1252)   € 16
🔺 Seasonova Le Point du Jour****
5️⃣ (A+B 3/4-1/11) (D+E+F 1/7-31/8) (J 1/1-31/12)
6️⃣ (E+G 10/4-1/11)
AKZ. 3/4-5/7 24/8-31/10

Ausführliche Redaktionseinträge: Seite 130 bis 133

Frankreich

St. Aubin-sur-Mer
▲ Yelloh! Village Côte de Nacre***** **Seite 134** **1256** € 16
5 (A+C+D 3/4-14/9) (E 4/4-14/9) (F+J 3/4-14/9)
6 (B+C+E+G 3/4-14/9)
AKZ. 3/4-3/7 31/8-13/9

Villers-sur-Mer
▲ Bellevue**** **Seite 134** **1263** € 16
5 (A 1/4-30/10) (B+D+E+F+I 1/4-31/10) **6** (D+G 15/4-15/10)
AKZ. 1/4-3/7 31/8-31/10

Manche

Barneville-Carteret/St.J-d-l-R
▲ Yelloh! Village Les Vikings***** **Seite 135** **1233** € 16
5 (A+C+D+E+F+J 3/4-27/9) **6** (B+C+G 3/4-27/9)
AKZ. 3/4-30/6 1/9-27/9

Beauvoir
▲ Aux Pommiers*** **Seite 135** **1234** € 16
5 (A+B+C 27/3-11/11) (D+E+F 1/7-31/8) **6** (E+G 27/3-11/11)
AKZ. 27/3-2/7 30/8-11/11 *7=6, 14=12*

Carentan
▲ Camping Le Haut Dick*** **Seite 136** **1238** € 16
5 (A+B+E+J 1/4-30/9) **6** (B+G 1/6-15/9)
AKZ. 1/4-30/6 1/9-30/9

Courtils
▲ St. Michel*** **Seite 136** **1240** € 16
5 (A+C 3/4-11/11) (E+F 15/6-10/9) **6** (B 1/5-30/9)
AKZ. 3/4-4/7 29/8-11/11 *7=6, 14=10*

Les Pieux
▲ Le Grand Large**** **Seite 136** **1249** € 16
5 (A+B 11/4-20/9) (D+E 5/7-30/8)
6 (B 15/6-1/9) (D+G 11/4-20/9)
AKZ. 11/4-3/7 23/8-20/9 *7=6, 14=11*

Maupertus-sur-Mer
▲ L'Anse du Brick***** **Seite 137** **1250** € 18
5 (A+C+D+E+F+I 4/4-20/9) **6** (B 1/5-15/9) (E+G 4/4-20/9)
AKZ. 4/4-4/7 29/8-20/9

Pontorson
▲ Haliotis*** **Seite 137** **1253** € 16
5 (A+B 3/4-11/11) **6** (B+G 1/5-30/9)
AKZ. 3/4-4/7 29/8-11/11 *7=6, 14=10*

Ravenoville-Plage
▲ Le Cormoran***** **Seite 137** **1254** € 18
5 (A+C 4/4-27/9) (D+E 1/7-31/8) (F 4/4-27/9)
6 (B 1/7-31/8) (E+G 4/4-27/9)
AKZ. 4/4-31/5 12/6-12/7 29/8-27/9 *7=6, 14=11*

Servon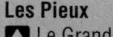
▲ Campéole St. Grégoire*** **Seite 137** **1255** € 12
5 (A 14/4-31/8) (B 14/4-20/9) **6** (B 1/5-31/8)
AKZ. 4/4-4/7 22/8-20/9

St. Jean-de-la-Rivière
▲ Camping du Golf**** **Seite 138** **1257** € 16
5 (A+B 1/4-2/11) (D+E+F+I 15/5-15/9) **6** (D+G 1/4-2/11)
AKZ. 1/4-5/7 25/8-18/10

St. Pair-sur-Mer
▲ Lez-Eaux***** **Seite 138** **1258** € 16
5 (A+C+E 1/4-13/9) **6** (B 15/5-13/9) (E+G 1/4-13/9)
AKZ. 1/4-30/6 1/9-13/9

St. Vaast-la-Hougue
▲ La Gallouette**** **Seite 138** **1259** € 16
5 (A 1/7-1/9) (B 1/4-30/9) (D+E 1/6-30/9) **6** (B+G 15/5-15/9)
AKZ. 1/4-5/7 25/8-30/9

Ste Marie-du-Mont
▲ UTAH Beach*** **Seite 138** **1260** € 16
5 (A+C 1/4-30/9) (E+F 1/7-31/8) (J 1/4-30/9) **6** (E 1/4-30/9)
AKZ. 1/4-30/6 1/9-30/9 *7=6, 14=10*

Torigni-sur-Vire ♦♦
▲ Le Lac des Charmilles*** **Seite 138** **1261** € 16
5 (A+B+D+E+F+I 1/4-30/9) **6** (B 15/5-15/9)
AKZ. 1/4-4/7 24/8-30/9 *7=6, 14=10*

Villedieu-les-Poêles ♦♦
▲ Les Chevaliers*** **Seite 138** **1262** € 16
5 (A+B 1/4-30/9) (D+E+F+I 15/4-30/9) **6** (B 15/6-15/9)
AKZ. 1/4-4/7 24/8-30/9 *7=6, 14=10*

Val-d'Oise/Yvelines

Maisons-Laffitte
▲ International Maisons-Laffitte**** **Seite 139** **1656** € 18
5 (A+C+F+I+J 3/4-1/11)
AKZ. 3/4-3/7 24/8-31/10

Rambouillet
▲ Huttopia Rambouillet*** **Seite 139** **1659** € 16
5 (A 3/4-2/11) (C 31/1-18/12) (D+E 3/4-30/9) (F+H 1/7-31/8)
6 (A 15/6-30/9)
AKZ. 3/4-26/6 1/9-2/11

Versailles
▲ Huttopia Versailles*** **Seite 139** **1663** € 18
5 (D+E+F+I 15/4-15/10) **6** (B+G 30/4-20/9)
AKZ. 26/3-2/6 1/9-2/11

Paris

Champigny-sur-Marne
▲ Paris-Est*** **Seite 142** **1653** € 16
5 (A+C+D+F+I 1/4-31/12)
AKZ. 1/1-10/7 29/8-31/12

Essonne

Dourdan
▲ Les Petits Prés*** **Seite 142** **1654** € 14
5 (A 1/7-15/8)
AKZ. 1/4-30/6 1/9-30/9 3/10-4/10 10/10-11/10 17/10-1/11

Ausführliche Redaktionseinträge: Seite 134 bis 142

Monnerville Seite 142 (1657) € 16
🔺 Le Bois de la Justice***
5 (A 1/5-30/9) (D+E+F 1/7-31/8) **6** (B 15/6-15/9)
AKZ. 1/3-30/6 1/9-31/10

St. Chéron Seite 142 (1660) € 16
🔺 Héliomonde***
5 (A+B 1/5-30/9) (D 1/1-31/12) (E+F 15/4-15/10)
(I 15/4-31/12) (J 15/4-15/10)
6 (B+G 15/4-30/9)
AKZ. 15/3-21/6 31/8-15/10 7=6

Seine-et-Marne

Jablines Seite 143 (1655) € 16
🔺 International de Jablines***
5 (A+C 28/3-31/10)
AKZ. 28/3-26/6 29/8-31/10

Pommeuse 🏕 Seite 143 (1658) € 12
🔺 Le Chêne Gris***
5 (A+C+D+E+F+I+J 27/3-1/11)
6 (B 27/3-1/11) (D 1/4-1/11) (G 27/3-1/11)
AKZ. 27/3-5/7 29/8-1/11

Varreddes Seite 144 (1661) € 16
🔺 Le Village Parisien Varreddes****
5 (A 1/5-1/9) (R 1/5-15/9) (D+E 1/5-30/9) (F 15/6-15/9)
(I 15/4-15/9)
6 (A+F 15/5-1/9)
AKZ. 1/4-30/4 5/5-30/6 1/9-1/11 7=6, 14=11

Veneux-les-Sablons Seite 144 (1662) € 16
🔺 Les Courtilles du Lido***
5 (A+B+F 29/3-20/9) **6** (B 1/5-20/9)
AKZ. 21/3-30/6 1/9-26/9

Loiret

Briare-le-Canal Seite 144 (1729) € 16
🔺 Le Martinet***
5 (A 1/7-1/9)
AKZ. 1/4-30/6 1/9-27/9

Jargeau Seite 144 (1739) € 16
🔺 L'Isle aux Moulins**
AKZ. 1/4-30/6 1/9-31/10

Poilly-lez-Gien/Gien Seite 145 (1750) € 16
🔺 Sites & Paysages CP de Gien***
5 (A 1/6-31/8) (C 1/1-31/12) (D+E+I 1/5-30/9)
6 (B+D+F 1/6-30/9)
AKZ. 7/3-5/7 24/8-31/10

Sully/St. Père-sur-Loire Seite 145 (1761) € 16
🔺 Le Jardin de Sully***
5 (A+B 1/7-1/10) (D+E+F 1/7-1/9) **6** (B 1/7-1/9) (F 1/7-10/9)
AKZ. 1/1-4/7 5/9-31/12 7=6

Eure-et-Loir

Bonneval Seite 145 (1726) € 14
🔺 du Bois de Chièvre***
5 (A+B+D+E+H+I+J 1/4-20/10) **6** (E 1/4-20/10)
AKZ. 1/4-30/6 1/9-20/10

Chartres 🏕 Seite 145 (1731) € 14
🔺 Les Bords de l'Eure***
5 (B 1/7-31/8) (C+D 1/4-30/9) (E 1/7-31/8) (F+H+I 1/4-30/9)
AKZ. 1/3-15/6 1/9-30/10

Cloyes-sur-le-Loir Seite 146 (1734) € 14
🔺 Parc de Loisirs Le Val Fleuri****
5 (A 15/3-15/11) (C 1/1-31/12) (D+E 15/3-15/11) (F+I 1/1-31/12)
6 (B+G 1/5-30/9)
AKZ. 15/3-30/6 1/9-15/11

Illiers-Combray Seite 146 (1738) € 16
🔺 Le Bois Fleuri***
5 (A 1/7-31/8) (D 4/4-31/10) **6** (**B** 3/6-15/9) (**F** 15/6-15/9)
AKZ. 4/4-30/6 1/9-31/10

La Ferté-Vidame Seite 146 (1740) € 10
🔺 Les Abrias du Perche
5 (A 1/7-30/9) (H+I 1/4-1/11) **6** (D 1/4-1/11)
AKZ. 1/4-30/6 1/9-30/11

Senonches Seite 146 (1754) € 16
🔺 Huttopia Senonches***
5 (A 24/4-31/10) (D+H 1/7-31/8) **6** (B+G 1/5-20/9)
AKZ. 30/4-3/7 1/9-5/10

Villiers-le-Morhier Seite 146 (1765) € 14
🔺 Les Ilots de St. Val***
AKZ. 1/4-15/6 1/9-30/9

Loir-et-Cher

Blois/Vineuil Seite 147 (1725) € 16
🔺 Le Val de Blois***
5 (A 1/5-30/9) **6** (A+F 28/5-15/9)
AKZ. 1/5-30/6 1/9-30/9

Bracieux Seite 147 (1727) € 16
🔺 Indigo Les Châteaux***
5 (A+B+D+F+I 1/4-2/11) **6** (B+G 15/7-31/8)
AKZ. 1/4-25/6 31/8-1/11

Candé-sur-Beuvron 🏕 Seite 147 (1730) € 16
🔺 Kawan Village La Grande Tortue*****
5 (A+C+D+E+F+I 11/4-15/9) **6** (B+E+F 11/4-20/9)
AKZ. 11/4-5/7 23/8-20/9

Cheverny 🏕 Seite 147 (1733) € 16
🔺 Sites & Paysages Les Saules****
5 (A 1/4-19/9) (C+D+E+F 15/5-15/9) (I 1/7-31/8)
6 (B+F 15/5-15/9)
AKZ. 1/4-5/7 22/8-19/9 7=6, 14=12

Ausführliche Redaktionseinträge: Seite 142 bis 147

Faverolles-sur-Cher
▲ Couleurs du Monde****   Seite 147   1736   € 14
5 (C 1/1-31/12) (D+E+F+I 30/3-28/9) **6** (B+D+G 30/3-28/9)
AKZ.   30/3-12/7   29/8-28/9   **7=6, 14=12**

Mesland
▲ Yelloh! Village Parc du Val de Loire*****   Seite 148   1745   € 16
5 (A+C+D+E+F 10/4-13/9) **6** (A 25/4-13/9) (E+F 10/4-13/9)
AKZ.   10/4-4/7   23/8-13/9   **7=6, 14=11**

Nouan-le-Fuzelier
▲ La Grande Sologne***   Seite 148   1749   € 16
5 (A 1/7-31/8) (B 1/4-15/10) (D+E+I 1/7-23/8)
6 (B+G 15/6-31/8)
AKZ.   1/4-2/7   22/8-15/10   **7=6, 14=11**

Salbris
▲ Camping de Sologne***   Seite 148   1752   € 14
5 (A 15/6-15/8) (B 1/4-30/9) (D 1/5-31/8) (E 15/5-31/8)
(I 1/5-31/8)
6 (**B** 15/6-1/9) (**E** 1/4-30/9) (F 15/6-1/9)
AKZ.   1/4-2/6   1/9-30/9

Seillac
▲ Camping-Ferme de Prunay***   Seite 148   1753   € 14
5 (A+B 27/3-2/11) (D+E+F+I 1/7-31/8) **6** (B+G 1/5-30/9)
AKZ.   27/3-6/7   24/8-2/11

Suèvres
▲ Camping La Grenouillère*****   Seite 148   1760   € 16
5 (A 18/4-12/9) (C 15/5-30/9) (D+E+F+I+J 18/4-12/9)
6 (B+E+G 18/4-12/9)
AKZ.   18/4-12/7   29/8-12/9   **7=6, 14=11**

Vendôme
▲ Au Coeur de Vendôme***   Seite 148   1764   € 14
5 (A 17/4-4/11) (B 1/7-31/8) **6** (B+G 1/6-31/8)
AKZ.   17/4-4/7   25/8-4/10   **7=6**

Indre-et-Loire

Ballan-Miré ⚤
▲ La Mignardière****   Seite 149   1724   € 16
5 (A+C 4/4-19/9) (D+E 1/4-21/9) (F+I 4/4-19/9)
6 (B+E+F 4/4-19/9)
AKZ.   3/4-4/7   23/8-17/9   **7=6**

Bréhémont
▲ Loire et Châteaux***   Seite 149   1728   € 16
5 (A+B+D+E+F 1/1-31/12) **6** (B 1/4-1/10)
AKZ.   1/1-5/7   24/8-31/12

Chemillé-sur-Indrois ⚤
▲ Les Coteaux du Lac****   Seite 149   1732   € 16
5 (A 15/6-15/9) (B+D+E 28/3-4/10) (F 1/5-15/9) (I 28/3-4/10)
6 (B+G 15/4-15/9)
AKZ.   28/3-10/7   29/8-4/10   **7=6**

Francueil/Chenonceaux
▲ Le Moulin Fort***   Seite 150   1737   € 16
5 (A+C 7/5-27/9) (D+E 23/5-20/9) (I 23/5-30/9)
6 (A+F 23/5-20/9)
AKZ.   7/5-3/7   24/8-27/9

La Ville-aux-Dames
▲ Les Acacias***   Seite 150   1742   € 16
5 (A 1/4-30/9) (B 2/1-24/12,26/12-31/12) (D+F+I 1/4-30/9)
AKZ.   2/1-3/7   25/8-24/12   26/12-31/12

Loches ⚤
▲ La Citadelle****   Seite 150   1743   € 16
5 (A 30/3-11/10) (D+E+F+I 27/6-28/8) **6** (B+**F** 31/3-12/10)
AKZ.   30/3-5/7   23/8-11/10

Luynes
▲ Les Granges***   Seite 150   1744   € 14
5 (A+B+D+E+F 1/4-30/9) **6** (B+G 1/4-30/9)
AKZ.   1/4-3/7   31/8-30/9

Montbazon
▲ de la Grange Rouge***   Seite 151   1746   € 14
5 (A+B 1/5-31/8) (D+E+F+I+J 1/4-15/9) **6** (A 1/5-30/9)
AKZ.   1/4-6/7   23/8-15/10   **7=6**

Montlouis-sur-Loire
▲ Les Peupliers***   Seite 151   1747   € 14
5 (A+B+D 7/4-26/10) **6** (B 1/6-31/8)
AKZ.   3/4-7/7   24/8-25/10

Rillé
▲ Huttopia Rillé***   Seite 151   1751   € 16
5 (A+B 16/4-12/10) (D+E+F+I 1/7-31/8) **6** (B+G 16/4-30/9)
AKZ.   16/4-3/7   1/9-12/10

Sonzay ⚤
▲ L'Arada Parc****   Seite 151   1755   € 14
5 (A+B+D+E+F+I 3/4-10/10) **6** (B+E+G 3/4-10/10)
AKZ.   3/4-6/7   24/8-10/10   **11=10, 16=14**

St. Avertin
▲ Tours Val de Loire****   Seite 151   1757   € 16
5 (A+B 1/7-31/8) **6** (**A**+**E** 21/3-28/11)
AKZ.   15/3-30/6   1/9-30/11

Ste Catherine-de-Fierbois
▲ Parc de Fierbois*****   Seite 152   1759   € 18
5 (A+C+D+E+F+I 2/5-4/9) **6** (B+E+F 2/5-4/9)
AKZ.   2/5-30/6   1/9-4/9   **7=6**

Trogues
▲ Sites & Pays. Château de la Rolandière****   Seite 152   1762   € 18
5 (A+B 1/5-20/9) (D+E 15/7-15/8) **6** (A+F 1/5-20/9)
AKZ.   1/5-5/7   22/8-20/9

Ausführliche Redaktionseinträge: Seite 147 bis 152

Indre

Argenton-sur-Creuse
🔺 Les Chambons*** — Seite 152 — 1722 — € 14
5️⃣ (A 1/5-30/9)
AKZ. 1/5-6/7 23/8-30/9

Éguzon
🔺 Éguzon La Garenne*** — Seite 152 — 1735 — € 16
5️⃣ (D+F 22/5-13/9) 6️⃣ (B 22/5-13/9) (G 13/6-1/9)
AKZ. 10/3-4/7 21/8-15/10 7=6, 14=11

Néret
🔺 Le Bonhomme** — Seite 153 — 1748 — € 12
5️⃣ (A+F+I 1/4-1/10)
AKZ. 1/4-30/6 17/8-1/10 7=6

Velles
🔺 Les Grands Pins*** — Seite 153 — 1763 — € 16
5️⃣ (A 1/7-31/8) (I+J 21/3-18/10) 6️⃣ (A 1/7-31/8)
AKZ. 21/3-30/6 23/8-18/10

Cher

Aubigny-sur-Nère
🔺 Les Étangs*** — Seite 153 — 1723 — € 14
5️⃣ (A 1/7-1/9) (B 1/4-30/9) 6️⃣ (B+G 1/6-15/9)
AKZ. 1/4-3/7 29/8-30/9

La Guerche-sur-l'Aubois
🔺 Robinson — Seite 153 — 1741 — € 10
5️⃣ (A+D+E 1/1-31/12)
AKZ. 1/5-5/7 24/8-30/9 7=6, 15=13

St. Amand-Montrond ✹✹
🔺 La Roche*** — Seite 154 — 1756 — € 12
5️⃣ (A 1/4-30/9)
AKZ. 1/4-30/6 1/9-30/9 7=6, 14=11

St. Satur
🔺 Les Portes de Sancerre*** — Seite 154 — 1758 — € 12
5️⃣ (A 1/5-31/8) (B 5/4-30/9) 6️⃣ (**A**+**F** 1/7-31/8)
AKZ. 4/4-3/7 29/8-18/10 7=6

Morbihan

Arradon
🔺 Camping de l'Allée*** — Seite 154 — 1264 — € 14
5️⃣ (A+B+E 4/7-30/8) 6️⃣ (B+G 1/5-15/9)
AKZ. 1/4-3/7 31/8-30/9

Arradon
🔺 Sites & Paysages De Penboch**** — Seite 154 — 1265 — € 16
5️⃣ (A+B 11/4-27/9) (D+E 14/5-12/9)
6️⃣ (B 14/5-12/9) (E+G 11/4-27/9)
AKZ. 11/4-4/7 27/8-27/9

Baden/Bourgerel
🔺 Campéole Penn Mar*** — Seite 154 — 1267 — € 14
5️⃣ (A 4/7-25/8) (B 3/4-27/9) (D+E 4/7-25/8)
AKZ. 3/4-27/6 28/8-27/9

Carnac ✹✹
🔺 Les Druides*** — Seite 155 — 1276 — € 18
5️⃣ (A 6/7-31/8) 6️⃣ (B 23/5-5/9) (G 13/6-5/9)
AKZ. 18/4-6/7 23/8-5/9

Carnac/Plouharnel ✹✹
🔺 Les Bruyères*** — Seite 155 — 1277 — € 16
5️⃣ (A 1/5-13/9) (C 1/4-30/9) (D+E+F+I 4/7-31/8)
6️⃣ (D+G 1/4-30/9)
AKZ. 1/4-10/7 27/8-30/9 7=6, 14=11

Damgan ✹✹
🔺 Grand Air Cadu*** — Seite 155 — 1286 — € 16
5️⃣ (A 4/7-30/8) 6️⃣ (B 1/5-14/9) (D+G 11/4-14/9)
AKZ. 1/4-4/7 31/8-3/10

Erdeven ✹✹
🔺 Les Mégalithes*** — Seite 155 — 1291 — € 16
5️⃣ (A+B 1/7-31/8) (E 11/7-23/8) 6️⃣ (B+G 1/6-13/9)
AKZ. 1/5-10/7 27/8-21/9

Guidel
🔺 Les Jardins de Kergal**** — Seite 155 — 1298 — € 14
5️⃣ (A 4/7-30/8) (B 1/4-11/11) (E 4/7-30/8)
6️⃣ (B 1/6-13/9) (C+F 1/4-11/11)
AKZ. 1/4-3/7 30/8-11/11

La Trinité-sur-Mer ✹✹
🔺 De Kervilor**** — Seite 155 — 1302 — € 16
5️⃣ (A+C 4/4-20/9) (D+E 1/5-5/9) (F 1/7-31/8)
6️⃣ (B 1/5-20/9) (D+G 4/4-20/9)
AKZ. 4/4-5/7 24/8-20/9 7=6, 14=12

Le Roc-St-André ✹✹
🔺 Domaine du Roc*** — Seite 155 — 1307 — € 14
6️⃣ (D+G 5/4-27/9)
AKZ. 1/4-3/7 23/8-1/11

Locmariaquer
🔺 Lann Brick*** — Seite 155 — 1310 — € 16
5️⃣ (A+B+D+E 11/4-18/10) 6️⃣ (B+G 11/5-17/9)
AKZ. 11/4-9/7 26/8-18/10

Loyat/Ploërmel ✹✹
🔺 Merlin l'enchanteur** — Seite 155 — 1313 — € 16
6️⃣ (D+G 1/4-30/9)
AKZ. 1/1-9/7 26/8-31/12 7=6, 14=12

Noyal-Muzillac
🔺 Moulin de Cadillac**** — Seite 156 — 1317 — € 14
5️⃣ (A 1/7-31/8) (B 11/4-13/9) (E 6/7-28/8)
6️⃣ (B 1/6-31/8) (E 11/4-19/9) (G 11/4-13/9)
AKZ. 11/4-3/7 31/8-13/9

Ausführliche Redaktionseinträge: Seite 152 bis 156

Frankreich

Pénestin
🔺 Le Domaine d'Inly★★★★   Seite 156   1318   € 16
5 (A+B+D+E+F+I+J 11/4-13/9)
6 (B 14/5-13/9) (D+G 11/4-13/9)
AKZ. 11/4-3/7   31/8-13/9   *7=6, 15=13*

Pénestin-sur-Mer
🔺 Le Cénic★★★   Seite 156   1319   € 16
5 (A+B+E 1/7-31/8)   **6** (B 1/7-31/8) (E+G 11/4-13/9)
AKZ. 11/4-2/7   31/8-13/9

Pénestin-sur-Mer ⛺⛺
🔺 Les Pins★★★   Seite 156   1320   € 12
5 (A+B+E+F 1/7-31/8)   **6** (B 20/6-6/9) (D+G 4/4-4/10)
AKZ. 1/4-5/7   24/8-18/10

Ploëmel ⛺⛺
🔺 Le St. Laurent★★★   Seite 156   1326   € 14
5 (A 7/7-31/8) (B 11/4-24/10) (D+E 1/5-24/10)
6 (D+G 11/4-24/10)
AKZ. 11/4-5/7   24/8-24/10   *14=12*

Ploërmel/Taupont
🔺 La Vallée du Ninian★★★   Seite 156   1327   € 14
5 (A+B 1/4-30/9) (D+E+I 4/7-29/8)
6 (D 1/4-30/9) (G 1/5-30/9)
AKZ. 1/4-3/7   22/8-30/9

Quiberon ⛺⛺
🔺 Do Mi Si La Mi★★★   Seite 156   1338   € 16
5 (A+C+D+E+F+I 11/4-13/9)
AKZ. 1/4-2/7   24/8-1/11

Quiberon
🔺 Le Bois d'Amour★★★   Seite 156   1339   € 16
5 (A+B+D+E+F+J 4/4-27/9)   **6** (D+G 4/4-27/9)
AKZ. 4/4-3/7   29/8-27/9   *7=6*

Quiberon ⛺⛺
🔺 Les Joncs du Roch★★★   Seite 156   1340   € 16
5 (A 11/4-26/9)   **6** (D+G 11/4-26/9)
AKZ. 11/4-10/7   27/8-26/9

Rochefort-en-Terre
🔺 Sites & Paysages Au Gré Des Vents★★★ Seite 156   1343   € 16
5 (A+B 1/4-27/9) (D+E 1/5-13/9)   **6** (D+G 4/4-13/9)
AKZ. 1/4-5/7   24/8-27/9

Sarzeau ⛺⛺
🔺 La Ferme de Lann Hoëdic★★★ Seite 156   1345   € 14
5 (A+B 1/4-31/10) (E 7/7-24/8)
AKZ. 1/4-9/7   26/8-31/10   *14=12*

Sarzeau ⛺⛺
🔺 Lodge Club Presqu'île de Rhuys★★★★ Seite 156   1346   € 16
5 (A 28/3-30/9) (B+D+E+J 1/7-31/8)
6 (B 1/5-12/9) (C+G 28/3-30/9)
AKZ. 28/3-4/7   22/8-30/9   *21=18*

Surzur
🔺 Ty-Coët★★★   Seite 156   1357   € 12
5 (A 1/7-30/8) (D+E 3/4-30/9)
AKZ. 1/3-5/7   24/8-31/10

Vannes
🔺 Le Conleau★★★★   Seite 156   1363   € 16
5 (A+B 4/4-27/9) (D+E+I 1/7-30/8)   **6** (D+G 4/4-27/9)
AKZ. 4/4-8/7   29/8-27/9   *7=6*

Vannes-Meucon/Monterblanc
🔺 Du Haras★★★★★   Seite 156   1364   € 16
5 (A 4/7-29/8) (B+D+E+I 15/3-12/11)
6 (B 13/5-30/9) (E+G 1/4-30/10)
AKZ. 15/3-3/7   29/8-12/11

Finistère

Arzano
🔺 Le Ty Nadan★★★★★   Seite 157   1266   € 16
5 (A+C+D+E+F+J 1/5-1/9)   **6** (B+E+G 1/5-1/9)
AKZ. 1/5-9/7   26/8-2/9   *7=6, 14=11*

Bannalec
🔺 Les Genets d'Or★★★   Seite 157   1268   € 14
5 (A 5/7-30/8)
AKZ. 13/5-10/7   27/8-30/9

Bénodet ⛺⛺
🔺 Camping du Poulquer★★★★   Seite 158   1270   € 16
5 (A+B+D+E 1/7-31/8)   **6** (B 15/6-10/9) (D 1/5-30/9)
(G 15/6-10/9)
AKZ. 1/5-10/7   27/8-30/9

Beuzec-Cap-Sizun
🔺 Camping Pors Peron★★   Seite 158   1271   € 14
5 (A+C 1/4-30/9)
AKZ. 1/4-10/7   27/8-30/9

Brest
🔺 Le Goulet★★★★   Seite 158   1273   € 14
5 (A 1/7-30/8) (B 1/1-31/12) (D+E+F+I 1/7-30/8)
6 (B+G 14/5-15/9)
AKZ. 4/1-1/7   31/8-23/12   *7=6*

Camaret-sur-Mer
🔺 Le Grand Large★★★★   Seite 158   1274   € 14
5 (A+C+E 15/6-15/9)   **6** (B+G 15/6-15/9)
AKZ. 1/4-5/7   24/8-30/9   *7=6, 14=11*

Camaret-sur-Mer/Crozon
🔺 Plage de Trez Rouz★★★   Seite 158   1275   € 12
5 (A+B 15/3-15/10) (D+E+F 14/4-15/10)
AKZ. 15/3-4/7   22/8-15/10   *15=14*

Châteaulin
🔺 de Rodaven★★   Seite 158   1278   € 14
5 (A 1/5-30/9) (D 7/4-30/9) (E 1/5-30/9)
AKZ. 1/4-10/7   29/8-30/9   *7=6*

Ausführliche Redaktionseinträge: Seite 156 bis 158

Châteaulin   Seite 159   1279   € 14
🔺 La Pointe***
5 (A+B 15/3-15/10)
AKZ. 15/3-9/7   27/8-15/10   **7=6**

Clohars-Carnoët   Seite 159   1280   € 10
🔺 Le Kergariou***
5 (A+D+E 1/7-31/8)   **6** (D+G 1/4-5/9)
AKZ. 1/4-3/7   22/8-5/9

Clohars-Carnoët/Le Pouldu   Seite 159   1281   € 16
🔺 Les Embruns*****
5 (A+C+D+E+F+J 10/4-19/9)   **6** (D 10/4-19/9) (G 4/7-31/8)
AKZ. 10/4-9/7   26/8-18/9

Combrit/Sainte-Marine ⚲⚲   Seite 159   1282   € 14
🔺 Le Helles***
5 (A+B 1/4-30/9) (E 1/7-31/8)   **6** (B+G 15/5-15/9)
AKZ. 1/4-6/7   25/8-30/9

Concarneau ⚲⚲   Seite 159   1283   € 12
🔺 Les Prés Verts**
6 (B+G 1/7-31/8)
AKZ. 1/5-3/7   24/8-30/9

Concarneau ⚲⚲   Seite 159   1284   € 14
🔺 Les Sables Blancs****
5 (A+B+D+E+F+J 1/4-31/10)   **6** (B+G 11/4-13/9)
AKZ. 1/4-7/7   24/8-31/10   **7=0, 14=12, 21=10**

Crozon   Seite 159   1285   € 14
🔺 L'Aber***
5 (A 15/6-15/9) (B+D+E+F+H 1/4-1/10)   **6** (B+G 15/6-15/9)
AKZ. 15/3-4/7   24/8-15/10

Douarnenez   Seite 159   1289   € 14
🔺 CP de la Baie de Douarnenez****
5 (A+C 1/5-13/9) (D+E+F+J 4/7-31/8)   **6** (B+E+G 1/5-13/9)
AKZ. 1/5-12/7   29/8-13/9   **7=6**

Fouesnant ⚲⚲   Seite 160   1295   € 16
🔺 Camping de la Piscine****
5 (A+C 1/6-14/9) (D+E 2/7-31/8)
6 (B 15/6-31/8) (E 19/4-13/9) (G 15/6-31/8,19/4-7/9)
AKZ. 12/5-3/7   28/8-13/9   **7=6**

Fouesnant   Seite 160   1296   € 16
🔺 Sunêlia L'Atlantique****
5 (A+C+D+E+F 25/4-6/9) (I 1/7-31/8)   **6** (B+D+G 25/4-6/9)
AKZ. 25/4-10/7   29/8-5/9   **7=6, 14=11**

Fouesnant/Cap Coz ⚲⚲   Seite 160   1297   € 16
🔺 Kerscolper***
5 (A 4/4-4/10) (D+E+F 1/7-31/8)   **6** (B+G 15/6-15/9)
AKZ. 4/4-30/6   1/9-4/10   **7=6**

Huelgoat   Seite 160   1299   € 14
🔺 La Rivière d'Argent**
5 (A+B 1/6-15/9) (D+E 1/7-15/9)   **6** (D 2/4-15/10)
AKZ. 2/4-6/7   26/8-15/10   **7=6**

La Forêt-Fouesnant   Seite 160   1301   € 16
🔺 De Kéranterec****
5 (A+B 11/4-20/9) (D+E+F+I 20/6-5/9)
6 (B+C 9/5-20/9) (G 11/4-20/9)
AKZ. 11/5-5/7   23/8-20/9

Landéda   Seite 160   1303   € 16
🔺 Des Abers****
5 (A 1/5-30/9) (C 15/5-15/9) (E 1/7-31/8) (F 1/5-30/9)
AKZ. 1/5-30/6   1/9-30/9   **14=12**

Lesconil ⚲⚲   Seite 161   1308   € 14
🔺 Camping de la Grande Plage***
5 (A+D+E 15/6-15/9)   **6** (B+G 1/5-30/9)
AKZ. 4/4-30/6   1/9-30/9   **7=6**

Lesconil ⚲⚲   Seite 161   1309   € 16
🔺 Camping des Dunes***
5 (A 1/6-30/8)
AKZ. 4/4-13/7   30/8-30/9   **7=6**

Locronan   Seite 161   1311   € 16
🔺 Camping Locronan***
5 (A 1/7-31/8)   **6** (C+G 11/4-27/9)
AKZ. 11/4-10/7   27/8-27/9   **7=6**

Milizac   Seite 161   1315   € 16
🔺 Camping de la Récré****
5 (A 1/5-15/9) (B 1/1-31/12) (D+E 1/5-15/9)
6 (E+G 1/5-15/9)
AKZ. 1/1-5/7   31/8-31/12

Morgat   Seite 162   1316   € 16
🔺 Les Bruyères***
5 (A+B 1/7-31/8)   **6** (B+E+G 1/5-30/9)
AKZ. 1/5-4/7   29/8-30/9

Penmarc'h ⚲⚲   Seite 162   1321   € 14
🔺 Flower Camping Les Genêts***
5 (A 11/4-30/9) (D+E+F+I 15/4-30/9)   **6** (D+G 11/4-30/9)
AKZ. 11/4-9/7   26/8-30/9

Plonévez-Porzay   Seite 162   1328   € 14
🔺 La Plage de Tréguer
5 (A+B 11/4-26/9) (D+E+F 1/7-31/8) (J 11/4-26/9)
6 (B+G 15/6-15/9)
AKZ. 11/4-7/7   24/8-26/9   **14=11**

Plonévez-Porzay ⚲⚲   Seite 162   1329   € 14
🔺 Trezmalaouen***
5 (A 29/3-27/9) (D+E 1/7-31/8)
AKZ. 29/3-7/7   24/8-27/9

Plouézoc'h ⚲⚲   Seite 162   1331   € 12
🔺 De la Baie de Térénez***
5 (A 15/6-15/9) (B+D+E 1/7-31/8)   **6** (B+F 15/5-15/9)
AKZ. 7/4-5/7   27/8-30/9

Ausführliche Redaktionseinträge: Seite 159 bis 162

Plougasnou ⚓⚓
🔺 Flower! CP Domaine de Mesqueau*** **Seite 163** 1332 € 14
🅱 (A+B 22/5-27/9) 6 (B 1/7-30/8) (E+G 22/5-27/9)
AKZ. 22/5-12/7 29/8-27/9 7=6, 14=10, 21=16

Plougastel-Daoulas
🔺 Saint Jean**** **Seite 163** 1333 € 14
🅱 (A 9/4-30/9) (B+D+E+I 2/7-27/8) 6 (B+E+G 9/4-30/9)
AKZ. 11/4-4/7 29/8-26/9 7=6

Plouguerneau
🔺 Du Vougot*** **Seite 163** 1334 € 12
🅱 (A 1/6-1/9) (B 4/4-24/10) (E 1/7-1/9)
AKZ. 4/4-5/7 22/8-24/10

Plozévet ⚓⚓
🔺 La Corniche*** **Seite 163** 1335 € 16
🅱 (A+C+D+E+F 27/3-30/9) 6 (B+G 15/5-11/9)
AKZ. 27/3-11/7 29/8-30/9 7=6, 14=12, 21=18

Port-Manech/Névez
🔺 Le Saint Nicolas*** **Seite 163** 1337 € 16
🅱 (A 5/7-23/8) 6 (B 15/6-14/9) (D+G 1/4-20/9)
AKZ. 1/5-8/7 25/8-20/9

Quimper
🔺 Domaine de L'Orangerie de Lanniron***** **Seite 163** 1341 € 18
🅱 (A 19/4-25/9) (C+D+E 25/5-15/9) (F 15/5-14/9) (I+J 2/1-31/12)
6 (B+G 15/5-15/9)
AKZ. 28/3-30/6 1/9-15/11

Raguénès/Névez ⚓⚓
🔺 Airotel Le Raguenès Plage**** **Seite 164** 1342 € 16
🅱 (A+C 1/5-27/9) (D+E+F 1/5-13/9) (J 14/6-6/9)
6 (B 29/5-13/9) (D+G 11/4-27/9)
AKZ. 11/4-10/7 27/8-27/9 14=12

St. Pol-de-Léon
🔺 Ar Kleguer**** **Seite 164** 1355 € 16
🅱 (A 15/4-26/9) (B+D 1/7-31/8)
6 (B 20/6-1/9) (E 4/4-26/9) (F 20/6-1/9)
AKZ. 4/4-4/7 30/8-26/9

St. Pol-de-Léon
🔺 De Trologot*** **Seite 164** 1356 € 14
🅱 (A 1/6-15/9) (B 1/7-31/8) 6 (B+G 10/6-10/9)
AKZ. 1/5-12/7 29/8-30/9 7=6, 14=12

Telgruc-sur-Mer
🔺 Armorique**** **Seite 164** 1358 € 14
🅱 (A 15/6-30/9) (B 1/4-30/9) (D+E 1/7-31/8)
6 (B 15/5-15/9) (G 15/6-30/9)
AKZ. 1/4-5/7 22/8-30/9 7=6

Telgruc-sur-Mer **Seite 164** 1359 € 14
🔺 Sites & Paysages Le Panoramic****
🅱 (A 1/7-30/8) (B+D 1/7-31/8) (E+F+I+J 1/5-15/9)
6 (B+G 1/6-15/9)
AKZ. 1/5-11/7 28/8-15/9 7=6

Côtes-d'Armor

Beg-Léguer/Lannion
🔺 Les Plages de Beg-Léguer*** **Seite 165** 1269 € 14
🅱 (A+B 1/5-30/9) (D+E+F+I 1/7-31/8)
6 (B 1/5-30/9) (C 12/4-2/11) (F 1/5-30/9)
AKZ. 1/5-3/7 31/8-30/9 7=6, 14=12

Binic ⚓⚓
🔺 Le Panoramic*** **Seite 165** 1272 € 14
🅱 (A+B+D+E 28/4-26/9) 6 (D+F 28/4-26/9)
AKZ. 28/3-4/7 29/8-26/9

Erquy ⚓⚓
🔺 La Vallée*** **Seite 165** 1292 € 14
🅱 (A+B 1/6-31/8)
AKZ. 26/4-5/7 23/8-15/9

Erquy ⚓⚓
🔺 Les Roches*** **Seite 165** 1293 € 12
🅱 (A+B 1/4-30/9) (E 1/7-30/8)
AKZ. 1/4-5/7 24/8-30/9

Erquy ⚓⚓
🔺 Sites & Paysages Bellevue**** **Seite 165** 1294 € 16
🅱 (A 12/4-15/9) (B 15/6-1/9) (D+E+F 1/7-31/8)
6 (D 12/4-15/9) (G 15/5-15/9)
AKZ. 12/4-4/7 1/9-15/9

Jugon-les-Lacs
🔺 Au Bocage du Lac**** **Seite 166** 1300 € 16
🅱 (A 1/7-31/8) (C 7/4-9/9) (D+E+F 7/4-5/10)
6 (B 1/5-9/9) (E 10/4-5/10) (G 1/5-9/9)
AKZ. 12/4-30/6 1/9-15/9

Landrellec/Pleumeur-Bodou
🔺 Camping Du Port**** **Seite 166** 1304 € 14
🅱 (A+B+D+E+F+I 21/3-8/11)
AKZ. 21/3-10/7 27/8-8/11 7=6

Lanloup/Paimpol
🔺 Le Neptune**** **Seite 166** 1305 € 14
🅱 (A+C+D+E+I 3/4-12/10) 6 (C 3/4-12/10) (G 1/7-31/8)
AKZ. 3/4-5/7 24/8-12/10 7=6, 14=11

Lantic ⚓⚓
🔺 Les Etangs*** **Seite 166** 1306 € 12
🅱 (A 10/7-30/8) (B 1/6-27/9) (E 3/4-27/9)
6 (B 1/5-27/9) (G 3/4-27/9)
AKZ. 3/4-8/7 25/8-27/9

Loudéac ⚓⚓
🔺 Seasonova Aquarev*** **Seite 166** 1312 € 12
🅱 (A 1/4-1/11) (D 3/4-1/10)
AKZ. 3/4-5/7 22/8-1/11 7=6, 14=11

Ausführliche Redaktionseinträge: Seite 163 bis 166

Matignon ✽✽
▲ Le Vallon aux Merlettes*** Seite 166 (1314) € 12
🅢 (A+B+E+F 1/7-31/8) 🅖 (D+G 4/4-30/9)
AKZ. 4/4-30/6 1/9-30/9

Penvénan ✽✽
▲ Les Hauts de Port Blanc*** Seite 167 (1322) € 14
🅢 (A 3/4-30/9) (E 1/7-31/8) 🅖 (B+E+G 3/4-30/9)
AKZ. 3/4-5/7 24/8-30/9 *7=6*

Pléboulle
▲ Le Frèche à l'Âne** Seite 167 (1323) € 10
🅢 (A+B 1/4-31/10) (E 1/7-31/8)
AKZ. 1/4-30/6 1/9-30/10

Pléneuf-Val-André
▲ Campéole Les Monts Colleux*** Seite 167 (1324) € 14
🅢 (A 30/4-27/9) (B 3/4-27/9) (D+E 5/7-30/8) 🅖 (E 3/4-27/9)
AKZ. 3/4-3/7 29/8-27/9

Pleubian
▲ Port la Chaîne**** Seite 168 (1325) € 16
🅢 (A 18/4-19/9) (B+D+E 1/7-31/8)
🅖 (B 1/7-31/8) (E 18/4-19/9) (G 13/5-5/9)
AKZ. 18/4-4/7 22/8-19/9

Plouézec/Paimpol
▲ Le Cap de Bréhat***** Seite 168 (1330) € 16
🅢 (A+B+C+E+F 12/4-30/9) (I 1/7-31/8)
🅖 (D 12/4-30/9) (G 1/7-30/9)
AKZ. 26/5-5/7 29/8-27/9

Pordic
▲ Les Madières*** Seite 168 (1336) € 14
🅢 (A 1/7-31/0) (B+D+E+F 4/4-31/10) 🅖 (B 15/6-15/9)
AKZ. 4/4-30/6 1/9-31/10

St. Brieuc
▲ des Vallées*** Seite 168 (1348) € 14
🅢 (A+B+C+D+E+F 1/5-31/8) 🅖 (B 1/7-31/8) (E+G 2/3-18/12)
AKZ. 2/3-30/6 29/9-18/12

St. Cast-le-Guildo
▲ Château de Galinée***** Seite 168 (1349) € 16
🅢 (A+C 24/5-5/9) (E+F+I 24/5-31/8)
🅖 (B 11/5-5/9) (E+G 19/4-5/9)
AKZ. 4/5-5/7 24/8-5/9

St. Cast-le-Guildo ✽✽
▲ Le Chatelet***** Seite 168 (1350) € 18
🅢 (A+C+E+F 16/5-5/9) 🅖 (D+G 13/4-11/9)
AKZ. 13/4-27/6 22/8-11/9

Trédrez
▲ Flower cp Les Capucines**** Seite 168 (1361) € 14
🅢 (A+B+E 1/4-27/9) 🅖 (C+G 1/4-27/9)
AKZ. 1/4-5/7 22/8-27/9

Trélévern
▲ RCN Port l'Épine*** Seite 169 (1362) € 14
🅢 (A+D+E+I 25/4-19/9) 🅖 (B+G 25/4-19/9)
AKZ. 25/4-7/7 25/8-19/9

Ille-et-Vilaine

Dinard/St.Lunaire
▲ La Touesse*** Seite 170 (1287) € 14
🅢 (A+B+D+E+F+I 3/4-30/9)
AKZ. 3/4-8/7 25/8-30/9

Dol-de-Bretagne
▲ Le Vieux Chêne**** Seite 170 (1288) € 14
🅢 (A 1/7-31/8) (C 1/5-20/9) (D+E+F+I 1/7-31/8)
🅖 (B+G 13/5-20/9)
AKZ. 1/5-7/7 24/8-20/9

Epiniac/Dol-de-Bretagne
▲ Domaine des Ormes***** Seite 170 (1290) € 18
🅢 (A+C+D+E+F+I+J 11/4-20/9) 🅖 (B 16/5-5/9) (E+G 11/4-20/9)
AKZ. 11/4-10/7 31/8-20/9 *7=6*

Roz-sur-Couesnon
▲ Les Couesnons*** Seite 170 (1344) € 14
🅢 (A 1/4-1/11) (I+J 1/3-15/11)
AKZ. 1/4-5/7 24/8-31/10

St. Benoît-des-Ondes
▲ de l'Ile Verte*** Seite 170 (1347) € 14
🅢 (A+D+E 1/7-31/8) 🅖 (E 1/4-30/9)
AKZ. 1/4-3/7 1/9-1/11

St. Coulomb/La Guimorais
▲ Des Chevrets*** Seite 170 (1351) € 14
🅢 (A+C 27/3-14/10) (D+E 1/1-31/12) (F 7/4-14/10)
(I+J 1/1-31/12)
AKZ. 27/3-26/6 24/8-14/10

St. Jouan-des-Guérêts
▲ Le P'tit Bois***** Seite 170 (1352) € 16
🅢 (A+C+D+E+F+I 10/4-13/9) 🅖 (B 15/5-13/9) (E+G 10/4-13/9)
AKZ. 10/4-4/7 22/8-13/9

St. Lunaire/Dinard
▲ Longchamp*** Seite 171 (1353) € 16
🅢 (A+B+D+E+F+I 15/4-15/9) 🅖 (B 1/6-6/9) (E+G 15/4-30/9)
AKZ. 15/4-4/7 25/8-30/9

St. Malo
▲ Domaine de La Ville Huchet**** Seite 171 (1354) € 16
🅢 (A+B+D+E+F 10/4-20/9) 🅖 (B 1/6-20/9) (E+G 10/4-20/9)
AKZ. 10/4-4/7 30/8-20/9

Tinténiac
▲ Domaine Les Peupliers*** Seite 171 (1360) € 16
🅢 (A 15/6-15/9) (B 1/4-30/9) (D 15/6-15/9) 🅖 (B 15/6-15/9)
AKZ. 1/4-7/7 24/8-30/9 *7=6, 14=12*

Ausführliche Redaktionseinträge: Seite 166 bis 171

Mayenne

Ambrières-les-Vallées ⚬⚬
🔺 Camping Le Parc de Vaux***   Seite 172 (1366) € 12
🄵 (A+C 17/4-27/9) (D+E+F+I 1/7-31/8) 🄶 (B+G 5/6-12/9)
*AKZ. 17/4-5/7 24/8-27/9 **7=6, 14=11***

Sarthe

Bessé-sur-Braye
🔺 Mun. du Val de Braye***   Seite 172 (1373) € 12
🄵 (A 1/7-31/8) (B 15/5-30/9) 🄶 (B 1/6-31/8) (E+G 29/3-31/10)
AKZ. 28/3-4/7 24/8-31/10

Brûlon ⚬⚬
🔺 Le Septentrion***   Seite 172 (1377) € 14
🄵 (A+B+D+E 1/4-30/9) (I 15/4-30/9) 🄶 (A+F 30/6-30/8)
AKZ. 1/4-7/7 24/8-30/9

Mansigné
🔺 La Plage***   Seite 173 (1410) € 12
🄵 (A 1/7-31/8) (D+E+F+I 1/4-31/10) 🄶 (B+G 1/7-31/8)
AKZ. 1/4-4/7 22/8-31/10

Marçon ⚬⚬
🔺 Du Lac des Varennes***   Seite 173 (1411) € 14
🄵 (A+B 17/4-27/9) (D+E+F+I 1/7-31/8)
*AKZ. 17/4-5/7 24/8-27/9 **7=6, 14=11***

Sillé-le-Guillaume
🔺 De La Forêt***   Seite 173 (1426) € 12
🄵 (A 28/3-25/10)
AKZ. 1/4-30/6 1/9-25/10

Sillé-le-Guillaume
🔺 Indigo Les Molières***   Seite 173 (1427) € 12
🄵 (A+B 30/4-28/9) (D+E+F 1/7-31/8) 🄶 (B 1/5-28/9)
AKZ. 30/4-2/7 31/8-27/9

Tuffé
🔺 du Lac****   Seite 173 (1456) € 14
🄵 (A+B 11/4-11/10) 🄶 (B+D+G 11/4-11/10)
AKZ. 11/4-12/7 29/8-11/10

Yvré-l'Evêque
🔺 Camping Le Pont Romain****   Seite 173 (1458) € 14
🄵 (A+B+D 15/5-30/9) 🄶 (B+G 15/6-15/9)
AKZ. 13/3-30/6 1/9-13/11

Maine-et-Loire

Allonnes ⚬⚬
🔺 Le Pô Doré****   Seite 174 (1365) € 14
🄵 (A 1/7-31/8) (B 15/3-15/11) (E+F 1/7-31/8) 🄶 (A 15/5-15/9)
AKZ. 15/3-15/7 1/9-15/11

Angers
🔺 du Lac de Maine****   Seite 174 (1367) € 16
🄵 (A 10/6-15/9) (F 15/6-10/9) 🄶 (B+G 15/6-10/9)
*AKZ. 25/3-5/7 23/8-10/10 **7=6***

Brissac-Quincé
🔺 Sites & Paysages de l'Etang****   Seite 174 (1376) € 16
🄵 (A+C 25/4-13/9) (D+E 15/5-13/9) (I 25/4-13/9)
🄶 (B+E+F 15/5-13/9)
AKZ. 25/4-4/7 23/8-13/9

Chemillé
🔺 de Coulvée***   Seite 174 (1379) € 14
🄵 (A 1/7-31/8) (D 1/5-15/9)
*AKZ. 1/5-7/7 24/8-15/9 **7=6, 14=11***

Concourson-sur-Layon ⚬⚬
🔺 La Vallée des Vignes****   Seite 174 (1381) € 16
🄵 (A 1/7-31/8) (D+E+I 15/5-15/9) 🄶 (A+F 15/5-15/9)
*AKZ. 1/5-15/7 1/9-30/9 **7=6, 14=11***

Coutures
🔺 Parc de Montsabert****   Seite 174 (1382) € 16
🄵 (A+B 10/4-6/9) (D 11/4-7/9) (E+I+J 10/4-6/9)
🄶 (B+D+E 12/4-8/9) (G 10/4-6/9)
*AKZ. 10/4-10/7 29/8-6/9 **7=6, 14=12***

Durtal ⚬⚬
🔺 Les Portes de l'Anjou***   Seite 174 (1384) € 14
🄵 (A 1/7-31/8) (B 4/4-30/10) (D+F 15/6-15/9)
🄶 (B+G 1/7-31/8)
*AKZ. 3/4-8/7 25/8-14/10 **7=6***

Les Rosiers-sur-Loire
🔺 Le Val de Loire****   Seite 175 (1408) € 16
🄵 (A+B+D+F 4/4-30/9) 🄶 (B+E+G 4/4-30/9)
*AKZ. 4/4-5/7 23/8-30/9 **7=6***

Montjean-sur-Loire
🔺 La Promenade***   Seite 175 (1412) € 14
🄵 (A 1/7-31/8) (B+D 1/4-30/9) 🄶 (A+F 1/7-31/8)
*AKZ. 1/4-4/7 22/8-30/9 **7=6, 14=12***

Montreuil-Bellay
🔺 Le Thouet***   Seite 175 (1413) € 12
🄵 (A 1/1-31/12) (D 1/5-15/10) (E 1/1-31/12) (I 1/5-15/10)
🄶 (A 1/5-15/10)
*AKZ. 1/1-4/7 29/8-31/12 **7=6, 14=12***

Montreuil-Bellay
🔺 Les Nobis d'Anjou****   Seite 175 (1414) € 14
🄵 (A+B 4/4-4/10) (D 1/4-15/10) (J 30/3-31/12) 🄶 (B 1/5-30/9)
*AKZ. 4/4-4/7 22/8-4/10 **7=6***

Rochefort-sur-Loire ⚬⚬
🔺 Seasonova Les Plages de Loire***   Seite 175 (1424) € 12
🄵 (A+B+D+E 3/4-1/11) 🄶 (A+F 1/7-31/8)
*AKZ. 3/4-5/7 22/8-1/11 **7=6, 14=11***

Saumur
🔺 Ile d'Offard*****   Seite 175 (1425) € 16
🄵 (A 1/4-30/10) (C 1/3-15/11) (D 1/4-31/10) (E 1/7-31/8)
(I+J 15/6-15/9)
🄶 (B 1/4-30/9) (G 1/5-30/9)
*AKZ. 14/3-8/7 29/8-15/11 **7=6***

Ausführliche Redaktionseinträge: Seite 172 bis 175

St. Hilaire-St-Florent
▲ Sites & Paysages Chantepie***** **Seite 175** 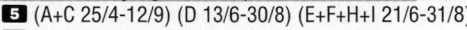 € 16
5 (A+C 25/4-12/9) (D 13/6-30/8) (E+F+H+I 21/6-31/8)
6 (A 25/4-13/9) (C 13/6-30/8) (F 26/4-13/9)
AKZ. 25/4-11/7 28/8-12/9

Loire-Atlantique

Assérac
▲ Le Moulin de l'Eclis**** **Seite 176** € 16
5 (A 1/4-12/11) (B 1/4-30/6,1/9-12/11) (C 1/7-31/8)
(D+E+F+J 3/7-30/8)
6 (B 15/5-13/9) (C+G 3/4-15/10)
AKZ. 1/4-30/6 29/8-12/11

Batz-sur-Mer
▲ Les Paludiers*** **Seite 176** € 16
5 (A 4/4-27/9) (C+D+E+F+I 1/7-30/8) **6** (B+F 1/5-15/9)
AKZ. 4/4-8/7 29/8-27/9 *7=6*

Guémené-Penfao
▲ L'Hermitage*** **Seite 176** € 14
5 (B+D+E 1/7-31/8) **6** (B 15/6-20/9) (G 1/7-20/9)
AKZ. 1/4-10/7 28/8-30/10 *7=6*

Guérande ⚑
▲ Camping La Fontaine*** **Seite 176** € 12
6 (A+D+E 1/7-31/0)
AKZ. 3/4-9/7 29/8-18/10

Guérande
▲ Domaine de Léveno**** **Seite 176** € 16
5 (A+C+D+E+F+J 11/4-27/9) **6** (B 15/5-15/9) (C+G 11/4-27/9)
AKZ. 11/4-3/7 31/8-27/9 *15=14*

Héric ⚑
▲ La Pindière*** **Seite 176** € 14
5 (A 1/7-31/8) (I+J 1/1-31/12) **6** (D+G 1/4-30/9)
AKZ. 1/1-1/7 23/8-31/12 *7=6, 14=12*

La Baule
▲ La Roseraie**** **Seite 176** € 16
5 (A+C+D+E+F+I 4/4-27/9) **6** (C+G 4/4-27/9)
AKZ. 4/4-9/7 31/8-26/9 *7=6, 14=11*

La Bernerie-en-Retz ⚑
▲ Les Écureuils**** **Seite 176** € 16
5 (A+D+E+F 1/7-31/8) **6** (B+G 1/5-13/9)
AKZ. 4/4-3/7 28/8-12/9

La Plaine-sur-Mer ⚑
▲ Le Ranch*** **Seite 176** € 14
5 (A 2/7-29/8) (B 1/4-30/9) (D+E+F+I 2/7-29/8)
6 (B+G 1/5-1/9)
AKZ. 1/4-3/7 30/8-30/9 *14=13*

La Plaine-sur-Mer
▲ Sites & Paysages La Tabardière**** **Seite 176** € 16
5 (A 4/4-25/9) (C 1/6-12/9) (D+E+F 1/7-31/8)
6 (B 1/5-12/9) (C+G 4/4-25/9)
AKZ. 4/4-3/7 22/8-25/9 *14=12, 21=18*

La Turballe
▲ La Falaise**** **Seite 177** € 16
5 (A+D+E 1/4-1/11) **6** (D+G 1/4-1/11)
AKZ. 1/4-5/7 25/8-1/11 *7=6, 14=12, 21=18*

Le Croisic
▲ de l'Océan Village et Spa***** **Seite 177** € 18
5 (A+C+D+E+F+J 11/4-27/9) **6** (B 14/5-27/9) (E+G 11/4-27/9)
AKZ. 11/4-28/6 31/8-27/9 *15=14*

Les Moutiers-en-Retz
▲ Les Brillas*** **Seite 177** € 16
5 (A 1/4-27/9) (B 19/4-28/9) (D 1/5-13/9) (E+F+I 8/5-15/9)
6 (B+G 1/5-27/9)
AKZ. 1/4-3/7 29/8-25/10

Nantes
▲ Nantes Camping***** **Seite 177** € 16
5 (A+B+D+F+I+J 1/7-31/8) **6** (E 1/1-31/12)
AKZ. 1/1-13/7 1/9-31/12

Nort sur Erdre ⚑
▲ Seasonova Camp. Port Mulon **Seite 177**  € 12
5 (A 3/4-1/11)
AKZ. 3/4-5/7 22/8-1/11 *7=6, 14=11*

Piriac-sur-Mer
▲ Parc du Guibel*** **Seite 177** € 14
5 (A 1/4-30/9) (C+D+E+F+J 4/7-28/8) **6** (B+E+G 4/4-30/9)
AKZ. 1/4-15/7 1/9-30/9

Pornic
▲ La Boutinardière**** **Seite 177** € 18
5 (A+C+D+E+F+I+J 4/4-26/9) **6** (B 15/5-25/9) (E+G 4/4-30/9)
AKZ. 4/4-3/7 30/8-30/9

Pornic
▲ Le Patisseau**** **Seite 177** € 16
5 (A 4/4-27/9) (C 4/7-30/8) (D+E+F+I+J 4/4-27/9)
6 (B 14/5-27/9) (E+G 4/4-27/9)
AKZ. 4/4-3/7 30/8-27/9 *7=6, 14=12, 21=18*

Pornichet ⚑
▲ Du Bugeau*** **Seite 177** € 16
5 (A+B+D+E+F 30/5-31/8) **6** (D 11/4-27/9) (F 1/7-31/8)
AKZ. 11/4-5/7 22/8-27/9

St. Brévin-les-Pins
▲ Le Fief***** **Seite 177** € 16
5 (A 4/4-1/11) (B 4/4-30/6,1/9-1/11) (C 1/7-31/8)
(D+E+F+J 4/4-27/9)
6 (B 1/5-27/9) (E+G 4/4-1/11)
AKZ. 4/4-13/5 26/5-3/7 31/8-1/11

Ausführliche Redaktionseinträge: Seite 175 bis 177

Frankreich

St. Julien-de-Concelles
🔺 du Chêne***   Seite 177   (1442) € 16
5️⃣ (A 1/4-30/4) (D+E 1/4-30/9) 6️⃣ (D+G 1/6-30/9)
AKZ. 1/4-5/7   31/8-30/9

St. Michel-Chef-Chef/Tharon Pl
🔺 Camping Du Bord de Mer***   Seite 177   (1449) € 16
5️⃣ (A 4/7-20/9) (D+E 4/4-20/9) 6️⃣ (D+G 4/4-11/11)
AKZ. 1/3-3/7   1/9-11/11

St. Philbert-de-Grand-Lieu
🔺 Camping La Boulogne**   Seite 177   (1451) € 12
5️⃣ (A 1/7-31/8) (D 1/6-30/9) (I 1/5-30/9)
AKZ. 1/4-7/7   26/8-30/9

Vendée

Aubigny
🔺 Campilô***   Seite 178   (1369) € 16
5️⃣ (A+B+D+E+F 1/7-31/8) 6️⃣ (D 15/4-31/10)
AKZ. 15/2-3/7   29/8-28/11

Avrillé ⚐⚐
🔺 Beauchêne***   Seite 178   (1370) € 12
5️⃣ (A+B 1/4-10/10) (D+E 1/7-31/8) 6️⃣ (B+G 15/5-15/9)
AKZ. 1/4-10/7   29/8-10/10   **7=6, 14=12**

Barbâtre
🔺 Domaine Le Midi****   Seite 178   (1371) € 16
5️⃣ (A 1/7-31/8) (B 15/6-13/9) (D+E+F 1/7-31/8)
6️⃣ (B+E+G 10/4-13/9)
AKZ. 10/4-27/6   29/8-13/9

Brem-sur-Mer
🔺 Le Chaponnet****   Seite 179   (1374) € 18
5️⃣ (A 1/7-31/7) (B 7/4-25/9) (D+E+F 1/6-31/8) (I 1/7-31/8)
6️⃣ (B 1/5-15/9) (E 1/4-30/9) (G 1/5-15/9)
AKZ. 6/4-10/7   28/8-27/9

Brétignolles-sur-Mer
🔺 La Trévillière****   Seite 179   (1375) € 12
5️⃣ (A 15/5-15/9) (B 1/6-15/9) (D+E+F+I+J 17/5-15/9)
6️⃣ (B+D+F 1/5-15/9)
AKZ. 4/4-11/7   29/8-20/9   **14=10, 21=14**

Chaillé-les-Marais
🔺 L'Île Cariot***   Seite 179   (1378) € 12
5️⃣ (A+B+D+I 1/4-30/9) 6️⃣ (B+G 15/6-15/9)
AKZ. 1/4-10/7   28/8-30/9   **7=6**

Coëx
🔺 RCN La Ferme du Latois****   Seite 179   (1380) € 14
5️⃣ (A+C+D+E+F+I+J 25/4-19/9) 6️⃣ (B+G 17/4-7/10)
AKZ. 25/4-7/7   25/8-19/9

Damvix
🔺 Camping des Conches***   Seite 179   (1383) € 12
5️⃣ (D+E 1/4-15/10) 6️⃣ (B 15/5-15/9)
AKZ. 1/4-30/6   1/9-15/10

Givrand/St.Gilles-Croix-de-Vie
🔺 Le Domaine de Beaulieu****   Seite 179   (1385) € 12
5️⃣ (A 15/6-31/8) (C+D+E+F+I+J 1/6-10/9)
6️⃣ (B 10/5-20/9) (E 13/4-20/9) (G 10/5-20/9)
AKZ. 4/4-11/7   29/8-20/9   **14=10, 21=14**

Jard-sur-Mer
🔺 L'Oceano d'Or*****   Seite 179   (1390) € 16
5️⃣ (A+C+D+E+F 15/5-15/9) 6️⃣ (B+G 15/5-15/9)
AKZ. 4/4-11/7   29/8-20/9   **14=10, 21=14**

L'Épine
🔺 Camping de la Bosse**   Seite 180   (1391) € 14
AKZ. 1/4-27/6   29/8-30/9

La Barre-de-Monts ⚐⚐
🔺 Campéole La Grande Côte***   Seite 180   (1392) € 14
5️⃣ (A+C+D+E+F 1/7-31/8) 6️⃣ (B+G 15/6-20/9)
AKZ. 4/4-4/7   22/8-20/9

La Chapelle-Hermier
🔺 Le Pin Parasol*****   Seite 180   (1395) € 16
5️⃣ (A+B 20/4-25/9) (D+E+F 1/6-31/8)
6️⃣ (B 1/6-15/9) (E 18/4-25/9) (G 1/6-25/9)
AKZ. 24/4-7/7   1/9-25/9

La Tranche-sur-Mer
🔺 Du Jard GC****   Seite 180   (1398) € 16
5️⃣ (A 17/5-12/9) (C+D+E+F+I+J 5/7-30/8)
6️⃣ (B 1/7-31/8) (E+G 17/5-12/9)
AKZ. 11/5-10/7   27/8-12/9   **7=6, 14=12**

La Tranche-sur-Mer ⚐⚐
🔺 La Grande Vallée**   Seite 181   (1399) € 12
5️⃣ (A 15/4-15/9) (D+F 1/5-15/9)
AKZ. 1/4-10/7   27/8-30/9   **7=6, 14=12, 21=18**

Le Château-d'Olonne ⚐⚐
🔺 Le Petit Paris***   Seite 181   (1401) € 14
5️⃣ (A 4/4-5/4,14/5-30/9) (B 14/5-30/9) (D+E 1/7-30/8)
6️⃣ (D 12/5-30/9) (G 11/5-30/9)
AKZ. 4/4-3/7   22/8-30/9   **7=6, 14=12**

Le Château-d'Olonne ⚐⚐
🔺 Le Puits Rochais****   Seite 181   (1402) € 14
5️⃣ (A+C+D+E+F+H 15/6-10/9) 6️⃣ (B+G 1/5-30/9)
AKZ. 11/4-12/7   29/8-30/9   **7=6, 14=12**

Le Château-d'Olonne
🔺 Les Fosses Rouges**   Seite 181   (1403) € 14
5️⃣ (A+B+C 8/5-22/9) (E 1/7-31/8) 6️⃣ (D+G 5/4-23/9)
AKZ. 4/4-4/7   22/8-23/9

Le Givre
🔺 La Grisse***   Seite 181   (1405) € 12
5️⃣ (A+B 1/7-31/8)
AKZ. 1/1-10/7   27/8-31/12

Ausführliche Redaktionseinträge: Seite 177 bis 181

Les Epesses ⚐⚐ · **La Bretèche***** — Seite 181 · 1406 · € 16
🄵 (A 15/6-15/9) (D+E+I 1/4-30/9) 🄶 (B+G 1/5-5/9)
AKZ. 1/4-4/7 22/8-30/9 **7=6, 14=11**

Longeville-sur-Mer · **Le Petit Rocher****** — Seite 181 · 1409 · € 14
🄵 (A+C+D+E 11/4-20/9) 🄶 (D+G 11/4-20/9)
AKZ. 3/4-11/7 28/8-20/9

Noirmoutier-en-l'Île · **Indigo Noirmoutier***** — Seite 182 · 1416 · € 16
🄵 (A 2/4-4/10) (D+E+F 1/5-4/10)
AKZ. 2/4-25/6 31/8-3/10

Notre-Dame-de-Riez · **Domaine des Renardières***** — Seite 182 · 1418 · € 14
🄵 (A 1/7-31/8) (B 5/4-2/9) (D+E+F 1/7-25/8) 🄶 (B+G 5/4-2/9)
AKZ. 1/4-7/7 1/9-2/9 1/10-30/10

Olonne-sur-Mer · **Le Nid d'Été****** — Seite 182 · 1419 · € 16
🄵 (A+B 1/7-31/8) (D+E+F 1/6-31/8) (I 1/7-31/8)
🄶 (B+C+G 3/4-25/9)
AKZ. 1/4-14/7 1/9-30/9

St. Hilaire-de-Riez · **La Plage****** — Seite 182 · 1429 · € 16
🄵 (A 8/4-30/9) (B+D+E 8/4-15/9) (F 8/4-31/8) (I 15/6-31/8)
🄶 (B 15/5-15/9) (E 7/4-30/9) (G 8/4-30/9)
AKZ. 15/4-8/7 1/9-30/9

St. Hilaire-de-Riez · **La Plage de Riez***** — Seite 183 · 1430 · € 16
🄵 (A+B+D+E+F 15/5-15/9) (I 1/7-31/8) 🄶 (B+G 8/5-15/9)
AKZ. 1/4-29/6 1/9-30/10

St. Hilaire-la-Forêt ⚐⚐ · **La Grand' Métairie****** — Seite 183 · 1431 · € 12
🄵 (A+B+D+E+F+I+J 11/4-26/9)
🄶 (B 15/6-8/9) (E 11/4-26/9) (G 15/6-8/9)
AKZ. 11/4-11/7 29/8-26/9 **7=6, 14=10, 21=14**

St. Jean-de-Monts · **Aux Coeurs Vendéens****** — Seite 183 · 1433 · € 16
🄵 (A+B+D+E+F 1/6-31/8) 🄶 (B 1/6-31/8) (D 25/4-25/9)
(G 1/6-31/8)
AKZ. 25/4-4/7 22/8-25/9 **7=6**

St. Jean-de-Monts ⚐⚐ · **Campéole Les Sirénes***** — Seite 183 · 1434 · € 14
🄵 (A+B+C+D 1/7-31/8) 🄶 (B+G 1/6-13/9)
AKZ. 5/4-4/7 22/8-13/9

St. Jean-de-Monts ⚐⚐ · **Campéole Plage des Tonnelles - Dornier****** — Seite 183 · 1435 · € 14
🄵 (A 1/7-31/8) (C 15/5-7/9) (D+E+H 1/7-31/8)
🄶 (B+G 1/6-13/9)
AKZ. 4/4-4/7 22/8-13/9

St. Jean-de-Monts · **CP-Caravaning La Forêt****** — Seite 183 · 1436 · € 16
🄵 (A+B+D+E 1/6-31/8) (F 1/7-31/8) 🄶 (**B+G** 1/5-20/9)
AKZ. 1/5-5/7 26/8-20/9 **8=7**

St. Jean-de-Monts · **l'Océan****** — Seite 183 · 1437 · € 14
🄵 (A+D+E 1/7-31/8) 🄶 (B+G 15/5-19/9)
AKZ. 1/4-30/6 30/8-19/9 **7=6, 14=10**

St. Jean-de-Monts · **La Davière Plage***** — Seite 183 · 1438 · € 14
🄵 (A+B+C+D+E+F+I 1/7-31/8) 🄶 (B+G 1/5-30/9)
AKZ. 25/4-10/7 27/8-30/9

St. Jean-de-Monts · **La Prairie****** — Seite 183 · 1439 · € 16
🄵 (A+B+D+E 1/7-31/8) 🄶 (B+G 1/5-20/9)
AKZ. 25/4-13/5 17/5-22/5 25/5-30/6 1/9-30/9 **15=14**

St. Jean-de-Monts · **La Yole****** — Seite 183 · 1440 · € 16
🄵 (A+C+D+E+F+I+J 1/5-15/9) 🄶 (B+E+G 2/4-25/9)
AKZ. 11/4-10/7 27/8-24/9 **7=6**

St. Jean-de-Monts · **Le Bois Joly****** — Seite 183 · 1441 · € 16
🄵 (A+B+D+F+F+I 11/4-13/9) 🄶 (B 15/6-15/9) (F+G 11/4-27/9)
AKZ. 17/5-22/5 1/6-4/7 29/8-27/9

St. Julien-des-Landes · **Château La Forêt****** — Seite 184 · 1443 · € 16
🄵 (A+B 1/5-5/9) (D+E+F+J 13/5-5/9)
🄶 (B 13/5-5/9) (**E**+G 1/5-5/9)
AKZ. 1/5-5/7 26/8-5/9

St. Julien-des-Landes · **Flower CP La Bretonnière****** — Seite 184 · 1444 · € 14
🄵 (A+B+D+E+F 1/7-31/8) 🄶 (B 10/5-20/9) (C+G 10/5-30/9)
AKZ. 4/4-4/7 1/9-30/9

St. Julien-des-Landes · **La Garangeoire******* — Seite 184 · 1445 · € 16
🄵 (A+C+D+E+F+I+J 8/5-19/9) 🄶 (B+D+G 18/4-19/9)
AKZ. 18/4-30/6 1/9-19/9 **7=6, 21=16, 28=21**

St. Julien-des-Landes · **Village de la Guyonnière******* — Seite 184 · 1446 · € 18
🄵 (A+C+D+E+F 25/4-13/9) (I+J 1/6-13/9)
🄶 (B 1/6-13/9) (C+G 25/4-13/9)
AKZ. 25/4-30/6 1/9-13/9

St. Laurent-sur-Sèvre · **Le Rouge Gorge***** — Seite 184 · 1447 · € 14
🄵 (A+B+D+E+F 1/7-31/8) 🄶 (B+G 8/5-15/9)
AKZ. 1/4-11/7 28/8-30/9 **7=6**

Ausführliche Redaktionseinträge: Seite 181 bis 184

St. Martin-Lars-en-Ste-Hermine   Seite 184   (1448)   € 18
🔺 Le Colombier****
5 (A+B+D+E+I 1/4-1/10)   **6** (B+G 1/4-1/10)
AKZ. 1/4-11/7   28/8-1/10

St. Michel-en-l'Herm   Seite 184   (1450)   € 14
🔺 La Dive****
5 (A+B+D+E+F+I 15/5-30/9)   **6** (B+G 1/4-30/9)
AKZ. 1/4-10/7   29/8-30/9

St. Vincent-sur-Jard   Seite 185   (1452)   € 12
🔺 La Bolée d'Air****
5 (A+B+D+E 15/5-10/9)
6 (B 15/5-10/9) (E 4/4-20/9) (G 15/5-10/9)
*AKZ. 4/4-11/7   29/8-20/9   **14=10, 21=14***

Talmont-St-Hilaire ♟   Seite 185   (1453)   € 14
🔺 Loyada*****
5 (A+B+C 1/4-30/9) (D+E 4/7-29/8)
6 (B 15/6-15/9) (E 1/4-15/10) (G 15/6-15/9)
*AKZ. 1/4-11/7   29/8-11/10   **7=6, 14=12***

Talmont-St-Hilaire ♟   Seite 185   (1454)   € 14
🔺 Sun Océan***
5 (A+D 1/7-31/8)   **6** (D+G 28/3-27/9)
*AKZ. 28/3-12/7   30/8-27/9   **7=6, 14=12, 21=18***

Talmont-St-Hilaire   Seite 185   (1455)   € 16
🔺 Yelloh! Village Le Littoral*****
5 (A+B+C+D+E+F+I+J 3/4-6/9)
6 (B 3/4-6/9) (E 3/4-30/9) (G 3/4-6/9)
AKZ. 3/4-3/7   30/8-27/9

Vendrennes   Seite 185   (1457)   € 14
🔺 de la Motte***
5 (A+B 1/6-30/9) (D+E+F 1/6-15/9)   **6** (B+G 1/6-15/9)
AKZ. 1/1-9/7   26/8-31/12

Charente-Maritime

Aytré/La Rochelle   Seite 186   (1461)   € 16
🔺 Les Sables****
5 (A+B+D+E 1/7-31/8) (F 15/6-31/8) (I 1/7-31/8)
6 (B 1/5-30/9) (E 1/5-15/9) (G 1/6-30/9)
AKZ. 1/4-5/6   14/6-3/7   1/9-15/10

Boyardville   Seite 186   (1464)   € 12
🔺 Les Saumonards**
5 (A 1/4-31/10) (D+E+F 15/6-15/9)
AKZ. 1/4-30/6   1/9-31/10

Châtelaillon-Plage   Seite 187   (1466)   € 18
🔺 Camping Au Port-Punay***
5 (A+B+C+D+E+F+I 1/5-26/9)   **6** (B+G 1/5-26/9)
AKZ. 1/5-3/7   27/8-26/9

Châtelaillon-Plage   Seite 187   (1467)   € 18
🔺 L'Océan***
5 (A 16/5-26/9) (D+E 1/7-31/8)   **6** (A 16/5-26/9)
AKZ. 16/5-3/7   29/8-26/9

Châtelaillon-Plage   Seite 187   (1468)   € 18
🔺 Le Village Corsaire des 2 Plages****
5 (A+B+C+D+E+F+I 1/5-15/9)   **6** (B+G 1/5-15/9)
*AKZ. 1/5-6/6   14/6-4/7   24/8-27/9   **7=6***

Courçon   Seite 187   (1473)   € 12
🔺 Camping La Garenne
5 (A 4/7-31/8)   **6** (B 1/7-31/8)
AKZ. 1/4-6/7   24/8-31/10

Dolus-d'Oléron ♟   Seite 188   (1474)   € 14
🔺 La Cailletière***
5 (A 1/7-30/8) (D+E+F 1/7-31/8)   **6** (B 3/4-27/9) (F 1/6-30/9)
AKZ. 3/4-5/7   24/8-27/9

Dolus-d'Oléron   Seite 188   (1475)   € 16
🔺 Ostrea****
5 (A 1/4-30/9) (B 15/6-15/9) (E+F+I 1/7-31/8)
6 (D+E+G 1/4-30/9)
AKZ. 1/4-30/6   1/9-30/9

L'Houmeau ♟   Seite 188   (1478)   € 16
🔺 Au Petit Port de l'Houmeau***
5 (A+B+D+I 1/5-30/9)   **6** (B+G 1/5-30/9)
*AKZ. 1/4-5/7   22/8-30/9   **7=6, 14=12***

La Couarde-sur-Mer ♟   Seite 188   (1479)   € 16
🔺 La Tour des Prises****
5 (A+B 4/4-28/9) (C+D+E+F 1/6-20/9)   **6** (B+E+G 4/4-28/9)
*AKZ. 4/4-10/7   27/8-27/9   **14=12, 28=24***

La Flotte-en-Ré   Seite 188   (1480)   € 16
🔺 La Grainetière****
5 (A+B+C+D+E+F 3/4-27/9)   **6** (B+E+G 3/4-27/9)
AKZ. 4/4-10/7   27/8-27/9

Le Bois-Plage-en-Ré ♟   Seite 189   (1482)   € 16
🔺 Campéole Les Amis de la Plage***
5 (A+B 1/7-31/8)
AKZ. 5/4-4/7   22/8-28/9

Le Bois-Plage-en-Ré   Seite 189   (1483)   € 16
🔺 Les Varennes****
5 (A+B+C 11/4-27/9)   **6** (B+E 11/4-27/9)
AKZ. 11/4-3/7   31/8-26/9

Le Château-d'Oléron   Seite 189   (1484)   € 16
🔺 Airotel Oléron****
5 (A 1/7-31/8) (B 15/6-15/9) (D+E+F+I+J 1/6-15/9)
6 (B+F 1/4-30/9)
AKZ. 1/4-7/7   24/8-30/9

Le Château-d'Oléron   Seite 189   (1485)   € 16
🔺 La Brande*****
5 (A 5/4-31/10) (B 1/6-31/8) (D 4/7-31/8) (E+F+I+J 1/7-31/8)
6 (C+E+G 31/3-11/11)
AKZ. 28/3-4/7   31/8-8/11

Ausführliche Redaktionseinträge: Seite 184 bis 189

Le Château-d'Oleron/La Gaconn.   Seite 190   1486   € 14
🔺 Le Fief Melin***
🟦 (A+B 1/7-30/8) (D+E+I 1/7-31/8)   🟥 (D 1/5-30/9)
AKZ. 1/5-7/7   24/8-30/9

Le Fouilloux   Seite 190   1487   € 12
🔺 La Motte*
AKZ. 1/1-30/6   1/9-31/12

Le Grand-Village-Plage ⚑⚑   Seite 190   1488   € 16
🔺 Camping-Club Les Pins****
🟦 (A+D+E+F 1/4-30/9)   🟥 (A 1/4-30/9)
AKZ. 1/4-12/7   29/8-30/9   *7=6, 14=11*

Le Grand-Village-Plage   Seite 190   1489   € 16
🔺 Le Maine****
🟦 (A 1/7-31/8) (B 1/2-15/11)
AKZ. 1/2-30/6   1/9-15/11   *7=6, 14=12*

Les Mathes   Seite 190   1490   € 16
🔺 Beausoleil***
🟦 (A 1/5-30/9) (B+D+E+F+I 15/6-15/9)   🟥 (B+G 1/6-15/9)
AKZ. 1/5-5/7   23/8-15/9

Les Mathes   Seite 190   1491   € 16
🔺 La Palombière***
🟦 (A+B 15/6-15/9) (D+E+F+I 1/7-31/8)   🟥 (B+G 1/6-30/9)
AKZ. 1/4-1/7   24/8-15/10

Les Mathes/La Palmyre   Seite 191   1492   € 16
🔺 La Clé des Champs****
🟦 (A+C+D+E+F+I 1/4-30/9)   🟥 (B+D 1/4-15/11) (G 1/5-15/9)
AKZ. 1/4-4/7   22/8-15/11   *7=6*

Les Mathes/La Palmyre   Seite 191   1493   € 16
🔺 La Pinède****
🟦 (A+B+D+E+F+I 4/4-26/9) (J 4/7-31/8)
🟥 (A 1/7-31/8) (E+G 4/4-26/9)
AKZ. 18/5-22/5   26/5-30/6   1/9-26/9

Loix (Île de Ré)   Seite 192   1494   € 16
🔺 Les Ilates****
🟦 (A+B+D+E+F+I 4/4-27/9)   🟥 (B+G 1/5-15/9)
AKZ. 4/4-8/7   29/8-27/9   *7=6*

Marennes ⚑⚑   Seite 192   1496   € 16
🔺 Au Bon Air***
🟦 (A 1/4-30/9) (B 1/5-30/9) (D+E 1/7-31/8)   🟥 (B+G 1/5-30/9)
AKZ. 1/4-4/7   29/8-30/9

Meschers ⚑⚑   Seite 192   1497   € 16
🔺 Le Soleil Levant****
🟦 (A+B+D+E+F+I 1/7-31/8)   🟥 (A+F 20/6-15/9)
AKZ. 1/4-30/6   1/9-30/9

Pons   Seite 192   1498   € 16
🔺 Moulins de la Vergne**
🟦 (A 1/2-31/12) (E 1/6-30/9) (I+J 1/2-31/12)   🟥 (A+F 1/6-30/9)
AKZ. 1/2-30/6   1/9-31/12   *7=6, 14=10, 21=14, 30=20*

Port-des-Barques   Seite 192   1499   € 14
🔺 Municipal de la Garenne***
🟦 (A 1/4-31/10) (D+E+F 15/5-15/9)
🟥 (A 15/5-15/9) (F 15/5-30/9)
AKZ. 1/4-5/7   24/8-31/10

Puilboreau/La Rochelle ⚑⚑   Seite 192   1500   € 16
🔺 Le Beaulieu****
🟦 (A 1/4-30/9) (B 1/7-31/8) (D+E 1/4-30/9) (F 1/7-31/8)
(I 1/4-30/9)
🟥 (B+D+G 1/4-30/9)
AKZ. 1/4-9/7   28/8-30/9

Rivedoux-Plage ⚑⚑   Seite 192   1501   € 16
🔺 Campéole Le Platin***
🟦 (A 1/7-31/8)
AKZ. 11/4-5/7   23/8-13/9

Royan ⚑⚑   Seite 192   1502   € 16
🔺 Campéole Clairefontaine****
🟦 (A+D+E+F+I 1/6-15/9)   🟥 (B+G 15/5-15/9)
AKZ. 3/4-3/7   22/8-26/9

Royan ⚑⚑   Seite 192   1503   € 16
🔺 Le Royan***
🟦 (A 1/4-12/10) (B 1/7-31/8) (D+E+F+I 1/4-12/10)
🟥 (B+G 1/5-30/9)
AKZ. 1/4-5/7   23/8-11/10   *7=6*

Saujon   Seite 193   1504   € 16
🔺 Du Lac***
🟦 (A 1/6-31/8) (B+C+D+E+F+J 1/7-31/8)   🟥 (B+E 1/4-30/10)
AKZ. 1/3-30/6   1/9-31/10

St. Clément-des-Baleines ⚑⚑   Seite 193   1505   € 16
🔺 Les Baleines***
🟦 (A+B+C 18/4-19/9) (F 11/7-31/8)
AKZ. 18/4-10/7   29/8-19/9

St. Denis-d'Oléron   Seite 193   1507   € 16
🔺 Les Seulières**
🟦 (A+B 1/4-30/10)
AKZ. 1/4-10/7   27/8-31/10

St. Georges-d'Oléron   Seite 193   1508   € 16
🔺 La Campière****
🟦 (A+B 1/5-26/9) (D+E 1/5-31/8) (F 1/6-31/8)   🟥 (B 15/5-26/9)
AKZ. 11/4-4/7   30/8-26/9

St. Georges-d'Oléron   Seite 193   1509   € 14
🔺 Le Domaine d'Oléron****
🟦 (A+D+E+F+I 15/5-10/9)   🟥 (A+F 1/5-15/9)
AKZ. 4/4-11/7   29/8-20/9   *14=10, 21=14*

St. Georges-d'Oléron   Seite 193   1510   € 16
🔺 Le Suroit***
🟦 (A+B+D+E+F+J 1/4-30/9)   🟥 (D+G 1/4-30/9)
AKZ. 1/4-4/7   1/9-30/9

Ausführliche Redaktionseinträge: Seite 190 bis 193

St. Georges-d'Oléron
▲ Les Gros Joncs GC*****   Seite 193 (1511) € 16
5 (A+C 1/4-30/9) (D 1/1-31/12) (E 1/4-30/9) (F 1/7-30/8)
(J 1/1-31/12)
6 (B 1/4-30/9) (**E** 1/1-31/12) (G 1/4-30/9)
AKZ. 1/1-5/7 1/9-31/12

St. Georges-de-Didonne
▲ Dom. de la Fôret de Suzac/Ocean Vacances****   Seite 194 (1512) € 14
5 (A 1/4-30/9) (C+D+E+F+H+J 1/4-30/8) **6** (A+F 1/6-30/8)
AKZ. 1/4-30/6 1/9-20/10

St. Georges-de-Didonne
▲ Ideal Camping***   Seite 194 (1513) € 16
5 (A 1/5-10/9) (C 1/6-1/9) (D+E+F+H+I+J 1/5-10/9)
6 (B+G 10/6-5/9)
AKZ. 1/5-3/7 24/8-12/9

St. Jean-d'Angely ⚐⚑
▲ Val de Boutonne***   Seite 194 (1515) € 14
5 (A+B 3/4-27/9) **6** (A+F 1/7-31/8)
AKZ. 3/4-30/6 1/9-27/9

St. Palais-sur-Mer
▲ Des Deux Plages****   Seite 194 (1516) € 16
5 (A+B+D+E+F+J 1/7-31/8) **6** (B 15/4-30/9)
AKZ. 1/4-30/6 1/9-30/9

St. Palais-sur-Mer
▲ Puits de l'Auture****   Seite 194 (1517) € 16
5 (A+B+D 15/6-15/9)
AKZ. 1/5-5/7 23/8-30/9

St. Pierre-d'Oléron
▲ La Perroche Plage***   Seite 194 (1518) € 14
5 (A+B 15/5-15/9)
AKZ. 1/4-30/6 1/9-30/9

St. Pierre-d'Oléron
▲ Le Sous Bois***   Seite 195 (1519) € 16
AKZ. 1/4-30/6 1/9-31/10

St. Sornin
▲ Les Etangs Mina***   Seite 195 (1520) € 16
5 (A 1/4-28/9) (B 1/4-30/6,1/9-28/9) (C 1/7-31/8)
(D+E 1/4-28/9) (F+I 1/1-31/12)
6 (A+F 1/6-30/8)
AKZ. 1/4-4/7 5/9-28/9

St. Trojan-les-Bains ⚐⚑
▲ La Combinette****   Seite 195 (1521) € 16
5 (A 1/5-30/9) (C+D+E+F+I 15/6-15/9) **6** (B+G 15/5-15/9)
AKZ. 1/4-5/7 31/8-31/10 7=6, 14=12

Surgères
▲ Camping de la Gères***   Seite 196 (1522) € 14
5 (A+D+E 1/7-31/8) **6** (B+G 1/5-30/9)
AKZ. 1/3-6/7 24/8-16/11

Vaux-sur-Mer
▲ Le Nauzan-Plage****   Seite 196 (1523) € 16
5 (A+C+D+E+F+I 15/6-15/9) **6** (B+F 15/5-30/9)
AKZ. 1/5-12/7 1/9-30/9 7=6

Deux-Sèvres

Airvault ⚐⚑
▲ de Courte Vallée***   Seite 196 (1459) € 18
5 (A+B+D+E 1/4-16/10) (I+J 1/4-20/9) **6** (B 1/6-20/9)
AKZ. 1/4-13/7 1/9-16/10

Bois Vert/Com. du Tallud
▲ Le Bois Vert****   Seite 196 (1463) € 16
5 (A 1/5-30/9) (B 15/5-15/9) (D+E+F+I 1/5-30/9)
6 (B+F 1/6-15/9)
AKZ. 4/4-4/7 22/8-31/10 7=6

Chef-Boutonne
▲ Le Moulin***   Seite 196 (1469) € 14
5 (A+D 1/7-31/8) (E+I+J 1/3-1/12) **6** (A 1/5-30/8)
AKZ. 1/1-30/6 1/9-31/12

Coulon
▲ de la Venise Verte****   Seite 196 (1472) € 16
5 (A 1/4-30/10) **6** (A+F 15/6-15/9)
AKZ. 1/4-10/7 1/9-30/10 7=6, 14=12

Magné
▲ Le Martin-Pêcheur****   Seite 196 (1495) € 16
5 (B 1/5-27/9) **6** (B+F 15/6-30/8)
AKZ. 1/5-10/7 28/8-27/9

St. Hilaire-la-Palud
▲ Le Lidon***   Seite 196 (1514) € 16
5 (A+B+D+E+F+I 11/4-19/9) **6** (B+F 1/7-31/8)
AKZ. 11/4-10/7 28/8-19/9 7=6

Vienne

Avanton
▲ Du Futur***   Seite 197 (1460) € 16
5 (A+B+E 1/4-4/11) **6** (A 30/6-15/9)
AKZ. 1/4-5/7 26/8-4/11 14=12

Chalandray
▲ Du Bois de St. Hilaire   Seite 197 (1465) € 12
6 (A 15/6-15/9)
AKZ. 1/5-30/6 1/9-30/9

Couhé
▲ Sites & Paysages Les Peupliers****   Seite 197 (1471) € 16
5 (A+C 2/5-30/9) (D+E+F+I 1/7-31/8) **6** (B+G 2/5-30/9)
AKZ. 2/5-8/7 25/8-30/9 7=6

Ausführliche Redaktionseinträge: Seite 193 bis 197

Ingrandes ⚲⛄   **Seite 197** (1477) € 16
🔺 Le Petit Trianon de Saint Ustre****
5 (A+B+D+E+F+J 18/4-11/9) 6 (B+G 18/4-11/9)
AKZ. 18/4-4/7 27/8-11/9 7=6, 14=12, 21=18

La Roche-Posay   **Seite 198** (1481) € 16
🔺 La Roche-Posay Vacances****
5 (A+D+E+F+I 11/4-20/9)
6 (A 11/4-20/9) (D 12/4-20/9) (G 11/4-20/9)
AKZ. 11/4-3/7 29/8-20/9

St. Cyr   **Seite 198** (1506) € 14
🔺 Camping du Lac de Saint-Cyr****
5 (A+B+D+E+F 1/4-30/9) (J 1/2-20/12) 6 (B+G 1/6-30/9)
AKZ. 1/4-3/7 30/8-29/9 7=6, 14=11, 21=17

Charente

Bignac ⚲⛄   **Seite 198** (1462) € 16
🔺 Marco de Bignac***
5 (A+B 1/3-31/10) (E+J 1/5-30/9) 6 (A 1/7-31/8)
AKZ. 1/5-3/7 21/8-30/9 7=6

Condac   **Seite 199** (1470) € 10
🔺 Le Réjallant***
5 (A+B 1/1-31/12) (D+E 1/7-31/8) 6 (B+F 1/5-15/9)
AKZ. 1/5-30/6 1/9-30/9 7=6

Eymouthiers/Montbron   **Seite 199** (1476) € 16
🔺 Castel CP Les Gorges du Chambon****
5 (A+B+D+E+J 20/4-14/9) 6 (B 1/5-14/9) (G 1/7-31/8)
AKZ. 1/5-3/7 29/8-13/9 7=6, 14=11

Creuse

Boussac ⚲⛄   **Seite 199** (1841) € 16
🔺 Creuse Nature Naturiste***
5 (A 4/4-31/10) (B 1/7-30/8) (D+E+I 4/4-31/10)
6 (A 1/6-15/9) (E 5/9-1/11)
AKZ. 4/4-4/7 22/8-31/10

Boussac/Bourg   **Seite 199** (1842) € 16
🔺 Le Château de Poinsouze/les Castels****
5 (A+B+D+E+I 12/5-13/9) 6 (B+F 12/5-13/9)
AKZ. 12/5-6/7 25/8-13/9

Fourneaux ⚲⛄   **Seite 200** (1844) € 12
🔺 La Perle***
5 (A+I+J 1/4-30/9) 6 (A+F 1/6-30/8)
AKZ. 1/4-30/6 1/9-30/9 7=6, 14=12

Guéret   **Seite 200** (1845) € 12
🔺 de Courtille***
5 (A 1/4-5/11) (B 1/4-30/9)
AKZ. 1/4-5/7 22/8-30/9

Haute-Vienne

Bonnac-la-Côte   **Seite 200** (1840) € 18
🔺 Du Château de Leychoisier*****
5 (A+B 15/4-20/9) (E+I 22/4-20/9) 6 (A 15/4-20/9)
AKZ. 15/4-6/7 25/8-20/9

Cognac-la-Forêt   **Seite 201** (1843) € 14
🔺 Camping des Alouettes***
5 (A+I 1/4-30/9) 6 (B+G 1/5-30/9)
AKZ. 1/4-27/6 22/8-30/9

St. Germain-les-Belles ⚲⛄   **Seite 201** (1847) € 14
🔺 de Montréal***
5 (A+D+E+F+I 1/4-31/10) 6 (B 1/4-31/10)
AKZ. 1/1-4/7 24/8-31/12 7=6, 14=11

St. Pardoux   **Seite 201** (1848) € 14
🔺 Fréaudour****
5 (A 1/5-30/9) (B 1/4-27/10) (D+E 1/7-31/8) 6 (A 5/6-11/9)
AKZ. 9/3-7/7 24/8-8/11

Corrèze

Argentat ⚲⛄   **Seite 202** (1836) € 14
🔺 Au Soleil d'Oc****
5 (A 1/5-15/9) (B 1/7-31/8) (D+E+F+I 15/6-30/9)
6 (A 1/5-30/9) (F 18/4-25/10) (F 1/5-30/9)
AKZ. 18/4-10/7 27/8-25/10 7=6, 14=11

Argentat   **Seite 202** (1837) € 16
🔺 Le Vaurette****
5 (A 1/5-21/9) (B 1/5-30/6,1/9-21/9) (C+D+E+F 1/7-31/8)
6 (B+Γ 1/5-21/9)
AKZ. 1/5-5/7 25/8-21/9

Aubazine ⚲⛄   **Seite 202** (1838) € 14
🔺 Campéole Le Coiroux*****
5 (A 1/5-30/9) (C+D+E+F+J 1/7-31/8) 6 (B+G 1/5-28/9)
AKZ. 1/5-9/7 26/8-30/9

Beaulieu-sur-Dordogne   **Seite 202** (1839) € 14
🔺 Les Îles***
5 (A+B+D+F 1/7-31/8) 6 (B+G 25/4-26/9)
AKZ. 25/4-4/7 24/8-26/9 7=6, 14=12, 22=19

Marcillac-la-Croisille   **Seite 203** (1846) € 12
🔺 Camping du Lac***
5 (A+B 3/4-27/8) (I 1/1-31/12)
AKZ. 3/4-7/7 24/8-25/10

Treignac-sur-Vézère   **Seite 203** (1849) € 12
🔺 La Plage***
5 (A+B 1/7-31/8) 6 (D+G 1/4-30/9)
AKZ. 4/4-8/7 29/8-27/9 7=6

Ausführliche Redaktionseinträge: Seite 197 bis 203

Frankreich

Dordogne

Antonne-et-Trigonant
Seite 204 1526 € 16
🔺 Huttopia Lanmary
5 (A 2/4-19/10) (D+F+I 1/7-31/8) **6** (B+G 17/4-29/9)
AKZ. 2/4-3/7 1/9-19/10

Atur/Périgueux ♯♯
Seite 205 1528 € 12
🔺 Le Grand Dague★★★★
5 (A+B+C+D+E+F+I+J 24/4-27/9) **6** (B+F 24/4-27/9)
AKZ. 24/4-4/7 29/8-27/9

Belvès
Seite 205 1532 € 14
🔺 Camping Les Nauves★★★
5 (A 11/4-26/9) (B 1/7-30/8) (D+E+F+I 11/4-26/9)
6 (B 11/4-26/9) (F 1/7-30/8)
AKZ. 11/4-26/6 31/8-26/9 7=6

Belvès
Seite 205 1533 € 14
🔺 RCN Le Moulin de la Pique★★★★★
5 (A+B+D+E+F+J 25/4-26/9) **6** (B+G 25/4-26/9)
AKZ. 25/4-7/7 25/8-26/9

Bergerac
Seite 205 1534 € 14
🔺 La Pelouse★★★
5 (A 1/4-31/10)
AKZ. 1/4-1/7 1/9-31/10 7=6

Brantôme
Seite 206 1545 € 14
🔺 Brantôme Peyrelevade★★★
5 (A+B 1/5-30/9) (D+E 1/7-31/8) **6** (B+F 1/5-30/9)
AKZ. 1/5-4/7 24/8-30/9

Castelnaud-la-Chapelle ♯♯
Seite 206 1546 € 16
🔺 Camping Maisonneuve★★★
5 (A+B 1/4-15/10) (D 26/6-31/8) (E+F+J 28/6-31/8)
6 (B+F 1/5-15/10)
AKZ. 1/4-4/7 1/9-15/10

Castelnaud/Veyrines-de-Domme
Seite 206 1547 € 14
🔺 Sites & Paysages Les Pastourels★★★
5 (A+B 15/6-31/8) (D+E+F 15/6-15/9) **6** (B+F 1/6-15/9)
AKZ. 14/5-5/7 25/8-15/9

Cénac-et-Saint-Julien ♯♯
Seite 206 1548 € 12
🔺 Le Pech de Caumont★★★
5 (A+B 1/4-30/9) (D+E+F+I 1/7-30/8) **6** (A+F 15/4-30/9)
AKZ. 1/4-4/7 24/8-30/9

Coux-et-Bigaroque
Seite 206 1549 € 14
🔺 Le Clou★★★
5 (A+B+D+E+F+I 18/4-27/9) **6** (A+G 18/4-27/9)
AKZ. 18/4-3/7 22/8-27/9

Daglan
Seite 207 1550 € 14
🔺 La Peyrugue★★★
5 (A 1/4-1/10) (B 1/5-1/10) (D+E+F 1/4-1/10) (I 1/5-1/10)
6 (A+F 1/5-1/10)
AKZ. 1/4-4/7 22/8-1/10

Daglan ♯♯
Seite 207 1551 € 16
🔺 Le Moulin de Paulhiac★★★★
5 (A+C+D+E+F+J 14/5-17/9) **6** (B+E+F 14/5-17/9)
AKZ. 14/5-4/7 22/8-17/9

Domme ♯♯
Seite 207 1553 € 12
🔺 Le Bosquet★★★
5 (A+B 11/4-26/9) (D+E+F 1/5-15/9) **6** (B 11/4-26/9)
AKZ. 11/4-4/7 22/8-26/9 7=6

Domme ♯♯
Seite 207 1554 € 12
🔺 Le Perpetuum★★★
5 (A 1/5-10/10) (B+D+E+F+I 15/5-30/9) **6** (B+F 10/5-30/9)
AKZ. 1/5-5/7 23/8-10/10

Douville
Seite 207 1555 € 16
🔺 Lestaubière★★★
5 (A 18/4-26/9) (B 4/7-21/8) (D+E+F 18/4-26/9) (I+J 1/5-15/9)
6 (A+F 1/5-15/9)
AKZ. 18/4-4/7 22/8-26/9 7=6, 14=12

Douville ♯♯
Seite 207 1556 € 12
🔺 Orphéo Negro
5 (A+B+D+F+I+J 1/4-30/10) **6** (A+F 15/5-30/9)
AKZ. 1/4-11/7 30/8-30/10 7=6

Groléjac ♯♯
Seite 207 1559 € 14
🔺 Les Granges★★★★
5 (A 1/7-31/8) (D+E+F+J 25/4-12/9) **6** (B+D+F 25/4-12/9)
AKZ. 25/4-4/7 22/8-12/9

La Roque-Gageac
Seite 207 1563 € 12
🔺 Beau Rivage★★★
5 (A+B 25/4-12/9) (C 1/6-30/9) (D 25/4-12/9)
(E+F+J 1/6-30/9)
6 (B+G 15/5-30/9)
AKZ. 25/4-7/7 24/8-12/9

Le Bugue
Seite 208 1568 € 14
🔺 Les Trois Caupain★★★
5 (A 1/5-22/9) (D 1/5-15/9) (E 15/4-15/9) (I+J 1/5-15/9)
6 (B 1/4-31/10) (E 1/4-30/10) (F 1/4-31/10)
AKZ. 1/4-12/7 29/8-31/10

Le Bugue ♯♯
Seite 208 1569 € 12
🔺 Rocher de la Granelle★★
5 (A 1/4-30/9) (B 1/4-15/9) (D 1/5-15/9) (E+F 1/6-15/9)
6 (A+F 1/5-15/9)
AKZ. 1/4-6/7 23/8-30/9 7=6, 15=13

Le Buisson-de-Cadouin
Seite 208 1570 € 14
🔺 Du Pont de Vicq En Périgord★★★
5 (A 1/4-31/10) (B+D+E+F+I 1/7-30/8)
6 (B 1/5-30/9) (G 1/6-30/9)
AKZ. 1/4-5/7 22/8-31/10 7=6, 14=12

Ausführliche Redaktionseinträge: Seite 204 bis 208

Les Eyzies-de-Tayac ✶✶
🔺 La Rivière✶✶✶✶　　Seite 208　1571　€ 16
5 (A+B+C+D+E+F+I+J 4/4-11/10)　**6** (B+F 4/4-11/10)
AKZ. 4/4-4/7 22/8-11/10 **7=6, 14=12, 21=17**

Les Eyzies-de-Tayac
🔺 Le Pech Charmant✶✶✶　　Seite 208　1572　€ 14
5 (A+B+D+E+F+I+J 25/4-12/9)　**6** (A+G 28/4-12/9)
AKZ. 18/4-4/7 24/8-12/9 **14=12, 21=18**

Limeuil
🔺 La Ferme de Perdigat✶✶✶　　Seite 208　1573　€ 12
5 (A 1/6-14/9) (B 1/5-30/9) (D+E+I 1/5-15/9)
6 (B+G 1/5-15/9)
AKZ. 27/3-7/7 24/8-11/10

Limeuil/Alles-sur-Dordogne
🔺 Le Port de Limeuil✶✶✶✶　　Seite 208　1574　€ 14
5 (A 1/5-30/9) (C+D+E+F+I 15/5-15/9)　**6** (B+G 1/5-30/9)
AKZ. 1/5-6/7 26/8-30/9

Lisle ✶✶
🔺 Du Pont✶✶　　Seite 208　1575　€ 10
5 (D+J 1/4-15/10)
AKZ. 1/4-15/7 1/9-15/10 **7=6, 14=11**

Monplaisant
🔺 La Lénotte✶✶✶　　Seite 208　1585　€ 12
5 (A 1/4-31/10) (B 1/6-30/9) (D+E+F 1/4-31/10)
6 (B+F 1/6-30/9)
AKZ. 1/4-12/7 29/8-31/10 **7=6**

Montignac ✶✶
🔺 Le Moulin du Bleufond✶✶✶　　Seite 208　1588　€ 16
5 (A+B+D+E+I 1/4-30/10)　**6** (B+G 1/4-30/10)
AKZ. 1/4-30/6 1/9-30/10

Montignac/Lascaux ✶✶
🔺 La Fage✶✶✶✶　　Seite 209　1589　€ 16
5 (A 11/4-10/9) (B 11/4-30/6,1/9-10/9) (C 1/7-31/8)
(D+E+I 11/4-10/9)
6 (D+G 11/4-10/9)
AKZ. 11/4-5/7 23/8-10/10 **7=6, 15=12, 30=23**

Plazac ✶✶
🔺 Le Lac✶✶✶　　Seite 209　1593　€ 14
5 (A 8/5-30/9) (C 8/5-15/9) (D+E+I 8/5-30/9)
6 (B+G 1/6-30/9)
AKZ. 8/5-7/7 24/8-30/9

Rouffignac-St-Cernin ✶✶
🔺 Bleu Soleil✶✶✶　　Seite 209　1597　€ 14
5 (A 1/6-15/9) (B 12/4-30/9) (D+E+F+J 1/6-15/9)
6 (A+F 15/5-15/9)
AKZ. 12/4-10/7 28/8-30/9

Sarlat
🔺 Le Moulin du Roch✶✶✶✶✶　　Seite 209　1602　€ 16
5 (A 1/7-31/8) (C+E+F 13/5-18/9) (I 1/7-31/8) (J 13/5-18/9)
6 (B+F 13/5-18/9)
AKZ. 13/5-7/7 24/8-18/9 **8=7**

Sarlat-la-Canéda
🔺 Indigo Sarlat les Périères✶✶✶✶　　Seite 210　1603　€ 16
5 (A+B 2/4-28/9) (D 1/7-31/8)　**6** (A+E+F 2/4-28/9)
AKZ. 2/4-25/6 31/8-27/9

Sarlat-la-Canéda
🔺 Les Acacias✶✶✶　　Seite 210　1604　€ 12
5 (A+B+E+F 12/4-25/9)　**6** (B+F 10/5-20/9)
AKZ. 12/4-6/7 23/8-30/9 **21=20**

Sarlat-la-Canéda
🔺 Les Terrasses du Périgord✶✶✶　　Seite 210　1605　€ 16
5 (A 1/7-31/8) (B 18/4-20/9) (D+E 1/7-20/9) (H+I 1/7-10/9)
6 (A+G 18/4-20/9)
AKZ. 18/4-30/6 1/9-20/9

Sarlat/Carsac
🔺 Le Plein Air des Bories✶✶✶　　Seite 210　1606　€ 12
5 (A+B+D+E+F+I 1/7-31/8)　**6** (A+C+F 25/4-19/9)
AKZ. 25/4-30/6 24/8-19/9

Sarlat/Marcillac
🔺 Les Tailladis✶✶✶　　Seite 210　1607　€ 14
5 (A+C+D+E+F+I+J 15/4-1/11)　**6** (A+F 1/5-1/10)
AKZ. 15/3-4/7 22/8-1/11

St. Antoine-d'Auberoche ✶✶
🔺 de La Pélonie✶✶✶　　Seite 210　1613　€ 14
5 (A+B 18/4-10/10) (D+E+F 15/6-31/8) (J 1/7-31/8)
6 (B+F 15/5-30/9)
AKZ. 18/4-10/7 29/8-10/10

St. Astier
🔺 Flower Camping Le Pontet✶✶✶　　Seite 210　1614　€ 12
5 (A 4/4-27/9) (D+E+F+I 1/6-31/8)　**6** (A+F 15/5-15/9)
AKZ. 4/4-3/7 29/8-27/9 **7=6**

St. Avit-de-Vialard
🔺 Saint Avit Loisirs✶✶✶✶✶　　Seite 210　1615　€ 16
5 (A+C+D+E+F+J 5/4-12/9)
6 (B 5/4-12/9) (E 1/4-14/9) (F 5/4-12/9)
AKZ. 28/3-4/7 30/8-27/9

St. Crépin-Carlucet/Sarlat
🔺 Les Peneyrals✶✶✶✶✶　　Seite 211　1616　€ 16
5 (A+C+D+E+F+I+J 8/5-11/9)　**6** (B+C+G 8/5-11/9)
AKZ. 8/5-6/7 25/8-11/9 **14=12, 21=18**

St. Cybranet
🔺 Camping Le Céou　　Seite 211　1617　€ 14
5 (A 1/7-30/8) (B+E+F+I+J 1/4-30/10)　**6** (B+F 1/4-30/9)
AKZ. 1/4-4/7 29/8-30/10

Ausführliche Redaktionseinträge: Seite 208 bis 211

Frankreich

St. Jory-de-Chalais
🔺 Maisonneuve** **Seite 211** 1629 € 16
5️⃣ (A+D+E+F+J 28/3-31/10) 6️⃣ (A 15/6-30/9)
AKZ. 28/3-26/6 30/8-31/10

St. Julien-de-Lampon
🔺 Le Mondou** **Seite 211** 1630 € 12
5️⃣ (A 15/4-15/10) (D 1/4-15/10) (E 1/5-25/9) (I 1/5-15/9)
6️⃣ (A+F 1/5-15/9)
AKZ. 1/4-3/7 22/8-15/10 7=6, 14=11, 21=17

St. Léon-sur-Vézère
🔺 Le Paradis***** **Seite 211** 1631 € 18
5️⃣ (A+C+D+E+F+J 1/4-20/10) 6️⃣ (B 1/4-20/10) (G 1/4-20/10)
AKZ. 1/4-5/6 1/9-20/10

St. Saud-Lacoussière
🔺 Wakan Tanka - La Bûcherie** **Seite 211** 1634 € 12
5️⃣ (A+D+E+I 3/4-30/9)
AKZ. 3/4-4/7 29/8-30/9

Ste Nathalène
🔺 La Palombière***** **Seite 211** 1636 € 14
5️⃣ (A+D+E+F+J 25/4-13/9) 6️⃣ (B+G 25/4-13/9)
AKZ. 25/4-5/7 29/8-13/9

Thiviers ⚥
🔺 Le Repaire*** **Seite 211** 1638 € 12
5️⃣ (A+D 1/6-30/9) 6️⃣ (A+F 14/6-14/9)
AKZ. 1/4-15/7 1/9-1/11

Thonac/Montignac
🔺 La Castillonderie*** **Seite 212** 1639 € 14
5️⃣ (A+B 4/4-30/9) (C 1/7-31/8) (D+E+F 4/4-30/9) (I 1/7-31/8)
6️⃣ (B+F 15/5-15/9)
AKZ. 4/4-7/7 29/8-30/9

Tursac
🔺 Le Vézère Périgord*** **Seite 212** 1640 € 12
5️⃣ (A+B+D+I 25/4-1/11)
6️⃣ (A 25/4-1/10) (D 25/4-1/11) (F 25/4-1/10)
AKZ. 25/4-27/6 29/8-1/11

Vézac
🔺 La Plage*** **Seite 212** 1645 € 14
5️⃣ (A+B 1/7-31/8) (D 1/6-31/8) (E 1/7-31/8) (F 1/6-31/8)
6️⃣ (A+F 15/5-30/9)
AKZ. 1/4-6/7 24/8-30/9

Vézac ⚥
🔺 Les Deux Vallées*** **Seite 212** 1646 € 14
5️⃣ (A+B 15/4-1/10) (E+I 1/5-1/10) (J 31/5-15/9)
6️⃣ (A+F 1/5-1/10)
AKZ. 20/2-5/7 23/8-7/11 8=7, 15=13, 22=18

Vieux-Mareuil
🔺 Parc Touristique L'Etang Bleu **Seite 212** 1649 € 12
5️⃣ (A+B+D+E+F+J 1/4-20/10) 6️⃣ (A 15/5-30/9)
AKZ. 1/5-3/7 28/8-30/9

Villefranche-du-Périgord
🔺 La Bastide*** **Seite 212** 1650 € 12
5️⃣ (A 1/7-30/8) (B 4/4-30/9) (D+E+F+I+J 1/7-30/8)
6️⃣ (B+F 15/5-15/9)
AKZ. 4/4-30/6 1/9-30/9 7=6, 14=12

Vitrac ⚥
🔺 La Bouysse de Caudon*** **Seite 212** 1652 € 14
5️⃣ (A+B+D+E 15/6-31/8) 6️⃣ (A+F 15/5-15/9)
AKZ. 4/4-5/7 24/8-26/9 14=12, 21=18

Gironde

Andernos-les-Bains
🔺 Fontaine Vieille*** **Seite 213** 1525 € 16
5️⃣ (A+C+D+E+F+I 1/7-31/8) 6️⃣ (A+F 15/5-15/9)
AKZ. 1/4-30/6 1/9-30/9

Arès
🔺 La Canadienne**** **Seite 214** 1527 € 16
5️⃣ (A+B+D+E+F+I 1/7-31/8) 6️⃣ (B+G 15/6-15/9)
AKZ. 1/3-4/7 1/9-5/11

Audenge
🔺 Le Braou*** **Seite 214** 1529 € 16
5️⃣ (A+D+E+F+I 1/7-31/8) 6️⃣ (A 15/6-15/9)
AKZ. 1/4-30/6 1/9-30/9

Bayas/St. Émilion
🔺 Le Chêne du Lac*** **Seite 214** 1530 € 12
5️⃣ (A 1/6-15/9) (B+D+E+F 1/5-15/10)
AKZ. 1/3-15/7 1/9-30/11

Bordeaux/Bruges
🔺 Village du Lac CP de Bordeaux**** **Seite 214** 1544 € 16
5️⃣ (A 15/4-15/9) (B 1/6-31/8) (D+E+F+J 1/1-31/12)
6️⃣ (A+F 1/6-30/9)
AKZ. 1/1-13/6 5/9-31/12

Hourtin-Port
🔺 Les Ourmes**** **Seite 215** 1561 € 16
5️⃣ (A 15/5-15/9) (C 1/7-31/8) (D+E+F+I 15/5-15/9)
6️⃣ (A+G 1/5-20/9)
AKZ. 1/5-30/6 1/9-20/9

Lacanau-Lac
🔺 Le Tedey*** **Seite 216** 1565 € 16
5️⃣ (A+C+E 25/4-19/9)
AKZ. 25/4-26/6 31/8-18/9

Lacanau-Océan
🔺 Yelloh! Village Les Grands Pins***** **Seite 216** 1566 € 16
5️⃣ (A+C+D+E+F+H+I+J 24/4-21/9) 6️⃣ (B+E+F 24/4-21/9)
AKZ. 24/4-3/7 1/9-20/9

Montalivet ⚥
🔺 Centre Helio-Marin (CHM) Montalivet*** **Seite 217** 1586 € 16
5️⃣ (A+C+D+E+F+H+I+J 28/3-26/9)
6️⃣ (B 28/3-28/9) (G 28/3-26/9)
AKZ. 28/3-4/7 24/8-27/9

Ausführliche Redaktionseinträge: Seite 211 bis 217

Montalivet-les-Bains ✤✤
🔺 Campéole Médoc Plage★★★★　**Seite 217** (1587) € 16
🟦 (A+B+D+E 1/7-31/8) 🟦 (B+G 1/5-13/9)
AKZ. 1/5-4/7 22/8-13/9

Pineuilh/Ste Foy-la-Grande
🔺 Camping de la Bastide★★★　**Seite 217** (1592) € 16
🟦 (A 15/5-30/9)
AKZ. 1/4-11/7 1/9-26/10

Pyla-sur-Mer
🔺 Panorama du Pyla★★★★　**Seite 218** (1595) € 16
🟦 (A+B+C+D+E+F+I+J 11/4-30/9) 🟦 (B+G 11/4-30/9)
AKZ. 1/5-15/6 7/9-30/9

Rauzan ✤✤
🔺 du Vieux Château★★★　**Seite 218** (1596) € 14
🟦 (A+B 1/7-30/8) (D+E+J 1/5-15/10) 🟦 (B+F 1/6-15/9)
AKZ. 28/3-11/7 29/8-17/10

Soulac-sur-Mer
🔺 Flower camping des Pins★★★　**Seite 218** (1610) € 14
🟦 (A+B 1/5-30/9) (D+E+F+I 1/7-31/8) 🟦 (B+G 1/5-30/9)
AKZ. 1/6 4/7 31/8 30/0

Soulac-sur-Mer ✤✤
🔺 Les Lacs★★★★★　**Seite 219** (1611) € 16
🟦 (A+C+D+E+F 11/4-31/10) (I+J 11/4-30/9)
🟦 (A 15/6-30/9) (E 11/4-31/10) (F 15/6-30/9)
AKZ. 11/4-5/7 22/8-30/10 *7=6*

Soulac-sur-Mer
🔺 Soulac-Plage★★★★　**Seite 219** (1612) € 16
🟦 (A+C+D+E+F+I 3/4-13/9)
🟦 (A 15/6-13/9) (D 12/4-13/9) (F 15/6-13/9)
AKZ. 3/4-3/7 31/0-12/9

St. Émilion ✤✤
🔺 Yelloh! Village St. Émilion★★★★　**Seite 219** (1618) € 16
🟦 (A+B+D+E 24/4-20/9) (F+I+J 25/4-12/10) 🟦 (B+G 25/4-12/10)
AKZ. 24/4-3/7 30/8-20/9

St. Palais
🔺 Chez Gendron★★　**Seite 219** (1632) € 14
🟦 (A+D+E+I+J 1/5-15/9) 🟦 (A 1/5-15/9) (F 1/5-30/9)
AKZ. 1/3-30/6 1/9-31/10

Vensac ✤✤
🔺 Les Acacias★★★★　**Seite 220** (1644) € 14
🟦 (A+B 1/7-31/8) (D 1/7-15/9) (E+F+I+J 1/7-31/8)
🟦 (B+G 1/5-30/9)
AKZ. 1/5-5/7 27/8-30/9

Lot-et-Garonne

Agen/St. Hilaire-de-Lusignan
🔺 Le Moulin de Mellet★★★　**Seite 220** (1524) € 16
🟦 (A+B+D+E+F+I 1/4-15/10) 🟦 (A 15/5-15/9)
AKZ. 1/4-30/6 22/8-15/10 *7=6*

Beauville
🔺 Les 2 Lacs★★★　**Seite 220** (1531) € 14
🟦 (A+D+E+J 1/4-31/10)
AKZ. 1/4-30/6 1/9-31/10

Dévillac/Villeréal
🔺 Sites & Paysages Fontaine du Roc★★★　**Seite 220** (1552) € 16
🟦 (A 1/4-30/9) (B+D+E 15/4-30/9) (F 15/5-30/9) (I 15/4-30/9)
🟦 (A+F 15/5-30/9)
AKZ. 1/4-3/7 22/8-30/9

Duras ✤✤
🔺 Le Cabri Holiday Village　**Seite 220** (1557) € 16
🟦 (A+D 1/4-1/11) (E 1/1-31/12) (I 1/4-1/11) (J 1/1-31/12)
🟦 (A 1/6-30/9)
AKZ. 1/3-7/7 24/8-1/11 *7=6, 14=11*

Lamontjoie ✤✤
🔺 Sites & Paysages Saint-Louis★★★　**Seite 220** (1567) € 16
🟦 (A 11/4-30/9) (D+E+F+I 15/5-30/9) 🟦 (A 15/6-15/9)
AKZ. 11/4-26/6 31/8-30/9 *7=6, 14=11*

Monflanquin
🔺 Laborde★★★★　**Seite 220** (1584) € 16
🟦 (A+C+D+E+F+J 1/4-30/9) 🟦 (A 1/5-30/9) (E+G 1/4-30/9)
AKZ. 1/4-3/7 22/8-30/9

Pujols
🔺 Lot & Bastides à Pujols★★★　**Seite 220** (1594) € 12
🟦 (A 1/5-30/9) (B+D 28/3-4/10) (E 1/5-30/9) 🟦 (B+F 15/5-30/9)
AKZ. 28/3-4/7 29/8-4/10

Salles
🔺 Des Bastides★★★★　**Seite 221** (1599) € 12
🟦 (A+B+D+E+F+I 4/4-30/9) 🟦 (A+F 15/5-30/9)
AKZ. 4/4-12/7 29/8-30/9 *7=6*

Sauveterre-la-Lémance
🔺 Moulin du Périé★★★★　**Seite 221** (1608) € 14
🟦 (A+B+D+E+F+J 13/5-16/9) 🟦 (A 1/6-18/9)
AKZ. 13/5-4/7 22/8-16/9 *7=6*

St. Étienne-de-Villeréal
🔺 Les Ormes★★★★　**Seite 221** (1619) € 14
🟦 (A+D 25/4-12/9) (F 1/7-30/8) (I+J 25/4-12/9)
🟦 (A+F 25/4-12/9)
AKZ. 25/4-30/6 1/9-12/9

Villefranche-du-Queyran
🔺 Moulin de Campech★★★　**Seite 221** (1651) € 16
🟦 (A 1/5-20/9) (B 1/4-7/10) (D+E+I+J 1/5-20/9)
🟦 (B 7/5-19/9)
AKZ. 1/4-7/6 6/9-7/10

Landes

Biscarrosse
🔺 Bimbo★★★★　**Seite 222** (1539) € 16
🟦 (A+B+D+E+F+I 15/6-15/9) 🟦 (B+G 1/4-30/9)
AKZ. 1/4-30/6 1/9-30/9

Ausführliche Redaktionseinträge: Seite 217 bis 222

Biscarrosse ⚑⚑
🏔 Campéole Navarrosse★★★★ **Seite 222** `1540` € 16
5 (A 1/7-31/8) (C 15/6-15/9) (D+F 1/7-31/8)
AKZ. *3/4-4/7 22/8-27/9*

Biscarrosse
🏔 Mayotte Vacances★★★★★ **Seite 222** `1541` € 16
5 (A+C+D+E+F+J 4/4-26/9) **6** (B+D+E+G 4/4-26/9)
AKZ. *4/4-3/7 30/8-26/9*

Biscarrosse-Plage ⚑⚑
🏔 Campéole Le Vivier★★★ **Seite 222** `1542` € 16
5 (A+B+D+E+F 1/7-31/8) **6** (B+F 16/6-16/9)
AKZ. *25/4-4/7 22/8-13/9*

Biscarrosse-Plage ⚑⚑
🏔 Campéole Plage Sud★★★ **Seite 222** `1543` € 16
5 (A+D+E+F 1/7-31/8) **6** (B+G 15/6-15/9)
AKZ. *18/4-4/7 22/8-13/9*

Labenne-Océan
🏔 Sylvamar★★★★★ **Seite 222** `1564` € 16
5 (A+C+E+F+J 27/3-4/10) **6** (B+**E**+G 27/3-4/10)
AKZ. *27/3-3/7 31/8-4/10*

Messanges
🏔 Airotel Le Vieux Port★★★★★ **Seite 224** `1577` € 16
5 (A+C+D+E+F+J 28/3-27/9) **6** (B+E+G 28/3-27/9)
AKZ. *28/3-19/6 5/9-26/9 7=6, 14=10*

Messanges
🏔 Albret-Plage★★★ **Seite 224** `1578` € 14
5 (A+C+D+E+F+J 15/6-15/9)
AKZ. *1/4-20/6 8/9-30/9*

Messanges
🏔 La Côte★★★★ **Seite 224** `1579` € 12
5 (A+B 20/6-20/9) (E+F 1/7-31/8) **6** (A+G 15/5-20/9)
AKZ. *1/4-3/7 26/8-30/9*

Messanges
🏔 Les Acacias★★★ **Seite 224** `1580` € 12
5 (A 25/3-25/10) (C 15/6-15/9) (E+F 4/7-31/8)
AKZ. *25/3-5/7 23/8-25/10*

Mézos
🏔 Le Village Tropical Sen Yan★★★★★ **Seite 224** `1581` € 16
5 (A+C+D+E+F+H+I+J 1/6-9/9)
6 (A 1/6-9/9) (D+E+F 14/5-6/9)
AKZ. *14/5-30/6 1/9-15/9*

Mimizan-Plage-Sud
🏔 Airotel Club Marina-Landes★★★★ **Seite 225** `1582` € 16
5 (A+C+D+E+F+I+J 27/4-20/9)
6 (B 27/4-20/9) (D 29/4-22/9) (E+G 27/4-20/9)
AKZ. *27/4-5/7 24/8-20/9*

Moliets-Plage
🏔 Le Saint Martin★★★★ **Seite 225** `1583` € 16
5 (A 1/4-31/10) (C+D 1/4-15/10) (F 20/6-15/9) (J 1/4-31/10)
6 (A 1/6-15/9) (**E**+G 1/4-31/10)
AKZ. *1/4-28/6 1/9-31/10*

Ondres
🏔 Du Lac★★★★★ **Seite 225** `1590` € 16
5 (A+D+E+J 1/7-31/8) **6** (B+G 1/6-30/9)
AKZ. *15/3-5/7 24/8-31/10 7=6, 14=12, 21=18*

Parentis-en-Born
🏔 L'Arbre d'Or★★★★ **Seite 225** `1591` € 14
5 (A+B 1/4-31/10) (D+E+F+I+J 15/5-30/9)
6 (B 15/5-1/10) (D+E 10/4-31/10) (F 15/5-1/10)
AKZ. *1/4-4/7 22/8-31/10*

Sanguinet ⚑⚑
🏔 Campéole Le Lac Sanguinet★★★ **Seite 225** `1600` € 14
5 (A+D+E+F+I 1/7-31/8) **6** (B+G 1/6-13/9)
AKZ. *18/4-4/7 22/8-13/9*

Sanguinet
🏔 Les Grands Pins★★★★ **Seite 226** `1601` € 16
5 (A 1/4-27/9) (C 15/6-31/8) (D+E+F+I+J 1/4-27/9)
6 (B+D+E+G 1/4-27/9)
AKZ. *1/4-30/6 1/9-27/9*

St. Girons-Plage ⚑⚑
🏔 Campéole Les Tourterelles★★★ **Seite 226** `1620` € 16
5 (A 15/5-30/9) (D+F 1/7-31/8) **6** (B+G 25/4-30/9)
AKZ. *25/4-3/7 22/8-30/9*

St. Girons-Plage
🏔 Eurosol★★★★ **Seite 226** `1621` € 16
5 (A+C 12/5-13/9) (D+E+F+J 6/6-6/9) **6** (A+D+F 12/5-13/9)
AKZ. *12/5-1/7 23/8-13/9 14=12, 21=17*

Ste Eulalie-en-Born
🏔 Municipal Le Camping du Lac★★★ **Seite 226** `1635` € 12
5 (A+B+D+E+F+I 1/7-31/8) **6** (A+F 15/6-15/9)
AKZ. *11/4-30/6 1/9-30/10*

Vielle-St-Girons
🏔 Arnaoutchot (FKK)★★★ **Seite 227** `1647` € 14
5 (A+C+D+E+F+J 14/5-13/9) **6** (A+E+G 1/4-27/9)
AKZ. *1/4-3/7 24/8-27/9 7=6, 14=11, 21=18*

Vielle-St-Girons
🏔 Le Col Vert★★★★ **Seite 227** `1648` € 14
5 (A+C+D+E+F+J 1/4-20/9) **6** (A+D+G 1/4-20/9)
AKZ. *1/4-3/7 24/8-20/9 7=6, 14=11, 21=18*

Ausführliche Redaktionseinträge: Seite 222 bis 227

Pyrénées-Atlantiques

Bidart
△ Camping + Residence Oyam**** **Seite 227** (1535) € 16
5 (A 18/4-19/9) (D+E 21/6-7/9) (I 21/7-7/9)
6 (B+G 1/5-19/9)
AKZ. 18/4-26/6 4/9-19/9

Bidart
△ Ilbarritz**** **Seite 227** (1536) € 16
5 (A+C+D+E+F+J 27/3-5/10) 6 (D 27/3-5/10) (F 1/6-5/10)
AKZ. 27/3-30/6 1/9-5/10

Bidart
△ Sunêlia Berrua**** **Seite 228** (1537) € 16
5 (A+C+D+E+F+J 1/4-27/9) 6 (B+G 1/4-27/9)
AKZ. 1/4-5/7 30/8-27/9 7=6, 14=11

Bidart
△ Ur-Onea*** **Seite 228** (1538) € 16
5 (A+C 11/4-18/9) (D+E+F+I 11/4-13/9)
6 (B 15/5-18/9) (D+G 11/4-18/9)
AKZ. 11/4-3/7 25/8-18/9 7=6, 14=12, 21=18

Espelette
△ Biper Gorri**** **Seite 228** (1558) € 16
5 (A 4/4-7/4) (B+D+E+F+J 4/4-7/11) 6 (B+G 4/4-7/11)
AKZ. 4/4-12/7 30/8-7/11

Hendaye
△ Ametza**** **Seite 228** (1560) € 18
5 (A+C+D+E+F+J 1/5-15/9) 6 (B+G 1/5-30/9)
AKZ. 15/4-30/6 1/9-15/10

Itxassou
△ Hiriberria*** **Seite 228** (1562) € 16
5 (A+D+E+F+I 1/4-31/10) 6 (D 1/4-31/10)
AKZ. 1/1-30/6 1/9-31/12

Louvie-Juzon
△ Le Rey*** **Seite 228** (1576) € 14
5 (A+B+D+F 1/1-31/12) 6 (B+G 15/6-15/9)
AKZ. 1/1-15/1 1/2-30/6 1/9-15/11 1/12-31/12 7=6

Salies-de-Béarn
△ Domaine d'Esperbasque** **Seite 229** (1598) € 14
5 (A+D 1/3-31/10) 6 (A+F 25/4-15/10)
AKZ. 1/3-4/7 22/8-31/10

Socoa/Urrugne
△ Juantcho** **Seite 229** (1609) € 16
5 (A+E 1/7-31/8)
AKZ. 1/5-4/7 1/9-15/10 7=6, 14=12, 21=18

St. Jean-de-Luz
△ Atlantica**** **Seite 229** (1622) € 14
5 (A+B+D+E+F+I 1/4-30/9) 6 (B+G 1/4-30/9)
AKZ. 1/4-27/6 23/8-30/9

St. Jean-de-Luz
△ Bord de Mer*** **Seite 229** (1623) € 16
5 (A 1/7-31/8) (J 10/4-1/11)
AKZ. 10/4-11/7 29/8-1/11

St. Jean-de-Luz
△ International Erromardie**** **Seite 229** (1624) € 16
5 (A+C+D+E+F+I 1/5-22/9) 6 (B 1/5-30/9)
AKZ. 4/4-30/6 1/9-11/10 14=10, 21=14

St. Jean-de-Luz
△ Itsas Mendi**** **Seite 229** (1625) € 14
AKZ. 27/3-30/6 1/9-31/10 7=6

St. Jean-de-Luz
△ La Ferme Erromardie**** **Seite 229** (1626) € 14
5 (A+B+E+F+J 15/3-30/9) 6 (D+G 1/4-30/9)
AKZ. 15/3-4/7 23/8-30/9 7=6, 14=12, 21=18

St. Jean-de-Luz
△ Tamaris Plage**** **Seite 229** (1627) € 16
5 (A 3/4-1/11) (D+E 3/4-31/8) 6 (A+F 15/5-1/11)
AKZ. 3/4-11/7 29/8-1/11

St. Jean-Pied-de-Port
△ Narbaïtz - Vacances Pyrénées Basques**** **Seite 229** (1628) € 16
5 (A 25/4-22/9) (B+D+E+I 1/7-31/8) 6 (B+G 25/4-22/9)
AKZ. 25/4-5/7 24/8-22/9

St. Pée-sur-Nivelle
△ d'Ibarron*** **Seite 229** (1633) € 14
5 (A+B+E+F 1/7-31/8) 6 (B 20/5-15/9) (F 1/7-31/8)
AKZ. 1/5-30/6 25/8-30/9

Tardets/Abense-de-Haut
△ du Pont d'Abense** **Seite 230** (1637) € 16
5 (A 1/4-15/11)
AKZ. 15/3-10/7 27/8-11/11 7=6

Urrugne
△ Col d'Ibardin*** **Seite 230** (1641) € 16
5 (A 1/4-30/9) (C 1/7-15/9) (D+E+F 15/6-15/9) (J 1/5-15/9)
6 (B 1/5-30/9) (F 15/5-30/9)
AKZ. 1/4-30/6 1/9-30/9

Urrugne
△ Larrouleta*** **Seite 230** (1642) € 16
5 (A 1/1-31/12) (C 15/6-15/9) (D+E+J 1/3-15/9)
6 (D 1/1-31/12) (F 15/6-30/9)
AKZ. 1/1-30/6 1/9-31/12

Urrugne
△ Suhiberry**** **Seite 230** (1643) € 16
5 (A+B+D+E+F+I 1/7-31/8) 6 (A+F 1/6-30/9)
AKZ. 1/5-10/7 27/8-30/9

Ausführliche Redaktionseinträge: Seite 227 bis 230

Frankreich

Ardennes

Les Mazures
🔺 Du Lac des Vieilles Forges***   Seite 231   (1672)   € 14
🅕 (A 12/4-28/9) (D 11/4-15/9)
AKZ. 11/4-10/7 29/8-15/9

Matton-et-Clemency
🔺 Résidence du Banel*   Seite 231   (1673)   € 16
🅕 (A 1/4-31/10) (D+E+I+J 15/6-15/9)
AKZ. 4/5-12/5 18/5-21/5 26/5-14/6 1/9-30/9

Marne

Arrigny ✳🍴
🔺 De la Forêt***   Seite 231   (1665)   € 14
🅕 (A 1/6-30/9) (B 1/6-31/8) (D+F 5/7-25/8)
🅖 (B+G 1/5-5/9)
AKZ. 1/4-7/7 24/8-30/9

Châlons-en-Champagne
🔺 CP de Châlons-en-Champagne****   Seite 231   (1668)   € 16
🅕 (A 10/3-9/11) (D+E 1/5-30/9)
AKZ. 9/3-7/7 24/8-8/11

Aube

Dienville
🔺 Du Tertre***   Seite 232   (1669)   € 16
🅕 (A 1/7-31/8) (B 20/3-12/10) (D+E+I 1/7-31/8)
🅖 (B+G 15/5-15/9)
AKZ. 20/3-3/7 30/8-12/10

Géraudot-Plage
🔺 Les Rives du Lac/L'Epine aux Moines**   Seite 232   (1671)   € 14
🅕 (A 1/3-31/10) (B 1/1-31/12) (D+E+F 1/5-30/9)
AKZ. 1/1-30/6 1/9-31/12

St. Hilaire-sous-Romilly
🔺 La Noue des Rois   Seite 232   (1677)   € 16
🅕 (A 1/6-30/9) (B 1/1-31/12) (D 16/1-15/12)
🅖 (B+D+G 1/5-15/10)
AKZ. 1/1-5/7 26/8-31/12

Haute-Marne

Andelot-Blancheville
🔺 Le Moulin***   Seite 233   (1664)   € 14
🅕 (A+D+E+F+J 1/3-15/10) 🅖 (C 1/5-30/9)
AKZ. 1/3-5/7 24/8-15/10 7=6

Bannes
🔺 Hautoreille   Seite 233   (1666)   € 16
🅕 (A 2/1-30/11) (B 1/4-30/10) (E+I 1/5-25/10)
AKZ. 15/3-30/6 1/9-30/9 7=6, 14=11, 21=17

Bourg-Ste-Marie
🔺 Les Hirondelles***   Seite 233   (1667)   € 14
🅕 (A+B 1/2-22/12)
AKZ. 1/2-14/6 1/9-30/11 7=6

Flagey
🔺 Ferme de la Croisée   Seite 233   (1670)   € 14
🅕 (A+B 1/3-31/10) (D+I 15/5-15/9)
AKZ. 1/3-30/6 1/9-31/10

Montigny-le-Roi
🔺 Du Chateau***   Seite 233   (1674)   € 14
🅕 (A 15/6-31/8) (B 15/4-30/9) (D 1/6-15/9)
AKZ. 15/4-30/6 1/9-30/9

Peigney
🔺 Le Lac de la Liez*****   Seite 234   (1675)   € 16
🅕 (A+C 1/4-30/9) (D+E+F+J 15/4-30/9)
🅖 (A 15/6-15/9) (E+F 1/4-30/9)
AKZ. 1/4-5/7 24/9-30/9

Saints-Geosmes/Langres
🔺 La Croix d'Arles***   Seite 234   (1676)   € 14
🅕 (A+B 15/3-31/10) (D+E+I 1/4-31/10) 🅖 (A+F 15/5-15/9)
AKZ. 15/3-5/7 24/8-31/10 7=6, 14=12, 21=18

Thonnance-les-Moulins
🔺 La Forge de Ste Marie*****   Seite 234   (1678)   € 16
🅕 (A+B+D+E+F+J 18/4-4/9) 🅖 (E+G 18/4-4/9)
AKZ. 18/4-3/7 26/8-3/9 12=10

Villegusien-le-Lac
🔺 CP du Lac de la Villegusien***   Seite 234   (1679)   € 14
🅕 (A+B+D+E+I 1/1-31/12) 🅖 (A 1/6-15/9)
AKZ. 1/3-30/6 1/9-15/10 7=6, 14=12

Meuse

Verdun ✳🍴
🔺 Les Breuils***   Seite 234   (1701)   € 14
🅕 (A+C 15/3-15/10) (D+I 1/5-31/8) 🅖 (B+F 1/5-15/9)
AKZ. 15/3-30/6 24/8-15/10

Meurthe-et-Moselle

Jaulny
🔺 Camping de la Pelouse**   Seite 235   (1689)   € 14
🅕 (A+B+D 1/5-4/10) (I 1/4-4/10) 🅖 (B 1/5-30/9)
AKZ. 28/3-11/7 29/8-4/10

Liverdun
🔺 Les Boucles de la Moselle**   Seite 235   (1692)   € 12
🅕 (A+B+D 1/5-30/9) (E 1/7-31/8) 🅖 (A 1/7-31/8)
AKZ. 1/5-2/7 19/8-30/9

Nancy/Villers-lès-Nancy ✳🍴
🔺 Campéole Le Brabois***   Seite 235   (1694)   € 14
🅕 (A+B 4/5-14/10) (D+E+I 10/4-20/9)
AKZ. 4/5-4/7 22/8-14/10

Ausführliche Redaktionseinträge: Seite 231 bis 235

Villey-le-Sec
▲ Villey-le-Sec★★★   **Seite 235** (1702) € 14
5 (A+C 1/4-15/10) (D+E+F+J 9/4-11/10)
*AKZ. 1/4-15/6 22/8-15/10 **7=6, 14=12***

Moselle

Baerenthal
▲ Ramstein Plage★★★   **Seite 235** (1680) € 16
5 (D+E+F+I+J 1/4-30/9) **6** (B 1/7-31/8)
AKZ. 1/4-30/6 1/9-30/9

Burtoncourt
▲ La Croix du Bois Sacker★★   **Seite 235** (1681) € 16
5 (A 1/6-31/8) (B 1/4-18/10)
AKZ. 1/4-30/6 17/8-18/10

Lutzelbourg
▲ Piscine du Plan Incliné★★★   **Seite 235** (1693) € 14
5 (A+B 28/3-18/10) (E 29/3-18/10) (I 28/3-18/10)
6 (A+F 4/7-30/8)
*AKZ. 28/3-30/6 23/8-18/10 **7=6, 14=12, 21=18***

Sturzelbronn
▲ Camping Muhlenbach★★★★   **Seite 236** (1699) € 16
5 (A+C 1/7-31/8) (D+F 5/7-23/8)
AKZ. 1/4-10/7 27/8-30/9

Vilsberg ☀☀
▲ Les Bouleaux★★★   **Seite 236** (1703) € 14
5 (A+D 1/4-18/10)
AKZ. 1/4-9/7 26/8-18/10

Vosges

Bussang
▲ Le Domaine de Champé★★★★★   **Seite 238** (1682) € 16
5 (A+D 1/7-31/8) (E 1/5-31/8) (F 1/7-31/8) (J 1/1-31/12)
6 (B 1/5-30/9) (**E** 1/1-31/12) (G 1/5-30/9)
AKZ. 1/1-15/2 15/3-7/7 24/8-15/12

Celles-sur-Plaine
▲ Camping des Lacs★★★   **Seite 238** (1683) € 16
5 (A+B 1/7-31/8) (D+E 1/6-31/8) (I 1/7-31/8)
6 (B+G 1/6-15/9)
*AKZ. 15/4-2/7 28/8-27/9 **7=6***

Corcieux
▲ Sites & Paysages Au Clos de la Chaume★★★   **Seite 238** (1684) € 14
5 (A+B 1/7-30/8) (E 1/7-31/8) **6** (A 15/6-30/8)
*AKZ. 25/4-3/7 24/8-20/9 **7=6, 14=12***

Épinal
▲ Parc du Château★★   **Seite 238** (1685) € 16
5 (A+D+H+I 1/4-31/10) **6** (B+G 15/6-5/9)
*AKZ. 1/4-4/7 24/8-31/10 **7=6, 14=12***

Gérardmer
▲ Les Sapins★★   **Seite 239** (1686) € 14
5 (A 1/6-15/9) (B 1/4-10/10) (D 1/7-31/8)
*AKZ. 1/4-9/4 13/4-10/7 29/8-10/10 **7=6, 14=12***

Granges-sur-Vologne ☀☀
▲ Flower Camping La Sténiole★★★   **Seite 239** (1687) € 10
5 (A 1/6-31/8) (B+D 1/7-31/8) (E 1/6-31/8) (F 1/7-31/8)
AKZ. 15/4-4/7 22/8-15/10

Herpelmont
▲ Domaine des Messires★★★★   **Seite 239** (1688) € 16
5 (A 18/4-28/9) (D 1/7-31/8)
*AKZ. 17/4-3/7 24/8-27/9 **14=12***

La Bresse
▲ Domaine du Haut des Bluches★★★   **Seite 240** (1690) € 12
5 (A+B 1/1-11/11,13/12-31/12) (E+I 1/1-10/3,1/7-31/8)
*AKZ. 1/4-30/6 24/8-10/11 **7=6, 14=12, 21=18***

Le Tholy
▲ de Noirrupt★★★★   **Seite 240** (1691) € 16
5 (A+B 4/7-21/8) (E 5/7-22/8) (F 4/7-21/8) **6** (B 1/6-15/9)
*AKZ. 1/5-4/7 22/8-30/9 **7=6, 14=12***

Plombières-les-Bains ☀☀
▲ de l'Hermitage★★★   **Seite 240** (1695) € 12
5 (A+B+D 15/4-15/10) **6** (B 15/6-15/9)
*AKZ. 15/4-30/6 17/8-15/10 **7=6, 14=12, 21=18***

Plombières-les-Bains/Ruaux
▲ Fraiteux★★★   **Seite 240** (1696) € 12
5 (A 1/1-6/1,1/2-31/12) (B 1/1-6/1,1/1-31/12) (D+E+I 1/5-31/10)
AKZ. 1/1-6/1 1/2-30/6 17/8-31/12

Sanchey
▲ Club Lac de Bouzey★★★★   **Seite 241** (1697) € 18
5 (A+C 1/2-31/12) (D+E+F+I+J 1/3-30/9) **6** (B+G 7/5-30/9)
*AKZ. 1/2-10/7 27/8-31/12 **7=6***

St. Maurice-sur-Moselle
▲ Les Deux Ballons★★★   **Seite 241** (1698) € 16
5 (A+F 1/7-31/8) **6** (B 1/6-31/8) (G 1/6-15/9)
AKZ. 19/4-5/7 30/8-27/9

Vagney ☀☀
▲ Du Mettey★★★★   **Seite 241** (1700) € 16
5 (A 1/7-31/8) (B+D+E 1/1-31/10,1/12-31/12) (I 1/7-31/8)
6 (A+F 1/6-30/9)
AKZ. 1/3-5/7 24/8-31/10 1/12-20/12

Vittel
▲ Camping de Vittel★★★   **Seite 241** (1704) € 14
5 (A 7/4-12/10)
AKZ. 30/3-7/7 24/8-18/10

Ausführliche Redaktionseinträge: Seite 235 bis 241

Frankreich

Xonrupt-Longemer ⚑⚑
🔺 Flower Camping Verte Vallée*** **Seite 241** (1705) € 16
5 (A 1/6-15/9) (B 1/6-31/8) (E 1/1-31/8)
6 (B+C+G 1/5-30/9)
AKZ. 1/1-30/6 1/9-1/10 15/12-31/12 **7=6, 14=12**

Xonrupt-Longemer
🔺 Les Jonquilles** **Seite 242** (1706) € 12
5 (A+C 17/4-4/10) (D+E+F+I 1/6-31/8)
AKZ. 17/4-3/7 22/8-4/10 **7=6, 14=12, 21=18**

Bas-Rhin

Bassemberg ⚑⚑
🔺 Campéole Le Giessen**** **Seite 243** (1707) € 14
5 (A+D+E+F 1/7-31/8) **6** (B 15/6-31/8) (E+G 1/1-31/12)
AKZ. 4/4-4/7 22/8-13/9

Erstein
🔺 Wagelrott** **Seite 243** (1711) € 16
5 (A 1/7-31/8) (D 1/5-30/9) **6** (A 15/6-15/9)
AKZ. 1/1-10/1 1/4-30/6 1/9-31/12

Molsheim
🔺 Municipal Molsheim** **Seite 243** (1712) € 14
5 (A+B 3/4-25/10) **6** (B+F 24/5-7/9)
AKZ. 3/4-5/7 24/8-25/10 **5=4**

Oberbronn
🔺 L'Oasis*** **Seite 244** (1715) € 16
5 (A+B+D+E+J 1/4-30/9)
6 (B 1/7-31/8) (**E** 1/5-30/9) (F 1/7-31/8)
AKZ. 15/3-30/6 1/9-15/11

Obernai
🔺 Mun. Le Vallon de l'Ehn*** **Seite 244** (1716) € 16
5 (A 1/5-28/10) (B 1/1-12/1,14/3-31/12) (D 1/5-31/10)
(E 1/1-12/1,14/3-31/12)
AKZ. 13/3-30/6 23/9-30/11 **11=10**

Saverne ⚑⚑
🔺 Seasonova Les Portes d'Alsace*** **Seite 244** (1718) € 16
5 (A+E+F 3/4-31/10) **6** (D+G 1/5-30/9)
AKZ. 3/4-5/7 22/8-31/10 **7=6, 14=11**

Haut-Rhin

Cernay
🔺 Les Cigognes*** **Seite 245** (1708) € 14
6 (B+**E**+G 1/4-30/9)
AKZ. 1/4-27/6 22/8-30/9 **7=6**

Colmar/Horbourg-Wihr
🔺 Indigo Camping de l'Ill*** **Seite 245** (1709) € 14
5 (A 1/1-5/1,27/3-31/12) (D+E+F 1/7-31/8)
AKZ. 27/3-2/7 31/8-19/11

Eguisheim
🔺 Les Trois Châteaux*** **Seite 245** (1710) € 16
AKZ. 26/3-3/7 1/9-3/11

Mulhouse
🔺 Camping de l'Ill*** **Seite 247** (1713) € 14
5 (A+B 1/4-30/9) (F 1/7-30/9) **6** (B+G 1/5-30/9)
AKZ. 1/4-27/6 22/8-30/9 **7=6**

Neuf-Brisach ⚑⚑
🔺 Vauban** **Seite 247** (1714) € 14
5 (A+B 1/4-15/10)
AKZ. 1/4-7/7 24/8-15/10 **11=10**

Ranspach
🔺 Les Bouleaux**** **Seite 247** (1717) € 16
5 (A 1/7-31/8) (B 1/4-30/9) (E+F+I 1/1-31/10,1/12-31/12)
6 (B+G 1/4-31/10)
AKZ. 1/1-4/7 29/8-31/10 1/12-31/12

Ste Croix-en-Plaine
🔺 ClairVacances**** **Seite 247** (1719) € 16
5 (A+B 16/4-12/10) (D 1/7-31/8) (E 16/4-12/10)
6 (B 1/5-15/9) (G 15/6-1/9)
AKZ. 16/4-3/7 26/8-12/10

Ste Marie-aux-Mines ⚑⚑
🔺 Les Reflets du Val d'Argent*** **Seite 247** (1720) € 16
5 (A 15/6-15/9) (B 15/4-1/11) (E+F+J 1/1-31/12)
6 (A+F 1/5-30/9)
AKZ. 1/5-7/7 24/8-30/9 **7=6, 14=11**

Turckheim
🔺 Le Médiéval **Seite 248** (1721) € 14
5 (A 1/7-31/8)
AKZ. 1/4-3/7 26/8-1/11

Haute-Saône/Territoire-de-Belfort

Cromary
🔺 l'Esplanade** **Seite 248** (1817) € 14
5 (A+B+D 1/4-30/9)
AKZ. 1/4-30/6 1/9-30/9

Leval
🔺 CP du Lac de la Seigneurie*** **Seite 249** (1824) € 14
5 (A+B+E 1/4-31/10) (I 1/4-31/12) **6** (B+G 1/6-30/9)
AKZ. 1/4-30/6 17/8-31/10 **7=6, 14=12**

Doubs

Chalezeule/Besançon
🔺 CP de Besançon - La Plage*** **Seite 250** (1813) € 16
5 (A+D 15/6-30/8) **6** (B+G 1/7-30/8)
AKZ. 1/4-5/7 22/8-30/9 **7=6**

Ausführliche Redaktionseinträge: Seite 241 bis 250

Huanne-Montmartin — Seite 250 — (1822) € 16
△ Du Bois de Reveuge★★★★
5 (A+B+D+E 25/4-5/9) (F 1/7-27/8) 6 (B+E+G 25/4-5/9)
AKZ. 25/4-3/7 29/8-5/9

Levier ❀❀
△ Camping de la Forêt★★★ — Seite 250 — (1825) € 14
5 (A 8/7-31/8) (B+E 1/7-31/8) 6 (B 1/6-15/9)
AKZ. 1/5-3/7 31/8-12/9

Malbuisson
△ Les Fuvettes★★★ — Seite 250 — (1827) € 16
5 (A 15/5-5/9) (C+D+E+F+I 20/5-5/9) 6 (B+G 1/6-5/9)
AKZ. 1/4-21/5 25/5-26/6 6/9-29/9

Ornans
△ Le Chanet★★★★ — Seite 250 — (1830) € 16
5 (A+C+D+E+F+I 1/5-15/9) 6 (B+G 2/4-5/10)
AKZ. 2/4-4/7 22/8-5/10 7=6

Pont-les-Moulins
△ de L'Île★ — Seite 250 — (1834) € 12
5 (D 1/5-6/9)
AKZ. 1/5-4/7 29/8-6/9

Jura

Bonlieu
△ Camping L'Abbaye★★★ — Seite 251 — (1012) € 14
5 (A+B+D+E+F+I+J 1/5-30/9)
AKZ. 1/5-3/7 1/9-29/9

Champagnole
△ Camping de Boyse★★★ — Seite 251 — (1814) € 14
5 (A 4/4-30/9) (D+E 25/6-31/8) (F+I 1/6-31/8)
6 (B+G 18/5-31/8)
AKZ. 4/4-30/6 1/9-30/9

Clairvaux-les-Lacs
△ Le Grand Lac★★★ — Seite 251 — (1815) € 12
5 (A+B 23/5-27/9) 6 (B+G 1/7-31/8)
AKZ. 23/5-7/7 24/8-26/9

Clairvaux-les-Lacs
△ Yelloh! Village Fayolan★★★★ — Seite 251 — (1816) € 16
5 (A+C+D+E+F+I+J 30/4-6/9) 6 (B+E+G 30/4-6/9)
AKZ. 30/4-7/7 24/8-5/9

Dole
△ Du Pasquier★★★ — Seite 251 — (1818) € 14
5 (A 1/4-30/9) (B 15/3-25/10) (D+E 1/7-31/8) 6 (B 1/6-15/9)
AKZ. 15/3-4/7 23/8-25/10

Doucier
△ Domaine de Chalain★★★★ — Seite 251 — (1819) € 16
5 (A+C+D+E+F+I 24/4-13/9)
6 (A 1/6-15/9) (E 21/4-13/9) (G 25/4-15/9)
AKZ. 24/4-30/6 1/9-13/9

Doucier
△ Les Merilles★★★ — Seite 252 — (1820) € 14
5 (A 1/7-15/9) (B 15/6-30/9) (D+E 15/6-15/9)
6 (B+G 15/5-30/9)
AKZ. 1/4-3/7 1/9-30/9

Ecrille
△ La Faz★★★ — Seite 252 — (1821) € 12
5 (A+B 1/5-30/9) (D+E 1/6-30/9) 6 (A 1/6-30/9)
AKZ. 1/5-4/7 1/9-30/9

La Tour-du-Meix
△ Surchauffant★★★ — Seite 252 — (1823) € 12
5 (A+B+D+E+F+I+J 24/4-13/9) 6 (B+F 24/4-13/9)
AKZ. 24/4-30/6 1/9-13/9

Lons-le-Saunier
△ La Marjorie★★★★ — Seite 252 — (1826) € 14
5 (A+B+D+E 1/4-15/10)
AKZ. 1/4-4/7 1/9-15/10

Mesnois/Clairvaux-les-Lacs
△ Sites & Paysages Beauregard★★★★ — Seite 252 — (1828) € 16
5 (A 1/6-31/8) (B 1/4-30/9) (E 1/5-30/9) (F 25/6-31/8)
(I+J 1/5-30/9)
6 (A 1/6-15/9) (E+G 1/4-30/9)
AKZ. 1/4-9/7 26/8-29/9

Montbarrey
△ Les 3 Ours★★★ — Seite 252 — (1829) € 14
5 (A 1/5-30/9) (B 1/5-15/9) (E+J 15/4-30/9)
6 (A+F 15/5-15/9)
AKZ. 15/4-5/7 30/8-30/9

Ounans
△ La Plage Blanche★★★ — Seite 252 — (1831) € 16
5 (A+B+D+E+F 10/5-15/9) (J 1/6-31/8)
6 (A+E 10/5-15/9) (F 15/5-15/9)
AKZ. 10/5-3/7 22/8-15/9

Parcey
△ Les Bords de Loue★★★ — Seite 252 — (1832) € 14
5 (A 15/6-31/8) (B+D+E+F 30/6-1/9) 6 (B+G 1/5-7/9)
AKZ. 1/5-4/7 22/8-6/9

Patornay
△ Le Moulin★★★★ — Seite 252 — (1833) € 16
5 (A+B+D+E+F 15/6-30/8) 6 (B 1/6-13/9) (D+G 25/4-13/9)
AKZ. 25/4-3/7 29/8-13/9 7=6

St. Claude
△ Flower Camping Le Martinet★★★ — Seite 253 — (1835) € 12
5 (A+B 1/4-30/9) (D+E+F+I 15/5-15/9) 6 (B+G 1/6-1/9)
AKZ. 1/4-3/7 29/8-30/9

Ausführliche Redaktionseinträge: Seite 250 bis 253

Frankreich

Côte-d'Or

Arnay-le-Duc
🔺 Vivacamp de l'Étang de Fouché★★★★ **Seite 253** `1767` € 16
5 (A+B 15/4-30/9) (D 1/7-31/8) (E+F+I 15/4-30/9)
6 (B+G 15/5-30/9)
AKZ. 11/4-3/7 23/8-10/10 **14=11**

Auxonne
🔺 De l'Arquebuse★★★ **Seite 253** `1769` € 16
5 (A 19/1-20/12) (B 15/5-15/10) (E 19/1-20/12) (F+J 1/1-31/12)
6 (**B**+**F** 15/5-31/8)
AKZ. 1/5-20/6 15/9-30/9

Châtillon-sur-Seine
🔺 Municipal Louis Rigoly★★ **Seite 254** `1772` € 14
5 (A 1/4-4/10) **6** (**E**+G 1/4-4/10)
AKZ. 1/4-5/7 23/8-4/10

Marcenay
🔺 CP Les Grèbes du Lac de Marcenay★★★ **Seite 254** `1790` € 16
5 (A 1/5-30/9) **6** (A+F 15/5-30/9)
AKZ. 1/5-7/7 29/8-30/9

Meursault
🔺 La Grappe d'Or★★★ **Seite 254** `1792` € 16
5 (A 1/4-15/10) (B 15/5-15/9) (D+E+J 15/4-30/9)
6 (A+F 15/6-15/9)
AKZ. 1/4-30/6 1/9-15/10

Montbard
🔺 Municipal de Montbard 'Les Treilles'★★★ **Seite 254** `1794` € 14
5 (A 1/6-30/9) (B+D 1/5-30/9)
6 (B 1/3-31/8,15/9-2/11) (E+G 28/3-31/8,15/9-2/11)
AKZ. 28/3-3/7 30/8-2/11

Pouilly-en-Auxois
🔺 Camping Vert Auxois★★★ **Seite 254** `1799` € 16
5 (A 15/6-15/9) (B+D+E+I 10/4-4/10)
AKZ. 10/4-15/6 1/9-4/10

Prémeaux/Prissey ⚑⚑
🔺 Du Moulin de Prissey **Seite 254** `1800` € 16
5 (A+E+I 15/5-15/9)
AKZ. 1/5-5/7 25/8-30/9

Santenay
🔺 CP des Sources Santenay★★★ **Seite 254** `1801` € 16
5 (A+B 1/5-15/10) **6** (**B**+**G** 1/6-1/9)
AKZ. 3/4-7/7 24/8-25/10

Saulieu
🔺 Camping de Saulieu★★★ **Seite 254** `1802` € 16
5 (A 1/4-30/10) (B 15/5-30/9) (D 1/5-30/9) (F 1/7-31/8)
6 (A+F 1/7-30/8)
AKZ. 9/3-7/7 24/8-8/11

Vandenesse-en-Auxois ⚑⚑
🔺 Du Lac de Panthier★★★★ **Seite 255** `1810` € 16
5 (A+B+D+E+F+I+J 17/4-11/10)
6 (A 1/6-15/9) (E 17/4-11/10) (F 1/6-15/9)
AKZ. 17/4-3/7 22/8-10/10 **7=6, 14=11**

Yonne

Andryes
🔺 Sites & Paysages Au Bois Joli★★★ **Seite 255** `1766` € 16
5 (A+B 1/4-31/10) (D 1/7-1/9) (F 1/4-31/10) **6** (B+G 1/6-15/9)
AKZ. 1/4-30/6 24/8-31/10

Migennes
🔺 Les Confluents★★★ **Seite 255** `1793` € 14
5 (A 1/7-31/8) (B+D+E 1/4-30/10) **6** (A+G 1/5-30/9)
AKZ. 28/4-5/7 24/8-31/10

Vincelles
🔺 Les Ceriselles★★★★ **Seite 256** `1811` € 14
5 (A+B+D+E+I 1/4-30/9) **6** (**D** 1/4-30/9)
AKZ. 1/4-10/7 27/8-30/9

Nièvre

Chaumot
🔺 de l'Ardan **Seite 256** `1773` € 14
5 (A+J 1/4-30/9)
AKZ. 1/4-30/6 1/9-30/9

Crux-la-Ville
🔺 de l'Etang du Merle★★★ **Seite 256** `1774` € 14
5 (A+B 7/4-25/10) (D+E 1/7-31/8) **6** (A+F 1/6-15/9)
AKZ. 3/4-7/7 24/8-25/10

Decize
🔺 Des Halles★★★ **Seite 256** `1775` € 14
5 (A 7/4-12/10) (B 1/6-30/9) (D 15/5-15/9)
6 (**B** 1/5-12/10) (**E** 1/1-31/12)
AKZ. 3/4-7/7 24/8-25/10

Fourchambault
🔺 De la Loire **Seite 256** `1779` € 12
5 (A 1/4-2/11) (D 1/5-30/9)
AKZ. 29/3-7/7 24/8-4/11

Lormes
🔺 de l'Etang du Goulot★★★ **Seite 257** `1785` € 14
5 (D+E+I 1/7-30/8)
AKZ. 1/5-30/6 1/9-30/9

Luzy
🔺 Domaine de la Gagère★★★★ **Seite 257** `1788` € 18
5 (A 1/4-30/9) (B 1/5-30/9) (C 15/5-15/9) (D+E 1/5-30/9)
(I 1/4-15/9)
6 (B+G 1/4-30/9)
AKZ. 1/4-4/7 1/9-30/9

Ausführliche Redaktionseinträge: Seite 253 bis 257

Luzy/Tazilly ☆☆
▲ Airotel Château de Chigy★★★★   Seite 257 （1789） € 16
5 (A+B 25/4-30/9) (D+E+I 4/7-31/8)
6 (A 15/6-30/9) (C 26/4-30/9)
AKZ. 25/4-7/7 24/8-30/9

Montsauche-les-Settons ☆☆
▲ Les Mésanges★★★   Seite 257 （1795） € 14
5 (A+B 14/5-15/9) (E+F 1/7-1/9)
AKZ. 14/5-7/7 24/8-15/9

Nevers
▲ Camping De Nevers   Seite 257 （1796） € 16
AKZ. 11/4-30/6 1/9-12/10

Ouroux-en-Morvan
▲ Les Genêts du Morvan★★★   Seite 257 （1797） € 12
5 (A+D+E 18/5-15/9) **6** (A+F 1/7-30/8)
AKZ. 15/4-3/7 1/9-30/9 *14=12*

St. Honoré-les-Bains
▲ Camping et gîtes des Bains★★★   Seite 257 （1804） € 16
5 (A+B+D+E+I 1/4-31/10) **6** (A+F 15/6-15/9)
AKZ. 1/4-4/7 22/8-31/10

St. Léger-de-Fougeret
▲ Sites & Paysages Etang de la Fougeraie★★★★   Seite 257 （1805） € 16
5 (A+B+C+E+F+I 1/4-30/9) **6** (B+G 1/4-30/9)
AKZ. 28/3-4/7 24/8-3/10

St. Péreuse-en-Morvan
▲ Le Manoir de Bezolle★★★★   Seite 257 （1807） € 16
5 (A+C 1/5-30/9) (D 1/6-31/8) (E+F+J 1/5-30/9)
6 (A+F 15/4-15/9)
AKZ. 31/3-30/6 1/9-31/10

Saône-et-Loire

Autun
▲ de la Porte d'Arroux★★★   Seite 258 （1768） € 14
5 (A 15/5-30/9) (B 7/4-26/10) (D+E+I 7/4-25/10)
AKZ. 3/4-7/7 24/8-25/10

Chagny ☆☆
▲ Pâquier Fané★★★   Seite 258 （1770） € 14
5 (A 1/4-31/10) (D+E+F 1/5-15/9) (I 1/5-30/9)
6 (B+F 1/5-31/8)
AKZ. 1/4-5/7 22/8-31/10 *7=6, 14=12*

Chalon-sur-Saône/St. Marcel ☆☆
▲ Du Pont de Bourgogne★★★   Seite 258 （1771） € 16
5 (A+B 1/4-30/9) (D+E+F 15/4-30/9) (I 4/7-30/8)
AKZ. 1/4-5/7 24/8-30/9 *7=6, 14=12*

Digoin ☆☆
▲ La Chevrette★★★   Seite 259 （1776） € 14
5 (A+B 1/4-8/10) (D+E+I 1/7-31/8) **6** (B 1/5-7/9)
AKZ. 1/4-3/7 24/8-8/10

Dompierre-les-Ormes ☆☆
▲ Le Village des Meuniers★★★★   Seite 259 （1777） € 18
5 (A+B+D+E+J 1/5-30/9) **6** (B+G 1/5-30/9)
AKZ. 16/3-30/6 31/8-31/10 *14=12*

Étang-sur-Arroux
▲ Des 2 Rives★★   Seite 259 （1778） € 14
5 (A+D 1/7-31/8)
AKZ. 1/1-4/7 22/8-31/12

Gigny-sur-Saône
▲ Château de l'Epervière★★★★★   Seite 259 （1780） € 18
5 (A 1/4-30/9) (C 30/4-30/9) (E+F 30/4-17/9) (J 1/4-30/9)
6 (B 30/4-20/9) (E 1/4-30/9) (G 30/4-20/9)
AKZ. 1/4-27/6 30/8-30/9

La Celle-en-Morvan
▲ Les Deux Rivières★★★   Seite 259 （1781） € 16
5 (A 1/5-20/9) (B 1/7-31/8) (D+E 1/5-20/9) **6** (B+G 1/6-15/9)
AKZ. 1/5-12/6 1/9-20/9

La Clayette ☆☆
▲ Les Bruyères★★★   Seite 259 （1782） € 14
5 (A 28/3-15/11) (D+E+F 1/7-31/8) **6** (B+F 1/6-31/8)
AKZ. 28/3-4/7 24/8-15/11

La Tagnière
▲ La Paroy   Seite 259 （1783） € 12
5 (A+B 1/4-30/9)
AKZ. 1/4-10/7 27/8-30/9

Laives ☆☆
▲ La Héronnière★★★   Seite 259 （1784） € 16
5 (A+B 21/3-2/11) (D+E 1/5-31/8) (J 1/5-30/9)
6 (B+G 1/5-13/10)
AKZ. 21/3-30/6 1/9-2/11 *7=6, 14=12, 21=18*

Louhans ☆☆
▲ Municipal de Louhans★★★   Seite 260 （1786） € 10
AKZ. 1/4-5/7 23/8-30/9

Louvarel/Champagnat
▲ Le Domaine de Louvarel★★★★   Seite 260 （1787） € 16
5 (A 11/4-26/9) (D+E+F+J 18/4-26/9) **6** (D+G 11/4-26/9)
AKZ. 11/4-5/7 22/8-25/9

Matour ☆☆
▲ Le Paluet★★★   Seite 260 （1791） € 14
5 (D 1/7-31/8) **6** (B+G 17/5-15/9)
AKZ. 18/4-3/7 24/8-30/9 *7=6, 14=12, 21=18*

Paray-le-Monial ☆☆
▲ de Mambré★★★★   Seite 260 （1798） € 14
5 (A 2/5-3/10) (B 1/7-31/8) **6** (A+F 15/5-3/10)
AKZ. 2/5-5/7 22/8-3/10

Ausführliche Redaktionseinträge: Seite 257 bis 260

Frankreich

St. Boil
🔺 Moulin de Collonge****   Seite 260   1803   € 16
5 (A+B+E+F+I 1/4-30/9)   **6** (C 1/4-30/9)
AKZ.   *1/4-10/7*   *27/8-30/9*   ***7=6, 14=12***

St. Léger-sous-Beuvray
🔺 De La Boutière   Seite 260   1806   € 12
AKZ.   *15/4-12/7*   *29/8-15/10*

Tournus
🔺 Camping de Tournus***   Seite 260   1808   € 16
5 (A+B+D+E 1/4-30/9)   **6** (**A**+**F** 1/7-31/8)
AKZ.   *1/4-4/7*   *21/8-30/9*   ***7=6, 14=11***

Uchizy ⚑⚑
🔺 Le National 6**   Seite 261   1809   € 16
5 (A+C+D+E 15/4-15/9) (F 1/7-31/8) (I 15/4-15/9)
6 (A+F 15/5-15/9)
AKZ.   *1/4-15/6*   *1/9-30/9*

Allier

Abrest/Vichy
🔺 La Croix St-Martin***   Seite 261   1850   € 14
5 (A+B 10/4-10/10) (E 15/5-15/9)   **6** (B 1/5-30/9)
AKZ.   *10/4-5/7*   *22/8-10/10*

Bellerive-sur-Allier/Vichy
🔺 Beau Rivage sur les berges de l'Allier****   Seite 262   1851   € 16
5 (A 1/5-15/9) (B 1/4-10/10) (D 1/5-15/9)   **6** (D+G 15/5-15/9)
AKZ.   *1/4-30/6*   *1/9-9/10*

Châtel-de-Neuvre
🔺 Deneuvre***   Seite 262   1857   € 14
5 (A+B+D+E+I 1/4-30/9)
AKZ.   *1/4-30/6*   *1/9-30/9*

Ebreuil
🔺 Camping de la Filature****   Seite 262   1860   € 16
5 (A 1/5-1/10) (C 15/4-1/10) (E 1/6-30/9)
AKZ.   *15/4-11/7*   *28/8-1/10*

Puy-de-Dôme

Blot-L'Église
🔺 La Coccinelle**   Seite 263   1852   € 12
5 (A 1/7-31/8) (D+E 1/3-31/10)   **6** (A 1/6-30/9)
AKZ.   *1/3-30/6*   *18/8-31/10*

Buxières-sous-Montaigut ⚑⚑
🔺 Les Suchères**   Seite 263   1853   € 14
5 (A+B+D+E+I 1/4-30/9)   **6** (A 1/6-15/9)
AKZ.   *1/4-30/6*   *17/8-30/9*

Chambon-sur-Lac
🔺 De Serrette***   Seite 263   1855   € 14
5 (A+B 25/4-13/9) (D+E 1/6-13/9)   **6** (D+G 1/6-13/9)
AKZ.   *25/4-3/7*   *1/9-13/9*   ***14=12***

Chambon-sur-Lac
🔺 Les Bombes***   Seite 263   1856   € 14
5 (A 15/6-15/9) (B 1/7-31/8) (D+E+F 15/6-31/8)
6 (B+G 1/6-15/9)
AKZ.   *1/5-3/7*   *29/8-15/9*

Châtel-Guyon
🔺 Le Ranch des Volcans***   Seite 263   1858   € 14
5 (A+B+D+E+I+J 21/3-1/11)   **6** (A+F 15/5-30/9)
AKZ.   *21/3-3/7*   *29/8-1/11*

Dallet
🔺 Les Ombrages***   Seite 264   1859   € 12
5 (A 7/5-15/9) (D+E+I 1/6-15/9)   **6** (A+F 1/6-15/9)
AKZ.   *14/5-4/7*   *24/8-15/9*

La Bourboule/Murat-le-Quaire
🔺 Le Panoramique***   Seite 264   1861   € 14
5 (A 1/7-31/8) (B 15/2-15/3,1/7-31/8) (D+E+F 1/7-31/8)
6 (B+G 1/7-31/8)
AKZ.   *15/2-15/3*   *12/4-10/7*   *27/8-15/10*   ***14=13***

Les Pradeaux
🔺 Château de Grange Fort***   Seite 264   1864   € 16
5 (A+B 1/5-15/9) (D+E+F+I 15/4-30/9)
6 (A 15/6-15/9) (E 15/4-1/7,31/8-15/10) (F 15/6-15/9)
AKZ.   *5/4-5/7*   *24/8-31/10*

Murol ⚑⚑
🔺 Le Pré Bas****   Seite 264   1865   € 16
5 (A 1/5-20/9) (B 1/6-10/9) (D+E 1/5-20/9) (F 25/6-31/8)
(I+J 1/5-20/9)
6 (B+D+G 20/5-9/9)
AKZ.   *25/4-30/6*   *1/9-20/9*   ***14=12***

Murol
🔺 Le Repos du Baladin***   Seite 264   1866   € 14
5 (A+B+D+E+F 15/6-31/8)   **6** (B 15/6-12/9)
AKZ.   *25/4-30/6*   *28/8-12/9*   ***8=7, 14=12***

Nébouzat
🔺 Les Dômes***   Seite 264   1867   € 14
5 (A+B+D+E+F+I 1/5-15/9) (J 1/1-31/12)   **6** (D 1/5-15/9)
AKZ.   *25/4-5/7*   *1/9-4/10*

Nonette
🔺 Les Loges***   Seite 265   1869   € 14
5 (A+B 1/6-15/9) (D+E+F+I 1/7-15/9)
6 (B 20/6-15/9) (G 1/6-15/9)
AKZ.   *1/4-12/7*   *30/8-15/9*

Olliergues ⚑⚑
🔺 Les Chelles***   Seite 265   1870   € 14
5 (A+B 1/4-31/10) (D 1/4-31/12) (E 1/1-31/12) (I 1/4-31/10)
6 (B+F 1/6-31/8)
AKZ.   *1/4-4/7*   *22/8-31/10*

Ausführliche Redaktionseinträge: Seite 260 bis 265

Orcet
△ Le Clos Auroy**** — Seite 265 (1871) € 16
5 (A 1/1-31/12) (D+E 1/7-31/8) **6** (B+**F** 15/5-15/9)
AKZ. 1/4-5/7 22/8-31/10

Royat
△ Indigo Royat**** — Seite 265 (1873) € 16
5 (A 29/4-2/11) (B 29/4-3/11) (D+I 1/7-31/8)
6 (B+G 30/4-15/9)
AKZ. 27/3-2/7 31/8-1/11

Singles
△ Hôtel de Plein Air Le Moulin de Serre*** — Seite 265 (1874) € 12
5 (A+B 11/4-19/9) (D 30/6-1/9) (E 11/4-19/9) (I 5/7-30/8)
6 B 26/5-15/9)
AKZ. 11/4-2/7 28/8-19/9

St. Nectaire
△ La Clé des Champs*** — Seite 265 (1877) € 12
5 (A+B 1/7-31/8) (D 4/4-27/9) (E+I 1/7-31/8)
6 (B+F 1/6-15/9)
AKZ. 4/4-3/7 29/8-27/9

St. Nectaire ⚥
△ Le Viginet*** — Seite 265 (1878) € 12
5 (A 15/5-10/9) (B 1/6-31/8) (D+E+F 1/7-30/8)
6 (B+G 1/6-15/9)
AKZ. 11/4-10/7 27/8-27/9 *7=6, 14=11*

St. Rémy-sur-Durolle
△ Camping Les Chanterelles*** — Seite 265 (1880) € 14
6 (A+B 11/4-3/10)
AKZ. 11/4-11/7 28/8-3/10 *7=6*

Vollore-Ville
△ Le Montbartoux** — Seite 266 (1883) € 14
6 (A 1/7-31/8) (D+I 1/1-31/12) **6** (A 1/6-15/9)
AKZ. 1/1-30/6 1/9-31/12

Haute-Loire

Chamalières-sur-Loire
△ CosyCamp**** — Seite 266 (1854) € 16
5 (A+B+D+F+I 1/7-31/8) **6** (B+E+G 23/5-2/10)
AKZ. 23/5-8/7 25/8-2/10 *7=6*

Le Chambon-sur-Lignon
△ Camping Le Lignon — Seite 266 (1862) € 12
5 (A+D+E+F+I 15/4-30/9)
AKZ. 15/4-5/7 24/8-30/9

Lempdes-sur-Allagnon
△ Le Pont d'Allagnon*** — Seite 267 (1863) € 12
5 (D 1/5-30/9) **6** (B+G 15/6-15/9)
AKZ. 28/3-4/7 22/8-17/10 *7=6*

St. Didier-en-Velay
△ La Fressange*** — Seite 267 (1876) € 12
5 (A 1/7-31/8) **6** (B 1/7-31/8)
AKZ. 24/4-30/6 1/9-30/9

St. Paulien ⚥
△ La Rochelambert*** — Seite 267 (1879) € 14
5 (A 20/5-30/9) (B 1/4-30/9) (D+E+F+I 26/6-26/8)
6 (B+F 11/6-15/9)
AKZ. 1/4-3/7 1/9-30/9

Ste Sigolène ⚥
△ de Vaubarlet**** — Seite 267 (1881) € 16
5 (A+B 1/5-30/9) (D+E 15/5-15/9) **6** (B+G 15/5-15/9)
AKZ. 1/5-5/7 24/8-30/9 *7=6, 14=11*

Vorey-sur-Arzon
△ Les Moulettes**** — Seite 267 (1884) € 14
5 (D+E+F+I 1/7-31/8) **6** (B+G 1/6-5/9)
AKZ. 1/5-30/6 1/9-15/9

Cantal

Neuvéglise
△ Flower CP Le Belvédère**** — Seite 268 (1868) € 14
5 (A 12/4-28/9) (B 15/6-28/9) (D 12/4-28/9) (E 15/6-28/9)
(F+I 12/4-28/9)
6 (D 1/6-25/9) (F 1/6-15/9)
AKZ. 12/4-5/7 23/8-28/9 *7=6*

Pers
△ Du Viaduc*** — Seite 268 (1872) € 14
5 (A 1/7-31/8) (B 1/7-30/9) (D+E+F 1/6-30/9) **6** (A 15/6-15/9)
AKZ. 28/4-28/6 30/8-11/10 *7=6*

St. Constant
△ Moulin de Chaules*** — Seite 268 (1875) € 14
5 (A+B+D+E+F+I 11/4-18/10) **6** (B 15/6-15/9)
AKZ. 11/4-3/7 29/8-18/10

Thiézac
△ La Bédisse*** — Seite 268 (1882) € 14
AKZ. 1/5-30/6 1/9-30/9

Lot

Carennac
△ L'Eau Vive**** — Seite 270 (2050) € 14
5 (A+B 15/6-31/8) (D+E 1/7-31/8) **6** (A+F 15/5-5/10)
AKZ. 19/4-10/7 27/8-5/10 *7=6, 14=11*

Carlucet
△ Château de Lacomté**** — Seite 270 (2051) € 18
5 (A+B+E+F+I+J 1/5-15/9) **6** (A 1/5-15/9)
AKZ. 1/5-12/7 29/8-15/9

Crayssac ⚥
△ Campéole Les Reflets du Quercy**** — Seite 270 (2060) € 14
5 (A+B+D+E+F+I 1/7-31/8) **6** (A+F 1/6-15/9)
AKZ. 4/4-4/7 23/8-20/9

Ausführliche Redaktionseinträge: Seite 265 bis 270

Creysse
▲ Du Port***   Seite 270   2061   € 12
5 (A 1/5-10/9) (B 1/5-30/6,1/9-20/9) (C+D 1/7-31/8)
6 (A 1/5-20/9)
AKZ. 25/4-4/7 29/8-27/9 **10=8**

Gourdon
▲ Domaine Le Quercy****   Seite 270   2065   € 12
5 (A 1/7-31/8) (B 1/5-15/9) (D+E+F+I 15/6-14/9)
6 (B+F 1/4-14/9)
AKZ. 1/4-5/7 22/8-14/9

Larnagol
▲ Camping Ruisseau du Treil**   Seite 270   2069   € 16
5 (A+B+D+E 9/5-12/9) **6** (A+F 20/6-30/8)
AKZ. 9/5-5/7 24/8-12/9

Martignac/Puy-l'Évêque ⚬⚬
▲ Sites & Paysages L'Evasion***   Seite 270   2081   € 14
5 (A+B+D+E+F+J 1/7-31/8) **6** (B+G 1/4-30/9)
AKZ. 1/4-5/7 24/8-31/10 **7=6, 14=12, 21=17**

Montcabrier
▲ Moulin de Laborde***   Seite 271   2094   € 16
5 (A+B+D+E+F+I 2/5-7/9) **6** (A 2/5-7/9) (F 1/7-31/8)
AKZ. 1/5-5/7 25/8-7/9 **7=6, 14=11, 21=16, 28=21**

Payrac
▲ Les Pins****   Seite 271   2100   € 16
5 (A+B+D+E+F+I+J 11/4-6/9) **6** (B+E+G 11/4-6/9)
AKZ. 11/4-5/7 24/8-6/9 **7=6, 14=11**

Rocamadour
▲ Padimadour****   Seite 271   2107   € 16
5 (A+B+D+E+F+I 1/7-31/8) **6** (B 15/6-15/9)
AKZ. 30/4-3/7 23/8-15/10 **7=6**

Séniergues
▲ Domaine de la Faurie****   Seite 272   2111   € 16
5 (A+B+D+E+F+J 5/4-31/10) **6** (B+G 5/4-31/10)
AKZ. 5/4-6/7 24/8-31/10 **7=6, 14=11**

Souillac
▲ Beter-uit Vakantiepark 'La Draille'*****   Seite 272   2116   € 16
5 (A+C+D+E+F+I 25/4-3/10) **6** (B+F 25/4-3/10)
AKZ. 25/4-3/7 22/8-3/10 **7=6, 14=12, 21=17**

Souillac ⚬⚬
▲ Domaine de la Paille Basse*****   Seite 272   2117   € 16
5 (A+B+C 13/5-15/9) (D+E+I+J 20/5-10/9) **6** (A+F 13/5-15/9)
AKZ. 13/5-4/7 29/8-15/9

Souillac
▲ Les Ondines***   Seite 272   2118   € 14
5 (A 25/5-27/9) (D 25/5-31/8) **6** (B+G 25/5-27/9)
AKZ. 25/5-8/7 29/8-27/9 **7=6**

St. Cirq-Lapopie
▲ CP Restaurant De la Plage****   Seite 272   2121   € 16
5 (A 1/5-30/9) (B 11/4-30/9) (D+E 5/5-25/9) (F 15/6-25/9)
(J 5/5-25/9)
AKZ. 11/4-15/7 1/9-30/9

St. Cirq-Lapopie
▲ La Truffière***   Seite 272   2122   € 14
5 (A 1/5-15/9) (B 4/4-20/9) (D+E+I 1/6-31/8)
6 (B+F 1/5-20/9)
AKZ. 4/4-4/7 23/8-20/9

St. Pantaléon
▲ des Arcades***   Seite 272   2125   € 16
5 (A+D+E+F+J 15/5-30/9) **6** (A+F 31/5-30/9)
AKZ. 30/4-3/7 23/8-30/9

St. Pierre-Lafeuille ⚬⚬
▲ Quercy Vacances****   Seite 272   2126   € 14
5 (A 1/5-30/9) (B 1/7-31/8) (D+E+F+J 15/6-15/9)
6 (A+F 15/6-15/9)
AKZ. 1/4-4/7 29/8-30/9

Thégra
▲ Sites & Paysages Le Ventoulou****   Seite 272   2130   € 16
5 (A 1/7-31/8) (B 1/4-1/11) (D+E+F+I 1/7-31/8)
6 (B+D 1/4-1/11) (F 1/7-31/8)
AKZ. 1/4-4/7 29/8-1/11 **7=6, 14=11, 21=16, 28=21**

Touzac
▲ Le Ch'timi***   Seite 272   2132   € 14
5 (A 1/5-15/9) (B 1/4-30/9) (D+E+I 1/5-30/9)
6 (A 15/5-30/9) (F 1/7-1/9)
AKZ. 1/4-4/7 21/8-30/9

Touzac
▲ Le Clos Bouyssac***   Seite 272   2133   € 14
5 (A 1/6-30/9) (B+D+E 1/7-31/8) **6** (A+F 15/5-15/9)
AKZ. 1/4-30/6 1/9-30/9

Vayrac
▲ Les Granges***   Seite 272   2134   € 14
5 (A+B 1/5-19/9) (C+D+E+F 1/7-31/8) **6** (A+F 1/5-19/9)
AKZ. 1/5-28/6 29/8-19/9 **7=6, 14=12, 21=18**

Aveyron

Aguessac
▲ Camping la Belle Etoile***   Seite 273   2040   € 12
5 (D+E+F+J 1/5-30/9)
AKZ. 1/5-10/7 27/8-30/9

Boyne/Rivière-sur-Tarn
▲ Camping Moulin de la Galinière**   Seite 273   2104   € 14
5 (A+D+E+F+I 1/5-19/9)
AKZ. 1/5-30/6 24/8-19/9

Ausführliche Redaktionseinträge: Seite 270 bis 273

Canet-de-Salars Seite 273 (2049) € 14
🔺 Soleil Levant***
5 (A 1/5-30/9) (D+E+F 1/7-31/8)
AKZ. 1/5-4/7 21/8-30/9 21=18

Conques/Sénergues Seite 273 (2057) € 14
🔺 Etang du Camp***
5 (A+B 1/5-30/9)
AKZ. 1/4-10/7 27/8-30/9 7=6

Entraygues-sur-Truyère Seite 273 (2062) € 12
🔺 Camping le Val de Saures***
6 (B+G 1/7-31/8)
AKZ. 1/5-3/7 29/8-30/9

Flagnac ⚜⚜ Seite 274 (2064) € 14
🔺 Le Port de Lacombe****
5 (A+B 1/4-30/9) (D+F+I 1/7-30/8) **6** (B+G 15/6-5/9)
AKZ. 1/4-3/7 29/8-30/9

La Cresse Seite 274 (2067) € 12
🔺 Le Papillon***
5 (A 15/5-15/9) (D+E+F+I 1/5-27/9)
AKZ. 25/4-30/6 24/8-3/10

Millau ⚜⚜ Seite 274 (2084) € 14
🔺 Campéole Millau Plage***
5 (A 1/5-20/9) (B+D+E+J 1/7-31/8) **6** (B+G 1/7-31/8)
AKZ. 1/5-4/7 22/8-20/9

Millau Seite 274 (2085) € 12
🔺 Camping des Deux Rivières***
5 (A+B+D+E 1/4-15/10)
AKZ. 1/4-30/6 24/8-30/9

Millau Seite 274 (2086) € 14
🔺 Camping Indigo Millau***
5 (A 17/4-29/9) (B+D+E+F+I 1/7-31/8) **6** (B 22/5-28/9)
AKZ. 22/5-2/7 31/8-27/9

Millau ⚜⚜ Seite 274 (2087) € 14
🔺 Du Viaduc****
5 (A 3/4-28/9) (C+D+E+F+I 1/6-30/8) **6** (B+G 1/5-28/9)
AKZ. 3/4-4/7 29/8-28/9 7=6, 14=12, 21=18

Millau Seite 274 (2088) € 10
🔺 Larribal***
5 (A 1/4-30/9) (B 1/5-30/9) **6** (A+F 1/5-30/9)
AKZ. 1/4-4/7 22/8-30/9

Millau Seite 274 (2089) € 12
🔺 Les Erables***
5 (A+B+D+E 1/4-30/9)
AKZ. 1/4-5/7 22/8-30/9

Millau Seite 274 (2090) € 14
🔺 Les Rivages****
5 (A 13/4-30/9) (C 15/6-15/9) (D+E+F+J 15/4-30/9)
6 (B+G 1/5-30/9)
AKZ. 15/4-10/7 29/8-30/9 7=6, 14=11

Millau Seite 275 (2091) € 12
🔺 St. Lambert***
5 (A+C 1/5-30/9) (D+E+F+I 1/7-31/8) **6** (A 1/5-30/9)
AKZ. 1/5-3/7 31/8-30/9

Nant Seite 275 (2097) € 12
🔺 Sites & Paysages Les 2 Vallées***
5 (A+B 1/7-31/8) (D+E+I 15/6-15/9) **6** (B 30/5-30/9)
AKZ. 23/4-15/7 1/9-11/10

Nant-d'Aveyron Seite 275 (2098) € 14
🔺 RCN Val de Cantobre****
5 (A+C+D+E+F+J 3/4-28/9) **6** (B+G 3/4-28/9)
AKZ. 3/4-7/7 25/8-28/9

Naucelle Seite 275 (2099) € 14
🔺 Camping du Lac de Bonnefon***
5 (A 15/6-15/9) (D 1/4-15/10) (E+F 1/7-15/9)
6 (B 1/6-30/9) (F 1/7-30/9)
AKZ. 1/4-4/7 30/8-15/10 7=6

Pont-de-Salars Seite 276 (2101) € 16
🔺 Les Terrasses du Lac****
5 (A+B+D+E+F+I 1/7-31/8) **6** (D+F 1/6-15/9)
AKZ. 1/4-12/7 29/8-30/9 7=6

Rivière-sur-Tarn Seite 276 (2105) € 16
🔺 De Peyrelade****
5 (A 13/5-15/9) (C 1/7-31/8) (D+E+F+J 13/5-15/9)
6 (R+G 13/5-15/9)
AKZ. 13/5-3/7 29/8-15/9

Salles-Curan Seite 276 (2109) € 14
🔺 Sites & Paysages Beau Rivage****
5 (A 1/5-20/9) (C 15/6-15/9) (D+E+F+I 1/7-30/8)
6 (B+G 10/6-15/9)
AKZ. 1/5-10/7 27/8-20/9 14=13, 21=19

Sévérac-l'Église Seite 276 (2113) € 16
🔺 La Grange de Monteillac****
5 (A 18/5-19/9) (C 22/5-15/9) (E+F 5/7-30/8) (I 22/5-15/9)
(J 5/7-30/8)
6 (B+G 7/5-15/9)
AKZ. 18/5-10/7 27/8-19/9

Sévérac-le-Château Seite 276 (2114) € 16
🔺 Les Calquières***
5 (A+B+D+E+F+I 1/4-14/10) **6** (B 1/6-30/9) (D 1/4-14/10)
AKZ. 1/4-11/7 30/8-14/10

Ausführliche Redaktionseinträge: Seite 273 bis 276

Frankreich

St. Jean-du-Bruel
🔺 La Dourbie★★★★ Seite 276 2123 € 14
5 (A 1/7-31/8) (B+D+E+F 17/4-30/9) (J 1/7-31/8)
6 (B+G 1/6-15/9)
AKZ. 17/4-12/7 29/8-30/9

St. Rome-de-Tarn
🔺 de la Cascade★★★★ Seite 276 2127 € 16
5 (A 1/7-31/8) (B 1/7-30/8) (D+E+F+I 1/7-31/8)
6 (A+F 15/6-15/9)
AKZ. 1/5-12/7 30/8-30/9

Villefranche-de-Rouergue
🔺 Le Rouergue★★★ Seite 277 2135 € 12
5 (A+B 11/4-30/9) (D 1/7-31/8) **6** (A 15/6-15/9)
AKZ. 11/4-7/7 24/8-30/9

Tarn-et-Garonne

Caylus
🔺 De la Bonnette★★★ Seite 277 2055 € 16
5 (A 1/5-30/9) (D+E+J 21/3-3/10) **6** (A 15/4-3/10)
AKZ. 21/3-3/7 22/8-3/10 **14=13**

Cayriech
🔺 Le Clos de la Lère★★★ Seite 277 2056 € 12
5 (A+C+D+E 1/3-15/11) (I 1/1-20/12) **6** (B 1/5-31/10)
AKZ. 1/3-30/6 1/9-15/11

Moissac
🔺 de l'ile du Bidounet★★★ Seite 277 2092 € 14
5 (A+B 1/7-31/8) **6** (A+F 15/6-15/9)
AKZ. 1/4-4/7 22/8-30/9

Molières (Tarn-et-Gar.) ✦✦
🔺 Domaine de Merlanes★★★★ Seite 277 2093 € 16
5 (A+D 18/4-26/9) (E 1/7-31/8) **6** (B+G 18/4-26/9)
AKZ. 18/4-4/7 25/8-26/9

Montricoux
🔺 Le Clos Lalande★★★ Seite 277 2096 € 14
5 (A+D+E+F 15/5-15/9) **6** (A+F 1/5-15/9)
AKZ. 28/3-5/7 24/8-27/9 **7=6, 14=12**

Septfonds
🔺 De Bois-Redon★★★ Seite 278 2112 € 16
5 (A 1/4-1/11) (D+E 15/6-31/8) **6** (A 1/6-15/9)
AKZ. 1/1-4/7 22/8-31/12

St. Antonin-Noble-Val
🔺 Les Gorges de l'Aveyron★★★ Seite 278 2119 € 12
5 (A+C+D+E+F 1/6-15/9) **6** (B+G 1/6-30/9)
AKZ. 1/5-4/7 30/8-27/9

St. Antonin-Noble-Val
🔺 Sites & Paysages Les 3 Cantons★★★ Seite 278 2120 € 16
5 (A+B+D+E 15/4-15/9) (I 1/6-15/9) **6** (B+G 1/6-15/9)
AKZ. 15/4-7/7 24/8-15/9

Tarn

Cordes-sur-Ciel
🔺 Camping Camp Redon★★★ Seite 278 2058 € 16
5 (A+B+E+F+I 28/3-18/10) **6** (A+F 28/3-18/10)
AKZ. 28/3-4/7 22/8-18/10

Cordes-sur-Ciel
🔺 Le Moulin de Julien★★★ Seite 278 2059 € 16
5 (A 1/7-31/8) **6** (A 10/5-13/9)
AKZ. 1/5-4/7 26/8-13/9

Rivières ✦✦
🔺 Les Pommiers d'Aiguelèze★★★ Seite 279 2106 € 16
5 (A+B+I 1/4-30/9) **6** (B+G 1/5-30/9)
AKZ. 1/4-3/7 24/8-30/9

Sorèze
🔺 St. Martin★★★ Seite 279 2115 € 14
5 (A 5/7-30/8) (B 1/4-30/9) (D+E 1/5-30/9) **6** (A 1/5-30/9)
AKZ. 1/4-10/7 27/8-30/9

Gers

Aignan
🔺 Le Domaine du Castex★★★ Seite 279 2041 € 16
5 (A 15/6-15/9) (D+E+I 20/3-20/10) **6** (A 1/6-1/10)
AKZ. 20/3-12/7 1/9-19/10

La Romieu
🔺 Le Camp de Florence★★★★ Seite 280 2068 € 16
5 (A+D+E+F+J 1/5-30/9) **6** (A+F 1/5-30/9)
AKZ. 1/4-5/7 24/8-10/10

Marciac
🔺 Du Lac★★★ Seite 280 2080 € 12
5 (A+B+D 21/3-10/10) **6** (B 1/5-30/9)
AKZ. 21/3-10/7 29/8-9/10

Pouylebon
🔺 Pouylebon Seite 280 2102 € 12
5 (A+D 1/4-15/10) **6** (A 15/5-15/9)
AKZ. 15/4-7/7 24/8-15/10

Roquelaure/Auch
🔺 Yelloh! Village Le Talouch★★★★ Seite 280 2108 € 16
5 (A+B+C+D+F 10/4-20/9) (I 1/7-30/8)
6 (A 15/5-15/9) (D 18/4-21/9) (F 15/5-15/9)
AKZ. 10/4-4/7 29/8-20/9

Seissan
🔺 Domaine Lacs de Gascogne Seite 281 2110 € 12
5 (A+D+E+I 1/5-30/9) **6** (A+F 15/5-30/9)
AKZ. 1/5-30/6 1/9-30/9 **7=6, 14=11, 21=15, 28=18**

Ausführliche Redaktionseinträge: Seite 276 bis 281

Hautes-Pyrénées

Agos-Vidalos
🔺 La Châtaigneraie*** **Seite 281** € 12
5️⃣ (A 1/7-31/8) 6️⃣ (B+G 1/5-30/9)
AKZ. 1/4-5/7 22/8-15/10 7=6, 14=13, 21=19, 30=27

Argelès-Gazost
🔺 Les Trois Vallées**** **Seite 281** € 16
5️⃣ (A+D+E+F+H 15/6-15/9)
6️⃣ (B 1/6-30/9) (D 11/4-18/10) (G 1/6-30/9)
AKZ. 11/4-4/7 29/8-18/10

Argelès-Gazost/Ayzac-Ost
🔺 La Bergerie*** **Seite 281** € 14
5️⃣ (A 1/7-30/8) (E+F 1/5-30/9) 6️⃣ (B+G 1/6-15/9)
AKZ. 1/5-5/7 22/8-30/9 14=13, 21=19, 30=27

Bagnères-de-Bigorre
🔺 Le Monlôo**** **Seite 282** (2046) € 14
5️⃣ (A+B+D 1/7-15/9) (E 5/7-23/8) 6️⃣ (B+G 15/6-15/9)
AKZ. 1/1-30/6 1/9-30/10 21=20

Boô-Silhon
🔺 Deth-Potz** **Seite 282** € 12
5️⃣ (A 1/7-31/8) (B 1/1-10/10,10/12-31/12)
6️⃣ (A+F 15/6-15/9)
AKZ. 1/1-4/7 29/8-10/10 10/12-31/12

Castelnau-Magnoac
🔺 l'Eglantière*** **Seite 282** (2053) € 16
5️⃣ (A 18/4-3/10) (B+C 15/6-15/9) (D 18/4-3/10)
(E 15/5-15/9) (F 1/6-15/9) (I 15/5-30/9) (J 1/6-15/9)
6️⃣ (B+G 18/4-3/10)
AKZ. 18/4-30/6 1/9-3/10 21=15

Cauterets
🔺 Cabaliros** **Seite 282** € 14
5️⃣ (D+E 1/7-30/8)
AKZ. 22/5-3/7 22/8-30/9

Estaing
🔺 Pyrénées Natura**** **Seite 282** (2063) € 16
5️⃣ (A+B+D+E 18/4-10/10)
AKZ. 18/4-11/7 1/9-10/10

Loudenvielle
🔺 La Pène Blanche** **Seite 283** (2072) € 14
5️⃣ (A 1/7-31/8)
AKZ. 12/4-26/6 5/9-1/11

Lourdes
🔺 Camping de Sarsan*** **Seite 283** (2073) € 12
5️⃣ (A 1/4-30/9) (B 1/7-31/8) 6️⃣ (C 1/5-30/9)
AKZ. 1/4-6/7 23/8-15/10

Lourdes ✳🎋
🔺 La Forêt*** **Seite 283** € 14
5️⃣ (A+B+E+J 28/3-31/10)
AKZ. 28/3-6/7 23/8-31/10 7=6, 14=12

Lourdes ✳🎋
🔺 Le Moulin du Monge*** **Seite 283** (2075) € 14
5️⃣ (A+B 1/5-10/10) (C 15/6-15/9) 6️⃣ (D+F 21/5-16/9)
AKZ. 1/4-6/7 23/8-10/10 7=6, 14=12, 21=18

Luz-St-Sauveur ✳🎋
🔺 International**** **Seite 283** (2077) € 14
5️⃣ (A+B 1/6-30/9) (C+E 1/7-20/9) 6️⃣ (D+G 16/5-30/9)
AKZ. 16/5-7/7 24/8-30/9 7=6, 14=12

Luz-St-Sauveur ✳🎋
🔺 Sites & Paysages Pyrénévasion**** **Seite 283** (2078) € 14
5️⃣ (A 1/6-15/9) (B 1/1-20/10,20/11-31/12) (D+E+F 1/7-30/8)
6️⃣ (B 1/6-15/9) (E 1/1-20/10,20/11-31/12) (G 1/6-15/9)
AKZ. 1/4-11/7 28/8-20/10 7=6, 14=12, 21=18, 30=25

Luz-St-Sauveur/Esquièze-Sère
🔺 Airotel Pyrénées***** **Seite 283** (2079) € 14
5️⃣ (A 1/5-27/9) (B+E 1/7-30/8)
6️⃣ (B 15/6-15/9) (E 1/5-27/9) (F 15/6-15/9)
AKZ. 1/5-3/7 1/9-27/9

St. Lary-Soulan
🔺 Le Rioumajou**** **Seite 283** (2124) € 14
5️⃣ (A+B 1/1-30/12) (D+E 15/6-15/9) 6️⃣ (B+F 15/6-15/9)
AKZ. 5/1-6/2 2/3-30/6 1/9-31/12

Haute-Garonne

Cassagnabère
🔺 Pré Fixe*** **Seite 284** (2052) € 16
5️⃣ (A+B+D+I 1/5-30/9) 6️⃣ (B+G 1/5-30/9)
AKZ. 1/5-30/6 1/9-30/9 7=6, 14=11

Luchon/Moustajon
🔺 Pradelongue*** **Seite 284** (2076) € 14
5️⃣ (A 1/7-1/9) 6️⃣ (B+F 1/6-30/9)
AKZ. 1/4-30/6 31/8-30/9

Martres-Tolosane
🔺 Sites & Paysages Le Moulin**** **Seite 284** (2082) € 16
5️⃣ (A 1/5-30/9) (B+D+E 1/6-15/9) (F+I 4/7-22/8)
6️⃣ (B+G 1/6-15/9)
AKZ. 30/3-2/7 25/8-2/10 7=6

Montréjeau
🔺 Midi Pyrénées*** **Seite 284** (2095) € 12
5️⃣ (D+E+F 1/6-1/9) 6️⃣ (B 1/6-1/9)
AKZ. 1/1-4/7 24/8-31/12

Toulouse
🔺 Camping Toulouse Le Rupé*** **Seite 284** (2131) € 16
5️⃣ (A+B 1/1-31/12) (D+E+F+I 15/6-15/9)
AKZ. 1/1-10/7 27/8-31/12

Ausführliche Redaktionseinträge: Seite 281 bis 284

Ariège

Alliat/Niaux — Seite 285 — 2042 — € 16
Des Grottes***
5 (A 1/5-30/9) (C 1/7-31/8) (D+E+F+I 1/6-31/8)
6 (B+F 1/6-15/9)
AKZ. 1/3-6/7 23/8-15/10 ***7=6, 14=11***

Ax-les-Thermes — Seite 285 — 2045 — € 16
Le Malazéou****
5 (D+E+I 1/7-31/8) 6 (B 1/6-30/9)
AKZ. 1/1-6/2 7/3-3/7 29/8-10/11 19/12-31/12 ***7=6, 14=11***

Camon — Seite 285 — 2048 — € 14
Camping de la Besse***
5 (A+B+D+E+F 1/7-31/8) 6 (A 15/6-15/9)
AKZ. 1/5-4/7 29/8-31/10

La Bastide-de-Sérou — Seite 285 — 2066 — € 14
L'Arize****
5 (A+B 4/4-6/11) (D+E 1/7-31/8) 6 (A 1/6-30/9)
AKZ. 4/4-7/7 24/8-3/11 ***8=7, 14=12***

Le Mas-d'Azil — Seite 286 — 2070 — € 16
Le Petit Pyrénéen***
5 (A+B 1/7-31/8) (D+E 3/4-5/10) 6 (A 1/6-30/9)
AKZ. 3/4-3/7 29/8-5/10

Léran — Seite 286 — 2071 — € 14
La Régate***
5 (A+B+E 30/3-30/9) (H 30/3-30/8) (I 30/3-30/9)
6 (A 15/6-31/8)
AKZ. 28/3-4/7 22/8-17/10

Mazères — Seite 286 — 2083 — € 12
Campéole La Bastide***
5 (A+D+H 1/7-31/8) 6 (A 1/7-31/8)
AKZ. 1/5-15/7 1/9-15/9

Rieux-de-Pelleport/Varilhes — Seite 286 — 2103 — € 16
Les Mijeannes***
5 (A 1/7-31/8) (B 1/6-31/8) (D 15/6-31/8) (E 15/6-15/9)
6 (B 10/6-10/9)
AKZ. 1/1-3/7 24/8-31/12

Surba — Seite 286 — 2128 — € 12
Le Sédour**
5 (A 1/1-31/12)
AKZ. 1/1-30/6 1/9-31/12 ***7=6, 14=12***

Tarascon-sur-Ariège — Seite 287 — 2129 — € 16
Le Pré Lombard****
5 (A 18/4-30/9) (B+D 30/4-4/10) (E+F+I 15/5-30/9)
6 (B+G 15/5-30/9)
AKZ. 12/4-4/7 24/8-30/9 ***7=6, 14=12***

Loire

Balbigny — Seite 287 — 1893 — € 14
La Route Bleue***
5 (A 15/4-15/9) (D+E+F 15/3-31/10) 6 (A+F 1/6-30/9)
AKZ. 1/4-30/6 1/9-31/10

Pelussin — Seite 287 — 1967 — € 16
Sites & Paysages Bel'Epoque du Pilat***
5 (A 1/5-15/9) (D+E 1/7-31/8) 6 (B+F 1/5-15/9)
AKZ. 1/4-3/7 24/8-30/9 ***7=6, 14=12, 21=18***

St. Galmier — Seite 288 — 1993 — € 12
Campéole Le Val de Coise****
5 (A+B 11/4-11/10) 6 (B 1/7-31/8)
AKZ. 11/4-4/7 22/8-11/10

St. Paul-de-Vézelin — Seite 288 — 2009 — € 14
D'Arpheuilles***
5 (A+B+D+E 11/4-30/9) (I 1/6-31/8) 6 (A+F 1/7-30/8)
AKZ. 11/4-5/7 22/8-30/9

St. Priest-la-Prugne — Seite 288 — 2012 — € 14
Le Paradou
5 (A+B+J 1/4-1/10) 6 (A 1/6-15/9)
AKZ. 1/4-3/7 29/8-1/10

Rhône

Anse — Seite 288 — 1888 — € 16
Les Portes du Beaujolais****
5 (A+B 1/3-31/10) (D+E+F+I 20/6-31/8) 6 (A+F 1/5-30/9)
AKZ. 1/3-5/7 25/8-31/10 ***7=6, 14=11***

Cublize/Amplepuis — Seite 288 — 1909 — € 14
Campeole Lac des Sapins****
5 (A 1/5-25/9) (B+D 1/7-31/8) 6 (**A** 1/7-31/8)
AKZ. 1/5-5/7 22/8-27/9

Fleurie — Seite 288 — 1924 — € 16
VivaCamp La Grappe Fleurie****
5 (A+B 11/4-10/10) (D+E+F 1/5-30/9) 6 (A 15/5-15/9)
AKZ. 11/4-3/7 30/8-10/10 ***14=11***

Lyon/Dardilly — Seite 288 — 1953 — € 16
CP Indigo International de Lyon****
5 (E+I 1/7-31/8) 6 (A+F 1/6-15/9)
AKZ. 1/1-25/6 31/8-3/12 9/12-31/12

Villefranche-sur-Saône — Seite 288 — 2035 — € 14
Camping Parc Beaujolais*
5 (A+I+J 15/5-16/9)
AKZ. 15/5-5/7 25/8-16/9 ***7=6, 14=11***

Ain

Artemare — Seite 289 — 1889 — € 12
Sites & Paysages Le Vaugrais***
5 (A+D+E 1/6-31/8) 6 (B 1/6-30/9)
AKZ. 1/3-30/6 1/9-10/12

Ausführliche Redaktionseinträge: Seite 285 bis 289

Cormoranche-sur-Saône ⚑⚑   Seite 289   (1907)   € 14
🅰 du Lac****
🅱 (A+B+D+E+F+I 1/5-30/9)
AKZ. 1/5-10/7 27/8-30/9 **7=6, 14=12, 21=18**

Culoz   Seite 289   (1910)   € 16
🅰 VivaCamp Le Colombier***
🅱 (A+D+E+I 25/4-26/9)
AKZ. 25/4-3/7 23/8-26/9 **14=11**

Divonne-les-Bains   Seite 289   (1917)   € 14
🅰 Indigo Divonne - Le Fleutron***
🅱 (A+B 29/4-13/10) (D+E+F+I 1/7-31/8) 🆆 (B+F 1/5-13/10)
AKZ. 23/3-2/7 31/8-14/11

Hauteville-Lompnès   Seite 289   (1928)   € 14
🅰 Les 12 Cols***
🅱 (A 1/7-30/8) 🆆 (A 1/6-30/9)
AKZ. 1/4-30/6 1/9-11/10 **7=6**

Massignieu-de-Rives   Seite 289   (1956)   € 16
🅰 VivaCamp Lac du Lit du Roi****
🅱 (A+B 25/4-19/9) (E+F+I 1/5-15/9) 🆆 (A+F 15/5-19/9)
AKZ. 25/4-3/7 23/8-19/9 **14=11**

Matafelon-Granges   Seite 290   (1957)   € 16
🅰 Les Gorges de l'Oignin***
🅱 (A 15/4-20/9) (B+D+E+F+I 1/7-31/8) 🆆 (B+F 1/6-20/9)
AKZ. 15/4-6/7 23/8-20/0 **7=6**

Montrevel-en-Bresse   Seite 290   (1962)   € 16
🅰 La Plaine Tonique****
🅱 (A 3/7-21/8) (D+E 3/7-29/8) (I 1/5-12/9)
🆆 (B 4/7-28/8) (C 1/7-20/9) (E 14/4-9/9) (G 4/7-28/8)
AKZ. 11/4-14/6 1/9-18/9

Murs-et-Gélignieux   Seite 290   (1964)   € 16
🅰 L'Île de la Comtesse****
🅱 (A+C+D+E 1/5-6/9) (F 1/7-31/8) (I 1/5-6/9)
🆆 (B+G 1/5-6/9)
AKZ. 1/5-5/7 23/8-6/9

Pont-de-Vaux ⚑⚑   Seite 290   (1969)   € 16
🅰 Aux Rives du Soleil***
🅱 (A+B 17/4-12/10) (D 1/5-30/9) (E+F 1/7-31/8) (I+J 17/4-30/9)
🆆 (A+F 15/5-15/9)
AKZ. 17/4-5/7 22/8-12/10

Pont-de-Vaux ⚑⚑   Seite 290   (1970)   € 14
🅰 Champ d'Été****
AKZ. 28/3-10/7 27/8-15/10 **7=6**

Pont-de-Vaux   Seite 290   (1971)   € 14
🅰 Les Ripettes***
🅱 (A 1/4-30/9) (D 1/6-15/9) 🆆 (A 15/5-15/9)
AKZ. 1/4-4/7 23/8-30/9

St. Maurice-de-Gourdans   Seite 291   (2007)   € 12
🅰 Les Plages de l'Ain**
🅱 (A 1/7-31/8) (D+E+F 1/6-30/9)
AKZ. 6/4-12/7 5/9-18/10

St. Paul-de-Varax   Seite 291   (2008)   € 14
🅰 Domaine de la Dombes****
🅱 (A+B 1/1-31/12) (D+E+F+I 15/6-15/9) 🆆 (A 15/6-15/9)
AKZ. 1/3-30/6 1/9-31/10 **7=6, 14=11**

Trévoux   Seite 292   (2025)   € 16
🅰 Sites & Paysages Kanopee Village***
🅱 (A+B 1/7-31/8) 🆆 (B 1/6-31/8) (G 1/7-31/8)
AKZ. 1/4-5/7 25/8-30/9 **7=6, 14=11**

Villars-les-Dombes   Seite 292   (2034)   € 16
🅰 Le Nid du Parc****
🅱 (A 18/4-31/10) (D 1/5-5/9) (E+I 1/6-31/8) 🆆 (B+G 1/6-31/8)
AKZ. 18/4-30/6 1/9-31/10

Vonnas   Seite 292   (2038)   € 14
🅰 Le Renom***
🅱 (D+I 15/5-15/9) 🆆 (B+G 1/7-31/8)
AKZ. 28/3-30/6 17/8-27/9

Haute-Savoie

Doussard ⚑⚑   Seite 293   (1918)   € 16
🅰 Campéole La Nublière***
🅱 (A+C 1/5-20/9) (D+E+F 15/6-15/9) (J 1/5-21/9)
AKZ. 1/5-4/7 22/8-20/9

Doussard   Seite 293   (1919)   € 16
🅰 La Ferme de la Serraz*****
🅱 (A+D+E+F+I 1/7-31/8)
🆆 (**B** 15/5-14/9) (**E** 19/4-14/9) (**G** 14/5-24/9)
AKZ. 1/5-15/7 1/9-12/9

Duingt   Seite 293   (1920)   € 16
🅰 Mun. Les Champs Fleuris**
🅱 (A 19/4-20/9)
AKZ. 18/4-27/6 24/8-26/9

Excenevex-Plage ⚑⚑   Seite 293   (1923)   € 16
🅰 Campéole La Pinède***
🅱 (A 1/6-7/9) (C 15/6-12/9)
🆆 (B 1/6-13/9) (D 1/5-13/9) (G 1/6-14/9)
AKZ. 11/4-4/7 22/8-13/9

Lathuile   Seite 293   (1936)   € 16
🅰 l'Idéal****
🅱 (A+B 1/5-20/9) (D+E+F+J 15/5-10/9)
🆆 (A 1/6-4/9) (D 1/5-20/9) (G 1/5-10/9)
AKZ. 1/5-3/7 29/8-20/9

Le Grand-Bornand   Seite 294   (1942)   € 18
🅰 l'Escale***
🅱 (A 6/7-31/8,19/12-4/1) (E+J 1/1-12/4,22/5-27/9)
🆆 (B 30/6-31/8) (E+G 1/1-12/4,22/5-27/9)
AKZ. 22/5-5/7 29/8-27/9

Ausführliche Redaktionseinträge: Seite 289 bis 294

Lugrin Seite 294 `1950` € 16
🔺 La Vieille-Eglise***
5 (A 1/7-30/8) (B 1/7-1/9) **6** (B+G 14/5-20/9)
AKZ. 11/4-5/7 22/8-17/10 *7=6, 14=12, 21=18*

Marlens Seite 294 `1954` € 16
🔺 Champ Tillet***
5 (A+E 1/4-30/9) (F 1/7-30/8) (J 1/1-31/12) **6** (B+G 15/5-15/9)
AKZ. 1/4-4/7 23/8-30/9

Neydens ✠
🔺 Sites & Paysages La Colombière**** Seite 294 `1965` € 18
5 (A 1/4-31/10) (B 1/6-30/9) (E 1/2-25/12) (F 1/7-31/8)
(I 1/4-31/10) (J 4/4-11/11)
6 (B 16/5-15/9) (E 11/4-31/10) (F 16/5-15/9)
AKZ. 1/4-9/7 26/8-31/10

Rumilly Seite 295 `1977` € 14
🔺 Le Madrid***
5 (A+D+E+F+J 1/7-31/8) **6** (A+F 1/7-31/8)
AKZ. 1/4-10/7 27/8-15/10

Samoëns ✠
🔺 CP Caravaneige Le Giffre*** Seite 295 `1983` € 16
6 (B 1/6-15/9)
AKZ. 10/1-30/1 9/5-19/6 29/8-11/12

Sévrier Seite 295 `1986` € 16
🔺 Au Coeur du Lac***
5 (A+B 1/4-30/9) (D+E+F 20/6-5/9)
AKZ. 1/4-5/7 22/8-30/9

Sévrier ✠
🔺 l'Aloua** Seite 295 `1987` € 16
5 (A 18/4-19/9) (D+E+F 1/7-30/8)
AKZ. 18/4-4/7 21/8-19/9

Sévrier Seite 295 `1988` € 16
🔺 Le Panoramic***
5 (A 1/6-10/9) (C+D+E+F+J 1/6-31/8) **6** (B+G 1/6-15/9)
AKZ. 24/4-5/7 22/8-30/9

St. Gervais-les-Bains Seite 295 `1995` € 18
🔺 Nature & Lodge Les Dômes de Miage****
5 (A+C 1/6-31/8) (E+J 12/5-13/9)
AKZ. 18/5-5/7 22/8-20/9

St. Jorioz Seite 295 `2000` € 16
🔺 International du Lac d'Annecy****
5 (A+D+E+F+I 1/6-31/8) **6** (B 25/4-11/9) (G 25/4-19/9)
AKZ. 25/4-2/7 29/8-19/9

St. Jorioz ✠
🔺 Le Crêtoux*** Seite 295 `2001` € 16
5 (A 1/7-31/8)
AKZ. 1/4-4/7 24/8-15/11

St. Jorioz Seite 295 `2002` € 16
🔺 Le Solitaire du Lac***
5 (A+B 1/5-26/9) (E 1/7-31/8)
AKZ. 3/4-4/7 22/8-26/9

St. Jorioz Seite 296 `1999` € 16
🔺 Europa****
5 (A 15/6-31/8) (F+J 1/6-31/8) **6** (**B** 25/4-19/9) (**G** 14/5-4/9)
AKZ. 25/4-3/7 26/8-18/9

Thonon-les-Bains ✠
🔺 Saint Disdille*** Seite 296 `2019` € 16
5 (A+C+D+E+F+I 1/4-30/9) (J 1/5-15/9)
AKZ. 1/4-3/7 24/8-30/9 *7=6, 14=12, 21=18*

Savoie

Aix-les-Bains Seite 297 `1885` € 16
🔺 International du Sierroz***
5 (A+D+E+J 1/4-15/10)
AKZ. 14/3-3/7 21/9-14/11

Belmont-Tramonet Seite 297 `1895` € 14
🔺 Des Trois Lacs****
5 (A+C 17/4-20/9) (D+E+F+J 10/6-30/8) **6** (B+F 17/4-20/9)
AKZ. 17/4-4/7 22/8-20/9

Bramans-en-Vanoise Seite 297 `1899` € 14
🔺 Val d'Ambin Bramans-Vanoise**
5 (A 1/7-30/8)
AKZ. 20/4-30/6 23/8-30/10

Challes-les-Eaux Seite 297 `1902` € 14
🔺 Municipal Le Savoy***
5 (A 15/3-15/10) (D+E 1/7-31/8)
AKZ. 15/3-11/7 29/8-15/10

Landry Seite 298 `1933` € 16
🔺 l'Eden de la Vanoise***
5 (A+D+E+F 1/1-25/9,12/12-31/12)
6 (B 1/4-25/9) (D 1/1-25/9,15/12-31/12)
AKZ. 2/1-6/2 6/3-3/4 24/4-3/7 28/8-25/9 12/12-19/12

Lanslevillard Seite 298 `1934` € 14
🔺 CP Caravaneige de Val Cenis***
5 (D+E+F+I 1/1-30/4,29/5-30/9)
AKZ. 3/1-6/2 28/2-10/4 29/5-10/7 27/8-30/9 13/12-19/12

Lépin-le-Lac Seite 298 `1944` € 14
🔺 Le Curtelet***
5 (A 1/6-31/8)
AKZ. 15/5-30/6 1/9-20/9

Lépin-le-Lac Seite 298 `1945` € 14
🔺 Les Peupliers**
5 (A+D 1/4-31/10)
AKZ. 1/4-30/6 24/8-31/10

Ausführliche Redaktionseinträge: Seite 294 bis 298

St. Alban-de-Montbel Seite 298 (1990) € 16
🔺 Le Sougey****
5 (A+C 6/7-23/8) (D+E+F+J 1/5-13/9)
AKZ. 1/5-4/7 24/8-13/9

St. Genix-sur-Guiers Seite 298 (1994) € 14
🔺 Les Bords du Guiers**
5 (A+D+E+I 25/4-20/9) **6** (A 15/5-10/9)
AKZ. 25/4-30/6 18/8-20/9 *16=14*

St. Jean-de-Maurienne ⚑
🔺 Des Grands Cols*** Seite 298 (1996) € 16
5 (A+B 1/6-31/8) (D 1/7-31/8)
AKZ. 14/5-3/7 24/8-19/9

St. Pierre-d'Albigny Seite 299 (2010) € 16
🔺 Lac de Carouge***
5 (A 15/6-1/9) (B+D+E 25/4-5/9) (F 1/6-7/9) (J 25/4-5/9)
AKZ. 25/4-4/7 22/8-5/9 *7=6, 14=12, 21=18*

Isère

Allevard-les-Bains Seite 299 (1886) € 16
🔺 Clair Matin***
5 (A 25/4-11/10) (D+E+I 1/5-11/10) **6** (A+F 15/6-15/9)
AKZ. 25/4-3/7 1/9-11/10

Auberives-sur-Varèze Seite 299 (1090) € 10
🔺 Camping des Nations***
5 (A 1/6-31/8) (E+I 1/3-15/11) **6** (A 1/6-31/8)
AKZ. 1/3-30/6 1/9-30/10

Autrans ⚑
🔺 Yelloh! Village Au Joyeux Réveil**** Seite 299 (1891) € 16
5 (A+D+E+F+I+J 1/5-30/9)
6 (B 1/6-31/8) (C+E 1/5-30/9) (Г 1/6-15/9)
AKZ. 1/5-3/7 30/8-30/9

Entre-deux-Guiers Seite 299 (1922) € 14
🔺 L'Arc en Ciel***
5 (F 1/3-15/10) **6** (B 15/5-15/9) (F 15/5-25/9)
AKZ. 1/3-14/7 31/8-15/10

Gresse-en-Vercors Seite 300 (1926) € 16
🔺 Les 4 Saisons***
5 (A+B 1/5-15/10,20/12-31/3) (D 1/7-31/8) (E 15/6-15/9)
(F 1/7-31/8)
6 (B 1/7-31/8)
AKZ. 1/5-5/7 24/8-15/10

Lalley Seite 300 (1931) € 16
🔺 Sites & Paysages Belle Roche***
5 (A+D+E+F+J 1/4-30/9) **6** (A 1/6-15/9)
AKZ. 1/4-5/7 23/8-30/9

Le Bourg-d'Oisans ⚑
🔺 La Cascade**** Seite 300 (1938) € 16
5 (A+D+F 1/7-31/8) **6** (B 30/5-30/9) (G 30/5-1/9)
AKZ. 1/1-29/5 8/6-26/6 20/8-30/9

Le Bourg-d'Oisans Seite 300 (1939) € 14
🔺 RCN Belledonne****
5 (A+B 25/4-19/9) (D 1/7-31/8) (E+F 25/4-19/9) (J 1/7-31/8)
6 (B+G 15/5-31/8)
AKZ. 25/4-31/5 7/6-7/7 25/8-19/9

Le Bourg-d'Oisans Seite 300 (1940) € 18
🔺 Sites & Pays. A la Rencontre du Soleil*****
5 (A 20/5-31/8) (D+E+F+I+J 20/5-3/9) **6** (B+C 1/5-20/9)
AKZ. 1/5-29/5 7/6-26/6 17/8-30/9

Mayres-Savel Seite 300 (1958) € 12
🔺 Camping de Savel**
5 (A 1/4-31/10) (B 1/4-15/10) (D+E 1/5-15/9) (F 1/7-31/8)
(I 1/4-30/10)
6 (A 1/5-30/9)
AKZ. 1/4-30/6 30/8-23/10

Méaudre Seite 300 (1959) € 14
🔺 Les Buissonnets***
5 (A 1/7-31/8) **6** (**B+G** 10/6-5/9)
AKZ. 1/4-30/6 1/9-31/10

Petichet/St. Théoffrey Seite 301 (1968) € 16
🔺 Ser Sirant***
5 (A+B+D+E+F+I+J 1/5-30/9)
AKZ. 26/4-28/6 23/8-30/9

Roybon ⚑
🔺 Camping de Roybon*** Seite 301 (1976) € 12
5 (A 1/5-30/9) (D+E+I 1/5-15/9) **6** (B 1/5-15/9)
AKZ. 1/5-15/7 1/9-30/9 *6=5*

St. Clair-du-Rhône Seite 301 (1992) € 16
🔺 Le Daxia****
5 (A 15/6-31/8) (D 1/6-30/9) (E+F+I 1/7-31/8)
6 (A+F 1/6-30/9)
AKZ. 1/4-5/7 22/8-30/9

St. Pierre-de-Chartreuse Seite 301 (2011) € 16
🔺 Sites & Paysages De Martinière***
5 (A 1/7-31/8) (B 1/6-15/9) (D+I 1/7-31/8) **6** (B+G 15/5-15/9)
AKZ. 1/5-5/7 23/8-13/9 *7=6*

St. Romans (Isère) Seite 301 (2014) € 14
🔺 Le Lac du Marandan***
5 (A+B+D+E+F+I 1/7-31/8)
AKZ. 30/4-5/7 1/9-13/9

St. Theoffrey/Petichet Seite 301 (2017) € 14
🔺 Au Pré du Lac***
5 (A 2/3-26/10) (I+J 1/1-31/12)
AKZ. 2/3-30/6 24/8-26/10

Treffort Seite 301 (2022) € 12
🔺 Camping d'Herbelon***
5 (A+B 1/4-20/10) (D 15/6-15/9) (E 1/4-20/10)
(F 15/6-15/9) (J 1/1-31/12)
6 (B+G 30/4-15/10)
AKZ. 1/5-30/6 31/8-30/9

Ausführliche Redaktionseinträge: Seite 298 bis 301

Treffort — Seite 301 · 2023 · € 12
🔺 Camping de la Plage**
5 (A+B+D 4/4-16/10) (E+F 1/7-31/8) (I 4/4-16/10)
6 (F 1/7-31/8)
AKZ. 4/4-30/6 1/9-16/10

Trept — Seite 301 · 2024 · € 16
🔺 Sites & Paysages Les 3 Lacs du Soleil****
5 (A+B 1/5-6/9) (D 1/7-31/8) (F+I 1/6-6/9) **6** (A+F 1/5-6/9)
AKZ. 1/5-4/7 22/8-6/9 **7=6, 14=12**

Vizille — Seite 302 · 2037 · € 16
🔺 Le Bois de Cornage***
5 (A 1/6-15/9) (D+E+F+I 1/6-31/8) **6** (A+F 1/6-15/10)
AKZ. 1/4-30/6 1/9-31/10

Drôme

Anneyron — Seite 302 · 1887 · € 14
🔺 Flower cp La Châtaigneraie****
5 (A+C+D+E+F+J 4/4-27/9) **6** (A+F 15/5-15/9)
AKZ. 4/4-5/7 22/8-27/9 **7=6, 14=12, 21=18**

Barbières ♣♣ — Seite 302 · 1894 · € 16
🔺 Le Gallo-Romain****
5 (A+B+D+E+F 18/4-26/9) (J 18/4-18/9) **6** (A+F 18/4-26/9)
AKZ. 18/4-5/7 22/8-26/9 **7=6**

Bénivay-Ollon/Buis-les-Baronn. — Seite 302 · 1896 · € 18
🔺 Domaine de l'Écluse***
5 (A+B+D+E+F 25/4-20/9) (H+I 28/6-30/8)
6 (B 1/5-20/9) (G 7/6-15/9)
AKZ. 25/4-5/7 24/8-20/9

Bourdeaux ♣♣ — Seite 302 · 1897 · € 16
🔺 Yelloh! Village Les Bois du Châtelas*****
5 (A+C+D+E+F+I+J 10/4-13/9) **6** (B+E+F 10/4-13/9)
AKZ. 10/4-4/7 22/8-13/9 **14=11, 28=21**

Buis-les-Baronnies — Seite 302 · 1900 · € 16
🔺 Domaine La Gautière***
5 (A+B 1/5-15/9) (D+E 1/4-30/9) (F+I 1/5-30/9)
6 (A+F 15/5-30/9)
AKZ. 1/4-10/7 27/8-31/10

Buis-les-Baronnies — Seite 302 · 1901 · € 16
🔺 La Fontaine d'Annibal***
5 (A+B+I 1/7-31/8) **6** (A 1/6-1/9)
AKZ. 4/4-4/7 29/8-18/10

Châteauneuf-de-Galaure ♣♣ — Seite 303 · 1903 · € 12
🔺 Château de Galaure
5 (A+B+D+E+F+I 1/5-31/8) **6** (A+F 1/5-31/8)
AKZ. 24/4-4/7 29/8-27/9

Châteauneuf-sur-Isère — Seite 303 · 1904 · € 16
🔺 Le Soleil Fruité****
5 (A+B+D+E+F 25/4-15/9) **6** (A+D 25/4-15/9) (G 28/4-15/9)
AKZ. 25/4-3/7 22/8-14/9

Châtillon-en-Diois — Seite 303 · 1905 · € 16
🔺 VivaCamp Le Lac Bleu***
5 (A+B+D 18/4-26/9) (E+F 15/5-15/9) (I 18/4-26/9)
6 (D+G 18/4-26/9)
AKZ. 18/4-3/7 23/8-26/9 **14=11**

Crest ♣♣ — Seite 303 · 1908 · € 16
🔺 Les Clorinthes***
5 (A 26/4-13/9) (D+E+F 15/6-31/8) **6** (A+F 1/5-10/9)
AKZ. 26/4-5/7 24/8-13/9

Die — Seite 303 · 1912 · € 12
🔺 Chamarges**
5 (A 28/3-4/10) (D+E+F+I+J 28/4-4/10) **6** (A 5/4-5/10)
AKZ. 28/3-4/7 22/8-4/10

Die — Seite 303 · 1913 · € 12
🔺 Le Glandasse***
5 (A+B+D+E 15/4-30/9) (F+I 1/5-30/9) **6** (B+G 25/4-30/9)
AKZ. 20/4-1/7 20/8-30/9

Die — Seite 303 · 1914 · € 14
🔺 Le Riou-Merle***
5 (A 1/6-15/9) (E+I+J 1/4-15/10) **6** (A 15/5-30/9)
AKZ. 1/4-4/7 25/8-15/10

Dieulefit — Seite 303 · 1915 · € 16
🔺 Huttopia Dieulefit***
5 (A+C 2/4-19/10) (D+E+F+I 1/7-31/8) **6** (B 25/4-30/9)
AKZ. 2/4-3/7 1/9-19/10

Dieulefit ♣♣ — Seite 303 · 1916 · € 14
🔺 Le Domaine des Grands Prés***
5 (A 20/3-1/11) **6** (A 1/5-30/9) (F 1/7-31/8)
AKZ. 20/3-4/7 22/8-1/11

Grâne ♣♣ — Seite 303 · 1925 · € 16
🔺 Les 4 Saisons***
5 (A 1/5-30/9) (D 15/6-15/9) **6** (B+F 1/5-30/9)
AKZ. 1/4-4/7 22/8-30/9 **7=6, 14=11**

Hauterives ♣♣ — Seite 304 · 1927 · € 12
🔺 Le Château***
5 (A+C 4/4-26/9) (D 4/4-28/9) (E 4/4-26/9) (I+J 1/5-31/8)
6 (B+G 15/6-31/8)
AKZ. 4/4-4/7 31/8-26/9 **7=6**

La Motte-Chalancon — Seite 304 · 1930 · € 14
🔺 La Ferme de Clareau***
5 (A+E+F+I 17/4-11/10) **6** (A 1/6-1/9)
AKZ. 17/4-26/6 29/8-11/10

Ausführliche Redaktionseinträge: Seite 301 bis 304

Le Grand-Serre ☀⛺   Seite 304   (1943)   € 10
🏔 Le Grand Cerf****
5 (A 1/7-31/8) (D+E+F+I+J 11/4-14/9) **6** (A+F 29/5-11/9)
AKZ. 11/4-2/7 19/8-14/9

Luc-en-Diois ☀⛺   Seite 304   (1949)   € 12
🏔 Les Foulons***
5 (A 1/5-15/9) (D+E+F+I 1/7-31/8) **6** (**B**+G 10/6-10/9)
AKZ. 10/4-3/7 23/8-20/10

Lus-la-Croix-Haute   Seite 304   (1951)   € 14
🏔 Champ la Chèvre***
5 (D 24/4-14/9) (E+F 23/4-14/9) (I 19/4-14/9) (J 23/4-14/9)
6 (B+D+G 20/4-28/9)
AKZ. 20/4-4/7 22/8-28/9

Marsanne   Seite 304   (1955)   € 16
🏔 Les Bastets****
5 (A 25/4-30/9) (B 1/6-30/9) (D+E+F+J 1/7-31/8)
6 (A+F 26/4-30/9)
AKZ. 25/4-4/7 22/8-30/9 **7=6**

Mirabel-et-Blacons   Seite 304   (1961)   € 16
🏔 Gervanne Camping****
5 (A 1/4-30/9) (C 1/1-31/12) (D+E+F+I+J 1/6-20/9)
6 (B+G 1/5-30/9)
AKZ. 1/4-3/7 24/8-30/9

Montrigaud   Seite 304   (1963)   € 14
🏔 La Grivelière****
5 (A+B+D+F+I 1/4-30/9) **6** (B+G 1/5-30/9)
AKZ. 1/4-3/7 20/8-30/9 **7=6**

Novézan/Venterol/Nyons   Seite 304   (1966)   € 16
🏔 Les Terrasses Provençales****
6 (A+B+D+E+F+I 1/4-30/9) **6** (B 15/4-30/9)
AKZ. 1/4-4/7 24/8-30/9

Recoubeau-Jansac ☀⛺   Seite 305   (1974)   € 12
🏔 Domaine du Couriou****
5 (A 1/6-31/8) (B+D 1/7-31/8) (E+F 1/6-31/8) (I 1/7-31/8)
6 (B+F 1/5-15/9)
AKZ. 1/4-5/7 24/8-15/9 **7=6, 14=11**

Sahune   Seite 305   (1981)   € 14
🏔 Les Ramières****
5 (A+B+C+D+E+F+I 11/4-11/9) **6** (B+G 11/4-8/9)
AKZ. 11/4-4/7 29/8-11/9

Saillans   Seite 305   (1982)   € 14
🏔 Les Chapelains
5 (A+B+I+J 18/4-15/9)
AKZ. 18/4-4/7 22/8-15/9

St. Avit   Seite 305   (1991)   € 14
🏔 Domaine La Garenne****
6 (B+F 15/5-14/9)
AKZ. 20/4-5/7 24/8-30/9

Tulette   Seite 305   (2026)   € 16
🏔 Les Rives de l'Aygues***
5 (A+B 1/5-25/9) (D+E+F 1/7-31/8) **6** (B+F 1/5-25/9)
AKZ. 1/5-6/7 23/8-25/9

Vercheny ☀⛺   Seite 305   (2033)   € 14
🏔 Les Acacias***
5 (A 1/4-30/9) (B 1/6-30/9) (D+E+I 1/5-15/9)
AKZ. 1/4-3/7 22/8-30/9

Ardèche

Baix   Seite 306   (1892)   € 16
🏔 Domaine du Merle Roux - France Loc****
5 (A+B+D+E+F+J 11/4-27/9) **6** (B+G 11/4-27/9)
AKZ. 11/4-14/7 31/8-26/9

Bourg-St-Andéol ☀⛺   Seite 306   (1898)   € 16
🏔 Le Lion***
5 (A 28/3-30/9) (D+E+F+I 14/5-30/9) **6** (A+F 1/6-30/9)
AKZ. 28/3-3/7 24/8-30/9 **7=6, 14=12, 21=18**

Chauzon   Seite 306   (1906)   € 14
🏔 La Digue****
5 (A+C+D+E 28/3-30/9) (F 1/7-29/8) (J 28/3-30/9)
6 (B+G 1/4-30/9)
AKZ. 11/4-5/7 22/8-30/9

Darbres   Seite 306   (1911)   € 16
🏔 Camping Les Charmilles***
5 (A+B+D+E+F+J 1/5-30/9) **6** (B+F 1/5-30/9)
AKZ. 2/5-5/7 22/8-30/9 **14=12, 21=18**

Eclassan   Seite 306   (1921)   € 16
🏔 l'Oasis****
5 (A+D+E 2/5-6/9) (F+I 1/5-6/9) **6** (B 8/5-6/9) (G 2/5-6/9)
AKZ. 2/5-4/7 23/8-6/9

Joyeuse ☀⛺   Seite 307   (1929)   € 16
🏔 La Nouzarède***
5 (A+B+D+E+F+J 11/4-20/9) **6** (B 11/4-20/9) (G 11/4-30/9)
AKZ. 11/4-8/7 25/8-20/9 **7=6, 14=11**

Lamastre   Seite 307   (1932)   € 14
🏔 Camping de Retourtour***
5 (A 19/4-26/9) (B+D+E+F+I 11/4-25/9)
AKZ. 11/4-5/7 24/8-25/9

Largentière   Seite 307   (1935)   € 16
🏔 Domaine Les Ranchisses*****
5 (A+C+D+E+F+J 11/4-20/9) **6** (B+E+G 11/4-20/9)
AKZ. 11/4-30/6 22/8-20/9

Laurac-en-Vivarais   Seite 307   (1937)   € 14
🏔 Les Châtaigniers Camping***
5 (A 1/7-31/8) **6** (A+F 1/5-30/9)
AKZ. 1/4-30/6 1/9-30/9

Ausführliche Redaktionseinträge: Seite 304 bis 307

Le Crestet — Seite 307 — 1941 — € 14
🔺 Les Roches****
🔵 (A+B 1/4-30/9) (D 1/7-30/8) (E 1/5-30/9) (F+I+J 1/7-30/8)
🔴 (B 1/4-30/9)
AKZ. 1/4-12/7 29/8-30/9 **7=6**

Les Ollières-sur-Eyrieux ⚤ — Seite 307 — 1946 — € 14
🔺 Le Chambourlas***
🔵 (A 1/5-30/9) (B 15/4-30/9) (D+E+F 1/6-30/9) (I 1/6-15/9)
🔴 (B+F 1/5-30/9)
AKZ. 15/4-30/6 25/8-30/9 **7=6, 14=11**

Les Ollières-sur-Eyrieux — Seite 307 — 1947 — € 16
🔺 VivaCamp Le Mas de Champel****
🔵 (A 1/5-15/9) (B 25/4-19/9) (D+E+F+J 2/5-15/9)
🔴 (B+F 1/5-15/9)
AKZ. 25/4-4/7 23/8-19/9 **14=11**

Les Vans — Seite 307 — 1948 — € 16
🔺 Lou Rouchetou***
🔵 (A+B+E+F+J 1/4-20/9) 🔴 (A 1/5-20/9) (F 1/5-15/9)
AKZ. 1/4-5/7 22/8-30/9

Lussas — Seite 308 — 1952 — € 16
🔺 VivaCamp Ludo Camping***
🔵 (A+B+D+E+F+I 25/4-3/10) 🔴 (B+G 25/4-3/10)
AKZ. 25/4-4/7 23/8-3/10 **14=11**

Meyras ⚤ — Seite 308 — 1960 — € 16
🔺 Le Ventadour***
🔵 (A 1/6-13/9) (B+D+E+F+I 1/7-30/8)
AKZ. 18/4-3/7 31/8-4/10 **14=13, 21=19**

Pradons/Ruoms — Seite 308 — 1972 — € 14
🔺 Du Pont****
🔵 (A+D+E+F+I 27/3-20/9) 🔴 (B+G 27/3-20/9)
AKZ. 27/3-26/6 29/8-20/9

Pradons/Ruoms ⚤ — Seite 308 — 1973 — € 16
🔺 Les Coudoulets****
🔵 (A+D+E+F+I 18/4-19/9) 🔴 (B+G 18/4-19/9)
AKZ. 18/4-1/7 26/8-19/9 **14=13, 21=19**

Rosières ⚤ — Seite 308 — 1975 — € 16
🔺 Domaine Arleblanc Camping****
🔵 (A+C 28/3-30/10) (D+E+F 28/3-15/9) (J 28/4-15/9)
🔴 (B+F 30/4-30/9)
AKZ. 28/3-3/7 29/8-30/10 **7=6, 14=12**

Ruoms ⚤ — Seite 308 — 1978 — € 12
🔺 Peyroche**
🔵 (A 28/3-6/9) (D+E 1/7-31/8) (F 1/7-30/8)
AKZ. 1/5-3/7 23/8-6/9

Ruoms ⚤ — Seite 308 — 1979 — € 14
🔺 Sites & Paysages Le Petit Bois***
🔵 (A 1/4-26/9) (D+E+F+I 1/5-5/9) 🔴 (B+D+G 3/4-26/9)
AKZ. 1/4-3/7 26/8-26/9 **14=13, 21=19**

Ruoms — Seite 309 — 1980 — € 16
🔺 Sunêlia Aluna Vacances*****
🔵 (A+C+D+E+F+J 11/4-13/9) 🔴 (B 11/4-13/9) (G 12/4-14/9)
AKZ. 11/4-28/6 30/8-13/9

Sampzon — Seite 309 — 1984 — € 16
🔺 Flower camping Le Rivièra****
🔵 (A+B 18/4-20/9) (D+E+F+J 1/5-15/9) 🔴 (B+G 18/4-20/9)
AKZ. 18/4-3/7 30/8-20/9 **21=18**

Sampzon/Ruoms — Seite 309 — 1985 — € 14
🔺 RCN La Bastide en Ardèche****
🔵 (A 28/3-26/9) (C+D+E+F+J 5/4-26/9) 🔴 (B+G 5/4-26/9)
AKZ. 28/3-7/7 25/8-26/9

St. Alban-Auriolles/Ruoms — Seite 309 — 1989 — € 18
🔺 Sunêlia Le Ranc Davaine*****
🔵 (A+C 11/4-13/9) (D 12/4-14/9) (E+F+J 11/4-13/9)
🔴 (A+D+G 11/4-13/9)
AKZ. 11/4-28/6 30/8-13/9

St. Jean-de-Muzols/Tournon-s-R ⚤ — Seite 309 — 1997 — € 14
🔺 Le Castelet***
🔵 (A 11/4-12/9) 🔴 (A 10/5-13/9) (F 15/5-11/9)
AKZ. 11/4-4/7 24/8-12/9 **7=6, 14=12, 21=18**

St. Jean-le-Centenier — Seite 309 — 1998 — € 16
🔺 Les Arches****
🔵 (A 9/5-13/9) (D+E+F+I 1/7-31/8) 🔴 (B+G 15/5-13/9)
AKZ. 24/4-6/7 23/8-20/9 **21=19, 28=25**

St. Julien-en-St-Alban — Seite 310 — 2003 — € 16
🔺 L'Albanou***
🔵 (A+B+D+E 17/4-30/9) 🔴 (B+F 17/4-30/9)
AKZ. 17/4-5/7 22/8-30/9 **14=12, 21=18, 28=24**

St. Laurent-du-Pape ⚤ — Seite 310 — 2004 — € 18
🔺 La Garenne***
🔵 (A 1/5-14/9) (B 1/4-1/10) (D+E+F+J 1/5-14/9)
🔴 (A+F 2/5-20/9)
AKZ. 1/4-5/7 22/8-1/10 **14=12, 21=18**

St. Martin-d'Ardèche — Seite 310 — 2005 — € 16
🔺 Des Gorges****
🔵 (A+C+D+E+F+J 1/4-15/9) 🔴 (B+G 1/4-15/9)
AKZ. 1/4-30/6 1/9-15/9

St. Martin-d'Ardèche — Seite 310 — 2006 — € 16
🔺 Indigo Le Moulin***
🔵 (A+B 30/4-28/9) (D+E+F 10/6-31/8) (I 1/7-31/8)
🔴 (B 30/4-28/9)
AKZ. 30/4-5/6 31/8-27/9

St. Privat — Seite 310 — 2013 — € 14
🔺 Le Plan d'Eau***
🔵 (A+B+D+E+F+I 1/5-26/9) 🔴 (B+G 1/5-26/9)
AKZ. 1/5-4/7 22/8-26/9

Ausführliche Redaktionseinträge: Seite 307 bis 310

St. Sauveur-de-Cruzières ⚲⛺
🏕 Camping de la Claysse★★★★   Seite 310   2015   € 16
5 (A 1/7-31/8) (D+E+F+I 1/4-30/9) 6 (A 15/5-30/9)
AKZ. 1/4-7/7   24/8-30/9

St. Sauveur-de-Montagut
🏕 l'Ardéchois★★★★★   Seite 310   2016   € 16
5 (A+B 9/5-20/9) (D 4/7-29/8) (E+J 9/5-20/9)
6 (B+G 9/5-20/9)
AKZ. 9/5-3/7   22/8-20/9

St. Thomé ⚲⛺
🏕 Le Médiéval★★★   Seite 310   2018   € 14
5 (A+B+D 1/4-31/10) (E 1/6-30/9) (F 15/6-31/8) (I 15/6-15/9)
6 (B 1/5-30/9) (F 1/6-15/9)
AKZ. 1/4-10/7   28/8-31/10   14=12, 21=18

Tournon-sur-Rhône
🏕 Camping de Tournon HPA★★★   Seite 310   2020   € 16
AKZ. 1/3-3/7   24/8-15/11

Tournon-sur-Rhône
🏕 Les Acacias★★★   Seite 311   2021   € 16
5 (A+D+E+F+I 1/7-31/8) 6 (A+F 15/5-15/9)
AKZ. 1/4-5/7   24/8-30/9

Ucel/Aubenas
🏕 Domaine de Gil★★★★   Seite 311   2027   € 16
5 (A+B 18/4-20/9) (D+E+F+J 1/6-30/8) 6 (B+G 18/4-20/9)
AKZ. 18/4-3/7   22/8-20/9   14=13, 21=19

Vallon-Pont-d'Arc
🏕 Beau Rivage★★★★   Seite 311   2028   € 16
5 (A+B 30/4-12/9) (D+E+F+J 29/5-31/8) 6 (B+G 30/4-12/9)
AKZ. 30/4-5/7   23/8-12/9   14=13, 21=19

Vallon-Pont-d'Arc
🏕 Domaine de L'Esquiras★★★★   Seite 312   2029   € 16
5 (A 1/5-30/9) (B 3/4-30/9) (D+E+F+J 3/4-15/9)
6 (A+F 3/4-30/9)
AKZ. 3/4-4/7   24/8-30/9

Vallon-Pont-d'Arc
🏕 International Camping★★★★   Seite 312   2030   € 16
5 (A+B+D+E+F+J 1/5-30/9) 6 (B+G 1/5-30/9)
AKZ. 1/5-10/7   28/8-30/9

Vallon-Pont-d'Arc
🏕 Mondial Camping★★★★   Seite 312   2031   € 18
5 (A+C+D+E+F+J 27/3-27/9) 6 (B+G 27/3-27/9)
AKZ. 27/3-27/6   29/8-27/9

Vallon-Pont-d'Arc/Lagorce
🏕 Domaine de Chadeyron★★★   Seite 314   2032   € 16
5 (A+B+D 3/4-16/10) (F 1/7-31/8) 6 (B+G 1/5-15/9)
AKZ. 3/4-4/7   22/8-16/10   21=19

Villeneuve-de-Berg
🏕 Domaine le Pommier★★★★★   Seite 314   2036   € 18
5 (A+C+D+E+J 24/4-5/9) 6 (B+G 24/4-5/9)
AKZ. 24/4-27/6   29/8-5/9

Lozère

Bagnols-les-Bains
🏕 Le Tivoli   Seite 314   2158   € 12
AKZ. 4/4-30/6   1/9-2/11   7=6, 14=12

Bédouès/Florac
🏕 Camping Chantemerle★★   Seite 315   2162   € 14
5 (A+B+E+F+J 1/4-12/11)
AKZ. 1/4-6/7   24/8-12/11

Chastanier
🏕 Du Pont de Braye★★★   Seite 315   2175   € 12
5 (A+B+D+E+F 1/5-20/9)
AKZ. 1/5-10/7   29/8-20/9

Florac
🏕 Pont du Tarn★★★   Seite 315   2186   € 14
5 (A 1/4-1/11) (D+E+I 9/5-31/8) 6 (B+G 8/5-15/9)
AKZ. 1/4-4/7   22/8-1/11

Langogne/Naussac
🏕 Loc Torrooooo du Lac★★★   Seite 315   2197   € 14
5 (A 15/4-30/9) (B 15/4-30/10) (D 15/4-18/10)
(E+J 15/4-12/10)
6 (B+G 15/6-15/9)
AKZ. 15/4-5/7   24/8-30/9

Le Rozier
🏕 Municipal de Brouillet★★★   Seite 315   2205   € 14
6 (B+G 1/6-13/9)
AKZ. 1/4-30/6   1/9-30/9

Le Rozier/Peyreleau
🏕 Les Prades★★★★   Seite 316   2206   € 14
5 (A 1/5-15/9) (C 1/7-31/8) (D+E+F+J 1/5-15/9)
6 (B+G 1/5-15/9)
AKZ. 1/5-5/7   25/8-15/9

Les Vignes
🏕 La Blaquière★★★   Seite 316   2208   € 14
5 (A+C 28/4-20/9) (D+E+F 1/6-31/8) (I 1/7-31/8)
AKZ. 28/4-3/7   28/8-20/9

St. Alban-sur-Limagnole
🏕 Le Galier★★   Seite 316   2244   € 14
5 (A 1/6-31/8) (D 1/5-30/9) (F 15/6-30/8) 6 (A+F 1/7-31/8)
AKZ. 1/3-15/7   1/9-30/9

Gard

Anduze
🏕 Le Castel Rose★★★   Seite 317   2144   € 16
5 (A 1/4-28/9) (B+D+E+F+I+J 15/4-15/9) 6 (B+G 1/4-28/9)
AKZ. 1/4-3/7   20/8-28/9

Ausführliche Redaktionseinträge: Seite 310 bis 317

Anduze ♦♦   Seite 317   2145   € 14
▲ Le Pradal***
5 (A 28/3-3/10) (B 1/7-31/8) (D+E 1/6-30/9) (F+I 1/7-30/9)
6 (A+F 15/5-30/9)
AKZ. 28/3-4/7 25/8-3/10

Anduze   Seite 317   2146   € 12
▲ Les Fauvettes***
5 (A+B 26/4-30/9) (D+E+F+I+J 1/7-31/8) **6** (A+F 26/4-30/9)
AKZ. 25/4-5/7 22/8-30/9

Attuech/Anduze ♦♦   Seite 317   2157   € 14
▲ Le Fief d'Anduze***
5 (A+B 1/4-30/9) (D+E+F+I 1/5-30/9) **6** (B+F 1/4-30/9)
AKZ. 1/4-11/7 28/8-30/9

Bagnols-sur-Cèze   Seite 317   2159   € 18
▲ La Coquille***
5 (A 2/4-15/9) (D+E+F 10/6-10/9) **6** (A+F 15/6-15/9)
AKZ. 2/4-30/6 22/8-15/9

Bagnols-sur-Cèze   Seite 317   2160   € 18
▲ Les Genêts d'Or****
5 (A+B+D+E+F+J 10/5-15/9) **6** (B 1/5-20/9) (F 15/5-20/9)
AKZ. 20/4-4/7 21/8-20/9

Barjac ♦♦   Seite 318   2161   € 16
▲ Domaine de la Sablière****
5 (A+C+D+E+F+I+J 28/3-27/9)
6 (B 28/3-4/10) (D 1/7-31/8) (F 1/5-15/9)
AKZ. 28/3-30/6 1/9-4/10

Boisset-Gaujac/Anduze   Seite 318   2164   € 16
▲ Domaine de Gaujac***
5 (A+B+C+D+E+F 1/5-5/9) **6** (B+G 1/5-5/9)
AKZ. 1/5-4/7 23/8-5/9

Cardet   Seite 318   2172   € 16
▲ Beau Rivage**
5 (A 1/5-1/10) (B 1/4-1/10) (D+E+F+I 1/5-1/10)
6 (B+F 1/5-1/10)
AKZ. 1/4-3/7 25/8-30/9

Gallargues-le-Montueux   Seite 318   2190   € 16
▲ Les Amandiers****
5 (A+B 1/7-31/8) (D+E+F+I 1/6-30/8) **6** (B+G 1/5-30/9)
AKZ. 1/4-30/6 1/9-30/9 7=6

Junas ♦♦   Seite 318   2192   € 14
▲ Les Chenes**
5 (A+B+D+E+F 5/4-11/10) **6** (A+F 15/5-11/10)
AKZ. 5/4-5/7 23/8-11/10

La Roque-sur-Cèze ♦♦   Seite 318   2195   € 16
▲ La Vallée Verte****
5 (A+B+E+F+J 25/4-19/9) **6** (A+F 25/4-19/9)
AKZ. 25/4-3/7 22/8-19/9

La Roque-sur-Cèze ♦♦   Seite 318   2196   € 16
▲ Les Cascades****
5 (A+C+D+E+F 24/4-27/9) (I 24/4-30/9) **6** (B+F 24/4-27/9)
AKZ. 24/4-4/7 22/8-27/9 7=6, 14=11

Lasalle/Anduze   Seite 319   2199   € 16
▲ La Salendrinque***
5 (A 1/5-15/9) (D+E+F 15/6-15/9) **6** (B+G 15/5-15/9)
AKZ. 1/5-3/7 22/8-15/9

Le Vigan   Seite 319   2207   € 16
▲ Le Val de l'Arre***
5 (A 1/5-30/9) (C 1/6-31/8) (D+E+I 1/6-15/9)
6 (A 1/6-15/9) (F 15/6-10/9)
AKZ. 1/4-3/7 24/8-30/9

Méjannes-le-Clap ♦♦   Seite 319   2221   € 16
▲ La Genèse***
5 (A+C+D+E+F+I+J 1/4-15/9) **6** (B+F 1/4-15/9)
AKZ. 28/3-4/7 24/8-12/9

Peyremale-sur-Cèze ♦♦   Seite 320   2230   € 18
▲ des Drouilhèdes***
5 (A+B+E+I 1/5-15/9)
AKZ. 1/5-1/7 1/9-15/9

Pont-d'Hérault   Seite 320   2232   € 16
▲ Les Gorges de l'Hérault**
5 (A 1/7-30/8) (C 1/4-30/9) (D+I 1/7-30/8) **6** (A+F 15/5-30/9)
AKZ. 1/4-30/6 1/9-30/9

St. Jean-du-Gard   Seite 320   2246   € 16
▲ Mas de la Cam****
5 (A 26/4-20/9) (C 15/5-10/9) (D+E 1/6-10/9) (F 1/7-31/8)
(I+J 1/6-10/9)
6 (B+G 15/5-10/9)
AKZ. 25/4-5/7 24/8-20/9

Vallabrègues/Beaucaire/Tarasc. ♦♦   Seite 321   2256   € 16
▲ Lou Vincen***
5 (A+B 1/4-31/10) **6** (A 1/5-30/9)
AKZ. 1/4-3/7 20/8-31/10 7=6, 14=11, 21=17, 28=22

Vauvert ♦♦   Seite 321   2261   € 14
▲ Le Mas de Mourgues**
5 (A+B+E+F 15/3-15/10) **6** (B 1/4-15/10)
AKZ. 15/3-15/7 1/9-15/10

Villeneuve-lez-Avignon/Avignon ♦♦   Seite 321   2272   € 14
▲ Campéole L'ile des Papes****
5 (A+B+E+J 28/3-11/11) **6** (B+F 1/5-30/9)
AKZ. 28/3-4/7 22/8-11/11

Villeneuve-lez-Avignon/Avignon   Seite 321   2273   € 16
▲ VivaCamp La Laune***
5 (A+B+D+E+F+I 30/3-17/10)
AKZ. 30/3-26/6 23/8-17/10 14=11

Ausführliche Redaktionseinträge: Seite 317 bis 321

Hérault

Agde
▲ Camping Le Neptune**** — Seite 322 € 16
5 (A 5/4-4/10) (B 15/5-15/9) (D+E+F 27/6-23/8)
6 (B+F 5/4-4/10)
AKZ. 5/4-7/7 24/8-3/10 *7=6, 14=11*

Agde
▲ L'Escale*** — Seite 322 € 16
5 (A+B+D 28/3-27/9) (E 1/7-31/8) (F+I+J 28/3-27/9)
6 (A+F 15/5-27/9)
AKZ. 28/3-7/7 24/8-27/9

Agde ⚑⚑
▲ La Pepinière*** — Seite 322 € 12
5 (A+D 4/4-30/9) **6** (B+G 11/4-30/9)
AKZ. 14/3-3/7 22/8-16/10

Agde ⚑⚑
▲ Le Cap Agathois*** — Seite 322 € 14
5 (A+B+D+E+F 1/5-14/9) **6** (B+G 1/5-14/9)
AKZ. 15/4-10/7 29/8-14/9 *7=6, 14=12*

Agde ⚑⚑
▲ Les Mimosas**** — Seite 322  € 12
5 (A+C+D+E+F 16/3-17/10) **6** (B+G 11/4-30/9)
AKZ. 16/3-7/7 24/8-17/10 *7, 6, 10-10, 11=11, 00=10*

Agde ⚑⚑
▲ Les Romarins**** — Seite 322 € 16
5 (A+B+D+E+F+I 28/3-2/10) **6** (B 28/3-2/10)
AKZ. 28/3-3/7 23/8-2/10 *7=6, 12=10, 21=17*

Boisseron ⚑⚑
▲ Domaine de Gajan**** — Seite 323 € 14
5 (A+B+D+E+F+I 1/5-30/9) **6** (B+F 1/5-30/9)
AKZ. 1/4-3/7 29/8-30/9

Brissac
▲ Le Val d'Hérault**** — Seite 323 € 16
5 (A+B 15/3-31/10) (D+E+F 1/7-31/8) (I 1/7-30/8)
6 (A 15/5-30/9)
AKZ. 15/3-30/6 1/9-31/10

Cap-d'Agde ⚑⚑
▲ Camping Mer et Soleil**** — Seite 324 € 16
5 (A+C+D+E+F+J 11/4-3/10) **6** (B+G 11/4-3/10)
AKZ. 11/4-27/6 1/9-3/10

Cap-d'Agde ⚑⚑
▲ La Mer*** — Seite 324 **2170** € 14
5 (A+D+F 1/5-26/9)
AKZ. 11/4-11/7 1/9-4/10

Cap-d'Agde
▲ Le Rochelongue**** — Seite 324 **2171** € 12
5 (A+B+D+E+F 11/4-2/10) **6** (B+G 1/5-14/9)
AKZ. 4/4-3/7 30/8-10/10

Castries
▲ de Fondespierre*** — Seite 324 **2174** € 16
5 (A+B 1/1-31/12) **6** (B 1/5-15/10)
AKZ. 1/3-28/5 2/6-3/7 22/8-17/12

Clapiers
▲ Le Plein Air des Chênes**** — Seite 324 **2176** € 16
5 (A 1/7-31/8) (D+E+I 13/4-30/9) (J 1/1-31/12)
6 (B 10/4-10/9) (F 1/6-10/9)
AKZ. 3/4-3/7 31/8-12/9

Colombiers ⚑⚑
▲ Les Peupliers*** — Seite 324 **2178** € 16
5 (A 1/4-30/10) (D+E+F+I 1/5-30/9) **6** (A+F 1/6-30/9)
AKZ. 15/1-30/6 24/8-15/11

Fabrègues
▲ Le Botanic — Seite 324 **2183** € 14
5 (A 1/4-10/10) (D+E+F+I 15/6-15/9)
AKZ. 1/4-5/7 1/9-10/10

Fontès
▲ L'Evasion*** — Seite 324 **2187** € 16
5 (A+B+D+E+F+I 15/3-4/11) **6** (A 1/5-15/9)
AKZ. 15/3-15/7 1/9-4/11

Frontignan-Plage
▣ CP village intern. Les Tamaris — Seite 324 **2190** € 10
5 (A+C+D+E+F+J 3/4-11/10) **6** (A+F 3/4-11/10)
AKZ. 3/4-26/6 31/8-10/10

Grau-d'Agde ⚑⚑
▲ Les Sablettes*** — Seite 324 **2191** € 12
5 (A 1/7-31/8) (D+E+F+I 1/6-15/9) **6** (A+F 15/4-30/9)
AKZ. 1/4-10/7 28/8-29/9 *7=6, 14=12, 21=17*

Lansargues/Mauguio ⚑⚑
▲ Le Fou du Roi*** — Seite 325 **2198** € 14
5 (A 1/7-31/8) (B 1/4-15/10) (D+E 1/7-31/8)
6 (A+F 1/5-30/9)
AKZ. 1/4-4/7 21/8-15/10

Laurens
▲ Sites & Paysages L'Oliveraie**** — Seite 326 **2201** € 16
5 (A 1/6-30/9) (C+D+E+F+I 1/7-31/8) **6** (A+F 1/6-30/9)
AKZ. 2/3-8/7 25/8-31/10

Lodève
▲ Les Vals*** — Seite 326 **2210** € 16
5 (A 15/4-30/10) (B+D 6/7-24/8) (E+F 15/4-30/10)
(I 6/7-24/8)
6 (A 15/5-15/9)
AKZ. 15/4-10/7 1/9-30/10

Loupian
▲ Municipal de Loupian*** — Seite 326 **2211** € 12
5 (A+D+E+I 1/5-30/9)
AKZ. 4/4-26/6 24/8-18/10

Ausführliche Redaktionseinträge: Seite 322 bis 326

Lunel
▲ Bon Port****   Seite 326   2212   € 14
5 (A 4/4-30/9) (C+D+E+F+I 1/7-31/8)   **6** (A+F 1/6-15/9)
AKZ. 4/4-3/7   24/8-30/9

Marseillan-Plage
▲ Beauregard Plage***   Seite 326   2213   € 16
5 (A 28/3-15/10) (D+E+I+J 1/6-30/9)
AKZ. 28/3-30/6   1/9-15/10

Marseillan-Plage ☻☻
▲ Camping Robinson***   Seite 326   2214   € 14
5 (A+B 1/5-10/9) (D+E+F 1/5-15/9)
AKZ. 25/4-4/7   31/8-25/9

Marseillan-Plage
▲ Dunes et Soleil****   Seite 327   2215   € 14
5 (A+D+E+F 11/4-27/9)
AKZ. 11/4-10/7   29/8-27/9

Marseillan-Plage ☻☻
▲ La Créole***   Seite 327   2216   € 16
5 (D 1/7-31/8)
AKZ. 28/3-20/6   6/9-10/10

Marseillan-Plage ☻☻
▲ Les Méditerranées Beach Club Charlemagne*****   Seite 328   2218   € 16
5 (A+C+D+E 28/3-26/9) (F+I+J 11/4-27/9)
6 (B 11/4-27/9) (E+G 28/3-26/9)
AKZ. 28/3-3/7   29/8-26/9

Marseillan-Plage ☻☻
▲ Les Méditerranées Beach Garden****   Seite 328   2219   € 16
5 (A+C+F+I+J 28/3-26/9)   **6** (B 11/4-27/9) (E+G 28/3-26/9)
AKZ. 28/3-3/7   29/8-26/9

Marseillan-Plage
▲ Le Galet***   Seite 328   2217   € 14
5 (A 1/4-30/9)   **6** (B+G 19/4-25/9)
AKZ. 1/4-1/7   23/8-30/9

Montblanc
▲ Le Rebau***   Seite 328   2222   € 16
5 (A 1/7-31/8) (D 4/7-31/8)   **6** (A 1/7-31/8)
AKZ. 14/3-30/6   1/9-17/10

Montoulieu
▲ Le Grillon***   Seite 328   2224   € 10
5 (A+B+D+E 1/5-30/9) (J 1/1-31/12)   **6** (A 1/5-20/9)
AKZ. 1/1-4/7   29/8-31/12

Pinet
▲ Espace Naturiste/Terre de Soleil***   Seite 328   2231   € 16
5 (A+B+D+E+I 2/5-20/9)   **6** (A 2/5-20/9)
AKZ. 2/5-3/7   30/8-20/9

Portiragnes-Plage ☻☻
▲ Les Sablons*****   Seite 330   2234   € 16
5 (A+C+D+E+F+H+I+J 11/4-29/9)   **6** (B+G 11/4-29/9)
AKZ. 11/4-3/7   30/8-30/9

Sérignan-Plage ☻☻
▲ Aloha*****   Seite 330   2238   € 16
5 (A+C+D+E+F+I+J 19/4-15/9)   **6** (B+G 19/4-15/9)
AKZ. 23/4-24/5   5/6-30/6   1/9-14/9

Sérignan-Plage ☻☻
▲ Beauséjour****   Seite 330   2239   € 14
5 (A+C+D+E+F+I+J 1/4-30/9)   **6** (B+G 1/4-30/9)
AKZ. 1/4-30/6   1/9-30/9

Sérignan-Plage ☻☻
▲ Le Sérignan Plage*****   Seite 331   2241   € 16
5 (A+C+D+E+F+H+I+J 23/4-28/9)   **6** (B+E+G 23/4-28/9)
AKZ. 23/4-21/5   7/6-26/6   7/9-28/9

Sérignan-Plage
▲ Le Clos Virgile****   Seite 332   2240   € 16
5 (A+C 2/5-13/9) (D 15/6-5/9) (E+F+I+J 2/5-13/9)
6 (A+E+F 2/5-13/9)
AKZ. 2/5-30/6   1/9-13/9

St. Pons-de-Thomières
▲ Les Cerisiers du Jaur***   Seite 332   2248   € 16
5 (A 4/4-25/10) (B 29/3-26/10) (D 1/7-30/9) (E+F 4/4-25/10)
6 (A+F 4/4-25/10)
AKZ. 4/4-3/7   23/8-25/10   *7=6, 14=11, 30=20*

Valras-Plage ☻☻
▲ Blue Bayou*****   Seite 333   2257   € 16
5 (A 19/4-20/9) (C 15/6-15/9) (D+E+F+I+J 19/4-20/9)
6 (B+G 19/4-20/9)
AKZ. 19/4-30/6   25/8-20/9

Valras-Plage ☻☻
▲ Lou Village****   Seite 333   2259   € 16
5 (A+C+D+E+F+I+J 25/4-14/9)   **6** (B+G 25/4-14/9)
AKZ. 25/4-5/7   24/8-13/9

Valras-Plage ☻☻
▲ La Plage et du Bord de Mer**   Seite 333   2258   € 16
5 (A+C+D+E+F+I+J 25/4-27/9)   **6** (B+F 25/4-27/9)
AKZ. 25/4-3/7   22/8-20/9   *14=13*

Valras-Plage/Vendres-Plage ☻☻
▲ Le Palmira Beach***   Seite 334   2260   € 14
5 (A 2/4-30/10) (B 1/7-31/8) (D+E+F+I 1/5-30/9)
6 (B+G 1/6-30/9)
AKZ. 2/4-7/7   24/8-30/10

Vendres-Plage/Valras-Plage
▲ Les Vagues****   Seite 334   2262   € 16
5 (A 15/4-13/9) (C 13/4-13/9) (D+E+F+H+I 15/4-13/9)
(J 1/7-31/8)
6 (B+G 15/4-13/9)
AKZ. 3/4-3/7   31/8-12/9

Vias
▲ Domaine de la Dragonnière*****   Seite 334   2263   € 18
5 (A+C+D+E+F+I+J 27/3-1/11)   **6** (B+E+G 27/3-1/11)
AKZ. 27/3-28/6   30/8-1/11   *14=12*

Ausführliche Redaktionseinträge: Seite 326 bis 334

Vias-Plage — Seite 334 · 2264 · € 14
△ CP Club Californie-Plage****
5 (A+C+D+E+F+H+I+J 1/4-30/9)
6 (B+D 1/4-30/9) (G 1/4-30/10)
AKZ. 1/4-30/6 1/9-30/9

Vias-Plage ⚤
△ Camping Club Le Napoléon**** — Seite 334 · 2265 · € 16
5 (A+C+D+E+F+H+I+J 10/4-27/9) **6** (B+G 1/5-27/9)
AKZ. 10/4-10/7 27/8-27/9

Vias-Plage ⚤
△ Flower CP Le Mas de la Plage**** — Seite 335 · 2266 · € 14
5 (A+C+D+E+F+I 4/4-27/9) **6** (B+G 4/4-27/9)
AKZ. 4/4-4/7 1/9-27/9

Vias-Plage — Seite 335 · 2267 · € 14
△ Helios***
5 (A+C+D+E+I 25/4-27/9)
AKZ. 25/4-3/7 29/8-27/9

Vias-Plage — Seite 335 · 2268 · € 16
△ L'Air Marin****
5 (A+C 1/5-12/9) (D+E 1/7-12/9) (F+I+J 1/5-12/9)
6 (A+E+F 1/5-12/9)
AKZ. 1/5-10/7 27/8-12/9

Vias-Plage — Seite 336 · 2269 · € 14
△ La Méditerranée Plage****
5 (A+C+D+E+F+I+J 4/4-30/9) **6** (B+G 4/4-30/9)
AKZ. 4/4-4/7 29/8-30/9

Vias-Plage — Seite 336 · 2270 · € 12
△ Le Roucan West***
5 (A+B+D 16/5-19/9) (E+F 1/6-15/9) (J 16/5-19/9)
6 (B+G 16/5-19/9)
AKZ. 16/5-5/7 22/8-19/9

Villeneuve-lès-Béziers ⚤
△ Les Berges du Canal*** — Seite 337 · 2274 · € 14
5 (A+D+E+F+I+J 21/3-17/10) **6** (A+F 1/5-15/9)
AKZ. 21/3-10/7 27/8-16/10 *7=6, 14=12, 21=18*

Aude

Fitou — Seite 337 · 2184 · € 16
△ Le Fun***
5 (A 1/4-11/11) (B 1/1-31/12) (D+E 1/7-31/8)
6 (B+G 1/5-30/9)
AKZ. 28/3-3/7 29/8-11/11

Fleury-d'Aude — Seite 337 · 2185 · € 18
△ Naturiste La Grande Cosse****
5 (A+C 24/4-11/10) (E+F 1/7-31/8) (I 5/4-5/10) (J 1/6-30/9)
6 (B+F 24/4-11/10)
AKZ. 24/4-15/7 1/9-11/10

La Palme ⚤
△ Le Clapotis** — Seite 337 · 2194 · € 16
5 (A+B+D+I 1/5-30/9) **6** (B+G 15/5-15/9)
AKZ. 11/4-4/7 24/8-10/10

Montolieu — Seite 338 · 2223 · € 12
△ Camping de Montolieu
5 (A 1/7-31/8) (B 15/3-31/10) **6** (**B**+G 1/7-31/8)
AKZ. 1/5-6/6 1/9-27/9

Narbonne ⚤
△ Camping La Nautique**** — Seite 338 · 2225 · € 18
5 (A 1/4-1/10) (C 15/4-30/9) (D+E+F 1/7-31/8) (J 1/5-30/9)
6 (B+G 1/5-1/10)
AKZ. 1/3-30/6 1/9-31/10

Narbonne ⚤
△ Yelloh! Village Les Mimosas**** — Seite 338 · 2226 · € 16
5 (A+C 1/4-15/10) (D 1/7-31/8) (E+F+I+J 1/4-15/10)
6 (B+G 1/4-15/10)
AKZ. 30/3-29/6 31/8-31/10 *7=6, 14=11, 21=17*

Narbonne-Plage ⚤
△ Campéole La Côte des Roses*** — Seite 338 · 2227 · € 16
5 (A+C 1/5-7/9) (D+E+F+I+J 1/7-31/8) **6** (A+D+G 1/6-7/9)
AKZ. 1/5-4/7 22/8-6/9

Port-Leucate ⚤
△ Rives des Corbières*** — Seite 338 · 2233 · € 12
5 (A+B+D+E+F+J 1/4-30/9) **6** (A+F 1/4-30/9)
AKZ. 1/4-30/6 1/9-30/9

Preixan — Seite 338 · 2235 · € 14
△ Airotel Village Grand Sud***
5 (A 15/6-30/9) (B 1/6-30/9) (E 15/6-30/8) (F+I 15/6-15/9)
6 (A 1/6-31/8)
AKZ. 1/4-3/7 1/9-30/9

Rennes-les-Bains — Seite 338 · 2236 · € 14
△ La Bernède**
5 (A+B 1/4-30/10) (I 16/6-30/9)
AKZ. 1/4-30/6 1/9-31/10

Trèbes — Seite 338 · 2255 · € 12
△ A l'Ombre des Micocouliers****
5 (A+D+E+I+J 1/7-31/8) **6** (B+D+E 1/4-30/9) (F 1/7-31/8)
AKZ. 1/4-15/6 14/9-30/9

Villegly-en-Minervois — Seite 339 · 2271 · € 16
△ Sites & Paysages Le Moulin de Ste Anne****
5 (A+D+E+F+I 15/6-25/8) **6** (B 1/5-30/9) (F 1/6-30/9)
AKZ. 1/4-6/7 1/9-31/10

Pyrénées-Orientales

Alénya — Seite 340 · 2142 · € 16
△ Cap Sud***
6 (A 1/4-30/9)
AKZ. 4/4-5/7 23/8-27/9 *7=6*

Amélie-les-Bains — Seite 340 · 2143 · € 16
△ Aloha Camping Club
5 (A+D 15/3-15/11) **6** (B+F 1/5-1/10)
AKZ. 15/3-30/6 1/9-15/11

Ausführliche Redaktionseinträge: Seite 334 bis 340

Argelès-sur-Mer ⚭
▲ Comangès*** | Seite 340 | 2147 | € 14
AKZ. 11/4-5/7 23/8-1/10

Argelès-sur-Mer
▲ La Chapelle**** | Seite 340 | 2148 | € 18
5 (A+B+E+F 18/4-27/9) 6 (B+D+G 18/4-27/9)
AKZ. 18/4-4/7 29/8-26/9

Argelès-sur-Mer
▲ La Marende**** | Seite 341 | 2149 | € 16
5 (A+C+D+E+F+I 18/4-28/9) 6 (B+G 18/4-28/9)
AKZ. 18/4-15/6 10/9-28/9

Argelès-sur-Mer ⚭
▲ La Roseraie*** | Seite 341 | 2150 | € 14
5 (A+C 1/5-15/9) (D 1/7-31/8) (E+F+I 1/5-15/9)
6 (B+G 1/5-15/9)
AKZ. 15/4-6/7 23/8-19/9

Argelès-sur-Mer ⚭
▲ Le Dauphin**** | Seite 341 | 2151 | € 16
5 (A+C+D+E+F+I 11/4-25/9) 6 (B+G 11/4-25/9)
AKZ. 9/5-19/6 1/9-25/9

Argelès-sur-Mer ⚭
▲ Le Romarin*** | Seite 342 | 2152 | € 16
5 (A+B 1/7-31/8) (D+E+F+I 1/4-30/9) 6 (B+**F** 11/4-19/9)
AKZ. 11/4-30/6 30/8-19/9

Argelès-sur-Mer ⚭
▲ Le Soleil***** | Seite 342 | 2153 | € 16
5 (A+C+D+E+F+I+J 6/5-19/9) 6 (B+G 6/5-19/9)
AKZ. 6/5-4/7 29/8-19/9

Argelès-sur-Mer ⚭
▲ Les Criques de Porteils***** | Seite 342 | 2154 | € 18
5 (A+C+E+F+I 28/3-24/10) 6 (B+G 28/3-24/10)
AKZ. 28/3-2/6 1/9-24/10

Argelès-sur-Mer ⚭
▲ Les Marsouins**** | Seite 342 | 2155 | € 12
5 (A+C 1/6-5/9) (D+E+F+I+J 7/6-5/9) 6 (B+G 18/4-26/9)
AKZ. 18/4-19/6 29/8-19/9

Argelès-sur-Mer
▲ Les Pins*** | Seite 342 | 2156 | € 16
5 (A 1/7-31/8) (D+E+F+I 15/5-15/9) 6 (B+F 4/4-4/10)
AKZ. 4/4-10/7 29/8-3/10

Canet-en-Roussillon
▲ Ma Prairie**** | Seite 342 | 2166 | € 16
5 (A 1/6-15/9) (D+E+I 15/5-15/9) 6 (B+F 15/5-15/9)
AKZ. 11/4-10/7 27/8-20/9 7=6, 25=20

Canet-Plage
▲ Le Bosquet*** | Seite 342 | 2167 | € 14
5 (A+B+D+E+F 11/4-10/10) 6 (A+F 11/4-10/10)
AKZ. 11/4-3/7 31/8-10/10 7=6

Canet-Plage
▲ Mar Estang**** | Seite 342 | 2168 | € 16
5 (A+C+D+E+F+I+J 25/4-12/9) 6 (B+E+F 25/4-12/9)
AKZ. 25/4-4/7 30/8-12/9

Casteil
▲ Domaine-St-Martin*** | Seite 342 | 2173 | € 16
5 (A 1/4-11/10) (B+E+I 1/6-15/9) 6 (A 1/5-1/10)
AKZ. 1/4-3/7 24/8-11/10

Collioure
▲ Camping Les Amandiers** | Seite 343 | 2177 | € 16
5 (A+B+D+E+F+I+J 28/3-11/10)
AKZ. 28/3-5/7 1/9-11/10

Elne/St. Cyprien ⚭
▲ Le Florida**** | Seite 343 | 2179 | € 16
5 (A 9/4-4/11) (D+E+F 1/5-15/9) 6 (A+F 4/4-14/11)
AKZ. 1/1-4/7 29/8-31/12 7=6, 14=12, 21=18

Err ⚭
▲ Las Closas*** | Seite 344 | 2180 | € 14
5 (F 1/6-1/9) 6 (**A** 15/6-15/9)
AKZ. 1/5-7/7 24/8-27/9

Espira-de-Conflent
▲ Le Canigou*** | Seite 344 | 2181 | € 16
5 (A+B+D+E 14/4-30/9) (F 1/7-1/10) (I 14/4-30/9)
AKZ. 14/4-28/6 24/8-30/9

Estavar/Cerdagne
▲ L'Enclave*** | Seite 344 | 2182 | € 14
5 (A+B+D+E+F+I 1/7-31/8) 6 (B+G 15/6-15/9)
AKZ. 5/4-5/7 22/8-5/10

Fuilla
▲ Le Rotja*** | Seite 344 | 2189 | € 16
5 (A 5/4-11/10) (B+D 1/5-30/10) (I 1/5-12/10)
6 (A+F 1/5-15/10)
AKZ. 1/4-3/7 24/8-17/10

Latour-de-France ⚭
▲ La Tour de France** | Seite 344 | 2200 | € 12
5 (A+B 4/4-18/10) (D+F+H 1/7-31/8) 6 (A 15/6-15/9)
AKZ. 4/4-4/7 30/8-18/10

Le Barcarès
▲ California**** | Seite 344 | 2202 | € 14
5 (A+B+D+E 1/5-27/9) (F+I+J 1/6-31/8) 6 (B+F 1/5-27/9)
AKZ. 1/5-5/7 30/8-20/9 7=6, 14=12

Le Barcarès ⚭
▲ Le Floride & l'Embouchure**** | Seite 344 | 2203 | € 14
5 (A 1/4-4/10) (B 1/6-5/9) (D 1/7-31/8) (E+F+I+J 1/4-20/9)
6 (B+E+G 1/4-4/10)
AKZ. 1/4-4/7 30/8-4/10

Le Barcarès
▲ Le Pré Catalan**** | Seite 345 | 2204 | € 16
5 (A+B+D+E+F+I 25/4-19/9) 6 (B+G 25/4-19/9)
AKZ. 25/4-4/7 30/8-19/9

Ausführliche Redaktionseinträge: Seite 340 bis 345

Llauro ⚑
🔺 Al Comu — Seite 345 ⓿2209 € 14
🅑 (A+B 28/3-15/10)
AKZ. 28/3-3/7 23/8-15/10

Maureillas-Las-Illas
🔺 Les Bruyères*** — Seite 346 ⓿2220 € 14
🅑 (A+D 1/5-30/10) 🅖 (A+F 1/5-30/9)
AKZ. 10/3-4/7 29/8-15/11

Néfiach
🔺 La Garenne*** — Seite 346 ⓿2228 € 12
🅑 (A 1/7-31/8) (D+E+F+I 1/5-31/10)
🅖 (A 1/7-31/8) (C 1/1-30/6,1/9-31/10) (F 1/6-30/9)
AKZ. 1/3-3/7 29/8-30/11 7=6

Palau-del-Vidre
🔺 Le Haras*** — Seite 346 ⓿2229 € 14
🅑 (A 1/4-30/9) (D+E+I 15/4-20/9) 🅖 (A 15/4-20/9)
AKZ. 1/4-3/7 30/8-29/9

Salses
🔺 International du Roussillon** — Seite 346 ⓿2237 € 16
🅑 (A+D+I 1/7-31/8) 🅖 (A+F 1/6-15/9)
AKZ. 1/1-30/6 25/8-31/12

Sorède ⚑
🔺 La Coscolleda*** — Seite 346 ⓿2242 € 12
🅑 (A+D+E 1/7-31/8) 🅖 (B+G 1/4-1/10)
AKZ. 1/4-4/7 29/8-1/10

Sorède
🔺 Les Micocouliers*** — Seite 346 ⓿2243 € 16
🅑 (A+C+D+E+F+I 1/7-31/8) 🅖 (A 15/5-15/9) (F 15/6-15/9)
AKZ. 1/4-4/7 24/8-30/9

St. Cyprien-Plage ⚑
🔺 Cala Gogo***** — Seite 346 ⓿2245 € 16
🅑 (A+C+D+E+F+I+J 29/4-26/9) 🅖 (B+G 29/4-26/9)
AKZ. 29/4-4/7 29/8-26/9

St. Jean-Pla-de-Corts
🔺 de la Vallée*** — Seite 346 ⓿2247 € 16
🅑 (A 1/3-31/10) (B+D+E+F 1/7-25/8) 🅖 (B+F 5/5-9/9)
AKZ. 1/4-4/7 22/8-31/10

Ste Marie-la-Mer
🔺 La Pergola*** — Seite 346 ⓿2249 € 16
🅑 (A+B+D+E+F+I 3/4-20/9) 🅖 (B+G 3/4-20/9)
AKZ. 3/4-11/7 28/8-20/9

Ste Marie-la-Mer
🔺 Le Palais de la Mer**** — Seite 347 ⓿2250 € 16
🅑 (A+C+D+E+F+I+J 9/5-26/9) 🅖 (B+G 9/5-26/9)
AKZ. 9/5-29/6 31/8-26/9

Ste Marie-la-Mer
🔺 Le Sainte Marie**** — Seite 347 ⓿2251 € 12
🅑 (A+B+D+E+F+I 6/6-12/9) 🅖 (A+F 6/6-12/9)
AKZ. 4/4-27/6 22/8-31/10

Ste Marie-Plage
🔺 De la Plage*** — Seite 347 ⓿2252 € 14
🅑 (A+C+D+E+F 1/6-15/9) (I+J 15/5-15/9) 🅖 (A+F 20/5-29/9)
AKZ. 1/3-30/6 1/9-31/10

Torreilles-Plage
🔺 Le Trivoly**** — Seite 348 ⓿2253 € 14
🅑 (A+B+D+E 1/6-8/9) 🅖 (B+G 1/5-15/9)
AKZ. 4/4-30/6 1/9-20/9 14=10, 21=14

Torreilles-Plage
🔺 Les Tropiques**** — Seite 348 ⓿2254 € 16
🅑 (A+C+D 4/4-4/10) (E 1/5-15/9) (F 1/6-15/9) (I+J 1/5-15/9)
🅖 (B+G 4/4-4/10)
AKZ. 4/4-5/7 25/8-4/10

Hautes-Alpes

Baratier
🔺 Le Petit Liou** — Seite 350 ⓿2285 € 14
🅑 (A 1/5-21/9) (B 1/7-1/9) (D+E+F+I 20/6-1/9)
🅖 (B+G 15/6-15/9)
AKZ. 1/5-6/7 23/8-21/9

Baratier
🔺 Les Airelles**** — Seite 350 ⓿2286 € 16
🅑 (A 14/6-31/8) (D+E+F+I 15/6-30/8) 🅖 (B+F 15/6-15/9)
AKZ. 25/5-5/7 25/8-26/9

Embrun
🔺 La Vicille Ferme**** — Seite 351 ⓿2306 € 16
🅑 (A+D+E+F+I 1/5-1/10)
AKZ. 26/4-4/7 30/8-1/10

Gap
🔺 Alpes Dauphiné*** — Seite 351 ⓿2314 € 16
🅑 (A+B 1/5-20/9) (D+E 10/5-15/9) (F 1/7-30/8) (I+J 10/5-16/9)
🅖 (B 1/6-16/9) (F 22/6-15/9)
AKZ. 13/4-4/7 25/8-20/10

Guillestre
🔺 Mun. La Rochette*** — Seite 351 ⓿2322 € 14
🅑 (A 1/6-10/9) (B 1/7-31/8) (C 25/6-10/9) (D+E+F+I 21/6-30/8)
🅖 (**B**+**G** 21/6-30/8)
AKZ. 15/5-5/7 30/8-30/9

Guillestre
🔺 St-James-les-Pins*** — Seite 351 ⓿2323 € 12
🅑 (A 1/1-15/11,15/12-31/12) (B+E 1/7-31/8)
AKZ. 1/5-8/7 25/8-30/9

La Roche-de-Rame ⚑
🔺 Camping du Lac** — Seite 351 ⓿2329 € 14
🅑 (A 1/7-31/8) (D+E 1/5-30/9) (F 1/7-31/8) (I+J 1/5-30/9)
AKZ. 1/5-5/7 24/8-30/9 7=6

Ausführliche Redaktionseinträge: Seite 345 bis 351

Les Vigneaux ✱🛈 — Seite 352 — 2340 — € 16
🔺 Campéole Le Courounba★★★
5 (A 1/7-30/8) (B 1/7-31/8) (D+E+F+I 15/6-17/9)
6 (B+G 15/6-17/9)
AKZ. 16/5-4/7 23/8-17/9

Neffes/Gap — Seite 352 — 2351 — € 16
🔺 Les Bonnets★★★
5 (A 15/6-15/9) (B 1/7-31/8) (D+E+F+I 1/6-30/9)
6 (A+F 1/6-15/9)
AKZ. 17/5-4/7 21/8-17/10 7=6

Orpierre — Seite 352 — 2355 — € 16
🔺 Les Princes d'Orange★★★★
5 (A 1/7-31/8) (D+E+F 1/4-31/10) (I 1/7-31/8)
6 (B+G 15/6-15/9)
AKZ. 1/4-4/7 22/8-31/10

Prunières — Seite 352 — 2359 — € 16
🔺 Le Nautic★★★
5 (A 12/5-15/9) (B 15/6-15/9) (D+E+F 1/7-30/8)
6 (B 12/5-15/9) (G 1/6-15/9)
AKZ. 14/5-5/7 25/8-15/9

Prunières ✱🛈 — Seite 352 — 2360 — € 16
🔺 Le Roustou★★★
5 (A 15/6-31/8) (D+E+F+I 20/6-31/8) **6** (A+F 15/6-15/9)
AKZ. 11/5-4/7 22/8-25/9

Rosans — Seite 352 — 2367 — € 16
🔺 Les Hauts de Rosans★★
5 (A+D+F+I 1/5-30/9) **6** (A 1/5-30/9)
AKZ. 25/4-3/7 28/8-15/10

Rousset/Serre-Ponçon — Seite 352 — 2368 — € 16
🔺 La Viste★★★★
5 (B 15/5-15/9) (D+E 15/6-15/9) (F 1/6-31/8) (I 15/5-15/9) (J 1/6-31/8)
6 (B+F 15/5-15/9)
AKZ. 12/5-30/6 1/9-15/9

St. Apollinaire ✱🛈 — Seite 352 — 2375 — € 14
🔺 Campéole Le Clos du Lac★★★
5 (A 16/5-20/9) (B 1/7-31/8)
AKZ. 16/5-4/7 22/8-20/9

St. Maurice-en-Valgodemard — Seite 353 — 2383 — € 14
🔺 Le Bocage★★
5 (A+B 15/4-15/10) **6** (B 25/6-5/9)
AKZ. 15/4-5/7 24/8-15/10 7=6

Veynes — Seite 353 — 2395 — € 16
🔺 Camping Solaire★★★★
5 (A+B+D+E+F+I 1/7-31/8) **6** (A+F 15/6-30/9)
AKZ. 1/4-1/7 18/8-30/9

Veynes — Seite 353 — 2396 — € 14
🔺 Les Rives du Lac★★★
5 (A 1/6-20/9) (C 1/7-31/8) (D+E+F 15/6-31/8) (I 15/4-15/10)
6 (B 15/6-15/9) (D 1/5-30/9)
AKZ. 25/4-5/7 24/8-20/9

Alpes-de-Haute-Provence

Annot — Seite 353 — 2277 — € 14
🔺 La Ribière★★
5 (A+D+F 1/4-15/10)
AKZ. 14/3-15/7 1/9-1/11

Banon — Seite 353 — 2284 — € 14
🔺 L'Epi Bleu★★★
5 (A 1/6-15/9) (B 1/7-31/8) (D 15/6-31/8) (E 1/7-31/8) (F+I 15/6-31/8)
6 (B 15/5-15/9) (G 1/7-31/8)
AKZ. 4/4-3/7 22/8-30/9

Beynes ✱🛈 — Seite 354 — 2288 — € 16
🔺 La Célestine★★★
5 (A+F 1/7-31/8) **6** (A+F 15/6-30/9)
AKZ. 1/5-5/7 1/9-30/9

Castellane — Seite 354 — 2293 — € 12
🔺 La Ferme de Castellane★★★
5 (A+B 1/4-23/9)
AKZ. 27/3-10/7 27/8-30/9

Castellane — Seite 354 — 2294 — € 12
🔺 Provençal★★★
5 (A+B 1/6-13/9) (F 15/6-13/9)
AKZ. 8/5-5/7 22/8-13/9

Chasteuil/Castellane — Seite 354 — 2300 — € 14
🔺 Indigo Gorges du Verdon★★★★
5 (A+C+D+E+F+I+J 8/5-15/9) **6** (B 8/5-15/9)
AKZ. 29/4-2/7 31/8-27/9

Dauphin/Forcalquier — Seite 354 — 2305 — € 14
🔺 L'Eau Vive★★★
5 (A 1/4-30/9) (B 1/5-30/9) (D 1/5-15/9) (E 1/7-31/8) (I 1/5-15/9)
6 (B 1/5-30/9) (F 30/6-1/9)
AKZ. 1/4-4/7 22/8-31/10

Entrevaux — Seite 354 — 2307 — € 14
🔺 du Brec★★
5 (A 1/6-15/9) (D+E 1/6-30/9) (F 1/7-31/8)
AKZ. 15/3-30/6 18/8-15/10

Forcalquier — Seite 354 — 2308 — € 14
🔺 Indigo Forcalquier★★★
5 (A+B 23/4-28/9) (D+E+F+I 1/7-31/8) **6** (B+G 23/4-28/9)
AKZ. 23/4-2/7 31/8-27/9

Forcalquier — Seite 355 — 2309 — € 18
🔺 Naturistencp Les Lauzons★★★★
5 (A+B+E+F+I 1/5-30/9) **6** (B+F 1/5-30/9)
AKZ. 11/4-7/7 24/8-11/10

Gréoux-les-Bains — Seite 355 — 2319 — € 16
🔺 Verdon Parc★★★★
5 (A+B+D+E+F+I 10/4-1/11) **6** (A+F 10/4-1/11)
AKZ. 10/4-7/6 24/8-1/11

Ausführliche Redaktionseinträge: Seite 352 bis 355

La Garde/Castellane
🔺 RCN Les Collines de Castellane**** Seite 355 € 14
5 (A+B+D+E+F+I+J 25/4-19/9) **6** (B+G 25/4-19/9)
AKZ. 25/4-7/7 25/8-19/9

Le Vernet
🔺 Lou Passavous*** Seite 356 € 16
5 (A+D+E+F+I+J 15/5-15/9) **6** (B 15/6-31/8)
AKZ. 1/5-30/6 1/9-15/9 14=13

Manosque
🔺 Camping Provence Vallée*** Seite 356 2343 € 12
5 (A 5/1-20/12) (D+E+F 1/7-31/8) **6** (A+F 15/5-15/9)
AKZ. 7/3-5/7 24/8-15/11

Méolans-Revel
🔺 Camping River*** Seite 356 2345 € 16
5 (A+B+D+E+F+I 1/5-30/9) (J 1/7-30/8) **6** (B 1/6-30/9)
AKZ. 9/5-30/6 1/9-30/9

Méolans-Revel
🔺 Dom. Loisirs de l'Ubaye**** Seite 356 2346 € 14
5 (A+C+D 1/7-10/9) (E 1/1-31/12) (F 1/7-15/9)
(I 15/6-15/9) (J 25/6-10/9)
6 (B+G 15/6-15/9)
AKZ. 15/5-5/7 25/8-15/10 8=7, 14=12, 30=25, 60=45

Moustiers-Ste-Marie ⚐
🔺 Saint Clair*** Seite 356   € 16
5 (A+B 25/4-20/9) (D+E+F 1/7-31/8)
AKZ. 25/4-7/7 24/8-19/9

Moustiers-Ste-Marie
🔺 Saint Jean*** Seite 356 2350 € 16
5 (A+B 28/3-11/10) (D+E+F 11/5-15/9)
AKZ. 28/3-4/7 22/8-11/10

Niozelles
🔺 Sites & Paysages Moulin de Ventre**** Seite 356 2352 € 16
5 (A 11/4-30/9) (B+D+E 1/7-31/8) (F 11/4-30/9) (I 1/7-31/8)
6 (A+F 15/5-30/9)
AKZ. 11/4-4/7 29/8-30/9 7=6, 14=11

Oraison
🔺 Les Oliviers**** Seite 356 2353 € 14
5 (A 1/4-30/9) (B 15/4-30/9) (D+E+I 1/7-31/8)
6 (A 15/4-30/9)
AKZ. 1/1-4/7 29/8-12/12

Seyne-les-Alpes
🔺 Les Prairies*** Seite 357 2372 € 16
5 (A 1/5-14/9) (B 1/6-1/9) (D+E+F+I 10/6-30/8)
6 (B 1/6-14/9)
AKZ. 1/5-1/7 25/8-13/9 8=7, 16=14

St. Maime
🔺 La Rivière*** Seite 357 2381 € 12
5 (A 11/4-20/9) (B+D 6/6-31/8) (E 1/7-31/8) (F 6/6-31/8)
(I 1/7-31/8)
6 (A+F 1/6-15/9)
AKZ. 11/4-3/7 22/8-20/9

St. Vincent-les-Forts ⚐
🔺 Campéole Le Lac*** Seite 357 2387 € 14
5 (A 1/7-10/9) (C+D+E+F 15/6-10/9) (I 1/6-10/9)
6 (**A**+F 1/6-31/8)
AKZ. 16/5-4/7 22/8-27/9

Volonne
🔺 l'Hippocampe**** Seite 358 2399 € 14
5 (A 26/4-30/9) (B 30/6-9/9) (D+E+F+I 26/4-15/9)
6 (B+G 26/4-30/9)
AKZ. 25/4-6/7 23/8-30/9

Vaucluse

Apt
🔺 Le Luberon*** Seite 358 2278 € 16
5 (A 1/4-26/9) (D 1/5-30/8) (I 4/7-25/8) **6** (B+G 26/4-26/9)
AKZ. 1/4-15/6 1/9-26/9

Avignon ⚐
🔺 Bagatelle*** Seite 358 2282 € 16
5 (A+C+D+E+F+H+I+J 1/1-31/12)
AKZ. 1/1-30/6 17/8-31/12 7=6, 14=11, 28=21

Avignon
🔺 du Pont d'Avignon**** Seite 358 2283 € 16
5 (A+C+D+E+F+I 2/3-22/11) **6** (A+F 10/5-15/10)
AKZ. 2/3-3/7 20/8-22/11

Bollène
🔺 La Simioune** Seite 358 2289 € 14
5 (A+B+D+E+F 1/1-31/12) (I 1/5-30/9) **6** (A+F 1/5-10/10)
AKZ. 1/1-5/7 24/8-31/12

Carpentras
🔺 Lou Comtadou*** Seite 359 2291 € 16
5 (A 15/5-30/9) (B+D+E+I 15/6-15/9) **6** (B+**F** 23/5-31/8)
AKZ. 1/4-12/7 29/8-30/9

Cavaillon
🔺 de la Durance*** Seite 359 2295 € 14
5 (A+D 1/7-30/8)
AKZ. 1/4-6/7 24/8-30/9

Châteauneuf-de-Gadagne ⚐
🔺 Fontisson*** Seite 359 2301 € 16
5 (A+B 4/4-10/10) (F 6/7-23/8) **6** (A+F 15/5-15/9)
AKZ. 4/4-4/7 22/8-10/10

Châteauneuf-du-Pape
🔺 L'Art de Vivre** Seite 359 2302 € 16
5 (A 12/4-27/9) (D+I 16/6-14/9) **6** (A+F 1/6-27/9)
AKZ. 4/4-5/7 24/8-27/9

Gordes
🔺 Camping des Sources*** Seite 359 2317 € 18
5 (A+B 4/4-26/9) (E 1/7-31/8) **6** (B 4/4-26/9) (G 1/6-31/8)
AKZ. 4/4-3/7 29/8-26/9

Ausführliche Redaktionseinträge: Seite 355 bis 359

Grillon Seite 359 (2320) € 14
▲ Le Garrigon****
5 (A+B 1/4-30/10) (D 1/7-31/8) (E 1/5-30/10)
6 (A+F 1/5-30/9)
AKZ. 16/3-4/7 22/8-14/11

L'Isle-sur-la-Sorgue Seite 359 (2325) € 16
▲ Airotel La Sorguette***
5 (A 15/3-15/10) (B 1/7-28/8) (D+E 10/7-24/8)
AKZ. 15/3-4/7 21/8-15/10

Lagnes Seite 359 (2331) € 16
▲ La Coutelière***
5 (A 1/4-10/10) (B 1/7-31/8) (D 1/6-15/9) (F 1/6-30/9)
(I 1/6-31/8)
6 (B+G 1/5-30/9)
AKZ. 1/4-27/6 24/8-10/10

Lourmarin Seite 360 (2341) € 16
▲ Les Hautes Prairies***
5 (A 11/4-11/10) (B 1/6-30/9) (D+E+I 11/4-11/10)
6 (A 1/5-11/10)
AKZ. 11/4-3/7 22/8-11/10

Mazan Seite 360 (2344) € 16
▲ Le Ventoux***
5 (A+B+E 1/4-31/10) (I+J 15/3-31/10)
6 (A 1/5-31/10) (F 1/5-15/10)
AKZ. 15/3-4/7 29/8-31/10

Mondragon Seite 360 (2347) € 16
▲ CP La Pinède en Provence**
5 (A+B 1/1-31/12) (C 1/3-15/11) (D 15/6-15/11)
(E+F 1/3-15/11) (I 15/6-15/9)
6 (B+G 30/4-30/9)
AKZ. 1/1-30/6 18/8-31/12

Pernes-les-Fontaines Seite 360 (2356) € 16
▲ Les Fontaines****
5 (A 1/5-28/9) (B 1/7-31/8) (D 1/7-30/8) (E 1/4-31/10)
(F+J 1/5-30/9)
6 (A 15/5-30/9) (F 15/5-15/9)
AKZ. 27/3-3/7 23/8-11/10

Sorgues ♦♦
▲ La Montagne*** Seite 360 (2374) € 16
5 (A 1/7-31/8) (B 15/3-30/9) (D+E+F+I 1/7-31/8)
6 (B+G 1/4-30/9)
AKZ. 1/1-8/7 25/8-31/12 10=9

St. Saturnin-les-Apt Seite 360 (2386) € 16
▲ Domaine des Chênes Blancs***
5 (A+B+D+E+F+I 28/3-17/10) **6** (A+F 28/3-17/10)
AKZ. 28/3-3/7 22/8-17/10 7=6, 14=11

St.Marcellin/Vaison-la-Romaine Seite 360 (2388) € 16
▲ Le Voconce***
5 (A+B 1/4-15/10) (D 15/6-15/9) **6** (A+F 15/5-15/9)
AKZ. 1/4-4/7 22/8-15/10

Vaison-la-Romaine/Faucon Seite 361 (2392) € 16
▲ de l'Ayguette***
5 (A+B 3/4-27/9) (D+E+F+I 1/7-23/8) **6** (B 3/4-27/9)
AKZ. 3/4-5/7 23/8-27/9

Valréas Seite 361 (2393) € 14
▲ La Coronne***
5 (A+D+E+F+I 1/4-30/9) **6** (A+F 1/4-30/9)
AKZ. 28/3-10/7 27/8-18/10

Vedène Seite 361 (2394) € 16
▲ Flory***
5 (A+B 30/3-30/9) (D 7/7-16/8) **6** (A 15/5-15/9) (F 25/6-15/9)
AKZ. 30/3-4/7 21/8-30/9

Villes-sur-Auzon Seite 361 (2397) € 18
▲ Les Verguettes****
5 (A 1/6-30/9) (E 1/6-15/9) (I 15/6-15/9) **6** (A+F 15/5-15/9)
AKZ. 2/4-4/7 24/8-4/10

Visan Seite 361 (2398) € 14
▲ Camping de L'Hérein***
5 (A+B+D+E 1/4-15/10) (I 1/5-15/9) **6** (A+F 20/5-15/9)
AKZ. 1/4-5/7 22/8-15/10

Bouches-du-Rhône

Albaron/Arles Seite 362 (2276) € 14
▲ Le Domaine du Crin Blanc***
5 (A 1/4-30/9) (B+D+E+F 1/7-31/8) **6** (B+G 1/4-30/9)
AKZ. 1/4-30/6 1/9-30/9

Arles/Pont-de-Crau ♦♦ Seite 362 (2279) € 16
▲ L'Arlesienne***
5 (A+D+E+F+I 1/4-30/9) **6** (B+G 15/5-15/9)
AKZ. 1/4-5/7 22/8-1/11 7=6

Beaurecueil Seite 362 (2287) € 16
▲ Sainte Victoire**
5 (A+B+F 3/2-15/11)
AKZ. 1/4-3/7 22/8-14/10

Ceyreste Seite 362 (2299) € 18
▲ Camping de Ceyreste****
5 (A 1/4-30/9) (B 15/6-15/9) (D 1/5-30/9) **6** (B+F 1/5-30/9)
AKZ. 28/3-3/7 1/9-11/11

Châteaurenard ♦♦ Seite 362 (2303) € 16
▲ La Roquette***
5 (A 1/4-3/11) (D+E+F+I 30/3-3/11) **6** (B+G 30/3-3/11)
AKZ. 30/3-6/7 23/8-3/11 7=6

Graveson Seite 362 (2318) € 16
▲ Les Micocouliers***
5 (A+B 15/3-15/10) **6** (A 15/5-15/9) (F 1/7-31/8)
AKZ. 15/3-5/7 24/8-15/10 14=13

Istres ♦♦ Seite 363 (2324) € 16
▲ Vallon des Cigales**
5 (A 1/5-30/10) (D+E+F+I 1/7-31/8) **6** (A 1/6-30/9)
AKZ. 1/1-6/7 24/8-31/12 7=6

Ausführliche Redaktionseinträge: Seite 359 bis 363

La Couronne — Seite 363 — 2326 — € 16
▲ Pascalounet**
5 (A+D 1/4-30/9)
AKZ. 1/4-3/7 22/8-30/9

Lambesc — Seite 363 — 2332 — € 16
▲ Provence Camping**
5 (A+B+D 1/6-30/9) (E 1/7-31/8) (I 1/7-30/9) 6 (A 1/6-30/9)
AKZ. 1/4-5/7 24/8-30/9

Mallemort — Seite 363 — 2342 — € 16
▲ Durance Luberon****
5 (A 14/4-30/9) (D 1/7-23/8) 6 (A 1/5-30/9)
AKZ. 1/4-30/6 23/8-30/9

Orgon — Seite 363 — 2354 — € 16
▲ La Vallée Heureuse***
5 (A+B 28/3-31/10) 6 (A 1/5-30/9) (F 1/6-30/9)
AKZ. 28/3-3/7 22/8-31/10

Peynier — Seite 363 — 2357 — € 16
▲ Le Devançon***
5 (A 1/4-1/10) 6 (A+F 20/6-10/9)
AKZ. 11/3-8/7 25/8-10/11

Salon-de-Provence — Seite 364 — 2369 — € 16
▲ Nostradamus***
5 (A 1/3-31/10) (B+D+E+F+I 1/5-30/9) 6 (A+F 15/5-20/9)
AKZ. 1/3-5/7 24/8-31/10

St. Martin-de-Crau ⚐⚐ — Seite 364 — 2382 — € 16
▲ De La Crau***
5 (A+C+D+E+I+J 21/3-11/10) 6 (A 1/6-15/9)
AKZ. 21/3-3/7 21/8-11/10

St. Mitre-les-Remparts — Seite 364 — 2384 — € 14
▲ Le Neptune***
5 (A 1/1-31/12) 6 (A+F 1/5-30/9)
AKZ. 1/1-10/7 1/9-31/12

St. Rémy-de-Provence ⚐⚐ — Seite 364 — 2385 — € 16
▲ Le Parc de la Bastide***
5 (A 1/7-30/9) (B 3/3-3/11) 6 (A 15/4-10/10)
AKZ. 3/3-6/7 26/8-3/11 *14=13*

Stes Maries-de-la-Mer ⚐⚐ — Seite 364 — 2390 — € 16
▲ Le Clos du Rhône****
5 (A+C+D+E+F+H 4/4-6/11) 6 (B+G 4/4-6/11)
AKZ. 4/4-3/7 22/8-6/11

Tarascon-sur-Rhône — Seite 364 — 2391 — € 16
▲ Saint-Gabriel***
5 (A+B 15/4-28/10) (D+E+F+I 1/6-20/9) 6 (B+G 1/4-15/10)
AKZ. 9/3-8/7 26/8-20/11 *15=14*

Var

Aiguines — Seite 366 — 2275 — € 16
▲ L'Aigle***
5 (A+E+F+I+J 26/4-14/9)
AKZ. 26/4-3/7 22/8-14/9

Artignosc-sur-Verdon — Seite 366 — 2280 — € 14
▲ L'Avelanède
5 (A+D+E+F+I 1/7-31/8) 6 (G 15/5-15/10)
AKZ. 4/4-30/6 1/9-15/11

Aups — Seite 367 — 2281 — € 18
▲ Les Prés***
5 (A 1/3-31/10) (D 1/7-31/8) 6 (A+F 15/6-15/9)
AKZ. 1/3-6/7 23/8-31/10

Callas — Seite 367 — 2290 — € 16
▲ Les Blimouses**
5 (A 1/6-31/8) (D 1/4-30/9) (E 1/7-31/8) (F+I 1/4-15/9)
6 (A 1/5-30/9) (F 15/4-30/9)
AKZ. 1/3-30/6 1/9-31/12

Carqueiranne ⚐⚐ — Seite 367 — 2292 — € 16
▲ Le Beau Vezé****
5 (A 1/5-15/9) (B 1/7-31/8) (D+E 10/5-5/9) (F 1/7-31/8)
(I+J 10/5-5/9)
6 (A 1/5-15/9)
AKZ. 1/5-5/7 22/8-15/9 *7=6*

Cavalaire-sur-Mer — Seite 368 — 2296 — € 18
▲ Bonporteau****
5 (A+C+D+E+F+I+J 1/4-30/9) 6 (B+G 15/3-15/10)
AKZ. 15/3-3/7 29/8-15/10

Cavalaire-sur-Mer — Seite 368 — 2297 — € 16
▲ Camping Cros de Mouton****
5 (A+B 1/4-30/10) (D+E+F+I+J 1/4-30/9)
6 (B+G 22/3-31/10)
AKZ. 22/3-30/6 24/8-31/10

Cavalaire-sur-Mer — Seite 368 — 2298 — € 18
▲ de la Baie****
5 (A+C+D+E+F+I+J 15/3-15/11) 6 (B+G 15/3-15/11)
AKZ. 15/3-3/7 29/8-15/11

Cotignac — Seite 368 — 2304 — € 14
▲ Camping des Pouverels
5 (A 1/4-31/10)
AKZ. 1/4-30/6 1/9-31/10

Fréjus ⚐⚐ — Seite 368 — 2310 — € 14
▲ Camping Caravaning Le Fréjus***
5 (A+B+D+E+F+I+J 1/4-15/10) 6 (B+G 1/4-15/10)
AKZ. 15/1-5/7 25/8-15/12 *7=6, 12=10*

Fréjus ⚐⚐ — Seite 372 — 2311 — € 16
▲ La Baume/La Palmeraie*****
5 (A+C+D+E+F+I+J 28/3-26/9) 6 (B+E+G 28/3-26/9)
AKZ. 28/3-19/6 29/8-26/9

Fréjus ⚐⚐ — Seite 372 — 2312 — € 16
▲ La Pierre Verte****
5 (A+C+D+E+F+I+J 11/4-27/9) 6 (B+G 11/4-27/9)
AKZ. 11/4-3/7 29/8-27/9

Ausführliche Redaktionseinträge: Seite 363 bis 372

Fréjus
△ Les Pins Parasols****   Seite 372   (2313) € 16
5 (A+C+D+E+F+I+J 4/4-25/9) 6 (B+F 4/4-25/9)
AKZ. 4/4-4/7 22/8-25/9

Giens/Hyères
△ La Tour Fondue   Seite 374   (2315) € 16
5 (A+B+D+E+F+I 4/4-1/11)
AKZ. 28/3-27/6 5/9-1/11

Giens/Hyères
△ Olbia***   Seite 374   (2316) € 16
5 (A+B+D+E+F+I 11/4-4/10)
AKZ. 4/4-27/6 5/9-4/10

Grimaud ⚐⚐
△ Les Mûres***   Seite 374   (2321) € 18
5 (A+C 28/3-2/10) (D 1/6-30/9) (E+F+I+J 28/3-2/10)
AKZ. 28/3-30/6 1/9-2/10

La Croix-Valmer
△ Sélection Camping****   Seite 376   (2327) € 18
5 (A+C+D+E+F+I+J 1/4-15/10) 6 (B+G 1/4-15/10)
AKZ. 15/3-30/6 22/8-15/10

La Seyne-sur-Mer
△ Les Fontanettes***   Seite 376   (2330) € 16
5 (A 1/7-31/8) (D 15/6-15/9) (E 1/7-31/8) 6 (A+F 1/5-30/9)
AKZ. 1/1-5/7 29/8-31/12

Le Lavandou
△ Parc Camping de Pramousquier** Seite 376   (2333) € 16
5 (A+B 18/4-4/10) (D+E+F+I+J 1/6-15/9)
AKZ. 18/4-3/7 22/8-4/10

Le Muy ⚐⚐
△ Les Cigales****   Seite 376   (2334) € 18
5 (A+B+D+E+F+I+J 1/4-30/9) 6 (B+G 1/4-15/10)
AKZ. 14/3-28/6 22/8-18/10

Le Muy
△ RCN Domaine de la Noguière***   Seite 377   (2335) € 14
5 (A+B 21/3-23/10) (D+E+F 1/4-15/10) (I+J 15/4-30/9)
6 (A+F 15/4-30/9)
AKZ. 21/3-7/7 25/8-31/10

Le Pradet
△ L'Artaudois***   Seite 377   (2336) € 14
5 (A+D+F 15/6-15/9) 6 (A+F 15/5-30/9)
AKZ. 1/4-3/7 22/8-15/10

Les Adrets-de-l'Estérel
△ Les Philippons***   Seite 377   (2338) € 16
5 (A+B+D+E+F+I 11/4-3/10) 6 (A+F 11/4-3/10)
AKZ. 11/4-3/7 24/8-3/10

Les Issambres
△ Au Paradis des Campeurs****   Seite 377   (2339) € 16
5 (A+C+D+E+F+I+J 1/4-3/10)
AKZ. 1/4-30/6 1/9-3/10

Montmeyan
△ Château de l'Eouvière****   Seite 378   (2348) € 16
5 (A 15/6-15/9) (B 15/5-15/9) (D+E+I 1/6-15/9)
6 (A 1/5-30/9)
AKZ. 1/5-15/7 1/9-27/9

Port-Grimaud ⚐⚐
△ Les Prairies de la Mer***   Seite 378   (2358) € 18
5 (A+C+D+E+F+I+J 28/3-12/10)
AKZ. 28/3-14/6 13/9-12/10

Puget-sur-Argens ⚐⚐
△ La Bastiane*****   Seite 378   (2361) € 16
5 (A+C+D+E+F+I+J 11/4-18/10) 6 (B+G 11/4-18/10)
AKZ. 11/4-4/7 23/8-18/10 9=8, 16=14, 21=18

Roquebrune-sur-Argens
△ Domaine de la Bergerie*****   Seite 380   (2362) € 16
5 (A+C 5/4-30/9) (D+E+F+H 25/4-30/9) (I+J 5/4-30/9)
6 (A 11/4-30/9) (E 5/4-1/11) (F 11/4-30/9)
AKZ. 25/4-4/7 23/8-30/9

Roquebrune-sur-Argens ⚐⚐
△ Le Vaudois***   Seite 380   (2363) € 12
5 (A+B+D+F 15/5-15/9) 6 (A+F 15/5-30/9)
AKZ. 25/4-27/6 24/8-30/9

Roquebrune-sur-Argens
△ Leï Suves****   Seite 380   (2364) € 16
5 (A+C+D+E+F+I+J 4/4-15/10) 6 (B+G 4/4-15/10)
AKZ. 4/4-3/7 24/8-15/10 7=6

Roquebrune-sur-Argens ⚐⚐
△ Les Pêcheurs****   Seite 380   (2365) € 16
5 (A+B+D+E+F+I+J 4/4-29/9) 6 (B+G 4/4-29/9)
AKZ. 4/4-3/7 24/8-29/9 7=6

Roquebrune-sur-Argens
△ Moulin des Iscles***   Seite 380   (2366) € 16
5 (A+C 1/4-30/9) (D+E+F+I 4/4-27/9)
AKZ. 1/4-3/7 24/8-30/9 7=6

Sanary-sur-Mer
△ Campasun Le Mas de Pierredon****   Seite 382   (2370) € 16
5 (A+B+D+E+F 18/4-28/9) (I+J 7/4-23/9) 6 (B+F 18/4-28/9)
AKZ. 18/4-7/7 24/8-28/9

Sanary-sur-Mer
△ Campasun Le Parc Mogador**** Seite 382   (2371) € 18
5 (A 15/4-15/9) (B 1/6-30/9) (D 15/4-15/9) (E 1/4-20/10)
(F 15/4-15/9)
6 (B+F 1/4-30/10)
AKZ. 28/3-7/7 24/8-2/11

Ausführliche Redaktionseinträge: Seite 372 bis 382

Six-Fours-les-Plages   **Seite 382** (2373) € 16
🔺 Hôtellerie de Plein Air Les Playes****
5 (A+B+D+E 1/7-31/8) **6** (B+G 31/3-1/11)
AKZ. 1/1-3/7 24/8-31/12

St. Aygulf ✴✴   **Seite 382** (2376) € 14
🔺 La Barque***
5 (A+D+E+F+I+J 15/4-12/10) **6** (A 1/4-30/9)
AKZ. 28/3-6/7 24/8-31/10

St. Aygulf ✴✴   **Seite 382** (2377) € 18
🔺 La Plage d'Argens***
5 (A+C+D+E+F+I+J 4/4-11/10) **6** (B+G 4/4-11/10)
AKZ. 4/4-5/7 22/8-11/10

St. Aygulf ✴✴   **Seite 382** (2378) € 16
🔺 Les Jardins du Maï Taï***
5 (A 18/4-3/10) (D+E+F+I 1/6-15/9) **6** (A+F 18/4-3/10)
AKZ. 18/4-4/7 22/8-3/10

St. Aygulf   **Seite 382** (2379) € 18
🔺 Sandaya Riviera d'Azur****
5 (A+C+D+E+F+I+J 4/4-12/10) **6** (B+G 4/4-12/10)
AKZ. 4/4-3/7 31/8-11/10

St. Cyr-sur-Mer   **Seite 383** (2380) € 16
🔺 Le Clos Sainte Thérèse***
5 (A+B 4/4-30/9) (D+E+F+I 15/6-15/9)
6 (A 4/4-30/9) (F 1/7-1/10)
AKZ. 4/4-30/6 1/9-30/9

Ste Maxime ✴✴   **Seite 383** (2389) € 16
🔺 Les Cigalons**
5 (A+D+F 28/3-17/10)
AKZ. 28/3-30/6 31/8-17/10

Alpes-Maritimes

Antibes   **Seite 383** (2400) € 16
🔺 Le Rossignol***
5 (A+B 1/7-31/8) **6** (B 20/4-26/9) (F 1/6-26/9)
AKZ. 29/3-11/7 28/8-26/9

Antibes   **Seite 383** (2401) € 16
🔺 Les Frênes***
5 (A+B+C 23/5-26/9) (D+E 15/6-15/9) (F 1/7-31/8)
6 (**A**+**F** 23/5-26/9)
AKZ. 23/5-4/7 22/8-26/9

Cagnes-sur-Mer   **Seite 383** (2402) € 16
🔺 Le Val Fleuri***
5 (A 4/4-26/9) (B+D 1/7-31/8) **6** (B+G 15/4-26/9)
AKZ. 4/4-4/7 29/8-26/9

La Colle-sur-Loup   **Seite 383** (2403) € 14
🔺 Le Vallon Rouge***
5 (A 5/4-28/9) (B+D+E+F+I+J 1/7-31/8)
6 (A 5/4-28/9) (F 1/5-28/9)
AKZ. 5/4-7/7 24/8-28/9 **14=11**

La Colle-sur-Loup   **Seite 384** (2404) € 16
🔺 Sites & Paysages Les Pinèdes****
5 (A 1/5-30/9) (C 15/5-30/9) (D+E+F+I+J 23/3-30/9)
6 (B+G 7/4-30/9)
AKZ. 23/3-4/7 26/8-30/9

Le Bar-sur-Loup   **Seite 384** (2405) € 16
🔺 Les Gorges du Loup***
5 (A+B 12/4-27/9) (D+E+F+I 1/5-15/9) **6** (A 12/4-27/9)
AKZ. 11/4-5/7 26/8-26/9

Le Cannet/Cannes   **Seite 384** (2406) € 18
🔺 Le Ranch***
5 (A+B+D 15/5-15/10) (E 15/5-15/9) (F 15/5-15/10)
6 (C 15/5-15/10) (E 24/4-16/10)
AKZ. 15/4-30/6 31/8-15/10

Mandelieu-la-Napoule   **Seite 384** (2407) € 18
🔺 Camping Côté Mer***
5 (A 15/6-15/9) (D 1/6-25/9) (E 1/6-16/9) (F 1/6-15/9)
(I 15/6-15/9) (J 1/6-15/9)
6 (B 11/4-26/9)
AKZ. 11/4-3/7 29/8-25/9

Mandelieu-la-Napoule   **Seite 384** (2408) € 18
🔺 Les Cigales****
5 (A+D+E+F+I+J 1/5-31/10) **6** (A+F 1/5-30/9)
AKZ. 1/1-3/7 26/9-15/11

Puget-Théniers   **Seite 384** (2409) € 16
🔺 Origan****
5 (A+B+D+E+F+I+J 26/4-30/9) **6** (B+F 26/4-30/9)
AKZ. 25/4-11/7 28/8-30/9

Korsika

Aléria   **Seite 385** (2410) € 18
🔺 Marina d'Aléria****
5 (A+C+D+E+F+J 15/5-15/9) **6** (F 25/4-10/10)
AKZ. 25/4-20/6 1/9-8/10

Aléria   **Seite 386** (2411) € 18
🔺 Riva Bella Thalasso & Spa Resort****
5 (A 15/5-30/9) (C 1/5-30/9) (D+E+F 1/6-15/9) (J 20/1-20/12)
AKZ. 20/1-12/6 10/9-20/12

Bonifacio   **Seite 386** (2412) € 16
🔺 Pian del Fosse***
5 (A 1/6-30/9) (B+D 1/7-31/8)
AKZ. 20/4-30/6 1/9-15/10

Bravone   **Seite 386** (2413) € 16
🔺 Bagheera****
5 (A+C 1/5-30/9) (D+E+F+J 15/5-30/9)
AKZ. 20/1-2/6 1/9-20/12

Ausführliche Redaktionseinträge: Seite 382 bis 386

Calvi ⚐⚐
🔺 La Pinède****   **Seite 386** (2414) € 16
5 (A+C+D+E+F+J 1/5-30/9) **6** (B 28/3-31/10)
AKZ. 28/3-30/6 1/9-31/10

Ghisonaccia
🔺 Arinella Bianca*****   **Seite 387** (2415) € 18
5 (A+C+D+E+F+I+J 15/5-15/9) **6** (B+F 17/4-30/9)
AKZ. 11/4-4/7 22/8-30/9

Ghisonaccia
🔺 Marina d'Erba Rossa****   **Seite 387** (2416) € 16
5 (A 3/5-27/9) (C 1/5-10/10) (D+E+F+J 15/5-10/10)
6 (A 15/5-1/10)
AKZ. 4/4-10/7 29/8-11/10

Lecci
🔺 Mulinacciu***   **Seite 387** (2417) € 16
5 (A 15/6-31/8) (D+E+F+I 1/6-31/8) **6** (B+G 1/6-30/9)
AKZ. 20/5-30/6 1/9-25/9

Lumio
🔺 Le Panoramic**   **Seite 387** (2418) € 14
5 (A 1/6-30/9) (B 1/5-30/9) (D+E+F+I 15/6-15/9)
6 (A 1/6-30/9)
AKZ. 1/5-30/6 1/9-30/9

Olmeto
🔺 Vigna Maggiore   **Seite 388** (2419) € 16
5 (A+B+C 15/5-20/9) (D+E+F 1/7-15/9) (I 1/6-30/9)
6 (B 1/5-30/9)
AKZ. 1/5-7/6 1/9-30/9

Pietracorbara
🔺 La Pietra***   **Seite 388** (2420) € 16
5 (A 15/4-15/10) (B 1/7-30/9) (D+I 15/6-15/9)
6 (A 1/6-15/9)
AKZ. 20/3-30/6 11/9-4/10

Porticcio
🔺 Benista****   **Seite 388** (2421) € 18
5 (A 1/4-15/10) (B+C+D+E 1/1-31/12) (F 1/7-31/8) (I 1/6-31/8)
6 (A+F 15/5-15/9)
AKZ. 1/4-30/6 1/9-15/10

Sagone
🔺 Le Sagone Camping   **Seite 389** (2422) € 16
5 (A+C+D+E+F+J 21/4-30/9) **6** (A+F 21/4-30/9)
AKZ. 21/4-29/6 20/9-30/9

▭ Spanien

Barcelona/Gerona

Albanyà
🔺 Bassegoda Park Cat. 1   **Seite 400** (2423) € 16
5 (A+B+D+E+F+J 13/3-8/12) **6** (A 1/6-30/9)
AKZ. 30/4-3/5 8/5-10/5 15/5-17/5 22/5-25/5 29/5-15/7 1/9-30/9
7=6, 14=9

Batet de la Serra/Olot
🔺 La Fageda Cat.2   **Seite 400** (2426) € 16
5 (A+B+D+E+I 1/3-31/12) **6** (A 24/6-9/9)
AKZ. 1/1-15/7 1/9-31/12

Berga ⚐⚐
🔺 Berga Resort Cat.1   **Seite 400** (2427) € 18
5 (A 1/1-31/12) (C 1/7-31/8) (D+E+F+I+J 1/1-31/12)
6 (A 1/5-12/10) (**E** 1/1-31/12) (G 1/5-12/10)
AKZ. 1/1-2/4 6/4-18/6 28/6-30/6 13/9-8/10 12/10-3/12 8/12-30/12
14=12, 30=24

Blanes ⚐⚐
🔺 Bella Terra   **Seite 401** (2428) € 18
5 (A+B+D+E+I+J 28/3-27/9) **6** (A+F 1/5-27/9)
AKZ. 28/3-19/6 28/8-27/9

Blanes
🔺 Solmar   **Seite 401** (2429) € 16
5 (A+C 23/3-12/10) (D+E+F+I 1/5-1/10) **6** (A+F 1/5-30/9)
AKZ. 3/4-20/6 1/9-12/10

Calella
🔺 Roca Grossa Cat.2   **Seite 401** (2430) € 18
5 (A+C+D+E+I 1/4-7/10) **6** (A+F 1/5-1/10)
AKZ. 1/4-30/6 1/9-7/10 7=6

Calonge
🔺 CP & Bungalowpark Cala Gogo Cat.1   **Seite 401** (2431) € 18
5 (A+C+D+E+I+J 25/4-20/9) **6** (B+G 25/4-20/9)
AKZ. 25/4-21/6 30/8-20/9

Campdevànol
🔺 Moli Serradell Cat.3   **Seite 401** (2435) € 16
5 (A+B+D+E+I 14/4-15/10) **6** (A+F 20/6-30/8)
AKZ. 14/4-5/7 25/8-15/10 7=6

Camprodon ⚐⚐
🔺 Vall de Camprodon Cat.2   **Seite 401** (2436) € 16
5 (A+B+C+D+E+F+I+J 1/1-31/12) **6** (A 15/6-20/9)
AKZ. 1/5-3/5 8/5-10/5 15/5-17/5 22/5-24/5 29/5-15/7 1/9-30/9
7=6

Canet de Mar
🔺 Globo Rojo Cat. 1   **Seite 401** (2437) € 16
5 (A+B+E+I+J 11/4-27/9) **6** (A+F 1/5-27/9)
AKZ. 11/4-30/6 31/8-27/9

Capmany ⚐⚐
🔺 Les Pedres   **Seite 401** (2438) € 16
5 (A 1/7-31/8) (B 1/1-31/12) **6** (A 1/5-15/10)
AKZ. 1/1-9/7 26/8-31/12

Esponellà (Girona) ⚐⚐
🔺 Esponellà Cat.2   **Seite 402** (2441) € 18
5 (C 1/4-30/9) (D+E+I+J 1/1-31/12)
6 (B 1/1-31/12) (F 1/1-31/12)
AKZ. 1/1-30/6 14/9-31/12 7=6

Ausführliche Redaktionseinträge: Seite 386 bis 402

Garriguella ⛵️
△ Vell Empordà Cat.2   Seite 402   **2442** € 16
5 (C+D+E+F+I+J 3/4-30/9) **6** (A+F 15/4-30/9)
AKZ. 3/4-30/6 1/9-30/9 7=6

Gavà (Barcelona)
△ 3 Estrellas Cat.1   Seite 402   **2443** € 18
5 (A+C+D+E+H+I+J 15/3-15/10) **6** (A+F 20/6-30/9)
AKZ. 15/3-30/6 1/9-15/10

Guardiola de Berguedà
△ El Berguedà Cat.2   Seite 402   **2444** € 16
5 (A 1/4-1/11) (B+C 24/6-31/8) (D+E+F+I 10/7-1/9)
6 (A+F 24/6-1/9)
AKZ. 6/4-9/7 26/8-1/11

L'Escala
△ Illa Mateua Cat.1   Seite 402   **2449** € 18
5 (C+D+E+I+J 28/3-23/10)
6 (B 28/3-23/10,15/6-23/10) (G 28/3-23/10)
AKZ. 28/3-30/6 30/8-23/10

L'Escala
△ Neus   Seite 403   **2450** € 16
5 (A+B+D+E+F 15/5-20/9) **6** (A+F 15/5-20/9)
AKZ. 15/5-30/6 1/9-20/9

L'Estartit
△ Emporda   Seite 403   **2451** € 16
5 (A+B 28/3-12/10) (E+I 1/6-15/9) **6** (A+F 1/4-12/10)
AKZ. 28/3-3/6 1/9-12/10

L'Estartit
△ Les Medes Cat.1   Seite 403   **2452** € 18
5 (A+C+D+E 1/1-31/12) (J 1/5-1/10)
6 (A 1/5-15/9) (E 1/1-15/6,15/9-31/12) (F 1/5-15/9)
AKZ. 1/1-28/3 7/4-30/4 4/5-16/6 12/9-31/12

L'Estartit
△ Ter Cat. 2   Seite 403   **2453** € 16
5 (B 1/6-31/8) (D 1/6-15/9) **6** (A+F 1/5-15/9)
AKZ. 1/4-1/7 20/8-13/9

Llagostera ⛵️
△ Ridaura   Seite 403   **2456** € 16
5 (A 27/2-12/10) (B+D+I 1/6-15/9) **6** (A+F 1/6-15/9)
AKZ. 1/5-5/7 24/8-12/10 7=6

Lloret de Mar ⛵️
△ Lloret Blau   Seite 403   **2457** € 16
5 (B 1/7-30/8) (D+I 24/6-30/8) **6** (A 30/4-27/9)
AKZ. 30/4-3/7 24/8-27/9

Lloret de Mar ⛵️
△ Tucan**   Seite 403   **2458** € 18
5 (A 28/3-27/9) (B 20/6-31/8) (D+E+I+J 28/3-27/9)
6 (A+F 28/3-27/9)
AKZ. 28/3-30/6 1/9-27/9

Maçanet de Cabrenys
△ Camping Maçanet de Cabrenys   Seite 403   **2459** € 16
5 (A+B+D+E+I 1/3-31/12) **6** (A 1/6-30/9)
AKZ. 1/3-5/7 1/9-31/12

Malgrat de Mar ⛵️
△ Camping Resort Els Pins   Seite 403   **2460** € 16
5 (A+B+E+I 1/4-30/9) **6** (A+F 1/4-18/10)
AKZ. 1/4-18/6 25/6-30/6 1/9-30/11

Malgrat de Mar ⛵️
△ del Mar   Seite 403   **2461** € 16
5 (A+B+D+E+I 27/3-12/10) **6** (A+F 15/4-12/10)
AKZ. 27/3-3/7 22/8-12/10

Malgrat de Mar ⛵️
△ La Tordera   Seite 404   **2462** € 18
5 (A+B+D+E+F+I 1/6-15/9) **6** (A+F 22/5-15/9)
AKZ. 27/3-6/4 8/5-22/6 25/6-5/7 24/8-13/9

Mataró
△ Barcelona Cat.2   Seite 404   **2463** € 18
5 (A+C 27/2-1/11) (D 17/5-28/9) (E+F+I+J 27/2-1/11)
6 (A+F 16/5-27/9)
AKZ. 27/2-30/6 1/9-31/10

Montagut
△ Montagut   Seite 404   **2469** € 16
5 (A+B 15/4-12/10) (D+E+F+I+J 1/7-31/8) **6** (A+F 1/5-30/9)
AKZ. 15/4-6/7 24/8-12/10

Palamós
△ Benelux   Seite 404   **2471** € 18
5 (A+B 11/4-27/9) (I 1/5-15/9) **6** (A+F 1/6-11/9)
AKZ. 11/4-30/6 1/9-27/9

Palamós
△ Internacional Palamós Cat.1   Seite 404   **2472** € 16
5 (B+D+E+I 28/3-30/9) **6** (A+F 1/6-30/9)
AKZ. 28/3-3/7 29/8-29/9

Pals ⛵️
△ Mas Patoxas Cat.1   Seite 404   **2473** € 16
5 (A+C+D+E+J 1/4-28/9) **6** (A+F 1/5-27/9)
AKZ. 16/1-6/7 24/8-13/12 7=6, 14=10

Pineda de Mar ⛵️
△ Bell-Sol Cat.2   Seite 404   **2474** € 16
5 (A 27/3-12/10) (D 15/5-15/9) (E 1/6-31/8) **6** (A+F 15/5-15/9)
AKZ. 27/3-5/7 31/8-12/10

Pineda de Mar ⛵️
△ Caballo de Mar   Seite 404   **2475** € 16
5 (A 4/4-12/10) (B 1/6-31/8) (D+E 4/4-1/9) (I 4/4-12/10)
6 (A+F 4/4-30/9)
AKZ. 28/3-30/6 1/9-12/10

Ausführliche Redaktionseinträge: Seite 402 bis 404

Spanien

Pineda de Mar
▲ Enmar Cat.2 — Seite 404 (2476) € 16
5 (A 16/3-31/10) (B 1/5-30/9) (D+E 16/3-31/10)
(I 1/4-31/10)
6 (A+F 15/4-31/10)
AKZ. 16/3-5/7 26/8-31/10

Platja d'Aro
▲ Pinell — Seite 404 (2477) € 14
5 (A+E+I 2/4-4/10) 6 (A+F 2/4-4/10)
AKZ. 2/4-8/7 25/8-4/10

Platja d'Aro
▲ Riembau Cat.1 — Seite 404 (2478) € 18
5 (A+C+D+E+I 28/3-27/9)
6 (A 28/3-27/9) (E 28/3-27/9,1/9-31/12) (F 28/3-27/9)
AKZ. 28/3-21/6 1/9-27/9

Platja d'Aro
▲ Valldaro Cat.1 — Seite 405 (2479) € 16
5 (A+C+D+E+I+J 27/3-27/9) 6 (A+F 27/3-27/9)
AKZ. 27/3-3/7 24/8-27/9 *7=6*

Platja de Pals
▲ Cypsela Cat. de Luxe — Seite 405 (2480) € 18
5 (A+C+D+E+F+I+J 15/5-13/9) 6 (A+F 15/5-13/9)
AKZ. 8/5-3/7 31/8-12/9

Platja de Pals
▲ Inter-Pals Cat.1 — Seite 406 (2481) € 16
5 (A+C+D+E+I 1/4-27/9) 6 (A+F 1/5-27/9)
AKZ. 27/3-3/7 24/8-27/9 *7=6*

Saldes
▲ Repòs del Pedraforca Cat.1 — Seite 406 (2485) € 16
5 (A+C 1/4-30/11) (D+E+F+J 24/6-11/9)
6 (A 15/5-15/9) (E 1/4-1/11) (F 15/5-15/9)
AKZ. 1/1-31/3 6/4-29/4 4/5-19/6 25/6-15/7 14/9-9/10 13/10-31/12
7=6, 14=11, 20=15

Sant Antoni de Calonge
▲ Eurocamping — Seite 406 (2486) € 18
5 (A+C 25/4-20/9) (D+E 1/6-20/9) (I 25/4-20/9)
6 (A+F 25/4-20/9)
AKZ. 26/4-21/6 25/6-30/6 24/8-19/9

Sant Feliu de Guixols ☀☀
▲ Sant Pol — Seite 406 (2488) € 18
5 (A+B+E+I 11/4-2/11) 6 (B+F 11/4-2/11)
AKZ. 7/4-18/6 14/9-12/10

Sant Pere Pescador ☀☀
▲ Aquarius Cat.2 — Seite 406 (2489) € 18
5 (C+D+E+F+J 15/3-2/11)
AKZ. 15/3-31/3 6/4-24/5 29/5-19/6 13/9-7/10 12/10-31/10

Sant Pere Pescador
▲ La Gaviota — Seite 407 (2490) € 18
5 (A+B+C+D+E+F+I+J 27/3-25/10) 6 (B+F 27/3-25/10)
AKZ. 27/3-31/3 10/4-22/5 30/5-21/6 13/9-25/10

Sant Pere Pescador ☀☀
▲ Riu** — Seite 407 (2491) € 18
5 (B+D+E+F+H+I 1/4-27/9) 6 (A+F 1/4-27/9)
AKZ. 1/4-30/6 1/9-27/9

Sitges
▲ El Garrofer Cat.2 — Seite 408 (2492) € 18
5 (A+C+D+E+F+I+J 1/3-13/12) 6 (A+F 1/4-30/9)
AKZ. 27/2-12/7 1/9-13/12 *7=6, 14=12, 21=18, 28=24*

Taradell/Osona
▲ La Vall Cat.1 — Seite 408 (2494) € 18
5 (A 7/1-17/12) (B 7/1-21/6,14/9-17/12) (C+D+E+F+I 21/6-14/9)
6 (A 21/6-14/9) (F 12/6-14/9)
AKZ. 7/1-26/3 7/4-29/4 4/5-18/6 14/9-8/10 13/10-3/12 9/12-17/12

Tossa de Mar ☀☀
▲ Cala Llevadó Cat.1 — Seite 408 (2500) € 18
5 (A+C 1/4-30/9) (D+E+F+I+J 1/5-30/9) 6 (A+F 1/4-30/9)
AKZ. 1/4-18/6 30/8-30/9

Vilanova i la Geltrú
▲ Vilanova Park Cat.1 — Seite 408 (2501) € 16
5 (A+C+D+E+F 1/1-31/12) (H 1/7-31/8) (I+J 1/1-31/12)
6 (A 23/3-3/11) (E 1/1-31/12) (F 23/3-3/11)
AKZ. 1/1-5/7 25/8-31/12 *14=11*

Tarragona

Amposta
▲ Eucaliptus Cat.2 — Seite 409 (2424) € 16
5 (A+C+D+E+I+J 4/4-21/9) 6 (A+F 1/6-21/9)
AKZ. 20/3-1/4 6/4-5/7 23/8-19/9 *7=6, 14=12, 21=18*

Arnes
▲ Els Ports Cat. 2 — Seite 409 (2425) € 12
5 (A+B+D+F+I 1/1-31/12) 6 (A+F 15/6-30/9)
AKZ. 1/1-27/3 7/4-30/6 1/9-31/12 *7=6*

Cambrils
▲ Joan Cat.2 — Seite 409 (2432) € 16
5 (A+C+D+E+I+J 1/3-15/10) 6 (A+F 1/5-15/9)
AKZ. 12/1-2/7 30/8-13/12 *7=6, 15=12, 30=23, 60=45*

Cambrils ☀☀
▲ La Llosa Cat.3 — Seite 409 (2433) € 16
5 (A+C 1/6-30/9) (D+E+I+J 15/5-30/9) 6 (A+F 15/5-8/10)
AKZ. 1/1-30/6 1/9-31/12 *7=6, 15=12*

Cambrils ☀☀
▲ Playa Cambrils Don Camilo Cat.2 — Seite 410 (2434) € 16
5 (A 15/6-15/9) (C+D+E+H+I+J 13/3-12/10) 6 (A+F 13/3-12/10)
AKZ. 13/3-2/4 6/4-19/6 24/8-12/10 *7=6*

Coma-Ruga/El Vendrell
▲ Vendrell Platja Cat.1 — Seite 410 (2439) € 16
5 (A+B+C+D+E+H+I+J 27/3-1/11) 6 (A+F 27/3-1/11)
AKZ. 27/3-3/7 23/8-1/11 *7=6*

Ausführliche Redaktionseinträge: Seite 404 bis 410

Hospitalet del Infante   Seite 410   € 16
🏕 La Masia Cat.2
5 (A+B+D+F+I+J 1/2-30/11)   **6** (A+F 1/5-30/10)
AKZ. 1/2-7/7 1/9-30/11 **7=6, 14=12**

L'Ametlla de Mar   Seite 410    € 14
🏕 Camping Ametlla Cat.1
5 (A 1/1-31/12) (C+D+E+F+I+J 1/4-30/9) **6** (A+F 1/4-15/10)
AKZ. 1/1-30/6 22/8-31/12 **30=21**

L'Ametlla de Mar ⚤   Seite 410   2447 € 16
🏕 Nautic Cat.1
5 (A+B 1/7-31/8) (I+J 25/3-14/10) **6** (A+F 24/3-15/10)
AKZ. 24/3-1/4 6/4-10/7 27/8-30/9 **14=11, 30=24**

L'Ampolla ⚤   Seite 410   2448 € 14
🏕 Camping Ampolla Playa Cat. 2
5 (A+B 1/3-31/10) (C 1/4-30/9) (D+E+F+I+J 1/3-31/10)
AKZ. 27/2-2/4 6/4-12/7 29/8-31/10 **5=4, 7=5, 15=10, 30=20**

Les Cases d'Alcanar   Seite 410   2455 € 16
🏕 Estanyet
5 (A+B+D+E+F+I+J 1/1-31/12) **6** (A+F 1/1-31/12)
AKZ. 1/1-2/4 6/4-30/6 1/9-31/12 **7=6, 30=25**

Miami-Platja (Tarragona)   Seite 410   2464 € 16
🏕 Els Prats Village Cat.1
5 (A+C+D+F+F+H+I+J 20/3-1/11) **6** (A+F 1/4-20/10)
AKZ. 20/3-3/7 23/8-31/10 **21=20, 28=25, 42=34**

Mont-roig (Tarragona)   Seite 410   2465 € 16
🏕 Playa Montroig CP Resort Cat.1
5 (A+C+D+E+F+I+J 20/3-25/10) **6** (B+G 20/3-25/10)
AKZ. 20/3-1/4 7/4-18/6 1/9-25/10 **21=20, 30=27, 45=36**

Mont-roig del Camp   Seite 410   2466 € 16
🏕 La Torre del Sol Cat.1
5 (A+C+D+E+F+I+J 15/3-31/10) **6** (B+G 15/3-31/10)
AKZ. 15/3-2/4 7/4-20/6 1/9-31/10

Mont-roig del Camp ⚤   Seite 411   2467 € 12
🏕 Miramar Cat.2
5 (A+B+D+E+H+I 1/1-31/12)
AKZ. 1/1-30/6 1/9-31/12 **7=6, 14=12, 30=21**

Mont-roig del Camp ⚤   Seite 411   2468 € 16
🏕 Oasis Mar Cat.2
5 (A+C 20/3-15/10) (D+E 15/3-15/10) (I+J 15/6-15/9)
6 (A 15/6-15/9)
AKZ. 1/3-30/6 1/9-31/10

Prades (Tarragona)   Seite 411   2483 € 16
🏕 Prades Park
5 (A+B 1/1-31/12) (D+E+I+J 1/2-31/12) **6** (B+F 15/6-15/9)
AKZ. 1/1-1/4 6/4-20/6 1/9-10/9 14/9-29/10 2/11-31/12
7=6, 14=12

Sant Carles de la Ràpita   Seite 411   2487 € 16
🏕 Alfacs Cat.2
5 (A 26/3-18/10) (C 10/4-3/11) (D 26/3-18/10)
(E 10/4-3/11) (I+J 26/3-18/10)
6 (A 15/6-15/9) (F 15/6-13/9)
AKZ. 26/3-2/4 6/4-26/6 1/9-18/10 **7=6**

Tarragona ⚤   Seite 411   2495 € 16
🏕 Las Palmeras Cat.1
5 (A+C+D+E 28/3-12/10) (F 1/7-31/8) (H+I+J 28/3-12/10)
6 (A+F 15/6-15/9)
AKZ. 6/4-19/6 7/9-12/10 **14=12**

Tarragona   Seite 411   2496 € 16
🏕 Torre de la Mora S.A. Cat.1
5 (A+C+D+E+I+J 30/3-31/10) **6** (A+F 1/5-30/9)
AKZ. 30/3-21/6 5/9-25/10

Torredembarra   Seite 411   2497 € 14
🏕 Clara Cat.2
5 (A+C+E+I+J 27/3-4/10)
AKZ. 27/3-5/7 30/8-12/10 **7=6, 15=12, 30=23**

Torredembarra ⚤   Seite 415   2498 € 14
🏕 La Noria Cat.2
5 (A+C+D+E+J 28/3-30/9)
AKZ. 28/3-30/6 1/9-30/9 **7=6, 14=11**

Torredembarra ⚤   Seite 415   2499 € 14
🏕 Relax-Sol Cat.2
5 (A+B+C+D+E+F 1/3-15/10) (H+I+J 1/3-15/10,15/10-30/11)
AKZ. 1/5-15/7 1/9-15/10 **7=6, 14=12, 30=23**

Lérida

El Pont de Suert (Lérida)   Seite 416   2440 € 12
🏕 Alta Ribagorça
5 (A+B 1/7-31/8) (I 15/6-15/9) **6** (A 24/6-15/9)
AKZ. 1/4-15/7 1/9-1/12 **4=3, 7=5**

La Guingueta d'Àneu   Seite 416   2454 € 16
🏕 Nou Camping Cat.2
5 (A+B+D+E+F+H+I 1/1-2/11,1/12-31/12) **6** (B+G 1/7-15/9)
AKZ. 1/4-15/7 1/9-2/11 **7=6**

Montferrer   Seite 416   2470 € 16
🏕 Gran Sol Cat.2
5 (A+B+E+I+J 1/4-31/10) **6** (A+F 20/6-11/9)
AKZ. 6/4-10/7 27/8-31/10 **7=6**

Pont d'Arros   Seite 416   2482 € 16
🏕 Verneda
5 (A 21/6-30/9) (B 1/4-11/10) (D+E 21/6-13/9)
(F 20/6-11/9) (I+J 21/6-13/9)
6 (B+G 21/6-13/9)
AKZ. 6/4-21/6 31/8-11/10

Ausführliche Redaktionseinträge: Seite 410 bis 416

Ribera de Cardós   Seite 416   (2484)   € 16
🔺 Del Cardós Cat.2
🔳 (A+B+D+F 1/4-30/9)   🔳 (B+G 15/6-15/9)
AKZ.   *1/4-15/7*   *1/9-30/9*

Solsona (Lleida)   Seite 417   (2493)   € 18
🔺 El Solsonès Cat.1
🔳 (A+C+D+E+F+I+J 21/6-14/9)   🔳 (A+F 21/6-14/9)
AKZ.   *9/1-2/4*   *7/4-15/7*   *1/9-9/12*   ***7=6***

Comunidad Valenciana

Alcossebre (Castellón)   Seite 418   (2502)   € 18
🔺 Playa Tropicana Cat.1
🔳 (A+C+D+E+F+I+J 1/1-31/12)
🔳 (A 1/1-31/12) (D 1/1-15/5,30/10-31/12) (F 1/1-31/12)
AKZ.   *1/1-1/4*   *7/4-30/6*   *1/9-31/12*   ***14=12, 21=18, 30=26***

Alcossebre (Castellón)   Seite 418   (2503)   € 16
🔺 Ribamar Cat.1
🔳 (A 1/1-31/12) (B 1/1-30/12) (J 1/1-31/12)
🔳 (A+F 1/4-30/10)
AKZ.   *1/1-1/4*   *6/4-5/7*   *24/8-31/12*   ***14=12, 21=18, 30=25***

Altea/Alicante   Seite 418   (2504)   € 16
🔺 Cap-Blanch Cat.2
AKZ.   *1/3-29/3*   *6/4-15/7*   *1/9-31/12*

Benicarlo   Seite 418   (2505)   € 16
🔺 Alegria del Mar Cat.2
🔳 (A+B+E+F+I+J 1/1-31/12)   🔳 (A+F 1/4-30/11)
AKZ.   *1/1-12/7*   *29/8-31/12*   ***14=12, 21=18, 30=26***

Benicasim   Seite 418   (2506)   € 16
🔺 Azahar Cat.1
🔳 (A 1/1-31/12) (C 1/7-31/8) (D+E+I+J 1/1-31/12)
🔳 (A+F 1/1-31/12)
AKZ.   *1/1-2/4*   *7/4-30/6*   *1/9-31/12*   ***7=6, 14=12, 21=18, 30=26***

Benicasim   Seite 418   (2507)   € 18
🔺 Bonterra Park Cat.1
🔳 (A+B+D+E+I+J 1/1-31/12)   🔳 (A+D+F 1/1-31/12)
AKZ.   *1/1-31/3*   *6/4-30/6*   *1/9-31/12*

Benidorm/Alicante   Seite 418   (2508)   € 16
🔺 Arena Blanca Cat.2
🔳 (A+B+D+E+F+I 1/1-31/12)
🔳 (A 1/1-31/12) (D 1/1-1/5,15/10-31/12)
AKZ.   *1/1-1/4*   *7/4-30/6*   *1/9-31/12*

Benidorm/Alicante   Seite 418   (2509)   € 16
🔺 Armanello Cat.2
🔳 (A+B+D+E+F+I 1/1-31/12)   🔳 (A+F 1/1-31/12)
AKZ.   *1/1-31/3*   *6/4-15/7*   *1/9-31/12*   ***7=6***

Benidorm/Alicante   Seite 419   (2510)   € 16
🔺 Benisol
🔳 (A+B+D+E+F+I+J 1/1-31/12)
🔳 (A 1/6-30/9) (E 1/1-31/5,1/10-31/12) (F 1/6-30/9)
AKZ.   *1/1-15/7*   *1/9-31/12*   ***7=6***

Bigastro/Alicante   Seite 419   (2511)   € 16
🔺 La Pedrera*
🔳 (A+B+D+E+F+I+J 1/1-31/12)   🔳 (A+F 1/1-31/12)
AKZ.   *1/1-7/7*   *24/8-31/12*

Càlig/Castellon   Seite 419   (2512)   € 16
🔺 L'Orangeraie Cat. 2
🔳 (A+B+D+E 15/1-30/11)   🔳 (A+F 15/1-30/11)
AKZ.   *15/1-7/7*   *24/8-30/11*   ***10=9, 30=24***

Calpe/Alicante   Seite 420   (2513)   € 18
🔺 CalpeMar Cat. 1
🔳 (A+D+I 1/1-31/12)   🔳 (A 1/1-31/12)
AKZ.   *1/1-30/6*   *1/9-31/12*

Crevillente/Alicante   Seite 420   (2514)   € 14
🔺 Las Palmeras Cat.1
🔳 (A+D+I+J 1/1-31/12)   🔳 (A+F 1/1-31/12)
AKZ.   *1/1-30/6*   *17/8-31/12*   ***7=6***

Crevillente/Alicante   Seite 420   (2515)   € 16
🔺 Marjal Costa Blanca Eco CP Resort****
🔳 (A+C+D+E+F+I+J 1/1-31/12)   🔳 (A+E+G 1/1-31/12)
AKZ.   *1/1-1/4*   *6/4-18/6*   *7/9-31/12*

Cullera/Valencia   Seite 420   (2516)   € 14
🔺 Santa Marta Cat.1
🔳 (A+B+D+F+I 18/6-7/9)   🔳 (A+F 18/6-7/9)
AKZ.   *16/1-31/3*   *6/4-18/6*   *7/9-13/12*

El Campello/Alicante   Seite 420   (2517)   € 16
🔺 Costa Blanca Cat.2
🔳 (A 1/1-31/12) (B 1/7-31/8) (D+E+F+I+J 1/1-31/12)
🔳 (A 1/1-31/12)
AKZ.   *1/1-1/4*   *7/4-12/7*   *31/8-31/12*

El Campello/Alicante ✳✳   Seite 420   (2518)   € 16
🔺 El Jardin
🔳 (A+I 1/1-31/12)   🔳 (A+F 1/6-30/9)
AKZ.   *1/1-6/7*   *23/8-31/12*   ***10=9***

Grau de Gandía   Seite 420   (2519)   € 16
🔺 L'Alquería
🔳 (A+B 1/1-31/12) (D+F+I 21/6-30/9)
🔳 (A 1/6-30/9) (C 1/1-30/5,1/10-31/12) (F 1/6-30/9)
AKZ.   *1/1-31/3*   *7/4-30/6*   *1/9-20/12*   ***7=6, 14=11***

Guardamar del Segura/Alicante   Seite 420   (2520)   € 18
🔺 Marjal Guardamar Camp. & Resort*****
🔳 (A+C+D+E+F 1/1-31/12) (H 1/7-31/8) (I+J 1/1-31/12)
🔳 (A+D 1/1-31/12)
AKZ.   *1/1-1/4*   *6/4-18/6*   *7/9-31/12*

Jávea/Alicante   Seite 420   (2521)   € 16
🔺 El Naranjal
🔳 (A+D+E+F+I+J 1/4-13/9)   🔳 (A 1/1-31/12)
AKZ.   *1/1-29/3*   *6/4-5/7*   *24/8-31/12*

Ausführliche Redaktionseinträge: Seite 416 bis 420

Jávea/Alicante Seite 421 2522 € 16
🔺 Jávea Cat.1
5 (A+B+D+E+F+I 1/1-31/12) **6** (A+F 20/4-12/10)
AKZ. 1/1-30/6 1/9-31/12

La Vall de Laguar/Alicante Seite 421 2523 € 16
🔺 Vall de Laguar
5 (E+I 1/7-31/8) **6** (A+F 1/3-31/12)
AKZ. 1/1-15/7 1/9-31/12

Mareny de Barraquetes/Sueca Seite 421 2524 € 14
🔺 Barraquetes
5 (A+B+F+I 1/7-10/9) **6** (A+F 30/6-9/9)
AKZ. 15/1-31/3 7/4-19/6 7/9-15/12 7=6

Moncofa/Castellón Seite 422 2525 € 16
🔺 Camping Mon Mar Cat.2
5 (A+B+D+E+I+J 1/1-31/12) **6** (A+F 1/1-31/12)
AKZ. 1/1-9/7 26/8-31/12 7=6, 10=8, 20=15, 30=22

Moraira/Alicante Seite 422 2526 € 16
🔺 Moraira Cat.1
5 (A 1/1-31/12) (D+F+I 1/1-30/11) **6** (A 1/1-31/12)
AKZ. 1/1-31/3 13/4-30/6 1/9-31/12

Navajas (Castellón) Seite 422 2527 € 16
🔺 Altomira Cat.1
5 (A+B+F+I+J 1/1-31/12) **6** (A+F 15/6-15/9)
AKZ. 1/1-29/3 13/4-30/6 1/9-31/12

Oliva/Valencia Seite 422 2528 € 16
🔺 Azul
5 (A+B+D+E+F+I 1/4-31/10)
AKZ. 7/4-30/6 1/9-31/10

Oliva/Valencia Seite 422 2529 € 16
🔺 Eurocamping
5 (A+B 1/1-31/12) (E+I+J 15/3-11/10)
AKZ. 1/1-1/4 6/4-2/7 23/8-31/12

Oliva/Valencia Seite 422 2530 € 18
🔺 Kiko Park Cat.1
5 (A+C+E+F+J 1/1-31/12) **6** (B+G 1/1-31/12)
AKZ. 1/1-31/3 7/4-30/6 1/9-31/12

Oliva/Valencia Seite 422 2531 € 16
🔺 Olé Cat.1
5 (A 1/1-31/12) (C 2/4-6/4,1/7-31/8) (E+F+I+J 15/3-15/12)
6 (A 1/7-15/9)
AKZ. 1/1-1/4 7/4-30/6 1/9-31/12

Oliva/Valencia Seite 422 2532 € 14
🔺 Rio-Mar Cat.2
5 (A+C+D+E+I 1/1-15/10,1/11-31/12)
AKZ. 1/1-7/7 24/8-31/12

Oropesa del Mar (Castellón) Seite 422 2533 € 14
🔺 Didota S.L. Cat.1
5 (A+B+D+E+I+J 1/1-31/12) **6** (A+E+G 1/1-31/12)
AKZ. 1/1-15/7 1/9-31/12 7=6, 15=12, 30=22

Peñíscola Seite 422 2534 € 18
🔺 El Edén Cat.1
5 (A 1/1-31/12) (C 15/6-15/9) (D+E+I+J 20/1-31/12)
6 (A+F 1/4-15/10)
AKZ. 1/1-2/4 5/4-26/6 13/9-31/12 10=9

Peñíscola Seite 422 2535 € 12
🔺 Los Pinos SL Cat.1
5 (A+B+D+E+I+J 1/1-31/12) **6** (A+F 1/1-31/12)
AKZ. 1/1-1/4 7/4-15/6 12/9-31/12

Peñíscola Seite 422 2536 € 10
🔺 Vizmar Cat. 2
5 (A+B+D+I 1/1-31/12) **6** (A+F 1/4-30/9)
AKZ. 1/1-1/4 7/4-30/6 1/9-31/12 7=6

Pilar de la Horadada/Alicante Seite 423 2537 € 16
🔺 Lo Monte Cat.1
5 (A+B+D+E+F+I+J 1/1-31/12)
6 (A 1/6-30/9) (E 1/1-31/12) (F 1/6-30/9)
AKZ. 1/4-30/6 1/9-31/10

Pinedo/Valencia Seite 423 2538 € 10
🔺 Coll Vert Cat. 2
5 (A+B 16/1-13/12) (D+E+F+I 1/4-30/9) **6** (A+F 1/6-30/9)
AKZ. 16/1-15/7 1/9-13/12 7=6, 14=12, 30=25

Puçol/Valencia Seite 423 2539 € 16
🔺 Puzol Cat.2
5 (A+B+I 16/1-13/12) **6** (A+F 15/6-30/9)
AKZ. 16/1-15/7 1/9-13/12 7=6, 14=12, 30=25

Ribera de Cabanes Seite 424 2540 € 14
🔺 Torre La Sal Cat.1
5 (A+C 1/1-31/12) **6** (B+G 1/1-31/12)
AKZ. 1/1-1/4 7/4-30/6 1/9-31/12

Ribera de Cabanes Seite 424 2541 € 16
🔺 Torre la Sal 2 Cat.1
5 (A+C+E+I+J 1/1-31/12) **6** (A 1/4-31/10) (E+G 1/1-31/12)
AKZ. 1/1-31/3 7/4-30/6 1/9-31/12

Santa Pola/Alicante Seite 424 2542 € 16
🔺 Bahia de Santa Pola Cat.2
5 (A 1/1-31/12) (B 1/7-31/8) **6** (A+F 15/6-15/9)
AKZ. 1/1-7/7 24/8-31/12

Villargordo del Cabriel Seite 424 2543 € 16
🔺 Kiko Park Rural
5 (A+B+D+E+I+J 1/1-31/12) **6** (A+F 1/1-31/12)
AKZ. 1/1-31/3 7/4-15/7 1/9-31/12

Ausführliche Redaktionseinträge: Seite 421 bis 424

Spanien

Aragón

Albarracín/Teruel
△ Ciudad de Albarracín**   Seite 426 2544 € 16
5 (A+B 6/3-15/11) (D+I 28/3-15/11)
AKZ. 6/3-31/3 7/4-15/7 1/9-14/11

Alquézar
△ Rio Vero   Seite 426 2545 € 16
5 (A+C+D+E+F+I+J 15/3-31/10)
AKZ. 15/3-1/4 6/4-5/7 24/8-31/10

Benasque (Huesca)
△ AnetoCat.1   Seite 426 2546 € 16
5 (A+C+D+E+I+J 15/6-15/9) 6 (B 15/6-15/9)
AKZ. 1/1-10/7 27/8-31/10 1/12-31/12 7=6, 10=8, 14=12, 18=14

Boltaña (Huesca)
△ Boltaña   Seite 426 2547 € 16
5 (A+B 1/1-31/12) (D+E+I+J 1/4-30/10) 6 (A+F 1/6-30/9)
AKZ. 1/1-31/3 6/4-29/4 3/5-9/7 26/8-31/12

Bonansa (Huesca) ⚑⚑
△ Camping Baliera Cat.2   Seite 427 2548 € 16
5 (A 1/1-31/10,1/12-13/12) (B+F 1/7-31/8) 6 (A+F 15/6-25/9)
*AKZ. 1/1-12/7 29/8-31/10 1/12-13/12 26/12-31/12
7=6, 10=8, 15=12, 18=14*

Bronchales/Teruel ⚑⚑
△ Las Corralizas   Seite 427 2549 € 16
5 (A+D+E+I 1/7-31/8)
AKZ. 27/3-2/4 6/4-15/7 1/9-8/10 12/10-1/11 7=6, 14=11

Caspe ⚑⚑
△ Lake Caspe Camping***   Seite 427 2550 € 16
5 (A+C+D+E+I+J 1/3-8/11) 6 (A 1/5-30/9)
AKZ. 1/3-29/3 6/4-15/7 1/9-7/11 7=6, 14=11, 21=18, 30=24

Gavín
△ Camping Gavín S.L. Cat.1   Seite 427 2551 € 16
5 (A+C 1/1-31/12) (D+E+I+J 1/1-31/10,1/12-31/12)
6 (A+F 5/6-15/9)
AKZ. 1/1-10/7 1/9-31/12 7=6

La Puebla de Castro
△ Lago Barasona Cat. 1   Seite 427 2552 € 16
5 (A 1/4-30/10) (B 1/6-30/9) (D+E+F+J 1/4-15/9)
6 (A+F 25/5-30/9)
AKZ. 1/3-30/6 1/9-12/12

La Puebla de Castro (Huesca)
△ Bellavista & Subenuix Cat.1   Seite 428 2553 € 16
5 (A+B+D 1/1-31/12) (E 1/1-24/12,26/12-31/12)
(F+I+J 1/1-31/12)
6 (A+F 15/6-5/9)
AKZ. 1/1-15/7 1/9-31/12

Labuerda/Ainsa (Huesca)
△ Peña Montañesa   Seite 428 2554 € 18
5 (A+C+D+E+F+I+J 1/1-31/12)
6 (A 1/7-15/9) (E 1/1-31/12) (F 1/7-15/9)
AKZ. 1/1-30/6 1/9-31/12

Morillo de Tou/Ainsa ⚑⚑
△ Morillo de Tou   Seite 428 2555 € 16
5 (A 1/3-31/12) (B 1/7-31/8) (D+E+I+J 1/3-31/12)
6 (A 24/6-7/9)
AKZ. 1/3-7/7 24/8-31/12 7=6, 14=11

Nuévalos (Zaragoza)
△ Lago Resort***   Seite 428 2556 € 16
5 (A+B+D+E+F+I 7/3-1/11) 6 (A 15/6-10/9)
AKZ. 7/3-10/7 27/8-1/11

Vera de Moncayo ⚑⚑
△ Veruela Moncayo   Seite 428 2557 € 14
5 (A+D+E+I 27/3-6/4,29/5-2/11)
AKZ. 29/5-30/6 1/9-12/10

País Vasco/Navarra/La Rioja

Etxarri Aranatz
△ Camping Etxarri S.L.   Seite 429 2561 € 18
5 (A+B+D+E+F+I+J 1/3-12/10) 6 (A+F 1/6-15/9)
AKZ. 1/3-2/7 31/8-12/10 7=6, 14=11

Eusa/Oricain/Pamplona
△ Ezcaba Cat.2   Seite 429 2562 € 18
5 (A 1/1-31/12) (B 15/6-15/9) (D+E+I 15/4-12/10)
6 (A+F 15/6-15/9)
AKZ. 1/1-30/6 1/9-31/12 7=6, 14=12, 21=18, 30=25

Haro
△ De Haro Cat.2   Seite 430 2558 € 18
5 (A+B 30/1-8/12) (D+I 15/6-15/9) 6 (A+F 15/6-15/9)
AKZ. 30/1-30/6 1/9-8/12 7=6, 14=11

Itziar
△ Itxaspe Cat.2   Seite 430 2565 € 16
5 (A+C 1/4-30/9) (D+E+I+J 1/6-31/8) 6 (A 1/6-31/8)
AKZ. 1/4-30/6 1/9-30/9

Mendigorria
△ Errota - El Molino Cat.1   Seite 430 2563 € 18
5 (A+B+D+E+F+I+J 7/1-22/12) 6 (A+F 1/6-15/9)
AKZ. 7/1-30/6 1/9-22/12 7=6, 14=11

Navarrete ⚑⚑
△ Navarrete Cat.1   Seite 430 2559 € 16
5 (A+B+D+E+I 16/1-14/12) 6 (A+F 13/6-13/9)
AKZ. 16/1-31/3 5/4-30/6 1/9-14/12 7=6, 14=11

Orio
△ Camping Orio Cat. 1   Seite 430 2566 € 16
5 (A+B+D+E+I+J 1/3-1/11) 6 (A+F 15/6-15/9)
AKZ. 1/3-26/6 31/8-1/11

Ausführliche Redaktionseinträge: Seite 426 bis 430

Santo Domingo de la Calzada   Seite 431   2560   € 18
🔺 Bañares****
🟦 (A+C+D+E+I+J 1/1-31/12)   6️⃣ (A+F 24/6-11/9)
AKZ.   *1/1-30/6*   *1/9-31/12*   **7=6**

Villafranca   Seite 431   2564   € 18
🔺 Bardenas
🟦 (A 1/1-31/12) (B 1/4-30/9) (D+E+I+J 1/1-31/12)
6️⃣ (A 15/6-15/9)
AKZ.   *1/1-28/3*   *12/4-30/6*   *1/9-31/12*   **7=6, 14=12**

Zarautz   Seite 431   2567   € 16
🔺 Gran Camping Zarautz Cat.2
🟦 (A+C+D+E+F+J 1/1-31/12)
AKZ.   *1/1-30/6*   *15/9-31/12*   **7=6**

Cantabria

Islares   Seite 432   2568   € 16
🔺 Playa Arenillas Cat.2
🟦 (A+B+D+E+I+J 1/4-29/9)
AKZ.   *1/4-11/7*   *28/8-29/9*

Laredo   Seite 432   2569   € 14
🔺 Camping Laredo Cat.2
🟦 (A+C+D 1/5-14/9) (I 1/7-31/8)   6️⃣ (A+F 1/7-31/8)
AKZ.   *1/5-30/6*   *1/9-14/9*

Potes   Seite 432   2570   € 16
🔺 La Viorna Cat.1
🟦 (A+B+D+E+I 1/4-1/11) (J 1/7-20/9)   6️⃣ (A+F 25/5-15/10)
AKZ.   *1/4-30/6*   *1/9-1/11*

Potes/Turieno ✲✲   Seite 432   2571   € 14
🔺 La Isla-Picos de Europa Cat.2
🟦 (A+B+D+E+I 1/4-15/10)   6️⃣ (A I/6-30/9)
AKZ.   *1/4-15/7*   *1/9-15/10*

Ruiloba   Seite 432   2572   € 16
🔺 Camping El Helguero
🟦 (A+C+D+E+I+J 1/4-30/9)   6️⃣ (A+F 1/4-30/9)
AKZ.   *1/4-10/7*   *27/8-30/9*

S. Vicente de la Barquera   Seite 433   2573   € 18
🔺 Playa de Oyambre Cat.1
🟦 (A+B+D+E+I+J 6/3-30/9)   6️⃣ (A+F 1/4-28/9)
AKZ.   *6/3-30/6*   *1/9-30/9*   **7=6, 14=12**

Galicia

Barreiros   Seite 433   2574   € 16
🔺 Gaivota Camping Cat.2
🟦 (A+B 18/4-30/9)
AKZ.   *28/3-8/7*   *25/8-15/10*   **7=6, 14=12**

Louro   Seite 434   2575   € 16
🔺 A' Vouga
🟦 (A+B+E+I+J 1/1-31/12)
AKZ.   *1/3-8/7*   *25/8-31/10*   **10=8**

Mougas/Oia   Seite 434   2576   € 18
🔺 O Muiño Cat.1
🟦 (A 18/4-25/4,15/6-30/9) (C 20/6-15/9)
(D+E+H+I+J 1/6-15/9)
6️⃣ (A+F 15/6-30/9)
AKZ.   *3/4-15/6*   *1/9-30/9*

Portonovo/Sanxenxo   Seite 434   2577   € 16
🔺 Paxariña Cat.2
🟦 (A 1/3-25/10) (C 1/1-31/12) (D+E+I 1/6-25/10)
AKZ.   *20/3-30/6*   *1/9-15/10*   **8=7, 14=12**

Ribeira   Seite 435   2578   € 18
🔺 Ria de Arosa 2 Rural
🟦 (A 1/1-31/12) (C 15/6-15/9) (D+E+I+J 1/1-31/12)
6️⃣ (A+G 15/5-30/9)
AKZ.   *1/1-15/7*   *1/9-31/12*   **7=5, 11=8, 22=16**

Valdoviño ✲✲   Seite 435   2579   € 16
🔺 Valdoviño Cat.1
🟦 (A 1/6-30/9) (C 15/6-30/9) (E+F+I+J 5/5-10/10)
AKZ.   *4/4-10/7*   *1/9-10/10*   **7=6**

Asturias

Avin   Seite 435   2580   € 16
🔺 Picos de Europa Cat.2
🟦 (A+C+E+I+J 1/1-31/12)   6️⃣ (A+F 1/7-31/8)
AKZ.   *1/1-30/6*   *1/9-31/12*

Caravia/Prado   Seite 436   2581   € 16
🔺 Arenal de Moris Cat.1
🟦 (A+C+D+E+H+I 1/6-17/9)   6️⃣ (A 1/6-17/9)
AKZ.   *30/3-6/4*   *30/4-4/5*   *8/5-10/5*   *22/5-30/6*   *1/9-16/9*

Cudillero   Seite 436   2582   € 16
🔺 Cudillero Cat.2
🟦 (A+B 1/5-7/9) (D+E 27/6-7/9) (F 25/6-7/9) (I 27/6-31/8)
6️⃣ (A+F 1/5-7/9)
AKZ.   *27/3-6/4*   *1/5-5/7*   *1/9-7/9*

Llanes/Vidiago   Seite 436   2583   € 18
🔺 La Paz Cat.1
🟦 (A+C+D+E+I+J 27/3-12/10)
AKZ.   *27/3-30/6*   *1/9-11/10*

Ribadedeva   Seite 436   2584   € 16
🔺 Camping Colombres Cat.1
🟦 (A+B 23/3-20/9) (E+I+J 20/6-12/9)
6️⃣ (A 18/4-12/9) (F 18/4-14/9)
AKZ.   *23/3-7/7*   *24/8-20/9*

Ribadesella   Seite 436   2585   € 18
🔺 Ribadesella Cat.1
🟦 (A 11/4-20/9) (C 27/3-19/9) (D+E+I+J 14/6-20/9)
6️⃣ (A 15/5-20/9) (D 27/3-20/9) (F 15/5-20/9)
AKZ.   *27/3-1/4*   *5/4-30/6*   *1/9-19/9*

Ausführliche Redaktionseinträge: Seite 431 bis 436

Spanien

Castilla y León/Madrid

Abejar ✸✸
▲ Urbion Seite 437 € 16
5 (A+B+D+E+I+J 20/6-6/9) **6** (A+F 20/6-31/8)
AKZ. 27/3-31/3 12/4-12/7 30/8-2/11 **7=6**

Aranjuez (Madrid)
▲ CP Internacional Aranjuez Cat.1 Seite 438 € 18
5 (A+C+D+E+F+I+J 1/1-31/12) **6** (A+F 1/5-15/10)
AKZ. 1/1-31/3 6/4-29/4 4/5-9/7 30/8-31/12 **7=6**

Burgos
▲ Fuentes Blancas Cat.1 Seite 438 € 16
5 (A 1/1-31/12) (B 1/5-30/9) (D+E+I+J 1/1-31/12)
6 (A+F 30/6-31/8)
AKZ. 1/1-31/3 6/4-30/6 1/9-31/12 **7=6**

Castrojeriz ✸✸
▲ Camino de Santiago Seite 438 € 16
5 (A+B+E+I 15/3-15/11)
AKZ. 15/3-15/7 1/9-15/11

El Escorial/Madrid
▲ Caravaning El Escorial Cat.1 Seite 438  € 18
5 (A+C 1/1-31/12) (D+E+F+I+J 1/5-12/10)
6 (B+G 1/5-15/9)
AKZ. 1/1-26/3 5/4-29/4 3/5-21/6 31/8-31/12 **7=6**

Galende/Zamora/Castilla y Leon
▲ El Folgoso Cat.2 Seite 438 2589 € 16
5 (A 1/4-31/10) (B+D 1/7-30/9) (E+I+J 1/4-31/10)
AKZ. 1/4-14/7 1/9-31/10

Gargantilla del Lozoya/Madrid
▲ Monte Holiday Cat.1 Seite 438 2596 € 16
5 (A+B 1/1-31/12) (D+E+F+I+J 28/3-5/4,15/6-15/9)
6 (B+G 15/6-15/9)
AKZ. 1/1-31/3 5/4-29/4 3/5-4/6 7/6-11/6 14/6-18/6 30/8-31/12

La Cabrera (Madrid)
▲ Pico de la Miel Cat.1 Seite 438 2597 € 18
5 (A+C 15/5-21/9) (E+I+J 1/6-21/9) **6** (A+F 15/6-21/9)
AKZ. 1/1-5/7 28/8-31/12 **7=6**

Riaza/Segovia
▲ Riaza Seite 439 2590 € 18
5 (A+B+C+D+E+F+H+I+J 1/1-31/12) **6** (A+F 15/6-31/8)
AKZ. 1/1-5/7 28/8-31/12 **7=6**

Salamanca
▲ Ruta de la Plata Cat.2 Seite 439 2591 € 16
5 (A+B+D 1/1-31/12) **6** (A 1/6-15/9)
AKZ. 1/1-7/7 24/8-31/12 **7=6**

Salamanca-Este
▲ Don Quijote Cat.2 Seite 439 2592 € 16
5 (B+C+D+I 1/3-31/10) **6** (A+F 1/6-30/9)
AKZ. 1/3-11/7 28/8-31/10 **7=6**

Salamanca/Sta Marta de Tormes
▲ Regio Cat.1 Seite 439 € 16
5 (C+D+E+I 1/1-31/12) **6** (A+**F** 1/6-15/9)
AKZ. 1/1-15/7 1/9-31/12

Villaviciosa de Odón/Madrid
▲ Arco Iris Seite 440 € 18
5 (A 1/1-31/12) (C+D+E+F+I+J 2/1-22/12)
6 (A+F 15/6-15/9)
AKZ. 1/1-15/7 1/9-30/11 **6=5**

Extremadura/Castilla-La Mancha

Cáceres
▲ Cáceres Camping Cat.1 Seite 441 2602 € 16
5 (A+B+D+E+F+I+J 1/1-31/12) **6** (A+F 15/6-15/9)
AKZ. 1/1-1/4 6/4-15/7 1/9-31/12 **7=6, 14=12**

Horcajo de los Montes
▲ Mirador de Cabañeros Seite 441 2599 € 18
5 (A+E+I 15/6-15/9) **6** (D 1/1-31/12)
AKZ. 1/1-31/3 7/4-29/4 4/5-7/7 24/8-8/10 13/10-3/12 9/12-31/12
7=6, 14=11

Malpartida de Plasencia
▲ CP Parque Nacional de Monfragüe Seite 441 2603 € 16
5 (A+B+D+E+I+J 1/1-31/12) **6** (A+F 15/6-15/9)
AKZ. 1/1-26/3 6/4-15/7 1/9-31/12

Mesones (Albacete)
▲ Rio Mundo Seite 441 2600 € 18
5 (A+C+D+E+F+I 16/3-12/10) **6** (A 20/6-6/9)
AKZ. 16/3-31/3 7/4-15/7 1/9-12/10

Ossa de Montiel (Albacete)
▲ Los Batanes Cat.1 Seite 442 2601 € 18
5 (A+B 1/6-20/9) (D+E+I 1/7-31/8) **6** (A+F 13/6-13/9)
AKZ. 27/2-31/3 6/4-29/4 3/5-18/6 13/9-1/11 **7=6**

Plasencia/Cáceres
▲ La Chopera Cat.2 Seite 442 2604 € 16
5 (A 1/6-30/9) (B 1/7-31/8) (D+E+I+J 1/1-31/12)
6 (A+F 1/6-15/9)
AKZ. 1/1-27/3 6/4-16/6 15/9-31/12

Andalucía

Alcalá de los Gazules ✸✸
▲ Los Gazules Cat.2 Seite 442 2605 € 16
5 (A+B+D+E+I 1/1-31/12) **6** (A 15/5-15/9) (F 1/5-30/9)
AKZ. 1/1-15/7 1/9-31/12 **7=6, 14=11**

Almayate (Málaga)
▲ Almayate Costa Cat.1 Seite 442 2606 € 16
5 (A+C+D+I 27/2-1/11) **6** (A 1/5-30/9)
AKZ. 27/2-7/4 12/4-2/7 26/8-1/11

Ausführliche Redaktionseinträge: Seite 437 bis 442

Almayate (Málaga)   Seite 442   (2607)   € 16
▲ Camping Naturista Almanat
5 (A+B+D+I+J 1/1-31/12)
6 (A 1/1-31/12) (E 1/1-15/6,15/9-31/12)
AKZ. 1/1-30/6 1/9-31/12

Almería   Seite 442   (2608)   € 16
▲ La Garrofa
5 (A+B+E+I 1/1-31/12)
AKZ. 1/1-30/6 1/9-31/12

Beas de Granada   Seite 443   (2609)   € 16
▲ Alto de Viñuelas Cat. 2
5 (A+D+E+I+J 1/1-31/12) **6** (A+F 1/5-30/9)
AKZ. 1/1-15/7 1/9-31/12

Benajarafe/Málaga   Seite 443   (2610)   € 16
▲ Camping Valle Niza Playa Cat. 2
5 (A+B+D+E+I 1/1-31/12) **6** (A 1/1-31/12)
AKZ. 1/1-7/7 24/8-31/12

Cabo de Gata (Almería)   Seite 443   (2611)   € 16
▲ Cabo de Gata Cat. 2
5 (A+B+D+E+I+J 1/1-31/12) **6** (A 1/3-31/12)
AKZ. 1/1-15/7 1/9-31/12

Caños de Meca/Barbate   Seite 443   (2612)   € 16
▲ Pinar San José
5 (A+C+D+E+I+J 1/1-31/12) **6** (A+F 1/6-30/9)
AKZ. 1/1-1/4 6/4-12/6 6/9-31/12

Carchuna/Motril (Granada)   Seite 443   (2613)   € 18
▲ Don Cactus Cat.1
5 (A+C+E+I+J 1/1-31/12) **6** (**A**+F 1/1-31/12)
AKZ. 1/1-30/6 1/9-31/12 7=6, 14=11

Conil de la Frontera   Seite 443   (2614)   € 16
▲ Camping Los Eucaliptos Cat.2
5 (A+B+D+E+I 27/3-30/9) **6** (A 1/6-30/9)
AKZ. 27/3-15/7 1/9-30/9

Conil de la Frontera   Seite 444   (2615)   € 14
▲ Camping Roche Cat.2
5 (A+C+D+E+I+J 1/1-31/12) **6** (A+F 10/5-30/10)
AKZ. 1/1-30/6 1/9-31/12

Conil de la Frontera   Seite 444   (2616)   € 16
▲ La Rosaleda Cat. 1
5 (A+C 1/1-31/12) (D+E+I+J 1/1-30/9,1/11-31/12)
6 (A 1/6-15/9)
AKZ. 1/1-30/6 1/9-31/12

El Puerto de Santa Maria ✱✱   Seite 444   (2617)   € 16
▲ Playa Las Dunas Cat.1
5 (A+D+E+J 1/1-31/12) **6** (**A**+**F** 15/6-30/8)
AKZ. 1/1-16/6 15/9-31/12

El Rocío ✱✱   Seite 444   (2618)   € 16
▲ La Aldea Cat.1
5 (A+C+D+E+J 1/1-31/12) **6** (A 1/4-15/10)
AKZ. 1/1-16/5 27/5-14/7 1/9-31/12 7=6

Estepona (Malaga)   Seite 444   (2619)   € 14
▲ Parque Tropical Cat.2
5 (A+B+D+E+I+J 1/1-31/12) **6** (C+F 1/1-31/12)
AKZ. 1/1-15/7 1/9-31/12

Granada/La Zubia   Seite 444   (2620)   € 18
▲ Reina Isabel Cat.2
5 (A+B+D+E+F+J 1/1-31/12) **6** (A 15/5-30/9)
AKZ. 1/1-29/3 6/4-30/4 18/5-6/7 28/7-5/8 1/9-31/12

Granada/Otura   Seite 444   (2621)   € 16
▲ Suspiro del Moro Cat.2
5 (A+B+D+E+I+J 1/1-31/12) **6** (A+F 20/6-15/9)
AKZ. 1/1-27/3 7/4-30/6 1/9-7/10 13/10-3/12 10/12-31/12

Güejar Sierra (Granada)   Seite 446   (2622)   € 18
▲ Camp. & Carav. Las Lomas Cat.1
5 (A+C+D+E+J 1/1-31/12) **6** (A 15/4-31/10) (F 1/6-15/9)
AKZ. 6/1-1/4 5/4-30/6 1/9-4/12 8/12-23/12 21=20, 30=27

Humilladero   Seite 446   (2623)   € 16
▲ La Sierrecilla
5 (A+D+E+I+J 1/1-31/12) **6** (A+F 1/6-30/9)
AKZ. 1/1-15/7 1/9-31/12

Isla Cristina ✱✱   Seite 446   (2624)   € 16
▲ Giralda Cat.1
5 (A+C+D 1/1-31/12) (E 31/3-8/4,1/7-31/8) (H 31/3-7/4,1/7-31/8)
6 (A+F 1/1-31/12)
AKZ. 1/1-30/6 1/9-31/12 12=11, 30=21

La Mamola   Seite 446   (2625)   € 18
▲ Castillo de Baños Cat.2
5 (A+C+D+E+J 1/1-31/12) **6** (A 1/1-31/12)
AKZ. 1/1-30/6 1/9-31/12 7=6, 14=11

Los Escullos/Nijar (Almería)   Seite 446   (2626)   € 16
▲ Los Escullos Cat.1
5 (A+C 1/1-31/12) (D 1/4-10/10) (E+F+I+J 1/1-31/12)
6 (A 1/1-31/12)
AKZ. 1/1-19/6 30/8-31/12 7=6, 14=11

Marbella   Seite 447   (2627)   € 16
▲ Cabopino
5 (A+B+D+E+F+I+J 1/1-31/12)
6 (A 11/4-30/9) (D 1/1-31/12)
AKZ. 1/1-29/3 5/4-30/6 1/9-31/12

Marbella/Málaga   Seite 447   (2628)   € 14
▲ La Buganvilla Cat.2
5 (A+B+D+E+F+I+J 1/1-31/12) **6** (A 1/1-31/12) (F 15/6-15/9)
AKZ. 1/1-15/7 1/9-31/12 7=6, 14=11, 21=17

Ausführliche Redaktionseinträge: Seite 442 bis 447

María/Almería ⚥
▲ Sierra de María   **Seite 447** (2629) € 16
🅕 (A+B+D+F 1/1-31/12) 🅖 (A+F 1/7-15/9)
AKZ. *1/1-15/7* *1/9-31/12* **7=6, 14=11, 21=17**

Motril/Granada
▲ Playa de Poniente Cat.2   **Seite 448** (2630) € 16
🅕 (A+B+D+E+I+J 1/1-31/12) 🅖 (A 1/5-30/9)
AKZ. *1/1-30/6* *1/9-31/12* **7=6, 21=18**

Olvera ⚥
▲ Pueblo Blanco Cat. 1   **Seite 448** (2631) € 16
🅕 (A+B+E+I 1/1-31/12) 🅖 (A 1/6-30/9)
AKZ. *1/1-15/7* *1/9-31/12* **7=6, 14=11, 30=22**

Roquetas de Mar (Almería)
▲ Roquetas Cat.2   **Seite 448** (2632) € 16
🅕 (A+C+D+E+I+J 1/1-31/12) 🅖 (A+F 1/4-1/10)
AKZ. *1/1-7/7* *25/8-31/12*

Santa Elena (Jaén)
▲ Despeñaperros Cat.1   **Seite 448** (2633) € 16
🅕 (A+B 1/1-31/12) (D 15/6-15/10) (E+I+J 20/6-15/10)
🅖 (A+F 20/6-15/9)
AKZ. *1/1-4/4* *13/4-17/6* *15/9-31/12*

Tarifa/Cádiz
▲ Valdevaqueros Cat.2   **Seite 449** (2634) € 16
🅕 (A+C+D 1/1-31/12) (E 1/4-31/10) (F 1/1-31/12) (I+J 1/4-31/10)
🅖 (A+F 1/4-30/9)
AKZ. *1/1-30/6* *1/9-31/12* **7=6, 14=12, 21=18, 30=26**

Torre del Mar (Málaga)
▲ CP Caravaning Laguna-Playa Cat.1   **Seite 449** (2635) € 16
🅕 (A+C+D+E+I+J 1/1-31/12) 🅖 (A 1/5-31/10) (F 15/6-15/9)
AKZ. *1/1-18/6* *6/9-31/12*

Torrox-Costa (Málaga)
▲ El Pino   **Seite 450** (2636) € 14
🅕 (A+B+D+E+F+I+J 1/1-31/12) 🅖 (A+F 1/6-15/9)
AKZ. *1/1-30/6* *1/9-31/12*

Vejer de la Frontera
▲ El Palmar   **Seite 450** (2637) € 16
🅕 (A 15/5-31/10) (C 1/5-31/10) (D+I+J 15/5-31/10)
🅖 (A 1/6-30/9)
AKZ. *1/1-30/6* *1/9-31/12* **15=13, 30=21, 60=38, 90=49**

Vélez Blanco ⚥
▲ Pinar del Rey   **Seite 450** (2638) € 16
🅕 (A+B+D+I 1/1-31/12) 🅖 (A+F 1/7-31/8)
AKZ. *1/1-15/7* *1/9-31/12* **7=6, 14=11, 21=17**

Villafranca de Córdoba
▲ La Albolafia Cat.2   **Seite 450** (2639) € 18
🅕 (A+B+E 1/3-30/11) 🅖 (A 15/5-15/9)
AKZ. *1/3-30/6* *1/9-30/11*

Murcia

Águilas
▲ Bellavista*   **Seite 451** (2640) € 16
🅕 (A+B 1/1-31/12) (D+F 1/4-1/11) 🅖 (A 1/4-1/11)
AKZ. *1/1-15/7* *1/9-31/12*

Baños de Fortuna (Murcia) ⚥
▲ La Fuente   **Seite 451** (2641) € 14
🅕 (A+B+E+I+J 1/1-31/12) 🅖 (**B**+**D** 1/1-31/12)
AKZ. *1/1-15/7* *1/9-31/12*

Bolnuevo/Mazarrón
▲ Playa de Mazarrón   **Seite 451** (2642) € 16
🅕 (A+C 15/6-15/9) (E+I+J 1/7-15/9) 🅖 (A+F 1/5-15/10)
AKZ. *1/1-1/4* *7/4-30/6* *14/9-31/12*

El Berro/Alhama de Murcia
▲ Sierra Espuña Cat.2   **Seite 451** (2643) € 16
🅕 (D 1/1-31/12) (F 1/3-30/6,1/8-31/12)
(I 1/6-30/6,1/8-31/12) (J 1/1-30/6,1/8-31/12)
🅖 (A 1/5-30/9)
AKZ. *1/1-31/3* *6/4-15/7* *1/9-31/12* **7=6**

El Portús/Cartagena
▲ Naturista 'El Portús'*   **Seite 451** (2644) € 16
🅕 (A+C+D+F+I+J 1/1-31/12) 🅖 (A 15/6-15/9) (E 1/1-31/12)
AKZ. *1/1-26/6* *7/9-31/12*

Isla Plana/Cartagena
▲ Los Madriles   **Seite 451** (2645) € 18
🅕 (A+C+D+F 1/1-31/12) 🅖 (B+D 1/1-31/12) (G 15/6-15/9)
AKZ. *1/1-30/6* *24/8-31/12*

La Manga del Mar Menor
▲ Caravaning La Manga   **Seite 451** (2646) € 16
🅕 (A+C+D+E 1/1-31/12) (F 1/7-31/8) (I+J 1/1-31/12)
🅖 (A 1/4-30/9) (**E** 1/1-31/3,1/10-31/12) (F 1/4-30/9)
AKZ. *1/1-31/3* *6/4-30/6* *1/9-31/12*

Puerto de Mazarrón (Murcia)
▲ Las Torres Cat.2   **Seite 451** (2647) € 14
🅕 (A+B+D+E+I 1/1-31/12)
🅖 (A 1/6-31/8) (D 1/1-31/3,1/10-31/12)
AKZ. *1/1-31/3* *6/4-15/7* *1/9-31/12*

▨ Portugal

Nord-Portugal

Arco de Baúlhe
▲ Campismo Arco Unipessoal, LDA   **Seite 459** (2650) € 16
🅕 (A+D+E+I 1/4-6/10) 🅖 (A+F 28/5-30/9)
AKZ. *1/4-30/6* *1/9-9/10* **7=6, 14=12, 21=18, 28=24**

Casfreires/Sátão ⚥
▲ Quinta Chave Grande   **Seite 460** (2651) € 16
🅕 (A+E 15/3-31/10) 🅖 (A+F 15/5-15/9)
AKZ. *15/3-14/7* *1/9-31/10* **10=9**

Ausführliche Redaktionseinträge: Seite 447 bis 460

Gafanha da Boa Hora/Vagos ☼♀ Seite 460 2654 € 18
🔺 Orbitur Vagueira***
5 (A+B 1/1-31/12) (D+E+I+J 1/6-30/9)
AKZ. 1/1-30/6 1/9-31/12

Gala/Figueira da Foz ☼♀ Seite 460 2655 € 18
🔺 Orbitur Gala (Fig. da Foz)***
5 (A+B+D+E+I 1/1-31/12) (J 1/6-30/9) 6 (A+F 1/6-30/9)
AKZ. 1/5-7/6 6/9-30/9

Gondesende/Bragança Seite 460 2656 € 10
🔺 Cepo Verde***
5 (A+B+D+E 1/1-31/12) (I 1/1-31/3,1/10-31/12) (J 1/4-30/9)
6 (**A** 15/6-15/9)
AKZ. 1/1-30/6 1/9-31/12 7=6, 14=12, 21=18, 28=24

Meruge/Oliveira do Hospital ☼♀ Seite 460 2659 € 14
🔺 Toca da Raposa
5 (A+I 1/4-31/10) 6 (**A** 1/4-31/10)
AKZ. 1/4-30/6 1/9-31/10 8=7

Nazaré Seite 461 2660 € 16
🔺 Vale Paraíso Natur Park***
5 (A+B+D 15/4-14/10) (E 1/6-30/9) (I 15/4-14/10)
6 (**A**+**F** 15/4-15/10)
AKZ. 1/1-15/7 1/9-16/12 27/12-31/12 7=6

Outeiro do Louriçal Seite 461 2661 € 16
🔺 O Tamanço (Lda.)***
5 (A 1/3-31/10) (D+I 1/4-31/10) (J 1/7-31/8)
6 (A+F 1/4-1/10)
AKZ. 1/3-30/6 1/9-21/10

Ponte das Três Entradas Seite 462 2662 € 14
🔺 Ponte das Três Entradas**
6 (A 1/4-1/10)
AKZ. 1/2-15/6 1/9-31/12

Vila do Conde Seite 462 2664 € 14
🔺 Parque de Campismo Sol de Vila Chã**
5 (A+C+D 1/1-31/12)
AKZ. 1/1-7/7 1/9-31/12 7=6, 14=12, 21=18, 28=24

Vila Praia de Âncora Seite 463 2666 € 10
🔺 Parque de Campismo do Paço***
5 (A+B+D 15/4-30/9)
AKZ. 15/4-30/6 1/9-30/9

Süd-Portugal

Aboboreiras/Tomar Seite 464 2648 € 16
🔺 Pelinos -Tomar
5 (A+D+I 15/2-15/10) 6 (A 15/2-15/10)
AKZ. 15/2-2/6 1/9-15/10

Alvor Portimão Seite 464 2649 € 12
🔺 Alvor***
5 (A+B+D+E+I 1/1-31/12) 6 (**A**+**F** 1/3-30/10)
AKZ. 1/1-15/6 10/9-31/12

Costa de Caparica ☼♀ Seite 465 2652 € 18
🔺 Orbitur Costa de Caparica
5 (A+B 1/1-31/12) (C+D+E 1/4-30/10) (I 1/6-30/9)
AKZ. 1/5-7/6 6/9-30/9

Évora ☼♀ Seite 465 2653 € 18
🔺 Orbitur Évora***
5 (A 1/1-31/12) (B 15/7-31/8) (D 1/6-30/9) 6 (A+F 17/4-30/9)
AKZ. 1/5-7/6 6/9-30/9

Lagos Seite 465 2657 € 18
🔺 Orbitur Valverde***
5 (A+B 1/1-31/12) (D+E 1/6-30/9) (H 1/7-30/9) (I 1/6-30/9)
6 (A+F 1/4-30/9)
AKZ. 1/5-7/6 6/9-30/9

Luz/Lagos Seite 465 2658 € 16
🔺 Turiscampo****
5 (A+B+D+E+J 1/1-31/12) 6 (A+F 1/3-30/10)
AKZ. 1/1-21/6 14/9-31/12

São Pedro de Tomar Seite 466 2663 € 16
🔺 River Alverangel
5 (A+B+D+E+J 1/2-31/12)
AKZ. 1/2-2/6 1/9-31/12

Vila Nova de Milfontes ☼♀ Seite 466 2665 € 18
🔺 Orbitur Sitava Milfontes****
5 (A 1/1-31/12) (B 1/1-31/5,1/10-31/12) (C 1/6-30/9)
(D+E 1/1-31/12) (H 1/6-30/9) (I 1/1-31/12)
6 (**A**+**F** 1/6-30/9)
AKZ. 1/1-30/6 1/9-31/12

🇮🇹 Italien

Valle d'Aosta

Etroubles Seite 474 2667 € 16
🔺 Tunnel**
5 (D+E+I 1/6-10/9,26/12-6/1)
AKZ. 30/1-2/5 22/5-15/7 1/9-17/10 4/12-18/12

Morgex Seite 474 2668 € 16
🔺 Arc en Ciel*
5 (A+F 1/1-3/11) (I 1/7-31/8) 6 (A 1/7-31/8)
AKZ. 1/2-15/7 1/9-31/10

Sarre Seite 474 2669 € 16
🔺 Monte Bianco**
AKZ. 15/5-30/6 20/8-30/9

Piemonte

Agliano Terme Seite 475 2670 € 16
🔺 Camping International Le Fonti***
5 (A 3/4-31/10) (D+E+I 1/6-31/8) 6 (F 15/5-15/9)
AKZ. 7/4-2/6 1/9-31/10

Ausführliche Redaktionseinträge: Seite 460 bis 475

Baveno
△ Camping Village Parisi** Seite 476 2671 € 16
🄳 (A 15/7-15/8) (B 25/3-30/9)
AKZ. 25/3-30/4 3/5-21/5 25/5-30/5 7/6-14/6 1/9-30/9

Baveno/Oltrefiume ⚐⚐
△ Tranquilla** Seite 476 2672 € 16
🄳 (A+B 21/3-11/10) 🄶 (A+F 1/6-15/9)
AKZ. 21/3-14/6 31/8-11/10

Cannobio
△ Del Sole** Seite 476 2673 € 16
🄳 (A+B+D+E+F+J 1/3-31/10) 🄶 (A 20/5-20/9)
AKZ. 1/3-2/4 6/4-14/5 7/6-5/7 6/9-31/10

Dormelletto ⚐⚐
△ Eden Seite 477 2674 € 14
🄳 (A+B 1/4-20/9) (D+E+F+J 15/3-20/9) 🄶 (A 20/5-20/9)
AKZ. 15/3-30/6 1/9-31/10

Dormelletto
△ Lago Maggiore*** Seite 477 2675 € 18
🄳 (A+B+D+E+F+H+I+J 1/4-30/9) 🄶 (A+F 15/5-15/9)
AKZ. 1/4-26/6 7/9-30/9

Entracque
△ Campeggio Valle Gesso** Seite 478 2676 € 16
🄳 (A 20/6-15/9) (B 1/1-7/3,14/4-31/12) (E 1/7-31/8)
(F 1/1-7/3,14/4-31/12)
🄶 (A 1/7-31/8)
AKZ. 1/5-26/6 31/8-27/9

Feriolo di Baveno
△ Conca d'Oro*** Seite 478 2677 € 18
🄳 (A+C+D+E+F+H+I+J 1/4-27/9)
AKZ. 1/4-26/6 31/8-27/9

Feriolo di Baveno
△ Holiday Seite 478 2678 € 16
🄳 (A+B+D 24/4-21/9)
AKZ. 24/4-23/5 8/6-26/6 31/8-21/9

Feriolo di Baveno ⚐⚐
△ Miralago Seite 478 2679 € 16
🄳 (A+B 1/4-30/9)
AKZ. 1/4-30/6 1/9-30/9

Feriolo di Baveno
△ Orchidea** Seite 478 2680 € 16
🄳 (A+C+D+E+F+I 27/3-11/10)
AKZ. 27/3-28/6 6/9-11/10

Fondotoce/Verbania ⚐⚐
△ La Quiete** Seite 480 2681 € 16
🄳 (A+B+D+F+I+J 1/4-27/9)
*AKZ. 1/4-30/6 1/9-27/9 **14=11***

Garbagna
△ Piccolo Camping E Maieu** Seite 480 2682 € 16
🄶 (A 16/6-1/9)
AKZ. 1/4-30/6 1/9-30/9

Ghiffa ⚐⚐
△ La Sierra** Seite 480 2683 € 14
🄳 (A+B+D+E+F+I 1/3-31/10)
*AKZ. 1/3-5/7 24/8-31/10 **7=6***

Orta San Giulio
△ Orta** Seite 480 2684 € 16
🄳 (A+B+D+I 1/3-31/12)
*AKZ. 1/3-30/6 1/9-31/12 **7=6, 14=12***

Pettenasco
△ Camping Royal Seite 480 2685 € 14
🄳 (A+C 1/3-30/11) 🄶 (**A** 1/6-15/9)
AKZ. 1/3-9/7 26/8-30/11

Peveragno
△ Il Melo** Seite 480 2686 € 16
🄳 (A 28/3-1/11) (D+E+F+I 1/1-31/12) 🄶 (A 15/6-15/9)
AKZ. 28/3-30/6 1/9-31/10

Solcio di Lesa
△ Solcio** Seite 481 2687 € 18
🄳 (A+B+D+F+I+J 7/3-20/10)
AKZ. 7/3-10/7 29/8-25/10

Liguria

Albenga
△ Delfino Seite 482 2688 € 16
🄳 (A+B+D+E 2/4-30/9) (F 10/4-28/9) (J 2/4-30/9)
🄶 (**A**+F 1/5-28/9)
AKZ. 2/4-30/6 1/9-30/9

Ameglia
△ River*** Seite 482 2689 € 16
🄳 (A+C+D+E+F+H+I 12/4-30/9) 🄶 (A+F 1/5-30/9)
AKZ. 12/4-5/7 30/8-4/10

Arenzano/Genova
△ Caravan Park La Vesima Seite 482 2690 € 16
🄳 (A+B+D+E+F+I 1/5-30/9)
AKZ. 7/1-3/4 7/4-30/4 4/5-30/6 15/9-23/12

Campochiesa/Albenga
△ Bella Vista*** Seite 483 2691 € 16
🄳 (A+B+E+I 1/5-30/9) 🄶 (A+F 1/5-30/9)
AKZ. 1/1-20/1 21/3-3/7 22/8-14/11 15/12-31/12

Ceriale/Savona
△ Bungalow Camping Baciccia*** Seite 483 2692 € 18
🄳 (A+B+D+E+F+I 27/3-20/10) 🄶 (A+F 27/3-20/10)
AKZ. 27/3-9/6 8/9-18/10

Ausführliche Redaktionseinträge: Seite 476 bis 483

Déiva Marina Seite 483 **2693** € 16
▲ La Sfinge
5 (A+C 1/4-31/10)
AKZ. *15/3-30/6 1/9-2/11*

Déiva Marina Seite 483 **2694** € 16
▲ Valdeiva**
5 (A 1/1-31/12) (B+D+E+F+I 20/5-20/9) **6** (A 15/6-15/9)
AKZ. *1/1-10/1 10/2-15/6 10/9-4/11 4/12-31/12*

Déiva Marina Seite 483 **2695** € 16
▲ Villaggio Turistico Arenella
5 (A+B+F+I 1/6-15/9)
AKZ. *1/1-30/6 1/9-31/10*

Finale Ligure Seite 484 **2696** € 18
▲ Il Villaggio di Giuele***
5 (A+C+D+E+F+J 28/3-1/11) **6** (A+F 28/3-1/11)
AKZ. *20/4-23/4 27/4-30/4 3/5-7/5 17/5-22/5 7/6-30/6 1/9-1/11*

Imperia Seite 484 **2697** € 18
▲ De Wijnstok
5 (D+E+F+I 1/6-15/9)
AKZ. *1/1-2/4 7/4-15/7 1/9-31/12*

Isolabona Seite 484 **2698** € 16
▲ Delle Rose
5 (A+R 28/3-3/11) (I 15/6-15/9) **6** (A+F 1/6-30/9)
AKZ. *28/3-8/7 25/8-3/11*

Pietra Ligure Seite 485 **2699** € 16
▲ Dei Fiori**
5 (A+B+D+E+F+I 15/6-15/9) **6** (A+F 20/5-20/9)
AKZ. *7/4-23/4 4/5-30/6 7/9-19/10*

Pietra Ligure Seite 485 **2700** € 18
▲ Pian dei Boschi***
5 (A+C+D+E+F+I+J 1/4-1/11) **6** (A 1/4-1/11) (F 16/5-30/9)
AKZ. *7/4-30/4 4/5-28/5 3/6-26/6 29/8-1/11*

San Bartolomeo al Mare Seite 485 **2701** € 16
▲ Il Frantoio Camping**
5 (A 1/6-31/8) (D 15/6-15/9) (E+I 1/7-31/8) **6** (A 1/6-15/9)
AKZ. *2/3-31/3 13/4-5/7 24/8-11/10*

San Remo Seite 485 **2702** € 18
▲ Villaggio dei Fiori***
5 (A+B+D+E+F+J 1/1-10/11,10/12-31/12)
6 (**A**+**F** 1/5-30/9)
AKZ. *7/1-26/3 10/5-27/5 3/6-26/6 10/9-15/10*

Sarzana (SP) Seite 485 **2703** € 16
▲ Iron Gate Marina 3B
5 (A+B 1/5-30/9) (D 1/6-30/9) (F+J 15/3-30/9)
6 (A+F 1/5-15/9)
AKZ. *15/3-3/7 20/8-30/9*

Sestri Levante Seite 486 **2704** € 16
▲ Fossa Lupara**
5 (A+B+D+E+F+I 1/4-30/9)
AKZ. *1/2-15/7 1/9-31/10*

Sestri Levante Seite 486 **2705** € 16
▲ Mare Monti
5 (A+B 15/4-15/10) **6** (A+F 1/6-20/9)
AKZ. *15/3-30/6 1/9-18/10*

Lombardia

Idro Seite 488 **2706** € 18
▲ AZUR Camping Rio Vantone****
5 (A 1/5-30/9) (C 1/4-31/10) (D 1/7-10/9) (E+J 15/5-30/9)
6 (B+G 1/5-30/9)
AKZ. *15/4-21/5 8/6-26/6 30/8-14/10*

Idro Seite 488 **2707** € 16
▲ Venus**
5 (A+C+E+J 22/4-15/9) **6** (A 1/5-15/9)
AKZ. *22/4-30/6 26/8-15/9*

Iseo Seite 489 **2708** € 18
▲ Covelo***
5 (A+B+D+F+I 28/3-2/11)
AKZ. *28/3-30/6 1/9-2/11*

Ispra ♙♙ Seite 489 **2709** € 16
▲ International Camping Ispra***
5 (A+B+D+E 14/3-1/11) (F 1/6-30/9) (I 14/3-1/11)
6 (A 15/6-15/9)
AKZ. *14/3-20/5 28/5-3/7 24/8-1/11 7=6, 14=11*

Lavena Ponte Tresa Seite 489 **2710** € 18
▲ International Camping
5 (A+C+E+F+I 1/1-31/12)
AKZ. *1/1-10/7 28/8-31/12*

Marone (Lago di Iseo) Seite 490 **2711** € 18
▲ Riva di San Pietro***
5 (A+B+D+E+F+I 1/5-30/9) **6** (A+F 15/5-15/9)
AKZ. *1/5-30/6 1/9-30/9*

Monvalle ♙♙ Seite 490 **2712** € 16
▲ Lido di Monvalle***
5 (A+B+D+E+F+J 28/3-4/10)
AKZ. *28/3-5/7 1/9-4/10 7=6*

Piano di Porlezza Seite 490 **2713** € 16
▲ Ranocchio**
5 (D+E+F+I 1/4-30/9) **6** (**A**+**F** 15/6-15/9)
AKZ. *1/4-21/5 27/5-4/7 22/8-30/9*

Porlezza Seite 490 **2714** € 16
▲ Darna***
5 (A 1/4-30/9) (C+D+E+F+J 23/3-31/10) **6** (**A**+**F** 1/5-31/8)
AKZ. *23/3-26/6 30/8-31/10*

Ausführliche Redaktionseinträge: Seite 483 bis 490

Italien

Ranzanico al Lago di Endine
🔺 La Tartufaia*** **Seite 490** **2715** € 16
5 (A+C+D+E+F+I 1/5-20/9) **6** (A+G 1/6-1/9)
AKZ. 1/5-3/7 24/8-20/9

Sesto Calende ✳✳
🔺 Lido Okay**** **Seite 490** **2716** € 16
5 (A+D+F 21/3-11/10) **6** (A+F 1/6-31/8)
AKZ. 21/3-5/7 1/9-11/10 **7=6**

Trentino/Südtirol

Calceranica al Lago
🔺 Al Pescatore** **Seite 492** **2717** € 16
5 (B+D+E+F+I+J 9/5-13/9) **6** (A+F 16/5-13/9)
AKZ. 9/5-8/7 25/8-13/9

Calceranica al Lago
🔺 Belvedere** **Seite 492** **2718** € 14
5 (A+B+D 18/4-27/9)
AKZ. 18/4-4/7 21/8-27/9

Calceranica al Lago
🔺 Fleiola** **Seite 492** **2719** € 16
5 (B+D 15/5-20/9)
AKZ. 24/4-5/7 24/8-30/9

Calceranica al Lago
🔺 Penisola Verde** **Seite 492** **2720** € 16
5 (B+D 9/5-13/9)
AKZ. 9/5-5/7 24/8-13/9

Calceranica al Lago
🔺 Riviera** **Seite 492** **2721** € 14
5 (A+D+E+F+I+J 23/4-15/9)
AKZ. 11/4-5/7 22/8-20/9 **7=6**

Calceranica al Lago
🔺 Spiaggia **Seite 492** **2722** € 16
5 (A+B 13/4-27/9)
AKZ. 10/4-2/7 19/8-27/9

Caldonazzo
🔺 Camping Mario Village**** **Seite 492** **2723** € 16
5 (A+B+D+E+F+I 23/4-20/9) **6** (A 10/5-20/9)
AKZ. 23/4-4/7 29/8-20/9

Fucine di Ossana
🔺 Cevedale*** **Seite 493** **2724** € 16
5 (A 1/1-1/12) (B 1/7-30/9)
AKZ. 8/1-15/7 1/9-22/12

Ledro/Pieve
🔺 Al Lago **Seite 494** **2725** € 16
5 (D+E+F+I+J 2/4-4/10)
AKZ. 2/4-3/7 30/8-4/10

Ledro/Pieve
🔺 Azzurro*** **Seite 494** **2726** € 16
5 (A+F+I 24/4-3/10) **6** (A 15/5-30/9)
AKZ. 24/4-27/6 5/9-3/10

Levico Terme
🔺 2 Laghi**** **Seite 494** **2727** € 16
5 (B+D+E+F+H 1/6-31/8) (J 1/1-31/12) **6** (B+F 23/5-6/9)
AKZ. 25/4-27/6 17/8-6/9 **10=8**

Levico Terme
🔺 Lago di Levico*** **Seite 494** **2728** € 16
5 (B+D+E 1/4-10/10) (F+I+J 15/4-30/9) **6** (B+F 15/4-15/9)
AKZ. 20/3-3/7 20/8-11/10

Meran
🔺 Camping Hermitage**** **Seite 494** **2729** € 18
5 (A+H+I+J 28/3-1/11) **6** (A 15/5-15/9) (**E** 28/3-1/11)
AKZ. 4/5-13/5 18/5-23/5 27/5-3/6 8/6-30/6 9/9-10/9 13/9-30/9

Pergine
🔺 Punta Indiani **Seite 495** **2730** € 16
5 (C+D+E+F+J 1/1-31/12)
AKZ. 1/5-5/7 24/8-30/9

Predazzo
🔺 Valle Verde** **Seite 495** **2731** € 18
5 (A 1/5-1/10) (B 15/6-15/9) (D+E+F 1/5-30/9)
(I 1/5-30/6,1/5-30/9) (J 1/5-30/9)
AKZ. 1/5-8/7 25/8-30/9

Rasen/Rasun
🔺 Corones**** **Seite 495** **2732** € 18
5 (A+B+D+E+I+J 1/1-31/12) **6** (A+F 24/5-25/10)
AKZ. 6/1-18/1 10/5-30/6 16/9-25/10

Sankt Sigmund/Kiens
🔺 Gisser*** **Seite 496** **2733** € 18
5 (A 1/5-31/10) **6** (A 15/6-15/9) (C 31/3-15/10)
AKZ. 1/5-30/6 15/9-30/9

Terlago
🔺 Laghi di Lamar*** **Seite 496** **2734** € 18
5 (A+B 1/4-30/10) (F 1/4-30/9) **6** (B 1/6-15/9)
AKZ. 1/4-30/6 1/9-30/10

Toblach/Dobbiaco
🔺 Toblacher See*** **Seite 496** **2735** € 18
5 (A+D+E+F+J 1/1-31/10,20/12-31/12)
AKZ. 7/1-12/7 31/8-31/10

Gardasee

Bardolino
🔺 La Rocca Camp*** **Seite 498** **2736** € 16
5 (A+C+D+E+F+J 27/3-3/10) **6** (A+F 15/5-15/9)
AKZ. 27/3-4/4 9/4-13/5 18/5-22/5 7/6-30/6 10/9-30/9

Ausführliche Redaktionseinträge: Seite 490 bis 498

Bardolino   Seite 498   (2737)   € 16
🔺 Serenella***
5 (A 21/5-25/10) (C 21/3-25/10) (D 29/3-26/10)
(E+F+J 21/3-25/10)
6 (A+F 1/5-18/9)
AKZ. 21/3-4/7   29/8-24/10

Cisano di Bardolino   Seite 498   (2738)   € 16
🔺 Cisano/San Vito****
5 (A+C+D+E+F+J 21/3-11/10)   **6** (A+F 1/5-19/9)
AKZ. 21/3-4/7   22/8-10/10

Desenzano del Garda 💥💥   Seite 498   (2739)   € 16
🔺 CP Village San Francesco****
5 (A+C 1/4-30/9) (D 6/6-5/9) (E+F+J 1/4-30/9)
6 (A+F 25/4-13/9)
AKZ. 1/4-7/7   24/8-30/9   **14=12**

Lazise   Seite 498   (2740)   € 16
🔺 Park Delle Rose***
5 (A+C+D+E+F+J 18/4-4/10)   **6** (A+F 25/4-27/9)
AKZ. 18/4-22/5   8/6-26/6   5/9-4/10

Lazise sul Garda   Seite 500   (2741)   € 16
🔺 Belvedere***
5 (A+C+D+E+F+J 27/3-4/10)   **6** (A+F 1/5-22/9)
AKZ. 27/3-28/6   1/9-3/10

Lazise sul Garda   Seite 500   (2742)   € 16
🔺 Fossalta***
5 (A+C+D 27/3-30/9)   **6** (A+F 1/5-30/9)
AKZ. 27/3-26/6   1/9-30/9

Maderno sul Garda   Seite 502   (2743)   € 16
🔺 Riviera***
5 (A+B+E+F 27/3-30/9)   **6** (A 1/4-30/9)
AKZ. 1/4-25/6   1/9-30/9

Manerba del Garda   Seite 503   (2744)   € 18
🔺 Baia Verde****
5 (A+C+D+E+F+I 28/3-3/10)   **6** (A+F 7/4-3/10)
AKZ. 1/4-30/6   24/8-3/10

Manerba del Garda   Seite 504   (2745)   € 16
🔺 Zocco***
5 (A+C+E+F+I 24/4-27/9)   **6** (A+F 25/4-27/9)
AKZ. 24/4-21/5   7/6-30/6   5/9-26/9

Moniga del Garda   Seite 504   (2746)   € 16
🔺 Fontanelle****
5 (A+C+D+E+F+J 18/4-4/10)   **6** (A+F 15/5-15/9)
AKZ. 18/4-22/5   13/6-29/6   1/9-3/10

Moniga del Garda   Seite 504   (2747)   € 18
🔺 Piantelle****
5 (A+B+E+F+J 3/4-5/10)   **6** (A+F 18/4-25/9)
AKZ. 3/4-30/6   1/9-5/10

Moniga del Garda   Seite 504   (2748)   € 16
🔺 Sereno Camping Holiday***
5 (A+C+E+F+J 28/3-3/10)   **6** (A+F 1/5-30/9)
AKZ. 28/3-13/6   5/9-3/10

Pacengo di Lazise   Seite 504   (2749)   € 16
🔺 Camping Le Palme***
5 (A+B+D+E+F+I 27/3-26/10)   **6** (B+G 27/3-26/10)
AKZ. 27/3-2/4   6/4-23/5   7/6-20/6   5/9-25/10

Pacengo di Lazise   Seite 504   (2750)   € 16
🔺 Lido***
5 (A+C+E+F+J 27/3-11/10)   **6** (B 3/4-11/10) (F 15/5-30/9)
AKZ. 27/3-21/5   7/6-28/6   1/9-11/10

Padenghe sul Garda   Seite 504   (2751)   € 14
🔺 La Ca'****
5 (A+E+F+H+J 1/3-31/10)   **6** (A+F 1/3-31/10)
AKZ. 1/3-30/6   22/8-31/10

Peschiera del Garda   Seite 504   (2752)   € 18
🔺 Bella Italia****
5 (A+C+D+E+F+I+J 21/3-8/11)   **6** (B+G 1/4-20/9)
AKZ. 21/3-29/6   1/9-7/11

Peschiera del Garda   Seite 506   (2753)   € 16
🔺 Butterfly****
5 (A+C+D+E+F+J 14/3-8/11)   **6** (A+F 25/4-15/9)
AKZ. 14/3-4/7   22/8-7/11

Peschiera del Garda   Seite 506   (2754)   € 18
🔺 Wien
5 (A+C+D+F+I 1/4-30/9)   **6** (A+F 25/4-23/9)
AKZ. 1/4-16/5   8/6-30/6   7/9-30/9

San Felice del Benaco   Seite 506   (2755)   € 18
🔺 Fornella****
5 (A+C+E+F+I+J 24/4-27/9)   **6** (A+F 15/5-15/9)
AKZ. 24/4-22/5   8/6-30/6   7/9-26/9

Sirmione   Seite 507   (2756)   € 16
🔺 Tiglio
5 (A+C+E+F+J 1/4-27/9)   **6** (A+F 1/5-30/9)
AKZ. 28/3-4/7   29/8-30/9

Veneto

Arsiè   Seite 508   (2757)   € 16
🔺 Al Lago**
5 (A+B 5/4-5/10) (D+E+F 1/1-31/12) (J 5/4-5/10)
AKZ. 1/4-3/7   20/8-30/9

Arsiè   Seite 508   (2758)   € 16
🔺 Gajole
5 (B+D 1/6-15/9) (E 1/6-1/9) (I 1/6-15/9)
AKZ. 15/4-30/6   1/9-30/9

Bonelli di Porto Tolle   Seite 509   (2759)   € 16
🔺 Villaggio Turistico Barricata****
5 (A+B+C+D+E+F+I+J 20/5-20/9)   **6** (A+F 20/5-20/9)
AKZ. 15/5-26/5   31/5-5/7   30/8-20/9

Ausführliche Redaktionseinträge: Seite 498 bis 509

Campalto/Venezia   Seite 509   2760   € 16
🔼 Rialto
5 (A+B+F 22/2-4/3,1/4-20/10)
AKZ. 15/4-26/5   1/6-23/6   15/9-20/10

Caorle   Seite 509   2761   € 14
🔼 Laguna Village***
5 (A+C+E+F+J 9/5-20/9)   **6** (A 9/5-20/9)
AKZ. 24/4-12/6   1/9-20/9

Caorle   Seite 509   2762   € 12
🔼 San Francesco****
5 (A+C+D+E+F+H+I+J 3/4-30/9)   **6** (A+G 3/4-30/9)
AKZ. 18/4-14/6   29/8-30/9

Cavallino   Seite 509   2764   € 14
🔼 Italy****
5 (A+C+D+E+F+J 30/4-19/9)   **6** (B+G 15/5-15/9)
AKZ. 23/4-23/5   6/6-29/6   5/9-20/9

Cavallino   Seite 510   2763   € 16
🔼 Europa Camping Village****
5 (A+C+D+E+F+H+J 5/4-30/9)   **6** (**B**+**F** 5/4-30/9)
AKZ. 30/3-22/5   6/6-17/6   1/9-29/9

Cavallino   Seite 510   2765   € 16
🔼 Villa Al Mare***
5 (A+C+D+E+F+J 18/4-20/10)   **6** (G 4/5-14/9)
AKZ. 16/4-22/5   8/6-22/6   1/9-31/10

Cavallino   Seite 511   2766   € 18
🔼 Village Cavallino****
5 (A+C+D+E+F+J 1/4-31/10)   **6** (A 15/5-15/9)   (F 1/5-30/9)
AKZ. 26/3-21/5   8/6-25/6   4/9-1/11

Cavallino/Treporti   Seite 511   2767   € 16
🔼 Scarpiland***
5 (C+D+E+F+H+J 27/4-22/9)
AKZ. 23/4-3/7   22/8-25/9   **10=9**

Fusina/Venezia   Seite 512   2768   € 18
🔼 Fusina***
5 (A+B+D+E+F+I 1/4-30/10)
AKZ. 1/1-8/2   18/2-31/3   4/5-15/5   8/6-28/6   1/9-31/12

Isola Verde/Chioggia   Seite 512   2769   € 18
🔼 Holiday Village Isamar****
5 (A+B+C+D 15/5-20/9)   (E 10/5-14/9)   (F+H+I+J 15/5-20/9)
6 (A+F 15/5-20/9)
AKZ. 15/5-26/5   31/5-5/7   30/8-20/9

Lido di Jesolo   Seite 514   2770   € 16
🔼 Malibu Beach****
5 (A 12/5-16/9)   (C+D+E+F+J 13/5-27/9)   **6** (A+F 13/5-27/9)
AKZ. 13/5-24/5   7/6-30/6   1/9-27/9

Lido di Jesolo   Seite 514   2771   € 14
🔼 Parco Capraro***
5 (A 1/4-27/9)   (C+E+F+J 21/4-27/9)   **6** (A+F 21/4-27/9)
AKZ. 1/4-26/6   21/8-27/9

Lido di Jesolo ⛺️   Seite 514   2772   € 12
🔼 Camping Park dei Dogi
AKZ. 1/1-30/6   1/9-31/12

Lido di Jesolo   Seite 514   2773   € 14
🔼 Waikiki***
5 (C+D+E+F+J 13/5-27/9)   **6** (A+F 13/5-27/9)
AKZ. 13/5-24/5   7/6-30/6   1/9-27/9

Malcontenta/Venezia   Seite 514   2774   € 18
🔼 Serenissima***
5 (A+C+D+F+I 14/4-7/11)
AKZ. 30/3-30/6   24/8-6/11

Mestre/Venezia   Seite 514   2775   € 18
🔼 Venezia**
5 (A 1/7-31/8)   (B+E+F+I+J 13/2-2/11)   **6** (**E** 13/2-2/11)
AKZ. 13/2-31/3   8/4-28/4   4/5-28/5   4/6-5/7   24/8-2/11

Rosolina Mare ⛺️   Seite 514   2776   € 16
🔼 Vittoria***
5 (A+C+E+F+I 7/5-13/9)   (J 9/5-13/9)   **6** (A+F 1/6-13/9)
AKZ. 7/5-25/6   1/9-13/9

Rosolina Mare/Rovigo   Seite 514   2777   € 16
🔼 Villaggio Turistico CP Rosapineta***
5 (A+C+D+E+F+J 15/5-15/9)   **6** (A+F 15/5-15/9)
AKZ. 14/5-30/6   1/9-15/9

Sappada ⛺️   Seite 515   2778   € 16
🔼 Alpin Park Sappada
5 (A 1/1-6/4,29/5-31/12)
AKZ. 7/1-6/4   29/5-15/7   1/9-30/9   5/12-15/12

Sottomarina   Seite 515   2779   € 16
🔼 Adriatico**
5 (A+B+C+D 5/4-27/9)   (E 5/4-28/9)   (I 5/4-27/9)
6 (A 15/5-29/9)   (F 15/5-27/9)
AKZ. 7/4-29/4   4/5-28/5   3/6-18/6   24/8-27/9   **14=12**

Sottomarina   Seite 515   2780   € 16
🔼 Atlanta***
5 (A+B+C+D+E 18/4-15/9)   (F 19/4-28/9)   (I+J 18/4-15/9)
6 (A+F 1/6-31/8)
AKZ. 18/4-30/6   22/8-15/9

Sottomarina   Seite 515   2781   € 16
🔼 Internazionale*****
5 (A+C+D+E 20/4-22/9)   (F+I+J 19/4-28/9)
6 (A+F 1/6-31/8)
AKZ. 18/4-30/6   22/8-15/9

Ausführliche Redaktionseinträge: Seite 509 bis 515

Sottomarina Seite 516 2782 € 16
🔺 Miramare**
5️⃣ (A 17/4-22/9) (C+D 17/4-21/9) (E+F 17/4-22/9) (J 17/4-21/9)
6️⃣ (A+F 11/5-21/9)
AKZ. *2/4-30/6 24/8-21/9 7=6, 14=12, 21=18*

Friuli-Venezia Giulia

Alesso/Trasaghis Seite 517 2783 € 16
🔺 Lago 3 Comuni**
AKZ. *1/4-30/6 1/9-30/9*

Aquileia Seite 517 2784 € 18
🔺 Aquileia**
5️⃣ (A+C 1/1-31/12) (E+J 1/5-30/9) 6️⃣ (B+F 1/5-30/9)
AKZ. *1/4-15/6 1/9-30/9*

Grado ✲✲ Seite 517 2785 € 18
🔺 Tenuta Primero****
5️⃣ (A+C+D+E+F 25/4-27/9) (I+J 1/5-15/9)
6️⃣ (A 20/4-15/9) (G 5/5-21/9)
AKZ. *25/4-22/5 7/6-28/6 6/9-27/9*

Sistiana Seite 518 2786 € 16
🔺 Mare Pineta Baia Sistiana****
5️⃣ (A+C 15/4-12/10) (D+E+F 1/4-12/10) (I+J 1/5-15/9)
6️⃣ (A+F 1/6-10/9)
AKZ. *1/4-21/5 8/6-25/6 1/9-11/10*

West-Emilia Romagna

Cervarezza Terme ✲✲ Seite 519 2788 € 18
🔺 Le Fonti****
5️⃣ (A+C 1/1-31/12) (D+E+F+I 15/6-15/9) 6️⃣ (E 1/1-31/12)
AKZ. *23/3-15/7 1/9-30/10 7=6*

Rioveggio Seite 519 2799 € 16
🔺 Riva del Setta****
5️⃣ (A+B+D 1/4-30/9) (F+J 1/1-31/12) 6️⃣ (A 15/6-31/8)
AKZ. *1/4-15/7 1/9-30/9*

Ferrara/Ravenna

Casal Borsetti Seite 520 2787 € 14
🔺 Adria***
5️⃣ (A+B+D+E+F+I+J 25/4-15/9) 6️⃣ (A+F 15/5-14/9)
AKZ. *25/4-28/6 24/8-15/9 7=6, 14=12*

Lido di Dante Seite 521 2790 € 18
🔺 Classe***
5️⃣ (A+C+D+E+F+I+J 4/4-12/10) 6️⃣ (A+F 24/5-30/9)
AKZ. *4/4-11/7 1/9-12/10*

Lido di Dante ✲✲ Seite 521 2791 € 16
🔺 Ramazzotti***
5️⃣ (A+D+E+F+H+I+J 25/4-20/9)
AKZ. *25/4-15/7 1/9-20/9 7=6*

Pinarella di Cervia Seite 522 2793 € 16
🔺 Adriatico***
5️⃣ (A+B+D+E+F+I 3/4-20/9) 6️⃣ (**A**+**F** 15/5-10/9)
AKZ. *5/4-27/6 23/8-21/9*

Forlì-Cesena/Rimini/San Marino

Gatteo Mare Seite 524 2789 € 14
🔺 Delle Rose***
5️⃣ (A+C+D+E+F+J 1/5-20/9) 6️⃣ (A+F 30/5-13/9)
AKZ. *1/5-28/6 22/8-20/9 7=6*

Novafeltria ✲✲ Seite 524 2792 € 16
🔺 Perticara***
5️⃣ (A+B+D+E 13/5-20/9) (F 15/5-10/9) (J 13/5-10/9)
6️⃣ (B 13/5-20/9)
AKZ. *13/5-30/6 1/9-20/9*

Ponte Messa di Pennabilli (RN) Seite 524 2794 € 18
🔺 Marecchia 'Da Quinto'****
5️⃣ (D+E+I 1/6-10/9) 6️⃣ (A+F 1/6-10/9)
AKZ. *1/5-30/6 1/9-10/9*

Repubblica San Marino Seite 524 2795 € 16
🔺 Centro Vacanze San Marino****
5️⃣ (A+B 1/4-30/9) (D+E+F+J 1/1-31/12) 6️⃣ (A 1/6-31/8)
AKZ. *2/1-2/4 6/4-28/5 2/6-30/6 1/9-7/10 12/10-29/12*

Riccione ✲✲ Seite 524 2796 € 18
🔺 Adria***
5️⃣ (A+C+D+E+F+I+J 2/4-4/10)
AKZ. *2/4-11/6 1/9-3/10*

Riccione ✲✲ Seite 524 2797 € 16
🔺 Alberello***
5️⃣ (A+B+D+E+F+I+J 2/4-21/9)
AKZ. *2/4-18/6 1/9-21/9*

Riccione Seite 525 2798 € 18
🔺 Riccione****
5️⃣ (A+C+D+E+F+H+I+J 3/4-21/9) 6️⃣ (A+F 3/4-21/9)
AKZ. *3/4-11/6 1/9-21/9 7=6*

San Mauro Mare ✲✲ Seite 525 2800 € 16
🔺 Camping Green**
5️⃣ (A+B 1/7-31/8) (D+E 14/6-13/9)
AKZ. *4/4-30/6 1/9-27/9*

Toscana

Arezzo Seite 526 2801 € 18
🔺 Villaggio Le Ginestre***
5️⃣ (D+E+F 10/2-31/12) (J 1/1-10/1,10/2-31/12)
6️⃣ (A 15/5-15/9)
AKZ. *1/3-30/6 1/9-5/11*

Ausführliche Redaktionseinträge: Seite 516 bis 526

Italien

Barberino di Mugello ⛺️🏕
🔺 Il Sergente*** **Seite 526** (2802) € 18
⑤ (A+B 1/1-31/12) (D+E+F+J 1/1-30/12) ⑥ (B 15/5-30/9)
AKZ. 1/1-15/7 1/9-31/12

Barberino Val D'Elsa ⛺️🏕
🔺 Semifonte** **Seite 527** (2803) € 16
⑤ (A+B 16/4-30/9) ⑥ (A 1/6-10/9)
AKZ. 1/4-30/6 1/9-15/10

Bibbona
🔺 Le Capanne*** **Seite 527** (2804) € 16
⑤ (A+C+D+E+F+H+J 24/4-20/9) ⑥ (A+F 24/4-20/9)
AKZ. 24/4-14/6 1/9-20/9

Capannole-Bucine
🔺 La Chiocciola*** **Seite 527** (2805) € 18
⑤ (A+C+D+E+F+I+J 1/4-30/9) ⑥ (A+F 1/5-1/9)
AKZ. 1/4-3/7 29/8-30/9

Capraia e Limite
🔺 CP Villaggio San Giusto S.r.l.*** **Seite 527** (2806) € 16
⑤ (A+B+D+E+I 1/4-5/11) ⑥ (A 1/6-15/9)
AKZ. 1/4-10/7 27/8-5/11

Casale Marittimo
🔺 Valle Gaia**** **Seite 527** (2807) € 14
⑤ (A+C+D+E+F+J 28/3-3/10) ⑥ (A+F 12/4-3/10)
AKZ. 28/3-4/7 1/9-3/10

Casciano di Murlo/Siena ⛺️🏕
🔺 Le Soline*** **Seite 527** (2808) € 18
⑤ (A+B 15/3-15/10) (F+J 15/3-10/10) ⑥ (A+F 15/4-10/10)
AKZ. 1/1-30/6 1/9-31/12

Castagneto Carducci
🔺 Le Pianacce*** **Seite 527** (2809) € 12
⑤ (A+C+D+E+F+H+J 20/4-22/9) ⑥ (A+F 20/4-22/9)
AKZ. 24/4-14/6 1/9-20/9

Castiglione della Pescaia
🔺 Stella del Mare**** **Seite 528** (2810) € 16
⑤ (A+C+D+E+F+J 18/4-18/10) ⑥ (A+F 18/4-18/10)
AKZ. 18/4-30/6 1/9-18/10

Cavriglia
🔺 Camping Orlando in Chianti **Seite 528** (2811) € 16
⑤ (A+C+D+E+F+J 2/4-18/10)
⑥ (B 2/4-18/10) (G 20/4-13/10)
AKZ. 2/4-4/7 22/8-18/10

Cecina Mare/Livorno
🔺 New Camping Le Tamerici*** **Seite 528** (2812) € 16
⑤ (A+C+D+E+F+J 1/5-30/9) ⑥ (A 1/5-27/10) (F 1/5-15/10)
AKZ. 1/5-13/6 1/9-30/9

Certaldo/Marcialla
🔺 Camping Panorama Del Chianti** **Seite 528** (2813) € 16
⑥ (A 25/5-30/9)
AKZ. 21/3-5/7 24/8-31/10

Coltano
🔺 Camping Lago Le Tamerici **Seite 528** (2814) € 16
⑤ (A+B+E+I 23/3-18/10) ⑥ (A 1/6-15/9)
AKZ. 23/3-15/7 1/9-18/10 **7=6, 14=12**

Elba/Lacona/Capolíveri
🔺 Lacona*** **Seite 530** (2815) € 16
⑤ (A+C+D+E+F+H+I 16/4-16/10) ⑥ (A 16/4-16/10)
AKZ. 16/4-21/6 1/9-16/10

Lamporecchio (PT)
🔺 Barco Reale**** **Seite 530** (2816) € 18
⑤ (A+C+D+E+F+J 1/4-30/9) ⑥ (B+F 1/4-30/9)
AKZ. 1/4-26/5 6/6-20/6 1/9-30/9

Marina di Bibbona
🔺 Free Beach*** **Seite 530** (2817) € 16
⑤ (A+C+D+E+F+I 18/4-20/9) ⑥ (A 18/4-20/9)
AKZ. 18/4-30/6 1/9-20/9

Marina di Bibbona
🔺 Free Time*** **Seite 530** (2818) € 16
⑤ (A+C+E+F+J 18/4-18/10) ⑥ (A+F 25/4-18/10)
AKZ. 18/4-30/6 1/9-18/10

Marina di Castagneto
🔺 Belmare Camping S.R.L.** **Seite 531** (2819) € 16
⑤ (A+C+D+E+F+H+J 1/4-30/9)
AKZ. 1/4-30/6 1/9-30/9

Marina di Castagneto ⛺️🏕
🔺 Continental **Seite 531** (2820) € 14
⑤ (A+C+E+F+H 1/4-20/9)
AKZ. 1/4-19/6 23/8-20/9 **7=6, 14=11**

Marina di Grosseto
🔺 Le Marze** **Seite 531** (2821) € 16
⑤ (A+C+D+E+F+H+J 27/3-4/10) ⑥ (A 15/6-15/9)
AKZ. 27/3-27/6 22/8-3/10

Marina di Massa ⛺️🏕
🔺 Camping Giardino **Seite 531** (2822) € 16
⑤ (A+C+E+F+I 1/6-27/9) ⑥ (A 1/6-27/9)
AKZ. 2/4-20/6 1/9-27/9

Marina di Massa
🔺 Luna*** **Seite 531** (2823) € 18
AKZ. 23/4-14/6 1/9-19/9

Marina di Massa ⛺️🏕
🔺 Partaccia 1*** **Seite 532** (2824) € 16
⑤ (A 25/4-27/9) (C+E 1/5-15/9) (F+J 1/1-31/12)
AKZ. 25/4-4/7 29/8-27/9 **7=6, 14=11**

Ausführliche Redaktionseinträge: Seite 526 bis 532

Marina di Massa/Partaccia   Seite 532   (2825)   € 16
🔺 Dal Pino Srl
5 (A+B+E+J 1/4-7/4,23/4-20/9)
AKZ. 1/4-7/4   23/4-13/7   30/8-20/9

Montecatini Terme   Seite 532   (2826)   € 18
🔺 Belsito***
5 (A+C+D+E+F+I 1/4-30/9)   **6** (A+F 1/5-30/9)
AKZ. 1/4-30/6   1/9-30/9

Passo de la Futa/Firenzuola 🛉🛉   Seite 532   (2827)   € 16
🔺 La Futa**
5 (A+B+F 15/4-16/9)   **6** (A 15/5-16/9)
AKZ. 15/4-30/6   20/8-16/9

Punta Ala   Seite 533   (2828)   € 16
🔺 Baia Verde***
5 (A+C+D+E+F+H+I+J 23/4-16/10)
AKZ. 23/4-7/6   5/9-16/10

Riotorto   Seite 533   (2829)   € 16
🔺 Campo Al Fico
5 (B+D+E+F+J 23/4-29/9)   **6** (A+F 1/6-29/9)
AKZ. 23/4-7/7   24/8-29/9   *7=6*

Riotorto   Seite 534   (2830)   € 18
🔺 Pappasole****
5 (A+C+D+E+F+J 23/4-17/10)   **6** (A+F 23/5-5/10)
AKZ. 23/4-29/5   5/6-17/6   7/9-16/10

San Piero a Sieve 🛉🛉   Seite 534   (2831)   € 18
🔺 CP Village Mugello Verde***
5 (A+B+D+E+F+I 20/3-18/10)   **6** (A 1/6-15/9)
AKZ. 20/3-24/5   8/6-5/7   24/8-17/10

San Vincenzo   Seite 534   (2832)   € 18
🔺 Park Albatros****
5 (A+C+D+E+F+H+J 24/4-13/9)   **6** (B+D+E+G 24/4-13/9)
AKZ. 24/4-21/6   1/9-13/9

Scarlino   Seite 534   (2833)   € 16
🔺 Vallicella
5 (A+B+D+E+F+J 1/4-4/10)   **6** (A+F 1/5-30/9)
AKZ. 1/4-4/7   22/8-4/10   *7=6, 14=11*

Sovicille   Seite 535   (2834)   € 18
🔺 La Montagnola
5 (A+B 1/4-30/9)
AKZ. 1/4-12/7   29/8-30/9

Torre del Lago Puccini 🛉🛉   Seite 535   (2835)   € 16
🔺 Europa*
5 (A+C+D+E+F+J 1/4-11/10)   **6** (A 1/5-20/9)
AKZ. 1/4-3/7   22/8-10/10   *7=6, 14=12, 21=18*

Torre del Lago Puccini   Seite 535   (2836)   € 16
🔺 Italia
5 (A+C+D+E+F 15/4-24/9)   (J 16/4-25/9)
6 (A 1/6-30/8,1/9-7/9)
AKZ. 15/4-30/6   24/8-24/9   *7=6*

Vada/Livorno   Seite 536   (2837)   € 16
🔺 Baia del Marinaio***
5 (A+C+D+E+F+I+J 25/4-27/9)   **6** (A+F 25/4-27/9)
AKZ. 25/4-28/6   31/8-27/9

Vada/Livorno 🛉🛉   Seite 536   (2838)   € 14
🔺 Campo dei Fiori**
5 (A+C+D+E+F+H+J 4/4-27/9)   **6** (A 30/5-12/9)
AKZ. 4/4-27/6   24/8-27/9   *14=12*

Vada/Livorno   Seite 536   (2839)   € 16
🔺 Molino a Fuoco***
5 (A+C+D+E+F+J 24/4-17/10)   **6** (A+F 24/4-17/10)
AKZ. 24/4-27/6   7/9-17/10

Vada/Livorno   Seite 536   (2840)   € 14
🔺 Rifugio del Mare
5 (A+C+D+E+F+I 25/4-20/9)   **6** (A+F 30/5-15/9)
AKZ. 25/4-30/6   25/8-20/9   *7=6, 14=12, 21=18*

Viareggio   Seite 537   (2842)   € 16
🔺 Viareggio
5 (A+C+D+E+F+J 1/4-30/9)   **6** (A 1/6-30/8)
AKZ. 1/4-30/6   24/8-30/9   *7=6*

Viareggio   Seite 537   (2841)   € 16
🔺 La Pineta**
5 (A+B+D+E+I 2/4-24/9)   **6** (A+F 15/5-25/9)
AKZ. 2/4-30/6   24/8-24/9   *7=6, 14=12*

Umbria

Assisi/Perugia   Seite 538   (2843)   € 18
🔺 Camping Village Assisi***
5 (A+B 1/4-30/10) (D+E+F+J 1/1-31/12)   **6** (A+F 1/6-1/9)
AKZ. 13/4-12/7   1/9-30/10

Bevagna   Seite 538   (2844)   € 16
🔺 Pian di Boccio***
5 (A+B 1/4-30/9) (E+F 1/7-31/8) (J 1/4-30/9)
6 (A 15/5-30/9) (F 1/6-1/9)
AKZ. 1/4-30/6   1/9-30/9

Cascia   Seite 538   (2845)   € 14
🔺 Campeggio il Drago
5 (A+B+E+F+J 15/3-3/11)   **6** (B 10/6-10/9)
AKZ. 14/3-15/7   1/9-8/11

Castiglione del Lago   Seite 538   (2846)   € 18
🔺 Badiaccia Camping Village****
5 (A+B+C+D+E+F+I 1/4-30/9) (J 30/3-30/9)
6 (A 15/5-30/9) (F 1/5-30/9)
AKZ. 1/4-3/7   22/8-30/9

Ausführliche Redaktionseinträge: Seite 532 bis 538

Italien

Castiglione del Lago
▲ Listro** **Seite 538** (2847) € 14
🟦 (A+B 27/3-30/9) 🟩 (E 1/4-30/9)
AKZ. 1/5-3/6 1/9-30/9

Narni/Borgheria
▲ Monti del Sole** **Seite 539** (2848) € 16
🟦 (A 1/4-5/9) (E+F+I 1/7-31/8) 🟩 (A+F 15/6-31/8)
AKZ. 1/4-4/7 22/8-5/9

Passignano sul Trasimeno
▲ Kursaal*** **Seite 539** (2849) € 18
🟦 (A 1/4-31/10) (B 10/5-30/9) (E+J 1/4-31/10)
🟩 (A 1/5-15/10)
AKZ. 1/4-30/6 25/8-31/10

Passignano sul Trasimeno
▲ La Spiaggia** **Seite 539** (2850) € 18
🟦 (A+B 27/3-13/10) (D+E+F+I 1/4-18/10) 🟩 (A 23/5-14/9)
AKZ. 1/4-30/6 24/8-18/10

Piediluco
▲ Cuore Verde** **Seite 540** (2851) € 14
🟦 (A+B+F 1/6-15/9) 🟩 (B 10/6-31/8)
AKZ. 1/4-5/7 25/8-30/9

Preci
▲ Il Collaccio**** **Seite 540** (2852) € 16
🟦 (A+C+E+F+J 1/4-30/9) 🟩 (A+F 20/5-20/9)
AKZ. 1/4-4/7 22/8-30/9

Tuoro sul Trasimeno
▲ Punta Navaccia*** **Seite 540** (2853) € 16
🟦 (A+B+D+E+F+J 1/4-30/9) 🟩 (A+F 1/5-30/9)
AKZ. 1/4-30/6 1/9-30/9

Marche

Cupra Marittima ♣♣
▲ Calypso*** **Seite 541** (2854) € 16
🟦 (A 1/4-10/10) (C+D+E+F+H+J 5/5-15/9) 🟩 (A 15/5-30/9)
AKZ. 20/4-4/6 1/9-10/10

Fiorenzuola di Focara/Pesaro
▲ Panorama*** **Seite 541** (2855) € 18
🟦 (A+C+D+E+F+I 15/4-30/9) 🟩 (A+F 15/5-15/9)
AKZ. 15/4-30/6 1/9-30/9

Monteciccardo
▲ Podere Sei Poorte **Seite 541** (2856) € 18
🟦 (A+B+J 24/4-26/9) 🟩 (A 24/4-26/9)
AKZ. 24/4-27/6 22/8-26/9

Numana
▲ Camping Village Numana Blu**** **Seite 541** (2857) € 18
🟦 (A+C+D+E+F+H+J 16/4-27/9) 🟩 (A+F 14/5-20/9)
AKZ. 16/4-28/6 24/8-27/9

Porto Recanati
▲ Bellamare*** **Seite 541** (2858) € 16
🟦 (A+B+D+E 19/4-30/9) (F 1/5-30/9) (J 19/4-30/9)
🟩 (A+F 15/5-20/9)
AKZ. 1/4-30/6 1/9-30/9

Sarnano
▲ Quattro Stagioni*** **Seite 542** (2859) € 16
🟦 (A+B 1/7-31/8) (D+E+F+J 1/6-30/9) 🟩 (A+F 1/6-10/9)
AKZ. 1/5-30/6 1/9-30/9

Stacciola/San Costanzo
▲ Camping Village Mar y Sierra*** **Seite 542** (2860) € 16
🟦 (A+D+E+F+J 1/6-30/9) 🟩 (A+F 15/6-1/9)
AKZ. 18/4-26/6 1/9-26/9

Lazio

Bolsena
▲ Lido Camping Village**** **Seite 543** (2861) € 16
🟦 (A+C+D+E+F+H 23/4-30/9) 🟩 (A+F 15/6-31/8)
AKZ. 23/4-5/7 22/8-30/9

Bracciano
▲ Porticciolo **Seite 544** (2862) € 16
🟦 (A+B+D+E+F+I 1/4-30/9)
AKZ. 1/4-30/6 1/9-30/9

Bracciano
▲ Roma Flash*** **Seite 544** (2863) € 16
🟦 (A+B 1/4-30/9) (D+E+F+I 15/4-20/9) 🟩 (A+F 1/6-31/8)
AKZ. 1/4-7/7 24/8-30/9

Fiano Romano/Roma
▲ I Pini Family Park**** **Seite 544** (2864) € 16
🟦 (A+C+E+F+J 24/4-20/9) 🟩 (A 24/4-20/9) (F 24/4-15/10)
AKZ. 24/4-28/6 29/8-20/9

Marina di Montalto di Castro
▲ Pionier Etrusco*** **Seite 544** (2865) € 16
🟦 (A+B+D+E+F+H+I 1/4-30/9) 🟩 (A 1/6-30/9)
AKZ. 1/4-28/6 30/8-30/9

Roma
▲ Camping Village Fabulous **Seite 545** (2866) € 18
🟦 (A 15/4-30/9) (C 1/5-30/9) (E 1/1-31/12) (F 1/5-30/9)
(J 1/1-31/12)
🟩 (A+F 1/5-30/9)
AKZ. 28/3-28/6 29/8-31/10

Roma
▲ Flaminio Village CP & Bungalow Park**** **Seite 545** (2867) € 16
🟦 (A+B+D+F+J 1/1-31/12) 🟩 (A 1/6-30/9)
AKZ. 7/1-2/4 4/5-13/5 3/6-2/7 6/9-29/10

Roma ♣♣
▲ Tiber*** **Seite 545** (2869) € 18
🟦 (A+B+D+E 1/4-31/10) (F+J 1/4-30/4) 🟩 (A 10/5-15/9)
AKZ. 1/4-30/6 17/8-31/10

Ausführliche Redaktionseinträge: Seite 538 bis 545

Roma ♠♦
▲ Happy Village & Camping***　　　Seite 546　(2868)　€ 18
5 (A+C+D+E+F 1/3-18/12,27/12-31/12) (J 1/3-2/11)
6 (A+F 15/5-30/9)
AKZ. 1/3-30/6　17/8-18/12　7=6

Tarquinia
▲ Europing 2000 srl****　　　Seite 546　(2870)　€ 16
5 (A 30/4-20/9) (C+D+E 1/6-15/9) (F 24/4-15/9)
(H+I+J 1/6-15/9)
6 (**A** 15/6-15/9) (**F** 15/5-15/9)
AKZ. 30/4-10/7　27/8-20/9

Trevignano Romano ♠♦
▲ CP Internazionale Lago di Bracciano***　Seite 546　(2871)　€ 12
5 (A+B+F 1/4-30/9) (I 1/4-30/10) **6** (A+F 15/5-30/9)
AKZ. 1/4-6/7　26/8-30/9

Abruzzo/Molise

Alba Adriatica
▲ Eucaliptus　　　Seite 547　(2872)　€ 14
6 (A+F 13/5-15/9)
AKZ. 13/5-30/6　1/9-15/9

Giulianova Lido
▲ CP & Residence Don Antonio　Seite 547　(2873)　€ 16
5 (A+B 16/5-16/9) (F 24/5-16/9) **6** (A+F 1/6-10/9)
AKZ. 15/5-30/6　1/9-17/9

Opi
▲ Il Vecchio Mulino　　　Seite 548　(2874)　€ 18
5 (A+B+E+J 1/1-31/12)
AKZ. 1/1-15/7　1/9-31/12

Pineto
▲ Pineto Beach***　　　Seite 548　(2875)　€ 16
5 (A+B 1/5-21/9) (C 1/5-20/9) (D 15/5-18/9)
(E+F+H 15/5-21/9) (I 1/5-18/9) (J 15/5-21/9)
6 (A+F 1/6-21/9)
AKZ. 24/4-13/6　1/9-19/9

Roseto degli Abruzzi
▲ Eurcamping***　　　Seite 548　(2876)　€ 16
5 (A+B+D+E+F+I 15/5-30/9) **6** (A+F 20/5-15/9)
AKZ. 1/5-9/7　26/8-24/10

Campania

Capaccio/Paestum
▲ La Foce dei Tramonti***　　　Seite 549　(2877)　€ 16
5 (A+C 15/6-15/9) (D+E+F+I 2/6-15/9)
AKZ. 1/4-10/7　27/8-31/10　14=12

Massalubrense/Marina d.Cantone　Seite 549　(2878)　€ 18
▲ Nettuno
5 (B+D+E+F+J 29/3-31/10)
AKZ. 28/3-2/4　7/4-30/4　3/5-25/5　6/6-3/7　7/9-1/11　14=11, 8=7

Paestum
▲ Athena***　　　Seite 550　(2879)　€ 16
5 (A+C 15/5-20/9) (D+F+I 1/6-31/8)
AKZ. 1/4-10/7　27/8-31/10　7=6

Pompei
▲ Zeus　　　Seite 550　(2881)　€ 16
5 (B 1/4-31/10) (D+E+F+I+J 1/4-30/10)
AKZ. 7/1-31/3　7/4-22/4　4/5-15/7　1/9-23/12

Pompei
▲ Spartacus***　　　Seite 551　(2880)　€ 16
AKZ. 7/1-1/4　7/4-24/4　4/5-3/7　31/8-25/12

Pozzuoli
▲ Int. Vulcano Solfatara***　　　Seite 551　(2882)　€ 18
5 (A+C+D+E 1/4-31/10) **6** (A 11/6-10/9)
AKZ. 1/5-10/6　1/9-30/9

Vico Equense
▲ Sant'Antonio****　　　Seite 551　(2883)　€ 18
5 (A+B+C 15/3-31/10)
AKZ. 15/3-30/6　1/9-31/10

Puglia

Foce Varano (Isola Varano)
▲ Camping 5 Stelle***　　　Seite 552　(2884)　€ 16
5 (A 1/5-21/9) (C 29/5-15/9) (D 15/5-15/9) (E+F 1/6-15/9)
(I 15/5-15/9)
6 (**A** 1/5-21/9) (**F** 26/5-10/9)
AKZ. 3/4-12/7　29/8-26/9

Gagliano del Capo (LE)
▲ S. Maria di Leuca***　　　Seite 553　(2885)　€ 16
5 (A 1/1-31/12) (B+D+E 1/6-31/8) (F 1/7-31/8) (H 1/6-31/8)
6 (A 1/5-1/11)
AKZ. 1/1-15/7　1/9-31/12

Gallipoli
▲ Baia di Gallipoli CP Resort****　　　Seite 553　(2886)　€ 16
5 (A 1/4-30/9) (B 1/4-1/6) (C 1/6-31/8)
(D+E+F+H+J 1/4-30/9)
6 (A 1/5-30/9)
AKZ. 1/4-27/6　29/8-15/9

Manfredonia ♠♦
▲ Lido Salpi　　　Seite 553　(2887)　€ 12
5 (A+B+D+F+I 1/1-31/12)
AKZ. 1/1-15/7　1/9-31/12　7=6

Peschici (FG)
▲ Parco Degli Ulivi***　　　Seite 554　(2888)　€ 12
5 (A+C 22/5-30/9) (D+E+F+J 1/6-8/9) **6** (A+F 21/5-13/9)
AKZ. 22/5-30/6　30/8-30/9　7=6

Ausführliche Redaktionseinträge: Seite 546 bis 554

Italien

Peschici (FG)
△ Vill. Grotta dell'Acqua & Sfinal Residen*** **Seite 554** (2889) € 16
5 (A 25/5-14/9) (C+D+E+F+H+I 31/5-20/9)
AKZ. 17/5-30/6 1/9-18/9

Peschici (FG)
△ Villaggio Cp. Internazionale Manacore**** **Seite 554** (2890) € 18
5 (A+C+D+E+F+H+I+J 16/5-26/9) **6** (A 16/5-26/9)
AKZ. 16/5-26/6 22/8-26/9

Specchiolla di Carovigno
△ Pineta al Mare*** **Seite 554** (2891) € 18
5 (A+C+D+E 1/5-20/9) (F 1/5-15/9) (J 1/5-20/9)
6 (A+F 1/5-20/9)
AKZ. 1/5-13/7 30/8-20/9

Torre dell'Orso
△ Sentinella*** **Seite 555** (2892) € 16
5 (A+B 15/6-15/9) (E+F+J 1/6-15/9) **6** (A 1/6-15/9)
AKZ. 1/4-15/7 1/9-30/9

Vieste del Gargano
△ Baia e Cala Campi*** **Seite 555** (2893) € 16
5 (A+C 10/5-20/9) (F+J 24/5-30/9)
AKZ. 1/4-30/6 23/8-30/9

Vieste del Gargano
△ Vill. Baia degli Aranci*** **Seite 555** (2894) € 16
5 (A+C 15/5-10/10) (D+E 20/5-14/10) (F 1/6-15/9)
(J 22/4-22/10)
6 (A+F 1/5-22/10)
AKZ. 20/4-30/6 1/9-18/10 7=6

Vieste del Gargano (Fg)
△ Cp Village Molinella Vacanze*** **Seite 556** (2895) € 16
5 (A+B+C+D+F+I 11/4-11/10)
AKZ. 11/4-20/6 23/8-11/10

Calabria

Caulonia Marina
△ Calypso*** **Seite 556** (2896) € 16
5 (A+E+F+J 1/6-10/9)
AKZ. 1/5-15/7 1/9-20/9

Cirò Marina
△ Punta Alice*** **Seite 557** (2897) € 12
5 (A 1/1-31/12) (B 20/6-15/9) (D 1/4-30/9)
(E+F+H+J 1/6-30/9)
6 (A 30/5-15/9) (F 20/5-30/9)
AKZ. 1/1-30/6 13/9-31/12

Corigliano/Calabro
△ Thurium**** **Seite 557** (2898) € 14
5 (C+D+E+F+H+J 1/5-10/10) **6** (A+F 1/6-30/9)
AKZ. 1/3-15/7 1/9-31/10 7=6

Cropani Marina
△ CP Case Vacanza Lungomare*** **Seite 557** (2899) € 16
5 (D+E+F+H+J 1/7-15/9)
AKZ. 1/4-15/7 1/9-31/10 7=6

Marina di Nicotera
△ Villaggio Camping Mimosa*** **Seite 558** (2900) € 16
5 (A 1/1-31/12) (B+E 15/4-20/10) (F 15/4-15/9)
(J 15/4-20/10)
6 (A+F 15/4-20/10)
AKZ. 1/1-11/7 28/8-31/12 7=6

Marina di Zambrone
△ Villaggio Camping Sambalon**** **Seite 558** (2901) € 16
5 (A+B 1/7-30/8) (D+E+F+H+I+J 20/6-30/8)
AKZ. 20/5-15/7 1/9-23/9 7=6

Praia a Mare
△ International Camping Village*** **Seite 558** (2902) € 12
5 (A+C+E+F+J 1/5-21/9) **6** (F 1/7-20/9)
AKZ. 1/5-30/6 1/9-21/9 7=6, 14=11

Praia a Mare
△ La Mantinera**** **Seite 558** (2903) € 14
5 (A 25/4-30/9) (C 1/6-15/9) (D+E+F 15/6-15/9)
(H+J 25/4-30/9)
6 (A 18/4-30/9) (F 25/4-30/9)
AKZ. 25/4-30/6 1/9-30/9 7=6

Sibari/Cosenza
△ CP-Village Pineta di Sibari*** **Seite 559** (2904) € 16
5 (A 4/4-15/9) (C 1/6-10/9) (E 15/5-15/9) (F+J 1/6-10/9)
AKZ. 1/4-15/7 1/9-27/9

Stignano Mare
△ Koku's Village Club*** **Seite 559** (2905) € 16
5 (A 1/6-30/9) (D 1/7-31/8)
AKZ. 1/1-15/7 1/9-31/12

Tropea
△ Marina del Convento** **Seite 559** (2906) € 12
5 (A+B 15/6-30/9) (D 1/8-31/8) (E 1/6-1/9)
AKZ. 13/5-15/6 1/9-31/10

Sardinien

Aglientu
△ CP Village Baia Blu La Tortuga**** **Seite 560** (2907) € 18
5 (A+C+D+E+F 1/4-12/10) (H 1/4-13/10) (J 1/4-12/10)
AKZ. 1/4-21/5 8/6-25/6 1/9-11/10

Alghero
△ CP Village Laguna Blu (Calik)**** **Seite 560** (2908) € 16
5 (A+E+F+H+J 1/4-19/10)
AKZ. 1/4-25/6 1/9-18/10

Alghero
△ La Mariposa*** **Seite 560** (2909) € 18
5 (A+C 18/4-12/10) (D 15/7-31/8) (F 1/6-30/9) (H 1/8-31/8)
AKZ. 18/4-27/6 1/9-12/10

Ausführliche Redaktionseinträge: Seite 554 bis 560

Arborea
🔺 S'Ena Arrubia*** Seite 560 **2910** € 16
5 (A+B+E+F+J 15/5-4/10) **6** (A 15/5-4/10)
AKZ. 15/5-3/7 24/8-3/10

Cannigione di Arzachena Seite 561 **2911** € 18
🔺 Centro Vacanze Isuledda****
5 (A 26/3-30/11) (C+D+E+F+H+J 26/3-2/11)
AKZ. 26/3-21/5 8/6-25/6 1/9-1/11

Capo Ferrato/Muravera Seite 561 **2912** € 18
🔺 Tiliguerta Camping Village****
5 (A+C+D+E+F+H+J 1/5-25/10)
AKZ. 1/5-22/5 14/6-30/6 7/9-30/9

Cuglieri ⚑⚑ Seite 561 **2913** € 16
🔺 Camping Village Bella Sardinia***
5 (A+C+F+H+J 23/4-5/10) **6** (A+F 23/4-5/10)
AKZ. 23/4-5/7 22/8-4/10 **7=6**

Is Aruttas/Cabras Seite 561 **2914** € 16
🔺 Is Aruttas***
5 (A 25/4-30/9) (B 1/6-30/9) (D 20/4-30/9) (F 1/6-30/9)
(J 20/4-30/9)
AKZ. 5/4-30/6 1/9-30/9

Piscina Rei/Costa Rei Seite 562 **2915** € 16
🔺 Le Dune***
5 (A 18/4-30/9) (C+D+E+F+H+J 24/4-30/9) **6** (**A+F** 24/4-30/9)
AKZ. 24/4-30/6 1/9-30/9

Porto San Paolo Seite 563 **2916** € 18
🔺 Tavolara***
5 (A 1/5-15/10) (C 15/5-15/9) (D+E 1/5-15/9) (F 15/5-15/9)
(J 1/5-15/9)
AKZ. 1/5-13/7 30/8-15/10

Santa Lucia/Siniscola Seite 563 **2917** € 16
🔺 Selema Camping***
5 (A+B+D+E+F 15/5-15/10) (I 15/5-10/10) **6** (A+F 15/6-15/10)
AKZ. 1/4-30/6 27/8-15/10

Torre Grande Seite 564 **2918** € 18
🔺 Spinnaker****
5 (A+C+E+F+J 15/5-30/9) **6** (A+F 15/5-30/9)
AKZ. 15/5-21/6 1/9-30/9

Tortolì/Arbatax Seite 564 **2919** € 16
🔺 Camping Village Orrì***
5 (A 1/5-20/9) (C+E+F+I 1/6-10/9) **6** (A+F 14/5-20/9)
AKZ. 1/5-30/6 1/9-30/9

Tortolì/Arbatax Seite 564 **2920** € 14
🔺 Cigno Bianco***
5 (A+C+D+E 1/5-30/9) (F+J 1/6-30/9)
AKZ. 18/4-2/7 30/8-18/10

Tortolì/Arbatax Seite 564 **2921** € 16
🔺 Villaggio CP Sos Flores s.r.l.***
5 (A 1/5-30/9) (B+D+E+F+I+J 1/6-15/9)
AKZ. 1/5-30/6 1/9-30/10

Valledoria/Sassari Seite 564 **2922** € 16
🔺 La Foce****
5 (A+C+D+E+F+J 25/4-30/9) **6** (A+F 25/4-30/9)
AKZ. 25/4-12/7 31/8-30/9

Villasimius Seite 564 **2923** € 18
🔺 Spiaggia del Riso***
5 (A 1/5-31/10) (C 15/5-16/10) (D 1/6-15/10)
(E 15/5-16/10) (F+H+J 15/5-15/10)
AKZ. 24/4-11/6 10/9-31/10

Sizilien

Acireale Seite 565 **2924** € 16
🔺 La Timpa International CP Acireale***
5 (A+F+J 1/1-31/12)
AKZ. 1/1-4/7 18/9-8/11 20/12-31/12 **7=6, 14=11, 30=22**

Avola Seite 565 **2925** € 16
🔺 Sabbiadoro
5 (A+B 1/1-31/12) (D 1/5-30/9) (F 15/5-30/9) (I 1/5-30/9)
AKZ. 1/1-13/7 7/9-31/12

Castel di Tusa Seite 566 **2926** € 16
🔺 Lo Scoglio**
5 (A+B 1/4-30/9) **6** (A 1/6-31/8)
AKZ. 1/4-15/7 1/9-30/9 **7=6, 15=12**

Catania/Ognina Seite 566 **2927** € 16
🔺 Jonio***
5 (A+B+D 1/1-31/12) (E 1/6-30/9) (F+I 1/1-31/12)
AKZ. 1/1-15/7 1/9-31/12 **7=6, 14=11, 30=20**

Falconara/Sicula Seite 566 **2928** € 16
🔺 Eurocamping Due Rocche***
5 (A+B 1/1-31/12) (D+E 1/7-31/8) (F+J 1/6-31/8)
AKZ. 1/1-15/7 1/9-31/12 **7=6**

Finale di Pollina Seite 566 **2929** € 18
🔺 Camping & Village Rais Gerbi***
5 (A+C 15/5-30/9) (E+F+J 1/1-31/12) **6** (A 1/4-30/10)
AKZ. 1/1-15/7 1/9-31/12

Fondachello/Mascali Seite 566 **2930** € 16
🔺 Mokambo**
5 (A+B 1/4-30/9) (D+E 1/7-31/8) (F+J 1/4-30/9)
AKZ. 1/4-15/6 1/9-30/9 **7=6**

Isola delle Femmine ⚑⚑ Seite 566 **2931** € 16
🔺 La Playa**
5 (A 1/4-30/9) (B 1/4-15/9)
AKZ. 21/3-15/7 1/9-15/10

Ausführliche Redaktionseinträge: Seite 560 bis 566

Italien

Mazara del Vallo   **Seite 567** (2932) € 16
🔺 Sporting Club Village & CP***
5 (A 1/7-1/9) (B 1/5-30/9) (D 1/6-15/9) (F+J 1/4-30/9)
6 (A 1/4-30/9)
AKZ. 1/4-15/6 1/9-15/10

Oliveri/Marinello   **Seite 567** (2933) € 16
🔺 Villaggio Marinello****
5 (A+C 1/3-31/10) (D+E+F+J 15/4-15/9)
AKZ. 1/1-10/7 27/8-31/12 7=6

Punta Braccetto/S. Croce Cam.   **Seite 567** (2934) € 16
🔺 Camping Luminoso***
5 (A+C 1/1-31/12)
AKZ. 1/1-15/7 1/9-31/12 7=6, 14=11

Punta Braccetto/S. Croce Cam.   **Seite 567** (2935) € 16
🔺 Scarabeo Camping**
5 (A+B 1/1-31/12)
AKZ. 1/1-15/7 1/9-31/12

Punta Secca/Santa Croce Camer.   **Seite 568** (2936) € 12
🔺 Capo Scalambri
5 (A 1/6-31/8)
AKZ. 1/1-15/7 1/9-31/12

Ribera/Seccagrande   **Seite 568** (2937) € 16
🔺 Kamemi Camping Village****
5 (A 1/1-31/12) (B 1/5-30/9) (D+E+F+H+J 21/6-10/9)
6 (A+F 3/5-7/9)
AKZ. 1/1-15/7 1/9-31/12 7=6, 14=11, 30=17

San Vito Lo Capo   **Seite 568** (2938) € 16
🔺 El-Bahira****
5 (A+C+D+E 1/4-10/10) (F 1/7-30/8) (H 1/4-30/9)
(J 1/4-10/10)
6 (A+F 1/4-10/10)
AKZ. 1/1-15/7 1/9-31/12 7=6, 15=12

San Vito Lo Capo   **Seite 568** (2939) € 16
🔺 La Pineta****
5 (A+C 1/6-20/9) (F 1/6-30/9) (J 1/4-30/9)
6 (A 20/5-1/10) (F 5/4-1/10)
AKZ. 1/1-15/7 1/9-31/10 1/12-31/12 7=6

Sant'Alessio Siculo/Taormina   **Seite 568** (2940) € 16
🔺 La Focetta Sicula**
5 (D 1/7-31/8)
AKZ. 1/1-15/7 1/9-31/12

Ausführliche Redaktionseinträge: Seite 567 bis 568

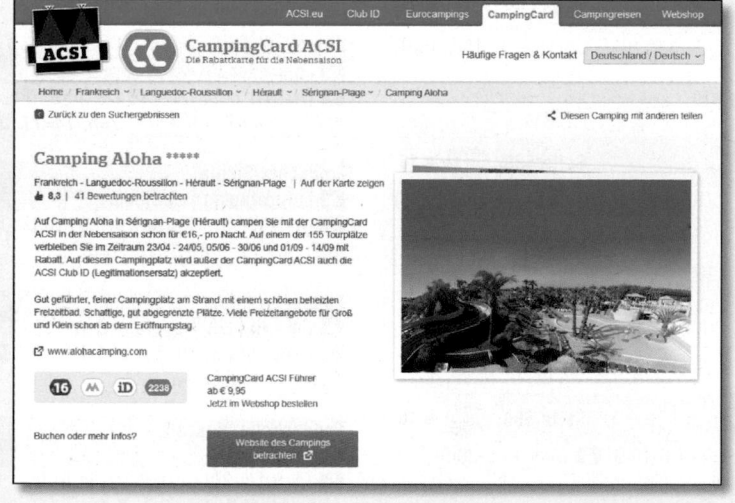

Suchmaschine

Auf der Webseite **www.campingcard.com** finden Sie eine Suchmaschine, die Ihnen auf so manche Art bei der Suche nach einem Camping helfen kann: nach Region oder dem Ort Ihrer Wahl, nach Campingnamen oder der Folgenummer, die Sie in dem Mini-Atlas hinten in diesem Führer finden. Die Suchergebnisse werden blitzschnell präsentiert. Pro Camping sehen Sie sich dann alle Angaben in Ruhe an.

Routenplaner

Sie werden vorallem viel Freude an dem integrierten Routenplaner haben. Sie wählen den Maßstab selbst: von der Übersichtskarte bis hin zur äußerst detaillierten Teilkarte der Region, in die Sie wollen.

Navigationssystem

Wenn Sie über ein Navigationssystem verfügen, dann können Sie die GPS-Koordinaten der Campingplätze direkt und gratis über www.campingcard.com downloaden.

Mit diesen Coupons können Sie Informationen anfragen oder beim Camping Ihrer Wahl reservieren. Ein Tipp: machen Sie vorher Kopien, damit Sie die Coupons noch weiter gebrauchen können.

Die Coupons stehen in 5 Sprachen zur Verfügung (ein Coupon in deutsch, spanisch und französisch; ein Coupon in englisch und italienisch).

Auf der DVD-ROM finden Sie auch bei jedem Camping diese Formulare.

Reservieren ist meist bis einschließlich März sinnvoll. Die meisten Campingplätze werden Ihnen ihr eigenes Reservierungsformular zusenden und um eine Anzahlung bitten. Die Art und Weise der Zahlung ist ein internationaler Postwechsel (teuer), die Kreditkarte (wenn der Camping dies in der Reservierungsbestätigung erwähnt) oder ein internationaler Überweisungsauftrag Ihrer Bank.

Außerhalb der Monate Juli und August und in der Wintersaison ist Reservierung bei den meisten Campingplätzen nicht nötig. Ausnahmen: Oster-, Pfingst- und Herbstferien.

Dieses Formular direkt zum Camping schicken

Achtung! Jeder Camping hat seine eigenen Reservierungskonditionen.
Auch kann bei einer Reservierung nach einer Anzahlung gefragt werden.

Wir möchten Sie bitten:
❑ uns weitere Informationen über Ihren Campingplatz zuzuschicken;
❑ uns einen Platz auf Ihrem Campingplatz zu reservieren und uns Ihr Bestätigungs-/Buchungsformular zuzuschicken;
❑ uns weitere Informationen über das Mieten eines Caravans / eines Bungalows / eines Zelts zuzuschicken *.

Le rogamos amablemente:
❑ enviarnos informaciones sobre su camping;
❑ reservar una parcela en su camping. Esperamos su confirmación / su formulario de reservación;
❑ enviarnos informaciones en cuanto al alquiler de una caravana / de un bungalow / de una tienda *.

Nous vous prions:
❑ de nous envoyer de plus amples informations au sujet de votre camping;
❑ de réserver un emplacement sur votre camping. Nous attendons votre confirmation / votre formulaire de réservation;
❑ de nous envoyer de plus amples informations par rapport à la location d'une caravane résidentielle / d'un mobilhome / d'un bungalow / d'une tente *.

* Bitte umranden Sie das was anwendbar ist

Anreise / Llegada / Arrivée : _____

Abreise / Salida / Départ : _____

Anzahl der Erwachsenen / Número de adultos / Nombre d'adultes : _____

Anzahl der Kinder / Número de niños / Nombre d'enfants : _____

Alter / Edades / Ages : _____

❑ Zelt / tienda / tente
❑ Wohnwagen / caravana / caravane
❑ Zeltwagen / tienda remolque / caravane pliante
❑ Reisemobile / autocaravana / campingcar
❑ Auto / coche / voiture
❑ mit Elektrizität / con conexión eléctrica / avec électricité
❑ mit Wasseranschluss / con toma de agua / avec branchement à l'eau courante
❑ mit Gasanschluss / con entrada de gas / avec branchement au gaz

ACSI
2015

Name : _____

Straße : _____

Postleitzahl : _____

Wohnort : _____

Land : _____

Telefon : _____

E-Mail : _____

Dieses Formular direkt zum Camping schicken

Achtung! Jeder Camping hat seine eigenen Reservierungskonditionen.
Auch kann bei einer Reservierung nach einer Anzahlung gefragt werden.

We kindly request:
- ❑ to send us some information about your campsite;
- ❑ to make a reservation at your campsite and to send us your confirmation or booking-form;
- ❑ to send us some information about renting a (static) caravan / bungalow / tent *.

La preghiamo gentilmente:
- ❑ di farci pervenire ulteriori informazioni riguardanti il suo campeggio;
- ❑ di riservare un posto nel suo campeggio e attendiamo la sua conferma / modulo di prenotazione;
- ❑ di farci pervenire informazioni riguardanti il noleggio di una casa mobile o roulotte / bungalow / tenda *.

* Bitte umranden Sie das was anwendbar ist

Arrival / Arrivo: _____

Departure / Partenza: _____

Number of adults / Numero degli adulti: _____

Number of children / Numero dei bambini: _____

Ages / Età: _____

- ❑ tent / tenda
- ❑ caravan / roulotte
- ❑ motorhome / camper
- ❑ trailer-tent / carello tendo
- ❑ car / auto
- ❑ with electricity / con attacco luce
- ❑ with water mains connection / con attacco acqua
- ❑ with gas connection / con attacco gas

ACSI

2015

Name : _____

Straße : _____

Postleitzahl : _____

Wohnort : _____

Land : _____

Telefon : _____

E-Mail : _____

Mit diesen Coupons können Sie Informationen anfragen oder beim Camping Ihrer Wahl reservieren. Ein Tipp: machen Sie vorher Kopien, damit Sie die Coupons noch weiter gebrauchen können.

Die Coupons stehen in 5 Sprachen zur Verfügung (ein Coupon in deutsch, spanisch und französisch; ein Coupon in englisch und italienisch).

Auf der DVD-ROM finden Sie auch bei jedem Camping diese Formulare.

Reservieren ist meist bis einschließlich März sinnvoll. Die meisten Campingplätze werden Ihnen ihr eigenes Reservierungsformular zusenden und um eine Anzahlung bitten. Die Art und Weise der Zahlung ist ein internationaler Postwechsel (teuer), die Kreditkarte (wenn der Camping dies in der Reservierungsbestätigung erwähnt) oder ein internationaler Überweisungsauftrag Ihrer Bank.

Außerhalb der Monate Juli und August und in der Wintersaison ist Reservierung bei den meisten Campingplätzen nicht nötig. Ausnahmen: Oster-, Pfingst- und Herbstferien.

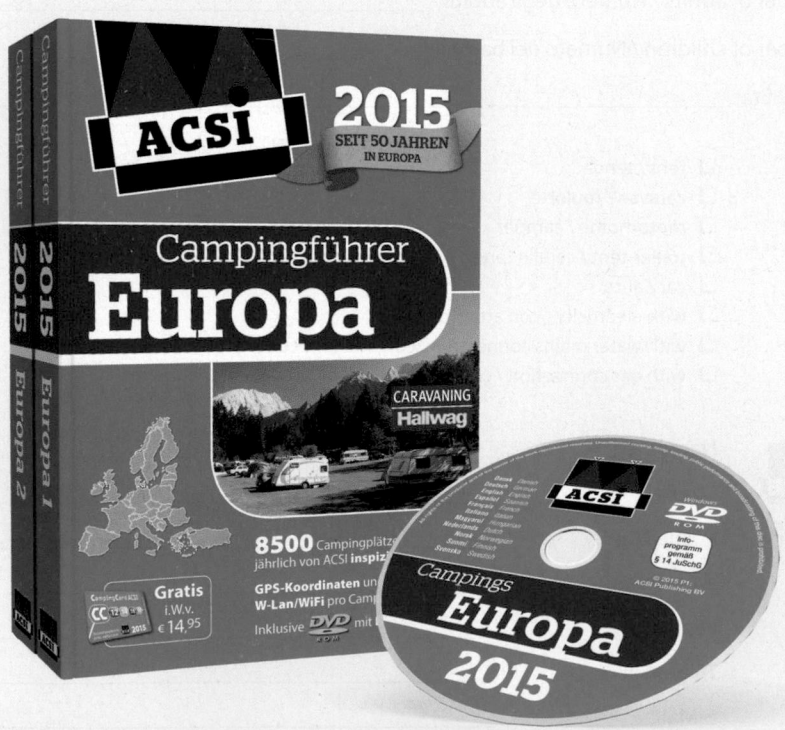